MSU LIBRARIES
W9-BTG-079

ENGELSK-DANSK ORDBOG

GYLDENDALS RØDE ORDBØGER

ENGELSK

Dansk-engelsk. *Af Hermann Vinterberg og Jens Axelsen*
Engelsk-dansk. *Af Hermann Vinterberg og Jens Axelsen*

FRANSK

Dansk-fransk. *Af N. Chr. Sørensen*
Fransk-dansk. *Af N. Chr. Sørensen*

ITALIENSK

Italiensk-dansk. *Af Knud Andersen og Giovanni Màfera*

LATIN

Latin-dansk. *Af Thure Hastrup*

SPANSK

Dansk-spansk. *Af Arne Koefoed og Einar Krog-Meyer*
Spansk-dansk. *Af Carl Bratli.* Forkortet og bearbejdet af *Erling Hoffmeyer og Knud Kinzi*

SVENSK

Svensk-dansk. *Af Valfrid Palmgren Munch-Petersen og Ellen Hartmann*

TYSK

Dansk-tysk. *Af Egon Bork*
Tysk-dansk. *Af Egon Bork og Ernst Kaper*

FREMMEDORD

Gyldendals Fremmedordbog. *Af Sven Brüel*

ETYMOLOGI

Dansk etymologisk ordbog. *Af Niels Åge Nielsen*

PSYKOLOGI-PÆDAGOGIK

Psykologisk-pædagogisk ordbog. *Af Mogens Hansen Poul Thomsen og Ole Varming*

ENGELSK-DANSK
ORDBOG

AF

HERMANN VINTERBERG OG JENS AXELSEN

OTTENDE ÆNDREDE UDGAVE
OTTENDE OPLAG

GYLDENDAL

Bogen er sat med Bembo antikva
og trykt hos Nordisk Bogproduktion A. S., Haslev.
Printed in Denmark 1972
ISBN 87 00 90812 6

FORORD

Endnu inden redaktionen af nærværende 8. udgave var afsluttet, døde lektor Hermann Vinterberg, som igennem mange år har forestået udgivelsen af de røde engelske ordbøger, og som har givet dem det præg og skaffet dem den udbredelse, de nu har. Et stykke tid før sin død trak lektor Vinterberg sig tilbage fra redaktionen, som jeg derefter har overtaget og vil videreføre efter de linier, han har afstukket.

Ordbogen foreligger nu i en på flere punkter ændret skikkelse, som skulle gøre den lettere at anvende. Typografien er ny, en del artikler er omredigeret og delt op efter ordklasser, og det alfabetiske princip er i højere grad gennemført i opstillingen af sammensatte ord. Bogens sidetal er forøget, den nye sats har ligeledes givet plads til mange tilføjelser, og nogle ældre og mindre brugte ord og ordbetydninger er udgået. Tilføjelserne omfatter først og fremmest ord og vendinger fra det almindelige sprog med særligt hensyn til de mange der er opstået i de senere år, men også faglige gloser fra forskellige områder. Desuden er der i adskillige artikler tilføjet flere oversættelsesmuligheder.

Jeg takker alle der på forskellig vis har hjulpet med ved det på slutningen ret forcerede arbejde, først og fremmest frk. Edith Frey, som har været en uvurderlig støtte fra manuskriptudarbejdelsen til de sidste korrekturer, og uden hvis enestående hjælp jeg ikke kunne have gennemført arbejdet på den foreliggende tid. En tak må også rettes til dr. W. Glyn Jones, University College, London, for besvarelse af mange forespørgsler. Endelig vil jeg gerne takke forlaget for stor tålmodighed og hjælpsomhed ved de problemer, der er opstået undervejs.

Juni 1964 JENS AXELSEN

I tredje oplag er der indføjet enkelte nye ord og oversættelser og foretaget nogle mindre rettelser. I fjerde oplag er der indsat en liste over rettelser og tilføjelser s. 494. I femte oplag er tillægget indføjet i teksten, hvor dette har kunnet lade sig gøre, og der er yderligere foretaget rettelser og tilføjelser. I sjette oplag er der foretaget enkelte rettelser og tilføjelser. Syvende og ottende oplag er uændrede optryk af sjette.

Januar 1972 JENS AXELSEN

UDTALEBETEGNELSEN

(Udtalebetegnelsen står i skarpe klammer [ ]).

[ˈ] betegner tryk (accent); det sættes foran den stærke (accentuerede) stavelses begyndelse, fx. *city* [ˈsiti] med tryk på første, *insist* [inˈsist] med tryk på anden stavelse. Står tegnet to steder, betyder det ligelig eller vaklende accentuering eller lige stærkt tryk på begge stavelser.

[·] betegner at den foregående lyd er lang; fx. *seat* [si·t], medens *sit* [sit] udtales med kort vokal.

[a·] som i *far* [fa·], *father* [ˈfa·ðə].

[ai] som i *eye* [ai].

[au] som i *how* [hau].

[ă] som i *hat* [hăt].

[b] som i *bed* [bed], *ebb* [eb].

[d] som i *do* [du·], *bed* [bed].

[dʒ] som i *judge* [dʒʌdʒ], *join* [dʒoin].

[ð] som i *then* [ðen].

[þ] som i *thin* [þin].

[e] som i *let* [let].

[eⁱ] som i *hate* [heⁱt].

[ė] vaklende udtale mellem [e] og [i] som i *basket* [ˈba·skėt = ˈba·sket, ˈba·skit].

[ə·] som i *hurt* [hə·t], *her* [hə·].

[ə] som i *inner* [ˈinə], *about* [əˈbaut], *hear* [hiə], *poor* [puə], *area* [ˈæəriə].

[f] som i *find* [faind].

[g] som i *go* [goᵘ].

[h] som i *hat* [hăt].

[i·] som i *feel* [fi·l].

[i] som i *fill* [fil].

[iə] som i *hear, here* [hiə].

[j] som i *you* [ju·].

[k] som i *can* [kăn].

[l] som i *low* [loᵘ], *ell* [el].

[m] som i *man* [măn].

[n] som i *no* [noᵘ].

[ŋ] som i *singer* [ˈsiŋə], *finger* [ˈfiŋgə].

[oᵘ] som i *no* [noᵘ].

[o] som i *phonetic* [foˈnetik].

[oi] som i *boy* [boi].

[p] som i *pea* [pi·].

[r] som i *red* [red], *area* [ˈæəriə].

[s] som i *so* [soᵘ]

[ʃ] som i *she* [ʃi·].

[tʃ] som i *chin* [tʃin].

[t] som i *toe* [toᵘ]

[u·] som i *fool* [fu·l].

[u] som i *full* [ful].

[v] som i *vivid* [ˈvivid].

[w] som i *we* [wi·].

[z] som i *nose* [noᵘz], *zeal* [zi·l].

[ʒ] som i *measure* [ˈmeʒə].

[æ] som i *hair* [hæə], *area* [ˈæəriə].

[å·] som i *caught* [kå·t], *court* [kå·t].

[å] som i *cot* [kåt].

[ʌ] som i *cut* [kʌt].

( ) omslutter tegn for lyd, som kan medtages eller udelades, fx. *empty* [ˈem(p)ti]. — (·) angiver vaklende længde, fx. *across* [əˈkrå(·)s] med langt eller kort [å].

[fr.] betegner, at ordet udtales som på fransk.

VEJLEDENDE BEMÆRKNINGER

~ betegner, at opslagsordet gentages: **account,** *on ~ of.*

- betegner, at et foregående opslagsord gentages uden bindestreg som en del af et sammensat ord eller foran en bøjnings- eller afledningsendelse: **abate, -ment.**

~- betegner, at et foregaende opslagsord gentages med bindestreg: **altar, ~ -cloth.**

| betegner, at kun den del af ordet, som står foran stregen, gentages i det følgende ved ~ eller - : **back|fire, -gammon; free|man, ~ port.**

Fastere sammenstillinger af adjektiv + substantiv og substantiv + substantiv, også de der ikke har bindestreg, er sat på alfabetisk plads; **high road** og **high school** skal således ikke søges under **high** men efter **high-ranking.**

~ replaces the word which is at the head of an entry (the head-word): **account,** *on ~ of.*

- replaces the head-word without a hyphen as part of a compound or before an ending: **abate, -ment.**

~- replaces the head-word with a hyphen: **altar, ~ -cloth.**

| indicates that only the part of the head-word which is before the stroke is replaced by ~ or - : **back|fire, -gammon; free|man, ~ port.**

Unhyphened compound words are placed alphabetically, thus **high road** and **high school** are to be found after **high-ranking,** and not under **high.**

FORKORTELSER OG TEGN

ABBREVIATIONS AND SYMBOLS

♧ ...... botanik, *botany*
⚔ ...... militært, *military*
⚓ ...... maritimt, *nautical*
ɔ: ...... det vil sige, *i.e.*
T ...... daglig tale, *colloquial*
S ...... slang, *slang*
® ...... indregistreret varemærke, *trademark*
adj. ...... adjektiv, tillægsord, *adjective*
adv. .... adverbium, biord, *adverb*
agr. ..... landbrug, *agriculture*
alm. .... almindelig(t), *general(ly)*
amr. .... amerikansk, *American*
anat. .... anatomi, *anatomy*
arkit. .... arkitektur, bygningskunst, *architecture*
arkæol. . arkæologi, *archaeology*
ass. ..... forsikringsvæsen, *insurance*
astr. ..... astronomi, *astronomy*
bibl. .... bibelsk, *biblical*
biol. .... biologisk, *biology*
bl. ..... blandt, *among*
bl.a. .... blandt andet, *inter alia*
bogb. ... bogbinderi, *bookbinding*
conj. ... konjunktion, bindeord, *conjunction*
dial. .... dialekt, *dialect*
d.s. ..... det samme, *the same*
d.s.s. .... det samme som, *the same as*
egl. ..... egentlig, *properly, literally*
el. ...... eller, *or*
e.l. ..... eller lignende, *or something similar*
elekt. ... elektricitet, *electricity*
eng. .... engelsk, *English*
Engl. .... *England*
etc. ..... og så videre, og lignende, *etcetera*
f. ...... *for*
fig. ..... figurligt, i overført betydning, *figurative(ly)*
fk.f. .... forkortelse for, *abbreviation of*
flyv. .... flyvning, *aviation*
fon. .... fonetik, *phonetics*
forb. ... forbindelse(r), *connection(s)*
forst. ... forstvæsen, *forestry*
fot. ..... fotografering, *photography*
fx. ...... for eksempel, *e.g., for example*
geol. ... geologi, *geology*
geogr. ... geografi, *geography.*
glds. .... gammeldags, *obsolescent, archaic*
gml. .... gammel, *old*
gram. ... grammatik, *grammar*
hist. ..... historisk, *historical*
i alm. ... i almindelighed, *generally*
imperf. .. imperfektum, datid, *preterite, past tense*
inf. ..... infinitiv, *infinitive*
is. ...... især, *especially*
i st. f. ... i stedet for, *instead of*
jernb. ... jernbaneudtryk, *railway*
jur. ..... jura, *law*
jvf. ..... jævnfør, *cf.*
kem. .... kemi, *chemistry*
lat. ..... latin, *Latin*
lign. .... lignende, *similar*
m. ...... med, *with*
mat. .... matematik, *mathematics*
med. .... lægevidenskab, *medicine*
merk. ... merkantilt, handel, *commerce*
meteorol. meteorologisk, *meteorological*
m.h.t. .. med hensyn til, *as regards*
min .... mineralogi, *mineralogy*
neds. .... nedsættende, *disparaging(ly)*
ngt. .... noget, *something*
ogs. .... også, *also*
o.l. ..... og lignende, *and the like*
omtr. ... omtrent, *approximately*
opr. ..... oprindelig, *originally*
osv. .... og så videre, *and so on*
ovf. .... ovenfor, *above*
part. .... participium, tillægsmåde, *participle*
perf. .... perfektum, førnutid, *perfect*
perf. part. perfektum participium, *past participle*
p.gr.af .. på grund af, *on account of*
pl. ..... flertal, *plural*
poet. .... digterisk, *poetical*
pron. ... pronomen, stedord, *pronoun*
præp. ... præposition, forholdsord, *preposition*
præs. .... præsens, nutid, *present*
psyk. .... psykologi, *psychology*
radio ... radioudtryk, *radio*
rel. ..... religiøst, *religion*
sby. ..... *somebody*
sing. .... ental, *singular*
sth. ..... *something*
subst. ... substantiv, navneord, *substantive, noun*
t. ...... til, *to*
tandl. ... tandlægevæsen, *dentistry*
tekn. .... teknik, *engineering*
tlf. ..... telefoni, *telephony*
typ. .... typografisk, *printing term*
v. ...... ved, *by, at*
vb. ..... verbum, udsagnsord, *verb*
vulg. ... vulgært, *vulgar*
zo. ...... zoologi, *zoology*
årh. ..... århundrede, *century*

A [e^{i}].

A. fk. f. *Academy; America; Associate;* (i biografannonce) fk. f. *adult* ɔ: beregnet for voksne.

A : *A 1* ['e^{i}'wʌn] af allerbedste slags, første klasses, udmærket; *A flat* as; *A major* a-dur; *A minor* a-moll; *A sharp* ais; *straight A* (amr.) rent ug.

a. fk. f. *ante.*

a [e^{i}; oftest ubetonet ə], *an* [ăn, oftest ubetonet ən], en, et; (undertiden) én, ét; om; pr. (fx. *£ 1 a ton); two at a time* to på en gang; to ad gangen; *at a blow* med ét slag; *a shilling a day* en shilling om dagen.

a [ə] på, i, til (oftest sammenskrevet med det følgende ord): *aflame* i flammer.

A. A. fk. f. *Automobile Association; Anti-Aircraft.*

A. A. A. fk. f. *Agricultural Adjustment Administration; American Automobile Association.*

A. A. F. fk. f. *Auxiliary Air Force.*

A. and M. fk. f. *(Hymns) Ancient and Modern* (en salmebog).

aardvark ['a·dva·k] (zo.) jordsvin.

aardwolf ['a·dwulf] (zo.) dværghyæne.

Aaron ['æərən]. **Aaron's rod** ♧ kongelys.

A. A. S. fk. f. *(Fellow of the) American Academy of Arts and Sciences.*

A. B. fk. f. *able-bodied (seaman);* (amr. form for) *B. A. (Bachelor of Arts).*

aback [ə'băk]: *taken* ~ forbløffet.

abacus ['ăbəkəs] (pl. *abaci* ['ăbəsai]) abakus (del af søjlekapitæl); regnebræt, kugleramme.

abaft [ə'ba·ft] agter (ude); agten for; ~ *the beam* agten for tværs.

I. **abandon** [ə'băndən] (vb.) opgive (fx. *a plan, hope),* forlade (fx. *one's house, one's wife);* svigte (fx. *one's ideals);* ⚓ abandonnere; ~ *oneself to* hengive sig til (fx. *vice, despair).*

II. **abandon** [ə'băndən] (subst.) løssluppenhed, tvangfrihed; *with* ~ løssluppent.

abandon|ed (perf. part af *abandon)* forladt; (adj.) ryggesløs, lastefuld, forvorpen. **-ment** opgivelse; forladthed; løssluppenhed; impulsivitet; ⚓ abandon.

abase [ə'be^{i}s] (vb.) ydmyge; fornedre.

abasement (subst.) ydmygelse; fornedrelse.

abash [ə'băʃ] (vb.) gøre skamfuld; *-ed* flov, forlegen.

abate [ə'be^{i}t] nedslå, formindske, nedsætte, slå af (om pris); aftage; (jur.) ophæve. **-ment** [-mənt] formindskelse, nedsættelse, afslag; ophævelse; *smoke* ~ bekæmpelse af røgplagen.

abatis [ə'băti] ⚔ forhugning.

abattoir ['ăbətwa·] slagteri; slagtehus.

abbacy ['ăbəsi] abbedværdighed.

abbess ['ăbis] abbedisse.

abbey ['ăbi] abbedi.

abbot ['ăbət] abbed.

abbr. fk. f. *abbreviated, abbreviation.*

abbreviate [ə'bri·vie^{i}t] forkorte. **abbreviation** [əbri·vi'e^{i}ʃən] forkortelse.

ABC ['e^{i}'bi·'si·] abc.

A. B. C. fk. f. *Aerated Bread Company* (se *aerated*); køreplan (for jernbanerne).

A. B. C. A. fk. f. *Army Bureau of Current Affairs* (et oplysningskontor).

A. B. C. Warfare fk. f. *Atomic-Biological-Chemical Warfare.*

abdicate ['ăbdike^{i}t] abdicere, frasige sig tronen.

abdication [ăbdi'ke^{i}ʃən] abdikation, tronfrasigelse.

abdomen [ăb'do^{u}men] underliv, bughule; (hos insekter) bagkrop.

abdominal [ăb'dåminəl] underlivs- (fx. *operation);* bug- (fx. *muscle).* ~ **cavity** bughule.

abdominous (adj). korpulent, tykmavet.

abduct [ăb'dʌkt] bortføre.

abduction [ăb'dʌkʃən] bortførelse.

abductor [ăb'dʌktə] bortfører; (anat.) abduktor.

abeam [ə'bi·m] tværs, tværskibs.

abecedarian [e^{i}bi·si·'dæəriən] (subst.) begynder; (adj.) elementær.

abele [ə'bi·l] ♧ hvidpoppel, sølvpoppel.

Aberdeen [ăbə'di·n]: ~ *(terrier)* ruhåret skotsk terrier.

aberdevine [ăbədə'vain] grønsisken.

Aberdonian [ăbə'do^{u}njən] indbygger i Aberdeen.

aberrance [ăb'erəns], **aberrancy** [ăb'erənsi] afvigelse; vildfarelse. **aberrant** [ăb'erənt] afvigende, abnorm; vildfarende. **aberration** [ăbə're^{i}ʃən] afvigelse, vildfarelse; (lysstrålers afvigelse fra banen:) aberration.

abet [ə'bet] tilskynde, hjælpe.

abetment [ə'betmənt] tilskyndelse.

abetter, abettor [ə'betə] tilskynder, hjælper.

abeyance [ə'be^{i}əns]: *in* ~ i bero, stående hen; *leave it in* ~ lade det stå hen.

abhor [əb'hå·] (vb.) afsky.

abhor|rence [əb'hårəns] (subst.) afsky. **-rent** [əb'hårənt] fuld af afsky; afskyelig; *-rent to* (ogs.) uforenelig med.

abide [ə'baid] *(abode, abode)* forblive; afvente; ~ *the course of events* afvente sagernes gang; *I can't* ~ *that* det kan jeg ikke fordrage; ~ *by* holde fast ved (fx. *a promise);* rette sig efter (fx. *a decision).*

abiding blivende, varig.

abigail ['ăbige^{i}l] kammerpige.

ability [ə'biliti] evne, duelighed; *to the best of my* ~ så godt jeg kan, efter evne.

abject ['ăbdʒekt] lav, foragtelig, krybende, ussel.

abjuration [ăbdʒu're^{i}ʃən) afsværgelse.

abjure [əb'dʒuə] afsværge; opgive.

ablactation [ăblăk'te^{i}ʃən] afvænning (fra brysternæring).

ablation [əb'le^{i}ʃən] bortfjernelse; ablation.

ablative ['ăblətiv]: ~ *case* ablativ; ~ *absolute* absolut ablativ.

ablaut ['ăblaut] aflyd.

ablaze [ə'ble^{i}z] i lys lue, flammende, strålende *(with* af).

able [ˈeibl] (adj.) duelig, dygtig; helbefaren; *be ~ to* kunne; *~ seaman 1st class* mat; *~ seaman 2nd class* konstabel.

able-bodied [ˈeiblˈbådid] rask, rørig; ⚓ helbefaren.

ablet [ˈäblėt] (zo.) løjert, løje.

abloom [əˈblu·m] i blomst.

ablush [əˈblʌʃ] rødmende.

ablution [əbˈlu·ʃən] (rituel) afvaskning; *-s* vaskerum.

ably [ˈeibli] (adv.) dygtigt.

abnegation [äbniˈgeiʃən] fornægtelse, selvfornægtelse.

abnormal [äbˈnå·ml] abnorm. **abnormality** [äbnå·ˈmäliti] abnormitet. **abnormity** [äbˈnå·miti] abnormitet, uhyrlighed.

aboard [əˈbå·d] om bord; om bord på; (amr. ogs.) op i toget.

I. **abode** [əˈbouˑd] bolig, bopæl (fx. *of no fixed ~); take up one's ~* opslå sit paulun, bo.

II. **abode** [əˈbouˑd] imperf. og perf. part. af *abide*.

abolish [əˈbåliʃ] afskaffe, ophæve (fx. *restrictions)*.

abolishment [əˈbåliʃmənt], **abolition** [äboˈliʃən] afskaffelse, ophævelse.

abolitionist [äboˈliʃənist] abolitionist (modstander af negerslaveriet).

abomasum [äbouˈmeism] kallun.

A-bomb A-bombe, atombombe.

abominable [əˈbåminəbl] afskyelig.

abominate [əˈbåmineit] (vb.) afsky.

abomination [əbåmiˈneiʃən] afsky, afskyelighed, pestilens; *hold sth. in ~* nære afsky for noget.

aboriginal [äbəˈridʒinəl] (adj.) oprindelig; (subst.) *-s = aborigines.* **aborigines** [äbəˈridʒini·z] oprindelige indbyggere, urfolk, indfødte.

abort [əˈbå·t] (vb.) abortere; slå fejl.

abortifacient [əbå·tiˈfeiʃənt] fosterfordrivende; fosterfordrivelsesmiddel.

abortion [əˈbå·ʃən] abort; misfoster; *criminal ~* ulovlig svangerskabsafbrydelse; *induced ~* svangerskabsafbrydelse.

abortionist [əˈbå·ʃənist] en som foretager svangerskabsafbrydelser.

abortive [əˈbå·tiv] mislykket.

abound [əˈbaund] findes i stor mængde; have overflod *(in* el. *with* af, på).

I. **about** [əˈbaut] (præp.) omkring, om; omkring i, omkring på; ved, hos, på; om, angående, i anledning af; *a man ~ town* en levemand: *I have no money ~ me* jeg har ingen penge hos (el. på) mig; *think ~* tænke på; *what ~ that?* hvad siger du til det? *what is it all ~?* hvad drejer det sig om? *what ~ it?* hvad skal man gøre ved det? hvad bliver det til? nå, og hvad så?

II. **about** (adv.) om, rundt; rundt om, her og der; omtrent; *face ~* gøre omkring; *~ turn!* omkring! *bring ~* forårsage, udvirke, bringe i stand; *going ~* i omløb; *set ~ sth.* gå i gang med noget; *be (up and) ~* være oppe, være på benene; *be ~ to do sth.* lige skulle til at gøre noget (fx. *just as he was ~ to leave); not until there is more petrol ~* ikke før der er mere benzin at få.

above [əˈbʌv] oven over, oven for; oven på; (hævet) over; mere end; ovenanført, ovennævnt; *~ all* fremfor alt; *he was ~ suspicion* han var hævet over al mistanke.

above-board [əˈbʌvˈbå·d] uden kneb, ærlig.

above-mentioned [əˈbʌvˈmenʃənd] ovennævnte.

abrade [əbˈreid] afskrabe.

Abraham [ˈeibrəhäm].

abranchiate [əˈbräŋkiət] gælleløs.

abrasion [əbˈreiʒən] hudafskrabning.

abrasive [əbˈreisiv] slibemiddel.

abreact [äbriˈäkt] (vb.) afreagere. **abreaction** [äbriˈäkʃən] afreaktion.

abreast [əˈbrest] ved siden af hinanden; *~ of* på højde med, à jour med; *keep ~ of the times* holde sig à jour, følge med tiden.

abridge [əˈbridʒ] forkorte, sammendrage. **abridgment** [-mənt] forkortelse; udtog.

abroad [əˈbrå·d] ude; udenlands; ud, i omløb; *go ~* rejse udenlands; *publish* (el. *spread) ~* udsprede, sætte i omløb; *at home and ~* ude og hjemme; *from ~* fra udlandet.

abrogate [ˈäbrogeit] ophæve, afskaffe. **abrogation** [äbroˈgeiʃən] ophævelse, afskaffelse.

abrupt [əˈbrʌpt] brat, stejl; pludselig, brysk, kort for hovedet; usammenhængende. **-ness** [-nės] brathed, brysk væsen; mangel på sammenhæng.

abscess [ˈäbsis] byld, absces.

abscissa [äbˈsisə] abscisse.

abscond [əbˈskånd] rømme, stikke af.

absence [ˈäbsns] fraværelse; udeblivelse; mangel; *~ of mind* åndsfraværelse.

I. **absent** [ˈäbsnt] fraværende, borte; åndsfraværende, distræt, adspredt.

II. **absent** [äbˈsent]: *~ oneself* holde sig borte, fjerne sig *(from* fra).

absentee [äbsnˈti·] fraværende, opholdende sig uden for sit distrikt, (godsejer) som ikke bor på sit gods. **absenteeism** [äbsnˈti·izm] forsømmelser; det forhold, at godsejeren altid er borte.

absent-minded [ˈäbsntˈmaindid] åndsfraværende.

absinth [ˈäbsinþ] absint.

absolute [ˈäbsəl(j)u·t] absolut, uindskrænket; enevældig; ren, ublandet; ubetinget; *the four -s of the Group Movement* Oxfordbevægelsens fire absolutter. **-ly** absolut, aldeles, ubetinget. **absolution** [äbsəˈl(j)u·ʃən] frikendelse, syndsforladelse; absolution. **absolutism** [ˈäbsəlu·tizm] enevælde. **absolutist** [ˈäbsəlu·tist] tilhænger af enevælden.

absolve [əbˈzålv] frikende, give absolution, løse *(from* fra).

absorb [əbˈså·b] opsuge, suge til sig, absorbere, optage; *-ed in* ganske optaget af; *-ed in thought* i dybe tanker; *-ed in a book* fordybet i en bog; *of -ing interest* af altopslugende interesse.

absorbent [əbˈså·bənt] absorberende, opsugende; *~ cotton* sygevat.

absorption [əbˈså·pʃən] opsugning, absorption; optagethed *(in* af); *~ capacity* absorptionsevne.

abstain [əbˈstein] afholde sig *(from* fra), afholde sig fra at stemme.

abstainer [əbˈsteinə] afholdsmand.

abstemious [äbˈsti·miəs] (adj.) mådeholden.

abstention [äbˈstenʃən] afholdenhed; undladelse (af at stemme).

abstinence [ˈäbstinəns] afholdenhed; *total ~* totalafhold. **abstinent** [ˈäbstinənt] afholdende.

I. **abstract** [ˈäbsträkt] (subst.) abstrakt begreb; resumé; (adj.) abstrakt (fx. *~ art); in the ~* teoretisk set; *an ~ of the accounts* et kontoudtog; *~ of title* ekstrakt af adkomstdokumenter vedrørende fast ejendom.

II. **abstract** [äbˈsträkt] (vb.) fjerne; stjæle, tilvende sig; abstrahere, sammendrage, resumere. **-ed** [-id] (ogs.) adspredt. **-edness** åndsfraværelse.

abstraction [äbˈsträkʃən] bortfjernelse; abstraktion; åndsfraværelse.

abstruse [äbˈstru·s] dunkel, uforståelig.

absurd [əbˈsə·d] urimelig, meningsløs, absurd; naragtig.

absurdity [əbˈsə·diti] urimelighed, meningsløshed, absurditet; naragtighed; *the ~ of the suspicion* det urimelige i mistanken.

abt. fk. f. *about*.

abundance [əˈbʌndəns] overflod; *out of the ~ of the heart the mouth speaketh* hvad hjertet er fuldt af, løber munden over med.

abundant [əˈbʌndənt] rigelig.

I. **abuse** [əˈbju·z] (vb.) misbruge; mishandle; skælde ud, rakke ned.

II. **abuse** [əˈbju·s] (subst.) misbrug; skældsord.

abusive [əˈbju·siv] grov; *~ expressions* grovheder.

abut [əˈbʌt]: *~ on* støde op til. **-ment** støtte; underlag; endepille (til bro); *-ment wall* støttemur.

abysmal [ə'bizməl] bundløs, afgrundsdyb.
abyss [ə'bis] afgrund. **abyssal** dybvands-.
A. C. fk. f. *Aero Club; Air Council; Alpine Club; alternating current* vekselstrøm; *Appeal Court; Army Corps; Army Council; Athletic Club; Atlantic Charter.*
a/c fk. f. *account.*
A. C. A. fk. f. *Associate of the Institute of Chartered Accountants.*
acacia [ə'keiʃə] ♧ akacie.
academic [ăkə'demik] akademisk, teoretisk. **academical** [ăkə'demikl] akademisk (fx. ~ *cap and gown).* **academicals** universitetsdragt. **academician** [əkădə'miʃən] medlem af et akademi, især af *the Royal Academy.*
academy [ə'kădəmi] akademi, højere skole af særlig art, fx. *Royal Military A.;* selskab for videnskab el. kunst, især *the Royal A.*
acanthus [ə'kănþəs] ♧ akantus, bjørneklo.
A/CC. fk. f. *Aircraft Carrier* hangarskib.
accede [ăk'si·d]: ~ *to* gå ind på (fx. *sby.'s proposal);* tilslutte sig (fx. *a party);* overtage (fx. *an estate);* tiltræde (fx. *an office);* ~ *to the throne* bestige tronen.
accelerate [ăk'selərei t] fremskynde, accelerere, forøge hastigheden af; blive hurtigere.
acceleration [ăkselə'reiʃən] acceleration, hastighedsforøgelse.
accelerator [ăk'selərei tə] (i bil) speeder; (fysik) accelerator.
accelerometer [ăkselə'råmitə] accelerometer.
I. **accent** ['ăksnt] accent; betoning (fx. *the* ~ *is on the first syllable);* udtale; fremmedartet udtale; tonefald; *without any* ~ uden accent, som en indfødt.
II. **accent** [ăk'sent] (vb.) accentuere, betone.
accentor [ăk'sentə] (zo.): *alpine* ~ alpebrunelle.
accentuate [ăk'sentjuei t] betone, fremhæve.
accentuation [ăksentju'eiʃən] betoning.
accept [ək'sept] (vb.) modtage; antage; sige ja (til) (fx. *an invitation);* godkende, godtage; acceptere (fx. *a bill* en veksel); *-ed* almindelig anerkendt (fx. *the -ed custom).*
accep|tability [əkseptə'biliti] antagelighed. **-able** [ək'septəbl] antagelig, kærkommen, velkommen.
acceptance [ək'septəns] modtagelse; antagelse, (veksel)accept; accepteret veksel; *meet one's* ~ indfri sin accept; ~ *credit* acceptkredit. **acceptation** [ăksəp'teiʃən] (anerkendt) betydning (af et ord).
acceptor [ăk'septə] acceptant.
access ['ăkses] adgang; vej (til); tilgængelighed; anfald, raptus; *easy of* ~ let tilgængelig, let at få i tale.
accessary [ăk'sesəri] se *accessory.*
accessibility [ăksesi'biliti] tilgængelighed.
accessible [ăk'sesəbl] tilgængelig; ~ *to* modtagelig for (fx. *reason).*
accession [ăk'seʃən] tiltrædelse, tronbestigelse; forøgelse, tilvækst. ~ **catalogue** (el. **register**) accessionskatalog.
accessory [ăk'sesəri] underordnet, bi-; delagtig, medskyldig *(to* i); meddelagtig; pl. *accessories* tilbehør, rekvisitter, staffage.
accidence ['ăksidəns] formlære.
accident ['ăksidənt] tilfælde, tilfældighed; uheld; ulykkestilfælde; ~ *insurance* ulykkesforsikring; *railway* ~ jernbaneulykke; *by* ~ tilfældigvis; *fatal* ~ ulykkestilfælde med dødelig udgang; *meet with an* ~ komme ud for et ulykkestilfælde. **accidental** [ăksi'dentl] tilfældig; uvæsentlig. **accidentally** [ăksi'dentəli] tilfældigvis. **accidentals** (musik:) løse fortegn.
accident-prone (adj.): ~ *person* ulykkesfugl.
acclaim [ə'kleim] hilse med bifaldsråb, hylde (som) (fx. *he was -ed king).* **acclamation** [ăklə'meiʃən] bifald(sråb), akklamation; *carried by* ~ vedtaget med akklamation. **acclamatory** [ə'klămətəri] bifalds-.
acclimatization [əklaimətai'zeiʃən] akklimatisering. **acclimatize** [ə'klaimətaiz] akklimatisere.
acclivity [ə'kliviti] skråning (opad), stigning.
accolade [ăkə'leid] ridderslag, akkolade.
accommodate [ə'kåmədei t] (vb.) tilpasse, tillempe *(to* efter), (om øjnene) akkommodere; forsyne; huse, skaffe husrum; tjene; bilægge, forlige; blive enig. **accommodating** føjelig, facil, eftergivende, medgørlig, imødekommende.
accommodation [əkåmə'deiʃən] tilpasning, tillempning; (forsyning med) bekvemmelighed(er); husly, plads (fx. *we have not* ~ *for so many people),* ⚓ aptering; bilæggelse, forlig; lån; forekommenhed. ~ **bill** tjenesteveksel. ~ **ladder** falderebstrappe. ~ **train** (amr.) bumletog, slæber.
accompaniment [ə'kʌmpənimənt] ledsagende omstændighed, tilbehør; akkompagnement. **accompany** [ə'kʌmpəni] ledsage; følge med; akkompagnere. **accompan(y)ist** [ə'kʌmpəni(i)st] akkompagnatør.
accomplice [ə'kåmplis] medskyldig *(in, of* i).
accomplish [ə'kåmpliʃ] fuldende, fuldføre, udrette, udføre; (op)nå; tilbagelægge. **-ed** [ə'kåmpliʃt] (adj.) dannet, kultiveret, fuldendt. **-ment** [-mənt] fuldbyrdelse, fuldendelse, fuldendthed; bedrift; selskabeligt talent, færdighed.
I. **accord** [ə'kå·d] (subst.) overensstemmelse, enighed, harmoni; forlig; *of one's own* ~ på egen hånd, af egen drift; *with one* ~ enstemmig; *in* ~ *with* i overensstemmelse med.
II. **accord** [ə'kå·d] (vb.) stemme (overens); tilstå, lade få.
accordance [ə'kå·dəns] overensstemmelse.
according [ə'kå·diŋ]: ~ *as* alt efter som (fx. *the temperature varies* ~ *as you go up or down);* ~ *to* (alt) efter (fx. *the temperature varies* ~ *to the altitude),* ifølge (fx. ~ *to this author); the Gospel* ~ *to Saint John* Johannes Evangelium; ~ *to plan* planmæssig.
accordingly [ə'kå·diŋli] i overensstemmelse dermed, derefter; derfor, følgelig, altså.
accordion [ə'kå·diən] (træk)harmonika.
accost [ə'kåst] antaste, tiltale, tale til (fx. *I was accosted by a stranger).*
accoucheur [ăku·'ʃə·] fødselslæge. **accoucheuse** [ăku·'ʃə·z] jordemoder.
I. **account** [ə'kaunt] (subst.) regning; konto, regnskab; beretning; grund; hensyn; forklaring; *call to* ~ kræve til regnskab; ~ *current, current* ~ kontokurant; *render an* ~ aflægge regnskab; *as per* ~ ifølge regning; *pay on* ~ betale a conto, betale i afdrag; *turn to* ~ drage fordel af, gøre brug af; *of no* ~ uden betydning, ligegyldig; *on that* ~ derfor, af den grund; *on our* ~ for vor skyld; *on* ~ *of* på grund af; *on no* ~, *not on any* ~ under ingen omstændigheder (fx. *don't leave the baby on any* ~); *on one's own* ~ for egen regning; *on joint* ~ for fælles regning, a meta; *give a good* ~ *of oneself* komme godt fra det, klare sig godt; *take into* ~, *take* ~ *of* tage i betragtning; tage hensyn til, regne med; *turn sth. to good* ~ gøre god brug af noget.
II. **account** [ə'kaunt] (vb.) regne for, betragte som; ~ *for* gøre rede for; forklare (fx. *he must* ~ *for his conduct);* gøre det af med, rydde af vejen.
accountability [əkauntə'biliti] (subst.) ansvarlighed. **accountable** [ə'kauntəbl] (adj.) ansvarlig.
accountancy [ə'kauntənsi] revisorvirksomhed, revision, bogholderi, regnskabsførelse. **accountant** [ə'kauntənt] revisor, regnskabsfører, bogholder; *chartered* ~, (amr.:) *certified public* ~ statsautoriseret revisor; *chief* ~ hovedbogholder.
account-book regnskabsbog.
account-sales salgsregning.
accoutre [ə'ku·tə] udruste. **accoutrements** [-mənts] udrustning, udstyr.
accredit [ə'kredit] akkreditere; ~ *sth. to him,* ~ *him with sth.* tiltro ham noget.
accredited (adj.) anerkendt, anset.
accretion [ă'kri·ʃən] tilvækst, forøgelse.
accrue [ə'kru·] (til)flyde, tilfalde; *accruing interest* påløbende renter; *advantages accruing from this* deraf flydende fordele; ~ *to* tilfalde.
accumulate [ə'kju·mjulei t] sammendynge, akku-

mulere, ophobe (sig), samle. **accumulation** [əkju·mju'leiʃən] indsamling, akkumulation. **accumulative** [ə'kju·mjulətiv] kumulativ; hamstrende, som samler til bunke. **accumulator** [ə'kju·mjuleitə] akkumulator; ~ *plate* akkumulatorplade.

accuracy ['äkjurəsi] nøjagtighed, akkuratesse, træfsikkerhed; *an* ~ *rate of* en nøjagtighedsprocent på.

accurate ['äkjurėt] nøjagtig; ~ *measuring* finmåling.

accursed [ə'kə·sid] forbandet, nederdrægtig.

accusation [äkju'zeiʃən] beskyldning, anklage.

accusative [ə'kju·zətiv] akkusativ.

accuse [ə'kju·z] anklage, beskylde (*of* for); *the accused* anklagede.

accuser [ə'kju·zə] anklager.

accustom [ə'kʌstəm] vænne; *-ed* vant; tilvant, sædvanlig; *he is -ed to* han er vant til, han plejer (fx. *he is -ed to walking home); get -ed to doing sth.* vænne sig til at gøre noget.

ace [eis] (subst.) es (i kortspil); ener (i terningspil); fremragende jagerflyver; (adj.) fremragende (fx. ~ *reporter);* ~ *of diamonds* ruder es; *within an* ~ *of death* i yderste livsfare; *within an* ~ *of doing sth.* lige på nippet til at gøre noget.

acerbity [ə'sə·biti] bitterhed, skarphed.

acescent [ə'sesənt] syrlig, blåsur.

ace-showing bid (i bridge) esmelding.

acetate ['äsitit] acetat.

acetic [ə'si·tik] eddike-; ~ *acid* eddikesyre.

acetifier [ə'setifaiə] eddikedanner.

acetone ['äsitoun] acetone.

acetous ['äsitəs] sur.

acetylene [ə'setili·n] acetylen.

acetylsalicylic acid ['äsitilsäli'silik 'äsid] acetylsalicylsyre.

A. C. G. I. fk. f. *Automobile Club of Great Britain and Ireland.*

ache [eik]; (subst.) smerte; (vb.) smerte, gøre ondt; *my head -s* jeg har ondt i hovedet; *be aching to* brænde efter at.

achieve [ə'tʃi·v] udføre, fuldende; (op)nå. **-ment** [-mənt] udførelse; præstation, bedrift, storværk, dåd.

Achilles [ə'kili·z]. **Achilles' heel** akilleshæl. **Achilles' tendon** akillessene.

achromatic [äkro'mätik] akromatisk, farveløs.

acid ['äsid] (adj.) sur, syrlig (fx. ~ *drops; an* ~ *face);* (subst.) syre. **acidity** [ə'siditi] surhed; ~ *of the stomach* for meget mavesyre. **acid|-proof** (adj.) syrefast. ~ **test** (fig.) afgørende prøve. **acidulated** [ə'sidjuleitid], **acidulous** [ə'sidjuləs] (adj.) syrlig.

ack-ack gun ['äk 'äk 'gʌn] luftværnskanon.

ack emma ['äk 'emə] = *a. m.*, om formiddagen.

acknowledge [ək'nålidʒ] indrømme; anerkende.

acknowledgment [-mənt] indrømmelse; anerkendelse; erkendtlighed.

A. C. M. fk. f. *Air Chief Marshal.*

acme ['äkmi] kulmination, højdepunkt; toppunkt (fx. *the* ~ *of perfection).*

acne ['äkni] (med.) acne, filipens.

acolyte ['äkolait] akolyt, messetjener.

aconite ['äkonait] ♧ stormhat; *winter* ~ erantis.

acorn ['eikå·n] agern.

acoustic [ə'ku·stik] (adj.) akustisk; ~ *nerve* hørenerve.

acoustics [ə'ku·stiks] (subst.) akustik.

acquaint [ə'kweint] gøre bekendt, meddele; *be -ed with* kende, være inde i; *make oneself -ed with* sætte sig ind i, gøre sig bekendt med.

acquaintance [ə'kweintəns] (subst.) bekendtskab, kendskab; kundskab; bekendt (fx. an a. of mine); *improve on* ~ vinde ved nærmere bekendtskab.

acquiesce [äkwi'es] slå sig til tåls (*in* med), indvillige, finde sig (*in* i), akkviescere (*in* ved). **acquiescence** [-'esns] indvilligelse, samtykke. **acquiescent** [-'esnt] føjelig.

acquire [ə'kwaiə] erhverve (sig), opnå, få, tilegne sig; *-d characters* erhvervede egenskaber; ~ *knowledge* erhverve sig kundskaber. **-ment** [-mənt] erhvervelse; erhvervet dygtighed, færdighed, kundskab.

acquisition [äkwi'ziʃən] erhvervelse; vinding, akkvisition **acquisitive** [ä'kwizitiv] ivrig efter at erhverve, gjergsom, begærlig.

acquit [ə'kwit] frikende; frigøre; *be -ted* klare frisag; ~ *oneself well (,ill)* skille sig godt (,dårligt) fra det (,noget). **-tal** [ə'kwitl] frikendelse. **-tance** [ə'kwitəns] betaling (af gæld), kvittering.

acre ['eikə] (flademål =) ca. 0,4 hektar; *God's* ~ kirkegården. **acreage** ['eikəridʒ]: *the* ~ *of a farm* en gårds jordtilliggende.

acrid ['äkrid] skarp, bitter; forbitret (fx. *quarrel, strife).* **acridity** [ə'kriditi] skarphed, bitterhed. **acrimonious** [äkri'mouniəs] skarp, bitter. **acrimony** ['äkriməni] (fig.) skarphed; bitterhed.

acrobat ['äkrobät] akrobat. **-ic** [äkro'bätik] akrobatisk. **-ics** akrobatik.

acronym ['äkrənim] initialord (fx. *NATO* = *North Atlantic Treaty Organization).*

Acropolis [ə'kråpəlis] Akropolis.

across [ə'krå(·)s] på tværs; tværs over, over, tværs igennem; bred (fx. *the river is a mile* ~); på den anden side (af), ovre; over kors; (i krydsordsopgave) vandret; *get* ~ *(the footlights)* komme over rampen, komme i kontakt med publikum; *come* ~ *sby.* træffe en; *put sth.* ~ få noget vedtaget (el. gennemført).

acrostic [ə'kråstik] akrostikon.

I. **act** [äkt] (vb.) (se ogs. *acting)* virke, fungere; handle, optræde; indvirke (*on* på); spille, optræde (som skuespiller), forstille sig, fremstille (på scenen), opføre; ~ *a part* spille en rolle; *he is merely -ing (a part)* han spiller bare komedie; ~ *as interpreter* fungere som tolk; *-ing copy* eksemplar til brug for skuespillerne; ~ *on your advice* handle efter dit råd; ~ *on the principle that..* handle ud fra det princip at..; ~ *up to* handle i overensstemmelse med (fx. *one's ideals),* efterleve, svare til.

II. **act** [äkt] (subst.) handling, gerning; forordning, lov; akt (i skuespil); aktstykke, dokument; nummer (fx. i cirkusprogram); *caught in the very* ~ grebet på fersk gerning; *in the* ~ *of* i færd med at (fx. *in the* ~ *of stealing); Act of God* force majeure; *the Acts of the Apostles* Apostlenes gerninger; *Act of Parliament* (,i Amerika: *Act of Congress)* lov; *put on an* ~ spille komedie; ~ *of war* krigshandling.

actable (adj.) som kan opføres (eller spilles).

ACTH fk. f. *Adrenocorticotropic Hormone.*

acting (subst.) skuespilkunst; (adj.) fungerende, konstitueret (fx. ~ *manager,* ~ *headmaster).*

actinia [äk'tinjə] (zo.) søanemone.

actinic [äk'tinik] aktinisk. **actinism** aktinisme.

action ['äkʃən] handling, virksomhed, funktion; proces, sagsanlæg; indvirkning; bevægelse, måde at bevæge sig på; træfning, slag; *bring an* ~ *against* anlægge sag mod; *take* ~ tage affære, skride til handling; *radius of* ~ aktionsradius. **actionable** [-əbl] som kan gøres til genstand for sagsanlæg.

action | painter tachist. ~ **painting** tachisme.

activate ['äktiveit] aktivere, aktivisere, gøre virksom; gøre radioaktiv.

activation [äkti'veiʃən] aktivering.

active ['äktiv] virksom; rask, aktiv, energisk, livlig, adræt; *on the* ~ *list* i aktiv tjeneste; ~ *service* fronttjeneste, tjeneste i felten; ~ *tuberculosis* åben tuberkulose; *the* ~ *voice* (gram.) aktiv.

active-minded (adj.) åndslivlig.

activism ['äktivizm] aktivisme. **activist** ['äktivist] aktivist.

activity [äk'tiviti] virksomhed; raskhed; aktivitet, livlighed; *activities* (ogs.) sysler.

actor ['äktə] skuespiller.

actress ['äktris] skuespillerinde.

actual ['äktjuəl] (adj.) virkelig, egentlig, ligefrem; nuværende, aktuel.

actuality [äktju'äliti] virkelighed; ~ *feature programme* hørebillede.

actual|ize ['äktjuəlaiz] aktualisere, virkeliggøre. **-ly** virkelig, i virkeligheden, faktisk; nu, for øjeblikket.
actuary ['äktjuəri] beregner, aktuar.
actuate ['äktjueⁱt] drive, sætte i gang, påvirke, tilskynde; *(om miner)* udløse, få til at eksplodere.
acuity [ə'kjuiti] skarphed.
aculeate [ə'kju·liit] (zo.) med brod (fx. ~ *insects).*
acumen [ə'kju·men] skarpsindighed.
I. **acuminate** [ə'kju·minėt] (adj.) spids, tilspidset.
II. **acuminate** [ə'kju·mineⁱt] (vb.) tilspidse, spidse.
acute [ə'kju·t] spids; fin, skarp; fin, skarpsindig; heftig, voldsom, akut; ~ *accent* aigu; ~ *angle* spids vinkel.
ad. [äd] fk. f. *advertisement.*
A. D. fk. f. *Anno Domini* ['änoᵘ 'dåminai] (i det Herrens) år; *Air Defence* luftværn.
adage ['ädidʒ] ordsprog, talemåde.
adagio [ə'da·dʒioᵘ] (adv.) adagio, langsomt; (subst.) adagio.
Adam ['ädəm] Adam; *I don't know him from* ~ jeg kender ham slet ikke; *-'s ale* (el. *wine)* gåsevin, postevand; *-'s apple* adamsæble.
adamant ['ädəmənt]: *be* ~ være ubøjelig. **adamantine** [ädə'mäntain] diamanthård, ubøjelig.
adapt [ə'däpt] afpasse, tilpasse *(to* efter); indrette *(for* til); bearbejde *(from* efter); *-ed for broadcasting from his novel* tilrettelagt for radio efter hans roman.
adapt|ability [ədäptə'biliti] anvendelighed, tilpasningsevne. **-able** [ə'däptəbl] anvendelig, bøjelig, smidig. **-ation** [ädäp'teⁱʃən] afpasning, tillempning; bearbejdelse.
adapted [ə'däptid] egnet *(for* til); (se ogs. *adapt).*
adapter, adaptor [ə'däptə] (elekt.) snydekontakt.
A. D. C. fk. f. *Aide-de-Camp* adjudant; *Amateur Dramatic Club.*
add [äd] tilføje; lægge sammen, addere; komme i (fx. ~ *more water);* ~ *to* forøge, udvide. **added** (adj.) yderligere (fx. *an* ~ *pleasure).*
addendum [ə'dendəm] (pl. *addenda)* tilføjelse, tillæg.
adder ['ädə] (zo.) hugorm.
adder's-tongue ♧ slangetunge.
I. **addict** ['ädikt] (subst.) narkoman; *morphia* ~ morfinist.
II. **addict** [ə'dikt] (vb.) hengive (sig til); *-ed to* forfalden til (fx. *drink).* **-edness** [-idnės], **-ion** [ə'dikʃən] tilbøjelighed, hang.
addition [ə'diʃən] tilføjelse, tillæg; addition; forøgelse (fx. *they are expecting an* ~ *to the family); in* ~ desuden; *in* ~ *to* foruden.
additional [ə'diʃnl] ekstra, ny; ~ *expenditure* merudgift; ~ *tax* ekstraskat. **-ly** som tilføjelse, som tilgift, yderligere.
additive ['äditiv] tilsætningsstof (fx. til motorbenzin).
addle ['ädl] forvirre; *-d egg* råddent æg. ~ **- brain,** ~ **head,** ~ **-pate** fæhoved.
address [ə'dres] (vb.) henvende; henvende sig til, tiltale; adressere; (subst.) henvendelse; adresse; tale; måde at konversere på; behændighed; takt; *you came to the right* ~ De er kommen til den rette; ~ *oneself to* (fx. *a task)* give sig i lag med, tage fat på (fx. en opgave); *pay one's -es to sby.* gøre kur til en.
adressee [ädre'si·] adressat. **addressograph** [ə'dresogra·f] adressemaskine.
adduce [ə'dju·s] påberåbe sig, anføre. **adducible** som kan anføres.
Aden [eⁱdn].
adenoids ['ädinoidz] adenoide vegetationer, 'polyper'.
adept ['ädept] mester *(in* i), adept.
adequacy ['ädikwəsi] tilstrækkelighed.
adequate ['ädikwėt] tilstrækkelig, fyldestgørende, passende, dækkende (fx. *definition);* forholdsmæssig; *be* ~ *to one's post* være sin stilling voksen.
A. D. G. B. fk. f. *Air Defence of Great Britain.*
adhere [əd'hiə] (vb.) hænge (fast), klæbe, holde fast *(to* ved).
adherence [əd'hiərəns] vedhængen; troskab.
adherent [əd'hiərənt] (adj.) vedhængende; (subst.) tilhænger.
adhesion [əd'hi·ʒən] vedhængen, fastholden, sammenklæbning, sammenvoksning, adhæsion, adhærens; *give one's* ~ *to* give sin tilslutning til.
adhesive [əd'hi·siv] vedhængende, klæbrig; ~ *plaster* hæfteplaster; ~ *power* adhæsionskraft; ~ *substance* klæbestof; ~ *tape* klæbestrimmel.
adieu [ə'dju·] farvel; farvel, afsked.
ad inf. fk. f. *ad infinitum* i det uendelige.
adipose ['ädipoᵘs] (adj.) fed, fedtholdig; (subst.) fedt.
adiposity [ädi'påsiti] fedme.
adit ['ädit] indgang; (i fjeldvæg) stolle.
adjacent [ə'dʒeⁱsənt] (adj.) nærliggende (fx. ~ *villages).* ~ **angle** nabovinkel.
adjectival [ädʒek'taivəl] (adj.) adjektivisk.
adjective ['ädʒiktiv] (subst.) tillægsord, adjektiv.
adjoin [ə'dʒoin] grænse til, støde op til (hinanden); *-ing* tilgrænsende, tilstødende, nabo; *-ing risk* (ass.) 'smittefare', gnistrisiko; *the -ing room* værelset ved siden af.
adjourn [ə'dʒə·n] opsætte, udsætte, hæve (mødet); ~ *to* forlægge residensen til, begive sig til (fx. ~ *to the drawing-room); -ed game* (i skak) hængeparti.
adjournment [ə'dʒə·nmənt] udsættelse; mellemtid mellem parlamentsmøder; *application for an* ~ begæring om udsættelse, anstandsbegæring.
adjudge [ə'dʒʌdʒ] tildømme, tilkende (fx. ~ *property to sby.);* dømme. **-ment** dom. **adjudicate** [ə'dʒu·dikeⁱt] (på)dømme; afsige dom om, afgøre.
adjudication [ədʒu·di'keⁱʃən] dom, kendelse.
adjunct ['ädʒʌŋkt] (subst.) tilbehør, underordnet el. tilføjet ord eller sætningsled.
adjunctive [ä'dʒʌŋktiv] tilføjet, bi-.
adjuration [ädʒuə'reⁱʃən] besværgelse.
adjure [ə'dʒuə] besværge, bønfalde.
adjust [ə'dʒʌst] ordne, bringe i orden (fx. *please* ~ *your dress before leaving);* bilægge; indstille (fx. en kikkert), justere; tilpasse; ~ *oneself to new conditions* tilpasse sig efter nye forhold; *-ing screw* stilleskrue.
adjustable [ə'dʒʌstəbl] indstillelig. **adjustment** [ə'dʒʌstmənt] ordning, indstilling, justering, tilpasning; *average* ~ dispache, havariberegning.
adjutancy ['ädʒutənsi] adjudantpost. **adjutant** ['ädʒutənt] adjudant (hos oberst el. major); (zo.) marabustork.
I. **ad lib.** [äd'lib] fk. f. *ad libitum* efter behag.
II. **ad-lib** ['äd'lib] (vb.) (i sang og musik) improvisere; (subst.) i engelsk hørespilterminologi omtrent = forskrækket udbrud, begejstret udråb el. lign.
admeasure [äd'meʒə] tilmåle. **admeasurement** [-mənt] tilmåling.
administer [əd'ministə] (vb.) administrere, forvalte, bestyre, håndhæve; uddele (fx. *the sacrament);* tildele; yde; indgive; ~ *an oath to* lade aflægge ed.
administration [ədmini'streⁱʃən] (subst.) forvaltning, bestyrelse, håndhævelse; tildeling; regering, ministerium; ~ *of justice* retspleje. **administrative** [əd'ministrətiv] administrativ, udøvende, forvaltnings-. **administrator** [əd'ministreⁱtə] bestyrer, administrator.
admirable ['ädmərəbl] beundringsværdig, fortræffelig.
admiral ['ädm(ə)rəl] admiral (de 4 grader ovenfra: *A. of the Fleet, Admiral, Vice-A.* (viceadmiral), *Rear-A.* (kontreadmiral)). **admiralship** [-ʃip] admiralsværdighed. **admiralty** [-ti] admiralitet, marineministerium (bestående af *the Lords Commissioners* hvoraf *the First Lord of the Admiralty* er marineminister); (poet.) herredømme på havet.
admiration [ädmə'reⁱʃən] beundring *(of* for), genstand for beundring (fx. *he was the* ~ *of all the boys); do it to* ~ gøre det udmærket. **admire** [əd-

'maiə] (vb.) beundre. **admirer** [əd'maiərə] (subst.) beundrer. **admiringly** [əd'maiəriŋli] (adv.) beundrende, med beundring.

admissibility [ədmisə'biliti] antagelighed; adgangsberettigelse. **admissible** [əd'misəbl] antagelig; tilstedelig; adgangsberettiget.

admission [əd'miʃən] adgang, optagelse (fx. ~ *to a school)*, indlæggelse (*to* på); indrømmelse; *pay for* ~ betale entré; ~ *card* adgangskort.

admit [əd'mit] give adgang, optage (fx. ~ *him to the school)*; indlægge *(to a hospital* på et hospital); indrømme; kunne rumme; ~ *of* tillade, give plads for; *children not -ted* forbudt for børn. **admittance** [əd'mitəns] adgang; *no* ~ adgang forbudt.

admittedly det må man indrømme (fx. ~ *he is no fool).*

admixture [əd'mikstʃə] blanding, tilsætning, iblanding (fx. *pure Indian without any* ~ *of white blood).*

admonish [əd'måniʃ] formane, advare; påminde. **admonition** [ädmə'niʃən] formaning, advarsel; påmindelse.

ado [ə'du·] postyr, ståhej; *much* ~ *about nothing* stor ståhej for ingenting.

adobe [ə'doᵘbi] ubrændt soltørret mursten.

adolescence [ädo'lesəns] opvækst; ungdom, ungdomstid. **adolescent** [ädo'lesənt] halvvoksen, i opvækst, ung; yngling, ung pige.

Adolphus [ə'dålfəs] Adolf.

Adonais [ädo'neⁱis]. **Adonis** [ə'doᵘnis].

adopt [ə'dåpt] adoptere; indføre, tage i brug (fx. *a new weapon)*; slutte sig til (fx. *an opinion)*; antage; ~ *a neutral position* indtage en neutral holdning; ~ *a tone* anslå en tone; *-ed daughter* adoptivdatter. **adoption** [ə'dåpʃən] adoption; antagelse. **adoptive** [ə'dåptiv] adoptiv- (fx. ~ *father).*

adorable [ə'då·rəbl] henrivende, yndig.

adoration [ädo'reⁱʃən] tilbedelse.

adore [ə'då·] (vb.) tilbede, forgude; **T** elske, holde meget af, synes vældig godt om, finde henrivende (fx. *I* ~ *your new dress).* **adorer** [ə'då·rə] tilbeder.

adorn [ə'då·n] (vb.) smykke, pryde, være en pryd for. **-ment** [-mənt] prydelse, smykke.

adrenalin [ə'drenəlin] adrenalin.

Adriatic [eⁱdri'ätik, äd-]: *the* ~ Adriaterhavet.

adrift [ə'drift] i drift, drivende for vind og vejr; *be* ~ (ogs.) hverken vide ud eller ind; *turn* ~ jage ud i verden, lade sejle sin egen sø.

adroit [ə'droit] behændig *(at* til).

adscript ['ädskript] stavnsbunden, livegen.

adulate ['ädjuleⁱt] (vb.) smigre, sleske for.

adulation [ädju'leⁱʃən] grov smiger.

adulator smigrer, spytslikker.

adulatory ['ädjulətəri] smigrende, slesk.

adult ['ädʌlt] voksen; voksen person; *for* ~*s only* forbudt for børn.

I. **adulterate** [ə'dʌltəreⁱt] (vb.) forfalske, opspæde, fortynde.

II. **adulterate** [ə'dʌltərėt] (adj.) forfalsket, opspædt, fortyndet.

adulter|ation [ədʌltə'reⁱʃən] forfalskning. **-er** [ə'dʌltərə] ægteskabsbryder. **-ess** [ə'dʌlt(ə)rės] ægteskabsbryderske. **-ine** [ə'dʌltərain] uægte. **-ous** [ə'dʌltərəs] skyldig i ægteskabsbrud. **-y** [ə'dʌltəri] ægteskabsbrud, hor.

adumbrate ['ädʌmbreⁱt] skitsere, give udkast til; varsle om.

adumbration [ädʌm'breⁱʃən] skitse, udkast; antydning; forvarsel (fx. *-s of things to come).*

adv. fk.f. *advanced; adverb; adverbial; advertisement.*

I. **advance** [əd'va·ns] (subst.) fremskridt, fremgang; fremrykning; avancement, forfremmelse; forskud, lån; stigning (i priser etc.); (på auktion) højere bud (fx. *any* ~ *on three hundred?)*; (i pl. ogs.) tilnærmelser; *in* ~ på forhånd; forskudsvis; *in* ~ *of* foran, før, forud for.

II. **advance** [əd'va·ns] (vb.) gå fremad, rykke frem; gøre fremskridt; avancere; stige (om priser); føre (el. bringe) frem, fremsætte; fremme, fremhjælpe; forfremme, fremskynde; forhøje (priser etc.); betale som forskud, låne.

advanced (adj.) fremskreden, fremrykket, viderekommen; ~ *course* kursus for viderekomne; ~ *guard* ⚔ forspids, fremskudt sikringsled, avantgarde; ~ *ideas* nye tanker; ~ *ignition* (i motor) fortænding; ~ *positions* fremskudte stillinger; ~ *students* viderekomne; ~ *training* videregående uddannelse; ~ *in years* alderstegen, til års.

advance|-guard [əd'va·nsga·d] forspids, fremskudt sikringsled, avantgarde. **-ment** [-mənt] fremgang, fremskridt, fremskreden tilstand; forfremmelse, avancement; fremme, fremhjælpning; arveforskud.

advantage [əd'va·ntidʒ] (subst.) fordel, fortrin, nytte; (vb.) gavne; *something greatly to his* ~ noget for ham meget fordelagtigt; *take* ~ *of* benytte sig af; snyde; forføre; *have the* ~ *of* være gunstigere stillet end; *you have the* ~ *of me* må jeg spørge hvem jeg taler med; *sell to* ~ sælge med fordel; *to the best* ~ med størst fordel, i det fordelagtigste lys.

advantageous [ädvən'teⁱdʒəs] fordelagtig.

advent ['ädvənt] (subst.) komme; advent.

Adventist ['ädvəntist] adventist.

adventitious [ädven'tiʃəs] som kommer til, tilfældig; ~ *bud* biknop.

adventure [əd'ventʃə] hændelse, oplevelse, vovestykke; eventyr, spekulation. **adventurer** [əd'ventʃərə] eventyrer; lykkeridder. **adventuress** [əd'ventʃərės] eventyrerske. **adventurous** (adj.) [əd'ventʃərəs] dristig, forvoven, risikabel, eventyrlig.

adverb ['ädvə·b] adverbium, biord.

adverbial [əd'və·biəl] adverbiel.

adversary ['ädvəsəri] modstander; fjende; modspiller; *the Adversary* Djævelen.

adversative [əd'və·sətiv] modsættende; adversativ, modsætnings- (fx. *conjunction* bindeord, *clause* bisætning).

adverse ['ädvə·s] modsat, som er imod; ugunstig; ~ *fortune* modgang; ~ *suit* (i kortspil) modpartens farve.

adversity [əd'və·siti] modgang, ulykke.

advert [əd'və·t]: ~ *to* henvende sin opmærksomhed på; gøre opmærksom på.

advertise ['ädvətaiz] bekendtgøre, avertere; gøre reklame (for); ~ *oneself* gøre reklame for sig selv; ~ *for* avertere efter; (se ogs. *advertising).*

advertisement [əd'və·tizmənt, (amr.): 'ädvətaizmənt] avertissement, annonce. ~ **broker** annonceagent. **advertiser** ['ädvətaizə] annoncør.

advertising ['ädvətaiziŋ] (subst.) reklame; *truth in* ~ ærlig reklame. ~ **agency** reklamebureau; annoncebureau.

advice [əd'vais] (subst.) råd; advis; efterretning; *-s* (merk.) efterretninger; *a piece* (el. *bit) of* ~ et råd; *ask sby.'s* ~ spørge én til råds; *take sby.'s* ~ følge éns råd; *take medical* ~ søge lægehjælp; *letter of* ~ advisbrev; *as per* ~ som adviseret, i følge advis.

advice note følgeseddel.

advisable [əd'vaizəbl] tilrådelig.

advise [əd'vaiz] underrette *(of* om); råde; tilråde; advisere; *as -d* som adviseret, i følge advis; *be -d* (ogs.) tage imod råd.

advisedly [əd'vaizidli] med overlæg, med velberåd hu.

advisedness [əd'vaizidnis] forsigtighed.

adviser [əd'vaizə] rådgiver, konsulent; *legal* ~ juridisk konsulent.

advisory [əd'vaizəri] (adj.) rådgivende.

advocacy ['ädvəkəsi] forsvar.

I. **advocate** ['ädvəkėt] (subst.) talsmand, forkæmper *(of* for); (ved skotsk, men ikke eng. ret, samt fig.) advokat.

II. **advocate** ['ädvəkeⁱt] være (el. gøre sig til) talsmand for, forsvare, støtte.

advowson [əd'vauzən] kaldsret.

adynamic [ädai'nämik] kraftløs.

adytum ['äditəm] helligdom, det allerhelligste.
adz(e) [ädz] skarøkse.
AEC fk. f. *Atomic Energy Commission.*
aedile ['i·dail] ædil.
A.E.F. fk. f. *Allied Expeditionary Force.*
aegis ['i·dʒis] ægide; skjold, værn; *under the ~ of U.N.* under F.N.'s auspicier, under protektion af F.N.
aegrotat [i'groᵘtät] sygeattest.
Aeneid ['i·niid] Æneide.
Aeolian [i'oᵘliən] æolisk; *~ harp* æolsharpe.
aeon ['i·ən] evighed.
aerate ['æreⁱt] (vb.) forbinde med kulsyre; gennemlufte; *-d bread* kulsyrehævet brød; *Aerated Bread Company* (selskab som driver *A.B.C. restaurants); -d water* kulsyreholdigt vand.
I. aerial ['æəriəl] (subst.) antenne.
II. aerial ['æəriəl] (adj.) luftig, æterisk; luft- (fx. *~ combat); ~ photograph* luftfotografi; *~ photography* luftfotografering; *~ railway* svævebane; *~ reconnaissance* luftrekognoscering; *~ ropeway* tovbane; *~ shoot* ♧ løvskud.
aerie ['æəri, 'iəri] ørnerede.
aeriform ['æərifå·m] luftformig; uvirkelig.
aerobatics [æəro'bätiks] kunstflyvning, luftakrobatik.
aerodonetics [æərodo'netiks] (læren om) svæveflyvning.
aerodrome ['æərodroᵘm] flyveplads, lufthavn.
aerodynamics [æəroᵘdai'nämiks] aerodynamik.
aerodyne ['æərədain] luftfartøj som er tungere end luften.
aero-engine ['æəroendʒin] flyvemotor.
aerofoil ['æərofoil] bæreplan, bæreflade.
aerogram ['æərogräm] aerogram.
aerolite ['æərolait] meteorsten.
aerometer [æə'råmitə] aerometer, luftmåler.
aeromotor ['æəromoᵘtə] flyvemaskinemotor.
aeronaut ['æərənå·t] luftskipper.
aeronautical [æərə'nå·tikl] aeronautisk.
aeronautics [æərə'nå·tiks] aeronautik, luftfart.
aerophotography ['æərofo'tågrəfi] luftfotografering.
aeroplane ['æəropleⁱn] flyvemaskine, aeroplan; *~ service* flyveforbindelse.
aerostat ['æərostät] luftfartøj som er lettere end luften.
aerostatics [æəro'stätiks] aerostatik.
aeruginous [iə'ru·dʒinəs] (adj.) irret.
aery ['æəri] se *aerie.*
aesthete ['i·sþi·t] æstetiker. **aesthetic** [i·s'þetik] æstetisk. **aesthetics** [i·s'þetiks] æstetik.
aet., aetat. fk. f. **aetatis** [i·'teⁱtis] i en alder af.
A.F. fk. f. *Admiral of the Fleet; Anglo-French; Air Force.*
afar [ə'fa·] fjernt, langt borte (fra).
A.F.B. fk. f. *air force base.* **A.F.C.** fk. f. *Air Force Cross.*
affability [äfə'biliti] venlighed, forekommenhed.
affable ['äfəbl] venlig, forekommende.
affair [ə'fæə] forretning, sag, affære, kærlighedshistorie, anliggende, ting, 'historie'; *that is my ~* det bliver min sag.
affect [ə'fekt] (vb.) påvirke, (be)røre, bevæge, virke på, angribe, afficere; foretrække, ynde; foregive; *the -ed part* det angrebne sted (m.h.t. sygdom); *he -s those colours* han ynder de farver; *~ ignorance* simulere uvidende.
affectation [äfek'teⁱʃən] affektation, påtaget væsen; *~ of kindness* påtaget venlighed.
affected (adj.) affekteret, kunstlet.
affection [ə'fekʃən] kærlighed, hengivenhed; sygdom.
affectionate [ə'fekʃnėt] kærlig, hengiven; *yours -ly* (kærlig hilsen) din hengivne.
affiance [ə'faiəns] (vb.) forlove (sig); (subst.) forlovelse.
affiche [ə'fi·ʃ] opslag, plakat.
affidavit [äfi'deⁱvit] beediget skriftlig erklæring.
affiliate [ə'filieⁱt] optage; tilslutte, tilknytte (fx. *a college -d to the university); ~ a child to sby.* udlægge en som barnefader; *~ oneself to sth.* knytte sig til noget, tilslutte sig noget.
affiliation [əfili'eⁱʃən] optagelse, tilslutning, udlægning af barnefader; *their political -s* deres politiske tilhørsforhold; *payment under an ~ order* alimentationsbidrag.
affinity [ə'finiti] svogerskab, slægtskab; beslægtethed, åndsslægtskab, lighed; (kem.) affinitet.
affirm [ə'fə·m] påstå, erklære, bekræfte, stadfæste. **affirmation** [äfə'meⁱʃən] bekræftelse; forsikring; højtidelig erklæring i st. f. ed. **affirmative** [ə'fə·mətiv] bekræftende; *in the ~* bekræftende.
I. affix ['äfiks] (subst.) affiks, præfiks, suffiks.
II. affix [ə'fiks] (vb.) påklæbe (fx. *a stamp),* vedhæfte; tilføje; *~ one's signature* skrive under.
afflatus [ə'fleⁱtəs] inspiration.
afflict [ə'flikt] bedrøve; hjemsøge, plage.
affliction [ə'flikʃən] sorg, lidelse.
affluence ['äfluəns] overflod; rigdom. **affluent** ['äfluənt] (adj.) rigelig, rig; (subst.) biflod.
afflux ['äflʌks] tilstrømning.
afford [ə'få·d] yde, give, skaffe; afse; *he can ~ to do it* han har råd til (el. kan tillade sig) at gøre det; *he cannot ~ it* han har ikke råd til det.
afforest [ä'fårist] beplante med skov.
affray [ə'freⁱ] slagsmål, tumult.
affright [ə'frait] forskrække.
affront [ə'frʌnt] (vb.) krænke, fornærme; (subst.) krænkelse, fornærmelse.
afghan ['äfgän] slumretæppe.
Afghanistan [äf'gänistän].
aficionado [əfiʃiə'na·doᵘ] (subst.) beundrer, tilhænger.
afield [ə'fi·ld] i el. ud på marken, i felten; *(far) ~* langt bort(e).
afire [ə'faiə] i brand; *set ~* stikke i brand.
aflame [ə'fleⁱm] i flammer, i lys lue, flammende.
afloat [ə'floᵘt] ⚓ flot; til søs; drivende om; *keep ~* (ogs. fig.) holde sig oven vande.
A.F.M. fk. f. *Air Force Medal.*
A.F. (of) L. fk. f. *American Federation of Labor.*
afoot [ə'fut] i gang, på benene; på færde, i gære; til fods.
afore [ə'få·] foran. **afore|-mentioned, ~ -said** [ə'få·sed] førnævnte, bemeldte.
afraid [ə'freⁱd] (adj.) bange *(of* for); *~ of death* bange for døden; *~ of doing it* el. *to do it* bange for at gøre det; *~ for* ængstelig for, (velvilligt) bekymret for (fx. *I am ~ for his safety); I am ~* (ogs.) desværre, jeg beklager (fx. *I am ~ I have not read your book).*
afresh [ə'freʃ] på ny, igen.
Africa ['äfrikə] Afrika.
African ['äfrikən] afrikansk; afrikaner.
Afrikander [äfri'kändə] afrikander (hvid sydafrikaner).
aft [a·ft] agter, agterlig, agterud.
after ['a·ftə] efter (fx. *day ~ day; shut the door ~ you; he was ill for months ~);* efter at (fx. *I came ~ he had gone);* senere (fx. *in ~ days); ~ all* når alt kommer til alt, alligevel, dog; *in ~ times* senere hen; *what is he ~?* hvad er det han er ude efter? *one ~ the other* den ene efter den anden.
after|birth efterbyrd. **~ -clap** eftersmæk. **-cost** senere udgift, (fig.) efterveer. **~ -crop** efterhøst. **~ -damp** grubegas efter minesprængning. **~ -dinner speech** (svarer til) bordtale. **~ -effect** eftervirkning. **-glow** efterglød, aftenrøde. **~ -grass** eftergrøde på græsmark. **-image** (psykol.) efterbillede. **-math** ['aft·əmäþ] (ogs. fig.) efterslæt, (fig.) eftervirkning. **-most** agterst. **-noon** ['a·ftə'nu·n] eftermiddag; *this -noon* i eftermiddag, i eftermiddags; *-noon tea* eftermiddagste. **~ -pains** efterveer.
afters ['a·ftəz] **S** efterret, dessert.
after|shaft (zo.) bifane. **-thought** senere tanke.

eftertanke, noget man først bagefter tænker på; 'efternøler' (barn, som fødes længe efter sine søskende). ~ **-treatment** efterbehandling. ~ **-vision** efterbillede. **-wards** ['a·ftəwədz] bagefter, senere. **-wise** ['a·ftəwaiz] bagklog. **-wit** bagklogskab.

A.F.V. fk. f. *Armoured Fighting Vehicle.*

again [ə'geⁱn, ə'gen] igen, atter; på den anden side; desuden; *as much* ~ dobbelt så meget; *half as much* ~ halvanden gang så meget; ~ *and* ~ den ene gang efter den anden, atter og atter; *now and* ~ nu og da; *over* ~ om igen; *ring* ~ klinge tilbage, give genlyd, drøne; *what's that* ~ hvad skal nu det betyde?

against [ə'geⁱnst, ə'genst] (i)mod; med henblik på (fx. *buy preserves* ~ *the winter); over* ~ lige overfor; sammenlignet med; *put a cross* ~ *sby.'s name* sætte kryds ved ens navn; *run (up)* ~ *sby.* løbe på en, møde en tilfældigt; *run up* ~ *difficulties* komme ud for vanskeligheder.

I. agape [ə'geⁱp] (adj., adv.) gabende, måbende.

II. agape ['ägəpi·] (subst.) agape, det oldkristne kærlighedsmåltid.

agar-agar ['eⁱga·'eⁱga·] agar-agar.

agaric ['ägərik] ♧ bladsvamp, paddehat.

agate ['ägət] agat.

agave [ə'geⁱvi] ♧ agave.

agaze [ə'geⁱz] (adv.) stirrende.

I. age [eⁱdʒ] (subst.) alder, alderstrin; alderdom; tidsafsnit; tidsalder, tid; generation; lang tid, evighed; *full* ~ myndighedsalderen (21 år); *at my* ~ i min alder; *he is (of) my* ~ han er på min alder; *be of* ~ være myndig; *it is -s since I saw him* det er en evig tid siden jeg så ham; *come of* ~ blive myndig; *of an* ~ lige gamle; *under* ~ umyndig, mindreårig; ~ *limit* aldersgrænse; *the Middle Ages* middelalderen; *old* ~ alderdom; *old* ~ *pension* aldersrente; *the present* ~ nutiden; *be your* ~*!* lad være med at opføre dig som et pattebarn!

II. age [eidʒ] (vb.) blive gammel, ældes (fx. *he had -d);* gøre gammel, få til at se gammel ud (fx. *his beard -s him).*

I. aged [eⁱdʒd]: ~ *twenty* 20 år gammel.

II. aged ['eⁱdʒid] gammel, til års.

agency ['eⁱdʒənsi] virken, virksomhed; kraft; mellemkomst; agentur; (billet)bureau; *Reuter's Agency* Reuters Bureau.

agenda [ə'dʒendə] dagsorden.

agent ['eⁱdʒənt] agent, forretningsfører, godsforvalter; befuldmægtiget; (kem.) middel (fx. *cleaning* ~).

age-ring (i træ) årring.

I. **agglomerate** [ə'glåmәreⁱt] (vb.) bunke sig sammen; klumpe sammen.

II. **agglomerate** [ə'glåmərėt] (subst.) agglomerat.

agglomeration [əglåmə'reⁱʃən] agglomerering, sammendyngning; sammenhobning.

agglutinate [ə'glu·tineⁱt] sammenlime; klæbe sammen. **agglutination** [əglu·ti'neⁱʃən] sammenklæbning, agglutination. **agglutinative** [ə'glu·tinətiv] (adj.) agglutinerende.

aggrandize ['ägrəndaiz] forstørre, udvide; ophøje. **aggrandizement** [ə'grändizmənt] forstørrelse, udvidelse; ophøjelse.

aggravate ['ägrəveⁱt] forværre, skærpe; ærgre, irritere. **aggravating** skærpende (fx. *circumstances);* ærgerlig, fortrædelig; irriterende. **aggravation** [ägrə'veⁱʃən] forværrelse; skærpelse.

I. **aggregate** ['ägrigėt] (subst.) aggregat, totalsum, samlet masse; (adj.) total; *in the* ~ alt i alt.

II. **aggregate** ['ägrigeⁱt] (vb.) beløbe sig til; udgøre i alt (fx. *the armies -d one million).*

aggregation [ägri'geⁱʃən] sammenhobning.

aggression [ə'greʃən] angreb.

aggressive [ə'gresiv] aggressiv, stridbar, udæskende. **aggressiveness** pågåenhed.

aggressor [ə'gresə] angriber, den angribende part.

aggrieved [ə'gri·vd] forurettet, brøstholden.

aghast [ə'ga·st] (adj.) forfærdet.

agile ['ädʒail] (adj.) rask, adræt.

agility [ə'dʒiliti] raskhed, adræthed.

Agincourt ['ädʒinkå·t] Azincourt.

agio ['ädʒioᵘ] opgæld, agio.

agiotage ['ädʒətidʒ] børsspil, børsspekulationer.

agitate ['ädʒiteⁱt] agitere, propagandere; bevæge, ryste; ophidse.

agitation [ädʒi'teⁱʃən] bevægelse; ophidselse; agitation; uro.

agitator ['ädʒiteⁱtə] agitator.

aglet ['äglėt] dup.

agley [ə'gli·] (på skotsk) skævt, galt.

aglow [ə'gloᵘ] glødende; ophidset.

agnail ['ägneⁱl] neglerod.

agnate ['ägneⁱt] mandlig beslægtet på fædrene side; agnat. **agnation** [äg'neⁱʃən] slægtskab på mandssiden.

Agnes ['ägnis].

agnostic [äg'nåstik] agnostisk; agnostiker.

agnosticism [äg'nåstisizm] agnosticisme.

ago [ə'goᵘ] for ... siden; *long* ~ for længe siden; *as long* ~ *as 1940* allerede i 1940.

agog [ə'gåg] ivrig, opsat, forhippet, spændt *(about, for, on* på).

agonize ['ägənaiz] (vb.) pines, lide kval; pine; *-d* forpint. **agonizing** (adj.) pinefuld.

agony ['ägəni] kval, pine, smerte; dødskamp; ~ *column* (del af avis, hvor bekendtgørelser om savnede pårørende, private meddelelser, anmodninger om hjælp etc. indrykkes; svarer omtrent til: "Personlige"); *death* ~ dødskamp; *she was in agonies of pain* hun led frygtelige smerter.

agoraphobia [ägərə'foᵘbiə] pladsangst.

agrarian [ə'græəriən] agrarisk.

agree [ə'gri·] stemme overens, passe sammen, være enig *(with* med; *in* om), blive enig *(upon* om), enes; indvillige, samtykke *(to* i); ~ *to* (ogs.) gå ind på; *let us* ~ *to differ* lad os være enige om at hver beholder sin mening; *smoking doesn't* ~ *with him* han kan ikke tåle at ryge; ~ *with* (gram.) rette sig efter (fx. *the verb -s with the subject in number).* **agree|able** [ə'gri·əbl] behagelig; indforstået *(to* med). **-ably** [-əbli] behageligt; i overensstemmelse *(to* med). **-ment** [ə'gri·mənt] overensstemmelse; overenskomst, aftale; *come to an* ~ nå til en aftale, komme til en ordning; *keep an* ~ holde en aftale.

agrestic [ə'grestik] (adj.) landlig; bondsk.

agricultural [ägri'kʌltʃərəl] (adj.) landbrugs-. **agriculturalist** landmand, agronom. **agriculture** ['ägrikʌltʃə] (subst.) landbrug.

agrimony ['ägriməni] ♧ agermåne.

agronomic [ägro'nåmik] (adj.) agronomisk.

agronom|ics [ägro'nåmiks], **-y** [ə'grånəmi] agronomi, landbrugsvidenskab.

aground [ə'graund] på grund.

ague ['eⁱgju·] koldfeber; kuldegysning.

ah [a·] åh! ah! ak! **aha** [a'ha·] aha!

ahead [ə'hed] foran, forude, forud; fremad; *go* ~ gå forud, gå fremad; gå i gang; (i sportskamp) tage føringen; *go* ~*!* af sted! klem på! gå videre! fortsæt! *look* ~ være forudseende; ~ *of* foran, forud for (fx. *one's time);* ~ *of time* før tiden, for tidligt.

ahem [m'm] hm!

ahoy [ə'hoi] ohøj! halløj!

A.I.D. fk. f. *artificial insemination by donor.*

aid [eⁱd] (vb.) hjælpe, stå bi; (subst.) hjælp, bistand; hjælper; *what is that in* ~ *of?* hvad skal det gøre godt for?

aide-de-camp ['eⁱddəka·ŋ] (pl. *aides-de-camp* ['eⁱdzdəka·ŋ]) adjudant (hos kongen el. en general).

aid station ⚔ (amr.) forbindingsplads.

aigrette ['eⁱgrėt] hejre; hovedpynt af fjer, blomster eller ædelstene.

aiguillette [eⁱgwi'lėt] adjudantsnor.

ail [eⁱl] (vb.) smerte, plage; skrante, være syg; *what ails you?* hvad er der i vejen med dig?

aileron ['eⁱlərån] balanceklap (i flyvemaskine); ~ *lever* balanceklaparm.

ailing ['eⁱliŋ] skrantende, utilpas, syg.
ailment ['eⁱlmənt] ildebefindende, sygdom.
aim [eⁱm] (vb.) sigte *(at* på, til); tragte, stræbe *(at* efter); rette *(at* mod); (subst.) sigte; mål, formål, hensigt; ~ *a stone at him* kaste en sten efter ham. **-less** (adj.) formålsløs, planløs.
ain't [eⁱnt] vulg. f. *am not, is not, are not.*
I. **air** [æə] (subst.) luft, luftning, brise (fx. *a light* ~*);* (vb.) udlufte, give luft, lufte, afdampe; komme med, diske op med; (adj.) flyver- (fx. *officer);* flyve- (fx. ~ *trip* flyvetur); *it would be beating the* ~ det ville være et slag i luften; *go by* ~ rejse med flyvemaskine; *the Royal Air Force* luftvåbnet; *my plans are still in the* ~ mine planer er endnu svævende; *castles in the* ~ luftkasteller; *give sby. the* ~ (amr. **S**) afskedige en; undgå en; give en løbepas; *be put on the* ~ blive udsendt i radio; *go on the* ~ tale i radio; *open* ~ fri luft; *take the* ~ trække frisk luft; **T** fordufte; ~ *one's opinions* lufte sine meninger; *go up in the* ~ flyve i flint; *vanish into thin* ~ se *vanish.*
II. **air** [æə] melodi.
III. **air** [æə] mine, udseende; *an* ~ *of triumph* en triumferende mine; *airs* vigtighed; *give oneself airs* el. *put on airs* gøre sig vigtig, sætte sig på den høje hest, være fin på det.
air | activity flyvevirksomhed. ~ **attack** luftangreb. ~ **-base** luftbase. ~ **bed** luftmadras. ~ **-bladder** luftblære, svømmeblære. ~ **-borne** luftbåren; *they were soon* ~ de kom hurtig på vingerne. ~ **-brake** (tryk)luftbremse. ~ **bubble** luftboble, luftblære. ~ **chamber** luftbeholder; vindkedel.
Air Chief Marshal (grad i R.A.F. som svarer til general).
air|-cock lufthane. ~ **combat** luftkamp.
Air Commodore (grad i R.A.F. som omtr. svarer til generalmajor).
air | compressor luftkompressor. ~ **condenser** luftkondensator. ~ **conditioning** luftkonditionering. ~ **-cooled** luftkølet. ~ **-cooling** luftkøling. ~ **cover** flyverbeskyttelse.
aircraft ['æəkra·ft] flyvemaskine, luftfartøj. ~ **-carrier** hangarskib. ~ **compass** luftfartøjskompas. ~ **-engine** flyvemotor. **-man** menig i flyvevåbnet. ~ **wireless operator** flyvetelegrafist.
air | crash flyveulykke. ~ **-crew** flyvemaskinebesætning. ~ **current** luftstrøm. ~ **-cushion** luftpude.
air | defence luftforsvar. ~ **density** lufttæthed. ~ **douche** luftdouche. ~ **-dried** lufttørret. **-drome** flyveplads. ~ **duct** luftkanal.
Airedale ['æədeⁱl] airedaleterrier.
air|-exhauster luftaftræk. ~ **-field** flyveplads. ~ **filter** luftfilter. ~ **force** luftstyrke, luftvåben. ~ **force officer** flyverofficer. ~ **-gun** luftbøsse. ~ **-gunner** skytte i flyvemaskine. ~ **hardening** lufthærdning. ~ **heater** luftforvarmer. ~ **-hole** lufthul. ~ **hostess** stewardess.
air|ily ['æərili] luftigt; let, flot, henkastet, ligegyldigt. **-iness** ['æərinės] luftighed; lethed, flothed. **-ing** ['æəriŋ] udluftning (fx. *give the room an -ing); take an -ing* få lidt frisk luft (ɔ: gå en tur). **-lane** luftrute. **-less** indestængt, beklumret.
air letter aerogram.
airlift luftbro.
air|line luftrute; (amr.) fugleflugtslinie. **-liner** ruteflyver, ruteflyvemaskine, trafikflyvemaskine. ~ **lock** gassluse, luftsluse. ~ **mail** luftpost. ~ **mail letter** luftpostbrev. ~ **mail pilot** postflyver.
airman flyver, menig i det amerikanske flyvevåben.
Air Marshal (grad i R.A.F. som svarer til generalløjtnant).
air-mechanic flyvemekaniker.
air-minded (adj.) flyveinteresseret.
Air Ministry luftfartsministerium.
air | navigation luftnavigation. ~ **-pillow** luftpude. ~ **-pilot** flyver. ~ **-pipe** luftrør, aftræksrør. **-plane** (amr.) flyvemaskine. ~ **-pocket** lufthul. ~ **-port** lufthavn. ~ **-post** luftpost. ~ **-pressure** lufttryk. ~ **-pressure engine** trykluftsmotor. ~ **-pump** luftpumpe. ~ **raid** luftangreb. ~ **raid alarm** flyvervarsling. ~ **raid precaution** luftbeskyttelse. ~ **raid shelter** beskyttelsesrum, tilflugtsrum. ~ **raid warden** (omtr. =) husvagt. ~ **raid warning** flyvervarsling. ~ **-route** luftrute. ~ **-screw** propel. ~ **-shaft** luftskakt. **-ship** luftskib. ~ **-sickness** luftsyge. ~ **sleeve** vindpose. ~ **sluice** luftsluse. ~ **sock** vindpose. ~ **speed** (flyv.) egenfart, flyvefart. ~ **-station** lufthavn. ~ **strangler** luftspjæld (i bil). ~ **strip** provisorisk start- og landingsbane. ~ **supply** lufttilførsel. ~ **support** flyverstøtte. ~ **surveying** kortlægning fra luften. ~ **-tight** lufttæt; (fig.) sikker, vandtæt (fx. *alibi).*
air-to-air missile luft-til-luft-raket (der udskydes fra flyvemaskine mod mål i luften).
air|-to-ground missile luft-til-jord-raket (der udskydes fra fly mod mål på jorden). ~ **traffic** lufttrafik. ~ **trip** flyvetur.
air | umbrella luftparaply (flyverbeskyttelse). ~ **-valve** luftventil.
Air Vice Marshal (grad i R.A.F. som svarer til generalmajor).
air|way luftrute. **-way beacon** luftrutefyr. **-way map** luftrutekort. **-woman** kvindelig flyver. **-worthiness** flyvedygtighed. **-worthy** flyvedygtig.
airy ['æəri] luftig; let (fx. ~ *tread);* sorgløs, letsindig, flot, nonchalant; **T** affekteret, vigtig; ~ *notions* fantastiske ideer.
aisle [ail] (arkit.) sideskib (i en kirke); (amr.) gang (i teater, bus, jernbanekupe, sporvogn).
aitch [eⁱtʃ] (bogstavet) h; *drop one's aitches* undlade at udtale h i begyndelsen af ord, tale udannet.
aitch-bone ['eⁱtʃboᵘn] halestykke.
Aix-la-Chapelle ['eⁱksla·ʃä'pel] Aachen.
ajar [ə'dʒa·] på klem.
a-kimbo [ə'kimboᵘ]: *with arms* ~ med hænderne i siden.
akin [ə'kin] beslægtet *(to* med).
alabaster ['äləba·stə] alabast.
a la carte [a·la·'ka·t] a la carte.
alack [ə'läk] ak!
alacrity [ə'läkriti] beredvillighed, raskhed.
alarm [ə'la·m] (subst.) alarm; skræk, angst; uro, bekymring; vækker (i et ur), vækkeur; (vb.) alarmere; forurolige, ængste, forskrække; *-s and excursions* larm og spektakel; *give the* ~ slå alarm; *take* ~ blive opskræmt.
alarm|-bell alarmklokke, stormklokke. ~ **-clock** vækkeur.
alarming [ə'la·miŋ] urovækkende, foruroligende.
alarmist [ə'la·mist] ulykkesprofet.
alas [ə'la·s] ak; desværre.
Alaska [ə'läskə].
alate ['eⁱleⁱt] (adj.) vinget.
alb [älb] messeskjorte, messesærk.
Albania [äl'beⁱnjə] Albanien. **Albanian** albaner; albanesisk, albansk.
albatross ['älbətrås] albatros.
albeit [ål'bi·it] endskønt, ihvorvel, omend.
I. **Albert** [älbət].
II. **albert** ['älbət] kort urkæde.
albinism ['älbinizm] albinisme.
albino [äl'bi·noᵘ] albino.
Albion ['älbjən] Albion (England).
album ['älbəm] album.
albumin ['älbjumin] albumin, æggehvidestof. **albuminous** [äl'bju·minəs] (adj.) æggehvidestofholdig. **albuminuria** [älbjumin'juəriə] albuminuri, æggehvide i urinen.
alburnum [äl'bə·nəm] splint (modsat kerneved).
alchemic(al) [äl'kemik(əl)] alkymistisk.
alchemist ['älkimist] alkymist, guldmager. **alchemy** ['älkimi] alkymi, guldmageri.
alcohol ['älkəhål] alkohol. **alcoholic** [älkə'hålik] (adj.) alkoholisk, alkoholholdig; (subst.) alkoholiker

alcoholism ['älkəhålizm] (subst.) alkoholisme. **alcoholize** ['älkəhålaiz] (vb.) alkoholisere. **alcoholometer** [älkəhå'låmitə] (subst.) alkoholometer, brændevinsprøver.

alcove ['älkoᵘv] niche, alkove; lysthus.

aldehyde ['äldihaid] aldehyd.

alder ['å·ldə] ♧ el, elletræ; ~ *buckthorn* tørstetræ; *common* ~, *black* ~ rødel; *speckled* (el. *white)* ~ hvidel.

alderman ['å·ldəmən] (i England: County Council eller City Council medlem, som vælges for en længere årrække eller for livstid).

Aldermaston [å·ldə'ma·stən].

Aldershot ['å·ldəʃåt].

Aldous ['å·ldəs; 'äldəs].

ale [eⁱl] øl.

aleck ['älek]: *smart* ~ indbildsk fyr, vigtigpeter, blære.

alecost ['eⁱlkåst] ♧ balsamrejnfan.

alee [ə'li·] i læ.

alert [ə'lə·t] (adj.) rask, årvågen; (subst.) luftalarm, flyvervarsling; ⚔ beredskab; (vb.) sætte i alarmberedskab; *reinforced* ~ forhøjet beredskab; *simple* ~ almindeligt beredskab; *on the* ~ årvågen, på sin post.

Aleutian [ə'lu·ʃiən]: *the* ~ *Islands* Aleuterne.

alevin ['älivin] (zo.) laksyngel.

alexandrine [äleg'zändrain] alexandriner.

alfa ['älfə]: ~ *grass* ♧ espartogræs.

alfalfa [älf'älfə] ♧ lucerne.

alga ['älgə] (pl. *algae* ['äldʒi·]) ♧ alge.

algebra ['äldʒibrə] aritmetik; algebra.

algebraic [äldʒi'breⁱik] (adj.) algebraisk (fx. *equation).*

Algeria [äl'dʒiəriə] Algeriet, Algier.

Algiers [äl'dʒiəz] Algier (byen).

alias ['eⁱliäs] (adv.) alias, også kaldet; (subst.) påtaget navn.

alibi ['älibai] alibi; (amr. **S**) undskyldning (fx. *what is your* ~ *for being so late); a cast-iron* ~ et uangribeligt alibi; *establish an* ~ skaffe sig et alibi.

Alice ['älis]. **Alice band** hårbånd.

alien ['eⁱliən] fremmed *(to* for); udenlandsk; udlænding. **-able** [-əbl] afhændelig. **-ate** [-eⁱt] afhænde, overdrage; fjerne, støde fra sig.

alienation [eⁱliə'neⁱʃən] afhændelse; overdragelse; fremmedgørelse; *(mental)* ~ sindsforvirring.

alienist ['eⁱliənist] sindssygelæge.

I. **alight** [ə'lait] (vb.) stige ned, stige af (hesten), stige ud (af vognen); dale, lande; *allow passengers to* ~ *first!* gør plads for udstigende!

II. **alight** [ə'lait] (adj.) oplyst, antændt.

align [ə'lain] (vb.) opstille i linie; stille sig op på linie.

alignment [ə'lainmənt] opstilling på linje, gruppering (fx. *the* ~ *of the European powers); in* ~ *with* på linie med; *out of* ~ ikke på linie.

alike [ə'laik] på samme måde, ens, i samme grad, lige (meget).

aliment ['älimənt] (subst.) næring, føde. **alimental** [äli'mentl] (adj.) nærende. **alimentary** [äli'mentəri] (adj.) nærings-; ~ *canal* fordøjelseskanal. **alimentation** [älimen'teⁱʃən] ernæring.

alimony ['äliməni] underhold; underholdsbidrag (til fraskilt hustru).

alive [ə'laiv] i live, levende; livlig, fuld af liv; virksom; *be* ~ *to sth.* være klar over noget, være opmærksom på noget; ~ *with* vrimlende med; *look* ~! skynd dig! *man* ~! men menneske dog!

alkali ['älkəlai] (kem.) alkali.

alkaline ['älkəlain] (adj.) alkalisk.

alkaloid ['älkəloid] (subst.) alkaloid.

all [å·l] al (fx. *with all respect);* alle (fx. *all the others, in all directions);* alt (fx. *all is lost);* hele (fx. *all the way, all the time);* det hele (fx. *I think that is about all; is that all?);* helt (fx. *he is all alone, he is all wrong);* lutter (fx. *she is all ears);*

above all fremfor alt; *after all* alligevel, dog, når alt kommer til alt; *and all* og det hele; *one and all* alle som en; *at all* i det hele taget, overhovedet (fx. *if you go there at all); not at all* slet ikke (fx. *I don't know at all);* å jeg be'r; *nothing at all* intet som helst; *all at once* lige på én gang; *at all events* i hvert fald; *all but* næsten (fx. *I am all but certain of it); fifteen all* (i tennis) a 15; *for good and all* for bestandig; *for all you say* trods alt hvad du siger; *for all that* alligevel, ikke desto mindre (fx. *for all that, you should have done it); once for all* en gang for alle; *I am all for staying* jeg vil allerhelst blive; *all hands' job* ⚓ allemandstørn;

all in alt iberegnet (fx. *the prices quoted are all in);* **T** udmattet, dødtræt; *in all* i alt (fx. *I spent £2 in all); all in all* et og alt (fx. *she was all in all to him);* alt i alt (fx. *all in all he is a nice fellow); lose one's all* miste alt hvad man ejer og har; *all of it* det hele; *all of us* vi alle; *it is all one* det kommer ud på et; *all out* i fuld fart (fx. *the boat is going all out); go all out for* **T** gå 100% ind for; *all over* forbi; *all over the world* over hele verden; *it is you all over* hvor det ligner dig; *she is all over him* **S** hun er helt væk i ham; *all right* for mig gerne, meget vel; *I am all right* (efter et fald etc.) jeg er ikke kommet noget til; *it is all right with me* for mig gerne; *all round,* se *all-round; when all is said and done* når alt kommer til alt; *all the same* alligevel; *it is all the same* det er et og det samme; *all set* (amr. **T**) fiks og færdig, startfærdig; *all that* alt hvad (der) (fx. *all that is mine is yours);* alt det; *it was not so bad as all that* så slemt var det nu heller ikke; *he is not all there* han er ikke rigtig vel forvaret; *all the better (, worse)* så meget desto bedre (, værre); *all too fast* altfor hurtigt; *it is all up with him* han er færdig, det er ude med ham.

Allah ['älə] Allah, Gud.

allay [ə'leⁱ] dæmpe, lindre.

all clear, All-Clear afblæsning af flyvervarsel, afvarsling; *sound the* ~ afblæse flyvervarsel; afblæse en konflikt etc.

allegation [äle'geⁱʃən] påstand.

allege [ə'ledʒ] påberåbe sig, anføre; hævde, påstå.

Allegheny ['äligeni]: *the* ~ *Mountains* Alleghenybjergene.

allegiance [ə'li·dʒəns] troskab, lydighed.

allegoric(al) [äle'gårik(l)] (adj.) allegorisk. **allegorize** ['äligəraiz] forklare el. fremstille allegorisk; allegorisere. **allegory** ['äligəri] allegori.

allegro [ə'leⁱgroᵘ]. allegro.

alleluia [äli'lu·jə] halleluja.

all-embracing (adj.) altfavnende, altomfattende.

allergic [ə'lə·dʒik] (adj.) allergisk; *be* ~ *to* **T** ikke kunne fordrage.

allergy ['älədʒi] (subst.) allergi.

alleviate [ə'li·vieⁱt] lette, lindre.

alleviation [əli·vi'eⁱʃən] lettelse, lindring.

alley ['äli] gyde; stræde; havegang mellem træer el. buske; keglebane; *blind* ~ blindgyde; *that is up his* ~ det er lige noget for ham.

alleyway ['äliweⁱ] gang, passage.

All Fools' Day 1. april.

all-good ♧ stolthenrik.

alliance [ə'laiəns] forbund, forbindelse, alliance; giftermål; slægtskab, svogerskab. **allied** [ə'laid, adj, som fx. *Allied Nations*: 'älaid] forbundet, allieret, beslægtet.

alligator ['äligeⁱtə] (zo.) alligator.

alligator-pear ♧ alligatorpære.

all-important (adj.) af den største vigtighed.

all-in ['å·l'in] alt indbefattet (fx. *all-in price).*

all-in wrestling fribrydning.

allis shad ['älis'ʃäd] (zo.) stamsild.

alliteration [əlitə'reⁱʃən] alliteration, bogstavrim.

all-mains receiver (radio) universalmodtager.

allocate ['älokeⁱt] tildele.

allocation [älo'keⁱʃən] tildeling.

allocution [älo'kju·ʃən] (subst.) tale, henvendelse.

allodium [ə'loᵘdjəm] allodium, fri ejendom.

allopath ['äləpäþ], **allopathist** [ə'låpəþist] allopat.

allopathy [ə'låpəþi] allopati.
allot [ə'låt] tildele, uddele, skænke. **allotment** tildeling; del; lod; tilskikkelse; jordlod, parcel, kolonihave.
all-out ['å·l'aut] for fuld kraft; *make an ~ effort to* anstrenge sig af alle kræfter for at; *~ support* ubetinget støtte.
allow [ə'lau] tillade; indrømme; tilstå; give; godkende; trække fra; *~ for* regne med, tage i betragtning; *~ me!* lad mig! må jeg (hjælpe Dem)? *~ of* tillade; *be -ed* få lov til, have lov til; *-ing this* dette indrømmet. **allowable** [ə'lauəbl] tilladelig; retmæssig.
allowance [ə'lauəns] underhold; ration, portion; løn; rabat, fradrag, dekort; godtgørelse (fx. *uniform ~*); indrømmelse; (i sport omtr. =) handicap; *daily ~* (i forsikringsvæsen) dagpenge; *make ~ for* tage hensyn til, tage i betragtning.
alloy [ə'loi] (subst.) legering, blanding, tilsætning; (vb.) blande, legere, forringe.
all-round (adj.) alsidig, dygtig på alle områder (fx. *an all-round athlete*).
All Saints' Day allehelgensdag, 1. november.
all-seed ♧ tusindfrø.
All Souls' Day allesjælesdag, 2. november.
allspice ['å·lspais] (subst.) ♧ allehånde.
allude [ə'lu·d] hentyde, alludere *(to* til).
allure [ə'ljuə] (vb.) lokke; forlokke. **allurement** tillokkelse; lokkemiddel.
allusion [ə'lu·ʒən] hentydning, allusion; *make ~ to* hentyde til, komme med hentydninger til. **allusive** [ə'lu·siv] (adj.) fuld af hentydninger.
alluvial [ə'lu·viəl] (adj.) alluvial.
alluvium [ə'lu·viəm] (subst.) alluvialdannelse, alluvium.
I. **ally** ['älai] (subst.) forbundsfælle, allieret.
II. **ally** [ə'lai] (vb.) forbinde, forene *(to* el. *with* med); *allied to* (ogs.) beslægtet med.
almanac(k) ['å·lmənäk] almanak.
almighty [å·l'maiti] almægtig.
almond ['a·mənd] mandel; *soft-shell ~* krakmandel.
almoner ['a·mənə] almisseuddeler; (omtr.) socialrådgiver knyttet til et hospital.
almost ['å·lmoᵘst] næsten.
alms [a·mz] (pl. = sing.) almisse.
almshouse ['a·mzhaus] stiftelse (for fattige gamle).
aloe ['äloᵘ] ♧ aloe.
aloetic [äloᵘ'etik] (adj.) aloeholdig.
aloft [ə'lå·ft] højt, i vejret; til vejrs; *go ~* ⚓ gå til vejrs, gå til tops.
alone [ə'loᵘn] alene, ene; *all ~* ganske alene; *we are not ~ in thinking that* vi er ikke de eneste, der mener det; *let me ~* el. *leave me ~* lad mig være; *let ~* endsige, for ikke at tale om; *let* (el. *leave) well ~* se V. *well*.
along [ə'lång] langs, langs med, ned ad, op ad, hen ad; af sted, frem; *all ~* hele tiden (fx. *I knew it all ~*); *come ~* kom med; kom nu; komme frem, komme; *~ of* T på grund af, desformedelst; *get ~!* forsvind! *get ~ with sby.* komme ud af det med en; *~ with* sammen med, med.
alongside [ə'lång'said] side om side *(of* med); langs (el. ved) siden *(of* af); *come* (el. *go) ~* ⚓ lægge til.
aloof [ə'lu·f] i afstand, langt borte; *stand ~* holde sig på afstand. **aloofness** reserverthed.
aloud [ə'laud] (adv.) højt; *read ~* læse højt (modsat: læse lydløst for sig selv).
alp [älp] bjerg: *the Alps* Alperne.
alpaca [äl'päkə] alpaka.
alpha ['älfə] alfa; *~ plus* af højeste kvalitet; *~ rays* alfastråler.
alphabet ['älfəbėt] alfabet; abc, begyndelsesgrunde. **-ic(al)** [älfə'betik(l)] alfabetisk.
Alpine ['älpain] alpe-, alpin (fx. *~ flora); ~ swift* (zo.) alpesejler.
alpinist ['älpinist] bjergbestiger.
already [å·l'redi] allerede.

Alsace ['älsäs] Elsass; Alsace.
Alsatian [äl'seⁱʃiən] schäferhund; indbygger i Elsass.
also ['å·lsoᵘ] også; *~ ran* deltog også i løbet (men uden at blive placeret); *an ~ ran* en der ikke har haft held med sig, en der ikke er blevet til noget.
alt. fk. f. *alternate; altitude.*
Altai [äl'teⁱai].
altar ['å·ltə] alter. *~* **-cloth** alterdug. *~* **-piece** altertavle. *~* **-rail** alterskranke, knæfald.
alter ['å·ltə] forandre; (om tøj) sy om; forandre sig; *circumstances ~ cases* alt er relativt. **alterability** [åltərə'biliti] foranderlighed. **alterable** ['å·ltərəbl] foranderlig.
alteration [å·ltə'reⁱʃən] forandring.
altercate ['å·ltəkeⁱt] trættes.
altercation [å·ltə'keⁱʃən] trætte, ordstrid.
I. **alternate** ['å·ltə·neⁱt] skifte, veksle, afveksle; skiftes; *alternating current* vekselstrøm.
II. **alternate** [å·l'tə·nit] vekslende; (om bladstilling) afvekslende; (subst. amr.) suppleant; *on ~ nights* hveranden aften.
altern|ately [å·l'tə·nitli] skiftevis. **-ation** [å·ltə·'neⁱʃən] omskiftning, skiften; *~ of generations* generationsskifte.
alternative [å·l'tə·nətiv] (subst.) alternativ, valg mellem to muligheder; anden mulighed (fx. *that was bad, but the ~ was worse); there was no ~ left to us* vi havde nu ingen anden udvej; *in the ~* subsidiært.
alternator ['å·ltəneⁱtə] vekselstrømsgenerator.
although [å·l'ðoᵘ] skønt, endskønt, uagtet.
altimeter [äl'timitə] højdemåler.
altitude ['ältitju·d] højde.
altitude flight højdeflyvning.
alto ['ältoᵘ] alt (stemme), altsanger.
altogether [å(·)ltə'geðə] aldeles, ganske; i det hele taget, alt i alt; *in the ~* splitternøgen.
alto-relievo ['ältoᵘri'li·voᵘ] haut-relief.
altruism ['ältruizm] altruisme, uegennytte. **altruist** ['ältruist] altruist. **altruistic** [ältru'istik] (adj.), **altruistically** (adv.), altruistisk, uegennyttig.
alum ['äləm] alun.
aluminium [älju'minjəm] aluminium.
aluminum [ə'lu·minəm] (amr.) aluminium.
alveolus [äl'viələs] tandhule (i kæbebenet); bicelle.
always ['å·lwėz] (adv.) altid, stedse, stadig.
am [äm, əm] (1. person sing. præs. af *be*) (jeg) er.
A.M. ['eⁱ'em] fk. f. *anno mundi* (i året ...) efter verdens skabelse; *amplitude modulation.*
a.m. ['eⁱ'em] fk. f. *ante meridiem* ['änti mi'ridjəm] om morgenen, før middag, om formiddagen.
amadou ['ämədu·] fyrsvamp.
amah ['a·mə] (i østen) barnepige.
amain [ə'meⁱn] af alle kræfter, af al magt.
amalgam [ə'mälgəm] amalgam. **amalgamate** [-eⁱt] amalgamere, amalgamere sig; sammenslutte; smelte sammen. **amalgamation** [əmälgə'meⁱʃən] amalgamering, sammenslutning.
amanita [ämə'naitə] ♧ fluesvamp; *stinking ~* løgknoldet fluesvamp.
amanuens|is [əmänju'ensis] (pl. *-es* [-i·z]) privatsekretær, amanuensis.
amaranth ['äməränþ] amarant, uvisnelig blomst.
amass [ə'mäs] (vb.) sammendynge, samle.
amateur ['ämətə·] dilettant, amatør, fusker i faget; kunstelsker.
amateurish [ämə'tə·riʃ] (adj.) dilettantisk.
amatory ['ämətəri] erotisk, elskovs-.
amaze [ə'meⁱz] forbavse, forbløffe.
amazement forbavselse, forbløffelse.
Amazon ['äməzən] amazone; *the ~* Amazonfloden.
ambassador [äm'bäsədə] ambassadør.
amber ['ämbə] rav; gult lys (om trafiklys).
ambergris ['ämbəgri·s] ambra.
ambidexter [ämbi'dekstə] (fig.) vendekåbe, vejrhane, svindler.

ambient ['ämbiənt] omgivende, omsluttende.
ambiguity [ämbi'gjuiti] flertydighed.
ambiguous [äm'bigjuəs] flertydig, dunkel.
ambition [äm'biʃən] ambition, ærgerrighed; mål.
ambitious [äm'biʃəs] fremadstræbende, ærgerrig; begærlig (*of* efter).
ambivalent [äm'bivələnt] ambivalent.
amble ['ämbl] (vb.) gå, slentre; (om hest) gå i pasgang; (subst.) slentren; (om heste) pasgang.
ambler ['ämblə] pasgænger.
ambulance ['ämbjuləns] ambulance.
ambulatory ['ämbjulətəri] (om)vandrende; bevægelig, ambulant.
ambuscade [ämbə'skeid], **ambush** ['ämbuʃ] baghold, bagholdsoverfald, bagholdsangreb; ligge i baghold, lægge i baghold; *fall into an* ~ falde i baghold; ~ *sby.* lokke én i baghold, angribe én fra baghold.
ameer [ə'miə] emir.
ameliorate [ə'mi·liəreit] forbedre; blive bedre. **amelioration** [əmi·liə'reiʃən] forbedring.
amen ['a·'men] amen.
amenability [əmi·nə'biliti] ansvarlighed; føjelighed. **amenable** [ə'mi·nəbl] medgørlig; ~ *to* ansvarlig over for (fx. *the laws*); underkastet (fx. *their control*); modtagelig for, tilgængelig for (fx. *reason* fornuft).
amend [ə'mend] (vb.) rette, forbedre; ændre; blive bedre, forbedre sig. **amendment** [ə'mendmənt] forbedring; ændring; *move an* ~ stille et ændringsforslag. **amends** [ə'mendz] erstatning, oprejsning; *make* ~ *for* gøre godt igen.
amenity [ə'mi·niti] behagelighed, skønhed, elskværdighed; *amenities* bekvemmeligheder; behageligheder (fx. *the amenities of town life*); høfligheder, formaliteter.
ament [ə'ment]; **amentum** [ə'mentəm] ♧ rakle.
amerce [ə'mə·s] idømme en bøde, mulktere; straffe. **-ment** [-mənt] pengebøde, mulkt.
America [ə'merikə] Amerika. **American** [ə'merikən] amerikansk; amerikaner(inde). **Americanism** [ə'merikənizm] amerikanisme. **americanize** [ə'merikənaiz] amerikanisere.
amethyst [ä'miþist] ametyst.
amiability [eimjə'biliti] (subst.) elskværdighed.
amiable ['eimjəbl] (adj.) elskværdig.
amica|ble ['ämikəbl] (adj.) venskabelig; fredelig. **-bly** (adv.) i mindelighed; *settle -bly* afgøre i mindelighed.
amice ['ämis] liturgisk skulderklæde.
amid [ə'mid] midt iblandt, under.
amidst [ə'midst] midt iblandt, under.
amide ['ämaid] (kem.) amid.
amidships [ə'midʃips] midtskibs.
amino ['äminou]: ~ *acid* aminosyre.
amir [ə'miə] emir.
amiss [ə'mis] urigtigt, forkert, galt; *not* ~ ikke af vejen, ikke ilde; *do* ~ handle urigtigt; *nothing came* ~ *to him* han var parat til (el. med på) alt; *there's something* ~ der er noget i vejen; *take* ~ tage ilde op.
amity ['ämiti] venskab.
ammeter ['ämitə] amperemeter.
ammo ['ämou] S ammunition.
ammonia [ə'mounjə] ammoniak.
ammunition [ämju'niʃən] ammunition.
amnesia [äm'ni·ziə] hukommelsestab.
amnesty ['ämnesti] amnesti.
amnion ['ämniən] vandhinde, inderste fosterhinde. **amniotic** [ämni'åtik]: ~ *fluid* fostervand.
amoeba [ə'mi·bə] (pl. *amoebæ* [-bi·]) amøbe.
amok [ə'måk]; *run* ~ gå amok.
among [ə'mʌŋ], **amongst** [-st] iblandt, blandt; *they have not £5* ~ *them* de har ikke £5 tilsammen; *quarrel* ~ *themselves* skændes indbyrdes.
amoral [ä'mårəl] (adj.) amoralsk.
amorce [ə'må·s] knaldhætte; ⚔ tændladning.
amorist ['ämərist] erotiker.
amorous ['ämərəs] (som har) let (ved at blive) forelsket; kærligheds-, elskovs- (fx. ~ *songs, sighs*); ~ *glances* forlibte øjekast; *get* ~ *with* blive forlibt i.
amorphous [ə'må·fəs] (adj.) amorf.
amortizable [ə'må·tizəbl] amortisabel, som kan afbetales. **amortization** [əmå·ti'zeiʃən] amortisation, afbetaling. **amortize** [ə'må·taiz] amortisere, afbetale.
amount [ə'maunt] (subst.) beløb, mål, sum; (vb.) beløbe sig, løbe op, stige (*to* til); ~ *to* (næsten) være det samme som, være ensbetydende med; *it -s to this* det vil sige; *it -s to the same thing* det kommer ud paa ét; *this* ~ *of confidence* denne store fortrolighed; *a certain* ~ *of courage* et vist mod.
amour [ə'muə] kærlighedsaffære.
amour-propre [fr.] selvagtelse; selvfølelse; selvrespekt.
amp. fk. f. *ampere.*
ampere ['ämpæə] ampere.
ampersand ['ämpəsänd] (tegnet) & (= og).
amphibian [äm'fibiən] (subst.) amfibium; amfibieflyvebåd; amfibiekampvogn; (adj.) amfibisk.
amphibious [äm'fibiəs] (adj.) amfibisk.
amphitheatre ['ämfiþiətə] amfiteater.
amphora ['ämfərə] amfora (krukke med to hanke).
ample ['ämpl] (adj.) vid, stor, udførlig; (fuldt ud) tilstrækkelig; rigelig (fx. *you have* ~ *time*). **amplification** [ämplifi'keiʃən] (subst.) udvidelse; forstærkning. **amplifier** ['ämplifaiə] forstærker. **amplify** (vb.) ['ämplifai] udvide; forøge; behandle el. gøre udførligere; forstærke.
amplitude ['ämplitju·d] vidde, udstrækning; rummelighed; rigelighed; amplitude.
ampoule ['ämpu·l] ampul.
amputate ['ämpjuteit] (vb.) amputere. **amputation** ['ämpju'teiʃən] (subst.) amputation.
amuck [ə'mʌk]: *run* ~ gå amok.
amulet ['ämjulet] amulet.
amuse [ə'mju·z] more, underholde. **amusement** [ə'mju·zmənt] underholdning, morskab, fornøjelse.
amusing [ə'mju·ziŋ] (adj.) underholdende, morsom.
amyloid ['ämiloid] (adj.) stivelseagtig, stivelsesholdig.
an [ən, än] (ubest. artikel) en, et.
anabaptist [änə'bäptist] anabaptist.
anachronism [ə'näkrənizm] anakronisme. **anachronistic** [ənäkrə'nistik] anakronistisk.
anaconda [änə'kåndə] anakonda, kvælerslange.
Anacreontic [ənäkri'åntik] anakreontisk.
anadromous [ə'nädrəməs] (adj.) anadrom (om fisk som går fra havet op i floder for at forplante sig).
anaemia [ə'ni·miə] anæmi, blodmangel.
anaemic [ə'ni·mik] anæmisk.
anaesthesia [äni·s'þi·ziə] bedøvelse, anæstesi.
anaesthetic [äni·s'þetik] bedøvelsesmiddel; bedøvende; *be under an* ~ være bedøvet. **anaesthetist** [ä'ni·sþitist] narkoselæge; narkotisør; *nurse* ~ narkosesygeplejerske.
anaesthetize [an'i·sþətaiz] bedøve.
analgesia [änäl'dʒi·ziə] smertefrihed, analgesi.
analgesic [änäl'dʒi·sik] (adj.) smertestillende, analgetisk; (subst.) smertestillende middel, analgetikum.
analogic(al) [änə'lådʒik(l)] analogisk. **analogous** [ə'näləgəs] analog. **analogue** ['änəlåg] sidestykke.
analogy [ə'nälədʒi] analogi, overensstemmelse.
analyse ['änəlaiz] analysere. **analysis** [ə'näləsis] analyse; *in the last* ~ i sidste instans. **analyst** ['änəlist] analytiker. **analytic** [änə'litik] analytisk.
anamnesis [änəm'ni·sis] (med.) anamnese.
anapaest ['änəpi·st] anapæst.
anarchic(al) [ä'na·kik(l)] anarkisk, lovløs.
anarchism ['änəkizm] anarkisme.
anarchist ['änəkist] anarkist.
anarchy ['änəki] anarki.
anathema [ə'näþimə] band, bandstråle, bandlysning; forbandelse; *it was* ~ *to them* det var dem en pestilens. **anathematize** [ə'näþimətaiz] bandlyse.

anatomic(al) [ănə'tåmik(l)] anatomisk.
anatomist [ə'nätəmist] anatom.
anatomy [ə'nätəmi] anatomi; skelet.
ancestor ['ănsistə] stamfader; (pl.) forfædre; aner.
ancestral [ăn'sestrəl] fædrene, nedarvet. **ancestry** ['ănsistri] aner; herkomst, byrd.
anchor ['ăŋkə] (subst.) anker; (vb.) ankre (op); forankre; *come to* ~ ankre op; *foul the* ~ få uklart anker; *ride at* ~ ligge for anker; *slip the* ~ stikke ankeret ud; *stow an* ~ surre et anker; *trip the* ~ lette ankeret af grunden; *weigh* ~ lette anker. **-age** ['ăŋkərėdʒ] ankerplads.
anchor escapement ankergang (i ur).
anchoret ['ăŋkərėt], **anchorite** ['ăŋkərait] eremit, eneboer.
anchovy ['ăntʃəvi] ansjos; ~ *paste* ansjossmør.
anchylosed ['ăŋkiloᵘzd] (adj.) stift (om led).
anchylosis [ăŋkai'loᵘsis] stivhed (i leddene).
ancient ['eⁱnʃənt] gammel, fra gamle tider; *the -s* de gamle (oldtidens mennesker el. forfattere); ~ *lights* (jur.) vinduesret.
ancillary [ăn'siləri] (subst.) (underordnet) hjælper; (adj.): ~ *science* hjælpevidenskab; ~ *to* underordnet.
and [ănd, ənd] og, samt; *there are books* ~ *books* bøger og bøger er to ting.
Andalusia [ăndə'lu·ziə] Andalusien.
andiron ['ăndaiən] ildbuk (til brændet).
Andrew ['ăndru·] Andreas.
anecdote ['ănekdoᵘt] anekdote.
anemia [ə'ni·miə] anæmi.
anemic [ə'ni·mik] anæmisk.
anemometer [ăni'måmitə] vindmåler.
anemone [ə'neməni] ♧ anemone; (zo.) søanemone; *garden* ~, *poppy* ~ italiensk anemone.
anent [ə'nent] (præp.) om, angående.
aneroid ['ănəroid] aneroidbarometer.
aneurism ['ănjurizm] pulsåresvulst, åreknude.
anew [ə'nju·] på ny.
anfractuosity [ănfrăktju'åsiti] bugtning, bugtethed.
angel ['eⁱndʒəl] engel; **S** en der finansierer en opførelse af et teaterstykke.
angel-fish (zo.) havengel.
angelic [ăn'dʒelik] (adj.) englelig, engle-.
angelica-root [ăn'dʒəlikə-] ♧ engelrod.
angel's trumpet ♧ kejserlilje.
angelus ['ăndʒiləs] angelus, angelusklokke. ~ **-bell** angelusklokke.
anger ['ăŋgə] (subst.) vrede; (vb.) gøre vred.
angina [ăn'dʒainə] (subst.) halsbetændelse, angina; ~ *pectoris* angina pectoris.
angiosperm ['ăndʒiospə·m]: *the -s* de dækfrøede.
I. **angle** ['ăŋgl] (subst.) vinkel; hjørne; synsvinkel; (vb.) give en bestemt drejning, fordreje (fx. *news*).
II. **angle** ['ăŋgl] (vb.) fiske (med snøre), angle (*for* efter).
angler ['ăŋglə] fisker (som fisker med snøre), lystfisker; (zo.) havtaske. **angler-fish** (zo.) havtaske.
Angles ['ăŋglz]: *the* ~ anglerne.
Anglican ['ăŋglikən] (adj.) hørende til den engelske statskirke, anglikansk; højkirkelig; (subst.) medlem af den engelske statskirke. **Anglicanism** ['ăŋglikənizm] anglikanisme. **anglicism** ['ăŋglisizm] anglicisme, engelsk (sprog)ejendommelighed. **anglicize** ['ăŋglisaiz] anglisere, gøre engelsk.
Anglo- ['ăŋglo(ᵘ)] engelsk.
Anglo-Danish engelsk-dansk.
Anglo-Indian englænder i Indien.
Anglo-Irish (adj.) engelsk-irsk.
anglophile ['ăŋgloᵘfail] (adj.) engelskvenlig.
Anglo-Saxon ['ăŋgloᵘ'săksən] angelsaksisk; angelsakser.
angora [ăŋ'gå·rə]: ~ *cat* angorakat; ~ *rabbitwool* angorauld.
angry ['ăŋgri] vred (*at, about* over, *with* på); (om sår) betændt.
anguish ['ăŋgwiʃ] kval, pine, smerte; *be in* ~ lide frygtelige kvaler.
angular ['ăŋgjulə] vinkeldannet; kantet.
angularity [ăŋgju'lăriti] kantethed.
angulate ['ăŋgjulėt] kantet; knoglet.
anhydrous [ăn'haidrəs] (adj.) vandfri.
aniline ['ănilain] anilin.
animadversion [ănimăd'və·ʃən] kritik, dadel.
animadvert [ănimăd'və·t] gøre bemærkninger; ~ *upon* dadle, kritisere.
animal ['ăniməl] (subst.) dyr; (adj.) dyrisk; ~ *food* dyrisk føde; ~ *heat* egenvarme (legemets); ~ *husbandry* husdyrbrug; *the* ~ *kingdom* dyreriget; ~ *magnetism* dyrisk magnetisme; ~ *spirits* livskraft, livsglæde.
I. **animate** ['ănimeⁱt] (vb.) besjæle, oplive, gøre levende, opildne, animere; *-d* (ogs.) ivrig, livlig, livfuld; *-d by the best intentions* besjælet af de bedste hensigter; *-d cartoon* tegnefilm.
II. **animate** ['ănimėt] (adj.) levende.
animation [ăni'meⁱʃən] livlighed, liv.
animosity [ăni'måsiti] had, fjendskab, heftig uvilje.
animus ['ăniməs] uvilje, animositet; (jur.) hensigt (fx. ~ *lucrandi* berigelseshensigt).
anise ['ănis] anis. **aniseed** ['ănisi·d] anisfrø. **anisette** [ani'zet] anislikør.
anker ['ăŋkə] anker (som mål).
ankle ['ăŋkl] ankel. **anklet** ['ăŋklėt] ankelring; ankelsok.
annals ['ănəlz] årbøger, annaler.
Anne [ăn] Anna.
anneal [ă'ni·l] (ud)gløde, ophede og langsomt afkøle.
annelid ['ăn(i)lid] (zo.) ledorm.
I. **annex** [ə'neks] (vb.) vedføje; vedlægge; forene, annektere.
II. **annex** ['ăneks] (subst.) anneks, tilbygning; bilag.
annexation [ănek'seⁱʃən] indlemmelse, anneksion.
annihilate [ə'naiəleⁱt] tilintetgøre.
annihilation [ənaiə'leⁱʃən] tilintetgørelse.
anniversary [ăni'və·səri] årsdag, årsfest; *wedding* ~ bryllupsdag.
Anno Domini ['ănoᵘ'dåminai] efter Kristi fødsel, i det Herrens år; (fig.) alderdommen.
annotate ['ănoteⁱt] kommentere. **annotation** [ăno'teⁱʃən] kommentar.
announce [ə'nauns] melde, forkynde, tilkendegive, bekendtgøre, deklarere, annoncere; være speaker (i radio).
announcement [ə'naunsmənt] melding, forkyndelse, annoncering, annonce; bekendtgørelse; ~ *of death* dødsannonce.
announcer [e'naunsə] speaker (i radio).
annoy [ə'noi] plage, besvære; drille, ærgre; irritere; genere, forulempe. **annoyance** [-əns] plage; besvær, ærgrelse, irritation. **annoyed** ærgerlig (*at* over; *with* på), irriteret, misfornøjet.
annual ['ănjuəl] årlig, års-; ♧ enårig; årbog; ~ *consumption* årsforbrug; ~ *cutting* årshugst; ~ *growth* årstilvækst; ~ *ring* årring; ~ *subscription* årskontingent; ~ *yield* årligt udbytte.
annuitant [ə'njuitənt] livrentenyder.
annuity [ə'njuiti] livrente; årpenge.
annul [ə'nʌl] tilintetgøre, ophæve, annullere.
annular ['ănjulə] (adj.) ringformet.
annulated ['ănjuleⁱtid] forsynet med ringe.
annulment [ə'nʌlmənt] ophævelse, annullering.
annunciation [ənʌnsi'eⁱʃən] bebudelse; *the Annunciation* Mariæ bebudelsesdag (25. marts). **annunciator** [ə'nʌnsieⁱtə] nummertavle.
anode ['ănoᵘd] (subst.) anode, positiv pol; ~ *battery* anodebatteri.
anodyne ['ănodain] smertestillende (middel).
anoint [ə'noint] (vb.) salve.
anomalous [ə'nåmələs] uregelmæssig, afvigende

anomaly [ə'nåməli] (subst.) anomali, uregelmæssighed.

I. **anon** [ə'nån] straks, snart; *ever and ~* hvert øjeblik.

II. **anon.** fk. f. *anonymous.*

anonym ['ånənim] unavngiven person, anonym; pseudonym.

anonymity [åno'nimiti] anonymitet.

anonymous [ə'nåniməs] unævnt, anonym.

anopheles [ə'nåfəli·z] (subst.) malariamyg.

another [ə'nʌðə] en anden, en ny; en til, endnu en; *one ~* hinanden, hverandre; *one after ~* den ene efter den anden; *many ~ battle* mange flere slag; *you are an Englishman, I am ~* De er englænder, det er jeg også; *you are ~* det kan du selv være (fx. *'You are a fool!' 'You are ~'!); ask me ~* **T** det aner jeg ikke.

anoxia [ån'åksiə] (med.) iltmangel.

answer ['a·nsə] (subst.) svar; besvarelse, løsning; (vb.) svare (regning); svare på, besvare; svare til; passe for; *in ~ to* som svar på; *~ to* svare til; lyde, lystre; blive påvirket af, reagere på; *~ to the name of* lyde navnet; *~ back* svare igen; *~ the bell* lukke op, når det ringer; *~ the helm* lystre roret; *~ the telephone* tage telefonen; *~ an advertisement* reflektere på en annonce; *~ for* svare for, indestå for; stå til ansvar for.

answerable ['a·nsərəbl] ansvarlig.

ant [ånt] (subst.) myre; *white ~* termit.

antacid [ånt'åsid]: *~ tablet* tablet mod for meget mavesyre.

antagonism [ån'tågənizm] strid, modstrid; antagonisme; modstand *(to* mod). **antagonist** [ån'tågənist] modstander. **antagonize** [ån'tågənaiz] (vb.) modvirke, modarbejde; støde fra sig, pådrage sig fjendskab hos.

antarctic [ånt'a·ktik] antarktisk, sydpolar; *the Antarctic* Sydpolarlandene; *the A. circle* den sydlige polarkreds; *the A. Pole* sydpolen.

ant-bear ['åntbæə] den store myresluger.

ante- ['ånti] foran, før.

ant-eater ['ånti·tə] myresluger; *lesser ~* tamandua.

antecedence [ånti'si·dəns] gåen forud. **antecedent** [ånti'si·dənt] forudgående, tidligere *(to* end); forudgående begivenhed; (i logik) forsætning; (i grammatik) ord (el. sætning) hvortil et relativt pronomen henviser; (i pl.) antecedentia, forhistorie, fortid.

antechamber ['åntitʃe'mbə] forværelse.

antedate ['åntide'it] antedatere, opgive for tidlig dato for; gå forud for; foregribe. **antediluvian** [åntidi'lu·vjən] antediluviansk; fra før syndfloden.

antelope ['åntiloᵘp] antilope.

ante meridiem ['ånti mi'ridjəm] før middag, om formiddagen.

antenatal [ånti'ne'itl] (adj.) som ligger forud for fødselen; *~ clinic* konsultation for svangre.

antenna [ån'tenə] (pl. *-ae* [-i·]) følehorn; antenne.

antepenult ['åntipin'ʌlt] tredje sidste.

anterior [ån'tiəriə] foregående, tidligere *(to* end); foran liggende. **-ly** fortil.

anteroom ['åntirum] forværelse; dagligstue i officersmesse.

anthem ['ånþəm] kirkesang; hymne; *the national ~* nationalsangen.

anther ['ånþə] ♧ støvknap; *~ dust* blomsterstøv.

ant-hill ['ånthil] myretue.

anthology [ån'þålədʒi] antologi.

Anthony ['åntəni]: *St. -'s fire* (med.) rosen.

anthracite ['ånþrəsait] antracit, glanskul.

anthrax ['ånþråks] (med.) brandbyld; (vet.) miltbrand.

anthropology [ånþro'pålədʒi] antropologi.

anthropometry [ånþro'påmətri] antropometri.

anti- ['ånti] imod, anti-. **anti-aircraft** luftværns- (fx. *anti-aircraft gun* luftværnskanon).

antibiotic ['åntibai'åtik] (subst.) antibiotikum; (adj.) antibiotisk.

antibody ['åntibådi] (med.) antistof.

antic ['åntik] (adj.) grotesk, fantastisk.

Antichrist ['åntikraist] Antikrist.

antichristian ['ånti'kristjən] antikristelig.

anticipate [ån'tisipe'it] foregribe; tage forskud på; komme i forkøbet; (forudse og) imødegå (fx. *~ an argument); forekomme* (fx. *~ sby.'s wish);* forudføle; glæde sig til; vente sig; foregribe begivenhedernes gang. **anticipation** [åntisi'pe'iʃən] foregribelse; forudfølelse; forsmag; forudnydelse; forventning.

anticlimax ['ånti'klaimåks] antiklimaks.

anticline ['åntiklain] (geol.) antiklinal, sadel.

antics ['åntiks] tossestreger, krumspring.

antidim ['ånti'dim] dugfri; antidug-.

antidotal ['åntidoᵘtl] som indeholder modgift.

antidote ['åntidoᵘt] modgift.

anti-drip device dråbefanger.

anti-freeze (adj.) frostfri, frosthindrende; (subst.) kølervæske.

Antilles [ån'tili·z]: *the ~* Antillerne.

antimacassar ['åntimə'kåsə] antimakassar.

antimony ['åntiməni] antimon.

antinomy [ån'tinəmi] antinomi.

antipathetic [åntipə'þetik] antipatisk.

antipathy [ån'tipəþi] antipati, modvilje.

antiphony [ån'tifəni] vekselsang.

antipodal [ån'tipədl], **antipodean** [åntipo'di·ən] diametralt modsat. **antipodes** [ån'tipədi·z] sted på den modsatte side af jorden (fx. *Australia is the ~ of England);* antipoder (fx. *our ~ sleep while we wake);* modsætning.

anti-prohibitionist forbudsmodstander.

antipyretic ['åntipai'retik] feberstillende (middel).

antipyrin [ånti'paiərin] antipyrin.

antiquarian [ånti'kwæəriən] (subst.) arkæolog; (glds.) oldgransker, antikvitetskyndig; (adj.) oldkyndig.

antiquarianism [ånti'kwæəriənizm] interesse for oldsager. **antiquary** ['åntikwəri] se *antiquarian.*

antiquated ['åntikwe'itid] antikveret, forældet.

antique [ån'ti·k] (adj.) fra oldtiden, antik; gammeldags; (subst.) antikvitet, kunstværk fra oldtiden.

antiquity [ån'tikwiti] ælde; oldtid; antikvitet; (i pl.) oldsager.

anti-Semite ['ånti'si·mait] (subst.) antisemit. **anti-Semitic** [åntisi'mitik] (adj.) antisemitisk. **anti-Semitism** [ånti'semitizm] antisemitisme.

antiseptic [ånti'septik] antiseptisk (middel). **antiseptics** (subst.) antiseptik.

antiskid ['ånti'skid]: *~ chain* snekæde.

antisocial ['ånti'soᵘʃəl] samfundsfjendtlig.

antispasmodic [åntispåz'mådik] (med.) krampestillende (middel).

antithes|is [ån'tiþisis] (pl. *-es* [-i·z]) modsætning, antitese.

antler ['åntlə] hjortetak, gren på en tak; *-s* gevir.

ant-lion ['åntlaiən] (zo.) myreløve.

antonym ['åntənim] antonym.

Antwerp ['åntwə·p] Antwerpen.

anus ['e'nəs] anus, endetarmsåbning, gat.

anvil ['ånvil] ambolt.

anxiety [åŋ'zaiəti] iver, ivrigt ønske; bekymring, ængstelse, uro. *~* **neurosis** angstneurose.

anxious ['åŋ(k)ʃəs] ivrig *(for* efter; *to* efter at); ængstelig, bekymret, urolig *(about* for).

any ['eni] nogen, nogen som helst, hvilken som helst; enhver, enhver som helst; *thanks, I am not having ~* **S** tak, det skal jeg ikke have noget af; nej, ellers tak; *~ amount of* uendelig mange (, meget); *hardly ~* næsten ingen; *give me ~ old book* giv mig bare en bog, lige meget hvilken; *in ~ case* under alle omstændigheder, i hvert fald; *at ~ rate* i hvert fald, i det mindste; *~ longer* længere; *~ more* mere; *he is not ~ the wiser* han er ikke spor klogere; *it did not snow ~ yesterday* (især amr.) det sneede (slet) ikke i går; *responsible for ~ consequences* ansvarlig for eventuelle følger.

any|body ['enibådi] nogen, nogen som helst, (alle og) enhver, hvem som helst. **-how** ['enihau] på en hvilken som helst måde, på nogen som helst måde; i hvert fald, under alle omstændigheder, hvorom alting er; alligevel; på bedste beskub; skødesløst (fx. *the work was done -how*). **-one** ['eniwʌn] se *-body; any one* en (hvilken som helst) enkelt. **-thing** ['eniþiŋ] noget; alt; hvad som helst; *-thing but* alt andet end; *if -thing* nærmest, snarere; *like -thing* af al kraft, så det står efter (fx. *work like -thing); swear like -thing* bande som en tyrk. **~ time** når det skal være, når som helst. **-way** ['eniweⁱ] se *-how*. **-where** ['eniwæə] nogen steder, nogetsteds, hvor som helst, alle vegne, overalt. **-wise** ['eniwaiz] overhovedet, på nogen måde.

Anzac ['änzäk] fk. f. *Australian and New Zealand Army Corps; -s* soldater af denne hær.

aorta [eⁱ'å·tə] (anat.) aorta, den store pulsåre.

aoudad ['audäd] (zo.) mankefår.

A. P. fk. f. *Associated Press*.

apace [ə'peⁱs] hurtigt, rask.

I. **Apache** [ə'pätʃi] (medlem af en indianerstamme).

II. **apache** [ə'pa·ʃ] apache (parisisk bølle).

apanage se *appanage*.

apart [ə'pa·t] afsides, afsondret; (adskilt) fra hinanden; *come ~* gå fra hinanden, gå itu; *~ from* bortset fra; *joking ~* spøg til side; *set ~ for* lægge til side til, forbeholde; *take ~* skille ad; (fig.) dissekere; *tell them ~* skelne imellem dem; skelne dem fra hinanden; *viewed ~* betragtet hver for sig; *he lives in a world ~* han lever i en helt anden verden.

apartheid [ə'pa·thait] [sydafrikansk racediskrimination].

apartment [ə'pa·tmənt] (i England) værelse; (i U.S.A.) lejlighed; *-s* (møbleret) lejlighed; *~ house* (amr.) beboelsesejendom.

apathetic [äpə'þetik] apatisk; følelsesløs; kold, sløv. **apathy** ['äpəþi] apati, selvopgivelse, sløvhed.

ape [eⁱp] (subst.) abe (især om haleløse, menneskelignende arter); (fig.) efteraber; (vb.) efterabe.

apeak [ə'pi·k] ⚓ (ret) op og ned, lodret.

Apennines ['äpinainz]: *the ~* Apenninerne.

apepsy [ə'pepsi] fordøjelsesbesværligheder.

apercu [äpə'sju·] kort fremstilling, resumé, oversigt.

aperient [ə'piəriənt] afførende (middel).

aperitif [ə'peritif] aperitif, appetitvækker; afførende (middel).

aperture ['äpətjuə] åbning; hul.

apex ['eⁱpeks] (pl. *apexes, apices)* top, spids; toppunkt.

aphasia [ə'feⁱziə] afasi, tab af taleevnen.

aphides ['eⁱfidi·z] pl. af *aphis*.

aphis ['eⁱfis] (pl. *aphides)* bladlus.

aphorism ['äfərizm] (subst.) aforisme.

aphoristic [äfə'ristik] (adj.) aforistisk.

aphrodisiac [äfro'diziäk] pirringsmiddel.

aphtha ['äfþə] (med.) trøske.

apiarist ['eⁱpiərist] biavler.

apices ['eⁱpisi·z] pl. af *apex*.

apiculture ['eⁱpikʌltʃə] biavl.

apiece [ə'pi·s] pr. styk; til hver person, hver.

apish ['eⁱpiʃ] (adj.) abeagtig; efterabende; narragtig, abe-.

aplomb ['äplåŋ] selvbeherskelse, sikkerhed (i optræden), aplomb.

apocalypse [ə'påkəlips] åbenbaring; *the A.* Johannes' Åbenbaring.

apocarp ['äpoka·p] flerfoldsfrugt.

apocope [ə'påkəpi] (gram.) apokope.

Apocrypha [ə'påkrifə]: *the ~* apokryferne. **apocryphal** [ə'påkrifəl] (adj.) apokryf.

apod(e)ictic [äpoᵘ'daiktik] apodiktisk, overbevisende, uimodsigelig.

apodosis [ə'pådəsis] eftersætning.

apologetic [əpålə'dʒetik] (adj.) undskyldende.

apologize [ə'pålədʒaiz] (vb.) gøre undskyldning.

apology [ə'pålədʒi] undskyldning; forsvar; surrogat; *an ~ for a tie* noget der skal (,skulle) forestille et slips.

apophthegm ['äpoþem] tankesprog.

apoplectic [äpo'plektik] (adj.) apoplektisk; (subst.) apoplektiker. **apoplexy** ['äpopleksi] apopleksi.

aport [ə'på·t] (adv.) ⚓ bagbord.

apostasy [ə'påstəsi] frafald. **apostate** [ə'påstėt] apostat, frafalden.

apostle [ə'påsl] apostel. **apostolic** [äpə'stålik] (adj.) apostolisk.

apostrophe [ə'påstrəfi] apostrof; apostrofe.

apostrophize [ə'påstrəfaiz] (vb.) apostrofere.

apothecary [ə'påþikəri] (glds.) apoteker (som tillige havde lov til at ordinere medicin).

apotheosis [əpoþi'oᵘsis] apoteose.

appal [ə'på·l] forfærde.

Appalachian [äpə'leⁱtʃiən]: *~ Mountains* Appalachiske bjerge.

appalling [ə'på·liŋ] forfærdende, rædselsfuld.

appanage ['äpənėdʒ] apanage.

apparatus [äpə'reⁱtəs] apparatur, hjælpemidler, apparatsamling, apparat; organer (fx. *digestive ~* fordøjelsesorganer); *teaching ~* skolemateriel.

apparel [ə'pärəl] (glds.) klædning, dragt; klæde på; *article of ~* beklædningsgenstand.

apparent [ə'pärənt] øjensynlig; tilsyneladende; synlig; åbenbar; *for no ~ reason* uden påviselig grund; *as is ~ from* som (det) fremgår af; *heir ~* nærmeste arving; tronarving. **-ly** tilsyneladende.

apparition [äpə'riʃən] syn; spøgelse, genfærd.

appeal [ə'pi·l] (vb.) appellere *(to* til, fx. *I ~ to your common sense)*; gøre et godt indtryk, virke tiltalende *(to* på, fx. *if the plan -s to you)*; bede, bønfalde *(for* om, fx. *~ for mercy)*; (subst.) påberåbelse; henvendelse; appel; *~ against a judgment* appellere en dom; *~ to the country* (appellere til vælgerne ved at) udskrive nye valg, tage et valg; *the subject -s to me* emnet interesserer mig; *does it ~ to you?* kan du lide det? synes du om det?

appealing bønfaldende (fx. *an ~ glance)*; tiltrækkende, indbydende.

appear [ə'piə] (vb.) vise sig, blive synlig, komme frem; optræde; (jur.) møde; udkomme (om en bog); fremgå *(from* af), blive tydelig; findes, stå (i en avis); synes, forekomme.

appearance [ə'piərəns] (subst.) tilsynekomst, fremkomst; optræden; møde (for retten); udseende; skin; syn, skue; fænomen; spøgelse; *make one's ~* vise sig, træde ind, komme til stede; *put in an ~* komme til stede, møde op; *save -s* redde skinnet; *keep up -s* bevare skinnet; *-s are against him* han har skinnet imod sig; *-s are deceptive* skinnet bedrager; *to all ~* efter alt at dømme.

appease [ə'pi·z] (vb.) fredeliggøre, pacificere (fx. *an angry man)*, formilde, forsone, dæmpe; stille (fx. *one's thirst)*, give efter for, tilfredsstille. **appeasement** [ə'pi·zmənt] (subst.) fredeliggørelse, pacificering, formildelse; given efter, eftergivenhed; *policy of ~* eftergivenhedspolitik. **appeaser** [ə'pi·zə] eftergivenhedspolitiker.

appellant [ə'pelənt] (adj.) appellerende, appel-; (subst.) appellant. **appellation** [äpe'leⁱʃən] benævnelse. **appellative** [ə'pelətiv] fællesnavn, appellativ.

append [ə'pend] (vb.) vedhænge, vedhæfte, tilføje, vedlægge. **appendage** [ə'pendidʒ] (subst.) vedhæng, tillæg; tilbehør. **appendant** [ə'pendənt] (subst.) tillæg, tilføjelse, tilbehør.

appendicitis [əpendi'saitis] blindtarmsbetændelse.

append|ix [ə'pendiks] (pl. *-ices* [-isi·z] el. *-ixes)* bilag, tillæg; vedhæng; *the vermiform ~* blindtarmens ormeformede vedhæng.

appertain [äpə'teⁱn]: *~ to* tilhøre, høre til; vedrøre.

appetence, appetency ['äpitəns, 'äpitənsi] begær, lyst.

appetite ['äpitait] begærlighed, begær, lyst *(for* til); appetit.

appetiz|er ['äpitaizə] appetitvækker. **-ing** appetitvækkende; tillokkende; appetitlig.

applaud [ə'plå·d] klappe (ad), applaudere; billige, prise. **applause** [ə'plå·z] applaus; bifald; ros.

apple ['äpl] æble; ~ *of the eye* øjesten; ~ *of discord* stridens æble.

apple|-cart: *upset sby.'s* ~ *-cart* spolere (vælte) ens planer. ~ **-dumpling** indbagt æble. ~ **-pie** æblepie. ~ **-pie bed** seng med lagen lagt dobbelt, så man ikke kan få benene strakt ud; seng der er låset. ~ **-pie order** mønstergyldig orden. ~ **sauce** æblemos; (fig.) (overdreven) smiger, (amr.) vrøvl.

appliance [ə'plaiəns] indretning, redskab; instrument (fx. *surgical* ~). **applicability** [äplikə'biliti] anvendelighed. **applicable** ['äplikəbl] (adj.) anvendelig. **applicant** ['äplikənt] (subst.) ansøger; reflektant; reflekterende. **application** [äpli'keiʃən] anbringelse, pålægning, påføring, påsmøring; omslag; anvendelse (fx. *the* ~ *of these remedies);* henvendelse, ansøgning; flid; *form of* ~, ~ *form* ansøgningsblanket; *letter of* ~, ~ *paper* ansøgning.

appliqué [ä'pli·kei] (subst.) applikation; (vb.) applikere.

apply [ə'plai] sætte el. lægge på, påføre, påsmøre; anbringe; bruge; anvende; henvende sig *(to* til); ansøge *(for* om); passe *(to* på), gælde *(to* for, fx. *rules that* ~ *to vehicles); applied art* kunstindustri; ~ *a dressing* anlægge en forbinding; ~ *a match* sætte en tændstik til; ~ *one's mind to* kaste sig over, ofre sine tanker på; ~ *oneself to* lægge sig efter; arbejde flittigt med, koncentrere sig om.

appoint [ə'point] bestemme, fastsætte, aftale (fx. *let us* ~ *a day to meet again);* ansætte (fx. ~ *sby. to a post);* udnævne (til); nedsætte (fx. *a committee); well -ed* godt udstyret, godt indrettet (fx. *house).*

appointment [ə'pointmənt] bestemmelse; anordning; udnævnelse; ansættelse; stilling; aftale; (i pl.) udstyr(else); *by* ~ efter aftale; *purveyor by* ~ hofleverandør; *when you make an* ~ *keep it* når du træffer en aftale, så hold den.

apportion [ə'på·ʃən] fordele; tilmåle. **-ment** [-mənt] tildeling, tilmåling.

apposite ['äpozit] passende, vel anbragt; træffende (fx. *remark);* rammende.

apposition [äpo'ziʃən] apposition, hosstilling.

appraisal [ə'preizəl] vurdering.

appraise [ə'preiz] vurdere, taksere.

appraiser [ə'preizə] vurderingsmand.

appreciable [ə'pri·ʃəbl] (adj.) mærkbar, kendelig.

appreciate [ə'pri·ʃieit] (vb.) vurdere, skatte, (forstå at) værdsætte; påskønne (fx. *I* ~ *your kindness);* sætte pris på; være på det rene med, opfatte; stige i værdi.

appreciation [əpri·ʃieiʃən] (subst.) vurdering; påskønnelse; værdsættelse; opfattelse (fx. ~ *of poetry);* værdistigning.

appreciative [ə'pri·ʃiətiv], **appreciatory** [ə'pri·ʃiətəri] (adj.) påskønnende, anerkendende.

apprehend [äpri'hend] anholde, arrestere; pågribe; fatte, opfatte, forstå, begribe; befrygte, frygte.

apprehensible [äpri'hensəbl] begribelig, forståelig.

apprehension [äpri'henʃən] anholdelse, arrest; pågribelse; opfattelse(sevne); frygt, ængstelse; bange anelser.

apprehensive [äpri'hensiv] bange, frygtsom; intelligent; ~ *faculty* opfattelse(sevne).

apprentice [ə'prentis] lærling, læredreng, elev; (vb.) sætte i lære; ~ *sby. to* sætte en i lære hos. **apprenticeship** lære, læretid.

apprise [ə'praiz] underrette *(of* om).

approach [ə'prouʧ] (vb.) nærme sig, komme nær; bringe nær; henvende sig til; (subst.) komme, anmarch; adgang, vej, indkørsel, indsejling; indflyvning; tilnærmelse; måde at gribe noget an på.

approachable tilgængelig; (fig. ogs.) omgængelig.

approach | buoy ⚓ anduvningsvager. ~ **-grafting** (i gartneri) afsugning.

approaching (adj.) tilstundende, forestående, nær.

approach | light ⚓ anduvningsfyr; ~ *lights* (flyv.) indflyvningslys. ~ **road** indfaldsvej.

approbation [äpro'beiʃən] bifald, samtykke.

I. **appropriate** [ə'proupriei t] (vb.) overdrage, henlægge, bestemme (til et særligt brug), (omtr.) bevilge; tilegne sig, stjæle.

II. **appropriate** [ə'proupriėt] (adj.) passende, skikket, behørig; *be* ~ *to* passe (el. egne) sig for.

appropriation [əproupri'eiʃən] tilegnelse; anvendelse; henlæggelse; bestemmelse; finansbevilling.

approval [ə'pru·vəl] bifald; billigelse; approbation; *on* ~ på prøve, til gennemsyn; *meet with* ~ vinde bifald.

approve [ə'pru·v] billige; bifalde; godkende, anerkende; *-d by the authorities* godkendt af myndighederne; ~ *of* bifalde; *approved school* ungdomshjem (d.v.s. opdragelsesanstalt).

I. **approximate** [ə'pråksimeit] (vb.) nærme sig.

II. **approximate** [ə'pråksimėt] (adj.) omtrentlig. **-ly** (adv.) omtrent, tilnærmelsesvis.

approximation [əpråksi'meiʃən] tilnærmelse (fx. *to the truth).*

appurtenance [ə'pə·tinəns] tilbehør.

apricot ['eiprikåt] abrikos.

April ['eipr(ə)l] april. ~ **fool** aprilsnar.

a priori ['eiprai'å·rai] a priori.

apron ['eiprən] forklæde; skødskind; forlæder (på en vogn). ~ **-string** forklædebånd; *be tied to sby.'s* ~ *-strings* gå i ens ledebånd, hænge i skørterne på en.

apropos ['äprəpou] (adv., adj.) a propos, tilpas, belejlig; ~ *of* angående, a propos.

apse [äps] (arkit.) apsis.

apsis ['äpsis] (pl. *apsides* [äp'saidi·z, 'äpsidi·z]) apsis (pl. apsider).

apt [äpt] (adj.) skikket, passende, (om bemærkning) træffende; dygtig, flink (fx. *be apt at learning); be apt to* være tilbøjelig til at (fx. *they are apt to forget; I am apt to believe); he is apt to come to-night* (amr.) han kommer sandsynligvis i aften.

aptitude ['äptitju·d]: ~ *for sth.* evne til noget; anlæg for ngt.; *have an* ~ *for learning* have evne til at lære, være lærenem.

aptness ['äptnės] tilbøjelighed (fx. *his* ~ *to forget);* evne (fx. *his* ~ *to learn); the* ~ *of his remarks* det rammende i hans bemærkninger.

aqua ['äkwə] vand: ~ *fortis* [-'få·tis] (kem.) skedevand. **aqua|lung** vandlunge (respirationsapparat for undervandssvømmere). **-marine** [äkwəmə'ri·n] akvamarin, beryl. **-plane** surfridingbræt. ~ **-regia** [äkwə'ri·dʒiə] (kem.) kongevand.

aquarelle [äkwə'rel] (subst.) akvarel.

aquari|um [ə'kwæəriəm] (pl. *-ums, -a)* akvarium.

aquatic [ə'kwätik] vand- (fx. *aquatic plant);* ~ *warbler* (zo.) vandsanger.

aqua-vitæ ['äkwə'vaiti·] akvavit, brændevin.

aqueduct ['äkwidʌkt] vandledning, akvædukt.

aqueous ['eikwiəs] vandrig; vandagtig; vandig (fx. *solution).*

aquiline ['äkwilain] ørne-.

A. R. A. fk. f. *Associate of the Royal Academy.*

Arab ['ärəb] araber; arabisk; ~ *(horse)* arabisk hest; *(City* el.) *street arabs* hjemløse børn, gadeunger.

arabesque [ärə'besk] arabesk.

Arabia [ə'reibjə] Arabien.

Arabian [ə'reibjən] arabisk; araber; ~ *bird* fugl Føniks; ~ *Nights* Tusind og én Nat.

Arabic ['ärəbik] arabisk (adj. og subst.).

arable ['ärəbl] (adj.) dyrkelig, opdyrket; (subst.) agerland.

Araby ['ärəbi] (poet.) Arabien.

arachnids [ə'räknidz] (subst., pl., zo.) spindlere.

Aragon ['ärəgən] Aragonien.

arbiter ['a·bitə] voldgiftsmand; dommer (fx. ~ *of taste* smagsdommer); herre *(of* over, fx. *he was the* ~ *of their lives).*

arbitrage ['a·bitridʒ] voldgiftskendelse; arbitrageforretninger.

arbitrament [a·ˈbitrəmənt] voldgiftsafgørelse, voldgiftskendelse.
arbitrariness [ˈa·bitrərinės] vilkårlighed. **arbitrary** [ˈa·bitrəri] (adj.) arbitrær, vilkårlig; egenmægtig. **arbitrate** [ˈa·bitreⁱt] (vb.) afgøre, dømme; (lade) afgøre ved voldgift. **arbitration** [a·biˈtreⁱʃən] voldgift. **arbitrator** [ˈa·bitreⁱtə] voldgiftsdommer, voldgiftsmand.
arbor [ˈa·bə] aksel; dorn; (amr.) = *arbour.*
arboreal [a·ˈbå·riəl] som lever på (el. i) træer (fx. *~ animals)*, træ-.
arboreous [a·bå·riəs] træagtig; skovklædt.
arboretum [a·bəˈri·təm] arboret.
arboriculture [ˈa·borikʌltʃə] trædyrkning.
arbor-vitae [ˈa·bəˈvaiti·] tuja.
arbour [ˈa·bə] løvhytte, lysthus.
arc [a·k] bue; *~ light* buelys.
arcade [a·ˈkeⁱd] buegang.
Arcadian [a·ˈkeⁱdiən] arkadisk; landlig; idyllisk.
Arcady [ˈa·kədi] Arkadien.
arcane [ˈa·keⁱn] hemmelig, mystisk.
arcan|um [a·ˈkeⁱnəm] (pl. *-a)* hemmelighed; hemmeligt middel, arkanum.
I. **arch** [a·tʃ] (subst.) bue; hvælving; (om del af fod) svang; (vb.) krumme; hvælve; bue sig, hvælve sig; spænde en bue over; *fallen -es* platfodethed; *~ support* indlæg (til støtte for svangen).
II. **arch** [a·tʃ] (adj.) skælmsk, skalkagtig.
III. **arch-** [a·tʃ] ærke- (fx *arch-liar* ærkeløgner).
archaeological [a·kiəˈlådʒikl] arkæologisk. **archaeologist** [a·kiˈålədʒist] arkæolog.
archaeology [a·kiˈålədʒi] arkæologi.
archaic [a·ˈkeⁱik] gammeldags, forældet; arkaisk.
archaism [ˈa·keⁱizm] gammeldags udtryk; arkaisme.
archaistic [a·keⁱˈistik] arkaiserende.
archangel [ˈa·kˈeⁱndʒəl] ærkeengel.
arch|bishop [ˈa·tʃˈbiʃəp] ærkebiskop. **-bishopric** ærkebispedømme. **-deacon** [ˈa·tʃˈdi·kən] (gejstlig embedsmand, i rang nærmest under bisperne). **-duchess** [ˈa·tʃˈdʌtʃės] ærkehertuginde. **-duke** [ˈa·tʃˈdju·k] ærkehertug.
archer [ˈa·tʃə] bueskytte.
archery [ˈa·tʃəri] bueskydning.
archetype [ˈa·kitaip] grundtype, (især psyk.) arketype; mønster, original.
archie [ˈa·tʃi] (af navnet *Archibald* [ˈa·tʃibəld]) **S** luftværnskanon.
Archimedean [a·kiˈmi·diən]: *~ principle* Arkimedes' lov. **Archimedes** [a·kiˈmi·di·z].
archipelago [a·kiˈpeləgoᵘ] øhav, øgruppe; *the A.* Arkipelagos, Det græske Øhav.
architect [ˈa·kitekt] bygmester, arkitekt; (fig.) skaber. **architect|onic** [a·kitekˈtånik], **-ural** [a·kiˈtektʃərəl] arkitektonisk. **-ure** [ˈa·kitektʃə] bygningskunst, arkitektur.
architrave [ˈa·kitreⁱv] arkitrav; gerigt.
archival [a·ˈkaivl] arkiv-.
archives [ˈa·kaivz] pl. arkiv.
archivist [ˈa·kivist] arkivar.
archway [ˈa·tʃweⁱ] porthvælving, buegang.
arc-lamp [ˈa·klämp] buelampe.
arc-light [ˈa·klait] buelys.
arctic [ˈa·ktik] (adj.) arktisk, nordlig, nord-; nordpols- (fx. *expedition); the A. circle* den nordlige polarkreds; *~ tern* havterne; *the A. zone* Arktis, nordpolarlandene.
ardency [ˈa·dnsi] varme, inderlighed; iver.
Ardennes [a·ˈdenz]: *the ~* Ardennerne.
ardent [ˈa·dnt] hed, brændende, fyrig, ivrig (fx. *an ~ sportsman); ~ spirits* spirituosa; *an ~ theatre-goer* en passioneret teatergænger.
ardour [ˈa·də] hede; varme; iver; fyrighed, glød.
arduous [ˈa·djuəs] (adj.) stejl, vanskelig, besværlig; ihærdig, energisk.
are [a·, ə; foran vokal a·r, (ə)r] (pl. og 2. person sing. præs. af *be)* er (fx. *we ~, you ~, they ~).*
area [ˈæəriə] fladeindhold, areal; indhegnet plads under gadens niveau mellem fortovet og husets forside; område; egn; felt.
area|-bell klokke til køkkenet. **~ -steps** trappe ned til køkkenet.
areca [ˈärikə]: *~ palm* ♧ betel(nød)palme.
arena [əˈri·nə] kampplads, arena.
aren't [a·nt] fk. f. *are not, am not.*
argand [ˈa·gänd]: *Argand-lamp* argandsk lampe, rundbrænder.
argent [ˈa·dʒənt] sølv-; sølvklar, sølvhvid.
Argentina [a·dʒənˈti·nə] Argentina.
I. **Argentine** [ˈa·dʒəntain] argentinsk; argentiner; *the ~ (Republic)* Argentina.
II. **argentine** [ˈa·dʒəntain] sølv-, sølvklar.
argil [ˈa·dʒil] pottemagerler.
argillaceous [a·dʒiˈleⁱʃəs] leret, ler-.
argon [ˈa·gån] (kem.) argon.
argosy [ˈa·gəsi] (rigt lastet) handelsskib.
argot [ˈa·goᵘ] (tyve)slang, argot.
argue [ˈa·gju·] diskutere, strides om; drøfte; overbevise; (be)vise; hævde; argumentere; *~ sby. into doing sth.* få en (overtalt) til at gøre noget; *~ sby. out of* få en fra. **argument** [ˈa·gjumənt] bevisgrund, argument; diskussion, drøftelse; strid; resumé. **argumentation** [a·gjumenˈteⁱʃən] bevisførelse, argumentation; diskussion. **argumentative** [a·gjuˈmentətiv] polemisk, trættekær, stridslysten.
aria [ˈa·riə] arie, melodi.
arid [ˈärid] (adj.) tør, udtørret; gold; kedsommelig, fad, åndløs. **aridity** [äˈriditi] (subst.) tørhed, goldhed.
aright [əˈrait] (adv.) rigtig, ret.
aril [ˈäril] ♧ frøkappe.
arise [əˈraiz] *(arose, arisen)* opstå, fremkomme; rejse sig, stå op; *~ from* komme af.
arisen [əˈrizn] perf. part. af *arise.*
arista [əˈristə] ♧ stak (som på byg).
aristocracy [äriˈståkrəsi] aristokrati.
aristocrat [ˈäristəkrät] aristokrat.
aristocratic [äristəˈkrätik] (adj.) aristokratisk.
Aristotle [ˈäriståtl] Aristoteles.
arithmetic [əˈriþmətik] regning; aritmetik.
arithmetical [äriþˈmetikl] (adj.) aritmetisk; *~ progression* differensrække (fx. 1, 3, 5, 7).
ark [a·k] ark; *Noah's ~* Noahs ark; *the Ark of the Covenant* Pagtens ark.
Ark. fk. f. *Arkansas.*
Arkansas [ˈa·kənså·; a·ˈkänsəs].
I. **arm** [a·m] arm; kraft, vælde; *when he was still an infant in -s* før han havde lært at gå; mens han endnu var spæd; *keep at -'s length* holde tre skridt fra livet; *take sby.'s ~* tage en under armen.
II. **arm** [a·m] (som subst. oftest i pl.) våben, våbenart; våbenskjold; (vb.) bevæbne, væbne; udruste; forsyne; ruste sig, gribe til våben; *in -s* væbnet, kampberedt; *be up in -s against sby.* være i krig med én; have rejst sig mod én; *coat of -s* våbenskjold; *sling -s* gevær over; *slope -s* gevær i hvil; *small -s* håndskydevåben; *under -s* under våben; *take up -s* gribe til våben; *-ed neutrality* væbnet neutralitet.
armada [a·ˈma·də]: *the Spanish ~* den spanske armada.
armadillo [a·məˈdiloᵘ] (zo.) bæltedyr.
armament [ˈa·məmənt] krigsmagt, rustning; udrustning; bevæbning; oprustning; *-s industry* rustningsindustri; *-s race* kaprustning.
armature [ˈa·mətjuə] anker (i dynamo, til magnet); armering.
arm-chair [ˈa·mˈtʃæə] armstol, lænestol; *~ politician* (omtr.) politisk kandestøber.
Armenian [a·ˈmi·njən] (adj.) armenisk; (subst.) armenier.
arm|ful favnfuld. **-hole** ærmegab.
armistice [ˈa·mistis] våbenstilstand; *Armistice Day* årsdagen for våbenstilstanden 11. november 1918.
armlet [ˈa·mlėt] armbind; vig, lille bugt.

armorial [a·ˈmå·riəl] våben-, heraldisk; ~ *bearings* våbenmærke.

armory [ˈa·məri] heraldik; (se ogs. *armoury*).

armour [ˈa·mə] harnisk; rustning; dykkerdragt; ⚓ panser; ⚔ kampvogne, panserstyrker; (elekt.) armering (ståltråd viklet om kabel). ~ **-clad** (adj.) pansret; (subst.) panserskib.

armoured [ˈa·məd] pansret; ~ *division* panserdivision; ~ *train* pansertog.

armour|er [ˈa·mərə] våbensmed; ⚔ (omtr.) bøssemager. ~ **-plate** panserplade. ~ **-plated** pansret.

armoury [ˈa·məri] tøjhus, arsenal; (amr. *armory* ogs.) våbenfabrik; våbenværksted.

arm|pit [ˈa·mpit] armhule. **-rest** armlæn.

army [ˈa·mi] hær; hærskare, armé.

army | chaplain feltpræst. ~ **corps** [ˈa·mikå·, pl.: ˈa·mikå·z] armékorps; *Women's Voluntary Army Corps* Lottekorpset. ~ **list** liste over hærens officerer. ~ **order** armébefaling. **Army Service Corps** transport- og forsyningstropper. **Army Welfare Service** (svarer omtr. til) Folk og Værn.

arolla pine [əˈrålə pain] ♧ zirbelfyr.

aroma [əˈroᵘmə] duft, aroma. **aromatic** [äroˈmätik] aromatisk.

arose [əˈroᵘz] imperf. af *arise*.

around [əˈraund] rundt, rundt omkring; om; i nærheden (af); omkring, ca. (fx. ~ *5 pounds); hen* (fx. *come ~ to see us); omkring i; til stede; *he has been* ~ han har været ude at se sig om, han har prøvet noget.

arouse [əˈrauz] (vb.) vække.

A. R. P. fk. f. *Air Raid Precautions* beskyttelse mod luftangreb, luftværn.

A. R. R. fk. f. *anno regni regis (, reginae): in the year of the king's (, queen's) reign.*

arr. fk. f. *arrival, arrive, arrives, arrived.*

arrack [ˈärək] arrak.

arraign [əˈreⁱn] (vb.) stille for retten; anklage; kræve til regnskab. **-ment** [-mənt] (subst.) anklage.

arrange [əˈreⁱndʒ] (vb.) ordne, bringe i orden, opstille, arrangere; bilægge; aftale, fastsætte, bestemme; ordne sig; træffe dispositioner; træffe aftale; bearbejde. **arrangement** [əˈreⁱndʒmənt] (subst.) ordning, arrangement; foranstaltning; aftale, overenskomst, forlig; bearbejdelse; akkord (fx. *make an ~ with one's creditors); come to an* ~ indgå forlig; *make -s for* træffe foranstaltninger til.

arrant [ˈärənt] notorisk, ærke-, topmålt (fx. *knave, hypocrite).*

arras [ˈärəs] vægtæpper, gobeliner fra Arras.

array [əˈreⁱ] (vb.) klæde, smykke; stille i orden, opstille; (jur.) indkalde nævninger; (subst.) klædedragt; orden, slagorden; række; fortegnelse over nævninger; jury.

arrears [əˈriəz] restance; *in* ~ bagud (fx. *he is in ~ with his work).*

arrest [əˈrest] (vb.) standse; arrestere, anholde, fængsle; beslaglægge; (subst.) arrestation; anholdelse; arrest; beslaglæggelse; standsning; ~ *sby.'s attention* tiltrække sig ens opmærksomhed; ~ *sby.'s property* gøre arrest i ens ejendele; ~ *of judgment* hindring af domsafsigelse (efter juryens kendelse og på grund af fejl); *make an* ~ foretage en anholdelse; *put under* ~ arrestere; *a warrant for the ~ of* arrestordre imod.

arresting [əˈrestiŋ] (adj.) fængslende, interessant.

arris [ˈäris] (arkit.) grat.

arrival [əˈraivəl] ankomst; nyankommen; tilførsel; *he was a late* ~ han kom sent. **arrive** [əˈraiv] ankomme *(at, in* til), komme, nå *(at* til); indtræffe; gøre karriere, skabe sig en position, komme frem.

arrogance [ˈärəgəns] hovmod, anmasselse.

arrogant [ˈärəgənt] hovmodig, stolt.

arrogate [ˈärogeⁱt]: ~ *to oneself* tilrive sig; kræve med urette. **arrogation** [äroˈgeⁱʃən] anmasselse, uberettiget krav.

arrow [ˈäroᵘ] pil; *the broad* ~ den brede pil (statens mærke på dens ejendele, også på fangetøj).

arrow-head pilespids; (om statens mærke = *the broad arrow).* **arrowroot** [ˈärəru·t] salep. **arrowwood** [ˈäroᵘwud] dystetræ, tørstetræ.

arse [a·s] (vulg.) røv, rumpe.

arsenal [ˈa·sinəl] arsenal, tøjhus.

I. **arsenic** [ˈa·snik] (subst., kem.) arsenik.

II. **arsenic** [a·ˈsenik] (adj.) indeholdende arsenik, arsenikholdig.

arson [ˈa·sn] brandstiftelse.

I. **art** [a·t]: *thou* ~ (glds.) du er.

II. **art** [a·t] kunst; kunstfærdighed; list, kneb; *the black* ~ den sorte kunst; *the Arts Faculty* det filosofiske fakultet; *the fine -s* de skønne kunster; *she has brought cooking to a fine* ~ hun har udviklet madlavning til en hel kunst, hun er en virtuos på kogekunstens område; *have no ~ nor part in it* ingen som helst andel have deri; *Master of Arts* (en akademisk titel).

arterial [a·ˈtiəriəl] arteriel, arteriøs; ~ *road* hovedvej, hovedfærdselsåre.

arteriosclerosis [a·ˈtiərioᵘskliəˈroᵘsis] åreforkalkning.

artery [ˈa·təri] pulsåre, arterie; stor trafikåre.

artesian [a·ˈti·ziən] artesisk; ~ *well* artesisk brønd.

artful [ˈa·tful] listig, snu.

arthritic [a·ˈþritik] (adj.): ~ *swelling* gigtknude.

arthritis [a·ˈþraitis] (lede)gigt.

artichoke [ˈa·titʃoᵘk] artiskok; *Jerusalem* ~ jordskok.

article [ˈa.tikl] genstand; vare; punkt; paragraf; artikel; kendeord; *-s* (ogs.) kontrakt; (vb.) sætte i lære; *-s of apprenticeship* lærebrev, lærekontrakt; *-s of association (of a company)* aktieselskabsvedtægter; *the Thirty-nine A.-s* de 39 artikler i *the Church of England's* trosbekendelse; *-d clerk* sagførerfuldmægtig.

articular [a·ˈtikjulə] (adj.) lede-; ~ *rheumatism* ledegigt.

I. **articulate** [a·ˈtikjulėt] (adj.) tydelig, klar, artikuleret; som kan udtrykke sig; leddelt.

II. **articulate** [a·ˈtikjuleⁱt] (vb.) udtale tydeligt, artikulere; *-d bus* sættebus.

articulation [a·tikjuˈleⁱʃən] tydelig udtale; ledføjning; artikulation; led.

artifice [ˈa·tifis] kunstgreb, list, kneb.

artificer [a·ˈtifisə] håndværker, tekniker, mekaniker.

artificial [a·tiˈfiʃəl] kunstig (fx. ~ *respiration* kunstigt åndedræt); kunstlet (fx. *an ~ smile);* ~ *silk* kunstsilke.

artillerist [a·ˈtilərist] artillerist.

artillery [a·ˈtiləri] artilleri. **-man** artillerist.

artisan [a·tiˈzän] håndværker.

artist [ˈa·tist] kunstner. **artiste** [a·ˈti·st] artist.

artistic [a·ˈtistik] kunstnerisk, artistisk.

artistry [ˈa·tistri] kunstnerisk dygtighed.

artless [ˈa·tlės] (adj.) ukunstlet, naturlig; troskyldig, naiv.

art paper kunsttrykpapir.

arty [ˈa·ti] (adj.) (forskruet) kunstnerisk, kunstlet.

arum [ˈærəm] dansk ingefær, aronsstav; ~ **lily** ♧ kalla.

A.R.W. fk. f. *Air Raid Warden.*

Aryan [ˈæəriən] arier; arisk, indo-europæisk.

as [äz, əz] ligesom, som; da, idet; eftersom; såsandt; efterhånden som; imens; (lige)så; som, i egenskab af; som for eksempel; *as soon as, as well as* etc. så snart som, så vel som osv.; *as for* hvad angår; *as for me* for min part, hvad mig angår; *as from* fra ... at regne (fx. *it begins as f. May 1st); as if* som om; *it is not as if* det er ikke fordi; *as if to* som for at; *as it were to meet* som for at møde; *as regards, as to* hvad angår, med hensyn til; *so as to* for at, så at; *I thought as much* det var nok det, jeg tænkte; *as it were* så at sige; *as though* som om; *as well* lige så godt; ligeledes, også; *as yet* endnu, hidtil; *old as I am* så gammel jeg er, skønt jeg er gammel; *as is* i den stand som den forefindes; *it is bad enough as it is* det er dårligt nok i forvejen; *help such as are poor* hjælp dem, som er fattige; *be so kind as to* vær så venlig at; *as I live* så sandt jeg lever.

asafoetida [äsə'fetidə] dyvelsdræk.

asbestos [äz'bestås] asbest.

ascend [ə'send] stige op; hæve sig; stige op ad el. på, gå op ad (fx. *the stairs*); bestige. **ascend|ancy, -ency** [ə'sendənsi] overlegenhed, magt, herredømme, indflydelse, overtag.

ascend|ant, -ent [ə'sendənt] opstigende, opgående; overlegen, overvejende; *be in the -ant* være på vej op (el. frem el. til magten); være ved magten.

ascension [ə'senʃən] opstigen; himmelfart; **A. (Day)** [-de'] Kristi Himmelfartsdag.

ascent [ə'sent] opstigen; bestigning; opgang; skråning; stigning; *~ of sap* (i planter) saftstigning.

ascertain [äsə'te'n] konstatere; forvisse sig om (fx. *I have -ed that it can be done),* skaffe (sig) at vide; få at vide (fx. *~ whether a piece of news is true).*

ascetic [ə'setik] asketisk; asket.

asceticism [ə'setisizm] askese.

ascorbic acid [ä'skå·bik 'äsid] ascorbinsyre.

Ascot ['äskət]; hestevæddeløb på Ascot Heath.

ascribable [ə'skraibəbl] som kan tilskrives.

ascribe [ə'skraib] tilskrive (fx. *~ a motive to him);* henføre *(to* til).

asdic ['äzdik] fk. f. *Anti Submarine Detection Investigation Control* (undervandslytteapparat).

asepsis [ä'sepsis] asepsis, forrådnelsesfri tilstand, aseptik.

aseptic [ä'septik] aseptisk, bakteriefri.

asexual ['ä'sekʃuəl] (adj.) kønsløs.

asexuality [äsekʃu'äliti] (subst.) kønsløshed.

I. **ash** [äʃ] ♧ ask; asketræ; *European ~* almindelig ask; *mountain ~* røn; *white ~* amerikansk ask.

II. **ash** [äʃ] oftest i pl. *ashes* aske; *ashes to ashes, dust to dust* af jord er du kommen, til jord skal du blive; *lay in ashes* lægge i aske; *in sackcloth and ashes* i sæk og aske; *the Ashes* (om sejr i cricketkamp mellem England og Australien); *bring back* (el. *recover) the Ashes* få revanche over Australien.

ashamed [ə'ʃe'md] (adj.) skamfuld; *be ~* skamme sig *(of* over).

ashcan (amr.) skraldespand.

ashen ['äʃn] (adj.) aske-; askegrå.

ashlar ['äʃlə] kvadersten.

ashore [ə'ʃå·] (adv.) i land; *run ~* løbe på grund, sætte på grund.

ash-pan ['äʃpän] askeskuffe.

ash-tray ['äʃtre'] askebæger.

Ash-Wednesday ['äʃ'wenzdė] askeonsdag.

Asia ['e'ʃə] Asien. **Asia Minor** [-'mainə] Lilleasien. **Asian** ['e'ʃiən], **Asiatic** [e'ʃi'ätik] asiatisk; asiat.

aside [ə'said] til side; til siden; afsides; afsides replik; *lay ~ a habit* aflægge en vane; *put ~* lægge til side, spare op; *set ~* tilsidesætte; (jur.) kende ugyldig; *set ~ a will* omstøde et testamente.

asinine ['äsinain] æselagtig, dum, stupid.

ask [a·sk] spørge; spørge om; bede om; indbyde; bede; forlange: T fri til; *~ after* spørge til (fx. *~ after sby., ~ after sby.'s health); ~ for* bede om, spørge efter, spørge om; *~ a question* stille et spørgsmål; *~ sby.'s leave* bede en om tilladelse; *~ one's way* spørge sig frem, spørge om vej; *~ the banns* lyse til ægteskab; *I ~ you!* jeg be'r Dem! jeg ved ikke hvad De føler! *if you ~ me* hvis De vil høre min mening; min mening er; *you have been -ing for it* du har selv været ude om det; den kunne du have undgået.

askance [ə'skäns] på skrå, til siden; *look ~ at* betragte med mistænksomme blikke, se skævt til.

askew [ə'skju·] skævt.

aslant [ə'sla·nt] på skrå, på sned.

asleep [ə'sli·p] i søvn; sovende; *fall (fast) ~* falde i (en dyb) søvn; *be ~* sove.

aslope [ə'slo^u^p] hældende, skrånende.

I. **asp** [äsp] ♧ asp.

II. **asp** [äsp] giftslange (is. ægypt. brilleslange).

asparagus [ə'spärəgəs] ♧ asparges.

aspect ['äspekt] udseende; aspekt; side (af en sag), synspunkt; beliggenhed; (gram.) aktionsart, aspekt; *have a southern ~* vende mod syd.

aspen ['äspən] ♧ asp; *European ~* bævreasp; *~ leaf* æspeløv.

aspergillum [äspə'dʒiləm] vievandskost, aspergillum.

asperity [äs'periti] barskhed.

asperse [ə'spə·s] bestænke (med vievand); bagtale.

aspersion [ə'spə·ʃən] bestænkning; bagvaskelse; *cast -s on* smæde, bagtale.

aspersorium [äspə'så·riəm] vievandskar.

asphalt ['äsfält] asfalt; asfaltere.

asphodel ['äsfədəl] asfodel (aldrig visnende blomst).

asphyxiate [äs'fiksie'ᶦt] (vb.) kulilteforgifte, kvæle.

aspic ['äspik] kødgelé, sky; aspik.

aspidistra [äspi'distrə] ♧ aspidistra.

aspirant [ə'spaiərənt]: *an ~ to* (el. *for) honours* en der stræber efter hædersbevisninger.

aspirated ['äspire'tid]: *~ consonant* aspireret (el. pustet) konsonant.

aspiration [äspi're'ʃən] aspiration; tragten, higen.

aspire [ə'spaiə] (vb.) hige, tragte, stræbe *(to* efter); (glds., fig.) stige, hæve sig.

aspirin ['äspərin] aspirin.

ass [äs; især fig.: a·s] æsel; (fig.) fjols, fæ.

assagai, assegai ['äsəgai] sydafrikansk kastespyd, assagai.

assail [ə'se'l] angribe, gå løs på; overøse (fx. *~ sby. with reproaches); ~ sby. with questions* bombardere en med spørgsmål. **assailant** [ə'se'lənt] angriber.

assassin [ə'säsin] (snig)morder. **assassinate** [ə'säsine't] (snig)myrde. **assassination** [əsäsi'ne'ʃən] (snig)mord.

assault [ə'så·lt] (vb.) angribe; overfalde; storme; øve vold mod, voldtage; (subst.) overfald; storm(angreb); *~ and battery* voldeligt overfald; vold; *carry by ~* tage med storm.

assay [ə'se'] (vb.) prøve; probere; (subst.) prøve; probering; justering. **assayer** [ə'se'ə] probermester. **assay-master** møntguardejn.

assemblage [ə'semblidʒ] samling, sammenkomst.

assemble [ə'sembl] samle; forsamle sig; montere.

assembly [ə'sembli] forsamling; samling; samlingssignal.

assembly | conveyor, ~ line samlebånd. **~ -plant** samlefabrik. **~ room** festsal, mødesal; samleværksted; *~ rooms* selskabslokaler. **~ -shop** samleværksted.

assent [ə'sent] (subst.) samtykke, bifald; (vb.) samtykke *(to* i); *the Royal Assent* kongelig stadfæstelse (af en lov); *~ to* (ogs.) bifalde.

assert [ə'sə·t] påstå; forfægte, hævde; forsvare; *~ oneself* hævde sig; være selvhævdende, gøre sig gældende; mase sig frem. **assertion** [ə'sə·ʃən] påstand; *throw out an ~* udslynge en påstand. **assertive** [ə'sə·tiv] (adj.) påståelig. **assertiveness** påståelighed.

assess [ə'sės] pålægge skat, beskatte; påligne; vurdere, taksere; bestemme, fastsætte, ansætte (bøde, skat, etc.). **assessment** beskatning; skatteligning; vurdering; fastsættelse; skat, afgift, bøde. **assessor** bisidder; ligningsmand.

asset ['äset] (subst., merk.) aktiv, fordel, værdi, nyttig egenskab; *gross -s* aktivmasse; *-s and liabilities* aktiver og passiver.

asseverate [ä'sevəre't] højtideligt forsikre. **asseveration** [äsevə're'ʃən] højtidelig forsikring.

assiduity [äsi'djuiti] stadig flid, ihærdighed.

assiduous [ə'sidjuəs] (adj.) flittig, ihærdig.

assign [ə'sain] (vb.) anvise; bestemme; fastsætte (fx. *a day for the meeting);* overdrage; tildele; give for (fx. *work to do at home);* udpege; ansætte; angive; tilskrive; (subst.) person som fordring etc. er overdraget til; *~ motives* tillægge motiver. **assignation** [äsig'ne'ʃən] aftale om at mødes, stævnemøde; anvisning; overdragelse. **assignee** [äsi'ni·] fuldmægtig; person som fordring etc. er overdraget til.

assignment [ə'sainmənt] overdragelse; anvisning, forskrivning (fx. *the ~ of sby.'s salary)*; tildeling; opgivelse; (især amr.) opgave, hverv.

assimilate [ə'simileⁱt] assimilere; optage i sig; bringe til at ligne, omdanne i lighed *(to* med); fordøje; assimilere sig. **assimilation** [əsimi'leⁱʃən] assimilation, optagelse, tilpasning.

assist [ə'sist] hjælpe; fremme; *~ at* være til stede ved; *~ in* assistere ved, hjælpe til med.

assistance [ə'sistəns] hjælp, bistand; *lend ~* yde hjælp; *public ~* fattighjælp.

assistant [ə'sistənt] medhjælper, assistent; *~ physician* reservelæge; *shop ~* ekspedient; *~ surgeon* reservekirurg.

assizes [ə'saiziz] (pl.) (retsmøder som holdes på regelmæssige tingrejser rundt om i England af dommere i *the High Court of Justice)*.

I. **associate** [ə'soᵘʃieⁱt] forbinde, forene; henføre, knytte *(with* til) i tankerne; *~ with* omgås; *~ oneself with* slutte sig til.

II. **associate** [ə'soᵘʃiėt] (adj.) forbunden, forenet; tilknyttet; med-; (subst.) kammerat, fælle; kollega, medarbejder; associé; (korresponderende) medlem.

association [əsoᵘsi'eⁱʃən] forening; selskab, klub; forbund; forbindelse; tankeforbindelse; idéassociation; *articles of ~* aktieselskabsvedtægter; *memorandum of ~* aktieselskabsanmeldelse. *~* **football** (associations)fodbold (alm. i Danmark og forskellig fra Rugby football).

assonance ['äsənəns] assonans, halvrim.

assort [ə'så·t] ordne, sortere; assortere, forsyne med forskellige sorter; *-ed* blandet (fx. *-ed chocolates)*; *~ with* passe sammen med. **-ment** [-mənt] sortering; assortiment, udvalg.

assuage [ə'sweⁱdʒ] (vb.) lindre, berolige. **-ment** [-mənt] lindring, beroligelse.

assume [ə'sju·m] (vb.) tage, overtage (fx. *power)*, tilrive sig; antage, formode (fx. *he is -d to be rich)*; forudsætte (fx. *if we ~ the truth of his statement)*; give sig skin af (fx. *~ piety)*.

assumed [ə'sju·md] (adj.) formodet; påtaget, foregivet, simuleret (fx. *with ~ indifference)*.

assumption [ə'sʌmpʃən] (se *assume)* overtagelse (fx. *of power)*; formodning (fx. *this is a mere ~)*; antagelse; forudsætning; foregiven, skin; *the Assumption* Marias optagelse i himlen; *on the ~ that* ud fra den forudsætning at; *with an ~ of indifference* med påtaget ligegyldighed.

assurance [ə'ʃuərəns] forsikring; forvisning; sikkerhed, vished; tilsagn; selvtillid, suffisance; assurance. **assure** [ə'ʃuə] forsikre; forvisse (fx. *~ oneself that it is so)*; sikre, garantere (fx. *does hard work usually ~ success? an -d income)*; tilsikre; overbevise; assurere. **assured|ly** [ə'ʃuəridli] sikkert. **-ness** [ə'ʃuəridnės] (selv)sikkerhed. **assurer** [ə'ʃuərə] assurandør.

Assyria [ə'siriə] Assyrien.

aster ['ästə] ♧ asters.

asterisk ['ästərisk] (typ.) stjerne.

astern [ə'stə·n] agter(ud); bak; *go ~* bakke.

asthenic [äs'þenik] (med.) astenisk.

asthma ['äsmə] astma. **-tic** [äs'mätik] astmatisk; astmatiker.

astigmatic [ästig'mätik] (om linse) astigmatisk; (om øje) med bygningsfejl. **astigmatism** [ä'stigmətizm] bygningsfejl (i øjet).

astir [ə'stə·] i bevægelse, på benene.

astonish [ə'ståniʃ] (vb.) forbavse. **-ment** [-mənt] (subst.) forbavselse.

astound [ə'staund] forbavse, forbløffe; lamslå.

astrachan = *astrakhan*.

astraddle [ə'strädl] overskrævs *(of* på).

astrakhan [ästrə'kän] astrakan(skind).

astral ['ästrəl] (adj.) stjerneformig; stjerne-; astral-.

astray [ə'streⁱ] (adv.) på vildspor; *go ~* fare vild, komme på afveje; *lead ~* føre på vildspor; forlede.

astriction [ə'strikʃən] sammentrækning.

astride [ə'straid] over skrævs på (fx. *sit astride a horse)*.

astringent [əs'trindʒənt] (adj.) sammensnerpende: stoppende; streng; (subst.) astringerende middel; *internal ~* stoppemiddel.

astrodome ['ästrədoᵘm] observationskuppel.

astrologer [ä'strålədʒə] stjernetyder, astrolog. **astrological** [ästrə'lådʒikl] astrologisk. **astrology** [ə'strålədʒi] astrologi.

astronaut ['ästrənå·t] astronaut, rumpilot. **astronautics** [ästrə'nå·tiks] astronautik, rumfartsvidenskab.

astronomer [ə'strånəmə] astronom. **astronomical** [ästrə'nåmikl] astronomisk. **astronomy** [ə'strånəmi] astronomi.

astrophysics [ästrə'fiziks] astrofysik.

astute [ə'stju·t] (adj.) snu, listig.

asunder [ə'sʌndə] (adv.) i stykker; adskilt, fra hinanden.

asylum [ə'sailəm] asyl, fristed, tilflugtssted; børneasyl; sindssygehospital; *~ for the deaf and dumb* døvstummeinstitut.

asymmetrical [äsi'metrikl] (adj.) asymmetrisk.

at [ät, ət] i (fx. *at Brighton, at school, at war, at that moment, at a gallop)*; på (fx. *look at, point at, at the hotel, at that time)*; ved (fx. *at breakfast, at table)*; til (fx. *arrive at, at a low price)*; for (fx. *buy at 1 s. and sell at 2/6.)*; ad (fx. *laugh at)*; over (fx. *angry, astonished at)*; med (fx. *at a rate of* med en fart af; *at intervals)*; løs på, hen imod (fx. *run at)*; *at four (o'clock)* kl. 4; *at my uncle's* hos min onkel; *what are you at now?* hvad har I nu for? *at it again* tag fat igen; *he is at it again* nu er han minsandten i gang igen; *at best* i bedste tilfælde; *at last* til sidst; *at least* i det mindste; *at length* omsider; til sidst; udførligt (fx. *explain sth. at length)*; *at once* på én gang, straks; *at that* ved det, derved (fx. *let us leave it at that)*; oven i købet; *two at a time* to ad gangen; *at worst* i værste fald.

atavism ['ätəvizm] (subst.) atavisme.

atavistic [ätə'vistik] (adj.) atavistisk.

ate [et, eⁱt] imperf. af *eat*.

atheism ['eⁱþiizm] ateisme. **atheist** ['eⁱþiist] ateist. **atheistic** [eⁱþi'istik] ateistisk.

Athena [ə'þi·nə]. **Athene** [ə'þi·ni] Athene.

athenaeum [äþi'ni·əm] litterær (el. videnskabelig) klub; læsesal; litterært tidsskrift; *the Athenaeum* (bekendt klub i London).

Athenian [ə'þi·niən] atheniensisk; athenienser.

Athens ['äþinz] Athen.

athirst [ə'þə·st] tørstig, tørstende *(for* efter).

athlete ['äþli·t] atlet, gymnast; *-'s foot* fodsvamp.

athletic [äþ'letik] (adj.) atletisk.

athletics [äþ'letiks] (subst.) atletik, idræt.

at-home [ət'hoᵘm] åbent hus, modtagelsesdag.

athwart [ə'þwå·t] tværs over; tværs for.

Atkins ['ätkinz]: *Tommy ~* (navn for den britiske soldat).

Atlantic [ət'läntik] atlantisk; *the Battle of the Atlantic* Atlanterhavsslaget, slaget om Atlanten; *the Atlantic Charter* Atlanterhavsdeklarationen; *the Atlantic, the Atlantic Ocean* Atlanterhavet, Atlanten; *the Atlantic Pact* Atlantpagten.

atlas ['ätləs] atlas.

atmosphere ['ätməsfiə] atmosfære; (fig.) stemning. **atmospheric(al)** [ätməs'ferik(l)] atmosfærisk; *the ~ pressure* atmosfæretrykket, lufttrykket. **atmospherics** [ätməs'feriks] atmosfæriske forstyrrelser (i radio).

atoll [ə'tål] (subst.) atol, ringformet koralø.

atom ['ätəm] atom; *split (up) an ~* sprænge et atom; *not an ~ of sense* ikke for to øre fornuft; *nucleus of an ~* atomkerne; *splitting up of -s, shattering* (el. *fission) of atoms* atomspaltning; *blow to -s* sprænge i stumper og stykker.

atom bomb atombombe.

atomic [ə'tåmik] atom-, atomar; *the Atomic Age* atomalderen; *~ bomb* atombombe; *~ energy* atomenergi; ~ *nucleus* atomkerne; ~ *number* atomnummer; atomtal; ~ *particle* atomdel; ~ *pile* atommile; ~ *power plant* atomkraftværk; ~ *research* atomforskning; ~ *research plant* atomforsøgsstation; ~ *structure* atombygning; ~ *submarine* atomdreven undervandsbåd; ~ *theory* atomteori; ~ *war* atomkrig; ~ *weapon* atomvåben; ~ *weight* atomvægt.

atomism ['ätəmizm[atomisme.

atomization [ätomai'zeⁱʃən] forstøvning.

atomize ['ätomaiz] forstøve. **atomizer** ['ätomaizə] forstøver.

atom-powered (adj.) atomdreven.

I. **atomy** ['ätəmi] fnug; atom; dværg.

II. **atomy** ['ätəmi] (ogs. fig.) skelet.

atonal [ä'toᵘnl] atonal.

atone [ə'toᵘn]: ~ *for* bøde for, udsone. **-ment** [-mənt] soning, udsoning.

atonic [ä'tånik] (adj.) (gram.) ubetonet; (med.) slap, atonisk.

atrabilious [ätrə'biljəs] (adj.) melankolsk.

atragene [ə'trädʒəni] ♧ dobbeltkrone.

atrium ['eⁱtriəm] atrium.

atrocious [ə'troᵘʃəs] oprørende, skændig, grusom; T gyselig, rædselsfuld.

atrocity [ə'tråsiti] oprørende grusomhed; ~ *propaganda* rædselspropaganda.

atrophy ['ätrəfi] atrofi, hentæring, svind.

atropine ['ätropi·n] (kem.) atropin.

A.T.S. fk. f. *Auxiliary Territorial Service.*

attaboy ['ätəboi] (amr.) bravo! sådan skal det være!

attach [ə'tätʃ] fastgøre, sætte på, fæste; knytte; fængsle, tiltrække, vinde; anholde; beslaglægge; gøre udlæg i (fx. *wages); knytte sig *(to* til), følge *(to* med); tilknytte (fx. *he was -ed to the firm);* attachere; ~ *importance to* tillægge betydning; *be -ed to sby.* være en hengiven.

attaché [ə'täʃeⁱ] attaché; *commercial* ~ handelsattaché; ~ *case* attachétaske.

attachment [ə'tätʃmənt] hengivenhed, sympati; beslaglæggelse, anholdelse; forbindelse, bånd; arrest (i fordringer), eksekution.

attack [ə'täk] (vb.) angribe; anfalde; tage fat på; (subst.) angreb; anfald (fx. *a heart* ~), tilfælde (fx. *an* ~ *of measles).*

attacker [ə'täkə] angriber.

attain [ə'teⁱn] (vb.): ~ *(to)* nå, opnå.

attainable [ə'teⁱnəbl] opnåelig.

attainder [ə'teⁱndə] retsløshed som følge af visse vanærende forbrydelser.

attainment [ə'teⁱnmənt] evne, talent, færdighed (fx. *a man of many attainments);* opnåelse; resultat (fx. *his scientific -s).*

attaint [ə'teⁱnt] (vb.): ~ *sby.* idømme én en straf der medfører retsløshed; sætte en skamplet på én.

attar ['ätə]: ~ *of roses* rosenolie.

attempt [ə'tem(p)t] (vb.) prøve, forsøge (fx. ~ *to do sth.);* (subst.) forsøg (fx. *an* ~ *to do sth.; an* ~ *at doing sth.);* attentat; ~ *his life* stræbe ham efter livet; *-ed murder* attentat, mordforsøg; ~ *upon his life* attentat på ham.

attend [ə'tend] ledsage, følge (med), være med, betjene; pleje, passe, tilse; besøge, gå i (fx. *school, church);* overvære, følge, være til stede *(at* ved; fx. ~ *at a meeting);* høre efter, være opmærksom; ~ *to* lægge mærke til; passe, tage sig af; ekspedere; *are you being -ed to?* bliver De ekspederet? ~ *upon* opvarte, betjene; afvente (fx. ordrer).

attendance [ə'tendəns] betjening; nærværelse; besøg, tilhørerforsamling; *be in* ~ *on* være tjenstgørende hos; *dance* ~ *upon* stå på pinde for; *medical* ~ lægehjælp; *there was a good* ~ *at the meeting* mødet var godt besøgt.

attendant [ə'tendənt] (subst.) tjener; opsynsmand; (adj.) tilstedeværende, tjenstgørende, ledsagende, medfølgende; *lift* ~ elevatorfører; *the -s* (ogs.) betjeningen.

attention [ə'tenʃən] opmærksomhed; omsorg; *call* ~ *to* henlede opmærksomheden på; *pay* ~ *to* lægge mærke til; lytte til (fx. *his advice); pay one's -s to* gøre kur til; *stand at* ~ ⚔ stå ret; *attention!* (kommandoråb) (alle) ret!

attentive [ə'tentiv] opmærksom, agtpågivende, påpasselig, omhyggelig.

attenuate [ə'tenjueⁱt] fortynde; svække.

attenuation [ətenju'eⁱʃən] fortynding, svækkelse; (elekt.) dæmpning.

attest [ə'test] bevidne; bekræfte; tage i ed; ~ *to* attestere, bære vidnesbyrd om. **attestation** [äte'steⁱʃən] vidnesbyrd; attestering, bekræftelse.

I. **Attic** ['ätik] attisk; ~ *salt* attisk salt, vid.

II. **attic** ['ätik] loftskammer, kvistværelse.

attire [ə'taiə] (vb.) klæde; smykke; (subst.) klæder, dragt.

attitude ['ätitju·d] stilling, indstilling, standpunkt, holdning; *strike an* ~ stille sig i positur.

attitudinize [äti'tju·dinaiz] stille sig an, opføre sig affektert.

attorney [ə'tə·ni] fuldmægtig; (forældet og amr.) sagfører; *power of* ~, *letter of* ~ skriftlig fuldmagt; prokura. **Attorney-General** (amr., omtr.) rigsadvokat, justitsminister.

attract [ə'träkt] tiltrække, tiltrække sig.

attraction [ə'träkʃən] tiltrækning(skraft); tillokkelse, tiltrækkende egenskab; forlystelse; *the chief* ~ *of the day* dagens clou.

attractive [ə'träktiv] tiltalende, tiltrækkende, tillokkende.

I. **attribute** [ə'tribjut] (vb.) tilskrive, tillægge.

II. **attribute** ['ätribju·t] (subst.) egenskab; attribut; kendetegn.

attribution [ätri'bju·ʃən] (subst.) tillæggelse; tillagt egenskab.

attributive [ə'tribjutiv] (adj.) attributiv.

attrition [ə'triʃən] slid, opslidning, slidt tilstand; sønderknuselse; *war of* ~ opslidningskrig, udmattelseskrig.

attune [ə'tju·n] (vb.) stemme, bringe i harmoni; ~ *to* afstemme efter.

aubergine ['oᵘbəʒi·n] ♧ aubergine.

auburn ['å·bən] rødbrun, kastaniebrun.

auction ['å·kʃən] auktion; sælge ved auktion, bortauktionere; ~ *bridge* auktionsbridge.

auctioneer [å·kʃə'niə] auktionarius, auktionsholder. **auctioneering** auktionsholders virksomhed.

audacious [å·'deⁱʃəs] dristig, forvoven; fræk.

audacity [å·'däsiti] dristighed; frækhed.

audible ['å·dibl] (adj.) hørlig, tydelig.

audience ['å·djəns] audiens; tilhørere, tilskuere, publikum.

audio-frequency ['å·dioᵘ 'fri·kwənsi] audiofrekvens.

audio-visual aids ['å·dio 'viʒuəl] audio-visuelle hjælpemidler (i undervisning).

audit ['å·dit] (subst.) revision; (vb.) revidere.

audition [å·'diʃən] hørelse; mikrofonprøve.

auditor ['å·ditə] revisor.

auditorium [å·di'tå·riəm] auditorium, tilhørerplads, tilskuerplads.

auditory ['å·ditəri] høre- (fx. ~ *nerve).*

Audrey ['å·dri].

Augean [å·'dʒi·ən]: *cleanse the* ~ *stables* rense augiasstalden.

auger ['å·gə] (subst.) bor.

aught [å·t] noget; *for* ~ *I know* så vidt jeg ved.

augment [å·g'ment] forøge; forøges; *-ed* forstørret (fx. *interval; fourth).* **-ation** [å·gmən'teⁱʃən] forøgelse.

augur ['å·gə] (subst.) augur; (vb.) spå, varsle, forudsige; ane; *it -s well for us* det varsler godt for os.

augury ['å·gjuri] spådom; varsel; spådomskunst.

I. **August** ['å·gəst] (subst.) august (måned).

II. **august** [å·'gʌst] (adj.) ophøjet, ærefrygtindgydende.

Augustan [å·ˈgʌstən] augusteisk (som angår kejser Augustus); klassisk; ~ *age* litterær guldalder (i Engl. det 18. årh.); *the* ~ *Confession* den augsburgske bekendelse.

Augustin(e) [å·ˈgʌstin] Augustin(us).

Augustinian [å·gəˈstinjən] augustinermunk.

Augustus [å·ˈgʌstəs] August (navn).

auk [å·k] (zo.): *great* ~ gejrfugl; *little* ~ søkonge.

aula [ˈå·lə] aula, festsal.

auld [å·ld] (dial.) gammel; ~ *lang syne* [ˈå·ld läŋ ˈsain] de gode gamle tider, de skønne svundne dage.

aunt [a·nt] tante, faster, moster; *Aunt Sally* (et spil, hvor man kaster til måls efter et træhoved).

auntie, aunty [ˈa·nti] lille tante.

aura [ˈå·rə] aura, udstråling, duft.

aural [ˈå·rəl] øre-; ~ *surgeon* ørelæge.

aureola [å·ˈriələ], **aureole** [ˈå·rioᵘl] glorie.

auricula [əˈrikjulə] ♧ aurikel.

auricular [å·ˈrikjulə] øre-, høre-; mundtlig; ~ *confession* privatskriftemål; ~ *style* bruskbarok.

aurist [ˈå·rist] ørelæge.

Aurora [å·ˈrå·rə] Aurora; morgenrøde; *aurora australis* sydpolarlys; *aurora borealis* nordpolarlys.

auscultate [ˈå·skəlteⁱt] (med.) aflytte.

auscultation [å·skəlˈteⁱʃən] (med.) auskultation, aflytning.

auspice [ˈå·spis] varsel; auspicium; *under his -s* under hans auspicier. **auspicious** [å·ˈspiʃəs] (adj.) lykkevarslende.

Aussie [ˈå·si] S australier, australsk soldat.

austere [å·ˈstiə] (adj.) streng, barsk, strengt nøjsom, asketisk.

austerity [å·ˈsteriti] strenghed, barskhed; ~ *programme* nedskæringsprogram, spareprogram; ~ *-suit* sparesæt (anvendt under verdenskrigen); maksimaltøj.

austral [ˈå·strəl] (adj.) sydlig.

Australasia [å·strəlˈeⁱʒiə] Australasien.

Australia [å·ˈstreⁱljə] Australien.

Austria [ˈå·striə] Østrig. **Austria-Hungary** [ˈå·striə-ˈhʌŋgəri] Østrig-Ungarn. **Austrian** [ˈå·striən] østrigsk; østriger.

autarchy [ˈå·ta·ki] selvstyre.

autarky [ˈå·ta·ki] (evne til) selvforsyning.

authentic [å·ˈþentik] autentisk, ægte (fx. *signature); pålidelig (fx. *news*); egen; *the* ~ *words of the prophet* profetens egne ord. **-ate** [å·ˈþentikeⁱt] godtgøre ægtheden af, stadfæste; legalisere. **-ation** [å·þentiˈkeⁱʃən] stadfæstelse, legalisering.

authenticity [å·þənˈtisiti] ægthed; pålidelighed.

author [ˈå·þə] forfatter; ophav. **-ess** [-rės] forfatterinde. **authoritarian** [å·þåriˈtæəriən] autoritær.

authoritative [å·ˈþåritətiv] autoritativ, som har autoritet, officiel; myndig, bydende. **authority** [å·ˈþåriti] autoritet, myndighed; anseelse, indflydelse; vidnesbyrd; kilde; gyldighed; hjemmel; bemyndigelse; *on good* ~ fra pålidelig kilde; *exceed one's* ~ overskride sin kompetence; *those in* ~ myndighederne.

authorize [ˈå·þəraiz] bemyndige, give fuldmagt; gøre retsgyldig, autorisere; legalisere; berettige. **Authorized Version** den engelske bibeloversættelse af 1611.

authorship [ˈå·þəʃip] forfatterskab; *of unknown* ~ hvis forfatter er ukendt.

auto [ˈå·toᵘ] (amr.) bil. **auto-** selv-, auto-.

auto-alarm automatisk alarm(apparat).

autobiography [å·tobaiˈågrəfi] selvbiografi.

autocar [ˈå·toka·] bil.

autochthonous [å·ˈtåkþənəs] (adj.): ~ *population* urbefolkning; urindbyggere.

autoclave [ˈå·təkleⁱv] (subst.) autoklav.

autocracy [å·ˈtåkrəsi] enevælde.

autocrat (subst.) [ˈå·təkrät] selvhersker, enevoldsherre.

autocratic [å·təˈkrätik] (adj.) uindskrænket, autokratisk, enevældig.

auto-da-fé [ˈå·toda·ˈfeⁱ] autodafé.

autogamous [åˈtågəməs] (adj.) ♧ selvbestøvende.

autogamy [åˈtågəmi] (subst.) ♧ selvbestøvning.

autogenesis [åtoˈdʒenisis] selvavl.

autogenous [åˈtådʒənəs]: ~ *welding* autogensvejsning.

autograph [ˈå·təgra·f] (subst.) autograf, egen håndskrift, egenhændig skrivelse; autografisk aftryk; (vb.) skrive egenhændig, litografere. **-ic** [å·təˈgräfik] (adj.) egenhændig, litografisk.

autography [å·ˈtågrəfi] litografering; litografi.

autogyro [ˈå·toᵘˈdʒaiəroᵘ] autogyro, mølleplan.

autoist [ˈå·toᵘist] (amr.) bilist.

automat [ˈå·tomät] automat(café).

automatic [å·təˈmätik] automatisk; automatisk pistol; ~ *(delivery) machine* automat; ~ *pilot* (flyv.) automatisk styring; ~ *rifle* (amr.) maskingevær; ~ *ticket machine* billetautomat.

automation [å·təˈmeⁱʃən] automatisering, automation.

automatism [å·ˈtåmətizm] automatisme.

automaton [å·ˈtåmətən] (i pl. ogs. *automata*) automat.

automobile [ˈå·tomobi·l] (især amr.) automobil, bil.

autonomous [å·ˈtånəməs] (adj.) autonom, selvstyrende. **autonomy** [å·ˈtånəmi] (subst.) autonomi, selvstyre.

autopsy [ˈå·təpsi] obduktion.

auto-suggestion [ˈå·toᵘsəˈdʒestʃn] selvsuggestion.

autumn [ˈå·təm] efterår.

autumnal [å·ˈtʌmnəl efterårs-.

auxiliary [å·gˈziljəri] hjælpe-; hjælper; hjælpeverbum; *auxiliaries* hjælpetropper.

A. V. fk. f. *Authorized Version.*

avail [əˈveⁱl] (vb.) nytte, være til nytte, gavne, hjælpe; (subst.) nytte, fordel; ~ *oneself of* benytte sig af; *of* (el. *to) no* ~ til ingen nytte. **availability** [-əˈbiliti] anvendelighed.

available [əˈvəⁱləbl] disponibel, til rådighed, tilgængelig; anvendelig, gyldig; *be* ~ (ogs.) gælde (fx. *the ticket is* ~ *for a month).*

avalanche [ˈävəla·nʃ] lavine, sneskred.

avarice [ˈävəris] (subst.) griskhed; gerrighed.

avaricious [ävəˈriʃəs] (adj.) gerrig; havesyg.

avast [əˈva·st] ⚓ stop! ~ *heaving*! vel hevet! stå hive!

avatar [ävəˈta·] en guddoms inkarnation.

avaunt [əˈvå·nt] bort!

Ave Maria [ˈa·viməˈriə] Ave Maria.

avenge [əˈvendʒ] hævne.

avens [ˈävənz] ♧ nellikerod.

avenue [ˈävinju·] vej; allé; (især amr.) boulevard, (bred) gade; (fig.) vej (fx. *new -s for industry);* ~ *to prosperity* vej til velstand.

aver [əˈvə·] erklære, forsikre, påstå.

average [ˈävəridʒ] (subst.) middeltal, gennemsnit; havari; (adj.) gennemsnitlig, gennemsnits-; (vb.) finde gennemsnittet af; gennemsnitlig udgøre; *on an* (el. *on the)* ~ i gennemsnit; *strike an* ~ tage middeltallet; *general* (el. *gross)* ~ groshavari; *particular* ~ partikulært havari; ~ *adjuster* dispachør; ~ *statement, statement of* ~, *adjustment of* ~ dispache, havariopgørelse; *state -s* dispachere; ~ *stater* dispachør.

averment [əˈvə·mənt] erklæring.

averruncator [ävərʌŋˈkeⁱtə] topsaks (til grenklipning).

averse [əˈvə·s] utilbøjelig, uvillig. **averseness** [-nės] uvilje.

aversion [əˈvə·ʃən] uvilje, afsky; genstand for afsky; *it is my pet* ~ jeg kan ikke fordrage det; det er det værste jeg ved.

avert [əˈvə·t] (vb.) bortvende; afvende; bortlede (fx. *sby.'s suspicion);* afværge, afbøde (fx. *a blow).*

aviary [ˈeⁱviəri] voliere, flyvebur.

aviate [ˈeⁱvieⁱt] flyve (med flyvemaskine).

aviation [eⁱviˈeⁱʃən] flyvning; *civil ~* trafikflyvning; *naval ~* flådens flyverkorps. *~ petrol* (eng.), *~ gasolene* (amr.) flyvebenzin.
aviator [ˈeⁱvieⁱtə] flyver, aviatiker.
avid [ˈävid] grisk, begærlig *(of, for* efter).
avidity [əˈviditi] griskhed, begærlighed.
avitaminosis [ˈeⁱvaitəminˈoᵘsis] avitaminose; vitaminmangelsygdom.
avocation [ävoˈkeⁱʃən] beskæftigelse, dont; bibeskæftigelse.
avocet [ˈävoset] (zo.) klyde.
avoid [əˈvoid] sky, undgå, undvige; gøre ugyldig; *-ing reaction* (fysiol.) afværgereaktion. **avoidable** [əˈvoidəbl] undgåelig. **avoidance** [əˈvoidəns] undgåelse.
avoirdupois [ävədəˈpoiz] handelsvægt.
Avon [ˈeⁱvən]: *the Swan of ~* (Shakespeare).
avouch [əˈvautʃ] (vb.) erklære, påstå; stadfæste; indrømme; garantere, indestå for.
avow [əˈvau] (vb.) erklære åbent, tilstå, vedkende sig. **avowal** [əˈvauəl] åben erklæring, tilståelse.
avowed [əˈvaud] (adj.) erklæret (fx. *an ~ enemy); the ~ author* den, som har vedkendt sig forfatterskabet *(of* til). **avowedly** [əˈvauidli] åbent, uforbeholdent.
avuncular [əˈvʌŋkjulə] (adj.) som hører til el. vedrører en onkel, som onkel (fx. *his ~ privilege).*
await [əˈweⁱt] afvente (fx. *let us ~ his arrival; -ing your orders);* forestå, vente (fx. *the fate that -s him).*
I. **awake** [əˈweⁱk] *(awoke, awaked)* vække; vågne; få øjnene op *(to* for, fx. *I awoke to my responsibilities); ~ his curiosity* vække hans nysgerrighed.
II. **awake** [əˈweⁱk] (adj.) vågen; *be ~ to* have blik (el. vågen sans) for, være klar over (fx. *he is ~ to his own interest); wide ~* lysvågen, vaks.
awaken [əˈweⁱkn] (vb.) vække; vågne.
award [əˈwå·d] (vb.) tilkende, tildele; tilstå; (subst.) kendelse; noget som tilkendes en, pris, præmie.
aware [əˈwæə] (adj.) vidende *(of* om); *be ~ of* (ogs.) vide; være klar over; være på det rene med; *become ~ of* blive opmærksom på; *I am ~ that* jeg ved (godt) at.
awash [əˈwåʃ] overskyllet af vand; i vandskorpen.
away [əˈweⁱ] bort; borte; af sted; væk, løs (fx. *fire ~); far and ~ the best* langt det bedste; *do* (el. *make) ~ with* fjerne, rydde af vejen; *do ~ with oneself* gøre en ulykke på sig selv, tage livet af sig; *right* (el. *straight) ~* straks.
awe [å·] (subst.) ærefrygt, hellig rædsel; (vb.) indgyde ærefrygt; imponere; *keep him in ~* sætte sig i respekt hos ham; *stand in ~ of sby.* have dyb respekt for en; frygte en. **awe|-inspiring** ærefrygtindgydende, respektindgydende, overvældende. **-some** = *~ -inspiring*; (ogs.) ærbødig. *~* **-stricken,** *~* **-struck** rædselsslagen, fyldt af ærefrygt.
awful [ˈå·ful] (ære)frygtindgydende, imponerende; frygtelig; [ˈå·fl] stor, vældig, frygtelig, forfærdelig.
awfully [ˈå·fuli] frygteligt; [ˈå·fli] meget; *~ nice* forfærdelig rar; *thanks ~* tusind tak.
awhile [əˈwail] en stund, lidt.
awkward [ˈå·kwəd] kejtet, ubehændig, akavet, klodset; kedelig, slem, ubehagelig, vanskelig; ubelejlig; pinlig (fx. *pause, silence, situation); ~ customer* brutal fyr, farlig modstander.
awl [å·l] syl. **awlwort** ♧ sylblad.
awn [å·n] stak (som på byg).
awning [ˈå·niŋ] solsejl; markise.
awoke [əˈwoᵘk] imperf. af *awake.*
A.W.O.L. fk. f. *absent without leave* rømmet.
awry [əˈrai] skævt.
axe [äks] økse; *apply the ~* bruge nedskæringskniven (i budget); *he has an ~ to grind* han vil mele sin egen kage; han vil hyppe sine egne kartofler.
axial [ˈäksiəl] (adj.) aksial, akse-.
axil [ˈäksil] ♧ bladhjørne.
axillary [ˈäksiləri] ♧ akselstillet; *~ bud* akselknop.
axiom [ˈäksiəm] aksiom, grundsætning; selvindlysende sandhed.
axiomatic [äksiəˈmätik] (adj.) selvindlysende.
axis [ˈäksis] (pl. *axes* [ˈäksi·z]) akse.
axle [ˈäksl] aksel, hjulaksel.
ay [ai] (pl. *ayes)* ja; jastemme; *the ayes have it* forslaget er vedtaget.
ayah [ˈaiə] indisk barnepige.
aye [eⁱ] stedse, bestandig.
aye-aye [ˈaiai] (zo.) fingerdyr.
azalea [əˈzeⁱljə] ♧ azalea.
azimuth [ˈäziməþ] azimuth.
Azores [əˈzå·z]: *the ~* Azorerne.
Aztec [ˈäztek] aztek; aztekisk.
azure [ˈäʒə, ˈeⁱʒə] himmelblå; himmelblåt.

B

B [bi·]. **b.** fk. f. *born* født.
B (tonen) H; *B flat* b; *B flat major* B-dur; *B flat minor* b-mol.
B.A. fk. f. *Bachelor of Arts; British Academy; British Association; Board of Agriculture.*
baa [ba·] bræge; brægen.
Baal [ˈbeⁱəl] Baal (fønikisk gud).
baa-lamb [ˈba·läm] mælam.
babble [ˈbäbl] (vb.) pludre; pjatte; plapre ud med; (subst.) pludren, pjat.
babe [beⁱb] pattebarn, spædt barn; (amr.) S pige.
Babel [ˈbeⁱbl] Babylon. **babel** [ˈbeⁱbl] babylonisk forvirring, Babel.
babiroussa [bäbiˈru·sə] (zo.) hjortesvin.
baboo [ˈba·bu·] (indisk) hr. (hånligt om europæiseret inder).
baboon [bəˈbu·n] (zo.) bavian.
baby [ˈbeⁱbi] spædbarn, baby; (fig.) pattebarn; (amr. S) pige, skat; kælebarn; fyr; *the ~ of the family* familiens Benjamin (el. yngste); *I was left holding* (el. *carrying) the ~* det var mig der kom til at hænge på den; jeg sad tilbage med smerten.
baby | buggy (amr. T) barnevogn. *~* **car** mindste type bil. *~* **-carriage** (amr.) barnevogn. *~* **-farmer** person der tager børn i pleje; 'englemager'. *~* **-farming** 'englemageri'. *~* **grand** kabinetsflygel. **-hood** tidligste barndom. **-ish** barnagtig.
Babylonian [bäbiˈloᵘnjən] babylonisk; babylonier.
babysit (vb.) være baby-sitter.
babysitter baby-sitter, aftenvagt (hos børn).
baccalaureate [bäkəˈlå·riit] (universitetsgrad, graden som *bachelor).*
bacchanal [ˈbäkənəl] (subst.) bakkant; svirelag, bakkanal; (adj.) bakkantisk. **Bacchanalia** [bäkəˈneⁱljə] bakkanaler, svirelag. **bacchant** [ˈbäkənt] bakkant. **bacchante** [bəˈkänt(i)] bakkantinde.
baccy [ˈbäki] T tobak
bach [bätʃ] (amr. T) (subst.) ungkarl, ugift; (vb.) leve ugift.
bachelor [ˈbätʃələ] ungkarl; *~ of arts, ~ of science* (betegnelse for den der har bestået en universitetseksamen som tages efter tre års studium). *~* **girl,** *~* **woman** ugift, selverhvervende kvinde.
bacillary [bəˈsiləri] bacille-, bacillær.

bacillus [bə'siləs] (pl. *bacilli* [bə'silai]) bacille.

I. **back** [bäk] (subst.) ryg, bagside (fx. *the ~ of a house);* (i fodbold etc.) back; stoleryg, ryglæn; bagende, inderste del; *at the ~* bagest; *at the ~ of* bag(ved); *third floor ~* tredje sal til gården; *the cat arches its ~* katten skyder ryg; *break his ~* overanstrenge ham; *excuse my ~* undskyld at jeg vender ryggen til Dem; *get* (el. *put* el. *set) his ~ up* få ham til at rejse børster, gøre ham vred; *the ~ of the neck* nakken; *he is talking through the ~ of his neck* **S** han vrøvler, han ved ikke hvad han taler om; *he puts his ~ into it* han lægger kræfterne i; *turn one's ~ on sby.* vende en ryggen; *when his ~ was turned* når han vendte ryggen til; *sit with one's ~ to sby.* vende ryggen til en; *sit with one's ~ to the engine* køre baglæns.

II. **back** [bäk] (vb.) skubbe (, trække etc.) tilbage, rykke (med hest), bakke (fx. *~ a car);* støtte, hjælpe (fx. *his friends backed him);* holde på (fx. *~ a horse);* skrive bag på, endossere (fx. *~ a bill);* køre baglæns, bakke (fx. *he backed into the garage);* (om vinden) dreje i modsat retning af solen; *~ down* opgive (et krav); *~ on to* vende bagsiden ud til; *~ out of* trække sig ud af (fx. *an undertaking); ~ up* støtte, hjælpe (fx. *he has no one to ~ him up); ~ water* skodde (ved roning); *~ the wrong horse* holde på den forkerte hest.

III. **back** [bäk] (adj.) bag-; *~ door* bagdør; *get into sth. through the ~ door* få indpas i ngt. ad bagveje; *~ ~ number* gammelt nummer (fx. af en avis); person som tiden er løbet fra; *he is a ~ number* han følger ikke med tiden; *~ volumes (of a magazine)* gamle årgange (af et tidsskrift); *~ vowel* bagtungevokal.

IV. **back** [bäk] (adv.) tilbage (fx. *come ~; call sby. ~; ~ and forth* frem og tilbage); igen (fx. *if anybody hits me, I hit ~);* for ... siden (fx. *some years ~); answer ~* svare igen; *pay him ~ in his own coin* (fig.) betale ham med samme mønt; *stand farther ~* gå (og stille sig) længere tilbage; *take ~ a remark* tage en bemærkning i sig igen; *far ~ in the Middle Ages* langt tilbage i middelalderen; *he is just ~ from London* han er lige kommet hjem fra London; *~ of the house* bag ved huset; *go ~ on* svigte; *go ~ on a friend* forråde en ven; *go ~ on a promise* bryde et løfte; *go ~ on one's word* ikke holde sit ord.

backbencher menigt partimedlem i parlamentet.

back|bite ['bäkbait] bagtale. **-biter** ['bäkbaitə] bagtaler. **-biting** bagtalelse. **-board** bagsmække (på en vogn); bagklædning. **-bone** rygrad; *to the -bone* helt igennem. **~ -breaking** meget anstrengende. **~ -chat** vittigt replikskifte, udveksling af vittigheder, svaren igen, næsvist svar (fx. *I want none of your ~ -chat).* **~ -cloth, ~ -curtain** bagtæppe. **~ -dated**: *~ to* med tilbagevirkende kraft fra (fx. *wage-increase ~ -dated to Jan. 1.).* **-door** (adj.) hemmelig, fordækt (fx. *-door intrigues);* se ogs. *III. back.* **~ drop** (amr.) bagtæppe.

backer ['bäkə] hjælper, beskytter; person der (ved væddeløb) holder på en hest; bagmand; kapitalindskyder.

back|fire (subst.) tilbageslag (i motor); (vb.) (om motor) sætte ud; (fig.) gå i vasken, mislykkes (fx. *his plan -fired).* **-gammon** [bäk'gämən] triktrak. **-ground** ['bäkgraund] baggrund, miljø; uddannelse, forudsætninger (fx. *he has the right -ground for the job);* (hørespileffekt:) contentum. **-ground count** (atomfysik) baggrundstælling. **-hand** baghånd, baghåndsslag; stejlskrift. **-handed** bagvendt, med bagen af hånden; indirekte, tvetydig, sarkastisk; *-handed stroke* baghåndsslag; *-handed writing* stejlskrift. **-hander** baghåndsslag; et ekstra glas vin. **-house** retirade, das.

backing ['bäkiŋ] (subst.) bagklædning; støtte.

back|lash dødgang, slør; (fig.) tilbageslag. **-log** stor brændeknude; (fig.) reserve; arbejde som venter på at blive gjort; *a -log of orders* uudførte (el. resterende) ordrer. **~ number,** se *III. back.*

back | pay forfalden løn; efterbetaling. **~ -pedal** træde baglæns, bremse; (fig.) hale i land.

back-room: *~ boys* videnskabsmænd der udfører hemmeligt forskningsarbejde; politikere (etc.) der arbejder 'bag kulisserne'.

back-seat bagsæde; *take a ~* træde i baggrunden.

back-seat driver passager i bil der giver føreren gode råd om hvordan han skal køre.

backshish ['bäkʃi·ʃ], se *baksheesh.*

backside ['bäk'said] bagdel, rumpe, ende.

back|-slang form for slang hvor ordene udtales bagfra. **-slide** få tilbagefald, igen begå forbrydelser efter udstået straf. **-slider** (subst.) renegat. **-stairs** bagtrappe; indirekte, privat, præget af intriger, hemmelig (fx. *-stairs influence).* **-stay** ⚓ bardun, bagstag. **-stroke** rygsvømning. **-talk** = *backchat.*

back-up light baklygte.

back | volumes, ~ vowel, se *III. back.*

backward ['bäkwəd] langsom, sen, som står tilbage (i udvikling), tilbagestående, retarderet, undervisningshæmmet (fx. *a ~ child);* uvillig; undselig; tilbageholdende; tilbage, baglæns, bagud.

backwardation (i terminsforretninger) deport.

backwards ['bäkwədz] tilbage, baglæns; *~ and forwards* frem og tilbage.

backwash tilbagestrømmende bølge, tilbagegående strøm (fx. *the ~ of wounded);* (fig.) efterdønning.

backwater (sø el. indskæring med) stillestående vand (som står i forbindelse m. et vandløb); (fig.) stagnation, dødvande.

backwoods ['bäkwudz] urskove (i det vestl. Nordamerika). **backwoodsman** nybygger i Vesten(s urskove); **T** landboer som sjældent kommer til byen; overhusmedlem som sjældent deltager i møderne.

back-yard baggård; (amr. ofte) have.

bacon ['beⁱkn] bacon; *bring home the ~* klare den, klare ærterne; *save one's ~* med nød og næppe redde sig, redde skindet. **~ factory** svineslagteri.

bacteria [bäk'tiəriə] pl. af: *bacterium.*

bacterial [bäk'tiəriəl] bakterie- (fx. *~ disease).*

bacteriological [bäktiəriə'lådʒikəl] (adj.) bakteriologisk. **bacteriologist** [bäktiəri'ålədʒist] (subst.) bakteriolog. **bacteriology** [bäktiəri'ålədʒi] bakteriologi.

bacterium [bäk'tiəriəm] (pl. *bacteria)* bakterie.

bad [bäd] *(worse, worst)* ond, slet, slem; dårlig; grim, ubehagelig; fordærvet; falsk (fx. *coin);* skadelig; syg; *go ~* blive fordærvet; *go from ~ to worse* blive værre og værre; *go to the ~* gå i hundene; *be £50 to the ~* have tabt £50; *it is ~ form* det er uhøfligt, uopdragent; det kan man ikke; *~ hat* **S** slubbert; *he is ~* han har det dårligt; *~ language* skældsord; uartige ord, eder; *~ luck* uheld; *that's too ~* det er synd; det var da kedeligt; det er for galt.

bade [beⁱd, bäd] imperf. af *bid.*

Baden ['ba·dn].

Baden Powel ['beⁱdn'poᵘel].

badge [bädʒ] kendetegn, mærke, ordenstegn, emblem; gradstegn, distinktion; skilt (fx. *a policeman's ~).*

badger ['bädʒə] (subst.) grævling; pensel fremstillet af grævlingehår; (vb.) plage.

badinage ['bädina·ʒ] (subst.) godmodigt drilleri; spøg.

badly ['bädli] slet; slemt; dårligt; *~ wounded* hårdt såret; *I want it ~* jeg trænger hårdt til det; *he is ~ off* det går skidt med ham; han sidder dårligt i det.

badminton ['bädmintən] (spillet) badminton; (en sommerdrik af rødvin og sodavand).

badness ['bädnės] slethed, ondskab.

bad-tempered opfarende.

Baedeker ['beⁱdikə].

I. **baffle** [bäfl] (subst.) lydskærm.

II. **baffle** [bäfl] (vb.) narre; forbløffe; (virke) desorientere(nde på); forpurre; gøre frugtesløs; hæmme, bremse, dæmme op for; *-d* (ogs.) magtesløs; *baffling wind* skiftende vind.

bag [bäg] (subst.) sæk; pose; taske; kuffert; jagtudbytte; (vb.) lægge i sæk; skyde (vildt), nedlægge; samle, få fat i; stikke til sig; svulme; pose (sig); *(pair of) -s* **bukser**; *his trousers ~ at the knees* han har knæ i bukserne: *in the* ~ **S** så godt som sikker; *be a* ~ *of bones* kun være skind og ben.

bagasse [bə'gäs] bagasse, udpressede sukkerrør.

bagatelle [bägə'tel] bagatel, småting; fortunaspil.

baggage ['bägidʒ] tros; bagage; tøs (fx. *an impudent* ~); *bag and* ~ rub og stub; med pik og pak, med alt sit habengut.

I. **bagging** ['bägiŋ] (subst.) sækkelærred.

II. **bagging** ['bägiŋ] (adj.) svulmende.

baggy ['bägi] poset; *his trousers were* ~ *at the knees* han havde knæ i bukserne.

bagman ['bägmən] handelsrejsende.

bag|pipe sækkepibe. **-piper** sækkepiber.

bags: ~ *I that cake* helle for den kage.

bah [ba·] pyt! snak!

Bahama [bə'ha·mə]: *the -s* Bahamaøerne.

I. **bail** [beⁱl] kaution; *break* ~ stikke af når man er løsladt mod kaution; *out on* ~ løsladt mod kaution; *go* ~ *for* gå i kaution for; *I'll go* ~ (ogs.) det tør jeg vædde på; ~ *out* få løsladt ved at stille kaution.

II. **bail** [beⁱl] overligger (på gærdepinde i kricket).

III. **bail** [beⁱl] øse (subst. og vb.), hank; stiver; ~ *out* øse læns; springe ud med faldskærm.

Bailey ['beⁱli]: *the Old* ~ (retslokale i London).

bailiff ['beⁱlif] foged, forvalter.

bailiwick ['beⁱliwik] område, jurisdiktion.

bairn [bæən] (på skotsk) barn.

bait ['beⁱt] (subst.) lokkemad, madding; foder; (vb.) sætte madding på; fodre; bede, holde rast; hidse, drille, irritere; plage; *swallow the* ~ (fig.) bide på krogen.

baize [beⁱz] baj (et uldent stof).

bake [beⁱk] bage; stege, brænde (fx. *bricks, tiles*).

bakehouse bageri.

bakelite ['beⁱklait] bakelit.

baker ['beⁱkə] bager; *-'s dozen* tretten.

baker-legged (adj.) kalveknæet.

bakery ['beⁱkəri] bageri, brødfabrik.

baking powder bagepulver.

baksheesh ['bäkʃi·ʃ] bakschisch, gave til tiggere i Ægypten, drikkepenge, bestikkelse.

balalaika [bälə'laikə] (subst.) balalajka.

balance ['bäləns] (subst.) vægt; ligevægt; balance; overskud, saldo; rest (fx. *I shall send you the* ~ *on Monday*); uro (i et ur); (vb.) (af)veje; balancere (med), holde (el. bringe) i ligevægt; afbalancere; afstemme; afslutte, saldere (regnskab); opveje; *he holds the* ~ afgørelsen ligger i hans hånd; *the* ~ *in our favour* vort tilgodehavende; *a -d diet* alsidig kost; ~ *oneself* balancere; *strike a* ~ opgøre regnskab; *(trembling) in the* ~ uafgjort; *on* ~ alt i alt, stort set, i det store og hele.

balance-sheet status(opgørelse).

balcony ['bälkəni] altan, balkon.

bald [bå·ld] skaldet; nøgen; ubesmykket (fx. *a* ~ *statement of the facts*); (om stil) farveløs, fattig, bar.

baldachin ['bå·ldəkin] baldakin, tronhimmel.

balderdash ['bå·ldədäʃ] vrøvl.

bald-head skaldepande. **bald-headed** skaldet; *go at it* ~ gå på med krum hals.

baldly ['bå·ldli] uden omsvøb, ligefrem.

baldpate ['bå·ldpeⁱt] skaldepande.

baldric ['bå·ldrik] skrårem, bandoler.

Baldwin ['bå·ldwin].

I. **bale** [beⁱl] (subst.) vareballe; (vb.) emballere, indpakke.

II. **bale** [beⁱl] (vb.) øse (fx. ~ *water out*); ~ *out* (om flyver) springe ud med faldskærm.

Balearic [bäli'ärik] balearisk.

baleen [bə'li·n] (subst.) fiskeben, hvalbarde.

baleful ['beⁱlful] (adj.) fordærvelig, ødelæggende; skadelig.

Balfour ['bälfuə].

balk [bå·k] (vb.) hindre, krydse, skuffe, narre; standse brat, stoppe op; (subst.) bjælke; agerren.

Balkan ['bå·lkən] Balkan-; *the -s* Balkan.

I. **ball** [bå·l] (subst.) bold; kugle; klode; nøgle (garn); (i billard) bal; *the* ~ *of the eye* øjeæblet; ~ *of the foot* fodbalde; *on the* ~ **S** vågen, dygtig, 'skrap'; *keep the* ~ *rolling* holde konversationen i gang; *play* ~ *with* (ogs.) samarbejde med.

II. **ball** [bå·l] (subst.) bal.

III. **ball** [bå·l] (vb.) klumpe sig sammen; *the snow -ed under the shoes* sneen klampede under skoene; *get -ed up* (amr.) blive forvirret, komme i vildrede.

ballad ['bäləd] folkevise, ballade, gadevise, vise.

ballade [bä'la·d] (digt bestående af tre ottelinjede vers samt en slutningsstrofe).

ballad-monger visesælger, visedigter.

ball-and-socket joint kugleled.

ballast ['bäləst] (subst.) ballast; underlag under jernbanesveller; (vb.) tage ballast, ballaste.

ball|-bearing kugleleje. ~ **-cartridge** skarp patron.

ballet ['bäleⁱ] ballet.

ball game boldspil; (amr. især) baseball.

Balliol ['beⁱljəl].

ballistic [bə'listik] (adj.) ballistisk; ~ *missile* ballistisk missil; **T** raket (våben).

ballistics [bə'listiks] (subst.) ballistik.

ball lightning kuglelyn.

balloon [bə'lu·n] ballon. ~ **barrage** ballonspærring. ~ **car** ballonkurv, gondol. **-ist** luftskipper. ~ **jib** ⚓ ballonklyver. ~ **net** ballonnet. ~ **pilot** ballonfører. ~ **-rigging** ballonnet. ~ **sail** ⚓ ballonklyver. ~ **-tire** ballondæk.

ballot ['bälət] hemmelig afstemning; stemmeseddel; *second* ~ omvalg; *(vote by)* ~ stemme hemmeligt. ~ **-box** valgurne. ~ **paper** stemmeseddel.

ball (point) pen kuglepen.

ball-room ['bå·lrum] balsal.

bally ['bäli] (adj., adv.) **S** fordømt, helvedes, pokkers (fx. *I am too* ~ *tired*). **ballyhoo** ['bälihu·] **S** reklamebrøl, larm, ballade. **ballyrag** ['bälirāg] (vb.) lave gadedrengestreger.

balm [ba·m] balsam; ♧ hjertensfryd.

Balmoral [bäl'mårəl].

balmy ['ba·mi] balsamisk, lindrende; (se også *barmy*).

balony [bə'louni] (subst.) vrøvl; (amr. **S**) humbug, bras.

balsam ['bå·lsəm] balsam; ♧ balsamin; ~ *fir* balsamgran. **balsamic** [bå·l'sämik, bäl'sämik] (adj.) balsamisk.

Baltic ['bå·ltik]: *the* ~ Østersøen.

Baltimore ['bå·ltimå·].

baluster ['bäləstə] baluster, tremme i rækværk; *balusters* rækværk.

balustrade [bälə'streⁱd] balustrade; rækværk.

bamboo [bäm'bu·] bambus; *the* ~ *curtain* bambustæppet.

bamboozle [bäm'bu·zl] (vb.) snyde, bedrage, rende om hjørnet med, narre; forvirre.

ban [bän] (subst.) band, bandlysning; forbud; (vb.) forbyde; bandlyse.

banal [bə'na·l] (adj.) banal. **banality** [bə'näliti] banalitet.

banana [bə'na·nə] banan.

band [bänd] (subst.) bånd; stribe; linning; drivrem; mavebælte på cigar; skare, bande; musikkorps, orkester; (vb.) knytte sammen, forene; *to beat the* ~ så det står efter; *endless* ~ samlebånd; *rubber* ~ gummibånd, elastik.

bandage ['bändidʒ] (subst.) bind, bandage, forbinding; bind for øjnene; (vb.) forbinde; *hernial* ~ brokbandage. **bandage-maker** bandagist.

bandan(n)a [bän'dänə] (broget tørklæde).

band|box ['bändbåks] hatteæske, papæske (til modepynt etc.). ~ **-brake** (subst.) båndbremse. ~ **-conveyor** transportbånd.

bandeau [bän'dou] (hår)bånd.

banderole ['bändərou l] mastevimpel, lansefane, banderole.

bandicoot ['bändiku·t] (zo.) punggrævling, punghare.

bandit ['bändit] bandit, røver. **banditry** røveruvæsen. **banditti** [bän'diti] røvere, medlemmer af røverbande, banditter.

bandmaster ['bändma·stə] musikdirigent, kapelmester.

bandog ['bändåg] lænkehund, blodhund.

bandoleer [bändo'liə] skulderrem, bandoler.

band saw ['bändså·] båndsav.

band|stand musiktribune. ~ **-wagon** (smykket vogn i optog, til orkester); *climb on the ~ -wagon* **T** slutte sig til den sejrende part (ved valg etc.).

bandy ['bändi] (subst.) et hockey-lignende spil; hockeykølle; (vb.) kaste frem og tilbage; udveksle; ~ *about* (fig.) slå om sig med (fx. *generalizations);* fortælle videre; ~ *words* mundhugges.

bandy-legged ['bändilegd] hjulbenet.

bane [be^i^n] (subst.) bane, banesår; ødelæggelse, forbandelse. **bane|-berry** ♧ druemunke. **-ful** (adj.) skadelig.

bang [bäŋ] (vb.) banke, slå; dundre (med), knalde (med); prygle; (subst.) slag, brag, dundren; pandehår; (adv.) lige (fx. ~ *in the middle); bang!* bum! ~ *the door to* knalde døren i; ~ *oneself against a tree* brase imod et træ; *go* ~ sige bang (el. bum); eksplodere.

Bangkok ['bäŋkåk].

bangle ['bäŋgl] armring, ankelring. ~ **ear** hængende øre (på hest).

bang-on S i orden.

banian ['bäniən] indisk købmand; slags indisk kjortel. ~ **-day** ⚓ kødløs dag hvor kosten er sløj. ~ **-tree** indisk figentræ.

banish ['bäniʃ] bandlyse; forvise; forjage.

banishment ['bäniʃmənt] forvisning.

banisters ['bänistəz] (pl.) trappegelænder.

banjo ['bändʒo^u^] banjo.

bank [bäŋk] (subst.) banke; vold; tofte (i en båd); grundet sted i havet, søbred, flodbred; bank; fajancefabrik; væggen i en mine, hvor kullene brydes; kulleje, malmleje; jordområdet omkring en skaktmunding; (vb.) inddæmme; dynge op; drive bankvirksomhed; sætte i banken; krænge (om en flyvemanøvre); *the Bank (of England)* Englands bank; ~ *the fires* bakke fyrene; ~ *on* stole på; *I ~ with Barclay's* min bankforbindelse er B. **bank|account** bankkonto. ~ **-bill** bankveksel; (amr.) pengeseddel. ~ **-book** bankbog. ~ **deposit** bankindskud.

banker ['bäŋkə] bankier, bankdirektør; bankør.

bank holiday ['bäŋk'hålidi] (i England) almindelig fridag (vedtaget af parlamentet); (i Amerika) dag hvor bankerne officielt beordres lukket.

banking ['bäŋkiŋ] bankvæsen, bankforretninger; bank-.

bank note ['bäŋkno^u^t] pengeseddel.

bank rate ['bäŋkre^i^t] bankdiskonto.

bankrupt ['bäŋkrʌpt] fallent; bankerot, fallit; ~ *of* (fig.) blottet for; *go* ~ gå fallit.

bankruptcy ['bäŋkrəpsi] bankerot, fallit, konkurs; *file a petition in* ~ indgive konkursbegæring.

bank vole (zo.) rødmus.

banner ['bänə] (subst.) banner; transparent; flerspaltet overskrift; (adj., amr.) vældig fin, som er værd at fejre (fx. *a ~ regiment; a ~ year for the corporation).*

banner headline flerspaltet overskrift.

bannock ['bänək] (slags flad kage).

banns [bänz] (pl.) lysning (til ægteskab); *call* (el. *publish) the* ~ lyse til ægteskab; *they had their ~ called* der blev lyst for dem.

banquet ['bäŋkwet] banket, festmåltid, fest; beværte, feste, gøre sig til gode. **-ing hall** festsal.

banquette [bäŋ'ket] ⚔ banket (standplads for skytter bag et brystværn).

banshee ['bänʃi·] spøgelse, der varsler død.

bantam ['bäntəm] dværghøne; bantam(vægt); lille kamplysten person. **bantamweight** bantamvægt(er).

banter ['bäntə] (vb.) spøge; spøge med; drille; (subst.) skæmt, drilleri.

banting ['bäntiŋ], ~ **diet** afmagringsdiæt.

baobab ['be^i^obäb], **baobab-tree** baobabtræ.

B. A. O. R. fk. f. *British Army of the Rhine.*

baptism ['bäptizm] dåb; ~ *of fire* ilddåb. **baptismal** [bäp'tizməl] dåbs-, døbe-. **baptist** ['bäptist] baptist; *St. John the Baptist* Johannes Døberen. **baptistery** ['bäptistəri] dåbskapel; (hos baptister) dåbsbassin. **baptize** [bäp'taiz] døbe.

bar [ba·] (subst.) stang; tværstang, bom, skranke; revle, skær; slå; hindring *(to* for); retsskranke, (fig.) domstol; skænk, bar, disk; taktstreg, takt; barre; (heraldisk) bjælke; (vb.) stænge; spærre; spærre for; udelukke; forbyde, sætte en stopper for; undtage, se bort fra; **S** ikke synes om; (præp.) undtagen; *barred* (ogs.) stribet; *the Bar* sagførerstanden; *be at the Bar* være sagfører *(barrister); a ~ of soap* en stang sæbe; *be admitted* (el. *be called* el. *go) to the* ~ blive sagfører *(barrister); ~ one* på én nær; ~ *none* uden undtagelse.

Barabbas [bə'räbəs].

barb [ba·b] skæg (fx. på fisk); stråle (på fjer); modhage (på en krog el. pil).

Barbados [ba·'be^i^do^u^z].

barbarian [ba·'bæəriən] barbarisk; barbar. **barbaric** [ba·'bärik] barbarisk. **barbarism** ['ba·bərizm] barbari, barbarisme. **barbarity** [ba·'bäriti] barbarisme. **barbarize** ['ba·bəraiz] blive barbarisk; gøre barbarisk; bruge fremmedartede talemåder. **barbarous** ['ba·bərəs] barbarisk.

Barbary ['ba·bəri] Berberiet.

barbastelle bat ['ba·bəstel] (zo.) bredøre, bredøret flagermus.

barbecue ['ba·bikju·] stegerist; (fest i fri luft hvor der serveres) helstegt dyr.

barbed [ba·bd] forsynet med modhager; skarp; (ogs. fig.) bidende, sårende. **barbed wire** pigtråd. **barbed wire entanglement** pigtrådsspærring.

barbel ['ba·bəl] (zo.) skægkarpe.

barber ['ba·bə] barber; *-'s itch* skægpest; *-'s pole* barberskilt (en stribet stang); *-'s rash* skægpest; *-'s shop* barberstue.

barberry ['ba·bəri] ♧ berberis.

barbette [ba·'bet] ⚔ bænk (bag brystværn).

barbican ['ba·bikən] porttårn, portbefæstning.

barbiturate [ba·'bitʃəre^i^t] barbitursyrederivat (sovemiddel).

bard [ba·d] (subst.) barde, skjald.

I. **bare** [bæə] (adj.) bar, nøgen; ubevokset; tom; blottet; blot; kneben; *lay* ~ blotte; *-st chance* mindste chance; *in one's ~ skin* nøgen; ~ *wire* (glat) ståltråd.

II. **bare** [bæə] (vb.) blotte.

bare|back: *ride -back* ride på usadlet hest. **-backed** uden sadel, usadlet. **-faced** fræk, skamløs (fx. *lie, impudence);* utilsløret (fx. *impudence).* **-foot(ed)** barfodet. **-headed** barhovedet. ~ **-legged** barbenet.

barely ['bæəli] knap (nok); med nød og næppe (fx. *it was ~ avoided);* kun lige akkurat; bart, nøgent.

barenecked nedringet.

bargain ['ba·gin] (subst.) handel, køb, forretning; godt køb, god forretning; noget man har fået billigt; aftale, overenskomst, akkord; (vb.) købslå; tinge; ~ *away* sælge, bortbytte (på ufordelagtige betingelser); ~ *for* vente, være indstillet på (fx. *more than I -ed for; I did not ~ for this trouble); make the best of a bad* ~ tage besværlighederne med et smil; gøre gode miner til slet spil; *drive a* ~ køre hårdt på for at få en aftale i stand; *a ~ is a* ~ bordet fanger; *pick up a* ~ gøre en god forretning; *into the* ~ oven i købet; *strike a* ~ afslutte en handel (el. overenskomst), slå en handel af; *that is a* ~ det er et ord.

bargain|-counter disk med 'billige tilbud'. ~ **-price** spotpris.

I. **barge** [ba·dʒ] pram; chef-chalup; husbåd.

II. **barge** [ba·dʒ] (vb.): ~ *in* mase sig ind; ~ *into* løbe bus på, kollidere med.

bargee ['ba·dʒi·] prammand; *be a lucky* ~ være svineheldig; *swear like a* ~ bande som en tyrk.

barge-pole bådstage; *I would not touch him with a* ~ jeg ville ikke røre ved ham med en ildtang.
bar-iron ['ba·raiən] stangjern.
baritone ['bärito^{u}n] baryton.
barium ['bæəriəm] (kem.) barium. ~ **meal** (med.) barytgrød.
I. **bark** [ba·k] (subst.) ⚓ bark (tremastet fartøj); (poet.) snekke, fartøj.
II. **bark** [ba·k] (vb.) gø, bjæffe; råbe op; hoste; (subst.) gøen; *you are -ing up the wrong tree* din bemærkning har fejl adresse, du er gået galt i byen; *his ~ is worse than his bite* han er ikke så slem, som han lader; han har det mest i munden.
III. **bark** [ba·k] (subst.] bark (på træ); kinabark; (vb.) afbarke; skrabe huden af; garve.
barkeeper ['ba·ki·pə] indehaver af en bar; bartender.
barker ['ba·kə] rekommandør; udråber (på marked etc.); **S** pistol.
barley ['ba·li] byg. ~ **-corn** bygkorn; ✕ sigtekorn; *John Barleycorn* øl, whisky. ~ **-sugar** bolsje.
barm [ba·m] gær.
barmaid ['ba·me^{i}d] servitrice.
barman ['ba·mən] bartender.
barmy ['ba·mi] gærende; skummende; **S** tosset, gal, skør.
barn [ba·n] (subst.) lade; (amr. ogs.) stald; remise; (nedsættende om hus) kasse, skur.
barnacle ['ba·nəkl] (zo.) andeskæl, langhals; kapsun, næsejern; 'burre' (person som man ikke kan ryste af sig); (i pl.) næseklemmer. ~ **-goose** bramgås.
barn|-door ladeport. ~ **fowl** høne, hane.
barn-owl (zo.) slørugle.
barn-stormer omrejsende skuespiller, foredragsholder, o.l.; fjællebodsaktør.
barnyard-grass ♧ hanespore.
barograph ['bärogräf] barograf.
barometer [bə'råmitə] barometer; *the level of the* ~ barometerstanden.
barometric [bäro'metrik] barometer-.
baron ['bärən] baron (laveste grad af *nobility*); storfabrikant; 'magnat' (fx. *beer baron*). **-age** [-idʒ] baronstand, baroner. **-ess** [-is] baronesse. **-et** [-it] baronet (højeste grad af *gentry*). **-etcy** [-itsi] baronetrang. **-y** baroni, barons rang.
baroque [bə'ro^{u}k] (subst. og adj.) barok.
barouche [bə'ru·ʃ] slags firhjulet kalechevogn.
barrack ['bärək] kaserne; *-s* kaserne; *confinement to -s* kasernearrest, kvarterarrest. ~ **room** belægningsstue.
barrage ['bära·ʒ] spærreild; spærring; dæmning; ~ *balloon* spærreballon.
barratry ['bärətri] (jur.) (opfordring til) unødig trætte; forsætlig beskadigelse af skib el. ladning.
barrel ['bärəl] (subst.) tønde; tromle; løb (på en bøsse), pibe; cylinder; valse; krop (fx. af hest); (vb.) lægge el. komme i tønde. **barrel|bolt** (subst.) slå. ~ **hoop** tøndebånd. ~ **-organ** lirekasse. ~ **-vault** tøndehvælving.
barren ['bärən] gold; ufrugtbar; ødemark.
barret ['bärėt] baret.
barrette [bə'ret] (amr.) hårspænde.
barricade [bäri'ke^{i}d] barrikade; barrikadere.
barrier ['bäriə] (subst.) hindring *(to* for), afspærring; bom; barriere; skranke; (vb.) lukke ude (, inde) (med skranke etc.); *sound* ~ lydmur; *heat* ~ varmemur.
barring ['ba·riŋ] undtagen; ~ *accidents* hvis der ikke indtræffer uheld.
barrister ['bäristə] advokat, (procederende) sagfører.
bar-room skænkestue.
barrow ['bäro^u] trillebør; trækvogn; bærebør; (arkæol.) gravhøj, kæmpehøj; (zo.) galt (kastreret orne).
barrowman gadesælger.
bar shot lænkekugle.
Bart. fk. f. *Baronet.*
bartender ['ba·tendə] bartender.
barter ['ba·tə] (vb.) tuske, bytte; tinge; (subst.) tuskhandel; vareudveksling; ting, der gives i bytte; ~ *away* sælge for billigt (fx. *one's freedom); give* afkald på uden at få ret meget til gengæld; *The Bartered Bride* Den solgte Brud.
Bartholomew [ba·'þåləmju·] Bartholomæus.
bartizan [ba·ti'zän] hjørnetårn.
Bartram's sandpiper (zo.) Bartrams klire.
baryta [bə'raitə] (kem.) baryt.
barytone ['bärito^{u}n] baryton.
basal ['be^{i}sl] grund-, fundamental.
basalt ['bäså·lt] basalt.
bascule ['bäskju·l] broklap; ~ *bridge* klapbro.
I. **base** [be^{i}s] (subst.) basis; fundament (fx. ~ *of a building); fod*, fodstykke, grundflade; grundtal (i logaritmesystem); (kem.) base; (i visse boldspil) mål; (gram.) rod; basis; *naval* ~ flådebase; *powder* ~ pudderunderlag.
II. **base** [be^{i}s] (vb.) basere *(on* på, fx. ~ *taxation on income).*
III. **base** [be^{i}s] (adj.) lav (fx. *motive, action*), tarvelig (fx. *pleasure); (om* metal) uædel; ~ *coin* falsk mønt.
baseball ['be^{i}sbå·l] baseball.
base|board (amr.) fodpanel, fodstykke. ~ **-born** af ringe herkomst.
Basedow's disease den basedowske syge.
base|less grundløs, ubegrundet. ~ **-line** (mat.) grundlinie. **-ly** (adv.) lavt, tarveligt. **-ment** ['be^{i}smənt] kælderetage. ~ **-minded** (adj.) lavsindet.
baseness lavhed.
bash [bäʃ] **T** slå; knalde; *have a* ~ *at* **T** forsøge sig med (el. i).
basher ['bäʃə] fyr.
bashful ['bäʃful] undselig, genert.
basic ['be^{i}sik] grund-; grundlæggende, fundamental; (kem.) basisk; *Basic English* slags forenklet engelsk; ~ *price* grundpris.
basil ['bäzil] ♧ basilie(urt); basilikum; ~ *thyme* ♧ voldtimian.
basilisk ['bäzilisk] (subst.) basilisk (fabeldyr).
basin ['be^{i}sn] kumme; vandfad; bassin; (geol.; barbers) bækken.
basis ['be^{i}sis] (pl. *bases* ['be^{i}si·z]) basis, grundlag.
bask [ba·sk] varme sig; sole sig; ~ *in* nyde.
basket ['ba·skėt] kurv, ballonkurv, gondol; *the pick of the* ~ det bedste. **basketry** ['ba·skitri], **basketwork** kurvemagerarbejde.
basking-shark (zo.) brugde (slags haj).
Basle [ba·l] Basel.
I. **Basque** [bäsk] basker; baskisk.
II. **basque** [bäsk] skød (på kjole el. damejakke).
bas-relief ['ba·rili·f] basrelief.
I. **Bass** [bäs] ølsort.
II. **bass** [be^{i}s] bas; bas-, dyb; *figured* ~, *thorough* ~ becifret bas, generalbas.
III. **bass** [bäs] (zo.) bars; (amr.) aborre; ♧ bast.
bass clef (i musik) F-nøgle, basnøgle. **bass drum** (i musik) stortromme.
bassinet [bäsi'net] (kurveflettet barneseng, vugge el. barnevogn).
basso ['bäso^u] basstemme, bassanger.
bassoon [bə'su·n] fagot. **bassoonist** [bə'su·nist] fagotspiller.
bass-viol ['be^{i}svaiəl] violoncel.
bass-wood ♧ amerikansk lind.
bast [bäst] bast.
bastard ['bästəd] barn som er født uden for ægteskab; bastard; **S** ka'l; sjover, slubbert; (adj.) uægte.
baste [be^{i}st] (vb.) dryppe (en steg); ri, rimpe; banke, prygle.
bastinado [bästi'ne^{i}do^u] bastonnade; give b.
I. **bat** [bät] (kricket) boldtræ; (bordtennis) bat; slåer (i kricket) (fx. *he is a good* ~); **S** slag; fart, tempo; (harlekins) briks, stok; *do sth. off one's own* ~ gøre noget uden hjælp (el. på egen hånd).

II. **bat** [bät] (subst.) flagermus; *as blind as a ~* så blind som en muldvarp; *have -s in the belfry* være tosset, 'have rotter på loftet'.

III. **bat** [bät] (vb.) være ved gærdet (i kricket), være inde som slåer.

IV. **bat** [bät]: *~ the eyes* blinke; *without -ting an eyelid* uden at blinke, uden at fortrække en mine.

batata [ba'ta·tə] batate, sød kartoffel.

Batavia [bə'teⁱviə, bə'ta·viə] Batavia. **Batavian** batavier, batavisk.

batch [bätʃ] (subst.) bagning (ɔ: så mange brød som bages i én bagning); hold, bunke, portion; flok.

batchy ['bätʃi] tosset.

bate [beⁱt] (vb.) formindske, slå af på (fx. *he would not ~ a jot of his claims); with -d breath* med tilbageholdt åndedræt.

I. **bath** [ba·þ] (pl. *baths* [ba·ðz]) bad; badekar; (især amr.) badeværelse; (i pl. ogs.) badeanstalt, badested; (vb.) give bad; *have* (el. *take) a ~* bade; *~ the baby* bade den lille.

II. **Bath** [ba·þ]: *Order of the ~* (fornem engelsk orden).

Bath|-brick pudsesten. *~* **-bun** slags bolle. *~* **chair** rullestol.

bathe [beⁱð] (vb.) bade, tage sig et søbad; bade (fx. *~ one's eyes);* (subst.) bad, søbad.

bathing ['beⁱðiŋ] badning; bade-. *~* **-cap** badehætte. *~* **-hut** badehus. *~* **-machine** badevogn. *~* **pool** svømmebassin. *~* **-suit** badedragt. *~* **wrap** badekåbe.

bathos ['beⁱþås] antiklimaks, flov afslutning.

bath|-robe badekåbe; (amr. ogs.) slåbrok. *~* **room** badeværelse. *~* **sheet** badelagen. *~* **-tub** badekar.

bathymetry [bä'þimitri] dybhavslodning.

batik ['bätik] batik.

bating ['beⁱtiŋ] (glds.) undtagen, fraregnet.

batiste [bä'ti·st] batist (slags stof).

batman ['bätmən] ⚔ oppasser.

baton ['bätən] taktstok; marskalstav; politistav; stafet, (stav ved stafetløb) depeche.

bats [bäts] (adj.) tosset, gal; (se også *belfry).*

batsman ['bätsmən] slåer (i kricket).

battalion [bə'täljən] ⚔ bataljon.

battel [bätl] få sin kost på sit *College; -s* måltider fra ens *College* og betalingen derfor.

I. **batten** ['bätn] (vb.) mæske, fede, mæske sig; *~ on the poor* mæske sig på de fattiges bekostning.

II. **batten** ['bätn] (subst.) bræt; skalkningsliste; planke, lægte; (vb.): *~ down the hatches* ⚓ skalke lugerne.

I. **batter** ['bätə] (vb.) bearbejde med slag; beskyde stærkt, hamre løs på; *~ him about* mishandle ham; *~ a wall down* bryde en mur ned; *~ his skull in* slå hjerneskallen ind på ham; *-ed* ramponeret, medtaget.

II. **batter** ['bätə] (subst.) slåer (i kricket).

III. **batter** ['bätə] (subst.) pandekagedej (fx. *a semiliquid ~ of milk, flour, and eggs).*

IV. **batter** ['bätə] (vb.) skråne (om mur o.l.).

battering ram murbrækker.

battery ['bätəri] batteri, akkumulator; (jur.) overfald, vold; *~ switch* (elekt.) celleskifter.

battle ['bätl] (subst.) slag; kamp; (vb.) kæmpe; *fight a ~* levere et slag; *give ~* levere slag; tage kampen op; *lose the ~* tabe slaget. **battle|-array** slagorden. *~* **-axe** stridsøkse; (fig.) rappenskralde. *~* **-cruiser** slagkrydser. *~* **-cry** krigsråb. **-dore** [-då·] fjerboldketsjer; *-dore and shuttlecock* fjerboldspil. *~* **fatigue** (med.) krigsneurose. **-field, -ground** slagmark, valplads. **-ment** [-mənt] brystværn med murtinder; (arkit.) kamtakker. *~* **-piece** slagmaleri. *~* **-plane** (svært bevæbnet) bombeflyvemaskine. **-ship** slagskib.

battue [bä'tu·] klapjagt; nedslagtning.

batty ['bäti] S tosset, skør.

bauble ['bå·bl] værdiløst stads, bagatel; narrebriks.

baulk [bå·k] (subst.) bjælke; hindring; (vb.) narre; *~ him of sth.* berøve ham noget.

bauxite ['bå·ksait] bauxit.

Bavaria [bə'væəriə] Bayern. **Bavarian** [bə'væəriən] bayersk; bayrer.

bawbee [bå·'bi·] (på skotsk) halfpenny.

bawdy ['bå·di] slibrig, sjofel. *~* **-house** bordel.

bawl [bå·l] (vb.) skråle; (subst.) skrål, brøl; *~ sby. out* (amr.) skælde en ud.

I. **bay** [beⁱ] (hav)bugt; rum, afdeling, bås (i restaurant etc.); (bro)fag; dæmning; dør- el. vinduesåbning; vinduesfordybning, karnap; **T** mave, udhængsskab; flad strækning, der afbryder en bjergkæde; (flyv.): *bomb ~* bomberum; (i skib): *sick ~* sygelukaf.

II. **bay** [beⁱ] rødbrun; fuksrød; rødbrun hest, fuks.

III. **bay** [beⁱ] (vb.) gø, glamme, halse; (subst.) gøen; *be at ~* være trængt op i en krog, være nødt til at forsvare sig, gøre fortvivlet modstand (egl. om jaget vildt, som vender sig mod hundene); *keep sby. at ~* holde sig en fra livet; *bring* (el. *drive) to ~* få til at gøre front, bringe til det yderste.

IV. **bay** [beⁱ] ♧ laurbærtræ, laurbær; *-s* (ogs.) laurbærkrans, æresbevisninger.

bayadere [ba·jə'diə] bajadere.

bayonet ['beⁱənét] bajonet; angribe (el. stikke ned) med bajonetten.

bayou ['baiu·] sumpet flodarm i det sydlige U.S.A.

bay-rum ['beⁱrʌm] bayrum.

bay-window ['beⁱ'windoᵘ] karnapvindue; (fig.) tyk mave, hængevom, S 'udhængsskab'.

bazaar [bə'za·] basar.

bazooka [bə'zu·kə] raketstyr, bazooka.

B.B.C. fk. f. *British Broadcasting Corporation.*

B.C. fk. f. *before Christ; British Council; British Columbia; British Canada.*

B.C.L. fk. f. *Bachelor of Civil Law.*

B.D. fk. f. *Bachelor of Divinity.*

I. **be** [bi·] *(was, been)* være, være til; blive (især v. passivdannelse fx. *this was done);* (foran inf.) skulle (fx. *where am I to sit);* (foran *-ing* form) være ved at, være i færd med at (fx. *I am reading* jeg er i færd med at læse, jeg sidder (el. står, ligger etc.) og læser); *here you are* vær så god! *here we are* nu er vi der; her er vi; her har vi det; *how is he?* hvordan har han det? *you know how he is* (ogs.) du ved hvordan han er; *how much is this?* hvad koster dette? *how is it that..?* hvordan går det til at ..? *~ in* være hjemme; *~ right, wrong* have ret, have uret; *I must ~ off* jeg må af sted; *that is (to say)* det vil sige; *it was not to ~* det skulle ikke så være; *he was not to ~ found* han var ikke til at finde; *he is a liar and always will ~* han er og bliver en løgner; se ogs. *being.*

II. **be** [bi·] præsens konjunktiv af *to be* (fx. *so be it!* lad det så være!).

B.E.A. fk. f. *British East Africa; British European Airways.*

beach [bi·tʃ] (subst.) strand(bred); (strand)grus; (vb.) sætte på land, hale i land.

beach|comber ['bi·tʃkoᵘmə] **S** en, der afsøger strandbredden for at finde ilanddrevet gods; (hvid) vagabond el. dagdriver (på stillehavsøerne). *~* **-head** ⚔ brohoved.

beach-la-mar engelsk som det tales på De polynesiske Øer.

beachwear stranddragter etc.

beacon ['bi·kən] (subst.) sømærke; fyr; baun; færdselsfyr; (vb.) lyse, oplyse, vejlede.

beaconage afmærkning med fyr.

bead [bi·d] lille kugle; (uægte) perle; dråbe; sigtekorn; *tell one's -s* læse sin rosenkrans; *draw a ~ on* sigte på.

beadle ['bi·dl] (glds.) kirkebetjent.

bead-roll ['bi·droᵘl] liste, fortegnelse.

beadsman ['bi·dzmən] fattiglem.

beady ['bi·di] perleagtig; *~ eyes* små klare øjne.

beagle ['bi·gl] beagle, lille harehund.

beak [bi·k] næb; spids; **S** dommer.

beaker ['bi·kə] bæger; (kem.) bægerglas.

I. **beam** [bi·m] bjælke; bom; væverbom; vægtstang; vognstang; dæksbjælke; dæksbredde; *kick the* ~ (blive) vippe(t) i vejret, blive den lille; *abaft the* ~ agten for tværs; *broad in the* ~ svær; *off the* ~ helt ved siden af, galt afmarcheret; *on the weather* ~ tværs til luvart.

II. **beam** [bi·m] stråle (subst. og vb.); (om radio) sende (i en bestemt retning); ~ *on* smile huldsaligt til.

beam aerial stråleantenne.

beam-ends: *on its (, one's etc.)* ~ ⚓ på siden, krængende over; (om person) i vanskeligheder, på knæene.

beam transmitter (radio) retningssender.

bean [bi·n] bønne; S skilling; *full of -s* fyrig, livlig, med fut i; *give him -s* give ham en omgang (klø); *I haven't a* ~ jeg ejer ikke en rød øre; *come on, old* ~! kom så, gamle!

bean|-feast (omtr.) personalefest; gilde. ~ **-goose** (zo.) sædgås.

beano ['bi·noᵘ] S fest.

I. **bear** [bæə] (subst.) bjørn; baissespekulant; *the Great Bear* (stjernebilledet) Den store Bjørn.

II. **bear** [bæə] (vb.) *(bore, borne;* i betydn. født: *born* undt. efter *have* og foran *by);* bære, bringe; føre; støtte; udholde, tåle; føde (fx. *he was born in 1914; born of, borne by* født af); bringe til verden; baisse, drive baissespekulation i (fx. ~ *a stock); grin and* ~ *it* (omtr. =) gøre gode miner til slet spil; ~ *sby. company* holde en med selskab; ~ *sby. a grudge* bære nag til en; ~ *a hand* give en håndsrækning; ~ *a part in* tage del i; ~ *witness to* vidne om; ~ *oneself* (op)føre sig; ~ *away* dreje af; falde (af); ~ *away the palm* gå af med sejren; ~ *down* slå ned, kue, betvinge; ~ *down upon* styre henimod; ~ *in mind* huske på, erindre; *it was borne in on me that* det gik op for mig at; ~ *left past the cemetry* hold til venstre forbi kirkegården; ~ *off* ⚓ holde klar af; holde klar af land; ~ *on a stick* støtte sig til en stok; ~ *(up)on* have indflydelse på, angå; ~ *out* støtte; bekræfte; ~ *sby. out* bekræfte ens ord; *bring one's influence to* ~ gøre sin indflydelse gældende; ~ *up* holde ud, ikke fortvivle *(against* over for); ~ *up for* ⚓ holde kurs mod; ~ *up under afflictions* holde sig rank i modgang; ~ *with* bære over med.

bearable ['bæərəbl] udholdelig.

bearberry ♧ melbærris. **bearbind** ♧ gærdesnerle.

beard [biəd] (subst.) skæg (især om hageskæg; også om stak på aks); (vb.) trodse (fx. ~ *the lion in his den); grow a* ~ lade skægget stå. **bearded** ['biədėd] skægget; stakket; *-ed tit* (zo.) skægmejse. **beardless** ['biədlės] skægløs; ~ *wheat* kolbehvede.

bearer ['bæərə] (lig)bærer; overbringer; ihændehaver; *the tree is a good* ~ træet bærer godt; ~ *-share* ihændehaveraktie.

bear-garden (fig.) rabaldermøde.

bearing ['bæəriŋ] holdning; optræden; forbindelse *(on* med, fx. *it has no -s on the question);* betydning; retning; pejling; leje (i maskine); skjoldfigur; *discuss the question in all its -s* drøfte sagen fra alle sider; *I have lost my -s* jeg kan ikke orientere mig; *take the -s* pejle; orientere sig; *it is beyond* ~ det er ikke til at holde ud.

bearish ['bæəriʃ] bjørneagtig, plump.

bear|-leader bjørnetrækker. ~ **-operation** (merk.) baisseforretning. **-skin** bjørneskind; bjørneskindshue.

beast [bi·st] dyr (firbenet); bæst (ɔ: rå karl); ~ *of burden* lastdyr; ~ *of prey* rovdyr. **-liness** ['bi·stlinės] dyriskhed, bestialitet. **-ly** dyrisk, bestialsk; ækel; *-ly drunk* fuld som et svin; *-ly weather* væmmeligt vejr.

I. **beat** [bi·t] (subst.) slag (fx. *heart -s);* taktslag; runde (fx. *a policeman's* ~*);* klapjagt; (amr. S) journalistisk kup; *it is off my* ~ det er noget jeg ikke rigtig kender til.

II. **beat** [bi·t] *(beat, beaten)* (vb.) slå (fx. *his heart ceased to* ~*);* prygle (fx. ~ *sby. with a stick;* ~ *sby. to death);* banke (fx. *his heart was -ing like mad;* ~ *a carpet);* overvinde (fx. ~ *the enemy); that's -ing the air* det er kun et slag i luften; *it -s the band!* det var den stiveste! nu har jeg aldrig hørt så galt! ~ *one's brain* vride sin hjerne; ~ *a drum* slå på tromme; ~ *eggs* piske æg; ~ *it* stikke af, skynde sig; *now then,* ~ *it!* forsvind så! glid så! *can you* ~ *it!* hvad giver De mig! *that -s me, it's got me beaten* S det kan jeg ikke klare, det går over min forstand; ~ *the record* slå rekorden; ~ *a retreat* slå retræte, trække sig tilbage, løbe sin vej; ~ *time* slå takt; ~ *a wood (for game)* klappe en skov af, afdrive en skov; ~ *about the bush* komme med udenomsnak, bruge omsvøb; *he did not* ~ *about the bush* han gik lige til sagen; ~ *down* slå ned (fx. *the rain has beaten down the corn);* nedkæmpe (fx. *the opposition);* ~ *down the price of sth.* bringe (el. få) prisen på noget ned; ~ *him down* prutte ham ned; *the sun was -ing down on my head* solen brændte mig lige på hovedet; *I can't* ~ *it into his head* jeg kan ikke få det banket ind i hovedet på ham; ~ *off* slå tilbage (fx. ~ *off an attack);* ~ *out* udhamre (fx. *gold);* ~ *out the dust from* banke støvet ud af; ~ *(to windward)* ⚓ krydse op mod vinden; ~ *up* piske (fx. *eggs, cream);* T gennemprygle; ~ *up game* klappe vildt op.

III. **beat** imperf. af *II. beat.*

IV. **beat** ['bi·t] (adj.) S udmattet; *dead* ~ dødtræt, helt udmattet; *the* ~ *generation* (amr.) desillusioneret og nihilistisk forfattergruppe fra 1950erne; (subst.): *a* ~ et medlem af denne gruppe.

beaten ['bi·tn] perf. part. af II. *beat;* ~ *silver* hamret (el. drevent) sølv; *the* ~ *track* den slagne vej.

beater ['bi·tə] klapper (ved jagt); æggepisker; tæppebanker.

beatify [bi'ätifai] lyksaliggøre, beatificere; erklære (en afdød) for salig.

beating ['bi·tiŋ] banken; bank; dragt prygl, nederlag.

beatitude [bi'ätitju·d] (lyk)salighed; saligprisning.

beatnik ['bi·tnik], se *IV. beat* (subst.).

beat-up (adj.) opslidt.

beau [boᵘ] (pl. *beaux* [boᵘz]) laps, modeherre; S (en ung piges) ven, kavaler.

beau ideal højeste ideal, skønhedsideal.

beauteous ['bju·tiəs] skøn.

beautician [bju·'tiʃən] (amr.) skønhedsekspert; indehaver af skønhedssalon.

beautiful ['bju·təful] smuk, skøn, dejlig.

beautify ['bju·tifai] (vb.) forskønne, smykke.

beauty ['bju·ti] skønhed; *she is a* ~ hun er en skønhed; *isn't he a* ~? (ofte ironisk) er han ikke storartet! ~ *is only skindeep* man skal ikke skue hunden på hårene; *that is the* ~ *of it* det er netop det gode (, det morsomme, det spændende) ved det; *the sleeping* ~ Tornerose; ~ *contest* skønhedskonkurrence; ~ *culture* skønhedspleje; ~ *doctor* skønhedsspecialist; ~ *parlour,* ~ *shop* skønhedsklinik, skønhedssalon; ~ *sleep* søvnen før midnat; ~ *spot* skønhedsplet; naturskønhed, naturskønt sted; ~ *treatment* skønhedsbehandling.

beaver ['bi·və] (zo.) bæver; bæverskind; kastorhat (af bæverhår), høj hat; visir; **S** (mand med) fuldskæg.

bebop ['bi·båp] (slags jazz-musik).

becalm [bi'ka·m] berolige; *be -ed* ⚓ få vindstille.

became [bi'keⁱm] imperf. af *become.*

because [bi'kå(·)z] fordi; ~ *of* på grund af.

I. **beck** [bek] bæk.

II. **beck** [bek] vink; *be at sby.'s* ~ *and call* hoppe og springe for en, stå på pinde for en.

III. **beck** (vb.) vinke, vinke ad.

becket ['bekėt] ⚓ knebel.

beckon ['bekən] (vb.) vinke, vinke ad.

becloud [bi'klaud] (vb.) overtrække med skyer, formørke.

become [bi'kʌm] *(became, become)* blive; anstå, klæde (fx. *that dress -s her);* passe sig for; ~ *a doctor* blive læge; ~ *known* blive kendt; *what has* ~ *of him?* hvad er der blevet af ham? **becoming** [bi'kʌmiŋ] passende; klædelig.

bed [bed] seng; leje; bed (fx. *rose* ~*);* lag; vange

(i maskine); underlag; madras, dyne; (vb.) plante i bed; fæstne, lægge (fx. *bricks are -ded in mortar); in ~* i (sin) seng; *be ill in ~* ligge syg; *go to ~* gå i seng; *keep one's ~* holde sengen; *take to one's ~* gå til sengs (om en syg); *make a ~* rede en seng; *as you make your ~ so you must lie on it* el. *you must lie in the ~ you have made* som man reder, så ligger man; *get out of ~ on the wrong side* få det forkerte ben først ud af sengen; *be brought to ~ of* blive forløst med, nedkomme med; *the ~ of the sea* havbunden; *~ of coal* kulleje; *~ of ashes* askelag; *~ down* lave et leje til (fx. *a horse).*

bedabble [bi'däbl] (vb.) oversprøjte, overstænke.

bedaub [bi'då·b] (vb.) tilsøle.

bed|bug væggelus. **-chamber** sovekammer. ~ **-chart** (med.) sengetavle. ~ **-clothes** sengeklæder. **-cover** sengetæppe.

bedding ['bediŋ] sengetøj, sengeklæder; strøelse; underlag.

Bede [bi·d] Beda.

bedeck [bi'dek] (vb.) pynte.

bedeguar ['bedigå·] ♧ rosengalle.

bedevil [bi'devl] (vb.) forhekse; plage indtil vanvid, drive fra forstanden.

bedew [bi'dju·] (vb.) dugge.

bedfellow ['bedfeloᵘ] (sove)kammerat.

bedim [bi'dim] (vb.) sløre.

bedizen [bi'daizn] (vb.) udmaje.

bed jacket sengetrøje.

bedlam ['bedləm] galeanstalt, dårekiste.

bedlamite ['bedləmait] forrykt person.

bed-linen sengelinned.

bedmaker (omtr.) rengøringsassistent.

Bedouin ['beduin] beduin.

bed|-pan (stik)bækken. **-plate** fundamentplade, fodplade. ~ **-post** sengestolpe.

bedraggle [bi'drägl] (vb.) tilsøle; *-d* ussel.

bed|ridden sengeliggende, syg, svag. **-rock** grundfjeld; *get down to -rock* komme til det væsentlige. **-room** sovekammer. **-side** sengekant; *his -side manner* hans måde at tage patienterne på; *at the -side* ved sengen. **-side rug** sengeforligger. **-side story** godnathistorie. **-side table** natbord. ~ **-sitting room** sove- og opholdsværelse. ~ **-slip** dynebetræk. **-sore** liggesår. **-spread** sengetæppe. **-spring** spiralbund (i seng). **-staff** sengehest. **-stead** ['bedsted] seng, sengested.

bedstraw ♧ snerre; *our Lady's ~* ♧ Jomfru Maries sengehalm; *hedge ~* ♧ hvid snerre.

bedtick madrasvår. **bedtime** sengetid; *~ story* godnathistorie.

bee [bi·] (subst., zo.) bi; (amr.) sammenkomst til fælles arbejde og gensidig underholdning; (ogs.) konkurrence (fx. *a spelling ~); have a ~ in one's bonnet* være besat af en idé, have en fiks idé, være monoman.

bee-bread bibrød.

beech [bi·tʃ], **-tree** bøg. ~ **marten** husmår. ~ **-mast** bog, bøgeolden. ~ **nut** bog, bøgeolden.

I. **beef** [bi·f] (subst.) oksekød; (fig.) kræfter, muskler; *beeves* (pl.) oksekroppe.

II. **beef** [bi·f] (vb.) (amr.) mukke, gøre vrøvl, være utilfreds.

beefeater ['bi·fi·tə] opsynsmand (i Tower).

beefsteak ['bi·f'steⁱk] bøf.

beef-tea ['bi·f'ti·] bouillon.

beefy ['bi·fi] (adj.) kødfuld, muskuløs.

bee-hive ['bi·haiv] bikube.

bee|keeping biavl. ~ **-line** lige linie, korteste vej; *make a -line for* styre lige imod.

Beelzebub [bi'elzibʌb].

been [bi·n, bin] perf. part. af *be*.

beer [biə] øl; *small ~* tyndt øl; (fig.) betydningsløs, bagatelagtig; *he thinks no small ~ of himself* han har ikke ringe tanker om sig selv; *life is not all ~ and skittles* livet er ikke lutter lagkage.

beery ['biəri] (adj.) øllet, ølstinkende.

beestings ['bi·stiŋz] råmælk.

beeswax ['bi·zwäks] bivoks; (vb.) bone.

beet [bi·t] (subst.) ♧ bede; (amr.) rødbede.

beet harvester roeoptager.

beetle ['bi·tl] (subst.) (zo.) bille; (redskab:) kølle; brolæggerjomfru; (adj.) fremspringende; (om bryn) busket; (vb.) rage frem; *blind as a ~* blind som en muldvarp. **-browed** med buskede øjenbryn. ~ **-crushers** (om store støvler) 'brandspande'. ~ **-head** fæhoved. ~ **-parasite** (zo.) skarnbasselus.

beet-lifting roeoptagning.

beetroot ['bi·tru·t] rødbede.

beeves pl. af *beef*.

befall [bi'få·l] *(befell, befallen)* tilstøde, times, hændes; overgå, ramme; ske, hænde.

befit [bi'fit] passe for, sømme sig for.

befool [bi'fu·l] holde for nar; gøre til nar; kalde (en) en nar.

before [bi'få·] før; foran; i nærværelse af (fx. *don't use that sort of language ~ the children);* overfor; fremfor, førend; forud for; for; *~ Christ* før Kristi fødsel; *~ God!* ved Gud! *sail ~ the mast* være menig sømand; *~ long* inden længe; *be ~ the House* være for i parlamentet.

beforehand [bi'få·händ] (adv.) på forhånd; i forvejen; forud; *be ~ with the rent* være forud med (betaling af) huslejen; *be ~ with sby.* komme en i forkøbet; *be ~ with the world* have rede penge.

before-mentioned førnævnt.

befoul [bi'faul] besudle, tilsmudse.

befriend [bi'frend] vise velvilje imod; hjælpe.

befuddled [bi'fʌdld] omtåget.

beg [beg] bede om, anmode om, udbede sig; tigge; *go (a)begging* være vanskelig at afsætte (fx. *these pictures are going (a)begging); these jobs won't go (a)begging long* der bliver rift om disse stillinger; *~ leave to* bede om tilladelse til at, tillade sig at; *I ~ you a thousand pardons* jeg beder Dem tusind gange om forladelse; *(I) ~ your pardon* hvad behager? undskyld; *~ the question* tage svaret for givet (fx. *do you like me?);* bruge det der skal bevises som argument; *~ of sby. to do sth.* bede en om at gøre noget; *~ off* bede sig fri; *I ~ to inform you* jeg tillader mig at meddele Dem.

began [bi'gän] imperf. af *begin*.

beget [bi'get] *(begot, begotten)* avle.

begetter (subst.) fædrene ophav.

beggar ['begə] tigger; bringe til tiggerstaven; *poor little ~* stakkels lille fyr; *~ description* overgå al beskrivelse. **beggarly** fattig; ussel, luset, sølle.

beggary ['begəri]: *reduce sby. to ~* bringe en til tiggerstaven.

begin [bi'gin] *(began, begun)* begynde, begynde på; *they don't ~ to compare* de kan overhovedet ikke sammenlignes; *well begun is half done* godt begyndt er halvt fuldendt; *~ with the soup* begynde med suppen; *to ~ with* for det første; *~ to work* begynde at arbejde, træde i funktion. **beginner** (subst.) begynder.

beginning begyndelse; *from the very ~* fra første færd.

begone [bi'gån] forsvind! væk med dig!

begonia [bi'goᵘnjə] begonie.

begot [bi'gåt] imperf. af *beget*.

begotten [bi'gåtn] perf. part. af *beget*.

begrime [bi'graim] tilsøle.

begrudge [bi'grʌdʒ] misunde, ikke unde.

beguile [bi'gail] narre, skuffe; fordrive (tiden).

beguine [bə'gi·n] (rumba-lignende dans).

begum ['bi·gəm] (indisk) fyrstinde.

begun [bi'gʌn] perf. part. af *begin*.

behalf [bi'ha·f]: *in his ~* til hans bedste; *on his ~* på hans vegne; til hans bedste.

behave [bi'heⁱv] opføre sig; *~ oneself* dy sig, opføre sig ordentligt; *ill behaved* uopdragen; *well behaved* velopdragen.

behaviour [bi'heⁱvjə] opførsel, adfærd; *be on one's good ~* gøre sig umage for at opføre sig pænt; *put sby. on his good ~* pålægge en at opføre sig godt.

behaviourism adfærdspsykologi; behaviorisme.

behaviour pattern adfærdsmønster.
behead [bi'hed] halshugge.
beheld [bi'held] imperf. og perf. part. af *behold.*
behest [bi'hest] bud, befaling.
behind [bi'haind] bag, bag ved, (bag) efter; tilbage; bagpå, bagtil; (subst.) ende, bagdel; *be ~ sby.* stå tilbage for en; stå bagved (ɔ: støtte) en; *fall ~* ikke kunne følge med; komme bagefter *(in* med); *leave ~* lade bag sig, lade blive tilbage, efterlade sig; forlade (fx. *when I leave this world ~); from ~* bagfra; *be ~ time* være forsinket, komme for sent; *~ the times* gammeldags, bagud for sin tid.
behindhand [bi'haindhănd] tilbage, i restance; bagefter; *be ~* (ogs.) stå tilbage for andre.
behold [bi'hoᵘld] *(beheld, beheld),* se, skue, betragte, iagttage.
beholden [bi'hoᵘldn] forbunden; *be ~ to* stå i taknemmelighedsgæld til.
behoof [bi'hu·f]: *to* (el. *for* el. *on) his ~* til hans bedste.
behove [bi'hoᵘv] sømme sig for, påhvile.
beige [beⁱʒ] drapfarvet, beige.
being ['bi·iŋ] tilværelse; væsen; *human ~* menneske; *the Supreme Being* Gud; *for the time ~* foreløbig, for øjeblikket; *in ~* eksisterende; *come into ~* blive til.
belabour [bi'leⁱbə] slå løs på.
belated [bi'leⁱtid] forsinket.
belay [bi'leⁱ] gøre fast; *-ing pin* ⚓ kofilnagle.
belch [beltʃ] ræbe, udspy; ræben; opstød.
beldam(e) ['beldəm] gammel heks, kælling.
beleaguer [bi'li·gə] belejre.
belemnite ['beləmnait] vættelys, belemnit.
Belfast [bel'fa·st].
belfry ['belfri] klokketårn; *have bats in the ~* **S** 'have rotter på loftet', være tosset.
Belgian ['beldʒən] belgisk; belgier.
Belgium ['beldʒəm] Belgien.
Belgravia [bel'greⁱvjə] (kvarter i Londons West End). **Belgravian** fornem, fin, aristokratisk.
belie [bi'lai] gøre til løgn, modsige, gøre til skamme; *it does not ~ its name* det svarer til sit navn.
belief [bi'li·f] (subst.) overbevisning (fx. *to the best of my ~);* tro *(in* på); tiltro *(in* til); *beyond ~* utroligt; *my ~ is that* jeg tror, at.
believable [bi'li·vəbl] (adj.) trolig.
believe [bi'li·v] (vb.) tro *(in* på); *~ sby.* tro en (ɔ: at han taler sandt); *~ in sby.* tro på en, have tillid til en; *~ in* være en tilhænger af (fx. *I don't ~ in reading in bed*); *I don't ~ in smoking before breakfast* jeg holder ikke af (el. jeg tror ikke det er sundt) at ryge før morgenmaden.
believer [bi'li·və] (subst.) troende; (ofte) kristen.
Belisha [bə'li·ʃə]: *~ -beacon* trafikmærke der markerer fodgængerovergang.
belittle [bi'litl] (vb.) bagatellisere, tale ringeagtende om, forklejne.
bell [bel] (subst.) klokke; bjælde; ⚓ glas, halvtime; (vb.) hænge bjælde på; *~ the cat* påtage sig en farlig opgave til fælles bedste; vove pelsen for de andre; *ring the ~* ringe på klokken, ringe med klokken, ringe på; *the ~ rings* det ringer; *answer the ~* lukke op (når det ringer); *bear away the ~* vinde prisen; *that rings the ~!* det er vel nok højden! *does that ring any ~ to you?* siger det dig noget?
belladonna [belə'dånə] belladonna.
bellbind ['belbaind] ♧ konvolvolus, snerle.
bellboy piccolo (på et hotel).
bell-buoy ['belboi] ⚓ klokkebøje.
belle [bel] skønhed (ɔ: smuk kvinde); *the ~ of the ball* ballets dronning.
belles-lettres ['bel'letr] skønlitteratur.
bell-founder klokkestøber.
bellhop (amr.) piccolo (på et hotel).
bellicose ['belikoᵘs] (adj.) krigerisk, stridbar.
bellicosity [beli'kåsiti] (subst.) stridbarhed.
belligerent [bi'lidʒərənt] krigsførende (magt).
bellow ['beloᵘ] (vb.) brøle; larme; (subst.) brøl.
bellows ['beloᵘz] (pl.): *pair of ~* blæsebælg, puster.
bell|-pull ['belpul] klokkestreng. *~* **-push** (ringeapparats) knap. *~* **-ringer** klokker. *~* **-wether** klokkefår.
belly ['beli] (subst.) bug, mave, vom, underliv; dække (el. bryst) på violin; (vb.) bugne, svulme.
belly|-ache (subst.) mavepine, mavekneb; (vb.) **T** beklage sig, brokke sig. *~* **-flop** maveplaster (ved udspring); *take a ~* falde pladask på maven. *~* **landing** (flyv.) mavelanding. *~* **laugh S** skraldende latter.
belong: *~ to* tilhøre (fx. *the book -s to me); they ~ here* de hører til her.
belongings [bi'låŋiŋz]: *my (, your etc.) ~* mine (, dine etc.) ejendele (el. sager).
beloved [bi'lʌv(i)d] elsket; afholdt.
below [bi'loᵘ] under, neden under, nede; *here ~* her på jorden; *(down) ~* nedenunder; i helvede; *mentioned ~* nedennævnt; *~ the average* under gennemsnittet; *~ the mark* ikke tilfredsstillende, tarvelig, ringe; *it is ~ him* det er under hans værdighed.
belt [belt] (subst.) bælte; drivrem; livrem; bånd; stribe; bælt; (vb.) spænde (med bælte); omgjorde; prygle; fare, løbe; *hit below the ~* slå under bæltestedet, bruge uhæderlige kampmidler; *tighten one's ~* spænde livremmen ind; *the Great Belt* Store Bælt; *the Little Belt* Lille Bælt.
belting (materiale til) bælte(r), drivremme; *a ~* (ogs.) en dragt prygl. **belt-loop** bæltestrop.
beluga [be'lu·gə] (zo.) hvidhval, hvidfisk (art hval); huse (art stør).
B.E.M. fk. f. *British Empire Medal.*
bemoan [bi'moᵘn] begræde.
bemused [bi'mju·zd] (adj.) forvirret, omtåget.
Ben [ben] fk. f. *Benjamin; Big Ben* tårnklokken i parlamentsbygningen.
Benares [bi'na·riz].
bench [ben(t)ʃ] bænk; høvlebænk; dommersæde; dommere, domstol; biskopper; *be on the ~* beklæde dommersædet; (i sport) være reserve; *be raised to the ~* blive dommer (el. biskop); *King's* (el. *Queen's) Bench Division* hovedafdelingen af overretten. **bencher** ['bentʃə] ledende medlem af en af *the Inns of Court.*
I. **bend** [bend] (subst.) bøjning; krumning, vejsving; ⚓ stik; *round the ~* over det værste; **T** tosset; *the -s* (med.) dykkersyge.
II. **bend** [bend] *(bent, bent)* (vb.) bøje (fx. *~ a piece of wire, ~ a bar of iron);* rette, give retning (fx. *~ one's steps towards a place);* bøje sig (fx. *she was -ing over the cradle);* ⚓ binde; underslå (sejl); *~ a bow* spænde en bue; *~ the brow* rynke panden; *~ the elbow* (fig.) bøje armen, være fordrukken; *~ the knee* bøje knæ; *catch sby. -ing* **T** overrumple en.
bended ['bendid] bøjet; *on ~ knees* knælende, inderligt bedende; på sine knæ.
beneath [bi'ni·þ] under; nedenunder; *~ contempt* under al kritik; *~ one* under éns værdighed; *marry ~ one* gifte sig under sin stand.
Benedictine [beni'diktain] benediktinermunk; [beni'dikti·n] D.O.M. (likør).
benediction [beni'dikʃən] velsignelse.
benefaction [beni'făkʃən] velgerning; gave til velgørende formål. **benefactor** ['benifăktə] velgører. **benefactress** ['benifăktrės] velgørerinde.
benefice ['benifis] præstekald. **beneficence** [bi'nefisns] godgørenhed. **beneficent** [bi'nefisnt] godgørende. **beneficial** [beni'fiʃəl] velgørende, heldig, gavnlig. **beneficiary** [beni'fiʃəri] (subst.) beneficiar, en til hvis fordel en livsforsikring er tegnet; indehaver af gejstligt embede; arving.
benefit ['benifit] (subst.) fordel, nytte, gavn *(from* af); understøttelse (fx. *unemployment ~* arbejdsløshedsunderstøttelse); velgerning; benefice; (vb.) nytte, gavne; gøre godt imod; *daily ~* dagpenge; *~ by* have nytte af, nyde godt af; *for the ~ of* til bedste for; til gavn for; *give him the ~ of the doubt* lade tvivlen komme ham til gode; *medical ~* lægehjælp; *~ performance* beneficeforestilling.

Benelux ['bene'luks] Beneluxlandene (Belgien, Nederlandene, Luxembourg).

benevolence [bi'nevələns] (subst.) velvilje; godgørenhed; gavmildhed. **benevolent** [bi'nevələnt] (adj.) velvillig, menneskekærlig; godgørende.

Bengal [beŋ'gå·l, ben'gå·l] Bengalen. **Bengalee** el. **Bengali** [beŋ'gå·li, ben'gå·li] bengalsk; bengaleser; bengalisproget.

benighted [bi'naitid] overrasket af natten, indhentet af mørket; uoplyst, uvidende.

benign [bi'nain] (adj.) mild, venlig; gunstig; (om sygdom) godartet. **benignant** [bi'nignənt] (adj.) velvillig; mild. **benignity** [bi'nigniti] mildhed, venlighed; (med.) godartethed.

benison ['benizn] (poet.) velsignelse.

Benjamin ['bendʒəmin].

bennet ['benit] ♧ febernellikerod.

I. **bent** [bent] tilbøjelighed, lyst, evne; *to the top of one's ~* af yderste evne, af hjertens lyst.

II. **bent** [bent] stridt græs, hvene.

III. **bent** [bent] imperf. og perf. part. af *bend.*

IV. **bent** (adj.) bøjet; *~ on doing sth.* opsat (el. besluttet) på at gøre noget.

bent-grass ♧ (krybende) hvene.

Benthamism ['bentəmizm] nyttemoralen, Benthams lære.

benumbed [bi'nʌmd] valen, stivnet, død (af kulde); lammet.

benzene ['benzi·n] (kem.) benzol.

benzine ['benzi·n] benzin (til rensning).

benzoin ['benzo^{u}in] benzoe (harpiks af javanesisk træ).

benzol ['benzål] (merk.) benzol.

bequeath [bi'kwi·ð, bi'kwi·þ] testamentere.

bequest [bi'kwest] testamentering; testamentarisk gave, arv.

berate [bi're^{i}t] (vb.) skælde ud.

Berber ['bə·bə] berber, berbersprog.

bereave [bi'ri·v] *(bereaved* el. *bereft)* berøve; *~ sby. of sth.* berøve en noget; *the bereaved* de sørgende efterladte; *bereft of* uden, blottet for. **bereavement** smerteligt tab (v. nær pårørendes død); *owing to ~* på grund af dødsfald.

bereft [bi'reft] imperf. og perf. part. af *bereave.*

beret ['bere^i] baskerhue.

berg [bə·g] isbjerg.

bergamot ['bə·gəmåt] bergamottræ, bergamotolie, bergamot(pære).

beriberi ['beri'beri] (med.) beriberi.

Berkeley ['ba·kli, (amr.) bə·kli].

Berks [ba·ks] fk. f. *Berkshire* ['ba·kʃiə].

Berlin [bə·'lin, 'bə·'lin].

Bermuda [bə'm(j)u·də]; *the -s* Bermudaøerne.

berry ['beri] bær; sætte bær; *brown as a ~* brun som en neger.

berserk ['bə·sə·k], **berserker** ['bə·sə·kə] bersærk; *go berserk* få besærkergang; *berserk rage, berserk fury* bersærkergang.

berth [bə·þ] (subst.) køje(plads); ankerplads; lukaf; **T** plads, stilling; (vb.) skaffe soveplads til; fortøje; *give sth. a wide ~* gå langt udenom ngt., undgå ngt.; ⚓ holde godt klar af ngt.

Bertrand ['bə·trənd].

beryl ['beril] beryl, akvamarin.

beseech [bi'si·tʃ] *(besought, besought)* bede indstændig, bønfalde, trygle (om).

beseem [bi'si·m] sømme sig for; være sømmelig.

beset [bi'set] *(beset, beset)* belejre; omringe; angribe; plage, true; *~ by dangers* omgivet af farer; *-ting sin* skødesynd.

beshrew [bi'ʃru·]: *~ me if ...* lad mig synke i graven, om ...

beside [bi'said] ved siden af, ved; foruden; *be ~ oneself* være ude af sig selv; *it is ~ the point* det kommer ikke sagen ved, det angår ikke sagen.

besides [bi'saidz] (adv.) desuden; (præp.) foruden.

besiege [bi'si·dʒ] (vb.) belejre; (fig. også) bestorme (fx. *with questions).*

besiegement belejring.

besmear [bi'smiə] tilsmøre.

besmirch [bi'smə·tʃ] plette, besudle.

besom ['bi·zəm] riskost.

besot [bi'såt] gøre sløv (ved drik); fordumme.

besought [bi'så·t] imperf. og perf. part. af *beseech.*

bespangle [bi'spăŋgl] overså, besætte (med pailletter o.l.); *star-bespangled* stjernebesat.

bespatter [bi'spåtə] overstænke, tilsøle.

bespeak [bi'spi·k] *(bespoke, bespoke(n))* bestille; betinge sig; tyde på, vidne om.

bespectacled bebrillet.

bespoke [bi'spo^{u}k] imperf og perf. part. af *bespeak.*

bespoke | bootmaker håndskomager. ~ **department** bestillingsafdeling (i ekviperingsforretning).

bespoken [bi'spo^{u}kn] perf. part. af *bespeak.*

bespoke tailoring syning efter mål.

Bess [bes] fk. f. *Elizabeth.*

I. **best** [best] bedst; mest, højest; *do my ~* gøre mit bedste; *have* (el. *get) the ~ of it* gå af med sejren; *you had ~ confess* du gør klogest i at tilstå; *from the ~ of motives* i den bedste hensigt; *to the ~ of my ability* efter bedste evne; *to the ~ of my knowledge* så vidt jeg ved; *at ~* i bedste fald, i det højeste; *it was all for the ~* det endte alligevel godt; *like ~* holde mest af; *look one's ~* tage sig ud til sin fordel; *make the ~ of* benytte på bedste måde, få det mest mulige ud af, udnytte (fx. *one's talents); make the ~ of one's way* skynde sig alt hvad man kan; *make the ~ of a bad business* få det bedst mulige ud af situationen, tage det med godt humør; *the ~ part of* det meste af, det bedste ved; *Sunday ~* søndagstøj, bedste tøj; *he is the ~ hated man in the school* han er det mest forhadte menneske på skolen; *he can still dance with the ~ (of them)* han danser stadig så godt som nogen.

II. **best** [best] (vb.) få overtaget over, snyde, overvinde.

bestial ['bestjəl] bestialsk, dyrisk. **bestiality** [besti'äliti] bestialitet, dyriskhed. **bestialize** ['bestjəlaiz] forrå, gøre til et dyr.

bestiary ['bestiəri] dyrebog.

bestir [bi'stə·] (vb.): *~ oneself* røre på sig, tage fat, komme i gang (fx. *I had better ~ myself and get it done).*

best man forlover (for brudgommen).

bestow [bi'sto^u] overdrage, skænke; give *(upon* til); anbringe. **bestowal** overdragelse; anbringelse.

bestrew [bi'stru·] bestrø *(with* med); ligge strøet over (fx. *papers -ed the streets).*

bestride [bi'straid] *(bestrode, bestridden)* skræve over, sidde overskrævs på.

best-seller (subst.) salgssucces, best-seller.

bet [bet] *(bet, bet)* vædde; holde, sætte (fx. *£5 on a horse);* (subst.) væddemål; *you ~* det kan du bande på.

betake [bi'te^{i}k] *(betook, betaken)*: *~ oneself* begive sig; *~ oneself to* (ogs.) ty til, søge tilflugt hos; *~ oneself to one's heels* tage benene på nakken.

betaken [bi'te^{i}kən] perf. part. af *betake.*

betaparticle ['bi·tə'pa·tikl] (atomfysik) betapartikel.

betcher ['betʃə]: *you ~* (af: *you may bet your life upon it)* (amr.) ja det kan du bande på.

betel ['bi·tl] ♧ betel.

bethel ['beþəl] (omtr.) missionshus; (amr.) sømandskirke.

bethink [bi'þiŋk]: *~ oneself of* komme i tanker om, huske.

Bethlehem ['beþlihem]; *star of ~* ♧ fuglemælk.

bethought [bi'þå·t] imperf. og perf. part. af *bethink.*

betide [bi'taid] (vb.) times, hænde; *woe ~ him!* ve ham!

betimes [bi'taimz] i tide, betids, tidligt.

betoken [bi'to^{u}kn] antyde, betegne; varsle.

betook [bi'tuk] imperf. af *betake*.
betray [bi'treⁱ] forråde; røbe; forlede; svigte (fx. *my trust, a girl)*.
betrayal [bi'treⁱəl] forræderi.
betroth [bi'troᵘð] trolove, forlove sig med.
betrothal [bi'troᵘðəl] trolovelse, forlovelse.
I. **better** ['betə] bedre; mere; (vb.) forbedre, overgå, overtræffe; *one's -s* ens overmænd; *had ~* gør bedst i at, gjorde bedst i at; *you had ~ go* du må hellere gå; *like ~* holde mere af, synes bedre om; *be ~ off* være bedre stillet; *~ than* mere end, over (fx. *~ than 50 years ago); go one ~ than* S overgå; *no ~ than* ikke andet (el. mere) end; *he is no ~ than he should be* han er ikke af Vorherres bedste børn; *she is no ~ than she should be* hun er løs på tråden; *be ~* have det bedre (fx. *the patient is ~); be ~ than one's word* gøre mere end man har lovet; *get the ~ of* besejre, få overtaget over; *for ~ for worse* i medgang og i modgang, hvordan det end går; *be the ~ for it* have godt af det; *think ~ of it* ombestemme sig; betænke sig; komme på bedre (el. andre) tanker; *~ oneself* skaffe sig bedre kår.
II **better** ['betə] (subst.) en, der vædder.
betterment ['betəmənt] (grund)forbedring.
better-to-do (adj.) bedrestillet.
between [bi'twi·n] imellem, mellem; *far ~* med store mellemrum; *~ them* i forening, ved fælles hjælp; tilsammen (fx. *they had 10s. ~ them); ~ ourselves* el. *~ you and me (and the gatepost)* mellem os sagt; *it is just ~ us two* det bliver mellem os; *~ the devil and the deep blue sea* som en lus mellem to negle.
between|brain mellemhjerne. **~ -decks** mellemdæk. **~ -maid** hjælpepige (pige som hjælper kokke- og stuepige). **~ -whiles** (adv.) af og til.
betwixt [bi'twikst] imellem; *~ and between* midt imellem, halvt det ene og halvt det andet.
bevel ['bevl] (subst.) skråkant, smig, skæv vinkel; (adj.) skæv; (vb.) skærpe, affase, afskrå, give skrå retning; *~ gear* konisk tandhjul; *-led glass* glas med facetkanter; *~ pinion* spidshjul.
beverage ['bevəridʒ] drik; *-s* drikkevarer.
bevy ['bevi] flok, sværm.
bewail [bi'weⁱl] begræde, jamre over.
beware [bi'wæə] vogte sig (*of* for); *beware!* pas på!
Bewick ['bju·ik]; *-'s swan* (zo.) pibesvane.
bewilder [bi'wildə] (vb.) forvirre; *-ed* fortumlet, forvirret, desorienteret. **bewilderment** (subst.) forvirring.
bewitch [bi'witʃ] forhekse; fortrylle.
bey [beⁱ] bey; tyrkisk statholder.
beyond [bi'jånd] hinsides, på den anden side (af), forbi; over, udover, mere end; senere end; uden for (rækkevidden af); *live at the back of ~* bo i en ravnekrog (el. uden for lands lov og ret); *~ compare* uforlignelig; *~ all criticism* hævet over al kritik; *~ doubt* hævet over enhver tvivl; *~ example* eksempelløs; *~ (one's) expectation* over forventning; *~ expression* usigelig; *~ me* over min forstand; *~ measure* over al måde; *~ one's depth* ude hvor man ikke kan bunde; *the ~* det hinsidige.
bezique [bi'zi·k] bezique.
bias ['baiəs] (subst.) skrå retning, skævhed; hældning; fordom, forkærlighed, ensidighed, partiskhed; (vb.) påvirke (fx. *we must ~ him in our favour); cut the material on the ~* klippe stoffet skråt (el. på skrå); *~ strips* skråstrimler; *-(s)ed* (ogs.) partisk; fordomsfuld, hildet.
I. **bib** [bib] (subst.) (hage)smæk; *best ~ and tucker* stiveste puds.
II. **bib** [bib] (vb.) pimpe.
Bible ['baibl] bibel. **biblical** ['biblikl] bibelsk.
bibliofilm ['bibliofilm] mikrofilm af bogside.
bibliographer [bibli'ågrəfə] (subst.) bibliograf.
bibliographic [biblio'gräfik] (adj.) bibliografisk.
bibliography [bibli'ågrəfi] (subst.) bibliografi.
bibliomania [biblio'meⁱniə] bibliomani, boggalskab. **bibliomaniac** [biblio'meⁱniäk] biblioman, boggal, boggalt menneske.
bibliophile ['bibliofail] bogelsker, bibliofil.
bibulous ['bibjuləs] (vb.) drikfældig; let beruset; opsugende; stærkt absorberende.
bicameral [bai'kämərəl] (adj.) (om rigsdag) tokammer-, med to kamre.
bicarbonate [bai'ka·bənit] (kem.) bikarbonat.
bicentenary [baisen'ti·nəri] tohundredårsdag.
biceps ['baiseps] (pl. *bicepses)* biceps (muskel i overarmen).
I. **bicker** ['bikə] (subst.) skænderi, trætte.
II. **bicker** ['bikə] (vb.) skændes, trættes, mundhugges.
bicycle ['baisikl] cykel; *power-driven ~* knallert; *ride a ~* cykle, køre på cykel; *~ shed* cykelskur; *~ shop* cykelværksted, cykelhandler; *~ stand* cykelstativ.
bicyclist ['baisiklist] cyklist.
bid [bid] *(bade, bid(den))* byde, befale; bede; tilbyde, gøre bud; ønske; melde; (amr.) give tilbud på ved licitation; (subst.) melding; bud; forsøg; *~ fair to* tegne til at; *~ welcome* byde velkommen; *~ defiance* byde trods; *make a ~ for* give et bud på; gøre en indsats for at opnå; *make a ~ for power* gribe efter magten; *no ~* (i bridge) pas; *say no ~* melde pas.
biddable ['bidəbl] meldbar (i bridge); medgørlig, lydig.
bidden perf. part. af *bid*.
bidder ['bidə] en der byder; (en) melder.
bidding ['bidiŋ] bud, befaling; *do his ~* gøre som han siger; *the ~ was slow* (merk.) budene faldt langsomt.
bide [baid] forblive; modstå; *~ one's time* vente på sin chance.
bidet [bi'deⁱ] bidet.
bid price køberkurs.
biennial [bai'enjəl] toårig (plante); som varer to år; som indtræffer hvert andet år.
bier [biə] ligbåre, båre.
biestings ['bi·stiŋz] råmælk.
B.I.F. fk. f. *British Industries Fair*.
biff [bif] S slag (fx. *a ~ in the eye);* slå (fx. *I -ed him one)*.
biffin ['bifin] (æblesort).
bifocal ['bai'foᵘkəl] bifokal, med to slibninger (en for nær og en for fjern).
bifurcate ['baifə·keⁱt] (vb.) spalte sig i to grene; ['baifə·kėt] (adj.) spaltet i to grene, togrenet.
big [big] stor, tyk, svær; bred, vid; kraftig; storsindet; svanger; vigtig, betydelig; *~ brother* storebror; *~ bug, ~ noise* (fig.) = *bigwig; look ~* se vigtig ud; *use the ~ stick* bruge magt; *talk ~* prale, være stor i munden; *~ toe* storetå; *grow too ~ for one's clothes* vokse fra sit tøj; *he is too ~ for his boots* han er indbildsk; *~ words* store ord.
bigamy ['bigəmi] bigami.
bigger større (komparativ af *big*).
biggest størst (superlativ af *big*).
bighorn bjergfår (i *Rocky Mountains)*.
bight [bait] bugt, bugtning (på et tov); havbugt.
bigot ['bigət] blind tilhænger, fanatiker. **bigoted** ['bigətid] bigot, blindt troende, fanatisk. **bigotry** ['bigətri] blind tro, bigotteri.
bigwig ['bigwig] person af betydning; *the -s* de store, 'de store kanoner'.
bike [baik] (subst.) cykel; (vb.) cykle.
Bikini [bi'ki·ni]. **bikini** bikinibadedragt.
bilateral [bai'lätərəl] tosidet.
bilberry ['bilberi] blåbær; *~ bush* blåbærbusk.
bile [bail] galde.
bilge [bildʒ] (subst.) ⚓ kimming (overgang mellem skibs bund og sider); vrøvl; (vb.) gøre læk, blive læk i bunden.
bilge|-keel slingrekøl. **~ -water** ⚓ bundvand.
biliary ['biljəri] galde- (fx. *~ duct)*.
bilingual [bai'liŋgwəl] (adj.) tosproget.
bilious ['biljəs] galdesyg; galde-; (fig.) mavesur; *~ attack* anfald af galdesyge; galdekolik.
bilk [bilk] (vb.) snyde; (subst.) snyder

Bill [bil] fk. f. *William.*

I. **bill** [bil] (subst.) næb; (vb.) næbbes; kysses; ~ *and coo* kæle for hinanden.

II. **bill** [bil] (subst.) beskærekniv; hellebard.

III. **bill** [bil] (subst.) regning; veksel; plakat; fortegnelse; lovforslag; (især amr.) (penge)seddel; (vb.) sætte plakater op i; *be -ed* stå på plakaten; *fill the ~* opfylde kravene; *foot the ~* betale regningen; betale gildet; *stick no -s* opklæbning forbudt; *keep the play on the ~* holde stykket på plakaten; *~ of carriage* fragtbrev; *~ of exchange.* veksel; *~ of fare* spiseseddel; *clean ~ of health* sundhedspas; *~ of lading* konnossement; *the Bill of Rights* den lov, som sikrede englænderne en fri forfatning efter Stuarternes fordrivelse; *~ of sale* pantebrev i løsøre; skibsskøde; *find a true ~* finde klagen berettiget, dekretere tiltale. **bill-broker** vekselmægler.

I. **billet** ['bilit] (subst.) indkvarteringsseddel; kvarter; stilling; indkvartering; (vb.) indkvartere; *~ on* indkvartere hos; *in -s* indkvarteret, i kantonnement.

II. **billet** ['bilit] brændestykke; barre (af metal); (metal-)stang.

billet-doux ['bileⁱ'du·] billet doux, kærlighedsbrev.

bill|fold (amr.) tegnebog. **-hook** faskinkniv, beskærekniv.

billiard-marker ['biljədma·kə] markør.

billiards ['biljədz] billard.

Billingsgate ['biliŋzgit] (fisketorv i London); pøbelsprog, skældsord.

billion ['biljən] billion; (amr.) milliard.

billow ['biloᵘ] (subst.) (stor) bølge; (vb.) bølge.

billowy ['biloᵘi] (adj.) bølgende.

bill|-poster, ~-sticker plakatopklæber; *~-posters will be prosecuted* opklæbning forbudt.

Billy ['bili] fk. f. *William.* **billy** (politi)stav. **billy-goat** gedebuk. **billy-ho** ['bilioᵘ]: *like ~* som bare pokker.

biltong ['biltåŋ] (subst.) strimler af tørret vildtkød.

bimetallism [bai'metəlizm] bimetallisme, dobbeltmøntfod.

bimonthly ['bai'mʌnþli] som sker (, udkommer) hveranden måned (el. to gange om måneden).

bin [bin] kasse, beholder, skarnbøtte.

binary ['bainəri] (adj.) binær; dobbelt; *~ star* dobbelt stjerne.

bind [baind] *(bound, bound)* binde; forbinde; indbinde; forpligte; forstoppe; kante (fx. *a carpet); be bound over (to keep away from public parks)* få tilhold (om ikke at besøge offentlige anlæg); *be bound to* være sikker på at: *he is bound to come* han kommer ganske bestemt; *it was bound to happen* det måtte ske; *~ up* forbinde; *be bound up in* være optaget af, gå op i; *be bound up with* hænge sammen med, være uløseligt forbundet med; (se ogs. *III. bound).*

binder ['baində] (subst.) bogbinder; bind; bindemiddel; bindemaskine, selvbinder; omblad (på cigar).

binding ['baindiŋ] (subst.) bind; indbinding; bogbind; kant, kantning; (adj.) bindende (fx. *this promise is not ~); ~ energy* bindingsenergi; *full ~* helbind; *~ on* bindende for.

bindweed ['baindwi·d] ♧ snerle; *field* (el. *lesser) ~* ♧ agersnerle; *great ~* ♧ gærdesnerle.

binge [bindʒ] S gilde.

bingo ['biŋgoᵘ] (subst.) (slags tallotteri).

binnacle ['binəkl] ⚓ nathus, kompashus.

binocular [b(a)i'nåkjulə] (adj.) til (el. med) begge øjne. **binocular(s)** (subst.) (dobbelt)kikkert.

binturong [bin'tjuəråŋ] (zo.) bjørnekat.

biochemistry ['baioᵘ'kemistri] biokemi.

biographer [bai'ågrəfə] (subst.) biograf (ɔ: levnedsskildrer). **biographical** [baio'gräfikl] (adj.) biografisk. **biography** [bai'ågrəfi] biografi.

biologic(al) [baiə'lådʒik(l)] (adj.) biologisk.

biology [bai'åladʒi] (subst.) biologi.

biopsy ['baiopsi] biopsi.

biovular [bai'oᵘvjulə] (adj.) tveægget (fx. *twin).*

biped ['baiped] (adj.) tobenet; (subst.) tobenet dyr.

biplane ['baipleⁱn] (flyv.) todækker, biplan.

birch [bə·tʃ] birk; ris; (vb.) give ris.

birchen ['bə·tʃən] (adj.) birke- (fx. *~ forest).*

bird [bə·d] fugl; fyr (fx. *a gay, queer ~); kill two -s with one stone* slå to fluer med et smæk; *the early ~ catches the worm* morgenstund har guld i mund; *get the ~* blive fyret, blive smidt ud; (om optrædende) blive pebet ud; *a ~ in the hand is worth two in the bush* en fugl i hånden er bedre end ti på taget; *-s of a feather flock together* krage søger mage; *~ of passage* trækfugl; *~ of prey* rovfugl.

bird|-cage fuglebur. **~ -cherry** ♧ hægebær. **~ -fancier** fuglehandler, -opdrætter. **~ -lime** fuglelim. **~ sanctuary** fuglereservat. **~ -seed** fuglefrø. **-'s-eye view** fugleperspektiv. **~ shot** fuglehagl. **-'s nest** fuglerede; *go birds'-nesting* plyndre fuglereder.

Birmingham (i Engl.) ['bə·miŋəm]; (i U.S.A.) ['bə·miŋhäm].

birth [bə·þ] fødsel; herkomst, byrd; *new ~* genfødelse; *give ~ to* føde; (fig.) afføde; fremkalde; *a man of ~* en mand af fornem herkomst.

birth|-control fødselskontrol, børnebegrænsning. **-day** fødselsdag; *in one's -day suit* i Adamskostume. **~ -mark** modermærke. **~ -place** fødested. **~ -rate** fødselsprocent. **~ -right** (adj.) førstefødselsret. **-wort** ♧ slangerod.

Biscay ['biskeⁱ] Biskaya. **Biscayan** [bi'skeⁱən] biskayisk.

biscuit ['biskit] (subst.) kiks; biskuit; (amr.) kuvertbrød; bolle; *ship's -s* beskøjter, skonrogger; *take the ~* bære prisen.

bisect [bai'sekt] (vb.) halvere; dele i to dele.

bisexual ['bai'sekʃuəl] tvekønnet.

bishop ['biʃəp] biskop; løber (i skak).

bishopric ['biʃəprik] bispedømme.

bismuth ['bizməþ] vismut.

bison ['baisn] (zo.) bison.

bisque [bisk] uglaseret porcelæn, biskuit.

bissextile [bi'sekstail] skudår; *~ day* skuddag.

bistort ['biså·t] ♧ slangeurt.

bistoury ['bisturi] bistouri, kirurgisk kniv.

bistre ['bistə] sodfarve, mørkebrunt.

I. **bit** [bit] bid, stykke, stump; bidsel; kam (på nøgle); spids (af et bor); bor; stykke (fx. *threepenny ~);* (amr.) 12½ cent; *-s* småroller; *a ~* lidt; *not a ~ (of it)* slet ikke, ikke det bitterste; *~ by ~* lidt efter lidt; *do one's ~* gøre sit; *every ~ as good* akkurat lige så god; *give sby. a ~ of one's mind* sige en sin mening rent ud, skælde en ud; *take the ~ between one's teeth* løbe løbsk.

II. **bit** [bit] imperf. af *bite.*

bitch [bitʃ] (subst.) (hunnen af hund, ulv, ræv, ogs. skældsord) tæve.

bite [b ait] *(bit, bitten)* (vb.) bide; stikke; svide; bide på; narre; (subst.) bid; mundfuld; stik (af insekt); *what is biting you?* hvad går der af dig? *the biter* (underforstået: *has been) bit* han er blevet fanget i sit eget garn; *~ the dust* bide i græsset; *~ off more than one can chew,* se *chew.*

bitt [bit] ⚓ pullert.

bitten ['bitn] perf. part. af *bite; once ~ twice shy* brændt barn skyr ilden.

bitter ['bitə] (adj.) bitter; bidende; (subst.) bitterhed; *a ~* en øl; *to the ~ end* til den bitre ende.

bitter-cress ♧ springklap.

bitterling (zo.) blåfisk.

bitterly (adv.) bittert, bitterlig.

bittern ['bitən] (zo.) rørdrum.

bitterness ['bitənės] bitterhed, skarphed.

bitter orange pomerans.

bitters ['bitəz] (subst.) bitter.

bitumen [bi'tju·min] bitumen; asfalt.

bituminous [bi'tju·minəs]: *~ coal* fede kul.

bivalve ['baivälv] toskallet skaldyr; musling; *~ shell* muslingeskal.

bivouac ['bivuăk] bivuak; (vb.) bivuakere.

bi-weekly ['bai'wi·kli] hver 14de dag; to gange om ugen.

bizarre [bi'za·] (adj.) bizar, sælsom.

blab [bläb] sladre, røbe, plapre ud med (hemmeligheder). **blabber** sladderhank.

I. **black** [bläk] (adj.) sort, mørk; (subst.) sort farve, sørgedragt; neger; ~ *eye* 'blåt' øje; ~ *in the face* mørkerød i hovedet (af anstrengelse, vrede etc.); *he gave me a ~ look, he looked ~ at me* han skulede til mig; *he is not so ~ as he is painted* han er bedre end sit rygte; *in ~ and white* sort på hvidt, skriftligt, på tryk; *operate in the ~* operere med overskud.

II. **black** [bläk] (vb.) sværte; ~ *out* mørklægge; slette; miste bevidstheden (el. synet) et øjeblik.

black|amoor ['bläkəmuə] morian. ~ **-and-tan** en art terrier (sort og brun); *the Black-and-Tans*: styrke sendt til Irland for at kue Sinn Fein (klædt i kaki med sort hovedtøj). ~ **and white** sort-hvid kopi; *in ~ and white*, se I. *black*. ~ **-ball** (subst.) sort kugle (ved ballotering); nej-stemme; (vb.) nægte at optage (fx. *~ -ball sby.*). **-beetle** (zo.) kakerlak. **-berry** ♧ brombær. **-bird** (zo.) solsort. **-birding** indfangning af negere til slavehandel. **-board** vægtavle. ~ **book** straffeprotokol; *be in his ~ books* være i unåde hos ham. ~ **-buck** (zo.) bezoarantilope, indisk antilope. ~ **-cap** sort hue (som dommeren bærer, når han afsiger en dødsdom); (zo.) munk. ~ **carpet beetle** (zo.) pelsklanner. ~ **-coat**: *~ -coat(ed) workers* kontorfolk, 'flipproletarer'. **-cock** (zo.) urhane.

Black Country: *the ~* kuldistrikterne (i Engl.).

black-currant solbær.

Black Death: *the ~* den sorte død.

black| dog melankoli, dårligt humør. ~ **draught** (et afføringsmiddel).

blacken ['bläk(ə)n] (vb.) sværte; bagvaske.

blacketeer [bläki'tiə] sortbørshaj.

black|fellow australneger. ~ **fish** (zo.) grindehval. ~ **fly** (zo.) kvægmyg.

Black Friar dominikaner, sortebroder.

black frost barfrost.

blackguard ['bläga·d] (subst.) sjover, slyngel; (vb.) sjofle, udskælde. **-ly** (adj.) sjofel, gemen.

black|head hudorm. **-ing** (subst.) sværte. **-jack** beholder af lakeret metal; sørøverflag; totenschlæger. ~ **-lead** grafit. **-leg** (subst.) falskspiller; skruebrækker; (vb.) være strejkebryder; være usolidarisk mod. ~ **-letter** gotisk skrift. ~ **-list** den sorte liste (over mistænkelige personer el. firmaer); (vb.) sætte på den sorte liste. **-mail** pengeafpresning; (vb.) afpresse penge. **-mailer** pengeafpresser.

Black Maria 'salatfadet' (vogn til fangetransport).

black | mark anmærkning, prik. ~ **market** sort børs; *on the ~ market* på den sorte børs. ~ **-marketeer** sortbørshaj. ~ **-out** (vb.) mørklægge; (subst.) mørklægning; midlertidig bevidstløshed hos flyvere. ~ **-out curtain** mørklægningsgardin. ~ **pudding** blodpølse.

Black Rod: *Gentleman Usher of the Black Rod* kongelig overceremonimester i Overhuset (der har en sort embedsstav).

black|-rust sortrust (en plantesygdom). **-shirt** sortskjorte, fascist. **-smith** grovsmed. **-thorn** ♧ slåen.

bladder ['blädə] blære (ogs. om person).

bladder campion ♧ blæresmelde. **bladderwort** ♧ blærerod. **bladder wrack** ♧ blæretang.

blade [ble'd] blad (på græs, kniv, åre o.l.); klinge; skrap fyr.

bladebone skulderblad.

blah [bla·] (amr. S) sludder.

blain [ble'n] blegn, blase.

blame [ble'm] (subst.) dadel; skyld; (vb.) dadle; give skylden; *you cannot ~ him* der er ikke noget at sige til det han har gjort; *who is to ~?* hvem har skylden? *lay the ~ on sby. for* give en skylden for; *take the ~* påtage sig skylden. **-less** (adj.) ulastelig, dadelfri. ~ **-worthy** (adj.) dadelværdig.

blanch [bla·nʃ] (vb.) gøre hvid, blege; blegne; ~ *almonds* smutte mandler; ~ *over* (fig.) besmykke, vaske ren.

blancmange [blə'månʒ] (en slags dessert).

bland [bländ] mild, blid, indsmigrende høflig.

blandish ['bländiʃ] smigre; lokke for.

blank [blänk] (adj.) blank, ubeskrevet, ikke udfyldt; tom, udtryksløs; ren, fuldstændig; uforstående (fx. *he looked ~*); (subst.) ubeskrevet papir; blanket; nitte; løs patron; (tekn.) emne; tomhed; tomrum (fx. *his death left a ~*); nok sagt (i st. f. ed); (siges i st. f. noget udeladt, skrives som en streg, fx. 189-, *eighteen ninety ~* atten hundrede og nogle og halvfems); ~ *cartridge* løs patron; ~ *cheque* blankocheck; (fig.) blanko fuldmagt; *I drew a ~* jeg trak en nitte; (fig.) jeg fandt intet; *in ~* in blanco; *my mind is a (perfect) ~* jeg er helt tom i hovedet; ~ *window* blindt vindue.

blanket ['blänkèt] (subst.) uldent tæppe; (vb.) lægge tæppe på; dække; (adj.) almindelig, som gælder alle tilfælde; ~, *toss in a ~* lege himmelspræt med; *wet ~* person (el. forhold), der lægger en dæmper på det hele, lyseslukker.

blanket term fællesbenævnelse.

blankety blank: *that old ~* den gamle noksagt.

blanking (i fjernsyn) slukning.

blankly tomt, uforstående; rent ud.

blank verse urimede vers, blankvers (femfodede jambiske).

blare ['blæə] (vb.) gjalde (om trompet); (subst.) trompetstød, skingren.

blarney ['bla·ni] (subst.) (grov) smiger; (vb.) smigre (groft).

blasé ['bla·ze'] (adj.) blaseret.

blaspheme [bläs'fi·m, bla·s-] (vb.) bespotte; bespotte Gud, udstøde forbandelser. **blasphemous** ['bläsfiməs, 'bla·s-] (adj.) blasfemisk, bespottelig.

blasphemy ['bläsfimi, 'bla·s-] (subst.) blasfemi, gudsbespottelse.

blast [bla·st] (subst.) vindstød, luftstrøm; stød (i blæseinstrument); sprængning; trykbølge (fra eksplosion); (vb.) svide; ødelægge; sprænge; *in full ~* i fuldt sving; *the wireless in full ~* radioen for fuldt drøn; ~ *it* pokker tage det; *blasted* (ogs.) forbandet, satans.

blast-furnace højovn. **blast-off** (raket)start.

blat [blät] bræge, snakke (løs), sludre.

blatant ['ble'tənt] (adj.) højrøstet; vulgær; grov (fx. *lie*), tydelig, åbenbar.

blather ['bläðə] (subst.) vrøvl; (vb.) vrøvle.

blatherskite ['bläðəskait] vrøvlehoved.

I. **blaze** [ble'z] (subst.) flamme; flammende lys, glans; mærke (på træ etc.); blis (på hest); *in a ~* i lys lue; *go to -s* gå pokker i vold; *like -s* som bare pokker.

II. **blaze** (vb.) blusse, flamme; lyse, skinne; udbrede (kendskab til), bekendtgøre vidt og bredt, udbasunere; mærke (træer); ~ *away!* brænd løs! klem på! ~ *out (at)* fare op (over for).

blazer ['ble'zə] blazer (kulørt flonelsjakke).

blazing star ♧ pragtskær.

blazon ['ble'zn] heraldik; våbenskjold, våbenmærke; (vb.) male våbenmærke på; forkynde vidt og bredt; pryde; *~ abroad* udbasunere. **-ry** heraldik.

bleach [bli·tʃ] (vb.) blege; bleges; (subst.) blegemiddel; *the -ers* (amr.) (omtr. =) 'den billige langside'.

I. **bleak** [bli·k] (adj.) kold, forblæst, trøstesløs, trist.

II. **bleak** [bli·k] (subst.) (zo.) løje, løjert.

blear [bliə] sløre, gøre utydelig. ~ **-eyed** nærsynet; med rindende øjne; klatøjet; sløv, dum.

bleat [bli·t] (vb.) (om får, ged) bræge; (om kalv) brøle; (subst.) brægen; brølen.

bleb [bleb] (subst.) blegn, blære.

bled [bled] imperf. og perf. part. af *bleed*.

bleed [bli·d] *(bled, bled)* bløde; årelade; flå, afpresse, blokke for (penge); ~ *sby. white* plyndre en for alt hvad han har, årelade en. **bleeder** bløder.

bleeding (subst.) blødning; åreladning; (adj.) satans, forbandet.

bleeding heart ♧ hjerteblomst.

blemish ['blemiʃ] (subst.) lyde, skavank; plet; (vb.) sætte plet på, vanære.

blench [blentʃ] gyse tilbage, vige tilbage; vige tilbage for; blive bleg, blegne; få til at blegne.

blend [blend] (vb.) blande; blandes; (subst.) blanding.

Blenheim ['blenim].

blenny ['bleni] (zo.) slimfisk.

bless [bles] (perf. part. *blessed* el. *blest)* velsigne; *~ me! God ~ my soul! well, I'm blest!* ih, du store! *he has not got a penny to ~ himself with* han ejer ikke en rød øre.

blessed ['blesid] (adj.) velsignet; salig; **T** forbistret; *(blessed* anvendes undertiden som et jovialt fyldeord, fx. i: *the whole ~ day* hele den udslagne dag); *the ~* de salige.

blessedness lyksalighed; *single ~* den lyksalige ugifte stand.

blessed-thistle ♧ benediktinertidsel.

blessing velsignelse; *ask a ~* bede bordbøn; *a ~ in disguise* held i uheld; *by the ~ of God* med Guds hjælp.

blest perf. part. af *bless.*

blether ['bleðə] (subst.) vrøvl; (vb.) vrøvle.

blew [blu·] imperf. af *blow.*

blewit(s) ['blu·it(s)] ♧ bleg heksering-ridderhat.

blight [blait] (subst.) sygdom på planter som: meldug, rust, brand; (fig.) fordærv, ødelæggelse; (vb.) fordærve, ødelægge, tilintetgøre.

blighter ['blaitə] **S** fjols, led fyr, slyngel; rad (fx. *you lucky ~).*

Blighty ['blaiti] ⚔ **S** hjemmet, England; *a ~ one* et krigssår som bevirkede den såredes hjemrejse til England.

blimey ['blaimi] (vulgært udråbsord omtr. =) gudfaderbevares.

blimp [blimp] lille luftskib.

Blimp: *Colonel ~* (stokkonservativ, snæversynet gammel hugaf).

blimy = *blimey.*

I. **blind** [blaind] (adj.) blind; skjult; *~ of* blind på (fx. *~ of one eye); ~ to* blind for.

II. **blind** [blaind] (subst.) rullegardin, jalousi; skodde; skyklap; skalkeskjul; *do sth. as* (el. *for) a ~* gøre noget for at føre andre på vildspor.

III. **blind** [blaind] (vb.) gøre blind *(to* for), blinde; blænde; binde for øjnene.

blind | alley blindgade, blindgyde. ~ **-alley occupation** bestilling som ikke fører til noget, blindgyde. ~ **blocking** blindtryk. ~ **coal** antracit. ~ **door** blind (tilmuret, tildækket) dør. ~ **drunk** døddrukken.

blinder ['blaində] skyklap.

blind | flying blindflyvning. **-fold** ['blainfoᵘld] (adv.) med tilbundne øjne; forblindet; i blinde; (vb.) binde for øjnene. ~ **letter** brev m. utilstrækkelig adresse. **-man's-buff** ['blaindmänz-'bʌf] blindebuk. **-ness** blindhed. ~ **pig** (amr.) smugkro. ~ **side:** *one's ~ side* ens svage side (el. punkt). ~ **tiger** (amr.) smugkro. ~ **wall** væg uden vinduer. ~ **-worm** stålorm.

blink [bliŋk] (vb.) blinke; glippe med øjnene; lukke øjnene for; (subst.) blink; glimt; (amr. **S**): *on the ~* i uorden; utilpas, dårlig.

blinker [bliŋkə] blinklys; *-s* (pl.) skyklapper; (skele)briller.

blinking ['bliŋkiŋ] **S** (omtr. =) sørens, pokker.

blinks ♧ stor vandarve.

blip [blip] (i radar) glimt.

bliss [blis] (subst.) lyksalighed. **blissful** (adj.) lyksalig.

blister ['blistə] (subst.) vable, blære, blegn; blase; udbygning på krigsskib til beskyttelse mod torpedoer; blæretrækkende plaster; (vb.) trække vabler; lægge trækplaster på; hæve sig i vabler; *~ gas* ⚔ blistergas; *-ing* sviende; voldsom; **S** pokkers.

blithe [blaið] (adj.) livsglad, fornøjet; munter, sorgløs.

blithering ['bliðəriŋ] plaprende; ærke-, komplet (fx. *~ idiot).*

blithesome ['blaiðsəm] livsglad, fornøjet.

Blitz: *the ~* (de tyske luftangreb på England i 1940).

blizzard ['blizəd] snestorm.

bloat [bloᵘt] salte og røge (sild).

bloated ['bloᵘtid] opsvulmet; opblæst, mæsket; vældig stor (fx. *~ majority).*

bloater ['bloᵘtə] saltet og røget sild.

blob [blåb] dråbe, klat.

bloc [blåk] (subst.) (politisk) blok (fx. *the Sterling ~).*

block [blåk] (subst.) blok; klods; hejseblok, trisse; kliché; plade (chokolade); huskarré, bygningskompleks; spærring, hindring (af færdsel), trafikstandsning; (vb.) spærre, indelukke, blokere; *~ in* afspærre, stoppe for; *~ out* gøre udkast til, skitsere; *go to the ~* bestige skafottet; komme under hammeren (ɔ: på auktion); *two -s from here* (amr., omtr. =) to gader herfra; *~ of flats* beboelsesejendom.

blockade [blå'keⁱd] blokade, blokering; (vb.) blokere; *run the ~* bryde blokaden.

blockade-runner blokadebryder.

block|board bloklimet møbelplade. ~ **book** blokbog. ~ **-buster** karrébombe; sensationsfilm. **-head** dumrian. **-house** blokhus.

blockish (adj.) tung, klodset, dum, stædig.

blockletter blokbogstav.

bloke [bloᵘk] **S** fyr, rad, karl.

blond [blånd] lys, blond.

blonde [blånd] (adj.) blond; (subst.) blondine; blonde; *~ lace* blonde.

blood [blʌd] (subst.) blod; slægt, byrd; (omtr.) laps, flottenheimer; (vb.) vænne til blod; give blod på tanden; *make bad ~* sætte ondt blod; *in cold ~* med koldt blod; *it's in their ~* det ligger dem i blodet; *his ~ was up* hans blod var kommet i kog.

blood-and-thunder bloddryppende (fx. *a ~ play).*

blood | bank blodbank. ~ **-curdling** som får ens blod til at isne. ~ **donor** bloddonor. ~ **-flower** ♧ barberkost.

blood|-group blodtype. ~ **-horse** fuldblodshest. **-hound** (zo. og fig.) blodhund. **-less** blodløs, bleg; ublodig, uden blodsudgydelse. ~ **-letting** åreladning. ~ **-money** blodpenge. ~ **orange** blodappelsin. ~ **-poisoning** blodforgiftning. ~ **pressure** blodtryk. **-red** blodrød. ~ **relation** kødelig slægtning, blodsbeslægtet. ~ **-sample** blodprøve. **-shed** blodsudgydelse, blodbad. **-shot** (adj.) blodsprængt. ~ **-stained** blodig, blodplettet. **-stone** blodsten (et mineral). ~ **-sucker** blodsuger; igle. ~ **test** blodprøve. ~ **-thirsty** blodtørstig. ~ **-type** blodtype. ~ **-vessel** blodkar.

bloody ['blʌdi] blodig; fandens, helvedes, fordømt (i denne engelske (ikke amr.) betydning er ordet vulgært); *~ fool* kraftidiot.

bloody-minded (adj.) blodtørstig; kontrær, stædig, ondskabsfuld.

bloom [blu·m] (subst.) blomst, blomsterflor; blomstring, blomstringstid; dug (blåligt voksagtigt overtræk på druer, blommer etc.); rødme, glød, friskhed; blok (af jern); (vb.) blomstre; *be in full ~* stå i fuldt flor; *in the ~ of youth* i ungdommens vår; *come into ~* springe ud; *the ~ of health* sundhedens roser.

bloomer ['blu·mə] **S** bommert; *-s* slags glds. vide damebenklæder.

blooming ['blu·miŋ] blomstrende; **S** (mildt nedsættende fyldeord omtr. =) sørens.

Bloomsbury ['blu·mzb(ə)ri] (kvarter i London); *the ~ group* kreds af forfattere der samlede sig om Virginia Woolf i Bloomsbury.

blossom ['blåsəm] (subst.) blomst (især på frugttræer); blomsterflor; (vb.) blomstre; *come into ~* springe ud.

blot [blåt] (subst.) klat, plet; skamplet; (vb.) klatte, klatte ud; plette; strege; stryge; udslette; trykke af med trækpapir; ~ *out* udslette.

blotch [blåtʃ] blegn; plet, klat.

blotter ['blåtə] blæksuger.

blotting|-book ['blåtiŋbuk] mappe med trækpapir. ~ **-pad** underlag af trækpapir, skriveunderlag.

blotting-paper ['blåtiŋpe'pə] trækpapir.

blotto ['blåtoᵘ] (adj.) S fuld, døddrukken.

blouse [blauz] bluse.

I. **blow** [bloᵘ] slag, stød; *at a* ~ med ét slag; *come to -s* komme i slagsmål; *without a* ~ uden sværdslag.

II. **blow** [bloᵘ] *(blew, blown)* springe ud, blomstre; (subst.) blomstring; *in full* ~ i fuldt flor.

III. **blow** [bloᵘ] *(blew, blown)* blæse; blæse på (et instrument); puste (på); (om elektrisk prop) springe; bruge, spendere, lade ryge (fx. *he blew the whole sum on a dinner); ~ (it)*! så for pokker! ~ *the gaff* plapre ud med hemmeligheden; ~ *hot and cold* være vægelsindet; ~ *sby. a kiss* sende en et fingerkys; ~ *one's nose* pudse næse; *oh* ~ *that!* blæse være med det! ~ *one's own trumpet* rose sig selv i høje toner; ~ *in* falde ind, kigge indenfor; ~ *off* lade slippe ud (fx. *steam);* (fig.) få udløsning for; ~ *out* puste ud, oppuste; ~ *oneself out* puste sig op; ~ *out one's brains* skyde sig en kugle for panden; ~ *over* drive (el. gå) over, fortage sig, høre op; ~ *up* springe i luften; sprænge i luften; pumpe op; puste op (fx. *a balloon);* opkopiere (efter fotografi); forstørre (fx. et fotografi); skælde ud; S forråde.

blower ['bloᵘə] blæser, ventilator; S telefon; næse, nysetøj.

blow|-fly spyflue. **-gun** pusterør. ~ **-hole** lufthul, blæsehul; åndehul (i isen). **-lamp** blæselampe.

blown [bloᵘn] perf. part. af *blow;* (ogs.) forpustet; ~ *upon* belagt med spy, besudlet, (flue)plettet.

blow-off valve afblæsningsventil. **blow-out** udblæsning; punktering; sold, ædegilde.

blowpipe pusterør; blæserør.

blowtorch blæselampe.

blow-up forstørrelse; eksplosion.

blowzy ['blauzi] (adj.) tyk og grov; sjusket klædt.

blub (vb.) = II. *blubber.*

I. **blubber** ['blʌbə] (subst.) hvalspæk.

II. **blubber** ['blʌbə] (vb.) tude, flæbe, brøle.

bludgeon ['blʌdʒən] (subst.) knippel; (vb.) slå med en knippel; prygle, banke.

blue [blu·] (adj.) blå; (fig.) nedtrykt, melankolsk; tilhørende torypartiet; lærd (om kvinder); uartig, upassende; (subst.) blåt, blå farve; konservativ; blåstrømpe; (vb.) gøre blå; blåne; S formøble, solde op; *-s* (i jazzmusik) blues; *the -s* tungsindighed, dårligt humør; *the Blues* den kongelige hestgarde; *be a* ~ repræsentere sit universitet v. sportskamp; *Dark Blues* Oxford studenter; *Light Blues* Cambridge studenter; *till all is* ~ en hel evighed; *a bolt from the* ~ et lyn fra en klar himmel; *in a* ~ *funk* hundeangst; *once in a* ~ *moon* så godt som aldrig; *out of the* ~ som et lyn fra en klar himmel; ganske uventet.

Bluebeard ['blu·biəd] blåskæg. **bluebell** ♧ klokkehyacint; (skotsk) blåklokke. **bluebird** (zo.) østlig hyttesanger. **blue-book** blåbog (officiel beretning); (amr.) blå bog (over fremtrædende offentlige personer). **bluebottle** spyflue; ♧ kornblomst. **blue-coat boy** vajsenhusdreng (især fra *Christ's Hospital).* **blue devils** melankoli. **blue gum** ♧ febernelliketræ.

bluejacket sømand. **blue light** blålys. **blue murder:** *cry* ~ skrige op, råbe gevalt. **blue-pencil** (vb.) slette. **Blue Peter** ⚓ afsejlingsflag. **blueprint** (subst.) blåtryk, lystryk; (fig.) (gennemarbejdet) plan; rettesnor; udkast. **blue ribbon** blåt bånd (tegn for hosebåndsordenen og afholdsforening; højeste udmærkelse på et el. andet område). **blue shark** (zo.) blåhaj. **blue-stocking** blåstrømpe. **blue-stone** kobbervitriol. **bluethroat** (zo.) blåhals. **blue tit** (zo.) blåmejse. **blue-water school** de, som anser flåden for tilstrækkeligt værn for Storbritannien.

bluff [blʌf] (adj.) stejl; djærv, bramfri, barsk; (vb.) føre bag lyset, narre, bluffe; (subst.) klint, skrænt, brink; bluff, svindel; *call his* ~ få ham til at lægge kortene på bordet. **bluff | bid** bluffmelding. ~ **-bowed** ⚓ bredbovet.

bluish ['blu(·)iʃ] blålig.

blunder ['blʌndə] bommert; (vb.) begå en bommert; famle sig frem, tumle (af sted); forkludre; ~ *on* falde over, finde tilfældigt; ~ *out* buse ud med.

blunderbuss muskedonner. **blunderer** klodrian.

blundering klodset.

blunt [blʌnt] (adj.) stump, sløv; ligefrem; djærv; grov; studs; (vb.) sløve.

blur [blə·] (vb.) plette; klatte; tvære ud; gøre uklar; sløre, udviske; (subst.) plet; uklarhed.

blurb [blə·b] forlagsreklame (på bogomslag); klaptekst, bagsidetekst.

blurt [blə·t]: ~ *out* buse ud med; *he -ed out the question* spørgsmålet røg ham ud af munden.

blush [blʌʃ] (vb.) rødme, blive rød; (subst.) rødme, blussen; *at the first* ~ ved første øjekast; *put to the* ~ få til at rødme.

bluster ['blʌstə] bruse, suse; larme; bralre op, råbe op; (subst.) brusen, susen; larmen, råben op.

blusterer bulderbasse.

bo [boᵘ] bu! *he cannot say* ~ *to a goose* han er et skikkeligt pjok; han kan hverken sige bu eller bæ.

B. O. fk. f. *body odour; branch office.*

boa ['boᵘə, bå·] kvælerslange, kæmpeslange; boa (pelskrave).

B. O. A. C. fk. f. *British Overseas Airways Corporation.*

boar [bå·] orne; vildsvin.

board [bå·d] (subst.) bræt; bord; kost; kommission; råd; kollegium; pap; (radio) kontrolbord; (vb.) beklæde med brædder; sætte i kost; tage i (el. give) kost; være i kost; entre, borde, gå om bord i, stige ind i; sætte om bord; *the -s* de skrå brædder, scenen; *bed and* ~ bord og seng (ægteskabeligt forhold); *above* ~ åbent og ærligt; *go by the* ~ falde over bord; ryge i vasken; blive opgivet; *in -s* i papbind; *on* ~ om bord; ind(e) i tog, sporvogn etc.; *be on the* ~ sidde i bestyrelsen; ~ *of directors* (et selskabs) bestyrelse; *Board of Health* (svarer til) Sundhedsstyrelsen; ~ *out* spise (ɔ: få sin kost) ude; ~ *up* blænde, slå brædder for (fx. *a door, a window).*

boarder kostelev, pensionær; ⚓ entregast.

boarding|-house pensionat. ~ **-school** kostskole.

board|-school (glds.) folkeskole. ~ **-wages** kostpenge; kost og logi som vederlag for arbejde.

boast [boᵘst] (vb.) prale (med); (have at) rose sig af; kunne opvise; (subst.) praleri, stolthed. **boaster** pralhans. **boastful** skrydende.

boat [boᵘt] (subst.) båd; skib; sovseskål; (vb.) sejle, ro (fx. *go -ing); burn one's -s* brænde sine skibe; *we are all in the same* ~ vi er alle i samme båd.

boatbuilder bådebygger.

boater ['boᵘtə] roer; stråhat.

boat|-hook bådshage. ~ **house** bådeskur. **-ing** bådfart, rotur, roning; *-ing man* roer. **-man** bådfører, færgemand, bådudlejer. ~ **-race** kaproning. **-swain** ['boᵘsn] bådsmand. ~ **train** (tog, der har forbindelse med skib).

Bob [båb] kælenavn for Robert.

I. **bob** [båb] (vb.) bevæge sig stødvis; hoppe; bevæge sig op og ned; knikse; rykke; nikke; studse, afstumpe; bobbe, klippe kort; køre bobslæde; mede; *-bed hair* pagehår; ~ *up* dukke op.

II. **bob** [båb] (subst.) lod; stumpet hale; pagehår; ryk; slag; rap; nik; kniks; S (pl. d. s.) shilling (fx. *ten bob).*

bobbery ['båbəri] uro, strid, ballade.

bobbin ['båbin] (subst.) spole, rulle; kniplepind.

bobbish ['båbiʃ] (adj.) rask, kry.

Bobby ['båbi] kælenavn for Robert.

bobby S politibetjent.

bobby pin (amr.) hårklemme

bobby|-socks ankelsokker. ~ **-soxer** (amr. S) backfisch.

bob-sleigh ['båbsle^{i}] bobslæde.

bobtail ['båbte^{i}l] kort hale; (dyr) med kort hale; (vb.) studse, kupere; *tagrag and* ~ pak, pøbel.

bobtailed korthalet.

Boche [båʃ] **S** tysker.

bod [båd] (subst.) **T** fyr.

bode [bo^{u}d] (vb.) forudse, varsle.

bodice ['bådis] kjoleliv, underliv.

bodily ['bådili] legemlig, fysisk; personligt; i ét stykke, fuldstændig.

bodkin ['bådkin] pren; trækkenål; *sit* ~ sidde klemt mellem to andre.

Bodleian [båd'liən]: *the* ~ *library* (bibliotek i Oxford).

I. **body** ['bådi] (subst.) legeme; krop (også uden hoved og lemmer); lig; substans; forsamling; korps; organ, institution; samling, samlet masse; samfund; hele, helhed; hovedmasse; stamme (af et træ); skrog (et skibs); fading (på vogn); krop (en flyvemaskines); (kjole)liv; tæthed, fylde, kraft; (især på skotsk) person; *only enough to keep* ~ *and soul together* kun nok til at holde livet oppe; *in a* ~ samlet, i sluttet trop; *in the* ~ *of ...* inde i selve ...; ~ *of a car* (bil)karosseri; *heir of the* ~ livsarving; ~ *of laws* lovsamling; ~ *of troops* troppestyrke.

II. **body** ['bådi] (vb.): ~ *forth* legemliggøre, forme.

body|-colour dækfarve; grundfarve, dominerende farve. ~ **factory** karrosserifabrik. **-guard** livvagt. ~ **odour** armsved. ~ **-plan** ⚓ spantrids. ~ **politic** statsorden; statslegeme. ~ **type** brødskrift.

Boer [buə] boer.

boffin ['båfin] (subst.) regeringsansat videnskabsmand.

bog [båg] mose; sump; **S** lokum; *be -ged down* synke i en mose; ~ *down* (fig.) gå i stå (fx. *work (, the attack) -ged down);* køre fast.

bog|-asphodel ♧ benbræk. ~ **-bean** ♧ bukkeblad.

bogey ['bo^{u}gi], bussemand, skræmmebillede.

bog-eyed (adj.) tung i hovedet, sløj, klatøjet.

bogeyman = *bogey.*

boggle [bågl] (vb.) blive forfærdet; ~ *at* stejle over; vige tilbage for; trykke sig ved.

bogie ['bo^{u}gi]: ~ *car* bogievogn.

bog iron ore myremalm. **bog oak** moseeg.

bogus ['bo^{u}gəs] forloren, falsk, humbug(s)-.

Bohemia [bo'hi·mjə] Bøhmen. **Bohemian** [bo'hi·mjən] bøhmisk; bohemeagtig, sigøjneragtig; bøhmer; boheme. **Bohemianism** [bo'hi·mjənizm] bohemeliv.

I. **boil** [boil] (subst.) byld.

II. **boil** [boil] (vb.) koge, syde; (subst.) kog; ~ *down* koge ind; fortætte, sammentrænge; *bring to the* ~ bringe i kog; *go and* ~ *your (ugly) head* du kan rende og hoppe; *-ed shirt* hvid manchetskjorte; *-ed sweets* bolsjer. **boiler** dampkedel. **boiling** (adj.) kogende; (subst.) kogning, kedelfuld, grydefuld (af noget kogt); *keep the pot* ~ holde gryden i kog; *the whole* ~ **S** hele molevitten. **boiling-point** kogepunkt.

boisterous ['boistərəs] støjende, højrøstet.

bold [bo^{u}ld] dristig, kæk; frimodig; fræk; kraftig, tydelig; *make* ~ *to* driste sig til at. **boldfaced** fræk; (typ.) fed.

bole [bo^{u}l] træstamme, bul.

bolero [bo'læəro^{u}] bolero (spansk dans el. kort dametrøje).

boletus [bo^{u}'li·təs] ♧ rørhat.

Boleyn ['bulin, bu'lin].

boll [bo^{u}l] (subst.) ♧ frøkapsel.

bollard ['båləd] fortøjningspæl, pullert; hellefyr.

Bologna [bə'lo^{u}njə].

boloney [bə'lo^{u}ni] (subst.) vrøvl; (amr. **S**) humbug, bras.

Bolshevik ['bålʃəvik] bolschevik; bolschevikisk. **Bolshevism** bolschevisme. **Bolshevist** bolschevik; bolschevikisk. **Bolshie, Bolshy** ['bålʃi] bolschevik, bolschevikisk.

bolster ['bo^{u}lstə] (subst.) skråpude; (vb.) støtte (med puder); ~ *up* støtte, stive af, fremhjælpe.

bolt [bo^{u}lt] (subst.) bolt, nagle; bundstykke (i gevær); slå; pil; tordenkile, lyn; pludselig flugt; sæt; (tøj)rulle; (vb.) stænge; sætte slå for; sigte (mel osv.); sluge (uden at tygge) (fx. *one's dinner);* styrte frem el. ud; stikke af; løbe løbsk; *a* ~ *from the blue* et lyn fra en klar himmel; *make a* ~ *for it* stikke af; *have shot one's* ~ have sagt hvad man har at sige; have udspillet sin rolle; ~ *upright* lodret; lige op og ned.

bolt-hole smuthul.

bolus ['bo^{u}ləs] (med.) stor pille.

bomb [båm] (subst.) bombe; (vb.) bombardere; ~ *out* udbombe; *delayed (action)* ~ tidsindstillet bombe; *drop -s* kaste bomber; ~ *up* indtage bombelast.

bombard [båm'ba·d] bombardere. **bombardier** [båmbə'diə] artillerikorporal; (flyv.) bombekaster.

bombardment [båm'ba·dmənt] bombardement.

bombast ['båmbäst] svulstighed, falsk patos. **bombastic** [båm'bästik] (adj.) svulstig, bombastisk.

Bombay [båm'be^{i}].

bomb bay bomberum (i flyvemaskine).

bomb-disposal squad sprængningskommando.

bomber ['båmə] bombeflyvemaskine, bombemaskine, bombeflyver; bombekaster.

bombing machine, bomb(ing) plane bombeflyvemaskine.

bomb|-load bombelast. **-proof** bombesikker. **-shell** bombe. **-site** bombetomt.

bona-fide ['bo^{u}nə'faidi] bona fide; i god tro; virkelig, ægte.

bonanza [bo'nänzə] rigt malmfund; (fig.) guldgrube; (adj.) rig, fordelagtig, lønnende.

bond [bånd] gældsbevis, obligation, forskrivning; kautionist; (arkit.) forbandt; (fig.) bånd (fx. *-s of friendship);* lænker (fx. *in -s; the -s of slavery);* (vb.) lade (varer) lægge i oplag under toldsegl; *-ed goods* (el. *goods in* ~) varer på frilager; *redeem a* ~ indfri en obligation; *-ed warehouse* frilager (bygning under toldvæsenets bevogtning), transitlager.

bondage ['båndidʒ] trældom. **bondman** ['båndmən], **bondsman** ['båndzmən] træl, slave.

bone [bo^{u}n] ben; knogle; fiskebensstiver (i kjoleliv); (vb.) tage ben ud (af kød); hole, negle, redde; *it is bred in the* ~ det ligger en i blodet; det er medfødt; det er ikke til at udrydde; *I feel it in my -s* jeg er ganske sikker på det; *have a* ~ *to pick with sby.* have en høne at plukke med en; ~ *of contention* stridens æble; *make no -s about* ikke have betænkeligheder ved, ikke gøre ophævelser over; ikke lægge skjul på; *with a* ~ *in her mouth* ⚓ med skum for boven; *on one's -s* på knæene (i pengeforlegenhed); *to the* ~ lige til marven; lige til det inderste; ~ *up on* terpe, læse op, sætte sig ind i.

bone|-dry knastør. ~ **-dust** benmel. ~ **-head** dumrian. ~ **-idle** luddoven. ~ **-meal** benmel.

boner ['bo^{u}nə] bommert, brøler.

bone|setter benbrudslæge. ~ **-shaker** skærveknuser, dårlig cykel.

bonfire ['bånfaiə] bål, glædesblus; *make a* ~ *of* brænde af.

bonne [bån] bonne (barnepige).

bonne bouche [bån buʃ] lækkerbisken; rosinen i pølseenden.

bonnet ['bånit] hue; kyse(hat); hætte; motorhjelm; gnistfanger. **bonnet|-box** hatteæske. ~ **-monkey** (zo.) hueabe.

bonny ['båni] (skotsk) køn, frisk.

bonus ['bo^{u}nəs] (subst.) bonus; gratiale, tillæg; ~ *share* friaktie.

bony ['bo^{u}ni] benet, knoglet; fuld af ben.

boo [bu·] (vb.) (skræmme el. håne ved at) råbe 'boo'; pibe ud.

booby ['bu·bi] klodrian; fjog; fuks (i en skole); nr. sjok (den sidste i konkurrence). ~ **hatch S** galeanstalt. ~ **prize** præmie til den der klarer sig dårligst; trøstpræmie. ~ **trap** fælde, ubehagelig overraskelse; ⚔ dødsfælde, luremine.

boodle [bu·dl] bande, flok; penge til bestikkelse.

book [buk] (subst.) bog; hæfte (fx. *of stamps; of tickets);* (opera)tekst; stamme (seks stik i bridge); *the Book* Bibelen; (vb.) indskrive, føre til bogs, bogføre; notere; bestille (forud), reservere; løse billet (til); *be in sby.'s bad -s* være dårligt anskrevet hos en; *by the ~* korrekt, efter reglerne; *be in sby.'s good -s* være i kridthuset hos en; *take a leaf out of his ~* efterligne ham; *~ of reference* opslagsbog; *swear on the Book* aflægge ed; *be on the -s* være bogført, stå opført i bøgerne; *suit one's ~* passe i ens kram; *bring to ~* kræve til regnskab; *without ~* efter hukommelsen; uden beføjelse; *~ here* tag billet her; *-ed up* overtegnet, udsolgt.

book|binder bogbinder. **-binding** bogbinderi. **-binding works** bogbinderværksted. **-case** bogreol, bogskab. **-craft** boghåndværk. ~ **end** bogstøtte. ~ **holder** læsepult.

bookie ['buki] S bookmaker.

booking|-clerk billetsælger, billettør. ~ **-office** billetkontor.

bookish ['bukiʃ] pedantisk, boglærd, boglig.

book|keeper bogholder. ~ **-keeping** bogholderi. ~ **-learned** boglærd. **-let** ['buklėt] brochure, hæfte, (lille) bog. ~ **-maker** bookmaker, professionel væddemålsagent (ved hestevæddeløb). **-man** lærd. **-mark** bogmærke. ~ **-plate** ekslibris, ejermærke i bog. ~ **-post** korsbåndsforsendelse; *by ~ -post* under korsbånd. ~ **prop** bogstøtte. **-seller** boghandler; *-seller's shop* boghandel. **-shop** boghandel. ~ **-stall** bog- og aviskiosk. **-stand** bogreol; = *~ -stall.* ~ **-store** (amr.) boghandel. ~ **support** bogstøtte. ~ **-type** (typ.) brødskrift. ~ **-value** bogført værdi. **-worm** bogorm, læsehest.

boom [bu·m] (subst.) bom; læssetræ; spærring; hul brusen; drøn, drønen; rungen; reklame; opsving, hausse, højkonjunktur; (vb.) drøne, runge; brumme, bruse; dundre; gøre reklame for; tage et opsving; blomstre; stige voldsomt; (om flod) få tilstrækkelig høj vandstand til at tømmerstokke kan flyde; (om tømmer) flyde.

boomerang ['bu·məräŋ] boomerang.

I. **boon** [bu·n] (subst.) gode, velsignelse; velgerning.

II. **boon** [bu·n] (adj.) flink, fornøjelig; *his ~ companion* hans gode ven og omgangsfælle; hans bonkammerat.

boor [buə] (subst.) bonde; tølper, bondeknold.

boorish ['buəriʃ] (adj.) bondsk, tølperagtig.

boost [bu·st] (vb.) opreklamere; løfte i vejret; forstærke; øge; få til at stige; sætte i vejret; ophjælpe, hjælpe op; (subst.) reklame; stigning.

booster ['bu·stə] reklamemager; tillægsmaskine; forstærker (til forøgelse af tryk); startraket (til missil).

I. **boot** [bu·t] (subst.): *to ~* oven i købet, tilmed.

II. **boot** [bu·t] (subst.) støvle; bagagerum (i vogn); (vb.) sparke; *get the ~* blive fyret; *the ~ is on the other leg* bladet har vendt sig. **-black** skopudser.

bootee ['bu·ti] støvlet; strikket babystøvle.

booth [bu·ð] markeds(bod); (amr.) telefonboks.

boot|jack ['bu·tdʒäk] støvleknægt. **-lace** snørebånd. **-leg** (vb.) begå spritsmugleri; smugle. **-legger** (subst.) spritsmugler. **-less** unyttig; frugtesløs. **-licker** spytslikker.

boots [bu·ts] hotelkarl.

boot-tree støvleblok, læst.

booty ['bu·ti] (subst.) bytte; *play ~* spille under dække med nogen.

booze [bu·z] S (vb.) bumle, svire, drikke sig fuld; (subst.) svir, drik, sprut. **boozy** (adj.) omtåget.

bo-peep [boᵘ'pi·p] titteleg; borte, borte – tit-tit.

boracic [bo'räsik] (adj.) bor-; *~ acid* borsyre.

borage ['båridʒ] ♧ hjulkrone.

borate ['bå·reⁱt] borsurt salt.

borax ['bå·räks] boraks.

border ['bå·də] rand; kant; grænseområde (især *'the Border'* mellem Skotland og England); (amr.) grænse (fx. *the ~ between U.S.A. and Mexico);* bort; kantning, bræmme; rabat, smalt blomsterbed; (vb.) kante; indfatte; begrænse; grænse til; (også fig.) grænse *(on* til).

borderers grænsebefolkning (især på grænsen mellem England og Skotland).

border-line case grænsetilfælde.

border state randstat.

I. **bore** [bå·] imperf. af *bear.*

II. **bore** [bå·] (vb.) bore; udbore; plage, kede; (subst.) bor, hul; kedelig person el. ting, plage; løb (i skydevåben), kaliber; *it is a ~* det er ærgerligt, kedeligt; *be -d* kede sig; *be -d stiff* (el. *to death)* kede sig ihjel; *be -d with* være led og ked af; *look -d* se ud til at kede sig.

III. **bore** [bå·] flodbølge.

boreal ['bå·riəl] nordlig, nord-.

borecole ['bå·koᵘl] grønkål.

boredom ['bå·dəm] kedsomhed.

borer ['bå·rə] bor(eapparat); (zo.) borende insekt; slimål.

boric ['bå·rik] bor-; *~ acid* borsyre; *~ acid solution* borvand.

boring ['bå·riŋ] (adj.) borende; kedelig.

born, borne [bå·n] perf. part. af *bear; never in my born days* aldrig i mine livskabte dage.

Borneo ['bå·nioᵘ].

boron ['bå·rån] (kem.) bor; *~ hydrate* borbrinte.

borough ['bʌrə] købstad; valgkreds; *the Borough* ɔ: *Southwark* (del af London).

borrow ['båroᵘ] låne (af andre); *-ed plumes* lånte fjer.

borrower låntager, låner.

Borstal ['bå·stl]: *~ institution* opdragelsesanstalt.

boscage ['båskidʒ] krat, skovlandskab.

bosh [båʃ] vrøvl, sludder; (vb.) ødelægge, spolere.

bosky ['båski] skovklædt, skovbevokset.

bosom ['buzəm] barm; bryst; (fig.) skød; (amr. ogs.) skjortebryst; *in the ~ of one's family* i familiens skød. ~ **-friend** hjertensven.

I. **boss** [bås] (subst.) mester, principal, chef; diktatorisk (parti)leder; formand; (adj.) mesterlig, mester- (fx. *cook);* (vb.) herse med, styre, råde; optræde som leder; *~ the show* stå for det hele.

II. **boss** [bås] knop, fremspring, nav (fx. på skibsskrue).

boss|-eyed enøjet, skeløjet. ~ **shot** forbier.

B.O.T. fk. f. *Board of Trade.*

botanic(al) [bo'tänik(l)] botanisk. **botanist** ['båtənist] botaniker. **botanize** ['båtənaiz] botanisere.

botany ['båtəni] botanik.

Botany wool (slags fin australsk uld).

botch [båtʃ] (subst.) makværk; (vb.) forkludre; lappe sammen, sammenflikke.

botcher lappeskomager; fusker.

bot-fly ['båtflai] bremse.

both [boᵘþ] begge; både; *~ and* både og; *you can't have it ~ ways* man kan ikke både blæse og have mel i munden; *~ of them are here* de er her begge to.

bother ['båðə] (vb.) plage, genere; gøre knuder; plage sig *(about* med), spekulere *(about* over); nære bekymringer; (subst.) plage, bryderi, vrøvl; ståhej; *I can't be -ed* jeg gider ikke; *oh ~* det var dog ærgerligt; *~ him* gid pokker havde ham. **botheration** [båðə'reⁱʃən] plage, vrøvl; *oh ~* så for pokker.

bothersome (adj.) besværlig.

Bothnian ['båþniən], **Bothnic** ['båþnik] botnisk.

bottle ['båtl] (subst.) flaske; (vb.) fylde på flasker, aftappe; henkoge; *bring up on the ~* opflaske; *~ up* tilbageholde, gemme på; holde i tømme (fx. *one's anger); -d beer* flaskeøl; *-d gas* flaskegas.

bottle|-feeding opflaskning. ~ **green** flaskegrøn. ~ **-holder** (en boksers) sekundant. **-neck** flaskehals (også om snæver passage, hindring etc.). ~ **-nosed**

tyknæset; ~ *-nosed whale* (zo., døgling. ~ **-opener** oplukker, madonna. ~ **party** sammenskudsgilde.

bottom ['båtəm] (subst.) bund; grund; nederste del; bagdel, ende; dal; skib; køl; (stole)sæde; (adj.) lavest, nederst; sidst; (vb.) forsyne med bund el. sæde; komme til bunds i; grunde, basere; *at the* ~ på bunden; ved foden (af en høj); neden for, for neden; *he is at the* ~ *of it* han står bag ved det; *go to the* ~ gå til bunds; *from top to* ~ fra øverst til nederst; *-s up!* skål! drik ud! *plain* ~ uden opslag (om benklæder); *one's* ~ *dollar* ens sidste dollar; ~ *price* laveste pris.

bottomless (adj.) bundløs; uudgrundelig.

bottomry ['båtəmri] sølån, bodmeri; ~ *bond* bodmeribrev.

botulism ['båtjulizm] (med.) botulismus, pølseforgiftning.

boudoir ['bu·dwa·] boudoir.

bough [bau] gren.

bought [bå·t] imperf. og perf. part. af *buy*.

bouillon ['bu·jå·ŋ] bouillon.

boulder ['boᵘldə] rullesten, kampesten.

Boulogne [bu'låin].

bounce [bauns] (subst.) spring, hop; praleri; overdrivelse; løgn; springkraft; (vb.) springe, hoppe; prelle tilbage; narre; prale; blive smidt ud (el. fyret); (om check) blive afvist (af banken) som dækningsløs.

bouncer ['baunsə] stor tamp; pralhals; løgnhals; udsmider (i restaurant etc.); fræk løgn.

bouncing (adj.) kraftig, struttende af sundhed; svær; pralende.

I. **bound** [baund] (vb.) springe, hoppe; springe tilbage; (subst.) spring, hop; *advance by leaps and -s* rykke frem med syvmileskridt (el. stormskridt).

II. **bound** [baund] (subst.) grænse, skranke; (vb.) begrænse; *-s* afgrænset terræn uden for hvilket man ikke må komme; *out of -s* forbudt; *within the -s* tilladt; *beat the -s* efterse (og markere) sognegrænserne; *set -s to* sætte grænser for, begrænse.

III. **bound** [baund] (adj.) bestemt *(for* til), rejsefærdig, på vej *(for* til); fast besluttet (fx. *I am* ~ *to go if I can); homeward* ~ for hjemgående, på hjemvejen; (se ogs *bind).*

IV. **bound** [baund] imperf. og perf. p. af *bind*.

boundary ['baundəri] (subst.) grænse.

bounden ['baundən]: *my* ~ *duty* min simple pligt.

bounder ['baundə] (subst.) fyr (is. tarvelig og støjende), plebejer.

boundless ['baundlės] grænseløs.

bounteous ['bauntiəs] (adj.) gavmild; rigelig, rundelig. **bountiful** ['bauntiful] (adj.) gavmild; rigelig. **bounty** ['baunti] (subst.) gavmildhed; gave; præmie; *export* ~ eksportpræmie.

bouquet ['bukeⁱ] (subst.) blomsterbuket; duft, aroma.

bourbon ['buəbən el. 'bə·bən] Bourbon whisky.

bourgeois ['buəʒwa·] (pl. d. s.) spidsborger, person af middelstanden.

bourn(e) ['buən] (subst., glds.) grænse; mål; bæk, vandløb. **Bournemouth** ['bå·nməþ].

bout [baut] omgang, tur, tag, dyst, tørn, kamp; drikkelag; anfald (fx. *of fever*).

bovine ['boᵘvain] (adj.) okse-, ko-; sløv, dum.

I. **bow** [bau] (vb.) bøje; bukke; nikke; hilse, tage hatten af; bøje sig *(to, before* for); (subst.) buk; ~ *sby. to the door (, carriage)* følge en (bukkende) til døren (, vognen); ~ *one's knee to* bøje knæ for; ~ *one's thanks* bukke (el. bøje hovedet) til tak; *-ing acquaintance* flygtigt bekendtskab; *make one's* ~ trække sig tilbage.

II. **bow** [bau] (subst.) bov (på skib); *a shot across the* ~ et skud for boven.

III. **bow** [boᵘ] (subst.) bue; sløjfe; (vb.) bruge buen; *draw the long* ~ overdrive; *have more than one string to one's* ~ have mere end én udvej.

Bow bells ['boᵘ'belz] klokkerne i *Bow Church* ['boᵘ'tʃə·tʃ] i London; *he is born within the sound of* ~ han er en ægte londoner.

bowdlerize ['baudləraiz] rense for formentlig anstødelige udtryk.

bowel-movement ['bauəl'mu·vmənt] afføring.

bowels ['bauəlz] indvolde, indre; ~ *(of compassion)* medlidenhed, sympati; følelser; *have your* ~ *moved?* har De haft afføring?

I. **bower** ['bauə] lysthus, løvhytte; kabinet.

II. **bower** ['bauə] ⚓ krananker.

bowfin ['boᵘfin] (zo.) dyndfisk.

bowie-knife ['boᵘinaif] lang jagtkniv.

bowl [boᵘl] (subst.) skål; bowle, bolle, terrin; kumme; pibehoved; skeblad; kugle (til spillet: *bowls);* (vb.) trille; slå (i spil); kaste (i cricket); rulle; ~ *sby. out* (i cricket) 'kaste' én ud; sætte én ud af spillet, slå én ud; ~ *over* vælte, slå ned, gøre rådvild, forbløffe; tage med storm (fig.).

bow-legged ['boᵘlegd] (adj.) hjulbenet.

I. **bowler** ['boᵘlə] (subst.) kaster (i cricket).

II. **bowler** ['boᵘlə] (subst.) bowler (rund, stiv hat).

bowline ['boᵘlin] (subst.) ⚓ bugline.

bowling ['boᵘliŋ] = *bowls;* (amr.) keglespil. ~ **-alley** keglebane. ~ **-green** plæne til *bowls*.

bowls [boᵘlz] kuglespil (omtrent som Boccia).

bowman ['boᵘmən] bueskytte; ⚓ [baumən] pligthugger.

bow-oar ['bauå·] ⚓ pligtåre.

bowshot ['boᵘʃåt] pileskud.

bowsprit ['boᵘsprit] bugspryd, bovspryd.

Bow Street ['boᵘstri·t] (gade i London med en politiret); ~ *officer* el. ~ *runner* (glds.) opdagelsesbetjent.

bow-string ['boᵘstriŋ] buestreng.

bow-tie ['boᵘtai] butterfly (slips), sløjfe.

bow wave ['bau'weⁱv] ⚓ bovbølge.

bow-window ['boᵘ'windoᵘ] karnapvindue (i rund karnap).

bow-wow ['bau'wau] vovvov; gø; *go to the -s* gå i hundene.

I. **box** [båks] (subst.) ♧ buksbom.

II. **box** [båks] (subst.) æske, skrin; kasse; kuffert; buk, kuskesæde; loge; aflukke; bås; lille kammer; lille hus; *(hunting* ~*)* jagthus; bøsning; (vb.) lægge i æske el. kasse; *Christmas* ~ julegave; *(write* el. *apply)* ~ *103* billet mrk. 103; ~ *the compass* læse kompasstregerne efter orden; (fig.) komme hele kompasset rundt; ~ *up* lukke inde; afskibe.

III. **box** [båks] (vb.) bokse; bokse med; slå; ~ *sby.'s ears* give en en ørefigen; *a* ~ *on the ear* en ørefigen.

box|-calf ['båkska·f] boxcalf (slags læder). ~ **-coat** kørefrakke.

boxer ['båksə] (subst.) bokser.

boxing ['båksiŋ] boksning. **Boxing-day** første hverdag efter juledag. **boxing-glove** boksehandske.

box-keeper logekontrollør (i teater).

box-office billetkontor (i teater).

box thorn ♧ bukketorn.

boy [boi] dreng; fyr, gut; indfødt tjener; *the Boy's Brigade* (svarer til) Frivilligt Drengeforbund.

boycott ['boikət] (vb.) boykotte; (subst.) boykot, boykotning.

boy-friend: *her* ~ hendes ven, den unge mand hun går med.

boyhood ['boihud] drengeår, barndom.

boyish ['boiiʃ] (adj.) drengeagtig, drenge-.

boy scout (drenge)spejder.

B.R. fk. f. *British Railways* de britiske statsbaner.

bra [bra·] brystholder, bh.

brace [breⁱs] (subst.) bånd, rem; støtte, stiver; borsving; bøjle (til tænder); havarm; klamme som forbinder to linier; par; ⚓ bras; (vb.) styrke; støtte, stive af; binde, stramme, spænde; *-s* (ogs.) seler; ~ *up* ⚓ brase ind; ~ *oneself (up)* stramme sig op; ~ *the nerves* styrke nerverne; ~ *one's feet against* stemme fødderne imod.

bracelet ['breⁱslėt] armbånd.

bracelet watch armbåndsur.

brachycephalic [bräkise'fälik] kortskallet.
bracing ['bre'siŋ] (adj.) forfriskende, nervestyrkende; afstivende; opkvikkende.
bracken ['bräkn] (subst.) ørnebregne(r); bregnebevokset område.
bracket ['bräkėt] (subst.) konsol; kragsten, kragbjælke; knægt; arm; parentes, klamme; ⚔ gaffel; gruppe, kategori (fx. *the higher income-tax -s)*; (vb.) sætte i klammer; sammenstille; ⚔ gafle sig ind på; ~ *lamp* lampet.
brackish ['bräkiʃ] brak; ~ *water* brakvand.
bract [bräkt] ♧ dækblad.
brad [bräd] dykker (søm).
bradawl ['brädå·l] spidsbor, syl.
Bradshaw ['brädʃå·] (køreplan for Storbritanniens jernbaner).
brae [bre'] (på skotsk) bakke, skrænt.
brag [bräg] (vb.) prale, brovte; (subst.) praleri, skryden; en slags kortspil.
braggadocio [brägə'doᵘtʃioᵘ] praleri.
braggart ['brägət] skryder, pralhals; pralende.
Brahma ['bra·mə] Brahma. **Brahman** ['bra·mən], **Brahmin** ['bra·min] bramin.
I. **braid** [bre'd] (vb.) flette, sno; besætte med snore; (subst.) snor, tresse, galon; fletning; *-ed side seams* galoner (på siden af bukserne).
II. **braid** [bre'd] (adj., skotsk) bred.
brail [bre'l] ⚓ gietov til gaffelsejl.
braille [bre'l] blindeskrift.
I. **brain** [bre'n] hjerne; hoved, forstand (ogs. *brains); beat one's -s* lægge hovedet i blød; *blow out one's -s* skyde sig en kugle for panden; *have exams on the* ~ have eksamen på hjernen; *pick sby.'s -s* udnytte ens viden, plukke en for oplysninger; *rack* (el. *puzzle* el. *cudgel) one's -s* bryde sit hoved; *turn sby.'s -s* gøre en helt tosset, sætte en fluer i hovedet.
II. **brain** [bre'n] (vb.): ~ *sby.* smadre hjernen på en.
brain|-bucket ['bre'n'bʌkėt] styrthjelm. ~ **-fag** hjernetræthed. ~ **-fever** hjernebetændelse. **-less** enfoldig, dum, tankeløs. ~ **-pan** hjerneskal. ~ **-sick** ikke rigtig i hovedet. **-storm** pludseligt vanvid. ~ **-truster** (amr.) medlem af en '*brain trust*', en gruppe eksperter, som råder regeringen. ~ **washing** hjernevask. ~ **-wave** god idé, pludseligt indfald, fund. ~ **-work** åndsarbejde. ~ **-worker** åndsarbejder.
brainy ['bre'ni] (adj.) intelligent, begavet.
braise [bre'z] (vb.) grydekoge, grydestege, stege i gryde.
I. **brake** [bre'k] (subst.) bremse; charabanc; (vb.) bremse; *put on the* ~ bremse.
II. **brake** [bre'k] (subst.) krat; ørnebregne.
III. **brake** (subst.) hørbryder; æltemaskine; harve.
brake(s)man ['bre'k(s)mən] bremser (på tog); togbetjent. **brake-van** (vogn med) bremsekupé.
bramble ['brämbl] tornet busk; brombærbusk; (skotsk:) brombær.
brambling ['brämbliŋ] (zo.) kvækerfinke.
bran [brän] klid.
branch [bra·nʃ] (subst.) gren; arm; afsnit; afdeing, branche; lærefag; filial; tjenestegren; (vb.) skyde grene; dele sig i grene; *root and* ~ rub og stub; ~ *off* bøje af; forgrene sig.
branchial ['bräŋkiəl]: ~ *cleft* gællespalte.
branch-line (jernb.) sidebane.
brand [bränd] (subst.) brand (et brændende stykke træ); brændemærke; skamplet; stempel; (merk.) mærke, kvalitet; sværd; (vb.) brændemærke; mærke, stemple; *-ed articles, -ed goods* mærkevarer.
brandied ['brändid] nedlagt i (el. blandet med) brandy.
brandish ['brändiʃ] (vb.) svinge (fx. *a sword*).
brand-new ['bränd'nju·] splinterny.
brandy ['brändi] cognac; brandy, brændevin (blommebrændevin etc.). ~ **-ball** slags sukkerkugle.
brank-ursine [bräŋk'ə·sin] ♧ akantus.
bran-new ['brän'nju·] splinterny.
brant(-goose) = *brent-goose.*

I. **brash** [bräʃ] (subst.) isstykker, sjapis; grenstumper (fra hæk); skærver, grus.
II. **brash** [bräʃ] (adj.) overilet, ubesindig; fræk, fremfusende; højrøstet.
I. **brass** [bra·s] messing, (glds.) malm, kobberlegering; uforskammethed; messinginstrumenter; højtstående officerer (el. embedsmænd); **S** penge, gysser; messingplade, mindetavle; *I don't care a* ~ *farthing* jeg bryder mig ikke en døjt om det.
II. **brass** [bra·s] (vb.): ~ *up* betale.
brassard ['bräsa·d] armbind.
brass-band ['bra·s'bänd] hornorkester.
brass-hat ⚔ **S** højtstående officer.
brassie ['bra·si] brassie, messingbeslået golfkølle.
brassière ['bräsiæə] brystholder.
brass-plate messingplade, navneplade (på dør).
brass-rags: *part* ~ **S** blive uvenner. **brass tacks**: *get down to* ~ **T** komme til sagen, tage fat på realiteterne.
brassy ['bra·si] messingagtig; messingfarvet; uforskammet; skrattende; billig og prangende; højrøstet, skingrende.
brat [brät] unge.
bravado [brə'va·doᵘ] udfordrende optræden (der dækker over frygt).
brave [bre'v] (adj.) modig, tapper; prægtig; skøn; (subst.) tapper mand; indianerkriger; (vb.) trodse, byde trods. **bravery** ['bre'vəri] tapperhed; pragt.
bravo ['bra·voᵘ] bravo! bravoråb; bandit.
bravura [brə'v(j)u·rə] bravur, bravurnummer.
braw [brå·] (skotsk) gæv, fin.
brawl [brå·l] larme, skændes; (subst.) larm, klammeri, slagsmål. **brawler** ['brå·lə] slagsbroder, spektakelmager. **brawling** ['brå·liŋ] skænderi, klammeri.
brawn [brå·n] grisesylte; muskelkraft, svære muskler. **brawny** ['brå·ni] kraftig.
I. **bray** [bre'] (vb.) støde; støde fint; rive.
II. **bray** [bre'] (subst.) skrål; (et æsels) skryden; (vb.) skråle; skryde.
braze [bre'z] (vb.) (slag)lodde; overtrække med messing; (fig.) forhærde; hærde.
brazen ['bre'zn] messing-, malm-, bronze-; messingagtig; fræk, uforskammet. **-faced** fræk.
I. **brazier** ['bre'ziə] gørtler.
II. **brazier** ['bre'ziə] kulbækken, fyrfad.
Brazil [brə'zil] Brasilien. **brazil** [brə'zil] brasiltræ, fernambuktræ. **Brazilian** [brə'ziljən] brasiliansk; brasilianer. **Brazil-nut** paranød, brasiliansk nød, trekantet nød.
B.R.C.S. fk. f. *British Red Cross Society.*
breach [bri·tʃ] brud; breche; (vb.) skyde breche i; *stand in the* ~ tage stødet af; *step into the* ~ (omtr.) føre kampen videre; ~ *of promise* brud på ægteskabsløfte.
bread [bred] brød; levebrød; ~ *and butter* smørrebrød (uden pålæg); *quarrel with one's* ~ *and butter* beklage sig over ulemperne ved sit levebrød; *break* ~ *with* spise sammen med; gå til alters; *know on which side one's* ~ *is buttered* kende sin egen fordel; *have one's* ~ *buttered on both sides* være særdeles velsitueret.
bread-and-butter (adj.) som gøres for at tjene til føden; praktisk; halvvoksen, skolepigeagtig; ~ *letter* takkebrev (for gæstfrihed); ~ *product* brødartikel (vare som går godt); ~ *study* brødstudium.
bread and cheese ostemad; (fig.) jævn kost; levebrød.
bread|-basket brødkurv; (fig.) kornkammer; **S** mave. **-corn** brødkorn. **- crumb** ['bredkrʌm] krummen (af brød), brødkrumme; rasp. **-cutter** brødmaskine.
breadline kø af fattige, der venter på at få brød; *be on the* ~ stå i kø for at få brød.
bread-stuffs brødkorn; mel.
breadth [bredþ] bredde; ~ *of mind* frisindethed; *to a hair's* ~ nøjagtigt, på et hår.
breadthways (adv.) i bredden.
bread-winner ['bredwinə] familieforsørger.

I. **break** [breⁱk] *(broke, broken)* (vb.) brække (over), bryde (fx. *the seal);* slå i stykker, knuse, få til at briste; ruinere, ødelægge; sprænge (fx. *~ the bank);* springe, briste, gå itu, knække; skyde, bryde frem; gry (fx. *the day is breaking);* skole, ride til, tæmme (en hest); afbryde; overgå, slå (fx. *a record);* bryde (fx. *the silence);* overtræde (fx. *~ the law);* krænke; afbøde (fx. *a blow);* tage hul på; kassere, afskedige; åbne; begynde; tage under ploven; sprede sig, forsvinde; bøje af; være i overgang (om stemme); slå om (om vejr);

~ the back of a job få det værste (af arbejdet) overstået; *no bones (are) broke(n)* der er ingen skade sket; *~ a code* forcere (el. bryde) en kode; *~ cover* flyve op, springe frem (om vildt); *~ an egg* slå hul på et æg; *~ faith with* bedrage, forråde; *~ a fall* afbøde et fald; *~ ground* berede jordbunden, bane vejen; *~ sby.'s heart* knuse ens hjerte; *~ a lance with* bryde en lanse med; *~ the (bad) news to* meddele noget (sørgeligt), bringe en (sørgelig) meddelelse; *~ prison* bryde ud af fængslet; *~ short* standse, bringe til ophør; *~ step* komme ud af trit; *~ surface* komme op til overfladen (om undervandsbåd);

(m. præp., adv.) *~ away* rive sig løs; løbe væk, bryde ud, tyvstarte; spredes; *~ down* nedbryde; knuse; skille ad; opdele i grupper; bryde sammen; mislykkes, slå fejl; komme ud af fatning; *~ even* klare sig uden tab el. gevinst; *~ in* bryde ind; tæmme, dressere, skole; *~ the door in* slå døren ind; *~ in upon* afbryde, forstyrre; *~ into* gøre indbrud i; slå over i; bryde ud i; gøre indgreb i; *~ into a run* sætte i løb; *~ sby. of a habit* vænne en af med noget; *~ off* afbryde; bryde af; *~ off the engagement with* hæve forlovelsen med; *they have broken it off* de har hævet forlovelsen; *~ on a wheel* radbrække; *~ a butterfly on a wheel* skyde spurve med kanoner; *~ out* bryde ud, udbryde; tabe fatningen; få udslæt; *~ out a flag* ⚓ rive et flag ud; *~ up* slå i stykker; splitte (fx. *a band of robbers);* opløse; opløses; slutte af (om skole); blive affældig; *the frost had broken up* frosten var gået af jorden.

II. **break** [breⁱk] (subst.) brud; frembrud; afbrydelse, pause, standsning, frikvarter; chance; (typ.) (linie)udgang; *have a lucky ~* sidde i held, have medvind; *have a bad ~* sidde i uheld, have modgang; *an even ~* en rimelig chance, en god chance; *the ~ of day* daggry.

break|able [ˈbreⁱkəbl] (adj.) skrøbelig; **-ables** skøre sager. **-age** [ˈbreⁱkidʒ] brækage, brud; itubrudt(e) ting. **break-down** sammenbrud; havari, (maskin)skade; analyse; opdeling (fx. i statistik); amr. negerdans; *nervous ~* nervesammenbrud.

breaker [ˈbreⁱkə] dressør, berider; brodsø; ⚓ vandanker; (elekt.) afbryder.

breakfast [ˈbrekfəst] morgenmad; spise morgenmad. **breakfast nook** spisekrog.

breaking| point brudgrænse; (fig.) bristepunkt. **~ strength** brudstyrke, trækstyrke. **~ stress:** *ultimate ~ stress* brudbelastning.

break-line (typ.) linieudgang.

breakneck [ˈbreⁱknek] (adj.) halsbrækkende (fx. *a ~ speed);* *~ stairs* (om trappe) hønsestige.

break-through ⚔ gennembrud.

break-up opløsning, opbrud, årsafslutning (fx. skoles).

breakwater [ˈbreⁱkwå·tə] bølgebryder, mole.

bream [bri·m] (zo.) brasen; *white ~* flire.

breast [brest] (subst.) bryst; (vb.) sætte brystet imod; byde trods, tage tappert imod; *make a clean ~ of it* gå til bekendelse; *~ a hill* køre op ad bakke.

breast|-bone brystben. **~ -fed child** brystbarn. **~ -feeding** brysternæring. **~ -high** (adj.) i brysthøjde. **~ -pin** brystnål, slipsnål. **-plate** brystharnisk. **~ stroke** brystsvømning. **-work** brystværn.

breath [breþ] ånde; åndedrag, åndedræt; pust; luftning; pusterum; *with bated ~* med tilbageholdt åndedræt (på grund af spænding, ængstelse osv.); *catch one's ~* snappe efter vejret; *a ~ of fresh air* en mundfuld frisk luft; *a waste of ~* spildte ord; *~ of one's nostrils* livsbetingelse; *out of ~* åndeløs, forpustet; *in the same ~* i samme åndedrag (fx. *he corrected himself in the same ~);* *shortness of ~* åndenød; *draw one's ~* trække vejret; *take away one's ~* tage vejret fra en; *under one's ~* sagte, dæmpet, halvhøjt.

breathe [bri·ð] (vb.) ånde, trække vejret; puste ud, hvile lidt; indånde; blæse på, blæse; lufte; give luft; give pusterum, lade puste ud; fremhviske, røbe, give udtryk for; *~ again* (fig.) ånde lettet op; *~ one's last* drage sit sidste suk.

breathed [breþt] (om lyd) ustemt.

breather [ˈbri·ðə] åndende væsen; pusterum, hvil (fx. *take a ~);* motion, der gør forpustet.

breathing [ˈbri·ðiŋ] åndedræt, ånde; luftning; åndedræts-. **~ exercise** åndedrætsøvelse. **~ -hole** åndehul (i isen). **~ space, ~ spell** pusterum.

breathless [ˈbreþlés] (adj.) åndeløs, forpustet; der tager vejret fra en; (om vejret) stille.

breath-taking [ˈbreþteⁱkiŋ] (adj.) som tager vejret fra en; spændende; betagende.

bred [bred] imperf. og perf. part. af *breed.*

breech [bri·tʃ] (subst.) bagdel; ⚔ bundstykke; (vb.) give (dreng) bukser på; *-es* [ˈbritʃiz] (knæ-) bukser; ridebukser; *wear the -es* have bukserne på (om kone, som styrer sin mand); *-es buoy* redningsstol. **~ birth** sædefødsel. **-ing** [ˈbri·tʃiŋ] bagrem, omgang (i seletøj). **-loader** baglader, bagladevåben.

breed [bri·d] (vb.) *(bred, bred)* avle; opdrætte; opdrage, uddanne; frembringe; yngle, formere sig; (subst.) race, art, slægt, opdræt, afstamning; *born and bred* født og båret; *he is a Dane born and bred* han er født og opvokset i Danmark; *bred in the bone* i kødet båret; *bred to the law* uddannet som jurist; *~ true* give konstant afkom. **breeding** avl; tillæg; udklækning, ynglen; uddannelse, opdragelse; dannelse; *~ ground* yngleplads, udklækningssted.

I. **breeze** [bri·z] brise; slagge; skænderi; affaldskul; *get the ~ up* blive forskrækket.

II. **breeze** [bri·z] (zo.) bremse.

breeze-block slaggebetonplade.

breezy [ˈbri·zi] (adj.) luftig; jovial.

brent-goose [ˈbrentgu·s] (zo.) knortegås.

brethren [ˈbreðrén] brødre (især om medlemmer af sekter og religiøse broderskaber); (ordens-, lavs-) brødre; kolleger.

Breton [ˈbretn] bretagner; bretagnisk.

brevet [ˈbrevit] (subst.) titulær rang; (vb.) give titulær rang; (adj.) titulær.

breviary [ˈbri·viəri] breviar, bønnebog.

brevier [brəˈviə] (typ.) petit.

brevity [ˈbreviti] korthed.

brew [bru·] (vb.) brygge; brygge på, pønse på; trække op (om uvejr); være i gære; *mischief is -ing* der er ugler i mosen. **brewage** [ˈbru·idʒ] bryg, blanding. **brewer** [bruə] brygger. **brewery** [ˈbruəri] bryggeri.

briar [ˈbraiə] se *brier.*

bribe [braib] (subst.) bestikkelse, stikpenge; (vb.) bestikke; købe (fx. *~ the child to go to bed).* **bribery** [ˈbraibəri] bestikkelse.

bric-a-brac [ˈbrikəbräk] nips.

brick [brik] (subst.) mursten; tegl(sten); murstensformet blok; byggeklods; 'knop', knag (fx. *you are a ~);* (adj.) murstensrød; (vb.) belægge med mursten; *drop a ~* **S** begå en bommert, træde i spinaten; *~ in, ~ up* mure til, blænde; *make -s without straw* (arbejde uden tilstrækkelige hjælpemidler).

brick|-bat stykke mursten, murbrokke, kasteskyts; skrap kritik. **~ -built** grundmuret. **-burner** teglbrænder. **-work** murværk. **-yard** teglværk.

bridal [ˈbraidl] brude-, bryllups-. **~ veil** (ogs. ♧) brudeslør.

bride [ˈbraid] brud. **bride|cake** bryllupskage. **-groom** brudgom.

bridesmaid [ˈbraidzmeⁱd] brudepige.

bridewell [ˈbraidwəl] tugthus, fængsel.

I. **bridge** [bridʒ] (subst.) bro; stol (på en violin); næseryg; (vb.) slå (el. bygge) bro over, udfylde (fx. *~ the pause); don't cross the ~ till you get to it* man skal ikke tage bekymringerne på forskud.

II. **bridge** [bridʒ] bridge (kortspil).

bridge|head ⚔ brohoved (fremskudt position i fjendtligt terræn). ~ **-work** brobygning; (tandl.) bro; broarbejde.

bridle [ˈbraidl] (subst.) bidsel; hovedtøj; tømme, tøjle, trense; (vb.) bidsle; tøjle; ~ *(up)* knejse, slå med nakken, blive stram i ansigtet.

bridle|-path, ~ **-way** ridevej, ridesti.

bridoon [briˈdu·n] (subst.) trense, bridon.

brief [bri·f] (adj.) kort, kortfattet; (subst.) kort udtog af en retssag, resumé udarbejdet af *the solicitor* til brug for *the barrister;* paveligt brev; instruktion; (vb.) give resumé af; give instruktioner; engagere *(barrister); hold no ~ for* ikke se det som sin opgave at støtte eller forsvare; *~ him on the matter* sætte ham ind i sagen.

brief-case mappe.

briefless (adj.): *a ~ barrister* en *barrister* der ikke har noget at bestille.

briefs [bri·fs] (pl.) trusser.

brier [ˈbraiə] vild rose; hybentorn; tornebusk; shagpibe.

brig [brig] brig.

brigade [briˈgeⁱd] brigade.

brigadier [brigəˈdiə], **brigadier-general** [ˈbrigədiəˈdʒenərəl] brigadechef, brigadegeneral.

brigand [ˈbrigənd] røver.

brigantine [ˈbrigənti·n] brigantine (tomastet skib).

bright [brait] (adj.) blank, klar, funklende; lys; strålende; opvakt, kvik, munter; *honour bright!* på ære! *for the sake of our ~ eyes* for vore blå øjnes skyld; *be as ~ as a new penny* stråle som en nyslået toskilling; *~ red* højrød; *he is not on the ~ side* han har ikke opfundet krudtet.

brighten [ˈbraitn] (vb.) blive lysere; gøre lysere; pudse blank.

Brighton [ˈbraitn].

brightwork [ˈbraitwə·k] poleret metal; ⚓ poleret og ferniseret træværk.

brill [bril] (zo.) slethvarre.

brilliance [ˈbriljəns], **brilliancy** [ˈbriljənsi] glans, skinnende lys; åndrighed, åndfuldhed.

brilliant [ˈbriljənt] (adj.) glimrende, funklende, skinnende, strålende; højt begavet, åndrig, åndfuld; genial; (subst.) brillant (diamant).

brilliantine [briljənˈti·n] brillantine.

brim [brim] (subst.) rand, kant; skygge (på hat); (vb.) være fuld til randen; *~ over with health* strutte af sundhed; *~ over with mirth* være overstrømmende munter. **-ful** bredfuld, smækfuld, overfyldt.

brimstone [ˈbrimstən] svovl. ~ **butterfly** citronsommerfugl.

brindled [ˈbrindld] spættet, stribet.

brine [brain] (subst.) saltvand; salt vand; saltlage, lage; (fig.) hav; tårer; (vb.) lægge i saltlage.

bring [briŋ] *(brought, brought)* bringe; skaffe; indbringe; tage med, bringe med, have med; føre med sig, medføre (fx. *Fascism brought disaster); få,* overtale *(to* til); fremføre;

(forsk. forb.) *~ about* forårsage, fremkalde, bringe i stand, bevirke; *~ an action against* anlægge sag mod; *~ back* bringe tilbage; genkalde i erindringen; *~ down* vælte, nedlægge, skyde ned; ydmyge, sænke (fx. *prices); ~ down the house* høste stormende bifald; *~ forth* frembringe, føde; *~ forward* fremsætte; fremføre; overføre; fremkalde, *~ sth. home to sby.* overbevise en om noget, bevise ens skyld i noget; *~ in* indbringe; afsige (fx. *~ in a verdict* afsige en nævningekendelse); *all that the war brought in its train* alt hvad krigen førte med sig; *~ sth. into play* tage noget i brug, sætte noget i funktion; *~ off* redde; udføre; *he brought it off* det lykkedes for ham, han klarede det; *~ on* foranledige, fremkalde (fx. *~ on an attack);* påføre; fremføre; *~ out* bringe frem, få frem (fx. *he could not ~ out a word);* spille ud (fx. *the ace);* fremføre (for offentligheden), udgive, udsende (fx. *a pamphlet);* understrege, fremhæve; *~ over* omvende; *~ round* bringe til sig selv igen; bringe på benene igen; omstemme, overtale; *~ sby. through an illness (, a danger* etc.) redde en igennem en sygdom (, en fare etc.); *~ to* bringe til bevidsthed; gå i stå; ⚓ dreje bi; *~ to bear* bruge, anvende; sætte ind *(on* mod); *~ to mind* genkalde i erindringen; *~ to pass* sætte igennem, gennemføre; *~ under* kue, undertrykke; *~ up* bringe op; opdrage; bringe på bane; kaste op; standse; ankre, komme til ankers.

brink [briŋk] brink, kant; *on the ~ of war* på randen til krig; *on the ~ of tears* på grådens rand.

brinkmanship (i politik) den kunst at balancere på randen til krig.

briny [ˈbraini] salt; *the ~* S havet.

briquet [ˈbrikėt], **briquette** [briˈket] briket.

brise-bise [ˈbri·zbi·z] trækgardin.

I. **brisk** [brisk] (adj.) frisk, livlig, rask.

II. **brisk** (vb.): *~ up* kvikke op.

brisket [ˈbriskit] spidsbryst, tykbryst.

bristle [ˈbrisl] (subst.) børste, stift hår; (vb.) rejse sig, stritte, stå stift; rejse børster; *~ with difficulties* være fuld af vanskeligheder.

bristle-worm (zo.) børsteorm.

bristly (adj.) med børster, strittende; stikkende.

Britain [ˈbritn], *Great Britain* Storbritannien; *Greater Britain* 'større Britannien' (om det britiske verdensrige); *North Britain* Skotland.

Britannia [briˈtänjə] Britannien; *~ metal* britanniametal.

Britannic [briˈtänik] britisk.

British [ˈbritiʃ] britisk, (ofte:) engelsk (fx. *the ~ Navy); ~ Railways* de britiske statsbaner; *~ warm* kort, tyk militærfrakke.

Britisher [ˈbritiʃə] (amr.) brite.

Briton [ˈbritən] brite; *North ~* skotte.

Brittany [ˈbritəni] Bretagne.

brittle [ˈbritl] (adj.) skør, sprød; skrøbelig; skarp, spids; *he has a ~ temper* han har et iltert temperament, han er opfarende.

broach [ˈbroᵘtʃ] (subst.) stegespid; (tekn.) rømmerival; (vb.) stikke an (et anker el. fad); tage hul på, begynde at bruge; bringe på bane (fx. *a subject); ~ to* ⚓ komme til at ligge tværs i søen.

broad [brå·d] (adj.) bred, vid, stor; tydelig; frisindet, tolerant; åbenhjertig; grov; vulgær, sjofel; (subst.) bredning; (amr. S) pige, kvindfolk, løsagtig kvinde; *~ awake* lysvågen; *~ daylight* højlys dag; *Broad Church* (frisindet retning i den engelske kirke); *a ~ hint* et tydeligt vink; *it is as ~ as it is long* (fig.) det er hip som hap; *in ~ outline* i grove (el. store) træk.

broad|axe bredbil; (glds.) stridsøkse. ~ **bean** ♧ hestebønne. **-billed sandpiper** (zo.) kærløber.

broad|cast [ˈbrå·dka·st] (vb.) bredså; udsende i radio, rundkaste; optræde i radio; (subst.) bredsåning; radioudsendelse; (adj.) radio-; sået med hånden, strøet vidt og bredt; udbredt. **-casting** radioudsendelse, radiofoni, radio-; *the British Broadcasting Corporation, the B.B.C.* BBC, den britiske radiofoni.

broadcloth fint klæde.

broaden [ˈbrå·dn] gøre bred; udvide (sig).

broad-gauged [ˈbrå·d geⁱdʒd] bredsporet; (fig.) frisindet, tolerant.

broadly [ˈbrå·dli] i det store og hele, stort set.

broad|-minded tolerant, frisindet. ~ **-mindedness** (subst.) tolerance, frisindethed.

Broadmoor [ˈbrå·dmuə] (anstalt for sindssyge forbrydere).

broad|ness bredde. **-sheet** plakat. **-side** bredside; salve, glat lag; plakat. **-sword** pallask. **-tail** (zo.) breitschwantz, fedthalefår, persianerfår. **-wise** (adv.) i bredden.

Brobdingnag ['bråbdiŋnäg] (kæmpernes land i *Gulliver's Travels*). **Brobdingnagian** [bråbdiŋ'nägiən] (adj.) gigantisk; (subst.) kæmpe.
brocade [bro'keid] brokade.
broccoli ['bråkəli] ♧ aspargeskål, broccoli.
brochure [brå'ʃjuə] brochure.
brock [bråk] (zo.) grævling.
brocket ['bråkit] spidshjort (toårig hjort).
brogue [brouɡ] dialektudtale, (især) irsk udtale af engelsk; golfsko.
broil [broil] (vb.) stege, riste; steges; (subst.) stegt kød; klammeri, tumult. **broiler** slagtekylling; stegerist.
I. **broke** [brouk] imperf. af *break*.
II. **broke** [brouk] (adj.) ruineret; *be stony ~, be dead ~, be ~ to the world* være blanket af, ikke eje en rød øre.
broken ['broukn] perf. part. af *break; ~ bottles* flaskeskår; *~ country* kuperet terræn; *~ English* gebrokkent engelsk; *~ heads* brodne pander; *~ home* hjem der er gået i opløsning, skilsmissehjem; *~ meat* (kød)levninger; *~ numbers* brudte tal; *~ reed* upålidelig person (el. ting); *~ weather* ustadigt vejr.
broken|-down nedbrudt, slidt op, i uorden; *~ -down material* henfaldsprodukt. **~ -hearted** sønderknust, utrøstelig. **-ly** afbrudt, stødvis. **~ -winded** [-windid] stakåndet.
broker ['broukə] mægler; marskandiser; kommissionær; vekselerer.
brokerage ['broukəridʒ] kurtage.
brolly ['bråli] S paraply.
brome grass ♧ hejre.
bromide ['broumaid] bromid; banalitet, floskel, almindelighed; kliché, fortærsket udtryk; dødbider; kedsommelig (el. åndsforladt) person; *~ paper* (fot.) bromsølvpapir; *potassium ~* bromkalium.
bromine ['broumi(·)n] brom.
bronchi ['bråŋkai] luftrørets højre og venstre gren.
bronchia ['bråŋkiə] bronkier, luftrørets forgreninger. **bronchitis** [bråŋ'kaitis] bronkitis.
bronco ['bråŋkou] (amr.) utæmmet hest.
Brontë ['brånti].
bronze [brånz] (subst.) bronze; figur af bronze; bronzefarve; (vb.) bronzere; blive solbrændt; gøre solbrændt.
brooch [broutʃ] broche, brystnål.
brood [bru·d] (subst.) unger; afkom; kuld; (adj.) ruge-, avls-; (vb.) ruge; udruge; *~ over* (fig.) ruge over, grunde over.
brooder ['bru·də] grubler; rugemaskine. **brood|-hen** liggehøne. **~ -mare** følhoppe.
broody ['bru·di] (om høne) liggegal, skruk.
I. **brook** [bruk] (vb.) tåle (fx. *this business -s no delay*).
II. **brook** [bruk] (subst.) bæk, å.
brook|let ['bruklėt] lille bæk. **-lime** ♧ tykbladet ærenpris. **-weed** ♧ samel.
broom [bru·m] fejekost; ♧ gyvel; (vb.) feje.
broom|rape ♧ gyvelkvæler. **-stick** kosteskaft.
Bros. ['brʌðəz] Brdr., brødrene (bruges i firmanavne, fx. *Smith Bros. & Co.* Brdr. Smith & Co.).
broth [bråþ] (kød)suppe; *a ~ of a boy* en kernegut; en storartet fyr; *too many cooks spoil the ~* for mange kokke fordærver maden.
brothel ['bråþl] bordel.
brother ['brʌðə] broder; (fig.) kollega (fx. *~ officer* officerskollega); *~ in arms* krigskammerat.
brother|hood ['brʌðəhud] broderskab, forening. **-in-law** ['brʌðərinlå·] svoger. **-liness** broderlighed. **-ly** (adj.) broderlig.
brougham ['bru(·)əm] let landauer.
brought [brå·t] imperf. og perf. part. af *bring*.
brow [brau] pande; bryn; brink; *knit one's -s* rynke panden.
browbeat ['braubi·t] være overlegen mod; hundse, herse med; tromle ned, intimidere.
I. **brown** [braun] (adj.) brun; (subst.) brunt, brun farve; *in a ~ study* i dybe tanker.
II. **brown** [braun] (vb.) blive brun, brune; *be -ed off* være skuffet, være træt og ked af det; *be -ed off with* være led og ked af.
brown| ale mørkt øl. **~ bread** brød af usigtet hvedemel, grovbrød. **~ coal** brunkul.
brownie ['brauni] bokskamera; alf, nisse; blåmejse (lille pigespejder).
I. **Browning** ['brauniŋ] browningpistol.
II. **browning** ['brauniŋ] kulør (til sauce etc.).
brown| paper karduspapir, indpakningspapir. **~ rat** vandrerotte. **~ shirt** nazist. **~ study**: *in a ~* i dybe tanker.
browse [brauz] (vb.) afgnave unge spirer; græsse; læse hist og her (fx. i en bog).
Bruges [bru·ʒ] Brügge.
Bruin ['bru·in] bjørn, bamse.
bruise [bru·z] (vb.) kvæste; forslå, støde; knuse; (subst.) kvæstelse, stød, slag, mærke af slag, blå plet.
bruiser ['br·uzə] professionel bokser.
bruit [bru·t] rygte; *~ about* udbasunere, gøre bekendt, udsprede.
brumal ['bru·məl] (adj.) vinterlig.
Brummagem ['brʌmədʒəm] (vulgær udtale af Birmingham); (subst.) tarvelige varer, 'nürnbergerkram'; (adj.) tarvelig, uægte.
brunch [brʌntʃ] S måltid, der gør det ud for *breakfast and lunch*.
brunette [bru·'net] brunette.
brunt [brʌnt]: *bear the ~ (of the battle)* tage det værste stød, 'tage skrubbet'.
brush [brʌʃ] (subst.) børste; pensel; kost; strejf; lunte (rævehale); sammenstød; krat; (vb.) børste; strejfe; fare; *~ aside* (fig.) feje til side; *~ away* viske bort, jage fra sig; vise af, feje af; *~ off = ~ away; ~ up* pudse op, gøre lidt i stand; genopfriske.
brush|maker børstenbinder. **-wood** krat. **-work** malemåde, penselføring.
brusque [brusk] (adj.) brysk, affejende.
Brussels ['brʌslz] Bryssel; *~ carpet* brysselertæppe; *~ sprouts* rosenkål.
brutal ['bru·tl] brutal, umenneskelig, grov. **brutality** [bru·'täliti] brutalitet, umenneskelighed, grovhed. **brutalize** ['bru·təlaiz] (vb.) forrå, brutalisere.
I. **brute** [bru·t] (subst.) dyr; brutal fyr, umenneske.
II. **brute** [bru·t] (adj.) rå, vild, grusom; grov, uciviliseret; *~ strength* rå kraft.
brutish ['bru·tiʃ] (adj.) dyrisk, grov, rå.
bryology [brai'ålədʒi] læren om mosserne.
bryony ['braiəni] ♧ galdebær; *black ~* fedtrod.
B.S.A. fk. f. *British South Africa; Birmingham Small Arms Co., England.*
B.Sc. ['bi es'si·] fk. f. *Bachelor of Science.*
B.S.T. fk. f. *British Summer Time.*
B.T. fk. f. *Board of Trade.*
B.T.U. fk. f. *British Thermal Unit.*
bubble ['bʌbl] (subst.) boble; luftkasteller, humbug; (vb.) boble, (glds.) narre.
bubble|-and-squeak hakket kål og kartoffelmos stegt med kødstykker. **~ car** kabinescooter. **~ gum** tyggegummi.
bubbly ['bʌbli] S champagne.
bubo ['bju·bou] byld. **bubonic** [bju'bånik] bylde- (fx. *~ plague*).
buccaneer [bʌkə'niə] sørøver.
Buchan ['bʌkən].
Buchanan [bju(·)'kӓnən].
buck [bʌk] dåhjort; han (fx. af hjort, hare, kanin); buk; kavaler, modeherre; (amr. S) dollar; (vb.) gøre bukkespring; (amr.) stange, gå til angreb, stritte (imod); *~ off* kaste (rytter) af; *pass the ~ to sby.* skyde skylden på en; lade sorteper gå videre til en; *that will ~ you up* det vil kvikke dig op; *~ up* frisk mod.
buck-bean ['bʌkbi·n] ♧ bukkeblad.
bucket ['bʌkėt] spand; grab; ⚓ pøs; (vb.) hale op

i en spand; slå vand på; ride (for) hurtigt; fare; pjaske (v. roning); *kick the* ~ S kradse af, dø; *a drop in the* ~ (fig.) en dråbe i havet.
bucket-shop outsidervekselerers kontor.
Buckingham ['bʌkiŋəm].
buckle ['bʌkl] (subst.) spænde; (vb.) spænde; exe (fx. om cykelhjul), krølle sig, krumme sig; ~ *down to* tage alvorlig fat (på).
buckler ['bʌklə] (subst.) skjold; (vb.) beskytte.
buckram ['bʌkrəm] stivlærred; stivhed.
Bucks fk. f. *Buckinghamshire.*
buck-shot ['bʌkʃåt] dyrehagl.
buckskin ['bʌkskin] hjorteskin; *-s* hjorteskindsbukser.
buck teeth udstående tænder, hestetænder.
buckthorn ['bʌkþå·n] ♧ vrietorn.
buckwheat ['bʌkwi·t] boghvede.
bucolic [bju'kålik] (adj.) hyrde-, landlig; (subst.) hyrdedigt; bonde.
bud [bʌd] (subst.) knop; (vb.) skyde knopper; okulere; *nip in the* ~ kvæle i fødselen; *-ding* spirende, vordende; *-ding author* forfatterspire.
Budapest ['bju·də'pest].
Buddha ['budə] Buddha. **Buddhism** ['budizm] Buddhisme. **Buddhist** ['budist] buddhist.
budding ['bʌdiŋ] (i gartneri) okulation; (biol.) celleafsnøring.
buddy ['bʌdi] (amr.) kammerat; makker.
budge [bʌdʒ] røre sig (af stedet), få til at flytte sig.
budgerigar ['bʌdʒəriga·] (zo.) undulat.
budget ['bʌdʒėt] (subst.) budget; finanslovforslag; (vb.) budgettere.
bud-scale ♧ knopspor.
Buenos Aires ['bwenəs'aiəriz].
buff [bʌf] (subst.) bøffellæder; brungul; (vb.) polere; *the Buffs* det østkentiske regiment.
buffalo ['bʌfəloᵘ] bøffel; amfibiepanservogn.
buffer ['bʌfə] stødpude, buffer; stødpudestat; *old* ~ (om person) gammel støder, gammel snegl; ~ *state* stødpudestat.
I. **buffet** ['bʌfėt] puf, stød, slag; (vb.) puffe, støde.
II. **buffet** ['bufeⁱ] restaurant (fx. på jernbanestation); ['bʌfėt] buffet; *buffet* ['bufeⁱ] *supper* stående souper.
buffoon [bʌ'fu·n] bajads. **-ery** narrestreger.
bug [bʌg] væggelus; S insekt; bakterie; (amr.) fejl (i maskine etc.); *big* ~ (ironisk) stor herre.
bugbear ['bʌgbæə] bussemand, skræmmebillede; *Latin is my* ~ latin er min skræk.
bugger ['bʌgə] sodomit; (meget vulgært for) fyr.
bugger-all S ikke spor.
buggery homoseksualitet, pæderasti.
I. **buggy** ['bʌgi] (adj.) fuld af væggetøj.
II. **buggy** ['bʌgi] (subst.) enspænderkøretøj; (amr. S) bil, automobil.
bughouse ['bʌghaus] (adj.) (amr. S) skør, tosset; (subst.) galeanstalt.
bug-hunting ['bʌghʌntiŋ] det at samle på insekter, entomologi.
I. **bugle** ['bju·gl] signalhorn; (vb.) blæse i s.
II. **bugle** ['bju·gl] aflang glas- el. jetperle.
III. **bugle** ['bju·gl] ♧ læbeløs.
bugle-call hornsignal.
bugler [bju·glə] hornblæser.
bugloss ['bju·glås] ♧ oksetunge.
buhl [bu·l] (adj.) med indlagt arbejde; (subst.) indlægning.
build [bild] *(built, built)* bygge; bygges; opføre; (subst.) bygningsform; (legems)bygning; ~ *in* indbygge; ~ *up* opbygge; styrke (fx. *one's health);* indarbejde, opreklamere; mure til (fx. *a door, a window);* bebygge, omgive med bygninger; ~ *upon* bygge på, stole på (fx. ~ *upon a promise);* ~ *him up* opreklamere ham, skabe hans ry.
builder ['bildə] bygmester; bygningshåndværker; *-'s certificate* ⚓ bilbrev; *-'s hardware* bygningsbeslag.
building ['bildiŋ] bygning; *-s* (ogs.) udhuse; ~ *land* byggegrunde; ~ *paper* gulvpap; ~ *trade* byggefag.
built [bilt] imperf. og perf. part. af *build.*
built-in indbygget (fx. *a* ~ *cupboard).*
built-up bebygget; ~ *area* område med bymæssig bebyggelse.
bulb [bʌlb] elektrisk pære; løg, svibel, knold; kugle, rund udvidelse; glaskolbe; (vb.) bulne ud, svulme. **bulbous** ['bʌlbəs] løgformet; ~ *leg* kugleben.
bulbul ['bulbul] persisk nattergal.
Bulgaria [bʌl'gæəriə] Bulgarien. **Bulgarian** [bʌl'gæəriən] bulgarer; bulgarsk.
bulge [bʌldʒ] (subst.) bule, pukkel; ophovnet sted; midlertidig stigning; overtag *(on* over); (vb.) bulne ud, hovne op, danne en bule eller pukkel; *the* ~ *(in the birth-rate)* 'de store årgange'; ~ *out* bulne ud.
bulgy ['bʌldʒi] opsvulmet, bulet.
bulk [bʌlk] (subst.) størrelse, (stort) omfang, volumen, (stor) masse; korpus; hovedmasse, størstedel, majoritet; last(erum); ladning; (vb.) konstatere rumfanget af; tage plads op, være af vigtighed; *break* ~ ⚓ begynde at losse; *in* ~ løst, ikke i emballage; en gros, i store partier; *the* ~ *of the shares* aktiemajoriteten; ~ *large* indtage en fremtrædende plads; ~ *up to* beløbe sig til.
bulk| cargo styrtgods. **-head** ⚓ skot, skod. ~ **price** partipris.
bulky svær, stor, voluminøs.
I. **bull** [bul] tyr; han; *like a* ~ *in a china shop* (omtr.) som en hund i et spil kegler.
II. **bull** [bul] (pavelig) bulle.
III. **bull** [bul]: *Irish* ~ komisk selvmodsigelse, bommert (fx. *I do as much work as anybody else, only it takes me longer).*
IV. **bull** [bul] haussespekulant, haussist.
V. **Bull** [bul]: *John* ~ ɔ: englænderen som type.
bullace ['bulės] (subst.) ♧ kræge.
bull-calf tyrekalv; tossehoved.
bulldog ['buldåg] buldog; ordensbetjent ved universitetet.
bulldoze ['buldoᵘz] (vb.) kue, tvinge; rydde, planere.
bulldozer ['buldoᵘzə] bulldozer, rydningstraktor, terrænrydder.
bullet ['bulėt] kugle (til riffel, pistol); projektil.
bullet-headed (adj.) rundhovedet.
bulletin ['bulitin] bulletin. ~ **board** opslagstavle.
bullet-proof ['bulėtpru·f] (adj.) skudsikker.
bull-fight ['bulfait] tyrefægtning.
bull|-finch dompap; høj hæk (med grøft ved siden af). ~ **-frog** (zo.) oksefrø. ~ **-headed** (adj.) stædig og dum, halsstarrig.
bullion ['buljən] umøntet guld el. sølv; *gold in* ~ guld i barrer.
bullock ['bulək] (zo.) stud.
bull-operator haussespekulant.
bull-ring arena (til tyrefægtning).
bull's-eye ['bulzai] skibsvindue, koøje; blændlygte; centrum (i skive), pletskud; (omtr.) bismarcksklump; sukkerkugle.
I. **bully** ['buli] (vb.) herse med, behandle brutalt, tyrannisere, hundse; (subst.) rå, hoven person; storpraler, grov karl; bølle; tyran; alfons.
II. **bully** ['buli] (amr.) udmærket; ~ *for you* bravo!
bully beef ⚔ henkogt oksekød.
bullyrag ['buliräg] tyrannisere, overfuse, plage.
bulrush ['bulrʌʃ] ♧ siv, lysesiv; søkogleaks, dunhammer, muskedonner.
bulwark ['bulwək] bolværk, bastion; skanseklædning; (fig.) forsvar, sikkerhed.
Bulwer ['bulwə].
bum [bʌm] (subst.) S bagdel; (amr.) vagabond; (vb.) vagabondere; nasse sig til; (adj.) elendig.
bum-bailiff ['bʌm'beⁱlif] (pante)foged.
bumble ['bʌmbl] (subst.) (indbildsk kommunal

funktionær); kludder; (vb.) kludre, fumle; summe, rumle.
bumble-bee ['bʌmblbi·] humlebi.
bumboat ['bʌmboᵘt] bombåd, kadrejerbåd.
bumf [bʌmf] S toiletpapir; papirer.
bummer ['bʌmə] (subst.) (amr.) dagdriver.
bump [bʌmp] (subst.) bump, stød, slag; bule; (vb.) bumpe, støde, dunke; hugge (om skib); skumple; (i kaproning) indhente og røre den foranliggende båd; det at indhente den f. båd; ~ *of locality* stedsans; ~ *off* S myrde.
bumper ['bʌmpə] kofanger; svingende fuldt glas; fuldt hus (teater); ~ *harvest* rekordhøst; ~ *to* ~ klos op ad hinanden.
bumping-car radiobil.
bumping-race kaproning på flod, hvor det gælder for hver båd at indhente og røre den foranliggende båd.
bumpkin ['bʌm(p)kin] bondetamp, klods.
bumptious ['bʌmpʃəs] vigtig, indbildsk.
bumpy ['bʌmpi] ujævn.
bum-sucker S spytslikker.
bun [bʌn] bolle (slags bagværk); (hår)knude; *take the* ~ være nummer et, vinde, sejre; *that absolutely takes the* ~ det er vel nok højden!
bunch [bʌnʃ] (subst.) bundt, knippe (fx. ~ *of keys*); klase; klynge, gruppe, bande; *the best of the* ~ den bedste af dem alle; ~ *of flowers* buket; ~ *up* (fx. om en skjorte) lægge sig i folder; klumpe sig sammen.
bunco ['bʌŋkoᵘ] (amr. S) snyde (især i kortspil).
buncombe ['bʌŋkəm], se *bunkum.*
bundle ['bʌndl] bundt; bylt; (vb.) bylte sammen; stoppe (fx. ~ *clothes into a drawer;* ~ *him into a taxi);* sende i huj og hast (fx. ~ *him off to school);* ~ *out* jage væk, kaste ud; sende el. komme af sted i en fart.
bung [bʌŋ] spuns; spunse; ~ *up* tilstoppe, lukke.
bungalow ['bʌŋgəloᵘ] bungalow.
bung-hole spunshul.
bungle ['bʌŋgl] (vb.) fuske, kludre; forkludre; (subst.) fuskeri, kludder, bommert. **bungler** fusker.
bunion ['bʌnjən] betændt hævelse (på tå), knyst.
bunk [bʌŋk] (subst.) slagbænk; standkøje, køje; flugt; S vås; (vb.) gå til køjs, stikke af; *do a* ~ stikke af.
bunker ['bʌŋkə] ⚔, ⚓ bunker.
bunkum ['bʌŋkəm] floskler, valgflæsk; vrøvl, nonsens.
bunny ['bʌni] (kælenavn for kanin); ~ *wool* angoragarn.
Bunsen ['bunsn]: ~ *burner* bunsenlampe, bunsenbrænder.
bunt [bʌnt] (subst.) ♧ stinkbrand; ⚓ bug (af sejl); (vb.) stange, støde.
I. **bunting** ['bʌntiŋ] flagdug, flag.
II. **bunting** ['bʌntiŋ] (zo.) værling.
III. **bunting** kørepose (til baby).
Bunyan ['bʌnjən].
buoy [boi] (subst.) bøje; (vb.) afmærke ved bøje(r); ~ *up* holde flydende, holde oppe. **-age** [-idʒ] farvandsafmærkning. **-ancy** ['boiənsi] evne til at flyde; opdrift; (fig.) lethed, frejdighed, livsmod. **-ant** ['boiənt] flydende (ovenpå); som bærer oppe; optimistisk, frejdig, livsglad.
bur [bə·] burre (se også under *burr).*
burberry ['bə·bəri] et vandtæt stof; frakke deraf.
burble [bə·bl] (vb.) pludre (om bæk); snakke, kværne (om person).
burbot ['bə·bət] (zo.) ferskvandskvabbe.
burden ['bə·dn] byrde; ⚓ drægtighed; omkvæd; (vb.) bebyrde, betynge; ~ *of proof* bevisbyrde.
burdensome (adj.) tyngende, byrdefuld.
burdock ['bə·dåk] ♧ burre.
bureau ['bjuəroᵘ] bureau, kontor, regeringskontor; skrivebord; sekretær (møbel); (amr.) kommode.
bureau|cracy [bju'råkrəsi] bureaukrati. **-crat** ['bjuərokrãt] bureaukrat. **-cratic** [bjuəro'krãtik] (adj.) bureaukratisk.
burette [bjuə'ret] måleglas.
burg [bə·g] (amr. T) by.
burgee [bə·'dʒi·] lille splitflag, klubstander.
burgeon ['bə·dʒən] (subst.) knop; spire; (vb.) knoppes, spire, spire frem; (fig.) vokse (, brede sig) hurtigt.
burgess ['bə·dʒés] borger.
burgh ['bʌrə] (skotsk) = *borough.*
burgher ['bə·gə] borger.
burglar ['bə·glə] indbrudstyv (som bryder ind om natten). **burglarious** [bə·'glæəriəs] indbruds-.
burglary ['bə·gləri] natligt indbrudstyveri.
burgle ['bə·gl] (vb.) gøre indbrud (i); plyndre.
burgomaster ['bə·goma·stə] borgmester (i Skandinavien, Tyskland eller Holland).
Burgundy ['bə·gəndi] Burgund; bourgogne (vin).
burial ['beriəl] begravelse. ~ **-ground** begravelsesplads, kirkegård. ~ **service** begravelsesritual. ~ **vault** gravkælder.
burin ['bjuərin] (subst.) gravstikke.
burke [bə·k] (vb.) kvæle, kværke; henlægge; sylte (fx. forespørgsel i parlamentet); dysse ned, vige uden om; ~ *at* vige tilbage for, stejle over.
burlap ['bə·lãp] (subst.) hessian, sækkelærred; groft stout.
burlesque [bə·'lesk] (adj.) naragtig, burlesk; (subst.) parodi, travesti; (amr.) varietéforestilling (af jævnere art, fx. med striptease); (vb.) gøre latterlig, travestere, parodiere.
burly ['bə·li] (adj.) tyk, svær.
Burma ['bə·mə] Birma.
I. **burn** [bə·n] *(burnt, burnt* el. *burned, burned)* brænde; blive solbrændt; gøre solbrændt; (subst.) brandsår; forbrænding; brandplet; ~ *one's fingers* brænde fingrene; (ogs. fig.) brænde sig; ~ *the candle at both ends* brænde sit lys i begge ender; ~ *the midnight oil* arbejde langt ud på natten; *were your ears -ing last night?* ringede det for dine ører i aftes? ~ *one's boats* brænde sine skibe; *his money -s a hole in his pocket* han kan ikke holde på penge; ~ *up* brænde; komme i brand; flamme op (ogs. fig.); S skælde læsterligt ud; ~ *with enthusiasm* gløde af begejstring.
II. **burn** [bə·n] (subst.) bæk, strøm.
burnet ['bə·nit] ♧ kvæsurt; pimpinelle. **burnet rose** pimpinellerose.
burning-glass brændglas.
burnish ['bə·niʃ] (vb.) polere; blive blank; (subst.) glans.
burnous(e) [bə·'nu·s] burnus.
Burns [bə·nz].
burnt [bə·nt] imperf. og perf. part. af *burn.*
burp [bə·p] (subst.) ræb; (vb.) ræbe. **burp gun** maskinpistol.
burr [bə·] (subst.) burre (ogs. om besværlig person); møtrik; ring om månen; knude, udvækst på træ; rose (på hjortetak); grat; bor; (tungerods)snurren på r; summen, brummen; (vb.) summe, brumme.
burro ['bʌroᵘ] lille æsel.
burrow ['bʌroᵘ] (subst.) hule, gang (lavet af dyr, fx. kaniner); (vb.) grave (el. bore) sig ned; ~ *into* (fig.) begrave sig i.
bursar ['bə·sə] kasserer, kvæstor; stipendiat.
bursary ['bə·səri] kvæstur; stipendium.
burst [bə·st] *(burst, burst)* briste, springe, eksplodere; fare, springe, bryde (frem, ud); sprænge; sprænges; revne; (om uvejr) bryde løs; (subst.) sprængning, eksplosion; udbrud; brag; salve, byge (fra maskinpistol); sæt, kraftanstrengelse; soldetur; ~ *into leaf* (om planter) springe ud; ~ *out* fare op; udbryde; ~ *out laughing* briste i latter; ~ *one's sides with laughing* være ved at revne af grin; ~ *up* gå i stykker, ramle; *it suddenly* ~ *upon me* det gik pludselig op for mig; *be -ing with* strutte af, være fyldt til randen med.
burthen ['bə·ðən] se *burden.*
burton ['bə·tən] ⚓ håndtalje.
burweed ['bə·wi·d] ♧ gåseskræppe.

bury [ˈberi] begrave.
burying-beetle (zo.) ådselgraver.
bus [bʌs] (omni)bus; **S** bil, motorcykel, flyvemaskine; *miss the* ~ **S** forspilde sin chance, forpasse det gunstige øjeblik.
bus-boy (amr. S) afrydder (i restaurant).
busby [ˈbʌzbi] bjørneskindshue, chakot af skind.
I. **bush** [buʃ] busk; buskads, krat; efeublade som vinhusskilt; (i Australien og Afrika) kratskov, skov med underskov; *good wine needs no* ~ det er så godt at reklame er overflødig; en god vare anbefaler sig selv; *beat about the* ~ bruge omsvøb, komme med udflugter; *take to the* ~ (i Australien) flygte ud i kratskoven (og leve som forbryder).
II. **bush** [buʃ] (subst.) bøsning.
III. **bush** [buʃ] (vb.): ~ *a bearing* indsætte en bøsning i et leje.
bushed [buʃt] vildfaren, desorienteret; udmattet.
bushel [ˈbuʃl] (subst.) skæppe (= 36,35 liter); (vb.) (amr.) lappe, reparere, omsy; *hide one's light under a* ~ sætte sit lys under en skæppe.
bush-fighting guerillakrig.
bushing [ˈbuʃiŋ] bøsning.
bushman [ˈbuʃmən] buskmand; nybygger (i Australien). **bushpig** (zo.) penselsvin.
bushranger [ˈbuʃreˈndʒə] australsk røver.
bush telegraph jungletelegraf.
bushy [ˈbuʃi] (adj.) busket.
busily [ˈbizili] (adv.) travlt.
business [ˈbiznės] (se også *busyness); profession* (fx. *what is your* ~?); hverv, opgave, gerning, pligt (fx. *he made it his* ~ *to help me; it is my* ~ *in life to save souls);* forretning (fx. *he sold the* ~); handelsvirksomhed, forretninger (fx. *will you go into* ~ *or study law?);* arbejde (i modsætning til fornøjelser) (fx. *are you here on pleasure or on* ~?); sag, 'historie' (fx. *what a* ~! *I am sick of the whole* ~); ret (til at gøre noget) (fx. *he has no* ~ *to say that); big* ~ storhandel; *the* ~ *of the day* dagsordenen; *the daily* ~ de løbende forretninger; *good* ~! godt gjort! *great* ~ stor omsætning; *hours of* ~ ekspeditionstid, kontortid; *mind your own* ~ pas dig selv; *much* ~ meget at gøre; *it is no* ~ *of yours, it is none of your* ~ det kommer ikke dig ved; *send sby. about his* ~ afvise éns indblanding; bede én passe sig selv; *a good stroke of* ~ en god forretning; *on* ~ i forretninger. **business double** (i bridge) forretningsdobling. **business hours** kontortid, ekspeditionstid, åbningstid. **business-like** (adj.) forretningsmæssig, praktisk, effektiv, målbevidst.
busker [ˈbʌskə] (subst.) gade- (el. gård)musikant.
buskin [ˈbʌskin] koturne; halvstøvle.
busman [ˈbʌsmən] omnibuschauffør; -*'s holiday* fritid (el. ferie) der tilbringes med samme slags arbejde som det, man plejer at udføre.
buss [bʌs] (subst.) kys, smask; (vb.) kysse.
I. **bust** [bʌst] buste.
II. **bust** [bʌst] **S** = *burst; be* ~ være blank (ɔ: pengeløs); *go* ~ gå i brokkassen, være kaput; gå fallit; *go on the* ~ svire, gå på sold.
bustard [ˈbʌstəd]: *great* ~ (zo.) stortrappe; *little* ~ (zo.) dværgtrappe.
bustle [ˈbʌsl] (vb.) have travlt, fare omkring, skynde på; (subst.) travlhed; (i damekjole) tournure.
bustling [ˈbʌsliŋ] (adj.) geskæftig, travl.
I. **busy** [ˈbizi] (adj.) optaget, beskæftiget *(with, in, at* af, med); (om gade) befærdet; travl (fx. *he is a very* ~ *man);* (neds.) emsig, geskæftig; *be* ~ *doing sth.* have travlt med at gøre noget (fx. *he is* ~ *packing); get* ~ tage affære; gå i gang; *keep sby.* ~ holde en i ånde; *the line is* ~ (om telefon, telegraf) optaget.
II. **busy** [ˈbizi] (vb.): ~ *oneself* beskæftige sig *(with, in, at, about* med).
busybody [ˈbizibådi] (subst.) geskæftig person, en som blander sig i andres sager.
busyness [ˈbizinės] travlhed (se ogs. *business).*
but [bʌt, (trykløst) bət] men, undtagen, uden; **kun; som ikke (fx.** *not a man* ~ *would); all* ~ næsten (fx. *he was all* ~ *drowned; he all* ~ *collapsed);* ~ *for him* uden ham, dersom han ikke havde været; *the last* ~ *one* den næstsidste; *nothing* ~ intet andet end; ~ *that* at ... ikke (fx. *I am not such a fool* ~ *that I understand you);* hvis ikke, medmindre (fx. *she would have fallen* ~ *that he caught* (havde grebet) *her); there were* ~ *two* der var kun to; *I can* ~ *ask* jeg kan kun spørge; *I cannot* ~ *ask* jeg kan ikke lade være med at spørge; *I don't doubt* ~ *that he* ... jeg tvivler ikke om at han ...; *if I had* ~ *known* havde jeg blot (el. bare) vidst det.
butcher [ˈbutʃə] (subst.) slagter; (vb.) slagte, nedslagte; -*'s bill* (fig.) liste over faldne; -*'s meat* kød (i mods. til fisk og fjerkræ).
butcher-bird (zo.) tornskade.
butchery slagteri; nedslagtning.
butler [ˈbʌtlə] kældermester, hovmester; -*'s pantry* anretterværelse.
butt [bʌt] (subst.) mål; skive (ogs. fig., fx. *the* ~ *of their jokes),* skydevold; fad, tønde; skaft (på redskab), ⚔ kolbe; nederste del af træstamme; cigar(et)-skod; (vb.) støde, stange; ~ *against* (el. *into)* løbe bus på; ~ *in* blande sig *(on* i). **butt-end** kolbe, skaft.
butter [ˈbʌtə] smør; smiger; (vb.) tilberede med smør, smøre smør på; smøre om munden, smigre, sleske for; *she looks as if* ~ *would not melt in her mouth* hun ser ud som den rene uskyldighed, hun ser så lammefrom ud; *kind* (el. *soft* el. *fair) words* ~ *no parsnips* skønne løfter hjælper ikke stort. **butter|boat** smørbåd; sauceskål. ~ **-bur** ♧ hestehov. **-cup** ♧ ranunkel, smørblomst. ~ **-fingered** fummelfingret. ~ **-fingers** fummelfingret person; kludderhoved. ~ **-fish** (zo.) tangspræl. **-fly** sommerfugl; *break a -fly on the wheel* skyde spurve med kanoner. **-fly flower** ♧ fattigmandsorkidé. **-fly orchis** ♧ gøgelilje. ~ **-knife** smørkniv. **-milk** kærnemælk. **-scotch** karamel. **-wort** ♧ vibefedt.
buttery [ˈbʌtəri] proviantrum (især i *colleges).*
buttock [ˈbʌtək] balde; -*s* bagdel, sæde.
button [ˈbʌtn] knap; dup; knop; døjt (fx. *I don't care a* ~ *about it);* (vb.) knappe; knappes (fx. *the dress buttons down the back);* ~ *up* knappe (til), lukke.
button|hole (subst.) knaphul; knaphulsblomst; (vb.) hage sig fast i, opholde med snak. ~ **-hook** støvleknapper; handskeknapper.
buttons [ˈbʌtnz] (pl. af *button)* pikkolo.
buttress [ˈbʌtrės] stræbepille støttepille; (vb.): ~ *(up)* støtte, afstive.
butyric [bju·ˈtirik]: ~ *acid* smørsyre; ~ *fermentation* smørgæring.
buxom [ˈbʌksəm] buttet, fyldig.
buy [bai] (vb.) *(bought, bought)* købe *(with* for); gå ind på, acceptere; (subst.) køb, (god) forretning; *I'll* ~ *it* **S** jeg giver fortabt (som svar på en gåde etc.); ~ *in* købe tilbage (om sælger ved auktion); ~ *oneself off* købe sig fri; ~ *over* bestikke; ~ *up* købe op.
buyer køber; opkøber; disponent.
buzz [bʌz] (vb.) summe; fare; kaste; (subst.) summen; rygte; *we had better be -ing* vi må hellere se at komme afsted.
buzzard [ˈbʌzəd] (zo.) musvåge.
buzzer [ˈbʌzə] fabriksfløjte, sirene; summer, brummer.
buzz saw (amr.) rundsav.
by [bai] af (fx. *built, loved, written* ~); ved (hjælp af) (fx. ~ *the help of God;* ~ *lamp-light);* efter (norm el. standard) (fx. *may I set my watch* ~ *yours? never judge* ~ *appearances);* (nær) ved, hos (fx. *sit* ~ *the fire);* ad, over, gennem (fx. *I came* ~ *the road,* ~ *the fields,* ~ *Oxford Street);* med (fx. ~ *railway,* ~ *steamer; he has two children* ~ *his first wife);* for (fx. *one* ~ *one; foot* ~ *foot);* forbi (fx. *drive, walk* ~ *sby.);* senest, inden, til (fx. *you must be here* ~ *nine o'clock);* til side, hen, bort (fx. *lay, put* ~); ~ *chance* tilfældig; ~ *heart* udenad; ~ *oneself* alene; *day* ~ *day* dag for dag; ~ *day (, night)* om dagen (, natten); ~ *the day (, month)* for en dag (, måned) ad gangen; ~ *the dozen* i dusinvis; ~ *and large* i det store og hele; ~ *your leave* med De-

res tilladelse; ~ *request* efter anmodning; ~ *and* ~ snart, om lidt, siden; ~ *land* til lands; ~ *all means* så absolut; så gerne, vær så god; ~ *no means* absolut ikke, på ingen måde; ~ *sea* til søs, til vands; ~ *the by(e)*, ~ *the way* i parentes bemærket, à propos, for resten; *hang* ~ *a thread* hænge i en tråd; ~ *twos and threes* to og tre ad gangen; *six feet* ~ *three* seks fod lang og tre fod bred, 6×3 fod.

by-, bye- side-, bi-.

by-blow uægte barn.

bye-bye ['bai'bai] farvel; (i børns sprog) ['baibai] visselulle, seng.

by-election ['baiilekʃən] suppleringsvalg.

bygone ['baigån] svunden, forbigangen; *-s* det forgangne; *let -s be -s* tilgive og glemme.

by-law ['bailå·] vedtægt, statut, lokallov.

by-pass ['baipa·s] omfartsvej, sidevej (der aflaster hovedvej), (permanent) omkørsel; ringvej; omløbsledning; (vb.) gå udenom (fig.), ikke tage hensyn til.

by-path ['baipa·þ] sidevej.

by-play ['baipleⁱ] stumt spil.

by-plot ['baiplåt] sidehandling.

by-product ['baiprådʌkt] biprodukt.

byre ['baiə] kostald.

by-road ['bairoᵘd] sidevej.

Byron ['bairən].

bystander ['baiständə] tilskuer, tilstedeværende; *the -s* de omkringstående.

by-street ['baistri·t] sidegade.

by-way ['baiwei] sidevej, bivej; (fig.) mindre påagtet (forsknings)område.

by-word ['baiwə·d] genstand for almindelig (især nedsættende) omtale (fx. *he is the* ~ *of the village)*, fabel.

Byzantine [bi'zäntain] byzantinsk; byzantiner.

C

Ord, som savnes under C, må søges under K

C [si·].

C. fk. f. *centigrade, central, conservative, cubic.*

c. fk. f. *cent, century, chapter, circa, cubic.*

cab [käb] drosche; *(driver's)* ~ førerhus på et lokomotiv.

cabal [kə'bäl] kabale; intrige; klike; (vb.) intrigere; *the Cabal* Cabalministeriet (under Karl den Anden).

cabaret ['käbəreⁱ] kabaret.

cabbage ['käbidʒ] kål, kålhoved; *wild* ~ ♧ agerkål. **cabbage rose** ♧ centifolierose, provinsrose.

cabby ['käbi] T droschekusk.

cabin ['käbin] kahyt; hytte, kabine, lukaf. **cabin-boy** kahytsdreng. **cabin cruiser** langtursbåd.

cabinet ['käbinėt] kabinet, kammer; skab; kabinet, ministerium; kabinetsfotografi. ~ **council** kabinetsråd. **-maker** møbelsnedker. ~ **-work** snedkerarbejde.

cable ['keⁱbl] kabel; trosse; ankerkæde; kabellængde; (kabel)telegram; (vb.) telegrafere (pr. kabel).

cablegram kabeltelegram.

cabman ['käbmən] droschekusk.

caboodle [kə'bu·dl]: *the whole* ~ det hele, hele molevitten.

caboose [kə'bu·s] kabys; (amr.) vogn brugt i godstog til jernbanearbejdere og tilfældige passagerer.

cabriolet [käbrio'leⁱ] kabriolet.

cab-stand ['käbständ] drocheholdeplads.

ca'canny [kə'käni] se *canny*.

cacao [kə'ka·oᵘ] kakaotræ; kakaobønne; kakao-.

cachalot ['käʃəlåt] (zo.) kaskelot.

cache [käʃ] depot, skjult forråd; gemmested.

cachet ['käʃeⁱ] særpræg, blåt stempel (fig.); medicinkapsel.

cachinnation [käki'neⁱʃən] skoggerlatter.

cackle ['käkl] (vb.) kagle; kvække; grine; (subst.) kaglen; snadren, kvækken; sludder; *cut the* ~ hold op med det sludder. **cackler** snakkemaskine, pjattehoved.

cacophony [kä'kåfəni] mislyd.

cactus ['käktəs] (pl. *cacti* ['käktai], *cactuses)* kaktus.

cad [käd] (subst.) tarvelig fyr, sjover.

cadaverous [kə'dävərəs] ligagtig, ligbleg.

caddie ['kädi] (subst.) caddie, golfspillers hjælper (som bærer køller).

caddis fly ['kädis'flai] (zo.) vårflue.

caddy ['kädi] (subst.) tedåse; se ogs. *caddie.*

cadence ['keⁱdəns] rytme; kadence.

cadet [kə'det] yngre søn; kadet, elev på officersskole; *air force* ~ flyveraspirant.

cadge [kädʒ] (vb.) tigge, nasse. **cadger** ['kädʒə] (subst.) tigger, en der lever på nas.

cadi ['ka·di, 'keⁱdi] kadi.

cadmium ['kädmiəm] kadmium.

cadre [ka·dr] ramme; ⚔ kadre.

caduceus [kə'dju·siəs] merkurstav.

caecum ['si·kəm] (pl. *caeca)* blindtarm.

caesarean [si'sæəriən] kejser-; ~ *operation* kejsersnit.

caesura [si'zjuərə] cæsur.

café ['käfeⁱ, amr.: kä'feⁱ] café (NB uden ret til udskænkning af stærke drikke).

cafeteria [käfə'tiəriə] cafeteria. **caff** [käf] café.

caffeine ['käfii·n] koffein.

caftan ['käftən] kaftan.

cage [keⁱdʒ] (subst.) bur; elevatorstol; (vb.) sætte i bur; indespærre; få (bold) i nettet. ~ **aerial,** ~ **antenna** ruseantenne. ~ **-bird** stuefugl.

cagey ['keⁱdʒi] (adj.) forsigtig, varsom; hemmelighedsfuld; forbeholden; snu, snedig.

cahoot [kə'hu·t]: *in -s with* i ledtog med.

caiman ['keⁱmən] (zo.) kajman, alligator.

Cain [keⁱn] Kain; *raise* ~ lave ballade.

cairn [kæən] stendynge, stendysse, varde.

cairngorm ['kæəngå·m] røgfarvet kvarts.

Cairo ['kaiəroᵘ].

caisson [keⁱsn] sænkekasse; ammunitionsvogn; ~ *disease* dykkersyge.

caitiff ['keⁱtif] kryster, usling, skurk.

cajole [kə'dʒoᵘl] lokke (el. narre) ved smiger, besnakke.

cajolery [kə'dʒoᵘləri] det at lokke ved smiger.

I. **cake** [keⁱk] kage; *the land of -s* ɔ: Skotland, ~ *of soap* stykke sæbe; *you cannot eat your* ~ *and have it* man kan ikke både blæse og have mel i munden; *it is selling like hot -s* det går af som varmt brød; *take the* ~ bære prisen.

II. **cake** [keⁱk] (vb.) klumpe sammen; kline (til) (fx. *mud -d on his shoes).*

cake slice kageske, kagespade.

Cal. fk. f. *California.*

calabash ['käləbäʃ] flaskegræskar; kalabas.

calaboose [kälə'bu·s] kachot.

Calais ['käleⁱ].

calamitous [kə'lämitəs] ulykkelig, katastrofal; bedrøvelig. **calamity** [kə'lämiti] ulykke, katastrofe; kalamitet.

calash [kə'läʃ] kaleche, kalechevogn; (glds.) kalechehat.

calcination [kälsi'neⁱʃən] udglødning. **calcine** ['kälsain, käl'sain] udgløde.

calculable ['kälkjuləbl] beregnelig.
calculate ['kälkjuleⁱt] beregne; (amr. T) formode, antage; ~ *upon* regne med; *calculated* beregnet; velberegnet, bevidst (fx. *insolence); skikket, egnet.*
calculating machine regnemaskine.
calculation [kälkju'leⁱʃən] regning, beregning, kalkulation, kalkule.
calculator ['kälkjuleⁱtə] beregner; regnemaskine.
calcul|us ['kälkjuləs] (pl. *-i* [-ai], *-uses)* (med.) sten; (mat.) regnemetode, matematisk fremgangsmåde; *differential* ~ differentialregning; *integral* ~ integralregning.
Calcutta [käl'kʌtə].
caldron ['kå·ldrən] stor kedel.
Caledonia [käli'doᵘnjə] Skotland.
Caledonian [käli'doᵘnjən] skotsk; skotte; *the ~ market* loppetorvet (i London).
calefactory [käli'fäktəri] (adj.) varmende.
calendar ['kälėndə] (subst.) kalender; (vb.) indføre (i en kalender).
calender ['kälėndə] (subst.) (kalander)presse, glattemaskine; (vb.) presse, gøre glat, glitte.
calf [ka·f] (pl. *calves)* kalv; (elefant-, hval-)unge; læg (på et ben); kalveskind; grønskolling. **calf-love** barneforelskelse, ungdomsforelskelse.
Caliban ['kälibän].
calibre ['kälibə] kaliber (på eng. i fig. betydning ikke blot nedsættende).
calico ['kälikoᵘ] kaliko (slags tæt lærredsvævet bomuldstøj); kattun. **-printer** kattuntrykker.
Calif. fk. f. *California.*
California [käli'få·njə] Californien.
Californian [käli'få·njən] californisk; californier.
California poppy ♧ guldvalmue.
calipers ['kälipəz] (pl., amr.): *inside* ~ dansemester, hulpasser; *outside* ~ krumpasser.
caliph ['kälif] kalif. **caliphate** ['kälifėt] kalifat.
calisthenics [kälis'þeniks] (amr.) calisthenics (en form for kvindegymnastik).
calk [kå·k] (vb.) kalfatre; skærpe (en hestesko), brodde.
calker ['kå·kə] kalfatrer.
I. **call** [kå·l] (vb.) kalde, kalde på; råbe; tilkalde, sammenkalde; vække; henvende sig; nævne, benævne, kalde; aflægge visit, gøre et kort besøg; ringe op (i telefonen); melde, invitere (i kortspil);
be -ed (ogs.) hedde; ~ *sby. names* bruge skældsord over for en; ~ *at* besøge, aflægge visit i; anløbe; ~ *back* kalde tilbage, tilbagekalde; ringe op igen; ~ *down* nedkalde; S skælde ud; ~ *for* (lade) spørge efter; råbe på; hente; kræve, forlange, tiltrænge; *to be left till -ed for* poste restante; ~ *forth* fremkalde, opbyde; ~ *in* kalde ind, indkalde; indkræve; tilbagekalde (fx. *an army's outposts);* tilkalde; ~ *in question* drage i tvivl; ~ *into being* (el. *existence)* skabe, fremkalde; *shall we ~ it a day?* skal vi holde fyraften? ~ *off* aflyse (fx. *a meeting),* afblæse; bryde (forlovelse); ~ *on* besøge; opfordre; kalde på, påkalde; anråbe; ~ *out* råbe; kalde frem, udfordre; beordre til at gå i strejke; ~ *the watch out* råbe vagten ud; ~ *to* råbe til; ~ *to mind* erindre sig, mindes; ~ *up* ringe op (i telefonen); kalde til sig, indkalde (til militærtjeneste); fremmane; ~ *witnesses* føre vidner.
II. **call** [kå·l] (subst.) råb; kalden; kaldelse; kald; telefonopringning; navneopråb; opfordring, indkaldelse; (kort) besøg; lokketoner; krav, fordring; foranledning; melding, invitation (i kortspil); fremkaldelse; *I'll give you a ~* jeg ringer (til dig); *there is no ~ for you to do that* der er ingen grund til, at du skal gøre det; *give an actor a ~* fremkalde en skuespiller; *make* (el. *pay) a ~* aflægge en visit; *place of ~* anløbssted; *port of ~* anløbshavn; *he took five -s* han blev fremkaldt 5 gange; *within ~* inden for hørevidde.
call|-box telefonboks. ~ **-boy** piccolo. ~ **-girl** prostitueret der kan bestilles pr. telefon.
calligraphy [kə'ligrəfi] kalligrafi.
calling ['kå·liŋ] kald, stilling, profession; meldinger (i bridge).
Calliope [kə'laiəpi] Kalliope.
calliper ['kälipə] (i pl.): *outside -s* krumpasser; *inside -s* hulpasser, dansemester.
callisthenics [kälis'þeniks] calisthenics.
call-number signatur (på biblioteksbog).
callosity [kä'låsiti] hård hud, hårdhudethed; fortykkelse.
callous ['käləs] (adj.) hård, hårdhudet; barket (om hånd); hjerteløs, ufølsom.
call-over ['kå·loᵘvə] navneopråb.
callow ['käloᵘ] bar, nøgen, dunet; uerfaren, uudviklet; ~ *youth* grønskolling, grøn dreng.
call sign kaldesignal. **call slip** bestillingsseddel (i bibliotek). **call-up** ⚔ indkaldelse.
callus ['käləs] hård hud; (forst.) kallus.
calm [ka·m] (adj.) stille, rolig; klar; (subst.) stilhed, ro; stille vejr, stille (vindstyrke 0), havblik; (vb.) berolige; ~ *down* blive rolig, falde til ro; formilde, berolige.
calmness stilhed, ro.
Calor gas ® flaskegas.
calorie ['käləri] kalorie.
calorific [kälə'rifik] varmeudviklende; varme-, kalorie-; ~ *value* brændværdi.
calorimeter [kälə'rimitə] kalorimeter.
caltrop ['kältrəp] fodangel.
calumet ['käljumėt] indiansk fredspibe.
calumniate [kə'lʌmnieⁱt] bagtale, bagvaske. **calumniator** [kə'lʌmnieⁱtə] bagtaler. **calumnious** [kə'lʌmniəs] bagtalerisk. **calumny** ['käləmni] bagtalelse.
Calvary ['kälvəri] Golgata.
calve [ka·v] (vb.) kælve.
calves [ka·vz] pl. af *calf.*
Calvinism ['kälvinizm] calvinisme. **Calvinist** ['kälvinist] calvinist.
calypso [kə'lipsoᵘ] calypso.
calyx ['keⁱliks] (pl. *calyces* ['keⁱlisi·z] el. *calyxes* ['keⁱliksiz] ♧ bæger.
cam [käm] (subst.) kam, knast (på hjul).
Cam [käm]: *the ~* (flod som gennemstrømmer Cambridge).
camber ['kämbə] runding (af kørebane etc.); (på automobil) hjulstyrt, forhjulenes hældning udefter.
cambium ['kämbiəm] ♧ vækstlag.
Cambrian ['kämbriən] (geol.) kambrisk.
cambric ['keⁱmbrik] kammerdug.
Cambridge ['keⁱmbridʒ].
Cambs. fk. f. *Cambridgeshire.*
came [keⁱm̩] imperf. af *come.*
camel ['käməl] kamel; *break the -'s back* få bægeret til at flyde over.
cameleer [kämi'liə] kameldriver, kamelrytter.
camellia [kə'mi·ljə] ♧ kamelia.
camelry ['käməlri] kamelrytteri.
cameo ['kämioᵘ] kamé.
camera ['kämərə] fotografiapparat, kamera; *in ~* (jur.) for lukkede døre.
cameraman (films-, presse-)fotograf.
cames [keⁱmz] blyindfatning (om vinduesruder).
cami-knickers combination (dameundertøj).
camion ['kämiån] lastvogn.
camisole ['kämisoᵘl] underliv (beklædningsgenstand).
camlet ['kämlət] kamelot (slags tøj).
camomile ['käməmail] kamille; *wild* ~ vellugtende kamille; *yellow* ~ farvegåseurt; ~ *tea* kamillete.
camouflage ['kämufla·ʒ] (subst.) camouflage; (vb.) camouflere.
camp [kämp] (subst.) lejr; (vb.) slå lejr; ligge i lejr; kampere; *strike* ~ bryde op.
campaign [käm'peⁱn] felttog; kampagne; (vb.) deltage i felttog, organisere kampagne. **campaigner** [käm'peⁱnə]: *an old ~* 'en gammel rotte'.

campanology [kämpə'nålədʒi] (læren om) klokkeringning.
camp|-bed ['kämpbed] feltseng. ~ **-chair** feltstol. ~ **-fire** lejrbål. ~ **-follower** civilist, som følger med en hær, medløber; soldatertøs.
camphor ['kämfə] kamfer.
camping (subst.) lejrliv.
camping-ground ['kämpiŋgraund] lejrplads.
campion ['kämpjən] ♧ pragtstjerne; *white* ~ aftenpragtstjerne.
camp|-meeting (amr.) religiøst friluftsmøde. ~ **-stool** feltstol.
campus ['kämpəs] (amr.) universitets (el. skoles) område.
camshaft knastaksel.
I. **can** [kän] (subst.) kande; dåse; dunk; (amr. **S**) fængsel; lokum; (vb.) lægge i dåse, henkoge (hermetisk); (amr. **S**) opgive, holde op med; fængsle; fyre, smide ud; *carry the* ~ tage ansvaret.
II. **can** [kän, kən] *(could, have been able to)* kan; må (gerne).
Canaan ['keⁱnən, 'keⁱniən] Kanaan.
Canadian [kə'neⁱdjən] canadisk; canadier.
canal [kə'näl] (gravet) kanal.
canalize ['känəlaiz] kanalisere; (fig.) lede.
canard [kä'na·d] avisand.
Canaries [kə'næəriz]: *the* ~ De kanariske Øer.
canary [kə'næəri] kanariefugl. **canary grass** ♧ glansfrø. **canary reed** ♧ rørgræs.
cancel ['känsəl] strege ud, stryge; kassere; ophæve, annullere, stemple (frimærke); aflyse, afbestille; forkorte (brøk); *it -s out* det går lige op.
cancellation [känsə'leⁱʃən] udstregning, annullering; stempel.
cancer ['känsə] (med.) kræft; kræftskade; Krebsen (himmeltegn); *the Tropic of Cancer* Krebsens vendekreds. **-ous** [-rəs] kræft-, kræftagtig.
candelabr|um [kändi'la·brəm] (pl. *-a)* kandelaber, flerarmet lysestage.
candid ['kändid] oprigtig.
candidate ['kändidet] ansøger, aspirant, kandidat.
candidature ['kändidətʃə] kandidatur.
candied ['kändid] kandiseret. **candied peel** sukat.
I. **candle** ['kändl] (subst.) lys (af stearin etc.); *he is not fit to hold a* ~ *to you* han kan slet ikke måle sig med dig; *burn the* ~ *at both ends* ødsle med (el. øde) sine kræfter; brænde sit lys i begge ender; *the game is not worth the* ~ det er ikke umagen værd.
II. **candle** [kändl] (vb.) gennemlyse (fx. *eggs).*
candle|-end lysestump. ~ **-light** levende lys.
Candlemas ['kändlməs] kyndelmisse (2. februar).
candle-power lysstyrkeenhed; *fifty* ~ *bulb* halvtreds-lys pære.
candlestick ['kändlstik] lysestage.
candour ['kändə] oprigtighed.
candy ['kändi] (subst.) kandis; (amr.) konfekt, bolsjer; (vb.) kandisere; (om sukker) krystallisere.
candy floss sukkervat.
candytuft ['kändittʌft] ♧ iberis.
cane [keⁱn] (subst.) rør; sukkerrør; spanskrør; stok; (vb.) prygle (med spanskrør). ~ **-chair** kurvestol, rørstol. ~ **-sugar** rørsukker. ~ **-trash** sukkerrøraffald.
canicular [kə'nikjulə]: *the* ~ *days* hundedagene.
canine ['keⁱnain] hundeagtig, hunde-; ~ *tooth* hjørnetand.
caning ['keⁱniŋ] dragt prygl.
canister ['känistə] (blik)dåse. ~ **-shot** kartæske.
canker ['käŋkə] ♧ (plante)kræft; kræftagtigt sår; (fig.) kræftskade; (vb.) æde; fordærve; fordærves.
canned [känd] henkogt, dåse-; **S** fuld; ~ *music* mekanisk musik.
cannery ['känəri] konservesfabrik.
cannibal ['känibəl] kannibal, menneskeæder. **-ism** [-izm] kannibalisme, menneskeæderi. **-ize S** adskille ubrugelig maskine og anvende dele deraf som reservedele, 'slagte'.
I. **cannon** ['känən] kanon; kanoner, skyts.
II. **cannon** ['känən] (i billard) karambolage; (vb.) karambolere; ~ *into* brase ind i.
cannonade [känə'neⁱd] (subst.) kanonade; (vb.) skyde med kanoner.
cannon-ball ['känənbå·l] kanonkugle.
cannon-fodder kanonføde.
cannot ['känåt] kan ikke; ~ *but* kan ikke andet end, kan ikke lade være med at; ~ *help doing it* kan ikke lade være med at gøre det (fx. *I* ~ *help laughing).*
canny ['käni] snu, sveden; *ca'canny* nedsat arbejdsintensitet (som fagforeningspolitik for at indskrænke produktionen).
canoe [kə'nu·] (subst.) kano.
canon ['känən] kirkelov; lov, forskrift, regel, kanon; fortegnelse over helgener; kanoniske skrifter; skrifter der anerkendes som ægte (fx. *the Chaucer* ~*);* kannik, domherre.
canonicals [kə'nånikəlz] (pl.) ornat.
canonize ['känənaiz] kanonisere.
canoodle [kə'nu·dl] (vb.) kæle.
can-opener ['kän'oᵘpənə] dåseåbner.
canopy ['känəpi] tronhimmel, sengehimmel, baldakin, selve skærmen på en faldskærm; løvtag, kronetag.
can't [ka·nt] d. s. s. *cannot.*
I. **cant** [känt] (subst.) hældning, bøjning; (vb.) give en hældning, bøje; vælte; kaste; hugge en kant af; hælde, vippe over på siden; svinge rundt.
II. **cant** [känt] (subst.) hyklerisk tale, floskler, fraser; jargon; (vb.) tale hyklerisk, bruge fraser.
Cantab. |['käntäb], **Cantabrigian** [käntə'bridʒiən] (subst.) Cambridgemand; (adj.) som har med universitetet i Cambridge at gøre.
cantankerous [kän'täŋkərəs] (adj.) trættekær, krakilsk, kværulantisk.
cantata [kän'ta·tə] kantate.
canteen [kän'ti·n] marketenderi, frokoststue, kantine; feltflaske.
canter ['käntə] kort galop; løbe i kort galop; lade løbe i kort galop; *win in a* ~ opnå sejr uden vanskelighed.
Canterbury ['käntəbəri]; ~ *bell* ♧ klokkeblomst.
cantharides [kän'þäridi·z] (med.) spansk flue.
cant hook vendekrog (til tømmer).
canticle ['käntikl] salme (om visse stykker af *Prayer-Book); the Canticles* Salomos Højsang.
cantilever ['käntili·və] konsol; udligger (af kran); ~ *wing* (flyv.) fritbærende plan.
canto ['käntoᵘ] sang (afsnit af et digt).
I. **canton** ['käntån] (subst.) kanton (i Schweiz).
II. **canton** [kän'tu·n] (vb.) indkvartere (soldater).
cantonment [kän'tu·nmənt] kantonnement.
Canuck [kə'nʌk] **S** (fransk) canadier; (amr.) canadier, canadisk.
Canute [kə'nju·t] Knud.
canvas ['känvəs] lærred; sejldug; *under* ~ ⚓ under sejl; i lejr.
canvass ['känvəs] (vb.) drøfte; fremsætte (fx. *a plan);* undersøge; agitere, drive husagitation, hverve stemmer; gå rundt ved dørene og tage imod bestillinger, tegne annoncer o. l.; (subst.) agitation, arbejde for ens kandidatur.
canvasser ['känvəsə] stemmehverver; agitator; (annonce-)agent, akkvisitør.
canvassing agitation, stemmehvervning; *house-to-house* ~ husagitation.
canyon ['känjən] fjeldkløft; dyb flodseng.
caoutchouc ['kautʃuk] kautsjuk.
cap [käp] (subst.) hue, kasket, sixpence, kappe (hovedbeklædning), hætte (ogs. til fyldepen etc.); (mælke)kapsel; dæksel; låg; fænghætte; (vb.) forsyne med hætte, sætte kapsel (, dæksel, fænghætte) på; tage hatten af; *the* ~ *fitted* bemærkningen ramte; *if the* ~ *fits you, wear it* det er din egen skyld, hvis du føler dig truffet; *she set her* ~ *at him* hun lagde an på ham; ~ *and bells* narrehue; ~ *and gown* akademisk

dragt; ~ *in hand* ydmygt, med hatten i hånden; ~ *anecdotes* søge at overgå hinanden i at fortælle historier.

capability [keᶦpəˈbiliti] evne; duelighed.

capable [ˈkeᶦpəbl] duelig, dygtig, egnet; ~ *of doing it* i stand til at gøre det; ~ *of several interpretations* som kan fortolkes på flere måder.

capacious [kəˈpeᶦʃəs] (adj.) rummelig.

capacitate [kəˈpäsiteᶦt] sætte i stand (til), kvalificere.

capacity [kəˈpäsiti] evne til at rumme (el. optage); rumindhold, ⚓ drægtighed; rummelighed, plads; dygtighed, evne, kvalifikation; kapacitet; egenskab; *load* ~ lasteevne; *in an official* ~ i embeds medfør; *in his* ~ *of* i sin egenskab af; *with a seating* ~ *of 2500* med 2500 siddepladser; *storage* ~ lagerplads; *filled to* ~ helt fuld, fyldt til sidste plads.

cap-a-pie [käpəˈpi·] fra top til tå; *armed* ~ rustet til tænderne.

caparison [kəˈpärisn] sadeldækken, skaberak; (vb.) lægge sadeldækken på.

I. **cape** [keᶦp] cape, slag (beklædning).

II. **cape** [keᶦp] forbjerg; *the Cape* Kap det gode Håb.

cape jasmine ♧ gardenia.

capelin [ˈkäplin] (zo.) lodde.

I. **caper** [ˈkeᶦpə] kapers, kapersbusk.

II. **caper** [ˈkeᶦpə] bukkespring; (vb.) danse, hoppe, springe (af glæde), gøre krumspring; *-s* narrestreger; *cut -s* springe, hoppe; lave narrestreger.

capercailzie [käpəˈkeᶦlzi] (zo.) tjur.

Cape Town [ˈkeᶦpˈtaun] Kapstaden.

capias [ˈkeᶦpiäs] arrestordre.

capillary [kəˈpiləri] kapillar, kapillær, hårkar; ~ *action* hårrørsvirkning; ~ *plexus* (el. *network)* hårkarnet.

capital [ˈkäpitl] (adj.) hoved-, vigtigst; fortræffelig; (subst.) hovedstad; kapital; kapitæl; stort bogstav (fx. *the name was written in -s); a* ~ *crime* en forbrydelse, der straffes med døden; ~ *goods* kapitalgoder; ~ *letters* store bogstaver; ~ *levy* kapitalafgift; ~ *punishment* dødsstraf; *capital!* storartet! *make* ~ *out of* slå mønt af, drage fordel af.

capitalism [ˈkäpitəlizm] kapitalisme.

capitalist [ˈkäpitəlist] kapitalist.

capitalistic [käpitəˈlistik] (adj.) kapitalistisk.

capitalize [kəˈpitəlaiz] (vb.) kapitalisere; skrive med stort bogstav (, store bogstaver); udnytte.

capitation [käpiˈteᶦʃən] skat på hver enkelt person, kopskat; ~ *fee* gebyr pro persona.

Capitol [ˈkäpitl] Kapitolium.

capitulate [kəˈpitjuleᶦt] (vb.) kapitulere. **capitulation** [kəpitjuˈleᶦʃən] (subst.) kapitulation.

capon [ˈkeᶦpən] (zo.) kapun.

caprice [kəˈpri·s] grille, lune, kaprice.

capricious [kəˈpriʃəs] (adj.) lunefuld.

Capricorn [ˈkäprikå·n] Stenbukken (stjernebilledet); *the Tropic of* ~ Stenbukkens vendekreds.

capriole [ˈkäprioᵘl] kapriol, bukkespring.

caps (= *capital letters)* (typ.) kapitæler.

capsicum [ˈkäpsikəm] spansk peber.

capsize [käpˈsaiz] kæntre, vælte; kæntring.

capstan [ˈkäpstən] ⚓ gangspil, spil.

capstone [ˈkäpstoᵘn] murtag; (arkæol.) dæksten; (fig.) slutsten (fx. *the* ~ *of his career);* kronen på værket.

capsular [ˈkäpsjulə] kapselformet.

capsule [ˈkäpsju·l] (subst.) kapsel; (vb.) (ind-) kapsle; sammentrænge stærkt, koncentrere.

Capt. fk. f. *Captain.*

captain [ˈkäptin] kaptajn; ritmester; feltherre; skibsfører; kommandørkaptajn; anfører, leder, førstemand; (i sport) anfører, holdkaptajn; (vb.) stå i spidsen for; ~ *of horse* ritmester; ~ *of industry* storfabrikant. **captaincy** [-si] kaptajnsstilling, kaptajnsrang; førerskab. **captainship** kaptajnsstilling; førerskab.

caption [ˈkäpʃən] overskrift; billedtekst; beslaglæggelse.

captious [ˈkäpʃəs] spidsfindig, kværulerende; ~ *person* kværulant.

captivate [ˈkäptiveᶦt] (vb.) fængsle, fortrylle, bedåre, besnære.

captive [ˈkäptiv] (adj.) fangen; (subst.) fange; ~ *balloon* standballon; ~ *audience* tvungne (el. 'tvangsindlagte') tilhørere (, tilskuere). **captivity** [käpˈtiviti] fangenskab.

capture [ˈkäptʃə] (subst.) pågribelse; tilfangetagelse; bytte, fangst; (vb.) tage til fange, pågribe; erobre, fange, opbringe (skib); (i skak) slå (fx. *this pawn cannot be -d).*

capuchin [ˈkäpjuʃin] kåbe med hætte; kapuciner (munk); (zo.) kapuciner(abe), sapaju.

caput mortuum [ˈkeᶦpətˈmå·tjuəm] (omtr.) dødenkop, engelskrødt.

capybara [käpiˈba·rə] (zo.) flodsvin.

car [ka·] bil; vogn; elevatorstol; gondol (på luftballon); (amr.) jernbanevogn; (vb.) T bile; ~ *it* (amr. T) bile.

caracole [ˈkärəkoᵘl] (i ridning) halvsving; foretage et halvsving.

carafe [kəˈra·f] vandkaraffel.

caramel [ˈkärəmel] karamel.

carapace [ˈkärəpeᶦs] rygskjold (på skildpadde etc.).

carat [ˈkärət] karat.

caravan [kärəˈvän, ˈkärəvän] karavane; sigøjnervogn, gøglervogn; campingvogn.

caravanserai [kärəˈvänsərai] karavanserai.

caraway [ˈkärəweᶦ] (subst.) ♧ kommen.

carbarn (amr.) sporvognsremise; garage (til busser).

carbide [ˈka·baid] (subst.) karbid.

carbine [ˈka·bain] ⚔ karabin.

carbolic [ka·ˈbålik] karbol-; ~ *acid* karbolsyre; *solution of* ~ *acid* karbolvand.

carbon [ˈka·bən] kulstof; kulstift (i buelampe); aftryk, gennemslag. **carbonate** [ˈka·bənėt] kulsurt salt. **carbon|-copy** gennemslag. ~ **dioxide** kuldioksyd, kulsyre. ~ **filament** kultråd.

carboniferous [ka·bəˈnifərəs] (adj., geol.) kulførende; ~ *formation* kulformation.

carbonize [ˈka·bənaiz] (vb.) forkulle, karbonisere.

carbon | monoxide kulilte. ~ **paper** karbonpapir.

carborundum [ka·bəˈrʌndəm] karborundum.

carboy [ˈka·boi] syreballon.

carbuncle [ˈka·bʌŋkl] brandbyld; karfunkel.

carburet [ˈka·bjuret] (vb.) forbinde med kulstof, karburere.

carburettor [ˈka·bjuretə] karburator.

carcass [ˈka·kəs] død krop; slagtekrop; skibsskrog; råhus; ådsel; kadaver; skrog. ~ **meat** frisk kød (mods. konserves).

I. **card** [ka·d] kort, spillekort, visitkort; opslag; **T** original, sjov fyr; *the* ~ det helt rigtige; *a rum* ~ en løjerlig størrelse; *get one's -s* **T** blive fyret; *lucky at -s* heldig i spil; *speak by the* ~ veje hvert ord; *tell fortunes by -s* spå i kort; *it is on the -s* det er sandsynligt.

II. **card** [ka·d] karte (subst. og vb.).

cardamom [ˈka·dəməm] kardemomme.

Cardan [ˈka·dän]: ~ *joint* kardanled.

card|board [ˈka·dbå·d] karton, pap. ~ **-case** visitkortmappe. ~ **catalogue** kartotek (i bibliotek). **-holder** indehaver af fagforeningsbog (, medlemskort til parti); (amr.) låner (på bibliotek).

cardiac [ˈka·diäk] (adj.) hjerte-; hjertestyrkende, oplivende; (subst.) hjertestyrkning.

cardialgy [ˈka·diäldʒi] (med.) kardialgi.

cardigan [ˈka·digən] trøje, cardigan.

cardinal [ˈka·dinəl] vigtigst, fornemst, hoved-; kardinal; afgørende; ~ *numbers* grundtal, mængdetal; ~ *point* himmelhjørne, hovedstreg (på kompas).

I. **card index** (subst.) kartotek.

II. **card-index** (vb.) føre kartotek over; katalogisere.
cardiospasm ['ka·diəspåzm] (med.) hjertekrampe.
carditis [ka·'daitis] (med.) karditis, hjertebetændelse.
card-sharper ['ka·dʃa·pə] falskspiller.
card vote stemme afgivet gennem delegeret.
I. **care** [kæə] (subst.) bekymring; omsorg, omhu; omhyggelighed; varetægt, beskyttelse, pleje, pasning; det man tager sig af; sorg; *have a ~, take ~* være forsigtig; *take ~ of* sørge for; drage omsorg for; ordne; klare; *~ of* (på brev forkortet: c/o) adr(esse); *~ of the skin* hudpleje; *(handle) with ~!* (på pakke) forsigtig!
II. **care** [kæə] (vb.): *~ for* bekymre sig om; drage omsorg for; tage sig af; bryde sig om; *I don't ~ a damn* (el. *straw, button* etc.), *I couldn't ~ less* jeg er revnende ligeglad; *I don't ~ if I do* **T** det kunne jeg godt tænke mig (at gøre); *who -s?* hva' så? *would you ~ to* har du lyst til at; *for all I ~*, se *for*.
careen [kə'ri·n] (vb.) kølhale; krænge over.
career [kə'riə] løb; løbebane; karriere; levevej; (vb.) fare af sted. **careerist** [kə'riərist] stræber.
careers master erhvervsvejleder (på skole).
carefree ['kæəfri·] (adj.) sorgløs.
care|ful ['kæəf(u)l] omhyggelig, påpasselig, forsigtig. **-less** [-lės] ligegyldig, ligeglad (*of* med), skødesløs; sorgløs, ubekymret.
caress [kə'res] (vb.) kæle for; kærtegne; (subst.) kærtegn.
caret ['kärət] indskudsmærke (ʌ) i korrektur.
caretaker ['kæəteⁱkə] opsynsmand, portner, vicevært; *~ government* forretningsministerium; *~ premier* fungerende premierminister.
careworn ['kæəwå·n] forgræmmet.
cargo ['ka·goᵘ] (pl. *-es*) ladning; *general ~* stykgods.
car-hop (subst.) tjener (el. servitrice) i 'drive-in' restaurant.
Caribbean [käri'bi·ən] caraibisk.
caribou ['käribu·] nordamerikansk rensdyr.
caricature ['kärikətjuə] (subst.) karikatur; (vb.) karikere.
caries ['kæərii·z] caries.
carillon [kə'riljən] klokkespil.
Carinthia [kə'rinþiə] Kärnthen.
carious ['kæəriəs] angreben af caries, cariøs, hul (om tand).
carking ['ka·kiŋ] besværlig, nagende; bekymret.
carline ['ka·lin]: *~ thistle* ♧ bakketidsel.
carling ⚓ kravelbjælke, stikbjælke.
Carlisle, Carlyle [ka·'lail].
carman ['ka·mən] fragtmand, vognmand, vognmandskusk.
carminative ['ka·minətiv] (med.) vinddrivende (middel).
carmine ['ka·main] karmin.
carnage ['ka·nidʒ] blodbad.
carnal ['ka·nəl] kødelig; sanselig.
carnation [ka·'neⁱʃən] ♧ (have)nellike; kødfarve.
Carnegie [ka·'negi, 'ka·nəgi].
carnelian [ka·'ni·ljən] karneol.
carnival ['ka·nivəl] karneval, folkefest.
carnivore ['ka·nivå·] (subst.) kødædende dyr (el. plante); rovdyr (om pattedyr).
carnivorous [ka·'nivərəs] kødædende (fx. *plant*).
carob ['kärəb] ♧ johannesbrød.
carol ['kärəl] (subst.) (munter) sang (især julesang); (vb.) lovsynge; synge.
Carolina [kärə'lainə] Carolina (i Nordamerika).
Carolina allspice ♧ bægerkrone.
Caroline ['kärəlain].
carom ['kärəm] (amr.) d. s. s. *cannon II.*
carotid [kə'råtid]: *~ artery* halspulsåre.
carousal [kə'rauzəl] drikkegilde.
carouse [kə'rauz] svire, drikke; (subst.) drikkelag.
I. **carp** [ka·p] (zo.) karpe.
II. **carp** [ka·p] (vb.): *~ (at)* kritisere småligt, hakke på.
carpal ['ka·pl]: *~ bone* håndrodsben.
car-park parkeringsplads.
Carpathians [ka·'peⁱþjənz]: *the ~* Karpaterne.
carpel ['ka·pel] ♧ frugtblad; småfrugt.
carpenter ['ka·pəntə] tømrer; *carpenter's bench* høvlebænk.
carpenter-ant (zo.) herkulesmyre. **carpenter-bee** (zo.) tømrerbi. **carpentry** ['ka·pəntri] tømrerhåndværk; tømmerarbejde.
carpet ['ka·pėt] (subst.) tæppe; (vb.) lægge tæppe på; **T** (kalde ind for at) irettesætte; *be on the ~* være på tapetet; **T** blive irettesat; *put sby. on the ~* **T** irettesætte en; *the red ~* (ogs.) den røde løber. **-bag** vadsæk. **-bagger** politisk lykkeridder, en fremmed der optræder som valgkandidat. *~* **bombing** systembombning. *~* **-dance** lille svingom (egl.: med gulvtæppet på). **-ed** tæppebelagt. **-ing** gulvtæppestof. *~* **-knight** soldat, som holder sig hjemme fra krigen, stuehelt. *~* **-rod** trappestang. *~* **slipper** sutsko. *~* **-sweeper** tæppefejemaskine.
carport (amr.) carport (let garage uden vægge).
carpus ['ka·pəs] (anat.) håndrod.
carrel ['kärəl] studierum (i bibliotek).
carriage ['käridʒ] (hestetrukken) vogn; transport, befordring; personvogn (i tog); fragt; (kanon)lavet; understel (på flyvemaskine); *~ (of the body)* holdning; *baby ~* barnevogn; *~ and pair* vogn med to heste. *~* **-drive** privat kørevej, indkørsel. *~* **-free,** *~* **paid** franko leveret, fragtfrit (fragten er betalt af afsenderen). *~* **-horse** kørehest. *~* **-way** kørebane.
carrier ['käriə] fragtmand, vognmand, vognmandskusk; drager; overbringer, bærer; bagagebærer (på cykel); hangarskib; smittebærer. *~* **-bag** bærepose. *~* **-pigeon** brevdue. *~* **wave** bærebølge.
carriole ['käriọᵘl] karriol (tohjulet vogn).
carrion ['käriən] ådsel. *~* **-crow** (zo.) sortkrage. *~* **-flower** ♧ dødningeblomst; ådselblomst.
carronade [kärə'neⁱd] (glds.) (let) skibskanon.
carrot ['kärət] gulerod; *-s* **T** rødtop, rødhåret person. **carroty** ['kärəti] rødhåret.
carry ['käri] bære, bringe; føre (med sig); gå med; transportere; sejle med; overføre; erobre, tage (med storm); føre igennem, sætte igennem; vedtage; række, nå, (om stemme ogs.) kunne høres; køre ind; *~ a bill* vedtage en lov; *~ one's point* sætte sin vilje igennem; *~ two* to i mente; *~ weight* have vægt, have betydning; *~ oneself* føre sig; opføre sig; *~ away* (fig.) rive med, henrive; tage med sig hjem (fx. fra en prædiken); *~ forward* (i bogføring) transportere, overføre; *~ into effect* gennemføre (fx. *a plan); ~ off* bortføre; bortrive; vinde (fx. en præmie); *~ off well* gøre gode miner til, tage roligt; *~ on* føre (fx. *~ on a conversation)*; drive (fx. forretning); fortsætte; **T** tage på vej; *~ on with a girl* komme sammen med en pige; *~ out* udføre; gennemføre; *~ over* overføre, prolongere; *~ through* gennemføre; hjælpe igennem, bringe frelst gennem.
carryall ['käriå·l] (amr.) let firhjulet vogn; lukket bil med sæder som i charabanc.
carry-cot babylift.
carrying| capacity lasteevne. *~* **trade** fragtfart.
car-sick (adj.) køresyg.
cart [ka·t] (subst.) kærre; arbejdsvogn, vogn; (vb.) transportere på vogn; fragte; køre (korn etc.) ind; *put the ~ before the horse* vende tingene på hovedet; *in the ~* **T** godt oppe at køre, i knibe.
cartage ['ka·tidʒ] kørsel; kørselspenge, transportomkostninger.
carte-blanche ['ka·t'bla·nʃ] carte blanche.
carte-de-visite [ka·tdəvi'zi·t] fotografi i visitkortformat.
cartel ['ka·təl] udvekslingskontrakt ang. krigsfanger; sammenslutning af fabrikanter, syndikat, kartel; skriftlig udfordring.
carter ['ka·tə] fragtmand, vognmand, vognmandskusk.
Cartesian [ka·'ti·ziən] kartesiansk.

Carthage ['ka·þidʒ] Kartago.
cart-horse arbejdshest.
Carthusian [ka·'þ(j)u·ziən] karteuser, karteuser-; (elev) fra *Charterhouse School.*
cartilage ['ka·tilidʒ] (subst.) brusk.
cartilaginous [ka·ti'lädʒinəs] (adj.) bruskagtig.
cart-load ['ka·tloᵘd] vognlæs.
carton ['ka·tən] papæske, karton.
cartoon [ka·'tu·n] udkast, karton (til billede); vittighedstegning; bladkarikatur; tegnefilm; (vb.) tegne, karikere; *animated* ~, ~ *film* tegnefilm.
cartoonist vittighedstegner, karikaturtegner.
cartridge ['ka·tridʒ] patron; *ball* ~ skarp patron; *blank* ~ løs patron; *dummy* ~ blind patron. **cartridge|case** patronhylster. **-paper** karduspapir.
cart-wheel ['ka·twi·l] vognhjul; *turn -s* vende mølle.
cartwright ['ka·trait] vognmager.
carve [ka·v] udskære, udhugge, mejsle, indskære; skære for (fx. *the goose); ~ (out)* skabe (fx. *he -d out an empire by the sword).* **carver** ['ka·və] billedskærer; forskærer; forskærerkniv. **carving** billedskæring; det at skære for; udskåret arbejde, billedskærerarbejde. **carving-knife** forskærerkniv.
caryatid [kāri'ätid] karyatide.
cascabel ['käskəbel] 'drue' (på kanon).
cascade [käs'keⁱd] vandfald.
I. **case** [keⁱs] (subst.) tilfælde; stilling; sag, retssag; beviser, fremstilling; kasus; *that is the* ~ det er sandt; *as the* ~ *may be* alt efter omstændighederne, eventuelt; *there is a strong* ~ *for it* der er meget der taler for det; *he has a strong* ~ han står stærkt; *make out a* ~ *for* finde argumenter for; finde alt det der taler for; *in* ~ for det tilfælde at (fx. *take your umbrella in* ~ *it should rain); just in* ~ for alle tilfældes skyld; *in* ~ *of* i tilfælde af (fx. *in* ~ *of fire, ring the alarm bell); in any* ~ i hvert fald; *if that is the* ~, *in that* ~ i så fald; *in the* ~ *of* hvad angår; *he is in no better* ~ han er ikke bedre stillet; *that is our* ~, *my lord* hermed indlader jeg sagen (til doms).
II. **case** [keⁱs] (subst.) kasse, æske, kuffert, skrin; hylster, etui, foderal, betræk, dække; bogomslag; montre; karm.
III. **case** [keⁱs] (vb.) lægge i kasse, stikke i et foderal; overtrække; **S** udspionere; undersøge nøje.
caseharden ['keⁱsha·dn] gøre hård (på overfladen); hærde; forhærde.
case history alle nødvendige oplysninger om et bestemt tilfælde; (med.) sygehistorie, sygejournal.
casein ['keⁱsiin] (subst.) ostestof, kasein.
case|knife skedekniv. ~ **law** ret baseret på tidligere retsafgørelser.
casemate ['keⁱsmeⁱt] (subst., ⚔) kasemat.
casement ['keⁱsmənt] vindue (på hængsler); vinduesramme (om rude). ~ **cloth** gardinstof.
caseous ['keⁱsiəs] (adj.) osteagtig.
casern(e) [kə'zə·n] kaserne.
case shot shrapnel, (granat)kardæsk.
cash [käʃ] (subst.) rede penge, kontanter; (vb.) hæve (penge på), indløse (fx. *a cheque)* diskontere; ~ *on delivery* pr. efterkrav; ~ *down* kontant; *be in* ~ være ved muffen; *be out of* ~ have tørre lommesmerter, mangle penge; ~ *in* tjene penge; **T** dø; ~ *in on* slå mønt af, udnytte.
cash|-audit kasserevision. ~ **-book** kassebog. ~ **-box** pengekasse. ~ **desk** kasse (kassererskens plads i forretning). ~ **discount** kontantrabat.
cashew [kä'ʃu·]: ~ *nut* elefantlus, anakardienød.
I. **cashier** [kä'ʃiə] kasserer, kassemester.
II. **cashier** [kə'ʃiə] kassere, afskedige, degradere.
cashmere [käʃ'miə, 'käʃmiə] kashmir, kashmirsjal.
cash receipt kassekvittering.
cash register kasseapparat.
casing ['keⁱsiŋ] overtræk, dæk; karm.
cask [ka·sk] (subst.) fad, tønde, fustage, drittel; (vb.) fylde på et fad (etc.).
casket ['ka·skit] skrin, smykkeskrin; (amr. ogs.) ligkiste.
Caspian ['käspiən]: *the* ~ *Sea* det kaspiske hav.
Caspian tern (zo.) rovterne.
casque [ka·sk] (glds.) hjelm.
cassation [kä'seⁱʃən] kassation; *Court of C.* **kassationsret.**
casserole ['käsəroᵘl] ildfast fad.
Cassiopeia [käsio'pi·ə] Kassiopeja.
cassock ['käsək] (omtr. =) præstekjole.
cassowary ['käsəwəri] (zo.) kasuar.
cast [ka·st] *(cast, cast)* kaste; fælde (fx. takker); kassere, udrangere; forme, støbe; sammentælle, regne; fordele (rollerne i et stykke), udvælge (skuespiller til rolle); overvinde; (subst.) kast; afstøbning; form; præg, ejendommelighed; rollebesætning; anstrøg, skær; noget afkastet, gylp; skelen; ~ *a vote* stemme; ~ *about for* lede efter (fx. *a reply*); *be* ~ *away* lide skibbrud; ~ *one's mind back to May 2* prøve på at huske den anden maj; ~ *down* vælte, ødelægge; nedslå, gøre modfalden; *be* ~ *in damages* blive dømt til at betale erstatning; ~ *sby.'s horoscope* stille ens horoskop; ~ *sth. in sby.'s teeth* rive en noget i næsen; ~ *off* forlade, lade sejle sin egen sø; kaste los; lukke (strikketøj) af; ~ *on* slå op (i strikning).
castanet [kästə'net] kastagnet.
castaway ['ka·stəweⁱ] forstødt, skibbruden, paria.
caste [ka·st] (subst.) kaste; *lose* ~ blive udstødt af sin kaste; synke i social anseelse.
castellan ['kästəlän] (subst.) slotsfoged.
castellated ['kästeleⁱtid] med tårne og tinder, med murtinder; med (mange) slotte.
caster ['ka·stə] støber, støbemaskine; se ogs. *castor.*
castigate ['kästigeⁱt] revse, tugte. **castigation** [kästi'gəⁱʃən] revselse, tugtelse.
Castile [käs'ti·l] Kastilien.
casting ['ka·stiŋ] kasten; støbning; stykke støbegods. **casting vote** afgørende stemme.
cast iron ['ka·staiən] (subst.) støbejern.
cast-iron (adj.) støbejerns-; jernhård; (om alibi) absolut sikker.
castle ['ka·sl] (subst.) befæstet slot, borg; herregård; tårn (i skak); (vb.) rokere; *build -s in the air* (el. *in Spain)* bygge luftkasteller.
cast-off ['ka·st'åf] aflagt, kasseret.
castor ['ka·stə] peberbøsse, strødåse, platmenage; møbelrulle; (kastor)hat.
castor|-oil amerikansk olie. ~ **sugar** strøsukker, fint melis.
castrate [käs'treⁱt] (vb.) kastrere.
casual ['käʒuəl] tilfældig (fx. *meeting); skødesløs,* henkastet (fx. *remark); overfladisk, ligegyldig (fx. air* mine); ~ *labourer* løsarbejder; ~*(poor)*midlertidig fattigunderstøttet; ~ *shoe* hyttesko; *Casual Ward* afdeling for midlertidigt fattigunderstøttede (i fattighus); *be* ~ *about* være skødesløs med, tage let på.
casually tilfældigt, henkastet, skødesløst; *I'll just drop in* ~ jeg kigger ind, når jeg kommer forbi.
casualty ['käʒjuəlti] ulykkestilfælde; kvæstelse; offer; (glds.) tilfælde; *casualties* tilskadekomne; ⚔ tab; savnede, døde el. sårede; ~ *clearing station* ambulancestation. ~ **-list** liste over faldne el. sårede, tabsliste. ~ **ward** skadestue.
casuist ['käzjuist] kasuist. **casuistry** kasuistik.
cat [kät] kat; 'slange' (skældsord om kvinde); dobbelt trefod; ⚓ kat; pind (spillet; den pind som bruges deri); (vb.) katte (anker); **S** brække sig; *see which way the* ~ *jumps* se hvad vej vinden blæser, afvente begivenhedernes gang; *let the* ~ *out of the bag* plumpe ud med hemmeligheden.
cataclysm ['kätəklizm] oversvømmelse, syndflod; naturkatastrofe; voldsom omvæltning.
catacomb ['kätəkoᵘm] katakombe.
catafalque ['kätəfälk] katafalk.
catalepsy ['kätəlepsi] katalepsi.
cataleptic [kätə'leptik] kataleptisk.

catalogue ['kätəlåg] (subst.) katalog, fortegnelse; liste; (vb.) katalogisere; ~ *of sins* synderegister.
catalysis [kə'tälisis] katalyse. **catalyst** ['kätəlist] katalysator. **catalytic** [kätə'litik] katalytisk. **catalyze** ['kätəlaiz] katalysere.
catamaran [kätəmə'rän] katamaran (type båd); tømmerflåde; rappenskralde.
cat-and-dog: *lead a ~ life* leve som hund og kat.
cataplasm ['kätəpläzm] grødomslag.
catapult ['kätəpʌlt] (subst.) slangebøsse, blide, slynge; katapult; (vb.) katapulte, slynge ud.
cataract ['kätəräkt] vandfald, fos; (med.) grå stær; *black ~* (med.) sort stær.
catarrh [kə'ta·] snue, katar.
catastrophe [kə'tästrəfi] katastrofe.
cat burglar klatretyv.
catcall ['kätkå·l] pift, fløjten, piben; (vb.) pifte, fløjte, pibe; *-s* pibekoncert (som udtryk for mishag).
I. **catch** [kätʃ] (vb.) *(caught, caught)* fange, gribe *(at* efter), tage; nå, komme med (fx. *~ the train);* indhente; opfatte, få fat i, forstå (fx. *I did not ~ what he said);* opfange, opsamle; ramme (fx. *the blow caught him on the jaw);* pådrage sig, få, blive smittet af (fx. *a disease);* overraske, gribe *(sby. at* el. *in* el. *doing sth.* en i (at gøre) ngt.); gribe fat (i), blive hængende fast; brænde på (om mad); *~ sby. a box on the ear* lange en en ørefigen; *~ one's breath* snappe efter vejret; *~ (a) cold* blive forkølet; *~ me (doing it)* det skal jeg nok lade være med; 'jeg skal ikke nyde noget'; 'du kan tro jeg kan nære mig'; *~ his eye* fange hans blik; *~ the Speaker's eye* få ordet (i Underhuset); *~ fire* fænge, komme i brand; *he caught his foot in a hole* hans fod blev hængende i et hul; *~ it* få en omgang; *the lock has caught* døren er gået i baglås; *~ sight of* få øje på; *~ on* slå an, blive populær; *~ on to* få fat i, forstå; *~ sby. out* gribe en ud (i kricket); (fig.) gribe en i en fejl; *~ up* snappe (fx. *he caught up his hat and rushed out);* indhente, afbryde; indvikle, fange *(in* i).
II. **catch** [kätʃ] (subst.) greb; fangst; snappen efter vejret; stump (fx. *-es of a song);* skælven (i stemmen); krog, (et) lukke, klinke; hage; fælde; kanon (sang); bytte, godt kup; *that's no ~* **S** det er der ikke noget ved; *there is a ~ in it* der er noget lumskeri ved det; *the question has a ~ in it* spørgsmålet indeholder en fælde.
catch-as-catch-can fri brydning.
catchfly ♧ limurt.
catching ['kätʃiŋ] smitsom; tiltrækkende; iørefaldende.
catchment ['kätʃmənt]: *~ area* afvandingsområde.
catchpenny værdiløs men prangende; *~ show* gøgl.
catch phrase slagord.
catchpole, catchpoll ['kätʃpoᵘl] (underordnet) retsbetjent.
catchword stikord; slagord; (typ.) kustos.
catchy ['kätʃi] (adj.) iørefaldende (fx. *tune);* iøjnefaldende; drilagtig, lumsk, vanskelig (fx. *a ~ question).*
catechetic(al) [käti'ketik(l)] kateketisk. **catechism** ['kätikizm] katekismus; udspørgen; *put sby. through his ~* forhøre en grundigt. **catechize** ['kätikaiz] katekisere; udspørge.
categorical [käti'gårikl] (adj.) kategorisk. **category** ['kätigəri] (subst.) kategori; gruppe, kreds, klasse.
catenary [kə'ti·nəri] (mat.) kædelinie. **catenate** ['kätineit] sammenkæde.
cater ['keⁱtə] (vb.) skaffe mad, levere fødevarer; sørge for underholdning til selskaber etc.; *~ for* (el. *to)* (ogs.) søge at tilfredsstille (fx. *~ to the demands of the masses).*
caterer ['keⁱtərə] leverandør af mad til selskaber etc.; indehaver af diner transportable-firma.
caterpillar ['kätəpilə] larve, kålorm; traktor, tank etc. på larvefødder. *~* **tank** larvefodstank. *~* **treads** larvefødder.
caterwaul ['kätəwå·l] kattehyl; kattemusik; (vb.) lave kattemusik.
catfish ['kätfiʃ] (zo.) havkat.
catgut ['kätgʌt] tarmstreng.
cathartic [kə'þa·tik] (adj.) afførende; (subst.) afføringsmiddel.
Cathay [kä'þeⁱ] (glds. navn for) Kina.
cat-head ⚓ katdavid.
cathedral [kə'þi·drəl] katedral, domkirke.
Catherine-wheel ['käþərinwi·l] sol (i fyrværkeri); *turn -s* vende mølle.
catheter ['käþitə] (med.) kateter.
cathode ['käþoᵘd] katode, negativ pol.
Catholic ['käþəlik] (adj.) katolsk; frisindet, liberal, fordomsfri; (subst.) katolik. **Catholicism** [kə'þålisizm] katolicisme. **catholicity** [käþə'lisiti] frisindethed, fordomsfrihed.
Catilinarian [kätili'næəriən] katilinarisk.
Catiline ['kätilain] Catilina.
cation ['kätaiən] (elekt.) kation.
catkin ['kätkin] ♧ rakle, 'gæsling'.
catlap ['kätläp] pøjt, sprøjt.
catlike ['kätlaik] katteagtig.
catling ['kätliŋ] amputationskniv.
catmint, catnip ♧ kattemynte, katteurt.
cat-nap: *get a ~* få (sig) en på øjet, få en lille lur.
Cato ['keⁱtoᵘ].
cat-of-nine-tails ['kätə'nainteⁱlz] nihalet kat, tamp.
cat's-paw ⚓ krængestik; blaf, svag vind, vindkrusning; *make a ~ of sby.* lade en rage kastanierne ud af ilden for sig.
cat's-tail ♧ muskedonner. **cat's-tail grass** ♧ rottehale.
catsup ['kätsʌp] ketchup.
cattle ['kätl] kvæg, hornkvæg. *~* **-cake** foderkage. *~* **-dealer** kreaturhandler. *~* **-lifter** kvægtyv. *~* **-pen** kvægfold. *~* **-plague** kvægpest. *~* **-rustler** kvægtyv. *~* **-show** dyrskue. *~* **-thief** kvægtyv. *~* **-truck** kreaturvogn (på jernbane).
catty ['käti] katteagtig; ondskabsfuld, sladderagtig.
catwalk ['kätwå·k] smalt fortov; ⚓ løbebro.
Caucasian [kå·'keⁱziən] kaukasisk; kaukasier.
Caucasus ['kå·kəsəs] Kaukasus.
caucus ['kå·kəs] forberedende partimøde; partibestyrelse.
caudal ['kå·dl] (adj.) hale-.
caudillo [kå·'di·ljoᵘ] statschef, fører, diktator.
caudle ['kå·dl] varm drik med vin.
caught [kå·t] imperf. og perf. part. af *catch.*
caul [kå·l] sejrsskjorte; hårnet.
cauldron ['kå·ldrən] stor kedel.
cauliflower ['kåliflauə] blomkål.
caulk [kå·k] se *calk.*
causal ['kå·zəl] kausal; *~ relation* årsagssammenhæng. **causality** [kå'säliti] kausalitet, årsagssammenhæng.
causation [kå·zeⁱʃən] forårsagen, bevirken; årsagsforhold; årsagsbegreb; årsag.
cause [kå·z] (subst.) årsag; sag (fx. *the ~ of liberty);* retssag; (vb.) forårsage, fremkalde, forvolde, bevirke; lade. **causeless** ubegrundet.
causeway ['kå·zweⁱ] vej anlagt på dæmning; landevej, chaussé.
caustic ['kå·stik] (adj.) kaustisk, ætsende; bidende, skarp; (subst.) ætsemiddel; *lunar ~* helvedessten.
cauterization [kå·tərai'zeⁱʃən] kauterisation, udbrænding; ætsning. **cauterize** ['kå·təraiz] kauterisere, udbrænde; ætse. **cautery** ['kå·təri] kauterisation; kauter, glødenål.
caution ['kå·ʃən] (subst.) forsigtighed, varsomhed; advarsel; (vb.) advare; tilråde; *~!* giv agt! *he is a ~* **T** han er til at dø af grin over; *~ money* depositum (ved indtrædelse i kollegium etc.).
cautionary ['kå·ʃənəri] advarende.
cautious ['kå·ʃəs] forsigtig, varsom.

cavalcade [kävəl'ke'd] kavalkade.
cavalier [kävə'liə] rytter, ridder; kavaler; (adj.) flot, overlegen, affejende.
cavalry ['kävəlri] kavaleri.
cave [ke'v] (subst.) hule; (vb.) udhule; ~ *in* falde (el. synke el. styrte) sammen; give efter.
caveat ['ke'viät] protest; advarsel.
cave-man hulebeboer; primitivt menneske, vild.
cavern ['kävən] hule; (med.) kaverne. **cavernous** ['kävənəs] (adj.) hul; fuld af huler.
cavesson ['kävəsən] (subst.) kapsun.
caviar(e) ['kävia·] kaviar; ~ *to the general* kaviar for hoben.
cavil ['kävil] (vb.) komme med smålig kritik, gøre urimelige indvendinger *(at* imod); (subst.) smålig kritik. **caviller** smålig kritiker.
cavity ['käviti] hulhed, hulrum, kløft, hule.
cavort [kə'vå·t] (amr. T) lave krumspring, hoppe omkring; boltre sig, tumle (sig).
caw [kå·] (vb.) skrige (som en ravn eller krage); (subst.) ravneskrig, krageskrig, skrig.
cayenne [kə'jen]: ~ *(pepper)* cayennepeber.
cayman ['ke'mən] kajman, alligator.
cayuse [kai'u·s] indiansk pony.
C.B. fk. f. *Companion of the Bath; confined to barracks; County Borough.*
C.B.E. fk. f. *Commander of the Order of the British Empire.*
C.B.S. fk. f. *Columbia Broadcasting System.*
C.C. fk. f. *County Council(lor); cricket club.*
cc. fk. f. *chapters.* **c.c.** fk. f. *cubic centimetre.*
C.C.S. fk. f. *Casualty Clearing Station.*
C.D. fk. f. *Council of Deputies* stedfortræderråd (fx. *the North Atlantic Council of Deputies).*
C double flat (i musik) ceses.
C.E. fk. f. *Church of England; Civil Engineer.*
cease [si·s] ophøre, holde op; lade være, holde op med; ~ *fire* hold inde (med skydningen); *without* ~ uden ophør.
cease-fire ['si·s'faiə] (subst.) våbenhvile.
ceaseless ['si·slės] (adj.) uophørlig, uafladelig.
Cecil ['sesl]. **Cecilia** [si'siljə]. **Cecily** ['sisili].
cedar ['si·də] ceder.
cede [si·d] (vb.) afstå (fx. *territory);* indrømme (fx. *rights).*
cedilla [si'dilə] cedille.
ceil [si·l] (amr.) lægge loft over.
ceiling ['si·liŋ] loft; ⚓ inderklædning; (flyvemaskines) stigehøjde, tophøjde; skyhøjde; *price* ~ prisstop *(on* for); *a* ~ *on wages* loft over lønningerne.
ceiling|-fitting baldakin (på lampe). ~ **price** maksimalpris.
celandine ['seləndain]: *greater* ~ ♧ svaleurt; *lesser* ~ ♧ vorterod.
Celebes [se'li·biz].
celebrate ['selibre't] (vb.) fejre, højtideligholde; prise; ~ *Mass* celebrere (el. holde el. læse) messe; *-d* berømt. **celebration** [seli'bre'ʃən] højtideligholdelse; lovprisning. **celebrity** [si'lebriti] berømmelse; berømthed (fx. *several celebrities were present).*
celeriac [si'leriäk] (knold)selleri.
celerity [si'leriti] hurtighed, hastighed.
celery ['seləri] (blad)selleri.
celestial [si'lestjəl] himmelsk; himmel-; (spøgende:) kineser; ~ *body* himmellegeme; *the Celestial Empire* Det himmelske Rige (Kina).
celibacy ['selibəsi] cølibat.
celibate ['selibėt] ugift (person).
cell [sel] (anat., biol., elekt., i bikube, rum) celle; (elektr.) element; *the condemned* ~ de dødsdømtes celle.
cellar ['selə] kælder. **cellaret** vinskab.
'cellist ['tʃelist] (subst.) (violon)cellist.
'cello ['tʃelo"] cello, violoncel.
cellophane ['seləfe'n] cellofan.
cellular ['seljulə] celle-; ~ *tissue* cellevæv.
cellule ['selju·l] (subst.) lille celle.
celluloid ['seljuloid] (subst., adj.) celluloid.
cellulose ['seljulo"s] cellulose.
Celt [kelt; især amr.: selt] kelter.
Celtic ['keltik; især amr.: 'seltik] keltisk.
C.E.M.A. fk. f. *Council for Encouragement of Music and the Arts.*
cement [si'ment] bindemiddel; cement; (fig.) bånd; (vb.) sammenkitte; cementere; (fig.) knytte (el. binde) sammen; styrke, befæste (fx. *their friendship).*
cementation [si·men'te'ʃən] cementering, sammenkitning.
cemetery ['semitri] kirkegård.
cenotaph ['senotäf] gravminde (over død(e), der ligger begravet andetsteds); *the Cenotaph* (mindesmærke i Whitehall for de i 1. verdenskrig faldne britiske soldater).
cense [sens] afbrænde røgelse for (el. i). **censer** (subst.) røgelseskar.
censor ['sensə] (subst.) censor; (vb.) censurere.
censorious [sen'så·riəs] dømmesyg, kritisk.
censorship ['sensəʃip] censorat, censur.
censure ['senʃə] (subst.) kritik; dadel; (vb.) kritisere; dadle; laste; *vote of* ~ mistillidsvotum.
census ['sensəs] (folke)tælling. ~ **-paper** mandtalsliste, folketællingsskema.
cent [sent] (amr.) cent, 1/100 dollar.
Cent. fk. f. *Centigrade.*
cent.: *per* ~ procent.
centaur ['sentå·] kentaur.
centaury ['sentå·ri] ♧ tusindgylden.
centenarian [senti'næəriən] hundredårig (person).
centenary [sen'ti·nəri] hundredårs-; hundredårsfest.
centennial [sen'tenjəl] hundredårsfest; hundredårig.
center (amr.) = *centre.*
centi|grade ['sentigre'd] celsius (fx. ~ *thermometer).* **-gramme** [-gräm] centigram. **-litre** [-li·tə] centiliter. **-metre** [-mi·tə] centimeter.
centipede ['sentipi·d] (zo.) skolopender.
central ['sentrəl] central, midt-; ~ *heating* centralvarme; *the Central Powers* centralmagterne (Tyskland og Østrig-Ungarn).
centralization [sentrəlai'ze'ʃn] centralisering.
centralize ['sentrəlaiz] (vb.) centralisere.
I. **centre** ['sentə] (subst.) midtpunkt, centrum, center; station (fx. *child welfare* ~).
II. **centre** ['sentə] (vb.) samle i et midtpunkt, koncentrere *(on, in* om); forene sig, være forenet, koncentrere sig *(in, round* om). **centre|-bit** centrumsbor. ~ **-board** sænkekøl. ~ **-piece** bordopsats.
centrifugal [sen'trifjugəl] (adj.) centrifugal; ~ *force* centrifugalkraft; ~ *machine* centrifuge. **centrifuge** ['sentrifju·dʒ] centrifuge.
centripetal [sen'tripitl] (adj.) centripetal.
centroid ['sentroid] geometrisk tyngdepunkt.
centuple ['sentjupl] (adj.) hundrede gange så stor; (vb.) forøge hundredfold.
century ['sentʃuri] århundrede; hundrede points (i kricket); ~ *plant* ♧ agave.
cephalic [se'fälik; ke'fälik] (adj.): ~ *index* hovedindeks.
ceramic [si'rämik] (adj.) keramisk, pottemager-.
ceramics (subst.) keramik.
Cerberus ['sə·bərəs].
cere [siə] (zo.) vokshud.
cereal ['siəriəl] korn; kornsort; corn-flakes eller lignende kornspise.
cerebellum [seri'beləm] lillehjerne.
cerebral ['seribrəl] hjerne-; cerebral; intellektuel; ~ *haemorrhage* hjerneblødning; ~ *inflammation* hjernebetændelse.
cerebration [seri'bre'ʃn] hjernevirksomhed.
cerebrum ['seribrəm] hjerne.
cerecloth ['siəklåþ] vokslagen, ligklæde.
cerement ['siəmənt] voksklæde (til balsamering); *-s* (ogs.) ligklæder.
ceremonial [seri'mo"njəl] (adj.) ceremoniel, høj-

tidelig; (subst.) ceremoniel. **ceremonious** [seri'moᵘnjəs] (adj.) ceremoniel; formel.

ceremony ['seriməni] ceremoni; højtidelighed; formaliteter, omstændigheder; *stand on* ~ holde på formerne; *without* ~ uden videre.

ceriph ['serif] (typ.) serif.

cert. fk. f. *certificate, certified*; **T** *certainty; it's an absolute* (el. *a dead)* ~ det er bombesikkert.

certain ['sə·tn, 'sə·tin] vis, sikker *(of* på); bestemt; *a ~ John Brown* en vis John Brown; *I feel ~ that* jeg føler mig overbevist om at; *he is ~ to come* det er sikkert, at han kommer; *I cannot say for ~* jeg kan ikke sige det med sikkerhed; *make ~ of* forvisse sig om.

certainly (adv.) sikkert; ganske vist; det må du gerne, ja vel, ja vær så god; ~ *not* nej absolut ikke, nej naturligvis, vist ikke.

certainty ['sə·tnti] vished, bestemthed; sikkerhed; *for a ~, of a ~, to a ~* helt sikkert.

I. **certificate** [sə'tifikėt] (subst.) bevis, attest, certifikat; ~ *of baptism* (amr.) dåbsattest; *the General Certificate (of Education)* se *general; ~ of origin* oprindelsesattest.

II. **certificate** [sə'tifikeᶦt] (vb.) give attest (el. certifikat); *-d* eksamineret (som har eksamensbevis). **certification** [sə·tifi'keᶦʃən] attestering; attest.

certify ['sə·tifai] bevidne, bekræfte, attestere; give attest; erklære for sindssyg; *this is to ~* herved bevidnes; *certified copy* bekræftet afskrift; *I ~ this to be a true copy* afskriftens rigtighed bevidnes; *certified milk* dyrlægekontrolleret mælk; *certified public accountant* (amr.) statsautoriseret revisor.

certitude ['sə·titju·d] vished.

cerulean [si'ru·ljən] himmelblå; ~ *blue* ceruleanblå; cølinblåt.

ceruse ['siəru·s] (subst.) blyhvidt.

cervical ['sə·vikl] hals-; ~ *vertebra* halshvirvel.

cessation [se'seᶦʃən] ophør; standsning.

cession ['seʃən] afståelse.

cesspool ['sespu·l] slamkiste (i kloak); ~ *of iniquity* lastens hule.

cetaceans [si'teᶦʃənz] hvaler.

Ceylon [si'lån].

cf. fk. f. *confer* jævnfør, sammenlign.

c.f.i. fk. f. *cost, freight and insurance.*

C flat (i musik) ces.

cg. fk. f. *centigramme.*

C.G.M. fk. f. *Conspicuous Gallantry Medal* tapperhedsmedalje.

C.H. fk. f. *Companion of Honour* (medlem af ordenen: *the Companions of Honour).*

ch. fk. f. *chapter.*

cha-cha-cha ['tʃa·tʃa·'tʃa·] cha-cha-cha (en dans).

I. **chafe** [tʃeᶦf] gnide (for at varme); gnave (fx. *the collar -s the horse's neck); ⚓* skamfile; ophidse, irritere, blive utålmodig; blive øm af noget, der gnaver el. gnider.

II. **chafe** [tʃeᶦf] (subst.) gnidning; hidsighed, forbitrelse.

chafer ['tʃeᶦfə] (zo.) torbist; *garden ~* (zo.) haveoldenborre; *golden ~* rosentorbist.

chaff [tʃa·f] avner; hakkelse; drilleri, løjer; (vb.) drille *(about* med).

chaffer ['tʃäfə] tinge, købslå.

chaffinch ['tʃäfintʃ] (zo.) bogfinke.

chaffy (adj.) fuld af avner, værdiløs.

chafing-dish ['tʃeᶦfiŋdiʃ] fyrfad.

chagrin [ʃä'gri·n, 'ʃägrin] (subst.) ærgrelse; krænkelse; (vb.) ærgre, krænke.

chain [tʃeᶦn] (subst.) kæde, lænke; kætting; (vb.) lænke; spærre med lænker; ~ *of evidence* beviskæde. ~ **armour** ringbrynje. ~ **gang** hold sammenlænkede fanger. ~ **-letter** kædebrev. ~ **lightning** (amr.) siksaklyn. ~ **-mail** ringbrynje. ~ **reaction** kædereaktion. ~ **-smoker** kæderyger. ~ **-stitch** kædesting. ~ **-store** kædeforretning.

chair [tʃæə] stol; lærestol; professorat; dirigentstilling, formandspost, præsidentskab; dommersæde; forsæde; bærestol; præsident, dirigent; (vb.) bære i guldstol; *the ~* (ogs.) den elektriske stol; *get the ~* blive henrettet; *take the ~* være dirigent, overtage formandsposten; åbne mødet; *take a ~* tage plads, sætte sig; *-ed by X* med X som formand (, dirigent).

chairman ['tʃæəmən] formand, dirigent, ordstyrer. **chairmanship** ['tʃæəmənʃip] formandspost etc. **chairwoman** kvindelig formand etc.

chaise [ʃeᶦz] fir- el. tohjulet vogn; *pony ~* ponyvogn.

chalcedony [käl'sedəni] kalcedon (smykkesten).

chaldron ['tʃå·ldrən] (kulmål, ca. 13 hl).

chalet ['ʃäleᶦ] sæterhytte; svejtserhytte; 'hytte' (let træbygning til midlertidigt ophold); lille villa; offentligt toilet.

chalice ['tʃälis] bæger, kalk.

chalk [tʃå·k] (subst.) kridt; kridtmærke; (vb.) kridte; mærke med kridt; *you do not know ~ from cheese* du kan ikke se forskel på sort og hvidt; *by a long ~* langt, i høj grad (fx. *better by a long ~); not by a long ~* langtfra; ~ *up* score. **chalk|-pit** kridtbrud. ~ **-stone** forkalkninger (hos gigtpatienter), gigtknude.

chalky ['tʃå·ki] (adj.) kridtagtig, kridhvid.

challenge ['tʃälėn(d)ʒ] (vb.) udfordre; udæske; gøre indsigelse mod; drage i tvivl; ⚔ råbe an; (subst.) fejdebrev; udfordring; udæskning; indsigelse; anråben; ~ *attention* påkalde (sig) opmærksomhed; ~ *a juror* udskyde en nævning.

challenge cup vandrepokal.

chalybeate [kə'libiit] jernholdig.

chamade [ʃə'ma·d] (parlamentær)signal.

chamber ['tʃeᶦmbə] kammer (også i skydevåben); værelse, stue; mødesal; forværelse; rum, hulhed; (nat)potte; *-s* (ogs.) sagførerkontor, ungkarlelejlighed; *second ~* overhus, andetkammer.

chamber|lain ['tʃeᶦmbəlin] kammerherre. ~ **-maid** ['tʃeᶦmbəmeᶦd] (på hotel) stuepige. ~ **music** kammermusik. ~ **-pot** (nat)potte.

chameleon [kə'mi·ljən] (zo.) kamæleon.

chamfer ['ʃämfə] (subst.) (skrå)fas, skråkant; (vb.) affase; *-ed* (ogs.) tilspidset.

I. **chamois** ['ʃämwa·] (zo.) gemse.

II. **chamois** ['ʃämi]: ~ **(leather)** vaskeskind.

I. **champ** [tʃämp] (subst.) **S** champion, mester.

II. **champ** [tʃämp] (vb.) tygge, gumle, bide i; skære tænder.

champagne [ʃäm'peᶦn] champagne.

champaign ['tʃämpeᶦn] (subst.) slette.

champion ['tʃämpjən] (subst.) forkæmper, ridder; (i sport) champion, mester; (adj.) førsteklasses, storartet; (vb.) forsvare; forfægte. **championship** træden i skranken, forsvar *(of* for); mesterskab.

chance [tʃa·ns] (subst.) tilfælde; tilfældighed; mulighed; chance, lejlighed; risiko; udsigt *(of* til); udsigter; (adj.) tilfældig (fx. *a ~ meeting); (vb.)* hænde, træffe sig; risikere; ~ *bargain* lejlighedskøb; *by ~* tilfældig; ~ *custom* strøgkunder; *take -s* udsætte sig for risiko (fx. *I don't want to take -s); take one's ~* prøve lykken; ~ *it* tage risikoen (el. chancen), lade stå til; *I'll call him an old fool, and ~ it* jeg vil kalde ham en gammel nar og tage følgerne; *I -d to meet him* jeg mødte ham tilfældigt; ~ *upon* støde på.

chancel ['tʃa·nsəl] kor (del af kirke).

chancellery ['tʃa·nsələri] kancelli; kanslerværdighed; ambassadekontor.

chancellor ['tʃa·nsələ] kansler; (amr.) universitetsrektor; *the Chancellor of the Exchequer* finansminister; *the Lord (High) Chancellor* lordkansler (præsident i Overhuset og i kanslerretten).

chance-medley ['tʃa·nsmedli] (jur.) uforsætligt drab; drab i selvforsvar.

Chancery ['tʃa·nsəri] kanslerretten (afdeling af *the High Court of Justice); in chancery* i kanslerretten; (fig. om bokser, hvis hoved er under modstanderens arm) i klemme.

chancre [ˈʃāŋkə] (med.) chanker.
chancy [ˈtʃa·nsi] T tilfældig, vilkårlig; uberegnelig; usikker, risikabel.
chandelier [ʃändiˈliə] lysekrone.
chandler [ˈtʃa·ndlə] høker; (i sammensætninger:) -handler; *ships'* ~ skibsekviperingshandler, skibshandler.
I. **change** [tʃeⁱn(d)ʒ] (subst.) forandring, skifte(n), forvandling; afveksling; omveksling; omklædning; skiftetøj; småpenge; byttepenge; måneskifte; børs; *for a* ~ til en afveksling; *give* ~ *for* veksle, give tilbage på; *give no* ~ ikke røbe noget; *get no* ~ *out of sby.* ikke få noget ud af en, ikke komme nogen vegne med en; ~ *of life* (kvindens) overgangsalder; *a* ~ *of underwear* et (rent) sæt undertøj; *ring the -s on* tærske langhalm på, variere i det uendelige; *small* ~ småpenge, byttepenge; skillemønt; *take your* ~ *out of that!* giv mig igen på den! kan du stikke den! kom så igen!
II. **change** [tʃeⁱn(d)ʒ] (vb.) forandre, bytte, skifte; veksle; forvandle; forandre sig; klæde sig om; ~ *the beds* skifte sengelinned; ~ *hands* skifte ejer; ~ *step* træde om; ~ *for* ombytte med; ~ *round* bytte om.
III. **'Change** [tʃeⁱn(d)ʒ] børs; *on* ~ på børsen.
changeable [ˈtʃeⁱn(d)ʒəbl] foranderlig.
changeless [ˈtʃeⁱn(d)ʒlės] uforanderlig.
changeling [ˈtʃeⁱn(d)ʒliŋ] skifting.
change-over [ˈtʃeⁱn(d)ʒoᵘvə] (subst.) overgang (til andet system), omstilling; omslag; skifte (i stafetløb).
change-over switch (elekt.) omkobler, omskifter.
changing room omklædningsværelse.
I. **channel** [ˈtʃänəl] (subst.) (naturlig) kanal; rende; (fig.) kanal, vej; *the Channel* Kanalen (mellem England og Frankrig); *-s* ⚓ røst.
II. **channel** (vb.) rifle, kannelere, danne rende i.
chant [tʃa·nt] (vb.) synge; messe; besynge; (subst.) sang; salmemelodi; kirkesang; messen.
chanterelle [tʃäntəˈrel] ♧ kantarel.
chantey [ˈtʃa·nti; ˈ(t)ʃänti] ⚓ opsang.
chanticleer [tʃäntiˈkliə] (zo.) hane.
chantry [ˈtʃa·ntri] kapel til sjælemesse.
chaos [ˈkeⁱås] kaos. **chaotic** [keⁱˈåtik] kaotisk.
I. **chap** [tʃäp] (subst. og vb.) sprække, revne.
II. **chap** [tʃäp] (subst.) kæbe; *Bath* ~ halvt (saltet) svinehoved; se også *chops.*
III. **chap** [tʃäp] T fyr, ka'l.
chapbook [ˈtʃäpbuk] folkebog; skillingstryk.
chapel [ˈtʃäpəl] dissenterkirke (fx. metodist- el. baptistkirke); mindre kirke, kirke knyttet til en institution, fx. slotskirke; kapel; gudstjeneste (i *chapel); ~ of ease* annekskirke.
chaperon [ˈʃäpəroᵘn] chaperone, anstandsdame, ledsagerinde; (vb.) ledsage (som anstandsdame).
chap-fallen [ˈtʃäpfå·l(ə)n] lang i ansigtet.
chaplain [ˈtʃäplin] præst (ved en institution); feltpræst, skibspræst, fængselspræst.
chaplet [ˈtʃäplit] (subst.) krans (om hovedet); rosenkrans; perlekrans; (vb.) smykke med en krans.
chapman [ˈtʃäpmən] bissekræmmer.
chapped [tʃäpt] sprukken.
chappy [ˈtʃäpi] (= III. *chap)* fyr.
chaps [tʃäps] (amr.) (cowboys) læderbukser; se også *chops.*
chapter [ˈtʃäptə] kapitel; domkapitel, ordenskapitel; *give* ~ *and verse* give nøjagtig kildehenvisning, give dokumentation.
chapter-house kapitelhus.
I. **char** [tʃa·] (zo.) fjeldørred.
II. **char** [tʃa·] (vb.) forkulle.
III. **char** [tʃa·] (vb.) (gå ud og) gøre rent (for folk); (subst.) rengøringskone.
IV. **char** [tʃa·] (subst.) S te.
char-a-banc [ˈʃärəbāŋ] turistbil.
character [ˈkärėktə] skrifttegn, bogstav; alfabet; ejendommelighed, egenskab, natur, art, beskaffenhed, præg; karakter; fasthed, viljestyrke; personlighed; person, figur; rolle; ry; rygte; vidnesbyrd, skudsmål; T original; *acquired -s* erhvervede egenskaber; *gain the* ~ *of a miser* få ord for at være en gnier; *in* ~ i rollen, i stilen; *in the* ~ *of a friend* i egenskab af ven; *good judge of* ~ menneskekender; *act out of* ~ falde ud af rollen; ~ *actor* karakterskuespiller; *list of -s* personliste; *with a* ~ *of its own* særpræget; *a public* ~ en offentlig personlighed.
characteristic [kärėktəˈristik] (adj.) karakteristisk betegnende *(of* for); (subst.) ejendommelighed, særpræg, kendetegn; (i fysik) karakteristik. **characterize** [ˈkärėktəraiz] (vb.) karakterisere, kendetegne; betegne; præge.
character part karakterrolle.
charade [ʃəˈra·d] karade, stavelsesgåde; ordsprogsleg; *do -s* lege ordsprogsleg.
charcoal [ˈtʃa·koᵘl] trækul.
chard [tʃa·d]: *Swiss* ~ ♧ sølvbede.
chare [tʃæə] = III. **char.**
I. **charge** [tʃa·dʒ] (vb.) bebyrde, belæsse; pålægge, formane; forlange (som betaling), beregne, tage (betaling); debitere; lade (fx. *a revolver);* oplade (fx. *a battery)*; anklage, sigte, beskylde *(with* for); angribe, storme, storme løs på; fylde (et glas); ~ *the jury* give retsbelæring til nævningerne; ~ *the goods to him* skrive varerne på hans konto, debitere ham for varerne; ~ *sby. with sth.* overdrage (el. betro) en noget; beskylde (el. sigte, anklage) en for noget.
II. **charge** [tʃa·dʒ] (subst.) ladning; opladning; pålæg, formaning, retsbelæring, hyrdebrev; befaling; omsorg, varetægt, ansvarligt opsyn, ansvarlig ledelse; omkostning(er); betaling, pris, gebyr; betroet gods, person(er) i ens varetægt, plejebarn; protegé; beskyldning, anklage; angreb; våbenmærke; *the* ~ *was* anklagen lød på; *-s forward* omkostninger på efterkrav; *make a* ~ angribe; *make a* ~ *of 10 s.* forlange (en betaling) af 10 sh.; *make the* ~ *that* fremsætte den beskyldning at; *what's your* ~*?* hvad er Deres pris? *sound the* ~ blæse til angreb; *at his* ~ på hans bekostning; *be in* ~ have kommandoen; *in* ~ *of* under bevogtning (el. opsyn, ledelse) af (fx. *children in* ~ *of a nurse);* som har opsyn med (fx. *a nurse in* ~ *of children); give sby. in* ~ overgive en til politiet, lade en anholde; *take* ~ *of* overtage (ledelsen af), påtage sig at passe på; tage sig af (fx. *take* ~ *of the keys); free of* ~ gratis; *on the* ~ *of murder* sigtet (el. anklaget) for mord; *return to the* ~ forny angrebet; (fig.) komme igen, vende frygtelig tilbage; *without* ~ gratis.
chargeable [ˈtʃa·dʒəbl] som kan pålægges; som skal betales *(upon* af); som kan anklages.
charge account (amr.) (kunde)konto.
chargé d'affaires [ˈʃa·ʒeⁱdäˈfæə] chargé d'affaires.
charge-hand formand, værkfører.
charger [ˈtʃa·dʒə] (subst.) stridshest; fad; *demand his head on a* ~ forlange hans hoved på et fad.
charge-sheet liste over politisager.
charily [ˈtʃæərili] forsigtigt; sparsomt, karrigt.
chariness [ˈtʃæərinės] forsigtighed; sparsommelighed; karrighed.
Charing Cross [ˈtʃäriŋ ˈkrås].
chariot [ˈtʃäriət] stridsvogn; let herskabsvogn.
charitable [ˈtʃäritəbl] godgørende; barmhjertig; velvillig; velgørenheds- (fx. ~ *bazaar); ~ institution* velgørende institution.
charity [ˈtʃäriti] (næste)kærlighed; godgørenhed; kærlighedsgerning; medlidenhed; godhed; almisse; velgørende institution; ~ *begins at home* man må først og fremmest sørge for sine egne (el. sine nærmeste), (omtr. =) hvad du evner kast af i de nærmeste krav. **charity school** fattigskole.
charivari [ˈʃa·riˈva·ri] kattemusik, spektakel.
charlady [ˈtʃa·leⁱdi] rengøringsdame.
charlatan [ˈʃa·lətən] charlatan, fidusmager.
Charlemagne [ˈʃa·ləˈmeⁱn] Karl den Store.
Charles [tʃa·lz]: *-'s Wain* [ˈtʃa·lziz ˈweⁱn] Karlsvognen. **Charley, Charlie** [ˈtʃa·li] (form af *Charles*); S fjols.
charlock [ˈtʃa·låk] ♧ agersennep.

I. **Charlotte** ['ʃa·lət].
II. **charlotte** ['ʃa·lət]: *apple* ~ (omtr. =) æblekage.
charm [tʃa·m] (subst.) tryllemiddel, trylleformular; amulet, (på armbånd) charm; trylleri; yndighed, elskværdighed, charme; (vb.) fortrylle, henrive, henrykke; trylle. **charmed** fortryllet; *I shall be* ~ *to* det skal være mig en stor glæde at; *he bears a* ~ *life* han er usårlig. **charmer** fortryllende person, charmetrold. **charming** charmerende, henrivende, yndig, elskværdig.
charnel-house ['tʃa·nəl haus] lighus; benhus.
Charon ['kæərən] Charon.
chart [tʃa·t] søkort; kort; kurve (fx. *temperature* ~*)*; grafisk fremstilling; (vb.) kortlægge.
charta: *Magna Charta* ['mägnə'ka·tə] 'det store frihedsbrev'.
charter ['tʃa·tə] (subst.) dokument; frihedsbrev, privilegium; kontrakt; befragtning; (vb.) privilegere; befragte; **T** hyre (fx. en bil); chartre (fx. *an aeroplane); the Great Charter* 'det store frihedsbrev' (Magna Charta); *the Atlantic Charter* Atlanterhavsdeklarationen.
chartered accountant statsautoriseret revisor.
charterer befragter.
charter|-flight charterflyvning. ~ **-party** befragtningskontrakt, certeparti.
chart-house ['tʃa·thaus] ⚓ bestiklukaf.
chartism ['tʃa·tizm] chartisme (engelsk radikal bevægelse efter reformloven 1832).
chartist ['tʃa·tist] chartist.
charwoman ['tʃa·wumən] rengøringskone.
chary ['tʃæəri] forsigtig; sparsom, karrig *(of* med).
I. **chase** [tʃeⁱs] (vb.) jage, forfølge, fordrive; fare; (subst.) jagt; forfølgelse; jagtdistrikt; jagtret; jaget vildt, jaget skib, bytte; *give* ~ optage forfølgelsen.
II. **chase** [tʃeⁱs] (vb.) drive, ciselere, punsle; skære gevind.
chaser ['tʃeⁱsə] jager (flyvemaskine); gevindstål; **T** drik til at skylle efter med.
chasm [käzm] kløft, afgrund, svælg.
chassis ['ʃäsis] (pl. *chassis* [-iz] el. *chassises* [-isiz]) chassis, understel til bil.
chaste [tʃeⁱst] kysk; ren; enkel.
chasten ['tʃeⁱsn] tugte, revse; lægge en dæmper på; rense, lutre, forædle.
chastise [tʃäs'taiz] tugte, revse. **chastisement** ['tʃästizmənt] tugtelse.
chastity ['tʃästiti] kyskhed; renhed; enkelhed.
chasuble ['tʃäzjubl] messehagel.
chat [tʃät] (subst.) passiar; causeri; (vb.) passiare; slå en sludder af; *pied* ~ (zo.) nonnedigesmutte.
chatelaine ['ʃätəleⁱn] borgfrue.
chattel ['tʃätl] (jur.) formuegenstand; *-s* løsøre.
chatter ['tʃätə] (vb.) pjatte; plapre; pludre; klapre; (subst.) pjatten; plapren; pludren; klapren.
chatterbox ['tʃätəbåks] sludrechatol.
chatty ['tʃäti] snaksom.
Chaucer ['tʃå·sə].
chauffeur ['ʃoᵘfə] (subst.) (især privat ansat) chauffør; (vb.) være chauffør (for).
chauvinism ['ʃoᵘvinizm] chauvinisme.
chaw [tʃå·] tygge; gumle; mase, knuse.
cheap [tʃi·p] billig; tarvelig; godtkøbs-; *he felt* ~ han følte sig flov, han skammede sig; *hold* ~ agte ringe; *make oneself (too)* ~ udsætte sig for foragt; *on the* ~ billigt.
cheapen ['tʃi·pn] nedsætte prisen på.
cheapjack bissekræmmer.
cheapskate fedtsyl.
cheat [tʃi·t] (subst.) snyderi, bedrageri; snyder, bedrager; (vb.) bedrage, snyde *(at* i), narre; fordrive (fx. tiden); ~ *sby. (out) of sth.* franarre en noget.
cheater ['tʃi·tə] bedrager.
check [tʃek] (subst.) hindring, standsning; kontrol; mærke; garantiseddel; garderobenummer; pladsbillet; regning, bon; ternet mønster, ternet stof; (amr.) check; (vb.) hindre, standse, bremse; kontrollere, checke, afkrydse, afmærke; byde skak; irettesætte; (amr.) aflevere i garderoben; sende (, indskrive) som rejsegods; ~! skak (skakspillers advarsel til modstanderen); *hand in one's -s* **S** opgive ånden; *be in* ~ stå skak; *keep him in* ~ holde ham i skak; ~ *in* (ogs.) begynde at arbejde; (amr.) indskrive sig (på hotel); ~ *off* afkrydse; ~ *out* (amr.) betale og rejse (fra hotel); afkontrollere; ~ *up (on)* undersøge, afkontrollere; ~ *up an account* stemme et regnskab af; ~ *(out) with* (amr.) passe (el. stemme) med.
I. **checker** ['tʃekə] kontrollør.
II. **checker** ['tʃekə] (subst.) ternet mønster; (vb.) gøre ternet; gøre afvekslende; *-ed* se *chequered.*
checkers ['tʃekəz] (amr.) damspil.
check girl (amr.) garderobedame.
checkmate ['tʃek'meⁱt] (subst.) mat (i skak), nederlag; (vb.) gøre skakmat, tilføje nederlag.
check|-out (subst.) betaling af hotelregning; kasse (i selvbetjeningsforretning). **-point** kontrolsted.
checkroom (amr.) garderobe.
check-up (subst.) kontrol, efterprøvning; (læge-) undersøgelse.
Cheddar ['tʃedə]: ~ *cheese* cheddarost.
chee-chee ['tʃi·'tʃi·] halvblods.
cheek [tʃi·k] (subst.) kind; **S** frækhed, uforskammethed; (vb.) være fræk over for; ~ *to* ~ kind mod kind; ~ *by jowl* tæt op ad hinanden.
cheek-pouch kæbepose.
cheeky ['tʃi·ki] fræk, næbbet.
cheep [tʃi·p] (vb.) pibe, pippe.
cheer [tʃiə] (subst.) bifaldsråb, hurra; sindsstemning, humør; munterhed; mad og drikke (fx. *good* ~*)*; opmuntring; (vb.) opmuntre; råbe hurra (for); ~ *on* opmuntre, tilskynde ved tilråb, heppe op; ~ *up* fatte mod; opmuntre; heppe op; ~ *up!* op med humøret! **cheerful** ['tʃiəful] glad, munter, fornøjet; lys, venlig. **cheering** hurraråb.
cheerio ['tʃiərioᵘ] skål; farvel (med dig).
cheer-leader (amr.) en som er anfører i bifaldet (ved sportskampe etc.); hepper.
cheerless (adj.) trist, uhyggelig.
cheers! skål! **cheery** ['tʃiəri] munter.
cheese [tʃi·z] ost; ~ *it* **S** hold op! hold mund! stik af!
cheese|-cake pin-up billede. **-cloth** ostelærred.
cheesed (-off) **S** utilfreds, gal i hovedet.
cheese|-monger [-mʌŋgə] ostehandler. ~ **-paring** (subst.) osteskorpe; gerrighed, karrighed; (adj.) gerrig. ~ **-straw** ostestang; ostepind.
cheetah ['tʃi·tə] (zo.) gepard.
chef [ʃef] køkkenchef.
Chelsea ['tʃelsi] Chelsea (del af London).
chemical ['kemikl] (adj.) kemisk; (subst.) kemikalie.
chemise [ʃi'mi·z] chemise, særk.
chemisette [ʃemi'zet] chemisette, underliv.
chemist ['kemist] kemiker, apoteker; *chemist's shop* apotek.
chemistry ['kemistri] kemi.
cheque [tʃek] check, anvisning; *cash a* ~ hæve en check; *crossed* ~ krydset check; ~ *to bearer* ihændehavercheck.
cheque-book checkhæfte.
chequer ['tʃekə] (vb.) gøre ternet; gøre afvekslende; (subst.) ternet mønster; *-ed* ternet, (fig.) broget, afvekslende; *a -ed career* en omtumlet tilværelse.
cherish ['tʃeriʃ] værne om, drage omsorg for, bære på hænderne, opelske; skatte højt; nære (fx. *hopes, hatred).*
cheroot [ʃə'ru·t] cerut.
cherry ['tʃeri] kirsebær; kirsebærtræ; kirsebærrød; ~ *brandy* cherry brandy, kirsebærlikør.
cherub ['tʃerəb] (pl. *cherubs, cherubim* ['tʃerəbim]) kerub, engel, basunengel; englebarn.
chervil ['tʃə·vil] ♧ hulsvøb, kørvel.
Cheshire ['tʃeʃə]: *grin like a* ~ *cat* (omtrent =) grine som en flækket træsko.

chess [tʃes] skak; broplanke i pontonbro; *a game of ~* et parti skak. **chess|-board** skakbræt. **~ -man** skakbrik. **~ -player** skakspiller.
chest [tʃest] kiste; kasse; bryst(kasse); *get it off one's ~* lette sit hjerte; *~ of drawers* kommode, dragkiste.
chesterfield ['tʃestəfi·ld] chesterfieldsofa; en lang overfrakke.
chestfoundered ['tʃestfaundəd] (adj.) (omtr.) bovlam. **chestfoundering** ['tʃestfaundəriŋ] (subst.) (omtrent) bovlamhed.
chest-note ['tʃestnoᵘt] brysttone.
chestnut ['tʃesnʌt] kastanie, kastanietræ; kastaniebrun (farve); kastaniebrun hest, fuks; gammel vittighed; *horse ~* hestekastanie; *Spanish ~, sweet ~* ægte kastanie; *pull the -s out of the fire for sby.* rage kastanierne ud af ilden for en.
cheval-de-frise [ʃə'väldə'fri·z] ⚔ spansk rytter (pigtrådskors).
cheval-glass [ʃə'välgla·s] toiletspejl, drejespejl.
cheviot ['ʃeviət] (subst.) cheviot.
chevron ['ʃevrən] sparre, ⚔ vinkel.
chevrotain ['ʃevrəteⁱn] (zo.) dværghjort.
chevy ['tʃevi] jage, genne, jage med.
chew [tʃu·] tygge; skrå; (fig.) tygge på; *~ the cud* tygge drøv; *bite off more than one can ~* tage munden for fuld, slå større brød op end man kan bage.
chewing-gum ['tʃu·iŋgʌm] tyggegummi.
chiaroscuro [kja·ro'sku·ro] clair-obscur.
chic [ʃi·k] (adj.) chik, fiks; (subst.) chik.
Chicago [ʃi'ka·goᵘ, amr. ogs.: ʃi'kå·goᵘ].
chicane [ʃi'keⁱn] (subst.) kneb; sofisteri, lovtrækkeri; (i kortspil) chikane; (vb.) bruge kneb.
chicanery [ʃi'keⁱnəri] = *chicane* (subst.).
chick [tʃik] kylling; rolling; **S** pigebarn.
chicken ['tʃikin] kylling; høne; **S** tøsedreng, bangebuks; *feed the -s* give hønsene; *count one's -s before they are hatched* sælge skindet, før bjørnen er skudt; *Mother Carey's ~* (zo.) lille stormsvale; *she's no (spring) ~* hun er ikke nogen årsunge.
chicken|-feed kyllingefoder; **S** ubetydelighed, småpenge. **~ -hearted** (adj.) modløs, forsagt. **~ -pox** skoldkopper. **~ -run** hønsegård.
chickling ['tʃikliŋ] lille kylling.
chickweed ♧ fuglegræs; hønsetarm; skovstjerne.
chicory ['tʃikəri] cikorie.
chide [tʃaid] *(chid, chid(den))* irettesætte, skænde (på).
chief [tʃi·f] (adj.) først, fornemst, vigtigst, højest, øverst; hoved-, over-; (subst.) høvding, anfører, overhoved, leder, chef; *Lord Chief Justice* retspræsident i *Queen's Bench Division; in ~* øverst, første-; først og fremmest; *his ~ competitor* hans nærmeste konkurrent; *Chief Scout* spejderchef.
chiefly ['tʃi·fli] først og fremmest, hovedsagelig.
chieftain ['tʃi·ftən] høvding.
chiffchaff ['tʃiftʃäf] (zo.) gransanger.
chigger ['tʃigə] (zo.) augustmide; se ogs. *chigoe.*
chignon ['ʃi·njå·ŋ] nakkeknude, opsat nakkehår
chigoe ['tʃigoᵘ] (zo.) sandloppe; se ogs. *chigger.*
chilblain ['tʃilbleⁱn] frostknude, frost (i fingrene, tæerne etc.).
child [tʃaild] (pl. *children)* barn; *this ~* jeg, mig, 'far her' (fx. *not this child); with ~* frugtsommelig.
child|bed ['tʃaildbed] barselseng. **-birth** fødsel.
childe [tʃaild] (poet.) junker.
Childermas ['tʃildəmäs] (d. 28. december).
childhood ['tʃaildhud] barndom; *be in one's second ~* gå i barndom.
childish ['tʃaildiʃ] barnlig; barnagtig.
childless ['tʃaildlės] barnløs.
childlike ['tʃaildlaik] barnlig.
children ['tʃildrən] børn; *-s day* børnehjælpsdag; *-'s disease* børnesygdom.
child's play (fig.) børneleg, legeværk.
child welfare børneforsorg. **child welfare centre** børneplejestation.

Chile ['tʃili] Chile; *~ saltpetre* chilesalpeter
Chilean ['tʃiliən] chilener; chilensk.
chill [tʃil] (adj.) kold; kølig; nedslående; (subst.) kulde; kølighed; kuldegysen; forkølelse; nedslående indflydelse; (vb.) gøre kold, få til at fryse; nedslå, nedstemme; afkøle; hærde; blive kold; *take the ~ off* kuldslå, temperere; *cast (el. throw) a ~ over* (el. *upon)* nedstemme. **chill casting** kokilstøbning.
chilli ['tʃili]: *~ pepper* cayennepeber.
chilliness ['tʃilinės] kulde.
chilly ['tʃili] kølig, kold.
Chiltern Hundreds ['tʃiltən 'hʌndrədz] (et engelsk kronland i Buckinghamshire, hvis styrelse formelt som embede overdrages til et parlamentsmedlem, som vil nedlægge sit mandat); *accept* (el. *apply for) the ~* opgive sit sæde i underhuset.
chime [tʃaim] (subst.) klokkespil; klang; harmoni; (vb.) stemme sammen; harmonere *(with* med); ringe (som et klokkespil); ringe med (klokkespil); *-s* klokkespil; *in ~* i harmoni; *~ in* falde ind (i en samtale); give sin tilslutning; stemme i med; *~ in with* stemme med, harmonere med (fx. *his plans ~ in with mine).*
chimera [kai'miərə, ki'miərə] kimære, hjernespind.
chimerical [kai'merikəl] (adj.) kimærisk, indbildt, fantastisk.
chimney ['tʃimni] skorsten; lampeglas; krater, klipperevne. **-piece** kamingesims, kaminhylde. **-pot** skorstenspibe; skorstensrør; **T** høj hat. **~ -stack** gruppe af skorstenspiber; fabriksskorsten. **-sweep, -sweeper** skorstensfejer.
chimpanzee [tʃimpän'zi·] chimpanse.
chin [tʃin] (subst.) hage; (vb., amr. **S**) snakke, småpludre; *keep your ~ up* op med humøret!
I. **China** ['tʃainə] Kina.
II. **china** ['tʃainə] porcelæn; **S** makker.
China|-clay kaolin. **~ eye** porcelænsøje. **~ ink** tusch. **~ -man** ['tʃainəmən] kineser. **-town** kineserkvarter.
chinch [tʃintʃ] (zo.) væggelus.
chinchilla [tʃin'tʃilə] (zo.) chinchilla; haremus.
chin-chin ['tʃintʃin] **S** davs! farvel! skål!
chin-deep ['tʃin'di·p] til hagen (i vand etc.); *be in ~* (ogs.) være ved at drukne i arbejde.
chine [tʃain] rygben (på dyr); kam.
Chinee [tʃai'ni·] **S** kineser.
Chinese ['tʃai'ni·z] (pl. *Chinese)* kineser; kinesisk; *~ lantern* kinesisk lygte; *~ white* zinkhvidt.
I. **chink** [tʃiŋk] (subst.) sprække.
II. **chink** [tʃiŋk] (vb.) klirre; klirre med; (subst.) klirren; penge. III. **Chink** [tʃiŋk] **S** kineser.
chin|-music (amr.) snak, sludder. **~ strap** hagerem.
chintz [tʃints] sirts.
chin-wag ['tʃinwäg] (amr.) passiar; passiare.
chip [tʃip] (vb.) snitte, hugge; afhugge, slå en flis af; skåre; skalle af; gå i stykker, være skør; **S** drille *(about* med); (subst.) spån; flis; splint; jeton; *~ in* blande sig i det, skride ind; *have a ~ on one's shoulder* altid være parat til slagsmål; være krigerisk; *he is a ~ of the old block* han er faderen op ad dage; *-ped potatoes, -s* pommes frites; *when the -s are down* når det kommer til stykket.
chip basket spånkurv.
chipmunk (zo.) (lille amr.) jordegern.
Chippendale ['tʃipəndeⁱl] (en møbelstil).
chipper ['tʃipə] kvidre; (amr. **T**) glad, munter; *~ up* (amr. **T**) kvikke op.
chippy ['tʃipi] (adj.) hakket, skåret; utilpas, med tømmermænd; (amr. **S**) (gade)pige.
chiro|mancer ['kairomänsə] kiromant. **-mancy** [-si] kiromanti, kunsten at spå i hånden. **-podist** [ki'råpədist] fodplejer. **-practic** [kaiərə'präktik] kiropraktik. **-practor** [-'präktə] kiropraktor.
chirp [tʃə·p] (vb.) kvidre, pippe; (subst.) pip.
chirpy ['tʃə·pi] (adj.) munter, livlig.

chirrup ['tʃirəp] (vb.) kvidre; sige hyp til en hest; (subst.) kvidren; hyp.
chisel ['tʃizl] (subst.) mejsel; (vb.) mejsle; snyde; *-led features* mejslede træk.
chit [tʃit] barn, unge (hånligt); spire; brev, billet, seddel, note; kvittering, fx. for mad el. drikkevarer nydt på kredit; *a ~ of a girl* en stump pigebarn.
chit-chat ['tʃit-tʃät] småpassiar.
chitin ['kaitin] (biol.) kitin.
chiton ['kaitån] (zo.) skallus.
chitterlings ['tʃitəliŋz] (omtrent =) finker.
chivalrous ['ʃivəlrəs] (adj.) ridderlig.
chivalry ['ʃivəlri] (subst.) ridderskab; ridderværdighed; ridderlighed.
chive [tʃaiv] ♧ purløg.
chiv(v)y ['tʃivi] (vb.) jage, genne; jage med.
chloasma [klo'äzmə] (subst., med.) leverpletter.
choral ['klå·rəl] (subst.) kloral. **chloric** ['klå·rik] (adj.) klor-. **chlorine** ['klå·ri·n] (subst.) klor. **chloroform** ['klå·rəfå·m] kloroform; kloroformere. **chlorophyll** ['klå·rəfil] (subst.) bladgrønt, klorofyl.
chlorosis [klå'ro^u^sis] blegsot.
choc [tʃåk]: *~ ice* is med chokoladeovertræk.
chock [tʃåk] bremseklods, kile, klampe; (vb.) klodse op, fastkile. **chock-a-block** (adj.) ⚓ klos for; (fig.) tæt pakket, helt fuld. **chock-full** ['tʃåk'ful] propfuld.
chocolate ['tʃåk(ə)lit] chokolade; (adj.) chokolade-; chokoladebrun.
choice [tʃois] (subst.) valg; udvalg; elite, bedste del, kerne; (adj.) udsøgt; kræsen; *for ~* fordi jeg helst vil (fx. *I do not live here for choice); hvis jeg har (, havde) frit valg; helst; *Hobson's ~*, se *Hobson; I have no ~ in the matter* jeg har intet valg; *take* (el. *make) one's ~* træffe sit valg, vælge.
choir ['kwaiə] sangkor; kor (i kirke).
choirmaster korleder.
choke [tʃo^u^k] kvæle; stoppe; være ved at kvæles; (subst.) choker (i bil); *~ down* undertrykke, bide i sig; *~ sby. off* lukke munden på en, bide en af; *~ sby. off from doing sth.* få en fra at gøre noget; *~ up* stoppe; overfylde, fylde op; kvæle. **choke coil** dæmpespole.
chokedamp ['tʃo^u^kdämp] grubegas. **choker** ['tʃo^u^kə] stort halstørklæde; fadermorder (flip).
chok(e)y ['tʃo^u^ki] **S** fængsel; *in ~* i spjældet.
cholecystitis [kåləsi'staitis] (med.) galdeblærebetændelse.
choler ['kålə] galde; vrede. **cholera** ['kålərə] kolera; *(European) ~, summer ~* kolerine. **choleric** ['kålərik] hidsig, kolerisk.
cholesterol [kə'lestərəl] (med.) kolesterol.
chondroma [kån'dro^u^mə] (med.) bruskvulst.
choose [tʃu·z] *(chose, chosen)* vælge, udvælge, udkåre; vælge til; foretrække; have lyst, lyste, behage, finde for godt; *I cannot ~ but* jeg kan ikke andet end; *there is not much to ~ between them* de er to alen af et stykke; de har ikke noget at lade hinanden høre.
choos(e)y ['tʃu·zi] kræsen.
chop [tʃåp] (se ogs. II. *chap* og *chops)* (vb.) hugge; hakke; (subst.) hug, afhugget stykke; kotelet; (i Indien, Kina) stempel; (vare)mærke; kvalitet; *~ logic* disputere på en overspidsfindig måde; give sig af med ordkløveri; *~ words* skændes; *first ~* **S** første klasses; *~ about, ~ round* pludselig vende sig (om vinden); *~ and change* være ustadig, have syv sind over et dørtrin; *~ down* hugge om, fælde; *~ up* hugge i stykker.
chophouse ['tʃåphaus] værtshus, (billig) restaurant.
chopper ['tʃåpə] -hugger (fx. *wood ~);* flækkekniv.
chopping-board hakkebræt.
choppy ['tʃåpi] krap (om havet); skiftende (om vind).
chops [tʃåps] mund, kæft; *lick one's ~* slikke sig om munden; *the Chops of the Channel* kanalgabet (mod Atlanterhavet).
chopstick ['tʃåpstik] (kinesisk) spisepind; *-s* (musikstykke) prinsesse toben.
choral ['kå·rəl] kor-.
chorale [kå·'ra·l] koral, salmemelodi.
chord [kå·d] streng; (i geometri) korde; (i musik) akkord; *spinal ~* rygmarv; *vocal ~* stemmebånd.
chore [tʃå·] (amr.) stykke (husligt) arbejde; udføre husligt arbejde.
chorea [kå'ri·ə] sankt veitsdans.
choreography [kåri'ågrəfi] koreografi.
choriamb ['kåriäm(b)] korjambe.
chorion ['kå·riån] fosterhinde.
chorister ['kåristə] korsanger (især dreng).
choroid ['kå·roid] (anat.) årehinde.
chortle ['tʃå·tl] (vb.) le (især drilagtigt el. triumferende); (subst.) latter.
chorus ['kå·rəs] (subst.) kor; korværk; omkvæd; (vb.) synge el. råbe i kor.
I. **chose** [ʃo^u^z] (subst.) retsobjekt, formuegenstand.
II. **chose** [tʃo^u^z] imperf. af *choose.*
chosen [tʃo^u^zn] perf. part. af *choose; the ~ few* de få udvalgte.
chough [tʃʌf] (zo.) alpekrage.
chow [tʃau] **S** mad.
chrism [krizm] den hellige olie.
Christ [kraist] Kristus.
Christabel ['kristəbel].
christen ['krisn] døbe.
Christendom ['krisndəm] kristenheden.
christening ['krisniŋ] dåb.
Christian ['kristjən] kristen, kristelig, **T** ordentlig (fx. *I have not had a decent ~ meal).*
Christianity [kristi'äniti] kristendom.
Christianize ['kristjənaiz] gøre til kristen, kristne.
Christian name døbenavn, fornavn.
Christmas ['krisməs] jul; *a merry ~* glædelig jul. *~* **-box** julegave (især pengegave t. tjenestefolk etc.). *~* **card** julekort. *~* **carol** julesang. *~* **Day** første juledag. *~* **Eve** [-i·v] juleaften. *~* **greeting** julehilsen. *~* **present** julegave. *~* **rose** julerose. *~* **seal** julemærke. *~* **-tide,** *~* **-time** juletid. *~* **tree** juletræ.
Christopher ['kristəfə].
Christy ['kristi]: *~ Minstrels* varietésangere, der optræder som negre.
chromate ['kro^u^meit] kromsurt salt.
chromatic [kro'mätik] kromatisk; *~ scale* kromatisk skala.
chrome [kro^u^m] krom. **chromic** ['kro^u^mik]: *~ acid* kromsyre.
chromium ['kro^u^miəm] krom. *~* **-plated** forkromet. *~* **salt** kromsalt.
chromosome ['kro^u^məso^u^m] kromosom.
Chron. fk. f. *Chronicles.*
chronic ['krånik] kronisk, langvarig; **S** kedelig, infam.
chronicle ['krånikl] (subst.) krønike, årbog; (vb.) nedskrive, optegne; *the Chronicles* Krønikernes bog (i bibelen).
chronicler ['krånikla] krønikeskriver.
chronological [krånə'lådʒikl] kronologisk. **chronology** [krə'nålədʒi] kronologi, tidsberegning.
chronometer [krə'nåmitə] kronometer.
chrysalis ['krisəlis] (pl. *chrysaleses* ['krisəlisiz], *chrysalides* [kri'sälidi·z]) puppe.
chrysanthemum [kri'sänþəməm] krysanthemum.
chub [tʃʌb] (zo.) døbel.
chubby ['tʃʌbi] (adj.) buttet, tyk, rund.
chuck [tʃʌk] (vb.) (lokke ved at) klukke; sige hyp; smide, kaste; smide væk, kassere; holde op med; (subst.) patron (på drejebænk); kluk; klap; kast; *~ it!* hold op med det! *~ away* bortødsle; *~ out* smide ud, **T** forkaste; *~ sby. under the chin* dikke en under hagen; *~ up* opgive; *~ up the sponge* give sig, erklære sig overvunden; *give the ~* **T** afskedige, jage bort, bryde med; *~, ~!* pylle, pylle!
chucker-out ['tʃʌkər'aut] udsmider.
chuck-farthing ['tʃʌk'fa·ðiŋ] (subst.) klink.

chuckle ['tʃʌkl] (vb.) småle, le indvendig; gotte sig (*at* over); (subst.) kluklatter, indvendig latter.
chucklehead ['tʃʌkl'hed] dumrian.
chuff [tʃʌf] (om lokomotiv) pruste, prusten.
chug [tʃʌg], **chug-chug** knald; dunke, tøffe.
chum [tʃʌm] (subst.) ven, kammerat, kontubernal, slof; (vb.) dele værelse; ~ *together* bo sammen; ~ *up with* blive ven med.
chummy ['tʃʌmi] kammeratlig, fortrolig.
chump [tʃʌmp] træklods, klump; **T** tykhovedet person; **S** hoved; ~ *end* den tykke ende; *off one's* ~ skør, tosset.
chunk [tʃʌŋk] humpel, tyk skive, luns.
chunky ['tʃʌŋki] firskåren, tyk.
chunter ['tʃʌntə] (vb.) mumle, brokke sig; rumle.
church [tʃə·tʃ] kirke; gudstjeneste (fx. *what time does* ~ *begin); be at* ~ være i kirke; *go to* ~ gå i kirke; *enter* (el. *go into) the Church* blive præst.
church|-door kirkedør. ~ **-goer** kirkegænger. **-ing** (barselkones første) kirkegang. **-man** tilhænger af statskirken. ~ **mouse**: *as poor as a* ~ *mouse* så fattig som en kirkerotte. **-rate** kirkeskat. ~ **register** kirkebog. ~ **-service** gudstjeneste.
church|warden ['tʃə·tʃ'wå·dn] kirkeværge; lang kridtpibe. **-woman** (kvindeligt) medlem af statskirken. **churchy** ['tʃə·tʃi] **T** kirkelig; (nedsættende) hellig.
churchyard ['tʃə·tʃ'ja·d] kirkeplads, kirkegård.
churl [tʃə·l] tølper; bondekarl.
churlish ['tʃə·liʃ] ubehøvlet, tølperagtig.
churn [tʃə·n] kerne (subst. og vb.); mælkejunge; ryste(s), hvirvle(s), male.
chute [ʃu·t] nedløbskanal, nedløbsrør; slisk; rutschebane; nedstyrtningsskakt; faldskærm.
chyle [kail] chylus, vævsvæske.
C.I. fk. f. *Channel Islands.*
ciborium [si'bå·riəm] ciborium, hostiegemme.
cicada [si'keⁱdə] cikade.
cicatrice ['sikətris], **cicatrix** ['sikətriks] (pl. *cicatrices* [sikə'traisi·z]) (subst.) ar, mærke.
cicely ['sisili]: *sweet* ~ ♧ sødskærm.
Cicero ['sisəroᵘ].
C.I.D. fk. f. *Criminal Investigation Department; Committee of Imperial Defence.*
cider ['saidə] cider, æblevin; *sweet* ~ (amr.) æblemost.
c.i.f. cif, frit leveret (fk. f. *cost, insurance, freight* ɔ: omkostninger, assurance og fragt betalt).
cigar [si'ga·] cigar. **-case** cigarfoderal. ~ **-cutter** cigarklipper.
cigarette [sigə'ret] cigaret. ~ **-holder** cigaretrør.
cigar-holder cigarrør.
cilia ['siliə] (pl.) øjenhår, randhår; svingtråde.
C.-in-C. fk. f. *Commander-in-Chief.*
cinch [sintʃ] (amr.) sadelgjord; **T** sikkert tag; **S** få sikkert tag i; *that's a* ~ **S** det er ligetil.
cinchona [siŋ'koᵘnə] kinatræ. ~ **bark** kinabark.
cincture ['siŋktʃə] bælte.
Cinderella [sində'relə] Askepot.
cinders ['sindəz] slagger.
cinder track slaggebane.
cine ['sini] (fk. f. *cinema*, i sammensætninger:) biograf-, films-. **cineloop** sløjfefilm.
cinema ['sinimə] biografteater; *the* ~ filmen, filmkunsten; *go to the* ~ gå i biografen. **cinema| organ** kinoorgel. ~ **show** biografforestilling.
cinematograph [sini'mätəgra·f] filmsapparat; biografteater; (vb.) filme.
cinematographic [sinimäto'gräfik] filmatisk; ~ *effect* filmisk virkemiddel.
cineraria [sinə'ræəriə] ♧ cineraria.
cinerarium [sinə'ræəriəm] urneniche.
cinerary ['sinərəri] aske-; ~ *urn* gravurne.
cine-variety ['sinivə'raiəti] varietéunderholdning, som indbefatter film.
Cingalese [siŋgə'li·z] (subst.) singaleser; (adj.) singalesisk.
cinnabar ['sinəba·] (subst.) cinnober.
cinnamon ['sinəmən] kanel; kanelfarvet.
cinque, cinq [siŋk] femmer (om kort og terning)
cinquefoil ['siŋkfoil] ♧ krybende potentil.
C.I.O. fk. f. *Congress of Industrial Organizations* (en amr. fagforeningssammenslutning).
cion ['saiən] (amr.) = *scion.*
cipher ['saifə] (subst.) nul; ciffer; chifferskrift kode til chifferskrift; monogram; (vb.) affatte chifferskrift; beregne, regne.
circa ['sə·kə] cirka, omtrent.
Circassian [sə·'käsiən] tjerkessisk; tjerkesser.
circle ['sə·kl] (subst.) cirkel; kreds; ring; (vb.) bevæge sig i en kreds, cirkulere; kredse (om); gå rundt om; *upper* ~ 1 etage (i teater). **circlet** ['sə·klėt] lille cirkel; ring, krans.
circs [sə·ks] **T** fk. f. *circumstances.*
circuit ['sə·kit] omkreds; runde; rundrejse; rute; kredsløb; elektrisk ledning, strømkreds; en dommers rejse i sit distrikt for at holde ret; retsdistrikt; omvej; ring af teatre, biografer etc. (under samme ledelse); *short* ~ kortslutning.
circuit breaker (elekt.) afbryder.
circuitous [sə·'kjuitəs] gående ad omveje; ikke ligefrem, fuld af omsvøb; ~ *road* omvej.
circular ['sə·kjulə] (adj.) cirkelrund, kredsformig, bevægende sig i en kreds; rund-; (subst.) cirkulære, rundskrivelse.
circularize ['sə·kjuləraiz] (vb.) sende cirkulære(r) til; ~ *the members* (ogs.) rundsende en skrivelse til medlemmerne.
circular| letter rundskrivelse, cirkulære. ~ **plane** (amr.) skibshøvl. ~ **railway** ringbane. ~ **saw** rundsav. ~ **ticket** rundrejsebillet. ~ **tour** rundrejse.
circulate ['sə·kjuleⁱt] cirkulere, være i omløb; lade cirkulere, bringe (el. sætte) i omløb; *circulating library* lejebibliotek. **circulation** [sə·kju'leⁱʃən] omløb, kredsløb; cirkulation; udbredelse; oplag (af avis etc.); (i bibliotek) udlån.
circumbendibus [sə·kəm'bendibəs] **S** omsvøb, vidtløftighed; omvej.
circumcise ['sə·kəmsaiz] (vb.) omskære.
circumference [sə'kʌmfərəns] periferi; omkreds.
circumjacent [sə·kəm'dʒeⁱsənt] omliggende.
circumlocution [sə·kəmlə'kju·ʃən] omskrivning; omsvøb; *C. Office* omsvøbsdepartement.
circumnavigate [sə·kəm'nävigeⁱt] omsejle.
circumnavigation ['sə·kəmnävi'geⁱʃən] omsejling. **circumnavigator** [sə·kəm'nävigeⁱtə] (jord)-omsejler.
circumscribe ['sə·kəmskraib] afgrænse, omskrive; (fig.) indskrænke, begrænse. **circumscription** [sə·-kəm'skripʃən] afgrænsning, omrids; omskrift (på mønt etc.); begrænsning, indskrænkning.
circumspect ['sə·kəmspekt] (adj.) forsigtig, varsom; velovervejet. **circumspection** [sə·kəm'spekʃən] omtanke, forsigtighed.
circumstance ['sə·kəmstəns] omstændighed, forhold; skæbnen, tilfældet; *-s* (ogs.) formuesomstændigheder; kår (fx. *strained -s* trange kår); *pomp and* ~ pomp og pragt; *-s alter cases* alt er relativt; *in* (el. *under) the -s* under de forhåndenværende omstændigheder; *in* (el. *under) no -s* under ingen omstændigheder.
circumstanced (adj.) stillet, situeret; ~ *as I was* sådan som jeg var stillet; *be awkwardly* ~ være i en ubehagelig situation.
circumstantial [sə·kəm'stänʃəl] omstændelig, detaljeret; som ligger i omstændighederne; ~ *evidence* indicier, indiciebevis.
circumvent [sə·kəm'vent] omgå; overliste. **circumvention** [sə·kəm'venʃən] omgåelse; overlistelse.
circus ['sə·kəs] cirkus; runddel, rund plads i en by (fx. *Oxford* ~, *Piccadilly* ~, i London).
Cirencester ['saiərənsestə, 'sisi(s)tə].
cirl [sə·l]: ~ *bunting* (zo.) gærdeværling.
cirrhosis [si'roᵘsis] (med.) skrumpning; ~ *of the kidney* skrumpenyre; ~ *of the liver* skrumpelever.

cirrus ['sirəs] (pl. *cirri* ['sirai]) fjersky, cirrus.
cissy ['sisi] S tøsedreng, bangebuks; kvindagtig person.
cist [sist] skrin, kiste, hellekiste.
cistern ['sistən] cisterne (beholder).
citadel ['sitədl] citadel.
citation [si'teiʃən] stævning; anførelse (af et citat); citat; henvisning; hædrende omtale ved tildeling af hædersbevisning.
cite [sait] (vb.) stævne; citere, anføre (som argument el. bevis).
citizen ['sitizn] borger; civil person; beboer; ~ *of the world* kosmopolit, verdensborger. **citizenry** ['sitiznri] borgerskab, borgere. **citizenship** borgerskab, borgerret, borgerpligt.
citric ['sitrik] citron-; ~ *acid* citronsyre.
citril finch (zo.) citronsisken.
citrine ['sitrin] (adj.) citrongul.
citron ['sitrən] (tykskallet) citron.
cittern ['sitə·n] (ældre, lut-lignende strengeinstrument).
city ['siti] stad, (stor) by (i England bl. a. by, der er bispesæde); *the City* City, det oprindelige London, forretningskvarteret der. **city|council** borgerrepræsentation, byråd (i en *city*). ~ **councillor** byrådsmedlem. ~ **editor** redaktør af handels- og børsstoffet (i avis). ~ **hall** rådhus (i en *city*). ~ **man** finansmand, forretningsmand (i *the City*).
civet ['sivit], **civet-cat** (zo.) desmerkat.
civic ['sivik] borger; borgerlig; by-, kommunal.
civics ['siviks] samfundslære.
civil ['sivil] borger-, borgerlig; civil; høflig. ~ **engineer** bygningsingeniør. **civilian** [si'viljən] civil person, civil(ist). **civility** [si'viliti] høflighed.
civilization [sivil(a)i'zeiʃən] kultur, civilisation.
civilize ['sivilaiz] civilisere.
civil | list (den kongelige) civilliste. ~ **marriage** borgerlig vielse. ~ **servant** (omtr.) tjenestemand inden for civiletaterne, (stats)tjenestemand. **Civil Service:** *the* ~ (omtr.) civiletaterne. **civil war** borgerkrig.
civvy ['sivi] civil person; *civvies* (S, ogs.) civilt tøj; ~ *street* det civile liv.
C. J. fk. f. *Chief Justice.*
cl. fk. f. *centilitre; class.*
clack [klăk] klapren; (vb.) klapre; plapre.
clad [klăd] klædt; påklædt.
claim [kleim] (subst.) fordring, krav; påstand; (grube)lod; (i forsikringsvæsen) skade(anmeldelse); (vb.) fordre, gøre fordring på, kræve; hævde; *lay ~ to* gøre fordring på; ~ *against* anlægge erstatningssag mod; *peg out* (el. *stake*) *a ~ (to)* afmærke og gøre krav på et jordareal (om guldgraver); (fig.) gøre krav på.
claimant ['kleimənt] fordringshaver.
clairvoyance [klæə'voiəns] synskhed.
clairvoyant [klæə'voiənt] synsk.
clam [klăm] (spiselig) musling; (amr. S) en der er stum som en østers.
clamant ['kleimənt] (adj.) højrøstet, larmende; (fig.) himmelråbende, skrigende; indtrængende.
clamber ['klămbə] (vb.) klatre, klavre; (subst.) klatren, klavren.
clammy ['klămi] (adj.) klam.
clamorous ['klămərəs] skrigende, larmende, højrøstet. **clamour** ['klămə] (subst.) skrig, råb; højrøstet misfornøjelse; (vb.) råbe (*for* på); larme.
clamp [klămp] (subst.) klampe, krampe, klemme; skruetvinge; kule (fx. *potato clamp);* (vb.) spænde; presse.
clan [klăn] (subst.) klan, stamme.
clandestine [klăn'destin] hemmelig; smug-.
clang [klăŋ] (vb.) klirre, klingre; drøne; klirre med; (subst.) klirren, klingen; drønen. **clangorous** ['klăŋgərəs] klingende, drønende. **clangour** ['klăŋ(g)ə] (metal)klang, klirren, skrald.
clank [klăŋk] (vb.) rasle, klirre.
clannish ['klăniʃ] (adj.) med stærkt sammenhold.
clannishness familiesammenhold.
clap [klăp] (vb.) slå sammen, klappe; klappe ad; sætte, smække; (subst.) klap, slag, smæld, skrald; gonorré; ~ *eyes on* se for sine øjne, få øje på; ~ *them in(to) prison* sætte dem i fængsel; ~ *one's hands* klappe i hænderne; ~ *of thunder* tordenskrald.
clapnet fuglenet.
clapper ['klăpə] klapper, klakør; knebel (i klokke etc.); skralde; **T** tunge; *they ran like the -s* de løb som om fanden var i hælene på dem.
clapper boards, clappers klaptræ (ved filmoptagelse).
claptrap ['klăptrăp] tomme talemåder, tilstræbte åndrigheder, effektjageri.
claque [klăk] klakke (samling klakører).
Clara ['klæərə]. **Clare** [klæə].
Clarence ['klărəns].
clarendon ['klărindən] (en halvfed skrift).
claret ['klărət] rødvin (især bordeaux); **S** blod.
clarification [klărifi'keiʃən] klaring, afklaring.
clarify ['klărifai] klare, opklare; afklare; klares.
clarinet [klări'net] klarinet.
clarion ['klăriən] (glds.) clarino (trompet med høj, lys klang); ~ *call* fanfare.
clarity ['klăriti] klarhed, renhed.
clash [klăʃ] (vb.) klirre; støde sammen, tørne sammen, kollidere; (subst.) klirren, sammenstød, konflikt; *the colours* ~ farverne skriger mod hinanden; ~ *of interests* interessekonflikt; ~ *of opinions* meningsuoverensstemmelse.
clasp [kla·sp] (subst.) hægte, spænde; omfavnelse; (vb.) hægte; holde fast, omfavne, knuge, gribe fast om; ~ *hands* trykke hinandens hænder; ~ *one's hands* folde hænderne; *-ed hands* foldede hænder; *he -ed her in his arms* han trykkede hende til sit bryst.
clasp-knife ['kla·sp'naif] foldekniv.
class [kla·s] klasse; kursus; slags; årgang; (vb.) dele i klasser, klassificere, ordne; *first* ~ første klasses; *obtain a First C.* få første karakter; *it is in a ~ by itself* den er noget helt for sig selv; den er bedre end alle de andre; *no* ~ **T** ringe, tarvelig; *he is the top of his* ~ han er nummer et i klassen; *he takes the ~ in French* han underviser (el. har) klassen i fransk; *he takes -es in French* han går til franskundervisning.
classic ['klăsik] klassisk (fx. ~ *literature),* fortrinlig; (subst.) klassiker. **classical** ['klăsikl] klassisk (fx. ~ *music).* **classicism** ['klăsisizm] klassicisme.
classification [klăsifi'keiʃən] klassifikation. **classified** ['klăsifaid] klassificeret (om dokument ogs.: hemmelig); ~ *advertisements* rubrikannoncer. **classify** ['klăsifai] klassificere, inddele i klasser.
class struggle klassekamp.
classy ['kla·si] **S** fin, fornem, overklasse-, burgøjser-.
clatter ['klătə] (vb.) klapre; klirre; klapre med, klirre med; plapre; (subst.) klapren; klirren; plapren.
clause [klå·z] klausul, paragraf; sætning.
clave [kleiv] glds. imperf. af I. *cleave.*
clavichord ['klăvikå·d] klavikord.
clavicle ['klăvikl] (anat.) nøgleben, kraveben.
claw [klå·] (subst.) klo; (vb.) kradse, rive, gribe (med kløerne). **claw feet** løvefødder (på møbler).
claw hammer kløfthammer.
clay [klei] lerjord, ler (ogs. fig. om menneskelegeme, lig); kridtpibe; (vb.) kline; dække med ler.
clayey ['kleii] (adj.) leret.
clay-modelling lersløjd.
claymore ['kleimå·] (skotsk tveægget sværd).
clean [kli·n] (adj.) ren; pæn, net; glat; renlig; fri for fejl; velskabt, velformet, regelmæssig; velrettet, behændig; (amr. **S**) pengeløs, blanket af; (adv.) rent, ganske, fuldkommen, helt; lige (fx. *hit ~ in the eye);* (vb.) rense, udrense; gøre rent (i); pudse (fx. *boots, silver-plate, windows); come* ~ **S** gå til bekendelse; ~ *copy* renskrift; *keep it* ~ **S** ikke blive sjofel; *show a ~ pair of heels* smøre haser; ~ *proof* rentryk; *a ~ record* et uplettet rygte; *he has a ~ slate* han har ikke

begået noget, han har et uplettet rygte; *he had ~ forgotten it* han havde rent glemt det; *he jumped ~ over the hedge, he jumped over the hedge as ~ as a whistle* han sprang over hækken uden så meget som at røre den; *~ out* gøre rent i; udrense; tæmme; *~ sby. out* tømme ens lommer, blanke en af; *~ up* bringe i orden; rense, rydde (op); T tjene (fx. *a fortune*).

clean-cut [ˈkli·nˈkʌt] skarptskåren, klar, skarp.

cleaner [ˈkli·nə] renseredskab; tøjrenser; rengøringsassistent. **clean-handed** (adj.) hæderlig, udadlelig. **cleaning woman** rengøringskone.

cleanliness [ˈklenlinės] renlighed.

I. **cleanly** [ˈklenli] (adj.) renlig.

II. **cleanly** [ˈkli·nli] (adv.) rent.

cleanse [klenz] (vb.) rense.

clean-shaven (adj.) glatbarberet.

clean-up [ˈkli·nˈʌp] T udrensning; S kæmpefortjeneste.

I. **clear** [kliə] (adj.) klar (for øjet, fx. *a ~ sky, light, fire; day*); klar, lys (fx. *a ~ note, voice*); klar, tydelig (fx. *a ~ statement, meaning*); fri (fx. *the road was ~ of traffic*); hel (fx. *six ~ days*); netto (fx. *a ~ profit*); ren (fx. *a ~ conscience*); *in the ~* ude af vanskelighederne; renset (for beskyldning etc.); (om meddelelse) i klart sprog.

II. **clear** [kliə] (adv.) helt, fuldstændigt (fx. *it went ~ through the room*); *keep ~ of* holde sig klar af, undgå.

III. **clear** [kliə] (vb.) rydde (fx. *the attics* pulterkamrene), rense (fx. *the air*); gøre klar; klare, tage (fx. *an obstacle* en forhindring); tømme (fx. *the pillarbox*); sælge ud, realisere; tjene netto; holde sig klar af; klare op, klares; klarere (fx. *the goods*); *~ a suit* (i bridge) spille en farve god; *~ the table* tage af bordet; *~ one's throat* rømme sig; *~ away* tage bort, rydde bort; tage af bordet; trække bort; T forsvinde; stikke af; *~ off* gøre færdig, få til side; jage bort; trække bort; T forsvinde, stikke af; *~ out* rense ud; blanke af; T forsvinde, stikke af; *~ up* rydde op; ordne; klare op (fx. *it is -ing up*); opklare, oplyse, forklare.

clearance [ˈkliərəns] klaring; klarering; toldbehandling; oprydning, oprømning; spillerum, frigang; fri højde, fri profil; *bill of ~* klareringsbevis.
clearance sale udsalg, realisation, rømningssalg.

clear-cut [ˈkliəˈkʌt] skarpskåren, kort og klar; skarp (fx. *a ~ distinction*).

clearing [ˈkliəriŋ] rydning; ryddet land; clearing, afregning.

clearing | hospital ambulancestation. **~ -house** afregningskontor.

clear|-sighted (adj.) klarsynet. **~ -starch** (vb.) stive (tøj).

cleat [kli·t] (subst.) ⚓ klampe.

cleavage [ˈkli·vidʒ] spaltning (fx. *a ~ in a political party*).

I. **cleave** [kli·v] (*cleaved* el. (glds.) *clave; cleaved*) klæbe; holde fast (*to* ved).

II. **cleave** [kli·v] (*clove* el. *cleft; cloven* el. *cleft*) kløve, spalte, spalte sig.

cleaver [ˈkli·və] (slagters) flækkekniv.

cleavers [ˈkli·vəz] ♧ burresnerre.

clef [klef] (i musik) nøgle.

I. **cleft** [kleft] imperf. og perf. part. af *cleave* II.

II. **cleft** [kleft] kløft, spalte.

cleft|-grafting spaltepodning. **~ palate** ganespalte.

clematis [ˈklemətis] ♧ klematis.

clemency [ˈklemənsi] mildhed, skånsel.

clement [ˈklemənt] (adj.) mild, overbærende.

clench [klenʃ] (vb.) klinke; klemme sammen; fastgøre; afgøre endeligt; *~ one's fist* knytte næven; *~ one's teeth* bide tænderne sammen.

Cleopatra [kliоˈpa·trə, klioˈpätrə] Kleopatra.

clerestory [ˈkliəstəri] klerestorium; *~ windows* række højtsiddende vinduer (i kirke).

clergy [ˈklə·dʒi] gejstlighed; *30 ~* 30 gejstlige.

clergyman [ˈklə·dʒimən] gejstlig, præst; *-'s sore throat* præstesyge.

clerical [ˈklerikl] (adj.) gejstlig; skrive-; kontor- (fx. *~ work*); *~ error* skrivefejl.

clerk [kla·k, amr. klə·k] kontormand, kontorist; fuldmægtig; (amr.) ekspedient; (vb.) være ansat på et kontor; (amr.) være ekspedient; *~ in holy orders* gejstlig, præst; *~ of (the) works* bygningskonduktør.

clever [ˈklevə] dygtig, flink, kvik, begavet, intelligent; behændig, ferm, fiks; (nedsættende:) smart; *~ at arithmetic* flink til regning; *~ with one's hands* fiks på fingrene; *he is a shade too ~ for me* han er mig et nummer for smart. **clever-clever** oversmart.

clew [klu·] nøgle; ledetråd; ⚓ skødbarm; (vb.) lede, anvise; *~ up* vinde (sammen til et nøgle).

cliché [ˈkli·ʃeⁱ] kliché; forslidt frase.

click [klik] smække; smække med; (amr. S) passe storartet sammen; gøre lykke; (subst.) smæk; pal; *~ one's heels* slå hælene sammen.

click beetle (zo.) smælder.

clicker (typ.) førstesætter.

client [ˈklaiənt] klient; kunde.

clientele [kli·ånˈtel] klientel.

cliff [klif] klippeskrænt mod havet; klint.

climacteric [klaiˈmäktərik] klimakterisk; klimakterium; kritisk år i et menneskes liv.

climate [ˈklaimėt] klima; himmelstrøg; egn, egne; *the ~ of opinion* stemningen, den almindelige indstilling.

climatic(al) [klaiˈmätik(l)] klimatisk.

climax [ˈklaimäks] klimaks.

climb [klaim] (vb.) klatre; bestige; klatre op ad (el. i); stige (til vejrs); (subst.) klatretur; stigning, opstigning; *~ down* (fig.) stikke piben ind, ikke være så stor på den, falde til føje, krybe til korset, opgive et standpunkt (el. en påstand); *rate of ~* stighastighed; *-ing expedition* bjergbestigning.

climber [ˈklaimə] klatrer, bjergbestiger; (fig.) stræber; ♧ slyngplante.

clime [klaim] se *climate*.

clinch [klinʃ] fastgøre, klinke; afgøre endeligt, bekræfte; gå i clinch (i boksning); clinch; *~ a nail* vegne et søm.

clinch(er)-built ⚓ klinkbygget.

clincher [ˈklinʃə] afgørende argument.

cling [kliŋ] (*clung, clung*) klynge sig, klamre sig (*to* til); hænge fast (*to* ved, i); klæbe; *-ing dress* stramtsiddende tøj.

clinic [ˈklinik] (subst.) klinik; klinisk undervisning; (adj.) klinisk.

clinical [ˈklinikl] klinisk; *~ thermometer* lægetermometer.

I. **clink** [kliŋk] (vb.) klinge, klirre; klirre med; (subst.) klang, klirren; *~ glasses* klinke med glassene.

II. **clink** [kliŋk] (subst. S) fængsel; *in ~* i spjældet.

clinker [ˈkliŋkə] klinke (slags hårdtbrændt mursten); slagge; (adj.) T første klasses; (vb.) brænde sammen til slagger.

clinker-built klinkbygget.

clinking (adv.): *~ good* vældig god.

clinkstone klinksten.

clinometer [klaiˈnåmitə] faldmåler.

Clio [ˈklaioᵘ] Klio.

I. **clip** [klip] (subst.) hårklemme; clip, papirklemme; cykelspænde; ⚔ laderamme (til patroner).

II. **clip** [klip] (vb.) klemme sammen.

III. **clip** [klip] (vb.) klippe; beklippe; nedskære; stække; studse; slå; (subst.) klip; klipning; slag, rap; fart; *~ his ear* give ham en lussing; *~ one's words* afsnubbe ordene.

clip hooks ⚓ dyvelskløer.

clip-joint S natklub (etc.) der tager overpriser.

clipper klipper; møntklipper; (⚓, flyv.) klipper.
clippers (billet)saks; klippemaskine.

clippie [ˈklipi] kvindelig konduktør (på bus).

clipping (subst.) klipning; afklippet stykke, stump, udklip; (adj.) S storartet, mageløs.

clique [kli·k] klike; T slutte sig sammen (i kliker). **cliqu(e)y** [ˈkli·ki], **cliquish** [ˈkli·kiʃ] tilbøjelig til at danne kliker. **cliquishness** ['kli·kiʃnės], **cliquism** ['kli·kizm] klikevæsen.

cloak [kloᵘk] (subst.) kappe, kåbe; (fig.) skalkeskjul, påskud; (vb.) dække med kappe; (fig.) skjule, tilsløre.

cloak-room ['kloᵘkrum] garderobe (i teater, på jernbanestation etc.); *ladies'* ~ dametoilet. ~ **ticket** garderobenummer.

clobber ['klåbə] **S** (subst.) tøj, kluns, habengut; (vb.) slå, banke, tæve.

cloche [kloᵘʃ] glasklokke; solfanger; ~ *(hat)* klokkehat.

I. **clock** [klåk] pil (mønster på strømpe).

II. **clock** [klåk] stueur, tårnur, ur, klokke; **T** ansigt; ~ *sby.* (vb.) tage tid på en; ~ *in (, out)* stemple i kontroluret når man kommer (, går); stemple ind (, ud); *put back the* ~ (fig.) skrue tiden tilbage; *it is two o'clock* klokken er to; *know what o'clock it is* (fig.) vide hvad klokken er slået; *all round the* ~ døgnet rundt. **clock**|**face** urskive. **-maker** urmager. **-wise** (adv.) med uret; *counterclockwise* mod uret.

clockwork urværk; *everything went like* ~ alting gik som det var smurt; ~ *toys* mekanisk legetøj.

clod [klåd] (subst.) klump; jordklump; bondeknold, klodrian; (vb.) kaste jordklumper på. **cloddish** ['klådiʃ] (adj.) dum, bondsk.

clod-hopper bondeknold.

clog [klåg] (vb.) hindre; hæmme; tynge ned, bebyrde; forstoppe, tilstoppe; gå trægt, blive tilstoppet; klumpe sig (sammen); (subst.) byrde, hindring; klods (om benet); tilstopning; træsko.

cloister ['kloistə] klostergang, buegang, søjlegang (mod indre gård (el. have), fx. i firfløjet kollegiebygning).

clonic ['kloᵘnik] (adj., med.) klonisk.

clonus ['kloᵘnəs] (med.) klonisk krampe.

cloop [klu·p] (subst.) knald; (vb.) knalde.

I. **close** [kloᵘs] (adj.) tæt *(to* ved); lummer, trykkende, beklumret; omhyggelig bevogtet (fx. *prisoner);* skjult; indesluttet, tilbageholdende; påholdende; knap, vanskelig at skaffe; begrænset; nøjagtig, koncis, sammentrængt, koncentreret; nøje, grundig, omhyggelig (fx. *investigation); come to* ~ *quarters* komme i håndgemæng; *there is a* ~ *resemblance between them* de ligner hinanden meget; *have a* ~ *shave* slippe fra det med nød og næppe; *it was a* ~ *thing* (el. **T** *call)* det var nær gået galt; *keep sth.* ~ holde noget hemmeligt; ~ *time,* ~ *season* fredningstid; ~ *by* nær ved, tæt ved; ~ *on* i nærheden af, lige ved.

II. **close** [kloᵘs] (subst.) indhegning, vænge; lukket plads.

III. **close** [kloᵘz] (subst.) slutning, ende, afslutning; *bring to a* ~ afslutte (fx. *bring one's speech to a* ~*); draw towards its* ~ nærme sig sin afslutning, gå på hæld.

IV. **close** [kloᵘz] (vb.) lukke; afspærre; afslutte, slutte, lukke sig; nærme sig; gå løs på hinanden; ~ *an account* afslutte en konto; ~ *the ranks!* ⚔ slut rækkerne! *a -d shop* en virksomhed, der kun må beskæftige fagorganiserede arbejdere; ~ *down* lukke, indstille virksomheden; ~ *in* nærme sig; falde på, sænke sig (om mørke etc.); ~ *in upon* nærme sig fra alle sider, omringe; ~ *up* lukke; (om personer) slutte op; (om sår) lukke sig, heles; ~ *with* komme overens med; gå ind på, antage (fx. ~ *with an offer);* gå løs på, komme i håndgemæng med.

closed-circuit television internt fjernsyn.

close|**-fisted** ['kloᵘs'fistid] påholdende, gerrig. ~ **-hauled** ['kloᵘs'hå·ld] ⚓ bidevind. ~ **-knit** (fig.) fast sammentømret. ~ **-lipped** forbeholden, tilknappet, tavs.

close|**ly** ['kloᵘsli] tæt, nøje. **-ness** ['kloᵘsnės] tæthed; lummerhed; tilbageholdenhed; karrighed. ~ **season** fredningstid. ~ **-shaven** glatbarberet.

closet ['klåzėt] lille værelse, kammer; (væg)skab; wc; *be -ed with* holde hemmelig rådslagning med.

close time fredningstid.

closet-play læsedrama.

close-up ['kloᵘsʌp] (subst.) nærbillede.

closing date: *the* ~ *is July 1.* (svarer til) ansøgningsfristen udløber 1. juli.

closing|**-hour,** ~ **-time** lukketid.

closure ['kloᵘʒə] lukning; afslutning; (i fonetik) lukke; afslutning af underhusdebat fremtvungen ved afstemning.

clot [klåt] (subst.) størknet masse, klump; (vb.) klumpe sig, løbe sammen, blive levret; (se ogs. *clotted).*

cloth [klå(·)þ] (subst.) klæde; vævet stof; dug; klud (fx. *dust* ~*);* shirting (til bogbind); dækken; gejstlig stand; *lay the* ~ lægge dug på bordet. **cloth**|**-binding** shirtingsbind (om bog). ~ **cap** sixpence.

clothe [kloᵘð] (vb.) klæde; forsyne med klæder; beklæde, iklæde.

clothes [kloᵘðz] (subst.) klæder, tøj; klædningsstykker; sengeklæder.

clothes|**-brush** klædebørste. ~ **horse** tørrestativ. ~ **-line** tøjsnor. ~ **-moth** møl. ~ **-peg** (el. **pin**) tøjklemme. ~ **-press** klædeskab. ~ **tree** stumtjener.

clothier ['kloᵘðiə] herreekviperingshandler; klædehandler.

clothing ['kloᵘðiŋ] (subst.) klæder, tøj; *article of* ~ beklædningsgenstand.

cloths [klå·ðz, klå(·)þs] (se ogs. *cloth)* tøjer, stoffer; duge, klude.

clotted ['klåtid] størknet, levret; klumpet; overfyldt, stoppet, blokeret; ~ *cream* tyk fløde skummet af kogt mælk; ~ *nonsense* det rene vrøvl; *his hair was* ~ *with blood* hans hår var sammenklistret af blod.

cloud [klaud] (subst.) sky; sværm, vrimmel; (vb.) overtrække med skyer, formørke, fordunkle; blive skyet; blive overtrukket; *every* ~ *has a silver lining* oven over skyerne er himlen altid blå; *be in the -s* (fig.) svæve oppe i skyerne; ~ *over* blive overtrukket; *under a* ~ mistænkt; i unåde.

cloud|**berry** ♧ multebær. ~ **-burst** skybrud. ~ **-capped** (adj.) skydækket. ~ **chamber** tågekammer. **-iness** ['klaudinės] overskyethed; (fig.) uklarhed. **-land** drømmeland. **-less** skyfri. **-let** lille sky.

cloudy ['klaudi] overskyet; uklar (fx. *liquid).*

clough [klʌf] fjeldkløft.

clout [klaut] (subst.) klud, lap; lussing; (vb.) lappe; lange en ud; (i baseball) ramme.

I. **clove** [kloᵘv] imperf. af *cleave.*

II. **clove** [kloᵘv] ♧ kryddernellike, nellike; sideløg.

clove-hitch ⚓ dobbelt halvstik.

cloven ['kloᵘvn] perf. part. af *cleave; show the* ~ *hoof* (fig.) stikke hestehoven frem.

cloven-hoofed (adj.) med spaltet klov; ~ *animal* klovdyr.

clover ['kloᵘvə] ♧ kløver; *four-leaved* ~ firkløver; *red* ~ rødkløver; *live in* ~, *be in* ~ have det som blommen i et æg, leve i overflod; være på den grønne gren.

clown [klaun] bonde; bondeknold; klovn, bajads.

clownish ['klauniʃ] bondeagtig, bondsk; klovnagtig.

cloy [kloi] (vb.) overmætte, overfylde. **cloying** vammel.

club [klʌb] (subst.) kølle; klør (i kort); klub; (vb.) slå med kølle; bruge som kølle; ~ *(together)* slå sig sammen (fx. *they -bed together to help me).*

club(b)able ['klʌbəbl] (amr. **T**) selskabelig.

club|**foot** klumpfod. **-haul** (vb.) ⚓ vende ved hjælp af et anker. **-land** (kvarteret omkring St. James's i London). ~ **-law** næveret. **-man** ['klʌbmən] klubmedlem, levemand. ~ **-moss** ♧ ulvefod. ~ **-rush** ♧ kogleaks, dunhammer.

cluck [klʌk] (subst.) kluk; (vb.) klukke; smække med tungen.

clue [klu·] oplysning (som hjælper til opklaring af en sag, til løsning af et problem), holdepunkt (for en undersøgelse), nøgle (til forståelse), løsning; indicium, fingerpeg; *the police are without a* ~ politiet står på bar bund; *furnish a* ~ *to the murderer* lede på sporet af morderen.

clump [klʌmp] (subst.) klump, klods; klynge, gruppe; tyk ekstra skosål; (vb.) jokke tungt, trampe; slå, banke.
clumsiness (subst.) klodsethed.
clumsy ['klʌmzi] (adj.) klodset; tung.
clung [klʌŋ] imperf. og perf. part. af *cling.*
cluster ['klʌstə] (subst.) klynge; klase; sværm; (vb.) samle sig i klynge; vokse i klaser; vokse i klynge; flokkes; ~ *crystal* ♧ krystalstjerne, druse.
clutch [klʌtʃ] (vb.) gribe, fatte; (subst.) greb, tag; redefuld æg; kuld; (i automobil) kobling; ~ *at a straw* gribe efter et halmstrå; *get into his -es* falde i kløerne på ham; *in the -es of usurers* i ågerkarlekløer.
clutch|lever koblingsarm. ~ **pedal** koblingspedal. ~ **slip** svigtende kobling.
clutter ['klʌtə] forvirring; rod, dynge; (vb.) bringe i uorden; (stå og) fylde op i (, på); *the room was all -ed up with cushions* stuen flød med puder.
Clyde [klaid].
clypeate ['klipieⁱt] (adj.) skjoldformet.
cm. fk. f. *centimetre.*
C.M.G. fk. f. *Companion of the Order of St. Michael and St. George.*
C.M.S. fk. f. *Church Missionary Society.*
C.N.D. fk. f. *Campaign for Nuclear Disarmament.*
C.O. fk. f. *Colonial Office; commanding officer; conscientious objector.*
Co. [koᵘ] fk. f. *company; county.*
c/o fk. f. *care of.*
co- [koᵘ] med-.
coach [koᵘtʃ] (subst.) karet; dagvogn, diligence; turistbil, rutebil; lille lukket bil med to døre; jernbanevogn; manuduktør; træner, sportsinstruktør; (vb.) køre; rejse i diligence; manuducere; træne.
coach|-box buk, kuskesæde. **-builder** karetmager. ~ **-horn** posthorn. ~ **-house** vognskur, vognport. **-ing** manuduktion, træning, instruktion (i sport etc.). **-man** ['koᵘtʃmən] kusk.
coadjutor [koᵘ'ädʒutə] medhjælper.
coagulate [koᵘ'ägjuleⁱt] løbe sammen, koagulere, størkne; få til at løbe sammen etc.
coagulation [koᵘägju'leⁱʃən] (subst.) koagulering.
coal [koᵘl] (subst.) kul; (vb.) forsyne med kul; tage kul ind; *haul sby. over the -s* give én en omgang, skælde én ud; *carry -s to Newcastle* (svarer til) give bagerbørn hvedebrød; *heap -s of fire on sby.'s head* sanke gloende kul på ens hoved. **-bed** kulleje. **-box** kulkasse. ~ **-bunker** ⚓ kulbunker.
coaler ['koᵘlə] kulbåd, kulvogn.
coalesce [koᵘə'les] (vb.) vokse sammen, forene sig, smelte sammen.
coal|field kuldistrikt. ~ **-fish** (zo.) sej. ~ **-heaver** ['koᵘlhi·və] kullemper. **-ing** indtagning af kul.
coalition [koᵘə'liʃən] forening; forbund; koalition; ~ *government* samlingsregering.
coal|-measures kulførende lag. **-mine** kulgrube. **-mouse** (zo.) sortmejse. ~ **-pit** kulgrube. ~ **-scuttle** kulkasse; kulspand. ~ **-tit** (zo.) sortmejse. ~ **-works** kulgrube.
coaming ['koᵘmiŋ] ⚓ lugekarm.
coarse [kå·s] (adj.) grov; rå; plump.
coarse-grained grovkornet, groftskåren.
coarsen ['kå·sn] forgrove, forrå; forgroves.
coast [koᵘst] (subst.) kyst; (vb.) sejle langs kysten; sejle i kystfart; kælke; køre ned ad bakke; glide (uden motorkraft); holde frihjul, løbe i frigear; *the ~ is clear* (fig.) der er fri bane.
coastal ['koᵘstəl] kyst-; ~ *trade* kystfart, indenrigsfart. **coaster** ['koᵘstə] kystfartøj; kælk; legevogn; rutschebane; glasbakke, flaskebakke.
coastguard kystvagt; *-s* (ogs.) kystpoliti.
coastwise ['koᵘstwaiz] kyst-; ~ *trade* kystfart, indenrigsfart.
coat [koᵘt] (subst.) frakke; jakke; kåbe; (læge)-kittel; overtræk, beklædning; hinde; (et dyrs) pels; ham; lag; (vb.) beklæde; overtrække; ~ *(of arms)* **våbenskjold**; *dust sby.'s ~ (for him)* give én en dragt prygl; *cut one's ~ according to one's cloth* sætte tæring efter næring; *great ~* overfrakke; *wear the king's ~* være soldat; ~ *of mail* ringbrynje, panserskjorte; *a ~ of paint* en gang (el. et lag) maling; *trail one's ~* være udfordrende, ægge til modsigelse.
coated ['koᵘtid] imprægneret; (om tunge) belagt; ~ *paper* kunsttrykpapir; bestrøget papir.
coat-hanger bøjle (til at hænge tøj på).
coating beklædning, overtræk, lag, hinde; frakkestof.
coax [koᵘks] (vb.) lokke, (prøve at) overtale.
cob [kåb] klump; lille stærk hest; majskolbe; hansvane.
cobalt ['koᵘbå·lt] kobolt.
cobber ['kåbə] (australsk T) ven, kammerat.
I. **cobble** ['kåbl] (vb.) lappe; flikke; (subst.) lapperi.
II. **cobble** ['kåbl] (subst.) håndsten, rullesten; toppet brosten; (vb.) brolægge med toppede brosten; *-s* (ogs.) større kul.
cobbler ['kåblə] skoflikker; fusker; isdrik (fx. *sherry cobbler).*
cobble-stone = II. *cobble.*
cobnut ['kåbnʌt] slags stor hasselnød.
cob-pipe majspibe.
cobra ['koᵘbrə] (zo.) brilleslange.
cobweb ['kåbweb] spindelvæv.
coca-cola ['koᵘkə'koᵘlə] (subst.) ® coca-cola.
cocaine [ko'keⁱn] kokain.
coccus ['kåkəs] (pl. *cocci* ['kåksai]) kugleformet bakterie.
Cochin-China ['kåtʃin'tʃainə].
cochineal ['kåtʃini·l] kochenille (et farvestof).
cochlea ['kåkliə] (anat.) ørets sneglegang.
cock [kåk] (subst.) hane; (fugle)han; hane (på en bøsse, på vandrør etc.); vejrhane; høstak; opaddrejning, bevægelse opad; skrå stilling; førstemand, anfører; **S** sludder; (vb.) sætte på snur; spænde hanen (på en bøsse); vende, dreje (øjne, ører) *(at* mod); *that ~ won't fight* den går ikke; der bliver ingen bukser af det skind; *old ~!* gamle dreng! *the ~ of the walk* manden for det hele, den dominerende person; ~ *one's ears* spidse ører; ~ *one's eye at sth.* skotte (el. skæve) til noget, kigge på noget; ~ *one's nose* stikke næsen i sky.
cockade [kå'keⁱd] kokarde.
cock-a-doodle-doo ['kåkədu·dl'du·] kykeliky.
cock-a-hoop ['kåkə'hu·p] triumferende, hoverende, stolt; *be ~* (ogs.) stikke næsen i sky.
Cockaigne [kå'keⁱn] slaraffenland; cockneyernes land (London).
cockalorum [kåkə'lå·rəm] lille vigtigpers.
cock-and-bull story røverhistorie, skrøne.
cockatoo [kåkə'tu·] (subst.) (zo.) kakadue.
cockatrice ['kåkətrais] basilisk.
Cockayne = *Cockaigne.*
cock|boat jolle, lille båd. ~ **-chafer** (zo.) oldenborre.
cocked: ~ *hat* trekantet hat; *knock sby. into a ~ hat* slå en til lirekassemand; banke én sønder og sammen.
I. **Cocker** ['kåkə]: *according to ~* (svarer til) efter Chr. Hansens regnebog.
II. **cocker** ['kåkə]: ~ *up* (amr.) forkæle.
cockerel ['kåkərəl] hanekylling.
cock|-eyed skeløjet; **S** skæv; tosset; beruset. ~ **-fight** hanekamp.
cock-horse kæphest, gyngehest; *ride a ~* (ogs.) ride ranke.
cockle ['kåkl] (zo.) hjertemusling; ♧ klinte; rajgræs; rynke (subst. og vb.); se ogs. *cockle-shell; warm the -s of one's heart* varme en om hjerterødderne.
cockle-shell muslingeskal; nøddeskal (skrøbelig båd).
cock-loft loftskammer, kvist.
cockney ['kåkni] (subst.) ægte londoner; londonersprog; (adj.) londonsk.

cockneyfy ['kåknifai] (vb.) udtrykke noget i cockney-sproget, give noget et londonsk tilsnit.
cockpit ['kåkpit] hanekampplads; krigsskueplads; (flyv.) cockpit, pilotrum; førerrum; ⚓ cockpit; (glds., på krigsskib) lazaret.
cockroach ['kåkroᵘtʃ] (zo.) kakerlak.
cockscomb ['kåkskoᵘm] (ogs. ♧) hanekam; se ogs. *coxcomb.*
cocksure ['kåk'ʃuə] selvsikker.
cocktail ['kåkteⁱl] cocktail; hest med kuperet hale.
cocky ['kåki] kæphøj, vigtig, selvtilfreds.
coco ['koᵘkoᵘ] kokos(palme).
cocoa ['koᵘkoᵘ] kakao; kokos(palme).
coco-nut kokosnød.
cocoon [kå'kuˑn] kokon (puppehylster).
cod [kåd] (zo.) torsk.
C. O. D. fk. f. *cash on delivery* kontant ved levering; pr. efterkrav.
I. **coddle** ['kådl] forkæle, pylre om.
II. **coddle** ['kådl] koge (over en sagte ild).
code [koᵘd] (subst.) lovbog; kodeks; kode (i telegrafi); (vb.) omsætte til kode; *highway* ~ færdselsregler.
codfish ['kådfiʃ] (zo.) torsk.
codger ['kådʒə] (gammel) stabejs (, støder, knark, særling).
codicil ['kådisil] kodicil (tillægsbestemmelse i testamente).
codification [kådifi'keⁱʃən] kodifikation. **codify** ['kådifai] kodificere.
codling ['kådliŋ] ung torsk; art madæble; ~ *moth* (zo.) æblevikler.
cod-liver oil ['kådlivər'oil] (torske)levertran.
cod's roe torskerogn.
co-ed ['koᵘ'ed] (amr. **S**) kvindelig studerende ved college for begge køn.
co-education ['koᵘedju'keⁱʃən] fællesundervisning (for piger og drenge); *-al school* fællesskole.
coefficient [koᵘė'fiʃənt] (subst., mat.) koefficient.
coerce [koᵘ'əˑs] (vb.) tvinge. **coercion** [koᵘ'əˑʃən] tvang. **coercive** [koᵘ'əˑsiv] tvingende, tvangs- (fx. ~ *methods).*
coeval ['koᵘ'iˑvəl] samtidig, jævnaldrende.
coexist ['koᵘig'zist] være til på samme tid, bestå sammen. **coexistence** ['koᵘig'zistəns] sameksistens, koeksistens.
C. of E. fk. f. *Church of England.*
coffee ['kåfi] kaffe. ~ **-bean** kaffebønne. ~ **-berry** kaffebønne; kaffetræets frugt. ~ **grounds** kaffegrums. ~ **house** kafé. ~ **-mill** kaffemølle. ~ **-pot** kaffekande. ~ **-room** kafé (i hotel). ~ **table** sofabord.
coffer ['kåfə] pengekiste; kassette (i loft).
coffer-dam ['kåfədäm] kofferdam, sænkekasse.
coffin ['kåfin] ligkiste; lægge i kiste.
coffin|nail ligkistesøm; **S** cigaret. ~ **ship** ⚓ plimsoller, dødssejler.
cog [kåg] tand (på hjul), knast, kam; ~ *the dice* snyde i terningespil.
cogency ['koᵘdʒənsi] (om argument) slagkraft, overbevisende karakter.
cogent ['koᵘdʒənt] tvingende; overbevisende.
cogitate ['kådʒiteⁱt] (vb.) tænke. **cogitation** [kådʒi'teⁱʃən] (subst.) tænken; tænkning.
cognac ['koᵘnjäk, 'kånjäk] (fransk) kognak.
cognate ['kågneⁱt] (adj.) beslægtet; (subst.) slægtning; beslægtet sprog (el. ord).
cognition [kåg'niʃən] erkendelse; viden.
cognizance ['kågnizəns] kundskab; kendskab; kompetence, jurisdiktion; forhør, undersøgelse for retten; *take* ~ *of* bemærke, tage til efterretning; anerkende eksistensen af; undersøge.
cognizant ['kågnizənt] (adj.) bekendt *(of* med), vidende *(of* om). **cognize** [kåg'naiz] erkende.
cognomen [kåg'noᵘmən] (efter)navn, familienavn; tilnavn; øgenavn.
cognoscente [kånjå'ʃenti] (pl. *cognoscenti* [-tiˑ]) kender.
cog-wheel ['kågwiˑl] tandhjul.
cohabit [koᵘ'häbit] (vb.) bo sammen; leve sammen (som ægtefolk).
cohabitation [koᵘhäbi'teⁱʃən] samliv.
coheir ['koᵘ'æə] medarving.
cohere [koᵘ'hiə] (vb.) hænge sammen.
coherence [koᵘ'hiərəns] sammenhæng.
coherent [koᵘ'hiərənt] sammenhængende.
cohesion [koᵘ'hiˑʒən] (subst.) kohæsion. **cohesive** [koᵘ'hiˑsiv] kohæsiv; sammenhængende.
cohort ['koᵘhåˑt] (subst.) kohorte.
coif [koif] tætsluttende hue (el. hætte); (hist.) hjelmhue.
coign [koin]: ~ *of vantage* fordelagtig stilling, sted hvorfra man har godt overblik.
coil [koil] (vb.) lægge sammen i ringe el. bugter, sammenrulle; rulle sig sammen; (subst.) ring, spiral, rulle, spole, bugt; *(induction)* ~ induktionsrulle, induktionsspole.
coil aerial rammeantenne.
coiled pottery båndkeramik.
coin [koin] (subst.) mønt; (vb.) præge, udmønte; opdigte, lave; *pay sby. back in his own* ~ give én igen med samme mønt; ~ *money* tjene store penge; ~ *a new word* lave (el. danne el. skabe) et nyt ord. **coinage** ['koinidʒ] møntprægning, udmøntning; mønt; opfindelse; nydannelse (om ord og udtryk).
coincide [koᵘin'said] træffe sammen, falde sammen *(with* med). **coincidence** [koᵘ'insidəns] sammentræf; overensstemmelse; *it was a mere* ~ det var et rent tilfælde; *the long arm of* ~ tilfældets spil.
coincident [koᵘ'insidənt] sammentræffende; samtidig; overensstemmende. **coincidental** [koᵘinsi'dentl] tilfældig; ogs. = *coincident.*
coiner ['koinə] falskmøntner.
coir ['koiə] kokosbast, kokostaver.
coke [koᵘk] (subst.) koks; **T** coca-cola; (vb.) lave til koks; forkokse; *broken* ~ knuste koks.
I. **Col.** fk. f. *colonel.*
II. **col.** fk. f. *colonial, column.*
colander ['kʌləndə] dørslag.
Colchester ['koᵘltʃėstə].
cold [koᵘld] (adj.) kold; koldblodig, rolig; (subst.) kulde; forkølelse, snue; *make one's blood run* ~ få det til at løbe én koldt ned ad ryggen; *I am* ~ jeg fryser; *catch (a)* ~, *take* ~ forkøle sig; *get sby.* ~ få en i sin magt; ~ *in the head* (el. *nose)* snue; *give sby. the* ~ *shoulder* vise én en kold skulder. **cold|-blooded** koldblodet; kuldskær; kold, følelsesløs. ~ **cream** coldcream. ~ **deck** spil kort, som i det skjulte holdes parat for at benyttes til falsk spil. ~ **feet T** angst, fejhed, 'kolde fødder'. ~ **front** koldfront. ~ **-short** koldskør (om metaller, som afkøling gør sprøde). ~ **-shoulder:** ~ *-shoulder sby.* vise én en kold skulder. ~ **-storage** opbevaring i kølerum; kølehus; *put in* ~ *-storage* (fig.) lægge på is. ~ **-store** (opbevare i) kølehus. ~ **war** kold krig. ~ **wave** kuldebølge; koldpermanent.
Coleridge ['koᵘlridʒ].
colic ['kålik] kolik, mavekrampe.
colitis [koᵘ'laitis] tyktarmsbetændelse.
collaborate [kə'läbərəⁱt] være medarbejder; samarbejde. **collaboration** [kəläbə'reⁱʃən] medarbejderskab, samarbejde. **collaborationist** [kəläbə'reⁱʃənist] samarbejdsmand, kollaboratør
collaborator [kə'läbəreⁱtə] medarbejder; kollaboratør.
collapse [kə'läps] (vb.) falde sammen, bryde sammen, synke sammen, kollabere; falde til jorden; (subst.) sammenfalden; sammenbrud, fiasko.
collapsible [kə'läpsəbl] sammenfoldelig.
collar ['kålə] (subst.) krave, flip; halsbånd; halsåg, halskobbel; kumte (på seletøj); (vb.) gribe i kraven; få fat i; **S** hugge, negle; *detachable* ~ løs flip; *stand-up* ~ enkelt flip; opstående flip; *turndown* ~ nedfaldsflip.
collar-bone ['kåləboᵘn] kraveben.

collarette [kålə'ret] lille damekrave.
collar-stud kraveknap.
collate [kå'leⁱt] (vb.) sammenligne, konferere, kollationere, ordne; kalde (som præst).
collateral [kå'lätərəl] (adj.) underordnet, bi-; side-; parallel; (subst.) slægtning i en sidelinie; ~ *(security)* yderligere kaution.
collation [kå'leⁱʃən] kollation, sammenligning (fx. af en afskrift med originalen); let måltid.
colleague ['kåli·g] embedsbroder, kollega.
I. **collect** [kə'lekt], (vb.) samle, indsamle; opkræve, indkassere, inddrive; afhente; ~ *oneself* samle sig, sunde sig.
II. **collect** ['kålekt] (subst.) kollekt, (kort) bøn (for særlige lejligheder).
collected [kə'lektid] (adj.) fattet, rolig.
collection [kə'lekʃən] indsamling; samling; ansamling; tømning (af postkasse); opkrævning, inkasso.
collective [kə'lektiv] (adj.) samlet; fælles; kollektiv; ~ *bargaining* overenskomstforhandlinger (mellem arbejdere og arbejdsgivere); ~ *security* kollektiv sikkerhed. **collectivism** [kə'lektivizm] kollektivisme.
collector [kə'lektə] samler; inkassator; opkræver; indsamler; ~ *of customs* toldforvalter; ~ *of taxes* skatteopkræver.
colleen ['kåli·n, (i Irland:) kå'li·n] (irsk) pige.
college ['kålidʒ] kollegium; læreanstalt, universitet; højere skole; gymnasium.
collegian [kə'li·dʒən] medlem af et kollegium.
collegiate [kə'li·dʒiėt] kollegie-; universitets-; som hører til et *college*.
collide [kə'laid] støde sammen.
collie ['kåli] (skotsk) hyrdehund.
collier ['kåliə] (kul)minearbejder; kulbåd, matros på kulbåd. **colliery** ['kåljəri] kulgrube.
collision [kə'liʒən] sammenstød, kollision.
collocate ['kålokeⁱt] (vb.) stille, ordne, sammenstille. **collocation** [kålo'keⁱʃən] sammenstilling.
collogue [kə'loᵘg] (vb.) tale fortroligt sammen; lægge råd op.
colloid ['kåloid] (adj.) klisteragtig.
collop ['kåləp] skive kød el. stegeflæsk; (fig.) delle.
colloquial [kə'loᵘkwiəl] som hører til dagligsproget, som bruges i daglig tale. **colloquialism** [kə'loᵘkwiəlizm] udtryk fra daglig tale.
colloquy ['kåləkwi] samtale.
collotype ['kålətaip] (subst.) kollotypi, lystryk.
collude [kə'lu·d] være i hemmelig forståelse, spille under dække. **collusion** [kə'lu·ʒən] hemmelig forståelse, aftalt spil. **collusive** [kə'lu·siv] (adj.) aftalt i hemmelighed.
collywobbles ['kåliwåblz] rumlen i maven, mavepine.
colocynth ['kålosinþ] ♧ kolokvint.
Cologne [kə'loᵘn] Køln; eau de Cologne.
colon ['koᵘlən] (skilletegn) kolon; (anat.) tyktarm.
colonel ['kə·nəl] oberst; (amr. ogs. tom høflighedstitel).
colonelcy ['kə·nlsi] oberstrang, oberststilling.
colonial [kə'loᵘnjəl] (adj.) kolonial, koloni-; (subst.) indbygger i (engelsk) koloni; *Colonial Office* koloniministeriet.
colonialism [kə'loᵘniəlizm] kolonialisme.
colonialist [kə'loᵘniəlist] kolonialist.
colonist ['kålənist] kolonist, nybygger. **colonization** [kålənai'zeⁱʃən] kolonisering. **colonize** ['kålənaiz] kolonisere; sende til kolonierne; bosætte sig som kolonist. **colonizer** ['kålənaizə] kolonisator.
colonnade [kålə'neⁱd] søjlegang, kolonnade.
colony ['kåləni] koloni, nybygd.
colophon ['kåləfån] (typ.) kolofon.
color (amr.) = *colour*.
Colorado [kålə'ra·doᵘ]; ~ *beetle* (zo.) coloradobille.
coloration [kʌlə'reⁱʃən] farvelægning, farvetegning, farve(r).
coloratura [kålərə'tuərə] (i musik) koloratur.
colossal [kə'låsl] kolossal. **coloss|us** [kə'låsəs] (pl. *-i* [-ai] el. *-uses)* kolos; kæmpestatue.
I. **colour** ['kʌlə] (subst.) farve, kulør; rødme; skin; beskaffenhed; *-s* fane, flag; *come off with flying -s* klare det med glans; *get one's -s* komme på (universitetets) førstehold; *give* (el. *lend)* ~ *to* gøre sandsynlig; *give a false* ~ *to* forvanske; *join the -s* melde sig under fanerne; *lose* ~ blive bleg; *I have not seen the* ~ *of his money* jeg har ikke set en øre fra ham; *show one's -s* tone flag; *take one's* ~ *from* efterabe; *troop the* ~ føre fanen til fløjen; *dress in -s* gå i kulørt tøj; *in one's true -s* i sin sande skikkelse; som man virkelig er; *off* ~ ikke rigtig i vigør, ikke i humør; *under* ~ *of* under påskud af; *stick to one's -s* være tro mod sin overbevisning; *under false -s* under falsk flag; *sail under false -s* tone falsk flag.
II. **colour** ['kʌlə] (vb.) farve; kolorere, farvelægge, besmykke; forvanske; påvirke, præge; få farve; rødme; *-ed people* farvede folk; *a -ed person* en farvet (især neger); ~ *up* rødme.
colourable ['kʌlərəbl] plausibel, antagelig; bestikkende; falsk.
colour|-bar raceskel. ~ **-blind** farveblind. ~ **-cast** farvefjernsynsudsendelse. **-ful** farvestrålende, broget, livlig.
colouring ['kʌləriŋ] farve; kolorit; teint.
colour|less farveløs. **-man** farvehandler. ~ **-print** farvetryk (billedet). ~ **scheme** farvesammensætning, farvevalg. ~ **vision** farveopfattelse, farvesyn.
colporteur ['kålpå·tə, kålpå'tə·] kolportør.
colt [koᵘlt] føl (is. hingstføl); ung hest; ung nar, grønskolling.
coltsfoot ['koᵘltsfut] ♧ følfod.
columbari|um [kåləm'bæəriəm] (pl. *-a)* dueslag; urnehal.
I. **columbine** ['kåləmbain] ♧ akeleje.
II. **Columbine** ['kåləmbain] Kolumbine.
Columbus [kə'lʌmbəs] Kolumbus.
column ['kåləm] søjle; kolonne; spalte (i avis, bog). **columnist** ['kåləmnist] redaktør af særlig spalte (el. afdeling) i avis.
coma ['koᵘmə] coma, dyb bevidstløshed; (astr.) coma (tågemasse om komets kerne); ♧ dusk af fine hår på visse sædekorn; frøuld. **comatose** ['koᵘmətoᵘs] comatøs; *in a* ~ *state* i en tilstand af dyb bevidstløshed.
comb [koᵘm] (subst.) kam; vokskage; (vb.) kæmme; rede; (om bølge) bryde; (fig.) finkæmme (fx. *the police -ed the town for the murderer);* gennemtrawle.
combat ['kåmbət] kamp; (vb.) kæmpe; bekæmpe. **combatant** ['kåmbətənt] kæmpende; kombattant; stridsmand; forkæmper. **combat fatigue** (med.) krigsneurose. **combative** ['kåmbətiv] kamplysten, krigerisk.
comber ['koᵘmə] kartemaskine; brodsø.
combination [kåmbi'neⁱʃən] forbindelse, forening, kombination; kode (til pengeskab); sammenslutning; komplot; *(motor-cycle)* ~ motorcykel med sidevogn; *(a pair of) -s* (en) combination (undertøj).
combination | lock kombinationslås, kodelås. ~ **pliers** universaltang.
I. **combine** ['kåmbain] (subst.) mejetærsker; sammenslutning; syndikat; trust; konsortium.
II. **combine** [kəm'bain] (vb.) kombinere, forbinde, forene; forbinde sig, forene sig.
comb-out ['koᵘmaut] finkæmning.
combustibility [kəmbʌstə'biliti] brændbarhed. **combustible** [kəm'bʌstəbl] (adj.) brændbar; let antændelig; (fig.) let fængelig, let at ophidse; (subst.) brændbart stof.
combustion [kəm'bʌstʃən] forbrænding; *spontaneous* ~ selvantændelse. **combustion chamber** forbrændingskammer. **combustion engine** forbrændingsmotor.
I. **come** [kʌm] *(came, come)* komme; ankomme; ske (fx. ~ *what may* ske hvad der vil); gå 'til; spille

agere (fx. ~ *the great man)*; udvikle sig; blive (fx. *it will ~ allright in the end); come!* hør! *come!, come!* nå nå! små slag! *how -s it that* hvordan kan det være at; ~ *to pass* hænde; ~ *true* gå i opfyldelse; *in days to ~* i fremtiden; *the years to ~* de kommende år;

~ *about* hænde; ske (fx. *it came about in this way);* vende; ~ *across* møde; støde på; **S** punge ud (fx. *he will have to ~ across with the money); ~ along!* kom så! ~ *at* få fat på; opnå; gå løs på, angribe (fx. *he came at me); ~ away* gå af (fx. *the handle came away); ~ back* komme tilbage, blive populær igen, være med igen; ~ *by* komme forbi; komme til, få fat på (fx. *it is difficult to ~ by); ~ down* komme ned, falde ned; (om pris) falde; blive overleveret (om tradition); blive sat tilbage; ~ *down handsomely* ordentlig flotte sig, punge ud; ~ *down on* overfalde, skælde ud; ~ *down with the money* betale pengene; ~ *for* hente, komme efter;

~ *forward,* ~ *forth* komme frem; melde sig; tilbyde sig; *it -s strangely from him* det lyder mærkeligt i hans mund; ~ *home to,* se *home;* ~ *in* komme ind; komme til målet; komme op; blive mode; blive valgt; komme til magten; blive moden; komme til nytte; gå i arbejde igen; ~ *in for* få; blive udsat for (fx. *criticism); ~ in useful* komme til nytte; *where does the fun ~ in?* hvad morsomt er der ved det? *where do I ~ in?* hvad skal jeg lave? hvad er min opgave? ~ *into* arve (fx. *a fortune);* få; gå ind på; ~ *into being* opstå; ~ *into force* træde i kraft; ~ *into money* komme til penge; ~ *into one's head* falde en ind; ~ *of* komme af; nedstamme fra; *nothing came of it* der blev ikke noget af det;

~ *off* komme bort fra; slippe fra (noget); klare sig; foregå, finde sted; gå af, falde ud (godt el. dårligt); falde af; *it didn't ~ off* (ogs.) det lykkedes ikke, det blev ikke til noget; ~ *off it!* hold op med det! hold op med at spille vigtig! *she would have ~ off worse* det ville have gået hende værre; ~ *off on* smitte af på; ~ *on* komme frem; nærme sig; storme frem; gøre sin entré; komme for (fx. *the case -s on next Thursday);* udvikle sig, gøre fremskridt; trives, lykkes; ~ *on!* skynd dig! kom så! *I've got a cold coming on* jeg er ved at blive forkølet; ~ *out* komme ud, blive bekendt; (om bog) udkomme; komme frem, blive opdaget; debutere i selskabslivet; falde af (om hår); ♧ springe ud; (om kabale) gå op; **T** strejke; nedlægge arbejdet; ~ *out No. 1* komme ind som nr. 1; ~ *out against* kritisere, angribe; ~ *out of* føre til, være resultatet af (fx. *what came out of your work?); ~ out with* komme frem med; fremsætte; plumpe ud med;

~ *over* blive (fx. *he came over queer); what's ~ over him* hvad går der af ham; ~ *round* vende sig (om vinden); komme på bedre tanker; komme sig; komme til sig selv; lade sig overtale; ~ *through* (amr.) klare den; blive frelst (ɔ: omvendt); **S** rykke ud med sproget; ~ *through with* røbe, komme frem med; *the call came through* (tlf.) han (, jeg etc.) fik forbindelse; ~ *to* komme til sig selv igen; beløbe sig til (fx. *the bill came to ten pounds);* falde ud, ende; *he had it coming to him* han var selv ude om det; ~ *to grief* komme galt af sted; ~ *to nothing* mislykkes (fx. *his plans came to nothing);* løbe ud i sandet, ikke blive til noget; ~ *to that* for den sags skyld, når alt kommer til alt; ~ *to pieces* gå i stykker; ~ *up* komme op; dukke op; rejse sig; komme frem; komme for; ~ *up to* nå op til; stå på højde med; nå; ~ *up with* nå, indhente; ~ *upon* træffe på, (tilfældigt) finde, komme over; falde over; ~ *within* falde ind under.

II. **come** [kʌm] perf. part. af *come.*

come-at-able [kʌm'ätəbl] omgængelig, let at få i tale; let tilgængelig.

come-back ['kʌmbäk] tilbagekomst; come-back; **S** rapt svar, svar på tiltale.

comedian [kə'mi·diən] komiker.

comedo ['kåmidoᵘ] hudorm.

come-down ['kʌmdaun] brat fald; skuffelse.

comedy ['kåmidi] komedie; *musical ~* operette.

comely ['kʌmli] (adj.) pæn, smuk; tækkelig, net.

comer ['kʌmə]: *all -s* alle, der melder sig (el. indfinder sig); *the first ~* den først ankomne.

comestibles [kʌ'mestiblz] madvarer.

comet ['kåmėt] komet.

comfits ['kʌmfits] konfekt, søde sager (især: kandiserede frugter).

comfort ['kʌmfət] (subst.) trøst, vederkvægelse; velvære; bekvemmelighed, behagelighed; hygge; komfort; økonomisk sorgfrihed; (vb.) trøste, oplive; *a cold ~* en dårlig trøst. **comfortable** ['kʌmf(ə)təbl] bekvem, magelig, komfortabel, behagelig, hyggelig; veltilpas; veltilfreds; god (fx. *income); be ~* (ogs.) sidde godt; ligge godt; sidde godt i det; *make oneself ~* hygge sig; *make yourself ~* (ogs.) gør Dem det bekvemt. **comfortably** (adv.) bekvemt, let, behageligt; *be ~ off* være velstillet, sidde godt i det.

comforter ['kʌmfətə] trøster; uldent halstørklæde; narresut; (amr.) vattæppe.

comfortless ['kʌmfətlės] (adj.) uden hygge; trist.

comfrey ['kʌmfri] ♧ kulsukker.

comfy ['kʌmfi] fk. f. *comfortable.*

comic ['kåmik] (adj.) komisk (fx. *a ~ song);* (subst.) komiker; tegneserie.

comical ['kåmikəl] (adj.) komisk, morsom, pudsig.

comic paper tegneseriehæfte.

comic strip tegneserie.

Cominform ['kåminfå·m]: *the ~* Kominform.

coming ['kʌmiŋ] (adj.) kommende, tilkommende; (subst.) komme; ~ *in* (om post, varer) indgående; ~ *out* udgående; ~ *man* vordende leder, stjerne etc.; *the ~ thing* fremtidens løsen.

Comintern ['kåmintə·n] Komintern.

comity ['kåmiti] høflighed; ~ *of nations* venskabelig forståelse mellem nationerne.

comma ['kåmə] komma; *inverted -s* anførselstegn.

I. **command** [kə'ma·nd] (vb.) befale, byde; føre, kommandere; beherske; dominere; have udsigt over; (kunne) kræve; påbyde; have ret til; fremtvinge, vække; råde over; opnå (fx. en pris); *it -s respect* det indgyder respekt.

II. **command** [kə'ma·nd] (subst.) befaling; ordre; anførsel, kommando; magt, herredømme, rådighed *(of* over); *at ~* på kommando; til disposition (fx. *all the money at my ~); at* (el. *by) his ~* på hans bud; *in ~* kommanderende; *be in ~* føre kommandoen (fx. *who is in ~ here?).*

commandant [kåmən'dänt] kommandant.

commandeer [kåmən'diə] (vb.) beslaglægge.

commander [kə'ma·ndə] (subst.) fører, anfører; feltherre; orlogskaptajn, kommandør (af en orden). ~ **-in-chief** [kə'ma·ndərin'tʃi·f] øverstbefalende.

commandment [kə'ma·ndmənt] bud; *the ten -s* de ti bud.

commando [kə'ma·ndoᵘ] særlig uddannet angrebsstyrke, kommando (NB et kommando).

Commem [kə'mem] (fk. f. *Commemoration)* stiftelsesfest ved universitetet i Oxford.

commemorate [kə'meməreⁱt] fejre; minde(s).

commemoration [kə'meməreⁱʃən] ihukommelse; mindefest, stiftelsesfest v. univ. i Oxford; *in ~ of* til minde om. **commemorative** [kə'memərətiv] (adj.) til erindring *(of* om).

commence [kə'mens] (vb.) begynde. **-ment** [kə'mensmənt] (subst.) begyndelse; (ved nogle universiteter) (eksamens) afslutningshøjtidelighed.

commend [kə'mend] rose, prise; anbefale; betro, overgive; *it does not ~ itself to me* det tiltaler mig ikke; ~ *me to* **T** næ, må jeg så be' om. **commend|able** [kə'mendəbl] prisværdig; værd at anbefale. **-atory** [kə'mendətəri] anbefalende; rosende.

commensurability [kəmenʃərə'biliti] kommensurabilitet. **commensurable** [kə'menʃərəbl] kommensurabel.

commensurate [kə'menʃərėt]: *be ~ with* stå i et rimeligt forhold til; svare til (fx. *his success was not ~ with his efforts).*

comment [ˈkåment] (subst.) (kritisk el. forklarende) bemærkning, kommentar; (vb.) gøre bemærkninger *(on* om); skrive fortolkning *(on* til); ~ *on* (ogs.) omtale, udtale sig om, anmelde. **commentary** [ˈkåmәntәri] kommentar, fortolkning; ledsagende tekst, speakerkommentar (til film etc.); reportage (i radio). **commentator** [ˈkåmenteˈtә] forfatter af anmærkninger, kommentator; radioreporter.

commerce [ˈkåmәs] handel; omgang, samkvem.

commercial [kәˈmә·ʃәl] (adj.) kommerciel, handels-; (subst.) reklameudsendelse (i radio og TV); T handelsrejsende; ~ *aviation* erhvervsmæssig flyvning; ~ *school* handelsskole; ~ *subject* handelsfag; ~ *traveller* handelsrejsende; *put to* ~ *use* udnytte erhvervsmæssigt.

commercialize [kәˈmә·ʃәlaiz] udnytte erhvervsmæssigt.

commie [ˈkåmi] T kommunist.

commination [kåmiˈneˈʃәn] trusel, fordømmelse.

commingle [kåˈmiŋgl] blande (sig).

comminute [ˈkåminju·t] (vb.) findele; *-d fracture* (med.) splintbrud. **comminution** [kåmiˈnju·ʃәn] findeling.

commiserate [kәˈmizәreˈt] ynke, have medlidenhed (med). **commiseration** [kәmizәˈreˈʃәn] medlidenhed, medynk.

commissar [kåmiˈsa·] kommissær (i Sovjet); *People's Commissar* folkekommissær.

commissariat [kåmiˈsæәriәt] intendantur; (i Sovjet) kommissariat.

commissary [ˈkåmisәri] kommissær; intendant.

commissary-general generalintendant.

commission [kәˈmiʃәn] (subst.) overdragelse; hverv; officersudnævnelse, officerspatent, officersbestalling; kommission; provision; udøvelse; forøvelse (fx. *the* ~ *of a crime);* (vb.) befuldmægtige; give et hverv, give i kommsission, give bestilling på; udruste (fx. et orlogsskib); udnævne; *get a* ~ blive officer; *ship in* ~ udrustet skib; tjenstdygtigt skib; *put the ship in(to)* ~ hejse kommando; *ship out of* ~ skib, der har strøget kommando, oplagt skib; *be -ed to write an article* få bestilling på en artikel; ~ *of the peace* embede som (el. udnævnelse til) fredsdommer.

commissionaire [kәmisjәˈnæә] (uniformeret) dørvogter, portier, schweizer (v. stormagasin, biografteater etc.).

commissioned: ~ *officer* officer.

commissioner [kәˈmiʃәnә] kommissær; kommissionsmedlem; kommitteret; regeringsrepræsentant (i koloni etc.); kommandør (i Frelsens Hær); *High Commissioner* Højkommissær; ~ *of Police* (omtr.) politidirektør; *assistant* ~ *of police* (omtr.) politiinspektør; *Parliamentary* ~ ombudsmand.

commissure [ˈkåmiʃuә]: ~ *of the lips* mundvig.

commit [kәˈmit] betro, overgive; forøve, begå; forpligte, binde; henvise til et udvalg; ~ *for trial* sætte under tiltale; ~ *oneself* forpligte sig, binde sig (fx. *to a certain course*), tage stilling; ~ *oneself to* (ogs.) påtage sig; ~ *to the flames* brænde, kaste på ilden; ~ *sby. to a lunatic asylum* tvangsindlægge én på en sindssygeanstalt; ~ *to memory* memorere, indprente i sin hukommelse; ~ *to prison* fængsle; ~ *to writing* nedskrive.

commitment [kәˈmitmәnt] forpligtelse; arrestordre, fængslingskendelse; tvangsindlæggelse.

committal [kәˈmitl] forøvelse; forpligtelse; overdragelse; fængsling.

I. **committee** [kәˈmiti] komité, udvalg; *the House goes into* ~ tinget konstituerer sig som udvalg (for at drøfte et lovforslag i enkeltheder); ~ *of inspection* kreditorudvalg.

II. **committee** [kåmiˈti·] (subst.) værge (for en sindssyg etc.).

commix [kәˈmiks] (vb) sammenblande.

commode [kәˈmoᵘd] kommode; natstol; servante.

commodious [kәˈmoᵘdiәs] rummelig.

commodity [kәˈmåditi] (subst.) nyttegenstand; vare.

commodore [ˈkåmәdå·] eskadrechef; kommandør.

common [ˈkåmәn] (se ogs. *commons)* almindelig; sædvanlig; simpel; tarvelig; menig; fælles; (subst.) fælled; overdrev; *in* ~ fælles, tilfælles.

commonalty [ˈkåmәnәlti] almindelige folk, den jævne befolkning, almuen.

common avens ♧ febernellikerod.

commoner [ˈkåmәnә] (subst.) borgerlig; underhusmedlem; (i Oxford) student, hvis universitetsstudium ikke er afhængigt af et legat; *the Great C.* (betegnelse for William Pitt den ældre).

common | gender fælleskøn. ~ **law** sædvaneret.

commonly [ˈkåmәnli] (adv.) sædvanligvis.

Common Market: *the* ~ Fællesmarkedet.

common | measure lige takt. ~ **noun** fællesnavn (modsat egennavn). ~ **-or-garden** (adj.) ganske almindelig.

commonplace [ˈkåmәnpleˈs] banalitet, trivialitet; (adj.) hverdagsagtig, fortærsket, banal.

common-room [ˈkåmәnrum]: *senior* ~ lærerværelse; *junior* ~ elevers (el. studenters) opholdsstue.

commons [ˈkåmәnz] borgerlige, borgerstanden; portion; kost; (amr.) frokoststue, spisesal (i *college*); *on short* ~ på smalkost; *the (House of) Commons* Underhuset.

common | sense sund fornuft. ~ **time** lige takt.

commonwealth [ˈkåmәnwelþ] stat, republik; *the Commonwealth* republikken (under Cromwell); *the British Commonwealth of Nations* det britiske statssamfund; *the Commonwealth of Australia* Australien.

commotion [kәˈmoᵘʃәn] (subst.) bevægelse; røre; oprør, tumult.

communal [ˈkåmjunl] fælles, offentlig; kommunal.

I. **commune** [ˈkåmju·n] kommune; *The Commune (of Paris)* Pariserkommunen.

II. **commune** [kәˈmju·n, ˈkåmju·n] (vb.) gaa til alters; ~ *with* føre en fortrolig samtale med; have fortrolig omgang med, være ét med (fx. *nature).*

communicable [kәˈmju·nikәbl] som kan meddeles; smitsom.

communicant [kәˈmju·nikәnt] altergænger.

communicate [kәˈmju·nikeˈt] meddele; overføre; bringe videre; være forbundet (*with* med); gå til alters; ~ *itself to* brede sig til; ~ *with* (sam)tale med; stå i forbindelse med (fx. *my room -s with the kitchen).*

communication [kәmju·niˈkeˈʃәn] meddelelse; forbindelse, samfærdsel. ~ **-cord** (svarer omtrent til) nødbremsegreb.

communicative [kәˈmju·nikeˈtiv] meddelsom.

communion [kәˈmju·njәn] fællesskab; forbindelse; samkvem, omgang; (kirke)samfund; altergang; *hold* ~ *with* rådføre sig med; *hold* ~ *with oneself* tænke (el. grunde) dybt; *Holy Communion* Nadveren; *receive* (el. *go to)* ~ gå til alters. ~ **-cup** alterkalk, ~ **-rail** alterskranke. ~ **table** nadverbord.

communiqué [kәˈmju·nikeˈ] communiqué.

communism [ˈkåmjunizm] kommunisme.

communist [ˈkåmjunist] (subst.) kommunist; (adj.) kommunistisk.

communistic [kåmjuˈnistik] kommunistisk.

community [kәˈmju·niti] fællesskab; samfund.

community singing fællessang.

commutable [kәˈmju·tәbl] som kan ombyttes.

commutation [kåmjuˈteˈʃәn] forandring; bytning; ~ *of tithes* tiendeafløsning; ~ *ticket* (amr.) abonnementskort.

commute [kәˈmju·t] ombytte; forandre; afløse; nedsætte (en straf); (amr.) regelmæssigt rejse med toget til og fra arbejde, være kortrejsende.

commuter [kәˈmju·tә] (subst.) (amr.) kortrejsende.

I. **compact** [kәmˈpӓkt] (adj.) tæt (pakket); **kompakt**; sammentrængt; kortfattet.

II. **compact** ['kåmpåkt] (subst.) overenskomst, pagt; (lille) pudderdåse.
III. **compact** [kəm'påkt] (vb.) sammenpresse, sammentrænge; sammensvejse; (fig.) sammensætte.
companion [kəm'pånjən] (subst.) kammerat, ledsager(inde); selskabsdame; ridder (af en orden); pendant; (vb.) ledsage, følge; ~ *in crime* medskyldig; *-s in misfortune* lidelsesfæller. **companionable** [kəm'pånjənəbl] omgængelig, selskabelig. **companionate** [kəm'pånjənit]: ~ *marriage* kammeratægteskab.
companion-in-arms våbenfælle, soldaterkammerat.
companion|-ladder kahytstrappe. **-ship** kammeratskab. **-way** kahytstrappe.
company ['kʌmpəni] (subst.) selskab; aktieselskab; lav; kompagni; *he came in* ~ *with us* han kom sammen med os; *get into bad* ~ komme i dårligt selskab; ~ *commander* kompagnichef; *a ship's* ~ et skibs mandskab; *he is good* ~ han er morsom at være sammen med; *keep* ~ *with* omgås; (vulg.) være kæreste med; *keep sby.* ~ holde én med selskab; *the Companies Act* aktieselskabsloven; *register of companies* aktieselskabsregister.
comparable ['kåmpərəbl] (adj.) som kan sammenlignes. **comparative** [kəm'pårətiv] (adj.) forholdsmæssig, relativ; sammenlignende; komparativisk; (subst.) *the* ~ komparativ, højere grad.
comparatively forholdsvis.
compare [kəm'pæə] (vb.) sammenligne *(to, with* med); (kunne) sammenlignes, (kunne) måle sig *(with* med); komparere, gradbøje; *beyond* ~ uforlignelig; ~ *notes* udveksle synspunkter (el. erfaringer, indtryk).
comparison [kəm'pårisn] (subst.) sammenligning; komparation, gradbøjning; *beyond all* ~ uforlignelig; *make* (el. *establish) a* ~ *between* foretage en sammenligning mellem.
compartment [kəm'pa·tmənt] afdeling; rum (fx. *watertight* ~); felt; (i tog) kupé.
compass ['kʌmpəs] (vb.) nå, opnå, bringe i stand; lægge planer om; (subst.) omfang; omkreds; rækkevidde, begrænsning, (rimelige) grænser; rum; omvej; kompas; *fetch a* ~ gå en omvej; *a pair of -es* en passer; *-ed about* omringet.
compass | card kompasrose. ~ **course** devierende kurs.
compassion [kəm'påʃən] medlidenhed *(on* med); *have* (el. *take)* ~ *upon* forbarme sig over.
compassionate [kəm'påʃənėt] (adj.) medlidende; [kəm'påʃəneⁱt] (vb.) have medlidenhed med; *leave on* ~ *grounds* orlov på grund af dødsfald i familien etc.
compass | plane skibshøvl. ~ **saw** stiksav.
compatibility [kəmpåtə'biliti] forenelighed.
compatible [kəm'påtəbl] forenelig, overensstemmende.
compatriot [kəm'påtriət] landsmand.
compeer [kåm'piə] ligemand; kammerat.
compel [kəm'pel] tvinge; tiltvinge sig, fremtvinge; ~ *sby.'s attention* fængsle ens opmærksomhed; ~ *sby.'s respect* aftvinge én respekt. **compelling** [kəm'peliŋ] (adj.) tvingende; uimodståelig.
compendious [kəm'pendiəs] kortfattet; sammentrængt.
compendium [kəm'pendiəm] udtog; kompendium; afhandling.
compensate ['kåmpenseⁱt] (vb.) erstatte, godtgøre; give erstatning, holde skadesløs, opveje; kompensere. **compensation** [kåmpen'seⁱʃən] (subst.) erstatning, godtgørelse; (psyk.) kompensation; *pay* ~ *in full* yde fuld erstatning. **compensatory** (adj.) ['kåmpenseⁱtəri] erstatnings-.
compère ['kåmpæə] konferencier; (radio, ogs.) programleder.
compete [kəm'pi·t] konkurrere *(for* om, til).
competence ['kåmpitəns], **competency** ['kåmpitənsi] (subst.) tilstrækkeligt udkomme; forholdsvis gode kår; kompetence, kvalifikationer.
competent ['kåmpitənt] (adj.) tilstrækkelig; beføjet; kompetent, kvalificeret; tilladelig, lovlig.
competition [kåmpi'tiʃən] (subst.) kappestrid, konkurrence *(for* om). **competitive** [kəm'petitiv] (adj.) konkurrerende, konkurrencedygtig; ~ *spirit* kappelyst.
competitor [kəm'petitə] konkurrent, medbejler.
compilation [kåmpi'leⁱʃən] kompilation, samlerarbejde, uddrag (af forskellige bøger). **compile** [kəm'pail] samle; kompilere; ~ *an index* udarbejde et register. **compiler** [kəm'pailə] kompilator.
complacence [kəm'pleⁱsns], **complacency** [kəm'pleⁱsnsi] selvtilfredshed. **complacent** [kəm'pleⁱsnt] selvtilfreds; selvbehagelig.
complain [kəm'pleⁱn] (vb.) klage; beklage sig *(of, about* over); (merk.) reklamere (ɔ: klage). **complainant** [kəm'pleⁱnənt] klager, sagsøger.
complaint [kəm'pleⁱnt] klage, besværing; lidelse, sygdom; (merk.) reklamation; *book of -s* ankeprotokol; *lodge* (el. *make) a* ~ *against sby.* indgive klage over én; *I have no -s to make* jeg har ikke noget at klage over.
complaisance [kəm'pleⁱzəns] (subst.) forekommenhed, imødekommenhed; føjelighed, elskværdighed. **complaisant** [kəm'pleⁱzənt] (adj.) forekommende, imødekommende; føjelig; elskværdig.
complement ['kåmplimənt] fuldendelse, udfyldning; komplement; fuldstændig bemanding (på et skib); ⚔ (fuld) styrke; ~ *of the engine* maskinbesætning; *ship's* ~ skibsbesætning; *subjective* ~ omsagnsled til grundleddet.
complementary [kåmpli'mentəri] supplerende, udfyldende; ~ *angles* komplementvinkler; ~ *colour* komplementærfarve.
complete [kəm'pli·t] (adj.) fuldstændig, komplet; fuldkommen, fuldendt; (vb.) fuldende, fuldstændiggøre; fuldføre; udfylde (fx. *a form); ~ one's twentieth year* fylde tyve år; ~ *works* samlede værker. **completion** [kəm'pli·ʃən] fuldendelse; fuldstændiggørelse.
complex ['kåmpleks] (adj.) indviklet (fx. *the political situation is* ~), sammensat; (subst.) kompleks; sammensat hele.
complexion [kəm'plekʃən] ansigtsfarve, hudfarve, teint; udseende; slags, karakter; (glds.) gemyt, temperament; *put a different* ~ *on the matter* stille sagen i et andet lys. **complexity** [kəm'pleksiti] indviklet beskaffenhed.
compliance [kəm'plaiəns] indvilligelse *(with* i); eftergivenhed, føjelighed; *in* ~ *with* i overensstemmelse med. **compliant** [kəm'plaiənt] (adj.) eftergivende, føjelig.
complicate ['kåmplikeⁱt] (vb.) komplicere, gøre indviklet. **complicated** (adj.) indviklet, kompliceret.
complication [kåmpli'keⁱʃən] forvikling; (ogs. med.) komplikation.
complicity [kəm'plisiti] medskyldighed; meddelagtighed.
I. **compliment** ['kåmplimənt] (subst.) kompliment; høflighed; hilsen; *my compliments to your father* hils din fader (fra mig); *-s of the season* jule- og nytårsønsker; *Mr. X's -s, and would you ...* jeg skal hilse fra hr. X og spørge, om De ville ...
II. **compliment** ['kåmpliment] (vb.) komplimentere, lykønske *(on* med).
complimentary [kåmpli'mentəri] komplimenterende; smigrende; rosende; ~ *copy* frieksemplar; ~ *dinner* festmiddag til ære for en; ~ *ticket* fribillet.
complin(e) ['kåmplin] komplet, aftengudstjeneste.
comply [kəm'plai] give efter, indvillige, samtykke; ~ *with* rette sig efter, efterkomme, gå ind på, imødekomme (fx. *his requests, his wishes).*
compo ['kåmpoᵘ] fk. f. *composition,* især om en blanding af sand og cement.
component [kəm'poᵘnənt] (adj.) som udgør en del; (subst.) bestanddel; ~ *parts* bestanddele.
comport [kəm'på·t] (vb.) stemme *(with* med),

passe sig *(with* for); ~ *oneself* opføre sig; optræde (fx. *he -ed himself with dignity).*
compos mentis ['kåmpəs 'mentis] ved sin fornufts fulde brug.
compose [kəm'poᵘz] sammensætte; tilsammen udgøre; danne; forfatte; komponere; berolige; bilægge (fx. ~ *a quarrel);* ordne, samle; (typ.) sætte; ~ *one's features* lægge ansigtet i de rette folder; ~ *oneself* fatte sig. **composed** [kəm'poᵘzd] fattet, rolig; *be* ~ *of* bestå af, være sammensat af. **composer** [kəm'poᵘzə] komponist; forfatter.
composing | frame (typ.) sættereol. ~ **machine** sættemaskine. ~ **room** sætteri. ~ **stick** vinkelhage.
composite ['kåmpəzit] (adj.) sammensat; ♧ kurvblomstret; (subst.) sammensætning; ♧ kurvblomst.
composition [kåmpə'ziʃən] sammensætning; komposition; fristil; værk; skrift; natur, karakter; forlig; overenskomst, ordning, akkord; (typ.) sætning.
compositor [kəm'påzitə] (subst.) sætter.
compost ['kåmpåst] (subst.) kompost; (vb.) gøde med kompost.
composure [kəm'poᵘʒə] (subst.) ro, fatning.
compote ['kåmpoᵘt] kompot.
I. **compound** ['kåmpaund] (subst.) blanding; sammensætning, (gram. ogs.) sammensat ord, kompositum; (kem.) forbindelse (fx. *water is a* ~ *of oxygen and hydrogen);* (i Indien og Kina) indhegnet gård med (især europæisk) beboelseshus el. fabrik; (i Sydafrika) indhegnet bydel hvor de indfødte (minearbejdere etc.) er henvist til at bo.
II. **compound** ['kåmpaund] (adj.) sammensat (fx. *a* ~ *word).*
III. **compound** [kəm'paund] (vb.) sammensætte; blande; afgøre i mindelighed; få en ordning (fx. *with one's creditors);* komme overens, forlige sig; (amr.) forstørre, øge; ~ *a felony* lade sig bestikke til ikke at forfølge en forbrydelse.
compound | eye (zo.) facetøje. ~ **interest** rentes rente.
comprehend [kåmpri'hend] (vb.) indbefatte, omfatte; begribe, fatte. **comprehensible** [kåmpri'hensəbl] (adj.) begribelig, forståelig.
comprehension [kåmpri'henʃən] opfattelse, forståelse; fatteevne; indbefatning; *it is beyond my* ~ det går over min forstand.
comprehensive [kåmpri'hensiv] omfattende.
comprehensive school enhedsskole.
I. **compress** [kəm'pres] (vb.) sammenpresse, komprimere; sammentrænge; *-ed air* komprimeret luft, trykluft.
II. **compress** ['kåmpres] (subst.) omslag, kompres.
compression [kəm'preʃən] sammentrykning, fortætning; kompression, kompressions-.
compressor [kəm'presə] kompressor.
comprise [kəm'praiz] indbefatte, omfatte.
compromise ['kåmprəmaiz] (subst.) kompromis, overenskomst, forlig; (vb.) bilægge, afgøre i mindelighed; gå på akkord *(with* med); gøre indrømmelser; stille blot, kompromittere, udlevere; bringe i fare; binde (til en bestemt fremgangsmåde).
comptroller [kən'troᵘlə] tilsynsførende embedsmand *(= controller,* stavemåden bruges i visse titler).
compulsion [kəm'pʌlʃən] tvang.
compulsive [kəm'pʌlsiv] tvangs-.
compulsory [kəm'pʌlsəri] tvungen; obligatorisk (fx. *some subjects are* ~*);* ~ *education* skolepligt, tvungen skolegang; ~ *pilotage* lodspligt, lodstvang; ~ *service* almindelig værnepligt.
compunction [kəm'pʌŋkʃən] samvittighedsnag.
compunctious [kəm'pʌŋkʃəs] angergiven.
compurgation [kåmpə·'geⁱʃən]: *oath of* ~ renselsesed.
computable [kəm'pju·təbl] beregnelig.
computation [kåmpju'teⁱʃən] beregning.
computation centre regnecentral.
compute [kəm'pju·t] beregne, anslå; regne.
computer [kəm'pju·tə] regnemaskine; data(behandlings)maskine, databehandlingsanlæg.
comrade ['kåmréd, -reⁱd] kammerat.
comradeship kammeratskab.
I. **con** [kån] studere, læse på (fx. ~ *a lesson);* (amr.) snyde, fuppe; ~ *over* læse på; ~ *a ship* styre et skib.
II. **con** [kån] fk. f. *contra; pros and cons* grunde (el. argumenter) for og imod.
concatenate [kån'kätineⁱt] (vb.) sammenkæde.
concatenation [kånkäti'neⁱʃən] sammenkædning.
concave ['kån'keⁱv] (adj.) hul, hulsleben, konkav; (subst.) hulhed; ~ *lens* spredelinse; ~ *mirror* hulspejl.
concavity [kån'käviti] hulhed; konkavitet.
conceal [kən'si·l] skjule, holde hemmelig; *-ed lighting* indirekte belysning. **concealment** hemmeligholdelse; skjul; ~ *of birth* fødsel i dølgsmål; *place of* ~ skjulested.
concede [kən'si·d] indrømme.
conceit [kən'si·t] indbildskhed; *in one's own* ~ efter sin egen mening, i egen indbildning; *out of* ~ *with* ikke (længere) tilfreds med; *-ed* [kən'si·tid] indbildsk; *-ed about* vigtig af.
conceivable [kən'si·vəbl] forståelig; tænkelig (fx. *take every* ~ *precaution),* mulig.
conceive [kən'si·v] undfange; fatte; tænke sig; forstå; ~ *a plan* udklække en plan.
concentrate ['kånsentreⁱt] (vb.) koncentrere, sammendrage; koncentrere sig, samle sig *(upon* om).
concentration [kånsen'treⁱʃən] (subst.) sammendragning, koncentrering, koncentration; ~ *area* opmarchområde; ~ *camp* koncentrationslejr.
concentric [kån'sentrik] (adj.) koncentrisk.
concept ['kånsept] begreb.
conception [kən'sepʃən] undfangelse, befrugtning; forestilling; bevidsthedsbillede, idé.
I. **concern** [kən'sə·n] (vb.) angå, vedkomme (fx. *it does not* ~ *you at all); be -ed in sth.* have (noget) at gøre med noget (fx. *he was -ed in the robbery); as far as I am -ed* hvad mig angår; *as -s* hvad angår, angående; ~ *oneself with sth.* interessere sig for noget, give sig af med noget.
II. **concern** [kən'sə·n] (subst.) anliggende, sag (fx. *it is no* ~ *of mine; mind your own -s);* andel (fx. *he has a* ~ *in the business);* foretagende, forretning, firma (fx. *the shop is a paying* ~*);* bekymring, ængstelse; *what* ~ *is it of yours?* hvad kommer det dig ved? *the whole* ~ hele historien, hele redeligheden.
concerned (adj.) bekymret (fx. *he has a* ~ *look); the firm* ~ vedkommende firma, det pågældende firma. **concerning** (præp.) angående, hvad angår, med hensyn til. **concernment** (subst.) vigtighed (fx. *it is of vital* ~*);* bekymring.
I. **concert** [kən'sə·t] (vb.) indrette, ordne; aftale; samordne.
II. **concert** ['kånsət] (subst.) koncert; forståelse, harmoni, overensstemmelse; aftale; *in* ~ *with* i samråd (el. fællesskab) med.
concerted [kən'sə·tid] (adj.) fælles; som sker i fællesskab; ~ *action* samlet optræden, fællesaktion.
concert-grand koncertflygel.
concertina [kånsə'ti·nə] concertina (lille sekskantet harmonika).
concert-master ['kånsətma·stə], **concertmeister** ['kånsətmaistə] koncertmester, første violinist.
concerto [kən'tʃə·toᵘ] koncert, stykke for soloinstrument med orkesterledsagelse.
concert pitch kammertone.
concession [kən'seʃən] indrømmelse; bevilling, koncession. **concessionaire** [kənseʃə'næə] koncessionshaver. **concessionary** [kən'seʃənəri] koncessioneret. **concessive** [kən'sesiv] indrømmende.
conch [kåŋk] konkylie.
conchie, conchy ['kånʃi] **S** (fk. f. *conscientious objector)* militærnægter.
conciliate [kən'silieⁱt] vinde (for sig); forsone.
conciliation [kənsili'eⁱʃən] forsoning.

conciliation | board forligskommission. ~ **officer** forligsmand. ~ **proceedings** mægling (v. skilsmisse).

conciliator [kən'silie'tə] fredsstifter. **conciliatory** [kən'siliətəri] forsonende, mæglende; forsonlig.

concise [kən'sais] kortfattet, koncis.

conclave ['kånkle'v] (subst.) konklave.

conclude [kən'klu·d] ende; afslutte; (også fig.) slutte, drage en slutning; beslutte.

conclusion [kən'klu·ʒən] slutning, ende; afslutning; konklusion; *draw a* ~ drage en slutning; *in* ~ sluttelig, til sidst; *try -s with* prøve kræfter med, binde an med.

conclusive [kən'klu·siv] afgørende.

concoct [kən'kåkt] udklække; udspekulere (fx. *a plan);* sammenbrygge; finde på, opdigte (fx. *an excuse);* bikse sammen (fx. *a dish* en ret).

concoction [kən'kåkʃən] opdigtning; påfund; opdigtet historie.

concomitant [kən'kåmitənt] ledsagende; ledsagende omstændighed; ledsagefænomen; *be a* ~ *of* følge med (fx. *tuberculosis is often a* ~ *of poverty).*

concord ['kåŋkå·d] enighed; sammenhold; overensstemmelse; samklang, harmoni; (gram.) kongruens. **concordance** [kən'kå·dəns] overensstemmelse; konkordans (fx. *a* ~ *of the Bible).* **concordant** [kən'kå·dənt] overensstemmende *(with* med).

concordat [kån'kå·dät] konkordat.

concourse ['kåŋkå·s] sammenløb, tilløb, stimmel, skare, forsamling.

concrescence [kån'kresəns] sammenvoksning.

I. **concrete** ['kånkri·t] (subst.) beton, fast masse; konkret, tingsnavn; *reinforced* ~ armeret beton.

II. **concrete** ['kånkri·t] (adj.) sammenvokset, hård, fast; konkret.

III. **concrete** [kən'kri·t] (vb.) blive hård, størkne; gøre til en fast masse.

concrete | mixer betonblandemaskine. ~ **noun** (gram.) konkret, tingsnavn.

concreting [kən'kri·tiŋ] betonstøbning.

concretion [kən'kri·ʃən] størkning; fast masse.

concubinage [kån'kju·binidʒ] konkubinat.

concubine ['kåŋkjubain] konkubine, medhustru.

concupiscence [kən'kju·pisns] lystenhed.

concupiscent [kən'kju·pisnt] lysten.

concur [kən'kə·] (vb.) forene sig, mødes; falde sammen, indtræffe samtidig; være enig; medvirke; virke sammen. **concurrence** [kən'kʌrəns] sammentræf; forening, overensstemmelse; medvirkning; enighed; bifald. **concurrent** [kən'kʌrənt] medvirkende, samvirkende; samstemmende, enig; samtidig; hinanden skærende; medvirkende omstændighed (el. årsag).

concuss [kən'kʌs] ryste. **concussed** [kən'kʌst] (adj.) som har hjernerystelse.

concussion [kən'kʌʃən] rystelse; ~ *of the brain* hjernerystelse. **concussive** [kən'kʌsiv] rystende.

condemn [kən'dem] dømme; fordømme; kondemnere (fx. *a house); the doctors had -ed him* lægerne havde erklæret, at han ikke kunne leve, han var opgivet af lægerne; *the -ed cell* de dødsdømtes celle.

condemnation [kåndem'ne'ʃən] fordømmelse, domfældelse; kondemnering. **condemnatory** [kən'demnətəri] fordømmende.

condensable [kən'densəbl] fortættelig. **condensation** [kånden'se'ʃən] fortætning, sammentrængning. **condense** [kən'dens] fortætte, kondensere; sammentrænge; fortættes, kondensere sig. **condenser** fortætter, kondensator. **condensery** kondenseringsanstalt (for mælk).

condescend [kåndi'send] nedlade sig; være nedladende. **condescending** (adj.) nedladende. **condescension** [kåndi'senʃən] nedladenhed.

condign [kən'dain] (adj.) velfortjent, passende (fx. ~ *punishment).*

condiment ['kåndimənt] (subst.) krydderi.

condition [kən'diʃən] (subst.) betingelse, vilkår; tilstand, forfatning; stand, rang; (vb.) betinge; træne op, bringe i form; (psyk.) indgive betingede reflekser, 'dressere'; *people of all -s* folk af alle lag; *change one's* ~ (oftest =) gifte sig; *in* ~ ved godt helbred, i god kondition; *out of* ~ i dårlig form, ikke helt rask; *on* ~ *that* på den betingelse at; forudsat at; *-ed reflex* (psyk.) betinget refleks.

conditional [kən'diʃənl] (adj.) betingende, betinget; ~ *on* betinget af. **conditional clause** betingelsessætning. **conditionally** på visse betingelser, med visse forbehold.

condole [kən'doᵘl] bevidne sin deltagelse; ~ *with sby.* kondolere en.

condolence [kən'doᵘləns] kondolence.

condonation [kåndo'ne'ʃən] tilgivelse. **condone** [kən'doᵘn] tilgive; lade gå upåtalt hen.

condor ['kåndå·] (zo.) kondor.

conduce [kən'dju·s] (vb.) bidrage. **conducive** [kən'dju·siv] som bidrager *(to* til).

I. **conduct** ['kåndəkt] (subst.) førelse; ledelse (fx. *the* ~ *of the war);* opførsel, adfærd, handlemåde, vandel.

II. **conduct** [kən'dʌkt] (vb.) føre, lede; dirigere; udføre; ~ *oneself* opføre sig; *-ed tour* selskabsrejse.

conductible [kən'dʌktəbl] ledende, som har ledningsevne.

conduction [kən'dʌkʃən] ledning. **conductive** [kən'dʌktiv] (i fysik) ledende. **conductor** [kən'dʌktə] fører, leder (fx. *the* ~ *of the expedition);* konduktør (på sporvogn, omnibus, amr. ogs. tog); orkesterdirigent; (i fysik) leder; lynafleder.

conduit ['kåndit, 'kåndjuit] vandledning, rør, kanal.

cone [koᵘn] kegle; kræmmerhus, vaffel (til is); ♧ kogle; *be -d* (flyv.) blive indfanget af (fjendtlige) lyskastere.

cone-shaped kegleformet.

coney ['koᵘni] (zo.) kanin.

confab ['kånfäb] **T** fk. f. *confabulate, confabulation.*

confabulate [kən'fäbjule'ᵗ] snakke, passiare.

confabulation [kənfäbju'le'ʃən] snak, passiar.

confection [kən'fekʃən] blanding, tilberedning; konfekt; færdigsyet dametøj. **confectioner** [kən'fekʃənə] konditor; ~ *'s shop* konditori. **confectionery** [kən'fekʃənri] konditorvarer, konfekt; konditori.

confederacy [kən'fedərəsi] (subst.) forbund; sammensværgelse; edsforbund.

I. **confederate** [kən'fedəre'ᵗ] (vb.) forbinde; forene sig, slutte forbund.

II. **confederate** [kən'fedərėt] (adj. og subst.) forbundet, forbunds-; forbundsfælle; medskyldig; hørende til de konfødererede amerikanske sydstater *(the Confederate States of America).*

confederation [kənfedə're'ʃən] forbund.

confer [kən'fə·] jævnføre, sammenligne, konferere; rådslå; overdrage, give; ~ *sth. upon sby.* skænke en noget; tildele en noget. **conference** ['kånfərəns] underhandling; konference.

confess [kən'fes] bekende, tilstå; vedgå, indrømme; skrifte; tage til skrifte. **confession** [kən'feʃən] bekendelse, tilståelse; indrømmelse; skriftemål, skrifte; trosbekendelse. **confessional** [kən'feʃənl] skriftestol; *the Confessional Church* bekendelseskirken.

confessor [kən'fesə] bekender; skriftefader.

confetti [kən'feti] konfetti.

confidant, confidante [kånfi'dänt] fortrolig (ven, veninde).

confide [kən'faid] betro; ~ *in* stole på, have tillid til (fx. *I can* ~ *in him);* betro sig til; ~ *to* betro til (fx. *he -d his troubles to me).*

confidence ['kånfidəns] tillid *(in* til); tillidsfuldhed, fortrolighed (fx. *in strict* ~*);* fortrolig meddelelse; betroelse (fx. *I don't want to listen to his -s); be in sby.'s* ~ have ens fortrolighed; *take him into my* ~ betro mig til ham, skænke ham min fortrolighed; ~ *man,* ~ *trickster* bondefanger; ~ *trick* bondefangerkneb; *vote of* ~ **tillidsvotum.**

confident [ˈkånfidənt] (adj.) overbevist; tillidsfuld; selvtillidsfuld, sikker; ~ *of* stolende på, i tillid til. **confidential** [kånfiˈdenʃəl] (adj.) fortrolig (fx. *he spoke in a ~ tone);* betroet (fx. *a ~ servant).*

configuration [kənfigjuˈreⁱʃən] form; stilling.

confine [kənˈfain] begrænse; indskrænke; indeslutte, indespærre; holde fangen, fængsle; *be -d* (ogs.) nedkomme; *she is about to be -d* hun venter sin nedkomst; *-d to one's bed* sengeliggende; *-d to barracks* ⚔ i kvarterarrest; *be -d to one's room* måtte holde sig inde (på grund af sygdom).

confinement [kənˈfainmənt] indespærring; arrest; barselseng, nedkomst; ~ *to barracks* kvarterarrest; *be placed under* ~ blive spærret inde.

confines [ˈkånfainz] (subst.) grænser.

confirm [kənˈfə·m] (vb.) bekræfte, stadfæste; bestyrke, befæste; konfirmere; *have one's appointment -ed* blive fast ansat (modsat konstitueret). **confirmation** [kånfəˈmeⁱʃən] stadfæstelse, bekræftelse; konfirmation. **confirmed** (ogs.) forhærdet, uforbederlig, indgroet, inkarneret (fx. *a ~ bachelor);* passioneret (fx. *a ~ smoker);* kronisk (fx. *a ~ disease).*

confirmee [kånfə·ˈmi·] konfirmand.

confiscate [ˈkånfiskeⁱt] (vb.) konfiskere, beslaglægge. **confiscation** [kånfisˈkeⁱʃən] (subst.) konfiskation, beslaglæggelse.

conflagration [kånfləˈgreⁱʃən] (kæmpe)brand.

I. **conflict** [kənˈflikt] (vb.) støde sammen, være i modstrid med hinanden; ~ *with* støde sammen med, være i modstrid med.

II. **conflict** [ˈkånflikt] (subst.) kamp, strid, konflikt; *come into ~ with* komme i modstrid med; komme i konflikt med (fx. *the law).*

conflicting [kənˈfliktiŋ] modstridende.

confluence [ˈkånfluəns] sammenløb; sammenstrømning, sammenstimlen; folkestimmel. **confluent** [ˈkånfluənt] (adj.) sammenflydende; (subst.) biflod. **conflux** [ˈkånflʌks] se *confluence.*

conform [kənˈfå·m] tilpasse, tillempe; rette sig *(to* efter); være i overensstemmelse *(to* med); passe *(to* til). **conformable** [kənˈfå·məbl] overensstemmende, passende; lydig, føjelig. **conformation** [kånfå·ˈmeⁱʃən] form, skikkelse, bygning; struktur.

conformism [kənˈfå·mizm] konformisme.

conformist [kənˈfå·mist] konformist (tilhænger af den engelske statskirke). **conformity** [kənˈfå·miti] (handlemåde i) overensstemmelse (m. givne regler); tilslutning til den engelske statskirke.

confound [kənˈfaund] (vb.) sammenblande, forveksle; forvirre; forbløffe; gøre til skamme; tilintetgøre; ~ *his impudence* sikken en uforskammet fyr; ~ *it!* gid pokker havde det! *-ed* forbistret (fx. *a -ed long time).*

confrère [kånˈfræə] kollega.

confront [kənˈfrʌnt] stå (el. stille (sig)) ansigt til ansigt med; stå (lige) over for; konfrontere *(with* med); *the crisis which now -s the people* den krise som folket nu står over for.

confrontation [kånfrʌnˈteⁱʃən] konfrontation.

Confucius [kənˈfju·ʃiəs] Kungfutse.

confuse [kənˈfju·z] forvirre; sammenblande, forveksle (fx. *~ cause and effect).*

confusedly [kənˈfju·zidli] forvirret.

confusion [kənˈfju·ʒən] uorden, forvirring; sammenblanding; forlegenhed, bestyrtelse; ødelæggelse.

confutation [kånfju·ˈteⁱʃən] gendrivelse.

confute [kənˈfju·t] gendrive.

con game (amr.) bondefangerkneb.

congeal [kənˈdʒi·l] bringe til at fryse; bringe til at størkne el. stivne; fryse; størkne, stivne.

congelation [kåndʒiˈleⁱʃən] (subst.) frysning, størkning, stivnen.

congenial [kənˈdʒi·niəl] (ånds)beslægtet; sympatisk (fx. *society);* som passer til ens temperament og indstilling (fx. *work).* **congeniality** [kəndʒi·niˈäliti] åndslægtskab; sympati; passende beskaffenhed

congenital [kənˈdʒenitl] medfødt (fx. *disease).*

conger(-eel) [ˈkåŋgə(ˈri·l)] havål.

congeries [kånˈdʒiəri·z] (subst.) dynge, hob.

congest [kənˈdʒest] overfylde; *-ed area* overbefolket område. **congestion** [kənˈdʒestʃən] kongestion, blodtilstrømning; overfyldning, trængsel; *traffic* ~ trafikprop.

I. **conglomerate** [kånˈglåmareⁱt] (vb.) sammenklumpe, sammenhobe.

II. **conglomerate** [kånˈglåmərėt] (adj. og subst.) sammenhobet; blandet masse; konglomerat. **conglomeration** [kånglåməˈreⁱʃən] sammenhobning; konglomerat.

conglutinate [kənˈglu·tineⁱt] sammenlime, sammenklæbe; sammenføje; sammenklæbes, vokse sammen.

conglutination [kənglu·tiˈneⁱʃən] sammenlimning; sammenvoksning.

Congo [ˈkåŋgoᵘ]; ~ *snake* slangepadde.

congratulate [kənˈgrätjuleⁱt] lykønske, gratulere *(on* med). **congratulation** [kəngrätjuˈleⁱʃən] lykønskning (fx. *please accept my -s).* **congratulator** [kənˈgrätjuleⁱtə] gratulant. **congratulatory** [kənˈgrätjuleⁱtəri] lykønsknings-.

congregate [ˈkåŋgrigeⁱt] samle (sig).

congregation [kåŋgriˈgeⁱʃən] menighed. **congregationalism** [kåŋgriˈgeⁱʃ(ə)nəlizm] kongregationalisme (den kirkelige retning, der gør de enkelte menigheder uafhængige), frimenighedsbevægelse.

congress [ˈkåŋgres] (subst.) møde; kongres; *Congress* Kongressen (De forenede Staters parlament).

congressional [kåŋˈgreʃənəl] (adj.) kongres- (fx. *debate); ~ district* (amr.) valgkreds i U.S.A. (ved valg til Repræsentanternes Hus).

congressman kongresmedlem.

congruence [ˈkåŋgruəns] (subst.) overensstemmelse; kongruens. **congruent** [ˈkåŋgruənt] (adj.) overensstemmende; kongruent. **congruity** [kåŋˈgruiti] overensstemmelse. **congruous** [ˈkåŋgruəs] passende; overensstemmende.

conic(al) [ˈkånik(l)] kegle-; kegleformig, konisk; ~ *section* keglesnit. **conics** læren om keglesnit.

conifer [ˈkoᵘnifə] ♧ nåletræ. **coniferous** [koᵘˈnifərəs] koglebærende; nåle(træs)-; ~ *forest* nåleskov.

conjectural [kənˈdʒektʃərəl] grundet på gisning.

conjecture [kənˈdʒektʃə] (subst.) gætning, gisning, konjektur; (vb.) gætte, gætte sig til, formode.

conjoin [kənˈdʒoin] forbinde; *-t* forenet.

conjugal [ˈkåndʒugəl] ægteskabelig (fx. *happiness).*

conjugate [ˈkåndʒugeⁱt] konjugere(s). **conjugation** [kåndʒuˈgeⁱʃən] konjugation, (verbal)bøjning.

conjunction [kənˈdʒʌnkʃən] forbindelse; forening; sammenfald; konjunktion; bindeord.

conjunctiva [kåndʒʌŋkˈtaivə] øjets bindehinde.

conjunctive [kənˈdʒʌŋktiv] forbindende.

conjunctivitis [kəndʒʌŋktiˈvaitis] (med.) betændelse i øjets bindehinde, konjunktivitis.

conjuncture [kənˈdʒʌŋktʃə] sammentræf (af omstændigheder), forhold, situation; (kritisk) tidspunkt.

conjuration [kåndʒuˈreⁱʃən] besværgelse.

I. **conjure** [kənˈdʒuə] besværge, bede indstændigt.

II. **conjure** [ˈkʌndʒə] gøre tryllekunster, trylle, hekse; ~ *up* fremmane.

conjurer [ˈkʌndʒərə] tryllekunstner.

conjuring trick tryllekunst.

conk [kåŋk] **S** næse, tud; ~ *(out)* (vb.) (om motor etc.) sætte ud, bryde sammen, svigte; (om person) besvime; dø.

conker [ˈkåŋkə] **T** kastanje.

conman [ˈkånmän] **T** bondefanger.

conn [kån] (vb.): ~ *a ship* styre et skib.

Conn. fk. f. *Connecticut; Connaught.*

Connaught [ˈkånå·t].

connect [kəˈnekt] forbinde; stå i forbindelse, (om tog etc.) korrespondere, have forbindelse *(with* med); *-ed* (ogs.) sammenhængende; *well -ed* af god familie.

connectedly [kəˈnektidli] i sammenhæng.

Connecticut [kəˈnetikət].

connecting: ~ *rod* drivstang, plejlstang.
connection [kə'nekʃən] forbindelse, sammenhæng; kundekreds; slægtning; slægtskab; kirkesamfund. **connective** [kə'nektiv] forbindende; bindeord; ~ *tissue* bindevæv.
connexion se *connection.*
conning-tower ['kåniŋtauə] ⚓ kommandotårn.
conniption [kə'nipʃən] **S**: ~ *fit* hysterisk anfald.
connivance [kə'naivəns] det at se igennem fingre med (især forbrydelse); hemmelig forståelse, medviden.
connive [kə'naiv] være medvider; ~ *at* se igennem fingre med; ~ *with* stå i hemmelig forbindelse med.
connoisseur [kåni'sə·] kender, kunstkender.
connotation [kånə'teiʃən] konnotation; bibetydning. **connote** [kå'noᵘt] have bibetydning af; betyde.
connubial [kə'nju·biəl] ægteskabelig.
conquer ['kåŋkə] erobre; besejre; sejre. **conquerable** ['kåŋkərəbl] overvindelig, indtagelig.
conqueror ['kåŋkərə] erobrer, sejrherre.
conquest ['kåŋkwest] erobring, sejr; *the Conquest* især = *the Norman Conquest* (1066); *make a ~ of* vinde (for sig); *by right of* ~ med erobrerens ret.
consanguineous [kånsäŋ'gwiniəs] blodsbeslægtet. **consanguinity** [kånsäŋ'gwiniti] blodsslægtsskab.
conscience ['kånʃəns] samvittighed; *in all* ~ **T** ganske sikkert, minsandten; *a matter of* ~ en samvittighedssag.
conscience clause bestemmelse der giver ret til fritagelse (fx. for religionsundervisning) af samvittighedsgrunde.
conscienceless samvittighedsløs.
conscience money penge der indbetales for at lette samvittigheden, især med hensyn til tidligere begået skattesnyderi.
conscientious [kånʃi'enʃəs] samvittighedsfuld; samvittigheds-.
conscientiousness samvittighedsfuldhed.
conscientious objector militærnægter (af samvittighedsgrunde).
conscious ['kånʃəs] bevidst, ved bevidsthed; genert; *be ~ of sth.* være sig noget bevidst, være klar over noget.
consciousness bevidsthed.
I. **conscript** ['kånskript] (subst.) værnepligtig; udskreven (soldat).
II. **conscript** [kən'skript] (vb.) udskrive.
conscription [kən'skripʃən] udskrivning; værnepligt.
consecrate ['kånsikreit] (vb.) indvie; vie, hellige (fx. *his life was -d to the service of the country);* (adj.) indviet.
consecration [kånsi'kreiʃən] indvielse. **consecratory** ['kånsikreitəri] indvielses-, indviende.
consecutive [kən'sekjutiv] på hinanden følgende; følgende; sammenhængende; følge-; *ten ~ days* ti dage i træk.
consecutive clause følgebisætning.
consensus [kən'sensəs] (subst.) enighed, samstemmighed; samstemmende mening.
consent [kən'sent] (subst.) samtykke (fx. *the parents gave their ~ to the marriage);* (vb.) ~ *to* samtykke i, give sit samtykke til (fx. *the parents -ed to the marriage);* indvillige i, finde sig i; *by mutual* ~ ved fælles overenskomst; *by common ~, with one* ~ enstemmigt.
consentaneous [kånsen'teinjəs] overensstemmende *(to* med).
consentient [kən'senʃənt] (adj.) samstemmende.
consequence ['kånsikwəns] (subst.) følge; følgeslutning, konsekvens; vigtighed, betydning; *in* ~ som følge deraf, følgelig; *in ~ of* som følge af; *of* ~ vigtig; *of no* ~ uden betydning.
I. **consequent** ['kånsikwənt] (subst.) følge, virkning; (i logik) følgesætning.
II. **consequent** ['kånsikwənt] (adj.) (deraf) følgende.
consequential [kånsi'kwenʃəl] (adj.) følgende, deraf betinget; vigtig, anmassende, indbildsk; ~ *loss insurance* driftstabsforsikring.
consequently (adv.) følgelig, altså.
conservancy [kən'sə·vənsi] bevarelse; *nature* ~ naturfredning.
conservation [kånsə'veiʃən] vedligeholdelse, bevaring; bevarelse.
conservatism [kən'sə·vətizm] konservatisme.
conservative [kən'sə·vətiv] vedligeholdende, bevarende; konservativ; *Conservative* konservativ, højremand; *on* (el. *at) a ~ estimate* efter en forsigtig vurdering.
conservatoire [kən'sə·vətwa·] musikkonservatorium.
conservator ['kånsəveitə] bevarer (fx. ~ *of the peace);* beskytter; konservator; (amr.) værge.
conservatory [kən'sə·vətri] drivhus, vinterhave; konservatorium.
conserve [kən'sə·v] (subst.) syltetøj; (vb.) bevare (fx. ~ *one's health);* sylte.
conshie, conshy se *conchie.*
consider [kən'sidə] betragte, overveje, betænke, tage i betragtning (fx. *we must ~ his youth);* anse for (fx. *I -ed him (to be) a fool),* holde for; mene (fx. *we ~ that he is right);* tage hensyn til (fx. *he never -s others),* være hensynsfuld over for; tænke sig om, betænke sig; *all things -ed* når alt tages i betragtning, når alt kommer til alt; (se ogs. *considered, considering).*
considerable [kən'sidərəbl] anselig, betydelig (fx. *a ~ amount).*
considerate [kən'sidərėt] (adj.) hensynsfuld.
consideration [kənsidə'reiʃən] betragtning; overvejelse (fx. *under ~);* hensyn(sfuldhed) (fx. *he never shows much ~ for her feelings);* vigtighed, betydning (fx. *it is of no ~ at all);* dusør; vederlag, løn; betaling (fx. *he will do anything for a ~); in ~ of* i betragtning af, som belønning for, som vederlag for; *take into* ~ tage i betragtning, tage under overvejelse; *on* (el. *under) no* ~ under ingen omstændigheder.
considered [kən'sidəd] (adj.) velovervejet.
considering [kən'sidəriŋ] i betragtning af (fx. ~ *his age);* **T** efter omstændighederne (fx. *that's not so bad ~).*
consign [kən'sain] overdrage; betro; overgive; konsignere; ~ *it to oblivion* lade det gå i glemme; ~ *it to the waste-paper basket* smide det i papirkurven.
consignation [kånsai'neiʃən] konsignation. **consignee** [kånsai'ni·] modtager; konsignatar. **consignment** [kən'sainmənt] overdragelse; konsignation, adressering; sending, parti; *on* ~ i konsignation; ~ *note* fragtbrev. **consignor** [kən'sainə] konsignant, afsender.
consist [kən'sist] bestå *(in* i, *of* af); stemme overens *(with* med). **consistence** [kən'sistəns] konsistens, fasthed, tæthed. **consistency** [kən'sistənsi] konsekvens, følgerigtighed; overensstemmelse; konsistens.
consistent [kən'sistənt] følgerigtig, konsekvent; ~ *with* forenelig med, overensstemmende med; *be ~ with* (ogs.) stemme med.
consistory [kən'sistəri] konsistorium, kirkeråd, kirkelig domstol.
consolable [kən'soᵘləbl] som lader sig trøste.
consolation [kånsə'leiʃən] trøst. **consolation prize** trøstpræmie. **consolatory** [kən'sålətəri] trøstende.
I. **console** [kən'soᵘl] (vb.) trøste.
II. **console** ['kånsoᵘl] (subst.) konsol; spillebord (til orgel); radioskab. ~ **table** konsol(bord).
consolidate [kən'sålideit] konsolidere, sikre, styrke; forene; antage fast form; blive fast; *-d annuities* se *consols; the Consolidated Fund* det almindelige statsfond, som dannes af hovedparten af statsindtægterne, og af hvilket renten af statsgælden, kongelig appanage etc. betales. **consolidation** [kənsåli'deiʃən] forening, befæstelse; konsolidering.
consols [kən'sålz] konsoliderede (engelske) statsobligationer, consols (fk. f. *consolidated annuities).*

consommé [kən'såme[i]] (klar) kødsuppe, consommé.

consonance ['kånsənəns] samklang; (i musik) konsonans; overensstemmelse.

consonant ['kånsənənt] (subst.) medlyd, konsonant; (adj.) overensstemmende; ~ *with* (ogs.) der passer til, der harmonerer (el. stemmer overens) med.

I. **consort** ['kånså·t] (subst.) ægtefælle, gemal, gemalinde; ⚓ eskorterende skib, ledsageskib.

II. **consort** [kən'så·t] (vb.) omgås; passe sammen, stemme overens.

consortium [kən'så·tiəm] konsortium.

conspectus [kən'spektəs] kort oversigt, resumé.

conspicuous [kən'spikjuəs] klar, tydelig, iøjnefaldende; fremtrædende; *make oneself* ~ gøre sig bemærket; *be ~ by one's absence* glimre ved sin fraværelse.

conspiracy [kən'spirəsi] sammensværgelse.

conspirator [kən'spirətə] sammensvoren, konspirator.

conspiratorial [kənspirə'tå·riəl] konspiratorisk; medvidende.

conspire [kən'spaiə] sammensværge sig; deltage i sammensværgelse; virke sammen, forene sig.

constable ['kʌnstəbl] politibetjent; *Chief C.* politidirektør, politimester; *Constable of the Tower* kommandant i Tower; *outrun the* ~ komme i gæld.

constabulary [kən'stäbjuləri] (subst.) politikorps; (adj.) politi-.

Constance ['kånstəns] (geogr.) Konstanz; *Lake of* ~ Bodensøen.

constancy ['kånstənsi] bestandighed; standhaftighed. **constant** ['kånstənt] (adj.) bestandig, stadig; uforandret; standhaftig, trofast (fx. *a ~ friend*), stabil; (subst.) konstant (størrelse).

Constantine ['kånstəntain] Konstantin.

Constantinople [kånstänti'no[u]pl] Konstantinopel.

constantly ['kånstəntli] (adv.) stadig, bestandig.

constellation [kånstə'le[i]ʃən] stjernebillede, konstellation.

consternation [kånstə'ne[i]ʃən] bestyrtelse.

constipate ['kånstipe[i]t] (vb.) virke (for)stoppende; *be -d* have forstoppelse.

constipation [kånsti'pe[i]ʃən] forstoppelse.

constituency [kən'stitjuənsi] valgkreds; vælgere; kundekreds.

constituent [kən'stitjuənt] (adj.) grundlovgivende (fx. *assembly*); vælgende; (subst.) bestanddel; vælger, mandant; ~ *parts* bestanddele.

constitute ['kånstitju·t] udgøre (fx. *seven days ~ a week*); indrette; fastsætte, anordne; udnævne (til); indstifte; nedsætte (fx. *a committee*); *he -d himself her protector* han opkastede sig til hendes beskytter.

constitution [kånsti'tju·ʃən] indretning, beskaffenhed; legemsbeskaffenhed; konstitution (fx. *he has a poor ~*); bygning, struktur; natur; forfatning, (stats)-forfatning, konstitution; sammensætning.

constitutional [kånsti'tju·ʃənl] (adj.) medfødt, naturlig; forfatningsmæssig; konstitutionel; lovmæssig; (subst.) spadseretur for sundhedens skyld, motion; ~ *formula* (kem.) konstitutionsformel; ~ *law* forfatningsret; ~ *state* retsstat.

constitutionalist [kånsti'tju·ʃnəlist] (subst.) tilhænger af konstitutionel forfatning. **constitutive** [kən'stitjutiv] (adj.) væsentlig; grundlæggende, bestemmende; lovgivende, konstituerende.

constrain [kən'stre[i]n] (vb.) tvinge; indsnøre, indskrænke. **constrained** [kən'stre[i]nd] (adj.) genert, tvungen, ufri. **constraint** [kən'stre[i]nt] (subst.) tvang, indespærring; generthed.

constrict [kən'strikt] sammentrække, sammenpresse, sammensnøre, indsnøre; *-ed* (ogs.) snæver, begrænset.

constriction [kən'strikʃən] sammensnøring, sammentrækning; ~ *of the chest* trykken for brystet.

constrictor [kən'striktə] (subst.) sammentrækkende muskel; (zo.) kvælerslange.

constringe [kən'strindʒ] (vb.) sammentrække.

constringent (adj.) sammentrækkende.

construct [kən'strʌkt] opføre, bygge; konstruere.

construction [kən'strʌkʃən] opførelse, bygning; konstruktion; forklaring, mening, udlægning; fortolkning; *put a good ~ on sth.* udlægge noget på en gunstig måde, optage noget i en god mening. **constructive** [kən'strʌktiv] konstruktiv; positiv (fx. *a ~ proposal*); bygnings-; som man kan slutte sig til; ~ *total loss* konstruktivt totaltab. **constructor** konstruktør.

construe [kən'stru·, 'kånstru·] udlægge, fortolke, opfatte; (gram.) analysere, kunne analyseres (fx. *this sentence does not ~*); oversætte.

consuetude ['kånswitju·d] sædvane.

consul ['kånsəl] konsul; ~ *general* generalkonsul.

consular ['kånsjulə] (adj.) konsulær, til konsulatet hørende; ~ *service* konsulatstjeneste. **consulate** ['kånsjulėt] (subst.) konsulat. **consulship** konsulembede, konsulat.

consult [kən'sʌlt] (vb.) rådslå, rådføre sig med; konsul(t)ere (fx. *a doctor*); slå op (el. se efter) i (fx. *a dictionary*); tage hensyn til; ~ *a watch* se på et ur.

consultant [kən'sʌltənt] overlæge. **consultation** [kånsəl'te[i]ʃən] rådførelse; rådslagning; samråd. **consultative** [kən'sʌltətiv] rådgivende. **consulting** rådgivende (fx. *architect*); ~ *room* konsultationsværelse.

consume [kən'sju·m] fortære; forbruge; tilintetgøre; ~ *away* hentæres. **consumer** forbruger, konsument; *consumer(s') goods* forbrugsvarer.

I. **consummate** ['kånsʌme[i]t] (vb.) fuldende, fuldbyrde.

II. **consummate** [kən'sʌmėt] (adj.) fuldendt.

consummation [kånsʌ'me[i]ʃən] fuldendelse; ende; fuldbyrdelse.

consumption [kən'sʌm(p)ʃən] fortæring; forbrug; lungetuberkulose, svindsot, tæring. **consumptive** [kən'sʌm(p)tiv] (adj.) fortærende, ødelæggende; tuberkuløs, svindsottig; (subst.) tuberkulosepatient.

I. **contact** ['kåntäkt] (subst.) berøring, kontakt, forbindelse; *break* ~ (elekt.) afbryde strømmen; *gain ~ with the enemy* få kontakt med fjenden; *be in ~ with* (ogs.) have føling med; *make ~ with* sætte sig i forbindelse med.

II. **contact** [kən'täkt] (vb.) træde i (forretnings)-forbindelse med; kontakte; få forbindelse med; stå i forbindelse med.

contact|-breaker (elekt.) strømafbryder. ~ **flying** flyvning ved hjælp af jordsigt. ~ **lense** (med.) kontaktlinse. ~ **man** kontaktmand, mellemmand.

contagion [kən'te[i]dʒən] (subst.) smitte; smitstof.

contagious [kən'te[i]dʒəs] (adj.) smitsom, fuld af smitstof; smittende.

contain [kən'te[i]n] (vb.) indeholde; rumme; ⚔ opholde; dæmme op for (fx. *an attack*); holde i tømme; beherske (fx. *one's anger, oneself*); *thirty -s six* seks går op i tredive. **container** (subst.) beholder.

containment: *policy of* ~ inddæmningspolitik.

contaminate [kən'tämine[i]t] besmitte; forurene (m.h.t. radioaktivitet).

contamination [kəntämi'ne[i]ʃən] besmittelse; (radioaktiv) forurening; (gram.) kontamination, sammenblanding.

contango [kən'täŋgo[u]] (merk.) contango, report.

contd. fk. f. *continued* fortsættes, vend; fortsat.

contemn [kən'tem] (vb.) foragte.

contemplate ['kåntemple[i]t] (vb.) beskue, betragte; overveje; påtænke, have i sinde; vente. **contemplation** [kåntem'ple[i]ʃən] (subst.) betragtning; beskuelse; overvejelse, grubleri; forventning; hensigt; *have in* ~ påtænke, have under overvejelse. **contemplative** ['kåntemple[i]tiv, kən'templətiv] (adj.) eftertænksom, dybsindig; kontemplativ, beskuende. **contemplator** ['kåntemple[i]tə] (subst.) beskuer, betragter; tænker.

contemporaneous [kəntempə'reⁱnjəs] (adj.) samtidig. **contemporary** [kən'tempərəri] (adj. og subst.) samtidig; jævnaldrende; nulevende, nutids-, moderne; blad el. tidsskrift, der udkommer på samme dag el. i samme periode som et andet.

contempt [kən'tem(p)t] foragt; *beneath* ~ så ussel at det overhovedet ikke er værd at beskæftige sig med; *hold in* ~ nære foragt for; ringeagte; ~ *of court* foragt for retten. **contemptible** [kən'tem(p)təbl] foragtelig; ussel, elendig. **contemptuous** [kən'tem(p)tjuəs] (adj.) hånlig.

contend [kən'tend] (vb.) kæmpe, kappes (*with sby. for sth.* med en om noget); strides; forfægte; påstå, anføre (som argument).

I. **content** ['kåntent] (subst.) (rum)indhold, bestanddel (se ogs. *contents*).

II. **content** [kən'tent] (adj.) tilfreds; (ved afstemning i Overhuset) ja (modsætning: *non-content* eller *not content*); (subst.) tilfredsstillelse, tilfredshed; (vb.) tilfredsstille; *to his heart's* ~ så meget han lyster; ~ *oneself* lade sig nøje, nøjes (*with* med); *be* ~ *with* være tilfreds med, nøjes med.

contented [kən'tentid] (adj.) tilfreds (fx. *a* ~ *smile*).

contention [kən'tenʃən] strid; påstand (fx. *my* ~ *is this*).

contentious [kən'tenʃəs] (adj.) trættekær; stridbar; omstridt; ~ *issue* stridsspørgsmål.

contentment [kən'tentmənt] tilfredshed; tilfredsstillelse.

contents ['kåntents, kən'tents] (pl.) indhold; *insurance of* ~ effektforsikring; *table of* ~ indholdsfortegnelse.

contents bill ['kåntentsbil] 'spiseseddel' (for avis).

conterminous [kån'tə·minəs]: *be* ~ *with* have fælles grænse med; støde op til.

I. **contest** [kən'test] (vb.) bestride; rejse tvivl om; kæmpe for, forsvare; ~ *an election* stille (sig som) modkandidat ved et valg; *a -ed election* kampvalg; (amr. ogs.) et valg, hvis resultats gyldighed bestrides.

II. **contest** ['kåntest] (subst.) styrkeprøve, strid.

contestable [kən'testəbl] omtvistelig.

contestant [kən'testənt] stridende, kæmpende; modkandidat; en der bestrider et valgs gyldighed.

context ['kåntekst] sammenhæng.

contiguity [kånti'gjuiti] berøring, nærhed.

contiguous [kən'tigjuəs] tilstødende, berørende, som støder op (el. grænser) til hinanden.

continence ['kåntinəns] (subst.) mådehold; afholdenhed; kyskhed; selvbeherskelse.

continent ['kåntinənt] (adj.) afholdende; kysk; mådeholden; (subst.) fastland, kontinent, verdensdel; *on the Continent* på Europas fastland.

continental [kånti'nentl] (adj.) fastlands-, kontinental; (for englændere ofte =) fra det europæiske fastland, udenlandsk; (subst.) udlænding; *the* ~ *shelf* kontinentalsokkelen; *the* ~ *slope* kontinentalskråningen; *the Continental system* fastlandsspærringen.

contingency [kən'tindʒənsi] mulighed; tilfælde, eventualitet (fx. *I am ready for any* ~).

contingent [kən'tindʒənt] (adj.) tilfældig, mulig; eventuel, afhængig (*upon* af); betinget (*upon* af); (subst.) (fremtids)mulighed; part, andel; gruppe af deltagere; ⚔ troppekontingent.

continual [kən'tinjuəl] (adj.) stadig (tilbagevendende); som atter og atter gentages, vedvarende.

continuance [kən'tinjuəns] varighed; vedvaren; forbliven; *during the* ~ *of the war* så længe krigen varer (, varede); *of long* ~ langvarig; *of short* ~ kortvarig.

continuation [kəntinju'eⁱʃən] fortsættelse; ~ *school* efterskole.

continue [kən'tinju·] fortsætte (fx. *he will* ~ *at school; the story was -d in the next month's issue*); lade vedvare; forlænge; blive ved med; (for)blive (*in* ved); **vedblive** (at være); vedvare, vare; ~ *sby. in office* lade **en blive** (el. beholde en) i et embede.

continuity [kånti'nju(·)iti] sammenhæng, **kontinuitet; drejebog.**

continuous [kən'tinjuəs] sammenhængende, vedvarende, fortsat; fortløbende; uafbrudt; ~ *performance* uafbrudt forestilling.

contort [kən'tå·t] forvride; forvrænge. **contortion** [kən'tå·ʃən] forvridning. **contortionist** [kən'tå·ʃənist] slangemenneske.

contour ['kåntuə] omrids, kontur; højdekurve. **contour | feather** dækfjer. ~ **line** højdekurve (på kort).

contra ['kåntrə] imod.

contraband ['kåntrəbänd] (adj.) ulovlig, forbudt; smugler- (fx. *goods*); (subst.) smuglergods; ~ *of war* krigskontrabande. **contrabandist** ['kåntrəbändist] smugler.

contrabass ['kåntrə'beⁱs] kontrabas.

contraception [kåntrə'sepʃən] svangerskabsforebyggelse, fødselskontrol.

contraceptive [kåntrə'septiv] (adj.) antikonceptionel, (svangerskabs)forebyggende; (subst.) forebyggende middel.

I. **contract** [kən'träkt] (vb.) trække sig sammen (fx. om muskel); sammentrække(s); snøre (sig) sammen, indsnævre(s); indskrænke (fx. *expenses*); rynke (fx. ~ *one's brows*), rynkes; pådrage sig (fx. *debts; a disease*); bringe i stand, slutte (fx. ~ *an alliance with a foreign country*); komme overens om; slutte kontrakt (om), kontrahere; *-ed* (adj., fig.) snæversynet, indskrænket; *-ed to* forlovet med; ~ *debts* stifte gæld; ~ *bad habits* lægge sig dårlige vaner til; ~ *a marriage* indgå ægteskab; ~ *out* trække sig ud; *credit is -ing* kreditten strammes; *the -ing parties* de kontraherende parter.

II. **contract** ['kånträkt] (subst.) overenskomst, kontrakt, aftale; entreprise; akkord; forlovelse; ægteskab; *award* (el. *give*) *sby. the* ~ *for sth.* give en noget i entreprise; *make the* (el. *one's*) ~ holde kontrakten (i kontraktbridge); ~ *bridge* kontraktbridge; ~ *note* slutseddel.

contractibility [kənträkti'biliti] sammentrækningsevne. **contractible** [kən'träktəbl], **contractile** [kən'träktil] som kan sammentrækkes. **contraction** [kən'träkʃən] sammentrækning; sammenskrumpning; rynkning, rynken; forkortelse; pådragelse, stiftelse. **contractor** [kən'träktə] kontrahent; entreprenør, bygmester; leverandør; sammentrækkende muskel. **contracture** [kən'träktʃə] sammentrækning.

contradict [kåntrə'dikt] modsige, dementere; stride imod. **contradiction** [kåntrə'dikʃən] modsigelse, dementi, uoverensstemmelse; ~ *in terms* selvmodsigelse. **contradictory** [kåntrə'diktəri] (adj.) modsigende, modstridende, uforenelig; modsigelysten; (subst.) modsigelse; modsætning.

contradistinction [kåntrədi'stiŋkʃən] kontrast, modsætning, skelnen; *in* ~ *from* (el. *to*) i modsætning til. **contradistinguish** [kåntrədis'tiŋgwiʃ] skelne.

contralto [kən'trältoᵘ] (i musik) kontraalt.

contraption [kən'träpʃən] (mærkelig) indretning, tingest.

contrapuntal [kåntrə'pʌntl] kontrapunktisk.

contrapuntist ['kåntrəpʌntist] kontrapunktist.

contrariety [kåntrə'raiəti] uoverensstemmelse, modsætning, modstrid.

contrariwise ['kåntrəriwaiz] (adv.) omvendt, modsat, tværtimod.

I. **contrary** ['kåntrəri] det modsatte; modsætning; *on the* ~ tværtimod; *to the* ~ i modsat retning; *examples to the* ~ eksempler på det modsatte.

II. **contrary** ['kåntrəri] (adj.) modsat.

III. **contrary** [kən'træəri] (adj.) vrangvillig, kontrær; ~ *to* (stridende) imod; i strid med.

I. **contrast** ['kåntra·st] (subst.) kontrast, modsætning.

II. **contrast** [kən'tra·st] (vb.) stille i modsætning (*with* til), sammenligne; danne modsætning (*with* til), kontrastere.

contravene [kåntrə'vi·n] handle imod, overtræde (fx. ~ *the regulations*); bestride; være i strid med.

contravention [kåntrə'venʃən] overtrædelse, (mod)strid (fx. *in ~ of the regulations* i strid med bestemmelserne).

contretemps ['kå·ntrəta·ŋ] (kedeligt el. pinligt) uheld.

contribute [kən'tribjut] (vb.) bidrage, medvirke; yde, give, levere; *~ to a newspaper* skrive artikler til en avis. **contribution** [kåntri'bju·ʃən] bidrag; kontribution, krigsskat; indsats; *lay under ~* brandskatte. **contributive** [kən'tribjutiv] bidragende, medvirkende. **contributor** [kən'tribjutə] bidragyder; medarbejder (ved et blad). **contributory** [kən'tribjutəri] bidragende; medvirkende; bidrags-; bidragyder.

contrite ['kåntrait] (adj.) angerfuld, brødebetynget, sønderknust (af anger). **contrition** [kən'triʃən] anger.

contrivance [kən'traivəns] opfindelse; indretning; påfund. **contrive** [kən'traiv] opfinde; udtænke; finde på, finde middel til, opnå; sørge for; planlægge; få pengene til at slå til; *I -d to* det lykkedes mig at. **contriver** [kən'traivə]: *she is a good ~* hun er en dygtig husmoder.

I. **control** [kən'troᵘl] (subst.) kontrol, opsyn; indskrænkning, tvang; magt, herredømme; myndighed; kontrolapparat; *controls* (flyv.) styregrejer.

II. **control** [kən'troᵘl] (vb.) kontrollere; styre; beherske; *-led press* ensrettet presse; *-ling interest* aktiemajoritet.

control | column (flyv.) styrepind. *~* **cubicle** kontrolrum.

controllable [kən'troᵘləbl] som kan beherskes.

controller [kən'troᵘlə] kontrollør; kontrolapparat; (elekt.) strømfordeler.

controversial [kåntrə'və·ʃəl] polemisk, omstridt, kontroversiel. **controversialist** polemiker. **controversy** ['kåntrəvə·si] strid, meningsudveksling, polemik. **controvert** ['kåntrəvə·t] bestride.

contumacious [kåntju'meⁱʃəs] ulydig (mod retten), hårdnakket, halsstarrig. **contumacy** ['kåntjuməsi] ulydighed mod retten, foragt for retten, udeblivelse fra retten; genstridighed.

contumelious [kåntju'mi·liəs] fornærmelig; hånlig. **contumely** ['kåntjumili] (subst.) hån, fornærmelse.

contuse [kən'tju·z] kvæste. **contusion** [kən'tju·ʒən] kvæstelse, kontusion.

conundrum [kə'nʌndrəm] gåde, ordgåde.

conurbation [kånə·'beⁱʃən] storby opstået ved sammensmeltning af flere byer, bydannelse.

convalesce [kånvə'les] være i bedring.

convalescence [kånvə'lesns] bedring, rekonvalescens. **convalescent** [kånvə'lesnt] (adj.) som er i bedring; (subst.) rekonvalescent.

convene [kən'vi·n] komme sammen; sammenkalde (fx. *~ a meeting*); indkalde.

convenience [kən'vi·njəns] bekvemmelighed; belejlighed; behagelighed; nødtørftsanstalt, toilet; *at your ~* når det passer Dem, ved lejlighed; *at your earliest ~* snarest belejligt; *marriage of ~* fornuftægteskab; *make a ~ of him* udnytte ham.

convenient [kən'vi·njənt] bekvem, passende, belejlig.

convent ['kånvənt] (nonne)kloster.

conventicle [kən'ventikl] konventikel, møde el. gudstjeneste, især afholdt i hemmelighed af dissentere; dissenteres forsamlingshus.

convention [kən'venʃən] sammenkomst, forsamling, møde; konvention, skik og brug, konventionelle regler. **conventional** [kən'venʃənəl] (adj.) konventionel, bundet af skik og brug, hævdvunden; almindelig; *~ weapons* konventionelle våben (modsat atomvåben). **conventionalism** [kən'venʃənəlizm] (subst.) fastholden af det konventionelle; konvention. **conventionality** [kənvenʃə'näliti] fastholden af det konventionelle; hævdvunden regel, konveniens. **conventionalize** [kən'venʃənəlaiz] stilisere.

conventual [kən'ventjuəl] (adj.) klosteragtig, kloster-; (subst.) munk, klosterbroder; nonne.

converge [kən'və·dʒ] (vb.) løbe sammen, konvergere. **convergence** [kən'və·dʒəns] konvergens. **convergent** [kən'və·dʒənt] konvergerende, sammenløbende.

conversable [kən'və·səbl] konversabel, underholdende, livlig, selskabelig. **conversance** ['kånvəsəns]: *~ with* fortrolighed med. **conversant** ['kånvəsənt] (adj.) bevandret, kyndig *(with* i), fortrolig *(with* med).

conversation [kånvə'seⁱʃən] (subst.) samtale; konversation; omgang; *make ~* konversere. **conversational** [kånvə'seⁱʃənl] (adj.) samtale-; underholdende; selskabelig.

conversazione [kånvəsätsi'oᵘni] soiré.

I. **converse** [kən'və·s] (vb.) underholde sig *(with* med), konversere; *~ with sby. about sth.* samtale med en om noget.

II. **converse** ['kånvə·s] (subst.) samkvem; samtale, konversation; (mat.) omvendt forhold; omvendt sætning; (adj.) omvendt. **conversion** [kən'və·ʃən] forvandling, omdannelse; omvendelse; *fraudulent ~* underslæb, uretmæssig forbrug af betroede midler.

I. **convert** ['kånvə·t] (subst.) konvertit, proselyt.

II. **convert** [kən'və·t] (vb.) forvandle; omdanne; omvende; ombygge; konvertere, omsætte; tilvende sig. **convertibility** [kənvə·tə'biliti] foranderlighed, omsættelighed; omvendelighed.

convertible [kən'və·təbl] som kan forvandles (etc. se II. *convert); (*subst.) convertible (bil der kan forandres fra åben til lukket); *~ into gold* guldindløselig.

convex ['kånveks] (adj.) konveks.

convey [kən'veⁱ]; (vb.) føre, bringe, transportere; befordre; føre bort; overdrage, tilskøde; overbringe; bibringe, meddele, gengive; *it does not ~ anything to me* det siger mig ikke noget. **conveyance** [kən'veⁱəns] befordring, transport; befordringsmiddel, vogn; overlevering; overdragelse af fast ejendom; overdragelsesdokument, skøde. **conveyer, conveyor** [kən'veⁱə] transportør; *~ belt, belt ~* transportbånd.

I. **convict** [kən'vikt] (vb.) kende skyldig *(of* i); domfælde.

II. **convict** ['kånvikt] domfældt; straffefange.

conviction [kən'vikʃən] (subst.) overbevisning; erklæren for skyldig, domfældelse; *carry ~* virke overbevisende; *he had no previous -s* han var ikke tidligere straffet.

convince [kən'vins] (vb.) overbevise.

convivial [kən'viviəl] selskabelig; lystig; opstemt.

convocation [kånvo'keⁱʃən] sammenkaldelse; præstemøde; gejstlig synode (i England). **convoke** [kən'voᵘk] (vb.) sammenkalde.

convolute ['kånvəlu·t] (adj.) sammenrullet, snoet. **convolution** [kånvə'lu·ʃən] vinding (fx. *cerebral ~* hjernevinding). **convolve** [kən'vålv] sammenrulle.

convolvulus [kən'vålvjuləs] ♧ snerle.

I. **convoy** ['kånvoi] (subst.) eskorte, konvoj.

II. **convoy** ['kånvoi] (vb.) eskortere, konvojere.

convulse [kən'vʌls] volde krampagtige trækninger hos; (bringe til at) ryste. **convulsion** [kən'vʌlʃən] krampetrækning. **convulsive** [kən'vʌlsiv] (adj.) krampagtig.

cony ['koᵘni] kanin, kaninskind.

coo [ku·] (vb.) kurre; (subst.) kurren; (udråb) ih!

cook [kuk] (subst.) kok, kokkepige; (vb.) tilberede, lave (mad); koge, stege; (kunne) tillaves; (fig.) (ogs. *~ up)* lave sammen; forfalske, lave kunster med; 'pynte på' (fx. *the books* regnskaberne); (amr.) ødelægge; *too many -s spoil the broth* mange kokke fordærver maden; *something big was -ing* der var noget stort i gære; *~ up a story* brygge en historie sammen.

cookbook (is. amr.) kogebog.

cooked [kukt] T udmattet.

cooker ['kukə] stegeovn, kogeapparat; kogeæg; madæble; madfrugt.

cookery ['kukəri] kogekunst, madlavning.

cookery-book kogebog.
cook|-general kokke-enepige. ~ **-house** lejrkøkken; ⚔ feltkøkken; ⚓ kabys.
cookie ['kuki] = *cooky*.
cooking ['kukiŋ] madlavning; *do ones own* ~ selv lave mad.
cook|-room køkken, kabys. ~ **-shop** spisehus.
cooky ['kuki] (amr.) småkage; kok; kokkepige.
cool [ku·l] (adj.) kølig, sval; afkølet; koldsindig, rolig; fræk; (subst.) kølighed; (vb.) køle, (af)svale; (ogs. ~ *down)* kølne, blive kølig, afkøles, afsvales; blive rolig; *a* ~ *customer* en fræk fyr; ~ *one's heels* vente (fx. *let him* ~ *his heels for a while); keep* ~ holde hovedet koldt; *a* ~ *hundred* T ikke mindre end hundrede, hele hundrede.
coolant ['ku·lənt] kølevæske.
cooler ['ku·lə] vinkøler; smørkøler; kølebeholder; svaledrik; S celle (i fængsel).
cool-headed (adj.) koldblodig, besindig.
coolie ['ku·li] (subst.) kuli.
cooling | jacket kølevandskappe. ~ **plant** køleanlæg. ~ **surface** køleflade.
coolly ['ku·lli] (adv.) køligt; koldblodigt; frækt.
coolness ['ku·lnės] kølighed; koldsindighed, kulde; koldblodighed; ugenerthed; frækhed; *there is a* ~ *between them* (fig.) der er kold luft imellem dem.
coomb [ku·m] snæver dal.
coon [ku·n] vaskebjørn; T snu fyr; neger.
coop [ku·p] (subst.) hønsebur, hønsekurv; S fængsel; (vb.) indespærre; ~ *in*, ~ *up* indespærre.
co-op [koᵘ'åp] brugsforening, 'brugs'.
cooper ['ku·pə] bødker; gøre bødkerarbejde; reparere (tønder, osv.). **cooperage** ['ku·pəridʒ] bødkerværksted, bødkerarbejde.
co-operate [koᵘ'åpareⁱt] (vb.) samarbejde; medvirke; samvirke. **co-operation** [koᵘåpə'reⁱʃən] (subst.) samarbejde, kooperation; medvirkning; samvirken; *in* ~ *with* i samarbejde med.
co-operative [koᵘ'åpərətiv] medvirkende; samvirkende; andels-; samarbejdsvillig (fx. *you are not very* ~); (subst.) andelsforetagende.
cooperative | bakery fællesbageri. ~ **creamery**, ~ **dairy** andelsmejeri. ~ **society** andelsselskab; brugsforening. ~ **stores** brugsforening(sudsalg). ~ **undertaking** andelsforetagende.
co-operator [koᵘ'åpərəⁱtə] medarbejder; medlem af andelsselskab.
coopering ['ku·pəriŋ] bødkerarbejde.
co-opt [koᵘ'åpt] (om komité, nævn etc.) supplere sig med; indvælge. **co-optation** [koᵘåp'teⁱʃən] selvsupplering.
I. **co-ordinate** [koᵘ'å·dinėt] (adj.) sideordnet; (subst.) sideordnet ting; (mat.) koordinat.
II. **co-ordinate** [koᵘ'å·dineⁱt] (vb.) sideordne, samordne, koordinere.
co-ordination [koᵘå·di'neⁱʃən] sideordnet stilling, koordination, koordinering.
coot [ku·t] (zo.) blishøne; (amr. T) fjols; *as bald as a* ~ så skaldet som et pillet æg.
cootie ['ku·ti] S lus.
cop [kåp] (subst.) spole; S panser (om politibetjent); fangst, pågribelse; (vb.) S stjæle; fange, få fat i, 'knalde'; *it is a fair* ~ (ofte =) jeg overgiver mig frivilligt; jeg giver fortabt; *it's not much* ~ S der er ikke meget ved det; ~ *it* få en omgang.
copacetic, copesetic [koᵘpə'setik] (amr.) S glimrende, helt i orden.
copal ['koᵘpəl] kopal (slags harpiks).
copartner ['koᵘ'pa·tnə] deltager, kompagnon.
copartnership kompagniskab.
I. **cope** [koᵘp] (subst.) korkåbe; hvælving.
II. **cope** [koᵘp] (vb.): ~ *with* hamle op med, magte, klare (fx. *he could* ~ *with any situation).*
copeck ['koᵘpek] kopek (russisk mønt).
Copenhagen [koᵘpn'heⁱgən] København.
copenhagen blue lys blå farve.
Copernican [koᵘ'pə·nikən] kopernikansk.
cope-stone = *capstone*.
copilot ['koᵘpailət] anden pilot.
coping ['koᵘpiŋ] murtag, dæksten. **coping|-saw** (amr.) løvsav. ~ **-stone** se *capstone*.
copious ['koᵘpjəs] rig, rigelig; righoldig, ordrig, vidtløftig.
copper ['kåpə] (subst.) kobber; vaske- el. bryggerkedel, kobberkedel; kobbermønt; S panser (politibetjent); (vb.) beklæde med kobber.
copperas ['kåpərəs] jernvitriol.
copper|-beech ♧ blodbøg. ~ **bit** loddebolt. ~ **-bottomed** kobberforhudet.
copperhead ['kåpəhed] kobberhoved (nordamr. giftslange); (under borgerkrigen øgenavn for nordstatsmand som sympatiserede med sydstaterne).
copper|plate kobberplade, kobberstik; *write (like)* ~ *-plate* skrive skønskrift. **-plate printing** dybtryk. ~ **pyrites** kobberkis. ~ **-smith** kobbersmed. ~ **-works** kobberværk.
coppice ['kåpis] underskov, lavskov, krat.
copra ['kåprə] kopra (tørrede kokoskerner).
copse [kåps] = *coppice*.
copshop politistation.
Copt [kåpt] kopter. **Coptic** (adj.) koptisk.
copulate ['kåpjuleⁱt] parre sig. **copulation** [kåpju'leⁱʃən] parring. **copulative** ['kåpjulətiv] forbindende; parrings-; forbindende bindeord.
copy ['kåpi] (subst.) afskrift; kopi; efterligning; manuskript; eksemplar; gennemslag; aftryk; (avis)stof (fx. *murders are always good* ~); forskrift; fortegning; (vb.) afskrive, kopiere; efterligne; *fair* ~ renskrift; *rough* ~ kladde.
copy|-book skrivebog; *blot one's* ~ *-book* spolere sit gode navn og rygte, begå en fadæse. **-cat** T efteraber; efterabe. **-hold** arvefæste, arvefæstegård. **-holder** arvefæster; (typ.) manuskriptholder, tenakel.
copying-ink kopiblæk.
copyist ['kåpiist] afskriver; plagiator.
copyright ['kåpirait] (subst.) litterær el. kunstnerisk ejendomsret, ophavsret, forfatterret; forlagsret; (adj., vb.) beskytte(t) ved copyright. **copyright deposit** pligtaflevering.
copy-writer (reklame)tekstforfatter.
coquet [koᵘ'ket] (vb.) kokettere. **coquetry** ['koᵘkėtri] koketteri. **coquette** [koᵘ'ket] (subst.) kokette.
coquettish [koᵘ'ketiʃ] (adj.) koket.
cor ['kå·] (udbrud) ih! næh! ~ *anglais* engelskhorn.
coracle ['kårəkl] lille båd bygget af vidjer beklædt med skind.
coral ['kårəl] (subst.) koral; koraldyr; bidering; (adj.) koralrød. **coralline** ['kårəlain] koral-; ♧ koralmos; (zo.) koraldyr.
corbel ['kå·bəl] (subst.) konsol(sten), kragsten; (vb.) støtte med konsol.
corbie ['kå·bi]: ~ *-gable* trappegavl; ~ *-steps* aftrapning.
cord [kå·d] (subst.) strikke. snor; favn (brænde); jernbanefløjl (se ogs. *corduroy);* (vb.) binde, snøre; *-s* (ogs.) fløjlsbukser; *spinal* ~ rygmarv; *vocal* ~ stemmebånd.
cordage ['kå·didʒ] tovværk.
corded ['kå·did] (adj.) snøret; ribbet; snorebesat.
cordial ['kå·diəl] (adj.) hjertelig; hjertestyrkende; inderlig; (subst.) hjertestyrkning. **cordiality** [kå·di'äliti] hjertelighed, inderlighed.
cordite ['kå·dait] cordit (røgfrit krudt).
cordon ['kå·dən] (subst.) kordon; kæde; ordensbånd (over skulderen); kordontræ (frugttræ med kun én gren); (vb.) danne kæde omkring, omringe.
corduroy ['kå·dəroi] en slags tykt og stærkt, riflet bomuldsfløjl, jernbanefløjl, korduroy; *-s* fløjlsbukser.
cordwain ['kå·dweⁱn] korduan (slags tykt skind).
cord-wood ['kå·dwud] favnebrænde.
core [kå·] (subst.) det inderste, indre del, kerne; kernehus; støbekerne; byldemoder; (vb.) udkerne, tage kernehuset ud af; *to the* ~ helt igennem.

co-regent ['koᵘ'ri·dʒənt] medregent.
co-religionist ['koᵘri'lidʒənist] trosfælle.
co-respondent ['koᵘrispåndənt] medindstævnet ved skilsmisseproces.
corf [kå·f] (pl. *corves*) (subst.) kurv, hyttefad.
Corfu [kå·'fu·].
corgi ['kå·gi]: *Welsh* ~ (en hunderace).
coriaceous [kåri'eⁱʃəs] læder-; læderagtig.
Corinth ['kårinþ] Korinth.
Corinthian [kə'rinþjən] korinter; korintisk.
Coriolanus [kåriə'leⁱnəs] Koriolan.
corium ['kå·riəm] (subst.) læderhud.
cork [kå·k] (subst.) kork; korkprop; korkflåd; (vb.) tilproppe; sværte med prop; *the wine is -ed* vinen smager af prop. **corkage** ['kå·kidʒ] proppenge.
corker ['kå·kə] kæmpeløgn; slående argument; *it was a* ~ det var helt fantastisk.
corking S storartet, mægtig (fin).
cork jacket redningsvest.
corkscrew ['kå·kskru·] proptrækker; ~ *stairs* vindeltrappe.
corky ['kå·ki] (adj.) korkagtig; livlig, kåd.
corm [kå·m] ♧ løgknold (som hos krokus).
cormorant ['kå·mərənt] (zo.) ålekrage, skarv; (fig.) grådig person.
I. **corn** [kå·n] (subst.) korn; sæd; (i Amerika især majs; i Skotland især havre; i England især hvede).
II. **corn** [kå·n] (vb.) salte, sprænge (om kød).
III. **corn** [kå·n] (subst.) ligtorn.
corn|-chandler kornhandler. ~ **-cob** majskolbe; majspibe. ~ **-cockle** ♧ klinte. **-crake** (zo.) vagtelkonge.
corn-cutter ['kå·nkʌtə] (amr.) mejemaskine (til majs); ligtorneoperatør.
cornea ['kå·niə] (anat.) hornhinde (i øjet).
cornel ['kå·nəl] ♧ kornel.
corneous ['kå·niəs] (adj.) hornagtig.
corner ['kå·nə] (subst.) hjørne, krog; afkrog; opkøberspekulation; opkøberkonsortium, corner; hjørnespark; (vb.) sætte til vægs; bringe i klemme; opkøbe; *put in the* ~ sætte i skammekrogen; *drive into a* ~ (fig.) trænge op i en krog; *be just round the* ~ stå for døren; *have one's -s rubbed off* få kanterne slebet af; *turn the* ~ dreje om hjørnet; (fig.) komme over det værste, gå bedre tider i møde.
corner|-post afviser, afvisersten. ~ **seat** hjørneplads. ~ **-stone** hjørnesten. **-wise** (adv.) diagonalt.
cornet ['kå·nit] kornet; kræmmerhus; vaffel.
cornettist ['kå·nitist] kornettist.
corn|-field kornmark. ~ **flour** majsmel, rismel etc. ~ **-flower** ♧ kornblomst.
cornice ['kå·nis] karnis, gesims.
Cornish ['kå·niʃ] som hører til *Cornwall*.
cornstarch (amr.) = *corn flour*.
cornucopia [kå·nju'koᵘpjə] overflødighedshorn; overflod.
corny ['kå·ni] (adj.) kornet, kernefuld; korn-; T fortærsket; banal; sentimental.
corolla [kə'rålə] ♧ (blomster)krone.
corollary [kə'råləri] (subst.) logisk konsekvens, naturlig følge, resultat.
coron|a [kə'roᵘnə] (pl. *-ae* [-i·]) (astr.) krone; korona.
coronary ['kårənəri]: ~ *artery* (anat.) kranspulsåre; koronararterie; ~ *thrombosis* (med.) koronartrombose.
coronation [kårə'neⁱʃən] kroning.
coroner ['kårənə] embedsmand som afholder ligsyn ved mistænkelige dødsfald; *-'s inquest* (retsligt) ligsyn.
coronet ['kårənėt] adelskrone; *ducal* ~ hertugkrone; *earl's* ~ grevekrone.
corpora ['kå·pərə] pl. af *corpus*.
I. **corporal** ['kå·pərəl] (subst.) korporal.
II. **corporal** ['kå·pərəl] (adj.) legemlig; korporlig (fx. ~ *punishment*). **corporality** [kå·pə'räliti] legemlighed.
corporate ['kå·pərėt] (adj.) forenet (i en korporation); korporativ; fælles, samlet; ~ *body* juridisk person.
corporation [kå·pə'reⁱʃən] korporation, lav, kommunalbestyrelse; juridisk person; (amr.) aktieselskab; S borgmestermave.
corporeal [kå·'på·riəl] legemlig; håndgribelig, materiel. **corporeity** [kå·på·'ri·iti] legemlighed.
corposant ['kå·pəzänt] St. Elmsild.
corps [kå·; pl. kå·z] korps.
corpse [kå·ps] (subst.) lig.
corpulence ['kå·pjuləns] (subst.) sværhed, korpulence. **corpulent** ['kå·pjulənt] (adj.) svær, korpulent.
corpus ['kå·pəs] samling.
corpuscle ['kå·pʌsl] blodlegeme; (i fysik) partikel.
corral [kå'ra·l] indhegning til kvæg, fold; vognborg; (vb.) drive ind i en indhegning.
correct [kə'rekt] (vb.) forbedre; rette, korrigere, irettesætte; tugte, straffe; bøde på; (adj.) rigtig, korrekt. **correction** [kə'rekʃən] forbedring; rettelse; irettesættelse; straf; *author's -s* tekstforandringer i korrekturen; *house of* ~ (omtr. =) arbejdshus; *I speak under* ~ jeg siger det med al mulig reservation. **corrective** [kə'rektiv] (adj.) forbedrende, rettende; korrigerende, neutraliserende; straffende; (subst.) forbedringsmiddel, korrektiv; neutraliserende middel.
corrector [kə'rektə] forbedrer; revser; reformator; korrektiv; ~ *(of the press)* korrekturlæser.
correlate ['kårileⁱt] (subst.) korrelat, modstykke; (vb.) svare til; være korrelative; sætte i forbindelse.
correlation [kåri'leⁱʃən] gensidigt forhold, korrelation. **correlative** [kå'relətiv] korrelativ.
correspond [kåri'spånd] svare *(with, to* til); veksle breve, korrespondere. **correspondence** [kåri'spåndəns] overensstemmelse; korrespondance, brevveksling. **correspondent** (adj.) tilsvarende; korresponderende; (subst.) brevskriver; korrespondent; forretningsforbindelse.
corridor ['kåridå·] gang, korridor; ~ *carriage* gennemgangsvogn; ~ *train* tog bestående af gennemgangsvogne.
corrigenda [kåri'dʒendə] rettelser.
corrigible ['kåridʒəbl] (adj.) som kan forbedres.
corroborant [kə'råbərənt] (adj.) styrkende; bekræftende; (subst.) styrkende middel; bekræftelse.
corroborate [kə'råbəreⁱt] bekræfte, bestyrke. **corroboration** [kəråbə'reⁱʃən] bekræftelse, bestyrkelse.
corroborative [kə'råbərətiv] (adj.) bekræftende.
corrode [kə'roᵘd] (vb.) gnave, tære på, fortære, ætse; tæres, fortæres. **corrosion** [kə'roᵘʒən] (subst.) opløsning, tæring. **corrosive** [kə'roᵘsiv] (adj.) ætsende, (for)tærende; (subst.) ætsende middel.
corrugate ['kårugeⁱt] (vb.) rynke, rifle; blive rynket; *corrugated (card)board* bølgepap; *corrugated iron* bølgeblik. **corrugation** [kåru'geⁱʃən] rynkning; rynker; rifling.
corrupt [kə'rʌpt] (vb.) fordærve; ødelægge; forvanske; bestikke; korrumpere; demoralisere, fordærves, rådne; (adj.) fordærvet, rådden; moralsk fordærvet; lastefuld; bestikkelig; forvansket; *evil communications* ~ *good manners* slet selskab fordærver gode sæder; ~ *practices* bestikkelse. **corruptible** [kə'rʌptəbl] (adj.) forkrænkelig, forgængelig; bestikkelig.
corruption [kə'rʌpʃən] fordærvelse; forkrænkelighed; forrådnelse; bestikkelse; forfalskning; korruption. **corruptive** [kə'rʌptiv] fordærvende, korrumperende.
corsage [kå·'sa·ʒ] brystbuket; kjoleliv.
corsair ['kå·sæə] sørøver, korsar; sørøverskib.
corselet ['kå·slit] korselet; brystharnisk.
corset ['kå·sėt] korset. **corsetry** ['kå·sėtri] korsetfabrikation; korsetter.
Corsica ['kå·sikə] Korsika.
Corsican ['kå·sikən] korsikansk; korsikaner.
cortège [kå·'teⁱʒ] optog, følge, kortege.
cortex ['kå·teks] pl. *cortices* ['kå·tisi·z] bark.
cortical ['kå·tikl] barkagtig; bark-; ydre; vedrørende hjernebarken.

corundum [kə'rʌndəm] korund.
coruscate ['kårəskeⁱt] funkle, gnistre, glimte.
coruscation [kårəs'keⁱʃən] funklen, gnistren, glimten.
corvette [kå·'vet] korvet.
corybantic [kåri'bäntik] korybantisk, vild.
corymb ['kå·rimb] ♧ halvskærm.
coryphae|us [kåri'fi·əs] (pl. *-i* [-ai]) korleder, fører, koryfæ.
coryza [ko'raizə] (subst.) forkølelse, snue.
cosh [kåʃ] **S** totenschlæger; slå (med en t.).
cosher ['kåʃə] pylre om, gøre stads af, forkæle.
cosignatory ['koᵘ'signətəri] medunderskriver.
cosily ['koᵘzili] hyggeligt, lunt.
cosine ['koᵘsain] kosinus.
cosiness ['koᵘzinės] hygge, lunhed.
cosmetic [kåz'metik] kosmetisk, forskønnende; (især i pl.) kosmetik.
cosmic(al) ['kåzmik(l)] kosmisk, som vedrører eller tilhører verdensaltet; ~ *rays* kosmiske stråler.
cosmo|gony [kåz'mågəni] (læren om) verdens oprindelse, kosmogoni. **-grapher** [kåz'mågrəfə] beskriver af verdensaltet. **-graphical** [kåzmo'gräfikl] kosmografisk. **-graphy** [kåz'mågrəfi] verdensbeskrivelse. **-politan** [kåzmo'pålitən] (adj.) kosmopolitisk; (subst.) kosmopolit. **-polite** [kåz'måpəlait] kosmopolit. **-rama** [kåzmo'ra·mə] kosmorama.
cosmos ['kåzmås] kosmos.
Cossack ['kåsäk] kosak.
cosset ['kåsit] (subst.) kæledægge; (vb.) forkæle.
I. **cost** [kå(·)st] omkostning, pris; bekostning, skade; *-s* (jur.) sagsomkostninger; *count the* ~ tage alle forhold i betragtning; *I know it to my* ~ det har jeg fået at føle; jeg ved det af bitter erfaring; *at all -s* for enhver pris; *at the* ~ *of* på bekostning af; *at great* ~ *of life* med opofrelse af mange menneskeliv.
II. **cost** [kå(·)st] *(cost, cost)* koste; beregne omkostninger, lave kalkule; *it* ~ *me dear* det kom mig dyrt at stå.
costal ['kåstl] ribbens-. **costal| pleura** brysthinde. ~ **pleurisy** brysthindebetændelse.
coster(-monger) ['kåstə(mʌŋgə)] gadehandler (især med frugt).
costing ['kå(·)stiŋ] overslag over udgifter; beregning af omkostninger, kalkulation.
costive ['kåstiv] (adj.) forstoppet. **costiveness** forstoppelse.
costly ['kå(·)stli] kostbar, dyr.
costmary ['kåstmæəri] ♧ rejnfan.
cost-of-living | bonus dyrtidstillæg. ~ **index** (detail)pristal.
cost price indkøbspris.
costume ['kåstju·m] kostume, dragt; (vb.) kostumere.
costumier [kås'tju·miə] dameskrædder.
cosy ['koᵘzi] (adj.) lun, hyggelig; (subst.) tevarmer, tehætte; *make oneself* ~ gasse sig.
cot [kåt] hytte; fold, sti; barneseng; (hænge)køje; feltseng, lejrseng.
cotangent ['koᵘtändʒənt] kotangens.
cote [koᵘt] skur, hus, fold.
coterie ['koᵘtəri] klike.
cothurnus [koᵘ'þə·nəs] (pl. *cothurni)* koturne.
cotill(i)on [kə'tiljən] kotillon.
cottage ['kåtidʒ] (lille) beboelseshus, arbejderbolig; *love in a* ~ kærlighed og kildevand. **cottage|-cheese** hytteost. ~ **hospital** hospital efter pavillonsystemet; lille hospital (uden fast lægestab). ~ **piano** pianette.
cottager ['kåtidʒə] en, der bor i en *cottage;* husmand. **cottar** ['kåtə] husmand. **cotter** ['kåtə] husmand; kile, split. **cotter pin** split. **cottier** ['kåtiə] husmand.
cotton ['kåtn] bomuld; bomuldstøj; bomuldstråd; *absorbent* ~ sygevat; ~ *(on) to* føle sig tiltrukket af, synes godt om; **S** fatte, begribe; ~ *up to* blive gode venner med. **cotton | gin** bomuldsegrenerings-maskine. ~ **-grass** ♧ kæruld, ageruld. ~ **-mill** bomuldsspinderi. ~ **print** mønstret bomuldstøj, kattun. ~ **-seed** bomuldsfrø. **-waste** bomuldsaffald, tvist. **-wood** balsampoppel. ~ **-wool** råbomuld; vat.
cotyledon [kåti'li·dən] ♧ kimblad.
I. **couch** [kautʃ] (vb.) lægge; affatte, udtrykke; fælde (en lanse); lægge sig, lejre sig; bukke sig, sætte sig på hug; ligge i baghold; ~ *a cataract* operere for stær.
II. **couch** [kautʃ] (subst.) leje; løjbænk, sofa, chaiselong; lag; grund (i maleri).
couch-grass ♧ kvikgræs.
cougar ['ku·ga·] (zo.) kuguar, puma.
cough [kå(·)f] (subst.) hoste; host; (vb.) hoste; ~ *out,* ~ *up* hoste op; **S** rykke ud med; punge ud (med); ~ *it up* **S** spyt ud (ↄ: sig det). **cough-drop** hostebolsje.
could [kud, kəd] imperf. af *can.*
couldn't ['kudnt] fk. f. *could not.*
coulisse [ku·'li·s] kulisse.
coulter ['koᵘltə] plovjern, langjern (i plov).
council ['kaunsl] rådsforsamling, råd; kirkeforsamling, koncilium; *Borough Council* byråd; *Order in Council* (svarer omtr. til) kongelig anordning; ~ *of war* krigsråd.
council|-board rådsbord; rådsmøde. ~ **house** kommunal (arbejder)bolig.
councillor ['kaunsilə] rådsmedlem; borgerrepræsentant, byrådsmedlem, amtsrådsmedlem.
council school (omtr.) kommuneskole.
counsel ['kaunsl] (subst.) råd (fx. *give good* ~*);* rådslagning; juridisk konsulent; sagfører, advokat (i denne betydning uændret i pl.); (vb.) give råd, råde; tilråde; *keep one's (own)* ~ holde tand for tunge; *take* ~ *with* rådføre sig med; *Counsel for the Plaintiff* sagsøgerens sagfører; *Counsel for the Defendant* den indstævntes sagfører; *Counsel for the Crown* el. *Counsel for the Prosecution* anklager (i kriminalsager); *Counsel for the Defence* forsvarer (i kriminalsager); *Queen's (, King's) Counsel* juridisk titel hvis indehaver optræder som *Counsel for the Crown;* ~ *of perfection* (omtr. =) uopnåeligt ideal.
counsellor ['kaunsələ] rådgiver; (i Irland og U.S.A.) advokat; ~ *of embassy* ambassaderåd.
I. **count** [kaunt] (subst.) greve (om ikke-engelske forhold).
II. **count** [kaunt] (subst.) tælling, beregning; tal; anklagepunkt; *drop a* ~ frafalde et anklagepunkt; *lose* ~ løbe sur i det; *I have lost* ~ *of them* jeg kan ikke holde tal på dem mere; *I had lost* ~ *of the time* tiden var løbet fra mig; *take the* ~ blive talt ud (i boksning); *take* ~ *of* tælle; *take no* ~ *of* ikke tage nogen notits af.
III. **count** [kaunt] (vb.) tælle, regne; anse for; regne for; regnes for (fx. *this book -s as a masterpiece);* medregne; komme i betragtning, have betydning (fx. *that does not* ~*),* veje, tælle (fx. *every penny -s);* ~ *20* tælle til 20; ~ *for* regne for, anse for; betyde (fx. *it -s for much (, nothing));* ~ *in* medregne; ~ *on* gøre regning på, regne med; ~ *out* tælle ud (i boksning); lade ude af betragtning; ~ *out the House* hæve mødet (i Underhuset) som ikke beslutningsdygtigt; ~ *me out* jeg vil ikke være med; ~ *over* tælle efter; ~ *upon* gøre regning på, regne med.
countdown (subst.) nedtælling (ved raketaffyring).
I. **countenance** ['kauntinəns] (subst.) ansigt(sudtryk), mine; hjælp; støtte (fx. *give* ~ *to a plan);* fatning, kontenance; *change* ~ skifte farve; *keep one's* ~ bevare fatningen, lade være med at le; *lose* ~ tabe fatningen, tabe kontenancen; *put out of* ~ bringe ud af fatning.
II. **countenance** ['kauntinəns] (vb.) gå med til (fx. *a fraud),* støtte; billige; tolerere.
I. **counter** ['kauntə] (subst.) jeton; disk; skranke; tæller; ⚓ gilling; *under the* ~ under disken; hemmeligt.
II. **counter** ['kauntə] (subst.) modstød, parade; (vb.) imødegå, parere; (adv.) modsat, imod; ~ *to*

imod (fx. *act ~ to one's orders* handle imod sine instrukser).

counteract [kauntə'räkt] (vb.) modvirke. **counteraction** [kauntə'räkʃən] (subst.) modvirkning, modstand, hindring. **counteractive** [kauntə'räktiv] (adj.) modvirkende.

counter-attack ['kauntərətäk] (subst. og vb.) (foretage) modangreb.

I. **counterbalance** [kauntə'bäləns] (vb.) opveje.

II. **counterbalance** ['kauntəbäləns] (subst.) modvægt.

counter|blast ['kauntə-] (subst.) modstød; kraftig imødegåelse. **-charge** (fremsætte) modbeskyldning; (foretage) modangreb. **-check** (foretage) kontraprøve. **-claim** (stille) modkrav. ~ **-clockwise** mod urviserens bevægelsesretning, mod uret. ~ **-espionage** kontraspionage.

counterfeit ['kauntəfit] (vb.) efterlave; efterligne; forfalske, hykle; (adj.) eftergjort, forfalsket; påtaget, uægte; (subst.) efterligning; forfalsket ting; bedrager; (glds.) bedrageri; kontrafej. **counterfeiter** (subst.) forfalsker; hykler; falskmøntner.

counter|foil ['kauntə-] talon (i checkhæfte). **-fort** (arkit.) stræbepille, støttepille. ~ **-girl** buffetdame. ~ **-irritant** (med.) afledende middel. ~ **-jumper** (neds.) diskenspringer. ~ **-man** buffist.

countermand [kauntə'ma·nd] (vb.) give kontraordre, tilbagekalde, afbestille; (subst.) kontraordre, afbestilling.

counter|march ['kauntə-] (subst.) kontramarch; (vb.) marchere tilbage. ~ **-measure** modtræk. **-mine** (subst.) kontramine; (vb.) kontraminere. ~ **-move** (subst.) modtræk. **-pane** sengetæppe. **-part** genpart; tilsvarende stykke, sidestykke, modstykke, pendant. **-point** kontrapunkt. **-poise** (subst.) modvægt; (vb.) holde i ligevægt; opveje. ~ **-revolution** kontrarevolution, modrevolution. **-shaft** forlagsaksel. **-shaft bearing** forlagsleje. **-sign** (vb.) kontrasignere; (subst.) feltråb, løsen. **-signature** kontrasignatur. **-sink** forsænke (en skrue etc.); forsænker. **-tenor** ['kauntə'tenə] høj tenor. ~ **-thrust** (subst.) modstød.

countervail [kauntə've^i^l] opveje, udligne; *-ing duty* kompensationstold.

countess ['kauntės] en *earl's* el. *count's* hustru; grevinde.

counting-house ['kauntiŋhaus] kontor, regnskabsafdeling (i forretning), kontorlokale.

countless ['kauntlės] (adj.) utallig, talløs.

countrified ['kʌntrifaid] rustificeret, bondsk, landlig.

country ['kʌntri] land; egn; land (modsat by); fædreland; terræn; *across ~* over stok og sten; gennem terrænet; *in the ~* på landet; *into the ~* ud på landet; *go* (el. *appeal) to the ~* appellere til vælgerne, udskrive valg. **country | box** mindre landsted. ~ **cousin** et gudsord fra landet; slægtning ude fra bøhlandet. ~ **-dance** folkedans. ~ **folk** landboere; landsmænd. ~ **gentleman** herremand, godsejer. ~ **girl** bondepige. ~ **-house** landsted. **-man** landsmand; landmand, bonde. ~ **party** landmandsparti. ~ **-people** landboere; landsmænd. ~ **-seat** landsted; (amr.) = ~ *town*. **-side** egn; *in this -side* her på egnen. ~ **town** købstad. **-woman** landsmandinde; bondekone.

county ['kaunti] (omtr. =) amt (England er i administrativ henseende inddelt i *counties);* indbyggerne i et *county*, godsejerfamilierne (i et *county);* grevskab. **county | borough** en af de store engelske byer, som administrativt udgør et *county*. ~ **council** (omtr. =) amtsråd. ~ **court** (lokal civil domstol). ~ **family** godsejerfamilie, herremandsfamilie. ~ **school** (omtr.) kommuneskole. ~ **town** hovedbyen i et *county*.

coup [ku·] kup; *pull off a great ~* gøre et godt kup.

coup | de grâce [fr.] nådestød. ~ **de main** [fr.] overrumpling. ~ **d'état** statskup.

coupé ['ku·pe^i^] kupé (lukket topersoners vogn); **halvkupé i enden af jernbanevogn.**

couple ['kʌpl] (subst.) par; ægtepar; rem til to (jagt)hunde; (vb.) koble sammen; parre; forbinde; forene; forene sig; gifte sig; parre sig; *in -s* parvis; *a married ~* et ægtepar; *an engaged ~* et forlovet par; *newly married ~* brudepar.

coupler ['kʌplə] kobling. **couplet** ['kʌplėt] kuplet (to rimede verslinier). **coupling** ['kʌpliŋ] kobling; ~ *box* muffe (om aksler); ~ *lever* (i bil) koblingsstang.

coupon ['ku·på·ŋ] kupon; rationeringsmærke; billet.

courage ['kʌridʒ] (subst.) mod, tapperhed; *have the ~ of one's opinions* have sine meningers mod; *pluck up ~, take ~* fatte mod; *take one's ~ in both hands* tage mod til sig.

courageous [kə're^i^dʒəs] (adj.) modig, tapper.

courier ['kuriə] ilbud, kurér; rejseleder.

I. **course** [kå·s] (subst.) løb; bane; kurs; gang (fx. *the ~ of events);* forløb; kursus; række; optræden, fremgangsmåde, vej; sædvane; ret (ved et måltid); skifte (af mursten); undersejl; *-s* (ogs.) menstruation; *in due ~* til rette tid, når tiden er inde; *take to evil -s* komme på afveje; *shape a ~ for* sætte kursen mod; *stay the ~* gennemføre løbet; *the law must take* (el. *run) its ~* retten må gå sin gang; *in the ~ of* i løbet af, under; *of ~* selvfølgelig; *a matter of ~* en selvfølgelighed; ~ *of lectures* forelæsningsrække.

II. **course** [kå·s] (vb.) jage; løbe, rulle (om blodet).

courser ['kå·sə] (subst.) hest, ganger; *cream-coloured ~* (zo.) ørkenløber.

coursing jagt (med benyttelse af mynder).

I. **court** [kå·t] (subst.) gård(splads); lille plads mellem huse, blindgade, gyde; tennisbane, felt af tennisbane; afdeling af museum etc.; opvartning, kur; (jur.) ret; retssal; hof, borg, slot; ~ *of justice* (el. *law* el. *judicature)* domstol, ret; *a higher (, lower) ~* en højere (, lavere) instans; *hold a ~* holde hof; *the ~ circular* hofnyhederne (i avis); *at ~* ved hoffet; *have a friend at ~* have fanden til morbroder; *before the ~* for retten; *in ~* i retten; *in the ~* i retssalen; *bring into ~, take into ~* bringe for retten; *put oneself out of ~* forspilde sin ret til at blive hørt; *settle a case out of ~* indgå forlig; ordne en sag i mindelighed; *make* el. *pay (one's) ~ to sby.* gøre kur til én.

II. **court** [kå·t] (vb.) gøre kur til, søge at vinde; indbyde til, pådrage sig; ~ *applause* angle efter bifald; ~ *defeat* berede sig et nederlag, gå lige i løvens gab; ~ *disaster* udfordre skæbnen.

court|card billedkort (om visse spillekort). ~ **circular** hofnyheder. ~ **-dress** hofdragt.

courteous ['kə·tiəs] (adj.) høflig, artig; venlig.

courtesan [kå·ti'zän, (amr.) 'kå·təzən] kurtisane, skøge.

courtesy ['kə·tisi] høflighed, artighed; opmærksomhed; belevenhed; gunst(bevisning); ~ *title* ærestitel (især om en *peer's* ringere titel der bruges af hans ældste søn); *by ~ of* ved imødekommenhed fra; skænket (, betalt) af.

court|-guide hof- og statskalender. ~ **-hand** kancelliskrift.

courtier ['kå·tjə] hofmand.

courtly ['kå·tli] høflig, høvisk, beleven.

court|-martial ['kå·t'ma·ʃəl] krigsret; stille for en krigsret. ~ **-plaster** hæfteplaster. **-ship** bejlen, frieri. ~ **shoes** pumps. **-yard** gård, gårdsplads.

cousin ['kʌzn] fætter, kusine, søskendebarn; slægtning; ~ *german* el. *first ~* (kødeligt) søskendebarn, kødelig fætter el. kusine; *second ~* næstsøskendebarn, halvfætter, halvkusine; *first ~ once removed* fætters el. kusines barn. **cousinship** ['kʌznʃip] fætterskab; det forhold at være fætre el. kusiner.

couvade [ku'va·d] couvade, mandlig barselseng (hos primitive stammer).

I. **cove** [ko^u^v] (subst.) bugt, vig; hvælving; (vb.) hvælve. II. **cove** [ko^u^v] S fyr (fx. *he is a queer ~).*

covenant ['kʌvinənt] pagt; overenskomst; slutte pagt; *the Ark of the ~* pagtens ark; *the land of the ~* **det forjættede land;** *the Solemn League and Covenant* (en overenskomst mellem skotterne og det engelske parlament 1643, som anerkender Skotlands presbyterianske kirke). **Covenanter** ['kʌvinəntə] tilhænger af *the Solemn League and Covenant.*

Covent Garden ['kåvənt 'ga·dn] (plads i London, hvor der er grønt- og blomstertorv; opera i London).

Coventry ['kåvəntri] (by i Midtengland); *send to ~* udelukke fra kammeratskab, boycotte; afbryde selskabelig omgang med.

I. **cover** ['kʌvə] (vb.) tildække, dække; skjule; beskytte; betale (fx. *~ the expenses);* betrække, overtrække; omfatte; bedække (parre sig med); tilbagelægge (fx. *we have -ed* 50 *miles);* sigte lige på; stikke (i kortspil); give referat af (i avis); *~ eggs* ligge på æg; *~ a wide field* spænde vidt; *the amount is -ed* der er dækning for beløbet; *the loan was -ed many times* lånet blev overtegnet mange gange; *be -ed!* tag hatten på! *remain -ed* beholde hatten på; *~ in* dække til, fylde op; *-ed in* (el. *with) snow* dækket med sne; *~ up* dække til; *-ed veranda* overdækket veranda.

II. **cover** ['kʌvə] (subst.) dække, låg; betræk; kuvert; dæksel; (cykel)dæk, bildæk; dækning; skjul; påskud, skin; konvolut, kuvert; omslag (t. bog); beskyttelse; krat, tykning; et dyrs leje; skjulested (f. vildt); *take ~* søge dækning; *-s were laid for ten* der var dækket til ti; *from ~ to ~* fra første til sidste side; fra ende til anden; *under ~ of* i ly af; *under the same ~* i samme konvolut; *under this ~* indlagt; *under separate ~* separat, særskilt.

coverage ['kʌvəridʒ] dækning; presseomtale, reportage; (radio) dækningsområde.

cover|alls ['kʌvərå·lz] (amr.) kedeldragt. **~ -charge** kuvertafgift. **~ -crop** dækafgrøde. **~ -girl** pin-up (der bruges som forsidebillede i magasin).

covering ['kʌvəriŋ] bedækning; dække, beklædning, betræk; ly, skjul. **~ letter** følgeskrivelse.

cover|let ['kʌvəlit], **-lid** [-lid] sengetæppe. **~ -name** dæknavn. **-slip** dækglas (til mikroskopisk præparat).

covert ['kʌvət] (subst.) skjul, ly, tilflugtssted, dyrestade; tykning; (adj.) stjålen (fx. *a ~ glance);* skjult, forblommet, tilsløret.

covert|cloth covercoat (et tætvævet stof). **~ -coat** let frakke. **~ shoot** klapjagt.

coverture ['kʌvətjuə] bedækning; (jur.) en gift kvindes juridiske stilling.

covet ['kʌvit] begære, hige (el. tragte) efter.

covetous ['kʌvitəs] begærlig *(of* efter).

covey ['kʌvi] yngel, kuld; børneflok; flok.

I. **cow** [kau] (subst.) ko, hun (af visse dyr); *till the -s come home* **S** uendelig længe.

II. **cow** [kau] (vb.) kue, forkue, kujonere; virke trykkende på.

coward ['kauəd] kujon, kryster; fejg, krysteragtig. **cowardice** ['kauədis] fejghed, krysteragtighed. **cowardly** [-li] fejg.

cow|bane ♧ gifttyde. **-berry** ♧ tyttebær. **~ -boy** røgterdreng; cowboy. **~ -catcher** (amr.) kofanger, banerømmer.

cower ['kauə] (vb.) krybe sammen, dukke sig.

cow|herd røgter(dreng). **-hide** (subst.) kohud; pisk; (vb.) piske. **~ -house** kostald.

cowl [kaul] munkehætte, munkekutte; røghætte; torpedo (i bil); (flyv.) motorhjelm, motorkappe.

cowlick hvirvel i håret.

cowling (flyv.) motorhjelm, motorkappe.

cow|man fodermester; (amr.) kvægejer. **~ -parsley** ♧ hulsvøb. **~ -parsnip** ♧ bjørneklo. **~ -pat** kokasse.

Cowper ['ku·pə, 'kaupə].

cow|-pox kokopper. **~ -puncher** (amr. **T**) cowboy.

cowrie, cowry ['kauri] (zo.) porcelænssnegl.

cow|shed kostald. **-slip** ♧ kodriver.

cox [kåks] styrmand (v. kaproning); styre en kaproningsbåd.

coxcomb ['kåkskoᵘm] nar, laps; narrehue.

coxcombical [kåks'koᵘmikl] lapset, naragtig.

coxcombry ['kåkskəmri] naragtighed.

coxswain ['kåksweⁱn, kåksn] kvartermester; styrmand (i kaproningsbåd).

coy [koi] (adj.) bly, undselig.

coyote ['koioᵘt] prærieulv.

coypu ['koipu] (zo.) sydamerikansk bæverrotte, sumpbæver.

coz [kʌz] fk. f. *cousin.*

cozen ['kʌzn] (vb.) narre, bedrage.

cozy = *cosy.*

c.p. fk. f. *candle-power; chemically pure; charter-party.* **cp.** fk. f. *compare.*

C.P.R. fk. f. *Canadian Pacific Railway.*

C.Q. (kaldesignal i radio).

Cr. fk. f. *credit(or); Crown.*

crab [kräb] (subst.) krabbe; skovæble; vildt æbletræ; gnaven person; (vb.) kritisere, rakke ned på; *the Crab* Krebsen (stjernebillede); *edible ~* (zo.) taskekrabbe; *catch a ~* fange en ugle (under roning).

crab-apple skovæble.

crabbed ['kräbid] knarvorn, gnaven, irritabel, sur; (om skrift) gnidret. **crabby** ['kräbi] knarvorn, gnaven, irritabel, sur.

crabgrass ['kräbgra·s] ♧ fingeraks, blodhirse.

crab-louse ['kräblaus] (zo.) fladlus.

I. **crack** [kräk] (subst.) knald (fx. *of a gun, of a whip);* brag, smæld; knæk; brud, sprække, spalte, revne (fx. *the ice was full of -s);* slag (fx. *on the head);* **S** forsøg (fx. *have a ~ at it* gøre et forsøg); spydighed; *at the ~ of dawn* ved daggry; *in a ~* i løbet af 0,5; *till the ~ of doom* til dommedagsbasunen lyder.

II. **crack** [kräk] (vb.) få til at revne; knuse, sprænge; knække (fx. *nuts);* knalde med, smælde med (fx. *a whip);* ødelægge; sprække, revne, briste; knalde, smælde; knække over, gå i overgang (om stemmen); *~ a bottle* knække halsen på en flaske; *~ a crib* **S** begå indbrud, lave et bræk; *~ down on* slå ned på; *~ jokes* rive vittigheder af sig; *get -ing* **S** komme i gang, tage fat; *~ up* gå i stykker; bryde sammen; *~ sby. up* skamrose en; hæve en til skyerne.

III. **crack** [kräk] (adj.) første klasses, elite- (fx. *regiment, team).*

crack-brained (adj.) tosset, forrykt.

cracked [kräkt] (adj.) revnet; sprukken; tosset, forrykt.

cracker ['kräkə] (subst.) knallert (fyrværkeri); nøddeknækker; slags kiks; piskesnært; **S** løgn; *let off a Chinese ~* futte en kineser af.

crackers (subst.) nøddeknækker; (adj.) **T** skør, tosset.

crackjaw ['kräkdʒå·] (adj.) vanskelig at udtale, halsbrækkende.

crackle ['kräkl] (vb.) knitre, knase; (subst.) knitren; krakeleret overflade. **crackling** knitren; sprød svær (på en flæskesteg).

cracknel ['kräknəl] slags tyk, skør kiks.

crack|pot skør rad. **~ shot** mesterskytte.

cracksman ['kräksmən] indbrudstyv.

crack-up ['kräkʌp] sammenbrud.

Cracow ['kra·koᵘ] Krakow.

cradle ['kreⁱdl] (subst.) vugge; sengekrone (til hospitalsseng); redningsstol; hængestillads; mejered (på le); (telefon)gaffel; (vb.) lægge i vuggen, vugge; lægge (telefonen, røret) på; høste med mejered; *the ~ of the deep* havet; *from the ~* lige fra barndommen.

craft [kra·ft] håndtering, håndværk, kunsthåndværk, kunst; list, bedrageri; ⚓ skib(e), fartøj(er); luftfartøj(er); flyvemaskine(r), luftflåde; *the ~* frimurerne. **craftiness** snedighed, snuhed, listighed.

craftsman ['kra·ftsmən] håndværker; fagmand; kunstner. **craftsmanship** håndværksmæssig dygtighed; *an excellent piece of ~* et fint stykke arbejde.

crafty ['kra·fti] listig (fx. *as ~ as a fox);* snu.

crag [kräg] ujævn og stejl klippe, fremludende klippestykke. **cragged** ['krägid] klippefuld; (om klippe) ujævn, knudret.

craggy ['krägi] se *cragged.*
crag martin (zo.) klippesvale.
cragsman ['krägzmən] bjergbestiger.
crake [kreⁱk] (zo.) rørvagtel; *Baillon's ~* dværgrørvagtel; *little ~* lille rørvagtel; *spotted ~* plettet rørvagtel.
cram [kräm] (vb.) stoppe, proppe, stuve, presse ind; fylde sig, proppe sig; lyve; proppe (med kundskaber), manuducere; drive forceret eksamenslæsning; (subst.) eksamenslæsning; terperi; løgn; løgnehistorie; *the theatre was -med* teatret var stuvende fuldt; *~ up* terpe.
crambo ['krämboᵘ] rimleg, rimord.
crammer ['krämə] manuduktør, terper.
cramp [krämp] (subst.) (med.) krampe; (stor jernkrog) krampe; muranker; hindring; indskrænkning; (vb.) give krampetrækninger; hæmme, lægge bånd på, indskrænke; gøre fast med kramper; *it -ed his style* det hæmmede ham; *writer's ~* skrivekrampe.
cramped [krämpt] (adj.) trang, indskrænket; gnidret (om skrift); *be ~ for space* ikke have megen plads at røre sig på.
cramp-iron ['krämpaiən] jernkrampe, muranker.
crampon ['krämpən] isbrod (på sko); stenklo.
cranberry ['kränbəri] ♧ tranebær.
crane [kreⁱn] (zo.) trane; kran; (vb.) løfte med en kran; strække hals, strække; *demoiselle ~* (zo.) jomfrutrane; *floating ~* flydekran.
crane|fly (zo.) stankelben. ~ **lorry** kranvogn.
crane's-bill ['kreⁱnzbil] ♧ storkenæb.
cranial ['kreⁱniəl] kranie-.
cranium ['kreⁱniəm] (pl. *crania)* hjerneskal, kranium.
crank [kräŋk] (subst.) krumtap, krank; håndsving; forkrøpning; forskruet idé; monoman person, særling; (amr. T) tværdriver, gnavpotte; (adj.) tilbøjelig til at vælte el. kæntre; skrøbelig; (amr.) frisk, rask, lystig; (vb.) bøje ned el. tilbage; forkrøppe; *~ (up)* starte (en bil) med håndsving.
crank|bearing krumtapleje. ~ **case** krumtaphus. ~ **shaft** krumtapaksel.
cranky ['kräŋki] forskruet, sær, excentrisk; tvær; skrøbelig; kroget.
cranny ['kräni] (subst.) revne, sprække.
crap [kräp] **S** skidt, lort; sludder; *~ game, ~ shooting, -s* (amr.) slags terningespil.
crape [kreⁱp] (subst.) krep, (sørge)flor; (vb.) (glds.) kruse; kreppe.
crapulence ['kräpjuləns] umådeholdenhed, drukkenskab. **crapulent** ['kräpjulənt], **crapulous** ['kräpjuləs] fordrukken.
I. **crash** [kräʃ] (subst.) brag, bulder; krak, fallit; nedstyrtning af flyvemaskine; grovcretonne; (vb.) brage, styrte sammen; (få til at) styrte ned, knuse (flyvemaskine v. nedstyrtning); krakke; brase *(into* ind i, *through* gennem); (amr.) komme uindbudt til, trænge sig ind i, gå ind til uden at betale (fx. *~ a dance); ~ one's way* mase sig frem.
II. **crash** (adj) ekspres-; forceret; chok- (fx *report).*
crash barrier autoværn.
crash-dive ['kräʃdaiv] (subst.) (om undervandsbåd) brat dykning; (vb.) dykke brat.
crash-helmet ['kräʃhelmėt] styrthjelm.
crash landing katastrofelanding.
crass [kräs] tykhovedet, ærkedum; grov. **crassitude** ['kräsitju·d] tykhovedethed, ærkedumhed, sløvhed.
crate [kreⁱt] (subst.) pakkurv, tremmekasse; (vb.) pakke ned i en tremmekasse.
crater ['kreⁱtə] krater; granathul.
cravat [krə'vät] halsbind, slips.
crave [kreⁱv] bønfalde om, bede om; *~ for* have stærk lyst til, hige efter.
craven ['kreⁱvn] (subst.) kujon, kryster; (adj.) fej.
craving ['kreⁱviŋ] begærlighed, stærk længsel *(for* efter), stærk lyst *(for* til).
craw [krå·] kro (hos fugle).
crawfish ['krå·fiʃ] krebs.
crawl [krå·l] (vb.) kravle, krybe; have krybende fornemmelser; (subst.) kravlen, kryben; crawl (svømning); *~ with* myldre af.
crawler ['krå·lə] kryb; kryber, spytslikker; ledig bil (der kører langsomt for at få passagerer). **crawlers** kravledragt.
crayfish ['kreⁱfiʃ] krebs.
crayon ['kreⁱən] (subst.) farveblyant; kridttegning, pastel; kulstift; kultegning; kulspids (i buelampe); (vb.) tegne med farveblyant etc.
craze [kreⁱz] (vb.) gøre forrykt; krakelere; (subst.) mode(galskab), mani; *it's the ~* det er sidste skrig.
crazy ['kreⁱzi] (adj.) vanvittig (fx. *~ with pain);* faldefærdig, skrøbelig; *~ about* vild efter, tosset efter (fx. *he is ~ about dancing).* **crazy|bone** (amr.) snurreben. ~ **pavement** belægning med brudfliser. ~ **quilt** (amr.) kludetæppe (uden mønster).
creak [kri·k] (vb.) knirke, knage; få til at knirke; (subst.) knirken.
I. **cream** [kri·m] (subst.) fløde; creme; det bedste, det fineste; flødefarve; *~ of tartar* renset vinsten, kremor-tartari; *whipped ~* flødeskum.
II. **cream** [kri·m] (vb.) sætte fløde; skumme fløde; indsmøre i creme.
cream-coloured (adj.) cremefarvet.
creamer ['kri·mə] flødekande; centrifuge.
creamery ['kri·məri] mejeri.
cream|-jug flødekande. ~ **separator** centrifuge.
creamy ['kri·mi] flødeagtig.
crease [kri·s] (subst.) fold; pressefold, læg; linie trukket på jorden i cricket; (vb.) presse (benklæder); krølle; folde; (amr.) (om skud) strejfe. **creaser** (i bogbinderi) rygstempel. **crease|-resistant, ~ -resisting** krølfri. **creasy** ['kri·si] krøllet.
create [kri'eⁱt] skabe; frembringe; udnævne (til); fremkalde, vække, forårsage; oprette; **T** skabe sig, tage på veje; *~ a part* kreere en rolle.
creation [kri'eⁱʃən] skabelse; det skabte, verden; udnævnelse; frembringelse, fremkaldelse; oprettelse; kreation, model; *the lord of ~* (ironisk om manden) skabningens herre.
creative [kri'eⁱtiv] skabende.
creator [kri'eⁱtə] skaber.
creature ['kri·tʃə] menneske, væsen; dyr; (fig.) redskab, kreatur; *~ of habit* vanemenneske; *poor ~* arme stakkel; *~ comforts* materielt velvære; materielle goder.
crèche [kreⁱʃ] vuggestue.
credence ['kri·dəns] (subst.) tro, tiltro; kredensbord; *letter of ~* introduktionsskrivelse; *give ~ to* fæste lid til, tro. **credentials** [kri'denʃəlz] akkreditiver; legitimationsskrivelser.
credibility [kredi'biliti] troværdighed. **credible** ['kredəbl] (adj.) trolig, troværdig.
credit ['kredit] (subst.) tillid, tiltro; kredit; godt navn, anseelse, anerkendelse, ære; (vb.) tro, skænke tiltro; kreditere; *give sby. ~ for being* tro om en at han er; *(give) ~ where ~ is due* ære den som æres bør; *letter of ~* akkreditiv; *open ~* åben kredit, åbent lån; *on ~* på kredit; *stand to the ~ of an account* indestå på en konto; *give ~ to* fæste lid til, tro; *pass an amount to sby.'s ~, ~ an amount to sby., ~ sby. with an amount* kreditere en for et beløb; *~ sby. with sth.* tiltro en ngt.; give en æren for ngt.
creditable ['kreditəbl] hæderlig, ærefuld *(to* for); *that is ~ to him* det gør ham ære.
creditor ['kreditə] kreditor.
credit titles (i film) fortekster.
credulity [kri'dju·liti] lettroenhed.
credulous ['kredjuləs] lettroende.
creed [kri·d] (subst.) trosbekendelse; tro, overbevisning.
creek [kri·k] vig; bugt; (amr.) å, bæk.
creel [kri·l] fiskekurv.
I. **creep** [kri·p] (subst.) kryben; **S** listetyv; modbydelig ka'l; *it gives me the -s* jeg får myrekryb af det.

II. **creep** [kri·p] *(crept, crept)* krybe; liste sig, snige sig *(upon* over); have en kriblende fornemmelse, gyse; *make one's flesh* ~ få en til at gyse; ~ *in* (også) indsnige sig (fx. *an error has crept in).*
creeper ['kri·pə] kryb; slyngplante; dræg; *-s* pigge (under bjergstøvler etc.).
creepy ['kri·pi] uhyggelig.
creese [kri·s] kris (malajisk dolk).
cremate [kri'meⁱt] (vb.) brænde. **cremation** [kri'meⁱʃən] (lig)brænding. **crematorium** [kremə'tå·riəm], **crematory** ['kremətəri] krematorium.
crenated ['kri·neⁱtid] (adj.) takket.
crenelated ['krenileⁱtid] kreneleret, forsynet med skydeskår.
creole ['kri·oᵘl] kreol.
creosote ['kriəsoᵘt] kreosot (en tjæreolie).
crêpe | de chine ['kreⁱpdə'ʃi·n] crepe de chine. ~ **nylon** crepenylon. ~ **paper** crepepapir. ~ **rubber** rågummi. ~ **rubber sole** rågummisål.
crepitate ['krepiteⁱt] (vb.) knitre. **crepitation** [krepi'teⁱʃən] knitren.
crepon ['krepå·ŋ] crepon (bomuldsstof).
crept [krept] imperf. og perf. part. af II. *creep.*
crepuscular [kri'pʌskjulə] tusmørke-, halvmørk.
crepuscule ['krepəskju·l] tusmørke.
crescent ['kresnt] halvmåneformet (plads); voksende; halvmåne; horn (bagværk).
cress [kres] (subst.) ♧ karse.
cresset ['kresit] beggryde, ildbækken (brugt som fakkel).
crest [krest] kam (på hane); fjerdusk; top; bølgetop; hjelmbusk; hjelm (over et våbenskjold), våbenmærke; (vb.) pryde med hjelmbusk etc.; nå op til toppen af. **crested** (adj.) toppet; ~ *lark* toplærke; ~ *tit* topmejse. **crestfallen** modfalden, slukøret.
Crete [kri·t] Kreta.
cretin ['kretin] kretiner (vanskabt idiot). **cretinism** ['kretinizm] kretinisme, idioti.
cretonne [kre'tån] cretonne.
crevasse [kri'väs] gletscherspalte.
crevice ['krevis] sprække.
crew [kru·] (⚓, flyv.) (skibs)mandskab, besætning; flok, bande; arbejdshold.
crew-cut (adj.) plysset, karseklippet.
crib [krib] (subst.) krybbe; barneseng; kravleseng; kasse; (lille) hus, hytte, lille værelse; snydeoversættelse (i skole); (vb.) stjæle, rapse; snyde (i skolen), skrive af, plagiere; **S** beklage sig.
cribbage ['kribidʒ] puk (et slags kortspil).
cribbing ['kribiŋ] krybbebiden; snyderi (i skolen). **crib-biter** ['kribbaitə] krybbebider.
cribriform ['kribrifå·m] gennemhullet som en si.
crick [krik] (subst.) stivhed, forvridning, hold; (vb.) forstrække, forvride.
I. **cricket** ['krikit] (subst.) (zo.) fårekylling.
II. **cricket** ['krikit] (subst.) cricket (spil); (vb.) spille cricket; *not* ~ ikke ærligt spil; *play* ~ spille ærligt spil, holde sig til reglerne. **cricketer** ['krikitə] cricketspiller. **cricket match** cricketkamp.
cried [kraid] imperf. og perf. part. af *cry.*
crier ['kraiə] (subst.) råber; udråber.
crikey ['kraiki] **S** ih du store!
crime [kraim] forbrydelse; ulovlighed.
Crimea [krai'miə]: *the* ~ Krim. **Crimean** [krai'miən] Krim-, krimsk.
crime-sheet ⚔ straffeblad.
criminal ['kriminəl] (adj.) forbryderisk; kriminel; straffe-; (subst.) forbryder; ~ *justice* strafferet, strafferetspleje; ~ *law* strafferet.
criminality [krimi'näliti] (subst.) kriminalitet.
criminate ['krimineⁱt] (vb.) anklage.
crimination [krimi'neⁱʃən] (subst.) anklage.
criminology [krimi'nålədʒi] (subst.) kriminologi.
I. **crimp** [krimp] (subst.) hverver; hyrebasse; (vb.) hverve (ved kneb), shanghaje.
II. **crimp** [krimp] (vb.) kruse, krølle (fx. ~ *the hair);* (subst.) krøl, krus; *put a* ~ *in* **S** hindre.
crimson ['krimzn] (subst.) karmoisinrødt; højrødt; (adj.) karmoisinrød, højrød; (vb.) rødme. **crimson rambler** rød slyngrose, crimson rambler.
cringe [krin(d)ʒ] (subst.) kryberi; (vb.) bøje sig, krybe sammen; krybe (for en).
cringle ['kriŋgl] ⚓ (øje af tovværk) løjert.
crinkle ['kriŋkl] (vb.) bøje, sno; kruse, krølle; bøje sig, sno sig; kruse sig; (subst.) snoning, krusning; krølle; rynke.
crinoline ['krinəli·n] krinoline; stivskørt.
cripes [kraips] **S** ih du store!
cripple ['kripl] (subst.) krøbling: (vb.) gøre til krøbling; lemlæste; lamme, gøre magtesløs.
crisis ['kraisis] (pl. *crises* ['kraisi·z]) vendepunkt, krise.
crisp [krisp] (adj.) kruset, tæt krøllet; skør, sprød; frisk, livlig, klar, skarp; (vb.) kruse, krølle; gøre sprød; kruse sig; blive sprød; *-s* (omtr. =) franske kartofler.
crispbread knækbrød.
criss-cross ['kriskrås] på kryds og tværs; krydsende; mærke(t) med kryds; kors.
criterion [krai'tiəriən] (pl. *criteria)* kriterium, kendemærke, særkende.
critic ['kritik] (subst.) kritiker, anmelder; kritisk person, streng dommer; *dramatic, literary* ~ teater-, litteraturanmelder. **critical** ['kritikl] kritisk; afgørende (fx. *moment);* betænkelig, farlig. **criticism** ['kritisizm] kritik; *be above* ~ være hævet over kritik; *be beneath* ~ være under al kritik. **criticize** ['kritisaiz] (vb.) kritisere, anmelde, bedømme; dadle.
critique [kri'ti·k] kritik; anmeldelse.
croak [kroᵘk] (vb.) kvække (som frø); skrige hæst (som ravn); se sort på det, spå ulykke(r); klage; **S** dø, krepere; **S** slå ihjel; (subst.) kvækken, skrigen.
croaker ['kroᵘkə] brumbasse; ulykkesprofet, defaitist.
Croat ['kroᵘət] kroat. **Croatia** [kroᵘ'eⁱʃiə] Kroatien. **Croatian** [kroᵘ'eⁱʃiən] kroatisk.
crochet ['kroᵘʃeⁱ] (vb.) hække; (subst.) hækling; hækletøj; *double* ~ fastmaske. **crochet-hook** hæklenål. **crocheting** ['kroᵘʃeⁱiŋ] hækling; hækletøj.
crock [kråk] (subst.) lerkrukke, lerpotte; potteskår; krikke; svag (udslidt el. udygtig) person, skrog, krykhusar, krøbling; (vb.) **T** ødelægge; blive et vrag.
crockery ['kråkəri] lervarer, stentøj, porcelæn.
crocks **S** service, 'postelin'.
crocodile ['kråkədail] krokodille; pigeskole som går tur to og to.
crocus ['kroᵘkəs] ♧ krokus.
Croesus ['kri·səs] Krøsus, rigmand.
croft [kråft] toft, vænge; husmandslod.
crofter ['kråftə] husmand, boelsmand.
cromlech ['kråmlek] stendysse.
Cromwell ['kråmwəl].
crone [kroᵘn] gammel kælling (, kone el. morlil).
crony ['kroᵘni] gammel ven, 'kammesjuk'.
I. **crook** [kruk] (subst.) hage, krog; krumstav; hyrdestav; krumning, bugt; **S** svindler, forbryder; *on the* ~ **S** uærligt.
II. **crook** [kruk] (vb.) krumme; bøje; krumme sig, bøje sig.
crook-backed (adj.) pukkelrygget.
crooked ['krukid] krum, skæv; kroget; uhæderlig, uærlig.
croon [kru·n] (subst.) nynnen; (vb.) nynne.
crooner ['kru·nə] refrainsanger(inde).
crop [kråp] (subst.) kro (hos fugle); høst, afgrøde, grøde; mængde, samling; kortklippet hår; piskeskaft; ridepisk; (vb.) afskære, studse, afklippe, afgnave, beklippe, kortklippe; beplante, tilså (fx. ~ *a field with wheat);* give afgrøde; ~ *up* dukke op, vise sig. **crop-eared** med afstudsede ører.
cropper ['kråpə] kropdue; fald; fiasko; *come a* ~ falde, styrte; gøre fiasko, gå bag af dansen.
croquet ['kroᵘkeⁱ, (amr.) kroᵘ'keⁱ] kroket; krokade; (vb.) krokere, spille kroket.

croquette [kro'ket] kroket.
crore [krå·] (i Indien) ti millioner.
crosier ['kroᵘʒə] bispestav; krumstav.
I. **cross** [krå·s, krås] (subst.) kors; kryds; tværstreg (på bogstav); krydsning (fx. *a mule is a ~ between a horse and an ass);* raceblanding, bastard, mellemting; (fig.) kors; lidelse; *make one's ~* sætte sit mærke (om en der ikke kan skrive sit navn); *take up one's ~* tage sit kors op; *the Southern Cross* Sydkorset.
II. **cross** [krå·s, krås] tvær-; gensidig; tvær, gnaven, arrig; *as ~ as two sticks* sur og tvær; *~ to* modsat, imod.
III. **cross** [krå·s, krås] (vb.) krydse; gå tværs over (fx. *the street);* gå (, køre, ride osv.) over (el. igennem); sejle (el. sætte) over (fx. *~ from Dover to Calais);* komme over, komme igennem; modvirke, modarbejde, hindre; modsige; sætte en streg over el. igennem; lægge over kors; skære, krydse; krydse hinanden; tage over; *~ one's arms* lægge armene over kors; *~ a cheque* krydse en check; *~ the floor (of the House)* skifte parti (i Underhuset); stemme mod sit eget parti; *~ his hand with silver* give ham en sølvmønt; bestikke ham; *~ my heart* på ære! ama'r! *be -ed in love* lide skuffelse i kærlighed; *it -ed my mind* det faldt mig ind; *~ sby.'s path* krydse ens vej; *~ swords with* krydse klinger med; *~ one's t's* sætte streger gennem t'erne; (fig.) være pertentlig; *~ oneself* gøre korsets tegn for sig; *~ off, ~ out* strege ud, overstrege; *~ over to England* tage over til England.
cross|-bar tværtræ, tværstang; (typ.) middelsteg. **-beam** tværbjælke. **~ -bench** (plads i Underhuset for uafhængige medlemmer); (adj.) neutral, uafhængig. **-bill** (zo.) lille korsnæb. **~ -bones** korslagte dødningeben. **~ -bow** armbrøst. **~ -breed** (vb.) krydse; (subst.) krydsning, blandingskvæg; blandingsrace. **~ -bun:** *hot ~ -bun* bolle med kors på (spises langfredag). **~ -country** tværs gennem landet; gennem terrænet; *~ -country race* terrænløb. **-cut** genvej. **~ cut saw** skovsav. **~ -examination** kontraafhøring, krydsforhør. **~ -examine** krydsforhøre. **~ -eyed** skeløjet. **~ -fade** (vb.) (i radio) fade noget ind medens noget andet fades ud. **~ -fertilize** krydsbestøve. **~ -fire** krydsild. **~ -grained** vreden (om træ); umedgørlig. **~ -hatch** (vb.) krydsskravere. **-head** (i maskine) krydshoved. **~ -head(ing)** (i avis) underrubrik.
crossing ['krå(·)siŋ] korsvej; (gade)overskæring; overgang (over gade); overfart.
crossing-sweeper gadefejer.
cross|-legged med benene over kors. **~ -light** lys fra flere sider; undersøgelse fra forskellige synspunkter. **-patch** (amr.) **T** gnavpotte. **~ -piece** tværstykke, tværbjælke. **~ -purposes:** *be at ~ -purposes* misforstå hinanden; komme til at modvirke hinanden; *we are talking at ~ -purposes* du taler i øst og jeg i vest. **~ -question** krydsforhøre. **~ -reference** krydshenvisning. **~ -road** korsvej; tværvej. **~ -roads** vejkryds, korsvej; *at the ~ -roads* på skillevejen. **~ -rule** kvadrere. **~ section** tværsnit. **~ -stitch** korssting. **~ -trees** ⚓ tværsaling, tværstang på masten. **-wise** over kors. **~ -word (puzzle)** krydsordsopgave.
crotch [kråtʃ] skridt (i benklæder); tveje (gren).
crotchet ['kråtʃit] fjerdedelsnode; grille.
crotchety ['kråtʃiti] fuld af griller, sær.
croton ['kroᵘtån]: *~ oil* krotonolie.
crouch [krautʃ] bukke sig, bøje sig ned, bøje sig sammen, lægge sig ned, krybe sammen, ligge sammenkrøben.
croup [kru·p] kryds (på en hest); (med.) strubehoste.
croupier ['kru·piə] croupier (ved roulettespil); vice-præsident (ved festmiddag).
I. **crow** [kroᵘ] krage; galen, hanegal; *as the ~ flies* i fugleflugtslinie; *eat ~* ydmyge sig; *have a ~ to pluck with sby.* have en høne at plukke med en.
II. **crow** [kroᵘ] *(crew* el. *crowed, crowed)* gale; prale, brovte; hovere, triumfere; juble, pludre fornøjet.
crow|-bar ['kroᵘba·] koben, brækjern. **~ -berry** ♧ revling.
I. **crowd** [kraud] (subst.) hob, mængde, menneskemængde, masse; trængsel; opløb; **T** kreds, kor, slæng; *the ~* mængden, de brede lag; *collect a ~* samle opløb; *he might pass in a ~* han er ikke værre end så mange andre.
II. **crowd** [kraud] (vb.) fylde (til trængsel), overfylde; presse, mase, sammentrænge; trænge sig, flokkes, stimle; myldre; *~ (on) sail* prange sejl, sætte alle sejl til; *~ out* trænge (el. skubbe) ud. **crowded** (adj.) (over)fyldt; tæt pakket; sammentrængt; overlæsset, overbebyrdet; *play to a ~ house* spille for fuldt hus.
crowfoot ['kroᵘfut] (pl. *crowfoots)* ♧ ranunkel.
I. **crown** [kraun] (subst.) krone; krans; engelsk mønt = fem shillings; isse; top; puld; (et papirformat: 15"×20"); *the Crown* kronen, kongemagten; staten.
II. **crown** [kraun] (vb.) krone, kranse, dække, bedække; sætte krone på (tand); sætte kronen på værket, afslutte; gøre en brik til dam (i damspil).
Crown Colony kronkoloni.
crown imperial ♧ kejserkrone.
crown| land domæne, krongods. **~ law** straffelov. **~ prince** kronprins. **~ -wheel** kronehjul.
crow's-feet (subst.) rynker ved øjnene.
crow's-nest ['kroᵘznest] ⚓ udkigstønde (ved mastetop); manøvretønde.
crozier ['kroᵘʒə] bispestav, krumstav.
crucial ['kru·ʃiəl] (adj.) afgørende; streng; korsdannet; kors-; kryds.
crucian ['kru·ʃən] (zo.) karusse.
crucible ['kru·sibl] smeltedigel; *~ steel* digelstål.
cruciferous [kru·'sifərəs] ♧ korsblomstret.
crucifix ['kru·sifiks] krucifiks. **crucifixion** [kru·si'fikʃən] korsfæstelse. **cruciform** ['kru·sifå·m] korsdannet. **crucify** ['kru·sifai] korsfæste.
crude [kru·d] rå; grov; umoden, ufordøjet, ubearbejdet, ufærdig, vag (fx. *idea);* naiv (fx. *a ~ book);* primitiv (fx. *hut);* grel, skrigende (fx. *colours);* utilsløret, nøgen (fx. *~ facts); ~ oil* råolie.
crudeness ['kru·dnės], **crudity** ['kru·diti] råhed, umodenhed, ufærdighed, naivitet; grelhed, grel karakter.
cruel ['kruəl] grusom, ubarmhjertig; frygtelig, forfærdelig. **cruelty** ['kruəlti] grusomhed, ubarmhjertighed.
cruet ['kru·it] flacon (i platmenage); platmenage.
cruet-stand platmenage.
Cruikshank ['krukʃänk].
cruise [kru·z] (vb.) krydse, være på krydstogt, være på langfart; (om taxa) køre langsomt på udkig efter hyre; (subst.) sørejse; krydstogt; langfart.
cruiser ['kru·zə] krydser; patruljevogn, patruljebåd.
cruiser weight let sværvægt. **cruising speed** (flyv.) marchhastighed, (om bil) rejsehastighed.
crumb [krʌm] krumme; brødsmule; smule.
crumble ['krʌmbl]: *~ (up)* smuldre; hensmuldre.
crumbly ['krʌmbli] sprød; som let smuldrer.
crumbs S du store kineser!
crumby ['krʌmi] blød; smulet; **S** luset, elendig.
crummy ['krʌmi] **S** buttet, fyldig; elendig, billig.
crump [krʌmp] (subst.) knasen; **T** slag; **S** (lyd af) eksploderende granat; (vb.) knase; dunke; bombardere.
crumpet ['krʌmpit] slags tebrød, der nydes varmt med smør på; **S** hoved; kvinde; *barmy on the ~* 'blød på pæren'; 'skør i bøtten'.
crumple ['krʌmpl] (vb.) krølle, forkrølle; blive (for)krøllet; *~ up* krølle sammen; gøre kål på; bryde sammen; give efter.
crunch [krʌnʃ] (vb.) knase; (subst.) knasen.
crupper ['krʌpə] kryds (på hest); rumperem.
crusade [kru·'seⁱd] (subst.) korstog, kampagne (fx. *temperance ~* afholdskampagne); (vb.) være el. drage på korstog; deltage i en kampagne.
crusader [kru·'seⁱdə] korsfarer.

crush [krʌʃ] (subst.) knusen; trængsel, sammenstimlen, menneskemængde; S reception, stort selskab; (vb.) knuse, mase; presse; tilintetgøre; fortære, drikke (fx. *~ a bottle of wine);* overvælde; knuses, sammenpresses; krølle; myldre; *~ down* pulverisere; slå ned, knuse; *get (, have) a ~ on sby.* S blive (, være) 'varm' på en; *~ out* presse ud; mase ud (fx. *a cigarette); ~ up* knuse, støde; pulverisere.

crush-hat klaphat, chapeaubas.

crush-room teaterfoyer.

crust [krʌst] (subst.) skorpe; S frækhed; (vb.) overtrække med skorpe; sætte skorpe.

crustacea [krʌsˈteiʃiə] krebsdyr. **crustacean** krebsdyr; (adj.) krebsdyr-. **crustaceous** (adj.) krebsdyr-; skorpeagtig.

crustation [krʌsˈteiʃən] skorpedannelse.

crusted [ˈkrʌstid] med skorpe; som har afsat bundfald (om vin); gammel. **crusty** [ˈkrʌsti] (adj.) med skorpe; fortrædelig, knarvorn, vranten.

crutch [krʌtʃ] krykke; skridt (fx. i tøj); ⚓ gaffel.

crux [krʌks] vanskelighed, vanskeligt punkt; *the ~ of the matter* sagens kerne.

I. **cry** [krai] (vb.) skrige, råbe; udbryde; græde (fx. *~ oneself to sleep);* råbe med (varer); bekendtgøre; *~ one's eyes out* græde øjnene ud af hovedet; *~ quits* lade det gå lige op; *~ down* rakke ned på; *~ for* råbe på; græde for (at få); *~ for the moon* ønske det uopnåelige; *~ off* trække sig tilbage *(from* fra); *~ off a deal* annullere en handel; *~ out* råbe *(for* på); klage højt; skrige; *~ out against* protestere højlydt imod; *~ shame upon* protestere imod; *~ stinking fish* rakke ned på sit eget; *~ up* rose, hæve til skyerne, opreklamere; *~ wolf* slå falsk alarm.

II. **cry** [krai] (subst.) skrig, råb; gråd, klage; halsen; *they had a good ~* de fik sig en ordentlig grædetur; *a far ~* et godt stykke vej; (fig.) et langt spring; *in full ~* i skarp forfølgelse; *much ~ and little wool* viel Geschrei und wenig Wolle; stor ståhej for ingenting; *within ~* inden for hørevidde.

cry-baby flæbehoved, tudesøren.

crying (adj.) himmelråbende, iøjnefaldende.

cryolite [ˈkraiəlait] kryolit.

crypt [kript] krypt (kapel under kirke); gravhvælving. **cryptic** [ˈkriptik] hemmelig, gådefuld (fx. *a ~ remark);* skjulende.

cryptogram [ˈkriptogrӑm] kryptogram, chifferskrift. **cryptography** [kripˈtågrəfi] kryptografi.

crystal [ˈkristl] (subst.) krystal; krystalglas; urglas; (adj.) krystal-, krystalklar. **crystal gazing** spåen ved hjælp af en krystalkugle. **crystalline** [ˈkristəlain] krystallinsk, krystalklar; krystal-; *~ lens* krystallinse.

crystallization [kristəlaiˈzeiʃən] krystallisation, krystallisering. **crystallize** [ˈkristəlaiz] krystallisere; krystallisere sig; kandisere. **crystallography** [kristəˈlågrəfi] krystallære. **crystal set** (radio) krystalapparat.

C. S. fk. f. *Civil Service.* **C. S. E.** fk. f. *Certificate of Secondary Education.* **C. S. I.** fk. f. *Companion of (the Order of) the Star of India.*

ct. fk. f. *cent.* **Cttee** fk. f. *committee.*

C. U. fk. f. *Cambridge University.*

cub [kʌb] (subst.) unge (især af ræv, ulv, løve, tiger, bjørn); hvalp, knægt; ulveunge (spejder); (vb.) yngle, føde; jage ræveunger; *unlicked ~* grønskolling.

Cuba [ˈkju·bə] Cuba.

cubage [ˈkju·bidʒ] kubikindhold.

Cuban [ˈkju·bən] cubansk; cubaner; *~ heel* officershæl.

cubature [ˈkju·bətʃə] (udregning af) kubikindhold.

cubbing [ˈkʌbiŋ] rævejagt.

cubbish (adj.) uopdragen, ubehøvlet, kluntet.

cubby [ˈkʌbi], *~* **-hole** lille rum; hyggelig hybel.

cube [kju·b] (subst.) kubus, terning; kubiktal, tredje potens; (vb.) skære ud i terninger; finde kubiktallet af, sætte i tredje potens. **cube root** kubikrod.

cubic(al) [ˈkju·bik(l)] kubisk; kubik-.

cubic equation tredjegradsligning.

cubicle [ˈkju·bikl] (lille) sovekammer, sovekabine; badekabine; aflukke.

cubiform [ˈkju·bifå·m] terningdannet, kubisk.

cubism [ˈkju·bizm] kubisme. **cubist** [ˈkju·bist] kubist.

cubit [ˈkju·bit] (gml. længdemål, 18-22 tommer); *add a ~ to one's stature* (bibl.) lægge en alen til sin vækst.

cub master ulvefører.

cub reporter journalistspire.

cuckold [ˈkʌkəld] hanrej; gøre til hanrej.

cuckoo [ˈkuku·] (zo.) gøg; (fig.) fjols, skør rad; (adj.) S tosset; *go ~* gå fra forstanden. **cuckoo | clock** kukur. *~* **-flower** ♧ engkarse. *~* **-pint** ♧ dansk ingefær, aronsstav. *~* **-spit** gøgespyt. *~* **-spit insect** (zo.) skumcikade.

cucumber [ˈkju·kəmbə] agurk; *as cool as a ~* kold og rolig.

cud [kʌd]: *chew the ~* tygge drøv; overveje.

cuddle [ˈkʌdl] (vb.) omfavne; ligge (el. lægge sig) lunt og godt; (subst.) omfavnelse; *~ up to* trykke sig ind til. **cuddlesome, cuddly** lige til at knuse (ɔ: omfavne).

I. **cuddy** [ˈkʌdi] kahyt, kabys, lille rum.

II. **cuddy** [ˈkʌdi] (skotsk:) æsel, fjols.

I. **cudgel** [ˈkʌdʒəl] knippel; *take up the -s for* træde i skranken for.

II. **cudgel** [ˈkʌdʒəl] prygle; *~ one's brains* bryde sit hoved.

cudweed [ˈkʌdwi·d] ♧ (vild) evighedsblomst.

cue [kju·] stikord (på teatret); vink; kø (billard); (hår)pisk; *take one's ~ from sby.* lytte til én, rette sig efter én. **cueist** [ˈkju·ist] S billardspiller.

I. **cuff** [kʌf] (subst.) slag, dask, klaps; (vb.) slå, daske, klapse; slås.

II. **cuff** [kʌf] opslag (på ærme, amr. ogs. på bukser); manchet; *off the ~* improviseret.

cuff-links manchetknapper.

cuirass [kwiˈräs] harnisk, kyras.

cuirassier [kwirəˈsiə] kyrassér.

cuisine [kwiˈzi·n] køkken, kogekunst, madlavning.

culch = *cultch.*

cul-de-sac [ˈkuldəˈsäk] blind gade, blind vej; (fig.) blindgyde, noget der ingenting fører til.

culinary [ˈkʌlinəri, ˈkju·linəri] som hører til kogekunsten, kulinarisk; mad-, koge-.

cull [kʌl] udsøge, udvælge; samle; plukke.

cullender [ˈkʌlində] dørslag.

cullet [ˈkʌlit] glasaffald (til omsmeltning).

Culloden [kəˈlådn, kəˈloᵘdn].

cully [ˈkʌli] S (subst.) kammerat; godtroende fjols; (vb.) narre.

culm [kʌlm] kulstøv; ♧ stængel.

culminate [ˈkʌlmineit] kulminere.

culmination [kʌlmiˈneiʃən] kulmination.

culpability [kʌlpəˈbiliti] strafværdighed.

culpable [ˈkʌlpəbl] (adj.) strafværdig, dadelværdig, kriminel.

culprit [ˈkʌlprit] forbryder; synder, misdæder; (jur.) tiltalte.

cult [kʌlt] kultus, kult; dyrkelse; *~ of personality* persondyrkelse.

cultch [kʌltʃ] underlag på havbunden for østersyngel.

cultivable [ˈkʌltivəbl] som kan dyrkes (, pløjes).

cultivate [ˈkʌltiveit] (vb.) dyrke; opdyrke; udvikle, uddanne; forædle; civilisere, kultivere; *~ a moustache* anlægge overskæg. **cultivation** [kʌltiˈveiʃən] dyrkning; dannelse; kultur. **cultivator** [ˈkʌltiveitə] dyrker; kultivator.

cultural [ˈkʌltʃərəl] kultur-, kulturel. **culture** [ˈkʌltʃə] dyrkning, avl; opdragelse, udvikling; dannelse; kultur. **cultured** [ˈkʌltʃəd] (adj.) kultiveret, dannet.

culvert [ˈkʌlvət] stenkiste (under vej); kloakledning.

cumber ['kʌmbə] (vb.) bebyrde, besvære.
Cumberland ['kʌmbələnd].
cumbersome ['kʌmbəsəm] (adj.) byrdefuld, besværlig, uhåndterlig.
Cumbrian ['kʌmbriən] cumberlandsk, kumbrisk.
cumbrous ['kʌmbrəs] besværlig, tung, uhåndterlig.
cum div. fk. f. *cum dividend* iberegnet dividenden.
cumin ['kʌmin] (subst.) ♧ kommen.
cummerbund ['kʌməbʌnd] (indisk) skærf.
cummin ['kʌmin] (subst.) ♧ kommen.
I. **cumulate** ['kju·mjuleⁱt] (vb.) opdynge.
II. **cumulate** ['kju·mjulėt] (adj.) ophobet.
cumulation ['kju·mju'leⁱʃən] opdyngen, sammendyngen. **cumulative** ['kju·mjulətiv] (adj.) sammendynget, ophobet, kumulativ; som vinder i styrke; ~ *dividend* kumulativt udbytte; ~ *evidence* vidnesbyrd der (alle sammen) peger i samme retning.
Cunard [kju·'na·d].
cun(e)iform ['kju·n(i)ifå·m] kiledannet; ~ *(characters)* kileskrift.
cunning ['kʌniŋ] (adj.) listig, forslagen, snild; (glds.) dygtig; (amr. T) nydelig, 'nuttet'; (subst.) listighed, list, snuhed; (glds.) behændighed.
cup [kʌp] (vb.) kop; bæger, pokal, kalk; blomsterbæger; hulning; pris, præmie; kop (til kopsætning); kold punch; (vb.) kopsætte; lægge hånden om; *he is not my ~ of tea* han er ikke mit nummer; *be in one's -s* være beruset; *a ~ and saucer* et par kopper; *he -ped the match against the wind* han skærmede tændstikken mod vinden med sin hule hånd; *~ one's hand to one's ear* holde hånden bag øret (for at høre bedre). ~ **and ball** bilboquet. **-bearer** mundskænk.
cupboard ['kʌbəd] skab; *the skeleton in the ~* den uhyggelige familiehemmelighed.
cupboard-love madkæresteri, kærlighed som man simulerer for at opnå en fordel.
cupel ['kju·pəl] prøvedigel, kapel.
Cupid ['kju·pid] Amor; amorin.
cupidity [kju'piditi] begærlighed.
Cupid's bow amorbue.
cupola ['kju·pələ] kuppel.
cupping ['kʌpiŋ] kopsætning; ~ *glass* sugekop.
cuprammonium [kjuprə'moᵘniəm]: ~ *rayon* Bembergsilke.
cupreous ['kju·priəs] kobberagtig, kobber-.
cupric ['kju·prik] kupri-. **cupriferous** [kju'prifərəs] kobberholdig. **cuprous** ['kju·prəs] kupro-.
cup tie pokalkamp; pokalturnering.
cur [kə·] køter; sjover. **cur.** fk. f. *current.*
curability [kjuərə'biliti] helbredelighed.
curable ['kjuərəbl] helbredelig.
curaçao [kjuərə'soᵘ] curacao, likør.
curacy ['kjuərəsi] kapellanembede.
curare [kju'ra·ri] (subst.) kurare.
curassow [kjuərə'soᵘ] (zo.) hokko (en fugl).
curate ['kjuərėt] kapellan.
curative ['kjuərətiv] helbredende (fx. *the ~ value of sunshine),* lægende; (subst.) lægemiddel.
curator [kju're'tə] konservator, direktør (fx. for et museum); (på skotsk) værge.
I. **curb** [kə·b] (subst.) kindkæde på bidsel; tøjle, tømme, hindring; kantsten; (amr.) efterbørs.
II. **curb** [kə·b] (vb.) holde i tømme, tøjle, tæmme, styre (fx. *one's passions).*
curb | market (amr.) efterbørs. ~ **prices** (amr.) noteringen på efterbørsen. ~ **-roof** mansardtag. ~ **service** (amr.) salg fra fortovet af forfriskninger til passagerer i biler. **-stone** kantsten.
curcuma ['kə·kjumə] ♧ gulerod; gurkemejerod.
curd [kə·d] ostemasse, skørost, oplagt mælk.
curdle ['kə·dl] løbe sammen; størkne, koagulere; stivne; lade løbe sammen; bringe til at stivne.
curdy ['kə·di] (adj.) sammenløbet.
cure [kjuə] (subst.) kur *(for* mod); helbredelse; afvænning; sjælesorg, sjælesørgerstilling; (vb.) helbrede, kurere *(of* for); konservere, salte, nedsalte, tørre, aftørre; lagre (fx. oste); vulkanisere.
cure-all ['kjuərå·l] universalmiddel.
curettage [kju'retidʒ] (med.) udskrabning.
curette [kju'ret] udskrabningsinstrument; curette; (vb.) udskrabe.
curfew ['kə·fju·] aftenklokke; aftenringning; udgangsforbud, spærretid.
curio ['kjuərioᵘ] kuriositet.
curiosity [kjuəri'åsiti] nysgerrighed; videbegærlighed; sjældenhed; mærkværdighed, raritet, kuriositet, antikvitet. **curiosity shop** antikvitetshandel.
curious ['kjuəriəs] nysgerrig, videbegærlig, interesseret; mærkelig, besynderlig; (glds.) kunstfærdig, omhyggelig. **curiously** (adv.) (ogs.) påfaldende, meget.
curl [kə·l] (subst.) krølle; krusning; (vb.) kruse, krølle; sno sig; kruse sig; ~ *up* rulle sig sammen; falde sammen; rulle sammen; ~ *of the lips* hånligt smil; ~ *one's legs under one* trække benene op under sig; ~ *one's moustache* sno sit overskæg; *-ed hair* krølhår. **curler** curler (til oprulning af hår).
curlew ['kə·lju·] (zo.) stor regnspove. **curlew sandpiper** (zo.) krumnæbbet ryle.
curleycue, curlicue ['kə·likju·] snirkel, krusedulle.
curling ['kə·liŋ] curling (et skotsk spil på isen).
curling-irons, curling-tongs krøllejern.
curlpaper papillot.
curly ['kə·li] krøllet; buet. **curlycue** = *curlicue.*
curmudgeon [kə·'mʌdʒən] krakiler; gnier.
curmudgeonly krakilsk.
currant ['kʌrənt] ribs; korend; *black ~* solbær; *red ~* ribs; *white ~* hvid ribs.
currency ['kʌrənsi] omløb, cirkulation; gangbarhed, kurs; valuta; gangbar mønt; *the word is out of ~* ordet er gået af brug.
current ['kʌrənt] (adj.) gangbar, gyldig (fx. *coin);* gængs (fx. *phrase);* almindelig udbredt, i omløb værende, cirkulerende; indeværende (fx. *year, month);* løbende (fx. *expenses);* nuværende, dagens, for øjeblikket gældende, aktuel (fx. *events);* (subst.) strøm; retning, tendens. **current | account** kontokurant. ~ **collector** strømaftager.
curriculum [kə'rikjuləm] kursus (i skole el. ved universitet); læseplan; ~ *vitae* data, biografiske oplysninger (i ansøgning etc.).
curried eggs æg i karry.
currier ['kʌriə] skindbereder.
currish ['kə·riʃ] køteragtig; bidsk.
I. **curry** ['kʌri] (vb.) tilberede (skind); strigle; ~ *favour* indsmigre sig *(with* hos).
II. **curry** ['kʌri] (subst.) karry; kød i karry; (vb.) tillave med karry.
curry-comb ['kʌrikoᵘm] (subst., vb.) strigle.
curry-powder karry.
curse [kə·s] (subst.) forbandelse *(to* for); ed; (vb.) forbande; bande; ~ *you* gid fanden havde dig; *be -d with* (have at) trækkes med. **cursed** ['kə·sid] (adj.) forbandet, fordømt; stædig.
cursive ['kə·siv] flydende (om håndskrift).
cursory ['kə·səri] hurtig, flygtig, løselig.
curst [kə·st] forbandet.
curt [kə·t] mut, studs (fx. *a ~ answer),* kort.
curtail [kə·'teⁱl] (vb.) forkorte, afkorte; beskære; nedsætte, indskrænke. **curtailment** [kə·'teⁱlmənt] afkortning; afstudsning; beskæring; nedsættelse, indskrænkning.
curtain ['kə·tn] (subst.) forhæng; gardin; tæppe (i teater); portiere; tæppefald; slutoptrin; fremkaldelse (fx. *he took five -s* han blev fremkaldt fem gange); (vb.) forsyne med gardiner; *draw the ~* trække gardinet for (el. fra); *draw a ~ over* skjule, tie stille med; *drop the ~* lade tæppet falde; *~ of fire* spærreild; *fireproof ~* jerntæppe (i teater); *give a ~* fremkalde; *the Iron Curtain* Jerntæppet; *the ~ rises* tæppet går op; *~ off* adskille ved et gardin.
curtain|-call fremkaldelse. ~ **-lecture** gardinprædiken. ~ **-raiser** forspil (kort indledende skuespil).

curts(e)y ['kə·tsi] (subst.) nejen; (vb.) neje; *drop a ~* neje, knikse.
curvature ['kə·vətʃə] krumning.
curve [kə·v] (subst.) krumning, kurve; (vb.) krumme, bøje; krumme sig; *her ample -s* hendes runde former.
curvet [kə·'vet] (vb.) gøre krumspring; kurbettere; lade kurbettere; (subst.) krumspring.
cushion ['kuʃən] (subst.) pude; bande (billard); (vb.) lægge på puder; lægge puder på, polstre; (fig.) gøre behagelig; afbøde; udligne; dysse ned.
cushiony ['kuʃəni] (adj.) som en pude, blød.
cushy ['kuʃi] **S** let, behagelig, magelig.
cusp [kʌsp] (subst.) spids; horn (månens). **cuspid** (amr.) hjørnetand. **cuspidal** ['kʌspidəl] (adj.) spids.
cuspidor ['kʌspidå·] (amr.) spyttebakke.
cuss [kʌs] (amr.) fyr, karl; person; ed; (vb.) bande; *I don't care a ~* jeg bryder mig pokker om det.
cussed ['kʌsid] (adj.) forbandet, forbistret; urimelig, krakilsk, stædig, stivsindet, ondskabsfuld.
custard ['kʌstəd] æggebudding, cremesovs.
custodian [kʌs'toᵘdiən] opsynsmand, kustode; bestyrer; konservator.
custody ['kʌstədi] forvaring; arrest; opsyn, bevogtning, varetægt; forældremyndighed (fx. *he has the ~ of his child); take into ~* anholde.
I. **custom** ['kʌstəm] skik, sædvane, brug; kundekreds, søgning; *withdraw one's ~ from* holde op med at handle hos.
II. **custom** ['kʌstəm] (adj., amr.) lavet på bestilling, efter mål (fx. *~ clothes).*
customary ['kʌstəməri] sædvanlig, almindelig; vedtægtsmæssig.
customer ['kʌstəmə] kunde; fyr (fx. *he is an ugly ~).*
custom|-house ['kʌstəmhaus] toldbod. **~ -house broker** toldklarerer.
customs told, toldvæsen; *~ check* toldeftersyn; *~ examination* toldvisitation; *~ officer* toldembedsmand; *~ ordinances* toldanordninger.
I. **cut** [kʌt] *(cut, cut)* skære, skære til, skære af, skære over; beskære; nedskære; nedsætte; fælde; meje; klippe, hugge, tilhugge, udhugge, hugge op; slå; pine, gøre ondt, bide, krænke; kastrere; forkorte; nedsætte (fx. pris); ikke ville kendes ved (el. have noget at gøre med el. hilse på); skulke (fra), stikke af (fra) (fx. *a lecture);* krydse, skære (fx. *the knife ~ his finger);* udføre, gøre; (i kortspil) tage af; slibe (glas osv.); (om film) klippe; (amr. **S**) dele byttet;
~ and come again der er mere hvor det kom fra; *~ and run* stikke af fra det hele; *~ a book* skære en bog op; *they ~ him dead* de lod som om han var luft; *~ a poor figure* gøre en sølle figur; *~ a film* klippe en film til; *~ the ground from under* tage grunden væk under; *~ no ice,* se *ice; ~ the knot* hugge knuden over; *~ oneself loose* gøre sig fri *(from* af); *~ short* afbryde, standse; afknappe, gøre kortfattet; *~ one's teeth* få tænder; *it -s both ways* det er et tveægget sværd; *~ across* gå tværs over; (fig.) gå på tværs af (fx. *~ across party lines); ~ along* skynde sig; *~ at* slå efter; tage kraften af, nedslå; *~ away* skære væk (el. løs el. fri); hugge væk; stikke af; *~ back* skære ned, forkorte; gribe tilbage, indskyde tidligere begivenheder (i handlingen); *~ down* fælde, slå (el. hugge) ned; bortrive; nedskære, indskrænke; sy ind; *~ for deal* trække om hvem der skal give; *~ for partners* trække om makkerskab; *~ in* falde ind, afbryde; (om bil) 'skære ind' efter overhaling; *~ into* falde ind i, bryde ind i; *~ off* hugge (el. skære el. klippe) af; afskære; afbryde (i telefonen); standse leveringen af; bortrive; *~ him off with a shilling* gøre ham arveløs; *~ out* hugge (el. skære el. klippe) ud; tilskære, klippe (tøj); planlægge; afbryde; udskille (i radio); stikke ud; holde op med (fx. *you must ~ tobacco right out); ~ it out!* hold mund! *~ out the engine* slå motoren fra; *~ to pieces* klippe i stykker; (fig.) kritisere sønder og sammen; *~ up* skære i stykker; nedsable; tage stærkt på, gå nær; kunne skæres i stykker; **S** lave ballade; *~ up rough* tage på vej, blive ondskabsfuld, blive farlig; *~ up well* efterlade sig en smuk formue.
II. **cut** [kʌt] imperf. og perf. part. af I. *cut; ~ and dried* fiks og færdig, klappet og klar(t); kedsommelig; rutinepræget; *~ flowers* afskårne blomster; *~ glass* slebet glas; *~ out for* skabt til; *I have my work ~ out for me* jeg har mere end nok at bestille; (se ogs. I. *work); be ~ out for* egne sig til; *~ price* nedsat pris.
III. **cut** [kʌt] (subst.) snit, hug, skramme, snitsår; slag; fornærmelse, tilsidesættelse; ignoreren, overseen; indsnit; kanal; (udskåret) stykke (kød); træsnit, stik; aftagning (i kortspil); mode, snit; nedsættelse; nedskæring; beskæring, forkortelse; klipning; (amr. **S**) andel (i bytte); *be a ~ above* være en tak bedre end; *be a ~ above the average* hæve sig betydeligt over gennemsnittet; *draw -s* trække lod; *give sby. the ~* afbryde omgangen med en, ikke (længere) hilse på en; *short ~* genvej; *~ of a whip* (piske)snert.
cut-and-dried, se II. *cut.*
cutaneous [kju'teⁱniəs] hud- (fx. *disease).*
cut-away ['kʌtəweⁱ]: *~ (coat)* jaket.
cutback ['kʌtbäk] nedskæring; nedskåret plante; indskud der skildrer tidligere begivenheder i handlingen.
cute [kju·t] (adj.) snild, snarrådig, klog; (amr. **T**) fiks, nysselig, sød.
cut glass slebet glas.
cuticle ['kju·tikl] overhud; neglebånd. **cuticular** [kju'tikjulə] overhuds-.
cutie ['kju·ti] (amr. **S**) sød pige.
cutlass ['kʌtləs] huggert.
cutler ['kʌtlə] knivsmed, knivfabrikant.
cutlery ['kʌtləri] knive; skærende instrumenter (knive, sakse etc.); spisebestik.
cutlet ['kʌtlėt] kotelet.
cut-off ['kʌtåf] genvej; afbrydelse, pause.
cut-out ['kʌtaut] (elekt.) afbryder.
cut-out doll påklædningsdukke.
cut price nedsat pris.
cutpurse ['kʌtpə·s] lommetyv.
cut rate nedsat pris. **cut-rate** som sælger (, sælges) til nedsat pris; (fig.) billig, tarvelig.
cutter ['kʌtə] (subst.) tilskærer; filmklipper; fræser, skærende redskab; ⚓ kutter.
cut-throat ['kʌtþroᵘt] (subst.) morder; **S** tremands bridge; (adj.) morderisk; *~ competition* hensynsløs konkurrence.
cutting ['kʌtiŋ] (adj.) skærende; skarp, bidende; (subst.) skæren, huggen; tilskæring, klipning; slåning; hugst, skovning; gennemskæring; indsnit; strimmel; udklip (fx. *newspaper -s);* stikling; afklip, prøve; *a ~ wind* en bidende kold vind.
cuttle ['kʌtl], **cuttlefish** blæksprutte.
cutty ['kʌti] (subst.) tøjte, tøs; kort ske; snadde, næsevarmer; (adj.) kort.
C.V.O. fk. f. *Commander of the Victorian Order.*
C.W.P. fk. f. *Crossword Puzzle.*
C.W.S. fk. f. *Cooperative Wholesale Society.*
cwt. ['hʌndrədweⁱt] fk. f. *hundredweight* (= 112 *lb*).
cyanic [sai'änik] cyan-. **cyanide** ['saiənaid]: *~ of potassium* cyankalium.
cyanosis [saiə'noᵘsis] (med.) cyanose, blåfarvning af huden (fx. ved hjertefejl).
cyanotic [saiə'nåtik] (med.) cyanotisk, blåligt farvet.
cybernetics [saibə'netiks] kybernetik.
cyclamen ['sikləmən] ♧ alpeviol.
cycle ['saikl] kreds; periode; cyklus; cykel; (vb.) cykle. **cycle-car** lille (3-hjulet) bil. **cyclic** ['siklik] cyklisk. **cyclist** ['saiklist] cyklist.
cyclometer [sai'klåmitə] kilometertæller.
cyclone ['saikloᵘn] cyklon, hvirvelstorm.
cyclopedia [saiklo'pi·diə] encyklopædi.
Cyclops ['saiklåps] (pl. *Cyclopes* ['saikləpi·z]) kyklop.

cyclostomes ['saiklostoᵘmz] (zo.) de rundmundede.
cyclotron ['saiklotrån] cyklotron.
cygnet ['signit] (zo.) svaneunge.
cylinder ['silində] valse, cylinder; tromle (i revolver). **cylindrical** [si'lindrikl] cylindrisk.
cymbal ['simbəl] (i musik) cymbel; bækken.
Cymbeline ['simbili·n].
cyme [saim] ♧ kvast.
cymoscope ['saiməskoᵘp] (radio) detektor.
Cymric ['kimrik] kymrisk, walisisk.
Cymry ['kimri, simri] kymrere, walisere.
cynic ['sinik] kynisk; kyniker. **cynical** ['sinikl] (adj.) kynisk. **cynicism** ['sinisizm] kynisme.
cynosure ['sinəzjuə] brændpunkt, midtpunkt (fx. *he was the ~ of all eyes)*; ledestjerne. **Cynosure** (astr). Den lille Bjørn; Polarstjernen.
cypress ['saiprês] cypres.
Cypriote ['sprioᵘt], **Cypriot** ['sipriåt] cypriot; cypriotisk. **Cyprus** ['saiprəs] Cypern. **Cyrene** [sai'ri·ni]. **Cyrus** ['saiərəs].
cyst [sist] cyste, blære; svulst. **cystitis** [sis'taitis] blærebetændelse. **cystotomy** [sis'tåtəmi] blæresnit.
cyto|genesis [saito'dʒenəsis] celledannelse. **-logy** [sai'tålədʒi] cellelære. **-plasm** ['saitəpläzm] celleslim.
czar [za·] zar; **T** diktator.
czardas ['za·däs] czardas (ungarsk dans).
czar|evitch ['za·rivitʃ] zarevitj (zarens søn). **-evna** [za·'revnə] zarevna (zarens datter). **-ina** [za·'ri·nə] zarina (zarens hustru). **-itsa** [za·'ritsə] zaritza (zarens hustru).
Czech [tʃek] (subst.) tjekker; (ogs. adj.) tjekkisk.
Czechian ['tʃekjən], **Czechish** ['tʃekiʃ] tjekkisk.
Czecho-Slovak ['tʃekoᵘ'sloᵘväk] tjekkoslovak; tjekkoslovakisk. **Czecho-Slovakia** ['tʃəkoᵘsloᵘ'väkiə] Tjekkoslovakiet.

D

D [di·].
d. tegn for *penny, pence* (fx. *5d.* 5 pence); fk. f. *date; daughter; died.*
d- fk. f. *damn.* **'d** fk. f. *had, would.*
D. A. fk. f. *District Attorney.*
dab [däb] (vb.) slå let (med noget fugtigt el. blødt); duppe; (subst.) let slag; klat, stænk; (zo.) slette, ising; *rough ~* (zo.) håising; *be a ~ (hand) at* være dygtig til, være en mester i (fx. *he is a ~ at tennis).*
dabble ['däbl] (vb.) pjaske (med), plaske; fuske *(in sth.* med noget).
dabbler ['däblə] (subst.) dilettant, fusker.
dace [deⁱs] (subst.) (zo.) strømskalle.
dachshund ['däkshund] gravhund, grævlingehund.
dacoit [də'koit] røver (i Indien).
dactyl ['däktil] daktyl.
dactylic [däk'tilik] daktylisk.
dad [däd], **daddy** ['dädi] far(mand), papa.
daddy-long-legs ['dädi'lånlegz] (zo.) stankelben; mejer.
dado ['deⁱdoᵘ] brystpanel; sokkelflade.
Daedalus ['di·dələs].
daffadowndilly ['däfədaun'dili], **daffodil** ['däfədil] påskelilje.
daft [da·ft] (adj.) tosset, fjollet.
daffy ['däfi] (adj.) (skotsk, amr. **T**) tosset, tåbelig.
dagger ['dägə] daggert; kors (typografisk henvisningstegn = †); *they are at -s drawn* der er krig på kniven mellem dem; *look -s* se forbitret ud; *he looked -s at me* han sendte mig et rasende (el. hadefuldt, gennemborende) blik; han havde mord i blikket.
daggle ['dägl] (vb.) tilsøle; slæbe gennem sølet.
dago ['deⁱgoᵘ] (i USA brugt neds. om) spanier, portugiser, italiener.
daguerreotype [də'gerotaip] (subst.) daguerreotypi; (vb.) daguerreotypere.
dahlia ['deⁱljə] ♧ dahlia, georgine.
Dail Eireann [dail'æərən] underhuset i den irske fristats parlament.
daily ['deⁱli] (adj.) daglig; (subst.) dagblad, blad; heldagshjælp (pige der bor hjemme).
daily dozen daglige motionsøvelser; rutinearbejde.
dainty ['deⁱnti] (adj.) fin; lækker, nysselig, elegant; affektert; kræsen; (subst.) lækkerbisken.
daiquiri ['daikəri] (amr.) cocktail af rom, citronsaft, sukker og is.
dairy ['dæəri] (is)mejeri. **dairy | breed** malkerace. **~ -cattle** malkekvæg. **~ -farm** mejerigård. **-maid** malkepige. **-man** mejerist, mejeriejer, mejeribestyrer, mælkehandler. **~ produce** mejeriprodukter.
dais ['deⁱis] forhøjning, estrade, podium.
daisy ['deⁱzi] ♧ tusindfryd, gåseurt, bellis, hvid okseøje; *he's a ~* **S** han er vældig god.
daisy-cutter **S** jordstryger (om bold).
Dakota [də'koᵘtə].
dale [deⁱl] (subst.) dal.
dalliance ['däliəns] fjas, leg, (glds.) ganten, pjank; smøleri.
dally ['däli] fjase, pjanke; lege *(with* med), (glds.) gantes, kokettere; smøle, drysse.
Dalmatia [däl'meⁱʃiə] Dalmatien. **Dalmatian** dalmatisk; dalmatiner; *~ pelican* (zo.) krøltoppet pelikan.
dalmatic [däl'mätik] dalmatika (katolsk messehagel; kroningsdragt).
daltonism ['då·ltənizm] farveblindhed.
I. **dam** [däm] moder (især om dyr); *the devil and his ~* fanden og hans oldemor.
II. **dam** [däm] (subst.) dæmning, dige; (vb.) inddige, dæmme *(up* op).
damage ['dämidʒ] (subst.) skade, beskadigelse; (vb.) tilføje skade, beskadige.
damages ['dämidʒiz] (pl.) skadeserstatning; *action for ~* erstatningssag; *bring an action for ~ against sby., sue sby. for ~* anlægge erstatningssag mod en; *claim for ~* erstatningskrav; *make a claim for ~ against sby.* gøre erstatningskrav gældende mod en; *liable to pay ~ to sby.* erstatningspligtig over for en; *what are the ~?* **T** hvad skal jeg bløde? (= hvad skal jeg betale?).
damascene [dämə'si·n] (vb.) damascere.
damask ['däməsk] (subst.) damask; rosenrød (farve); (vb.) damascere. **damask rose** ♧ damascenerrose.
dame [deⁱm] titel for *knight's* og *baronet's* hustru, samt for indehaverske af en ridderorden; dame; (fornem) frue; gammel kone; **S** pige. **Dame Fortune** fru Fortuna. **Dame Nature** moder natur.
dame's-violet ♧ aftenstjerne.
damn [däm] (vb.) fordømme; forbande; forkaste; give (fx. skuespil) en kølig modtagelse; bande; (subst.) ed, banden; døjt (fx. *not to care a ~); I don't give a ~ for it* jeg giver pokker i det; *well, I'll be -ed* det var som fanden; *oh ~ (it)* så for pokker; pokker tage det.
damnable ['dämnəbl] fordømmelig; fordømt, forbandet. **damnation** [däm'neⁱʃən] fordømmelse; (som udråb) så sku' da fanden stå i det. **damnatory** ['dämnətəri] fordømmende; fældende. **damned** [dämd] fordømt.
damning ['dämiŋ] fældende (fx. *~ evidence).*

Damocles ['dämǝkli·z] Damokles; *sword o,* ~ damoklessværd.
damp [dämp] (subst.) fugtighed; damp; (fig.) dæmper; (adj.) fugtig, klam; (vb.) fugte; dæmpe (fx. ~ *the fires);* nedslå; lægge en dæmper på (fx. *their ardour);* ~ *off* gå ud (om plante etc.). **damp-course** fugtisoleringslag (i mur).
dampen ['dämpǝn] blive fugtig; dæmpe, nedslå, lægge en dæmper på; fugte.
damper ['dämpǝ] sordin; dæmper (i klaver; i kedel); spjæld; (fig. ogs.) 'lyseslukker'; *put a* ~ *on* lægge en dæmper på. **damper felt** dæmpefilt.
damp|-proof (adj.) fugttæt. ~ **-proofing** (subst.) fugtisolation.
damsel ['dämzǝl] ung pige, jomfru. **damsel-fly** (zo.) vandnymfe.
damson ['dämzǝn] (subst.) (dyrket) kræge; damascenerblomme, sveskeblomme; (adj.) blommefarvet.
Danaides [dä'neⁱidi·z] danaider.
I. **dance** [da·ns] (subst.) dans, bal; *the Dance of Death* dødedansen; *join the* ~ danse med; *lead the* ~ føre op; *lead sby. a* ~ gøre det broget for en; køre i ring med en.
II. **dance** [da·ns] (vb.) danse; ~ *to sby.'s pipe* (el. *tune)* danse efter ens pibe; ~ *attendance on sby.* stå på pinde for en. **dancer** ['da·nsǝ] danser, danserinde; *the -s* de dansende.
dancing ['da·nsiŋ] dansen, dans. **dancing master** danselærer.
dandelion ['dändilaiǝn] ♧ løvetand, fandens mælkebøtte.
dander ['dändǝ]: *get sby.'s* ~ *up* gøre en gal i hovedet.
dandified ['dändifaid] lapset.
dandle ['dändl]: ~ *a child on one's knee* lade et barn ride ranke.
dandriff ['dändrif], **dandruff** ['dändrǝf] skæl (i hovedbunden).
dandy ['dändi] (subst.) laps, modeherre; (adj.) fin, elegant, lapset; (amr.) storartet, glimrende. **dandy-cart** mælkevogn. **dandyism** ['dändiizm] lapsethed.
Dane [deⁱn] dansk, dansker; *(Great) Dane* grand danois.
danegeld ['deⁱngeld] danegæld. **Danelaw** ['deⁱnlå·] Danelag(en).
danger ['deⁱn(d)ʒǝ] fare; *in* ~ *of* i fare for; *Danger!* pas på! **dangerous** ['deⁱn(d)ʒǝrǝs] farlig; livsfarlig. **danger | signal** faresignal. ~ **zone** farezone.
dangle ['däŋgl] dingle; lade dingle; dingle med; holde frem (som lokkemiddel); ~ *after* rende efter (fx. *she has half a dozen boys dangling after her).*
Daniel ['dänjǝl].
Danish ['deⁱniʃ] (subst. og adj.) dansk; ~ *pastry* (amr.) wienerbrød.
dank [däŋk] klam; kold og våd.
Danube ['dänju·b]: *the* ~ Donau.
Danubian [dän'ju·biǝn] Donau-; *the* ~ *countries* Donaulandene.
dapper ['däpǝ] (adj.) livlig, væver; pyntelig, fiks, net, sirlig.
dapple ['däpl] spættet; gøre spættet. **dapple-grey** (adj.) gråskimlet; ~ *horse* gråskimmel.
darbies ['da·biz] S håndjern.
Darby and Joan ['da·bi ǝn 'dʒoᵘn] gammelt ægtepar, der stadig er lige forelskede.
Dardanelles [da·dǝ'nelz]: *the* ~ Dardanellerne.
dare [dæǝ] *(dare(d)* el. *durst; dared)* turde, vove, driste sig til; trodse; udfordre; (subst.) udfordring; dristighed; *he* ~ *not do it* el. *he does not* ~ *to do it* han tør ikke gøre det; *I* ~ *say* sandsynligvis, måske, nok, vel sagtens (fx. *I* ~ *say he will come); don't* ~ *to do that* du kan vove på at gøre det; ~ *sby. to do sth.* udæske en til at gøre noget ved at påstå, at han ikke tør; *I* ~ *you to deny it* nægt det hvis du tør.
dare-devil ['dæǝdevl] (adj.) dumdristig; (subst.) himmelhund, vovehals.
daring ['dæǝriŋ] (subst.) forvovenhed, dristighed; (adj.) forvoven, dristig.
dark [da·k] (adj.) mørk; dunkel, hemmelighedsfuld; sort, uhyggelig; (subst.) mørke; mørk farve; uklarhed, uvidenhed; *after* ~ efter mørkets frembrud (fx. *don't go out after* ~*); the* ~ *ages* den uoplyste tidsalder, middelalderen; *the Dark Continent* det mørke fastland, Afrika; ~ *deeds* mørkets gerninger; *be in the* ~ *about* svæve i uvidenhed om, ikke kunne forstå; *I am in the* ~ *about it* jeg kender ikke noget til det; *keep* ~ holde skjult, holde hemmeligt; *keep sby. in the* ~ holde en udenfor; *a leap in the* ~ et spring ud i det uvisse; *look on the* ~ *side of things, take a* ~ *view of things* se sort på det.
darken ['da·kn] formørkes; formørke, gøre mørkere; *if ever you* ~ *my doors again* hvis du nogensinde sætter dine ben over min dørtærskel igen.
darkey ['da·ki] neger.
dark horse ukendt hest (i væddeløb); ubeskrevet blad, 'ukendt størrelse'.
darkish ['da·kiʃ] noget mørk, mørkladen.
dark-lantern blændlygte.
darkling ['da·kliŋ] (adv.) i mørke; (adj.) mørk.
darkness ['da·knes] mørke; dunkelhed; uvidenhed; *deeds of* ~ mørkets gerninger; *the Prince of* ~ Djævelen, mørkets fyrste.
dark-room mørkekammer.
darky ['da·ki] (subst.) neger.
darling ['da·liŋ] (subst.) yndling, skat, øjesten; (i tiltale) min ven; kære; (adj.) yndlings-; yndig, henrivende; *the* ~ *of fortune* lykkens yndling.
I. **darn** [da·n] d.s.s. *damn.*
II. **darn** [da·n] (vb.) stoppe (reparere); (subst.) stopning.
darnel ['da·nl] ♧ giftig rajgræs.
darner en der stopper (fx. strømper); stoppeæg.
darning stopning; stoppetøj.
darning needle stoppenål.
dart [da·t] (subst.) kastespyd, kastepil; indsnit; spidslæg; (vb.) kaste (fx. ~ *a look at),* slynge; pile, fare, styrte (løs); *play -s* kaste til måls med pile.
Dartford warbler (zo.) provencesanger.
Dartmoor ['da·tmuǝ, 'da·tmå·] (kendt eng. fængsel); ~ *crop* tætklippet hår.
I. **dash** [däʃ] (vb.) støde, kaste; sønderslå; knuse; tilintetgøre; beskæmme; stænke; oversprøjte; klaske, smække (fx. ~ *colour on a canvas);* fare, styrte (af sted); (bruges som ed i st. f. *damn)*: ~ *it!* gid pokker havde det! ~ *away a tear* viske (el. stryge) en tåre bort; ~ *off* jaske af, hastigt nedkradse; ~ *one's hopes* tage håbet fra en; knuse ens forhåbninger; *a landscape -ed with sunlight* et landskab med spredte solstrejf.
II. **dash** (subst.) stød, slag; raskhed, dristighed; fart, liv, fut; plask; sammenstød; pennestrøg; tankestreg; stænk (fx. *coffee with a* ~ *of brandy);* lille tilsætning, let anstrøg; pludselig bevægelse; flot optræden; *cut a* ~ være i vælten, spille en fremtrædende rolle; gøre en god figur; *dots and -es* prikker og streger (i morsealfabetet); *make a* ~ *for* skynde sig for at nå.
dash-board ['däʃbå·d] instrumentbræt; forsmæk(ke) (på hestekøretøj). **dasher** ['däʃǝ] person med flot el. pralende optræden; (amr.) = *dash-board.*
dashing ['däʃiŋ], **dashy** ['däʃi] flot, rask.
dastard ['dästǝd] kryster, kujon. **dastardly** ['dästǝdli] (adj.) fej.
data ['deⁱtǝ] pl. af *datum;* (videnskabeligt) materiale; data; ~ *processing* databehandling.
I. **date** [deⁱt]: ~ *(palm)* daddel(palme); *Indian* ~ ♧ tamarinde.
II. **date** [deⁱt] dato, tid; årstal; (amr.) aftale, stævnemøde; en man har stævnemøde med (el. går ud med); *out of* ~ forældet; *up to* ~ moderne, tidssvarende; *bring sth. up to* ~ føre noget à jour.
III. **date** [deⁱt] (vb.) datere, tidsfæste; datere sig, skrive sig *(from* fra); **T** gå af mode, blive forældet; (amr.) aftale stævnemøde med, gå ud med, invitere ud; ~ *back to* gå helt tilbage til.

date|less (adj.) endeløs; tidløs; ældgammel; udateret. ~ **line** datolinie. ~ **stamp** datostempel.

dative ['deⁱtiv] (gram.) dativ.

datum ['deⁱtəm] (pl. *data)* kendsgerning, faktum.

datura [dä'tjuərə] ♧ pigæble.

daub [då·b] (vb.) tilsmøre, tilkline, oversmøre; smøre (ned), klatte (ned), smøre sammen; (subst.) smøreri; dårligt maleri; oversmøring. **dauber** ['då·bə] smører, klatmaler.

daughter ['då·tə] datter. **daughter-in-law** svigerdatter. **daughterly** ['då·təli] (adj.) datterlig.

daunt [då·nt] (vb.) skræmme, gøre bange; *nothing -ed* uforfærdet. **dauntless** uforfærdet.

davenport ['dävnpå·t] (eng.) slags skrivepult; (is. amr.) stor polstret (sove)sofa.

Daventry ['dāvntri]. **David** ['deⁱvid].

davit ['dävit] ⚓ jollebom, david.

Davy ['deⁱvi] David.

Davy Jones('s locker) ['deⁱvi 'dʒo^unz(iz 'låkə)]: *go to* ~ drukne på havet, gå nedenom og hjem.

Davy-lamp ['deⁱvi'lämp] sikkerhedslampe.

daw [då·] (zo.) allike.

dawdle ['då·dl] nøle, smøle, spilde tiden, drive. **dawdler** ['då·dlə] smøl, drys.

dawn [då·n] (vb.) gry, dages; bryde frem; (subst.) daggry, (fig.) gry, (første) begyndelse; *it -ed upon him* det gik op for ham; *the darkest hour is before the* ~ når nøden er størst er hjælpen nærmest.

day [deⁱ] dag; døgn; dagslys; tid; *all* ~ hele dagen; *by* ~ om dagen (fx. *we work by* ~); ~ *by* ~ dag for dag; hver dag; *the* ~ *before yesterday* i forgårs; *it is a fine* ~ det er smukt vejr; *for -s* i dagevis; *it has had its* ~ det er passé; *the other* ~ forleden dag; *this* ~ *week* i dag otte dage; *he is fifty years if he is a* ~ han er mindst 50 år; *we'll call it a* ~ nu kan det være nok for i dag; *carry (, gain, win) the* ~ vinde sejr; *lose the* ~ tabe slaget, forspilde sejren; *make a* ~ *of it* gøre sig en glad dag; fortsætte resten af dagen; *my* ~ *is done* min tid er forbi; *name the* ~ bestemme bryllupsdagen; *in -s of old* i gamle dage; *the order of the* ~ dagsordenen; ⚔ dagsbefalingen; *the other* ~ forleden dag; *the* ~ *is ours* sejren er vor; *one of these -s* en skønne dag; ~ *in,* ~ *out* dag ud og dag ind; *24 hour* ~ døgn, etmål (fra middag til middag); *sufficient unto the* ~ *is the evil thereof* hver dag har nok i sin plage.

day|-boarder kostelev (som spiser på skolen, men ikke bor der). **-book** journal (i kladde). ~ **-boy** dagelev (som ikke bor på skolen). **-break** daggry. ~ **-coach** (amr., omtr.) fællesklasse. ~ **cream** dagcreme. ~ **dream** drømmeri, dagdrøm. ~ **-fly** (zo.) døgnflue. ~ **-girl** skolepige, som ikke bor på skolen. ~ **(-)labour** dagarbejde (ɔ: arbejde der udføres om dagen). ~ **-labourer** daglejer.

daylight ['deilait] dagslys; daggry (fx. *get up before* ~); *broad* ~ højlys dag; *by* ~, *in* ~ ved dagslys; *in* ~ (fig.) i fuld offentlighed; *let* ~ *into the affair* lade sagen komme frem for offentligheden; *let the* ~ *into sby.* skyde en, stikke en ned; *scare the -s out of* skræmme livet af; *we began to see* ~ (fig.) det begyndte at lysne. **daylight-saving** sommertid.

day|-lily ♧ daglilje. **-long** (adj.) daglang. ~ **nursery** vuggestue. ~ **-pupil,** ~ **-scholar** elev, der ikke bor på skolen. ~ **-school** dagskole (modsat kostskole, aftenskole). ~ **shift** daghold. **-spring** daggry; (fig.) gry, begyndelse. ~ **-star** morgenstjernen. **-time** dag; *in the -time* om dagen (modsat natten).

daze [deⁱz] forvirre, fortumle; *in a* ~ ør, omtåget, fortumlet.

dazzle ['däzl] blænde; camouflere; (subst.) blændende glans.

D.C. fk. f. *District of Columbia;* (elekt.) *direct current.*

D.C.L. fk. f. *Doctor of Civil Law* dr. jur.

D.C.M. fk. f. *Distinguished Conduct Medal.*

D.D. fk. f. *Doctor of Divinity* dr. theol.

d-d fk. f. *damned.*

D-Day ⚔ D-Dag (den dag et angreb (etc.) skal indledes; (især:) 6. juni 1944 da den allierede landgang i Normandiet fandt sted).

deacon ['di·kn] (underordnet gejstlig). **deaconess** ['di·kənės] diakonisse.

dead [ded] (adj.) død (fx. *he is* ~; ~ *capital;* ~ *languages);* livløs; uvirksom; øde; fuldstændig; vissen (fx. *leaves);* udgået; flov, mat (fx. *market);* dødlignende (fx. *sleep; silence);* lige, stik; *the* ~ den døde, de døde; ~ *against* stik imod; *be* ~ *broke* ikke eje en rød øre; *it is a* ~ *cert(ainty)* det er bombesikkert; *a* ~ *match* en brugt (el. afbrændt) tændstik; *at the* ~ *of night* i nattens mulm og mørke; *stop* ~ standse brat; *come to a* ~ *stop* gå helt i stå; ~ *straight* snorlige; ~ *tired of* led og ked af; *they cut him* ~ de lod som om han var luft, de ville slet ikke have noget med ham at gøre; *as* ~ *as mutton* (el. *a doornail)* så død som en sild.

dead|-alive kedelig; sløv. ~ **-beat** (adj.) dødtræt; (subst.) snylter, en der ikke betaler. ~ **calm** (adj.) blikstille. ~ **-calm** (subst.) havblik. ~ **-centre** dødpunkt (i motor etc.). ~ **drunk** døddrukken.

deaden [dedn] afdæmpe, formindske, døve (fx. smerte); afdæmpes.

dead| end blindgade. **-head** (en som har) fribillet; person der ikke yder nogen positiv indsats; gratist (i sporvogn etc.). ~ **heat** dødt løb. ~ **letter** uanbringeligt brev (hvis adressat ikke kan findes); dødt bogstav, lov som ikke (længere) ænses. ~ **lift** kraftanstrengelse. ~ **-line** (yderste) frist. **-lock** stilstand; *be at a -lock* være kørt fast; *come to a -lock* (om forhandlinger) gå i hårdknude, gå i baglås. ~ **loss** rent tab; *it was a* ~ *loss* (ogs.) det var den rene tilsætning.

deadly ['dedli] dødelig, dødbringende; uforsonlig; død-; utålelig; ~ *dull* dødsens kedsommelig; ~ *nightshade* ♧ belladonna; ~ *pale* dødbleg; ~ *sin* dødssynd.

dead| man T tom flaske; *be a* ~ *man* være dødsens; *wait for* ~ *men's shoes* vente på at en skal dø for at kunne overtage hans stilling. ~ **man's handle** dødmandsknap (i elekt. tog). ~ **march** sørgemarch.

deadness ['dednės] livløshed.

dead|-nettle ♧ døvnælde. ~ **pan** (subst.) (person med) fuldkomment udtryksløst ansigt. ~ **-pan** (adj.) fuldkommen udtryksløs (fx. *face);* gravalvorlig. ~ **-point** dødpunkt (i motor etc.). ~ **pull** kraftanstrengelse. ~ **-reckoning** ⚓ bestik; *navigate by* ~ *-reckoning* sejle på bestikket. **Dead Sea:** *the* ~ Det døde Hav.

dead | set, se III. *set.* ~ **shot** fremragende skytte. **-water** dødvande. **-weight** dødvægt. **-wind** modvind. **-wood** visne grene; (fig.) overflødig arbejdskraft; overflødigt materiale (etc.); ⚓ opklodsningstræ, dødtræ.

deaf [def] (adj.) døv *(to* for); ~ *as a post* stokdøv; ~ *and dumb* døvstum. **deafen** ['defn] gøre døv, døve; lydisolere. **deafened** ['defnd] (ogs.) døvbleven. **deafening** (adj.) øredøvende; (subst.) lydisolerende materiale, indskud.

deaf|-mute ['def'mju·t] døvstum. ~ **-mutism** ['def'mju·tizm] døvstumhed.

deafness ['defnės] døvhed; *acquired* ~ døvblevenhed.

I. **deal** [di·l] (subst.) fyrreplanke; fyrretræ; (adj.) fyrretræs-.

II. **deal** [di·l] (subst.) del; antal; kortgivning; tur til at give kort (fx. *it is my* ~); forretning, handel; *a good* ~ en hel del, meget; en god forretning; *a great* ~ en hel del; *he has had a hard* ~ han er forfordelt af skæbnen; *get a square* ~ få en fair behandling.

III. **deal** [di·l] *(dealt, dealt)* tildele, give (fx. ~ *crippling blows);* give kort; handle; ~ *in* handle med (fx. *cars);* forhandle; (fig.) beskæftige sig med; ~ *with* handle med (fx. *a firm);* tage sig af, behandle, drøfte (fx. ~ *with a subject);* omhandle, vedrøre; *how shall we* ~ *with the matter?* hvordan skal vi gribe sagen an?

dealer forhandler, handlende, købmand; kortgiver.

deal-fish (zo.) vågmær.

dealing ['di·lin] handlemåde, færd; handel; be-

handling; omgang; *I advise you to have no -s with him* jeg råder dig til ikke at have noget med ham at gøre.
dealt [delt] imperf. og perf. part. af *deal.*
dean [di·n] dekan (leder af fakultet); domprovst, stiftsprovst; provst; doyen. **deanery** [ˈdi·nəri] provsteembede, provsti; provstebolig.
dear [diə] (adj.) kær; dyrebar; sød; dyr, kostbar; (adv.) dyrt; (subst.) kære, elskede; *O ~, ~ me!* (ja)men kære! men dog! nej da! *do, there's a ~* gør det, så er du sød; *she is an old ~* hun er en elskelig gammel dame.
dear-bought [ˈdiəbå·t] dyrekøbt.
dearie se *deary.* **dearly** [ˈdiəli] dyrt; inderligt; *love him ~* elske ham højt.
dearth [də·þ] dyrtid; mangel *(of* på).
deary [ˈdiəri] kære ven, elskede.
death [deþ] (subst.) død; dødsfald; dødsmåde; *at -'s door* på gravens rand; *be in at the ~* være til stede når hundene dræber ræven; se hvordan det ender, være til stede i det afgørende øjeblik; *catch one's ~ of cold* få sig en ordentlig forkølelse; *it was the ~ of him* han tog sin død derover; *put to ~* dræbe; ombringe; aflive; *be tickled to ~* more sig kosteligt; *wounded to ~* dødeligt såret; *a fight to the ~* en kamp på liv og død.
death|-agony dødskamp. **~ -bed** dødsleje. **~ -blow** dødsstød. **~ -duty** arveafgift. **-less** uforgængelig, udødelig. **-like** dødlignende. **-ly** dødelig; dødlignende (fx. *a -ly stillness); -ly pale* ligbleg. **~ -mask** dødsmaske. **~ -rate** dødelighed, dødelighedsprocent. **~ -rattle** dødsrallen. **~ -roll** dødsliste. **~ sentence** dødsdom. **-'s-head** dødningehoved. **~ -struggle, ~ throes** dødskamp. **~ -trap** dødsfælde. **~ -warrant** dødsdom. **~ -watch** (zo.) dødningeur.
deb [deb] T fk. f. *débutante.*
débâcle [deiˈba·kl] sammenbrud, opløsning.
debar [diˈba·] (vb.) udelukke (fx. *~ sby. from holding public offices).*
debark [diˈba·k] udskibe, landsætte; gå i land. **debarkation** [di·ba·ˈkeiʃən] udskibning; landgang.
debase [diˈbeis] (vb.) nedværdige; forringe; gøre ringere. **debasement** [diˈbeismənt] nedværdigelse; forringelse.
debatable [diˈbeitəbl] omtvistelig, diskutabel.
debate [diˈbeit] (subst.) drøftelse, debat, diskussion; (vb.) drøfte, debattere, diskutere, overveje. **debater** debattør. **debating society** diskussionsklub.
debauch [diˈbå·tʃ] (vb.) forføre; demoralisere, fordærve; (subst.) svir; udsvævelse; drikkegilde. **debauchee** [debå·ˈtʃi·] svirebroder; udsvævende menneske. **debauchery** [diˈbå·tʃəri] udsvævelse, uordentligt levned.
debenture [diˈbentʃə] obligation, partialobligation, gældsbrev; bevis for ret til toldgodtgørelse.
debenture holder obligationsejer.
debilitate [diˈbiliteit] (vb.) svække. **debilitation** [dibiliˈteiʃən] svækkelse. **debility** [diˈbiliti] svaghed (m.h.t. intelligens og helbred).
debit [ˈdebit] (subst.) debet, gæld; debetside; (vb.) debitere; *place it to his ~, ~ him with it* debitere ham for det.
debit entry debetpostering.
debonair [debəˈnæə] (adj.) munter, venlig; høflig.
debouch [diˈbautʃ] munde ud; rykke ud i åbent terræn. **debouchment** flodmunding.
debrief [diˈbri·f] afhøre (pilot) efter fuldført mission.
debris [ˈdebri·] rester, (mur)brokker, stumper; løse klippestykker etc. ved foden af et bjerg.
debt [det] gæld; *bad -s* usikre (el. uerholdelige) fordringer; *~ collector* inkassator; *~ of gratitude* taknemmelighedsgæld; *~ of honour* æresgæld; *pay the ~ of nature* dø; *be in sby.'s ~* stå i gæld til en; *be over head and ears in ~* sidde i gæld til op over begge ører; *run into ~, contract -s* stifte gæld.
debtor [ˈdetə] debitor, skyldner. **debtor | country** debitorland. **~ side** debetside.
debunk [di·ˈbʌŋk] T pille ned af piedestalen, berøve glorien.
debus [di·ˈbʌs] stige ud af motorkøretøj, udlade (fx. tropper) fra motorkøretøj.
début [ˈdeibu·] debut, første optræden. **débutante** [ˈdebjuta·nt] ung pige, der for første gang optræder i selskabslivet.
Dec. fk. f. *December.*
decade [ˈdekəd, ˈdekeid] decennium; tiår, årti.
decadence [ˈdekədəns], **decadency** dekadence, forfald. **decadent** [ˈdekədənt] som er i tilbagegang, dekadent.
deca|gon [ˈdekəgən] tikant. **-gramme** dekagram. **-litre** dekaliter. **-logue** [ˈdekəlåg]: *the Decalogue* de ti bud. **-metre** dekameter.
decamp [diˈkämp] bryde op; forsvinde, fortrække, stikke af.
decampment [diˈkämpmənt] opbrud.
decant [diˈkänt] omhælde (forsigtigt), dekantere.
decantation [di·känˈteiʃən] forsigtig omhældning.
decanter [diˈkäntə] karaffel.
decapitate [diˈkäpiteit] halshugge. **decapitation** [dikäpiˈteiʃən] halshugning.
decarbonize [diˈka·bənaiz] (vb.) afkulle, befri for kulstof.
decathlon [diˈkäþlån] tikamp (i atletik).
decay [diˈkei] (vb.) forfalde; rådne (bort); visne; svækkes, opløses; (subst.) henfald; forfald; forrådnelse, opløsning; svækkelse; *-ed tooth* hul tand.
decease [diˈsi·s] (subst.) dødelig afgang, død; (vb.) afgå ved døden; dø; *the -d* den afdøde.
deceit [diˈsi·t] bedrageri, svig; svigefuldhed, falskhed. **deceitful** [diˈsi·tf(u)l] uærlig, løgnagtig, falsk, svigefuld, bedragerisk.
deceivable [diˈsi·vəbl] let at bedrage.
deceive [diˈsi·v] bedrage, narre; *~ oneself* narre sig selv; *be -d* (ogs.) lade sig narre. **deceiver** [diˈsi·və] (subst.) bedrager.
decelerate [diˈseləreit] nedsætte hastigheden af, sagtne (farten).
December [diˈsembə] december.
decency [ˈdi·snsi] (pl. *decencies)* sømmelighed; (vel)anstændighed; *in all ~* i tugt og ære; *in (common) ~* anstændigvis; *have the ~ to do it* have så meget sømmelighedsfølelse at man gør det; *I cannot in ~ do it* jeg kan ikke være bekendt at gøre det; *offence against public ~* krænkelse af den offentlige velanstændighed; *for -'s sake* af sømmelighedshensyn, for skams skyld.
decennial [diˈsenjəl] tiårs-; som indtræffer hvert 10. år; tiårsdag.
decennium [diˈseniəm] (pl. *decennia)* tiår.
decent [ˈdi·snt] sømmelig, anstændig; passende, rimelig; ordentlig, tilfredsstillende; flink (fx. *he is a ~ chap);* pæn (fx. *it was very ~ of him);* god (fx. *~ weather).*
decentralization [di·sentrəlaiˈzeiʃən] decentralisering. **decentralize** [di·ˈsentrəlaiz] decentralisere.
deceptible [diˈseptibl] som lader sig narre el. bedrage. **deception** [diˈsepʃən] bedrag. **deceptive** [diˈseptiv] skuffende; vildledende.
dechristianise [di·ˈkristʃənaiz] afkristne.
decide [diˈsaid] (vb.) afgøre; beslutte; bestemme sig, beslutte sig *(on* til); (jur.) pådømme; *he -d that* (ogs.) han kom til det resultat at; *that -d him* det fik ham til at bestemme sig. **decided** [diˈsaidid] (adj.) afgjort (fx. *it is a ~ advantage);* bestemt. **decidedly** (adv.) afgjort (fx. *he is ~ better);* bestemt.
deciduous [diˈsidjuəs] (adj.) som falder af (hvert år); løvfældende; *~ tree* (ogs.) løvtræ.
deciduous dentition mælketandsæt.
decimal [ˈdesiməl] decimalbrøk; decimal-. **decimal | arithmetic** decimalregning. **~ balance** decimalvægt. **~ classification** decimal-klassedeling. **~ fraction** decimalbrøk; (decimalbrøk skrives fx. 3.5 og læses *three point* (el. *decimal) five* tre komma fem). **~ point** komma foran decimalbrøken.
decimate [ˈdesimeit] decimere; borttage hver tiende af; tynde ud blandt, reducere stærkt. **decimation** [desiˈmeiʃən] decimering.

decimetre ['desimi·tə] decimeter.
decipher [di'saifə] dechifrere, tyde.
decision [di'siʃən] afgørelse, beslutning (fx. *that is my ~)*; kendelse; beslutsomhed. **decisive** [di'saisiv] afgørende (fx. *a ~ battle)*; beslutsom.
I. **deck** [dek] (vb.): *~ out* smykke, pynte.
II. **deck** [dek] (subst.) ⚓ dæk, skibsdæk; etage; *~ of cards* spil kort; *below ~* under dækket, i kahytten; *clear the -s* gøre klart dæk; *go off the ~* S gå på vingerne, starte (med flyvemaskine); *on ~* på dækket.
deck| cabin ⚓ dækslukaf. *~* **-cargo** ⚓ dækslast. *~* **-chair** liggestol, dækstol.
decked [dekt]: *~ boat* dæksbåd.
deck|-hands ⚓ dæksbesætning. *~* **-house** ⚓ dækshus, ruf.
deckle [dekl] arkform. **deckle-edge** bøtterand (ujævn rand på håndgjort papir).
deck| light ⚓ dæksglas. **-line** ⚓ dækslinie. *~* **-passenger** ⚓ dækspassager.
declaim [di'kleim] deklamere; *~ against* ivre mod, protestere kraftigt mod. **declamation** [deklə'meiʃən] deklamation. **declamatory** [di'klämətəri] deklamatorisk, retorisk.
declaration [deklə'reiʃən] erklæring; deklaration; tolddeklaration; melding (i kortspil); klage, klageskrift; *the D. of Independence* uafhængighedserklæringen; *~ of war* krigserklæring. **declarative** [di'klärətiv], **declaratory** [di'klärətəri] (adj.) erklærende.
declare [di'klæə] erklære (fx. *war was -d)*; bekendtgøre; deklarere, angive (til fortoldning); melde (i kortspil); tage parti (*for* for; *against* imod); *well, I ~!* det må jeg sige! *~ him (to be) a liar* erklære ham for løgner; *~ off* trække sig ud af det; *~ oneself* sige sin mening, afsløre sit sande væsen; erklære sig; *have you anything to ~?* har De noget der skal fortoldes?
declarer [di'klæərə] (i kortspil) melder, spiller.
declass [di'kla·s] deklassere.
déclassé [deiklə'sei] deklasseret.
declassify [di·'kläsifai] frigive (hemmeligt dokument).
declension [di'klenʃən] forfald, hældning; (gram.) deklination, bøjning (fx. *of a noun)*.
declination [dekli'neiʃən] bøjning; afvigelse; (kompassets) misvisning, deklination.
decline [di'klain] (vb.) aftage; gå på hæld; forfalde, være i forfald; gå tilbage; afslå; undslå sig for (fx. *he -d to do it)*; nægte, sige nej (til); deklinere, bøje (fx. *~ a noun)*; hælde; (subst.) aftagen; nedgang; tilbagegang, hensvinden, forfald; *on the ~* i aftagen; på retur.
declivity [di'kliviti] skråning, hældning. **declivous** [di'klaivəs] (adj.) skrå, hældende.
declutch [di·'klʌtʃ] udkoble, frakoble.
decoct [di'kåkt] (vb.) afkoge. **decoction** [di'kåkʃən] afkogning; afkog, dekokt.
decode [di·'koud] omsætte (kode) til almindeligt sprog, dechifrere.
décolletage [dei'kålta·ʒ] dekolletage; brystudskæring, nedringet kjole.
décolleté(e) [di'kåltei] dekolleteret, nedringet.
decoloration [di·kʌlə'reiʃən] affarvning. **decolour** [di·'kʌlə], **decolo(u)rize** [di'kʌləraiz] affarve.
decompose [di·kəm'pouz] opløse, opløse sig.
decomposition [di·kåmpə'ziʃən] opløsning.
decompression chamber dekompressionstank (for dykkere).
decontaminate [di·kən'tämineit] (vb.) rense (for gas, for radioaktivt støv etc.), desinficere. **decontamination** [di·kəntämi'neiʃən] rensning (for giftgas, radioaktivt støv etc.).
décor ['deikå·, di'kå·] dekorationer (på scenen), udstyr.
decorate ['dekəreit] (vb.) pynte (fx. *the Christmas tree)*, pryde, smykke, dekorere (fx. *he was -d for bravery)*; male og tapetsere, gøre i stand (fx. *a house, a room)*; *-d style* engelsk gotik fra 14. årh. **decoration** [dekə'reiʃən] prydelse; dekoration; istandsættelse (ɔ: malen og tapetseren). **decorative** ['dekərətiv] dekorativ; dekorations-.
decorator ['dekəreitə]: *(house* el. *interior) ~* maler, tapetserer; indendørsarkitekt; *window ~* vinduesdekoratør.
decorous ['dekərəs] sømmelig, passende.
decorum [di'kå·rəm] sømmelighed, dekorum, anstand (fx. *behave with ~)*.
decoupling ['di·'kʌpliŋ] afkobling.
decoy [di'koi] (vb.) lokke; forlokke; (subst.) lokkemiddel; lokkemad; lokkefugl; lokkedue.
decoy-duck lokkefugl; lokkeand.
I. **decrease** [di·'kri·s] (vb.) aftage, formindskes, blive mindre; formindske, gøre mindre; tage ind.
II. **decrease** ['di·kri·s] (subst.) formindskelse, aftagen, nedgang (fx. *there is a ~ in the population)*; indtagning (på strikketøj).
decree [di'kri·] (vb.) forordne, bestemme; (subst.) forordning, dekret; kendelse; bestemmelse (fx. *a ~ of fate)*.
decree nisi [di'kri·'naisai] (jur.) foreløbig skilsmissedom.
decrement ['dekrimənt] formindskelse, aftagen.
decremeter [di'kremitə] dæmpningsmåler.
decrepit [di'krepit] (adj.) affældig; faldefærdig.
decrepitude [di'krepitju·d] affældighed.
decrescent [di'kresənt] (adj.) aftagende.
decrial [di'kraiəl] nedrakning, højrøstet fordømmelse.
decrustation [di·krʌs'teiʃən] fjernelse af skal el. skorpe.
decry [di'krai] rakke ned på, tale nedsættende om, fordømme.
decumbent [di'kʌmbənt] ♧ liggende.
decuple ['dekjupl] (adj.) tifold; (vb.) tidoble; (subst.) tidobbelt antal.
decussate [di'kʌseit] (adj.) ♧ korsstillet (fx. *~ leaves)*.
dedicate ['dedikeit] (vb.) (ind)vie; hellige; tilegne. **dedication** [dedi'keiʃən] indvielse; helligelse; tilegnelse, dedikation.
deduce [di'dju·s] udlede, slutte *(from* af). **deducible** [di'dju·səbl] som kan udledes el. sluttes.
deduct [di'dʌkt] fradrage, trække fra. **deduction** [di'dʌkʃən] udledelse, slutning; fradrag. **deductive** [di'dʌktiv] deduktiv.
deed [di·d] (subst.) dåd, bedrift; gerning, handling; dokument, skøde; *take the will for the ~* se på den gode vilje; *in ~* i gerning, af gavn; *in very ~* virkelig; *~ of conveyance* skøde; *~ of gift* gavebrev.
deed-poll ['di·dpoul] deklaration; *change one's name by ~* få navneforandring ved øvrighedsbevis.
deem [di·m] (vb.) tænke, mene; anse for.
deemster ['di·mstə] dommer (på øen *Man*).
I. **deep** [di·p] (subst.): *the ~* havets dyb.
II. **deep** [di·p] (adj., adv.) dyb; dybt; dybttænkende, dybsindig; grundig; snedig (fx. *a ~ one)*; snu, upålidelig; mørk (om farve); bred (fx. *shelf)*; *go off the ~ end* tabe hovedet; handle overilet; begå en dumhed; blive ophidset; *~ in* fordybet i; *~ in debt* i dyb gæld; *read ~ into the night* læse til langt ud på natten; *they were standing three ~* de stod i tre lag (el. i tre rækker bag hinanden).
deep-drawn: *a ~ sigh* et dybt suk.
deepen ['di·pn] (vb.) uddybe, gøre dyb; gøre bredere; gøre mørkere; blive dybere (og dybere).
deep-freeze (subst.) fryseboks; (vb.) dybfryse, opbevare i fryseboks.
deepie ['di·pi] T tredimensional film.
deep|-laid snedig udtænkt. *~* **-mouthed** dybtglammende (om hund). *~* **-read** godt belæst. *~* **-rooted** dybt rodfæstet, indgroet. *~* **-sea** dybhavs-. *~* **-sea lead** dybdelod. *~* **-sea sounding** dybhavslodning.
deep-seated dybtliggende; indgroet; rodfæstet.

deer [diə] (pl. d. s.) hjort, dyr (af hjorteslægten); *fallow* ~ dådyr; *red* ~ kronhjort.
deer|hound (skotsk) dyrehund. ~ **-park** dyrehave, dyrepark. ~ **-stalker** pyrschjæger; hue med skygge for og bag (som Sherlock Holmes). ~ **-stalking** pyrschjagt (på hjorte).
deface [diˈfeⁱs] skæmme, vansire; udviske, ødelægge. **defacement** vansiring; beskadigelse, ødelæggelse.
de facto [di·ˈfäktoᵘ] de facto, faktisk.
defalcation [di·fälˈkeⁱʃən] underslæb; forbrug af betroede midler.
defamation [defəˈmeⁱʃən] bagtalelse, bagvaskelse, ærekrænkelse, injurie. **defamatory** [diˈfämətəri] ærekrænkende. **defame** [diˈfeⁱm] bagtale, bagvaske. **defamer** [diˈfeⁱmə] æreskænder.
defatted [di·ˈfätid] affedtet.
default [diˈfå·lt] (subst.) forsømmelse; udeblivelse (fra retten); misligholdelse; mora; mangel; (vb.) ikke holde sit ord, ikke opfylde en pligt; udeblive; *jugdment by* ~ udeblivelsesdom; *in* ~ i mora; *in* ~ *of* i mangel af. **defaulter** [diˈfå·ltə] en der ikke møder (i retten); bedrager, kassebedrøver; dårlig betaler, fallent; ⚔ soldat der har begået en militær forseelse.
defeasance [diˈfi·zəns] (subst.) ophævelse, annullering, omstødelse. **defeasible** [diˈfi·zibl] (adj.) som kan ophæves, omstødelig.
defeat [diˈfi·t] (vb.) overvinde; slå; tilintetgøre; (subst.) nederlag; overvindelse; tilintetgørelse; ~ *one's own end* modarbejde sin hensigt.
defeatism [diˈfi·tizm] defaitisme.
defeatist [diˈfi·tist] defaitist.
defecate [ˈdefikeⁱt] rense; udrenses, have afføring.
defecation [defiˈkeⁱʃən] rensning; afføring.
defect [diˈfekt] mangel, fejl, defekt, brist.
defection [diˈfekʃən] frafald. **defective** [diˈfektiv] mangelfuld, ufuldstændig (ogs. gram.); defekt; *mentally* ~ åndssvag. **defector** [diˈfektə] afhopper.
defence [diˈfens] forsvar; værn; defensorat; (i kortspil) modspil; *-s* forsvarsværker; *appear for the* ~ møde som forsvarer; *in* ~ *of* til forsvar for.
defence|less [diˈfenslės] forsvarsløs. ~ **mechanism** (psyk.) forsvarsmekanisme.
defend [diˈfend] forsvare. **defendant** [diˈfendənt] indstævnte, (den) sagsøgte. **defender** forsvarer.
defense (amr.) = *defence.*
defensible [diˈfensəbl] som kan forsvares; forsvarlig. **defensive** [diˈfensiv] forsvars-, defensiv; *the* ~ defensiven; *be on the* ~ indtage en defensiv holdning, være parat til at forsvare sig, være i defensiven.
I. **defer** [diˈfə·] udsætte; opsætte; *-red annuity* opsat livrente; *-red payment* afbetaling; *-red shares* aktier, der først giver dividende, når dividenden af selskabets øvrige aktier har nået et vist beløb; *on -red terms* på ratebetaling, på afbetaling; *hope -red maketh the heart sick* at bie længe gør hjertet sygt.
II. **defer** [diˈfə·] bøje sig *(to* for, fx. *I* ~ *to your opinion).*
deference [ˈdefərəns] agtelse; hensynsfuldhed, ærbødighed; *pay* ~ *to* vise agtelse (el. ærbødighed) for; *with all due* ~ *to* med al respekt for. **deferential** [defəˈrenʃəl] ærbødig.
deferment [diˈfə·mənt] opsættelse, udsættelse.
defervescence [di·fəˈvesns] temperaturfald.
defiance [diˈfaiəns] (subst.) udfordring; trods; *bid* ~ *to him, set him at* ~ trodse ham, byde ham trods; *in* ~ *of* til trods for; stik imod. **defiant** [diˈfaiənt] (adj.) trodsig; udfordrende.
deficiency [diˈfiʃənsi] mangel; ufuldkommenhed; underskud; deficit; ~ *disease* mangelsygdom. **deficient** [diˈfiʃənt] mangelfuld, utilstrækkelig; ~ *in vitamins* vitaminfattig; *mentally* ~ åndssvag.
deficit [ˈdefisit] deficit, underskud, kassemangel.
I. **defile** [ˈdi·fail] (subst.) snævert bjergpas, defilé.
II. **defile** [diˈfail] (vb.) besmitte; besudle; tilsmudse; forurene; defilere. **defilement** besmittelse; besudling; tilsmudsning; forurening.
definable [diˈfainəbl] som kan defineres (el. bestemmes), definerbar. **define** [diˈfain] forklare, definere; begrænse, afgrænse.
definite [ˈdefinit] bestemt (fx. *a* ~ *answer*), afgjort; begrænset; *the* ~ *article* det bestemte kendeord.
definition [defiˈniʃən] bestemmelse, forklaring, definition; skarp afgrænsning; (linses) skarphed.
definitive [diˈfinitiv] (adj.) definitiv, bestemt; afgørende, endelig.
deflagrate [ˈdefləgreⁱt] forbrænde; afbrænde. **deflagration** [defləˈgreⁱʃən] forbrænding; afbrænding.
deflate [diˈfleⁱt] slippe luften el. gassen ud af; nedbringe priserne, skabe deflation. **deflation** [diˈfleⁱʃn] deflation, prisfald.
deflect [diˈflekt] afvige, bøje af; aflede, afbøje, give en anden retning. **deflection** [diˈflekʃən] afvigelse, afbøjning.
defloration [di·flå·ˈreⁱʃən] forførelse.
deflower [di·ˈflauə] (vb.) deflorere; ~ *a woman* (ogs.) berøve en kvinde hendes uskyld.
Defoe [dəˈfoᵘ].
deforest [di·ˈfårist] rydde for skov (el. træer). **deforestation** [di·fåresˈteⁱʃən] skovrydning.
deform [diˈfå·m] misdanne, vansire, deformere. **deformation** [di·få·ˈmeⁱʃən] misdannelse; vansiring. **deformed** vanskabt, deform. **deformity** [diˈfå·miti] misdannelse, vanskabthed, deformitet.
defraud [diˈfrå·d] besvige, bedrage *(of* for).
defray [diˈfreⁱ] bestride, afholde (omkostninger, udgifter). **defrayal** [diˈfreⁱəl], **defrayment** [diˈfreⁱmənt] afholdelse, bestridelse.
defrock [ˈdi·ˈfråk] fradømme kjole og krave.
defrost [di·ˈfråst] afise, afrime. **defroster** (på bil) defroster, afiser.
deft [deft] (adj.) behændig, fingernem, flink, rask.
defunct [diˈfʌŋkt] (adj.) død; *the* ~ den afdøde.
defy [diˈfai] udfordre; trodse; *I* ~ *you to do it* gør det hvis du tør (el. kan); *it defies definition* det er umuligt at definere; ~ *public opinion* lade hånt om den offentlige mening.
deg. fk. f. *degree(s).*
degauss [di·ˈgaus] (vb.) afmagnetisere.
degeneracy [diˈdʒenərəsi] degeneration, den egenskab at være degenereret. **degenerate** [diˈdʒenəreⁱt] (vb.) udarte, vanslægte, degenerere; [diˈdʒenərėt] (adj.) vanslægtet, degenereret; (subst.) degenereret individ. **degeneration** [didʒenəˈreⁱʃən] degeneration, udartning. **degenerative** [diˈdʒenərətiv] degenererende, degenerativ, degenerations-.
degradation [degrəˈdeⁱʃən] nedværdigelse; fornedrelse; degradering. **degrade** [diˈgreⁱd] nedværdige; fornedre. **degraded** nedværdiget; ussel, elendig; forsimplet. **degrading** nedværdigende, lav.
degree [diˈgri·] grad; rang, værdighed; (akademisk) grad, (embeds)eksamen; *by -s* gradvis, lidt efter lidt; ~ *of latitude* breddegrad; ~ *of longitude* længdegrad; *people of low* ~ simple folk; *to a high* ~ i høj grad; *snobbish to a* ~ uhyre snobbet; *to the last* ~ i højeste grad; *third* ~ tredjegrads (forhør).
dehiscent [di·ˈhisənt] ♧ opspringende.
dehumanize [di·ˈhju·mənaiz] gøre umenneskelig.
dehydrate [di·ˈhaidreⁱt] dehydrere; tørre.
de-ice [di·ˈais] (vb.) forhindre isdannelse; afise.
de-icer [di·ˈaisə] afisningsanordning.
deification [di·ifiˈkeⁱʃən] guddommeliggørelse.
deify [ˈdi·ifai] gøre til gud, forgude.
deign [deⁱn] (vb.) værdiges, nedlade sig til.
Dei gratia [ˈdi·aiˈgreⁱʃieⁱ] af Guds nåde.
deism [ˈdi·izm] deisme. **deist** [ˈdi·ist] deist. **deistic(al)** [di·ˈistik(l)] deistisk. **deity** [ˈdi·iti] guddom, guddommelighed.
deject [diˈdʒekt] (vb.) nedslå. **dejected** (adj.) nedslået, modløs. **dejection** [diˈdʒekʃən] modløshed; afføring; udtømmelse.
de jure [di·ˈdʒuəri] de jure (efter loven).
dekko [ˈdekoᵘ] S blik; *take a* ~ se, kigge.
Del. fk. f. *Delaware.*

del. fk. f. *delineavit* har tegnet.

delate [di'leⁱt] angive. **delation** [di'leⁱʃən] angivelse, angiveri.

Delaware ['deləwæə].

delay [di'leⁱ] (vb.) opsætte, udsætte; forhale; opholde; forsinke; nøle, tøve; (subst.) opsættelse, forhaling, udsættelse; ophold; nølen; *-ed action bomb* tidsindstillet bombe; *-ing action* henholdende kamp; *without ~* ufortøvet, straks.

del credere [del'kredəri] (merk.) delkredere; *the agent acts ~* kommissionæren står delkredere.

delectable [di'lektəbl] (adj.) yndig, liflig. **delectation** [di·lek'teⁱʃən] (subst.) lyst, fornøjelse.

delegacy ['deligəsi] delegation, repræsentation; udvalg.

I. **delegate** ['deligeⁱt] (vb.) delegere, beskikke; betro, overdrage.

II. **delegate** ['deligėt] (subst.) delegeret, udsending, befuldmægtiget. **delegation** [deli'geⁱʃən] beskikkelse, udnævnelse, bemyndigelse, overdragelse; delegation; delegerede.

delete [di·'li·t] (vb.) slette, stryge; lade udgå.

deleterious [deli'tiəriəs] (adj.) ødelæggende, skadelig.

deletion [di'li·ʃən] slettelse.

delft [delft] delfterfajance.

Delhi ['deli].

I. **deliberate** [di'libəreⁱt] (vb.) overveje; drøfte; betænke sig.

II. **deliberate** [di'libərėt] (adj.) velovervejet, overlagt, forsætlig, tilsigtet; sindig, langsom.

deliberately (adv.) med fuldt overlæg, med velberåd hu.

deliberateness [di'libərėtnės] (subst.) sindighed, forsigtighed; ro.

deliberation [dilibə'reⁱʃən] overvejelse; drøftelse; sindighed.

deliberative [di'libəreⁱtiv] overvejende; rådslående.

delicacies (pl. af *delicacy)* kræs, lækkerier.

delicacy ['delikəsi] finhed; finfølelse, takt; vanskelighed, delikat beskaffenhed; delikatesse, lækkerbisken; svaghed, skrøbelighed, sarthed; *~ of feeling* finfølelse.

delicate ['delikėt] fin, finfølende; sart, svagelig; vanskelig; kræsen; delikat, lækker; *in a ~ condition* frugtsommelig.

delicatessen [delikə'tesən] (amr.) viktualier; viktualieforretning.

delicious [di'liʃəs] delikat, liflig; yndig; lækker (fx. *a ~ smell, a ~ taste);* herlig.

delict [di'likt] forseelse, lovovertrædelse.

delight [di'lait] (subst.) glæde, fryd; (vb.) fryde, glæde; glæde sig; *take ~ in* finde fornøjelse i; nyde; *to my great ~* til min store glæde.

delighted [di'laitid] (adj.) glad, lykkelig, henrykt; *he will be ~ with it* han bliver henrykt over det; *he will be ~ to come* det vil være ham en stor glæde at komme. **delightedly** (adv.) med glæde.

delightful [di'laitful] (adj.) dejlig, yndig, fornøjelig, indtagende; morsom, interessant.

Delilah [di'lailə] Dalila.

delimit [di'limit], **delimitate** [di'limiteⁱt] afgrænse, afstikke. **delimitation** [dilimi'teⁱʃən] afgrænsning.

delineate [di'linieⁱt] (vb.) skitsere, tegne; skildre. **delineation** [dilini'eⁱʃən] skitsering, skitse, tegning; skildring. **delineator** [di'linieⁱtə] tegner; skildrer.

delinquency [di'liŋkwənsi] forseelse, lovovertrædelse; *juvenile ~* ungdomskriminalitet. **delinquent** [di'liŋkwənt] som forser sig; skyldig, delinkvent, forbryder.

deliquesce [deli'kwes] (vb.) blive flydende.

deliquescent [deli'kwesnt] (adj.) henflydende.

delirious [di'liriəs] (adj.) delirerende, fantaserende, uklar; *be ~* fantasere, være i ekstase, være ude af sig selv (fx. *with joy* af glæde).

delirium [di'liriəm] fantaseren, vildelse, delirium; *~ tremens* [di'liriəm'tri·mənz] delirium tremens (drankergalskab).

deliver [di'livə] levere; aflevere (fx. *a message),* overlevere, indlevere; omdele, ombære (fx. *letters);* overgive (fx. *a fortress to the enemy);* udlevere; udfri, befri (fx. *from captivity),* redde; forløse (en fødende); fremsige, holde (fx. *a speech);* rette (et slag); *~ the goods* S opfylde forventningerne; give det ønskede resultat; *~ oneself* udtale sig; *~ oneself of an opinion* udtale en mening; *be -ed of a child* nedkomme (el. blive forløst) med et barn; *~ us from evil* fri os fra det onde.

deliverance [di'livərəns] befrielse, redning; forløsning; udtalelse. **deliverer** [di'livərə] befrier, frelser. **delivery** [di'livəri] udlevering, levering; indlevering; overgivelse; overdragelse; ombæring (af post); affyring, kastning; forløsning, nedkomst; foredrag, fremsigelse; *take ~ of* aftage; *cash on ~* betaling pr. efterkrav; *special ~ letter* (amr.) ekspresbrev.

dell [del] lille dal. **Delos** ['di·lås].

delouse ['di·'laus] afluse.

Delphi ['delfai] Delfi. **Delphian** ['delfiən], **Delphic** ['delfik] delfisk.

delphinium [del'finiəm] ♧ ridderspore.

delta ['deltə] delta.

delude [di'l(j)u·d] (vb.) bedrage, narre, føre bag lyset.

deluge ['delju·dʒ] oversvømmelse; syndflod; (vb.) oversvømme; *the Deluge* Syndfloden.

delusion [di'lu·ʒən] bedrag; illusion, vildfarelse; forblindelse, selvbedrag; vrangforestilling.

delusive [di'lu·siv] skuffende, illusorisk.

delve [delv] forske, studere (el. undersøge); (glds.) grave.

demagnetization [di·mägnitai'zeⁱʃən] afmagnetisering.

demagnetize [di·'mägnitaiz] afmagnetisere.

demand [di'ma·nd] (vb.) fordre, kræve, forlange; spørge (om); (subst.) fordring, forlangende, krav; begæring; spørgsmål; efterspørgsel; *it is in great ~* det er meget efterspurgt, der er rift om det; *this cheque is payable on ~* denne check betales på anfordring; *meet a ~* tilfredsstille et behov; *make -s on* stille krav til; *he has many -s on his purse* han har store udgifter. **demand note** opkrævning, anfordringsbevis.

demarcation [di·ma·'keⁱʃən] afgrænsning, grænse; *line of ~* demarkationslinie, grænselinie.

demean [di'mi·n]: *~ oneself* opføre sig; nedværdige sig.

demeanour [di'mi·nə] opførsel, adfærd; holdning.

demented [di'mentid] afsindig, vanvittig, gal.

dementia [di'menʃiə] sløvsind; *precocious ~* ungdomssløvsind; *senile ~* alderdomssløvsind.

Demerara [demə'ræərə].

demerit [di·'merit] (subst.) fejl, mangel, skyggeside; *merits and -s* fortrin og mangler.

demesne [di'meⁱn] selvejendom; domæne; *hold in ~* besidde som selvejer; *State ~* statsejendom.

demi ['demi] halv. **demi|god** halvgud. **-john** syreballon; stor kurvflaske.

demilitarization [di·militərai'zeⁱʃən] demilitarisering. **demilitarize** [di·'militəraiz] demilitarisere, afmilitarisere.

demi-monde ['demi'må·nd] demimonde.

demi-rep ['demirep] demimonde, letlevende kvinde.

demise [di'maiz] (subst.) død, dødelig afgang; overdragelse; (vb.) overdrage; borttestamentere; *~ of the Crown* tronskifte.

demisemiquaver ['demisemikweⁱvə] toogtredivtedelsnode.

demission [di'miʃən] fratrædelse, demission.

demit [di'mit] tage sin afsked, demissionere.

demitasse ['demitäs] mokkakop.

demiurge ['di·miə·dʒ] verdensskaber.

demob [di·'måb] = *demobilize.* **demobilization**

[di·moᵘbilai'zeⁱʃən] hjemsendelse, demobilisering. **demobilize** [di·'moᵘbilaiz] hjemsende, demobilisere.

democracy [di'måkrəsi] demokrati. **democrat** ['demokrăt] demokrat. **democratic(al)** [demo-'krătik(l)] demokratisk. **democratize** [di'måkrətaiz] demokratisere.

demoded [di'moᵘdid] umoderne.

demolish [di'måliʃ] (vb.) nedrive, sløjfe; ødelægge; T fortære. **demolition** [demo'liʃən] nedrivning, sløjfning; ødelæggelse; ~ *squad* ⚔ sprængningskommando, rydningshold.

demon ['di·mən] dæmon, ond ånd, djævel.

demonetize [di·'månitaiz] sætte ud af kurs.

demoniac [di'moᵘniăk], **demoniacal** [di·mə-'naiəkl], **demonic(al)** [di·'månik(l)] dæmonisk, djævelsk; besat. **demonology** [di·mə'nålədʒi] lære om dæmoner (el. djævle).

demonstrable ['demənstrəbl] (adj.) bevislig, påviselig. **demonstrate** ['demənstreⁱt] (vb.) bevise, påvise; forevise, vise; demonstrere. **demonstration** [demən'streⁱʃən] (subst.) bevisførelse; påvisning; bevis; forevisning; tilkendegivelse (af stemning etc.); (offentlig) demonstration. **demonstrative** [di'månstrətiv] (adj.) afgørende; demonstrativ; som viser sine følelser; åben; (gram.) påpegende (stedord). **demonstrator** ['demənstreⁱtə] (subst.) demonstrator, (undervisnings)assistent; demonstrant.

demoralization [dimårəlai'zeⁱʃən] demoralisation. **demoralize** [di'mårəlaiz] demoralisere.

Demosthenes [di'måsþəni·z].

demote [di'moᵘt] degradere.

demotic [di'måtik] folkelig.

demotion [di'moᵘʃən] degradering.

demount [di·'maunt] (vb.) demontere, afmontere, skille ad.

demur [di'mə·] (vb.) gøre indsigelse (*to* mod); nære betænkeligheder; nøle, tøve; (subst.) indsigelse, protest, betænkelighed, tøven (fx. *he did it without ~).*

demure [di'mjuə] (adj.) ærbar, sat, alvorlig; adstadig; påtaget ærbar (el. alvorlig).

demurrage [di'mʌridʒ] ⚓ overliggedage; overliggedagspenge.

demurrer [di'mʌrə] (jur.) indsigelse; *put in a ~* rejse indsigelse.

demy [di'mai] (papirformat).

den [den] (dyrs) hule; hybel (ɔ: værelse); rovdyrbur; ~ *of thieves* (el. *robbers)* røverrede.

denationalize[di·'năʃnəlaiz] denationalisere; ophæve nationaliseringen af.

denaturalize [di·'nătʃrəlaiz] denaturalisere, fratage indfødsretten.

denatured [di·'neⁱtʃəd]: ~ *alchohol* denatureret sprit.

denazification [di·na·tsifi'keⁱʃən] afnazificering.

dendrology [den'drålədʒi] læren om træerne.

dengue ['deŋgi] denguefeber.

deniable [di'naiəbl] som kan nægtes. **denial** [di-'naiəl] nægtelse, benægtelse, dementi; fornægtelse.

denigrate ['denəgreⁱt] (vb.) sværte, rakke ned på.

denizen ['denizn] (subst.) udlænding der har opnået opholdstilladelse m. visse rettigheder el. indfødsret m. visse begrænsninger; borger; beboer; (vb.) naturalisere, give opholdstilladelse; meddele indfødsret med visse begrænsninger; befolke.

Denmark ['denma·k] Danmark.

denominate [di'nåmineⁱt] benævne, kalde. **denomination** [dinåmi'neⁱʃən] benævnelse (fx. *liar is the right ~ for him);* sekt; klasse; kategori; (af pengeseddel etc.) pålydende, værdi. **denominational** hørende til en sekt. **denominator** [di'nåmineⁱtə] nævner (i brøk); *common ~* fællesnævner.

denotation [deno'teⁱʃən] (subst.) (ords) betydning, begreb (mods. *connotation* bibetydning, bibegreb).

denote [di'noᵘt] (vb.) betegne.

dénouement [deⁱ'nu·ma·ŋ] afsløring; (intrigens) opklaring, (gådens) løsning (i drama etc.).

denounce [di'nauns] (vb.) anklage (voldsomt), fordømme; undsige; angive; opsige (fx. *a treaty).* **denouncement** = *denunciation.*

dense [dens] tæt (fx. *fog); kompakt* (fx. *mass);* tykhovedet, dum; ~ *ignorance* tyk uvidenhed. **density** ['densiti] tæthed; tykhovedethed, dumhed.

dent [dent] (subst.) hak, fordybning; hulning, bule; (vb.) blive bulet, slå bule i; *make a ~ on* (el. *in)* (fig.) indvirke på, svække, mindske.

dental ['dentl] dental; tand-; tandlyd.

dental | cream tandpasta. **~ plate** se I. *plate.* **~ school** tandlæge(høj)skole. **-surgeon** tandlæge.

dentate(d) ['denteⁱt(id)] (♧, zo.) tandet, takket.

dentifrice ['dentifris] tandpulver, tandpasta.

dentist ['dentist] tandlæge. **dentistry** ['dentistri] tandlægekunst; *school of ~* tandlæge(høj)skole.

dentition [den'tiʃən] tandbrud, tandsystem, tandstilling, tænder; *secondary ~* tandskifte.

denture ['dentʃə] protese.

denudation [di·nju'deⁱʃən] blottelse. **denude** [di-'nju·d] blotte *(of* for); ~ *of* (ogs.) fratage.

denunciation [dinʌnsi'eⁱʃən] (voldsom) anklage, fordømmelse; undsigelse; opsigelse; angivelse. **denunciator** [di'nʌnsieⁱtə] fordømmer, forkætrer; angiver. **denunciatory** [di'nʌnsieⁱtəri] anklagende, fordømmende.

deny [di'nai] (be)nægte; dementere; fornægte (fx. *~ one's faith);* fragå; ~ *oneself to callers* nægte sig hjemme.

deodar ['di·oda·] ♧ indisk ceder.

deodorant [di·'oᵘdərənt] desodoriserende middel, lugtfjerner, deodorant.

deodorization [dioᵘdərai'zeⁱʃn] fjernelse af lugt, desodorisering. **deodorize** [di'oᵘdəraiz] befri for lugt, desodorisere.

dep. fk. f. *departs, departure* (om tog etc.); *department; deputy.*

depart [di'pa·t] (vb.) afgå *(for* til); gå bort, afrejse; dø; ~ *from* afvige fra; ~ *this life* afgå ved døden; *the -ed* (ogs.) afdøde.

department [di'pa·tmənt] afdeling; kreds; gren, fag; branche; departement; ministerium. **departmental** [dipa·t'mentl] afdelings-; ministeriel. **department store** stormagasin.

departure [di'pa·tʃə] afgang; bortgang; afvigelse; død; *a new ~* noget ganske nyt, en skelsættende begivenhed; *next ~* næste afgående skib, tog. **~ platform** afgangsperron.

depasture [di·'pa·stʃə] græsse (på).

depend [di'pend] (vb.) (jur.) være uafgjort; (glds.) hænge ned; ~ *on* afhænge af, bero på (fx. *it all -s on how you look at it);* være afhængig af; stole på (fx. *he is not a man to be -ed on); he -s on his pen (for a living)* han er henvist til at leve af sin pen; *it all -s* det kommer an på omstændighederne; ~ *upon it!* det kan De stole på! *you cannot ~ on him* han er ikke til at stole på; *the school does not ~ on him* skolen står og falder ikke med ham.

dependable [di'pendəbl] (adj.) pålidelig, driftssikker. **dependant** d. s. s. *dependent.*

dependence [di'pendəns] afhængighed *(on* af); tillid *(in, on* til). **dependency** [di'pendənsi] biland; lydland.

dependent [di'pendənt] afhængig *(on* af); underordnet; person som er afhængig af (el. forsørges af) en anden; undergiven; følgesvend.

depict [di'pikt] male; afbilde; skildre.

depilate ['depileⁱt] (vb.) afhåre; fjerne hår fra. **depilation** [depi'leⁱʃən] afhåring; fjernelse af hår. **depilatory** [de'pilətəri] hårfjerningsmiddel; (adj.) hårfjernende.

deplane [di·'pleⁱn] (vb.) stige ud af flyvemaskine; landsætte fra flyvemaskine.

deplete [di'pli·t] (vb.) tømme, udtømme, formindske, reducere. **depletion** [di'pli·ʃən] tømning, udtømmelse, formindskelse, forringelse.

deplorable [di'plå·rəbl] beklagelig, sørgelig. **deplore** [di'plå·] beklage; angre.

deploy [di'ploi] ⚔ udfolde, deployere, sprede; bringe **i** stilling, gruppere. **deployment** [di'ploimənt] ⚔ deployering, spredning; gruppering.

deponent [di'poᵘnənt] deponent (verbum); (jur.) vidne.

depopulate [di·'påpjuleⁱt] affolke. **depopulation** [di·påpju'leⁱʃən] affolkning.

deport [di'på·t] deportere, forvise; ~ *oneself* opføre sig; forholde sig. **deportation** [di·på·'teⁱʃən] deportation, forvisning.

deportment [di'på·tmənt] holdning, anstand; ptræden, opførsel.

deposable [di'poᵘzəbl] som kan afsættes.

depose [di'poᵘz] afsætte; afgive forklaring; vidne; ~ *(to)* bevidne.

deposit [di'påzit] (vb.) afsætte, aflejre; lægge (æg); deponere; indskyde, indsætte (i bank); betro; anbringe, aflevere; (subst.) aflejring; leje (fx. *iron ore -s);* bundfald; depositum; pant; udbetaling (ved køb); indskud, indlån; ~ *account* indlånskonto; *pay a* ~ give penge på hånden.

depositary [di'påzitəri] depositar, en der modtager noget i forvaring.

deposition [depə'ziʃən] afsætning, afsættelse (fra stilling); aflejring; (beediget skriftligt) vidneudsagn; *the Deposition* (rel., i kunst) nedtagelsen af korset.

depositor [di'påzitə] indskyder (i bank), sparer.

depository [di'påzitəri] gemmested, oplagringssted.

depot ['depoᵘ] depot, oplagssted, pakhus; (regiments) hovedkvarter; sporvognsremise; (amr.) ['di·poᵘ] jernbanestation.

depravation [deprə'veⁱʃən] fordærvelse; udartning; depravation. **deprave** [di'preⁱv] fordærve; depravere. **depravity** [di'präviti] fordærvelse.

deprecate ['deprikeⁱt] (vb.) misbillige, ikke synes om; frabede sig, bede sig forskånet for; afvende ved bøn; ~ *hasty action* sætte sig imod overilede handlinger; ~ *panic* afværge panik. **deprecation** [depri'keⁱʃən] misbilligelse; bøn om forskånelse. **deprecating** ['deprikeⁱtiŋ], **deprecative** ['deprikeⁱtiv], **deprecatory** ['deprikeⁱtəri] bedende, bønlig; afværgende, undskyldende.

depreciate [di'pri·ʃieⁱt] forklejne, nedvurdere, omtale nedsættende, forringe; undervurdere; depreciere, nedsætte i værdi; devaluere; falde i værdi.

depreciation [dipri·ʃi'eⁱʃən] depreciering, værdiforringelse; devaluering; nedsættelse; nedvurdering, forklejnelse; undervurdering; afskrivning; ~ *account* afskrivningskonto; ~ *reserve* afskrivningsfond. **depreciative** [di'pri·ʃiətiv], **depreciatory** [di'pri·ʃieⁱtəri] nedsættende; forringende.

depredate ['deprideⁱt] (vb.) plyndre. **depredation** [depri'deⁱʃən] plyndring. **depredator** ['deprideⁱtə] røver, udplyndrer.

depress [di'pres] nedtrykke; trykke; nedslå, deprimere; hæmme. **depressed**| **areas** kriseramte områder. ~ **classes** undertrykte befolkningsklasser.

depression [di'preʃən] nedtrykning; sænkning; depression, nedtrykthed, dårligt humør; (meteorol.) lavtryk, lavtryksområde; lavkonjunktur, erhvervskrise, krise(tid). **depressive** [di'presiv] nedtrykkende.

deprivation [depri'veⁱʃən] berøvelse; tab; afsavn; afsættelse. **deprive** [di'praiv] berøve, fratage; afsætte; ~ *him of it* berøve (el. fratage) ham det. **deprived** som lider afsavn, dårligt stillet, nødlidende.

dept. fk. f. *department.*

depth [depþ] (subst.) dybde; dyb; bredde; ~ *of field* (i fotografi) dybdeskarphed; *the -s of misery* den dybeste elendighed; *in the* ~ *of night (, winter)* midt om natten (, vinteren); *be beyond* (el. *out of) one's* ~ (ogs. fig.) være længere ude end man kan bunde; *defence in* ~ dybdeforsvar. **depth**| **charge** dybvandsbombe. **-less** (adj.) bundløs. ~ **sounder** dybdemåler.

depurate ['depjureⁱt] (vb.) rense. **depuration** [depju'reⁱʃən] rensning.

deputation [depju'teⁱʃən] beskikkelse; sendelse med fuldmagt; deputation. **depute** [di'pju·t] give fuldmagt; overdrage. **deputize** ['depjutaiz] (vb.) vikariere, optræde som stedfortræder.

deputy ['depjuti] repræsentant, fuldmægtig; deputeret; vikar, stedfortræder, vice-; ~ *chairman* næstformand; *the Chamber of Deputies* deputeretkammeret; *the Council of Deputies* stedfortræderrådet. **deputy superintendent** afdelingslæge.

De Quincey [də'kwinsi].

deracinate [di'räsineⁱt] rykke op med rode, udrydde.

derail [di'reⁱl] afspore(s), løbe af sporet. **derailment** afsporing.

derange [di'reⁱn(d)ʒ] forvirre, forstyrre; bringe i uorden; gøre sindsforvirret. **deranged** vanvittig. **derangement** forvirring, forstyrrelse; uorden; sindsforvirring.

derate [di·'re·t] nedsætte kommuneskatter for.

deration [di'räʃən] ophæve rationering af, frigive (fx. *petrol has been -ed).*

deratization [di·räti'zeⁱʃən] rotteudryddelse.

Derby ['da·bi] (by i Mellemengland); *the* ~ derbyløbet (ved Epsom; indstiftet af en jarl af Derby).

derby ['da·bi, (amr.) 'də·bi] bowlerhat.

derelict ['derilikt] (adj.) forladt, opgivet som værdiløst; (subst.) herreløst gods; flydende vrag; menneskevrag; ~ *farm* ødegård.

dereliction [deri'likʃən] opgivelse; forsømmelse (fx. *of duty);* svigten; svækkelse; forladthed.

deride [di'raid] håne, udle, spotte. **derider** [di'raidə] spotter. **derision** [di'riʒən] bespottelse, hån; *hold him in* ~ håne ham; *he became the* ~ *of* han blev til spot for. **derisive** [di'raisiv], **derisory** [di'raisəri] spottende, hånende, ironisk; latterlig.

derivable [di'raivəbl] som kan afledes. **derivation** [deri'veⁱʃən] afledning; udledning; afstamning, oprindelse (af ord). **derivative** [di'rivətiv] (subst., adj.) (noget der er) afledet, afledning, derivat.

derive [di'raiv] aflede, udlede; opnå, få, forskaffe sig; ~ *from* (ogs.) stamme fra; ~ *advantage* (el. *profit) from* drage fordel af.

derm(a) ['də·m(ə)] hud.

derma|titis [də·mə'taitis] dermatitis, hudbetændelse. **-tologist** [də·mə'tålədʒist] dermatolog, specialist i hudsygdomme. **-tology** [də·mə'tålədʒi] dermatologi.

derogate ['derogeⁱt]: ~ *from* forklejne, nedsætte.

derogation [dero'geⁱʃən] forklejnelse, nedsættelse.

derogatory [di'rågətəri] forklejnende, nedsættende.

derrick ['derik] lossebom, lastebom; boretårn.

derring-do ['deriŋ'du·] dristig handling; dristighed.

derringer ['derin(d)ʒə] (amr.) lommepistol.

dervish ['də·viʃ] dervish.

I. **descant** ['deskänt] (subst.) diskant, overstemme; (poet.) melodi, sang.

II. **descant** [di'skänt]: ~ *on* udbrede sig om, tale vidt og bredt om.

descend [di'send] (vb.) gå ned ad, stige ned i; skråne, sænke sig; komme ned; gå ned, stige ned; nedstamme; gå i arv; *be -ed from* nedstamme fra; ~ *to* (ogs.) nedværdige sig til; gå over til; ~ *upon* falde over, kaste sig over, ramme. **descendant** [di'sendənt] efterkommer. **descendible** [di'sendibl] arvelig.

descent [di'sent] nedstigning; skrånen nedad, hældning; dalen, fald, synken; overfald, (fjendes) indfald, landgang; herkomst, afstamning; arv, nedarvning; *of noble* ~ af adelig byrd.

describable [di'skraibəbl] beskrivelig.

describe [di'skraib] (vb.) beskrive; ~ *as* betegne som, kalde. **description** [di'skripʃən] (subst.) beskrivelse; signalement; beskaffenhed; art, slags (fx. *goods of every* ~). **descriptive** [di'skriptiv] (adj.) beskrivende, deskriptiv.

descry [di'skrai] (vb.) opdage; øjne.
Desdemona [dezdi'moᵘnə].
desecrate ['desikreⁱt] vanhellige. **desecration** [desi'kreⁱʃən] vanhelligelse.
desegregate [di·'segrigeⁱt] ophæve raceadskillelsen i (fx. *a school*). **desegregation** [di·segri'geⁱʃən] ophævelse af raceadskillelsen.
desensitize [di'sensitaiz] (med.) desensibilisere.
desensitizer [di'sensitaizə] desensibilisator.
I. **desert** ['dezət] (adj.) øde; (subst.) ørken, ubeboet sted.
II. **desert** [di'zə·t] (vb.) forlade; svigte; desertere.
III. **desert** [di'zə·t] (subst.) fortjeneste, fortjenstfuld handling, fortjent løn el. straf; *get one's -s* få hvad man har fortjent.
deserter [di'zə·tə] frafalden; rømningsmand, desertør. **desertion** [di'zə·ʃən] frafald; desertion; flugt; svigten; forladthed.
desert rat 'ørkenrotte' (brit. soldat).
deserve [di'zə·v] fortjene; gøre sig fortjent; *~ well of one's country* have gjort sig fortjent af fædrelandet, have ydet sit fædreland store tjenester. **deservedly** [di'zə·vidli] fortjent, med rette (fx. *he was ~ blamed*).
deserving [di'zə·viŋ] fortjenstfuld; *~ poor* værdige trængende.
deshabille ['dezābi·l] negligé.
desiccate ['desikeⁱt] tørre; blive tør. **desiccation** [desi'keⁱʃən] udtørring. **desiccator** ['desikeⁱtə] exsikkator.
desiderate [di'zidəreⁱt] savne; ønske; betragte som ønskelig.
desiderat|um [dizidə'reⁱtəm] (pl. *-a*) savn; ønske; ønskemål.
I. **design** [di'zain] (vb.) gøre udkast, tegne; formgive; konstruere; skitsere; planlægge; udtænke; bestemme, udse (fx. *this room is -ed to be my study*); *he -s to* (ogs.) det er hans mening at.
II. **design** [di'zain] (subst.) tegning, udkast, rids; dessin; mønster; plan; formgivning; konstruktion; forehavende, hensigt; anslag (*on, against* mod); *by ~* med vilje; *it was more by fortune than by ~* det var snarere lykken end forstanden; *she has -s on your money* hun er ude efter dine penge.
designate ['dezigneⁱt] betegne, angive; udse, udpege (*to, for* til). **designation** [dezig'neⁱʃən] betegnelse, udpegning.
designedly [di'zainidli] med forsæt. **designer** [di'zainə] tegner; konstruktør; formgiver; en som lægger planer; rænkesmed. **designing** [di'zainiŋ] (adj.) listig, lumsk, beregnende.
desirability [dizaiərə'biliti] ønskelighed. **desirable** [di'zaiərəbl] attråværdig, ønskelig.
desire [di'zaiə] (subst.) ønske; lyst (*for* til); begær, attrå; anmodning, bøn; (vb.) ønske; attrå, begære; anmode, bede; *leave much to be -d* lade meget tilbage at ønske. **desirous** [di'zaiərəs] begærlig, ivrig (*of* efter); *be ~ of* (ogs.) ønske.
desist [di'zist] afstå (*from* fra); holde op (*from* med).
desk [desk] (skrive)pult; skrivebord; *master's ~* kateder.
I. **desolate** ['desəlėt] (adj.) ubeboet, øde, forladt; ensom; ulykkelig.
II. **desolate** ['desəleⁱt] (vb.) affolke; hærge, lægge øde; gøre ulykkelig. **desolation** [deso'leⁱʃən] affolkning; ødelæggelse; trøstesløshed; forladthed, ensomhed.
despair [di'spæə] (subst.) fortvivlelse; (vb.) fortvivle, opgive håbet (*of* om); *be the ~ of one's parents* bringe sine forældre til fortvivlelse. **despairing** [di'spæəriŋ] fortvivlet.
despatch [di'spätʃ] se *dispatch*.
desperado [despə'ra·doᵘ] samvittighedsløs skurk, desperado.
desperate ['desp(ə)rėt] fortvivlet, desperat. **desperation** [despə'reⁱʃən] fortvivlelse, desperation.
despicable ['despikəbl] foragtelig.
despise [dė'spaiz] foragte.
despite [dė'spait] (subst.) ondskab; had; foragt; (præp.) trods, til trods for; *in ~ of* til trods for, på trods af.
despoil [di'spoil] plyndre. **despoiler** plyndrer.
despoliation [dispoᵘli'eⁱʃən] plyndring.
despond [di'spånd] fortvivle, opgive håbet. **despondency** [di'spåndənsi] fortvivlelse; modfaldenhed, modløshed. **despondent** [di'spåndənt] fortvivlet; modfalden, modløs, forsagt.
despot ['despåt] selvhersker, despot. **despotic(al)** [de'spåtik(l)] despotisk. **despotism** ['despətizm] despoti.
desquamation [deskwə'meⁱʃən] (subst., med.) afskalning.
dessert [di'zə·t] dessert; *~ spoon* dessertske.
destination [desti'neⁱʃən] bestemmelsessted.
destined ['destind]: *~ for* bestemt til; *~ to* (af skæbnen) bestemt til at; *a plan ~ to fail* en plan der var dømt til at mislykkes; *they were ~ to meet again* skæbnen ville at de skulle mødes igen.
destiny ['destini] skæbne.
destitute ['destitju·t] fattig, nødlidende; *~ of* blottet for. **destitution** [desti'tju·ʃən] fattigdom, armod, nød.
destroy [dė'stroi] ødelægge, tilintetgøre, destruere; nedbryde (fx. *discipline*); aflive, dræbe. **destroyer** [dė'stroiə] ødelægger; ⚓ torpedojager, destroyer.
destructible [di'strʌktəbl] forgængelig; som kan ødelægges el. tilintetgøres. **destruction** [di'strʌkʃən] ødelæggelse, tilintetgørelse; aflivelse; undergang.
destructive [di'strʌktiv] (adj.) destruktiv, nedbrydende, ødelæggende; *~ distillation* (kem.) tørdestillation. **destructor** [di'strʌktə] forbrændingsovn.
desuetude [di'sju·itju·d, 'deswitju·d] ophør, gåen af brug; *fall into ~* gå af brug.
desultory ['desəltəri] planløs (fx. *reading*), springende, tilfældig.
detach [di'tätʃ] skille, løsgøre, løsrive; tage af; sende, detachere; udtage; *~ oneself from* skille sig ud fra. **detachable** [di'tätʃəbl] (adj.) aftagelig, løs. **detached** [di'tätʃt] afsondret, særskilt liggende; uhildet, upartisk, objektiv; *~ house* fritliggende hus, enkelthus, villa. **detachment** [di'tätʃmənt] adskillelse; afsondring; afsondrethed; objektivitet, uhildethed, upartiskhed; detachement, afdeling.
I. **detail** [di'teⁱl] (vb.) fortælle omstændeligt, berette indgående om; beordre, udtage; *he was -ed to* han fik ordre til at, han blev udtaget til at.
II. **detail** ['di·teⁱl] (subst.) enkelthed; detalje; omstændelig beretning; soldater afgivet til særskilt tjeneste; afdeling; *in ~* punkt for punkt, i enkeltheder, omstændelig, indgående; *go into ~* gå i enkeltheder.
detailed (adj.) omstændelig, udførlig, detaljeret.
detain [di'teⁱn] (vb.) tilbageholde; opholde; anholde; holde fangen; indlægge; internere; lade sidde efter. **detainee** [diteⁱ'ni·] (subst.) anholdt, arrestant; interneret. **detainer** [di'teⁱnə] uretmæssig tilbageholdelse af ejendom; ordre til forlænget arrest.
detect [di'tekt] opdage; opspore; opfange; påvise; *~ sby. in* gribe en i.
detection [di'tekʃən] opdagelse; påvisning.
detective [di'tektiv] kriminalbetjent, opdager, detektiv; detektiv- (fx. *agency* bureau; *novel* roman).
detector [di'tektə] detektor.
détente ['deⁱ'ta·ŋt] (subst.) (politisk) afspænding.
detention [di'tenʃən] tilbageholdelse; anholdelse; eftersidning; indlæggelse; *preventive ~* sikkerhedsforvaring, internering.
deter [di'tə·] afskrække.
detergent [di'tə·dʒənt] rensende (middel), vaskemiddel.
deteriorate [di'tiəriəreⁱt] forringe(s), forværre(s).
deterioration [ditiəriə'reⁱʃən] forringelse, forværring.
determent [di'tə·mənt] afskrækkende moment; afskrækkelse.

determinable [di'tə·minəbl] som kan bestemmes. **determinant** [di'tə·minənt] bestemmende; afgørende faktor. **determinate** [di'tə·minet] (adj.) bestemt. **determination** [ditə·mi'neiʃən] bestemmelse; afgørelse; forsæt; fasthed; beslutsomhed; bestemthed; målbevidsthed.

determine [di'tə·min] bestemme; afgøre; fastsætte; beslutte sig *(upon* til); bringe til ophør. **determined** [di'tə·mind] (adj.) bestemt, fast, beslutsom; målbevidst; ~ *to* besluttet på at. **determinism** [di'tə·minizm] determinisme. **determinist** [di'tə·minist] determinist.

deterrent [di'terənt] afskrækkende; afskrækkende middel, afskrækkende moment; afskrækkelsesvåben.

detersive [di'tə·siv] rensende; rensende middel.

detest [di'test] (vb.) afsky. **detestable** [di'testəbl] afskyelig. **detestation** [di·tes'teiʃən] afsky; noget der vækker afsky.

dethrone [di'þroun] detronisere, støde fra tronen; afsætte. **dethronement** [di'þrounmənt] detronisering; afsættelse.

detonate ['detoneit] detonere; eksplodere; knalde; lade (el. få til at) eksplodere. **detonation** [deto'neiʃən] detonation; eksplosion; knald. **detonator** ['detoneitə] detonator, tændsats, fænghætte; (jernb.) knaldsignal.

detour ['deituə, di'tuə] omvej; afstikker; omkørsel.

detract [di'träkt]: ~ *from* nedsætte, forringe; ~ *attention* bortlede opmærksomheden. **detraction** [di'träkʃən] forringelse, bagtalelse. **detractive** (adj.) = *detractory*. **detractor** [di'träktə] bagvasker. **detractory** [di'träktəri] nedsættende, bagtalerisk.

detrain [di·'treinn] stige ud af toget, lade stige ud af toget.

detribalize [di·'traibəlaiz] fjerne fra stammetilværelse.

detriment ['detrimənt] (subst.) skade; *to the* ~ *of* til skade for; *without* ~ *to* uden skade for. **detrimental** [detri'mentl] skadelig *(to* for); (subst.) *a* ~ **T** et dårligt parti, en mindre ønskværdig bejler.

detrition [di'triʃən] afslidning, afskuring.

detritus [di'traitəs] forvitringsprodukt(er), forvitringsgrus; rester; affald; (med.) detritus.

Detroit [də'troit].

de trop [də'trou] uvelkommen, i vejen, til ulejlighed; *feel* ~ føle sig tilovers.

detrude [di'tru·d] tvinge bort, tvinge ned.

detruncate [di·'trʌŋkeit] afhugge, afskære.

deuce [dju·s] toer (i spil); lige (i tennis); fanden, pokker; *the* ~ *of* pokkers; *go to the* ~ gå pokker i vold; *the* ~ *he did* han gjorde pokker, gjorde han; gu' gjorde han ej; *there will be the* ~ *to pay* det bliver en dyr (el. slem) historie; *play the* ~ *with sth.* ødelægge noget; *what the* ~ hvad pokker. **deuced** [dju·st] (adj.) **S** fandens, pokkers.

Deuteronomy [dju·tə'rånəmi] femte Mosebog.

devaluate [di·'väljueit] = *devalue*. **devaluation** [di·välju'eiʃən] devaluering.

devalue ['di·'välju·] devaluere, nedsætte i værdi, nedskrive; (fig.) nedvurdere.

devastate ['devəsteit] ødelægge, hærge. **devastating** ['devəsteitiŋ] ødelæggende, voldsom, frygtelig.

devastation [devə'steiʃən] ødelæggelse, hærgen.

develop [di'veləp] (vb.) udvikle, udfolde, **T** fremme; udnytte (fx. *the resources of a country)*; bebygge; fremkalde (en film); udvikle sig; udfolde sig; få (fx. *engine trouble; measles); be -ing a cold* være ved at blive forkølet. **developer** [di'veləpə] fremkalder(væske). **developing| country** udviklingsland, uland. ~ **hanger** filmholder, fremkalderramme.

development [di'veləpmənt] udvikling, udfoldelse; (udstykning og) bebyggelse; (fot.) fremkaldelse. **development area** område der gøres til genstand for egnsudvikling, udviklingsområde.

deviate ['di·vieit] afvige; ⚓ deviere; ~ *from* (ogs.) fravige. **deviation** [di·vi'eiʃən] afvigelse; afdrift; (kompassets) deviation. **deviationist** [di·vi'eiʃənist] afviger (fra partilinien).

device [di'vais] opfindelse, påfund; plan, list; tankesprog, devise; indretning, anordning, apparat; *leave him to his own -s* lade ham sejle sin egen sø, lade ham klare sig selv.

I. **devil** ['devl] (subst.) djævel; dæmon; bogtrykkerdreng (ogs. *printer's* ~*)*; underordnet medarbejder, neger; underordnet sagfører; *beat the -'s tattoo* tromme i bordet; ~ *a bit!* ikke i ringeste måde! *the* ~ *you did* du gjorde fanden, gjorde du; *between the* ~ *and the deep sea* som en lus mellem to negle, i et dilemma; *give the* ~ *his due* ret skal være ret; man kan også gøre (et) skarn uret; *go to the* ~ gå i hundene; gå pokker i vold! *a* ~ *of a fellow* en fandens ka'l; ~ *a one* ingen djævel (ɔ: ingen); *the* ~ *looks after his own* fanden hytter sine; *there'll be the* ~ *(and all) to pay* så er fanden løs; der bliver en fandens ballade; *play the* ~ *with* ødelægge, holde slemt hus med, gøre kål på; *talk of the* ~ *and you'll see his tail (, horns)* når man taler om solen så skinner den; *it is the very* ~ det er forbandet ubehageligt, besværligt etc.

II. **devil** ['devl] (subst.) stærkt krydret kødret.

III. **devil** ['devl] (vb.) stege eller riste med sennep etc.; plage; udføre underordnet arbejde for en anden.

devilfish ['devlfiʃ] (subst., zo.) djævlerokke. **devilish** ['devliʃ] (adj.) djævelsk; forbandet, pokkers; upålidelig. **devil-may-care** (adj.) fandenivoldsk, ligeglad. **devilment** ['devlmənt] spilopmageri; kådt, drilsk indfald; *out of sheer* ~ af ren og skær kådhed.

devilry ['devlri] djævelskab, djævelskhed; ondskabsfuld drilagtighed; djævle. **devil's bit** ♧ djævelsbid.

devil's-darning-needle (zo.) guldsmed.

devious ['di·viəs] afsides; vildsom; vildfarende; upålidelig; ~ *means* uærlige midler, krogveje; *by* ~ *paths* ad omveje.

devise [di'vaiz] (vb.) opfinde, optænke, udtænke; testamentere; (subst.) borttestamentering.

devisee [devi'zi·, divai'zi·] arving (efter testamente). **devisor** [devi'zå·, divai'zå·] arvelader.

devitalization [di·vaitəlai'zeiʃən] nervebehandling (af en tand). **devitalize** [di·'vaitəlaiz] dræbe nerven i (en tand); berøve livskraften, afkræfte.

devoid [di'void] fri, blottet *(of* for); ~ *of sense* meningsløs.

devolution [di·və'lu·ʃən] overgang (ved arv) *(on* til); overdragelse; degeneration. **devolve** [di'vålv]: ~ *(up)on* overdrage til; gå i arv til; overgå til; tilfalde, påhvile.

Devon ['devn]. **Devonian** [di'vouniən] devonisk; som hører til Devonshire; indbygger i Devonshire.

Devonshire ['devnʃə].

devote [di'vout] hellige, vie, ofre; ~ *all one's energy to* sætte al sin kraft ind på. **devoted** [di'voutid] hengiven; selvopofrende; viet til undergang.

devotee [devou'ti·] entusiast, fanatiker; *bridge* ~ passioneret bridgespiller.

devotion [di'vouʃən] helligelse, hengivelse; opofrelse; hengivenhed; andagt, gudsfrygt. **devotional** [di'vouʃnəl] andægtig; opbyggelig, andagts-. **devotions** andagtsøvelser, andagt.

devour [di'vauə] sluge (fx. *one's dinner; a novel)*; fortære; *-ed by* (ogs.) overvældet af (fx. *anxiety)*.

devout [di'vaut] from, religiøs; andægtig; oprigtig, inderlig (fx. *a* ~ *prayer)*; ivrig (fx. *supporter)*.

devulcanize [di·'vʌlkənaiz] afvulkanisere.

dew [dju·] (subst.) dug; (vb.) dugge.

dew|-berry korbær. ~ **-claw** ulveklo, vildtklo, femte (overtallig) klo. ~ **-drop** dugdråbe. ~ **-fall** dugfald. **-lap** doglæp, løs hud under halsen. ~ **point** dugpunkt. **dewy** ['dju·i] dugget.

dexterity [deks'teriti] behændighed, (finger)færdighed; dygtighed, hurtig opfattelsesevne. **dexterous** ['dekst(ə)rəs] behændig, øvet; fingerfærdig, fingernem; hurtig i opfattelsen.

dextral [ˈdekstrəl] højrehåndet; (zo.) højrevendt.
dextrin(e) [ˈdekstrin] dekstrin.
dextrorotatory [dekstroˈroᵘtətəri] (kem.) højredrejende.
dextrose [ˈdekstroᵘs] dekstrose, druesukker, glukose.
dey [deⁱ] dej (tyrkisk guvernør).
D.F. fk. f. *Defender of the Faith; direction finder.*
D.F.C. fk. f. *Distinguished Flying Cross.*
D.F.M. fk. f. *Distinguished Flying Medal.*
D.G. fk. f. *Dei Gratia* af Guds nåde.
dhoti [ˈdoᵘti] (hindus) lændeklæde.
diabetes [daiəˈbi·ti·z] sukkersyge. **diabetic** [daiəˈbetik] (adj.) sukkersyge-; (subst.) diabetiker, sukkersygepatient.
diabolic(al) [daiəˈbålik(l)] djævelsk, diabolsk.
diabolo [diˈa·bəloᵘ] djævlespil.
diadem [ˈdaiədem] diadem.
diagnose [ˈdaiəgnoᵘz] (vb.) diagnosticere, stille en diagnose for. **diagnos|is** [daiəgˈnoᵘsis] (pl. *-es* [daiəgˈnoᵘsi·z]) diagnose. **diagnostic** [daiəgˈnåstik] (adj.) diagnostisk; (subst.) kendetegn (på en sygdom), symptom.
diagonal [daiˈägənəl] (subst., adj.) diagonal; ~ *strut* skråstiver.
diagram [ˈdaiəgräm] diagram, rids, figur.
dial [ˈdaiəl] (subst.) solskive, solur; urskive; (tlf.) nummerskive; (radio) indstillingsskala; **S** ansigt; (vb.) (tlf.) dreje (et nummer); stille ind på (radiostation).
dialect [ˈdaiəlekt] dialekt. **dialectal** [daiəˈlektl] dialektal, dialekt- (fx. *differences*). **dialectic(al)** [daiəˈlektik(l)] dialektisk, som hører til dialektikken; (ogs. = *dialectal); ~ materialism* dialektisk materialisme. **dialectician** [daiəlekˈtiʃən] dialektiker.
dialectics [daiəˈlektiks] dialektik.
dialogue [ˈdaiəlåg] samtale, dialog; replikskifte.
dial| telephone automatisk telefon. ~ **tone** (tlf.) klartone.
dialysis [daiˈälisis] dialyse.
diameter [daiˈämitə] diameter, tværmål. **diametral** [daiˈämitrəl] diametrisk. **diametrical** [daiəˈmetrikl] diametrisk; diametral. **diametrically**: ~ *opposed* diametralt modsat.
diamond [ˈdaiəmənd] (ogs. typ.) diamant; ruder (i kortspil); rombe; ~ *cut* ~ høg over høg; *black -s* sorte diamanter; stenkul; *king of -s* ruder konge; *rough* ~ usleben diamant (ogs. fig.: god men ukultiveret). **diamond|back terrapin** (zo.) knopskildpadde. ~ **bird** (zo.) diamantfugl. ~ **-cutter** diamantsliber. ~ **jubilee** 60-årsdag. ~ **wedding** diamantbryllup.
Diana [daiˈänə].
diapason [daiəˈpeⁱsn] toneregister, omfang (af stemme, instrument), toner, melodi; stemmegaffel; kammertone; (i orgel): *open* ~ principal; *stopped* ~ gedackt, dækfløjte.
diaper [ˈdaiəpə] rudet mønster; ble; (vb.) forsyne med rudet mønster.
diaphanous [daiˈäfənəs] gennemsigtig.
diaphragm [ˈdaiəfräm] (anat.) mellemgulv; skillevæg; (zo., ♧) hinde, membran; (fot.) blænder; (med.) pessar. **diaphragmatic** [daiəfrägˈmätik] mellemgulvs-.
diarist [ˈdaiərist] dagbogsforfatter.
diarrhoea [daiəˈriə] diarré.
diary [ˈdaiəri] dagbog; lomme|bog, -kalender.
diastole [daiˈästəli] diastole (den rytmiske udvidelse af hjertet).
diathermy [ˈdaiəþə·mi] diatermi.
diatonic [daiəˈtånik] (i musik) diatonisk.
diatribe [ˈdaiətraib] heftigt udfald, voldsom kritik; smædeskrift.
dibble [ˈdibl] (subst.) plantestok, plantepind; (vb.) lave huller (el. plante) med plantepind; dible.
dibs [dibz] (pl.) jetons; **S** stakater, gysser.
dice [dais] (pl. af *die)* terninger; (vb.) spille med terninger; skære i terninger (fx. *-d carrots).* **dice-box** raflebæger. **dicer** [ˈdaisə] terningspiller.
dichotomy [diˈkåtəmi] (subst.) tvedeling.
I. **Dick** [dik] fk. f. *Richard.*
II. **dick** [dik] (amr. **S**) opdager, detektiv.
dickens [ˈdikinz] fanden, pokker.
dicker [ˈdikə] (vb.) tinge, prutte.
dickey [ˈdiki] (subst.) **S** ekstra sæde bag på topersoners bil; kuskesæde på hestekøretøj; 'klipfisk', løst skjortebryst; snydebluse; pipfugl; (adj.) **S** sløj, dårlig; ussel; svag, rystende. **dickey-seat** bagsæde (se *dickey).* **dicky** se *dickey.* **dicky-bird** pipfugl.
dicta pl. af *dictum.*
dictaphone [ˈdiktəfoᵘn] ® diktafon.
I. **dictate** [dikˈteⁱt] (vb.) diktere; befale.
II. **dictate** [ˈdikteⁱt] (subst.) befaling; diktat; magtsprog; bud (fx. *the -s of conscience).*
dictation [dikˈteⁱʃən] diktat; *from* ~ efter diktat.
dictator [dikˈteⁱtə] diktator. **dictatorial** [diktəˈtå·riəl] (adj.) diktatorisk. **dictatorship** [dikˈteⁱtəʃip] diktatur, diktatorstilling.
diction [ˈdikʃən] ordvalg, diktion, foredrag.
dictionary [ˈdikʃən(ə)ri] ordbog, leksikon.
dictum [ˈdiktəm] (pl. *dicta* [ˈdiktə]) udsagn; konklusion; autoritativ udtalelse; maksime.
did [did] imperf. af *do.*
didactic [diˈdäktik] belærende, didaktisk; ~ *poem* læredigt. **didactics** didaktik.
diddle [ˈdidl] snyde, fuppe; ruinere, ødelægge, dræbe; drysse (tiden bort); vakle, gå usikkert; ~ *sby. out of his money* narre pengene fra en.
didn't [ˈdidnt] = *did not.*
Dido [ˈdaidoᵘ].
didy [ˈdidi] ble.
I. **die** [dai] (vb.) dø; omkomme; visne; dø hen, ophøre; (om plante) gå ud; ~ *away* dø hen (fx. *the noise died away); be dying* være ved at dø, ligge for døden; *be dying for* længes efter, være helt syg efter; ~ *by the sword* falde for sværdet; ~ *down* dø hen; ~ *hard* kæmpe til det sidste, kæmpe en håbløs kamp, være sejlivet; ~ *in one's boots* dø kæmpende, dø pludseligt, dø en voldsom død; ~ *in the last ditch* kæmpe til det sidste; sælge sit liv dyrt; ~ *of grief* dø af sorg; ~ *off* dø bort, dø en efter en; ~ *out* uddø; *never say ~!* frisk mod!
II. **die** [dai] (pl. *dice)* terning; (pl. *dies)* møntstempel, prægestempel, matrice; *screw* ~ skruebakke, gevindskærer; *the ~ is cast* terningerne er kastet.
die-away [ˈdaiəweⁱ] (adj.) smægtende.
die-cast trykstøbe.
die-hard [ˈdaiha·d] stokkonservativ, reaktionær; en som sælger sit liv dyrt.
dielectric [daiiˈlektrik] (adj.) elektrisk isolerende; (subst.) dielektrikum, isolator.
Diesel [ˈdi·zəl]: ~ *engine* dieselmotor.
die-sinker stempelskærer; matricefræsemaskine.
I. **diet** [ˈdaiət] (subst.) rigsdag, landdag; kongres.
II. **diet** [ˈdaiət] (subst.) kost; diæt; (vb.) sætte på diæt; spise; holde diæt; ~ *oneself* holde diæt.
dietary [ˈdaiətəri] (adj.) diæt-; (subst.) diætkost, diæt; diætforskrift; diætseddel.
dietetic [daiiˈtetik] diætetisk; *-s* diætetik.
dietician [daiəˈtiʃən] diætetiker, ernæringsfysiolog.
differ [ˈdifə] være forskellig, afvige *(from* fra); være uenig *(from, with* med); *agree to* ~ blive enige om at lade hver beholde sin mening; *I beg to* ~ jeg er ikke enig med Dem, jeg tillader mig at være af en anden mening; ~ *from* (ogs.) adskille sig fra.
difference [ˈdifrəns] forskel, forskellighed; afvigelse; uenighed; stridspunkt, strid; *that makes all the* ~ det var noget helt andet; det er noget der batter; *it makes no* ~ det har ikke noget at sige, det gør ikke noget; *settle the* ~ bilægge striden; *split the* ~ mødes på halvvejen, indgå et kompromis.
different [ˈdifrənt] forskellig *(from* fra); anderledes *(from* end); *that is* ~ det er noget andet (el. en anden sag); *she wore a* ~ *hat* hun havde en anden hat på.

differential [difə'renʃəl] (adj.) differential, angivende forskel, særlig; (subst.) lønforskel (mellem faglærte og ufaglærte).

differential| calculus differentialregning. ~ **gear** differentiale. ~ **tariff** differentialtarif.

differentiate [difə'renʃieⁱt] (vb.) differentiere; skelne, sondre, adskille; skille sig ud. **differentiation** [difərenʃi'eⁱʃən] differentiering, skelnen, adskillelse.

difficile ['difisi·l] (adj.) umedgørlig.

difficult ['difikəlt] vanskelig, svær. **difficulty** ['difikəlti] vanskelighed; forlegenhed; *find ~ in sth.* finde noget vanskeligt, have svært ved noget; *make* (el. *raise) difficulties* komme med indvendinger.

diffidence ['difidəns] frygtsomhed, mangel på selvtillid, spagfærdighed. **diffident** ['difidənt] forknyt, frygtsom, som mangler selvtillid, spagfærdig, forsagt.

diffraction [di'fräkʃən] diffraktion, brydning.

I. **diffuse** [di'fju·z] (vb.) udbrede; sprede; (fys.) blande(s), blande sig, diffundere.

II. **diffuse** [di'fju·s] (adj.) spredt (fx. *light); vidtløftig, bred, snakkesalig (fx. speaker).* **diffusible** [di'fju·zəbl] som kan udbredes. **diffusion** [di'fju·zən] spredning, udbredelse; (fys. ogs.) blanding, diffusion. **diffusive** [di'fju·siv] spredt, udbredt; vidtløftig.

I. **dig** [dig] *(dug, dug)* (vb.) grave; grave i, grave op; støde, puffe; **T** slide; logere; (amr. **S**) forstå; ~ *for* grave efter; ~ *in* grave ned; bo midlertidigt *(with* hos); ~ *in the spurs* hugge sporerne i; ~ *oneself in* grave sig ned; (fig.) forskanse sig; gå i gang; ~ *into* **T** (fig.) grave sig ned i; gøre indhug i; ~ *out* grave frem; ~ *up* grave frem (, op); 'spytte i bøssen', yde bidrag; skaffe (is. penge).

II. **dig** [dig] (subst.) stød, puf; hib, snært; (arkæol.) udgravning; (amr. **S**) slider; *have a ~ at sby.* give en et hib.

I. **digest** ['daidʒest] (subst.) udtog, oversigt; lovbog.

II. **digest** [d(a)i'dʒest] (vb.) fordøje; lade sig fordøje; tilegne sig; ordne, bringe i system, gennemtænke.

digester [di'dʒestə] (subst.) fordøjelsesmiddel; *Papin's Digester* Papins gryde. **digestible** [di'dʒestəbl] (adj.) fordøjelig. **digestion** [di'dʒestʃən] (subst.) fordøjelse; digestion; forståelse. **digestive** [di'dʒestiv] (adj.) fordøjelses- (fx. *trouble);* fordøjelsesfremmende, god for fordøjelsen; (subst.) middel som fremmer fordøjelsen.

digger ['digə] guldgraver; **S** australier; (zo.) gravehveps; *I say, old ~!* hør, du gamle! **digger-wasp** (zo.) gravehveps.

digging ['digiŋ] gravning; guldgravning; udgravet materiale; *-s* (guld)minedistrikt; **T** bolig, logi.

digit ['didʒit] (zo.) tå, finger; fingersbred; encifret tal, ciffer (fx. *the number 1960 contains four -s).* **digital** ['didʒitəl] (adj.) finger-; (subst.) tangent (på musikinstrument). **digital computer** cifferregnemaskine. **digitalis** [didʒi'teⁱlis] ♧ fingerbøl, digitalis. **digitate** ['didʒiteⁱt] ♧ fingret (om blad). **digitigrade** ['didʒitigreⁱd] (zo.) tågænger.

dignified ['dignifaid] ophøjet; værdig. **dignify** ['dignifai] (vb.) ophøje; udmærke, hædre, beære. **dignitary** ['dignitəri] høj gejstlig, høj embedsmand; dignitar, standsperson; *dignitaries* honoratiores.

dignity ['digniti] værdighed, ophøjethed; *stand on one's ~* holde på sin værdighed.

digraph ['daigra·f] digraf (to bogstaver der betegner én lyd, fx. 'ea' i ordet *beat).*

digress [dai'gres, di-] (vb.) komme bort fra emnet; gøre sidespring. **digression** [dai'greʃən, di-] (subst.) digression, sidespring, afstikker, uvedkommende bemærkning. **digressive** [dai'gresiv, di-] fuld af sidespring; side-.

digs [digz] (subst.) **T** bolig, logi.

dike [daik] (subst.) dige, dæmning; grav, grøft; (geol.) åre; (vb.) inddige, inddæmme; afgrøfte; grave. **diker** ['daikə] grøftegraver.

dilapidate [di'läpideⁱt] forsømme, lade forfalde; forfalde. **dilapidated** [di'läpideⁱtid] forsømt, forfalden; medtaget; faldefærdig, brøstfældig. **dilapidation** [diläpi'deⁱʃən] brøstfældighed, forfald; løse klippestykker.

dilatable [d(a)i'leⁱtəbl] udvidelig.

dilatation [daileⁱ'teⁱʃən] udvidelse.

dilate [d(a)i'leⁱt] udvide; udvide sig (fx. *the pupils of his eyes -d in the dark);* udbrede sig, tale vidt og bredt *(on* om). **dilation** [d(a)i'leⁱʃən] udvidelse.

dilatory ['dilətəri] sendrægtig, nølende; forhalings- (fx. *policy, tactics).*

dilemma [d(a)i'lemə] dilemma.

dilettan|te [dilė'tänti] (pl. *-ti* [-ti·]) dilettant.

dilettantism [dilė'täntizm] dilettanteri.

diligence ['dilidʒəns] flid; ['diliʒa·ns] diligence.

diligent ['dilidʒənt] flittig, omhyggelig.

dill [dil] (subst.) ♧ dild.

dilly-dally ['dilidäli] nøle, tøve, smøle.

diluent ['diljuənt] fortyndingsvæske.

dilute [d(a)i'l(j)u·t] (vb.) fortynde, spæde op; lade sig fortynde; udvande; (adj.) fortyndet; ~ *labour* antage ufaglært arbejdskraft. **dilution** [dai'lju·ʃən] fortynding, opspædning, opblanding, udtynding.

diluvial [d(a)i'lju·viəl] diluvial, oversvømmelses-.

dim [dim] (adj.) uklar, tåget, dunkel, mat, svag (fx. *his sight was ~);* utydelig (fx. *a ~ sound);* sløret; dum, kedelig; (vb.) formørke, gøre mat, gøre uklar, sløre (fx. *eyes -med with tears);* afblænde; blænde ned, dæmpe; blive mat, blive uklar; *take a ~ view of* se I. *view.*

dim. fk. f. *diminutive.*

dime [daim] tiendedel af en dollar, ticent; tarvelig, godtkøbs-, skillings-. **dime novel** knaldroman.

dimension [di'menʃən] dimension, omfang, mål; *-s* (ogs.) størrelse (fx. *a house of considerable -s).*

I. **dimidiate** [di'midiėt] (adj.) halveret.

II. **dimidiate** [di'midieⁱt] (vb.) halvere.

diminish [di'miniʃ] formindske; formindskes; *-ed column* søjle der bliver smallere opefter; *the law of -ing returns* det aftagende udbyttes lov.

diminution [dimi'nju·ʃən] formindskelse. **diminutive** [di'minjutiv] (adj.) meget lille; (subst.) diminutiv; formindskelsesord.

dimmer ['dimə] lysdæmper.

dim-out ['dimaut] nedblænding.

dimple ['dimpl] (subst.) lille fordybning, smilehul; (vb.) danne små fordybninger i; kruse; kruse sig; få smilehuller.

dimpled ['dimpld], **dimply** ['dimpli] med små fordybninger; kruset; med smilehuller.

dimwit fjols, tåbe.

din [din] (subst.) larm, drøn; (vb.) larme, drøne; ~ *it into his ears* banke det ind i hovedet på ham.

dine [dain] spise til middag, dinere; ~ *him* beværte (el. traktere) ham med middagsmad; invitere ham på middag; ~ *and wine him* traktere ham med middag og vin; give en fin middag for ham; *this table -s twelve comfortably* der kan magelig spise 12 personer til middag ved dette bord; ~ *off* (el. *on) roast goose* få gåsesteg til middag; ~ *out* spise til middag ude.

diner ['dainə] middagsgæst; spisevogn. **diner-out** en, som ofte spiser ude, middagsherre.

dinette [dai'net] spisekrog.

ding-dong ['diŋ'dåŋ] dingdang; ~ *fight* kamp med stadig skiftende held; meget jævnbyrdig kamp; forrygende slagsmål.

dinghy ['diŋgi] (subst.) jolle; sejljolle; (flyv.) gummibåd.

dingle ['diŋgl] dyb, snæver dal.

dingo ['diŋgoᵘ] vild hund (i Australien).

dingus ['diŋəs] (amr. **S**) tingest.

dingy ['din(d)ʒi] snusket, snavset, lurvet; mørk.

dining| alcove spisekrog. ~ **-car**, ~ **-coach** spisevogn. ~ **-room** spisestue. ~ **-table** spisebord.

dinkey ['diŋki] lille lokomotiv, rangerlokomotiv.

dinky ['diŋki] (adj.) sød, fiks; lille(bitte).

dinner ['dinə] middag, middagsmad; festmiddag. **dinner|-jacket** smoking. ~ **-party** middagsselskab. ~ **-service,** ~ **-set** spisestel.

dint [dint] (subst.) mærke af slag el. stød; hak, bule; (vb.) gøre bulet; *by ~ of* ved hjælp af.

diocesan [dai'åsisən] stifts-. **diocese** ['daiəsis] stift, bispedømme.

dioecious [dai'i·ʃəs] (adj.) ♧ tvebo.

Dionysus [daiə'naisəs] Dionysos.

diopter [dai'åptə] dioptri (enhed for linsestyrke).

dioptric [dai'åptrik] dioptrisk. **dioptrics** dioptrik, lære om lysstrålernes brydning.

dip [dip] (vb.) dyppe; dukke, synke (el. gå) ned; sænke sig, skråne (fx. *the road -s);* hælde; øse; farve; støbe lys (ved at dyppe en væge i talg); (subst.) dukkert; dypning; dykning; hældning, sænkning, lavning; fald (fx. *a ~ in prices);* spiddelys; magnetnålens inklination; *~ the flag* kippe flaget; *~ the headlights* blænde ned; *~ into* kigge i (fx. *a book);* se lidt på, beskæftige sig overfladisk med; *~ into one's purse* (fig.) gøre et greb i lommen; *~ one's hand into* stikke hånden ned i.

diphtheria [dif'þiəriə] difteritis, difteri.

diphtheritic [difþə'ritik] difteritisk.

diphthong ['difþåŋ] tvelyd, diftong. **diphthongize** ['difþåŋgaiz] diftongere.

diploma [di'ploᵘmə] diplom; eksamensbevis; afgangsbevis.

· **diplomacy** [di'ploᵘməsi] diplomati. **diplomat** ['diplomät] diplomat. **diplomatic** [diplo'mätik] diplomatisk; *the ~ body* (el. *corps)* det diplomatiske korps; *the ~ service* udenrigstjenesten. **diplomatics** diplomatik, håndskriftsvidenskab.

diplomatist [di'ploᵘmətist] diplomat.

dipper ['dipə] (subst.) baptist; øse; (zo.) vandstær; (i bil) nedblændingskontakt; *the (Big) Dipper* (amr., astr.) Den store Bjørn; *the Little Dipper* (amr., astr.) Den lille Bjørn.

dipping-needle inklinationsnål.

dippy ['dipi] gal, tosset.

dipsomania [dipsoᵘ'meⁱnjə] dipsomani, periodisk forfaldenhed til drik. **dipsomaniac** [dipso'meⁱnjäk] dipsoman, kvartalsdranker.

dipstick (oliestands)målepind; pejlstok.

diptera ['diptərə] (zo.) tovingede insekter. **dipterous** ['diptərəs] (adj.) tovinget.

dire ['daiə] (adj.) skrækkelig, sørgelig; (glds., poet.) svar; *out of ~ necessity* tvunget af den hårde nød.

direct [di'rekt, dai-] (adj.) lige; direkte; umiddelbar; ligefrem; (vb.) lede (fx. *the work),* dirigere (fx. *an orchestra);* styre (fx. *one's steps towards the house),* rette; henvende (fx. *one's remarks to sby.; one's attention to sth.);* anvise; befale, beordre (fx. *~ them to advance slowly);* adressere; vise vej; *the ~ opposite of* det stik modsatte af; *in ~ ratio to* ligefrem proportional(t) med; *~ a film* iscenesætte en film.

direct | current jævnstrøm. ~ **hit** fuldtræffer.

direction [di'rekʃən, dai-] retning; ledelse; direktion, bestyrelse; anvisning; adresse; *-s for use* brugsanvisning.

directional [di'rekʃənl]: *~ aerial* retningsantenne, pejleantenne; *~ gyro* kursgyro; *~ light* retningsfyr.

direction|-finder pejleapparat. ~ **-indicator** (på bil) retningsviser, afviser.

directive [di'rektiv, dai-] ledende; (subst.) direktiv.

directly [di'rektli, dai-] lige; direkte; umiddelbart; straks, om et øjeblik; så snart, straks da.

directness [di'rektnės, dai-] lige retning; ligefremhed; umiddelbarhed.

director [di'rektə] leder; vejleder; bestyrer, direktør; bestyrelsesmedlem; filminstruktør; (i hørespil) iscenesætter, instruktør; ⚔ korrektør.

directorate [di'rektərėt] direktorat, direktion.

directory [di'rektəri] (adj.) vejledende; (subst.) adressebog, vejviser; telefonbog.

directress [di'rektrės] bestyrerinde, direktrice.

directrix [di'rektriks] ⚔ kernelinie; (mat.) ledelinie, ledekurve.

direful ['daiəful] frygtelig, forfærdende.

dirge [də·dʒ] klagesang, sørgesang.

dirigible ['diridʒəbl] styrbart luftskib.

dirk [də·k] (subst.) dolk; (vb.) dolke.

dirt [də·t] smuds, snavs, skarn; (fig.) svineri, sjofelhed(er); jord; (ved udvaskning af guld) grus; *eat ~* lade sig byde hvad som helst; *fling* (el. *throw) ~ at* kaste smuds på, bagtale; *treat sby. like ~* behandle en sjofelt; *yellow ~* guld. **dirt|-cheap** latterlig billig, til spotpris. ~ **road** (amr.) jordvej. ~ **-track** slaggebane (til motorcykelvæddeløb). ~ **-track racing** dirt track.

dirty ['də·ti] (adj.) snavset, smudsig; som fremkalder radioaktiv forurening (fx. *bomb);* tarvelig, gemen; slibrig, uanstændig, sjofel (fx. *story),* svinsk; (vb.) gøre snavset; tilsmudse; snavse (el. svine) til; blive snavset; *do the ~ on* behandle sjofelt; *a ~ look* et vredt (el. olmt) blik; *a ~ old man* en gammel gris; *a ~ trick* en svinestreg; *~ weather* stormvejr; *~ word* uartigt ord; *~ work* lumskeri; *do sby.'s ~ work for him* gøre det grove arbejde for én.

disability [disə'biliti] inkompetence; uegnethed, mangel på evne; (jur.) inhabilitet. **disable** [dis'eⁱbl] gøre utjenstdygtig; gøre til invalid; gøre ubrugbar; gøre uarbejdsdygtig; (jur.) gøre inhabil; diskvalificere, gøre *~ him from doing it* sætte ham ud af stand til at gøre det; *-d soldier* krigsinvalid.

disablement [dis'eⁱblmənt] diskvalifikation; erhvervsudygtighed; invaliditet; ukampdygtighed.

disabuse [disə'bju·z] (vb.) desillusionere; bringe (el. rive) ud af vildfarelse; *~ of* befri (el. frigøre) for.

disaccord [disə'kå·d] (vb.) nægte at give sin tilslutning; disharmonere; (subst.) uoverensstemmelse, disharmoni.

disadvantage [disəd'va·ntidʒ] (subst.) skade; ulempe, uheldigt forhold; mangel; (vb.) være til skade for, skade; *at a ~* uheldig stillet. **disadvantageous** [disədva·n'teⁱdʒəs] ufordelagtig.

disaffected [disə'fektid] utilfreds, misfornøjet, fjendtlig stemt overfor regering el. øvrighed.

disaffection [disə'fekʃən] utilfredshed, misfornøjelse, oprørsånd.

disagree [disə'gri·] være uenig, ikke stemme overens; *lobster -s with me* jeg kan ikke tåle hummer. **disagreeable** [disə'griəbl] ubehagelig. **disagreement** [disə'gri·mənt] uoverensstemmelse; uenighed; strid.

disallow [disə'lau] forkaste; afvise; nægte at acceptere; *~ (of)* misbillige. **disallowance** [disə'lauəns] forkastelse; afvisning; misbilligelse.

disappear [disə'piə] forsvinde.

disappearance [disə'piərəns] forsvinden.

disappoint [disə'point] skuffe; narre *(of* for); forpurre, vælte; *I'm -ed in you* jeg er skuffet over Dem.

disappointment [disə'pointmənt] skuffelse.

disapprobation [disåpro'beⁱʃən] misbilligelse.

disapproval [disə'pru·vəl] misbilligelse.

disapprove [disə'pru·v]: *~ (of)* misbillige, være imod; afvise, forkaste.

disarm [dis'a·m] (vb.) afvæbne; afruste, nedruste; desarmere, uskadeliggøre (fx. *a bomb).* **disarmament** [dis'a·məmənt] afvæbning; afrustning, nedrustning; desarmering, uskadeliggørelse.

disarrange ['disə'reⁱn(d)ʒ] bringe i uorden. **disarrangement** uorden, forvirring.

disarray ['disə'reⁱ] (vb.) bringe i uorden; afklæde; (subst.) uorden, forvirring.

disassemble [disə'sembl] demontere, skille ad.

disaster [diz'a·stə] ulykke, katastrofe. **disastrous** [diz'a·strəs] ulykkelig, katastrofal.

disavow [disə'vau] benægte, fragå, fralægge sig ansvaret for, benægte gyldigheden af, nægte at vedkende sig, desavouere. **disavowal** [disə'vauəl] benægtelse, fragåelse, fralæggelse af ansvar, benægtelse af gyldighed, desavouering.

disband [dis'bänd] hjemsende; opløse; opløse sig. **disbandment** hjemsendelse; opløsning.
disbar [dis'ba·] fratage én advokatbestallingen.
disbelief ['disbi'li·f] mangel på tro, tvivl.
disbelieve ['disbi'li·v] ikke tro *(in* på); vægre sig ved at tro på, tvivle om. **disbeliever** ['disbi'li·və]: *a* ~ en som ikke tror; en vantro.
disbranch [dis'bra·nʃ] brække (el. hugge) grenene af.
disburden [dis'bə·dn] befri for en byrde; lette *(of* for); ~ *one's mind* lette sit hjerte.
disburse [dis'bə·s] udbetale. **disbursement** [dis'bə·smənt] udbetaling, udgift, udlæg.
disc [disk] rund skive (el. plade); diskos; grammofonplade; *slipped* ~ (med.) diskusprolaps.
I. **discard** [dis'ka·d] (vb.) kaste af (i kortspil), kaste lavt kort til; kassere; skubbe til side, afskedige; ~ *hearts* kaste af i hjerter.
II. **discard** ['diska·d] (subst.) afkast (i kortspil).
discern [di'sə·n] se, skelne, opdage; erkende. **discernible** [di'sə·nəbl] som kan skelnes. **discerning** [di'sə·niŋ] forstandig; skarpsindig. **discernment** [di'sə·nmənt] skelnen; dømmekraft; skarpsindighed.
I. **discharge** [dis'tʃa·dʒ] (vb.) aflæsse; losse (fx. ~ *the cargo,* ~ *a ship);* affyre (fx. *a gun);* udtømme; (elekt.) udlade, aflade; udsende, afgive, afsondre, væske (om sår); give fra sig; frikende; frigive; løslade; hjemsende, ⚓ afmønstre; udskrive (fx. *a patient from hospital);* afskedige; udføre (fx. *one's duties);* opfylde; betale (fx. *a debt);* bortskaffe, fjerne.
II. **discharge** [dis'tʃa·dʒ] (subst.) aflæsning; losning; udladning, afladning (fx. *electric* ~*);* affyring, salve; fjernelse; afskedigelse; befrielse, løsladelse, frikendelse; frigivelse; udførelse (fx. *the* ~ *of one's duties),* opfyldelse; betaling; udtømmelse; afsondring, udflod; *the* ~ *of one's office* ens embedsførelse; *port of* ~ lossehavn. **discharge| book** søfartsbog. ~ **lamp** (elektr.) udladningslampe. ~ **pipe** afløbsrør, spildevandsrør.
disc harrow diskharve.
disciple [di'saipl] discipel. **discipleship** [di'saiplʃip] discipels stilling el. forhold.
disciplinarian [disipli'næəriən] (adj.) disciplinær; (subst.) en som holder disciplin, læremester, tugtemester; *he is a good (, bad)* ~ han kan (, kan ikke) holde disciplin.
disciplinary ['disiplinəri] (adj.) disciplinær.
discipline ['disiplin] (subst.) disciplin, mandstugt; opdragelse; tugtelse; fag; videnskabsgren; læresystem; (vb.) disciplinere; tugte, opdrage; *breach of* ~ brud på disciplinen, disciplinær forseelse.
disc jockey T grammofoncausør, pladevender (i radio).
disclaim [dis'kleⁱm] ikke anerkende; fralægge sig (fx. *responsibility);* forkaste; frasige sig, opgive; ~ *knowledge of it* nægte at kende noget til det; ~ *(assets and) liabilities upon succeeding to property* fragå arv og gæld. **disclaimer** [dis'kleⁱmə] fralæggelse; fornægtelse; benægtelse; opgivelse.
disclose [dis'kloᵘz] åbenbare, afsløre, røbe (fx. *a secret).* **disclosure** [dis'kloᵘʒə] åbenbarelse, afsløring.
discoid ['diskoid] skiveformet.
discoloration [diskʌlə'reⁱʃən] affarvning; misfarvning; plet, skjold. **discolour** [dis'kʌlə] (vb.) affarve, forandre farven på; plette; blive affarvet (el. misfarvet), skifte farve.
discomfit [dis'kʌmfit] (vb.) slå på flugt, tilintetgøre; ~ *sby.* (ogs.) bringe en ud af fatning; få ens planer til at strande; gøre en modløs, gøre en ulykkelig. **discomfiture** [dis'kʌmfitʃə] nederlag; forvirring; forstyrrelse; skuffelse.
discomfort [dis'kʌmfət] (subst.) ubehag, ubehagelighed, gene; (vb.) genere, volde ubehag.
discommode [disko'moᵘd] genere, besvære.
discompose [diskəm'poᵘz] forurolige, forstyrre, bringe ud af fatning. **discomposure** [diskəm'poᵘʒə] uro, mangel på fatning, sindsoprør.
disconcert [diskən'sə·t] gøre forlegen, bringe ud af fatning; tilintetgøre, forpurre; *-ed* (ogs.) befippet.
disconnect ['diskə'nekt] adskille, frakoble, sætte ud af forbindelse, afbryde; *-ed* usammenhængende; (tlf.) afbrudt. **disconnection** ['diskə'nekʃən] adskillelse; frakobling; mangel på sammenhæng; afbrydelse.
disconsolate [dis'kånsəlėt] trøstesløs; utrøstelig.
discontent ['diskən'tent] (adj.) misfornøjet; (subst.) misfornøjelse, utilfredshed.
discontented ['diskən'tentid] misfornøjet.
discontinuance [diskən'tinjuəns], **discontinuation** [diskəntinju'eⁱʃən] afbrydelse, ophør.
discontinue [diskən'tinju·] holde op med, afbryde (fx. *the connection with sby.),* (om avis) sige af; inddrage; (lade) gå ind; nedlægge (fx. *a railway line);* standse, ophøre. **discontinuous** [diskən'tinjuəs] usammenhængende, afbrudt.
I. **discord** ['diskå·d] (subst.) disharmoni; mislyd, dissonans; uoverensstemmelse, uenighed, strid, splid.
II. **discord** [dis'kå·d] (vb.) disharmonere, skurre, ikke stemme overens; være uenig *(with* med).
discordance [dis'kå·dəns], **discordancy** [dis'kå·dənsi] disharmoni, mislyd; uoverensstemmelse.
discordant [dis'kå·dənt] uharmonisk; uoverensstemmende.
discotheque [diskə'tek] diskotek.
I. **discount** [dis'kaunt, 'diskaunt] (vb.) diskontere; trække fra; nedsætte, forringe; ignorere, ikke tage hensyn til, se bort fra; foruddiskontere (fig.).
II. **discount** ['diskaunt] (subst.) rabat, diskonto; fradrag, dekort; *be at a* ~ stå under pari; være til købs til billige priser; (fig.) stå i lav kurs.
discountenance [dis'kauntinəns] (vb.) bringe ud af fatning; ikke støtte; modarbejde, misbillige, tage afstand fra (fx. *the Government -d the plan).*
discounter ['diskauntə] diskontør.
discount-house rabatvarehus.
discourage [dis'kʌridʒ] (vb.) tage modet fra, gøre modløs; afskrække; søge at hindre, modvirke; ~ *him from doing it* søge at hindre ham i at gøre det, få ham fra det. **discouragement** [dis'kʌridʒmənt] afskrækkelse; modløshed; modarbejdelse. **discouraging** (adj.) nedslående.
discourse [dis'kå·s; 'diskå·s] (subst.) samtale; tale; foredrag; prædiken; (vb.) samtale, tale; holde foredrag om; afhandle, tale om.
discourteous [dis'kə·tjəs] uhøflig. **discourtesy** [dis'kə·tisi] uhøflighed.
discover [dis'kʌvə] (vb.) opdage (fx. ~ *an unknown country);* (glds.) åbenbare, vise, røbe; *be -ed* (ogs.) ses ved scenens begyndelse (fx. *John is -ed seated before an open fire); -ed check* afdækkerskak.
discoverable [dis'kʌv(ə)rəbl] som kan opdages; synlig. **discoverer** [dis'kʌvərə] (subst.) opdager (fx. af nyt land). **'iscovery** [dis'kʌvəri] opdagelse (fx. *the* ~ *of America);* fund; (jur.) fremlæggelse.
disc recording pladeoptagelse.
discredit [dis'kredit] (subst.) skam, miskredit; mistro, tviv¹; (vb.) bringe i miskredit; ikke (ville) tro; *bring* ~ *upon* bringe i miskredit, bringe i vanry; *throw* ~ *on* svække tilliden til. **discreditable** [dis'kreditəbl] vanærende, beskæmmende.
discreet [dis'kri·t] diskret; forsigtig, betænksom; taktfuld.
discrepancy [dis'krepənsi] uoverensstemmelse, modstrid; forskel. **discrepant** [dis'krepənt] uoverensstemmende, modsigende, modstridende.
discrete [dis'kri·t] afsondret; adskilt.
discretion [dis'kreʃən] diskretion; konduite, betænksomhed, forsigtighed, skønsomhed, klogskab, takt; forgodtbefindende, skøn; *come to* (el. *arrive at) years of* ~ komme til skelsår og alder; *at one's* ~ efter skøn, efter behag (fx. *payment at* ~*); surrender at* ~ overgive sig på nåde og unåde; ~ *is the better part of valour* forsigtighed er en borgmesterdyd; *use one's own* ~ handle efter eget skøn; *within one's* ~ efter eget

skøn. **discretionary** [dis'kreʃənəri] efter skøn, skønsmæssig; *have large ~ powers* (omtr.) have vide beføjelser.

I. **discriminate** [dis'krimineⁱt] (vb.) skelne; gøre forskel (på); (ad)skille; *~ against sby.* udsætte en for forskelsbehandling, stille en ringere.

II. **discriminate** [dis'kriminėt] (adj.) skønsom, indsigtsfuld. **discriminating** [dis'krimineⁱtiŋ] (adj.) særegen, karakteristisk; indsigtsfuld; fintmærkende (fx. *taste);* skarpsindig; diskriminerende.

discrimination [diskrimi'neⁱʃən] skelnen, sondring, skelneevne, skarpt blik; forskelsbehandling; *racial ~* racediskrimination. **discriminative** [dis'kriminəⁱtiv] karakteristisk; fint skelnende; uensartet, ikke ens for alle.

discriminatory [dis'kriminətəri] = *discriminative.*

discursive [dis'kə·siv] springende, vidtløftig; ræsonnerende, logisk sluttende, diskursiv.

discus ['diskəs] (pl. *disci* ['diskai]) diskos.

discuss [dis'kʌs] drøfte, diskutere, debattere; gøre rede for; overveje, omtale, behandle; **T** fortære, nyde. **discussion** [dis'kʌʃən] drøftelse, diskussion, behandling.

disc valve tallerkenventil.

disdain [dis'deⁱn] (subst.) foragt, ringeagt; (vb.) foragte, ringeagte, forsmå.

disdainful ringeagtende, hånlig.

disease [di'zi·z] sygdom; sygelighed. **disease carrier** smittebærer. **diseased** [di'zi·zd] syg; angreben (af sygdom); sygelig.

disembark ['disim'ba·k] udskibe, landsætte; gå i land, gå fra borde. **disembarkation** [disemba·'keⁱʃən] udskibning, landsætning; landgang.

disembarrass ['disim'bärəs] befri. **disembarrassment** [disim'bärəsmənt] befrielse.

disembody ['disim'bådi] frigøre fra legemet; (glds.) opløse, hjemsende (fx. en hær).

disembogue [disim'boᵘg] (om flod) munde ud; strømme ud; udtømme.

disembowel [disim'bauəl] tage indvoldene ud af.

disembroil [disim'broil] udrede.

disenchant ['disin'tʃa·nt] (vb.) desillusionere.

disencumber ['disin'kʌmbə] befri (for en byrde); aflaste. **disencumbrance** aflastning.

disengage ['disin'geⁱdʒ] gøre fri, løse, befri; udløse (kobling), udkoble; ⚔ afbryde kontakt med fjenden. **disengaged** ['disin'geⁱdʒd] fri, ledig, ikke optaget. **disengagement** [disin'geⁱdʒmənt] befrielse; frigørelse; frihed.

disentangle ['disin'täŋgl] udrede; vikle løs; frigøre; bringe i orden; blive udredet, komme løs, frigøre sig; *~ the threads* rede trådene ud. **disentanglement** [disin'tänglmənt] udredning; befrielse.

disenthral(l) [disin'þrå·l] frigive, løse fra trældom.

disenthrone [disin'þroᵘn] detronisere.

disentitle [disin'taitl] fratage rettighed.

disentomb [disin'tu·m] tage op af graven; (fig.) grave frem.

disequilibrium [disi·kwi'libriəm] uligevægt, manglende balance.

disestablish ['disi'stäbliʃ] opløse, ophæve; *~ the Church* adskille stat og kirke.

disesteem [disi'sti·m] (subst.) ringeagte; (vb.) ringeagt; miskredit.

disfavour ['dis'feⁱvə] (subst.) ugunst; unåde; disfavør; mishag, misbilligelse; (vb.) misbillige, være ugunstig stemt mod; *fall into ~* falde i unåde; *regard with ~* misbillige.

disfiguration [disfigju're'ʃən] vansiring; beskadigelse. **disfigure** [dis'figə] vansire; skæmme; beskadige. **disfigurement** = *disfiguration.*

disfranchise ['dis'frän(t)ʃaiz] fratage stemmeret, fratage borgerlige rettigheder. **disfranchisement** [dis'fräntʃizmənt] fratagelse af borgerlige rettigheder.

disgorge [dis'gå·dʒ] udspy, gylpe op; give fra sig; give tilbage; udlevere; strømme ud; (om flod) udmunde.

disgrace [dis'greⁱs] (subst.) unåde (fx. *be in ~);* skændsel; vanære; (vb.) bringe i unåde; vanære; *bring ~ upon sby.* bringe skam over en. **disgraceful** vanærende; skændig, skammelig.

disgruntled [dis'grʌntld] (adj.) misfornøjet, gnaven, utilfreds.

disguise [dis'gaiz] (vb.) forklæde, udklæde; maskere; camouflere; skjule (fx. *badly -d satisfaction);* (subst.) forklædning, udklædning; forstillelse; *in the ~ of* forklædt som; *throw off one's ~* kaste masken; *~ one's voice* fordreje sin stemme.

disgust [dis'gʌst] (subst.) væmmelse, modbydelighed, afsky, lede; (vb.) fremkalde væmmelse, vække modbydelighed; *be -ed* væmmes, føle afsky; være forarget, være skuffet. **disgustedly**: *look ~ at* betragte med afsky. **disgusting** (adj.) modbydelig, væmmelig; frastødende.

dish [diʃ] (subst.) fad, asiet; ret (fx. *a ~ of meat and potatoes);* hulhed; hulning; (vb.) lægge på fad; gøre konkav, trykke bule i; **T gøre kål på,** ødelægge, snyde; *do* (el. *wash) the -es* vaske op; *~ (up)* rette an, servere; diske op med; *~ out* uddele.

dishabille [disä'bi·l] negligé.

disharmonious [disha·'moᵘnjəs] disharmonisk.

disharmony [dis'ha·məni] disharmoni.

dish|-cloth, ~ -clout karklud. **~ drainer** opvaskestativ.

dishearten [dis'ha·tn] (vb.) berøve modet; gøre modløs. **disheartened** (adj.) forsagt, modløs. **disheartening** (adj.) nedslående.

dished [diʃt] (adj.) konkav.

dishevel [di'ʃəvəl] (vb.) bringe i uorden, pjuske.

dishevelled (adj.) uordentlig, pjusket, usoigneret.

dishonest [dis'ånist] uærlig, uhæderlig, uredelig.

dishonesty [dis'ånisti] uærlighed, uhæderlighed, uredelighed.

dishonour [dis'ånə] (subst.) vanære; dishonorering; (vb.) vanære; ikke honorere (en veksel).

dishonourable [dis'ånərəbl] vanærende; vanæret; uhæderlig, skammelig.

dish|-pan opvaskebalje. **~ -rag** karklud. **~ -towel** viskestykke. **~ -washer** opvasker; tallerkenvasker; opvaskemaskine. **~ -water** opvaskevand.

disillusion [disi'l(j)u·ʒən] (subst.) desillusionering; (vb.) desillusionere, berøve illusioner. **disillusionize** (vb.) desillusionere. **disillusionment** (subst.) desillusionering.

disincentive [disin'sentiv] hæmsko, dæmper.

disinclination [disinkli'neⁱʃən] utilbøjelighed, ulyst.

disincline ['disin'klain] gøre utilbøjelig. **disinclined** utilbøjelig; *be ~ to do it* ikke have lyst til at gøre det.

disinfect ['disin'fekt] rense, desinficere.

disinfectant [disin'fektənt] (subst.) desinfektionsmiddel; (adj.) desinficerende.

disinfection [disin'fekʃən] desinfektion.

disinfestation ['disinfes'teⁱʃən] skadedyrsbekæmpelse.

disinflationary [disin'fläʃənəri] inflationsbegrænsende.

disingenuity [disindʒi'nju·iti] falskhed, uærlighed, uoprigtighed, perfidi. **disingenuous** ['disin'dʒenjuəs] falsk, uærlig, uoprigtig; perfid.

disinherit ['disin'herit] gøre arveløs.

disintegrate [dis'intigreⁱt] opløse, sønderdele; opløse sig, smuldre bort. **disintegration** [disinti'greⁱʃən] opløsning.

disinter ['disin'tə·] opgrave, grave frem; bringe for dagen.

disinterested [dis'intristid] uegennyttig; uhildet; (amr.) **T** uinteresseret; objektiv.

disinterment [disin'tə·mənt] opgravning.

disjoin [dis'dʒoin] splitte, adskille.

disjoint [dis'dʒoint] vride af led; adskille i sammenføjningerne, sønderlemme, bryde i stykker; *-ed* (ogs.) usammenhængende.

disjunction [dis'dʒʌŋkʃən] adskillelse.
disjunctive [dis'dʒʌŋktiv] adskillende, (gram.) disjunktiv; ~ *conjunction* disjunktivt bindeord.
disk, se *disc.*
dislike [dis'laik] (subst.) modvilje, antipati, uvilje; (vb.) ikke kunne lide; have noget imod; *have a ~ of* ikke kunne lide; *-d* ilde lidt, upopulær.
dislocate ['dislokeⁱt] vride af led, forvride; bringe forstyrrelse i (fx. *traffic was -d by the snow*). **dislocation** [dislo'keⁱʃən] forvridning; forstyrrelse.
dislodge [dis'lådʒ] fordrive; opjage (vildt); flytte; fjerne.
disloyal ['dis'loiəl] troløs; illoyal.
disloyalty ['dis'loiəlti] troløshed; illoyalitet.
dismal ['dizməl] trist, sørgelig, bedrøvelig; dyster; *the -s* S nedtrykthed, depression.
dismantle [dis'mäntl] demontere; nedrive, sløjfe; ~ *a ship* aftakle et skib.
dismast [dis'ma·st] afmaste (et skib).
dismay [dis'meⁱ] (vb.) forfærde, gøre bange; nedslå; (subst.) forfærdelse, skræk; modløshed.
dismember [dis'membə] sønderlemme, dele (især et land). **dismemberment** sønderlemmelse, deling.
dismiss [dis'mis] (vb.) sende bort, lade gå; affærdige; skaffe sig af med, blive af med; afskedige; opgive; afvise; ~ ! ⚔ træd af! **dismissal** [dis'misəl] fjernelse; afskedigelse; opgivelse; afvisning.
dismount ['dis'maunt] kaste af hesten; demontere; skille ad; (om juvel) tage ud af fatningen; stige af hesten, stige af, sidde af; stå af.
disobedience [diso'bi·djəns] ulydighed. **disobedient** [diso'bi·djənt] ulydig (*to* imod).
disobey ['diso'beⁱ] være ulydig (mod), ikke adlyde.
disoblige ['diso'blaidʒ] vise sig uvillig over for, være lidet forekommende imod, støde, fornærme. **disobliging** uelskværdig, lidet forekommende.
disorder [dis'å·də] (subst.) uorden, forvirring, forstyrrelse; urolighed, tumult; sygdom; (vb.) bringe i uorden; gøre syg; *-ed* i uorden; syg.
disorderly [dis'å·dəli] uordentlig; i uorden; urolig, larmende, oprørt (fx. *crowd*); forargelig; *charged with being drunk and ~* (omtr.) tiltalt for beruselse og gadeuorden; ~ *conduct* (omtr.) gadeuorden; ~ *house* bordel; spillebule.
disorganization [diså·gənai'zeⁱʃən] desorganisation, opløsning. **disorganize** [dis'å·gənaiz] desorganisere, opløse, bringe i uorden.
disorient [dis'å·riənt] (vb.) desorientere; *be -ed* (ogs.) miste orienteringen. **disorientate** = *disorient.*
disown [dis'oᵘn] fornægte, forskyde, forstøde, nægte at vedkende sig.
disparage [dis'päridʒ] nedsætte, forklejne, tale nedsættende om. **disparagement** nedsættelse, forklejnelse.
disparate ['dispərėt] ganske forskellig, inkommensurabel, forskelligartet, ulig; *-s* ganske forskellige ting.
disparity [dis'päriti] ulighed, forskel (fx. ~ *in age*).
dispassionate [dis'päʃənėt] rolig, sindig, lidenskabsløs; uhildet.
dispatch [dis'pätʃ] (subst.) afsendelse; ekspedition; hurtig besørgelse; hurtighed, hast; depeche; (officiel) rapport, beretning; melding; aflivning, drab; (vb.) afsende; ekspedere; blive hurtigt færdig med; gøre det af med, tage af dage, rydde af vejen; *happy ~* harakiri. **dispatch|-case** dokumentmappe. ~ **-rider** motorordonnans.
dispel [di'spel] sprede, fordrive.
dispensable [di'spensəbl] undværlig.
dispensary [di'spensəri] apotek.
dispensation [dispen'seⁱʃən] uddeling; tilskikkelse; styrelse (fx. *divine ~*); religiøst system; fritagelse, dispensation; administration, forvaltning.
dispensative [di'spensətiv] fritagende. **dispensatory** [di'spensətəri] farmakopé. **dispense** [di'spens] uddele, fordele; tillave medicin; fritage (*from* for), give dispensation; ~ *with* undvære, klare sig uden; dispensere fra. **dispenser** [di'spensə] uddeler; farmaceut; dispenser, sæbeautomat.
dispeople ['dis'pi·pl] affolke.
dispersal [di'spə·səl] spredning, udbredelse.
disperse [di'spə·s] sprede; splitte (fx. *a crowd*); udbrede; sprede sig. **dispersedly** [di'spə·sidli] spredt.
dispersion [di'spə·ʃən] spredning; udbredelse; (om lys) dispersion, farvespredning; *cone of ~* ⚔ spredningskegle. **dispersive** [di'spə·siv] spredende.
dispirit [di'spirit] berøve modet, gøre forstemt. **dispirited** forstemt, modløs, forknyt.
displace [dis'pleⁱs] flytte, fjerne; afsætte, forjage, fordrive, fortrænge; *be* (el. *get*) *-d* forskubbe (el. forskyde) sig; *-d person* tvangsforflyttet (el. hjemstavnsfordreven) person, flygtning.
displacement [dis'pleⁱsmənt] flytning, forskydning; afsættelse, fortrængelse; ⚓ deplacement.
display [dis'pleⁱ] (subst.) udfoldelse, udstilling, stillen til skue, skue, opvisning; (vb.) udfolde (fx. ~ *great activity and courage*); fremvise, vise, lægge for dagen, stille til skue; (typ.) fremhæve; *make a ~ of* prale med, stille til skue.
displease [dis'pli·z] mishage. **displeased** misfornøjet. **displeasing** ubehagelig, væmmelig.
displeasure [dis'pleʒə] misfornøjelse; mishag; vrede; ærgrelse.
disport [di'spå·t]: ~ *oneself* muntre sig, tumle sig.
disposable [di'spoᵘzəbl] som står til rådighed, disponibel; afhændelig; som kan kasseres efter brugen.
disposal [di'spoᵘzəl] rådighed (*of* over); disposition; overdragelse, afhændelse; ordning, anvendelse, anbringelse; bortskaffelse; *at sby.'s ~* til ens disposition (el. rådighed).
dispose [di'spoᵘz] ordne, indrette, bestemme; anbringe, placere; lede, styre; disponere; råde, herske; *man proposes, God -s* mennesket spår, Gud rå'r; ~ *of* gøre det af med, ekspedere, ordne; blive færdig med; skaffe sig af med; skille sig af med, afhænde, sælge; disponere over; ~ *him to* gøre ham tilbøjelig til (el. stemt for) at. **disposed** tilbøjelig, villig (fx. *he is ~ to help you*); indstillet, sindet (fx. *friendly ~*); *are you ~ for a walk?* har du lyst til at gå en tur? *well ~ towards* gunstigt (el. velvilligt) stemt over for.
disposition [dispə'ziʃən] disposition, ordning; anbringelse, placering; rådighed (*of* over); anlæg; tilbøjelighed, tænkemåde; natur, gemyt; *at sby.'s ~* til ens disposition (el. rådighed).
dispossess ['dispə'zes] fortrænge, fordrive, sætte ud (af hus el. lejlighed); ~ *of* berøve, fratage. **dispossession** [dispə'zeʃən] fordrivelse; berøvelse, fratagelse.
dispraise [dis'preⁱz] (subst.) dadel; (vb.) nedsætte, dadle, tale nedsættende om; *speak in ~ of* tale nedsættende om.
disproof ['dis'pru·f] gendrivelse, modbevis.
disproportion ['disprə'på·ʃən] misforhold; bringe i misforhold. **disproportional** [disprə'på·ʃnəl], **disproportionate** [disprə'på·ʃnėt] uforholdsmæssig; *it is ~ to* det står ikke i forhold til.
disprovable [dis'pru·vəbl] som kan gendrives (el. modbevises). **disprove** ['dis'pru·v] modbevise, gendrive; afkræfte.
disputable ['dispjutəbl, di'spju·təbl] omtvistelig.
disputant [dis'pju·tənt] disputator; stridende part.
disputation [dispju'teⁱʃən] ordstrid, disput.
disputatious [dispju'teⁱʃəs] trættekær.
I. **dispute** [dis'pju·t] (vb.) strides, disputere; drøfte; bestride; bekæmpe; søge at hindre (fx. *an advance*); kæmpe for (, om); yde hårdnakket modstand; ~ *every inch of ground* forsvare hver tomme jord.
II. **dispute** [dis'pju·t] (subst.) strid; stridighed (fx. *border -s*); meningsforskel; ordstrid; *beyond ~* uimodsigelig, ubestridelig; *in ~* omtvistet; *the amount in ~* det beløb sagen (, striden) drejer sig om; *point in ~* stridspunkt; *that is open to ~* det kan man strides om.

disputed [dis'pju·tid] omstridt.

disqualification [diskwålifi'keiʃən] diskvalifikation; (jur.) inhabilitet.

disqualify [dis'kwålifai] diskvalificere, gøre uskikket (*for* til); (jur.) gøre inhabil.

disquiet [dis'kwaiət] (subst.) uro; (vb.) forurolige.

disquietude [dis'kwaiətju·d] uro, bekymring.

disquisition [diskwi'ziʃən] undersøgelse, afhandling (*on* om).

Disraeli [diz'reili].

disrate [dis'reit] (vb.) degradere.

disregard ['disri'ga·d] ignoreren; ligegyldighed; (vb.) ignorere, se bort fra; lade ude af betragtning; *~ it* (ogs.) slå det hen.

disrepair ['disri'pæə] forfald, dårlig stand; *fall into ~* gå i forfald.

disreputable [dis'repjutəbl] berygtet; vanærende.

disrepute ['disri'pju·t]: *be in ~* have et dårligt ry på sig, være berygtet; *fall into ~* blive berygtet, komme i miskredit (el. vanry); gå af mode.

disrespect ['disri'spekt] respektløshed, uærlighed.

disrespectful [disri'spektf(u)l] respektløs, uærbødig.

disrobe ['dis'roub] afklæde; klæde sig af.

disrupt [dis'rʌpt] sønderrive; sprænge; splitte.

disruption [dis'rʌpʃən] sønderrivelse, sønderslagning, brud, sprængning, splittelse.

disruptive [dis'rʌptiv] (adj.) splittende (fx. *forces).*

dissatisfaction ['dis(s)ätis'fäkʃən] utilfredshed; misfornøjelse. **dissatisfactory** ['dis(s)ätis'fäktəri] utilfredsstillende. **dissatisfied** ['di(s)'sätisfaid] misfornøjet, utilfreds. **dissatisfy** ['di(s)'sätisfai] mishage, ikke tilfredsstille.

dissect [di'sekt] dissekere; obducere; *-ing* (ogs.) dissektions- (fx. *-ing table).* **dissection** [di'sekʃən] dissektion; obduktion. **dissector** [di'sektə] dissektor; prosektor; obducent.

dissemble [di'sembl] skjule (fx. *one's anger);* forstille sig; hykle. **dissembler** [di'semblə] hykler. **dissembling** forstilt, hyklerisk.

disseminate [di'semineit] udbrede, så, udstrø; *-d sclerosis* dissemineret sklerose. **dissemination** [disemi'neiʃən] udbredelse (fx. *~ of knowledge).*

dissension [di'senʃən] tvist, splid, uenighed.

I. **dissent** [di'sent] (vb.) være af en anden mening; afvige fra statskirken, være dissenter; *~ from* være uenig i; afvige fra.

II. **dissent** [di'sent] (subst.) meningsforskel; afvigelse fra statskirken; (jur.) dissens.

dissenter [di'sentə] dissenter, en som har en fra den herskende kirke afvigende tro.

dissentient [di'senʃiənt] afvigende, dissentierende, uenig; anderledestænkende; *without a ~ vote* enstemmigt; *with only three -s* med alle stemmer imod tre.

dissepiment [di'sepimənt] (zo., ♧) skillevæg.

dissertation [disə'teiʃən] afhandling, disputats.

disserve [dis'sə·v]: *~ sby.* gøre én en bjørnetjeneste. **disservice** [dis'sə·vis] bjørnetjeneste.

dissever [di'sevə] skille ad.

dissidence ['disidəns] uenighed.

dissident ['disidənt] uenig, dissentierende.

dissimilar ['di'similə] ulig, forskellig (*to* fra). **dissimilarity** [disimi'läriti] ulighed. **dissimilate** [di'simileit] (vb.) gøre ulig. **dissimilation** [disimi'leiʃən] (subst.) (om lydudvikling) dissimilation.

dissimilitude [disi'militju·d] ulighed.

dissimulate [di'simjuleit] forstille sig; skjule; hykle; foregive. **dissimulation** [disimju'leiʃən] forstillelse, hykleri.

dissipate ['disipeit] sprede, forjage; forøde, ødsle bort; sprede sig; føre et udsvævende liv. **dissipated** ['disipeitid] (adj.) udsvævende. **dissipation** [disi'peiʃən] spredning; forjagelse; ødslen; udsvævelser.

dissociate [di'souʃieit] skille, adskille, holde ude (fra hinanden) (fx. *it is difficult to ~ those ideas);* (kem.) dissociere, spalte; *~ oneself from* tage afstand fra.

dissociation [disousi'eiʃən] adskillelse; skelnen, afstandtagen; (kem.) dissociation.

dissolubility [disålju'biliti] opløselighed. **dissoluble** [di'såljubl] opløselig.

dissolute ['disəl(j)u·t] (adj.) udsvævende. **dissoluteness** udsvævelser. **dissolution** [disə'l(j)u·ʃən] opløsning; ophævelse.

dissolvable [di'zålvəbl] opløselig.

dissolve [di'zålv] (vb.) opløse; opløse sig; smelte; ophæve; (i film) overtone; (subst.) overtoning. **dissolvent** [di'zålvənt] opløsende (middel).

dissonance ['disonəns] mislyd, dissonans; uoverensstemmelse; disharmoni. **dissonant** ['disonənt] ildelydende, disharmonisk, skurrende; uoverensstemmende (*from* med).

dissuade [di'sweid]: *~ him from it* fraråde ham det; få (el. snakke) ham fra det; *~ him from doing it* (ogs.) råde (el. overtale) ham til ikke at gøre det. **dissuasion** [di'sweiʒən] frarådden, det at overtale til at lade være.

dissuasive [di'sweisiv] frarådende.

dissyllabic ['disi'läbik] (adj.) tostavelses.

dissyllable [di'siləbl] (subst.) tostavelsesord.

distaff ['dista·f] ten, håndten; rokkehoved; *on the ~ side* på spindesiden.

I. **distance** ['distəns] (subst.) afstand, frastand, distance; fjernhed; tidsrum; *keep one's ~* holde sig på afstand; *at a ~* i nogen afstand; noget borte; *in the ~* i det fjerne; *some ~* et stykke vej; *a short ~* et lille stykke vej.

II. **distance** ['distəns] (vb.) fjerne, rykke fra hinanden; lade tilbage, (ud)distancere.

distant ['distənt] fjern (fx. *a ~ relation, ~ times);* (langt) borte; vag, uklar; tilbageholdende, reserveret, kølig, afmålt (fx. *a ~ manner); ~ control* fjernstyring; *~ identification* fjernidentificering. **distantly** langt ude (fx. *he is ~ related to me);* forbeholdent, afmålt, køligt (fx. *he nodded ~).*

distaste ['dis'teist] afsmag, lede. **distasteful** [dis'teistf(u)l] ubehagelig, modbydelig.

I. **distemper** [dis'tempə] (subst.) hundesyge; (glds.) uro, forstyrrelse.

II. **distemper** [dis'tempə] (vb.) limfarve; male med limfarve.

distempered limfarvet; (glds.) forstyrret, sygelig, usund.

distend [dis'tend] udspile, puste op; udvide; svulme op, udvide sig. **distensible** [dis'tensəbl] som kan udvides. **distension** [dis'tenʃən] udspænding, opsvulmen, udvidelse.

distichous ['distikəs] (adj.) ♧ toradet.

distil [di'stil] (vb.) dryppe; lade dryppe, destillere. **distillate** ['distilit] (subst.) destillat. **distillation** [disti'leiʃən] dryppen; destillation. **distillatory** [di'stilətəri] destillations-. **distiller** [di'stilə] destillationsapparat; destillatør, brændevinsbrænder, spritfabrikant, whiskyfabrikant. **distillery** [di'stiləri] brænderi, spritfabrik, whiskyfabrik.

distinct [di'stiŋ(k)t] forskellig; tydelig adskilt; særskilt; tydelig, afgjort, udpræget.

distinction [di'stiŋ(k)ʃən] forskel; adskillelse; skelnen, distinktion, sondring; anseelse, hædersbevisning; (eksamenskarakter) udmærkelse; *a writer of ~* en fremragende forfatter; *make a ~ (between)* skelne (mellem); *achieve ~* udmærke sig; *a ~ without a difference* en kun tilsyneladende forskel.

distinctive [di'stiŋ(k)tiv] (adj.) særlig; karakteristisk, som gør det muligt at skelne fra andre individer af samme art; kendings-.

distinctly [di'stiŋ(k)tli] (adv.) udtrykkeligt (fx. *I ~ said so),* tydeligt, bestemt.

distinguish [di'stiŋgwiʃ] (vb.) skelne (fx. *~ distant things; ~ between two colours);* skimte (fx. *a light in the distance);* se forskel (fx. *I can hardly ~ between the two sisters);* udmærke (fx. *he -ed himself by his bravery).*

distinguishable [di'stiŋgwiʃəbl] som kan skelnes.

distinguished [di'stiŋgwiʃt] udmærket, meget anerkendt, anset, fremtrædende, fremragende; fornem, distingveret. **distinguishing** [di'stiŋgwiʃiŋ]: *~ mark* særligt kendetegn.

distort [di'stå·t] fordreje, forvride, forvrænge. **distortion** [di'stå·ʃən] fordrejelse forvridning, forvrængning. **distortionist** [di'stå·ʃənist] kontortionist, slangemenneske.

distract [di'sträkt] bortlede (opmærksomheden); distrahere; gøre afsindig. **distracted** [di'sträktid] forstyrret, forrykt; urolig, splittet.

distraction [di'sträkʃən] distraheren; forvirring, forstyrrelse; adspredelse; vanvid (fx. *they drove him to ~; he loved her to ~);* sindsforvirring.

distrain [di'streⁱn] udpante, gøre udlæg *(upon* i); *the landlord has -ed upon the piano* værten har pantet klaveret. **distraint** [di'streⁱnt] udpantning.

distrait [di'streⁱ] distræt.

distraught [di'strå·t] vanvittig; forstyrret.

distress [di'stres] (subst.) nød, sorg; lidelse, kval, pine; udmattelse; udpantning; (vb.) bringe i nød; pine; bedrøve; udmatte; pante; *~ at sea* havsnød.

distress call nødsignal.

distressed [di'strest] ulykkelig; nødstedt; kriseramt.

distress|ful [di'stresful] ulykkelig; lidende; smertelig. **~ -gun** nødskud; signalkanon. **~ work** nødhjælpsarbejde.

distribute [di'stribjut] uddele, fordele, distribuere, bringe omkring; omdele; sprede; (typ.) lægge af; *~ films* udleje film. **distributing company** filmsudlejningsselskab. **distribution** [distri'bju·ʃən] distribution, uddeling, fordeling; ombæring; udbredelse. **distributive** [di'stribjutiv] uddelende, fordelende; distributivt ord. **distributor** [di'stribjutə] fordeler; uddeler; ombærer; strømfordeler; *film ~* filmsudlejer.

district ['distrikt] distrikt, område, egn; (amr. ogs.) valgkreds. **district| attorney** (amr., omtr.) offentlig anklager. **~ heating** fjernvarme.

distrust [dis'trʌst] (vb.) mistro, ikke tro, mistænke, have mistillid til; (subst.) mistro, mistillid *(of* til). **distrustful** (adj.) mistænksom, mistroisk, frygtsom; som mangler tillid.

disturb [di'stə·b] forstyrre; forvirre; forurolige; bringe i uorden. **disturbance** [di'stə·bəns] forstyrrelse; forvirring; urolighed; tumult, optøjer. **disturber** fredsforstyrrer.

disunion ['dis'ju·njən] adskillelse; uenighed. **disunite** ['disju'nait] (vb.) skille; skilles ad; skabe uenighed imellem.

disuse ['dis'ju·s]: *rusty from ~* rusten af ikke at blive brugt; *fall into ~* gå af brug. **disused** ['disju·zd] gået af brug; som ikke bruges mere; nedlagt.

disyllabic etc. se *dissyllabic* etc.

I. **ditch** [ditʃ] (subst.) grøft, (skytte)grav; voldgrav; *die in the last ~* kæmpe til det sidste; *the ~* S havet.

II. **ditch** [ditʃ] (vb.) grøfte, grave grøft(er) (om); S smide over bord; kassere, droppe; nødlande på havet; *~ a car* køre en bil i grøften. **ditcher** ['ditʃə] grøftegraver. **ditch water** grøftevand; *dull as ~* dødkedelig.

dither ['diðə] (subst.) rysten, skælven; (vb.) ryste, skælve; vakle, tøve; *be all of a ~* ryste over hele kroppen.

dithyramb ['diþirämb] dityrambe (i antikken sang til vinguden Dionysos' pris). **dithyrambic** [diþi'rämbik] dityrambisk; dityrambe.

ditto ['ditoᵘ] ditto; det samme; *I say ~ to him* (spøgende) jeg er enig med ham; *a suit of -es* en hel dragt (af samme stof).

ditty ['diti] (subst.) vise. **ditty bag** (el. **box**) ⚓ lille pose (el. æske) til sysager og andre småting.

diuretic [daiju'retik] urindrivende (middel).

diurnal [dai'ə·nəl] dag-, døgn-, daglig.

diva ['di·və] diva, primadonna.

divagate ['daivəgeⁱt] (vb.) komme bort fra emnet. **divagation** [daivə'geⁱʃən] digression.

divan [di'vän] divan (statsråd; møbel).

divaricate [dai'värikeⁱt] forgrene sig.

I. **dive** [daiv] (vb.) dykke (ned); dukke; springe ud; trænge ind *(into* i); *~ into one's pocket* stikke hånden ned i lommen.

II. **dive** [daiv] (subst.) dykning, dukkert; udspring; (flyv.) styrtdykning; ⚓ dykning; (amr. S) bule, snask, beværtning; *oyster- ~* (i Engl.) østerskælder; *make a ~ into* fare (el. springe) ned i.

dive bomber styrtbomber.

diver ['daivə] (subst.) dykker; (zo.) lom.

diverge [d(a)i'və·dʒ] gå til forskellige sider, gå fra hinanden, afvige, divergere. **divergence** [d(a)i'və·dʒəns], **divergency** [d(a)i'və·dʒənsi] divergens, afvigelse. **divergent** [dai'və·dʒənt] divergerende, afvigende.

divers ['daivəz] (adj., glds.) adskillige, flere, diverse.

diverse [dai'və·s, 'daivə·s] forskellig, helt anderledes. **diversification** [daivə·sifi'keⁱʃən] forandring, afveksling, forskellighed, variation. **diversify** [dai'və·sifai] forandre, variere, gøre afvekslende. **diversion** [d(a)i'və·ʃən] afledning; bortledning; omkørsel; afledningsmanøvre; fornøjelse, adspredelse.

diversionary [di'və·ʃənəri] afledende; *~ attack* afledningsangreb.

diversity [d(a)i'və·siti] forskellighed, variation.

divert [d(a)i'və·t] aflede; bortlede; omdirigere, omlede (fx. *traffic);* adsprede, more, underholde; *-ing* underholdende, morsom.

Dives ['daivi·z] den rige mand (i lignelsen om Lazarus).

divest [d(a)i'vest]: *~ of* afklæde, afføre; berøve; *~ oneself of* afføre sig, aflægge, give fra sig, opgive, frigøre sig for.

divide [di'vaid] (vb.) dele; inddele; dividere *(by* med); skille, splitte, gøre uenig; dele sig; være uenig; stemme; (subst.) vandskel; *~ the House* lade foretage afstemning i Underhuset; *10 -s by 2* 2 går op i 10.

dividend ['dividend] (merk.) dividende; (mat.) dividend; *ex ~* eksklusive dividende; *cum ~* cum dividende, dividende inkluderet. **dividers** [di'vaidəz] (subst.) passer (til tegnebrug).

divination [divi'neⁱʃən] spådom; anelse.

I. **divine** [di'vain] (vb.) spå; ane, gætte.

II. **divine** [di'vain] (adj.) guddommelig; kirkelig; (subst.) gejstlig; teolog; *~ service* gudstjeneste.

diviner [di'vainə] spåmand; vandviser (som finder vand ved hjælp af en ønskekvist).

diving|-bell ['daiviŋbel] dykkerklokke. **~ -board** vippe (til udspring). **~ -dress** dykkerdragt.

divining-rod [di'vainiŋ råd] ønskekvist (til at vise vand).

divinity [di'viniti] guddommelighed; guddom; teologi, teologisk fakultet; kristendomskundskab; *Doctor of Divinity* dr. theol.

divisibility [divizi'biliti] delelighed.

divisible [di'vizəbl] (adj.) delelig.

division [di'viʒən] (subst.) deling; inddeling; afdeling; division; skel, skillevæg; uddeling, fordeling; uenighed, stridighed; afstemning; *~ of labour* arbejdsdeling.

divisive [di'vaisiv] som skaber splittelse el. uenighed.

divisor [di'vaizə] divisor.

divorce [di'vå·s] (subst.) skilsmisse; adskillelse; (vb.) lade sig skille fra; skille, adskille.

divorcee [divå·'si·] fraskilt.

divorcement [di'vå·smənt] skilsmisse.

divulge [d(a)i'vʌl(d)ʒ] åbenbare, røbe. **divulgence** [di'vʌldʒəns] offentliggørelse.

divvy ['divi] (vb.) S dele.

I. **Dixie** ['diksi], **~ Land** Sydstaterne (af U.S.A.).

II. **dixie** ['diksi] kogekar.

dixit ['diksit] erklæring, påstand.

dizzy ['dizi] (adj.) svimmel; ør, forvirret; svimlende; S dum, fjoget; (vb.) gøre svimmel.

dl. fk. f. *decilitre.*

D.L.O. fk. f. *Dead Letter Office.*

D.M. fk. f. *Doctor of Medicine.*
dm. fk. f. *decimetre.* **d-n** fk. f. *damn.*
D.N.B. fk. f. *Dictionary of National Biography.*
I. **do** [du·] (imperf. *did;* perf. part. *done;* 3. p. sing. præsens: *does)* 1. (transitivt selvstændigt vb.) gøre, udføre, bestille; fuldføre; yde; udrette; tilberede, stege, koge, gennemkoge, gennemstege; rede, ordne; passe; bese, se seværdighederne i, 'gøre'; spille, give rollen som; behandle; bespise, beværte; tilbagelægge; **T** snyde; 2. (intransitivt selvstændigt vb.) gøre, handle; klare sig; gå an; være nok; passe; leve, have det, trives; 3. (hjælpeverbum hvor intet andet hjælpeverbum el. mådesverbum er anvendt) brugt i usammensatte tider i sætninger benægtede med *not,* i spørgende hovedsætninger undtagen hvor et spørgende ord står som subjekt, og for at give eftertryk; 4. som stedfortræder for et verbum; eksempler på de fire ovennævnte betydningsgrupper: (eksempler med præpositioner og adverbier står samlet u. 5; se ogs. *done)*
1. *do one's best* gøre sit bedste; *do one's bit* gøre sit; *do credit* gøre ære; *do one's duty* gøre sin pligt; *nothing doing!* **T** der er ikke noget at gøre! *do me a service* gør mig en tjeneste; *do a portrait* male et portræt; *do the bed* rede sengen; *do one's hair* rede sit hår; *do the flowers* ordne blomsterne; *do a room* gøre et værelse i stand; *do one's lessons* lære sine lektier; *have a lesson to do* have en lektie for; *do a sum* regne et stykke; *do one's teeth* børste tænder; *do time* sidde i fængsel; *do a town* se (seværdighederne) i en by; *do Hamlet* spille Hamlet; *he does the host admirably* han er en glimrende vært; *do a mile a minute* tilbagelægge en engelsk mil i minuttet; *they will do you* de vil snyde dig;
2. *do or die* sejre eller falde; *be up and doing* være i fuld virksomhed; *that will do* det er nok; *that won't do* den går ikke, det går ikke an; *will this do?* kan De bruge denne? er dette nok? *make sth. do,* se I. *make; how do you do?* god dag! *when in Rome do as the Romans do* man må tude med de ulve man er iblandt;
3. *I do not like it* jeg holder ikke af det; *he did not see me* han så mig ikke; *he does not smoke* han ryger ikke; *don't do it* gør det ikke; *don't!* lad være! *do you speak English?* taler De engelsk? *do we dress for dinner?* skal vi klæde os om til middag? *did he speak to you?* talte han med dig? *I do like London* jeg holder så meget af London; *I do think he is crying* jeg tror virkelig, at han græder; *do come* å, kom nu; tag nu og kom; *don't you know* du forstår nok (dette bruges også som fyldeord uden nogen egentlig betydning);
4. *did you see him? – I did* så du ham? – ja, jeg gjorde; *you like him, don't you?* du synes om ham, ikke sandt? *you don't smoke, do you?* du ryger ikke, vel?
5. *do away* afskaffe; *do away with* rydde af vejen, afskaffe; *do (by others) as you would be done by* gør mod andre som du vil andre skal gøre mod dig; *do down* overgå, få overtaget over; snyde; *do for* gøre det af med, ødelægge, gøre ende på; føre hus for; *this will do for him* (ogs.) det er (godt) nok til ham; *what do you do for water here?* hvor får I vand fra her? *do in* **T** slå ihjel, gøre det af med (fx. *ten years of this would do me in);* snyde; *do into Danish* oversætte til dansk; *do out* gøre i orden, gøre rent i; *do out a room* gøre rent i et værelse, gøre et værelse i stand; *do to* gøre mod, handle mod; *do up* knappe, hægte; pynte på, pudse op, fikse op (på), modernisere, istandsætte; pakke ind; *do up one's hair* sætte håret op; *that would do me very well* det ville passe mig udmærket; *they do one very well* de beværter en udmærket; *do oneself well* (el. *proud)* leve flot; *he did well to refuse* det var rigtigt (el. klogt) af ham at sige nej; *do with* udholde, holde ud, finde sig i (fx. *I cannot do with his hypocrisy);* nøjes med (fx. *can you do with a glass of water?);* trænge til (fx. *I could do with a nice cup of tea); what are we to do with him?* hvad skal vi stille op med ham? *what did you do with yourself?* hvordan fik du tiden til at gå? hvad bestilte du? *have to do with* have at gøre med; *do without* undvære.
II. **do** [du·] (subst.) **S** svindel(nummer), fup; fest, gilde, kalas.
III. **do** ['dito^u] fk. f. *ditto.*
IV. **do** [do^u] (i musik) do.
dobbin ['dåbin] arbejdshest, øg.
doc [dåk] **T** doktor.
docile ['do^usail] lærvillig, føjelig.
docility [do'siliti] lærvillighed; føjelighed.
I. **dock** [dåk] (subst. ♧) skræppe.
II. **dock** [dåk] (subst.) dok; (vb.) dokke, sætte i dok; gå i dok; *-s* (ogs.) havn; *dry* (el. *graving)* ~ tørdok; *floating* ~ flydedok; *wet* ~ våd dok.
III. **dock** [dåk] (subst.) anklagebænk; *be in the* ~ sidde på anklagebænken.
IV. **dock** [dåk] (subst., zo.) hale (bortset fra hårene); (vb.) afskære, studse, kupere; nedskære, afknappe, trække fra (i løn o.l.); ophæve.
dockage ['dåkidʒ] dokpenge, dokplads.
dock dues dokafgifter.
docker ['dåkə] havnearbejder, dokarbejder.
I. **docket** ['dåkit] (subst.) mærkeseddel; indholdsangivelse; uddrag (af dom el. protokol); (amr.) retsliste, dagsorden; dossier.
II. **docket** ['dåkit] (vb.) skrive indholdsangivelse på; gøre uddrag af; mærke.
dock| gate dokport. ~ **wall** dokvæg. ~ **-walloper** havnesjover. **dockyard** værft; *naval* ~ orlogsværft.
doctor ['dåktə] (subst.) læge, doktor; (vb.) doktorere (el. kurere) på; reparere; forfalske; *-s disagree* de lærde er uenige. **doctoral** ['dåktərəl] doktor-.
doctorate ['dåktərèt] doktorgrad.
doctrinaire [dåktri'næə] doktrinær (person). **doctrinal** [dåk'trainəl, 'dåktrinəl] lære-, tros-, dogmatisk. **doctrine** ['dåktrin] (subst.) doktrin, læresætning; dogme; lære, dogmatik.
document ['dåkjumənt] (subst.) dokument; bevis; (vb.) forsyne med bevis, forsyne med papirer; dokumentere.
documentary [dåkju'mentəri] dokumentarisk; dokumentarfilm; ~ *credit* remburs.
I. **dodder** ['dådə] ♧ (hør)silke.
II. **dodder** ['dådə] (vb.) ryste, vakle, gå vaklende.
dodderer (subst.) gammelt nussehode. **doddering** (adj.) rystende; senil.
dodge [dådʒ] (vb.) springe til side; sno sig, gøre krumspring; undgå behændigt, knibe udenom, lege kispus med; (subst.) krumspring, list, kneb, kunstgreb; fiks indretning.
dodgem ['dådʒèm] radiobil (forlystelse).
dodger ['dådʒə] snyder, lurendrejer; (amr.) reklameseddel; majskage.
dodo ['do^udo^u] (subst., zo.) dronte.
doe [do^u] (subst., zo.) då; hunkanin; hunhare.
doer ['du·ə] gerningsmand; handlingens mand (fx. *he is a ~, not a dreamer).*
does [dʌz] 3. person ental præs. af *do.*
doeskin ['do^uskin] dådyrskind.
doesn't ['dʌznt] forkortet af *does not.*
doest ['du·ist] gml. 2. person ental præs. af *do.*
doff [dåf] tage af (fx. *~ one's hat);* afføre sig.
dog [dåg] (subst.) hund; han (af flere dyr); hage; krampe; ildbuk; (om person) fyr, rad; (vb.) forfølge, følge i hælene på (ogs.: *~ sby.'s footsteps); the Dogs* hundeväddeløb; *give a ~ a bad name and hang him* der hænger altid noget ved, når man bagtaler en; *go to the -s* gå i hundene; *every ~ has his day* enhver får sin chance; *~ in the manger* (en som hverken selv gør brug af en ting eller vil tillade andre at gøre det); *let sleeping -s lie* (omtr.) ikke rippe op i noget (el. i fortiden); *put on (the) ~* spille vigtig, blære sig; *it is raining cats and -s* regnen styrter ned; *a sly ~* en snedig rad; *throw to the -s* kassere, smide væk.
dog|-berry ♧ kornel. ~ **-biscuit** hundekiks. ~ **-cart** jagtvogn. ~ **collar** hundehalsbånd; **S** (engelsk) præstekrave. ~ **-days** hundedage.

doge [doᵘʒ] doge.

dog|-eared (om bog) med æselører. ~ **end** cigaretstump, skod. ~ **-fancier** hundeven; hundeopdrætter. ~ **-fight** slagsmål mellem hunde; nærkamp mellem jagere, luftduel. ~ **-fish** (zo.) hundehaj.

dogged ['dågid] (adj.) stædig, udholdende, ihærdig; *it's ~ does it* det gælder bare om at holde ud.

doggerel ['dåg(ə)rəl] slet, uregelmæssig (om vers); burlesk; burlesk vers, knyttelvers.

doggish ['dågiʃ] hundeagtig; bidsk.

doggo ['dågoᵘ]: *lie ~* ligge tot, holde sig skjult, ikke tiltrække sig opmæksomhed.

doggone ['dåggån] (amr. **S**) forbistret, forbandet.

dog-grass ♧ kvik(græs).

doggy ['dågi] (adj.) hundeagtig, hunde-; som holder af hunde; (subst.) vovse.

dog|-hole hundehul (elendigt opholdssted). **-house** hundehus; arbejdsskur; ⚓ dækshus, ruf; *in the -house* i unåde. ~ **-hutch** hundehus; hundehul. ~ **-Latin** klosterlatin, dårlig latin. ~ **-lead** snor (el. rem) til hund.

dogma ['dågmə] trossætning, dogme. **dogmatic** [dåg'mätik], **dogmatical** [dåg'mätikl] dogmatisk; selvsikker. **dogmatics** [dåg'mätiks] dogmatik. **dogmatism** ['dågmətizm] dogmatisme; selvsikkerhed. **dogmatist** ['dågmətist] dogmatiker; selvsikker person. **dogmatize** ['dågmətaiz] dogmatisere; tale med selvsikkerhed.

do-gooder ['du·'gudə] blåøjet idealist.

do-goodism ['du·'gudizm] blåøjet idealisme.

dog-rose ♧ hybenrose, hunderose.

dogsbody S slave.

dog|'s chance: *not even a -'s chance* ikke skygge af chance. **-'s dinner**: *be dressed up like a -'s dinner* være majet ud. **-'s-ear** (subst.) æseløre (i bog); (vb.) lave æselører i. ~ **-sleep** urolig søvn. **-'s life**: *lead a -'s life* føre et hundeliv; *lead him a -'s life* gøre ham livet surt, plage livet af ham. **-'s meat** kød til hundefoder; hundeæde. **-'s mercury** ♧ bingelurt.

dog's tail (grass) ♧ kamgræs.

dog|-star Sirius, Hundestjernen. ~ **-tag** hundetegn (ogs. fig. om identitetsmærke). ~ **-tired** dødtræt. ~ **-tooth** hundetandsornament; ~ *tooth (violet)* ♧ hundetand. ~ **-tricks** hundekunster. ~ **-trimmer** hundeklipper. ~ **-trot** luntetrav. ~ **-watch** vagt på skib fra kl. 16-18 el. 18-20. ~ **-wood** ♧ kornel.

doily ['doili] lunchserviet, dækkeserviet; mellemlægsserviet, flakonserviet (til at stille vaser o.l. på).

doing ['du·iŋ] handling; udførelse; værk (fx. *it is his ~*); *-s* gerninger, meriter; *it takes a lot of ~* det er ikke så ligetil.

doit [doit] døjt.

doldrums ['dåldrəmz]: *the ~* kalmebæltet, det stille bælte omkring ækvator; *be in the ~* være i dårligt humør; (om virksomhed) ligge stille.

I. **dole** [doᵘl] (subst.) arbejdsløshedsunderstøttelse; gave, skærv; *be on the ~* få arbejdsløshedsunderstøttelse; *~ out* dele ud (især modstræbende og i små portioner).

II. **dole** [doᵘl] (subst.) sorg, kvide.

doleful ['doᵘlful] sørgelig; bedrøvelig; bedrøvet.

dolichocephalic ['dålikoᵘse'fälik] (adj.) langskallet.

I. **Doll** [dål] kælenavn for *Dorothy*.

II. **doll** [dål] (subst.) dukke; *~ up* pynte (sig), maje sig ud; *be -ed up* (ogs.) være i kisteklæderne, være i sit stiveste puds.

dollar ['dålə] dollar; **T** 5 shillings; *you can bet your bottom ~ on that* det kan du bide dig i næsen på.

dollop ['dåləp] klump, klat (fx. *of whipped cream)*; stor portion.

doll's-house dukkestue; lille hus, 'dukkehjem'.

I. **Dolly** ['dåli] kælenavn for *Dorothy*.

II. **dolly** ['dåli] (subst.) dukke; kameravogn, dolly.

dolman ['dålmən] dolman (tyrkisk kjortel; husartrøje; damekåbe).

dolmen ['dålmən] (subst.) stendysse.

dolorous ['dålərəs] sørgelig; bedrøvelig, melankolsk.

dolour ['doᵘlə] (poet.) sorg, kvide.

dolphin ['dålfin] (zo.) delfin; guldmakrel; ⚓ duc d'albe, knippe af nedrammede pæle til fortøjning.

dolphin striker ⚓ pyntenetstok.

dolt [doᵘlt] dumrian, fjols, drog. **doltish** ['doᵘltiʃ] dum; klodset.

domain [do'meⁱn] (gods og fig.: område) domæne.

dome [doᵘm] kuppel (i amr. **S** ogs. om hoved); (vb.) kuple sig.

Domesday ['du·mzdeⁱ]: *~ Book* Englands jordebog fra Vilhelm Erobrerens tid.

domestic [do'mestik] hus-, huslig; indre, indenrigs-, indenlandsk; tam; *-s* tjenestefolk; *~ animal* husdyr; *~ industry* husflid; hjemmeindustri; *~ science* husholdningslære; *be in ~ service* være ude at tjene, være i huset; *~ utensils* husgeråd. **domesticate** [do'mestikeⁱt] knytte stærkt til hjemmet, få til at holde af hjemmet; gøre huslig; civilisere; tæmme. **domesticated** (især:) huslig; (om dyr) tam. **domestication** [domesti'keⁱʃən] tilknytning til hjemmet; tæmning; tamhed.

domesticity [doᵘme'stisiti] familieliv, hjemmeliv; kærlighed til hjemmet; huslighed; tamhed.

domicile ['dåmis(a)il] (subst.) bopæl, domicil, hjemsted; (vb.) bosætte; domicilere; *-d bill* domicilveksel. **domiciliary** [dåmi'siljəri] hus-; *~ visit* husundersøgelse. **domiciliate** [dåmi'silieⁱt] domicilere.

dominant ['dåminənt] (adj.) herskende; fremherskende; dominerende; (subst., i musik) dominant.

dominate ['dåmineⁱt] herske; *~ (over)* beherske, dominere; rage op over; have udsyn over. **domination** [dåmi'neⁱʃən] herredømme. **dominator** ['dåmineⁱtə] hersker, behersker.

domineer [dåmi'niə] være tyrannisk; dominere; *~ over* tyrannisere.

dominical [do'minikəl] som angår Herren (Gud), som angår søndagen; *~ letter* søndagsbogstav.

Dominican [do'minikən] dominikansk; dominikaner.

dominie ['dåmini] (på skotsk) skolelærer; ['doᵘmini] præst (i den reformerte kirke).

dominion [do'minjən] herredømme, magt; selvstyrende landområde, fx. Canada, New Zealand.

domino ['dåminoᵘ] domino (dragt); halvmaske; dominobrik; *-es* domino (spillet).

I. **don** [dån] (subst.) don, herre (spansk); spanier; medlem af lærerstaben ved universitet el. college; **T** mester *(at* i); stormand.

II. **don** [dån] (vb.) tage på, iføre sig.

Donald ['dånəld]: *~ Duck* Anders And.

donate [do'neⁱt] (vb.) give. **donation** [do'neiʃən] gave; gavebrev; bortgivelse. **donative** ['doᵘnətiv] gave. **donatory** ['doᵘnətəri] gavemodtager.

done [dʌn] perf. part. af *do;* (ogs.) færdig (fx. *the work is ~*); forbi (fx. *the day is ~*); (færdig)stegt (fx. *the meat is ~; a well ~ chop)*; udmattet; snydt, bedraget (fx. *I have been ~*); *~!* det er et ord (el. en aftale); *it is not ~* det kan man ikke (ɔ: det strider mod god tone); *he is ~ (for)* han er færdig, det er sket (el. ude) med ham, han har fået sit knæk; *~ in* udmattet; *~ to a turn* (el. *a nicety)* tilpas stegt; *~ up* udmattet; *(over and) ~ with* overstået; *get (, have) ~ with it* blive (, være) færdig med det; få det overstået; *have ~ eating* være færdig med at spise; *it's the ~ thing* det hører til god tone; *well begun is half ~* godt begyndt er halvt fuldendt; *what is ~ cannot be undone* gjort gerning står ikke til at ændre.

donee [doᵘ'ni·] gavemodtager.

donjon ['dåndʒən] borgtårn.

Don Juan [dån'dʒu·ən].

donkey ['dåŋki] æsel; dumrian; *talk the hind leg off a ~* snakke fanden et øre af; *I have not seen him for -'s years* det er en evighed siden jeg har set ham.

donkey|-boiler donkeykedel, hjælpekedel. ~ **-engine** donkeymaskine (lille dampmaskine der bruges ved ladning og losning). ~ **-man** donkeymand (som passer donkeymaskine).

donor ['doᵘnå·, -nə] giver; *(blood)* ~ bloddonor.

do-nothing ['du·nʌþiŋ] (adj.) passiv, uenergisk; (subst.) dagdriver.

Don Quixote [dån 'kwiksət].

don't [doᵘnt] forkortet af *do not.*

doodle [du·dl] (vb.) sidde og tegne kruseduller (mens man keder sig); nusse, drive; (subst.) kruseduller.

doodlebug ['du·dlbʌg] flyvende bombe; (amr.) ønskekvist.

doolie, dooly ['du·li] (i Indien) primitiv båre (til sårede).

doom [du·m] (subst.) skæbne; undergang, ulykke; (glds.) dom; dommedag; (vb.) dømme; fordømme; vie (til undergang); *till the crack of* ~ til dommedagsbasunen lyder.

doomsday ['du·mzdeⁱ] dommedag; *Doomsday Book* se *Domesday.*

door [då·] dør; *lay it at his* ~ skyde ham det i skoene, give ham skylden for det; *the change must be laid at her* ~ forandringen må tilskrives hende; *the fault lies wholly at my* ~ skylden ligger helt og holdent hos mig; *at death's* ~ på dødens tærskel; *next* ~, se *next door; open the* ~ *to (, shut the* ~ *on)* (fig.) åbne (, lukke) døren for; *a* ~ *to success* en vej til succes; *out of -s* ude, udendørs, i det fri.

door|-case dørkarm. ~ **-closer** dørlukker. ~ **-frame** dørkarm. ~ **-handle** dørhåndtag. ~ **-keeper** dørvogter, portner. ~ **-knob** dørhåndtag. ~ **-man** portier, portner. ~ **-mat** dørmåtte. ~ **-money** entré (betaling). **-nail**: *as dead as a -nail* så død som en sild. ~ **-plate** navneskilt (på dør). ~ **-post** dørstolpe. ~ **-rebate** dørfals. **-sill** dørtrin, dørtærskel. ~ **-spring** dørlukker. **-step** trappetrin (uden for huset). **-way** døråbning; *in the -way* i døren.

I. **dope** [doᵘp] (subst.) slags fernis (anvendt på flyvemaskiner og luftskibe); opium, alkohol, narkotiske midler; staldtips, oplysninger; skrøner, løgnehistorier; fjols; *hand (out) the* ~ give (de fornødne) oplysninger; *that's the* ~*!* S det er det vi skal ha' frem! der er noget af det rigtige!

II. **dope** [doᵘp] (vb.) fernisere, overstryge; behandle med noget bedøvende, bedøve, dope (fx. *a racehorse);* forfalske; ~ *out* finde ud af, opdage.

dope fiend S narkoman.

dopester ['doᵘpstə] (amr.): *inside* ~ (omtr.) valgprofet.

dor [då·] (zo.) skarnbasse.

Dora = **D.O.R.A.** fk. f. *Defence of the Realm Act* forsvarsloven af august 1914.

dor-beetle ['då·bi·tl] (zo.) skarnbasse.

Dorcas ['då·kəs]: ~ *(society)* syklub (der syr til de fattige).

Dorian ['då·riən] dorisk; dorier. **Doric** ['dårik] dorisk, bondemål; *speak one's native* ~ tale sin hjemlige dialekt.

Dorking ['då·kiŋ] dorkinghøne.

dorm [då·m] (subst.) T sovesal.

dormancy ['då·mənsi] (subst.) dvale(tilstand).

dormant ['då·mənt] (adj.) slumrende, hvilende; ubrugt, passiv; *lie* ~ ligge i dvale; ~ *partner* passiv kompagnon.

dormer ['då·mə], **dormer window** (fremspringende) tagvindue, kvistvindue.

dormice ['då·mais] pl. af *dormouse.*

dormitory ['då·mitri] sovesal; ~ *(suburb)* soveby.

dormouse ['då·maus] (pl. *dormice)* syvsover, hasselmus.

Dorothea [dårə'þiə]. **Dorothy** ['dårəþi].

dorsal ['då·səl] ryg; ~ *fin* rygfinne.

Dorset ['då·sit].

I. **dory** ['då·ri] dory (lille fladbundet robåd).

II. **dory** ['då·ri] (zo.) sankt petersfisk.

dosage ['doᵘsidʒ] dosering; tilsætning af ingrediens.

dose [doᵘs] (subst.) dosis; (vb.) give medicin til, give i doser; blande op, forfalske.

dose-meter ['doᵘsmi·tə], **dosimeter** [doᵘ'simitə] dosimeter (til måling af radioaktivitet).

doss [dås] S (subst.) seng; (vb.) sove. **doss-house** (simpelt og billigt) logihus.

dossier ['dåsieⁱ] dossier, sagens akter; generalieblad; (med.) journal.

dost [dʌst] 2. person præsens sing. i højere stil af *do.*

dot [dåt] (subst.) prik, punkt, lille bitte barn; (vb.) prikke, punktere; sætte prik over; (be)strø; danne (ligesom) prikker på; *people -ted the fields* rundt omkring på markerne så man folk; ~ *him one* lange ham en ud; ~ *one's i's* sætte prik over i'erne, være meget nøjagtig; ~ *one's i's and cross the t's* sætte prik over i'erne og streg gennem t'erne, give den sidste afpudsning; *be off one's* ~ være forrykt; *10.15 on the* ~ lige præcis 10.15; *since the year* ~ S fra tidernes morgen.

dotage ['doᵘtidʒ] alderdomssløvhed, senilitet; *he is in his* ~ han går i barndom.

dot-and-dash|-code morsealfabet. ~ **-line** stiplet linie.

dot-and-go-one (vb.) halte; (subst.) halten; (adj.) halt, haltende ('en op og to i mente').

dotard ['doᵘtəd] gammel mand som går i barndom, mimrende olding.

dote [doᵘt] gå i barndom; ~ *(up)on* forgude.

doth [dʌþ] (glds.) = *does.*

Dotheboys ['du·ðəboiz]: ~ *Hall* en skole i Dickens' Nicholas Nickleby *(do* 'snyde').

dotted ['dåtid] prikket; punkteret (fx. *a* ~ *line); sign on the* ~ *line* (fig.) skrive under uden videre, acceptere blankt; ~ *with houses* med huse her og der.

dotterel ['dåtərəl] (zo.) pomeransfugl.

dottle ['dåtl] klump pibeudkrads.

dotty ['dåti] prikket; S forrykt, bims.

I. **double** ['dʌbl] (adj.) dobbelt, det dobbelte (af); falsk, tvetydig; (subst.) sidestykke, kopi, dobbeltgænger; dubleant; dobbeltvæddemål; *at the* ~ i fuldt firspring; ~ *or quits* kvit eller dobbelt; *ride* ~ ride to på en hest.

II. **double** ['dʌbl] (vb.) fordoble; lægge dobbelt, bøje sammen; sejle rundt om, runde (fx. *Cape Horn);* doble (i kortspil); dublere (en rolle); fordobles, fordoble sig; gå i hurtigmarch, løbe i stor fart; ~ *one's fists* knytte næverne; ~ *the parts of A and B* både spille rollen som A og som B (i samme stykke); ~ *back* bøje om; vende om og gå samme vej tilbage; ~ *in* bøje ind; ~ *up* folde(s) sammen, lægge(s) sammen; krumme (sig) sammen; (få til at) falde sammen; ~ *him up* få ham til at krumme sig sammen af smerte.

double|-barelled dobbeltløbet; dobbelttydig, tvetydig. ~ **-bass** ['dʌbl'beⁱs] kontrabas. ~ **-bedded** med to senge, med en dobbeltseng. ~ **-bottomed** dobbeltbundet, falsk, uoprigtig. ~ **-breasted** toradet (om jakke). ~ **-chin** dobbelthage. ~ **-column page** tospaltet side. ~ **-cross** (vb.) snyde, bedrage, forråde. ~ **-dealer** en der spiller dobbeltspil, bedrager. ~ **-dealing** (subst.) dobbeltspil. (adj.) uredelig, tvetunget. ~ **-decked** toetages (omnibus etc.). ~ **-decker** skib med to dæk; todækker; toetages omnibus etc. ~ **Dutch** T kaudervælsk. ~ **-dyed** farvet to gange; ærke- (fx. *scoundrel).* ~ **eagle** amerikansk guldmønt (= 20 dollars). ~ **-edged** tveægget. ~ **entendre** [fr.] tvetydighed. ~ **-entry** dobbelt bogholderi. ~ **-faced** falsk. ~ **feature** dobbeltprogram (i biograf). ~ **header** baseball-program med to kampe. ~ **-lock** låse ved at dreje nøglen to gange om. ~ **-quick** hurtigmarch; i hurtigmarch.

doublet ['dʌblit] dublet; vams.

double|-talk: *use* ~ *-talk* mene det modsatte af hvad man siger. ~ **-think** dobbelttænkning (nære to modstridende opfattelser på én gang). ~ **-tongued** tvetunget. ~ **track** dobbeltspor. ~ **vision** dobbeltsyn.

doubling ['dʌbliŋ] fordobling; krumspring, kunstgreb; tvinding.
doubly ['dʌbli] dobbelt.
doubt [daut] (vb.) tvivle (om el. på); betvivle; (glds.) befrygte; (subst.) tvivl, uvished, betænkelighed; *no ~* uden tvivl, utvivlsomt, sikkert; *throw ~ on* drage i tvivl. **doubter** ['dautə] tvivler.
doubtful ['dautf(u)l] (adj.) tvivlrådig; tvivlsom, tvetydig, ikke helt pæn; *~ debts* usikre fordringer.
doubting Thomas vantro Thomas, skeptiker.
doubtless ['dautlės] (adv.) uden tvivl; utvivlsomt.
douce [du·s] (adj.) sat, rolig, sindig, stilfærdig.
douceur [du·'sə·] dusør; bestikkelse.
douche [du·ʃ] styrtebad, douche; (med.) udskylning.
dough [doᵘ] dej; S penge. **dough|boy** (amr. T) infanterist. *~* **-nut** (omtr.) Berliner Pfannkuchen.
doughty ['dauti] (adj., glds.) tapper, mandig.
doughy ['doᵘi] dejagtig, klæg.
Douglas ['dʌgləs]: *~ fir* douglasgran.
dour [duə] (adj.) hård, ubøjelig, stædig, sej (fx. *~ resistance);* stædig; dyster, mørk, streng.
douse [daus] se *dowse.*
dove [dʌv] due; *simple as -s* enfoldige som duer.
dove-cot(e) ['dʌvkåt] dueslag; *flutter the -s* bringe uro i lejren, forurolige godtfolk, chokere borgerskabet. **dovelet** ['dʌvlit] lille due, ung due.
Dover ['doᵘvə].
dovetail ['dʌvteⁱl] (subst.) sinke(forbindelse); (vb.) sinke (sammen); (fig.) passe sammen; passe godt *(into* ind i).
dowager ['dauədʒə] fornem el. rig enke, enke-; *queen-dowager* enkedronning.
dowdy ['daudi] (subst.) gammeldags (el. sjusket) klædt kvinde; (adj.) gammeldags, sjusket, smagløs; dårligt el. smagløst klædt.
dowel ['dauəl] dyvel, tap, låsetap.
dower ['dauə] (subst.) enkelod, enkesæde; medgift; begavelse, talent; (vb.) begave *(with* med).
dowlas ['dauləs] dowlas (groft lærred).
I. **down** [daun] (subst.) dun; fnug.
II. **down** [daun] (subst.) højdedrag; klit; *the Downs* højdedrag i Sydengland; havet mellem Goodwin Sands og den engelske kyst.
III. **down** [daun] (adv.) ned, nede; (præp.) ned ad, nede ad, ned igennem; (adj.) lav, ringe; nedadgående, aftagende; (i krydsordsopgave) lodret; afkræftet, udmattet; langt nede, nedtrykt; (ned)skrevet; på bordet, kontant, i udbetaling; *down!* (til hund) dæk! *bread is ~* brødet er faldet (blevet billigere); *cash ~* (pr.) kontant; *two goals ~* to mål bagefter; *~ the street* hen ad gaden; *~ there* der ned(e); *~ town* til byen; inde i byen; *the ~ train* toget fra London; *~ wind* med vinden; (med vb.:) *boil ~* koge ind; *it all boils ~ to this* dette er sagens kerne; *the wind has gone ~* vinden har lagt sig; *let sby. ~* svigte en; *run ~,* se I. *run;* (med præp., adv.:) *~ from* (om tid) lige fra; (om sted) (bort) fra; *he has come ~ in the world* det er gået tilbage for ham; *be ~ on sby.* være på nakken af en; *~ and out* færdig, ruineret, ødelagt; slået ud; *~ to* (lige) til (fx. *~ to the time of Elizabeth); ~ under* på den anden side af jorden, i Australien etc.; *be ~ with influenza* ligge syg af influenza; *up and ~* op og ned, frem og tilbage; *ups and -s* medgang og modgang; *have a ~ on sby.* have et horn i siden på én, have noget imod én.
IV. **down** [daun] (vb.) slå ned; nedskyde (flyvemaskine); drikke, hælde i sig (fx. *a glass of beer); ~ tools* nedlægge arbejdet, strejke.
down|cast (adj.) nedslået; (om øjne) nedslagen. **-dale** ned ad bakke. *~* **-draught** nedslag (i skorsten). **-fall** fald; undergang; nedbør. **-grade** skråning (nedad), faldende strækning; (jernb.) fald; (vb.) nedsætte, anbringe i en lavere klasse. **-haul** ⚓ nedhaler. **-hearted** modfalden. **-hill** hældende; ned ad bakke; skrænt; *he's going -hill fast* det går rask ned ad bakke med ham.
Downing ['dauniŋ]: *~ Street* (gade i London med premierministerens bolig); ministeriet, regeringen.
down|land ['daunländ] bakket landskab. *~* **-lead** ['daunli·d] nedføringstråd (til radio). **-most** (adv.) nederst, længst nede. *~* **-pipe** nedløbsrør, faldrør. **-pour** skylregn, øsregn. **-right** (adj.) fuldstændig, komplet, ren (fx. *nonsense);* (adv.) direkte, ligefrem (fx. *he was -right rude).* **-stairs** ned ad trapperne, ned; nedenunder (i en lavere etage). **-stroke** nedstreg. *~* **-to-earth** (amr.) nøgtern, realistisk. *~* **-town** (adv.) i forretningskvarteret, i centrum (af byen). **-trodden** undertrykt, forkuet. **-ward** ['daunwəd] nedadgående; synkende; (adv.) nedad. **-wards** ['daunwədz] (adv.) nedad.
I. **downy** ['dauni] (adj.) dunet; dunblød; S listig, snu.
II. **downy** ['dauni] (adj.) bakket, bølgeformet.
downy-leaved rose ♧ filtrose.
dowry ['dauəri] medgift; talent.
dowse [dauz] overhælde (el. overøse) med vand; sjaske til; vise vand (med ønskekvist). **dowser** vandviser. **dowsing-rod** ønskekvist.
doxology [dåk'sålədʒi] lovprisning, lovsang.
I. **doxy** ['dåksi] S tiggertøs, tiggerkælling; tøjte; tøs, elskerinde.
II. **doxy** ['dåksi] T mening, doktrin.
doyen ['doiən] doyen, alderspræsident.
Doyle [doil].
doz. fk. f. *dozen.*
doze [doᵘz] (vb.) blunde, småsove; døse; (subst.) blund; døs; råddenskab i træ.
dozen ['dʌzn] dusin, (som rundt tal) en halv snes; *he chatters away nineteen to the ~* munden går på ham som kæp i et hjul; *by the ~* dusinvis; *it is six of one and half-a-dozen of the other* det er hip som hap, det er ét fedt, det kommer ud på ét. **dozenth** tolvte; *for the ~ time* for (hundrede og) syttende gang.
dozy ['doᵘzi] døsig.
d.p. fk. f. *displaced person.*
Dr. fk. f. *doctor, debtor.*
I. **drab** [dräb] (subst.) sjuske; (glds.) skøge.
II. **drab** [dräb] (subst.) gråbrunt klæde; drap; gråbrun farve; (adj.) drapfarvet; hverdagsgrå, trist, ensformig.
drabbet ['dräbit] groft, drapfarvet lærred.
drabble ['dräbl] tilsøle(s); *~ through* plaske gennem.
drachm [dräm], **drachma** ['dräkmə] drakme.
Draconian [dreⁱ'koᵘniən], **Draconic** [drə'kånik] drakonisk, meget streng.
draff [dräf] bundfald, bærme, affald, mask.
draft [dra·ft] (subst.) (se ogs. under *draught)* grundrids, plan, tegning, udkast; (merk.) veksel, tratte; ⚓ dybgående; ⚔ detachement; indkaldelse, indkaldt mandskab, troppekontingent; (vb.) tegne; lave udkast til, sætte op; koncipere; ⚔ detachere; indkalde; *~ agreement* udkast til overenskomst.
draftee [dra·f'ti·] (amr.) indkaldt soldat.
draftsman ['dra·ftsmən] tegner. **draftsmanship** = *draughtsmanship.*
I. **drag** [dräg] (vb.) trække, hale; slæbe (hen ad jorden); drægge i, trække vod i; gennemsøge; harve; slæbes; slæbe sig af sted, gå trægt; *the affair -s* sagen trækker ud; *the brakes ~* bremserne slæber på; *~ one's feet* slæbe på fødderne; (fig.) være træg (el. modvillig); *~ sth. on* trække noget i langdrag; *~ up a child* give et barn en brutal og tilfældig opdragelse.
II. **drag** [dräg] (subst.) dræg, skraber; agerslæber, tung harve; slæb (til at frembringe kunstigt spor); hæmsko; diligencelignende privat køretøj; luftmodstand; *have a ~* S have et ord at skulle have sagt (ɔ: have indflydelse); *a ~ on sby.* en klods om benet på en. **drag anchor** drivanker.
draggle ['drägl] slæbe i snavset; tilsøle(s); tiljaske(s). **draggled** (adj.) jasket. **draggle|-tail** (subst.) sjuske. *~* **-tailed** sjokket, sjusket.
drag-net ['drägnet] vod.

dragoman ['drãgomən] orientalsk tolk el. fører.
dragon ['drãgən] (subst.) drage. **dragon|-fly** (zo.) guldsmed. ~ **tree** ♧ drageblodstræ.
dragoon [drə'gu·n] (subst.) dragon; (vb.) tvinge ved voldsomme midler, regere med, tyrannisere.
drag | rope slæbetov (til ballon); drægtov. ~ **wire** (flyv.) modstandsbardun.
I. **drain** [dreⁱn] (vb.) bortlede (noget flydende); udtørre; dræne; tømme; tappe (*of* for); flyde bort, løbe af; *his life was -ing away* hans liv ebbede ud.
II. **drain** [dreⁱn] (subst.) afledningskanal; kloakledning; drænrør; dræn (i sår); tømning, tapning; slurk, tår; *be a ~ on* tære stærkt på (fx. *his purse* hans pengebeholdning; *his strength* hans kræfter); *go down the ~* gå til spilde, forsvinde.
drainage ['dreⁱnidʒ] bortledning; afvanding; aftapning; dræning; rørlægning; kloakvæsen, kloaksystem; kloakvand; dræningsvand.
draining|-board, ~ **dish,** ~ **tray** opvaskebakke.
drain-pipe drænrør.
drake [dreⁱk] (zo.) andrik.
dram [drãm] smule; dram, snaps.
drama ['dra·mə] drama. **dramatic(al)** [drə'mãtik(l)] dramatisk; (fig. ogs.) overraskende, pludselig. **dramatis personae** ['drãmətis pə·'soᵘni·] de optrædende personer; personliste. **dramatist** ['drãmətist] dramatiker, dramatisk forfatter. **dramatization** [drãmətai'zeⁱʃən] dramatisering. **dramatize** ['drãmətaiz] dramatisere. **dramaturgy** ['drãmətə·dʒi] dramaturgi.
drank [drãŋk] imperf. af *drink*.
drape [dreⁱp] beklæde, drapere. **draper** ['dreⁱpə] klædehandler, manufakturhandler. **draper's shop** manufakturforretning. **drapery** ['dreⁱpəri] drapering, draperi; klædehandel; manufakturvarer; ~ *(establishment)* manufakturforretning; ~ *(goods)* manufakturvarer.
drastic ['drãstik] (adj.) drastisk; kraftigt virkende (fx. ~ *remedy)*.
drat [drãt]: ~ *him!* gid pokker havde ham! ~ *(it)!* så for pokker!
draught [dra·ft] (se ogs. under *draft)* trækken; aftapning; træk, trækvind; slurk; drik; et glas (el. krus) øl etc.; mikstur; fiskedræt; grundrids, tegning, udkast; ⚓ dybgående; *at a ~* i ét drag; *beer on ~, ~ beer* fadøl; *a rough ~* en kladde.
draught|-board dambræt. ~ **-horse** trækhest, arbejdshest.
draughts [dra·fts] damspil. **draughts|man** dambrik; tegner; forfatter af udkast. **-manship** tegnekunst.
draughty ['dra·fti]: *a ~ room* et værelse hvor det trækker.
I. **draw** [drå·] (subst.) (et) træk, lodtrækning, trækning; remis, uafgjort spil; trækplaster, kassestykke, lokkemiddel; *beat him on the ~* (amr.) skyde først; komme ham i forkøbet.
II. **draw** [drå·] *(drew, drawn)* (vb.) drage, trække; udtrække (obligation); tiltrække (sig); tegne; affatte, opsætte skriftligt; hæve (penge); strække; udlede, hente; suge; øse; tappe; erhverve; fremkalde; lokke; fordreje, fortrække; lade uafgjort; spille uafgjort; udtage indvoldene af (fx. ~ *a chicken);* trække for, trække fra, trække ned; lade (te) trække; få til at udtale sig, pumpe; afsøge; (om skib) stikke, have et dybgående af; trække blank; trække, trassere; *he refused to be -n* han lod sig ikke provokere; han ville ikke røbe noget; ~ *(a) blank*, se *blank;* ~ *a bow* spænde en bue; ~ *the long bow* overdrive, fantasere; ~ *a conclusion* drage en slutning; ~ *a cork* trække en flaske op; *we must ~ the line somewhere* der må være en kant (el. grænse); *I ~ the line there* der trækker jeg grænsen; ~ *rein* holde hesten an; ~ *tears* lokke tårerne frem; ~ *the teeth of* trække tænderne ud på, uskadeliggøre; ~ *back* trække (sig) tilbage; ~ *down* trække ned; pådrage sig; fremkalde; ~ *down the curtain* lade tæppet gå ned; ~ *for partners* trække om, hvem der skal være makkere; ~ *from nature* tegne efter naturen; ~ *inspiration from* lade sig inspirere af, hente sin inspiration fra; *it drew indignant protests from them* det fremkaldte harmfulde protester fra dem; ~ *water from a well* hente vand op af en brønd; ~ *wine from a cask* tappe vin af et fad; ~ *in* trække ind; formindske, nedskære, inddrage; indskrænke; *the days are -ing in* dagene bliver kortere; ~ *level with* indhente, komme på højde med; ~ *it mild!* lad være med at overdrive! ~ *near* nærme sig; ~ *off* uddrage; aflede; fjerne sig, trække (sig) tilbage; aftappe, affade; ~ *on* nærme sig (fx. *winter is -ing on);* trække veksler på, ty til; øse af; trække på (fx. *you may ~ on me for £200);* ~ *sby. on* provokere en; ~ *out* trække ud; strække; trække frem; fremdrage, få frem; affatte, redigere, opsætte; ~ *sby. out* få en til at udtale sig, få en på gled; *the days are -ing out* dagene bliver længere; ~ *round* samle sig om; ~ *to a conclusion* nærme sig sin afslutning; gå på hæld; ~ *up* stille op (fx. *the troops drew up on the drill-ground);* standse; sætte op, affatte; ~ *oneself up* rette sig (i vejret); ~ *upon sby.* trække (en veksel) på en.
draw|back ['drå·bãk] ulempe, ubehagelighed, skyggeside, minus; hindring; toldgodtgørelse ved eksport af importerede varer. **-bridge** vindebro, svingbro. **drawee** [drå·'i·] trassat.
I. **drawer** ['drå·] skuffe; *bottom ~* nederste skuffe; **T** opbevaringssted for brudeudstyr; *chest of -s* kommode, dragkiste, skuffemøbel; *come out of the top ~* høre til de fornemste kredse.
II. **drawer** ['drå·ə] tegner; trassent; ~ *of a cheque* (ogs.) checkudsteder. **drawers** ['dråəz] underbenklæder.
drawing ['drå·iŋ] tegning; trækning; udtrækning; *out of ~* fortegnet. **drawing|-board** tegnebræt. ~ **-master** tegnelærer. ~ **-paper** tegnepapir. ~ **-pin** tegnestift. ~ **-room** dagligstue, salon; selskab; kur (ved hoffet).
drawings ['drå·iŋz] (pl.) indtægter.
drawl [drå·l] (vb.) dræve, tale el. læse slæbende; (subst.) dræven, slæbende tale el. læsen.
drawn [drå·n] perf. part. af *draw;* trukket osv.; stram, fortrukken; uafgjort. **drawnwork** hulsøm.
dray [dreⁱ] flad arbejdsvogn, ladvogn, blokvogn, ølvogn. **dray|-horse** svær arbejdshest, bryggerhest. **-man** ølkusk.
dread [dred] (subst.) skræk, frygt, ærefrygt; rædsel (*of* for); (adj.) frygtelig; ærefrygtindgydende; (vb.) frygte, ræddes. **dreadful** frygtelig; *penny ~* knaldroman, røverroman.
dreadnought ['drednå·t] svært frakkestof, tyk frakke; ⚓ dreadnought (panserskibstype).
I. **dream** [dri·m] (subst.) drøm. II. **dream** [dri·m] *(dreamt* el. *dreamed, dreamt* el. *dreamed)* (vb.) drømme; ~ *up* fantasere sig til, finde på. **dreamer** ['dri·mə] drømmer. **dreamt** [dremt] imperf. og perf. part. af *dream*. **dreamy** ['dri·mi] drømmende; som en drøm; drømmeagtig.
dreary ['driəri] (adj.) sørgelig, trist, uhyggelig, trøstesløs, kedelig, ensformig.
dredge [dredʒ] (subst.) dræg; østersskraber, bundskraber; muddermaskine; blandsæd; (vb.) skrabe østers; drægge *(for* efter); fiske op; mudre op; drysse; ~ *the meat with flour* drysse mel over kødet; ~ *sugar over* strø sukker på. **dredger** ['dredʒə] skraber; muddermaskine; strødåse. **dredging-machine** muddermaskine.
dree [dri·] (i skotsk) tåle; ~ *my weird* finde mig i min skæbne.
dreggy ['dregi] grumset, mudret, uklar.
dregs [dregz] (pl.) bærme, bundfald; *drink* (el. *drain) to the ~* tømme til bunden; *the ~ of Society* samfundets bærme.
drench [drenʃ] (vb.) gennembløde, gennemvæde; give medicin ind; (subst.) dosis kreaturmedicin.
I. **dress** [dres] (subst.) dragt; (dame)kjole; galla; *evening ~* aftenkjole; kjole og hvidt; *full ~* galla, stort toilette, festdragt.

II. **dress** [dres] (vb.) klæde på, klæde; pynte; klæde sig på; klæde sig om; tilberede, ordne; (til)lave; tilhugge, tilhøvle etc., afrette; rense, pudse; forbinde, behandle; garve; stille op i lige linie, rette ind; ~ *fish* rense fisk; ~ *flax* hegle hør; ~ *her hair* sætte hendes hår; ~ *a horse* strigle en hest; ~ *the salad* tillave salaten med eddike, olie osv.; ~ *a shop window* pynte et butiksvindue; ~ *a tree* beskære et træ; ~ *a wound* forbinde et sår; ~ *sby. down* give en en omgang, skænde på en; ~ *out* pynte; ~ *up* pynte, fikse op; klæde sig ud.

III. **dress-** [dres] selskabs-, galla- (fx. ~ *-shoes,* ~ *-uniform).* **dress| circle** balkon (i teater). ~ **coat** herrekjole.

dresser ['dresə] påklæder(ske); vinduespynter; kirurgs assistent; køkkenskab med tallerkenrække foroven; (amr.) toiletbord.

dressing ['dresiŋ] forbinding; gødning; tilberedning; tillavning; sovs; dressing, marinade (til salat); fyld (i stegt fugl etc.); påklædning; appretur. **dressing| bag** necessaire, lille toilettaske. ~ **-bell** klokke (der giver signal til omklædning til middag). ~ **case** se ~ *bag.* ~ **down** omgang, overhaling (fx. *give him a good ~ down).* ~ **-gong** gongong (der giver signal til omklædning til middag). ~ **-gown** slåbrok. ~ **-jacket** frisertrøje. ~ **-room** påklædningsværelse, (skuespiller)garderobe. ~ **-station** forbindingsplads. ~ **-table** toiletbord.

dress|maker dameskrædderinde. **-making** dameskrædderi, kjolesyning. ~ **-preserver** ærmeblad. ~ **rehearsal** generalprøve. ~ **-shield** ærmeblad. ~ **shirt** manchetskjorte. ~ **-show** mannequinopvisning. ~ **suit** kjole og hvidt.

dressy ['dresi] fiks; (for) pyntet; pyntesyg.

drew [dru·] imperf. af *draw.*

dribble [dribl] (vb.) dryppe; savle; drible (i fodbold); lade dryppe; (subst.) dryp.

driblet ['driblit] dryp; lille smule; lille sum penge; *by -s* i småpartier, dråbevis.

I. **drier** ['draiə] tørremiddel; tørrehjelm.

II. **drier** komparativ af *dry.*

I. **drift** [drift] (subst.) retning, tendens, tankegang, mening (fx. *the ~ of the speech);* snedrive; sammendrevet dynge; aflejring; snefog, regnbyge; drift, bevægelse; (langsom) strøm; afdrift; drivgarn; dorn (til at udvide et hul med); stolle (minegang); *I didn't get the ~ of what he said* (ogs.) jeg forstod ikke hvor han ville hen.

II. **drift** [drift] (vb.) drive; fyge (sammen); sammendynge; flyde; føres, lade sig føre; *let things ~* lade stå til.

drift anchor drivanker. **drifter** drivgarnsfisker.

drift|-ice drivis. **-less** uden mål og med, planløs. ~ **-net** drivgarn. ~ **-wood** drivtømmer.

drill [dril] (vb.) bore; gennembore; indøve; indeksercere; eksercere (med); rådslå; (subst.) drilbor; radsåmaskine; rad; fure; eksercits; drejl; **T** rutine; (zo.) dril (en abe).

drill|-ground ekserserplads. ~ **-hall** ekserserhus. ~ **-harrow** drilharve.

drily ['draili] (adv.) tørt.

I. **drink** [driŋk] (subst.) drik, drikke; drink; *have a ~, take a ~* drikke et glas, få sig et glas; *in ~* beruset; *the ~* (flyv., **S**) havet; *in the ~* **S** i 'ballen', i vandet.

II. **drink** [driŋk] *(drank, drunk)* (vb.) drikke *(out of* af); indsuge; tømme; ~ *off* drikke ud; ~ *to* drikke på; ~ *to sby.* skåle med en, hilse på en (med glasset); drikke ens skål; ~ *up* drikke op, drikke ud.

drinkable ['driŋkəbl] (adj.) drikkelig. **drinkables** drikkevarer.

drinker ['driŋkə] en som drikker; dranker.

drinking|-bout soldetur. ~ **-song** drikkevise. ~ **-water** drikkevand.

drip [drip] (vb.) dryppe; (subst.) dryp; vandnæse; gesims; **S** kedeligt drys. **dripping** ['dripiŋ] dryppen; stegefedt; fedt og saft, der drypper fra kød under stegning; ~ *wet* drivvåd. **dripstone** (arkit.) vandnæse, drypkant, kransliste.

I. **drive** [draiv] *(drove, driven)* drive; jage; tvinge; køre, styre, føre; jage med, koste med; slå (om bold); slå i (fx. ~ *a nail in),* ramme ned; grave, føre (fx. ~ *a tunnel through a hill);* fare; opsætte (fx. ~ *it to the last minute);* ~ *a bargain* slå en handel af; ~ *at* sigte til, hentyde til, mene (fx. *what are you driving at?); (let) ~ at* lange ud efter, gå løs på; ~ *away sorrow* fordrive sorgen; ~ *it into his head* banke det ind i hovedet på ham; *he could be led but not -n* han skulle tages med det gode; ~ *up* køre frem.

II. **drive** [draiv] (subst.) køretur; kørevej, indkørsel; kørsel; driven, jagen, klapjagt; fart, energi, handlekraft; voldsomt angreb, fremstød, kampagne (fx. *an export ~); four-wheel ~* firhjulstræk; *with left-hand ~* venstrestyret (om bil).

drive-in drive-in, friluftsbiograf (, -restaurant etc.) for bilister i vogn.

drivel ['drivl] (vb.) savle; vrøvle; (subst.) savl; vrøvl. **driveller** ['drivlə] vrøvlehoved. **drivellingly**: ~ *sentimental* drivende sentimental.

driven ['drivn] perf. part. af *drive; white as the ~ snow* hvid som nyfalden sne; *pure as the ~ snow* (fig.) uskyldsren.

driver ['draivə] kusk, chauffør, bilist, vognstyrer, lokomotivfører; drivværk, drivhjul; slags golfkølle.

driveway (amr.) indkørsel, kørevej.

driving|-belt drivrem. ~ **instructor** kørelærer. ~ **lesson** køretime. ~ **-shaft** drivaksel. ~ **-wheel** drivhjul.

drizzle ['drizl] (vb.) støvregne, småregne; (subst.) støvregn, finregn. **drizzly** (adj.) med støvregn.

drogher ['droᵘgə] lille vestindisk kystfartøj.

drogue [droᵘg] drivanker; (flyv.) slæbemål; vindpose.

droit [droit] rettighed.

droll [droᵘl] (adj.) morsom, komisk, pudsig, løjerlig. **drollery** ['droᵘl(ə)ri] morsomhed(er), pudsighed, løjerlighed.

dromedary ['drʌmədəri] (zo.) dromedar.

drone [droᵘn] (subst.) drone; drønnert, drivert; summen, snurren; baspibe; sækkepibe; (vb.) dovne, dvaske; brumme, snurre; tale (el. synge) monotont. **drone-fly** (zo.) dyndflue. **droningly** ['droᵘniŋli] monotont, drævende.

drool [dru·l] = *drivel.*

droop [dru·p] hænge ned; lude; hænge slapt; blive kraftesløs, synke sammen.

I. **drop** [dråp] (subst.) dråbe; ørelok (smykke); bolsje, drops; (mellemakts)tæppe; klap for nøglehul; fald, faldhøjde (fx. *a ~ of ten feet from the window to the ground);* nedgang; faldlem; *a ~ too much* en tår over tørsten; *a ~ in the bucket* (el. *ocean)* en dråbe i havet; *at the ~ of a hat* på et givet signal; straks, uden mukken; *letter ~* brevsprække.

II. **drop** [dråp] (vb.) dryppe; lade falde (fx. ~ *the anchor;* (fig.) ~ *a remark, the subject);* nedkaste (fx. *supplies);* sænke; falde; dumpe; lade sig falde; få til at falde; skyde ned; synke; segne; sænke sig; aftage; holde op med, opgive; afbryde omgangen med (fx. *a friend);* tabe, miste; slippe, kaste; sætte af (fx. *you can ~ me here);* forlade, skilles fra; udelade; sende (med posten); dryppe, drive (fx. af vand); falde hen, dø; forgå, forsvinde; ~ *an acquaintance* opgive et bekendtskab; ~ *anchor* ankre, kaste anker; ~ *dead* falde død om; ~ *a hint* give et praj (el. vink); ~ *it!* hold op! (til en hund) læg det! ~ *me a line* send mig et par ord; ~ *a passenger* sætte en passager af; ~ *behind* sakke agterud (for); ~ *down(stream)* føres med strømmen; ~ *in* komme uventet, se ind *(on* til); ~ *off* aftage; falde fra; dø; falde i søvn; ~ *through* (fig.) falde til jorden; *ready to ~* segnefærdig.

drop|-curtain ['dråp'kə·tin] mellemaktstæppe. ~ **-forge** sænksmede. ~ **-hammer** faldhammer. ~ **-kick** (vb.) halvflugte; (subst.) halvflugtning. **-let** lille dråbe, spytpartikel.

dropper (med.) pipette. **droppings** dryp (fx. *from a candle);* (dyrs) ekskrementer.

drop|-rudder sænkeror. ~ **-scene** mellemakts-tæppe.
dropsical ['dråpsikl] (adj.) vattersotig. **dropsy** ['dråpsi] (subst.) vattersot.
dross [dr\u00e5s] (subst.) slagger, bundfald, affald.
drossy ['dråsi] (adj.) uren, grumset, værdiløs.
drought [draut] tørhed, tørke; (glds.) tørst. **droughty** ['drauti] tør, tørstig. **drouth** [drauþ] (amr.) = *drought*.
I. **drove** [droᵘv] (subst.) drift (kvæg); (fig.) flok, skare.
II. **drove** [droᵘv] imperf. af *drive*.
drover ['droᵘvə] kvægdriver; kvæghandler.
drown [draun] drukne; overdøve; *get -ed, be -ed* drukne; ~ *the revolution in blood* kvæle revolutionen i blod.
drowse [drauz] halvsove, døse; gøre døsig. **drowsy** ['drauzi] søvnig, døsig; søvndyssende.
I. **drub** [drʌb] (vb.) banke, prygle, tæske; stampe.
II. **drub** [drʌb] (subst.) slag, stød.
drubbing dragt prygl; lag tæsk.
drudge [drʌdʒ] (subst.) slider, slave, træl; hårdt og ensformigt arbejde; slid; (vb.) trælle; slide og slæbe. **drudgery** ['drʌdʒəri] slid og slæb, hårdt og ensformigt arbejde.
drug [drʌg] (subst.) medicin, apotekervare; droge; stimulans, narkotisk middel; vare, der vanskeligt kan afsættes; (vb.) blande med et bedøvende stof el. gift; give medicin ind; forgifte, bedøve; bruge stimulanser; ~ *in* (el. *on) the market* uafsættelig vare. ~ **addict** narkoman. ~ **addiction** hang til narkotiske midler.
drugget ['drʌgit] uldent stof til gulvtæpper; tæppeskåner.
druggist ['drʌgist] materialhandler; (i U.S.A. og Skotland) apoteker. **drugstore** ['drʌgstå·] (amr.) forretning der foruden apotek også rummer isbar, legetøjsafdeling, parfumeafdeling etc.
druid ['dru·id] druide.
drum [drʌm] (subst.) tromme; trommehvirvel; trommeslager; trommehinde; cylinder, tromle, (cylindrisk) beholder; valse; (vb.) tromme; tromme på; tromme sammen (rekrutter, politiske partifæller); *beat the* ~ slå på tromme; ~ *sth. into sby.('s head)* banke noget ind i hovedet på en; ~ *up* tromme sammen.
drum|-fire trommeild. **-head** ['drʌmhed] trommeskind. **-head court-martial** standret. ~ **major** tamburmajor, regimentstambur. ~ **-majorette** kvindelig tamburmajor.
drummer ['drʌmə] trommeslager; (amr.) handelsrejsende, repræsentant.
drumstick trommestik; **T** (stegt) hønselår.
drunk [drʌŋk] perf. part. af *drink;* (adj.) fuld, beruset (fx. *the man is* ~*);* (subst.) beruser; **S** drikkegilde; *dead* ~ døddrukken; *get* ~ drikke sig fuld; ~ *as a lord* hønefuld, fuld som en allike; ~ *with delight* ovenud henrykt, vild af begejstring.
drunkard ['drʌŋkəd] dranker. **drunken** (adj.) fuld, beruset (fx. *a* ~ *man).* **drunkenness** ['drʌŋkənnės] fuldskab.
drupe [dru·p] ♧ stenfrugt.
dry [drai] (adj.) tør; (om træ) udgået; tørlagt; (om malkeko) gold; i klingende mønt; (vb.) tørre; (subst.) tørvejr, tørke; tørhed; ~ *bread* bart brød; ~ *up* tørre (ind); udtørres, hentørres; (fig., om skuespiller) gå i stå, glemme sin replik; ~ *up!* **T** hold mund! ~ *work* arbejde man bliver tørstig af.
dryad ['draiəd] dryade, skovnymfe.
dryasdust ['draiəzdʌst] knastør; stuelærd, pedant.
dry battery, dry cell tørelement. **dry-cleaners** renseri. **dry-cleaning** kemisk rensning.
Dryden ['draidn].
dry dock (subst.) tørdok. **dry-dock** (vb.) (lade) gå i tørdok. **dry goods** (amr.) manufakturvarer; (i Australien) isenkram. **dry matter** tørstof. **dry-nurse** goldamme, barnepige; (vb.) opflaske; være barnepige for. **dry-rot** svamp (i hus, i træ). **drysalter** ['draiså·ltə] materialist, farvehandler. **drysaltery** materialhandel. **dry-shod** ['drai'ʃåd] tørskoet.
D.S.C. fk. f. *Distinguished Service Cross.*
D.Sc. fk. f. *Doctor of Science.*
D.S.M. fk. f. *Distinguisned Service Medal.*
D.S.O. fk. f. *Distinguished Service Order.*
D.S.T. fk. f. *Daylight Saving Time.*
d.t., D.T. fk. f. *delirium tremens.*
dual ['djuəl] dobbelt; (gram.) dualis; ~ *control* dobbeltstyring; dobbeltkommando; ~ *flight* flyvning med flyvelærer; ~ *tyres* tvillingringe.
dualism ['dju·əlizm] dualisme.
I. **dub** [dʌb] (subst.) klodrian.
II. **dub** [dʌb] (vb.) slå til ridder; betitle; udnævne til; titulere, kalde, give øgenavn (fx. *they -bed him 'Fatty');* indsmøre med fedt (fx. ~ *leather);* (om film) eftersynkronisere; (radio) overspille.
dubbin ['dʌbin] læderfedt, fedtsværte.
dubiety [dju·'baiəti] tvivl; tvivlsomhed; tvivlsspørgsmål. **dubious** ['dju·biəs] (adj.) tvivlende; tvivlsom; mistænkelig; tvivlrådig; *be* (el. *feel)* ~ *as to what to do* være i tvivl om hvad man skal gøre.
dubitable ['dju·bitəbl] tvivlsom. **dubitative** ['dju·bitətiv] (adj.) tvivlrådig.
Dublin ['dʌblın].
ducal ['dju·kəl] hertugelig.
ducat ['dʌkət] dukat.
duchess ['dʌtʃės] hertuginde. **duchy** ['dʌtʃi] hertugdømme.
I. **duck** [dʌk] (subst.) and; (om person) skat, snut; amfibie-landgangsfartøj; *like water off a -'s back* som vand på en gås; *-'s egg* andeæg; nul point (i kricket); *break one's -('s egg)* (i kricket) 'løbe' for første gang, få sit første point; *make* (el. *play) -s and drakes* slå smut; *play -s and drakes with one's money* øse sine penge ud; *in two shakes of a -'s tail* i løbet af nul komma fem, i lynende fart.
II. **duck** [dʌk] (subst.) ravndug, bomuldslærred; sejldug; *-s* ravndugsbukser.
III. **duck** [dʌk] (vb.) dukke (sig); (subst.) dukkert, dukken sig.
duck|bill (zo.) næbdyr. ~ **-board** gangbræt (på sumpet jord el. i skyttegrav). **-boat** skydepram.
ducking ['dʌkiŋ] dukkert. **duck-legged** ['dʌklegd] kortbenet. **duckling** ['dʌkliŋ] ælling. **duckweed** ['dʌkwi·d] (subst.) ♧ andemad. **ducky** ['dʌki] (adj.) nuttet, sød; (subst.) skat, snut.
duct [dʌkt] (subst.) kanal, rør, (udførsels)gang.
ductile ['dʌktail] strækkelig, strækbar, bearbejdelig, bøjelig; plastisk; smidig; føjelig, let påvirkelig.
ductility [dʌk'tiliti] strækkelighed, strækbarhed; smidighed, føjelighed.
ductless [dʌktlės] (anat.): ~ *glands* endokrine kirtler.
dud [dʌd] (subst.) forsager, blindgænger; fiasko; (adj.) uenergisk, kraftesløs; falsk; *duds* (ogs.) (gammelt) tøj, klude; klns.
dude [dju·d] (amr.) laps; bybo; ~ *ranch* ranch indrettet for turister.
dudgeon ['dʌdʒən] vrede, forbitrelse, fortørnelse; *in high* ~ meget fortørnet.
due [dju·] (adj.) skyldig; passende, tilbørlig; behørig; forfalden (fx. om veksel); (subst.) afgift; ret, hvad der tilkommer en; (adv.) stik (fx. ~ *north);* ~ *date* forfaldsdag, betalingsdag; *give everyone his* ~ svare enhver sit; *in* ~ *time* (el. *course)* i rette tid, til sin tid, da tiden var inde; i tidens fylde; *fall* ~ *(for payment)* forfalde til betaling; *the steamer is* ~ *to-day* dampereren skal komme i dag; *it is* ~ *to* det skyldes, det er en følge af (fx. *the accident was* ~ *to the snow);* *the obedience* ~ *to parents* den lydighed man skylder sine forældre.
duel ['dju·əl] (subst.) tvekamp, duel; (vb.) duellere
duellist ['dju·əlist] duellant.
duenna [dju'enə] duenna, anstandsdame.
duet [dju'et] duet; *play a piano* ~ spille firhændig.
duff [dʌf] (subst.) melbudding; (vb.) **S** forfalske.

duffel ['dʌfl] dyffel; sportsudstyr, sæt tøj. **duffel-coat** duffelcoat (løsthængende frakke med hætte).
duffer ['dʌfə] dumrian; klodrian; bissekræmmer; en, der handler med forfalskede varer, svindler; uægte stads; falsk mønt.
I. **dug** [dʌg] (subst.) patte, pattevorte, yver.
II. **dug** [dʌg] imperf. og perf. part. af *dig.*
dug-out ['dʌgaut] dækningsrum, beskyttelsesrum; kano lavet af udhulet træstamme; **S** afskediget officer som atter kaldes til tjeneste.
duiker ['daikə] (zo.) dværgantilope.
duke [dju·k] hertug; **S** næve, hånd. **dukedom** ['dju·kdəm] hertugdømme; hertugværdighed.
dulcet ['dʌlsit] (adj.) sød, liflig, melodiøs.
dulcify ['dʌlsifai] (vb.) forsøde; gøre blid.
dulcimer ['dʌlsimə] hakkebræt (glds. musikinstrument).
dull [dʌl] (adj.) dunkel, mat (fx. *a ~ colour, ~ eyes);* uklar, dump (fx. *a ~ pain, a ~ sound);* stump, sløv (fx. *a ~ knife);* dum; tungnem, træg, langsom; kedelig (fx. *we had a ~ time of it);* flov; trist; sløvet; svag (fx. *a ~ market);* (vb.) gøre uklar; dulme; formindske; sløve; *be* (el. *feel) ~* kede sig; *~ of hearing* tunghør.
dullard ['dʌləd] dumrian. **dull-witted** dum, enfoldig. **dully** mat, sløvt, trægt, kedeligt.
dulse [dʌls] spiselig tang.
duly ['dju·li] på tilbørlig måde (el. vis), i rette tid, behørigt, rigtigt (fx. *~ received).*
dumb [dʌm] (adj.) stum, umælende, målløs; tavs, fåmælt; (amr. **T**) dum; (vb.) gøre stum; blive stum.
dumb|-barge slæbepram. **~ -bells** håndvægte. **-found** [dʌm'faund] (vb.) gøre målløs, forbløffe; *-founded* (ogs.) lamslået. **~ show** pantomime, stumt spil. **~ -waiter** stumtjener (et lille serveringsbord); (amr.) køkkenelevator.
dumdum ['dʌmdʌm] dumdumkugle.
Dumfries [dʌm'fri·s].
dummy ['dʌmi] stum person; statist; attrap, skabilkenhoved, parykblok; blind makker (i kortspil); stråmand; fingeret, forloren; *baby's ~* narresut; *tailor's ~* voksmannequin; *~ cartridge* øvelsespatron.
dump [dʌmp] (subst.) losseplads; ammunitionsdepot; bump; bule, 'hul'; fængsel, arrest; (vb.) kaste ud på markedet til en lav pris, dumpe (varer); vælte af, læsse af, smide; se ogs. *dumps.* **dump| body** vippelad, tippelad. **~ car** (amr.) tipvogn.
dumping ['dʌmpiŋ] (merk.) dumping.
dumpish ['dʌmpiʃ] nedtrykt.
dumpling ['dʌmpliŋ] melbolle; indbagt æble; (om person) **T** bolle.
dumps [dʌmps]: *in the ~* deprimeret, nedtrykt.
dump truck (amr.) vogn med tippelad.
dumpy ['dʌmpi] lille og tyk.
I. **dun** [dʌn] (adj.) gråbrun, mørkebrun; mørk; (subst.) gråbrun farve.
II. **dun** [dʌn] (vb.) kræve, rykke; (subst.) rykker.
dunce [dʌns] dumrian, fæ, tosse; fuks (i en klasse); *-'s cap* narrehue, dosmerhue (brugt som straf for dovne børn).
Dunciad ['dʌnsiäd]: *The ~* (digt af Pope).
Dundee [dʌn'di·].
dunderhead ['dʌndəhed] fæhoved, dumrian. **dunderheaded** dum, tykhovedet.
dune [dju·n] klit, sandbanke.
dun fly (zo.) regnklæg.
dung [dʌŋ] (subst.) møg, gødning; (vb.) gøde.
dungaree [dʌŋgə'ri·] en slags groft kaliko; *-s* arbejdstøj.
dung-beetle ['dʌŋbi·tl] (zo.) skarnbasse.
dungeon ['dʌndʒən] (subst.) underjordisk fangehul; (vb.) indespærre i et fangehul.
dung-fork møggreb. **dunghill** mødding.
dunk [dʌŋk] (vb.) dyppe.
Dunkirk [dʌn'kə·k].
dunlin ['dʌnlin] (zo.) almindelig ryle.
Dunlop ['dʌnlåp].
dunnage ['dʌnidʒ] ⚓ garnering (underlag under lasten el. beskyttende materiale mellem indladet gods); bagage.
dunner ['dʌnə] (subst.) rykker. **dunning letter** rykkerbrev.
dunno [d(ə)'noᵘ] **T** d.s.s. *(I) don't know.*
duo ['dju(·)oᵘ] duo, duet.
duodecimal [djuoᵘ'desiməl]: *~ system* tolvtalsystem.
duodecimo [dju·o'desimoᵘ] duoedes.
duodenal [djuoᵘ'di·nəl] (anat.) vedrørende tolvfingertarmen; *~ ulcer* sår på tolvfingertarmen.
duodenum [djuoᵘ'di·nəm] tolvfingertarm.
duologue ['djuəlåg] samtale mellem to.
dupe [dju·p] (vb.) narre, bedrage, føre bag lyset; (subst.) en som lader sig narre, nar, godtroende fjols.
duplex ['dju·pleks] (adj.) dobbelt.
I. **duplicate** ['dju·plikeⁱt] (vb.) fordoble; duplikere, tage genpart af.
II. **duplicate** ['dju·plikėt] (adj.) dobbelt; (subst.) dublet; genpart; duplikat; *in ~* in duplo. **duplication** [dju·pli'keⁱʃən] fordobling; duplikering.
duplicator ['dju·plikeⁱtə] duplikator.
duplicity [dju'plisiti] falskhed.
durability [djuərə'biliti] varighed, holdbarhed.
durable ['djuərəbl] varig, holdbar; *-s* (pl.) varige forbrugsgoder.
duramen [djuə'reⁱmen] ♧ kerneved.
durance ['djuərəns] fangenskab.
duration [dju'reⁱʃən] varighed, den tid noget varer; *for the ~ (of the war)* så længe krigen (ɔ: verdenskrigen) varede (, varer).
durbar ['də·ba·] audiens (i Indien).
duress [dju'res] fængsling, frihedsberøvelse; (uretmæssig) tvang; vold; *do sth. under ~* gøre noget under tvang.
Durham ['dʌrəm].
during ['djuəriŋ] under (fx. *~ my absence),* i løbet af.
durmast ['də·ma·st]: *~ oak* vintereg.
durra ['durə] durra, indisk hirse.
durst [də·st] glds. imperf. af *dare.*
dusk [dʌsk] (subst.) tusmørke, skumring; (adj.) dunkel, mørk, skummel; sortladen; (vb.) skumre, formørkes; formørke. **dusky** ['dʌski] se *dusk* (adj.).
dust [dʌst] (subst.) støv; fejeskarn; støvsky; **S** penge, mønt; (vb.) tilstøve; støve af, rense for støv; bestrø; *bite the ~* bide i græsset; *kick up* (el. *make, raise) a ~* gøre spektakel, gøre kvalm; *throw ~ in sby.'s eyes* stikke én blår i øjnene; *~ sby.'s jacket (for him)* gennembanke en. **dust|bin** skraldebøtte, skarnkasse. **~ -cart** skraldevogn. **~ -coat** støvfrakke. **~ cover** smudsomslag (på bog).
duster ['dʌstə] støveklud; strødåse.
dusting afstøvning; **S** dragt prygl.
dust|man skraldemand; Ole Lukøje. **~ -pan** fejebakke, fejespån. **~ -sheet** møbelovertræk. **~ -shot** spurvehagl.
dust-up: *a ~* **S** ballade.
dusty ['dʌsti] støvet; (ogs.) dårlig, utilfredsstillende; *not so ~* **S** ikke dårlig (el. værst), ikke så gal.
Dutch [dʌtʃ] (adj.) hollandsk; (subst.) hollandsk (sproget); *the ~* hollænderne; *~ auction* auktion, ved hvilken varer råbes op til høje priser, som reduceres indtil der bliver gjort bud; *~ concert* koncert, ved hvilken alle synger eller spiller, men hver sin melodi; *get up ~ courage* drikke sig mod til; *~ door* halvdør; *go ~* deles om udgifterne; *talk to sby. like a ~ uncle* holde en formaningstale til én.
Dutchman ['dʌtʃmən] hollænder; **S** skandinavisk el. tysk sømand; *... or I'm a ~* ellers må du kalde mig Mads.
Dutch treat sammenskudsgilde.
duteous ['dju·tiəs] lydig, pligttro.
dutiable ['dju·tiəbl] (adj.) toldpligtig, afgiftspligtig.
dutiful ['dju·tif(u)l] lydig, ærbødig, pligttro.

duty ['dju·ti] pligt, skyldighed; ærbødighed; afgift, told; tjeneste, opgave; *do ~ for* erstatte, tjene som (fx. *the log did ~ for a chair); be on ~* have tjeneste; *officer on ~* vagthavende officer; *be off ~* have fri; *when he is off ~* (ogs.) uden for tjenesten, uden for tjenestetiden. **duty-free** (adj.) toldfri.

D. V. fk. f. *Deo volente* om Gud vil.

dwarf [dwå·f] (subst. pl. *dwarfs)* dværg; (vb.) hindre i væksten, forkrøble; trykke; rage højt op over; *be -ed by* se lille ud ved siden af, (fig.) blive overskygget (el. stillet i skyggen) af.

dwarfish ['dwå·fiʃ] dværgagtig.

dwarfishness dværgvækst.

dwell [dwel] *(dwelt, dwelt)* (vb.) dvæle, fæste sig, opholde sig *(on* ved) (fx. *we have dwelt too long on this subject);* bo. **dweller** ['dwelə] beboer (fx. *town ~, cave ~).*

dwelling ['dweliŋ] bolig. **dwelling|-house** beboelseshus. **~ -place** bopæl, bolig.

dwelt [dwelt] imperf. og perf. part. af *dwell.*

dwindle ['dwindl] svinde; svinde ind, skrumpe sammen.

dwt. fk. f. *pennyweight* (1,555 gram).

dye [dai] (vb.) farve; tage mod farve; (subst.) farve, farvestof; *-d in the wool* el. *-d in grain* gennemfarvet; vaskeægte; (fig.) fuldblods, ærke-; *a scoundrel of the deepest ~* en ærkeslyngel.

dye-house farveri.

dyer ['daiə] (subst.) farver. **dyer's| greenweed** ♧ farvevisse. **~ mignonette, ~ rocket** ♧ farvereseda.

dye|-stuff farvestof. **~ -works** farveri.

dying ['daiiŋ] døende; døds-; sidste, på dødslejet udtalt (fx. *one's ~ words);* (subst.) død; *be ~ for* **T** længes efter, være (helt) syg efter; *be ~ to* **T** være syg efter at. **dying| bed** dødsleje. **~ day** dødsdag.

dyke [daik] se *dike.*

dyn fk. f. *dynamics.*

dynamic [dai'nämik] (subst.) drivkraft; (adj.) dynamisk. **dynamics** dynamik.

dynamite ['dainəmait] (subst.) dynamit; (vb.) sprænge med dynamit.

dynamiter ['dainəmaitə] dynamitattentatmand.

dynamo ['dainəmoᵘ] dynamo. **dynamometer** [dainə'måmitə] dynamometer.

dynasty ['dinəsti] dynasti.

dyne [dain] dyn (fysisk måleenhed).

dysenteric [disn'terik] (med.) dysenterisk. **dysentery** ['disntri] dysenteri.

dyslexia [dis'leksiə] dysleksi, (medfødt) ordblindhed.

dyspepsia [dis'pepsiə] (med.) dyspepsi, fordøjelsesvanskeligheder. **dyspeptic** [dis'peptik] (adj.) dyspeptisk; (subst.) dyspeptiker.

dyspnoea [dis'pni·ə] (med.) åndenød.

E

E, e [i·]. **E.** fk. f. *east, eastern.*

each [i·tʃ] hver, hver især, hver enkelt (af et antal); *~ for all and all for ~* én for alle og alle for én; *they cost sixpence ~* de koster 6 pence stykket; *~ other* hinanden, hverandre.

eager ['i·gə] (adj.) ivrig, begærlig *(for* efter; *to* efter at); spændt (fx. *expectation); ~ to* (ogs.) opsat på at. **eager beaver** (amr.) morakker. **eagerness** ['i·gənės] iver, begærlighed.

eagle ['i·gl] (subst.) (zo.) ørn; (amerikansk mønt =) 10 dollars. **eagle-eyed** (adj.) som har falkeblik, skarpsynet. **eagle owl** (zo.) den store hornugle.

eaglet ['i·glėt] ung ørn.

eagre ['eⁱgə, 'i·gə] springflod, stormflod.

E. & O.E. fk. f. *errors and omissions excepted.*

I. **ear** [iə] (subst.) øre; gehør; hank; *be all -s* være lutter øre; *were your -s burning last night?* ringede det ikke for dine ører i går aftes? *the middle ~* mellemøret; *gain* (el. *have) sby.'s ~* finde et villigt øre hos en; *give ~ to* høre på, høre efter; *I would give my -s to know* jeg ville give hvad det skulle være for at få det at vide; *prick up one's -s* spidse ører; *bring a storm about one's -s* rejse en storm af kritik; *go in at one ~ and out at the other* gå ind ad det ene øre og ud af det andet; *play by ~* spille efter gehør; *set by the -s* bringe i totterne på hinanden; *have an ~ for music* have gehør (el. musikalsk sans); *a word in sby.'s ~* et ord i fortrolighed; *over head and -s, up to the -s* til op over ørerne.

II. **ear** [iə] (subst.) aks; kolbe (på majsplante); (vb.) sætte aks. **ear|-ache** ['iəreⁱk] ørepine. **~ -drum** trommehinde.

eared [iəd] (adj.) med øre(r); ♧ med aks.

ear-flap ['iəfläp] øreklap.

earl [ə·l] jarl; engelsk adelsmand med rang under *marquess* og over *viscount.*

ear-lap ['iəläp] øreflip; øreklap.

earldom ['ə·ldəm] en *earl's* rang, titel eller gods.

ear-lobe ['iəloᵘb] øreflip.

early ['ə·li] tidlig på den (fx. *you are ~ today);* for tidlig; tidligt moden; old-, gammel; snart indtræffende, snarlig; første, indledende (fx. *the ~ chapters of a book); as ~ as May* allerede i maj; *the ~ bird catches the worm* (omtr. =) morgenstund har guld i mund; *the ~ boat* morgendamperen; *the ~ church* oldkirken; *at an ~ date* i en nær fremtid; *at your earliest convenience* snarest belejligt; *one's ~ days* ens ungdom; *it is ~ days yet to* det er endnu for tidligt at; *his ~ dream* hans ungdomsdrøm; *Early English Style* tidlig engelsk spidsbuestil (gotik); *have ~ habits, keep ~ hours* gå tidligt i seng og stå tidligt op; *~ in May, in ~ May* i begyndelsen af maj; *~ riser* morgenmand.

earmark ['iəma·k] (subst.) mærke (hak) i øret (på får); kendetegn; æseløre (i bog); (vb.) mærke øret på; lave æselører i (som mærke); bestemme, sætte til side, afsætte, hensætte.

ear-minded ['iəmaindid] auditivt indstillet; som opfatter lettere ved hjælp af hørelsen end ved hjælp af synet.

earmuffs øreklapper.

earn [ə·n] (vb.) tjene, fortjene, erhverve; opnå, vinde. **earned income** indtægt ved arbejde i modsætning til *unearned income.*

I. **earnest** ['ə·nist] (adj.) alvorlig; ivrig, indtrængende; (subst.) alvor; *in ~* for alvor; *are you in ~?* er det dit alvor? *in good ~* i (el. for) ramme alvor.

II. **earnest** ['ə·nist] (subst.) penge på hånden, pant; afdrag; forsmag (fx. *an ~ of future favours).* **earnest-money** penge på hånden. **earnestness** ['ə·nistnės] alvor, alvorlighed.

earning capacity indtjeningsevne. **earnings** fortjeneste, indtægt.

ear|phone ['iəfoᵘn] hovedtelefon (til radio). **~ -pick** øreske. **-reach** hørevidde. **~ -ring** ørering. **-shot** hørevidde.

I. **earth** [ə·þ] (subst.) jord; jordklode, jorden; land; jordart; jordforbindelse; hule, hi; *move heaven and ~* sætte himmel og jord i bevægelse; *how (, what, where) on ~?* hvordan (, hvad, hvor) i al verden? *come back* (el. *down) to ~* (fig.) komme ned på jorden igen; *down to ~* jordbunden, nøgtern; *take ~, go* (el. *run) to ~* smutte ind i sin hule; *run to ~* (fig.) få endelig opklaret, opspore.

II. **earth** [ə·þ] (vb.) dække med jord; hyppe; (om ræv) søge ind i sin hule; drive (fx. en ræv) ind i dens hule; (elekt.) jordforbinde, jorde.
earth closet tørkloset.
earthen ['ə·þn] (adj.) jord-; ler-. **earthenware** ['ə·þnwæə] lervarer; pottemagerarbejde.
earthiness ['ə·þinės] jordagtig beskaffenhed; jordiskhed; jordbundenhed.
earth lead ['ə·þ'li·d] jordledning.
earthliness ['ə·þlinės] jordiskhed.
earthling ['ə·þliŋ] jordisk menneske, verdensbarn.
earthly ['ə·þli] jordisk; optænkelig; *of no ~ use* til ingen verdens nytte; *not an ~* S ikke gnist af chance.
earthly-minded verdsligsindet.
earth|-nut jordnød. **-quake** jordskælv. **~ star** ♧ stjernebold. **-work** jordvold. **-worm** regnorm.
earthy ['ə·þi] jordagtig; jordisk; jordbunden, materialistisk.
ear|-trumpet hørerør. **~ -wax** ørevoks.
earwig ['iəwig] (subst.) (zo.) ørentvist; (vb.) tude (én) ørerne fulde.
I. **ease** [i·z] (subst.) behag, velvære, ro; mageligbed, behagelighed; tvangfrihed; lindring, lettelse; lethed; frihed, utvungenhed, ugenerthed; rummelighed, plads, vidde; *at ~* i ro, i ro og mag, bekvemt; *be at ~* befinde sig vel, være utvungen, føle sig som hjemme; *ill at ~* ilde til mode; *live at ~* leve under gode økonomiske forhold; *march at ~* ⚔ marchere i rørmarch; *put at ~* berolige; *stand at ~* ⚔ stå i rørstilling; *take one's ~* gøre sig det mageligt; *with ~* med lethed, ubesværet.
II. **ease** [i·z] (vb.) lindre (fx. *the pain);* lette (fx. *one's mind);* befri; løsne, slappe; lempe, manøvrere (fx. *~ the piano into place);* lade gå med sagte fart; ⚓ slække (fx. skødet); *~ down* slappe (af); sagtne (farten); *~ off* ⚓ fire (på reb, sejl); fjerne sig; slappe af; holde op, standse; skubbe (båd) fra land; *~ the helm!* ⚓ let på roret! *~ off the sheets* ⚓ fire på skøderne.
easel ['i·zl] staffeli.
easement ['i·zmənt] servitut.
easily ['i·zili] med lethed, let, sagtens; langt (fx. *he is ~ the strongest of the boys); ~ learned (, repaired* etc.) let (el. nem) at lære (, reparere etc.).
easiness ['i·zinės] lethed; utvungenhed; behagelighed; ro; føjelighed.
east, East [i·st] (subst.) øst; *the East* Østen; Østerland; orienten; (amr.) øststaterne; (adj.) østlig, øst-; (adv.) mod øst, østpå; (vb.) bevæge sig mod øst; *to the ~ of* øst for.
eastbound ['i·stbaund] østgående.
East End: *the ~* (den østlige (fattigere) del af London).
I. **easter** ['i·stə] østenstorm.
II. **Easter** ['i·stə] påske. **Easter | eve** påskelørdag. **~ Day** påskedag.
easterly ['i·stəli] østlig; østenvind.
Easter Monday anden påskedag.
eastern ['i·stən] mod øst, østre, fra øst; østerlandsk; østerlænding; *the Eastern Church* den græskkatolske kirke.
Easter Sunday påskedag.
East Indies ['i·st'indiz]: *the ~* Ostindien.
easting ['i·stiŋ] østlig bevægelse; *run her ~ down* (om skib) sejle østpå.
eastward ['i·stwəd] mod øst, øster på.
easy ['i·zi] rolig; behagelig; magelig, bekvem; veltilpas; let, ikke vanskelig; fri, utvungen, naturlig; medgørlig; slap (fx. *~ in one's morals);* ikke meget efterspurgt; *~ circumstances* gode kår; *honours (are) ~* honnørerne er fordelte; *~ majority* stort flertal; *~ money* let tjente penge; *the money market is easier* pengemarkedet er mindre stramt; *on ~ terms* på moderate (el. lempelige) betingelser; *~ of belief* lettroende; *make ~* berolige; *be in Easy Street* være velstillet, 'ligge lunt i svinget'; *of ~ virtue* letlevende; *go ~,* *take it ~* tage det med ro; *go ~ on* spare på; *~ with the sugar!* spar på sukkeret!
easy|-chair lænestol. **~ -going** sorgløs, magelig, medgørlig.
I. **eat** [i·t] *(eat* el. *ate, eaten)* spise; æde; *~ away* fortære; *the meat -s well* kødet smager godt; *~ one's head off* æde sig en pukkel til, ikke gøre gavn for føden; *~ his head off* S bide ad ham, skælde ham ud; *~ one's heart out* ruge over sine sorger, lide i stilhed; *don't ~ me!* æd mig ikke! godt ord igen! *what's -ing you?* (amr.) hvad går der af dig? *~ one's words* tage sine ord i sig igen; *~ into* æde sig ind i; tære på, gøre indhug i.
II. **eat** [et] imperf. af *eat.*
eatable ['i·təbl] spiselig; *-s* madvarer.
eaten ['i·tn] perf. part. af *eat.*
eating ['i·tiŋ] (subst.) mad, spisen; (adj.) fortærende, nagende.
eats (pl.) (amr.) mad.
eau-de-Cologne ['oᵘdəkə'loᵘn] eau de Cologne.
eau-de-vie ['oᵘdə'vi·] cognac.
eaves [i·vz] tagskæg; *dripping from the ~* tagdryp.
eaves|drop ['i·vzdråp] (vb.) lytte, lure. **-dropper** (subst.) lurer.
ebb [eb] (subst.) ebbe; dalen, nedgang; (vb.) ebbe; synke; aftage, gå tilbage, svinde (fx. *-ing strength); our party was at a low ~* vort parti var i stærk tilbagegang, det så sørgeligt ud for vort parti; *~ away* ebbe ud. **ebb-tide** ['ebtaid] (subst.) ebbe.
E-boat ['i·boᵘt] (tysk) motortorpedobåd.
ebonite ['ebənait] (subst.) ebonit.
ebony ['ebəni] (subst.) ibenholt; (adj.) sort som ibenholt.
ebullience [i'bʌljəns] overgivenhed, kådhed, strålende humør. **ebullient** [i'bʌljənt] overgiven, kåd, i strålende humør. **ebullition** [ebə'liʃən] (subst.) opbrusen; udbrud.
E. C. fk. f. *East Central (London postal district).*
ECA fk. f. *Economic Cooperation Administration.*
eccentric [ik'sentrik] (adj.) excentrisk; overspændt, besynderlig, sær; (subst.) excentrisk skive; excentrisk person, særling. **eccentricity** [eksen'trisiti] excentricitet, særhed.
Ecclesiastes [ikli·zi'ästi·z] Prædikerens bog.
ecclesiastic [ikli·zi'ästik] (subst.) (en) gejstlig, præst. **ecclesiastical** [ikli·zi'ästikəl] (adj.) gejstlig, kirke- (fx. *~ history).*
ECE fk. f. *Economic Commission for Europe.*
echelon ['eʃəlån] ⚔ troppeformation med afdelinger opstillet trinvis forskudt, echelon.
echidna [e'kidnə] (zo.) myrepindsvin.
echo ['ekoᵘ] (subst.) genlyd, ekko; (fig. ogs.) efterklang; (vb.) genlyde; give genlyd; kaste tilbage (om lyd); gentage, sige efter; *to the ~* så det giver genlyd. **echo chamber** ekkorum. **echoic** [e'koᵘik] lydmalende. **echo| room** ekkorum. **~ sounder** ekkolod. **~ sounding** ekkolodning.
éclair ['e'klæə] lille flødekage.
eclectic [ėk'lektik] (adj.) eklektisk, udvælgende, udsøgende; (subst.) eklektiker. **eclecticism** [ek'lektisizm] eklekticisme.
eclipse [ė'klips] (subst.) formørkelse; fordunkling; (vb.) formørke; fordunkle, overgå, overstråle; *lunar ~* måneformørkelse; *solar ~* solformørkelse.
ecliptic [ė'kliptik] ekliptika (jordens bane om solen).
eclogue ['eklåg] (subst.) hyrdedigt.
ecology [i'kålådʒi] økologi.
economic [i·kə'nåmik] økonomisk, erhvervs- (fx. *~ crisis* erhvervskrise); *~ planning* planøkonomi; *~ plant* nytteplante. **economical** økonomisk, sparsommelig *(of* med). **economics** [i·kə'nåmiks] økonomi, nationaløkonomi. **economist** [i'kånəmist] økonom; nationaløkonom. **economize** [i'kånəmaiz] økonomisere, være sparsommelig; *~ on* holde hus med. **economy** [i'kånəmi] økonomi; sparsommelighed; *domestic ~* husgerning, husholdning; *political ~* nationaløkonomi.

ecstasy ['ekstəsi] (subst.) henrykkelse, begejstring, ekstase; *be in ecstasies* være i den syvende himmel. **ecstatic** [ėk'stätik] (adj.) ekstatisk, henrykt, henreven; som hensætter en i ekstase.

E. C. T. fk. f. *electroconvulsive treatment* (elektro)-chokbehandling.

E. C. U. fk. f. *English Church Union.*

Ecuador [ekwə'då·].

ecumenic(al) [i·kju'menik(l)] almindelig, økumenisk.

eczema ['eksimə] (subst., med.) eksem. **eczematous** [ek'zemətəs] (adj.) eksematøs.

ed. fk. f. *edited; edition; editor.*

edacious [i'deiʃəs] (adj.) grådig. **edacity** [i'däsiti] grådighed.

eddy ['edi] (subst.) hvirvel, malstrøm; (vb.) hvirvle rundt.

edelweiss ['eidlvais] (subst.) ♧ edelweiss.

edema [i'di·mə] (med.) ødem. **edematous** [i'demətəs] ødematøs.

Eden ['i·dn] Eden, paradis.

edentate [i'denteit] tandløs; (zo.) som hører til gumlerne. **edentates** (zo.) gumlere.

edge [edʒ] (subst.) æg (på kniv etc.), kant, smalside; snit (på en bog); udkant (fx. *a house on the ~ of the forest);* skarphed; (fig.) brod; **T** (lille) forspring; (vb.) skærpe; kante, sætte kant på; rykke (fx. *in, out),* kante sig, liste sig (fx. *he -d into the room); ~ oneself into the conversation* blande sig i samtalen; *~ one's way through the crowd* trænge sig frem gennem mængden; *~ on* ægge; *~ of a wood* skovbryn; *be on ~* være irritabel (el. nervøs); *set sby.'s nerves on ~* gå en på nerverne; *set the teeth on ~* få det til at hvine i tænderne; *do the inside ~* slå damesving; *do the outside ~* slå herresving; *give an ~ to one's appetite* skærpe appetitten; *give the ~ of one's tongue to* skælde ud (på); *have the ~ on* (el. *over)* **S** have overtaget over; *take the ~ off the appetite* stille den værste sult; *with gilt -s* med guldsnit; *raw ~* trævlekant; *stitched -s* stukne kanter.

edge-tool skærende værktøj; *play with -s* (omtr. =) lege med ilden.

edgeways ['edʒweiz], **edgewise** ['edʒwaiz] på højkant; på siden, sidelæns; *I cannot get a word in ~* jeg kan ikke få et ord indført.

edging ['edʒiŋ] (subst.) rand, kant, kantning, bort, indfatning.

edgy ['edʒi] (adj.) skarp; irritabel, nervøs.

edibility [edi'biliti] spiselighed.

edible ['edibl] (adj.) spiselig.

edict ['i·dikt] edikt, forordning.

edification [edifi'keiʃən] opbyggelse. **edifice** ['edifis] bygning(sværk). **edify** ['edifai] (vb.) virke opbyggeligt på. **edifying** (adj.) opbyggelig.

Edinburgh ['ed(i)nbərə]. **Edison** ['edisn].

edit ['edit] (vb.) udgive; redigere; (om film) klippe til. **edit.** fk. f. *edited; edition; editor.*

Edith ['i·diþ].

edition [i'diʃən] udgave; oplag. **editor** ['editə] udgiver; redaktør. **editorial** [edi'tå riəl] (adj.) redaktionel, udgiver-, redaktions-; (subst.) ledende artikel; *~ office* redaktion (om stedet); *~ staff* redaktion (om personalet). **editor-in-chief** chefredaktør. **editorship** ['editəʃip] redaktørpost; *under the ~ of* under redaktion af.

editress ['editrės] (kvindelig) redaktør (, udgiver).

E D P fk. f. *electronic data processing.*

educable ['edjukəbl] som kan opdrages.

educate ['edjukeit] opdrage; uddanne, oplære. **educated** (boglig) dannet.

education [edju'keiʃən] opdragelse; uddannelse, undervisning, skolevæsen; *compulsory ~* undervisningspligt (elevs); *primary ~* folkeskoleundervisning; *secondary ~* højere undervisning; *it is quite an ~ to listen to him* det er ligefrem opdragende at høre på ham. **educational** [edju'keiʃənəl] opdragelses-; belærende; pædagogisk (fx. *~ work).* **educationalist** [edju'keiʃənəlist], **educationist** [edju'keiʃənist] pædagog. **educative** ['edjukeitiv] opdragende, udviklende. **educator** ['edjukeitə] pædagog, opdrager.

educe [i'dju·s] udlede; udvinde; fremlokke.

eduction [i'dʌkʃən] udledelse; udvinding; udstrømning, afløb.

Edward ['edwəd]. **Edwardian** [ed'wå·diən] som hører til Edward VII's tid.

E. E. C. fk. f. *European Economic Community* fællesmarkedet.

eel [i·l] ål; *as slippery as an ~* så glat som en ål. **eel|grass** ♧ bændeltang. **-spear** ålejern, lyster, ålestang. **~ -trap** åleruse. **~ wrack** ålegræs.

e'en [i·n] fk. f. *even.* **e'er** [æə] fk. f. *ever.*

eerie ['iəri], **eery** ['iəri] uhyggelig, sælsom.

E. E. T. S. fk. f. *Early English Text Society.*

efface [ė'feis] udslette, udviske; *~ oneself* være selvudslettende. **effacement** [-mənt] udslettelse.

I. **effect** [i'fekt] (subst.) virkning, følge, resultat; effekt; udførelse, fuldbyrdelse; hensigt, øjemed; indhold; *-s* (ogs.) ejendele, effekter; løsøre; *no -s* (ogs.) ingen dækning; *take ~* gøre virkning, virke; træde i kraft; *in ~* faktisk, i virkeligheden; i sine virkninger; *bring* (el. *carry) into ~* virkeliggøre, gældende, i kraft; *bring* (el. *carry) into ~* virkeliggøre, fuldbyrde; *give ~ to* lade træde i kraft, gennemføre; *go into ~* træde i kraft; *of no ~* uden virkning, til ingen nytte; *to that ~* i den retning, gående ud på det; *a remark to the ~ that* en bemærkning om at; *useful ~* nyttevirkning.

II. **effect** [i'fekt] (vb.) bevirke, udrette, fuldbyrde, effektuere; *~ an insurance* tegne en forsikring; *~ a purchase* afslutte et køb.

effective [i'fektiv] (adj.) virksom; effektiv; virkningsfuld, kraftig; tjenstdygtig; *-s* ⚔ kampdygtige tropper. **effectual** [i'fektjuəl (adj.) virkningsfuld (fx. *an ~ remedy);* gyldig, gældende, bindende. **effectuate** [i'fektjueit] (vb.) iværksætte, gennemføre, virkeliggøre. **effectuation** [ifektju'eiʃən] iværksættelse, gennemførelse.

effeminacy [ė'feminəsi] kvindagtighed, blødagtighed. **effeminate** [ė'feminėt] (adj.) kvindagtig, blødagtig.

effervesce [efə'ves] (vb.) bruse (op), skumme, moussere, perle, syde; (fig.) strømme over; være meget livlig (el. munter. kåd). **effervescence** [efə'vesəns] opbrusning, brusen; livlighed, munterhed, kådhed. **effervescent** [efə'vesənt] brusende, skummende, mousserende; livlig, munter, kåd.

effete [e'fi·t] udlevet, udslidt, udtjent.

efficacious [efi'keiʃəs] effektiv, virkningsfuld (fx. *an ~ cure).*

efficacy ['efikəsi] virkningsfuldhed.

efficiency [i'fiʃənsi] effektivitet, virkeevne, kraft; virkningsgrad, nyttevirkning, ydeevne; (om person) dygtighed, duelighed; *~ expert* rationaliseringsekspert. **efficient** [i'fiʃənt] virksom, virkningsfuld, formålstjenlig; effektiv; habil, dygtig, duelig; *~ cause* virkende (el. umiddelbar) årsag.

effigy ['efidʒi] billede; *in ~* in effigie.

effloresce [eflå·'res] udfolde sig; danne skorpe; udblomstre (om mursalpeter). **efflorescence** [eflå·'resəns] blomstring; udslæt; udblomstring (af mursalpeter). **efflorescent** [eflå·'resənt] fremblomstrende.

effluence ['efluəns] (subst.) udflyden, udstrømning.

effluent ['efluənt] (adj.) udflydende, udstrømmende; (subst.) udløb, afløb.

effluvium [e'flu·viəm] (pl. *effluvia* [e'flu·viə]) uddunstning, dunst; udflåd.

efflux ['eflʌks] udstrømning; forløb.

effort ['efət] anstrengelse, bestræbelse, møje; præstation; forsøg; indsats; *it was a good ~* det var en god præstation.

effortless ['efətlės] ubesværet, let; *with ~ ease* med legende lethed.

effrontery [e'frʌntəri] uforskammethed, frækhed.

effulgence [ė'fʌldʒəns] (subst.) glans.

effulgent [ė'fʌldʒənt] (adj.) strålende, skinnende. **effuse** [ė'fju·z] udgyde; udbrede; strømme ud. **effusion** [ė'fju·ʒən] udgydelse; ~ *of blood* (ogs.) blodtab. **effusive** [ė'fju·siv] overstrømmende.

eft [eft] (zo.) stor salamander.

EFTA fk. f. *European Free Trade Area.*

e.g. fk. f. *exempli gratia* f.eks.

egad [i'gäd] (glds.) min tro!

egalitarian [igäli'tæəriən] tilhænger af *egalitarianism.* **egalitarianism** [igäli'tæəriənizm] tro på at alle mennesker er lige.

I. **egg** [eg] æg; ✕ T (luft)bombe; *bad* ~ (fig.) skidt fyr; *good* ~ S den er fin; prægtig fyr; udmærket ting; *lay an* ~ (amr.) S gøre fiasko; *put all one's -s in one basket* anbringe hele sin kapital i ét foretagende, (omtr.) sætte alt på ét kort (el. bræt); *will you teach your grandmother to suck -s?* skal ægget lære hønen? *as sure as -s is -s,* se *sure.*

II. **egg** [eg]: ~ *on* ægge, tilskynde.

egg|-cup æggebæger. ~ **-glass** æggekoger, ægur; æggebæger. ~ **-head** S intellektuel. ~ **-nog** æggeøl; slags æggetoddy. ~ **-plant** ægplante. ~ **-shaped** ægformet. ~ **-shell** æggeskal. ~ **slicer** æggedeler. ~ **-spoon** æggeske. ~ **-timer** æggekoger; ægur. ~ **-whisk** æggepisker.

eglantine ['egləntain] ♧ æblerose.

ego ['egoᵘ] jeg; *the* ~ jeget. **ego|centric** ['egoᵘ-'sentrik] (adj.) egocentrisk, selvoptaget; (subst.) egocentrisk person. **-centricity** [-sen'trisiti], **-centrism** [-'sentrizm] egocentricitet, selvoptagethed.

egoism ['egoᵘizm] egoisme. **egoist** ['egoᵘist] egoist. **egoistic** [egȯᵘ'istik], **egoistical** [egoᵘ'istikl] egoistisk.

egotism ['egotizm] for megen tale om sig selv, selvoptagethed; indbildskhed; egoisme. **egotist** ['egotist] en der altid taler om sig selv; egoist. **egotistic** [ego'tistik], **egotistical** [ego'tistikl] som altid taler om sig selv, egocentrisk; egoistisk.

egregious [i'gri·dʒiəs] ualmindelig, topmålt, ærke-; (ironisk) fortræffelig.

egress ['i·gres] udgang; udløb.

egret ['i·gret] hejre, hejrefjer; aigrette (ɔ: fjerbusk); ♧ fnok (på løvetand etc.); *large* ~ sølvhejre; *little* ~ silkehejre.

Egypt ['i·dʒipt] Ægypten.

Egyptian [i'dʒipʃən] ægyptisk; ægypter; T ægyptisk cigaret; ~ *vulture* ådselgrib. **egyptologist** [i·dʒip'tålədʒist] ægyptolog. **egyptology** [i·dʒip'tålədʒi] ægyptologi.

eh [eⁱ] hvad! ikke sandt?

E.I. fk. f. *East India.*

eider ['aidə] edderfugl. **eider|down** edderdun; dyne. ~ **-duck** edderfugl.

eidolon [ai'doᵘlån] fantom, syn; idealbillede.

eight [eⁱt] otte; ottetal; otter; *the Eights* kaproningerne med otteårede både mellem kollegierne (i Oxford og Cambridge); *he has had one over the* ~ S han har fået en tår over tørsten. **eighteen** ['eⁱ'ti·n] atten. **eighteenth** ['eⁱ'ti·nþ] attende; attendedel. **eighth** [eⁱtþ] ottende; ottendedel. **eighthly** ['eⁱtþli] for det ottende. **eightieth** ['eⁱtiiþ] firsindstyvende; firsindstyvendedel. **eighty** ['eⁱti] firs(indstyve).

Einstein ['ainstain]: *the* ~ *theory* relativitetsteorien.

Eire ['æərə] Irland.

Eisenhower ['aizənhauə].

eisteddfod [ai'steðvåd] wallisisk digter- og musikerstævne.

either ['aiðə] en (af to); den ene el. den anden; hver (af to); hvilken som helst (af to); begge (fx. *there are houses on* ~ *side); either ... or* enten ... eller (fx. *he is* ~ *here or there); not ... either* heller ikke; *on* ~ *side of the table* på hver sin side af bordet; på begge sider af bordet.

ejaculate [i'dʒäkjuleⁱt] ejakulere; udbryde, udråbe; udsprøjte. **ejaculation** [idʒäkju'leⁱʃən] ejakulation; udbrud. **ejaculatory** [i'dʒäkjuleⁱtəri] pludselig ytret; udtrykt i korte sætninger.

eject [i'dʒekt] (vb.) kaste ud, udstøde, fordrive; sætte ud (fx. *they* ~ *those who do not pay the rent).* **ejection** [i'dʒekʃən] (jur.) udsættelse; ~ *seat* (flyv.) katapultsæde. **ejectment** [i'dʒektmənt] fordrivelse; (jur.) udsættelsesforretning. **ejector** [i'dʒektə] udkaster, ejektor; ~ *seat* (flyv.) katapultsæde.

eke [i·k]: ~ *out* forøge; udfylde, fuldstændiggøre; supplere, strække; ~ *out one's income* supplere sine indtægter; ~ *out one's livelihood* slå sig igennem, tjene til livets ophold. **eking** forlængelse.

I. **elaborate** [i'läbəreⁱt] (vb.) forarbejde, udarbejde; udføre i detaljer, udvikle nærmere.

II. **elaborate** [i'läbərit] (adj.) detaljeret (fx. *an* ~ *plan);* omstændelig (fx. *ceremony);* kunstfærdig (fx. *design);* fuldendt, udsøgt (fx. *an* ~ *dinner).*

elaboration [iläbə'reⁱʃən] (nærmere) udarbejdelse, udformning.

eland ['i·lənd] (zo.) elsdyrantilope.

elapse [i'läps] (vb.) forløbe, gå (hen) (om tid).

elastic [i'lästik] (adj.) elastisk, spændstig, smidig; (fig. ogs.) rummelig (fx. *definition);* (subst.) elastik; ~ *(-side) boots* fjederstøvler.

elate [i'leⁱt] (vb.) gøre opstemt. **elated** [i'leⁱtid] (adj.) glad, i glad stemning, opstemt, oprømt. **elation** [i'leⁱʃən] (subst.) glæde, opstemthed.

Elbe [elb]: *the* ~ Elben.

I. **elbow** ['elboᵘ] (subst.) albue; bøjning, knæ (på rør); *be at one's* ~ være ved hånden; *out at -s* med huller på albuerne, lurvet, forhutlet; *crook one's* ~ S bøje armen (ɔ: drikke); *be up to the -s in work* have hænderne fulde.

II. **elbow** ['elboᵘ] (vb.) skubbe; puffe, albue; ~ *one's way* albue sig frem; ~ *sby. out of the way* skubbe en til side.

elbow|-chair lænestol. ~ **-grease** T knofedt, hårdt arbejde. ~ **rest** armlæn. ~ **-room** albuerum; plads til at røre sig.

I. **elder** ['eldə] (adj.) ældre; ældst (af to); (subst.) ældre person; ældste; ~ *hand* forhånd (i kortspil); *one's -s* de der er ældre end en selv; ~ *statesman* erfaren, afgået politiker hvis råd man stadig lytter til.

II. **elder** ['eldə] ♧ hyld; *red-berried* ~ ♧ druehyld.

elder-berry hyldebær.

elderly ['eldəli] ældre.

eldest ['eldist] ældst.

El Dorado [ėldo'ra·doᵘ] eldorado.

eldritch ['eldritʃ] spøgelsesagtig, uhyggelig.

Eleanor ['elinə].

elecampane [elikäm'peⁱn] ♧ alant, ellensrod.

elect [i'lekt] (vb.) udvælge, vælge, udkåre; foretrække, beslutte (fx. *he elected to go home);* (adj.) udvalgt, udkåret; *the bride* ~ den udkårne.

election [i'lekʃən] valg; udvælgelse; *general* ~ (alm.) valg (til parlamentet).

electioneer [ilekʃə'niə] drive valgagitation. **electioneering** valgagitation, valgkampagne.

elective [i'lektiv] (adj.) vælgende; valg-; valgt, fremgået af valg; (subst., amr.) valgfrit fag; ~*monarchy* valgrige; ~ *subjects* (amr.) valgfri fag.

elector [i'lektə] vælger, valgberettiget; valgmand; *Elector* kurfyrste.

electoral [i'lektərəl] valg-; vælger-, valgmands-; *Electoral* kurfyrstelig; *electoral pact* listeforbund; *Electoral Prince* Kurfyrste.

electorate [i'lektərėt] kurfyrsteværdighed; kurfyrstendømme; vælgermasse, vælgerfolk; *the* ~ (ogs.) vælgerne.

electress [i'lektrės] kurfyrstinde.

electric [i'lektrik] elektrisk (fx. *charge* ladning, *current* strøm, *light* lys). **electrical** [i'lektrikl] elektrisk; ~ *engineer* elektroingeniør; ~ *machine* elektricermaskine.

electric| bell ringeapparat. ~ **blue** stålblå. ~ **chair** elektrisk stol.

electrician [ilek'triʃən] elektriker. **electricity** [ilek'trisiti] elektricitet.

electric| motor elektromotor. ~ **newspaper** lysavis. ~ **torch** lommelygte.

electrification [i'lektrifi'keiʃən] elektricering; elektrificering, indførelse af elektrisk drift. **electrify** [i'lektrifai], **electrize** [i'lektraiz] elektricere; elektrificere, indføre elektrisk drift.

electro- [i'lektro] elektro. **electro|chemistry** elektrokemi. **-cute** [i'lektrəkju·t] henrette i den elektriske stol. **-cution** [ilektrə'kju·ʃən] henrettelse ved elektricitet.

electrode [i'lektroud] elektrode.

electrolier [ilektrou'liə] elektrisk lysekrone.

electrolyse [i'lektrolaiz] elektrolysere, kemisk sønderdele ved en elektrisk strøm. **electrolys|is** [ilek'trålisis] (pl. *-es* [-i·z]) elektrolyse. **electrolyte** [i'lektro'lait] elektrolyt.

electro-magnet [i'lektro'mägnėt] elektromagnet. **electro-magnetic** [i'lektromäg'netik] (adj.) elektromagnetisk. **electro-magnetism** [i'lektro'mägnitizm] elektromagnetisme.

electrometer [ilek'tråmitə] elektricitetsmåler.

electromotive [i'lektromoutiv]: ~ *force* elektromotorisk kraft. **electromotor** [i'lektro'moutə] elektromotor.

electron [i'lektrån] elektron.

electronic [ilek'trånik] (adj.) elektronisk, elektron- (fx. *brain* hjerne; *computer* regnemaskine); ~ *data processing* elektronisk databehandling. **electronics** (subst.) elektronik.

electro|plate [i'lektropleit] (vb.) forsølve galvanisk; (subst.) elektroplet. **-scope** [i'lektrəskoup] elektroskop. **-static** [i'lektro'stätik] elektrostatisk. **-statics** [i'lektro'stätiks] elektrostatik. **-technology** [i'lektrotek'nålədʒi] elektroteknik. **-therapy** [i'lektro'þerəpi] elektroterapi.

electuary [i'lektjuəri] (med.) latværge, brystsaft.

eleemosynary [elii·'måsinəri] almisse-; fattig-; som lever af almisse; godgørende, velgørenheds-.

elegance ['eligəns] elegance, smagfuldhed. **elegant** ['eligənt] elegant, smagfuld.

elegiac [eli'dʒaiək] (adj.) elegisk, klagende; *-s* elegiske vers. **elegist** ['elidʒist] elegisk digter. **elegy** ['elidʒi] klagesang, elegi.

element ['elimənt] element, grundstof; (væsentlig) bestanddel; (pl.) begyndelsesgrunde, elementer; ~ *of danger* faremoment; *there is an* ~ *of truth in it* der er noget sandt i det; *be in one's* ~ være i sit rette element. **elemental** [eli'mentl] element-; elementær; usammensat. **elementary** [eli'mentəri] elementær.

elephant ['elifənt] elefant; *white* ~ hvid elefant; en besværlig (og bekostelig) ting at eje; kostbar men unyttig ting. **elephant| bull** hanelefant. ~ **calf** elefantunge. ~ **cow** hunelefant.

elephantiasis [elifän'taiəsis] elefantiasis. **elephantine** [eli'fäntain] (adj.) elefantagtig, uhyre, stor, kluntet, klodset. **elephantoid** [eli'fäntoid] (adj.) elefantagtig.

Eleusinian [elju'siniən] (adj.) eleusinsk.

elevate ['eliveit] hæve, løfte; ophøje; højne; gøre munter, bringe i løftet stemning. **elevated** ['eliveitid] højtliggende; ophøjet; 'højt oppe'; **T** højbane; ~ *railway* højbane. **elevation** [eli'veiʃən] ophøjelse; løftning; højhed, værdighed; højde; ⚔ elevation; (arkit.) opstalt, facadetegning. **elevator** ['eliveitə] løftemuskel; hejseapparat, løfteredskab; (flyv.) højderor; vareelevator, elevator.

eleven [i'levn] elleve; hold (på 11 spillere) (fx. *a cricket* ~). **eleven-plus examination** (eng. eksamen omtr. = den tidligere mellemskoleprøve). **elevenses** formiddagste. **eleventh** ellevte; ellevtedel; *at the* ~ *hour* i den ellevte time.

elf [elf] (pl. *elves*) alf; lille spilopmager; dværg. **elf | arrow,** ~ **bolt,** ~ **dart** pilespids af flint. ~ **fire** 'lygtemand'. **elfin** ['elfin] (adj.) alfeagtig, alfe-; (subst.) lille alf; unge, rolling. **elfish** ['elfiʃ] alfeagtig; ondskabsfuld, drilagtig.

elf-stricken elleskudt.

Elgin ['elgin]: *the* ~ *marbles* (græske marmorværker, som lord Elgin bragte til England, nu i British Museum); (især) Parthenonfrisen.

Elia ['i·liə] (pseudonym for Charles Lamb).

Elias [i'laiəs].

elicit [i'lisit] få frem, bringe for dagen (fx. ~ *the truth); lokke frem (fx. ~ a reply).*

elide [i'laid] elidere, udelukke; lade ude af betragtning.

eligibility [elidʒə'biliti] valgbarhed; fortrinlighed. **eligible** ['elidʒəbl] valgbar; værd at vælge; attråværdig, ønskelig, antagelig; berettiget til hjælp; *an* ~ *young man* (en ung mand der er) et passende parti.

Elijah [i'laidʒə] Elias (profeten).

eliminate [i'limineit] bortskaffe, fjerne, udstøde, udelukke, eliminere, borteliminere; lade ude af betragtning. **elimination** [ilimi'neiʃən] bortskaffelse, udstødelse; udelukkelse; eliminering, borteliminering; *proof of* ~ eksklusionsbevis. **eliminator** [i'limineitə] eliminator (i radio).

Elinor ['elinə]. **Eliot** ['eljət].

Elisabeth [i'lizəbəþ].

Elisha [i'laiʃə] Elisa (profeten).

elision [i'liʒən] elision, udeladelse.

élite [ei'li·t] elite.

elixir [i'liksə] eliksir; kvintessens; ~ *of life* livseliksir.

Eliza [i'laizə]. **Elizabeth** [i'lizəbəþ].

Elizabethan [ilizə'bi·þən] elisabethansk; elisabethaner.

elk [elk] (zo.) elg, elsdyr.

ell [el] (gml. længdemål); *give him an inch, and he'll take an* ~ rækker man fanden en lillefinger, tager han hele hånden.

ellipse [ė'lips] (mat.) ellipse. **ellips|is** [ė'lipsis] (pl. *-es* [-i·z]) (gram.) ellipse, udeladelse. **elliptic(al)** [ė'liptik(l)] elliptisk.

elm [elm] elm.

Elmo ['elmou]: *St. Elmo's fire* st. elmsild.

elmy ['elmi] elmebevokset.

elocution [elə'kju·ʃən] foredrag(småde); talekunst; sprogbehandling. **elocutionary** [elə'kju·ʃənəri] som vedrører udtalen eller foredraget. **elocutionist** [elə'kju·ʃənist] lærer i taleteknik, recitator, oplæser.

elongate ['i·långeit] forlænge; strække; strække sig; forlænges. **elongation** [i·lån'geiʃən] forlængelse; (astr.) elongation, vinkelafstand.

elope [i'loup]: *she -d* hun løb bort med sin elsker

elopement [i'loupmənt] bortførelse.

eloquence ['elokwəns] (subst.) veltalenhed.

eloquent ['elokwənt] (adj.) veltalende.

else [els] ellers; anden, andet; *any one* ~ en hvilken som helst anden; *no one* ~ ingen anden; *nothing* ~ intet andet; *nowhere* ~ intet andet sted; *or* ~ eller også, ellers; *somewhere* ~ et andet sted; *what* ~ hvad andet; *who* ~ hvem andre.

elsewhere ['els'wæə] andetsteds.

Elsinore [elsi'nå·] Helsingør.

elucidate [i'lu·sideit] forklare, belyse.

elucidation [ilu·si'deiʃən] forklaring, belysning, opklaring. **elucidative** [i'lu·sideitiv], **elucidatory** [i'lu·sideitəri] forklarende, oplysende.

elude [i'lu·d] undvige, undgå, smutte fra; unddrage sig; omgå.

elusion [i'lu·ʒən] undvigelse, undgåen; omgåelse. **elusive** [i'lu·siv], **elusory** [i'lu·səri] undvigende; snu; flygtig; vanskelig at få fat på (el. huske).

elver ['elvə] (zo.) glasål.

elves [elvz] pl. af *elf*.

elvish ['elviʃ] alfeagtig; drilagtig.

Ely ['i·li].

Elysian [i'liziən] elysisk, elysæisk, himmelsk, paradisisk. **Elysium** [i'liziəm] Elysium.

'em [əm] dem.

emaciated [i'meiʃieitid] udtæret, mager. **emaciation** [imeisi'eiʃən] udtæret tilstand, magerhed.

emanate ['emənᵉⁱt] (vb.) udstrømme, udspringe, udgå, hidrøre; udstråle *(from* fra). **emanation** [emə'neⁱʃən] (subst.) udstrømmen, udstråling, emanation; følge, konsekvens.

emancipate [i'mänsipeⁱt] (vb.) frigøre, emancipere (fx. *an -d young woman); frigive* (fx. *slaves).* **emancipation** [imänsi'peⁱʃən] frigørelse, emancipation, frigivelse. **emancipationist** [imänsi'peⁱʃənist] talsmand for frigørelse (især for negerslaveriets ophævelse). **emancipator** [i'mänsipeⁱtə] befrier; *the Great Emancipator* Lincoln.

I. **emasculate** [i'mäskjuleⁱt] (vb.) kastrere; svække; afsvække, berøve én sin kraft.

II. **emasculate** [i'mäskjulėt] (adj.) umandig; svag.

emasculation [imäskju'leⁱʃən] kastrering; afkræftelse, svækkelse.

embalm [ėm'ba·m] balsamere; bevare frisk i mindet; fylde med vellugt.

embalmment [ėm'ba·mmənt] balsamering.

embank [ėm'bäŋk] inddige; opdæmme.

embankment [ėm'bäŋkmənt] inddæmning; opdæmning; dæmning; vold; jernbaneskråning; kaj; *the Embankment* (gade i London).

embargo [ėm'ba·goᵘ] (subst.) embargo; indførselsforbud; udførselsforbud; beslaglæggelse; forbud; spærring; (vb.) beslaglægge, rekvirere; udstede forbud imod, forbyde; *lay an ~ on* lægge embargo på; belægge med embargo; *lift an ~* hæve en embargo.

embark [ėm'ba·k] indskibe, tage om bord (fx. *the ship -ed passengers and cargo);* indskibe sig; *~ upon* gå i lag med, indlade sig på; *he -ed his fortune in* han anbragte sin formue i. **embarkation** [ėmba·'keⁱʃən] indskibning.

embarrass [ėm'bärəs] forvirre; sætte i forlegenhed; gøre forlegen; gøre indviklet; bringe i vanskeligheder; hæmme. **embarrassed** forlegen, flov, genert; *be ~* (ogs.) være i forlegenhed, være i vanskeligheder. **embarrassing** generende, pinlig (fx. *his questions are ~).* **embarrassment** [ėm'bärəsmənt] forvirring; forlegenhed; vanskelighed, knibe; hindring.

embassy ['embəsi] ambassade.

embattle [ėm'bätl] stille i slagorden; forsyne med murtinder; *-d* (ogs.) kampberedt.

embay [ėm'beⁱ] bringe ind i en bugt, indeslutte.

embayment bugt; dannelse af bugt.

embed [ėm'bed] indkapsle; *-ded in* indesluttet (el. indlejret) i; *it is -ded in my recollection* det står præget i min erindring.

embellish [ėm'beliʃ] forskønne, udsmykke, pryde; pynte på. **embellishment** [ėm'beliʃmənt] forskønnelse, udsmykning, prydelse.

ember ['embə] (ulmende) glød, glødende kul, aske.

ember-days faste- og bededage i den romersk-katolske kirke.

embezzle [ėm'bezl] forgribe sig på (betroede midler), begå underslæb (el. kassesvig). **embezzlement** [ėm'bezlmənt] underslæb, kassesvig. **embezzler** [ėm'bezlə] en, som begår underslæb, kassebedrøver.

embitter [ėm'bitə] gøre bitter; *it -ed his life* det forbitrede tilværelsen for ham.

emblazon [ėm'bleⁱzn] dekorere med heraldiske figurer; male med strålende farver; forherlige. **emblazonment** [-mənt], **emblazonry** [-ri] våbenmaleri; våbenfigurer, heraldisk udsmykning.

emblem ['embləm] sindbillede, symbol. **emblematic(al)** [embli'mätik(l)] (adj.) sindbilledlig, symbolsk; *be ~ of* (ogs.) være et symbol på; være et synligt udtryk for.

embodiment [ėm'bådimənt] legemliggørelse, inkarnation; virkeliggørelse; optagelse, indlemmelse; samling til et hele; *the ~ of courage* (ogs.) det personificerede mod.

embody [ėm'bådi] (vb.) udtrykke, give konkret udtryk (el. form), virkeliggøre, nedlægge (fx. *the principles embodied in the treaty);* indebære; indeholde; optage, indlemme; samle til et hele; legemliggøre, personificere (fx. *embodied virtue).*

embolden [ėm'boᵘldən] give mod (fx. *it -ed him to speak).*

embolism ['embolizm] (med.) emboli, blodprop.

embonpoint [fr.] embonpoint.

embosom [ėm'buzəm] trykke til sit bryst; omgive, skjule (fx. *a house -ed with trees).*

emboss [ėm'bås] udføre i (el. pryde med) ophøjet arbejde el. relief; *-ed* (om metal ogs.) drevet; *-ed book* bog m. blindeskrift; *-ed printing* ophøjet tryk.

embossment [ėm'båsmənt] ophøjet arbejde, relief.

embouchure [åmbu'ʃuə] flodmunding; mundstykke på blæseinstrument; den blæsendes mundstilling ved tonens frembringelse.

embowed [ėm'boᵘd] hvælvet.

embowel [ėm'bauəl] tage indvoldene ud af.

embower [ėm'bauə] omgive med løv.

embrace [ėm'breⁱs] (vb.) omfavne; omfatte; indbefatte; gribe (fx. *an opportunity);* antage; (ivrigt) tage imod (fx. *an offer);* slutte sig til (fx. *a religion);* gå i gang med, tage fat på; omfavne hinanden (fx. *they -d);* (subst.) omfavnelse, favntag; *locked in an ~* tæt omslynget.

embracement [ėm'breⁱsmənt] omfavnelse.

embranchment [ėm'bra·ntʃmənt] gren; forgrening.

embrasure [ėm'breⁱʒə] skydeskår; (arkit.) embrasure, smiget vindues- el. døråbning (bredere indadtil end udadtil).

embrocate ['embrokeⁱt] indgnide. **embrocation** [embro'keⁱʃən] lægemiddel (som indgnides); liniment.

embroider [ėm'broidə] brodere; pynte på. **embroidery** [ėm'broidəri] broderi.

embroil [em'broil] (vb.) inddrage, indvikle (fx. *he was -ed in their quarrels);* skabe forvirring i, forstyrre; *get -ed with* komme i strid med. **embroilment** [em'broilmənt] det at blive indviklet i strid etc.; splid, forvirring, forvikling.

embryo ['embrioᵘ] (subst.) embryo, foster, kim, spire; (adj.) uudviklet; *in ~* i sin vorden, vordende.

embryology [embri'ålədʒi] embryologi. **embryologist** [embri'ålədʒist] embryolog. **embryonic** [embri'ånik] (adj.) embryonisk, foster-; embryonal; uudviklet, ufuldbåren.

embus [ėm'bʌs] (vb.) stige ind (, ⚔ sidde 'op) i motorkøretøj.

emend [i'mend], **emendate** ['i·mendeⁱt] forbedre, rette (tekst). **emendation** [i·men'deⁱʃən] forbedring, rettelse. **emendatory** [i'mendətəri] forbedrende.

emerald ['emərəld] smaragd; smaragdgrøn (farve); *the Emerald Isle* den smaragdgrønne ø (Irland).

emeraude ['eməroᵘd] smaragdgrøn; kromgrøn (noget mørkere end smaragdgrøn).

emerge [i'mə·dʒ] dukke op, komme op; dukke frem, opstå. **emergence** [i'mə·dʒəns] opdukken, tilsynekomst; opståen, fremkomst.

emergency [i'mə·dʒənsi] (subst.) nødsituation, kritisk situation; yderste nød; (adj.) nød-, reserve-; *state of ~* undtagelsestilstand; *in case of ~, in an ~* i nødstilfælde.

emergency| brake (i tog) nødbremse; (i bil) håndbremse. *~* **-door,** *~* **-exit** reserveudgang (fx. i et teater). *~* **landing ground** (flyv.) nødlandingsplads. *~* **lighting** nødbelysning. *~* **measure** nødforanstaltning. *~* **powers** ekstraordinær bemyndigelse. *~* **regulation** ⚔ forholdsordre. *~* **store** reserveforråd.

emergent [i'mə·dʒənt] opdukkende; som opstår; pludselig opstående (fx. fare); *~ from* som opstår som følge af (fx. *political issues ~ from war).*

emeritus [i'meritəs] emeritus; *~ professor* professor emeritus.

emersed [i'mə·st] som rager op (over en flade); som hæver sig over vandfladen.

emersion [i'mə·ʃən] tilsynekomst; (astr.) emersion (fremdukken efter formørkelse).
emery ['eməri] smergel. **emery|-cloth** smergellærred. ~ **-paper** smergelpapir.
emetic [i'metik] brækmiddel. **emetic(al)** [i'metik(l)] som fremkalder opkastning.
emigrant ['emigrənt] (adj.) udvandrer-, udvandrende; udvandret; (subst.) udvandrer, emigrant.
emigrate ['emigre'ᶦt] udvandre, emigrere. **emigration** [emi'greᶦʃən] udvandring, emigration. **emigré** ['emigreᶦ] (politisk) emigrant.
Emily ['emili].
eminence ['eminəns] højde(drag), forhøjning; høj værdighed; fremtrædende stilling; berømmelse, ære; eminence (kardinalernes titel). **eminent** ['eminənt] høj; højtstående; fremtrædende, fremragende; anselig, udmærket. **eminently** ['eminəntli] i fremragende grad; særdeles.
emir [ė'miə] (subst.) emir.
emissary ['emisəri] (hemmelig) agent, (hemmelig) udsending.
emission [i'miʃən] udsendelse; udstedelse; udstråling (fx. *of heat*).
emit [i'mit] udsende; udstede (fx. *paper money);* udstråle, give fra sig; ytre.
Emmanuel [i'mänjuəl]. **Emmaus** [e'meᶦəs].
emollient [i'måliənt] blødgørende (middel).
emolument [i'måljumənt] indtægt; *-s* emolumenter; sportler; honorarer.
emotion [i'moᵘʃən] sindsbevægelse, bevægelse, rørelse; følelse; *with* ~ (ogs.) bevæget. **emotional** [i'moᵘʃənəl] (adj.) følelses-, følelsesmæssig; som taler til følelserne, rørende, stemningsfuld, følelsesbetonet; (om person især) emotionel, letpåvirkelig, følelsesfuld, følsom; *an* ~ *person* (ogs.) et stemningsmenneske. **emotionalism** [i'moᵘʃənəlizm] følelsesbetonethed, følsomhed. **emotionalist** [i'moᵘʃənəlist] følelsesmenneske. **emotionless** ufølsom, kold.
emotive [i'moᵘtiv] følelsesmæssig, følelsesbetonet.
empanel [em'pänəl] (vb.) opføre på (nævninge-) liste, udtage (til nævning); udfærdige liste over (nævninge).
empathic [em'päþik] indfølende. **empathy** ['empəþi] indføling, indlevelse.
empennage [em'penidʒ] (flyv.) haleparti.
emperor ['empərə] kejser.
emphasis ['emfəsis] eftertryk; fynd; vægt. **emphasize** ['emfəsaiz] lægge eftertryk på, betone; fremhæve, understrege, pointere, lægge vægt på. **emphatic** [ėm'fätik] eftertrykkelig, kraftig, fyndig, energisk, kategorisk, bestemt. **emphatically** [ėm'fätikəli] eftertrykkeligt.
emphysema [emfi'si·mə] (med.) emfysem.
empire ['empaiə] rige; kejserrige; herredømme; *Empire* (ogs.) empire(stil); *the Empire* (ofte:) det britiske verdensrige; *Empire Day* 24. maj (dronning Viktorias fødselsdag); *Empire State* (staten) New York.
empiric [em'pirik] (adj.) erfaringsmæssig, empirisk; (subst.) empirist, empiriker; (glds.) charlatan, kvaksalver. **empirical** [em'pirikəl] (adj.) empirisk.
empiricism [em'pirisizm] empiri; kvaksalveri.
emplacement [im'pleᶦsmənt] kanonstilling.
emplane [ėm'pleᶦn] gå (el. tage) om bord i en flyvemaskine.
employ [ėm'ploi] (vb.) beskæftige, sysselsætte, give arbejde, ansætte (fx. *he is -ed in a bank);* bruge, anvende; tilbringe (fx. *that is the way he -s his spare time);* (subst.) tjeneste; beskæftigelse, arbejde; *in sby.'s* ~ i ens brød, ansat hos en.
employable [ėm'ploiəbl] anvendelig.
employé [åm'ploieᶦ], **employee** [ėmploi'i·] funktionær. **employer** [ėm'ploiə] arbejdsgiver, principal; *-s' association* (el. *federation, organization)* arbejdsgiverforening.
employment [ėm'ploimənt] beskæftigelse, sysselsættelse; anvendelse; ansættelse, tjeneste, arbejde; *out of* ~ arbejdsløs; ~ *exchange* arbejdsanvisningskontor; ~ *tax* skat på arbejdskraft.
empoison [ėm'poizn] (vb.) forgifte.
emporium [em'på·riəm] varehus, stor butik; stabelplads; oplagssted; handelscentrum.
empower [ėm'pauə] bemyndige; sætte i stand til, give evne til.
empress ['emprės] kejserinde.
empressement [fr.] (påtaget) hjertelighed.
empty ['em(p)ti] (adj.) tom; (subst.) tomt returgods, tom emballage; (vb.) tømme *(of* for), tømmes; ~ *of* blottet for, uden (fx. *words* ~ *of meaning); the river empties itself into the sea* floden strømmer ud i havet. **empty| -handed** tomhændet. ~ **-headed** tomhjernet.
empyreal [empai'riəl] himmelsk. **empyrean** [empai'ri·ən] den højeste himmel, (ild)himlen; himmelsk.
emu ['i·mju·] emu (australsk fugl).
emulate ['emjuleᶦt] kappes med; efterligne; søge at overgå. **emulation** [emju'leᶦʃən] kappelyst, kappestrid. **emulative** ['emjuleᶦtiv] (adj.) kappelysten; rivaliserende. **emulator** ['emjuleᶦtə] konkurrent, rival, efterligner. **emulous** ['emjuləs] kappelysten; *be* ~ *of* søge at overgå (fx. *one's rivals);* stræbe (el. tragte) efter (fx. *fame).*
emulsify [i'mʌlsifai] emulgere.
emulsion [i'mʌlʃən] emulsion.
enable [ė'neᶦbl] (vb.) sætte i stand til (fx. *the money -d him to travel); enabling act* bemyndigelseslov.
enact [ė'näkt] give lovskraft; vedtage (en lov); forordne; spille (en rolle); opføre (et stykke); *be -ed* finde sted, udspille sig. **enactment** [ė'näktmənt] vedtagelse; lov, forordning.
enamel [ė'nämәl] (subst.) emalje, lak, glasur; (vb.) emaljere, lakere, glasere; *-led* (fig.) broget, som stråler i alle farver.
enamoured [ė'näməd] forelsket *(of* i).
encaenia [en'si·niə] stiftelsesfest (v. Oxford universitet).
encage [ėn'keᶦdʒ] sætte i bur; indespærre.
encamp [ėn'kämp] slå lejr, lejre sig; lægge i lejr.
encampment [ėn'kämpmənt] lejr, lejrplads; det at slå lejr.
encapsulate [en'käpsjuleᶦt] (vb.) indkapsle.
encase [ėn'keᶦs] indhylle, indfatte; omslutte, indpakke.
encash [ėn'käʃ] indkassere, hæve penge på.
encashment [ėn'käʃmənt] indkassering; udtræk.
encaustic [en'kå·stik] (adj.) enkaustisk; (subst.) enkaustik; ~ *painting* (ogs.) voksmaleri; ~ *tile* flise med indbrændt dekoration.
enceinte [a·(n)'sänt] (subst.) ⚔ enceinte; (adj.) gravid, frugtsommelig.
encephalitis [ensefə'laitis] hjernebetændelse.
enchain [ėn'tʃeᶦn] (vb.) lænke; (fig.) fængsle.
enchant [ėn'tʃa·nt] fortrylle; *-ed with* (ogs.) henrykt over. **enchanter** [ėn'tʃa·ntə] troldmand; fortryllende person. **enchanter's nightshade** ♧ steffensurt. **enchanting** (adj.) fortryllende, bedårende.
enchantment [ėn'tʃa·ntmənt] fortryllelse, trylleri, trolddom. **enchantress** [ėn'tʃa·ntrės] troldkvinde; fortryllende kvinde.
enchase [ėn'tʃeᶦs] indfatte (fx. ~ *a jewel in gold);* indlægge; ciselere.
enchiridion [enkai'ridiən] håndbog.
enchondroma [enkån'droᵘmə] brusksvulst.
encircle [ėn'sə·kl] omringe (fx. *-d by the enemy),* indeslutte, indkredse; kredse om; *-d by* (ogs.) omkranset af.
encirclement [ėn'sə·klmənt] indkredsning.
en clair [fr.] (om telegram) i klart sprog.
enclasp [ėn'kla·sp] omfatte; omfavne.
enclave ['ånkleᶦv, 'enkleᶦv] enklave.
enclitic [en'klitik] (adj.) enklitisk, efterhængt.
enclose [ėn'kloᵘz] indhegne; omgive; indeslutte; indlægge; vedlægge (i brev).

enclosure [in'klouʒə] indhegning, indhegnet plads; hegn, gærde; indlæg, bilag (i brev); indhegning af fællesjord for at gøre den til privateje; ~ *wall* ydermur.

encode [en'koud] omsætte til kodesprog.

encomiast [en'koumiäst] (subst.) smigrer, lovpriser. **encomiastic(al)** [enkoumi'ästik(l)] lovprisende. **encomium** [en'koumjəm] lovtale.

encompass [ėn'kʌmpəs] omgive; omfatte; omringe, omspænde.

encore [åŋ'kå·] da capo; (subst.) dacapo(nummer), ekstranummer; (vb.) forlange da capo (fx. ~ *a song);* forlange et ekstranummer af (fx. ~ *the singer).*

encounter [ėn'kauntə] (subst.) (tilfældigt) møde; sammenstød, kamp; træfning; (vb.) træffe (sammen med), møde, komme ud for, støde på, mødes.

encourage [ėn'kʌridʒ] (vb.) opmuntre, indgyde mod, anspore, oplive; hjælpe frem, støtte, ophjælpe, fremme (fx. *a trade).* **encouragement** [ėn'kʌridʒmənt] opmuntring; befordring, hjælpen frem, fremme.

encroach [ėn'kroutʃ] (vb.) gøre indgreb (*on* i); trænge sig ind (*on* på); anmasse sig. **encroachment** [ėn'kroutʃmənt] indgreb, overgreb; anmasselse, uretmæssig indtrængen.

encrust [in'krʌst] (vb.) overtrække (som) med en skorpe, belægge, besætte; danne skorpe.

encumber [ėn'kʌmbə] (vb.) bebyrde, betynge, belemre; (over)fylde; behæfte (med gæld); ~ *a property* behæfte en ejendom.

encumbrance [ėn'kʌmbrəns] (subst.) byrde, hindring, klods om benet; gæld, behæftelse; *without* ~ (el. *-s*) (ogs.) uden børn.

encumbrancer [ėn'kʌmbrənsə] hypotekkreditor, panthaver.

encyclic(al) [en'saiklik(l)] encyklisk, cirkulerende; ~ *(letter)* rundskrivelse (især pavelig), encyklika.

encyclopedia [ensaiklo'pi·diə] encyklopædi, konversationsleksikon. **encyclopedian** [ensaiklo'pi·diən], **encyclopedic(al)** [ensaiklo'pi·dik(l)] encyklopædisk. **encyclopedist** [ensaiklo'pi·dist] encyklopædist.

encyst [en'sist] indkapsle. **encystment** [en'sistmənt] indkapsling.

I. **end** [end] (subst.) ende; ophør; slutning; endeligt, død; ende, stump; hensigt, øjemed, mål; resultat; *be at an* ~ være til ende, være forbi; *at this* ~ (ogs.) her; *look at the* ~ *of the book* se bag i bogen; *at a loose* ~ ledig, uden noget at tage sig til; *at loose -s* i vild forvirring; *he was at the* ~ *of his patience* hans tålmodighed var ved at være opbrugt, det var ved at være slut med hans tålmodighed; *that is the* ~! det er dog den stiveste! *turn* ~ *for* ~ vende op og ned (el. rundt) på; *gain one's* ~ nå sit mål; *go off the deep* ~ handle overilet, blive ophidset el. lidenskabelig; *in the* ~ til sidst; til syvende og sidst; *the* ~ *justifies the means* hensigten helliger midlet; *make (both) -s meet* få det til at løbe rundt (økonomisk); *make an* ~ *of* gøre ende på, gøre kål på; *there is an* ~ *(of it)* dermed punktum, dermed basta; *such was the* ~ *of* således endte (døde); ~ *of a cigar* cigarspids; cigarstump; *no* ~ *(of)* en uendelig masse; **T** umådelig, uhyre (fx. *no* ~ *disappointed); no* ~ *of a fine chap* en vældig flink fyr; *(for) hours on* ~ flere timer i træk; *stand on* ~ stå på enden, stå på højkant; stritte, rejse sig (om håret); *put an* ~ *to* gøre ende på, sætte en stopper for; gøre det af med; *come to an* ~ få ende, ophøre; ~ *to* ~ i forlængelse af hinanden; *it is only a means to an* ~ det er kun et middel; *to this* ~ i denne henslgt; *keep one's* ~ *up* **T** hævde sig, klare sig, ikke lade sig gå på, holde den gående (trods modgang).

II. **end** [end] (vb.) ende, slutte, ophøre, gøre ende på; *all's well that -s well* når enden er god, er alting godt; *he is the genius to* ~ *them all* han er det største geni der har eksisteret; *the war to* ~ *war* den krig der skulle gøre en ende på alle krige; ~ *in* ende med; ~ *in smoke* gå op i røg, ikke blive til noget; ~ *off* (af-) slutte; ~ *up* ende, havne (fx. *in prison);* ~ *up with* ende (el. slutte) med; *to* ~ *up with* som afslutning, til slut.

endamage [ėn'dämidʒ] beskadige, skade.

endanger [ėn'dein(d)ʒə] bringe i fare, udsætte for fare, sætte på spil.

endear [ėn'diə] gøre elsket el. kær; *he -ed himself to them* han vandt deres hengivenhed. **endearing** [ėn'diəriŋ] vindende, elskværdig; kærlig.

endearment [ėn'diəmənt] (udtryk for el. bevis på) kærlighed; kærtegn; *term of* ~ kæleord.

endeavour [ėn'devə] (subst.) bestræbelse, stræben, anstrengelse; (vb.) bestræbe sig for, søge, stræbe.

endemic [en'demik] (adj.) endemisk (om sygdom begrænset til en bestemt egn); (subst.) endemi.

endermic [en'də·mik] endermisk, som anbringes på (el. virker igennem) huden.

ending ['endiŋ] slutning (fx. *happy* ~*);* afslutning; endeligt, død; (gram.) endelse.

endive ['endiv] ♧ endivie; endiviesalat, julesalat.

endless ['endlės] endeløs, uendelig.

endmost ['endmoust] fjernest.

endocrine ['endoukrain] endokrin, med indre sekretion.

endogamy [en'dågəmi] giftermål inden for stammen; indgifte.

endorse [ėn'då·s] endossere; skrive bag på (fx. *a cheque);* påtegne; (fig.) godkende, tiltræde, give sin tilslutning til. **endorsee** [endå·'si·] endossatar. **endorsement** [ėn'då·smənt] endossement, endossering, påtegning; godkendelse, bekræftelse. **endorser** [ėn'då·sə] endossent.

endosperm ['endospə·m] ♧ frøhvide.

endow [ėn'dau] udstyre, begave; betænke; dotere.

endowment [ėn'daumənt] dotation; gave, fond, pengemidler; *-s* (ogs.) evner, begavelse.

endowment insurance kapitalforsikring.

end-paper ['endpeipə] forsatspapir (i bog).

end product slutprodukt; (fig.) slutresultat.

endshrink ['endʃriŋk] trække sig sammen på den lange led (om tømmer).

endue [ėn'dju·] iføre sig; beklæde; udstyre; ~ *with* skænke, udstyre med.

endurable [ėn'djuərəbl] udholdelig. **endurance** [ėn'djuərəns] udholdenhed; varighed, vedvaren; lidelse. **endure** [ėn'djuə] udholde, tåle, døje, lide; vare; holde ud. **enduring** varig, blivende; langmodig.

endways ['endweiz], **endwise** ['endwaiz] på enden, oprejst; med enden fremad, på langs.

Endymion [en'dimiən].

E.N.E. fk. f. *east-north-east.*

enema ['enimə] lavement, klyster.

enemy ['enimi] fjende; fjendtlig; *how goes the* ~? **S** hvad er klokken? *make enemies* skaffe sig fjender.

energetic(al) [enə'dʒetik(l)] kraftig, energisk, handlekraftig, virksom. **energize** ['enədʒaiz] fylde med energi, styrke; udfolde energi.

energy ['enədʒi] kraft, energi.

enervate ['enəveit] (vb.) svække, afkræfte, udmarve; ['enəvėt] (adj.) svækket. **enervation** [enə'veiʃən] svækkelse, afkræftelse.

enface [en'feis] skrive el. trykke på forsiden af; forsyne m. påtegning på forsiden.

enfeeble [ėn'fi·bl] svække, afkræfte. **enfeeblement** [ėn'fi·blmənt] afkræftelse.

enfeoff [ėn'fef] forlene. **enfeoffment** [ėn'fefmənt] forlening; lensbrev.

enfilade [enfi'leid] (subst.) anbringelse i to parallelle rækker; ⚔ flankerende ild, sidebestrygning; (vb.) anbringe i to parallelle rækker; ⚔ beskyde i længderetningen; ~ *fire* ⚔ = *enfilade* (subst.).

enfold [ėn'fould] (vb.) indhylle; omfavne.

enforce [ėn'få·s] (vb.) tiltvinge sig; fremtvinge; gennemtvinge; håndhæve, sætte igennem; indskærpe; hævde; ~ *a judgment* gennemtvinge fuldbyrdelsen af en dom. **enforcement** [ėn'få·smənt] fremtvingelse; gennemtvingelse; **håndhævelse**; indskærpelse.

enfranchise [ėn'fräntʃaiz] give stemmeret (fx. *women were -d many years ago*); give købstadsrettigheder; frigive (fx. *slaves*). **enfranchisement** [ėn'fräntʃizmənt] tildeling af stemmeret; tildeling af købstadsrettigheder; frigivelse.

engage [ėn'geⁱdʒ] (vb.) forpligte; antage, engagere (fx. *~ a servant, ~ sby. as a guide*); bestille (fx. *a seat in the theatre*); hyre (fx. *~ a taxi*); optage, beskæftige, sysselsætte (*in* med); inddrage, indvikle; ⚔ engagere; angribe (fx. *we -d the enemy at once*); *~ his sympathy* vinde hans sympati; *~ for* garantere, indestå for; *~ in* give sig af med, indlade sig på, tage del i, blande sig i; *~ oneself to sby.* forlove sig med en; *~ (oneself) to do sth.* forpligte sig til at gøre noget, påtage sig at gøre noget; *~ with* gribe ind i (om tandhjul); ⚔ indlade sig i kamp med. **engaged** [ėn'geⁱdʒd] optaget (fx. *I cannot come, because I am ~; is this seat ~?*); forlovet; (om forfatter) engageret (i en sag).

engagement [ėn'geⁱdʒmənt] forpligtelse; aftale; løfte; hverv, pligt; forudbestilling; engagement; forlovelse; slag, træfning; indgriben; *without ~* uden forbindende. **engagement ring** forlovelsesring. **engaging** [ėn'geⁱdʒiŋ] vindende, indtagende.

engender [ėn'dʒendə] (vb.) avle, skabe.

engine ['endʒin] maskine; motor; lokomotiv; brandsprøjte; *~ of power* magtmiddel. **engine-driver** lokomotivfører.

I. **engineer** [ėndʒi'niə] (subst.) maskinarbejder; maskinist; maskinmester; konstruktør, maskinbygger; ingeniør; (amr.) lokomotivfører; *the Engineers* ingeniørtropperne; *aircraft ~* flyvemekaniker; *chemical ~* kemisk ingeniør; *chief ~* første maskinmester; *civil ~* bygningsingeniør; *flying ~* flyvemekaniker.

II. **engineer** [ėndʒi'niə] (vb.) lede anlægget af, bygge, konstruere; beskæftige sig med ingeniørarbejde; (fig.) manøvrere; bringe i stand, arrangere; få gennemført (med list og lempe).

engineering [ėndʒi'niəriŋ] (subst.) maskinvæsen; ingeniørarbejde, ingeniørvirksomhed; (adj.) ingeniørmæssig.

engine|-fitter montør. *~* **-house** remise. **-man** maskinist; maskinmand. *~* **-shop** maskinværksted.

engirdle [ėn'gə·dl] (vb.) omgive, ombælte.

England ['iŋglənd] England. **Englander** ['iŋgləndə]: *Little ~* antiimperialist.

English ['iŋliʃ, 'iŋliʃ] (subst. og adj.) engelsk; engelsk sprog; (vb.) oversætte til engelsk; *the ~* englænderne; *the ~ Channel* Kanalen; *the King's (, Queen's) ~* standardengelsk; *in plain ~* rent ud sagt.

Englishman ['iŋgliʃmən] englænder.

Englishry ['iŋgliʃri] engelsk befolkning (is. i Irland), engelsk koloni.

Englishwoman ['iŋgliʃwumən] englænderinde.

engorge [en'gå·dʒ] spise grådigt, foræde sig (i).

engraft [ėn'gra·ft] pode, indpode.

engraftment [ėn'gra·ftmənt] podning; indpodning; podekvist.

engrain [ėn'greⁱn] (vb.) farve i ulden. **engrained** (ogs.) indgroet, uforbederlig.

engrave [ėn'greⁱv] (ind)gravere, stikke (i metal), indskrive; indpræge, præge. **engraver** [ėn'greⁱvə] gravør. **engraving** [ėn'greⁱviŋ] gravering, gravørkunst; kobberstik.

engross [ėn'groᵘs] lægge beslag på, optage; afskrive med stor og tydelig skrift, renskrive; opsætte i lovmæssig form; (glds.) opkøbe; *-ed in* fordybet i.

engrossing [ėn'groᵘsiŋ] som optager hele ens tid og interesse, altopslugende. **engrossment** [ėn'groᵘsmənt] renskrivning, renskrift, renskrevet dokument; optagethed; opkøb.

engulf [ėn'gʌlf] opsluge.

enhance [ėn'ha·ns] forhøje, forøge; *~ the price of* fordyre.

enhancement [ėn'ha·nsmənt] forhøjelse, forøgelse.

enhearten [ėn'ha·tn] give mod, gøre dristig.

enigma [i'nigmə] gåde. **enigmatic(al)** [enig'mätik(l)] gådefuld. **enigmatize** [i'nigmətaiz] tale i gåder; gøre gådefuld.

enjoin [ėn'dʒoin] påbyde (fx. *~ silence*); pålægge (fx. *~ a duty on sby.*); indskærpe; (amr.) forbyde; *~ sby. to do sth.* pålægge en (el. give en et tilhold om) at gøre noget.

enjoy [ėn'dʒoi] (vb.) nyde (fx. *one's dinner*); glæde sig over, synes godt om; more sig over; kunne glæde sig ved (fx. *good health*); have (fx. *a good income*), eje; *~ oneself* more sig, befinde sig godt. **enjoyable** [ėn'dʒoiəbl] (adj.) glædelig, morsom, behagelig, fornøjelig. **enjoyment** [ėn'dʒoimənt] (subst.) nydelse, fornøjelse, morskab, glæde; *take ~ in* finde fornøjelse i, glæde sig ved; *be in the ~ of* have, kunne glæde sig ved (fx. *he is in the ~ of good health*).

enkindle [ėn'kindl] (vb.) opflamme, vække.

enlace [ėn'leⁱs] (vb.) omslynge; sammenflette.

enlarge [ėn'la·dʒ] (vb.) forøge(s), forstørre(s), udvide (sig); udbygge; kunne forstørres; *~ (up)on* gå nærmere ind på, udbrede sig om, berette udførligt om.

enlargement [ėn'la·dʒmənt] forstørrelse; udvidelse. **enlarger** [ėn'la·dʒə] forstørrelsesapparat.

enlighten [ėn'laitn] oplyse; *-ed despotism* oplyst enevælde. **enlightenment** [ėn'laitnmənt] oplysning.

enlist [ėn'list] hverve; vinde; lade sig hverve, melde sig som soldat; melde sig (som tilhænger); sikre sig (fx. *his aid*); *~ him in a good cause* vinde ham for en god sag; *-ed men* menige og underofficerer.

enlistment [ėn'listmənt] hvervning, indrullering.

enliven [ėn'laivn] (vb.) oplive, opmuntre, sætte liv i.

enmesh [ėn'meʃ] (vb.) indvikle (som i et net), indfiltre.

enmity ['enmiti] fjendskab.

enneagon ['eniəgåŋ] nikant.

ennoble [ė'noᵘbl] (vb.) adle; forædle. **ennoblement** [ė'noᵘblmənt] adlen, optagelse i adelsstanden; forædling.

ennui [a·'nwi·] livslede; kedsomhed; (vb.) kede.

Enoch ['i·nåk].

enormity [i'nå·miti] afskyelighed, uhyrlighed, forbrydelse, udåd.

enormous [i'nå·məs] enorm, overordentlig, uhyre, umådelig.

enough [i'nʌf] nok, tilstrækkelig; nok så (fx. *jauntily ~* nok så kækt); *~ and to spare* mere end nok; *be good ~ to tell us* vær så god at sige os; *that is not good ~* (ogs.) det kan du ikke være bekendt; *little ~* ikke ret meget; *a nice ~ fellow* en ganske rar fyr; *~ of that!* lad det nu være nok! hold op! *he knows well ~ that* han ved meget godt at; *she sings well ~* hun synger såmænd meget godt; *~ is as good as a feast* man kan ikke mere end spise sig mæt.

enounce [i'nauns], se *enunciate*.

enow [i'nau] (glds. og poetisk) nok.

enplane [ėn'pleⁱn] = *emplane*.

enquire, enquiry, se under *inquire, inquiry*.

enrage [ėn'reⁱdʒ] gøre rasende, ophidse.

enrapture [ėn'räptʃə] henrykke, henrive.

enravish [ėn'räviʃ] henrykke, henrive.

enrich [ėn'ritʃ] berige; smykke, forskønne; gøde, frugtbargøre; *-ed uranium* beriget uran.

enrichment [ėn'ritʃmənt] berigelse; forsiring; udsmykning; gødskning.

enrobe [ėn'roᵘb] beklæde, klæde.

enroll [ėn'roᵘl] indskrive (sig) (fx. *as a member*); indtegne (sig) (fx. *for a course* til et kursus); ⚔ (lade sig) indrullere, melde sig til tjeneste. **enrolment** [ėn'roᵘlmənt] indrullering; indskrivning; antal indskrevne (elever etc.).

en route [å·ŋ 'ru·t] undervejs.

E.N.S.A. fk. f. *Entertainments National Service Association.*

ensanguined [ėn'sängwind] blodplettet.

ensconce [ėn'skåns] anbringe (trygt), forskanse, dække; ~ *oneself* forskanse sig (fx. *behind a newspaper);* anbringe sig, sætte sig tilrette.

ensemble [a·n'sa·mbl] hele; helhedsvirkning; ensemble (ogs. om kjole og frakke af samme stof); sammenspil.

enshrine [ėn'ʃrain] lægge i et skrin; opbevare som en relikvie; hæge om, bevare (fx. *his memory).*

enshroud [ėn'ʃraud] indhylle.

ensiform ['ensifå·m] ♧ sværdformet.

ensign ['ensain] (subst.) tegn; fane, flag; mærke; (glds.) fændrik; (amr.) ['ensən] (omtr.) søløjtnant; *red* ~ det engelske handelsflag; *white* ~ den engelske krigsflådes flag.

ensilage ['ensilidʒ] (subst.) ensilage, ensilering; (vb.) ensilere. **ensile** [ėn'sail] (vb.) ensile

enslave [ėn'sleⁱv] trælbinde, gøre til slave.

ensnare [ėn'snæə] (vb.) fange (i snare).

ensue [ėn's(j)u·] (vb.) følge, påfølge.

ensure [ėn'ʃuə] sikre (fx. ~ *oneself against risks);* garantere (for) (fx. *I cannot* ~ *success).*

entablature [ėn'täblətʃə] entablement (omfattende: arkitrav, frise og gesims).

I. **entail** [ėn'teⁱl] (subst.) stamgods, fideikommis, len; arvegangsmåde, arvefølge; *cut off an* ~ ophæve et fideikommis.

II. **entail** [ėn'teⁱl] (vb.) gøre til fideikommis (el. len), testamentere som stamgods; medføre, nødvendiggøre (fx. *it will* ~ *great expense).* **entailment** [ėn'teⁱlmənt] oprettelse af stamgods.

entangle [ėn'täŋgl] (vb.) bringe i urede; filtre sammen; indvikle; indfiltre (fx. *the bird -d itself in the net); become -d in sth.* (ogs. fig.) blive viklet (el. rodet) ind i noget. **entanglement** [ėn'täŋglmənt] forvikling; sammenfiltring; vanskelighed; uheldig forbindelse; spærring; *barbed-wire* ~ pigtrådsspærring.

entente [a·n'ta·nt]: *the* ~ ententen.

enter ['entə] (vb.) gå (træde, trænge, komme) ind (i) (fx. ~ *a room);* indføre (fx. *he -ed the sum in his account-book);* tilmelde (fx. *a horse for a race);* optage, indmelde (sig) (fx. ~ *a school);* indtegne (sig), indskrive (sig); lade sig indskrive ved, indtræde i; melde sig som deltager (i) (fx. ~ *a competition);* ~ *Hamlet* (i sceneanvisning) Hamlet (kommer) ind; ~ *sby.'s head* falde én ind; ~ *one's name for* melde sig til, melde sig som deltager i (fx. *a race);* ~ *a protest* nedlægge protest; føre en protest til protokols; ~ *into* forstå; sætte sig ind i; indlade sig på (el. i); tage del i; indgå (fx. *a treaty);* indgå i, være en bestanddel af; påbegynde; ~ *into details* gå i enkeltheder; ~ *into partnership with* gå i kompagni med; ~ *upon* tage fat på, begynde på, overtage, tage i besiddelse.

enteric [en'terik] enterisk, tarm-; ~ *fever* tyfus.

enteritis [entə'raitis] tarmkatar.

enterocele ['entərosi·l] tarmbrok.

enterprise ['entəpraiz] foretagende; bedrift, virksomhed; foretagsomhed, initiativ. **enterprising** foretagsom, initiativrig.

entertain [entə'teⁱn] nære (fx. *a hope);* underholde, more; beværte, vise gæstfrihed (mod), have gæster; tage under overvejelse, reflektere på (fx. *I cannot* ~ *the proposal); they* ~ *quite a lot* de har megen selskabelighed, de har tit gæster. **entertainer** vært; varietékunstner, entertainer. **entertaining** underholdende.

entertainment [entə'teⁱnmənt] underholdning; morskab; gæstfri modtagelse; beværtning; repræsentation; fest; *the* ~ *business* forlystelsesbranchen. **entertainment| allowance** repræsentationstillæg. ~ **tax** forlystelsesskat.

enthrall [ėn'þrå·l] (vb.) (fig.) fængsle, betage.

enthrone [ėn'þroᵘn] (vb.) sætte på tronen; indsætte (en biskop); *be -d* trone; *-d in the heart of* højt elsket af. **enthronement, enthronization** [enþroᵘnaiˈzeⁱʃən] tronbestigelse; (bispe)indsættelse.

enthuse [ėn'þju·z] T vise begejstring, falde i henrykkelse *(over* over). **enthusiasm** [ėn'þju·ziäzm] begejstring, henrykkelse, entusiasme. **enthusiast** [ėn'þju·ziäst] begejstret person; entusiast; sværmer. **enthusiastic** [ėnþju·zi'ästik] begejstret *(about* for, over), entusiastisk, henrykt; sværmerisk. **enthusiastically** (adv.) med begejstring.

entice [ėn'tais] (vb.) lokke, forlede, friste. **enticement** lokkemiddel, fristelse, tillokkelse.

entire [ėn'taiə] (adj.) hel, udelt, fuldstændig, komplet, intakt, fuldkommen; (subst.) helhed, hele. **entirely** [ėn'taiəli] (adv.) helt, ganske; udelukkende.

entirety [ėn'taiəti] helhed; *the motion was passed in its* ~ forslaget blev vedtaget i sin helhed.

entitle [ėn'taitl] berettige (fx. *nothing can* ~ *him to say that); a book -d* ... en bog, der bærer titlen ...

entity ['entiti] væsen, realitet, eksistens.

entomb [ėn'tu·m] begrave; tjene som grav for.

entombment [ėn'tu·mmənt] begravelse, gravlæggelse.

entomological [entəmə'lådʒikl] entomologisk. **entomologist** [entə'målədʒist] entomolog, insektforsker. **entomology** [entə'målədʒi] entomologi, insektlære.

entourage [åntu'ra·ʒ] (subst.) omgivelser, følge.

entozoon [ento'zoᵘån] (pl. *entozoa* [ento'zoᵘə]) indvoldsorm.

entr'acte ['åntråkt] mellemakt(smusik).

entrails ['entreⁱlz] (pl.) indvolde.

entrain [ėn'treⁱn] anbringe i et tog; gå ind i et tog.

I. **entrance** ['entrəns] (subst.) indgang, indkørsel; indtræden; entré (på scenen); indstigning; indrejse; ankomst; ⚓ indsejling; tiltrædelse (fx. ~ *into* (el. *upon) office* t. af et embede); begyndelse; adgang, optagelse, indskrivning; *force an* ~ *into a house* tiltvinge sig adgang til et hus.

II. **entrance** [ėn'tra·ns] (vb.) henrykke, henrive.

entrance| exam(ination) adgangseksamen. ~ **fee** entré (adgangsbetaling); indskrivningsgebyr. ~ **hall** entré.

entrant ['entrənt] (nyt) tiltrædende medlem; en, der søger optagelse; deltager.

entrap [en'träp] (vb.) lokke i fælde, fange (i en fælde), narre *(into* til) (fx. *he was -ped into doing it).*

entreat [ėn'tri·t] (vb.) bede, bønfalde (fx. *they -ed him to show mercy);* ~ *sth. of him* bede (el. bønfalde) ham om noget. **entreaty** [ėn'tri·ti] (subst.) bøn; *a look of* ~ et bønligt blik.

entrée ['åntreⁱ] mellemret; adgang.

entremets ['åntrəmeⁱ] mellemret.

entrench [ėn'trenʃ] forskanse; ~ *on* gøre indgreb i; ~ *oneself* grave sig ned; *-ed* (fig.) rodfæstet. **entrenching tool** ⚔ (fodfolks)spade. **entrenchment** [ėn'trenʃmənt] forskansning, skanse, skyttegrav.

entrepot ['åntrəpoᵘ] lagerplads, oplagssted, entrepot.

entrepreneur [åntrəprə'nə·] driftsherre; impresario, (koncert)arrangør.

entresol ['åntrəsål] mezzanin(etage).

entrust [ėn'trʌst] (vb.) betro, overlade; ~ *it to him,* ~ *him with it* betro ham det.

entry ['entri] indgang; indtræden; entré (på scenen); indtog, indmarch; indkørsel, indsejling; indpas; indskrivning; overtagelse (af en ejendom); toldangivelse; post(ering) (indført i en bog); notat; notits; opslagsord, artikel; fortegnelse over anmeldte deltagere (ved sportskonkurrence e.l.); *bookkeeping by single (, double)* ~ enkelt (, dobbelt) bogholderi; *make an* ~ *in a book* notere i en bog.

entry-card (i kortspil) indkomstkort.

entwine [ėn'twain] sammenflette, indflette, omvinde.

entwist [ėn'twist] sno sammen.

enucleate [i'nju·klieⁱt] forklare, drage frem; fjerne kernen fra; (med.) fjerne (i sin helhed) fra omgivende væv, udskrælle (en svulst).

enumerate [i'nju·məreⁱt] opregne, optælle. **enumeration** [inju·mə'reⁱʃən] opregning, optælling.

enunciate [i'nʌnsie'ˈt] fremsætte, meddele, erklære, bekendtgøre, forkynde; udtale, artikulere, fremsige. **enunciation** [inʌnsi'eˈʃən] fremsættelse, meddelelse, erklæring, bekendtgørelse, forkyndelse; udtalelse; udtale, artikulation, fremsigelse. **enunciative** [i'nʌnʃieˈtiv] erklærende; udtalende; udtale-.

enuresis [enju'ri·sis] ufrivillig vandladning.

envelop [ėn'veləp] (vb.) indsvøbe, indvikle, indhylle; indpakke; ⚔ indkredse, omringe; *-ing movement* indkredsningsmanøvre.

envelope ['envilo^u p] konvolut, kuvert; hylster, dække, ballonhylster; (mat.) indhyllingskurve.

envelopment [ėn'veləpmənt] indvikling; indhylning, indkredsning, omslutning; hylster; omslag.

envenom [ėn'venəm] (vb.) forgifte.

enviable ['enviəbl] misundelsesværdig. **envier** ['enviə] misunder. **envious** ['enviəs] misundelig *(of* på); *be ~ of his success* misunde ham hans succes.

environ [ėn'vairən] (vb.) omringe, omgive.

environment [ėn'vairənmənt] omgivelser, miljø; livsforhold; omringelse. **environmental** [ėnvairən'mentəl] miljøbestemt, miljø- (fx. *~ influence).*

environs ['envirənz, ėn'vairənz] (pl.) omegn, omgivelser.

envisage [ėn'vizidʒ] se i øjnene; betragte; forestille sig, danne sig et billede af; overveje, påtænke; forudse.

I. **envoi, envoy** ['envoi] (subst.) envoi (slutningsstrofe).

II. **envoy** ['envoi] (subst.) gesandt; udsending.

envoyship gesandtpost.

envy ['envi] (subst.) misundelse, genstand for misundelse; (vb.) misunde.

enwrap [ėn'rǎp] indhylle; omgive; *-ped in* (fig.) hensunket (el. fordybet) i.

enzyme ['enzaim] (kem.) enzym.

eocene ['i·osi·n] (geol.) eocen.

eolith ['i·oliþ] (arkæol.) eolit.

eon ['i·ån] æon, langt tidsrum, 'evighed'.

epaulement [ė'på·lmənt] brystværn.

epaulet(te) ['epå·let] epaulette.

E.P.D. fk. f. *Excess Profits Duty.*

épée [eˈ'peˈ] kårde.

epergne [i'pə·n] bordopsats.

ephemer|a [ė'femərə] (pl. *-ae, -as* [-i·, -əz]) døgnflue; døgnvæsen. **ephemeral** [ė'femərəl] som kun varer en dag; flygtig, kortvarig, døgn- (fx. *tune).* **ephemeris** [ė'feməris] (pl. *ephemerides* [ėfi'meridi·z]) astronomisk årbog, stjernedagbog.

Ephesian [ė'fi·ʒiən] Efeser; efesisk.

Ephesus ['efisəs].

epic ['epik] (subst.) epos, episk digt; (adj.) episk; (fig.) vældig, storslået.

epicalyx [epi'keˈliks] ✿ bibæger.

epicene ['episi·n] (adj.) tvekønnet; fælles for begge køn; kønsløs, kvindagtig.

epicure ['epikjuə] gourmet, feinschmecker. **epicurean** [epikju'riən] (adj.) nydelsessyg, epikuræisk; (subst.) nydelsesmenneske; epikuræer. **epicureanism** [epikju'riənizm] epikuræisme; vellevned.

Epicurus [epi'kjurəs] Epikur.

epidemic [epi'demik] epidemisk; epidemi.

epidermis [epi'də·mis] epidermis, overhud.

epidiascope [epi'daiəsko^u p] epidiaskop, lysbilledapparat.

epiglottis [epi'glåtis] epiglottis, strubelåg.

epigone ['epigo^u n] epigon.

epigram ['epigrǎm] epigram; fyndord. **epigrammatic** [epigrə'mǎtik] epigrammatisk; fyndig; kort og vittig.

epigraph ['epigra·f] indskrift; motto.

epilepsy ['epilepsi] (med.) epilepsi. **epileptic** [epi'leptik] epileptisk; epileptiker.

epilogue ['epilåg] epilog, slutningstale.

I. **Epiphany** [i'pifəni] helligtrekongersdag.

II. **epiphany** [i'pifəni] guddoms el. overmenneskeligt væsens manifestation.

Epirus [e'pairəs].

episcopacy [i'piskəpəsi] bispestyre; *the ~* bispekollegiet, samtlige biskopper. **episcopal** [i'piskəpəl] episkopal (fx. *the Episcopal Church);* biskoppelig. **episcopalian** [ipiskə'peˈliən] episkopal, biskoppelig; medlem (el. tilhænger) af episkopal kirke. **episcopate** [i'piskəpėt] bispeembede, bispeværdighed; bispesæde; *the ~* bispekollegiet, samtlige biskopper.

episode ['episo^u d] episode. **episodic(al)** [epi'sådik(l)] episodisk.

epistemology [episti'målədʒi] erkendelsesteori.

epistle [i'pisl] skrivelse, epistel, brev.

epistolary [ė'pistələri] skriftlig; i brevform, brev- (fx. *novel).*

epitaph ['epita·f] gravskrift, epitaf(ium).

epithalamium [epiþə'leˈmiəm] bryllupsdigt.

epithelium [epi'þi·ljəm] epitel.

epithet ['epiþət] epitet; (karakteriserende) tillægsord; prædikat; (stående) tilnavn; skældsord.

epitome [i'pitəmi] udtog, resumé; *he is the ~ of* han er indbegrebet af. **epitomize** [i'pitəmaiz] bringe i udtog, give et resumé af, sammenfatte.

epizo|on [epi'zo^u ån] (pl. *-a)* snylter.

epoch ['i·påk] epoke; *mark a new ~ in* sætte skel i, indlede en ny epoke i. **epoch-making** (adj.) epokegørende, skelsættende.

epode ['epo^u d] epode.

eponym ['epənim] den som noget er opkaldt efter (el. som har givet navn til noget).

epos ['epås] epos, heltedigt.

Epsom ['epsəm]: *~ salt(s)* engelsk salt.

E.P.U. fk. f. *European Payment Union* den europæiske betalingsunion.

equability [ekwə'biliti] jævnhed, ensartethed, ro.

equable ['ekwəbl] jævn, ensartet, rolig, støt, ligevægtig.

I. **equal** ['i·kwəl] (adj.) lige; lige stor, ens, samme (fx. *of ~ height, with ~ ease);* lig; ensartet, jævn, rolig; upartisk; (subst.) ligemand, jævnbyrdig, lige, mage; *they are ~ in ability* de er lige dygtige; *he is your ~ in strength* han er lige så stærk som du; *be the ~ of* (mat.) være lig med; *on ~ terms, on an ~ footing* på lige fod; *~ pay* ligeløn; *~ to* lig med; jævnbyrdig med; i stand til, stærk nok til, mand for, voksen; svarende til; *be ~ to the situation* være på højde med situationen; *be ~ to a task* være en opgave voksen; *~ to my expectations* svarende til mine forventninger.

II. **equal** ['i·kwəl] (vb.) kunne måle sig med; være lig med, svare til; *~ a record* tangere en rekord; *he -s you in strength* han er lige så stærk som du.

equality [i'kwåliti] lighed; ligelighed; ensartethed, jævnhed; ligeberettigelse, ligestillethed; *on an ~ with* (el. *on a footing of ~ with)* på lige fod med.

equalization [i·kwəlai'zeˈʃən] ligestillelse; udjævning, udligning. **equalization fund** egaliseringsfond; udligningsfond.

equalize ['i·kwəlaiz] stille på lige fod; gøre lige; gøre ensartet; udjævne; egalisere, udligne.

equally ['i·kwəli] i samme grad, lige så; ligelig; upartisk, retfærdigt; *they are ~ clever* de er lige dygtige.

equanimity [i·kwə'nimiti] sindsligevægt, sindsro.

equanimous [i'kwǎniməs] sindsligevægtig.

equate [i'kweˈt]: *~ with* sætte lig med, sætte lighedstegn mellem; *~ sth. with sth.* få ngt. til at stemme med ngt. (fx. *I cannot ~ your statement with his);* bringe ngt. i overensstemmelse med ngt. (fx. *I want to ~ the expense with the income).*

equation [i'kweˈʃən] ligning; ligevægt, lighed; ligestillelse; udjævning.

equator [i'kweˈtə]: *the ~* ækvator.

equatorial [ekwə'tå·riəl] (adj.) ækvatorial. **equatorial (instrument)** ækvatorialkikkert.

equerry [i'kweri] (hof)staldmester.

equestrian [i'kwestriən] ridende, ride, rytter-; rytter, rytterske; (i cirkus) berider, kunstrytter; *~ statue* rytterstatue.

equiangular [i·kwi'ăŋgjulə] ligevinklet. **equidistant** ['i·kwi'distənt] i samme afstand. **equilateral** ['i·kwi'lätərəl] ligesidet (fx. ~ *triangle)*, ligesidet figur.

equilibrate [i·kwi'laibreit] bringe el. holde i ligevægt; balancere. **equilibration** [i·kwilai'breiʃən] (bringen i) ligevægt. **equilibrist** [i·'kwilibrist] ekvilibrist, balancekunstner, linedanser. **equilibrium** [i·kwi'libriəm] ligevægt.

equine ['i·kwain] heste-, som angår heste.

equinoctial [i·kwi'nåkʃəl] (adj.) jævndøgns-, ækvinoktial; (subst.) jævndøgnslinie, himmelens ækvator; ~ *(gale)* jævndøgnsstorm; *autumnal* ~ efterårsjævndøgn; *spring* ~ forårsjævndøgn.

equinox ['i·kwinåks] jævndøgn.

equip [i'kwip] udstyre, udruste, ekvipere.

equipage ['ekwipidʒ] udrustning; udstyr; (glds.) ekvipage; følge.

equipment [i'kwipmənt] udrustning, materiel, udstyr, ekvipering.

equipoise ['ekwipoiz] (subst.) ligevægt; modvægt; (vb.) holde i ligevægt.

equiponderance [i·kwi'påndərəns] ligevægt.

equitable ['ekwitəbl] (adj.) billig, retfærdig, rimelig.

equity ['ekwiti] billighed, retfærdighed, rimelighed; (jur.) billighedsret; værdi af en ejendom ud over prioriteter eller kreditorers krav; *Equity* (i Engl.) skuespillernes fagforening; *equities, equity shares* alm. aktier, stamaktier.

equivalence [i'kwivələns] lige gyldighed, lige kraft, lige værd, ækvivalens. **equivalent** [i'kwivələnt] (adj.) af samme værdi (el. størrelse), ligegældende, ensbetydende, tilsvarende; ækvivalent; (subst.) noget tilsvarende; tilsvarende beløb; ensbetydende ord; ækvivalent; *be* ~ *to* svare til, være ensbetydende med; *money or its* ~ penge eller penges værdi.

equivocal [i'kwivəkl] tvetydig, dobbelttydig, tvivlsom, usikker, uklar. **equivocate** [i'kwivəkeit] gå uden om sandheden, komme med udflugter, udtrykke sig på en tvetydig måde. **equivocation** [ikwivə'keiʃən] det at komme med udflugter etc., tvetydig udtryksmåde, spidsfindighed. **equivoque** ['ekwivouk] spidsfindighed, brander, ordspil.

E. R. fk. f. *Elizabeth Regina; East Riding.*

era ['iərə] tidsregning (fx. *the beginning of the Christian* ~*)*; periode, tidsalder, æra.

eradiate [i'reidieit] (vb.) udstråle.

eradiation [ireidi'eiʃən] udstråling; glans.

eradicate [i'rädikeit] rykke op med rode; udrydde. **eradication** [irädi'keiʃən] oprykning med rode; udryddelse.

erase [i'reiz] radere bort, udkradse, udviske; udslette. **erasement** [-mənt] udradering; udslettelse. **eraser** [i'reizə] raderkniv; raderviskelæder; tavlesvamp. **erasing shield** viskeskjold. **erasion** [i'reiʒən] (med.) udskrabning; se ogs. *erasure*. **erasure** [i'reiʒə] radering, udviskning, udraderet sted; udslettelse.

ere [æə] (glds.) før, førend, inden; ~ *long* inden længe, snart; ~ *now* før.

erect [i'rekt] (vb.) rejse (fx. *a statue)*, opføre (fx. *a wall)*; opsætte; oprette, stifte (fx. *a university)*, grundlægge; opstille (fx. *a theory)*; ophøje; (adj.) oprejst, opret, stående, strittende (fx. *with hair* ~*)*; løftet; rank, modig, fast, standhaftig; ~ *oneself* rette sig op. **erectile** [i'rektail] som kan rejses; som kan rejse sig. **erection** [i'rekʃən] rejsning; opførelse; bygning; oprettelse; (anat.) erektion. **erector** [i'rektə] grundlægger, stifter, opbygger; montør.

eremite ['erimait] eneboer, eremit. **eremitic** [eri'mitik] eremitagtig, eneboer-.

erethism ['eriþizm] (med.) eretisme, abnormt forhøjet irritabilitet.

erewhile [æə'wail] (glds.) for lidt siden.

erg [ə·g] erg (måleenhed for arbejde og energi).

ergo ['ə·gou] ergo, altså.

ergo|mania [ə·go'meiniə] sygeligt betonet arbejdsiver. **-phobia** [ə·go'foubjə] arbejdsskyhed.

ergot ['ə·gət] ♧ meldrøje (svamp på korn). **ergotism** ['ə·gətizm] meldrøjeforgiftning.

Erin ['iərin] Erin, (gammelt navn for) Irland.

erk [ə·k] S rekrut (i flyvevåbnet).

ermine ['ə·min] (subst.) hermelin, lækat; hermelinskind; dommerværdighed; (vb.) klæde i hermelin; *wear the* ~ være dommer.

Ernest ['ə·nėst] Ernst.

erode [i'roud] erodere, afslide; (om syrer) tære, ætse.

erogenous [ė'rådʒinəs] (adj.) erogen.

erosion [i'rouʒən] erosion (fx. *soil* ~*)*.

erosive [i'rousiv] (adj.) eroderende, tærende, ætsende, afslidende.

erotic(al) [ė'råtik(l)] erotisk. **eroticism** [e'råtisizm] erotik, erotisk natur.

erotomania [ėrouto'meiniə] erotomani.

erotomaniac [ėrouto'meiniäk] erotoman.

E. R. P. fk. f. *European Recovery Programme.*

err [ə·] tage fejl, fejle; fare vild; komme på afveje.

errand ['erənd] ærinde; *go on* (el. *run) an* ~ gå et ærinde. **errand-boy** ['erəndboi] bydreng.

errant ['erənt] omvandrende, omrejsende, omflakkende; som forvilder sig, vildfarende. **errantry** ['erəntri] omvandren, omflakken.

errata [ė'reitə] fejlliste (pl. af *erratum)*.

erratic [ė'rätik] omflakkende; ustadig, uberegnelig, underlig, excentrisk, uregelmæssig; ~ *blocks* (geol.) erratiske blokke, vandreblokke.

erroneous [ė'rounjəs] fejlagtig, urigtig.

error ['erə] fejltagelse, vildfarelse, forseelse, fejl; *commit an* ~ begå en fejl; *you are in* ~ De tager fejl; ~ *of judgment* fejlbedømmelse, fejlskøn; *errors and omissions excepted* med forbehold af fejl og forglemmelser.

Erse [ə·s] gælisk.

erst [ə·st], **erstwhile** ['ə·stwail] forhen.

erubescence [eru'besns] rødmen.

erubescent [eru'besnt] (adj.) rødmende.

eructate [i'rʌkteit] få opstød, ræbe; udspy dampe osv. (om vulkan). **eructation** [i·rʌk'teiʃən] opstød, ræben; udspyelse af dampe osv. (om vulkan).

erudite ['erudait] lærd. **erudition** [eru'diʃən] lærdom.

erupt [i'rʌpt] være i udbrud, komme i udbrud; vælte ud, bryde frem; slå ud.

eruption [i'rʌpʃən] udbrud; frembrud; (med.) udslæt. **eruptive** [i'rʌptiv] frembrydende; eruptiv; ledsaget af udslæt; ~ *rocks* eruptivbjergarter.

erysipelas [eri'sipiləs] (med.) rosen.

escalade [eskə'leid] bestigning ved stormstiger, stormløb; bestige (ved hjælp af stormstiger).

escalate ['eskəleit] (vb.) stige op ad en rullende trappe; (fig.) stige (el. udvikle sig) gradvis. **escalator** ['eskəleitə] escalator, rullende trappe.

escallop [is'kåləp] kammusling; muslingeskal.

escapade [eskə'peid] eskapade; gal streg.

I. **escape** [ė'skeip] (vb.) undslippe, rømme, flygte, løbe bort, undvige; løbe ud, strømme ud; slippe fra (el. for), undgå; *it -s me* (el. *my memory)* jeg kan ikke huske det; *it -s me* (ogs.) jeg kan ikke forstå det; *it -d me* (el. *my lips)* det slap mig ud af munden; *he -d alive* han slap fra det med livet.

II. **escape** [ė'skeip] (subst.) rømning, undvigelse, flugt; redning; undgåelse *(from* af); udstrømning (fx. af gas); brandtrappe; afledning, middel til at flygte fra virkeligheden (el. hverdagen); virkelighedsflugt; *it was a narrow* ~, se II. *narrow*.

escape clause forbeholdsklausul.

escapee [iskei'pi·] flygtning; undvegen fange.

escape| hatch ⚓ nødluge. ~ **literature** eskapistisk litteratur.

escapement [ė'skeipmənt] echappement, gang (i et ur).

escape|-pipe udblæsningsrør. ~ **-valve** sikkerhedsventil. ~ **wheel** ankerhjul (i et ur).

escapism [ė'skeipizm] eskapisme, flugt fra virkeligheden. **escapist** [ė'ske^i^pist] eskapist, en der flygter fra virkeligheden.

escarp [ė'ska·p] eskarpere. **escarpment** [ė'ska·pmənt] brat skråning, ⚔ eskarpe.

eschalot ['eʃəlåt] skalotløg.

eschar ['eska·] skorpe på sår.

eschatology [eskə'tålədʒi] eskatologi.

escheat [ės'tʃi·t] (subst.) hjemfald; hjemfaldet gods; (vb.) hjemfalde; konfiskere.

eschew [ės'tʃu·] (vb.) undgå, sky.

I. **escort** ['eskå·t] (subst.) eskorte, (bevæbnet) følge; ledsager. II. **escort** [i'skå·t] (vb.) ledsage, eskortere.

escritoire [eskri'twa·] chatol, sekretær.

esculent ['eskjulənt] spiselig.

escutcheon [ė'skʌtʃən] skjold, våbenskjold, våben; nøgleskilt; ⚓ (omtr.) navnebræt; *a blot on his* ~ en plet på hans ære.

E.S.E. fk. f. *east-south-east.*

Eskimo ['eskimo^u^] eskimo; eskimoisk. **Eskimo dog** grønlandsk hund, eskimohund.

esophagus [i·'såfəgəs] spiserør.

esoteric [eso'terik] hemmelig, esoterisk, kun bestemt for de indviede.

espalier [ė'spåljə] espalier; espaliertræ.

esparto [ė'spa·to^u^]: ~ *grass* espartogræs.

especial [i'speʃəl] (adj.) særlig, speciel. **especially** [i'speʃəli] (adv.) særligt, specielt, især.

Esperantist [espə'räntist] esperantist. **Esperanto** [espə'ränto^u^] esperanto.

espial [ė'spaiəl] spejden, udspionering; opdagelse.

espionage [espiə'na·ʒ] spionage.

esplanade [esplə'ne^i^d] esplanade; plæne; promenade; åben plads.

espousal [ė'spauzəl] antagelse (af en sag), tilslutning; (glds.) trolovelse; *espousals* vielse. **espouse** [ė'spauz] gøre sig til talsmand for, vie sine kræfter til (fx. *a cause);* (glds.) ægte, formæle sig med.

esprit ['espri·] livlighed, esprit; ~ *de corps* ['espri·də'kå·] korpsånd.

espy [ė'spai] få øje på, få kig på.

Esq. [ė'skwaiə] fk. f. *Esquire* Hr. (på breve: *T. Brown, Esq.* Hr. T. Brown).

Esquimau ['eskimo^u^] (pl. *-x* [-z]) eskimo.

esquire [ė'skwaiə] fk. til *Esq.* Hr. (på breve); fornem mand i rang under *knight;* (glds.) væbner.

I. **essay** ['ese^i^] (subst.) forsøg; essay, afhandling; stil. II. **essay** [e'se^i^] (vb.) forsøge, prøve. **essayist** ['ese^i^ist] essayist, essayforfatter.

essence ['esns] væsen; hovedindhold, kerne; ekstrakt; essens; parfume; (glds.) væren, tilværelse; *in* ~ i sit inderste væsen; i det væsentlige.

essential [i'senʃəl] (adj.) væsentlig; uundværlig, afgørende; absolut nødvendig; (subst.) hovedpunkt, væsentlig forudsætning; absolut betingelse; ~ *oil* æterisk olie; *in all -s* i alt væsentligt. **essentiality** [isenʃi'äliti] væsentlighed, vigtighed. **essentially** [i'senʃəli] (adv.) i sit inderste væsen, i bund og grund; i alt væsentlig; ~ *different* væsensforskellig.

Essex ['esiks].

establish [ė'stabliʃ] (vb.) oprette (fx. *a new state, a bank);* grundlægge (fx. *a colony);* stifte, grunde, anlægge; etablere, sætte i gang; indsætte; befæste; stadfæste; bevise, fastslå (fx. *his identity),* konstatere; fastsætte (fx. *rules); -ed* (ogs.) anerkendt; grundfæstet (fx. *customs); the Established Church* statskirken (særlig om England); ~ *one's innocence, a theory* bevise sin uskyldighed, en teori; ~ *one's reputation* grundlægge sit ry; ~ *oneself* slå sig ned, bosætte sig (fx. ~ *oneself in a new house),* etablere sig; ~ *a suit* gøre en farve god (i kortspil).

establishment [ė'stäbliʃmənt] oprettelse, grundlæggelse, stiftelse; befæstelse; konstatering, fastsættelse; etablissement; forretning; hus, husholdning; husstand, personale; styrke, personel; etablering, nedsættelse; (sikker) anbringelse, forsørgelse; organisation; *the Establishment* statskirken; (ogs. benævnelse for de konservative samfundsinstitutioner kongehuset, aristokratiet, hæren etc. i Engl.).

estate [ė'ste^i^t] (subst.) gods; ejendom; formue; bo; stand; rang; *reach man's* ~ (el. ~ *of manhood)* nå til manddomsalder, blive mand; *the three -s of the realm* de tre rigsstænder; *the third* ~ tredjestand; *the fourth* ~ pressen; *the gross* ~ (jur.) bomassen; *personal* ~ rørligt gods, løsøre; *real* ~ fast ejendom, grundejendom. **estate| agent** ejendomsmægler. ~ **car** stationcar.

esteem [ė'sti·m] (vb.) (høj)agte, værdsætte; regne for, anse for; (subst.) (høj)agtelse; mening, vurdering; *hold in high* ~ sætte stor pris på, højagte; *be held in* ~ være respekteret; *he rose in my* ~ han steg i min agtelse.

esthete (etc.) = *aesthete* (etc.).

Esthonia [es'to^u^niə] Estland. **Esthonian** [es'to^u^niən] ester; estisk.

estimable ['estiməbl] agtværdig.

I. **estimate** ['estime^i^t] (vb.) vurdere; beregne, anslå, ansætte *(at* til); gøre overslag over; ⚓ gisse.

II. **estimate** ['estimėt] (subst.) vurdering; overslag, beregning, tilbud; budget; *form an* ~ *of* danne sig et skøn over; *on a rough* ~ efter et løst skøn; skønsmæssigt; *the Estimates* finanslovforslaget (vedrørende statens udgifter).

estimation [esti'me^i^ʃən] vurdering; skøn, overslag *(of* over), beregning; agtelse; mening; *in my* ~ efter mit skøn.

estival [i'staivəl] sommerlig.

Estonia [es'to^u^niə] Estland. **Estonian** [es'to^u^niən] ester; estisk.

estop [ė'ståp] (jur.) hindre, standse.

estrade [es'tra·d] estrade, forhøjning.

estrange [ė'stre^i^ndʒ] (vb.) gøre fremmed (for hinanden); støde bort (el. fra sig), fjerne; stille i et køligt forhold *(from* til); *they have become -d* forholdet mellem dem er kølnet, de er ikke så gode venner som de har været. **estrangement** [ė'stre^i^ndʒmənt] køligt forhold, misstemning.

estray [ė'stre^i^] herreløst dyr.

estuary ['estjuəri] munding, flodmunding (med ebbe og flod).

esurient [i'sjuriənt] grådig, forslugen.

etc. fk. f. *et cetera.*

et cetera, etcetera [ėt'setrə] og så videre. **etceteras** andre ting, andre poster, ekstraudgifter, tilbehør, småting.

etch [etʃ] radere, ætse. **etcher** (subst.) ætser. **etching** ['etʃiŋ] radering. **etching-needle** radernål.

eternal [i'tə·nəl] evig, evindelig; *the* ~ *City* den evige stad, Rom. **eternalize** [i'tə·nəlaiz] = *eternize.*

eternity [i'tə·niti] evighed; *eternities* evige sandheder. **eternize** [i'tə·naiz] gøre evig, udødeliggøre; forlænge i det uendelige.

Ethel ['eþəl].

ether ['i·þə] æter.

ethereal [i'þiəriəl] æterisk, overjordisk.

etherealize [i'þiəriəlaiz] gøre æterisk.

etherify [i'þerifai] omdanne til æter.

etherize ['i·þəraiz] bedøve med æter.

ethical ['eþikl] etisk; (om medicin) som kun fås på recept. **ethics** ['eþiks] morallære, etik.

Ethiopia [i·þi'o^u^pjə] Ætiopien (tidligere Abessinien). **Ethiopian** [i·þi'o^u^pjən] ætiopisk; ætioper. **Ethiopic** [i·þi'åpik] ætiopisk.

ethmoidal [eþ'moidəl]: ~ *bone* (anat.) siben.

ethnic ['eþnik] etnologisk; etnisk, race-; folke- (fx. *group);* hedensk.

ethnographer [eþ'någrəfə] etnograf.

ethnographic(al) [eþnə'gräfik(l)] etnografisk.

ethnography [eþ'någrəfi] etnografi.

ethnological [eþnə'lådʒikl] etnologisk. **ethnologist** [eþ'nålədʒist] etnolog.

ethnology [eþ'nålədʒi] etnologi.

ethyl ['eþil] ætyl.

etiolate ['i·tiole^i^t] blege, gøre bleg, etiolere.

etiolation [i·tio'le^i∫ən] blegnen, bleghed.
etiology [i·ti'åləd3i] ætiologi, læren om sygdomsårsager.
etiquette [eti'ket] etikette, skik og brug.
Eton ['i·tn] (by ved Themsen, med en berømt skole: *Eton College*); ~ *crop* drengehår, drengefrisure.
Etonian [i'to^u njən] etonianer, elev fra *Eton College.*
Etruscan [i'trʌskən] etrusker; etruskisk.
et seq. fk. f. *et sequentia* (= *and what follows*).
etui [e'twi·] etui.
etymological [etimə'låd3ikl] etymologisk.
etymologist [eti'måləd3ist] etymolog.
etymologize [eti'måləd3aiz] studere etymologi, bestemme et ords etymologi.
etymology [eti'måləd3i] etymologi.
etymon ['etimån] etymon, stamord.
eucalyptus [ju·kə'liptəs] ♧ eukalyptus.
Eucharist ['ju·kərist] nadverens sakramente.
euchre ['ju·kə] (subst.) slags kortspil; (vb.) overliste; slå.
Euclid ['ju·klid] Euklid; (euklidisk) geometri.
Euclidean [ju·'klidiən] (euklidisk.
Eugene ['ju·d3i·n] Eugène, Eugen.
eugenic [ju·'d3enik] (adj.) racehygiejnisk. **eugenics** [ju·'d3eniks] (subst.) eugenik, racehygiejne.
eulogist ['ju·ləd3ist] (subst.) lovpriser, lovtaler.
eulogistic(al) [ju·lə'd3istik(l)] prisende, rosende.
eulogium [ju'lo^u d3iəm] lovtale.
eulogize ['ju·ləd3aiz] (vb.) lovprise, forherlige.
eulogy ['ju·ləd3i] (subst.) lovtale, lovord, overdreven ros.
eunuch ['ju·nək] eunuk.
eupepsy ['ju·pepsi] eupepsi; god fordøjelse. **eupeptic** [ju·'peptik] eupeptisk, med god fordøjelse; letfordøjelig; som fremmer fordøjelsen.
euphemism ['ju·fimizm] (subst.) eufemisme, formildende omskrivning. **euphemistic** [ju·fi'mistik] (adj.) eufemistisk. **euphemize** ['ju·fimaiz] formilde ved omskrivning, tilsløre; bruge eufemismer.
euphonic [ju'fånik], **euphonious** [ju'fo^u niəs] velklingende, vellydende. **euphony** ['ju·fəni] velklang, vellyd.
euphoria [ju·'få·riə] eufori, følelse af velbefindende, (umotiveret) opstemthed. **euphoric** [ju·'få·rik] opstemt, oprømt. **euphory** ['ju·fəri] = *euphoria.*
euphrasy ['ju·frəsi] ♧ øjentrøst.
Euphrates [ju·'fre^i ti·z]: *the* ~ Eufrat.
Euphues ['ju·fjui·z].
euphuism ['ju·fjuizm] euphuisme, søgt sirlighed i sprog og stil. **euphuist** ['ju·fjuist] euphuist. **euphuistic** [ju·fju'istik] (adj.) euphuistisk; affekteret sirlig.
Eurasia [ju're^i ∫ə; (især amr.) -3ə] Eurasien.
Eurasian [ju're^i 3iən] (adj.) eurasisk; (subst.) eurasier, barn af en europæer og en asiat.
EURATOM [juə'rätəm] fk. f. *European Atomic Energy Community.*
eureka [ju'ri·kə] heureka! (jeg har fundet det).
Euripides [ju'ripidi·z].
Europe ['juərəp] Europa.
European [juərə'pi·ən] europæisk; europæer; *the* ~ *Common Market* det europæiske fællesmarked.
Eurydice [ju'ridisi·] Eurydike.
eurythmics [ju·'riþmiks] rytmisk gymnastik, plastik.
Eustachian [ju·'ste^i kiən]: *the* ~ *tube* det eustakiske rør.
Euston ['ju·stən].
euthanasia [ju·þə'ne^i ziə] let og smertefri død; medlidenhedsdrab, eutanasi.
Euxine ['ju·ksain]: *the* ~ (glds.) Sortehavet.
evacuant [i'väkjuənt] afførende; afførende middel. **evacuate** [i'väkjue^i t] udtømme, tømme; evakuere, rømme, forlade. **evacuation** [iväkju'e^i ∫ən] udtømmelse, tømning; afføring; evakuering, rømning.
evacuee [iväkju'i·] evakueret person; ~ *children* evakuerede børn.
evade [i've^i d] undgå (fx. *a blow*), undvige; slippe fra (fx. ~ *one's enemies*), omgå; søge at komme uden om, knibe uden om (fx. *a question*); unddrage sig (fx. ~ *one's duty*, ~ *military service*), bruge udflugter.
evaginate [i'väd3ine^i t] krænge.
evaluate [i'väljue^i t] vurdere, taksere; udtrykke i tal. **evaluation** [iväIju'e^i ∫ən] vurdering, taksering.
evanesce [i·və'nes] forsvinde, svinde bort.
evanescence [i·və'nesns] forsvinden, svinden; flygtighed. **evanescent** [i·və'nesnt] (adj.) forsvindende; flygtig.
evangelic [i·vän'd3elik] evangelisk.
evangelical [i·vän'd3elikl] (adj.) evangelisk; lavkirkelig; (subst.) protestantisk kristen som hævder frelsen ved tro (modsat gode gerninger), lavkirkemand.
evangelicalism [i·vän'd3elikəlizm] den lære, at frelsen ved tro er det centrale i kristendommen.
evangelism [i'vänd3ilizm] evangeliets forkyndelse; missioneren. **evangelist** [i'vänd3ilist] evangelist; omrejsende prædikant. **evangelistic** [ivänd3ə'listik] evangelistisk; evangelisk. **evangelize** [i'vänd3ilaiz] prædike evangeliet, kristne.
Evans ['evənz].
evaporate [i'väpəre^i t] fordampe; lade fordampe, inddampe, kondensere (fx. *milk*); svinde bort; forsvinde, fordufte. **evaporation** [iväpə're^i ∫ən] fordampning; inddampning. **evaporative** [i'väpərətiv] som bevirker fordampning. **evaporator** [i'väpəre^i tə] inddampningsapparat.
evasion [i've^i 3ən] undgåen, omgåelse; udflugter; *tax* ~ skattesnyderi. **evasive** [i've^i siv] undvigende; søgende udflugter; flygtig, vanskelig at få fat på (el. fastholde).
Eve [i·v] Eva; *daughter of* ~ Evadatter.
eve [i·v] (poet.) aften; helligaften; *Christmas Eve* juleaften, juleaftensdag; *on the* ~ *of* umiddelbart før (el. foran), på tærskelen til (fx. *on the* ~ *of an election*).
I. **even** ['i·vən] (poet.) aften.
II. **even** ['i·vən] (adv.) endog, endogså, selv (fx. *it was cold* ~ *in July*); lige, netop, just (fx. ~ *as he came*); endnu (fx. *it was* ~ *worse*); allerede (fx. ~ *as a boy*); ~ *if* selv om; *not* ~ ikke engang; ikke så meget som; *don't say that,* ~ *in jest* det må du ikke sige, ikke engang for spøg; ~ *so* alligevel; ~ *then* allerede da, selv da; endnu dengang; ~ *though* selv om; ~ *to* lige til; ~ *while* endnu mens.
III. **even** ['i·vən] (adj.) lige, jævn, glat, flad; jævnbyrdig; ligeløbende (*with* med); rolig (fx. *an* ~ *temper*); effen, lige (om tal, fx. *2, 4 and 6 are* ~ *numbers*); kvit; upartisk; ~ *date* lige dato; *of* ~ *date* af samme dato; *I'll be* (el. *get*) ~ *with them* det skal de nok få betalt.
IV. **even** ['i·vən] (vb.) (ud)jævne; ~ *up* udligne.
even-handed ['i·vən'händid] upartisk.
evening ['i·vniŋ] aften; *this* ~ i aften; *yesterday* ~ i går aftes; *in the* ~ om aftenen; *good* ~ god aften.
evening dress selskabsdragt, selskabstøj, festdragt; (for herre) kjole (og hvidt); (for dame) lang kjole, aftenkjole; *in* ~ (ogs.) selskabsklædt.
evening| prayers aftenandagt. ~ **-star** Venus, aftenstjerne.
even-minded ['i·vənmaindid] rolig, behersket, ligevægtig.
evensong ['i·vənsåŋ] aftenandagt.
event [i'vent] begivenhed, tildragelse; udfald, følge, resultat; arrangement; nummer (på sportsprogram), konkurrence; *at all -s* i hvert tilfælde, i alt fald; *in any* ~ hvad der end sker; *in that* ~ i så fald; *in the* ~ da det kom til stykket, til (syvende og) sidst; *in the* ~ *of* i tilfælde af.
even-tempered ['i·vntempəd] rolig, ligevægtig.
eventful [i'ventful] begivenhedsrig.
eventide ['i·vəntaid] kvæld.
eventless [i'ventlés] begivenhedsløs.
eventual [i'ventjuəl] endelig.

eventuality [iventju'äliti] mulighed, eventualitet.
eventually [i'ventjuəli] endelig, til sidst, i sidste instans.
eventuate [i'ventjueit] (amr.) finde sted, hænde; blive til virkelighed, komme til udførelse (fx. *these plans will soon ~*); (eng.): *~ ill (, well)* få et uheldigt (, heldigt) udfald (el. forløb); *~ in* resultere i, (slutte-lig) føre til (fx. *the negotiations -d in an agreement*).
ever ['evə] nogen sinde (i nægtende, spørgende og betingende sætninger); altid, stedse, bestandig; på nogen mulig måde; (efter: *who, what, where, how*) i alverden, dog (fx. *what ~ do you mean?*); (amr.) alle tiders (fx. *the biggest film ~*); *~ and again, ~ and anon* nu og da, atter og atter; *did you ~ see the like?* har De nogensinde set magen? *hardly ~* næsten aldrig; *was he ~ proud* ih hvor var han stolt; *~ since* lige siden; *for ~* for bestandig, for stedse, i al fremtid, for evigt; *for ~ and a day, for ~ and ~* for stedse, i al fremtid, for evigt; *be as amusing as ~ you can* vær så underholdende, som De på nogen måde kan; *~ so much* umådelig meget; *I thank you ~ so much* mange, mange tak; *~ so often* utallige gange; *let him be ~ so poor* lad ham være aldrig så fattig; hvor fattig han end er; *he is ~ so rich* han er mægtig rig; *~ such a nice man* en vældig rar mand; *yours ~* (omtr.) din hengivne.
everglade ['evəgleid]: *the Everglades* (amr.) sumpstrækninger i Florida.
evergreen ['evəgri·n] stedsegrøn; stedsegrøn plante, stedsegrønt træ; *~ oak* steneg.
everlasting [evə'la·stiŋ] evig, evindelig; meget holdbar; *~ (flower)* evighedsblomst.
evermore ['evə'må·] stedse; *for ~* i al evighed, til evig tid.
eversion [i'və·ʃən] udkrængning.
evert [i'və·t] (vb.) krænge ud.
every ['evri] enhver, hver, alle, al mulig (fx. *you have ~ reason to be satisfied*); *~ bit* helt, fuldt ud (fx. *this is ~ bit as good as that*); *~ now and then, ~ so often* nu og da, fra tid til anden, med mellemrum; hvert andet øjeblik; *~ other day* hver anden dag; *~ one* enhver; *~ one of you* hver eneste af jer; *in ~ way* på alle måder; *with ~ good wish* med alle gode ønsker; *his ~ word* hvert ord han siger; *~ four years* hvert fjerde år.
everybody ['evribådi] enhver, alle; *it is not for ~* det er ikke hver mands sag. **everyday** ['evri(')dei] hverdags-, daglig, dagligdags, ganske almindelig, hverdagsagtig. **everyone** ['evriwʌn] enhver. **everything** ['evriþiŋ] alt, alting. **everywhere** ['evriwæə] overalt, allevegne.
evict [i'vikt] (vb.) sætte ud, sætte på gaden.
eviction [i'vikʃən] udsættelse, udkastelse.
evidence ['evidəns] (subst.) vidneforklaring, vidneudsagn, vidnesbyrd; bevis; bevismateriale; tegn, spor; øjensynlighed, tydelighed, klarhed; (vb.) vidne; bevise, godtgøre; *give ~* aflægge vidneforklaring; vidne; *give* (el. *bear*) *~ of* vidne om, vise tegn på; *in ~* forhånden; fremme; iøjnefaldende; godtgjort; *be in ~* forekomme, optræde, være til stede; kunne ses, gøre sig gældende, gøre sig bemærket; *he is not in ~* (ogs.) han glimrer ved sin fraværelse; *call sby. in ~* indkalde én som vidne; *a piece of ~* et bevis.
evident ['evidənt] øjensynlig, tydelig, klar, indlysende, åbenbar, evident.
evidential [evi'denʃəl] bevisende, beviskraftig, bevis-; *~ of* som viser (fx. *a remark ~ of intelligence*).
evidently ['evidəntli] øjensynligt, åbenbart.
evil ['i·vl] (*worse, worst*) (adj.) ond, slem, slet, dårlig, skadelig; hæslig; (subst.) onde; ulykke; *~ eye* onde øjne (i overtro); *the Evil One* den Onde; *King's ~* kirtelsyge.
evil-doer ['i·vl'duə] misdæder.
evil-eyed ['i·vl'aid] som har onde øjne.
evil-minded ['i·vl'maindid] ondsindet, som har en grim tankegang.
evince [i'vins] (ud)vise (fx. *courage*), tilkendegive, røbe.
eviscerate [i'visereit] tage indvoldene ud af, skære op; berøve saft og kraft. **evisceration** [ivisə'reiʃən] opspærtning.
evitable ['evitəbl] undgåelig.
evocation [evo'keiʃən] fremmanelse; fremkaldelse. **evocative** [i'våkətiv] som taler til følelserne; som fremkalder en særlig stemning; udtryksfuld, suggestiv; *~ of* som fremmaner, fremkalder, vækker.
evoke [i'voᵘk] fremmane (fx. *spirits*), fremkalde, vække (fx. *memories of the past*).
evolution [i·və'lu·ʃən] udvikling; evolution; udfoldelse; ⚔ manøvre; *the theory of ~* udviklingslæren. **evolutional** [i·və'lu·ʃənəl], **evolutionary** [i·və'lu·ʃənəri] (adj.) evolutions-, udviklings-. **evolutionism** [i·və'lu·ʃənizm] udviklingslære. **evolutionist** [i·və'lu·ʃənist] tilhænger af udviklingslæren.
evolve [i'vålv] udvikle, udfolde, udarbejde, udklække (fx. *a plan*); udvikle sig, udfolde sig.
evulsion [i'vʌlʃən] oprykning, udriven.
ewe [ju·] får (kun om hundyret). **ewe lamb** gimmerlam; *his ~* (fig.) hans kæreste eje.
ewer ['ju·ə] vandkande (til servantestel).
ex [eks] (leveret) fra, ex; ab (fx. *~ works* ab fabrik; *~ warehouse* ab lager); eksklusive (fx. *~ dividend* eksklusive dividende).
exacerbate [ėks'äsəbeit] forværre (fx. *pain*); irritere, ophidse.
exacerbation [ėksäsə'beiʃən] forværrring; ophidselse.
I. **exact** [ėg'zäkt] (adj.) nøjagtig; eksakt (fx. *~ sciences*); *I remembered the ~ spot where* jeg huskede nøjagtigt det sted hvor; *~ change* aftalte penge; *~ fare* aftalte penge (til billet).
II. **exact** [ėg'zäkt] (vb.) inddrive; aftvinge, afpresse; fordre, kræve.
exacting [ėg'zäktiŋ] fordringsfuld, krævende; streng.
exaction [ėg'zäkʃən] inddrivelse; afpresset ydelse, tvangsydelse; (strengt el. urimeligt) krav.
exactitude [ėg'zäktitju·d] nøjagtighed; punktlighed, præcision.
exactly [ėg'zäktli] nøjagtig, akkurat, præcis, netop (fx. *that is ~ what I mean*); egentlig (fx. *what ~ do you mean?*); just (fx. *he is not ~ intelligent*).
exaggerate [ėg'zädʒəreit] overdrive. **exaggerated** overdrevet; outreret, overeksponeret; unormalt forstørret, urimelig stor. **exaggeration** [ėgzädʒə'reiʃən] overdrivelse.
exalt [ėg'zå·lt] opløfte, ophøje; lovprise; forhøje; forstærke; *~ sby. to the skies* hæve én til skyerne.
exaltation [ėgzå·l'teiʃən] opløftelse; ophøjelse; begejstring, løftelse, eksaltation, opstemthed; løftet stemning. **exalted** [ėg'zå·ltid] ophøjet; meget høj; begejstret, eksalteret; opstemt; i løftet stemning.
exam [ėg'zäm] eksamen.
examination [ėgzämi'neiʃən] undersøgelse; eftersyn, gennemgang; eksamen; eksamination, afhøring, forhør; *pass an ~* tage en eksamen; *sit for an ~* gå op til en eksamen. *~* **-paper** eksamensopgave.
examine [ėg'zämin] undersøge, efterse, gennemgå; eksaminere; forhøre, afhøre, holde forhør over; *-d copy* verificeret afskrift.
examinee [ėgzämi'ni·] eksaminand.
examiner [ėg'zäminə] undersøger; censor ved eksaminer, eksaminator; forhørsdommer; *external ~* fremmed censor.
example [ėg'za·mpl] eksempel (*of* på); forbillede; prøve; *for ~* for eksempel; *make an ~ of sby.* straffe en for at statuere et eksempel; *set a bad ~* være et dårligt eksempel for andre; *set a good ~* foregå de andre med et godt eksempel; *take ~ by* tage til forbillede; *let this be an ~ to you* lad dette være dig en advarsel (el. en lære); *without ~* uden sidestykke.
exanimate [ėg'zänimėt] livløs.
exanthema [ėksän'þi·mə] (med.) udslæt.
exarch ['eksa·k] eksark (statholder i det byzantinske rige), patriark (biskop) i den græske kirke.
exasperate [ėg'za·spəreit] forbitre, ophidse, op-

irre, irritere; gøre rasende; forværre. **exasperating** irriterende, til at fortvivle over. **exasperation** [ėgza·spə'reⁱʃn] forbitrelse; ophidselse; irritation; forværring.

exc. fk. f. *except.*

excavate ['ekskəveⁱt] udhule; udgrave. **excavation** [ekskə'veⁱʃən] udhuling; udgravning.

excavator ['ekskəveⁱtə] jordarbejder; gravemaskine, gravko.

exceed [ėk'si·d] (adj.) overgå (fx. *one's expectations);* overskride (fx. *the speed-limit);* overstige; gå for vidt; (glds.) spise (el. drikke) for meget.

exceeding [ėk'si·diŋ] (adj.) stor, betydelig; usædvanlig. **exceedingly** (adv.) i høj grad, overordentlig; yderst.

excel [ėk'sel] overgå; udmærke sig (fx. *~ at sport).*

excellence ['eksələns] fortræffelighed; fortrinlighed; udmærket egenskab, fortrin.

Excellency ['eksələnsi] excellence (titel); *His ~* Hans Excellence.

excellent ['eksələnt] fortræffelig, udmærket, fortrinlig, excellent.

excelsior [ek'selsiå·] (amr.) højere (op) (brugt som motto, fx. for New York); (subst.) træuld. **Excelsior State** = *New York.*

except [ėk'sept] (vb.) undtage; gøre indsigelse *(to* el. *against* mod); (præp., conj.) undtagen; med mindre; uden; *~ for* når undtages, på nær; bortset fra; *~ that* bortset fra at. **excepting** undtagen, med undtagelse af, fraregnet; *everyone not ~ myself must do so* alle, jeg selv iberegnet, må gøre det. **exception** [ėk'sepʃən] undtagelse; indsigelse; *beyond ~* upåklagelig; *with the ~ of* med undtagelse af; *an ~ to the rule* en undtagelse fra regelen; *take ~ to* gøre indsigelse mod, rejse indvending mod; misbillige, tage anstød af, tage ilde op.

exceptionable [ėk'sepʃənəbl] (adj.) uheldig, ubehagelig, stødende. **exceptional** [ėk'sepʃənəl] (adj.) ualmindelig, usædvanlig, enestående, exceptionel.

exceptionally (adv.) usædvanlig.

I. **excerpt** [ėk'sə·pt] uddrage, excerpere.

II. **excerpt** ['eksə·pt] (subst.) uddrag, udtog, excerpt.

excerption [ėk'sə·pʃən] uddragning, excerpering.

excess [ėk'ses] overskud, plus, overvægt; overmål; overdrivelse, overskridelse; umådeholdenhed; *-es* udskejelser, excesser; *to ~* i overdreven grad, umådeholdent, alt for meget (fx. *he smokes to ~); carry to ~* overdrive; *in ~ of* ud over (fx. *he paid some pence in ~ of the usual amount); ~ of imports* importoverskud. **excess| consumption** merforbrug. **~ expenditure** merudgift. **~ fare** (jernb.) (betaling for) tillægsbillet.

excessive [ėk'sesiv] (adj.) usædvanlig stor (, høj etc.), overordentlig; alt for stor (, høj etc.); overdreven; umådeholden (fx. *drinking).*

excess| luggage overvægtig bagage. **~ profits** merindkomst; merudbytte; *~ profits duty* (el. *tax)* merindkomstskat.

I. **exchange** [ėks'tʃeⁱn(d)ʒ] (vb.) udveksle; bytte *(for* med), veksle, ombytte; tages i bytte, kunne byttes; *~ blows* slås; *~ greetings* hilse på hinanden; *they had -d seats* de havde byttet plads.

II. **exchange** [ėks'tʃeⁱn(d)ʒ] (subst.) udveksling; ombytning; bytte, veksling; (tlf.) central; (merk.) valuta, kurs; børs; *bill of ~* veksel; *foreign ~* fremmed valuta; *in ~ for* i bytte for, til gengæld for, imod; *rate of ~* (veksel)kurs.

exchangeable [ėks'tʃeⁱn(d)ʒəbl] som kan byttes (el. udveksles); *~ into gold* indløselig med guld.

exchange control valutakontrol.

exchequer [ėks'tʃekə] finanshovedkasse; skatkammer; finanser; *the Exchequer* finanshovedkassen; statskassen; finansministeriet; *the Chancellor of the Exchequer* finansministeren. **~ bond** (rentebærende) statsobligation; statsgældsbevis.

I. **excise** [ėk'saiz] (subst.) forbrugsafgift(er); kontor (, departement) som indkræver den (, dem); (vb.) lægge forbrugsafgift på (en vare).

II. **excise** [ėk'saiz] (vb.) bortskære, fjerne, udslette.

excise duty forbrugsafgift, produktionsafgift.

excision [ėk'siʒən] bortskæring, fjernelse, udslettelse.

excitability [ėksaitə'biliti] pirrelighed; nervøsitet; letbevægelighed. **excitable** [ėk'saitəbl] pirrelig; nervøs; letbevægelig. **excitant** ['eksitənt] pirrende; stimulans. **excitation** [eksi'teⁱʃən] pirring; æggen; irritation. **excitative** [ėk'saitətiv], **excitatory** [ėk'saitətəri] (adj.) stimulerende, pirrende.

excite [ėk'sait] vække, fremkalde; ophidse, bringe i sindsbevægelse (el. affekt); pirre; opflamme, opildne, opægge; fremkalde spænding i, magnetisere; sætte i gang. **excited** [ėk'saitid] ophidset (fx. *it is nothing to get ~ about);* spændt, urolig, nervøs; betaget, begejstret; opstemt, eksalteret. **excitement** [ėk'saitmənt] ophidselse; affekt; spænding; sindsbevægelse; uro; spændende begivenhed. **exciting** [ėk'saitiŋ] spændende (fx. *an ~ story).*

excl. fk. f. *exclusive(ly), excluding, excluded.*

exclaim [ėks'kleⁱm] udbryde; udråbe; *~ against* ivre imod, protestere højlydt mod.

exclamation [eksklə'meⁱʃən] udbrud, udråb; *~ mark, note of ~* udråbstegn.

exclamatory [ėks'klämətəri] råbende; udråbs-; *~ sentence* udråb.

exclude [ėks'klu·d] (vb.) udelukke, holde ude; undtage.

exclusion [ėks'klu·ʒən] (subst.) udelukkelse; undtagelse.

exclusive [ėks'klu·siv] eksklusiv; afvisende; fornem; udelukkende; eneste; ene- (fx. *rights),* sær- (fx. *~ privileges); ~ of* ikke indbefattet; eksklusive, fraregnet. **exclusively** (adv.) udelukkende, kun. **exclusiveness** fornem tilbageholdenhed, afvisende holdning.

excogitate [ėks'kådʒiteⁱt] udtænke, udpønse. **excogitation** [ėkskådʒi'teⁱʃən] opfindelse, påfund; udpønskning.

excommunicate [ekskə'mju·nikeⁱt] ekskommunicere, udelukke fra den katolske kirke, bandlyse.

excommunication [ėkskəmju·ni'keⁱʃən] ekskommunikation, udelukkelse fra den katolske kirke, bandlysning.

excoriate [ėks'kå·rieⁱt] flå; skrabe huden af; kritisere skånselsløst. **excoriated** (ogs.) hudløs. **excoriation** [ekskå·ri'eⁱʃən] flåning; hudafskrabning; skånselsløs kritik.

excrement ['ekskrimənt] ekskrement, afføring.

excremental [ekskri'mentl] ekskrement-, afførings-.

excrescence [ėks'kresns] udvækst. **excrescent** [ėks'kresnt] udvoksende, som kun er en udvækst; overflødig.

excrete [ėks'kri·t] udskille, afsondre. **excretion** [ėks'kri·ʃən] udskillelse, afsondring; udtømmelse; ekskret.

excruciate [ėks'kru·ʃieⁱt] pine, martre. **excruciating** pinefuld; kvalfuld; *~ pain* ulidelige smerter.

excruciation [ėkskru·ʃi'eⁱʃən] pine, pinsel, kval.

exculpate ['ekskʌlpeⁱt] frikende, erklære for uskyldig; retfærdiggøre; *~ sby.* bevise ens uskyld; *~ sby. from a charge* rense en for en anklage.

exculpation [ekskʌl'peⁱʃən] (subst.) frikendelse; retfærdiggørelse. **exculpatory** [ėks'kʌlpətəri] (adj.) retfærdiggørende, som beviser ens uskyld.

excursion [ėks'kə·ʃən] tur, udflugt; afstikker, digression, ekskurs; *~ train* billigtog. **excursionist** [ėks'kə·ʃənist] deltager i udflugt, turist. **excursive** [ėks'kə·siv] springende, vidtløftig.

excursus [ėks'kə·səs] ekskurs, tillæg der uddyber et punkt i et værk.

excusable [ėks'kju·zəbl] (adj.) undskyldelig.

I. **excuse** [ėks'kju·z] (vb.) undskylde; fritage (for); give fri; *~ me!* undskyld! *~ me coming, ~ my coming, ~ me for coming* undskyld jeg kommer; *~ me from* *coming* fritag mig for at komme; ~ *oneself from* bede sig fritaget for.

II. **excuse** [ėks'kju·s] (subst.) undskyldning; påskud; afbud; *ignorance of the law is no* ~ (omtr.) ukendskab til loven fritager ikke for straf; *a poor* ~ en dårlig undskyldning; *send an* ~ sende afbud.

execrable ['eksikrəbl] (adj.) afskyelig, elendig, horribel. **execrate** ['eksikreⁱt] (vb.) afsky; bande; (glds.) forbande. **execration** [eksi'kreⁱʃən] forbandelse. **execratory** ['eksikreⁱtəri] forbandelses-.

executant [ėg'zekjutənt] udøvende kunstner; *the -s* de spillende.

execute ['eksikju·t] (vb.) udføre; ekspedere, effektuere (fx. *an order); fuldbyrde (fx. a judgment);* foredrage, spille, synge (fx. *a song);* (om dokument) udstede, udfærdige; underskrive, gøre retsgyldig (ved at underskrive, forsegle etc.); (om forbryder) henrette.

execution [eksi'kju·ʃən] udførelse, fuldbyrdelse; udfærdigelse; henrettelse; virkning; ødelæggelse; eksekution; dygtig udførelse; teknik; *carry into* ~ bringe til udførelse; *do great* ~ gøre stor virkning; forårsage stor ødelæggelse (el. stort mandefald); *levy* ~ (jur.) gøre udlæg (el. eksekution).

executioner [eksi'kju·ʃənə] skarpretter, bøddel.

executive [ėg'zekjutiv] (adj.) udøvende, fuldbyrdende, eksekutiv; ledende, overordnet; leder- (fx. *ability);* (subst.) udøvende myndighed; hovedbestyrelse; forretningsudvalg, ledelse; person i overordnet stilling, direktør, leder, chef; ~ *committee* hovedbestyrelse, forretningsudvalg; *railway* ~ (svarer til) generaldirektoratet for statsbanerne.

executor [ėg'zekjutə] eksekutor (af et testamente). **executorial** [ėgzekju'tå·riəl] eksekutorisk. **executorship** [ėg'zekjutəʃip] eksekutors virksomhed el. stilling. **executory** [ėg'zekjutəri] udøvende. **executrix** [ėg'zekjutriks] kvindelig eksekutor.

exegesis [eksi'dʒi·sis] fortolkning, eksegese.

exegetic [eksi'dʒetik] fortolkende, eksegetisk.

exemplar [ėg'zemplə] mønster, eksempel, forbillede, ideal; eksemplar.

exemplary [ėg'zempləri] eksemplarisk, mønsterværdig, forbilledlig (fx. *conduct);* der tjener som en advarsel (fx. *punishment);* der tjener som eksempel.

exemplification [ėgzemplifi'keⁱʃən] belysning ved eksempler; eksempel; (jur.) bekræftet afskrift.

exemplify [ėg'zemplifai] belyse ved eksempler; illustrere; tjene som eksempel på; give eksempel på; tage en bekræftet afskrift af, bevise ved bekræftet afskrift.

exempt [ėg'zem(p)t] (vb.) fritage *(from* for, fx. *military service);* (adj.) fritaget, fri (fx. *these goods are* ~ *from taxes).* **exemption** [ėg'zem(p)ʃən] fritagelse; immunitet; ~ *from duty* toldfrihed.

exequatur [eksi'kweⁱtə] regerings godkendelse af en fremmed konsul.

exequies ['eksikwiz] (subst. i pl.) begravelse.

I. **exercise** ['eksəsaiz] (vb.) øve; udøve (fx. *authority);* bruge, bringe i anvendelse; udfolde (fx. *all one's strength);* opøve, eksercere; røre (fx. *a horse);* få motion; sætte i bevægelse; bekymre (fx. *I am very much -d about his future);* optage, give nok at tænke på.

II. **exercise** ['eksəsaiz] (subst.) øvelse (fx. *gymnastic -s),* legemsøvelse, motion; øvelsesstykke; stil, opgave; udøvelse, anvendelse, udfoldelse, brug; andagtsøvelse; *-s* (amr.) ceremoni; *take* ~ tage motion. **exercise book** skrivehæfte. **exerciser** ['eksəsaizə] motionsapparat.

exert [ėg'zə·t] (vb.) anstrenge; anspænde; anvende, udøve; ~ *oneself* anstrenge sig, gøre sig umage; ~ *oneself on his behalf* prøve at gøre noget for ham (ɔ: bruge sin indflydelse); ~ *all one's strength* opbyde alle sine kræfter.

exertion [ėg'zə·ʃən] anstrengelse, anspændelse; anvendelse, udøvelse.

exeunt ['eksiʌnt] (de) går ud; ~ *omnes* alle ud.

exfoliate [ėks'foᵘlieⁱt] skalle af; udfolde sig (som blade); afstøde. **exfoliation** [ėksfoᵘli'eⁱʃən] afskalning; udfoldelse.

exhalation [ekshə'leⁱʃən] uddunstning; udånding; dunst. **exhale** [eks'heⁱl] uddunste; udånde, udsende.

exhaust [ėg'zå·st] (vb.) udtømme (fx. *a well);* opbruge; udmatte, afkræfte, trætte; udtømmes; (subst.) udstrømning af spildedamp; afløb; udblæsning(srør); ventilator; ~ *the soil* udpine jorden; ~ *a subject* udtømme et emne; ~ *a tube of air* pumpe et rør tomt for luft; *open* ~ fri udblæsning. **exhaustible** [ėg'zå·stəbl] (adj.) som kan udtømmes. **exhausting** (adj.) trættende, anstrengende. **exhaustion** [ėg'zå·stʃən] udtømmelse; udmattelse. **exhaustive** [ėg'zå·stiv] udtømmende. **exhaustless** [ėg'zå·stlės] uudtømmelig.

exhaust|-pipe udblæsningsrør. ~ **steam** spildedamp.

exhibit [ėg'zibit] udstille; udvise, vise; fremlægge; (subst.) udstillingsgenstand; bilag.

exhibition [eksi'biʃən] fremvisning; udstilling; tilskuestillen; fremlæggelse; stipendium; *make an* ~ *of oneself* gøre sig til nar; gøre skandale.

exhibitioner [eksi'biʃənə] stipendiat.

exhibitionism [eksi'biʃənizm] ekshibitionisme.

exhibitionist [eksi'biʃənist] ekshibitionist.

exhibitor [ėg'zibitə] udstiller.

exhilarate [ėg'ziləreⁱt] opmuntre; oplive.

exhilarated munter, glad, let beruset, animeret.

exhilaration [ėg'zilə'reⁱʃən] opmuntring; munterhed, løftet stemning.

exhort [ėg'zå·t] formane; tilskynde.

exhortation [ęgzå·'teⁱʃən] formaning, formaningstale; tilskyndelse.

exhortative [ėg'zå·tətiv], **exhortatory** [ėg'zå·təri] formanende.

exhumation [ekshju·'meⁱʃən] opgravning.

exhume [eks'hju·m] opgrave (lig); (fig.) grave frem.

exigence ['eksidʒəns], **exigency** ['eksidʒənsi] tvingende nødvendighed, nød; kritisk situation; *exigencies* krav, fordringer. **exigent** ['eksidʒənt] presserende, kritisk, krævende. **exigible** ['eksidʒibl] som kan kræves.

exiguity [eksi'gjuiti] lidenhed, ubetydelighed, sparsomhed. **exiguous** [ėg'zigjuəs] liden, ubetydelig, sparsom.

exile ['eksail] (subst.) landsforvisning, landflygtighed; (adj.) landflygtig, forvist; (vb.) landsforvise; *go into* ~ gå i landflygtighed.

exist [ėg'zist] være, være til, eksistere; findes, forefindes, foreligge, bestå, leve; *I cannot* ~ *on my earnings* jeg kan ikke leve af min løn; *-ing* (ogs.) gældende.

existence [ėg'zistəns] eksistens, tilværelse, liv; tilstedeværelse; væsen; *justify one's* ~ dokumentere sin eksistensberettigelse; *in* ~ eksisterende, som findes, som er til (fx. *it is the largest house in* ~); *come into* ~ blive til. **existent** [ėg'zistənt] eksisterende, bestående, nuværende, forhåndenværende.

existential [egzi'stenʃəl] (adj.) eksistentiel. **existentialism** [egzi'stenʃəlizm] (subst.) eksistentialisme. **existentialist** (subst.) eksistentialist.

exit ['eksit] (vb.) (han el. hun) går ud, ud (fx. ~ *Hamlet* Hamlet ud); (subst.) udgang; sortie; bortgang, død; *make one's* ~ gå ud, gå bort. **exit-line** udgangsreplik, sortie.

ex-libris [eks'laibris] ekslibris.

Exmouth ['eksmauþ].

exodus ['eksədəs] udvandring; *the rural* ~ flugten fra landet; *Exodus* anden Mosebog.

ex officio ['ekso'fiʃioᵘ] på embeds vegne; i embeds medfør; 'født' (fx. *the sheriff is* ~ *returning officer for the county).*

exogamy [ek'sågəmi] ægteskab uden for stammen.

exonerate [ėg'zånəreⁱt] befri, lette, frigøre, fritage (for ansvar, pligt); løse; frifinde, rense. **exoneration** [ėgzånə'reⁱʃən] befrielse; renselse.

exor. fk. f. *executor.*

exorbitance [ėg'zå·bitəns], **exorbitancy** [ėg'zå·bitənsi] urimelighed, ubillighed, ubluhed; umådelighed.

exorbitant [ėg'zå·bitənt] overdreven, ublu (fx. *an ~ price);* urimelig; umådelig; *~ price* (ogs.) ågerpris.

exorcise ['ekså·saiz] besværge, mane bort, uddrive (onde ånder). **exorcism** ['ekså·sizm] (ånde)manen, djævleuddrivelse. **exorcist** ['ekså·sist] åndemaner, djævleuddriver.

exordial [ėg'zå·diəl] indledende.

exordium [ek'så·diəm] indledning, optakt.

exoteric [ekso'terik] populær, almenfattelig.

exotic [ek'såtik] eksotisk, fremmedartet, udenlandsk.

expand [ėks'pänd] udfolde; udbrede; udvide (fx. *~ one's business);* udvide sig, vokse (fx. *our trade has -ed);* udfolde sig (fx. *the flower -ed in the sunshine);* (fig. om person) live op, tø op, folde sig ud; *~ one's chest* skyde brystet frem; *my heart -s with joy* mit hjerte svulmer af glæde. **expanded:** *~ metal* strækmetal; *the ~ present (, preterite)* den udvidede nutid (, datid).

expanse [ėks'päns] udstrakt flade, vid udstrækning; udvidelse. **expansibility** [ėkspänsə'biliti] udvidelsesevne. **expansible** [ėks'pänsəbl] udvidelig. **expansion** [ėks'pänʃən] udfoldelse; udbredelse; udvidelse, ekspansion; vidt udstrakt rum (el. flade).

expansive [ėks'pänsiv] udvidende; udvidelig; vidtstrakt, omfattende; ekspansiv; udvidelses-; åbenhjertig, meddelsom.

expatiate [ėks'peiʃieit] udbrede sig *(on* over).

expatiation [ėkspeiʃi'eiʃən] vidtløftig omtale.

I. **expatriate** [ėks'pätrieit] (vb.) forvise; *~ oneself* udvandre.

II. **expatriate** [eks'pätriėt] (subst.) emigrant; (adj.) udvandret. **expatriation** [ėkspätri'eiʃən] forvisning; udvandring.

expect [ėk'spekt] vente; forvente, regne med; forlange; antage; tro; *I ~ you to be punctual* jeg må forlange af Dem, at De er præcis; *I ~ there will be* (el. *I ~ there to be) trouble* jeg venter (el. regner med) at der bliver ballade. **expectance** [ėk'spektəns], **expectancy** [ėk'spektənsi] forventning. **expectant** [ėk'spektənt] ventende, forventningsfuld, afventende; *~ mother* vordende moder; *~ treatment* (med.) afventende behandling. **expectation** [ekspėk'teiʃən] forventning; *~ of life* forventet levealder; *have great -s* have udsigt til en stor arv; *have great -s of* vente sig meget af; *in ~ of* i forventning om.

expectorant [ėk'spektərənt] slimløsende (middel). **expectorate** [ėk'spektəreit] hoste op, spytte op; spytte. **expectoration** [ėkspektə'reiʃən] ophostning, (op)spytning; (op)spyt.

expedien|ce [ėk'spi·diəns], **-cy** [-si] formålstjenlighed; hensigtsmæssighed; fordelagtighed, egoistiske hensyn. **expedient** [ėk'spi·diənt] (adj.) hensigtsmæssig, passende, tjenlig; opportun; fordelagtig; middel, udvej, råd.

expedite ['ekspidait] (vb.) fremskynde; udføre hurtigt; få fra hånden; fremme; afsende, udsende, udstede. **expedition** [ekspi'diʃən] hurtighed, raskhed; ekspedition; krigstog. **expeditionary** [ekspi'diʃənəri] ekspeditions-; *~ forces* militære styrker, der gør tjeneste uden for hjemlandet.

expeditious [ekspi'diʃəs] hurtig, rask.

expel [ėk'spel] udstøde, uddrive, fordrive, forjage, udvise; ekskludere; relegere; *the boy was -led from school* drengen blev bortvist fra skolen. **expellee** [ėkspe'li·] udvist (person).

expend [ėk'spend] give ud; anvende, ofre; forbruge, bruge, opbruge. **expendable** [ėks'pendəbl] (adj.) som kan opbruges; som kan ofres. **expenditure** [ėk'spenditʃə] anvendelse; udgift(er), forbrug; *private ~* privatforbrug.

expense [ėk'spens] udgift, omkostning, bekostning; *they laugh at my ~* de morer sig på min bekostning; *at the ~ of* på bekostning af; *go to the ~ of* ofre penge på (at); *put sby. to ~* sætte en i udgift. **expense account** omkostningskonto.

expensive [ėk'spensiv] (adj.) kostbar, dyr.

experience [ėk'spiəriəns] (subst.) erfaring, rutine; oplevelse; (vb.) erfare; opleve; føle, fornemme, få at føle, gennemgå; komme ud for; *from* (el. *by) ~* af erfaring.

experienced [ėk'spiəriənst] (adj.) erfaren, rutineret, øvet.

experiential [ekspiəri'enʃəl] erfaringsmæssig, empirisk, erfarings-.

I. **experiment** [ek'sperimənt] (subst.) forsøg, eksperiment; (adj.) forsøgs- (fx. *~ farm).*

II. **experiment** [ek'speriment] (vb.) anstille forsøg, eksperimentere (fx. *he is -ing with new methods); ~ on animals* anstille forsøg med dyr, lave dyreforsøg.

experimental [ėksperi'mentl] (adj.) erfaringsmæssig, erfarings-; eksperimentel, forsøgs- (fx. *~ animal); ~ psychology* eksperimentalpsykologi. **experimentalist** [ėksperi'mentəlist] eksperimentator. **experimentally** eksperimentelt, forsøgsvis. **experimentation** [eksperimen'teiʃən] eksperimenteren. **experimenter** [ėk'sperimentə] eksperimentator.

I. **expert** [ėk'spə·t, attributivt ofte 'ekspə·t] (adj.) øvet, erfaren, kyndig, dygtig, sagkyndig.

II. **expert** ['ekspə·t] (subst.) sagkyndig, ekspert, fagmand; specialist *(on* i); *with the air (, eye) of an ~* med kendermine (, kenderblik); *-'s report* ekspertise; *(the) -s* sagkundskaben.

expertise [ėkspə·'ti·z] sagkundskab; sagkyndigt skøn; ekspertise, sagkyndig erklæring, ekspertudsagn.

expert knowledge sagkundskab.

expertly dygtigt, behændigt. **expertness** [ėk'spə·tnės] erfaring; dygtighed.

expert opinion: *give an ~* afgive et sagkyndigt skøn.

expiable ['ekspiəbl] (adj.) som kan udsones. **expiate** ['ekspieit] (vb.) bøde for, sone, udsone. **expiation** [ekspi'eiʃən] udsoning; bod. **expiatory** ['ekspieitəri] (adj.) udsonings-, sonende.

expiration [ekspaiə'reiʃən] udånden; sidste suk, død; udånding; ophør; udløb. **expiratory** [eks'paiərətəri] udåndings-. **expire** [ėks'paiə] udånde; drage sit sidste suk, dø; gå ud (om ild); forløbe, udløbe, gå til ende; ophøre.

expiry [ėk'spaiəri] ophør, udløb, ende.

explain [ėks'plein] forklare; gøre rede for; *~ away* bortforklare; *~ oneself* forklare sig. **explainable** [ėks'pleinəbl] forklarlig.

explanation [eksplə'neiʃən] forklaring; *come to an ~ with* komme til en forståelse med.

explanatorily (adv.) til forklaring. **explanatory** [ėk'splänətəri] (adj.) forklarende; oplysende.

expletive [ėks'pli·tiv] (adj.) udfyldende; overflødig; (subst.) fyldeord; fyldekalk; ed; kraftudtryk.

explicable ['eksplikəbl] forklarlig. **explicate** ['ekspllikeit] udlægge, forklare; udvikle. **explication** [ekspli'keiʃən] udlægning, forklaring; udvikling.

explicative ['eksplikeitiv], **explicatory** ['ekspli-keitəri] forklarende.

explicit [ėks'plisit] (adj.) tydelig, klar, bestemt, udtrykkelig (fx. *an ~ statement); he was quite ~* han udtalte sig meget tydeligt (el. åbent). **explicitly** tydeligt, klart, med rene ord.

explode [ėks'ploud] (vb.) få til at eksplodere, sprænge (fx. *they -d the bomb);* eksplodere (fx. *the boiler -d);* springe; forkaste, bringe i miskredit; bryde ud, fare op, briste i latter; *an -d idea* en tanke man forlængst har opgivet; *an -d theory* en forladt teori.

I. **exploit** ['eksploit] (subst.) dåd, bedrift.

II. **exploit** [iks'ploit] (vb.) udnytte; udbytte (fx. *~ the working classes).*

exploitation [eksploi'teiʃən] udnyttelse; udbytning. **exploiter** [iks'ploitə] udbytter.

exploration [eksplå·ˈreⁱʃən] udforskning, undersøgelse; (med.) eksploration. **explorative** [ėkˈsplå·rətiv], **exploratory** [ėkˈsplå·rətəri] undersøgende, undersøgelses-, forsknings-.

explore [ėkˈsplå·] udforske, tage på opdagelsesrejse(r) i, undersøge, eksplorere. **explorer** [ėkˈsplå·rə] opdagelsesrejsende.

explosion [ėkˈsploᵘʒən] eksplosion; udbrud.

explosion | engine eksplosionsmotor. ~ **-proof** eksplosionssikker.

explosive [ėkˈsploᵘsiv] eksplosiv; heftig, opfarende; sprængstof; ~ *bomb* sprængbombe; ~ *cartridge* sprængpatron; ~ *charge* sprængladning; ~ *signal* knaldsignal.

exponent [ėkˈspoᵘnənt] eksponent; fortolker, repræsentant, talsmand; (adj.) forklarende.

I. **export** [ˈekspå·t] (subst.) udførsel, eksport; eksportvare.

II. **export** [ėkˈspå·t] (vb.) udføre, eksportere.

exportable [ėkˈspå·təbl] (adj.) som kan udføres.

exportation [ekspå·ˈteⁱʃən] udførsel, eksport.

export bounty eksportpræmie. **exporter** [ėkˈspå·tə] eksportør. **export licence** eksporttilladelse.

expose [ėkˈspoᵘz] (vb.) udsætte (fx. *a new-born child)*; udstille; afsløre (fx. *a plot)*; stille blot (el. til skue), blotte (fx. *one's ignorance)*; (fot.) eksponere; ~ *a card* vise et kort (ɔ: ved en fejltagelse); ~ *to* udsætte for (fx. ~ *sby. to cold and hunger)*; *-d situation* udsat stilling.

exposé [eksˈpoᵘzeⁱ] afsløring; fremstilling, redegørelse.

exposition [ekspoˈziʃən] udstilling; fremstilling, redegørelse, udvikling, forklaring; (i musik og drama) eksposition; *power of* ~ fremstillingsevne.

expositive [ėkˈspåzitiv] forklarende. **expositor** [ėkˈspåzitə] fortolker. **expository** [ėkˈspåzitəri] forklarende, fortolkende.

ex post facto [ˈeksˈpoᵘst ˈfăktoᵘ]: ~ *law* lov med tilbagevirkende kraft.

expostulate [ėksˈpåstjuleⁱt] gøre forestillinger, gøre bebrejdelser; ~ *with sby. about sth.* foreholde (el. bebrejde) en noget; gå i rette med en for noget.

exposure [ėkˈspoᵘʒə] (subst.) udsættelse *(to* for); afsløring (fx. *the* ~ *of a crime)*; blottelse; fremvisning; udsat stilling, ubeskyttethed; (fot.) eksponering, optagelse; *die of* ~ fryse ihjel; *the house has a southern* ~ huset vender mod syd.

expound [ėkˈspaund] (vb.) udlægge, forklare (fx. ~ *a theory)*; fremsætte, fremstille, gøre rede for (fx. ~ *one's views)*.

I. **express** [ėksˈpres] (subst.) eksprestog, iltog; ekspresbefordring, ekspresbesørgelse; ekspresbud, ilbud; (især amr.) transportfirma, speditør.

II. **express** [ėksˈpres] (vb.) udtrykke (fx. ~ *one's meaning)*; sende ekspres; presse ud (fx. *juice -ed from grapes)*; ~ *oneself* udtrykke sig; *he -ed himself strongly on* han udtalte sig i skarpe vendinger om.

III. **express** [ėksˈpres] (adj.) udtrykkelig (fx. *wish)*, klar, tydelig; ekspres- (fx. *letter; train; delivery* udbringning); il-; *he is the* ~ *image of his father* han er sin faders udtrykte billede.

IV. **express** [ėksˈpres] (adv.) ekspres (fx. *travel* ~).

express forwarding ekspresforsendelse. **expressible** [ėkˈspresəbl] som kan udtrykkes.

expression [ėkˈspreʃən] udtryk, vending; fremstilling; (i musik) foredrag; *beyond* ~ ubeskrivelig, usigelig; ~ *of opinion* meningstilkendegivelse; *with* ~ udtryksfuldt. **expressionism** [-izm] ekspressionisme. **expressionist** [-ist] ekspressionist. **expressionless** udtryksløs.

expressive [ėkˈspresiv] udtryksfuld; ~ *of* givende udtryk for.

expressway (amr.) motorvej.

expropriate [ėksˈproᵘprieⁱt] ekspropriere, fratage; ~ *him from his estate* fratage ham hans ejendom, ekspropriere hans ejendom. **expropriation** [ėksproᵘpriˈeⁱʃən] ekspropriation, ekspropriering.

expulsion [ėksˈpʌlʃən] (jvf. *expel)* udstødelse, fordrivelse, forjagelse, uddrivelse; udvisning, relegation, eksklusion, bortvisning (fx. *from a school)*.

expulsive [ėksˈpʌlsiv] (med.) uddrivende.

expunge [ėksˈpʌn(d)ʒ] stryge (fx. ~ *a name from a list)*; fjerne; (ud)slette.

expurgate [ˈekspə·geⁱt] rense (bog for anstødelige udtryk el. fejl). **expurgation** [ekspə·ˈgeⁱʃən] udrensning, renselse.

exquisite [ˈekskwizit] (adj.) udsøgt, fortræffelig (fx. *workmanship)*; stærk, heftig (fx. *pain, joy)*; (subst.) modeherre, laps; *an* ~ *ear* et fint øre.

exscind [ėkˈsind] udskære, skære bort.

ex-service man forhenværende frontsoldat, veteran.

exsiccate [ˈeksikeⁱt] udtørre. **exsiccation** [eksiˈkeⁱʃən] udtørring.

ex-soldier forhenværende soldat, veteran.

extant [ėksˈtănt, ˈekstənt] bevaret, i behold, eksisterende.

extemporaneous [ėkstempəˈreⁱnjəs], **extemporary** [ėksˈtempərəri] improviseret, som har evne til at improvisere; pludselig, uventet. **extempore** [ėksˈtempəri] (adj.) ekstempore; improviseret (fx. *an* ~ *speech, speak* ~). **extemporize** [ėksˈtempəraiz] improvisere.

extend [ėkˈstend] udstrække; strække; udvide (fx. *one's business)*, forlænge (fx. *a visit, a railway)*; fremstrække, række frem (el. ud); (om reb) spænde ud, hænge op; ⚔ sprede; yde (fx. *help)*, vise (fx. *hospitality)*, skænke, give; strække sig (fx. *his garden -s as far as the road)*; ~ *oneself* anspænde sig; ~ *an invitation to sby.* sende én en indbydelse, indbyde én.

extended (adj.) udstrakt, udvidet; forlænget; lang(varig), langstrakt, langtrukken; fremstrakt (fx. *hand)*; (amr.) omfattende, vidtstrakt; *the horse was fully* ~ hesten fik lov at strække ud; ~ *order* spredt orden; *with his little finger* ~ med strittende lillefinger. **extensibility** [ėkstensəˈbiliti] strækbarhed. **extensible** [ėkˈstensəbl], **extensile** [ėkˈstensail] udvidelig, strækbar.

extension [ėkˈstenʃən] udstrækning, udvidelse, forlængelse, tilbygning; forlængerstykke; ekstraapparat; ~ *12* (tlf.) lokal 12; *University E.* folkeuniversitet. **extension table** udtræksbord.

extensive [ėkˈstensiv] udstrakt, vid, stor, omfattende; ~ *farming* ekstensiv drift. **extensor** [ėkˈstensə] (anat.) strækkemuskel. **extent** [ėkˈstent] udstrækning, omfang; grad; område; *to a certain* ~ til en vis grad; *to a great* ~ i vid udstrækning; *to the* ~ *of £2000* helt op til £2000.

extenuate [ėksˈtenjueⁱt] besmykke; formilde, undskylde (fx. *nothing can* ~ *his crime)*; *extenuating circumstances* formildende omstændigheder. **extenuation** [ėkstenjuˈeⁱʃən] formildelse, undskyldning; *plead sth. in* ~ fremføre noget som formildende omstændighed. **extenuatory** [ėksˈtenjuətəri] undskyldende, formildende.

exterior [ėkˈstiəriə] (adj.) ydre; udvendig; udenrigs-; (subst.) ydre; udvortes; ydre form; eksteriør; ~ *to* uden for, fjernt fra.

exterminate [eksˈtə·mineⁱt] udrydde. **extermination** [ekstə·miˈneⁱʃən] udryddelse; ~ *camp* tilintetgørelseslejr. **exterminator** [eksˈtə·mineⁱtə] udrydder; kammerjæger, desinfektør; insektpulver. **exterminatory** [eksˈtə·minətəri] udryddelses-, udryddende.

extern [ˈekstə·n] som ikke bor på stedet (ɔ: skolen, hospitalet etc.; bruges især om læger, medicinske studerende, skoleelever).

external [ėkˈstə·nəl] (adj.) ydre, udvendig, udvortes; udenrigs-; ~ *evidence* bevismateriale fra andre kilder end det undersøgte; ~ *examiner* fremmed censor; *for* ~ *use* til udvortes brug.

externals [ėkˈstə·nəlz] (subst.) det ydre, det udvortes (fx. *we should not judge people by* ~); ydre former (, ceremonier) (fx. *the* ~ *of religion)*.

exterritorial ['eksteri'tå·riəl] eksterritorial, som ikke er underkastet opholdsstatens jurisdiktion. **exterritoriality** [eksteritåri'äliti] eksterritorialitet.

extinct [ėk'stiŋkt] udslukt; slukket; ophævet, afskaffet; uddød. **extinction** [ėk'stiŋkʃən] (ud)slukning; ophævelse, afskaffelse; uddøen; tilintetgørelse; udslettelse.

extinguish [ėk'stiŋgwiʃ] slukke; udslukke; udslette, bringe ud af verden; stille i skyggen, fordunkle. **extinguishable** [ėk'stiŋgwiʃəbl] som kan udslukkes osv. **extinguisher** [ėk'stiŋgwiʃə] lyseslukker; slukningsapparat. **extinguishment** = *extinction.*

extirpate ['ekstə·peit] udrydde; bortskære, fjerne.

extirpation [ekstə·'peiʃən] udryddelse; bortskæring, fjernelse.

extirpator ['ekstə·peitə] udrydder.

extol [ėk'stål] prise, hæve til skyerne.

extort [ėks'tå·t]: ~ *from* afpresse; aftvinge; fravriste.

extortion [ėks'tå·ʃən] pengeafpresning, optrækkeri.

extortionate [ėks'tå·ʃənėt] hård, ublu; ~ *interest* ågerrenter.

extortioner [ėks'tå·ʃənə] udsuger, optrækker.

extra ['ekstrə] (adj., adv.) ekstra; som ligger el. befinder sig udenfor; (subst.) ekstraudgave, ekstranummer; (films)statist; ekstraudgift, tillæg, noget der betales ekstra for; *fire and light are -s* varme og lys beregnes ekstra (el. er ikke indbefattet i betalingen); ~ *time* omkamp (i fodbold).

I. **extract** [ėks'träkt] (vb.) uddrage; udtrække; trække ud; trække op; udvinde (fx. *oil from shale); ~ the necessary information from him* få (el. hale) de nødvendige oplysninger ud af ham; ~ *a promise from him* aftvinge ham et løfte; ~ *pleasure from* få glæde af; ~ *the square root* uddrage kvadratroden.

II. **extract** ['eksträkt] (subst.) ekstrakt, udtræk, essens (fx. *vanilla ~);* (af bog etc.) uddrag, ekstrakt, udpluk, citat.

extraction [ėks'träkʃən] (subst.) ekstrakt, udtræk; afstamning, herkomst (fx. *he is of French ~);* ekstraktion; udtrækning (fx. *of a tooth);* optrækning; udvinding; uddragning. **extractive** [ėks'träktiv] (adj.) som kan uddrages; udtræknings-; udvindings-; (subst.) uddrag, ekstrakt. **extractor** [ėks'träktə] (patron)udtrækker; ekstraktionstang.

extradite ['ekstrədait] udlevere (en forbryder).

extradition [ekstrə'diʃən] udlevering (af forbryder); ~ *treaty* udleveringstraktat.

extrajudicial ['ekstrədʒu'diʃəl] ekstrajudiciel, udenretslig (ɔ: som sker uden for retten).

extramarital ['ekstrə'märitəl] uden for ægteskabet; ~ *relations* uægteskabelige forbindelser, utroskab.

extramural ['ekstrə'mjurəl] (adj.) som befinder sig uden for murene; som finder sted uden for en institution (især universitet); ~ *courses* universitetskurser der afholdes uden for universitetet, folkeuniversitetskurser.

extraneous [ėks'treinjəs] fremmed, uvedkommende; ~ *to the subject* emnet uvedkommende.

extraordinary [ėk'strå·din(ə)ri] overordentlig; usædvanlig, mærkværdig, mærkelig; ekstraordinær.

extraparochial ['ekstrəpə'roukjəl] udensogns.

extrasensory ['ekstrə'sensəri]: ~ *perception* modtagelse af bevidsthedsindtryk som ikke foregår gennem de alm. sanser (fx. v. clairvoyance el. telepati).

extravagance [ėk'strävəgəns] ødselhed, ekstravagance; urimelighed; overdrivelse; overspændthed.

extravagant [ėk'strävəgənt] ødsel, ekstravagant; urimelig; overdreven; overspændt; vild, ustyrlig.

extravaganza [ėksträvə'gänzə] regelløs komposition; fantasi(stykke).

extravasated [ėk'strävəseitid] blodunderløben.

extravasation [eksträvə'seiʃən] udsivning (af blod), blodunderløben plet.

extreme [ėk'stri·m] (adj.) yderst (fx. *the ~ edge of the field);* yderliggående (fx. *his opinions are ~);* radikal, voldsom; ekstrem; meget stor, overordentlig; sidst; (subst.) yderste ende, yderste grænse; yderpunkt; yderlighed (fx. *go to -s);* ekstrem; (glds.) vanskelighed, fare; *the ~ penalty of the law* lovens strengeste straf (ɔ: dødsstraffen); ~ *unction* den sidste olie; *in ~ old age* i sin høje alderdom, i en meget høj alder; *-s meet* modsætningerne mødes; *in the ~* yderst (fx. *he is troublesome in the ~).* **extremely** [ėk'stri·mli] yderst, højst, overordentlig.

extremist [ėk'stri·mist] (subst.) yderliggående, ekstremist.

extremities [ėk'stremitiz] yderligheder; ekstremiteter, hænder og fødder.

extremity [ek'stremiti] yderste ende; yderste; højeste grad; yderste forlegenhed, nød, ulykke; (se også *extremities).*

extricate ['ekstrikeit] vikle ud, udfri, befri; få løs; hjælpe ud *(from* af); ~ *oneself from* rede sig ud af (fx. *a difficult situation).* **extrication** [ekstri'keiʃən] udvikling, udredning, befrielse.

extrinsic [ek'strinsik] (adj.) udvortes, ydre.

extrovert ['ekstrovə·t] (adj.) (psyk.) udadvendt, ekstroverteret.

extrude [ėk'stru·d] udstøde, uddrive; strengpresse. **extrusion** [ėk'stru·ʃən] udstødelse, uddrivelse; strengpresning, strengpresset artikel.

exuberance [ėg'zju·bərəns] overflod, fylde, yppighed. **exuberant** [ėg'zju·bərənt] overstrømmende, yppig, rig, frodig.

exudation [eksju·'deiʃən] udsivning, udsvedning, udsondring. **exude** [ėg'zju·d] udsive, udsvede, udsondre; udsondres.

exult [ėg'zʌlt] juble, triumfere *(at, over* over).

exultant [ėg'zʌltənt] jublende, triumferende.

exultation [egzʌl'teiʃən] jubel, triumferen.

exuviae [ėg'zju·vii·] afkastet ham el. hud el. skal (af dyr). **exuviate** [ėg'zju·vieit] skifte ham el. hud el. skal. **exuviation** [ėgzju·vi'eiʃən] skifte af ham, hud el. skal.

exx. fk. f. *examples.*

eyas ['aiəs] falkeunge.

I. **eye** [ai] øje, blik; øje (på nål), østen; løkke, malle *(hook and ~* hægte og malle); syn, synsevne; *a black ~* et blåt øje; *for the sake of our bright -s* for vore blå øjnes skyld; *feast one's -s on* glæde sig ved synet af; *-s front!* se lige ud! *the ~ is greater than the appetite* maven bliver mæt før øjnene; *I can see that with half an ~* det kan jeg se med et halvt øje; *if you had half an ~* hvis du havde øjne i hovedet; *have an ~ for* have blik for, have sans for; *have an ~ on* have et godt øje til, have i kikkerten; *keep an* (el. *one's) ~ on* holde øje med; *have all one's -s about one, keep one's -s open* (el. *skinned* el. *peeled)* passe godt på, have øjnene med sig; *make -s at sby.,* **T** *give sby. the glad eye* 'skyde' til en, lave øjne til en; *mind your ~!* pas på! *the mind's ~* det indre øje; *my ~!* ih, du store! *all my ~* **T** sludder; *that is all my ~ (and Betty Martin)* sludder (og vrøvl); det gælder til Wandsbek; *make sby. open his -s* få en til at spærre øjnene op; *open sby.'s -s to* åbne ens øjne for; *-s right!* se til højre! *run one's ~ over* (el. *through)* lade blikket glide hen over; *set -s on* se (for sine øjne) (fx. *I have never set -s on him); be unable to take one's ~ off* ikke kunne få øjnene fra;

do sby. in the ~ **T** snyde en; *that was a slap* (el. *one) in the ~ (for me)* **S** det var en værre afbrænder; *find favour in his -s* finde nåde for hans øjne; *in the ~ of the law* set med lovens øjne; *in the ~ of the wind* lige imod vinden; *have an ~ to* se på, skele til; *see ~ to ~ with* være enig med; *be up to the -s in debt* være i gæld til op over ørerne; *with an ~ to that* med det for øje, med henblik på det.

II. **eye** [ai] (vb.) se på, betragte (fx. *he -d me suspiciously);* mønstre, måle; *he -d him from head to foot* han målte ham fra øverst til nederst.

eye|ball øjeæble. **~ -bath** øjen(bade)glas. **~ -bolt** øjebolt. **-bright** ♧ øjentrøst. **-brow** øjenbryn. **~**

-cup øjen(bade)glas. ~ **disease** øjensygdom. ~ **-doctor** øjenlæge.

eyeful ['aiful] (amr.) S dejligt syn, køn pige; *he got an ~* han fik set sig mæt.

eye|-glass monokel; okular; øjen(bade)glas. ~ **-glasses** briller, lorgnet. ~ **-guard** beskyttelsesbriller. **-hole** øjenhule. **-lashes** øjenhår, øjenvipper. **-less** uden øjne, blind.

eyelet ['ailėt] snørehul, lille åbning.

eye|lid øjenlåg. **-minded** visuelt indstillet. ~ **-opener** T (omtr.) morgenbitter; opstrammer; overraskelse; *that was an ~ -opener for him* det åbnede hans øjne, det gav ham et nyt syn på sagen. **-piece** okular. ~ **-servant** øjentjener. ~ **-service** øjentjeneri. **-shot** synsvidde (fx. *out of -shot*). **-sight** syn (fx. *my -sight is failing*). ~ **-socket** øjenhule. **-sore** noget som støder øjet (fx. en grim bygning), skamplet, (en) torn i øjet. ~ **-tooth** hjørnetand. **-wash** øjenbadevand; S bluff. ~ **-winker** (amr.) øjenvippe; 'noget i øjet'. ~ **-witness** øjenvidne.

eyot ['eⁱt] lille ø, holm.

eyrie, eyry ['aiəri] rovfuglerede.

F

F [ef]. **F.** fk. f. *Fahrenheit; French; Friday.*

f. fk. f. *farthing; fathom; feminine; folio; foot; forte; franc.*

F. A. fk. f. *Football Association.*

Fabian ['feⁱbiən] klogt nølende; hørende til *the Fabian Society.*

fable [feⁱbl] (subst.) fabel, opdigtet historie; sagn; (vb.) opdigte, fortælle noget opdigtet.

fabled ['feⁱbld] opdigtet, eventyrlig, sagnagtig.

fabric ['fǎbrik] (vævet) stof (fx. *wollen fabrics);* væv (fx. *a ~ of lies);* indre sammensætning, system, struktur (fx. *the ~ of society);* vævning (fx. *a cloth of exquisite ~);* bygningsværk.

fabricate ['fǎbrikeⁱt] opdigte (fx. *~ a charge);* lave, fabrikere, danne.

fabrication [fǎbri'keⁱʃən] opdigtet (el. løgnagtig) beretning; opspind; falskneri; tilvirkning.

fabulist ['fǎbjulist] fabeldigter; løgner.

fabulosity [fǎbju'låsiti] fabelagtighed.

fabulous ['fǎbjuləs] (adj.) sagn- (fx. *~ heroes);* utrolig, fabelagtig (fx. *~ wealth*), eventyrlig.

façade [fə'sa·d] facade.

I. **face** [feⁱs] (subst.) ansigt; ansigtsudtryk, mine; udseende; uforskammethed, frækhed; overflade; forside; urskive; bane (på hammer, ambolt); *~ to ~ with* ansigt til ansigt med; *full ~* en face (om portræt); *make* (el. *pull* el. *wear) a long ~* være (, blive) lang i ansigtet; *have the ~ to say* være fræk nok til at sige; *fly in the ~ of* trodse, gå stik imod; *laugh in his ~* le ham lige op i ansigtet; *look him in the ~* se ham i øjnene; *slam the door in his ~* smække døren i for næsen af ham; *lose (one's) ~* tabe ansigt; *make a ~* (el. *-s)* skære ansigter; *that puts an entirely new ~ on the matter* det stiller sagen i et helt nyt lys; *put a good ~ on the matter* gøre gode miner til slet spil; *in the ~ of* over for; til trods for, trods; *on the ~ of it* tilsyneladende; overfladisk set; *save one's ~* redde sin anseelse, redde skinnet, redde ansigtet; *set one's ~ against it* sætte sig imod det; *show one's ~* vise sig, lade sig se; *he told him to his ~ that* han sagde ham lige op i ansigtet at.

II. **face** [feⁱs] (vb.) stille sig ansigt til ansigt med, vende ansigtet imod; se lige i øjnene; trodse; ligge (, stå etc.) lige over for, vende (ud) imod; bedække, beklæde, belægge; besætte, kante, forsyne med opslag; *~ the engine* køre forlæns (i jernbanevogn); *~ the music* tage konsekvenserne af en begået fejl; tage skraldet; *~ the question* se sagen lige i øjnene; *about ~!* omkring! *left ~!* venstre om! *right ~!* højre om! *~ down* kue, intimidere, byde trods; *~ it out* ikke ville give sig; dristigt holde på sit; *~ up to the danger* dristigt se faren i øjnene; *be -d with* være stillet over for, stå over for (fx. *we are -d with a crisis).*

face|-ache ['feⁱseⁱk] ansigtssmerter. ~ **card** billedkort. ~ **cloth** vaskeklud. ~ **-lift(ing)** ansigtsløftning.

facer ['feⁱsə] slag i ansigtet, slem overraskelse.

facet ['fǎsit] facet; facettere.

facetiae [fə'si·ʃii·] vittige indfald; humoristisk litteratur.

facetious [fə'si·ʃəs] spøgende, (anstrengt) spøgefuld.

face-value pålydende værdi.

facial ['feⁱʃəl] (adj.) ansigts- (fx. *expression);* (subst.) ansigtsbehandling, ansigtsmassage; *~ angle* ansigtsvinkel.

facile ['fǎsail] let (fx. *victory);* (let) tilgængelig; (let)flydende (fx. *style, verse);* overfladisk; behændig; eftergivende, føjelig; facil.

facilitate [fə'siliteⁱt] (vb.) lette. **facilitation** [fəsili'teⁱʃən] lettelse.

facility [fə'siliti] lethed; færdighed; føjelighed; lejlighed (til at gøre noget); mulighed (fx. *special facilities for learning English*); let adgang; *facilities* (hjælpe)midler; faciliteter; anlæg; *modern facilities* moderne bekvemmeligheder.

facing ['feⁱsiŋ] med ansigtet mod, med front mod; (subst.) opslag; vending; beklædning; besætning; *put him through his -s* prøve hvad han duer til.

facsimile [fǎk'simili] (subst.) faksimile; (vb.) faksimilere.

fact [fǎkt] kendsgerning, faktum, omstændighed; sag; *in ~* i virkeligheden, faktisk, endog, ja; *as a matter of ~* i virkeligheden; *matter of ~* kendsgerning; nøgtern, prosaisk, saglig; *the ~ is that* sagen er at; *the ~ remains that* det står (i hvert fald) fast at; *tell him the -s of life* fortælle ham hvor de små børn kommer fra.

fact-finding committee undersøgelseskommission.

faction ['fǎkʃən] parti; klike; klikevæsen; uenighed, strid. **factionist** ['fǎkʃənist] partimand, partigænger. **factious** ['fǎkʃəs] oprørsk; urolig; parti-.

factitious [fǎk'tiʃəs] kunstig; tillært, uægte.

factitive ['fǎktitiv]: *a ~ verb* et verbum der har objekt og objektsprædikat (fx. *they made him a judge).*

factor ['fǎktə] agent, kommissionær; faktor.

factorage ['fǎktəridʒ] kommission.

factorship ['fǎktəʃip] agentur; stilling eller virksomhed som faktor.

factory ['fǎktəri] fabrik; faktori, handelsstation; *Factory Acts* arbejderbeskyttelseslove, fabrikslovgivning; *~ girl* fabriksarbejderske; *~ hand* fabriksarbejder.

factotum [fǎk'toᵘtəm] faktotum, altmuligmand, 'højre hånd'.

factual ['fǎktjuəl] faktisk, virkelig, saglig, nøgtern.

faculty ['fǎkəlti] evne, åndsevne, dygtighed, kraft; fakultet (ved universitetet, især det lægevidenskabelige); (amr.) lærerstab; *mental faculties* åndsevner; *he is still in possession of all his faculties* han er stadig åndsfrisk; *one of the ~* (ogs.) mediciner som har taget eksamen, læge.

fad [fǎd] indfald, grille, lune; kæphest; mani.

faddish ['fǎdiʃ] besat af en idé el. mani. **faddism** ['fǎdizm] monomani. **faddist** ['fǎdist] (subst.) monoman. **faddy** ['fǎdi] (adj.) monoman.

fade [feⁱd] (vb.) falme; visne; *~ away* svinde hen; forsvinde (lidt efter lidt); fortone sig; *~ in* (i film) optone; ~ *out* forsvinde (lidt efter lidt); (i film) udtone; (om lyd) udtone, dø hen, fade. **faded** visnet; falmet.

fade-in (i film) optoning. **fadeless** ['feidlės] solægte; uvisnelig.

fade-out (i film) udtoning. **fading** ['feidiŋ] (i radio) fading.

faecal ['fi·kəl] (adj.) ekskrement-. **faeces** ['fi·si·z] afføring, ekskrementer.

faery ['fæəri], *se fairy.*

fag [fäg] (vb.) trælle, slide og slæbe; lade trælle; (subst.) trældyr; mindre elev, som må opvarte ældre skolekammerat(er); slid, hestearbejde; S cigaret.

fag-end ['fäg'end] tarvelig rest; sidste ende; stump, 'skod'.

fagged (out) udaset.

faggot, fagot ['fägət] brændeknippe, risbundt; (slags) frikadelle (af hakket lever).

Fahrenheit ['färənhait, 'fa·r-] Fahrenheit, fahrenheitstermometer.

faience [fai'a·ns] fajance.

I. **fail** [feil] fejle, mislykkes, slå fejl; blive svag(ere); falde igennem, dumpe (fx. *he -ed in the examination);* gå fallit; lade i stikken, svigte (fx. *don't ~ him in his need; his courage -ed him);* undlade, forsømme (fx. *~ to do it);* være ude af stand til, ikke mægte; T lade dumpe (til eksamen); *he is -ing rapidly* det går hurtigt ned ad bakke med ham; *-ing that* (el. *this* el. *which)* i mangel heraf, ellers, i modsat fald; *~ in one's object* ikke nå sit mål; *he -s in respect* han mangler respekt; *~ one's promise* svigte sit løfte; *~ to appear* udeblive; *~ to obtain* gå glip af; *he -ed to obtain the post* det lykkedes ham ikke at få stillingen; *I ~ to see* jeg kan ikke indse; *words ~ me* jeg mangler ord.

II. **fail** [feil]: *without ~* aldeles bestemt (fx. *I'll come without ~).*

failing ['feiliŋ] (subst.) skavank; svaghed; mangel; (præp.) i mangel af; *~ an answer* hvis der ikke kommer svar.

failure ['feiljə] mangel; udeblivelse; fejlslagning; uheld, mislykket bestræbelse; fiasko; aftagen, svigten, svækkelse; undladelse, forsømmelse; betalingsstandsning, fallit; mislykket individ; *dead ~* komplet fiasko.

fain [fein]: *would ~* ville gerne (fx. *he would ~ go).*

I. **faint** [feint] (subst.) afmagt, besvimelse; *she went off in a ~* hun besvimede.

II. **faint** [feint] (adj.) svag (fx. *sound, attempt);* mat; udmattet (fx. *with hunger);* kraftløs; frygtsom; (om vind) flov; *I have not the -est idea* jeg har ikke den fjerneste anelse (om det); *~ heart never won fair lady* (omtr.) hvo intet vover intet vinder.

III. **faint** [feint] (vb.) besvime (fx. *she -ed with hunger);* blive svag; (om lyd) dø hen.

faint-hearted ['feint'ha·tid] (adj.) forsagt, frygtsom, forknyt. **fainting fit** besvimelse.

I. **fair** [fæə] retfærdig; fair, ærlig; reel (fx. *treatment);* rimelig (fx. *share* andel; *prices);* god; antagelig, jævn, nogenlunde (god) (fx. *income),* hæderlig; skær, ren pletfri, klar; blond, lys (fx. *hair);* (glds.) fager, skøn; (om vejr) godt; (på barometret) smukt vejr; (adv.) ærligt (etc.); lige, direkte (fx. *I hit him ~ on the chin); all is ~ in love and war* i kærlighed og krig gælder alle kneb; *bid ~ to* tegne til at (fx. *the experiment bids ~ to be successful); ~ copy, ~ draft* renskrift; *~ fight* ærlig kamp; *fight ~* kæmpe efter reglerne; *~ impression* rentryk; *by ~ means or foul* med det gode eller med det onde; *~ play* ærligt spil; *~ promises* gyldne løfter; *the ~ sex* det smukke køn; *be on the ~ side of forty* være under 40; *speak him ~* snakke godt for ham; *~ and square* ærlig; *the ~* de skønne; *~ to middling* nogenlunde (fx. *the weather is ~ to middling); be in a ~ way to* være godt på vej til (fx. *he is in a ~ way to ruin himself); ~ wind* gunstig vind; *~ words butter no parsnips,* se *butter.*

II. **fair** [fæə] (subst.) marked, messe, basar; *a day after the ~* en postgang for sent, post festum.

fair|-dealing ærlighed. *~* **-haired** (adj.) lyshåret, (lys)blond.

fairing ['fæəriŋ] markedsgave; (flyv.) strømlinjebeklædning.

fairish ['fæəriʃ] ganske pæn, ganske rimelig.

fairlead ['fæəli·d] ⚓ klys.

fairly ['fæəli] (adv.) retfærdigt; temmelig, ganske (fx. *~ good);* rigtigt, ordentlig, helt (fx. *~ awake); he ~ scolded me* han skældte mig ligefrem ud; *he judged me ~* han dømte mig retfærdigt. **fair-minded** retsindig.

fairness ['fæənės] blondhed; åbenhed, ærlighed, rimelighed; skønhed; *in ~* retfærdigvis, når man skal være retfærdig; *in ~ I must add* jeg skylder retfærdigheden at tilføje.

fair-spoken ['fæəspoukən] høflig, beleven. **fair-to-middling** nogenlunde (god), hæderlig. **fairway** sejlløb, farvand.

fair-weather: *~ friend* upålidelig ven; *~ sailing* magsvejrssejlads; *~ sailor* bolværksmatros.

fairy ['fæəri] fe, alf; S homoseksuel; feagtig, trolddomsagtig, fe-, alfe-. **fairy|land** eventyrland. *~* **-ring** heksering (ɔ: svampe); ♧ elledans-bruskhat. *~* **story**, *~* **-tale** eventyr.

faith [feiþ] (subst.) tro *(in* på), tillid *(in* til); løfte, ord; troskab; *breach of ~* løftebrud, tillidsbrud, illoyalitet; *the Christian ~* den kristne tro; *by (my) ~!* på ære, ærlig talt, sandelig! *in bad ~* mod bedre vidende; *in good ~* i god tro. **faithful** ['feiþf(u)l] tro, trofast, redelig, nøjagtig; troende; *yours -ly* med højagtelse. **faithless** ['feiþlės] troløs; vantro.

I. **fake** [feik] (subst.) bugt (af en tovrulle).

II. **fake** [feik] (vb.) pynte på, forfalske, eftergøre; (subst.) forfalskning, svindel; (adj.) T uægte, falsk; *~ up* pynte på, forfalske; lave sammen. **fakement** ['feikmənt] kneb, forfalskning, svindel.

fakir ['fa·kiə, fə'kiə; (amr. ogs.) 'feikə] fakir.

falcate ['fälkeit] seglformet.

falchion ['få·ltʃən] kort, bred, krum sabel.

falciform ['fälsifå·m] seglformet.

falcon ['få·lkən, 'få·kən] falk. **falconer** ['få·(l)k(ə)nə] falkoner. **falconry** ['få·(l)kənri] falkejagt, falkeopdræt.

falderal ['fäldə'räl] værdiløs bagatel, dims; sludder; (i sang) faldera.

faldstool ['få·ldstu·l] bedestol, korpult.

Falkland ['få·klənd].

I. **fall** [få·l] *(fell, fallen)* falde, synke; aftage; falde bort; indtræffe; fødes (om visse dyr); blive (fx. *lame, silent, ill); his face fell* han blev lang i ansigtet; *his heart fell* hans mod sank; *~ a victim to* blive offer for (fx. *she fell a victim to his revenge); the wind fell* vinden løjede af; *~ a-crying* stikke i at græde; *~ astern* blive sejlet agterud; *~ away* tabe sig, blive svagere; falde fra; *~ back* trække sig tilbage *(upon* til); falde tilbage *(upon* på); *~ behind* sakke agterud; komme bagefter, komme i restance; *~ calm* stilne af; *~ down on* S svigte (fx. *one's promise); ~ due* forfalde (til betaling); *~ for* blive forelsket i, falde for; lade sig imponere (el. narre) af, hoppe på; *~ ill* blive syg; *~ in* styrte sammen (fx. *the roof fell in);* stille sig på plads, ⚔ træde an, stille; udløbe, ophøre (fx. om pension); forfalde til betaling; *~ in love* blive forelsket *(with* i); *~ in with* træffe sammen med; falde sammen med, stemme overens med; gå ind på, efterkomme, tiltræde (et forslag); *~ into* munde ud i (om flod); *~ into bad habits* lægge sig dårlige vaner til; *~ into the habit of ..* komme i vane med .., forfalde til ..; *~ into line* stille sig op (i geled); *~ into line with* (fig.) erklære sig enig i, tilslutte sig; *~ off* falde af; være i tilbagegang, falde; falde fra, svigte; blive mindre; ⚓ falde af; *~ 'on* tage fat (fx. på måltid); *~ on* (el. *upon)* overfalde; *~ on one's feet* slippe godt fra det, komme ned på benene; *~ out* falde ud; falde af; hænde; blive uvenner *(with* med); ⚔ (lade) træde af; *~ over* styrte ned; falde over; falde (omkuld); *~ over oneself* (være ved at) falde over sine egne ben; (fig.) = *~ over backwards* gøre sig alle mulige anstrengelser; ~ *short* ikke nå målet; slippe op; ~ *short of* ikke opfylde, ikke nå op til; ~ *through* falde igennem, mislykkes; ~ ˈ*to* tage fat (fx. på måltid), lange til fadet; begynde at slås; ~ *to* henfalde til; give sig til; tilfalde; ~ *to blows* komme i slagsmål; ~ *to pieces* falde sammen; ~ *to work* tage fat; ~ *under* falde ind under, høre til; komme ind under; ~ *upon* overfalde, angribe.

II. **fall** [få·l] (subst.) fald; nedgang (fx. *a ~ in prices);* (ofte pl.) vandfald (fx. *the Niagara Falls);* bryde(r)tag; (amr.) efterår (fx. *in the ~ of 1960); have a ~* falde; *the Fall of Man* syndefaldet; ~ *of rain* nedbør, regnmængde; *try a ~ with* tage en dyst med, tage det op med.

fallacious [fəˈleiʃəs] (adj.) fejlagtig; vildledende.

fallacy [ˈfāləsi] vildfarelse; forkert antagelse; fejlslutning.

fal-lals [ˈfāˈlālz] (pl.) flitter, dingeldangel, stads; fiksfakserier, dikkedarer.

fallen [ˈfå·l(ə)n] perf. part. af *fall; the ~* de faldne.

fall guy (amr. S) let offer, syndebuk.

fallibility [fāliˈbiliti] fejlbarhed.

fallible [ˈfālibl] fejlbar, som let kan begå fejl.

falling| sickness epilepsi. ~ **star** stjerneskud.

Fallopian [fāˈloupiən]; ~ *tube* (anat.) æggeleder.

fall-out (radioaktivt) nedfald.

fallow [ˈfālou] gulbrun; brak; brak(jord), brakmark, brakpløjning; lægge brak; *lie ~, be in ~* ligge brak.

fallow-deer [ˈfāloudiə] dådyr.

Falmouth [ˈfālməþ].

false [få(·)ls] falsk; usand, uægte, forloren; uærlig, utro; urigtig; ~ *imprisonment* ulovlig frihedsberøvelse; ~ *keel* ⚓ stråkøl; *play sby.* ~ narre en; *sail under ~ colours* føre falsk flag. **falsehood** [ˈfå(·)lshud] usandhed, løgn; usandfærdighed; *tell a ~* sige en usandhed.

falseness falskhed, forræderi.

falsetto [få·iˈsetou] falset.

falsies [ˈfå(·)lsiz] pl. indlæg (i brystholder).

falsification [fålsifiˈkeiʃən] forfalskning; gendrivelse. **falsifier** [ˈfå(·)lsifaiə] forfalsker; løgner. **falsify** [ˈfå(·)lsifai] forfalske; gendrive; gøre til skamme; skuffe (fx. *my hopes were falsified).* **falsity** [ˈfå(·)lsiti] falskhed; usandhed; uvederhæftighed.

Falstaff [ˈfå(·)lsta·f].

falter [ˈfå(·)ltə] vakle (fx. *with -ing steps);* (om stemme) være usikker, skælve (fx. *his voice -ed); ~ an excuse* fremstamme en undskyldning.

fame [feim] rygte; ry, berømmelse; *house of ill ~* bordel. **famed** [feimd] berømt.

I. **familiar** [fəˈmiljə] (adj.) velkendt (fx. *I heard a ~ voice; this is ~ to me);* fortrolig (fx. *I am not ~ with those technical terms);* familiær, intim (fx. *don't be too ~ with him).*

II. **familiar** [fəˈmiljə] (subst.) fortrolig ven, gammel bekendt; dæmon, tjenende ånd; familiar, inkvisitionstjener.

familiarity [fəmiliˈāriti] fortrolighed, familiaritet; *familiarities* intimiteter. **familiarize** [fəˈmiljəraiz] gøre fortrolig med; gøre kendt; ~ *oneself with* sætte sig ind i, gøre sig fortrolig med.

family [ˈfāmili] familie; børn; slægt; *he was one of a ~ of ten* han havde 9 søskende; *he has a wife and ~* han har kone og børn; *that happens in the best (of) families* det sker i de bedste familier; *in a ~ way* uden ceremonier, i al tarvelighed; *in the ~ way* gravid, i omstændigheder.

family| allowance forsørgertillæg. ~ **doctor** huslæge. ~ **likeness** familielighed. ~ **man** familiefader, familiemenneske. ~ **name** efternavn. ~ **planning** familieplanlægning, børnebegrænsning. ~ **treasure** arvestykke, familieklenodie. ~ **tree** stamtræ.

famine [ˈfāmin] hungersnød; mangel (fx. *water ~); ~ prices* dyrtidspriser.

famish [ˈfāmiʃ] udhungre, tvinge ved sult, lade sulte ihjel; sulte, forsmægte; *I am -ing* jeg er skrupsulten.

famous [ˈfeiməs] berømt; **T** udmærket; glimrende (fx. *he has a ~ appetite).*

fan [fān] (subst.) vifte; ventilator; kornrensemaskine; begejstret tilhænger, beundrer, entusiast (fx. *a jazz-fan);* (vb.) vifte (fx. ~ *oneself);* rense; ægge, opflamme; ~ *a fire* få en ild til at blusse op; ~ *the flame* puste til ilden; ~ *out* spredes (i vifteform).

fanatic [fəˈnātik] fanatisk; fanatiker.

fanatical [fəˈnātikl] fanatisk.

fanaticism [fəˈnātisizm] fanatisme.

fanaticize [fəˈnātisaiz] opfanatisere.

fancied [ˈfānsid] indbildt; yndet.

fancier [ˈfānsiə] ynder, liebhaver, kender (fx. *a rose-fancier);* opdrætter.

fanciful [ˈfānsif(u)l] fantastisk; forunderlig; naragtig; lunefuld.

I. **fancy** [ˈfānsi] (subst.) indbildningskraft, fantasi; indbildning, forestilling, tanke; indfald, grille, lune (fx. *it was a passing ~);* lyst, liebhaveri; forkærlighed, tilbøjelighed; sværmeri; **kærlighed**; **inklination**; *take a ~ to* kaste sin kærlighed på, få lyst til; *it will take* (el. *catch) his ~* det vil falde i hans smag.

II. **fancy** [ˈfānsi] (vb.) tro, mene; tænke sig, forestille sig; bilde sig ind; synes om (fx. *I don't ~ this place),* have lyst til; ~ *meeting you here!* tænk at man skulle træffe dig her! ~ *oneself* bilde sig noget ind, være indbildsk; *he rather fancies himself* han har store tanker om sig selv.

fancy| ball kostumebal. ~ **-dress** karnevalsdragt, kostume. ~ **fair** basar (i godgørende øjemed). ~ **-free** (adj.) løs og ledig, ikke forelsket. ~ **goods** luksusartikler, galanterivarer. ~ **man** kæreste; **S** alfons. ~ **material** mønstret stof. ~ **paper** luksuspapir. ~ **price** fabelagtig pris. ~ **-shop** galanterihandel. ~ **weaving** mønstervævning. ~ **-work** fint håndarbejde, broderi.

fandango [fānˈdāŋgou] fandango.

fane [fein] helligdom, tempel.

fanfare [ˈfānfæə] fanfare.

fanfaronade [fānfāroˈneid] praleri; fanfare.

fang [fāŋ] hugtand, gifttand; rod af en tand.

fan-light [ˈfānlait] halvkredsformet vindue over en dør.

fan-mail (filmsstjernes) breve fra beundrere.

I. **Fanny** [ˈfāni] **S** medlem af **F. A. N. Y.**

II. **fanny** [ˈfāni] (amr. S) bagdel.

III. **Fanny**: *(sweet) ~ Adams* **S** slet ingenting.

fan-palm [ˈfānpa·m] viftepalme.

fantail [ˈfāntei l] (zo.) højstjært.

fantasia [fānˈteiziə] fantasi. **fantastic** [fənˈtāstik], **fantastical** [fənˈtāstikl] fantastisk; forunderlig. **fantasticality** [fəntāstiˈkāliti] forunderlighed; fantasteri; lunefuldhed. **fantasy** [ˈfāntəsi] fantastisk idé, lune; fantasi.

F. A. N. Y. fk. f. *First Aid Nursing Yeomanry* (kvindeligt hjælpekorps).

F. A. O. fk. f. *Food and Agriculture Organization.*

faquir [ˈfa·kiə, fəˈkiə] fakir.

far [fa·] *(farther, farthest; further, furthest)* fjern, langt borte, langt borte liggende; lang, vid; fjernt, langt; vidt; meget; ~ *and near* nær og fjern; ~ *and wide* vidt og bredt; *few and ~ between* få og sjældne; ~ *and away the best* langt den bedste; *as ~ as* indtil, lige til; *as* (el. *so) ~ as I know* så vidt jeg ved; ~ *away* langt borte; *by ~ the best* langt det bedste; *too difficult by ~* alt for vanskelig; *not by ~* langt fra; *carry it too ~* drive det for vidt, overdrive det; *the Far East* Det fjerne Østen; *from the ~ end of the room* fra den modsatte ende af værelset; *I am ~ from wishing* jeg ønsker absolut ikke; *be it ~ from me to* det være langt fra mig at; *go ~* slå godt til; (om person) blive til noget, drive det vidt (fx. *he will go ~); make it go ~* få det til at slå godt til; *it will go ~ to explain* det vil for en stor del kunne forklare; *as ~ as it goes* hvad det angår, for så vidt; *he is ~ gone* han har det meget dårligt, han er ødelagt (pekuniært); *he is ~ gone in drink* han er meget fuld; *is London ~?* er der langt til London? *a ~ journey* en lang rejse; *~ off* langt borte, langt bort; *~ on in the day* langt op ad dagen; *~ on in the forties* højt oppe i fyrrerne; *the ~ side of the horse* hestens højre side; *so ~* så langt; hidtil; for så vidt; *now that we have come so ~* nu da vi er kommet så vidt; *in so ~ as* for så vidt som; *so ~ as to* i den grad at, så at; *so ~ so good* så vidt er alting i orden; (ofte:) det kan jeg altsammen gå med til (men ...).

farad ['fāræd] farad (enhed for elektrisk kapacitet).

far-away ['fa·rəweⁱ] fjern.

farce [fa·s] farce (teaterstykke); (vb., glds.) farcere.

farcical ['fa·sikl] farceagtig.

farcy ['fa·si] udslæt (hos heste), snive.

fardel [fa·dl] (glds.) byrde.

I. **fare** [fæə] (subst.) billetpris, kørepenge, takst, betaling (for befordring); passager; kost, mad; *bill of ~* spiseseddel; *collect -s, come round for the -s* billettere; *-s, please! any more -s?* er alle billetteret! *table of -s* taksttarif.

II. **fare** [fæə] (vb.) føle sig, befinde sig; spise og drikke, leve; klare sig; *you may go further and ~ worse* vær tilfreds med, hvad du har; *I had -d very ill* det var gået mig meget dårligt; *how -s it?* hvordan går det? *it -d well with us* det gik os godt.

fare stage takstgrænse.

farewell ['fæə'wel] farvel; afskeds-.

far|-famed ['fa·'feⁱmd] navnkundig. **~ -fetched** ['fa·'fetʃt] søgt, unaturlig; usandsynlig. **~ -flung** vidtstrakt. **~ -gone** (fig.) langt nede (el. ude).

farina [fə'rainə] mel; blomsterstøv.

farinaceous [fāri'neⁱʃəs] melet, melagtig; stivelsesholdig (fx. *food).*

farinose ['fārinoᵘs] melet.

farm [fa·m] (subst.) bondegård, avlsgård; (vb.) bortforpagte; forpagte, tage i forpagtning; dyrke (jorden), drive (en gård osv.); *~ out* bortforpagte; sætte i pleje (mod betaling). **farmer** ['fa·mə] bonde, landmand; forpagter; *tenant ~* forpagter.

farm|hand (amr.) landarbejder, karl. **~ -house** bondegård, stuehus, forpagterbolig. **-ing** ['fa·miŋ] landbrug. **-stead** bondegård.

farm-yard gårdsplads; *~ manure* staldgødning.

faro ['fæəroᵘ] faraospil (hasardspil).

Faroe Islands ['fæəroᵘ'ailəndz]: *the ~* el. *the Faroes* Færøerne. **Faroese** [fæəro'i·z] færøsk; færing.

far-off ['fa·råf] fjerntliggende, fjern; *~ days* længst forsvundne dage.

farouche [fə'ru·ʃ] sky, genert, vild.

Farquhar ['fa·k(w)ə].

farrago [fə'reⁱgoᵘ] blanding, miskmask, rodsammen.

far-reaching ['fa·'ri·tʃiŋ] vidtrækkende.

farrier ['fāriə] beslagsmed, grovsmed. **farriery** ['fāriəri] beslagsmedje; beslaglære. **farriery school** beslagskole.

farrow ['fāroᵘ] fare, få grise; kuld grise.

far-seeing ['fa·'si·iŋ] vidtskuende, fremsynet.

far-sighted ['fa·'saitid] vidtskuende, fremsynet; langsynet.

fart [fa·t] (subst.) fjært, fis; (vb.) fjærte, fise.

farther ['fa·ðə] fjernere; videre; længere; *at the ~ bank* på den anden bred. **farthest** ['fa·ðist] fjernest, længst; *at (the) ~* højst; senest.

farthing ['fa·ðiŋ] kvartpenny; hvid, døjt; *I don't care a ~* det bryder jeg mig ikke en døjt om, det rager mig en fjer.

farthingale ['fa·ðiŋgeⁱl] fiskebensskørt.

I. **f.a.s.** fk. f. *free alongside ship.*

II. **F.A.S.** fk. f. *Fellow of the Antiquarian Society; Fellow of the Society of Arts; Fellow of the Anthropological Society.*

fascia ['fāʃiə] (arkit.) bånd; (anat.) seneskede.

fascia(board) instrumentbræt (i bil).

fascinate ['fāsineⁱt] fængsle, fortrylle, betage.

fascination [fāsi'neⁱʃən] fortryllelse.

fascine [fā'si·n] faskine, risknippe.

Fascism ['fāʃizm] fascisme.

Fascist ['fāʃist] fascist; fascistisk.

fash [fāʃ] (på skotsk) (vb.): *~ oneself* være ængstelig; bekymre sig; ærgre sig; (subst.) plage; ærgrelse; bekymring.

fashion ['fāʃən] (subst.) form; facon; mode, snit; modesag, skik, skik og brug, vedtægt; måde, manér; (vb.) danne, forme; afpasse, indrette; *be (, become) the ~* være (, blive) mode; *it is all the ~* det er sidste skrig; *follow the ~, be in the ~* være med på moden; *the latest ~* sidste mode; *set the ~* være toneangivende; *after a ~* i al tarvelighed; på en måde; til en vis grad; sådan da; *after the ~ of* (ogs.) i lighed med; *a novel after the ~ of Dickens* en roman i Dickens' manér; *in (the) ~* på mode, moderne; *a man of ~* en verdensmand; *out of ~* gået af mode, umoderne.

fashionable ['fāʃənəbl] (adj.) fin, celeber; moderne; (subst.) modeherre; *~ communism* salonkommunisme.

fashion| parade mannequinopvisning. **~ -plate** modetegning, modebillede; modedukke. **~ show** mannequinopvisning.

I. **fast** [fa·st] (subst. og vb.) faste.

II. **fast** [fa·st] (subst.) fortøjning, tov.

III. **fast** [fa·st] (adj., adv.) fast; stærk, holdbar, varig; farveægte; hurtig, rask; flot; letlevende; letsindig; udskejende; dyb (om søvn); *he fell ~ asleep* han faldt i en dyb søvn; *my watch is ~* mit ur går for stærkt; *~ colour* (lys- og vaske)ægte farve; *~ friends* svorne venner; *~ girl* letsindigt pigebarn; *~ goods* ilgods; *~ lady* letlevende dame; *~ liver* (el. *~ man)* levemand; *make ~* gøre fast, lukke forsvarligt; fortøje; *play ~ and loose with* drive halløj med; være hensynsløs (el. upålidelig el. troløs) over for; lege med (fx. *he played ~ and loose with her feelings); ~ to light* solægte; *he goes too ~* (ogs.) han dømmer overilet; *live too ~* leve for stærkt; *~ train* iltog.

fasten ['fa·sn] gøre fast; lukke (fx. *doors, windows);* knappe (fx. *a coat);* binde (fx. *shoelaces);* stænge; sammenføje; hæfte (fx. *~ papers together);* fæstne; fæste sig; *~ on* (fig.) bide sig fast i; slå ned på; *~ a crime on sby.* udlægge en som gerningsmand til en forbrydelse. **fastener** ['fa·snə] lukker; *snap ~* tryklås. **fastening** ['fa·sniŋ] (ogs.) ting der tjener til at fastgøre, lukkemekanisme.

fastidious [fā'stidiəs] (adj.) kræsen.

fasting ['fa·stiŋ] (subst.) faste.

fastness ['fa·stnés] fasthed etc. (se III. *fast);* befæstet sted, fæstning; *the ~ of a colour* en farves ægthed.

fat [fāt] (adj.) fed; svær; tyk; frugtbar; (subst.) fedt, fedtstof, det fede, fedme; (vb.) fede, mæske; *chew the ~* S snakke, sludre; brokke sig; *cut it ~* rigtig ville vise sig; *cut up ~* efterlade sig en formue; *wake up with a ~ head in the morning* have tømmermænd; *a ~ lot you care* det bryder du dig pokker om; *~ types* fede typer; *live on the ~ of the land* leve flot, leve et slaraffenliv; *then the ~'s in the fire* så er fanden løs; *kill the -ted calf* slagte fedekalven.

fatal ['feⁱtl] skæbnesvanger; ødelæggende, dødbringende, dræbende (fx. *a ~ shot);* dødelig (fx. *his wound proved ~); a ~ accident* en ulykke som koster menneskeliv; *the ~ sisters* skæbnegudinderne. **fatalism** ['feⁱtəlizm] fatalisme. **fatalist** ['feⁱtəlist] fatalist; fatalistisk. **fatalistic** [feⁱtə'listik] fatalistisk. **fatality** [fə'tāliti] uundgåelig skæbne; farlighed; dødelighed.

fata morgana ['fa·tə må·'ga·nə] fata morgana.

fate [feⁱt] skæbne; *the Fates* skæbnegudinderne, parcerne, nornerne. **fated** ['feⁱtid] af skæbnen bestemt. **fateful** [-ful] skæbnesvanger, afgørende, vigtig.

fathead ['fāthed] kødhoved, dumrian.

fat-headed ['fāthedid] tykhovedet.

father ['fa·ðə] (subst.) fader; (vb.) være fader til; antage som barn; *the child is ~ to* (el. *of) the man* den voksnes karaktertræk findes allerede hos barnet; *the wish is ~ to the thought* tanken fødes af ønsket; man tror det man gerne vil tro; *Father Christmas* julemanden; *the Fathers of the Church* kirkefædrene;

Our Father Fadervor; ~ *(up)on* udlægge som fader til; tillægge forfatterskabet til; tilskrive; *she -ed the child upon him* hun udlagde ham som barnefader.

father|hood faderforhold; faderskab. ~ **-in-law** svigerfader. **-land** fædreland. **-less** faderløs. **-liness** faderlighed. **-ly** (adj.) faderlig.

fathom ['fäðəm] (subst.) favn (længdemål: 1,828 meter); (vb.) måle dybden af; udgrunde; fatte.

fathomable ['fäðəməbl] som kan måles; forståelig.

fathomless ['fäðəmlés] bundløs; uudgrundelig.

fatigue [fə'ti·g] (subst.) træthed; udmattelse; anstrengelse, besværlighed; soldaters arbejde af ikkemilitær art, fx. at bære vand, kul; (vb.) trætte, udmatte, anstrenge.

fatigue| duty ⚔ arbejdstjeneste. ~ **fracture** træthedsbrud. ~ **-party** arbejdskommando.

fatling ['fätliŋ] ungt, fedet dyr.

fatness ['fätnés] fedme.

fatten ['fätn] (vb.) fede; blive fed, mæske sig.

fattish ['fätiʃ] fedladen.

fatty ['fäti] fed; fedtet, fedtagtig; tyksak; ~ *acid* fedtsyre; ~ *degeneration of the heart* fedthjerte.

fatuity [fə'tju·iti] enfoldighed, tåbelighed.

fatuous ['fätjuəs] enfoldig, tåbelig, fjoget.

fat-witted ['fätwitid] tykhovedet, tungnem.

faubourg ['foᵘbuə(g)] forstad.

faucal ['få·kl] svælg-. **fauces** ['få·si·z] svælg.

faucet ['få·sit] (subst., amr.) tap, vandhane.

faugh [få·] fy!

fault [få(·)lt] fejl, forseelse; (geol.) forkastning; spring; *it is my* ~ det er min skyld; *my* ~*!* ingen forseelse! *be at* ~ være på vildspor, have tabt sporet; være desorienteret, ikke vide hvad man skal gøre; *be in* ~ have skylden; *who is in* ~*?* hvis skyld er det? *find* ~ *with* dadle, bebrejde, have noget at udsætte på; kritisere (småligt); *he is always finding* ~ han er altid utilfreds; *to a* ~ i en urimelig grad; *modest to a* ~ altfor beskeden, så beskeden at det halve kunne være nok.

fault|finder ['få(·)ltfaində] kværulant, smålig kritiker. ~ **-finding** (subst.) uvenlig kritik; (adj.) kværulantisk, (smålig) kritisk.

faultiness ['få·ltinés] mangelfuldhed, ufuldkommenhed, dadelværdighed.

faultless ['få·ltlés] fejlfri.

faulty ['få·lti] mangelfuld, ufuldkommen, defekt; fuld af fejl; dadelværdig.

faun [få·n] faun, skovgud.

fauna ['få·nə] fauna.

fauteuil ['foᵘtə·i] fauteuil.

faux pas ['foᵘ'pa·] fejltrin, forløbelse, bommert.

favor (amr.) = *favour.*

I. **favour** ['feⁱvə] (subst.) gunst, yndest, gunstbevisning; tjeneste; gave; (merk.) ærede skrivelse (fx. *we have received your* ~ *of yesterday);* emblem, sløjfe (der bæres som tegn); forkærlighed, partiskhed; *he got the post by* ~ han fik stillingen ved protektion; *by* ~ *of* (på brev) overbringes af; *find* ~ *in sby.'s eyes* finde nåde for ens øjne; *in* ~ *of sby.* til gunst for en, i ens favør; *I am in* ~ *of a change* jeg er stemt for en forandring; *stand high in sby.'s* ~ have en høj stjerne hos én; *those in* ~ de der stemmer for; *be in* ~ *with* være yndet af; *out of* ~ i unåde; *be restored to* ~ blive taget til nåde; *under* ~ *of night* i ly af natten; *look with* ~ *on* se velvilligt på, betragte med velvilje, bifalde.

II. **favour** ['feⁱvə] (vb.) billige, være stemt for, støtte (fx. *a proposal);* foretrække; begunstige (fx. *the weather -ed our voyage);* favorisere; beære *(with* med); ligne, slægte på (fx. *he -s his father);* (journalistsprog:) gå med (fx. *dark suits); fortune -s the brave* lykken står den kække bi; *Miss X will now* ~ *the company with a song* frk. X vil nu gøre os den glæde at synge for os.

favourable ['feⁱv(ə)rəbl] gunstig, heldig; imødekommende.

favoured ['feⁱvəd] begunstiget (fx. *position); most-favoured-nation clause* mestbegunstigelsesklausul.

favourite ['feⁱv(ə)rit] yndling; favorit; yndlings-; *be a great* ~ *with* være meget afholdt af, være populær blandt; ~ *dish* livret; ~ *reading* yndlingslekture.

favouritism ['feⁱv(ə)ritizm] unfair begunstigelse, protektion.

Fawkes [få·ks]: *Guy -'s Day* 5. novbr.

I. **fawn** [få·n] (subst.) dåkalv; (adj.) lysebrun.

II. **fawn** [få·n] (vb.) kælve (om dådyr).

III. **fawn** [få·n] (vb.) logre for, smigre; vise sig venlig, bøje sig, krybe *(upon* for).

fawn-coloured lysebrun.

fay [feⁱ] fe.

F.B.A. fk. f. *Fellow of the British Academy.*

F.B.I. fk. f. *Federation of British Industries;* (amr.) fk. f. *Federal Bureau of Investigation* (statspoliti).

F.C. fk. f. *football club.*

fcap., fcp. fk. f. *foolscap.*

F.D. fk. f. *fidei defensor (= defender of the faith).*

F.D.R. fk. f. *Franklin Delano Roosevelt.*

fealty ['fi·əlti] lenslydighed, feudal troskab.

I. **fear** [fiə] (subst.) frygt; angst; *no* ~ ikke tale om! nej du kan tro nej! aldrig i livet! nej gu gør jeg ej! *without* ~ *or favour* upartisk; ~ *of death* dødsfrygt; *for* ~ *of* af frygt for; *there is not much* ~ *of his coming* der er ikke nogen større fare for at han skal komme.

II. **fear** [fiə] (vb.) frygte, befrygte; være bange (for); ~ *death* frygte døden; ~ *for* være bekymret for, nære ængstelse for (fx. *his life).* **fearful** ['fiəf(u)l] frygtelig, skrækkelig; frygtsom, ængstelig. **fearless** ['fiəlés] uden frygt, uforfærdet. **fearsome** ['fiəsəm] frygtindgydende, gruelig.

feasibility [fi·zi'biliti] (subst.) gennemførlighed, mulighed. **feasible** ['fi·zibl] (adj.) gennemførlig, gørlig, mulig, passende, rimelig; *it is* ~ det kan lade sig gøre.

feast [fi·st] (subst.) fest; festmåltid, gilde; (vb.) holde gilde, spise og drikke godt; gøre sig til gode; beværte, traktere, fornøje; *a* ~ (fig.) en sand nydelse; *enough is as good as a* ~ man kan ikke mere end spise sig mæt; *a* ~ *of reason* en fornuftig samtale; ~ *one's eyes on sth.* fryde sig ved synet af noget.

feat [fi·t] dåd, heltegerning, bedrift; kunst, kunststykke.

I. **feather** ['feðə] (subst.) fjer; fjervildt, fuglevildt; (på hundehale) fane; *in high* ~ i løftet stemning; *I haven't got a* ~ *to fly with* jeg ejer ikke en øre; *a* ~ *in one's cap* en fjer i hatten, noget at være stolt af; *be in full* ~ være i stiveste puds; *you might have knocked him down with a* ~ han var lige ved at gå bagover (af forbavselse); *show the white* ~ vise fejhed; *fine -s make fine birds* klæder skaber folk; *birds of a* ~ *flock together* krage søger mage.

II. **feather** ['feðə] (vb.) sætte fjer på noget (fx. ~ *an arrow);* ~ *one's nest* mele sin kage; ~ *the oars* skive årerne.

feather|-bed (subst.) underdyne; (vb.) forkæle. ~ **-bedding** (subst.) ansættelse af overflødig arbejdskraft efter fagforeningsbestemmelse. ~ **-brained** tankeløs. ~ **-brush,** ~ **-duster** fjerkost. ~ **-head** tankeløst menneske. **-less** fjerløs. ~ **weight** fjervægt.

feathery ['feðəri] fjerlignende; fjerklædt; fjerlet.

I. **feature** ['fi·tʃə] (subst.) ansigtstræk; træk; karakteristisk træk (el. moment el. egenskab); væsentligt led (fx. *of a system);* særlig attraktion; (hoved-) nummer; (hoved)film, spillefilm; stort opsat artikel; avisrubrik; indslag; (i radio) hørebillede; *a redeeming* ~ et forsonende træk; *short* ~ kortfilm.

II. **feature** ['fi·tʃə] (vb.) ligne; kendetegne; byde på; bringe (som en særlig attraktion); sætte (artikel etc.) stort op; *a film featuring X* (amr.) en film, hvori X optræder i en hovedrolle.

feature| film hovedfilm, spillefilm. **-less** ['fi·tʃəlés] uden særpræg, uden karakteristiske momenter. ~ **programme** hørebillede. ~ **writer** redaktør af avisrubrik.

Feb. fk. f. *February.*

febrifuge ['febrifju·dʒ] feberstillende (middel).
febrile ['fi·brail] febersyg; febril.
February ['februəri] februar.
fec. fk. f. *fecit* ['fi·sit] (= *made).*
fecal, feces = *faecal, faeces.*
feckless ['feklės] (adj.) kraftløs, uduelig, hjælpeløs; nytteløs.
feculence ['fekjuləns] bundfald, grums; grumsethed. **feculent** ['fekjulənt] (adj.) grumset.
fecund ['fi·kənd, 'fe-] frugtbar. **fecundate** ['fi·kəndeⁱt, 'fe-] gøre frugtbar; befrugte. **fecundation** [fi·kən'deⁱʃən, fe-] frugtbargørelse, befrugtning. **fecundity** [fi'kʌnditi] frugtbarhed.
fed [fed] imperf. og perf. part. af *feed;* ~ *up* led og ked af det; ~ *up with* led og ked af, træt af.
federal ['fedərəl] forbunds-; føderativ; føderalistisk; (amr., i Borgerkrigen) nordstats-; ~ *police* (amr.) statspoliti. **federalism** ['fedərəlizm] føderalisme.
federalist ['fedərəlist] føderalist. **federate** ['fedəreⁱt] forene; forene sig; ['fedərėt] allieret, forbunden.
federation [fedə'reⁱʃən] føderation, forbund.
federative ['fedərətiv] føderativ.
fedora [fi'då·rə] (amr.) blød filthat.
fee [fi·] (subst.) betaling, honorar, salær, gebyr, skolepenge; drikkepenge; (hist.) len; fuld ejendomsret; selvejendom; (vb.) betale, honorere, lønne, give drikkepenge.
feeble ['fi·bl] svag, mat. **feebleminded** åndssvag; (glds.) vaklende, svag; forsagt. **feebly** ['fi·bli] svagt, mat.
I. **feed** [fi·d] *(fed, fed)* (vb.) fodre, nære, give føde, bespise, give mad; ernære (fx. *I have a large family to* ~*);* lade afgræsse; spise, æde; leve *(on* af); (tekn.) føde, pålægge, påfylde; *he cannot* ~ *himself* han kan ikke spise selv; *many mouths to* ~ mange munde at mætte; *the lake is fed by two rivers* søen har tilløb fra to floder; ~ *up* opfodre.
II. **feed** [fi·d] (subst.) foder; næring; græsgang; måltid (fx. *we had a good* ~*);* ration; føde; (tekn.) tilførsel, tilspænding; *go off one's* ~ **T** miste appetitten; ikke ville spise; (om dyr) gå fra foderet.
feedback ['fi·dbäk] tilbagekobling.
feeder ['fi·də] (subst.) en, der fodrer osv.; bikanal; biflod; sidebane; sutteflaske, hagesmæk; *a greedy* ~ en grovæder.
feeding| bottle (sutte)flaske. ~ **cup** tudekop.
feed|-pipe føderør. ~ **pump** fødepumpe.
fee-faw-fum ['fi·'få·'fʌm] (ord, der i eventyr lægges kæmper og trolde i munden).
I. **feel** [fi·l] *(felt, felt)* (vb.) føle, få en fornemmelse af, mærke; føle på; føles; føle sig, være til mode, befinde sig; mene; ~ *cold* fryse; *the hall -s cold* forstuen gør et koldt indtryk (el. føles kold); ~ *cordially with* sympatisere hjerteligt med; *I* ~ *it in my bones* jeg har det på fornemmelsen; ~ *like* have lyst til (fx. *I* ~ *like a cup of tea); it -s soft* det er blødt at føle på; *he -s strongly about* (el. *on) it* han er meget optaget af det, det ligger ham stærkt på sinde; ~ *that* have en følelse af at, have på fornemmelsen at; *I don't* ~ *up to it* jeg har ikke rigtig mod på det; ~ *one's way* føle sig frem (el. for).
II. **feel** [fi·l] (subst.) følelse; *you can tell it by the* ~ du kan føle det; *I didn't like the* ~ *of it* det føltes ubehageligt; *let me have a* ~ lad mig føle; *it has a soft* ~ det er blødt at føle på; *smooth to the* ~ glat at føle på.
feeler ['fi·lə] følehorn, føletråd; (fig.) føler, prøveballon; (tekn.) søger; *peace* ~ fredsføler.
feeling ['fi·liŋ] (adj.) følende; medfølende; følsom; varm; levende; (subst.) følelse, fornemmelse, stemning; ~ *against* misstemning mod; *bad* (el. *ill)* ~ misstemning; *good* ~ sympati.
fee-simple selvejendom, fri ejendom; *hold in* ~ have fuld ejendomsret over.
feet [fi·t] (pl. af *foot)* fødder; fod (som mål).
fee-tail ['fi·'teⁱl] fideikommis, stamgods, ejendom, der kun kan gå i arv til visse kategorier af arvinger.
feign [feⁱn] (vb.) foregive, hykle (fx. ~ *indifference);* opdigte (fx. ~ *an excuse);* forstille sig; simulere; *make a -ed submission* underkaste sig på skrømt.
feint [feⁱnt] list, forstillelse, kneb; finte; skinmanøvre; *make a* ~ *of doing* lade som om man gør.
fel(d)spar ['fel(d)spa·] feldspat (mineral).
felicitate [fi'lisiteⁱt] lykønske.
felicitation [filisi'teⁱʃən] lykønskning.
felicitous [fi'lisitəs] (adj.) velvalgt (om udtryk), heldig; lykkelig.
felicity [fi'lisiti] (subst.) lykke, held; evne til at finde det rette udtryk; velvalgt udtryk.
feline ['fi·lain] (adj.) katteagtig, katte-.
I. **fell** [fel] imperf. af *fall.*
II. **fell** [fel] (adj.) fæl, ful, grusom, frygtelig.
III. **fell** [fel] (subst.) højdedrag; hedestrækning.
IV. **fell** [fel] (subst.) skind; pels.
V. **fell** [fel] (vb.) slå ned, fælde, hugge om; staffere (om syning).
fellah ['felə] (pl. *fellaheen* [felə'hi·n]) ægyptisk bonde.
feller ['felə] **S** = *fellow.*
felling staffering (om syning).
fellmonger ['felmʌŋgə] skindhandler.
felloe ['feloᵘ] (subst.) fælg.
fellow ['feloᵘ] fyr, kammerat; fælle, kollega; medlem (af et selskab osv.); (ved universitet) kandidat, som er medlem af et kollegiums lærerstab; lige; mage; med- (fx. ~ *passenger); a* ~ (ogs.) man, en anden en (= jeg); *my dear* ~ kære ven; *old* ~*!* gamle ven! *be hail* ~ *well met with* være bonkammerat med.
fellow| actor medspillende. ~ **citizen** medborger. ~ **-countryman** landsmand. ~ **-creature** medskabning, medmenneske. ~ **-feeling** medfølelse, fællesfølelse.
fellowship ['feloᵘʃip] fællesskab, kammeratskab; forbindelse, selskab, sammenslutning; (v. universitet) en *fellow's* stilling el. stipendium.
fellow| soldier soldaterkammerat. ~ **-traveller** medrejsende; (politisk) sympatisør, medløber (især kommunistisk).
felly ['feli] (subst.) fælg.
felo-de-se ['fi·loᵘ di· 'si·] selvmorder, selvmord.
I. **felon** ['felən] (subst.) byld (især under en negl); bullen finger.
II. **felon** ['felən] (subst.) forbryder. **felonious** [fi'loᵘnjəs] (adj.) forbryderisk, skændig. **felonry** ['felənri] forbrydere (som klasse). **felony** ['feləni] (subst.) (alvorlig) forbrydelse, misgerning (fx. mord).
felspar d. s. s. *feldspar.*
I. **felt** [felt] imperf. og perf. part. af *feel.*
II. **felt** [felt] (subst.) filt; filthat, hat; (vb.) filte; *roofing* ~ tagpap.
felucca [fe'lʌkə] feluke (middelhavsskib).
felwort ['felwə·t] ♧ ensian.
fem. fk. f. *feminine.*
female ['fi·meⁱl] (adj.) kvindelig; (subst.) (neds.) kvinde(menneske); (om dyr) hun; ~ *friend* veninde; ~ *slave* slavinde; ~ *suffrage* kvindelig valgret, valgret for kvinder; ~ *thread* indvendigt gevind.
feme [fi·m] (jur.) kvinde; ~ *covert* ['kʌvət] gift kvinde; ~ *sole* ugift (el. økonomisk uafhængig) kvinde.
femineity [femi'ni·iti] kvindelighed.
feminine ['feminin] (adj.) kvindelig; feminin; kvindagtig; hunkøns-; ~ *ending* kvindelig udgang (i vers); ~ *gender* hunkøn; ~ *rhyme* kvindeligt rim.
femininity [femi'niniti] kvindelighed; hunkøn.
feminism ['feminizm] feminisme, kvindebevægelse. **feminist** ['feminist] kvindesagsforkæmper.
feminize ['feminaiz] gøre (el. blive) kvindelig el. kvindagtig.
femoral ['femərəl] (adj.) lår-.
fen [fen] (subst.) mose, sump; *the Fens* lavtliggende områder i Cambridgeshire og Lincolnshire.
fen-berry ♧ tranebær.
I. **fence** [fens] (subst.) hegn, gærde, plankeværk, stakit; værn; fægtning, fægtekunst; hæler; hælers

gemmested; *come down on the right side of the* ~ slutte sig til den sejrende part; *sit on the* ~ forholde sig afventende, være neutral, stille sig forbeholdent.

II. **fence** [fens] (vb.) indhegne; (om hest) springe over forhindring; forsvare; forsvare sig; fægte; sælge til hæler; komme med udflugter, omgå sandheden; ~ *off* indhegne; adskille; afværge; ~ *with the question* vige uden om spørgsmålet.

fenceless [ˈfenslės] åben, uden værn. **fencer** [ˈfensə] fægter.

fence|-season, ~ **-time** fredningstid.

fencing [ˈfensiŋ] fægtning; indhegning. **fencing|-master** fægtemester. ~ **-school** fægteskole. ~ **wire** hegnstråd.

fend [fend] afværge; ~ *for oneself* klare sig selv; ~ *off* afværge, afbøde. **fender** [ˈfendə] kamingitter; ⚓ friholt, fender; skærm (fx. på bil); (jernb.) banerømmer.

fenestration [feniˈstreⁱʃən] (subst.) vinduesgruppering.

fen-fire lygtemand.

Fenian [ˈfi·niən] fenier (medlem af et samfund, stiftet i Amerika for at styrte englændernes magt i Irland).

fennel [ˈfenl] ♧ fennikel.

fennish [ˈfeniʃ] sump-; sumpet.

fenny [ˈfeni] sump-; sumpet.

fenugreek [ˈfenjugri·k] ♧ bukkehorn.

feoff [fef] len; forlene. **feoffee** [feˈfi·] lensmand. **feoffer** [ˈfefə] lensherre. **feoffment** [ˈfefmənt] forlening.

feral [ˈfiərəl] vild, utæmmet, uciviliseret, barbarisk.

feretory [ˈferitəri] (subst.) helgenskrin, relikvieskrin.

ferine [ˈfiərain] (adj.) = *feral*.

Feringhee [fəˈriŋgi] (indisk ord for) europæer.

I. **ferment** [ˈfə·ment] (subst.) gær(stof), enzym; gæring.

II. **ferment** [fəˈment] (vb.) gære, sætte i gæring; (fig.) ophidse. **fermentable** [fəˈmentəbl] gæringsdygtig. **fermentation** [fə·menˈteⁱʃən] gæring; (fig. ogs.) brydning. **fermentative** [fə·ˈmentətiv] gærende, som forårsager gæring.

fern [fə·n] bregne. **fernery** [ˈfə·nəri] bregnebeplantning. **ferny** [ˈfə·ni] fuld af bregner.

ferocious [fiˈroᵘʃəs] vild, grum, rovbegærlig, glubsk. **ferocity** [fiˈråsiti] vildhed, grusomhed, rovbegærlighed, glubskhed.

ferreous [ˈferiəs] jern-, jernholdig.

I. **ferret** [ˈferit] (bomulds- eller silke-)bånd.

II. **ferret** [ˈferit] (subst.) fritte (en slags ilder, som bruges til rottejagt og kaninjagt); (vb.) forfølge, efterspore, støve efter; ~ *about* støve rundt; ~ *out* opsnuse, opspore, støve op.

ferriage [ˈferiėdʒ] færgning, færgeløn.

ferric [ˈferik] jern-, ferri-. **ferriferous** [feˈrifərəs] jernholdig.

Ferris-wheel ballongynge, pariserhjul.

ferro- [ˈferoᵘ] (i sammensætninger:) jern-. **ferro-concrete** [ˈferoᵘˈkånkri·t] armeret beton. **ferrous** [ˈferəs] ferro-. **ferruginous** [feˈru·dʒinəs] jernholdig; rustfarvet. **ferrugo** [feˈru·goᵘ] jernrust; rust (på planter).

ferrule [ˈferu·l, ˈferəl] dupsko; (rør)ring.

ferry [ˈferi] færge; færgested; (vb.) færge, overføre. **ferry|-boat** færgebåd. ~ **bridge** togfærge; færgeklap. ~ **-man** færgemand.

fertile [ˈfə·tail] frugtbar. **fertility** [fə·ˈtiliti] frugtbarhed. **fertilization** [fə·tilaiˈzeⁱʃən] frugtbargørelse, befrugtning. **fertilize** [ˈfə·tilaiz] gøre frugtbar, gøde; befrugte. **fertilizer** [ˈfə·tilaizə] kunstgødning, gødningsstof.

ferule [ˈferu·l] (subst.) ferle; (vb.) slå med en ferle.

fervency [ˈfə·vənsi] fyrighed, varme, inderlighed, iver. **fervent** [ˈfə·vənt] varm, brændende, fyrig, ivrig, inderlig; ~ *desire* brændende ønske.

fervid [ˈfə·vid] hed, brændende.

fervour [ˈfə·və] hede, varme, heftighed, inderlighed.

fescue [ˈfeskju·]: ~ *grass* ♧ svingel.

fess(e) [fes] (i heraldik) våbenbånd.

festal [ˈfestəl] fest-, festlig.

fester [ˈfestəl] (vb.) bulne, afsondre materie; rådne; gnave, fortære (om lidenskab); (subst.) bullenskab, ondartet sår; *the wound is -ing* der er (gået) betændelse i såret. **festering** betændt, bullen.

festival [ˈfestivəl] (adj.) fest-, festlig; (subst.) festdag, højtid; fest, festival. **festive** [ˈfestiv] højtidsfuld, festlig, glad. **festivity** [feˈstiviti] feststemning, festlighed, fest.

festoon [feˈstu·n] (subst.) guirlande; (vb.) udsmykke (el. pynte) med guirlander.

fetal [ˈfi·tl] (adj.) foster- (fx. ~ *movement*).

I. **fetch** [fetʃ] (subst.) dobbeltgænger, genfærd (af en levende person).

II. **fetch** [fetʃ] (vb.) hente; indbringe (ved salg); gøre indtryk på; forbavse; ⚓ nå; ~ *him a box on the ears* lange ham en lussing; ~ *a pump* spæde en pumpe; ~ *a sigh* drage et suk; ~ *tears from sby.'s eyes* få en til at græde; ~ *and carry* apportere (om hund); løbe med sladder; ~ *and carry for sby.* løbe ærinder for en, hoppe og springe for en; ~ *up* nå; standse; (amr.) opdrage.

III. **fetch** [fetʃ] kunstgreb, kneb, list, fif.

fetching [ˈfetʃiŋ] fængslende, fortryllende, henrivende.

fête [feⁱt] (subst.) fest; (vb.) fejre, feste for.

fetich [ˈfi·tiʃ, ˈfetiʃ] fetich. **fetichism** [-izm] fetichdyrkelse.

feticide [ˈfi·tisaid] fosterdrab.

fetid [ˈfetid] (adj.) stinkende; ildelugtende.

fetish [ˈfi·tiʃ, ˈfetiʃ] se *fetich*.

fetlock [ˈfetlåk] hovskæg, kodehår; kode.

fetor [ˈfi·tə] stank.

fetter [ˈfetə] (vb.) lænke, lægge i lænker; binde; (subst.) lænke, fodlænke; *-s* (fig.) lænker, tvang, bånd.

fettle [ˈfetl] (god) stand; *in fine* ~ i fin form; i strålende humør.

fetus [ˈfi·təs] foster.

feu [fju·] (på skotsk) (subst.) fæste, forpagtning; grund; (vb.) bortfæste, bortforpagte; fæste, forpagte.

I. **feud.** fk. f. *feudal(ism)*.

II. **feud** [fju·d] fejde; len. **feudal** [ˈfju·d(ə)l] feudal, lens-. **feudalism** [ˈfju·dəlizm] lenssystem, feudalsystem, lensvæsen, feudalisme. **feudality** [fju·ˈdäliti] lensforhold, feudalitet. **feudatory** [ˈfju·dətəri] (adj.) feudal, lens-; (subst.) lensmand, vasal; len.

feuilleton [ˈfə·itå·ŋ] føljeton; del af avis med kulturelt stof.

fever [ˈfi·və] (subst.) feber; (vb.) give feber; *in a* ~ *of expectation* i feberagtig spænding. **fevered** [ˈfi·vəd], se *feverish*. **fever heat** feberhede; *at fever heat* (fig.) på kogepunktet. **feverish** [ˈfi·vəriʃ] (adj.) febersyg, febril; feberhed; feber- (fx. *dreams*); feberagtig, febrilsk (fx. *haste*). **fever-stricken** feberhærget.

few [fju·] (kun) få; ikke ret mange; *a few* nogle få, et par; *every* ~ *minutes* med få minutters mellemrum; *not a* ~ en hel del; *a good* ~ temmelig mange; *quite a* ~ mange; *one of the next* ~ *days* en af de første dage; *the* ~ de få, mindretallet. **fewer** [ˈfju·ə] færre; *no* ~ *than* ikke mindre end. **fewest** [ˈfju·ist] færrest.

fewness [ˈfju·nės] fåtallighed.

fey [feⁱ] dødsmærket, døden nær (og derfor unormalt opstemt el. klarsynet).

fez [fez] fez (østerlandsk hovedbeklædning).

ff. fk. f. *fortissimo; folios; following pages.*

ffy. fk. f. *faithfully.*

F. G. fk. f. *Foot Guards.*

F. G. S. fk. f. *Fellow of the Geological Society.*

F. H. fk. f. *Fire Hydrant.*

fiancé, fiancée [fiˈa·ŋseⁱ] forlovede.

fiasco [fiˈäskoᵘ] fiasko.

fiat [ˈfaiət] (jur.) ordre, befaling, magtbud.

fib [fib] (især i børnesprog) usandhed, (lille) løgn; lyve. **fibber** ['fibə] løgnhals.

fiber, fibre ['faibə] fiber, trævl, tråd; tave; (fig.) karakter, støbning (fx. *he was of a different ~); of coarse ~* grov.

fibre|board fiberplade. ~ **-glass** glasfiber.

fibril ['faibril] lille fiber, fibril, fin trævl. **fibrillate(d)** ['faibrileⁱt(id)] fibrøs. **fibrillation** [faibri'leⁱʃən] fiberdannelse. **fibrin** ['faibrin] fibrin. **fibroma** [fai'broᵘmə] fibrom. **fibrous** ['faibrəs] fibrøs, trævlet, trådet.

fibster ['fibstə] løgnhals.

fibula ['fibjulə] (anat.) lægben; (arkæol.) fibula (nål).

fibular ['fibjulə] lægbens-.

fichu ['fi·ʃu·] fichu.

fickle ['fikl] vaklende, ubestandig, vankelmodig, vægelsindet; skiftende.

fictile ['fiktil] formet af ler, plastisk; pottemager-.

fiction ['fikʃən] digtning, skønlitteratur; opdigtelse, opspind, fiktion.

fictitious [fik'tiʃəs] digtet, opdigtet; fingeret, uægte, falsk.

fictive ['fiktiv] imaginær, blot tænkt.

fid [fid] (subst.) ⚓ slutholt, fedte.

Fid. Def. fk. f. *fidei defensor* troens forsvarer.

I. **fiddle** ['fidl] (subst.) violin; ⚓ slingrebræt; **S** fup, svindelnummer; *fit as a ~* frisk som en fisk; *a face as long as a ~* et bedemandsansigt; *play second ~* spille anden violin.

II. **fiddle** ['fidl] (vb.) spille violin; lege; fingerere (el. pille) (ved); nusse (med); **S lave fup (med),** forfalske; *~ about* nusse omkring.

III. **fiddle** ['fidl] (subst.) sniksnak, vrøvl.

fiddleblock ⚓ violinblok.

fiddle-dedee ['fidldi'di·], **fiddle-faddle** ['fidlfädl] sniksnak, vrøvl.

fiddler ['fidlə] violinspiller; spillemand.

fiddlestick ['fidlstik] violinbue; *fiddlesticks!* snak! vås!

fiddling ['fidliŋ] (adj.) (kedelig og) ubetydelig (fx. *those ~ details).*

fidei defensor (latin) troens forsvarer.

fidelity [fi'deliti] troskab (fx. *~ to one's principles);* nøjagtighed (fx. *he reported the debate with ~).* **fidelity guarantee insurance** kautionsforsikring.

I. **fidget** ['fidʒit] (vb.) være rastløs, være febrilsk, være nervøs, vimse om; fingerere, famle.

II. **fidget** ['fidʒit] (subst.) febrilsk (, urolig, rastløs) person; (om barn) lille uro; *the -s* uro, rastløshed, nervøsitet; *have the -s* være nervøs; *it gave me the -s* det gik mig på nerverne.

fidgety ['fidʒiti] (adj.) rastløs, febrilsk, nervøs.

fiduciary [fi'dju·ʃəri] (adj.) betroet; dækningsløs; (subst.) formuebestyrer, kurator, værge; *~ issue* udækket seddelmasse; *~ loan* lån uden sikkerhedsstillelse.

fie [fai] fy! *~ upon you! ~ for shame!* fy! fy skam dig!

fief [fi·f] len.

I. **field** [fi·ld] (subst.) mark; ager; felt, valplads; slag, kamp; område; spilleplads, bane (i sport); felt (om deltagere i væddeløb); jagtselskab, meute; grund, baggrund (i maleri); synsfelt; felt (i våben el. flag); (amr., i fjernsyn) delbillede; *drive from the ~* slå af marken; *fair ~ and no favour* uden at gøre forskel til nogen side; *gravitational ~* tyngdefelt; *hold the ~* holde stand, ikke lade sig slå af marken; *keep the ~* kampere i felten; fortsætte felttoget; *in the ~* på marken, i marken; *~ of battle* slagmark; *~ of vision* synsfelt; *on the ~* på marken, på slagmarken; *take the ~* rykke i felten, drage i krig.

II. **field** [fi·ld] (vb.) rykke i marken; (i kricket) være markspiller, stå i marken; *~ the ball* (i kricket) gribe bolden og kaste den ind til gærdet; *~ a strong team* stille (med) et stærkt hold.

field | day mønstringsdag; militærrevy; stor dag; vigtig debat. ~ **dog** jagthund, (især) hønsehund. ~ **dressing** forbindssager. ~ **duty** felttjeneste. **fielder** [fi·ldə] (i kricket) markspiller. **field| events** kast- og springkonkurrencer. **-fare** (zo.) sjagger. ~ **-glass** feltkikkert, rejsekikkert. ~ **-gun** feltkanon. ~ **hospital** feltlazaret. ~ **-madder** ♧ blåstjerne. ~ **-marshal** feltmarskal. ~ **-mouse** markmus. ~ **-officer** officer af rang som major eller derover, stabsofficer. ~ **-piece** feltkanon. ~ **-preacher** friluftsprædikant.

fieldsman ['fi·ldzmən] markspiller (i kricket).

field|-sports friluftsidrætter (især ridning, jagt og fiskeri). ~ **trip** ekskursion. ~ **-work** feltskanse; arbejde (el. studier) i marken.

fiend [fi·nd] djævel; **T** entusiast (fx. *a golf ~); drug ~, dope ~* narkoman. **fiendish, fiendlike** (adj.) djævelsk.

fierce [fiəs] vild; heftig, voldsom, rasende (fx. *quarrel);* barsk, bister (fx. *look ~);* bidsk, glubsk (fx. *dog).*

fieri facias ['faiərai'feⁱʃiäs] udpantningsordre; *sell under a writ of ~* sælge ved tvangsauktion.

fieriness ['faiərinės] (subst.) hede; heftighed, fyrighed, ilterhed. **fiery** ['faiəri] (adj.) ild-; hed, brændende; heftig; ilter; fyrig; *in ~ characters* med flammeskrift. **fiery cross** brændende kors (symbol for Ku Klux Klan); (hist.) budstikke.

fi. fa. fk. f. *fieri facias.*

fife [faif] pibe (fx. *-s and drums);* (vb.) spille på pibe. **fifer** ['faifə] piber.

fifteen ['fif'ti·n] femten.

fifteenth ['fif'ti·nþ] femtende; femtendedel.

fifth [fifþ] femte; femtedel; (i musik) kvint.

fifth| column femte kolonne. ~ **-columnist** ['fifþ'kåləmnist] medlem af femte kolonne, femtekolonnemand.

fifthly ['fifþli] for det femte.

fiftieth ['fiftiiþ] halvtredsindstyvende; halvtredsindstyvendedel.

fifty ['fifti] halvtreds(indstyve); *I will go fifty-fifty with you* jeg vil stå halv skade med dig (el. dele lige med dig); *on a fifty-fifty basis* (merk.) a meta.

I. **fig** [fig] figentræ; figen; *a ~ for him* blæse være med ham; *I don't care a ~ for it* jeg bryder mig ikke et hak om det.

II. **fig** [fig] puds, stads; pynte; *in full ~* i fineste puds; *~ out* pynte; *~ out* (el. *up) a horse* gøre en hest livlig.

fig. fk. f. *figure; figuratively.*

I. **fight** [fait] *(fought, fought)* (vb.) kæmpe *(against, with* mod, med; *for* for, om), slås; bekæmpe; udkæmpe (fx. *a duel);* kæmpe for, slås for; konkurrere om; *~ back* slå fra sig; *~ back one's tears* kæmpe med gråden; *~ a battle* levere et slag; *~ down* bekæmpe; *~ a gun* betjene en kanon; *~ off* slå tilbage, kæmpe for at holde en på afstand; *~ off a cold* prøve at holde en forkølelse nede; *~ it out* afgøre det ved kamp, slås om det; *~ shy of* gå langt uden om, undgå, holde sig fra; *~ one's way* kæmpe sig frem.

II. **fight** [fait] (subst.) strid, kamp, slagsmål; kamplyst, mod; *free ~* almindeligt slagsmål; *put up a good ~* forsvare sig tappert, levere en god kamp; *show ~* sætte sig til modværge, sætte sig på bagbenene, vise kløer; *single ~* duel, tvekamp.

fighter ['faitə] (subst.) kæmpende, stridsmand; slagsbroder; (flyv.) jager(maskine).

fighter-bomber (stærkt bevæbnet, let bombemaskine).

fighting ['faitiŋ] (adj.) kampdygtig, våbendygtig; kampberedt; kampklar; krigerisk; kamp-.

fighting | chance: *there is a ~ chance* det kan lykkes hvis vi sætter alle kræfter ind; det er lige akkurat muligt. ~ **-cock** kamphane; *feel like a ~ -cock* være fuld af gå-på-mod; *live like a ~ -cock* leve overdådigt. ~ **-men** soldater. ~ **patrol** ⚔ fægtningspatrulje; kamppatrulje.

fig-leaf ['figli·f] figenblad.

figment ['figmənt] opdigtelse, påfund; ~ *of the mind* fantasifoster, hjernespind.

fig-tree figentræ.

figurant ['figjurənt] balletdanser; figurant. **figurante** [figju'ra·nt] balletdanserinde; figurant. **figuration** [figju'reiʃən] formning; form; figurering.

figurative ['figjurətiv] overført, figurlig, billedlig, symbolsk; billedrig, blomstrende; ~ *language* billedsprog.

I. **figure** ['figə] (subst.) figur; form, skikkelse; ciffer, tal; gallionsfigur; forbillede, type; billede *(of* på); mønster (i tøj); *cut a* - gøre indtryk; *cut* (el. *make) a poor* ~ gøre en ynkelig figur; *double -s* tocifrede tal; *what's the* ~? hvad er prisen? *at a low* ~ til lav pris; *he is no good at -s* han duer ikke til regning; *speak in -s* tale i billeder; ~ *of speech* billedligt udtryk.

II. **figure** ['figə] (vb.) forme, danne; afbilde, fremstille; figurere, pryde med figurer; forestille sig, beregne, regne; optræde (fx. *he -d as a wealthy man);* spille en rolle; ~ *on* (amr.) regne med; ~ *out* regne ud (fx. ~ *out the cost* regne prisen ud); *it -s out at* £5 det bliver £5; ~ *to oneself* forestille sig.

figured ['figəd] mønstret.

figure|-head galionsfigur; (fig.) topfigur. ~ **skate** kunstløberskøjte. ~ **-skater** kunst(skøjte)løber. ~ **-skating** kunstskøjteløb. ~ **-slimming** slankende. ~ **-stone** kinesisk spæksten, agalmatolit.

figurine ['figjuri·n] statuette.

Fiji ['fi·dʒi·]: *the* ~ *Islands* Fijiøerne.

filament ['filəmənt] tråd, fiber; støvtråd; glødetråd.

filamentous [filə'mentəs] trådagtig, trådformet.

filature ['filətjuə, -tʃə] afhaspning af silke (fra kokonen); afhaspningsmaskine.

filbert ['filbət] dyrket hasselnød.

filch [fil(t)ʃ] (vb.) stjæle, rapse. **filcher** ['fil(t)ʃə] tyv. **filching** (subst.) rapseri.

I. **file** [fail] (subst.) tråd; metaltråd; dokumentholder, brevordner, regningskrog, spyd; kartotek; ordnet bunke (af breve etc.), arkiv, samling af dokumenter, aviser o.l.; fortegnelse, liste; ⚔ rode; *blank* ~ blind rode; *rank and* ~ se I. *rank; by -s* rodevis; *move in Indian* (eller *single)* ~ gå en og en, gå i gåsegang; ⚔ gå i enkeltkolonne.

II. **file** [fail] (vb.) sammenhæfte; ordne; lægge på sin plads, arkivere, lægge til akterne; indgive (ansøgning o.l.); indlevere (til et arkiv o.l.); gå en og en (el. i gåsegang), defilere; ⚔ gå i enkeltkolonne; ~ *a petition* indgive et andragende.

III. **file** [fail] (subst.) fil; (vb.) file; *a sly old* ~ en udspekuleret fyr.

file|-cutter filehugger. ~ **-fish** (zo.) filfisk.

filial ['filjəl] sønlig, datterlig, barnlig.

filiation [fili'eiʃən] sønne-(, datter-)forhold, nedstamning; optagelse, indlemmelse.

filibeg ['filibeg] højlænders skørt, kilt.

filibuster ['filibʌstə] (vb.) (især amr.) lave obstruktion (i senatet) ved at holde marathontaler; (subst.) fribytter, sørøver; obstruktionsmager.

filiform ['f(a)ilifå·m] (adj.) tråddannet.

filigree ['filigri·] filigran.

filing ['failiŋ] arkivering etc., se II. *file;* ~ *cabinet* kartotekskab.

filings ['failiŋz] filspåner; arkivalier.

fill [fil] fylde; udfylde; optage; plombere (en tand); mætte; beklæde (fx. et embede); besætte (fx. et embede); udføre; ekspedere (en recept); fyldes; ~ *the bill* S klare det, gøre fyldest, være brugbar; ~ *in* udfylde, indføje; ~ *up* fylde (helt) (fx. *the tank);* udfylde (fx. *a form);* fyldes; *eat one's* ~ spise sig mæt; *a* ~ *of tobacco* et stop tobak.

filler ['filə] fyldepennehævert; fyld (fx. i kage); fyldstof; indlæg i cigar; spatelfarve; appretur.

fillet ['filit] (subst.) hårbånd, pandebånd; kransliste; liste; filet; mørbrad; (vb.) filere.

filling ['filiŋ] fyldning; plombe; plombering; (amr.) skudgarn; se ogs. *filler.*

filling station benzintank, servicestation.

fillip ['filip] (vb.) knipse; stimulere, sætte fart i; (subst.) knips; stimulans, opstrammer; bagatel.

fillister ['filistə] simshøvl.

filly ['fili] fole, hoppefole; livligt pigebarn.

film [film] (subst.) hinde; film; (vb.) overtrække med en hinde; filme, filmatisere (fx. ~ *a novel); go on the -s* gå til filmen; *go to the -s* gå i biografen; *instructional* ~ undervisningsfilm.

film director filminstruktør. **filmic** ['filmik] filmisk.

film | stock råfilm. ~ **-strip** billedbånd (til brug i undervisning).

filmy ['filmi] overtrukken med en hinde; hindeagtig.

filoselle ['filosel, filo'sel] floretsilke.

filter ['filtə] (vb.) filtrere; filtreres, sive, trænge (igennem); (subst.) filter, filtrerapparat.

filter|-paper filtrerpapir. ~ **-tipped** (om cigaret) med filter.

filth [filþ] snavs, smuds, skidt; sjofelhed(er); *talk* ~ komme med sjofelheder. **filthy** ['filþi] snavset, smudsig, beskidt; svinsk, sjofel (fx. *joke).*

filtrate ['filtreit] filtrere; filtrat.

filtration [fil'treiʃən] filtrering.

fin. fk. f. *financial; finis; finished.*

fin [fin] finne, svømmefinne; hånd, næve; *tip us your* ~ S stik mig din næve.

finable ['fainəbl] som medfører en bøde; som kan mulkteres.

final ['fainəl] (adj.) endelig, afgørende; (subst.) slutkamp, finale; afsluttende eksamen.

finale [fi'na·li] finale.

finalist ['fainəlist] finalist, deltager i slutkamp.

finality [fai'näliti] endelighed; endelig afgørelse (, udtalelse, ordning); *speak with* ~ udtale sig definitivt; afskære al videre diskussion.

finalize ['fainəlaiz] (amr.) afslutte, bringe til afslutning; godkende endeligt.

finally ['fainəli] endelig, til sidst, til slut.

finance [fi'näns, fai-] finans-; finansvidenskab; (pl.) finanser; (vb.) finansiere.

financial [fi'nänʃəl] finansiel, finans-; ~ *year* finansår; driftsår.

I. **financier** [fi'nänsiə] (subst.) finansmand; financier.

II. **financier** [finän'siə] (vb.) udføre finansoperationer (ofte nedsættende).

finback ['finbäk] (zo.) finhval.

finch [finʃ] (zo.) finke.

I. **find** [faind] *(found, found)* (vb.) finde; erfare, opdage; træffe; yde, forsyne; skaffe (fx. *money);* afgive kendelse om at, kende; *150 pounds a year and all found* 150 pund om året og fri station; ~ *for the plaintiff* give sagsøgeren medhold; *the jury found him guilty* nævningene kendte ham skyldig; ~ *sby. in* træffe en hjemme; *he -s me in clothes* han holder mig med tøj; ~ *sby. in a lie* gribe én i en løgn; *I cannot* ~ *it in my heart* jeg kan ikke bringe det over mit hjerte; *be well found in* være velforsynet med; ~ *sby. a job* skaffe én arbejde; ~ *oneself* befinde sig (fx. *how do you* ~ *yourself?);* finde sig selv, finde ud af hvad man skal være; *10 s. a day and* ~ *yourself* 10 s. om dagen på egen kost; *he found himself wishing that ...* han greb sig i at ønske at ...; ~ *out* opdage, gennemskue.

II. **find** [faind] (subst.) fund.

finder ['faində] finder; søger, sigtekikkert.

finding ['faindiŋ] kendelse; *-s* (forsknings)resultat.

I. **fine** [fain] (subst.) bøde, mulkt; afgift, kendelse; (vb.) mulktere; idømme en bøde.

II. **fine** [fain] (adj.) fin; udmærket; smuk, skøn; ren, klar; (ironisk) nydelig, køn (fx. *that's a* ~ *excuse); the* ~ *arts* de skønne kunster; ~ *day* dejligt vejr; *one* ~ *day, one of these* ~ *days* en skønne dag; *a* ~ *fellow* en smuk fyr, en prægtig fyr; (spottende) en net herre; *a* ~ *friend you have been* du har været en nydelig ven;

you are a ~ one! du er en nydelig en! *~ gold* rent guld (el. guld af en nærmere fastsat lødighed); *a ~ nib* en spids pen.

III. **fine** [fain] (vb.) rense, klare, lutre; afklares; blive finere; svinde hen.

IV. **fine** [fain]: *in ~* sluttelig; kort sagt.

fine-draw ['fain'drå·] sy fint sammen; kunststoppe; trække metal o.l. ud til tynde tråde.

fine-drawn (ogs. fig.) hårfin.

fine-grained ['fain'gre'nd] finkornet; finluvet.

finery ['fainəri] stads, pynt.

fine-spun ['fain'spʌn] fint spundet; fint udtænkt, hårtrukken.

finesse [fi'nes] (subst.) finhed, diplomati; behændighed, list, fif; (vb.) bruge list (imod), knibe (i bridge).

fine-toothed ['fain'tu·þt]: *~ comb* tættekam.

fine writing tilstræbt elegant stil.

finger ['fiŋgə] (subst.) finger; fingersbred; fingerfærdighed; (vb.) fingerere, beføle, famle ved; berøre let; gribe; bruge fingrene; *burn one's -s* (fig.) brænde sig; *have a ~ in the pie* have en finger med i spillet; *have at one's -s' ends* kunne på fingrene; *don't lay a ~ on him* rør ham ikke; *lay* (el. *put) one's ~ on* sætte fingeren på, udpege; *twist sby. round one's (little) ~* vikle én om sin lillefinger.

finger| alphabet fingersprog. *~* **-board** gribebræt (på violin osv.); klaviatur; manual (på orgel). *~* **-bowl** [-boᵘl], *~* **-glass** skylleskål.

fingering ['fiŋgəriŋ] fingereren; fingersætning; uldent strømpegarn.

finger|-joint fingerled. *~* **mark** aftryk af snavset finger. *~* **-nail** negl. *~* **-plate** dørskåner. *~* **-post** afviser, vejviser(pæl). *~* **-print** (subst.) fingeraftryk; (vb.) tage fingeraftryk af. **-'s breadth**: *by a -'s breadth of ruin* sin undergang nær. *~* **-stall** fingertut (gummitut til at beskytte en finger).

finial ['finiəl] (arkit.) korsblomst.

finical ['finikl], **finicking** ['finikiŋ], **finicky** ['finiki] sirlig, pertentlig; (fig.) overbroderet; (alt for) udpenslet. **finikin** ['finikin] = *finicky*.

fining ['fainiŋ] klaring etc. (se III. *fine)*.

finis ['fainis] ende, finis.

I. **finish** ['finiʃ] (vb.) ende, bringe til ende, blive færdig med, slutte, tale ud (fx. *do let me ~)*; fuldende, fuldføre; afslutte; afpudse; appretere (tøj); spise op, drikke op (el. ud); gøre det af med; holde op; *~ off* (el. *up)* spise op, drikke op (el. ud); gøre færdig, fuldende; *~ off* (ogs.) T gøre det (helt) af med; *~ up with* slutte af med; *to ~ up with* til slut; *when -ed with* efter afbenyttelsen.

II. **finish** ['finiʃ] (subst.) slutning; afpudsning, efterbehandling; formfuldendthed; slutningsscene (i skuespil); slutkamp (i sport); appretur; fernis, lak; *be in at the ~* være med når ræven dræbes; (fig.) være med i det afgørende øjeblik; *fight to a ~* kæmpe til en af parterne er overvundet.

III. **finish** ['fainiʃ] (adj.) fin, ganske fin, finere.

finished ['finiʃt] (adj.) afsluttet; færdig (ogs. fig); formfuldendt; afpudset; *~ goods* færdigvarer.

finishing | coat finpuds; dækfarve. *~* **-line** mållinie. *~* **school** pigeinstitut. *~* **stroke** nådestød. *~* **touches** sidste penselstrøg; *put the ~ touches on sth.* (ogs.) lægge sidste hånd på noget, give noget en sidste afpudsning.

finite ['fainait] (adj.) begrænset; (gram.) finit.

fink [fiŋk] S (subst.) stikker, angiver; (professionel) skruebrækker.

Finland ['finlənd] Finland. **Finlander** ['finləndə] finne. **Finn** [fin] finne. **Finnish** ['finiʃ] finsk.

finny ['fini] finnet.

fin ray (zo.) finnestråle.

F. Inst. P. fk. f. *Fellow of the Institute of Physics.*

fin whale (zo.) finhval.

fiord [fjå·d] fjord (især norsk).

fir [fə·] (ædel)gran. **fir|-apple,** *~* **-cone** (gran-) **kogle.**

I. **fire** ['faiə] (subst.) ild, ildebrand, ildløs; flamme, lue, lidenskab; bål; *catch* (eller *take) ~* fænge; *cease ~* indstille skydningen; *coals of ~* gloende kul; *electric ~* elektrisk varmeovn; *hang ~*, se I. *hang; have a ~* have fyret, have ild i kaminen; *lay a ~* lægge (brændsel) tilrette (i kamin etc.); *light* (el. *make) a ~* tænde op, lægge i kakkelovnen; *line of ~* ⚔ ildlinie; skudlinie; *miss ~* se II. *miss; get on together like a house on ~* komme storartet ud af det; *open ~* ⚔ åbne ild; (fig.) begynde, tage fat; *the ~ is out* ilden er gået ud; *the scene of the ~* brandstedet; *set ~ to* (el. *set on ~)* stikke ild på; *he will never set the Thames on ~* han kommer aldrig til at udrette noget særligt, han har ikke opfundet krudtet; *smell of ~* brandlugt; *speed of ~* skudhastighed; *strike ~* slå gnister; *between two -s* under dobbelt ild; *be under ~* være i ilden; *there is no smoke without ~* der går ikke røg af en brand, uden at der er ild i den.

II. **fire** ['faiə] (vb.) tænde; stikke i brand; affyre; fyre; brænde (keramik etc.); komme i brand; (fig.) opildne, opflamme; T afskedige, fyre; *~ away* fyre løs; (fig.) klemme på; snakke fra leveren; *~ the boilers* fyre under kedlerne; *~ off* affyre; *~ on, ~ at* beskyde; *ready to ~* ⚔ skudklar; *~ up* fare op, blive rasende.

fire|-alarm brandalarm (apparat). *~* **-arms** (pl.) ildvåben, skydevåben. *~* **arrow** brandpil. **-ball** kuglelyn, meteorsten, brandkugle, ildkugle. *~* **-balloon** (glds.) varmluftsballon. *~* **-bomb** brandbombe. *~* **-brand** brand, brændende stykke træ; (om person) urostifter. *~* **-break** (subst.) brandbælte; brandmur. *~* **-breathing** ildsprudende. *~* **-brick** ildfast mursten. *~* **-brigade** brandvæsen. *~* **-bucket** brandspand. *~* **bug** (amr. T) pyroman, brandstifter. *~* **-clay** ildfast ler. *~* **-control** ⚔ ildledelse. *~* **-cracker** kineser (fyrværkeri). **-crest** (zo.) rødtoppet fuglekonge. *~* **-damp** grubegas. *~* **department** brandvæsen. *~* **-drill** brandøvelse; ildbor (til at frembringe ild med). *~* **-eater** pralhals; slagsbroder. *~* **-eating** drabelig. *~* **-engine** sprøjte. *~* **-escape** brandstige; brandtrappe. *~* **-extinguisher** ildslukningsapparat. *~* **-fighter** brandmand. **-fly** ildflue. *~* **-guard** kamingitter; brandvagt. *~* **-hook** brandhage. *~* **-hose** brandslange. *~* **hydrant** brandhane.

fire|-insurance brandforsikring. *~* **-irons** ildtøj. *~* **-lane** brandbælte. *~* **-lighter** ildtænder. *~* **-line** brandbælte. **-man** brandmand; fyrbøder. *~* **-office** brandforsikringsselskab. *~* **-pan** fyrfad. **-place** ildsted, arne, kamin, fyrsted. *~* **-plug** brandhane. *~* **-policy** brandforsikringspolice. **-proof** ildfast, brandsikker. *~* **-raising** brandstiftelse, ildspåsættelse. *~* **sale** brandudsalg. *~* **screen** kaminskærm. **-side** arnested, arne; (fig.) hjem; *-side chat* (i radio) kaminpassiar. *~* **-station** brandstation. *~* **-step** ⚔ skydetrin. *~* **-stone** ildfast sten. *~* **-trap** brandfarlig bygning, brandfælde. *~* **-walking** det at gå på gløder. **-warden** brandfoged; forstembedsmand, der har til opgave at forhindre eller bekæmpe skovbrand. *~* **-watch(er)** brandvagt. **-wood** brænde. **-works** fyrværkeri. *~* **-worship** ildtilbedelse. *~* **-worshipper** ildtilbeder.

firing ['faiəriŋ] brændsel; antændelse; affyring, skydning, fyring.

firing|-line ildlinie. *~* **-party** = *~ -squad.* *~* **-pin** ⚔ slagbolt. *~* **-squad** henrettelsespeloton; æreskompagni (ved begravelse). *~* **-step** ⚔ skydetrin.

firkin ['fə·kin] fjerding; anker.

I. **firm** [fə·m] (subst.) firma.

II. **firm** [fə·m] (adj.) fast; sikker, bestemt; *be on ~ ground* have fast grund under fødderne; *have a ~ seat* sidde fast i sadlen; *you must be ~ with him* du må være bestemt over for ham.

III. **firm** [fə·m] (vb.) fortætte, kondensere (fx. *cheese)*; fasttræde (fx. *~ the soil after planting)*; befæste; blive fast.

firmament ['fə·məmənt] firmament.

firman [fə·'ma·n] østerlandsk monarks forordning.

first [fə·st] først; for det første; før, hellere (fx.

he would die ~); (subst.) første præmie; *at (the) ~* i begyndelsen; *at ~ sight* ved første blik; *from the ~* fra begyndelsen af, fra første færd; *in the ~ place* for det første; *on ~ coming* straks (, lige) når man (, han, hun osv.) kommer (, kom); *on the ~ approach of a stranger* straks når en fremmed nærmer sig; *when ~* straks da, lige da; *when we were ~ married* i begyndelsen af vort ægteskab; *chapter the ~* første kapitel; *of the ~ importance* af største vigtighed; *not know the ~ thing about it* ikke have spor af kendskab til det; *~ thing in the morning* straks om morgenen, på fastende hjerte; *come ~ thing to-morrow* kom straks i morgen tidlig; *~ come, ~ served* den, der kommer først til mølle, får først malet; *~ of all* allerførst; *~ of exchange* primaveksel; *take a ~* få første karakter.

first|-aid første hjælp (i ulykkestilfælde). **~ -aid course** samariterkursus. **~ -aider** (amr.) samarit. **~ -aid station** ambulancestation. **~ -born** førstefødt. **~ -class** udmærket, førsteklasses; *travel ~ -class* rejse på første klasse. **~ cousin** søskendebarn. **~ floor** første sal; (amr.) stueetagen. **~ -fruits** førstegrøde. **~ -hand** (adj., adv.) førstehånds (fx. *information);* umiddelbart; *at ~ -hand* på første hånd.

firstling ['fə·stliŋ] førstefødt afkom.

firstly ['fə·stli] for det første.

first| name (amr.) fornavn. **~ night** premiere. **~ -nighter** fast premieregæst. **~ -offender** førstegangsforbryder. **~ officer** førstestyrmand, næstkommanderende. **~ -rate** førsterangs, førsteklasses. **~ string** (på violin) kvint.

firth [fə·þ] fjord.

fisc [fisk] (det antikke Roms) skatkammer. **fiscal** ['fiskəl] fiskal; fiskal- og finans-; skatte-; *~ year* (statens) finansår, skatteår.

fish [fiʃ] (subst.) (pl. *fish* el. *fishes)* fisk; fyr; spillemærke; *a pretty kettle of ~* en slem suppedas, en køn kop te; *drink like a ~* drikke som en svamp; *all is ~ that comes to his net* han tager alt med; *feed the fishes* drukne; 'ofre' (kaste op i søsyge); *have other ~ to fry* have vigtigere ting for; have andet at tage sig til; *an odd* (el. *queer) ~* en snurrig fyr; *that is neither ~ nor flesh (nor good red herring)* det er hverken fugl eller fisk; *like a ~ out of water* som en fisk på landjorden.

II. **fish** [fiʃ] (vb.) fiske; fiske i; *go -ing* tage på fiskeri; *~ for information* fiske efter oplysninger; *~ in troubled waters* fiske i rørt vande; *~ out* fiske op; hale frem; affiske (ɔ: tømme for fisk).

fisher ['fiʃə] fisker; (zo.) fiskemår. **fisherman** ['fiʃəmən] fisker. **fishery** ['fiʃəri] fiskeri; fiskerettighed; fiskeplads.

fish|-glue fiskelim. **~ -hook** fiskekrog.

fishing ['fiʃiŋ] fiskeri. **fishing|-frog** (zo.) bredflab. **~ -line** fiskesnøre. **~ -rod** fiskestang. **~ -tackle** fiskeredskaber.

fish|-joint (jernb.) lask(e). **-monger** fiskehandler. **~ -plate** (jernb.) lask(e). **-pond** fiskedam. **-pot** tejne. **-wife** fiskerkone.

fishy ['fiʃi] fiskeagtig; fiskerig; fiske- (fx. *smell);* tvivlsom, mistænkelig, fordægtig; *there's something ~ about it* der er noget muggent ved det.

fissile ['fisail, 'fisil] (adj.) spaltelig, spaltbar, kløvbar. **fissility** [fi'siliti] (subst.) spaltelighed, kløvbarhed.

fission ['fiʃən] kløvning; (atom)spaltning, fission; formering ved celledeling. **fissionable** ['fiʃənəbl] spaltelig.

fissiparous [fi'sipərəs] som formerer sig ved celledeling.

fissure ['fiʃə] (subst.) fissur; spalte, revne, fure.

I. **fist** [fist] (subst.) (knyttet) næve; 'klo' (fx. *he writes an awful ~); the mailed ~* den pansrede næve; *make money hand over ~* skovle penge ind.

II. **fist** [fist] (vb.) fiste, slå til med hånden.

fistic ['fistik] bokse- (fx. *~ skill* bokseteknik; *~ contest* boksekamp).

fisticuffs ['fistikʌfs] nævekamp, slagsmål.

fist-law ['fistlå·] næveret.

fistula ['fistjulə] rør; fistel. **fistular** ['fistjulə] rørformig. **fistulous** ['fistjuləs] fistelagtig.

I. **fit** [fit] (subst.) anfald, tilfælde, krampetilfælde; indfald, lune; *beat him all to -s* slå ham sønder og sammen; *by -s (and starts)* nu og da, stødvis, rykvis; *give sby. a ~* **T** chokere en; *go off in a ~* få krampe; *a ~ of laughter* et latteranfald; *throw a ~* **T** få en prop (el. et tilfælde) (fx. *he will throw a ~ when he hears it); when the ~ is on him* når han er i det humør.

II. **fit** [fit] (subst.) pasning, det at passe; pasform; *that coat is an excellent ~* den jakke sidder, som den skal.

III. **fit** [fit] (adj.) tjenlig, egnet, skikket, passende; som passer godt; dygtig, duelig; i god stand, sund og rask; *as is ~ and proper* som det sig hør og bør; *~ as a fiddle* frisk som en fisk; *a ~ person* (ogs.) den rette mand (, kvinde); *be ~ for* være egnet til, egne sig til; *~ for duty* arbejdsdygtig, tjenstdygtig; *~ for a king* af bedste kvalitet; *~ for use* brugelig; brugbar; *keep ~* holde sig i form; *see ~, think ~* finde for godt, finde passende (el. formålstjenligt); *she cried ~ to break her heart* hun græd, som om hendes hjerte skulle briste; *he laughed ~ to burst* han lo så han var ved at revne; *I am not ~ to be seen* jeg kan ikke vise mig som jeg er.

IV. **fit** [fit] (vb.) gøre egnet (el. skikket) *(to* til, fx. *the training -ted him to work,* el. *for* til, fx. *it -ted him for his work);* udstyre *(with* med, fx. *~ a room with chairs);* indrette, afpasse; tilpasse, anbringe; passe til, passe i (fx. *the key -s the lock);* passe (fx. *the coat -s me);* passe, sidde (fx. *the coat -s); well -ted* godt sammenpasset; *~ in with* passe ind i, passe sammen med (fx. *it -s in well with my arrangements);* indrette efter; *here's your new coat, you had better ~ it on* her er din ny jakke, du må hellere prøve den; *~ out* udruste, udstyre, (med tøj) ekvipere; *~ up* indrette, montere, udstyre.

fitch [fitʃ] ilderskind; ilderhår; pensel (fremstillet af ilderhår). **fitchew** ['fitʃu·] (zo.) ilder.

fitful ['fitf(u)l] rykvis; stødvis; urolig; afbrudt; ustadig.

fitly ['fitli] (adv.) passende.

fitness ['fitnės] egnethed, skikkethed; duelighed; *it is but in the ~ of things that* det ligger i sagens natur at.

fit-out ['fitaut] udrustning; udstyrelse; udstyr.

fitter ['fitə] montør, maskinarbejder, motormekaniker; (i skrædderi) tilskærer.

fitting ['fitiŋ] (adj.) passende; (subst.) montering; udrustning; armatur; rørdel, fitting; beslag, apparat, rekvisit, tilbehør; *have a ~* (ogs.) prøve (tøj).

fitting-out ['fitiŋ'aut] udstyrelse; udrustning.

fitting-out quay monteringskaj.

fitting|-room (hos skrædder) prøveværelse. **~ -shop** samleværksted.

Fitzgerald [fits'dʒerəld].

five [faiv] fem; femmer; femtal; *the ~ of hearts* hjerter fem.

fivefold ['faiv'foᵘld] femfold, femdobbelt. **fiver** ['faivə] fempundsseddel, (amr.) femdollarseddel.

fives [faivz] slags boldspil.

Five-Year-Plan femårsplan.

I. **fix** [fiks] (subst.) forlegenhed, knibe.

II. **fix** [fiks] (vb.) fæste, fæstne, gøre fast, sætte op (el. på); hæfte; fastspænde, spænde op; fiksere; fastsætte, bestemme; sætte sig fast; nedsætte sig; blive fast; (amr.) ordne, klare; reparere; lave (fx. *~ a meal); ~ bayonets!* ⚔ bajonet på! *we have -ed a date for the dance* vi har fastsat dagen for ballet; *~ on* bestemme sig til; *~ up* ordne, arrangere (fx. *~ up a tennis tournament);* **T** bilægge (fx. *a quarrel);* kurere, bringe på ret køl, kvikke op (fx. *a cup of coffee will ~ you up); I can easily ~ you up for the night* jeg kan sagtens give Dem husly for natten.

fixation [fik'seiʃən] fastgørelse, fastsættelse; fasthed; bestemmelse; (fot.) fiksering; (psyk.) binding.

fixative ['fiksətiv] fiksativ, fiksermiddel.

fixed [fikst] (adj.) fast; bestemt; ~ *bayonets* opplantede bajonetter; ~ *charges* generalomkostninger, faste udgifter; ~ *idea* fiks idé; ~ *price* fast pris; ~ *star* fiksstjerne.
fixedly ['fiksidli] (adv.) fast; stift; bestemt.
fixer ['fiksə] fiksermiddel.
fixing bath (fot.) fikserbad.
fixings ['fiksiŋz] (især amr.) tilbehør, pynt, besætning (på kjole).
fixing salt fiksersalt.
fixity ['fiksiti] fasthed, uforanderlighed.
fixture ['fikstʃə] fast tilbehør, fast inventar, nagelfast genstand; (fastsat tidspunkt for) sportskamp (, sportskonkurrence).
fizz [fiz] (vb.) syde; bruse, moussere; (subst.) brusen; S champagne, skum.
fizzle ['fizl] (vb.) hvisle, sprutte; gøre fiasko, falde igennem; (subst.) syden, hvislen; fiasko; ~ *out* mislykkes, løbe ud i sandet.
fizzy ['fizi] T mousserende, som bruser; ~ *lemonade* sodavand.
fl. fk. f. *florin.*
Fla. fk. f. *Florida.*
flabbergast ['fläbəga·st] forbløffe; *-ed* (ogs.) lamslået, himmelfalden, paf.
flabby ['fläbi] slap, slatten, holdningsløs, svag; blegfed, lasket.
flaccid ['fläksid] slap, slatten. **flaccidity** [fläk'siditi] slaphed.
I. **flag** [fläg] hænge slapt; være (el. blive) mat, dø hen (fx. *the conversation was -ging); his interest is -ging* han er ved at tabe interessen.
II. **flag** [fläg] (subst.) flag; (vb.) dekorere med flag; signalere til med flag; standse (et tog); ~ *of convenience* ⚓ bekvemmelighedsflag; ~ *of truce, white* ~ parlamentærflag; *black* ~ sørøverflag; *yellow* ~ karantæneflag; *dip the* ~ kippe med flaget; *fly the* ~ lade flaget vaje; *a vessel flying the Danish* ~ et skib, der sejler under dansk flag; *lower the* ~ hale flaget ned; *strike the* ~ stryge flaget.
III. **flag** [fläg] (subst., ♧) sværdlilje.
IV. **flag** [fläg] (subst.) flise; (vb.) belægge med fliser.
flag|-captain ⚓ flagkaptajn. ~ **-day** 'mærkedag' (hvor der sælges mærker i gaderne); (amr.) flagdag (14. juni).
flagellant ['flädʒilənt] (subst.) flagellant. **flagellate** ['flädʒile'it] (vb.) piske. **flagellation** [flädʒi'le'iʃən] (subst.) piskning.
flageolet [flädʒo'let] flageolet.
flagged [flägd] flagsmykket (fx. *the* ~ *streets);* flisebelagt. **flagging** ['flägiŋ] flisebelægning.
flagitious [flə'dʒiʃəs] afskyelig; skændig.
flagon ['flägən] (subst.) karaffel; flaske.
flagrancy ['fle'igrənsi] afskyelighed; skamløshed.
flagrant ['fle'igrənt] vitterlig, åbenbar; skamløs.
flagship ['flägʃip] admiralskib, flagskib.
flagstaff ['flägsta·f] flagstang.
flagstone ['flägsto'ʊn] flise. **flagstoned** flisebelagt.
flag-waver chauvinist; hurrapatriot.
flail [fle'il] (subst.) plejl; (vb.) tærske med plejl.
flail tank minerydningstank.
flair [flæə] flair, sans, 'næse' *(for* for).
flak [fläk] antiluftskyts, flak.
I. **flake** [fle'ik] (subst.) flage, tyndt lag, tynd skive; *flint* ~ flintflække; *snow-flakes* snefnug; *soap-flakes* sæbespåner; ~ *off* skalle af; ~ *out* falde i søvn; besvime.
II. **flake** [fle'ik] (subst.) stativ til fisketørring; bådsmandsstol.
flaky ['fle'iki] fnugagtig; skællet, i lag.
flam [fläm] (subst.) løgnehistorie, fup; (vb.) fuppe.
flambeau ['flämbo'ʊ] fakkel.
flamboyant [fläm'boiənt] flammet; bølgende; (fig.) blomstrende, farvestrålende; prangende; (arkit.) flamboyant (sengotisk stil).
flame [fle'im] flamme, lue (subst. og vb.); (om person) flamme, sværmeri; *fan the* ~ (fig.) puste til ilden; *go down in -s* styrte brændende til jorden.
flame|-coloured ildrød, luerød. ~ **-out** (flyv.) jetmotors svigten; motorstop. ~ **-projector,** ~ **-thrower** ⚔ flammekaster. ~ **tube** (flyv.) flammerør.
flamingo [flə'miŋgo'ʊ] (zo.) flamingo.
flamy ['fle'imi] flammende, flammeagtig.
flan [flän] tærte (med frugt) (fx. *strawberry* ~).
Flanders ['fla·ndəz] Flandern; (se ogs. *poppy*).
flange [flän(d)ʒ] fremstående kant (fx. på jernbanehjul); flange.
flank [fläŋk] (subst.) side, flanke; (vb.) dække siderne, flankere (fx. *a road -ed with trees);* ⚔ falde i flanken.
flanker ['fläŋkə] sideværk; *-s* flankesikring.
flannel ['flän(ə)l] (subst.) flonel; klædningsstykke af flonel; T smiger; sludder; (vb.) tørre el. gnide med flonel; klæde i flonel; T smigre, fedte for, snakke godt for. **flannelette** [flän'let] bomuldsflonel. **flannelled** ['flän(ə)ld] klædt i flonel. **flannels** flonelsundertøj; flonelsbukser.
I. **flap** [fläp] (subst.) (en) klap; lem; bordklap; lap; flig, snip, smæk; hatteskygge; smæk, klask, dask; dasken; pandekage; *get into a* ~ T blive forfjamsket (el. nervøs), komme helt ud af flippen.
II. **flap** [fläp] (vb.) klaske, daske; slå; baske (med vingerne), flakse, hænge slapt ned; blafre.
flap|doodle ['fläpdu·dl] T vås, nonsens. ~ **-eared** med hængende øren; slukøret. **-jack** pandekage; pudderæske.
flapper ['fläpə] skralde; vifte; klaps; fluesmækker; ung (ikke flyvefærdig) fugl; ung vildand; backfisch; S hånd, pote, lab.
flare [flæə] (subst.) ustadigt lys; nødblus; lysbombe; signallys; udbugning; (i film) overstråling; (vb.) flagre; flakke, flamme op, glimte; lyse med blændende glans; bue ud; blive videre nedefter; ~ *up,* ~ *out* flamme op, blusse op; fare op (i vrede). **flare-up** ['flæər'ʌp] (subst.) opblussen; opbrusen; blus.
flaring flakkende; blændende; prangende; ~ *bow(s)* ⚓ udfaldende bov.
flash [fläʃ] (subst.) glimt, blink; lynglimt; (fot.) blitz; (adj.) flot; smagløs; simpel; falsk (fx. ~ *money);* (vb.) (lade) glimte, blinke; lyne; fare; lade blusse op; vise i et glimt; (ud)sende (pr. telegraf etc.); overfange (fx. *-ed glass);* prale med; flotte sig med; tætte (tag) med bly etc.; *a* ~ *in the pan* kort opblussen; et slag i luften; *his eyes -ed fire* hans øjne skød lyn; *it suddenly -ed (up)on me* det slog pludselig ned i mig, det gik pludselig op for mig.
flash|-back (i film) flashback. **-bulb** blitzpære. **-hider** ⚔ flammeskjuler.
flashing ['fläʃiŋ] indskud (fx. af metalplader) til tætning af tag. **flashing light** ⚓ blinkfyr.
flash|-lamp blitzlampe. **-light** magniumsbombe, blitzlampe; lommelygte; blinkfyr. ~ **photography** blitzfotografering. ~ **-screen** ⚔ flammeskjuler. ~ **signal** blinklyssignal. **-point** flammepunkt, antændelsestemperatur.
flashy ['fläʃi] (adj.) udmajet, prangende, smagløs.
flask [fla·sk] flaske; lommeflaske, lommelærke; feltflaske; krudthorn.
I. **flat** [flät] (adj., adv.) flad, jævn; mat, svag, flov; (om drik) doven; fad; nedslået; fuldkommen, ganske, rent ud; (i musik) med b for; lille (om terts); S flad (ɔ: uden penge); *fall* ~ falde til jorden (fx. *his jokes fell* ~); *knock him* ~ slå ham i gulvet; *lay the town* ~ jævne byen med jorden; ~ *out* af alle kræfter; helt udkørt; ~ *refusal* blankt afslag; *and that's* ~! og dermed basta! *sing* ~ synge falsk; *he went* ~ *against my orders* han handlede stik imod mine ordrer.
II. **flat** [flät] (subst.) fladhed; jævnhed; flade; slette; grundet sted; sætstykke (i teater); pram; åben godsvogn; flad kurv; lejlighed; punkteret ring, punktering; (i musik) tegnet b; T kedsommelig person, dumrian; *the* ~ *of the sword* den flade klinge; *fix a* ~ (amr.) lappe en punktering.

flat|-boat pram. ~ **-bottomed** fladbundet. ~ **-chested** fladbrystet. **-fish** fladfisk, flynder. **-foot** platfod(ethed); S politibetjent. **-footed** platfodet; (amr. S) lige ud; uden omsvøb. ~ **-iron** strygejern.

flatlet ['flätlėt] etværelseslejlighed, ungkarlelejlighed.

flat|-race fladløb. ~ **rate** enhedstakst.

flatten ['flätn] trykke (, hamre, slå) flad; udjævne(s); gøre (, blive) flov (el. flad); jævne med jorden, knuse, tromle ned, slå ned (el. ud); (i musik) sætte b for; ~ *his nose* give ham en begmand; ~ *oneself against a wall* presse sig ind mod en mur; ~ *out* udjævne; (flyv.) rette maskinen op.

I. **flatter** ['flätə] (subst.) plathammer.

II. **flatter** ['flätə] (vb.) smigre; flattere. **flatterer** ['flätərə] smigrer. **flattery** ['flätəri] smigren, smiger.

flat| tire punkteret ring, punktering. **-top** (amr.) hangarskib.

flatulence ['flätjuləns] vinde, flatulens.

flatus ['fleⁱtəs] vinde, tarmluft.

flat|ware (amr.) kuvertartikler; spisebestik, sølvtøj. ~ **-worm** (zo.) fladorm.

flaunt [flå·nt] flagre, vaje; knejse; sætte næsen i sky; stille til skue, skilte med, prale med (el. af) (fx. ~ *one's vices*).

flautist ['flå·tist] fløjtespiller, fløjtenist.

flavour ['fleⁱvə] aroma, vellugt, duft; velsmag, smag; smagsstof; bouquet (om vin); sætte smag på, give aroma.

flavourless ['fleⁱvəlės] uden duft, uden smag.

flaw [flå·] (subst.) revne, knæk, sprække; lyde, mangel, fejl, brist, svaghed, ufuldkommenhed; vindstød; kortvarigt uvejr. **flawless** ['flå·lės] uden mangler, fejlfri.

flax [fläks] (subst.) ♧ hør. **flax breaker** hørbryder.

flaxen ['fläksən] (adj.) af hør, hør-; hørgul; ~ *hair* lyst hår. **flaxy** ['fläksi] (adj.) høragtig; blond.

flay [fleⁱ] (vb.) flå.

flea [fli·] (zo.) loppe; *performing* ~ dresseret loppe; *send sby. away with a* ~ *in his ear* skære en ned, tage pippet fra en, affærdige en brysk.

flea|bane ♧ bakkestjerne. ~ **-beetle** jordloppe. ~ **-bite** loppestik; ubetydelighed, knappenålsstik; rød plet (på hvid hest); *a mere* ~ *-bite* en ren bagatel. ~ **-bitten** bidt af lopper; plettet, fregnet; rødskimlet (om hest).

fleck [flek] (subst.) plet; stænk; (vb.) plette; stænke. **flecker** ['flekə] stænke, marmorere. **fleckless** ['fleklės] pletfri.

flection ['flekʃən] bøjning.

fled [fled] imperf. og perf. part. af II. *fly* eller *flee*.

fledge [fledʒ] forsyne med fjer, gøre (el. blive) flyvefærdig. **fledged** flyvefærdig; *newly* ~ *graduates* nybagte kandidater. **fledg(e)ling** ['fledʒliŋ] lige flyvefærdig unge; (fig.) nybegynder.

flee [fli·] *(fled, fled)* flygte; undgå; flygte fra.

fleece [fli·s] (subst.) uld; skind, uldskind; (vb.) plukke, flå, udsuge; overtrække med uld; *the Golden Fleece* den gyldne Vlies (en orden); *fleeced* (ogs.) ulden.

fleecy ['fli·si] ulden; uldagtig; uldrig; *a* ~ *sky* en himmel med lammeskyer.

fleer [fliə] (vb.) spotte; le hånlig; (subst.) spot, hånlatter.

I. **fleet** [fli·t] (subst.) flåde (samling af skibe); *a* ~ *of cars* en vognpark.

II. **Fleet** [fli·t]; *the* ~ (navnet på et tidligere vandløb og et fængsel i London); ~ *Street* (gade i London med bladkontorer); pressen.

III. **fleet** [fli·t] (adj.) hurtig, let; (vb.) ile af sted; svæve.

fleet-footed ['fli·t'futid] rapfodet.

fleeting ['fli·tiŋ] henilende, flygtig.

Fleming ['flemiŋ] flamlænder. **Flemish** ['flemiʃ] flamsk; *the Flemish* flamlænderne; *flemish down* (vb.) ⚓ skive.

flench [flenʃ], **flense** [flens] (vb.) flænse.

I. **flesh** [fleʃ] (subst.) kød (ogs. af frugt); muskler; huld; menneskehed; syndigt menneske; sanselig lyst; kødets lyst; *go the way of all* ~ gå al kødets gang; ~ *and blood* den menneskelige natur; *more than* ~ *and blood can endure* mere end et menneske kan holde til; *his own* ~ *and blood* hans eget kød og blod; *exact one's pound of* ~ kræve sit skålpund kød (Shakespeare-citat fra *Merchant of Venice*), ubarmhjertigt kræve en kontrakt overholdt til punkt og prikke; *the spirit is willing, but the* ~ *is weak* ånden er redebon, men kødet er skrøbeligt; *be in* ~ være ved godt huld; *in the* ~ i levende live; i virkeligheden; *lose* ~ blive tynd, tabe sig; *put on* ~ blive fed, lægge sig ud; *recover one's* ~ genvinde sit huld.

II. **flesh** [fleʃ] (vb.) fodre med kød; give blod på tanden; indvie (fx. et sværd); øve; hærde.

flesh|-brush frotterbørste. ~ **-fly** spyflue. ~ **-glove** frotterhandske.

fleshings ['fleʃinz] trikot. **fleshless** ['fleʃlės] kødløs. **fleshly** ['fleʃli] kødelig; sanselig. **flesh|pot** kødgryde. ~ **side** kødside (af skind). ~ **-wound** kødsår.

fleshy ['fleʃi] kødrig, kødfuld.

fleur-de-lis ['flə·də'li·] fransk lilje.

flew [flu·] imperf. af I. *fly*.

flews [flu·z] hængeflab (på hund).

flex [fleks] (vb.) bøje; (subst., elekt.) ledningssnor.

flexibility [fleksi'biliti] bøjelighed, smidighed, elasticitet. **flexible** ['fleksibl] bøjelig, smidig, elastisk; ~ *cord* ledningssnor. **flexile** ['fleksil] bøjelig.

flexion ['flekʃən] bøjning. **flexional** ['flekʃənəl] bøjnings-, bøjningsmæssig. **flexor** ['fleksə] bøjemuskel. **flexuous** ['flekʃuəs] bugtet; ustadig. **flexure** ['flekʃə] bøjning.

flibbertigibbet ['flibəti'dʒibət] forfløjent pigebarn; (sladre)taske.

flick [flik] (vb.) svippe, svirpe, snerte, knipse; (subst.) svirp, smæk, knips; S film; *at the -s* S i biografen; *go to the -s* S gå i biografen.

flicker ['flikə] (vb.) flagre, vifte; blafre, flakke (om lys og flamme); flimre; (subst.) flagren; flygtig opblussen; ~ *up* blusse op (fx. *a faint hope -ed up and died away); a weak* ~ *of hope* et svagt glimt af håb.

flick|-house S biograf. ~ **knife** springkniv.

flier ['flaiə] flyver; flygtning.

flies [flaiz] pl. af *fly*; loft over prosceniet; snoreloft.

flight [flait] (subst.) flugt, flyven, flyvning, flyvetur; flok, sværm; række forhindringer på væddeløbsbane; *blind* ~ instrumentflyvning, blindflyvning; ~ *of aeroplanes* halveskadrille (flyvemaskiner); ~ *of arrows* pileregn; ~ *of steps*, ~ *of stairs* trappe (mellem to afsatser), trappeløb; *take (to)* ~ gribe flugten; *put* (el. *turn) to* ~ jage på flugt.

flightily ['flaitili] flygtigt; overspændt.

flight| lieutenant flyverløjtnant. ~ **mechanic** flyvemekaniker.

flighty ['flaiti] flygtig, forfløjen; fantastisk, overspændt; fjollet; (om hest) sky.

flimflam ['flimflām] kneb; vrøvl; (vb.) snyde.

flimsy ['flimzi] (adj.) tynd; svag; spinkel; usolid; løs, intetsigende; overfladisk; (subst.) gennemslagspapir; pengeseddel.

I. **flinch** [flinʃ] (vb.) vige tilbage, trække sig tilbage; krympe sig *(from* ved); ~ *from an unpleasant duty* vige tilbage for en ubehagelig pligt; *without -ing* uden at blinke.

II. **flinch** [flinʃ] (vb.) flænse.

flinders ['flindəz] stumper, stykker, splinter.

fling [fliŋ] *(flung, flung)* (vb.) slynge, kaste, smide, kyle; vælte; ile, flyve, styrte; bevæge sig uroligt; slå bagud (om heste); blive ustyrlig; være grov; stikle; (subst.) kast, slag; stiklen; stikleri; hang, lyst; ~ *away* kaste bort, styrte af sted; ~ *down* nedkaste; ~ *it in his teeth* slynge ham det i ansigtet; ~ *off* kaste af; skille sig af med; styrte af sted; ryste af sig; udslynge, henkaste; ~ *open* smække op; ~ *out* slå bagud (om heste); udstøde, udslynge (fx. *an assertion);* ~ *one's arms round his neck* slå armene om halsen på ham;

~ caution to the winds lægge alle forsigtighedshensyn til side; *~ the door to* slå døren i; *have a ~ at sby.* stikle til en; *have one's ~* slå sig løs, more sig, rase ud; *have your ~!* mor dig godt!

flint [flint] flint; 'sten' i cigartænder; *skin a ~* være nærig.

flint-lock flintelås. **flintstone** flintesten.

flinty ['flinti] flint-, flinthård, stenhård.

I. **flip** [flip] æggetoddy.

II. **flip** [flip] (subst.) dask, slag; **S** flyvetur; (vb.) svirpe, knipse; (adj.) = *flippant; ~ a coin* slå plat og krone; *~ a pancake* vende en pandekage.

flip-flap ['flipfläp] flik-flak; klaprende lyd; en art fyrværkeri.

flippancy ['flipənsi] kådmundethed, flabethed.

flippant ['flipənt] (adj.) næsvis, flabet; tøset, respektløs.

flipper ['flipə] luffe; **S** hånd; *-s* (frømands-) svømmefødder.

flirt [flə·t] (vb.) flirte, kokettere; kissemisse; smide, kaste, slænge; vifte med, svinge, løbe frem og tilbage, vimse; (subst.) **kokette; kurmager; kast**; *~ with the idea* lege med tanken. **flirtation** [flə·'teiʃən] flirt, koketteri. **flirtatious** [flə·'teiʃəs], **flirty** ['flə·ti] koket; flirtende; kurtiserende, indladende.

flit [flit] (vb.) flyve; flagre; vandre; flytte; stikke af fra sin gæld; (subst.) flytning.

flitch [flitʃ], *~ of bacon* flæskeside.

flitter ['flitə] (vb.) flagre. **flittermouse** (zo.) flagermus.

flitting ['flitiŋ] flygtig; flytning.

flivver ['flivə] (subst.) (amr. **S**) lille billig bil, 'sardindåse', smadrekasse; lille flyvemaskine; fiasko, fup; (vb.) gøre fiasko.

flixweed ['flikswi·d] ♧ barberforstand.

I. **float** [flouт] (vb.) flyde, svømme; vaje (om flag); (få til at) svæve; sætte i gang, starte (fx. *~ a new business company);* flåde (tømmer); oversvømme; ⚓ være (, bringe) flot; (merk.) emittere; *be -ed* (ogs.) komme flot.

II. **float** [flout] (subst.) tømmerflåde; kork, flod (på en fiskesnøre), svømmer, flyder; lav flad vogn; rampelys; svømmeblære; rivebræt (murerværktøj); (flyv.) ponton.

floatage ['floutidʒ] flydning; flydende genstande; den del af et skib, der er over vandlinien.

floatation [flou'teiʃən] (subst.) flyden; start; emission; flotation. **floater** ['floutə] **S** bommert.

floating ['floutiŋ] (adj.) flydende.

floating| bridge pontonbro. *~* **capital** likvid kapital. *~* **cargo** svømmende ladning. *~* **debt** løs (el. svævende) gæld. *~* **dock** flydedok. *~* **kidney** vandrenyre. *~* **light** fyrskib. *~* **policy** abonnementsforsikring; generalpolice. *~* **power** flydende kraft. *~* **vote** marginalvælgere.

float plane pontonflyvemaskine.

flocculent ['flåkjulənt] fnugget.

I. **flock** [flåk] (subst.) uldtot, tot.

II. **flock** [flåk] (vb.) flokkes, samle sig, strømme; (subst.) flok; hob; hjord (især om får); *~ to sby.'s standard* fylke sig om en.

floe [flou] stor isflage.

flog [flåg] piske, slå, banke, tampe; **S** sælge ulovligt; *~ a dead horse,* se *horse.* **flogging** ['flågiŋ] piskning, bank, bænketur; *(come in for) a good ~* (få) en ordentlig dragt prygl.

flong [flåŋ] (typ.) matriceform.

flood [flʌd] (subst.) højvande, flod (modsat ebbe); oversvømmelse; strøm (fx. *of rain, of tears, of words);* (vb.) oversvømme, overskylle, fylde med vand; (med.) have blødning; *the Flood* Syndfloden; *a ~ of light* et lyshav; *the -s are out* der er oversvømmelse; *-ed out* gjort hjemløs ved oversvømmelse; *-ed with light* badet i lys.

flood|gate sluseport. **-light** (subst.) projektør, projektørlys, fladebelysning; (vb.) projektørbelyse. **-mark** højvandsmærke. **-tide** højvande, flod, flodtid.

I. **floor** [flå·] (subst.) gulv; etage; bund; minimum; ⚓ bundstok; dørk; (amr.) kongressens sal; retten til at tale i kongressen; *ask for the ~* bede om ordet; *have* el. *get the ~* have el. få ordet; *keep a bill from the ~* forhindre at et lovforslag kommer til behandling; *~ price* minimumspris.

II. **floor** [flå·] (vb.) lægge gulv i; slå i gulvet; slå af marken, bringe til tavshed, sætte til vægs; *~ a question (, a paper)* klare et eksamensspørgsmål (, en eksamensopgave); *be -ed* blive slået ud.

floorage ['flå·ridʒ] gulvareal, gulvflade.

floor| board gulvbræt; *~ boards* ⚓ bundbrædder, dørk. *~* **-cloth** gulvbelægning; gulvklud.

floorer ['flå·rə] knusende slag; overrumplende argument.

flooring ['flå·riŋ] gulv; gulvbelægning, materiale til gulv.

floor|-lamp standerlampe. *~* **-polish** bonevoks. *~* **show** kunstnerisk optræden mellem bordene (el. på dansegulvet) i restaurant. **-walker** inspektør (i stormagasin).

floosie, floozie ['flu·zi] **S** pige; dulle, tøs.

flop [flåp] (vb.) slå (med vingerne o.l.); lade hænge; klaske; plumpe ned, lade sig dumpe ned; falde sammen; have fiasko, falde (med et brag); (subst.) tungt fald; klask; fiasko; bums! **flophouse** (amr.) natteherberg (for hjemløse).

floppy ['flåpi] slapt nedhængende; slatten.

flor. fk. f. *floruit.*

flora ['flå·rə] flora (et bestemt landområdes planteverden).

floral ['flå·rəl] blomster-, blomstret; *~ receptacle* blomsterbund.

Florence ['flårəns] Firenze, Florens.

Florentine ['flårəntain] florentiner, florentinerinde; florentinersilke; florentinsk.

florescence [flå·'resəns] blomstring, blomstringstid.

florescent [flå·'resənt] blomstrende.

floret ['flå·rėt] lille blomst (som del af blomsterstand); *the -s* småblomsterne.

floriate(d) ['flå·rieit(id)] blomsterprydet.

flori|cultural [flå·ri'kʌltʃərəl] blomsterdyrknings-. **-culture** ['flå·rikʌltʃə] blomsterdyrkning. **-culturist** [flå·ri'kʌltʃərist] blomsterdyrker.

florid ['flårid] (adj.) blomstrende; overpyntet, overlæsset, udstafferet; (om ansigtsfarve) stærkt rød, rødmosset, rødblisset.

Florida ['flåridə].

floridity [flå'riditi], **floridness** ['flåridnės] kraftig rødme, rødmossethed, rødblissethed; (om stilart) det at være overlæsset el. snirklet. **floriferous** [flå(·)'rifərəs] (adj.) blomsterbærende.

florin ['flårin] florin (engelsk mønt: 2 shillings).

florist ['flårist] blomsterhandler; blomsterdyrker; blomstergartner.

floruit ['flå·ruit] historisk persons virkeperiode.

floss [flås] dun på planter; flos; floksilke. **flossy** ['flåsi] dunet; silkeblød.

flotation [flo'teiʃən], se *floatation.*

flotilla [flo'tilə] flotille.

flotsam ['flåtsəm] drivgods, flydende vraggods.

flounce [flauns] (vb.) pjaske; bevæge sig med heftighed, sprælle, svanse (fx. *she -d out of the room);* garnere; (subst.) plask; garnering, flæse.

I. **flounder** ['flaundə] (subst.) (zo.) skrubbe, flynder.

II. **flounder** ['flaundə] (vb.) sprælle, tumle, bevæge sig med besvær (fx. i mudder); gøre fejl, hakke (el. kludre) i det.

flour [flauə] mel; (vb.) male til mel; mele.

I. **flourish** ['flʌriʃ] (vb.) florere, trives, blomstre (fx. *his business is -ing);* stå på sin magts el. sin hæders tinde, have sin glanstid; virke; bruge blomstrende sprog, tale blomstrende; bevæge sig i fantastiske figurer (fx. om røg); præludere, fantasere; spille støjende; blæse en fanfare, give touche; svinge (fx.

~ *a sword)*; prale, rose sig; pryde med blomster og snirkler; skrive med kruseduller; udstaffere overdådigt; udarbejde omhyggeligt; forskønne; besmykke.

II. **flourish** [ˈflʌriʃ] (subst.) glans, smykke, skønhed; forsiring, forskønnelse, blomster (i stil); fraser; snirkel, sving; krusedulle; forspil; fanfare; touche (fra orkestret); svingende bevægelse, sving (fx. *he left us with a ~ of his hat)*; flot håndbevægelse.

floury [ˈflauəri] (adj.) melet.

flout [flaut] (vb.) spotte, håne; lade hånt om (fx. *he -ed my advice)*; (subst.) spot, hån.

I. **flow** [floᵘ] (vb.) flyde, strømme; stige (om vandet) (fx. *the tide is beginning to ~)*; oversvømme, flyde (el. strømme) over; glide blidt af sted; flagre (fx. *a -ing tie* slips; *with -ing locks)*; hænge folderigt (fx. om draperi); *~ with milk and honey* flyde med mælk og honning.

II. **flow** [floᵘ] (subst.) flod (modsat ebbe); stigen; tilløb (af vand); (fig.) strøm (fx. *a ~ of abuse)*; *he has a fine ~ of language* han er meget veltalende; *his great ~ of spirits* hans store livlighed.

flow diagram arbejdsdiagram.

flower [ˈflauə] (subst.) blomst; blomstring; elite, det fineste, det bedste; pryd, glans; (vb.) blomstre, smykke med blomster; *be in ~* stå i blomst (fx. *all the trees are in ~)*; *the ~ of one's youth* ungdommens vår; *the ~ of the youth of the country* blomsten af landets ungdom; *-s of speech* retoriske talemåder, digteriske billeder; *-s of sulphur* svovlblomme; *no -s by request* kranse frabedes.

flower-de-luce [flauədiˈlu·s] ♧ iris.

floweret [ˈflauərėt] lille blomst. **flower-girl** blomstersælgerske. **floweriness** [ˈflauərinės] blomstervrimmel; blomsterflor.

flowering: *~ plant* blomsterplante; *~ season* blomstringstid.

flower|-piece blomsterstykke, blomsterbillede. **-pot** urtepotte. ~ **shop** blomsterforretning. ~ **show** blomsterudstilling.

flowery [ˈflauəri] blomsterrig; blomstrende.

flown [floᵘn] perf. part. af *fly*.

flow sheet = *flow diagram*.

flu [flu·]: *the ~* T influenza.

fluctuate [ˈflʌktjueⁱt] (vb.) bølge; strømme frem og tilbage; svinge, fluktuere, variere, være ustadig (om priser, temperatur osv.); vakle. **fluctuation** [flʌktjuˈeⁱʃən] bølgen; vaklen, ubestemthed; fluktueren, stigen og falden; svingning; kursbevægelse, kurssvingning; *-s of the market* konjunktursvingninger.

I. **flue** [flu·] skorstensrør; røgkanal.

II. **flue** [flu·] fnug, dun, bløde hår.

III. **flue**, se *flu*.

fluency [ˈflu·ənsi] lethed, tungefærdighed, talefærdighed.

fluent [ˈflu·ənt] flydende; *speak -ly* tale flydende.

fluey [ˈflu·i] (adj.) dunblød, dunet.

fluff [flʌf] (subst.) bløde hår, dun; fnug; fejl; (vb.) kludre med; *bit of ~* S (smart) pige; *~ a pillow* ryste en pude; *the bird -ed (out) its feathers* fuglen pustede sig op. **fluffy** [ˈflʌfi] (adj.) dunagtig, dunet; (om hår) blødt; S beruset, 'støvet'.

fluid [ˈflu·id] (adj.) flydende; (fig.) vaklende, omskiftelig; (subst.) væske; fluidum. **fluidity** [fluˈiditi] flydende tilstand, omskiftelighed.

fluke [flu·k] (subst.) ankerflig, modhage, spids med modhager; lykketræf, slumpetræf, (i billardspil:) svin; (zo.) skrubbe, flynder; leverikte (indvoldsorm hos får); (vb.) være svineheldig; opnå ved et lykketræf. **fluky** [ˈflu·ki] (adj.) heldig; flakkende, omskiftelig; befængt med leverikter.

flume [flu·m] (subst.) (gravet) kanal, strømrende, vandledning.

flummery [ˈflʌməri] (omtr. =) budding; smiger, vrøvl.

flummox [ˈflʌməks] S forvirre, forbløffe, få til at gå bagover.

flump [flʌmp] (vb.) falde ned, dumpe, bumpe; (subst.) bump.

flung [flʌŋ] imperf. og perf. part. af *fling*.

flunk [flʌŋk] (amr.) (lade) dumpe (til eksamen); *~ a subject* dumpe i et fag.

flunkey [ˈflʌŋki] lakaj; spytslikker.

flunkeyism [ˈflʌŋkiizm] lakajvæsen; spytslikkeri.

fluor [ˈfluå·] flusspat.

fluorescence [fluəˈresəns] fluorescens. **fluorescent** [fluəˈresənt] fluorescerende; *~ lamp* lysstofrør.

fluoridate [ˈfluərideⁱt] (vb.) tilsætte fluor, fluoridere (fx. *~ water)*.

fluorine [ˈfluəri·n] fluor.

fluoroscopy [fluəˈråskəpi] røntgengennemlysning.

fluor-spar [ˈfluəspa·] flusspat.

flurried [ˈflʌrid] forfjamsket, befippet, altereret, nervøs.

flurry [ˈflʌri] (subst.) vindstød; hastværk; uro, røre, forfjamskelse; befippelse; (vb.) sætte i bevægelse; gøre befippet, gøre forfjamsket.

I. **flush** [flʌʃ] (vb.) strømme, flyde voldsomt; rødme, pludselig blive rød (fx. *the girl -ed when I spoke to her)*; blive flydende; pludselig flyve op (om fugle); få til at rødme pludselig; farve; udskylle (wc, kloak o.l.); opmuntre, opflamme; gøre opblæst; jage op; flugte; *~ up* blive blussende rød; *-ed with joy* beruset af glæde.

II. **flush** [flʌʃ] (adj., adv.) fuld; svulmende; forsynet til overflod; ødsel, gavmild; jævn; *money was ~* der var overflod på penge; *~ of money* velbeslået, ved muffen; *be ~ with one's money* være flot (el. ødsel) med sine penge; *the windows are ~ with the wall* vinduerne er i plan (el. flugt) med muren; *I came ~ upon him* jeg løb lige på ham.

III. **flush** [flʌʃ] (subst.) pludselig rødme; glød; opbrusen, storm (af følelser); udskylning; blomstring, kraft; fugleflok; lang farve (i kortspil); *in the first ~ of victory* i den første sejrsrus; *in the first ~ of youth* i ungdommens vår.

I. **flushing** [ˈflʌʃiŋ] udskylning etc. (se I. *flush)*.

II. **Flushing** [ˈflʌʃiŋ] Vlissingen.

fluster [ˈflʌstə] (subst.) forfjamskelse; (vb.) gøre (, være) forfjamsket (el. nervøs); gøre opstemt (el. omtåget); være beruset; *he was all in a ~* han var helt forfjamsket.

*I. **flute** [flu·t] (subst.) fløjte, fløjtespiller; fure; hulkel; (arkit.) kannelure.

II. **flute** [flu·t] (vb.) spille (el. blæse) på fløjte; kannelere, rifle; pibe (om tøj).

fluted [ˈflu·tid] (adj.) kanneleret, riflet; *~ moulding* hulkel.

fluting [ˈflu·tiŋ] fløjtespil; kannelering, kannelurer.

flutist [ˈflu·tist] (subst.) fløjtespiller.

I. **flutter** [ˈflʌtə] (vb.) blafre; flagre (fx. *leaves -ing to the ground)*; baske (fx. *the wings of the bird -ed)*; fare nervøst rundt (fx. *she -ed about the room)*; være nervøs el. ophidset, være i sindsbevægelse; skælve; (om hjerte) banke; sætte i bevægelse, få til at flagre; baske med (fx. *the bird -ed its wings)*; opskræmme; bringe i forvirring; *~ the dovecot(e)s*, se *dovecot(e)*; *~ girlish hearts* få pigehjerter til at banke.

II. **flutter** [ˈflʌtə] (subst.) flagren; basken (fx. *of wings)*; (om hjerte) banken; (tekn.) vibration; (om person) nervøsitet, uro, forvirring, befippelse, ophidselse; *be in a ~* være nervøs (el. befippet); være helt ude af flippen; *have a ~* S spekulere lidt (på børsen); spille lidt (på væddeløb etc.); *have a ~ of bridge* få et slag bridge.

fluvial [ˈflu·viəl], **fluviatic** [flu·viˈätik] flod-.

flux [flʌks] (subst.) flyden; flåd; strøm (af ord); flusmiddel, tilslag (ved støbning); (vb.) fremkalde en udtømmelse; rense; smelte, bringe til at flyde; *~ of words* ordstrøm; *~ and reflux* ebbe og flod; *be in a state of ~* stadig undergå forandringer; *~ of blood* blodgang. **fluxibility** [flʌksiˈbiliti] smeltelighed.

fluxible [ˈflʌksibl] smeltelig.

fluxion ['flʌkʃən] flyden; flåd; blodtilstrømning.

I. **fly** [flai] (vb.) *(flew, flown)* (se ogs. *flying)* flyve; vaje, lade vaje, føre (om flag); flagre; ~ *at* fare løs på; *he let* ~ *at me* han skød på mig; ~ *high* være ærgerrig, have højtflyvende planer; ~ *in the face of* fare løs på; trodse; ~ *in the face of Providence* udfordre skæbnen; ~ *in pieces* (om glas o.l.) splintres; ~ *into a passion* fare op, ryge i flint; ~ *a kite*, se *kite; make the feathers* (el. *dust)* ~ få bølgerne til at gå højt; *make the money* ~ lade pengene rulle; *it is getting late, I must* ~ klokken er mange, jeg må skynde mig af sted; ~ *off the handle* S blive hidsig, fare op, komme helt ud af flippen; ~ *off at a tangent*, se *tangent;* ~ *to arms* gribe til våben; ~ *to his arms* kaste sig i hans arme.

II. **fly** [flai] (vb.) *(fled, fled)* flygte.

III. **fly** [flai] (subst.) flue; svinghjul; flyvetur; (en) klap; (en) gylp; flig; (glds.) drosche; (se ogs. *flies); a* ~ *on the wheel* en, der overvurderer sin egen betydning; *break a* ~ *on the wheel* skyde spurve med kanoner; *he would not hurt a* ~ han gør ikke en kat fortræd; *a* ~ *in the ointment* et skår i glæden; en hage ved sagen; *he had left his* ~ *open* han havde glemt at knappe bukserne; *there are no flies on him* han er ikke så tosset; han er ikke tabt bag af en vogn.

IV. **fly** [flai] (adj.) fiffig, vågen, opvakt, dreven.

fly| ash(es) flyveaske. ~ **-away** (adj.) flygtig; flagrende. ~ **-blow** (subst.) spy; (vb.) lægge spy på, besudle. ~ **-blown** (adj.) belagt med spy; besudlet, (flue)plettet. ~ **-book** (lystfiskers) flueæske, flueetui. ~ **-by-night** S nattesværmer; en der stikker af (fx. fra sit logi) om natten uden at betale. ~ **-catcher** fluefanger; (zo.) fluesnapper. ~ **cop** (amr. S) detektiv.

flyer ['flaiə] flyver; flygtning; løbeseddel, reklameseddel; *flyers* svævende partikler i vin el. øl; grums.

fly|-fish (vb.) fiske med flue. ~ **-flap** fluesmækker. ~ **-front** gylp. ~ **honeysuckle** ♧ dunet gedeblad.

flying ['flaiiŋ] (adj.) flyvende, let, hurtig; flyve-, (subst.) flyvning, flugt.

flying| boat flyvebåd. ~ **-buttress** stræbebue. ~ **colours**, se I. *colour.* **Flying Dutchman** flyvende hollænder (spøgelsesskib). ~ **fish** (zo.) flyvefisk. ~ **fortress** flyvende fæstning. ~ **fox** flyvende hund. ~ **instructor** flyvelærer. ~ **-jib** ⚓ jager (sejl). ~ **machine** flyvemaskine. ~ **-man** flyver. ~ **officer** (gradsbetegnelse i flyvevåbnet svarende omtr. til) premierløjtnant. ~ **range** (flyvers) aktionsradius. ~ **saucer** flyvende tallerken. ~ **shot** skud på mål, der er i hurtig bevægelse. ~ **squad** udrykningskolonne; (politi:) rejsehold. ~ **-squirrel** (zo.) flyveegern. ~ **visit** fransk (ɔ: hastig) visit.

fly|-leaf forsatspapir. **-man** droschekusk; maskinmand (på teater). ~ **mushroom** fluesvamp. ~ **-over** overføring (over vej); forbiflyvning i formation. ~ **-paper** fluepapir. ~ **-paper memory** klæbehjerne. ~ **-past** forbiflyvning i formation. ~ **-sheet** løbeseddel; oversejl (på telt). ~ **-swatter** fluesmækker. ~ **-trap** fluefanger. **-weight** fluevægt. **-wheel** svinghjul.

F.M. fk. f. *Field Marshal; frequency modulation* frekvensmodulation.

F.M.S. fk. f. *Federated Malay States.*

F.O. fk. f. *Foreign Office.*

fo. fk. f. *folio.*

foal [foᵘl] føl; (vb.) fole, kaste føl; *in* (el. *with)* ~ drægtig.

foam [foᵘm] (subst.) skum, fråde; skumgummi; (vb.) skumme, fråde; *a* ~ *of lace* et brus af kniplinger; *he was -ing at the mouth* fråden stod ham om munden.

foam| extinguisher skumslukker. ~ **rubber** skumgummi.

foamy ['foᵘmi] skummende.

f.o.b. fk. f. *free on board.*

I. **fob** [fåb] lille lomme, urlomme.

II. **fob** [fåb]: ~ *off on* prakke på; ~ *sby. off with* spise én af med.

focal ['foᵘkəl] fokal, brændpunkt; ~ *distance* (el. *length)* brændvidde; ~ *point* brændpunkt.

focalize ['foᵘkəlaiz] (vb.) = II. *focus.*

foci ['foᵘsai] pl. af *focus.*

I. **focus** ['foᵘkəs] (subst.) (pl. *foci* el: *focuses)* brændpunkt; fokus; *out of* ~ (om fotografi) uskarpt (på grund af forkert afstandsindstilling).

II. **focus** ['foᵘkəs] (vb.) indstille (fx. ~ *the lens of a microscope);* bringe i fokus; samle; koncentrere; ~ *on* koncentrere sig om (fx. *my mind would not* ~ *on these things); he -ed his attention on the subject* han koncentrerede sin opmærksomhed om emnet.

focus adjuster indstiller (på kamera).

focusing-screen (fot.) matskive.

fodder ['fådə] (subst.) (grov)foder; (vb.) fodre.

foe [foᵘ] fjende. **foeman** ['foᵘmən] fjende.

foetal, foeticide, foetus se *fetal, feticide, fetus.*

I. **fog** [fåg] (subst.) tåge; (fot.) slør; (vb.) indhylle i tåge; blive indhyllet i tåge, dugge til; (fot.) sløre; forvirre, bringe i forlegenhed; *in a* ~ forvirret, i vildrede. II. **fog** [fåg] (subst.) efterslæt.

fog|-bank tågebanke. ~ **-bound** (om skib) forhindret i at sejle på grund af tåge.

fogey ['foᵘgi], *old* ~ gammel støder (el. stabejs).

foggy ['fågi] tåget; omtåget; (fot.) sløret; *I haven't the foggiest* det har jeg ikke den fjerneste anelse om.

fog|-horn tågehorn. ~ **-signal** tågesignal.

fogy ['foᵘgi] se *fogey.*

foh [foᵘ] fy!

foible ['foibl] (subst.) svaghed (i karakter), dårskab.

I. **foil** [foil] (subst.) folie (tyndt metalblad); spejlbelægning; (flatterende) baggrund; fært, spor (af vildt); fleuret (ɔ: kårde); *be a* ~ *to* tjene til at fremhæve; *tin* ~ sølvpapir.

II. **foil** [foil] (vb.) sløve, svække; torpurre (fx. *the attempt was -ed);* tilintetgøre, krydse (planer); narre; belægge (et spejl), foliere; overvinde, overtræffe; ~ *the scent* lede på vildspor.

foist [foist] (vb.) indsmugle; ~ *sth. on sby.* prakke en noget på (fx. ~ *worthless goods on a customer).*

I. **fold** [foᵘld] (subst.) ombøjning, fold; fals; (sammensætninger med talord, fx. *ninefold* nifold, nidobbelt).

II. **fold** [foᵘld] (vb.) folde, lægge sammen (hænderne, et brev osv.); ~ *one's arms* lægge armene overkors; ~ *one's arms about sby.'s neck* slå armene om halsen på en; ~ *down* ombøje; ~ *up* folde (el. lægge el. klappe) sammen; false; (uden objekt, fig.) knække sammen, kollabere, bryde sammen; gå rabundus, (måtte) lukke; ~ *sth. up in paper* pakke noget ind.

foldaway bed klapseng.

folder ['foᵘldə] (subst.) (bogb.) fals(e)ben; falsejern; falsemaskine; sammenfoldet tryksag; folder; mappe (til papirer).

folding ['foᵘldiŋ] sammenlægning; falsning.

folding| bed feltseng. ~ **boat** sammenfoldelig båd. ~ **camera** klapkamera. ~ **chair** feltstol, klapstol. ~ **door** fløjdør, dobbelt dør. ~ **machine** falsemaskine. ~ **stick** (bogb.) falsben. ~ **table** klapbord.

fold-up bed feltseng.

foliaceous [foᵘliˈeⁱʃəs] blad-, bladagtig.

foliage ['foᵘliidʒ] (subst.) bladhang, blade, løv; løvværk; (vb.) udsmykke med løvværk.

foliage green bladgrøn.

I. **foliate** ['foᵘlieⁱt] (vb.) foliere (ɔ: nummerere); udsmykke med bladornamenter.

II. **foliate** ['foᵘliit] (adj.) bladagtig, med blade.

foliation [foᵘliˈeⁱʃən] bladudvikling, bladdannelse; bladornament(ering); skifret struktur; udhamring til blade; foliering.

folio ['foᵘljoᵘ] folio; foliant; (vb.) foliere (ɔ: nummerere).

folious ['foᵘljəs] bladrig; bladagtig, tynd.

folk [foᵘk] folk, mennesker, godtfolk (ogs. *-s); little -s* børn; *my -s* min familie; *the old -s* de gamle (far og mor).

Folkestone ['foᵘkstən].

folklore ['foᵘklå·] folkemindeforskning, folklore, folkeminder; sagn, folketradition. **folklorist** ['foᵘklå·rist] folklorist, folkemindeforsker. **folkloristic** [foᵘklå·'ristik] folkloristisk.

folksy ['foᵘksi] (adj.) T hyggelig; (anstrengt) folkelig.

foll. fk. f. *following.*

follicle ['fålikl] bælgkapsel; follikel, kirtelblære; *hair* ~ hårsæk.

follow ['fåloᵘ] (vb.) følge, komme el. gå efter; (fig.) følge med i, forstå (fx. *I* ~ *your argument);* stræbe efter (fx. et mål); adlyde (fx. en fører); bekende sig til (fx. en lære); være en følge *(from* af); ~ *his advice* følge hans råd; *and to* ~*?* og bagefter? *as -s* som følger (fx. *his arguments are as -s);* ~ *the hounds* deltage i parforcejagt; *it -s that* heraf følger at; ~ *the law* være jurist; ~ *the medical profession* være læge; ~ *one's nose* gå lige efter næsen; ~ *out a plan* gennemføre en plan; ~ *the sea* være sømand; ~ *suit,* se II. *suit;* ~ *a trade* være håndværker, ~ *through* føre et slag til bunds; ~ *up* følge op; forfølge; ~ *up the victory* forfølge sejren, blive ved med at angribe for at gøre sejren fuldstændig.

follower ['fåloᵘə] følgesvend, ledsager; tilhænger, medløber; (tjenestepiges) kæreste, madkæreste.

following ['fåloᵘiŋ] (adj.) følgende; (subst.) følge; tilslutning; parti, tilhængere; (præp.) efter.

following wind medvind.

follow-my-leader (leg i hvilken de legende efterligner alle førerens bevægelser), 'Rolf og hans kæmper'.

follow-through eftersving (af ketsjer el. boldtræ).

follow-up| advertising påmindelsesreklame; follow-up reklame. ~ **examination** efterundersøgelse. ~ **letter** brev fra et firma for at opnå resultat af forudgående reklame; follow-up brev.

folly ['fåli] dårskab, dumhed.

foment [fo'ment] bade (med varmt vand); lægge varmt omslag på; opmuntre; nære, opelske, fremkalde, anstifte. **fomentation** [foᵘmən'teⁱʃən] behandling med varme pakninger; varmt omslag; opmuntring el. ophidselse (fx. til oprør).

fond [fånd] kærlig, øm; svag (i sin ømhed); eftergivende (fx. *father); a* ~ *hope* en dristig forhåbning; *be* ~ *of* holde af, være glad for, være indtaget i, være forelsket i; *grow* ~ *of* komme til at holde af, fatte kærlighed til.

fondle ['fåndl] kærtegne, kæle for.

fondling ['fåndliŋ] kælebarn, kæledægge.

fondly ['fåndli] (adv.) kærligt (fx. *she looked* ~ *at her child);* tåbeligt (fx. *she* ~ *imagined that ...).*

I. **font** [fånt] skriftsortiment, kasse med typer.

II. **font** [fånt] døbefont.

food [fu·d] føde, mad, næring; ernærings-; *articles of* ~ fødevarer; ~ *for powder* kanonføde; ~ *for reflection* stof til eftertanke; ~ *for worms* ormeføde.

food|-card ernæringskort. ~ **-office** rationeringskontor. **-stuffs** fødevarer. ~ **-value** næringsværdi.

I. **fool** [fu·l] (subst.) tosse, tåbe, fjols; nar, spasmager; *make a* ~ *of* holde for nar, gøre til nar, tage ved næsen; *make a* ~ *of oneself* gøre sig til grin; *go (, send) on a -'s errand* (få til at) løbe med limstangen; *All Fools' Day* 1. april; *April* ~ Aprilsnar; *no* ~ *like an old* ~ hvis en olding er en tåbe, er han det til gavns; *you'll be a* ~ *for your pains* du får intet ud af dine anstrengelser; *live in -'s paradise* leve i en indbildt lykkeverden; bilde sig ind at alt er såre godt.

II. **fool** [fu·l] (subst.) (slags) frugtgrød (fx. *gooseberry* ~*).*

III. **fool** [fu·l] (vb.) narre, bedrage (fx. *he -ed her out of her money);* fjase, pjatte, pjanke; lege (fx. *stop -ing with that gun);* ~ *about* fjolle rundt, daske omkring.

IV. **fool** [fu·l] (adj.) tåbelig, fjollet.

foolery ['fu·ləri] narrestreger, fjanteri.

foolhardiness ['fu·lha·dinės] dumdristighed.

foolhardy ['fu·lha·di] dumdristig.

fooling ['fu·liŋ] narrestreger, fjas.

foolish ['fu·liʃ] dum, tåbelig, naragtig, fjollet, latterlig; flov.

foolproof ['fu·lpru·f] (adj.) absolut sikker, idiotsikker.

foolscap ['fu·lzkäp] folioark.

fool's parsley ♧ hundepersille.

I. **foot** [fut] (subst., pl. *feet)* fod; fodende; fodfolk (fx. *a regiment of* ~*);* nederste del, fod (fx. *the* ~ *of a page);* sokkel, underlag; underlig (på sejl); (længdemål) 30,48 cm (omtr. = fod); (pl. *foots)* bundfald; *at* ~ forneden, nederst på siden; *have both feet on the ground* (fig.) have begge ben på jorden; *find one's feet* finde sig tilrette; *keep one's feet* blive stående; holde sig på benene; *my* ~*!* S vrøvl! ikke tale om! *carry sby. off his feet* vække ens begejstring, rive en med; *knock* (el. *throw) sby. off his feet* vælte én; *on* ~ til fods; *be on* ~ være i gang; være på benene; *be on one's feet* 'stå op; (fig.) være på benene igen; kunne klare sig, *fall on one's feet,* se I. *fall; get on one's feet* komme på benene; *get off on the wrong* ~ komme skævt ind på det fra starten; *put one's* ~ *down* slå i bordet, være (el. optræde) bestemt, sætte en stopper for det; *put one's best* ~ *forward* sætte det lange ben foran; *put one's* ~ *in it* træde i spinaten, brænde sig, komme galt af sted (med sine bemærkninger); *never set* ~ *in that house* aldrig sætte sine ben i det hus; *set on* ~ sætte i gang; *he helped her to her feet* han hjalp hende på benene; *she started to her feet* hun for (, sprang) op; *tread under* ~ træde under fod; *wet under* ~ vådt føre.

II. **foot** [fut] (vb.) forfødde; betræde, vandre hen ad, danse hen over (fx. *the floor),* danse; ~ *the bill* betale regningen, betale hvad det koster; (fig. ogs.) betale gildet; ~ *it* spadsere; danse; rejse til fods; ~ *up* sammentælle (fx. ~ *up an account);* ~ *up to* løbe op til, beløbe sig til.

footage ['futidʒ] længde (i fod).

foot|-and-mouth disease mund- og klovesyge. **-ball** fodbold; fodboldspil. **-baller** fodboldspiller. **-ball pools** (svarer til:) tipsselskab, tipstjeneste. ~ **-bath** fodbad. **-board** fodbræt, trinbræt. **-boy** page, dreng i liberi. **-brake** fodbremse. ~ **-bridge** gangbro.

footer ['futə] S fodbold(spiller).

foot|fall fodtrin. **-fault** (i tennis) fodfejl. **-gear** fodbeklædning. **-hills** udløbere (af bjerg). **-hold** fodfæste; *get a -hold* (fig.) få foden indenfor.

footing ['futiŋ] fodfæste; fodskifte; dans; nederste del; opsummering; forfødning; basis; *keep one's* ~ holde sig på benene; *on the same* ~ på lige fod; ligestillet; *on a friendly* ~ *with* på en venskabelig fod med; *obtain a* ~ *in society* vinde indpas i det bedre selskab.

footle [fu·tl] pjatte, pjanke; (subst.) pjat, pjank.

footlights rampe(lys).

footling ['fu·tliŋ] (adj.) ubetydelig, ringe; pjattet, fjollet.

foot|-loose (adj.) omstrejfende; fri og uafhængig. **-man** lakaj. **-mark** fodspor. **-muff** fodpose. **-pace** skridt(gang); *at a -pace* i skridtgang. **-pad** landevejsrøver, stimand. ~ **-path** gangsti. **-plate** dørk, gulv i lokomotiv. **-plate men** lokomotivfolk. **-print** fodspor. ~ **-pump** fodpumpe. ~ **-race** kapløb. ~ **-rope** ⚓ grundtov, underlig. ~ **-slogger** 'knoldesparker', 'fodtudse', infanterist; fodgænger. **-soldier** infanterist. **-sore** ømfodet. **-step** fodspor; *follow in sby.'s -steps* gå i ens fodspor. **-stool** fodskammel. **-way** fortov. **-wear** fodtøj.

foozle ['fu·zl] (vb.) kludre med; forkludre; (subst.) kludren.

fop [fåp] laps. **fopling** ['fåpliŋ] lille laps. **foppery** ['fåp(ə)ri] affektation. **foppish** ['fåpiʃ] affekteret; lapset.

for [(ubetonet) fə, (foran vokal) fər; (med eftertryk) få·, (foran vokal) får] for, thi; for, i stedet for; til bedste for, (til hjælp) mod (fx. *a remedy* ~ *rheumatism);* til (fx. *a letter* ~ *you;* ~ *sale; the reception was* *arranged* (fastsat) ~ *eight o'clock);* efter (fx. *run* ~ *help, telephone* ~ *a doctor);* som (fx. *the box served* ~ *a table; it was meant* ~ *a joke);* i (om tidsrum) (fx. *he stayed there* ~ *three years);* over en strækning af (fx. *there are curves* ~ *three miles);* af, på grund af (fx. ~ *fear of;* ~ *this reason;* ~ *want of; weep* ~ *joy);* om (fx. *cry* ~ *help; apply* ~ *a post);* til trods for, trods; i forhold til, af (... at være) (fx. *clever* ~ *his age; well written* ~ *a boy of his age* godt skrevet af en dreng på hans alder); *fine day* ~ *the time of year* smukt vejr efter årstiden; (forskellige eksempler): *he may stay here* ~ *all I care* for min skyld kan han godt blive her; lad ham bare blive her, jeg er da ligeglad; ~ *all I do* trods alt hvad jeg gør; ~ *all* (el. *aught* el. *anything) I know* så vidt jeg ved; *he may be here* ~ *all I know* jeg aner ikke hvor han er; ~ *all her scolding* hvor meget hun end skændte; ~ *all that* trods alt, alligevel; *if it had not been* ~ *him* hvis han ikke havde været; *he is* ~ *it* **S** han hænger på den; *leave* ~ *Newcastle* tage til N.; *member* ~ *L.* medlem (af underhuset) for L.; ~ *once (in a way)* for én gangs skyld; *once* ~ *all* én gang for alle; ~ *this once* for denne ene gang; *I* ~ *one* jeg for mit vedkommende; ~ *one thing* for det første; for eksempel; *there is a lot to be said* ~ *it* der er meget, der taler (til gunst) for det; *take* ~ opfatte som, anse for; ~ *years* i årevis.

(efter komparativ med *the*): *her eyes were the brighter* ~ *having wept* hendes øjne var blevet endnu klarere, fordi hun havde grædt; *he will be none the worse* ~ *it* han vil ikke have nogen skade af det;

(foran et ord, der er forbundet med infinitiv): ~ *him to do that would be the correct thing* det ville være rigtigt af ham at gøre det; *it is unnecessary* ~ *him to do it* det er unødvendigt at han gør det, han behøver ikke at gøre det; *it was too late* ~ *me to help* det var for sent til at jeg kunne hjælpe; *he halted his carriage* ~ *me to jump in* han standsede sin vogn, så at jeg kunne springe ind; *it's not* ~ *me to say* det tilkommer det ikke mig at sige; *I have brought the books* ~ *you to read* jeg har taget bøgerne med for at (el. så) du kan læse dem;

(foran en *-ing form); an instrument* ~ *cutting* et instrument til at skære med; *I am surprised at you* ~ *repeating it* jeg er forbavset over at du vil gentage det.

f.o.r. fk. f. *free on rail.*

forage ['fårid3] foder; furagere, skaffe foder; ~ *for* søge (el. lede) efter, støve rundt efter. **forage-cap** ⚔ kasernehue. **foraging** ['fårid3iŋ] furagering.

foramen [fo'reⁱmən] (pl. *foramina)* lille hul.

forasmuch as [fərəz'mʌtʃäz] eftersom.

foray ['fåreⁱ] (subst.) plyndringstogt; overfald, indfald; (vb.) foretage plyndringstogt, plyndre, overfalde, gøre indfald i.

forbade [fə'bäd, fə'beⁱd] imperf. af *forbid.*

forbear [få·'bæə] *(forbore, forborne)* lade være, undlade; afholde sig fra; have tålmodighed. **forbearance** [få·'bæərəns] tålmodighed, overbærenhed; mildhed; ~ *from doing sth.*, ~ *to do sth.*, undladelse af at gøre noget.

forbears ['få·bæəz] forfædre.

forbid [fə'bid] *(forbade, forbidden)* forbyde; hindre; bandlyse, forvise (fra); *God* ~ det forbyde Gud.

forbidden [fə'bidn] perf. part. af *forbid.*

forbidding [fə'bidiŋ] frastødende, truende.

forbore [få·'bå·] imperf. af *forbear.*

forborne [få·'bå·n] perf. part. af *forbear.*

I. **force** [få·s] (subst.) kraft, styrke; magt; tvang, nødvendighed; gyldighed; politistyrke; troppestyrke; kravmelding; (præcis) betydning, indhold (fx. *of a word); armed -s* væbnede styrker; *by* ~ *of* i kraft af; ved hjælp af; *by* ~ *of arms* med våbenmagt; *they attacked in* ~ de angreb med store styrker; *come in (full)* ~ møde talstærkt (el. fuldtalligt); *now in* ~ nugældende; *come into* ~ træde i kraft; *balance of -s* magtbalance; *the* ~ politiet.

II. **force** [få·s] (vb.) tvinge, nøde; tiltvinge sig (fx. *an entry* adgang); tage med magt, indtage med storm (fx. *a castle);* fremtvinge (fx. *a confession);* presse; drive; sprænge (fx. *a lock* en lås); anstrenge; forcere (fx. *the pace, a mountain pass, one's voice);* voldtage; fremdrive (frugter, blomster o.l.); (i kortspil) kravmelde; ~ *a door* bryde en dør op, sprænge en dør; ~ *from* fratvinge, fravriste; ~ *open* åbne med magt; ~ *upon* påtvinge, pånøde; ~ *sby.'s hand* tvinge en til at handle for tidligt; lægge pres på en.

forced [få·st] tvunget; forceret; anstrengt; tilkæmpet.

forced| draught kunstig ventilation. ~ **landing** nødlanding. **-ly** ['få·sidli] tvungent. ~ **march** ilmarch. ~ **sale** tvangssalg, tvangsauktion.

forceful ['få·sful] kraftig, energisk; stærk (fx. *personality);* virkningsfuld, overbevisende (fx. *argument).*

forcemeat ['få·smi·t] fars.

forceps ['få·seps] tang (især kirurgisk); *delivery by* ~ tangforløsning.

force-pump ['få·spʌmp] trykpumpe. **forcer** ['få·sə] en, der tvinger osv.; pumpestempel.

force-ripened drivhusmodnet.

forcible ['få·sibl] kraftig; virkningsfuld, overbevisende; gennemtvunget med magt, tvangs-; ~ *measure* tvangsforanstaltning.

forcibly med magt; *be* ~ *fed* blive tvangsfodret.

forcing|-bed mistbænk. ~ **-bid** (i bridge) kravmelding. ~ **-frame** mistbænk. ~ **-house** drivhus. ~ **-pump** trykpumpe.

ford [få·d] (subst.) vadested; (vb.) vade over.

fordable ['få·dəbl] som man kan vade over.

fordo [få·'du·] (glds.) *(fordid, fordone)* ødelægge; udmatte.

fore [få·] forrest; *to the* ~ forud; i forgrunden; *come to the* ~ vise sig, træde i forgrunden; blive berømt; ~ *and aft* ⚓ forude og agterude, fra for til agter, langskibs.

I. **forearm** ['få·ra·m] (subst.) underarm.

II. **forearm** [få·r'a·m] (vb.) forud væbne; *forewarned is forearmed* (omtrent:) når man blot ved besked kan man tage sine forholdsregler; (undertiden:) så ved man hvad man har at rette sig efter.

forebears = *forbears.*

forebode [få·'boᵘd] (vb.) varsle; ane.

foreboding [få·'boᵘdiŋ] varsel; forudanelse af noget ondt.

forebody ['få·bådi] ⚓ forskib.

I. **forecast** ['få·ka·st] (subst.) forudsigelse; prognose; *what's the weather* ~ *for to-day?* hvad er vejrudsigterne for i dag?

II. **fore|cast** [få·'ka·st] (vb.) *(-cast, -cast* el. regelmæssigt) forud beregne, forudsige, forudse.

fore|castle ['foᵘksl] ⚓ bak; folkelukaf. **-close** [få·'kloᵘz] hindre, standse; udelukke; prækludere; realisere. **-closure** [få·'kloᵘ3ə] udelukkelse; overtagelse af pant til eje, præklusion, realisation. **-court** ['få·kå·t] forgård.

fore|-deck ['få·dek] fordæk. **-doom** [få·'du·m] dømme (på forhånd); *the scheme was -doomed to failure* planen var på forhånd dødsdømt. **-father** forfader; *Forefathers' Day* årsdagen for *the Pilgrim Fathers'* landgang d. 21. dec. 1620.

fore|finger pegefinger. **-foot** forfod. **-front** forgrund; forreste linie; *in the -front of the battle* forrest i kampen.

forego [få·'goᵘ] se *forgo.* **foregoing** [få·'goᵘiŋ] føromtalt, forudgående. **foregone** [få·'gån] tidligere; på forhånd bestemt; *it was a* ~ *conclusion* det kunne man have sagt sig selv, det var en given sag.

foreground ['få·graund] forgrund.

forehand ['få·händ] (hestens) forpart, forkrop; (i tennis etc.) forhånd, forhåndsslag; ~ *stroke* forhåndsslag.

forehead ['fåréd] pande; (fig.) frækhed.

foreign ['fårin] fremmed, udenlandsk, udenrigs- (fx. *policy, trade);* uvedkommende; *Foreign Office* udenrigsministerium; *Foreign Secretary* el. *Secretary* *of State for Foreign Affairs* udenrigsminister; *the question is ~ to the matter in hand* spørgsmålet er den foreliggende sag uvedkommende; *a ~ body in the eye* et fremmedlegeme i øjet; *~ edition* udgave for udlandet.

foreigner ['fårinə] (subst.) fremmed, udlænding.

foreignism ['fårinizm] udenlandsk skik (el. sprogejendommelighed); fremmedord.

forejudge [få·'dʒʌdʒ] dømme forud.

foreknow [få·'noᵘ] vide forud.

foreknowledge [få·'nålidʒ] forudviden.

forel ['fårəl] (en slags) pergament.

foreland ['få·lənd] forbjerg, næs, pynt; kyststrækning, forland.

foreleg ['få·leg] forben.

forelock ['få·låk] forhår, pandehår; *take time by the ~* benytte tiden, gribe lejligheden, være om sig.

foreman ['få·mən] formand; *farm ~* forkarl; *~ compositor* faktor (i trykkeri).

foremast ['få·ma·st] ⚓ fokkemast.

foremost ['få·moᵘst] forrest; først; *first and ~* først og fremmest; *head ~* på hovedet, hovedkulds.

forenoon ['få·nu·n] formiddag.

forensic [fo'rensik] (adj.) juridisk, advokatorisk; *~ medicine* retsmedicin.

fore|ordain [få·rå·'deⁱn] (vb.) bestemme forud. **-ordainment** [få·rå·'deⁱnmənt] forudbestemmelse. **-ordinate** [få·r'å·dineⁱt] bestemme forud. **-ordination** [få·rå·di'neⁱʃən] forudbestemmelse. **-part** forreste del. **-runner** forløber; *-runners of spring* forårsbebudere. **-sail** ⚓ forsejl, fok.

fore|see [få·'si·] *(-saw, -seen)* forudse. **-seeable** til at forudse; *in the -seeable future* inden for en overskuelig fremtid. **-seer** seer. **-shadow** [få·'ʃädoᵘ] forudane, forud antyde, bebude. **-sheet** ['få·ʃi·t] ⚓ fokkeskøde. **-ship** ['få·ʃip] forskib. **-shore** ['få·ʃå·] forstrand. **-shorten** [få·'ʃå·tn] forkorte (perspektivisk). **-show** [få·'ʃoᵘ] forudsige, varsle. **-shroud** ⚓ fokkevant. **-sight** ['få·sait] forudseenhed, fremsyn, forsynlighed, forudviden; forsigtighed; ⚔ sigtekorn. **-sighted** forudseende, fremsynet. **-skin** forhud.

forest ['fårist] (subst.) (større) skov; kongeligt jagtdistrikt; (adj.) forst- (fx. *assistant, botany);* skov- (fx. *district, fire, tree);* (vb.) beplante med skov. **forestal** ['fåristəl] (adj.) forstlig.

forestall [få·'stå·l] komme i forkøbet (fx. *~ a competitor);* (glds.) optage i forvejen, opkøbe forud, drive forprang. **forestaller** en, som opkøber i forvejen el. driver forprang.

forestay ['få·steⁱ] ⚓ fokkestag.

forester ['fåristə] forstmand, skovbruger; skovarbejder; skovbeboer. **forest guard** skovløber. **forestry** ['fåristri] forstvæsen, skovbrug; skov, skovland; *master of ~* forstkandidat.

forest| stand skovbevoksning. **~ supervisor** skovrider.

I. **foretaste** ['få·teⁱst] (subst.) forsmag.

II. **fore|taste** [få·'teⁱst] (vb.) få en forsmag på. **-tell** [få·'tel] forudsige. **-thought** ['få·þå·t] fremsyn, betænksomhed, forudseenhed.

I. **foretoken** ['få·toᵘkn] (subst.) varsel.

II. **foretoken** [få·'toᵘkn] (vb.) varsle.

foretop ['få·tåp] fokkemærs, forremærs.

forever [fə'revə] for altid, for stedse, i al evighed.

fore|warn [få·'wå·n] advare; forudmeddele; (se ogs. II. *forearm).* **-word** ['få·wə·d] forord. **-yard** ['få·ja·d] ⚓ fokkerå.

forfeit ['få·fit] (subst.) genstand el. gods, der er forbrudt; bøde, mulkt; pant (i panteleg); (i pl. ogs.) panteleg; (adj.) hjemfalden, forspildt, forbrudt; (vb.) forbryde; forskertse, forspilde, tabe, miste (retten til); *~ one's credit* forspilde sit gode navn og rygte; *game of -s* panteleg; *pay the ~* give pant; betale bøden; *pay the ~ with one's life* bøde for det med livet.

forfeitable ['få·fitəbl] som kan fortabes. **forfeiture** ['få·fitʃə] fortabelse.

forgather [få·'gäðə] mødes, komme sammen.

forgave [fə'geⁱv] imperf. af *forgive.*

forge [få·dʒ] (subst.) esse; smedje; (vb.) smede; udtænke, lave, eftergøre, forfalske, skrive falsk; *~ ahead* arbejde sig fremad. **forger** ['få·dʒə] falskner, forfalsker. **forgery** ['få·dʒəri] efterskrivning; forfalskning; dokumentfalsk, falskneri; falsum.

forget [fə'get] *(forgot, forgotten* el. (amr.) *forgot)* glemme; ikke huske, ikke kunne komme i tanker om, ikke kunne komme på, have glemt (fx. *I ~ his name); ~ about* glemme; ikke tænke på; *~ it* (ofte =) å jeg be'r; *not -ting* ikke at forglemme; *~ oneself* forglemme sig; forløbe sig. **forgetful** [fə'getf(u)l] glemsom; efterladende; *~ of* glemmende, uden at tænke på. **forgetfulness** [-nės] glemsomhed; forglemmelse; forsømmelse. **forget-me-not** [fə'getminåt] ♧ forglemmigej.

for|give [fə'giv] *(-gave, -given)* tilgive, forlade; eftergive (gæld el. straf). **forgiven** [fə'givn] perf. part. af *forgive.* **forgiveness** [-nės] tilgivelse, forladelse; eftergivelse; tilbøjelighed el. villighed til at tilgive. **forgiving** tilgivende, eftergivende, forsonlig, barmhjertig.

forgo [få·'goᵘ]. *(forwent, forgone)* opgive, undvære, forsage, give afkald på; afholde sig fra.

forgot [fə'gåt] imperf. af *forget;* (amr.) perf. part. af *forget.*

forgotten [fə'gåtn] perf. part. af *forget.*

fork [få·k] (subst.) gaffel; fork; greb; høtyv; vejgaffel; skillevej; skridt (på legemet); gren, arm (fx. af en flod); tvege (af gren); stemmegaffel; (vb.) dele sig; forke; stikke op; grave med en greb; *~ out* punge ud, betale regningen; udlevere; *~ over* vende med en greb; *~ right (, left)* tage vejen til højre (, venstre). **forked** [få·kt] gaffelformet, grenet, forgrenet; kløftet; *~ lightning* siksaklyn.

fork-lift (truck) gaffeltruck. **forky** ['få·ki] (adj.) gaffelformet; forgrenet; kløftet.

forlorn [fə'lå·n] ulykkelig, hjælpeløs, fortvivlet; forladt (af guder og mennesker); *~ hope* håbløst foretagende; svagt håb; gruppe soldater som sættes på en meget farlig opgave, stormkolonne.

I. **form** [få·m] (subst.) form; skikkelse; system; metode, orden; formel; formular; blanket, skema; formalitet, skik og brug; bænk, skolebænk; klasse (i skole); (hares) leje; (typ.) form; høflighedsform, manér; *bad ~* stridende mod god tone; uhøflighed; *it is bad ~* det er uopdragent; *in due ~* på behørig vis, i tilbørlig form; *good ~* god tone; *be in good ~* være i god form; (fig.) være veloplagt; *a mere ~ of words* en blot og bar talemåde; *a matter of ~* en formssag; *as a matter of ~* rent formelt, proforma; *I don't know what the ~ is* jeg kender ikke formaliteterne; jeg ved ikke hvordan man skal forholde sig (el. hvad man gør).

II. **form** [få·m] (vb.) forme, danne; udgøre; ordne, opstille; indrette; udvikle; udkaste (en plan); (an-) tage form, dannes, forme sig, udvikle sig; stille sig op; ⚔ formere, formere sig; *~ a friendship with* slutte venskab med; *~ an idea of* danne sig et begreb om.

formal ['få·məl] (adj.) formel; i tilbørlig form, regelret; stiv, afmålt; udvortes, ydre (fx. *a ~ resemblance),* tilsyneladende, skin-; *~ call* formel visit, høflighedsvisit; *a ~ garden* en have i fransk stil.

formalism ['få·məlizm] formalisme.

formalist ['få·məlist] formalist.

formality [få·'mäliti] formel korrekthed; formalitet, form; formfuldhed, højtidelighed; stivhed.

format ['få·mät, 'få·ma·] format.

formation [få·'meⁱʃən] dannelse, formation.

formative ['få·mətiv] bøjnings- el. afledningspræfiks el. -suffiks; dannende, plastisk; udviklings- (fx. *~ stage).*

forme [få·m] (typ.) form.

I. **former** ['få·mə] (subst.) (ud)former; skaber.

II. **former** ['få·mə] (adj.) foregående, forrige, tidligere; forhenværende; *the ~* førstnævnte, den første; *he looks more like his ~ self* han er begyndt at ligne sig selv igen; *in ~ time* i tidligere tid, i gamle dage.

formerly ['få·məli] forhen, tidligere, fordum.

formic ['få·mik] myre-; ~ *acid* myresyre. **formicary** ['få·mikəri] myretue. **formication** [få·mi'keⁱʃən] myrekryben (i huden).

formidable ['få·midəbl] frygtelig; frygtindgydende, formidabel, drabelig.

formless ['få·mlės] formløs; uformelig.

form-master ['få·mma·stə] klasselærer.

formula ['få·mjulə] (pl. *-s* el. *formulæ* [-li·]) formel, formular. **formulary** ['få·mjuləri] formular; formularbog. **formulate** ['få·mjuleⁱt] formulere. **formulation** [få·mju'leⁱʃən] formulering.

fornicate ['få·nikeⁱt] bedrive utugt (el. hor). **fornication** [få·ni'keⁱʃən] utugt, hor. **fornicator** ['få·nikeⁱtə] utugtig person. **fornicatress** ['få·nikeⁱtris] utugtig kvinde, horkvinde.

forrader ['fårədə]: *I can't get any* ~ jeg kan ikke komme videre.

forrel ['fårəl] (en slags) pergament.

forsake [fə'seⁱk] *(forsook, forsaken)* svigte; forlade (fx. ~ *one's wife and children);* opgive (fx. ~ *one's bad habits).*

forsaken [fə'seⁱkn] perf. part. af *forsake.*

forsook [fə'suk] imperf. af *forsake.*

forsooth [fə'su·þ] i sandhed, tilvisse.

forswear [få·'swæə] *(forswore, forsworn)* forsværge, afsværge (fx. ~ *smoking);* ~ *oneself* sværge falsk.

forswore [få·'swå·] imperf. af *forswear.*

forsworn [få·'swå·n] perf. part. af *forswear.*

forsythia [få·'saiþiə] ♧ forsythia.

fort [få·t] fort, fæstning, borg; (amr.) handelsstation; *hold the* ~ (fig.) holde stillingen; passe de løbende forretninger.

fortalice ['få·təlis] udenværk, lille fort.

I. **forte** [få·t] styrke, stærk side, force.

II. **forte** ['få·ti] (i musik) forte.

forth [få·þ] frem, fremad; videre; ud; *back and* ~ frem og tilbage; *from this time* ~ fra nu af; *and so* ~ og så videre; *bring* ~ *young* yngle; *put* ~ *leaves* sætte blade.

forthcoming [få·þ'kʌmiŋ] på rede hånd, ved hånden; til stede; forestående; forekommende, imødekommende; *be* ~ (ogs.) foreligge; *the money was not* ~ pengene kom (el. viste sig) ikke.

forthright ['få·þrait] ligefrem; oprigtig; øjeblikkelig; straks.

forthwith [få·þ'wiþ, -ð] straks, uopholdelig.

fortieth ['få·tiiþ] fyrretyvende(del).

fortifiable ['få·tifaiəbl] som kan befæstes.

fortification [få·tifi'keⁱʃən] befæstning, fæstningsværk; befæstningskunst; forstærkning; forskæring (af vin).

fortify ['få·tifai] (vb.) styrke, forstærke, befæste; forskære (vin).

fortitude ['få·titju·d] mod; sjælsstyrke.

fortnight ['få·tnait] fjorten dage; *every* ~ hver fjortende dag; *this* ~ de sidste fjorten dage; *this day* ~ i dag fjorten dage; i dag for fjorten dage siden.

fortnightly fjortendags-; hver fjortende dag.

fortress ['få·tris] fæstning.

fortuitous [få·'tju·itəs] tilfældig.

fortuity [få·'tju·iti] tilfældighed.

fortunate ['få·tʃənėt] lykkelig; heldig *(in* med). **fortunately** lykkeligvis, heldigvis.

I. **fortune** ['få·tʃən] skæbne, lod; lykke; formue; medgift; *by good* ~ til alt held; *make a* ~ blive rig; tjene en formue; *a man of* ~ en formuende mand; *marry a* ~ gifte sig en formue til; *it was more by* ~ *than by design* det var snarere lykken end forstanden; *seek one's* ~ søge lykken; *he spent a small* ~ *on it* han ofrede en lille formue på det; *tell -s* spå.

II. **Fortune** ['få·tju·n] Fortuna (lykkegudinden).

fortune|-hunter en der søger at blive rigt gift, lykkejæger. ~ **-teller** spåmand, spåkone.

forty ['få·ti] fyrre; *the forties* fyrrerne; *the roaring forties* det stormfulde bælte af Atlanterhavet mellem 39. og 50. nordlige (el. sydlige) bredde.

forty|-niner (amr.) guldgraver, som var med i Californien i 1849. ~ **winks**: *take* ~ *winks* tage sig en på øjet (et lille blund).

forum ['få·rəm] forum.

I. **forward** ['få·wəd] (adv.) fremad, videre; forlæns; forover; forud(e) i skibet; forrest, fremme (fx. *we don't want the seats too far* ~); *be* ~ være i gære; *bring* ~, se *bring; carried* (el. *brought)* ~ overført; transport (i bogføring); *come* ~ melde sig, tilbyde sig; *date* ~ post-datere (forsyne m. en senere dato); *I can't get any -er* jeg kan ikke komme videre; *look* ~ se fremad, tænke på fremtiden; *look* ~ *to* vente, se frem til; glæde sig til; *put* ~ fremsætte; *put oneself* ~ gøre sig gældende, være på tæerne; *straight* ~ lige ud; *from this time* ~ fra nu af, fremover.

II. **forward** ['få·wəd] (adj.) forrest; fremrykket; tidlig (fx. *a* ~ *spring);* vel udviklet; fremmelig; imødekommende, ivrig, fræk, pågående; fremtrædende.

III. **forward** ['få·wəd] (subst.) forward; *-s* angrebskæde (i fodbold).

IV. **forward** ['få·wəd] (vb.) sende, forsende, befordre, ekspedere, fremsende; eftersende; fremskynde, fremme; begunstige, opmuntre; *to be -ed* el. *please* ~ bedes eftersendt.

forward buying køb til senere levering.

forwarder ['få·wədə], **forwarding agent** speditør.

forwardness ['få·wədnės] tidlig modenhed, tidlig udvikling; beredvillighed, iver; næsvished, pågåenhed.

forwards ['få·wədz] fremad; *backwards and* ~ frem og tilbage; (se ogs. I. *forward).*

fosse [fås] voldgrav.

fossil ['fåsil] (adj.) fossil; forstenet; (subst.) fossil, forstening; (fig. omtr. =) oldtidslevning.

fossiliferous [fåsi'lifərəs] som indeholder fossiler.

fossilization [fåsilai'zeⁱʃən] forstening.

fossilize ['fåsilaiz] forstene(s); (fig.) forbene(s), stivne.

fossorial [få'så·riəl] (zo.) gravende, grave-.

foster ['fåstə] (vb.) opfostre, pleje, nære; begunstige; fremme, støtte (fx. *foreign trade).*

foster- foster-, pleje- (fx. *brother, father, sister).*

fosterage ['fåstəridʒ] (subst.) opfostring; fremme, støtte; begunstigelse.

foster-child plejebarn.

fosterer ['fåstərə] plejefader, plejemoder.

foster|-home plejehjem (hos plejeforældre). ~ **-mother** fostermoder, plejemoder; rugemaskine.

F.O.T. fk. f. *free on truck.*

fougasse [fu·'gās] ⚔ fladdermine.

fought [få·t] imperf. og perf. part. af *fight.*

I. **foul** [faul] (subst.) (i sport) ureglementeret spil (, slag, stød).

II. **foul** [faul] (vb.) tilsmudse, besudle (fx. *it is an ill bird that -s its own nest);* forpeste (fx. *the air);* tilsode; plumre; tilstoppe; tilgro; være i vejen for; bringe i uorden; indvikle; hindre; blive smudsig el. plumret; blive indviklet; ⚓ kollidere med, rage uklar af.

III. **foul** [faul] (adj.) skiden, modbydelig, stinkende; rådden, fordærvet; (fig. ogs.) ryggesløs, slet, ond, uærlig, falsk, svinsk, sjofel; mudret, plumret, tilstoppet, (om skorsten) tilsodet, (om kyst) farlig; (om have) overgroet med ukrudt; (ogs. om mave) i uorden; (i sport) ureglementeret; (om vejr) dårlig, modbydelig; (især ⚓) uklar (fx. *anchor, fishing line),* (om vind, strøm) kontrær, ugunstig; *fall* ~ *of* ⚓ løbe på (el. mod), kollidere med, rage uklar af; (fig.) rage uklar med; komme i klammeri (el. konflikt) med; *by fair means or* ~ med det gode eller med det onde; *run* ~ *of* = *fall* ~ *of; through fair and (through)* ~ gennem tykt og tyndt.

foul| air dårlig luft. ~ **bottom** ⚓ begroet bund. ~ **breath** dårlig ånde. ~ **brood** bipest. ~ **-mouthed** grov i munden, plump. ~ **pipe** sur pibe. ~ **play**

uærligt spil, forræderi; forbrydelse. ~ **-spoken,** ~ **-tongued** grov i munden, plump.

foumart ['fu·ma·t] (zo.) ilder.

I. **found** [faund] imperf. og perf. part. af *find; and all* ~ med fri station.

II. **found** [faund] (vb.) grundlægge; grunde; oprette, stifte; bygge; indrette; *his theory was -ed on fact* hans teori byggede (el. var baseret) på kendsgerninger; *be badly -ed* være dårligt underbygget, stå svagt; *a well -ed argument* et velunderbygget argument.

III. **found** [faund] (vb.) støbe, smelte.

foundation [faun'deⁱʃən] grundlæggelse, fundamentering; grund, fundament; oprettelse, stiftelse; dotation; stipendium; anstalt, stiftelse; fond; (se ogs. ~ *garment*); *lay the -(s) of* (fig.) lægge grunden til; *it has no* ~ *in fact* det har intet på sig; *be on the* ~ være stipendiat; *shake to its (very) -s* ryste i sin grundvold; *the rumour is entirely without* ~ rygtet savner ethvert grundlag. **foundationer** [faun'deⁱʃənə] stipendiat; gratist.

foundation garment hofteholder, korselet, korset.

foundation|less [faun'deⁱʃənlės] (adj.) grundløs. ~ **school** legatskole. ~ **stone** grundsten.

I. **founder** ['faundə] (subst.) grundlægger, stifter; støber; forfangenhed (en hestesygdom); *-'s share* stamaktie, stifteraktie.

II. **founder** ['faundə] (vb.) synke, gå til bunds; være uheldig, mislykkes; (om hest) skamride, styrte af udmattelse, blive hængende i en mose o.l.

foundling ['faundliŋ] hittebarn.

foundress ['faundrės] stifterinde.

foundry ['faundri] støberi; støberiarbejde.

fount [faunt] (subst.) kilde, væld; (typ.) skriftsortiment.

fountain ['fauntin] springvand; (fig.) kilde, oprindelse.

fountain-head kildevæld; oprindelse, ophav.

fountain-pen fyldepen.

four [få·] fire; firtal; fireåret båd; *-s* (ogs.) kaproning med fireårede både; *by -s* fire og fire; *on all -s* på alle fire (ɔ: på hænder og knæ); *the simile is not on all -s* sammenligningen halter; *a coach and* ~ en firspænder; *within the* ~ *seas* ɔ: i Storbritannien.

four|-flusher ['få·flʌʃə] (amr. S) pralhals, bluffmager. **-fold** firefold, firedobbelt. ~ **-handed** firhændet; firhændig (i musik); (om kortspil) firemands. ~ **hundred**: *the* ~ *Hundred* (amr.) de fornemme, de finere kredse. ~ **-in-hand** med fire heste; firspand; vogn med fire heste for; (amr.) bindeslips. ~ **-leafed clover** ♧ firkløver. **-legged** ['få·legd] firbenet. ~ **-letter word** uartigt ord. ~ **-part** firstemmig. ~ **-poster** himmelseng. **-score** fire snese, firsindstyve. ~ **-seater** firepersoners bil.

foursome ['få·səm] spil mellem to par (i golf); **T** selskab på fire personer.

four|square firkantet; (fig.) fast, urokkelig, standhaftig. ~ **-stroke engine** firetaktsmotor.

fourteen ['få·'ti·n] fjorten. **fourteenth** ['få·'ti·nþ] fjortende; fjortendedel.

fourth [få·þ] fjerde; fjerdedel, kvart; fjerdemand; *the* ~ *estate* (ɔ: pressen). **fourthly** ['få·þli] for det fjerde. **four-wheeler** ['få·'wi·lə] firhjulet drosche.

fowl [faul] (subst.) høne, hane, stykke fjerkræ; (glds.) fugl; (vb.) (glds.) drive fuglefangst, drive fuglejagt. **fowler** ['faulə] fuglefænger, fuglejæger. **fowling-piece** ['fauliŋpi·s] haglbøsse (til fuglejagt).

fox [fåks] (subst.) ræv; (fig.) ræv, snu person; (vb.) snyde, narre, forvirre, spille komedie; (om øl) blive surt under gæringen; (se ogs. *foxed); sly* ~ lurendrejer.

fox|-brush rævehale, lunte. ~ **-earth** rævehule.

foxed [fåkst] (adj.) (om papir) (fugt)plettet, (brun-)skjoldet, jordslået.

fox|-glove ♧ fingerbøl. **-hole** ⚔ skyttehul. **-hound** foxhound, engelsk rævehund. ~ **-hunt** rævejagt; gå på rævejagt. ~ **-marked** = *foxed*. **-tail (grass)** ♧ rævehale. ~ **-terrier** foxterrier. **-trot** foxtrot.

foxy ['fåksi] ræveagtig, ræve-; snedig, lumsk; rødlig, rødbrun; rødhåret; ramtlugtende; sur.

foyer ['foieⁱ] foyer; (amr.) entré.

f.p. fk. f. *fire-plug* brandhane; *flash-point* antændelsestemperatur.

f.p.a. fk. f. *free of particular average.*

F.Phys.S. fk. f. *Fellow of the Physical Society.*

F.P.S. fk. f. *Fellow of the Philharmonic* (el. *Philological* el. *Philosophical) Society.*

Fr. fk. f. *Father, France, French, Friar.*

fr. fk. f. *franc(s).*

fracas ['fräka·, (amr.) 'freⁱkəs] skænderi, stormende optrin, sammenstød.

fraction ['fräkʃən] brøk; brøkdel, smule; *he did not swerve from his principles by a* ~ han veg ikke en hårsbred fra sine principper.

fractional ['fräkʃənəl] brøk-; ubetydelig; ~ *distillation* fraktioneret destillation.

fractionate ['fräkʃəneⁱt] (vb.) fraktionere; opdele i mindre enheder.

fractious ['fräkʃəs] gnaven, vanskelig.

fracture ['fräktʃə] (subst.) brud; (vb.) brække; *compound* ~ åbent brud; ~ *of the skull* kraniebrud.

fraenum ['fri·nəm] (anat.) ligament, bånd, tungebånd.

fragile ['frädʒail, (amr.) 'frädʒəl] (adj.) skør; skrøbelig.

fragility [frə'dʒiliti] skørhed, skrøbelighed.

I. **fragment** ['frägmənt] (subst.) fragment, brudstykke, stump.

II. **fragment** ['frägment] (vb.) slå i stykker, bryde, dele op; gå i stykker.

fragmental [fräg'mentəl], **fragmentary** ['frägməntəri] fragmentarisk; brudstykkeagtig.

fragrance ['freⁱgrəns] duft, vellugt.

fragrant ['freⁱgrənt] duftende, vellugtende.

I. **frail** [freⁱl] svag, skrøbelig; svagelig (fx. *child).*

II. **frail** [freⁱl] sivkurv (til figener, rosiner o.l.).

frailty ['freⁱlti] svaghed, skrøbelighed.

F.R.A.M. fk. f. *Fellow of the Royal Academy of Music.*

I. **frame** [freⁱm] (subst.) ramme, karm, gerigt, indfatning (for dør etc.); (i skib) spant; stativ, stillads, (under)stel, chassis; form, skikkelse; legeme; legemsbygning; bygning; mistbænk; indretning, system; (i fjernsyn) delbillede, (amr.) totalbillede; (i film) enkelt billede; ~ *of mind* sindsstemning; ~ *of an umbrella* paraplystel.

II. **frame** [freⁱm] (vb.) indramme; forme, danne, bygge; indrette, lave; udtænke, udkaste, udforme, opfinde; tilpasse; udvikle sig, arte sig; ~ *up* **S** henlede (uberettiget) mistanke på, mistænkeliggøre; ~ *an estimate* gøre et overslag; *his lips could hardly* ~ *the words* han kunne næsten ikke få ordene frem.

frame aerial rammeantenne.

frame|-house træhus. ~ **-saw** stillingssav.

frame-up ['freⁱm'ʌp] **S** aftalt spil, sammensværgelse.

framework ['freⁱmwə·k] skelet; (fig.) struktur (fx. *the* ~ *of society);* ramme.

framing ['freⁱmiŋ] bygning; formning osv. (se *frame);* ramme, rammeværk; (fot.) billedbegrænsning.

franc [fräŋk] franc (mønt).

France [fra·ns] Frankrig.

Frances ['fra·nsis] (kvindeligt fornavn).

franchise ['fräntʃaiz] frihed, rettighed, privilegium; fribrev; valgret, stemmeret; (amr. ogs.) koncession *(for* på, fx. *a bus service).*

Francis ['fra·nsis] (mandligt fornavn).

Franciscan [frän'siskən] (subst.) franciskaner (munk); (adj.) franciskansk.

Franco-German ['fräŋkoᵘ'dʒə·mən] fransk-tysk.

francolin ['fräŋkəlin] (subst., zo.) frankolin.

Franconia [fräŋ'koᵘnjə] Franken.

frangibility [frändʒi'biliti] skrøbelighed, skørhed.
frangible ['frändʒibl] skrøbelig, skør.
frangipane, frangipani ['frändʒi'päni, -'pa·ni] jasminparfume; (slags) mandelkage.
I. **Frank** [fräŋk] franker; Frank (navn).
II. **frank** [fräŋk] (subst.) påskrift der i gamle dage attesterede et brevs portofrihed; brev med en sådan påskrift.
III. **frank** [fräŋk] (vb.) frankere; (glds.) attestere (et brev) som portofrit.
IV. **frank** [fräŋk] (adj.) oprigtig (fx. *make a ~ confession)*; åben; åbenhjertig; frimodig (fx. *a ~ look)*; *~ ignorance* uvidenhed man åbent vedkender sig; *~ poverty* usminket fattigdom.
Frankfort ['fräŋkfət] Frankfurt. **frankfort sausage, frankfurt, frankfurter** ['fräŋkfətə] bajersk pølse.
frankincense ['fräŋkinsens] virak, røgelse.
Frankish ['fräŋkiʃ] frankisk.
frankly ['fräŋkli] (adv.) rent ud sagt, ærlig talt.
frantic ['fräntik] afsindig, vanvittig, rasende.
frantically ['fräntikəli] (adv.) afsindigt, vanvittigt.
frap [fräp] ⚓ surre, sejse.
frappé [frä'peⁱ] (amr.) isafkølet (drik).
F.R.A.S. fk. f. *Fellow of the Royal Astronomical Society.*
frass [fräs] larveekskrement, ormemel.
frat [frät] S fraternisere.
fraternal [frə'tə·nəl] broderlig (fx. *~ love)*, broder-, kollegial; *~ twins* toæggede tvillinger. **fraternity** [frə'tə·niti] broderskab; broderlighed; brodersamfund; (amr.) studenterforening. **fraternization** [frätənai'zeⁱʃən] fraterniseren; broderlighed, broderligt forhold. **fraternize** ['frätənaiz] omgås som brødre, fraternisere; nære broderlige følelser.
fratricide ['freⁱtrisaid] brodermord; brodermorder.
fraud [frå·d] svig, bedrageri; bedrager, svindler; *pious ~* fromt bedrag.
fraudless ['frå·dlės] (adj.) uden svig.
fraudulence ['frå·djuləns] svigagtighed.
fraudulent ['frå·djulənt] svigagtig.
fraught [frå·t] fyldt, svanger *(with* af, med); *~ with danger* som rummer stor fare, yderst farefuld.
I. **fray** [freⁱ] (subst.) slagsmål, kamp; *eager for the ~* kamplysten.
II. **fray** [freⁱ] (vb.) gnide; slide tynd; gnides; gnide sig; flosse; (subst.) tyndslidt sted, frynse (af slid); *be -ed* (ogs.) hænge i frynser; *-ed cuffs* flossede manchetter; *-ed nerves* tyndslidte nerver.
frazzle ['fräzl] flosse, rive i pjalter, blive flosset, pjaltet; udmatte; *beat to a ~* slå sønder og sammen; *worn to a ~* slidt i laser; (fig.) segnefærdig, udkørt.
F.R.B.S. fk. f. *Fellow of the Royal Botanic Society.*
F.R.C.P. fk. f. *Fellow of the Royal College of Physicians.*
F.R.C.S. fk. f. *Fellow of the Royal College of Surgeons.*
freak [fri·k] grille, lune; vanskabning, original (fx. *a long-haired ~)*; kuriositet; (adj.) abnorm, usædvanlig.
freakish ['fri·kiʃ] sær, besynderlig; lunefuld.
freckle ['frekl] (subst.) fregne; (vb.) blive fregnet.
freckled ['frekld] fregnet.
freckly ['frekli] fregnet; plettet.
Frederic(k), Frederik ['fredrik].
I. **free** [fri·] (vb.) befri, frigøre; ⚓ lense.
II. **free** [fri·] (adj.) fri *(from, of* for); uafhængig, selvstændig; ledig; løs; utvungen, tvangfri; familiær; oprigtig, åben; dristig, hensynsløs, uforskammet; tøjlesløs; offentlig, tilgængelig for alle; gratis (fx. *get in ~)*; toldfri; skattefri; gavmild, rundhåndet; rigelig; ⚓ lens; *~ and easy* utvungen, frejdig, ugenert, familiær; ukonventionel; tvangfri sammenkomst; *~ as air* fri som fuglen i luften, frank og fri; *give sby. (, have) a ~ hand* give én (, have) frie hænder (til at handle efter skøn); *~ of* fri for; fritaget for; *~ of debt* gældfri; *~ of duty* toldfri; *be ~ of* (ogs.) have fri adgang til; *we are not ~ of the harbour yet* vi er ikke klar af havnen endnu; *make sby. ~ of* give en fri adgang til; *make sby. ~ of a city* give en borgerret; gøre en til æresborger; *make sby. ~ of my house* lade en komme og gå i mit hjem som han vil; *~ on board* frit om bord; *~ on truck* frit på banevogn; *set ~* befri, løslade; *he is ~ to do so* det står ham frit for at gøre det; *make ~ use of sth.* benytte sig af noget i stor udstrækning; *make ~ with sth.* skalte og valte med noget; tage sig friheder med noget; forgribe sig på noget; blande sig i noget; *make ~ with sby.* tage sig friheder over for en.
free|board ['fri·bå·d] ⚓ fribord, dækshøjde. **-booter** fribytter. **-booting** fribytteri. **-born** (adj.) fribåren.
Free Church frikirke.
freedman ['fri·dmän] frigiven (slave).
freedom ['fri·dəm] frihed; rettighed, forrettighed, privilegium; utvungenhed; for stor fortrolighed; dristighed, hensynsløshed; lethed, færdighed; *~ of a city* borgerret; værdighed som æresborger; *he has the ~ of the library* han kan frit benytte biblioteket; *the four -s* de fire frihedsgoder (frihed for mangel og frygt, talefrihed og religionsfrihed); *take -s with* tage sig friheder over for.
freedom fighter frihedskæmper.
free enterprise det private initiativ.
free fight, free-for-all T almindeligt håndgemæng, almindeligt slagsmål.
free|-hand ['fri·händ] frihånds-; *~ -hand drawing* frihåndstegning. ~ **-handed** rundhåndet, gavmild. ~ **-hearted** åbenhjertig; ædelmodig. **-hold** selvejendom. ~ **-kick** frispark (i fodbold). ~ **labour** uorganiseret arbejdskraft. ~ **-lance** (i middelalderen) lejesoldat; (i moderne politik) løsgænger; free-lance journalist. ~ **list** friliste. ~ **liver** bonvivant, levemand.
freely ['fri·li] frit (etc., se II. *free)*; *live too ~* leve for flot; *he availed himself ~ of the permission* han benyttede sig i udstrakt grad af tilladelsen.
free|man ['fri·mən] fri mand; (fuldberettiget) borger. **-mason** ['fri·meⁱsən] frimurer. **-masonry** frimureri. ~ **port** frihavn. ~ **speech** ytringsfrihed. ~ **-spoken** åbenhjertig, fri i sin tale. **-stone** letbearbejdelig (kalk- el. sand)sten. ~ **-thinker** fritænker. ~ **-thinking** fritænkerisk; fritænkeri. ~ **thought** fritænkeri. ~ **trade** frihandel; *~ trade area* frihandelsområde. ~ **trader** frihandelsmand. ~ **-wheel** (subst.) frihjul; (vb.) køre på frihjul.
freeze [fri·z] *(froze, frozen)* fryse; stivne (af kulde); være (, blive) iskold; nedfryse; få til at fryse; bedøve ved hjælp af kulde; indefryse, spærre (tilgodehavende); (subst.) stop, stabilisering (fx. *wage ~)*; *~ one's blood* få ens blod til at isne; *~ on to* S hage sig fast i; *~ sby. out* fryse én ud; *~ over* fryse til; *~ to death* fryse ihjel.
freezer ['fri·zə] fryseapparat, ismaskine, fryseboks.
freezing ['fri·ziŋ] (adj.) iskold.
freezing| mixture kuldeblanding, fryseblanding. ~ **plant** fryseanlæg. ~ **-point** frysepunkt. ~ **-storage** opbevaring i kølehus.
freight [freⁱt] (subst.) fragt; ladning, gods; fragtpenge; befragtning; (vb.) laste, fragte. **freightage** ['freⁱtidʒ] fragt; befragtning. **freight-car** (amr.) godsvogn. **freighter** ['freⁱtə] befragter, fragtmand; fragtdamper; transportflyvemaskine.
freight train (amr.) godstog.
French [frenʃ] fransk (subst. og adj.); *the ~* franskmændene.
French chalk skrædderkridt.
french door fransk dør.
French horn valdhorn.
Frenchification [frenʃifi'keⁱʃən] forfranskning.
Frenchify ['frenʃifai] forfranske; danne efter fransk mønster.
French| leave: *take ~ leave* forsvinde i stilhed; stikke af uden at tage afsked. ~ **letter** kondom, fransk

artikel. -**man** franskmand. ~ **polish** møbelpolitur. ~ **roll** langt franskbrød. ~ **roof** mansardtag. ~ **rose** ♧ eddikerose. ~ **window** glasdør (ud til have el. altan). -**woman** fransk kvinde.

frenetic [fri'netik] = *frenzied.*

frenum ['fri·nəm] (anat.) ligament, bånd; tungebånd.

frenzied ['frenzid] drevet til vanvid, afsindig, rasende, vild. **frenzy** ['frenzi] vanvid, raseri, afsindighed.

frequency ['fri·kwənsi] hyppighed; frekvens. **frequency modulation** frekvensmodulation.

I. **frequent** ['fri·kwənt] (adj.) hyppig.

II. **frequent** [fri'kwent] (vb.) besøge, søge (hyppigt), holde til i (, på), frekventere.

frequentation [fri·kwən'teiʃən] hyppigt gentagne besøg.

frequentative [fri'kwentətiv] frekventativ.

frequently ['fri·kwəntli] (adv.) tit, hyppigt.

fresco ['freskou] (subst.) maling på våd kalk, freskomaleri; (vb.) male al fresco; *paint in* ~ (el. *al* ~) male al fresco.

fresh [freʃ] (adj.) frisk; ny; sund, blomstrende; ungdommelig, uerfaren, 'grøn'; livlig; fersk; (amr. S) påtrængende, fræk; (subst.) bæk; oversvømmelse, højvande; *as* ~ *as a daisy, as* ~ *as paint* frisk, kvik, livlig; *begin a* ~ *chapter* begynde et nyt kapitel; ~ *from* som lige er kommet fra; ~ *from school* lige fra skolebænken; *break* ~ *ground* bryde nye baner; ~ *meat* frisk el. fersk kød; ~ *paint* våd maling, (på skilt) nymalet. **fresh breeze** kuling.

freshen ['freʃən] friske op, stramme op; gøre fersk; udvande; blive frisk; blive fersk.

fresher ['freʃə] S rus (første års student).

freshet ['freʃit] pludselig oversvømmelse; bæk, å.

freshly ['freʃli] frisk; ~ *painted* nymalet.

freshman ['freʃmən] rus (første års student).

freshwater ['freʃwå·tə] ferskvand.

fret [fret] (vb.) ærgre, gøre vred, gøre bekymret; æde op, tære på, gnave på; gnide i stykker; ærgre sig, være vred, være bekymret; tæres; gnides, slides; æde sig ind i; (om barn) klynke; (om vand) kruse (sig), sætte(s) i bevægelse; (subst.) gniden, tæren; et hudløst sted; udslæt; à la grecque-ornament; krusning; opbrusen; ærgrelse, bekymring, uro, irritation; ~ *for* længes utålmodigt efter; ~ *and fume* være ærgerlig, nervøs, bekymret; *fretting* (ogs.) irritabel.

fretful ['fretf(u)l] irritabel, utilfreds; irriteret, gnaven.

fret-saw ['fretså·] løvsav.

fretty ['freti] (adj.) gnaven, vanskelig.

fretwork ['fretwə·k] løvsavsarbejde, udskåret arbejde.

Freudian ['froidiən] som angår Freud og hans værk, freudsk; freudianer.

F.R.G.S. fk. f. *Fellow of the Royal Geographical Society.*

Fri. fk. f. *Friday.*

friability [fraiə'biliti] løshed; sprødhed, skørhed.

friable ['fraiəbl] løs, sprød, skør; (om jord) smuldrende, bekvem.

friar ['fraiə] klosterbroder, (tigger)munk.

friar's balsam (subst.) benzoetinktur.

friary ['fraiəri] munkekloster.

F.R.I.B.A. fk. f. *Fellow of the Royal Institute of British Architects.*

fribble ['fribl] (vb.) fjase; (subst.) nar; laps.

fricandeau ['frikəndou] (pl. *fricandeaux* ['frikəndouz]) frikandeau.

fricassee [frikə'si·] frikassé.

friction ['frikʃən] gnidning, gnidningsmodstand, strygning, friktion; frottering. **frictional** ['frikʃənəl] (adj.) gnidnings-, friktions-.

Friday ['fraidi, 'fraidei] fredag; *Good* ~ langfredag.

fridge [fridʒ] **T** = *refrigerator.*

fried [fraid] imperf. og perf. part. af *fry;* ~ *egg* spejlæg.

friend [frend] ven, veninde; bekendt, ledsager; forretningsforbindelse; *the Society of Friends* vennernes samfund, kvækerne; *a* ~ *of mine* en ven af mig; *a* ~ *of my father's* en ven af min fader; *he is no* ~ *to me* han er ikke venligsindet imod mig; *be -s with* være gode venner med; *have a* ~ *at court* have fanden til morbroder; *keep good -s with* holde sig gode venner med; *make a* ~ *of, make -s with* slutte venskab med; *make -s again* blive (være) gode venner igen, forlige sig; *make -s easily* have let ved at få venner; *lady* ~, *woman* ~, *girl* ~ veninde; *my honourable* ~ (svarer til) det ærede medlem (om et andet medlem af Underhuset); *my learned* ~ min ærede kollega (om en anden sagfører).

friendless ['frendlės] (adj.) venneløs.

friendliness ['frendlinės] venskabelighed; godhed.

friendly ['frendli] (adj.) venskabelig; venligsindet; venlig; hjælpsom; gunstig (fx. *a* ~ *breeze); the Friendly Islands* Venskabsøerne; *a* ~ *shower* en velgørende regn; ~ *Society* gensidig understøttelsesforening.

friendship ['fren(d)ʃip] venskab.

Friesic ['fri·zik] = *Frisian.*

frieze [fri·z] (subst.) frise; (groft uldstof:) fris, vadmel.

frigate ['frigėt] fregat.

fright [frait] skræk, frygt; forskrækkelse; fugleskræmsel; rædsel (fx. *that is a* ~); *he looks a perfect* ~ han ser frygtelig ud, han er frygtelig grim; *you gave me such a* ~ ih, hvor gjorde du mig bange; *take* ~ blive forskrækket. **frighten** ['fraitn] (vb.) forskrække, skræmme; ~ *him out of doing it* skræmme ham fra at gøre det; ~ *her out of her life* skræmme livet af hende; *he was more -ed than hurt* han slap med skrækken; *be -ed of* være bange for. **frightful** ['fraitf(u)l] (adj.) skrækkelig.

frigid ['fridʒid] (adj.) kold, iskold; frigid; (fig.) kølig; formel (fx. ~ *politeness); the* ~ *zone* den kolde zone. **frigidity** [fri'dʒiditi] (subst.) kulde; frigiditet.

frill [fril] (subst.) kruset (el. rynket) strimmel, pibestrimmel, flæse; kruset manchet; (vb.) kruse, rynke, pibe; *-s* ekstra pynt, luksus; (fig.) falbelader, dikkedarer; udenomssnak; *-s and furbelows* pynt og stads; *put on -s* gøre sig vigtig; skabe sig. **frilling** strimler, osv. **frilly** ['frili] kruset.

fringe [frin(d)ʒ] (subst.) frynse, pandehår, tjavs; krans (af hår etc.); (yderste) rand, udkant; yderliggående (el. perifer) gruppe; (adj.) marginal-; perifer (fx. *occupation);* (vb.) ligge langs randen af (fx. *villas that* ~ *the cliff);* besætte med frynser; *on the* ~ *of the forest (, crowd)* i udkanten af skoven (, menneskemængden). **fringe-tail** (zo.) slørhale. **fringy** ['frin(d)ʒi] frynset.

frippery ['fripəri] tirader; dingeldangel.

'Frisco ['friskou] fk. f. *San Francisko.*

Frisian ['friziən] frisisk; friser.

frisk [frisk] (vb.) springe, hoppe, boltre sig; bevæge livligt; **S** kropsvisitere; gennemsøge; (subst.) spring, hop; ~ *him of money* **S** stjæle penge op af lommen på ham.

frisky ['friski] overgiven, livlig, sprælsk.

frit [frit] (subst.) fritte, glasmasse; (vb.) fritte, smelte.

frith [friþ] fjord.

fritillary [fri'tiləri] ♧ vibeæg; (zo.) perlemorsfugl.

I. **fritter** ['fritə]: *apple -s* æblesnitter indbagt i pandekagedej.

II. **fritter** ['fritə] fjase, fjase bort; ~ *away* formøble, klatte væk (fx. *one's money),* sløse bort (fx. *one's time).*

frivol ['frivl] pjanke; bortødsle. **frivolity** [fri'våliti] tosseri, overfladiskhed, mangel på alvor.

frivolous ['frivələs] betydningsløs, overfladisk, intetsigende, pjanket, fjantet; *be* ~ (ogs.) fjante, fjase.

friz(z) [friz] (subst.) krøl, krus; (vb.) krølle, kruse· sprutte, brase.

frizzle ['frizl] krølle, kruse; stege, brase; krøl.

frizzly ['frizli], **frizzy** ['frizi] kruset, purret; (om tøj) nopret.

fro [froᵘ]: *to and* ~ frem og tilbage.

frock [fråk] bluse, kittel; blusekjole, barnekjole; (dame)kjole; munkekutte. **frock-coat** ['fråk'koᵘt] diplomatfrakke.

frog [fråg] (zo.) frø; kvast; knap; snorebesætning; sabelgehæng; stråle (i hestehov); frosch (på violinbue); hjertestykke (på jernbanespor); S franskmand; *edible* ~ grøn frø.

frog|bit ♧ frøbid. ~ **-eater** (hånligt om) franskmand.

frogged [frågd] snorebesat.

froggy ['frågi] S franskmand.

frog|-hopper (zo.) skumcikade. **-man** ['frågmən] frømand. ~ **-march** bære (fx. en beruser) i arme og ben med ansigtet nedad.

frolic ['frålik] (subst.) lystighed, spøg; (vb.) være lystig, lave sjov; (adj.) (poet.) lystig. **frolicked** imperf. af *frolic*. **frolicking** ['fråliking], **frolicsome** ['fråliksəm] lystig.

from [fråm, frəm] fra, ud fra; på grund af, af; (at dømme) efter; *absent* ~ *illness* fraværende på grund af sygdom; ~ *above* ovenfra; ~ *afar* langt borte fra; ~ *all he had heard* efter alt hvad han havde hørt; ~ *behind* bagfra; *he stepped out* ~ *behind the tree* han trådte frem fra træet (bag hvilket han havde været); ~ *beneath* nede fra; fra undersiden af; ~ *a child*, ~ *childhood* fra barndommen af; *conclude* ~ slutte af; *cry* ~ *pain* skrige af smerte; *defend* ~ forsvare imod; *draw* ~ *nature* tegne efter naturen; *draw water* ~ *a well* hejse vand op af en brønd; *hide* ~ skjule for; ~ *home* ikke hjemme, hjemmefra; *judge* ~ *appearances* dømme efter det ydre; *judging* ~ *his conduct* efter hans opførsel at dømme; ~ *outside* udefra; *prevented* ~ *coming* forhindret i at komme; *safe* ~ sikker mod; ~ *time to time* fra tid til anden.

frond [frånd] ♧ bregneblad; palmeblad.

frondescence [från'desəns] løvspring.

I. **front** [frʌnt] (subst.) forside; facade; front; forreste række, vigtigste plads; promenade (ved badested); forstykke i skjorte; løst skjortebryst, krave, indsats (i kjole); falsk pandehår; frækhed, uforskammethed; (glds.) pande, ansigt; (amr.) topfigur; skalkeskjul; *show a bold* ~ sætte en dristig mine op; *change* ~ foretage en frontforandring; *have the* ~ *to say* have den uforskammethed at sige; *in* ~ fortil, foran, forrest; *in* ~ *of* foran; *in* ~ *of the children* i børnenes nærværelse; *bring to the* ~ bringe frem i første række; *come to the* ~ komme frem i første række, træde i forgrunden, slå igennem; *go to the* ~ tage til fronten (ɔ: krigsskuepladsen).

II. **front** [frʌnt] (vb.) gøre front imod; vende facaden imod.

III. **front** [frʌnt] (adj.) forrest, for- (fx. ~ *wheel*), front-; *eyes* ~! se lige ud!

frontage ['frʌntidʒ] facade.

I. **frontal** ['frʌntəl] (subst.) facade; pandebånd; omslag på pande eller hoved; frontale, alterbordsforside.

II. **frontal** ['frʌntəl] (adj.) frontal (fx. *a* ~ *attack*) pande- (fx. ~ *bone*).

frontality [frʌn'täliti] frontalitet.

front| bench: *the* ~ *bench* den forreste bænk (i Underhuset: ministerbænken). ~ **door** gadedør. ~ **fender** (amr.) forskærm. ~ **garden** forhave. ~ **gate** port; hovedport. ~ **hair** forhår. ~ **hall** forstue, entré.

frontier ['frʌntiə, (amr.) frʌn'tiə] grænse, statsgrænse; *the Frontier* (amr., hist.) kolonisationsgrænsen (mod vest).

frontispiece ['frʌntispi·s] frontispice; vignet.

frontlet ['frʌntlėt] pandebånd.

front| page forside. **-page copy** forsidestof. ~ **parlour** stue ud til gaden. ~ **rank** første række. ~ **room** værelse til gaden. ~ **stairs** hovedtrappe. ~ **tooth** fortand. ~ **wheel** forhjul; (flyv.) næsehjul. ~ **-wheel drive** forhjulstræk. ~ **vowel** fortungevokal.

frost [frå(·)st] (subst.) frost; rim; skuffelse, fiasko (fx. *the play turned out a* ~); (vb.) skade ved frost; brodde (hestesko); dække med rim; glasere (m. sukker); mattere (fx. glas); *white* ~, *hoar* ~ rimfrost; *black* ~ barfrost; *-ed over* (om rude) opfrossen.

frost|-bite (subst.) forfrysning, frost (i fødderne osv.). ~ **-bitten** angrebet af frost. ~ **-bound** frosset (fast), indefrosset. **-ing** glasur. ~ **-nail** brodde (til hestesko). ~ **-pocket** (forst.) frosthul. ~ **-proof** (adj.) frostfri. **-work** isblomster; glasur; mattering.

frosty ['frå(·)sti] frossen, frost-; kold; dækket med rim; (fig.) kølig (fx. *welcome*); ~ *mist* rimtåge.

froth ['frå(·)þ] fråde, skum; (fig.) tom intetsigende tale; overfladiske følelser og tanker; (vb.) få til at skumme; fråde; skumme. **frothblower** T bægersvinger. **frothiness** ['frå(·)þinės] skummen; ubetydelighed. **frothy** ['frå(·)þi] skummende; tom, intetsigende.

Froude [fru·d].

frow [frau] (hollandsk) kvinde.

froward ['froᵘ(w)əd] genstridig, egensindig.

I. **frown** [fraun] (vb.) rynke panden, se mørk el. truende ud; ~ *on* misbillige (fx. *gambling*); ~ *at sby.* se bistert på en.

II. **frown** [fraun] (subst.) panderynken; rynket pande; mørk mine, truende blik. **frowningly** med rynket pande; med truende blik; vredt.

frowsty ['frausti] indelukket, beklumret.

frowsy, frowzy ['frauzi] snavset, sjusket; indelukket, beklumret.

froze [froᵘz] imperf. af *freeze*.

frozen ['froᵘzn] perf. part. af *freeze*; ~ *zone* kold zone; ~ *credit* indefrossen kredit.

F.R.S. fk. f. *Fellow of the Royal Society.*

F.R.S.A. fk. f. *Fellow of the Royal Society of Arts.*

fructiferous [frʌk'tifərəs] frugtbærende.

fructification [frʌktifi'keⁱʃən] befrugtning, frugtsætning; befrugtningsorganer.

fructify ['frʌktifai] befrugte; gøde; bære frugt.

fructose ['frʌktoᵘs] (subst.) frugtsukker.

frugal ['fru·gəl] mådeholden, sparsommelig, økonomisk; tarvelig, nøjsom.

frugality [fru'gäliti] sparsommelighed, god økonomi; tarvelighed, nøjsomhed.

frugivorous [fru'dʒivərəs] frugtædende.

fruit [fru·t] (subst.) frugt, grøde; træfrugt; bær; følge, resultat; afkom; (vb.) bære frugt; *forbidden* ~ *is sweet* forbuden frugt smager bedst; *first -s* førstegrøde. **fruitage** ['fru·tidʒ] frugt. **fruiter** ['fru·tə] frugtskib, frugttræ. **fruiterer** ['fru·tərə] frugthandler. **fruit|-fly** bananflue. **-ful** frugtbar; *-ful of* (el. *in*) rig på.

fruition [fru'iʃən] (subst.) nydelse; brug; opfyldelse (fx. *of hopes*); virkeliggørelse (fx. *of plans*); *come to* ~ sætte frugt; *the scheme did not come to* ~ (ogs.) planen blev ikke realiseret.

fruit|less ['fru·tlės] ufrugtbar; forgæves, frugtesløs. ~ **machine** T spilleautomat. ~ **salad** frugtsalat; S sildesalat (ɔ: ordner). ~ **-tree** frugttræ.

fruity ['fru·ti] frugtagtig; med frugtsmag; (om vin) med druesmag; (fig. T) 'saftig'; (om stemme) klangfuld, sonor, blød.

frumentaceous [fru·mən'teⁱʃəs] kornagtig, korn-.

frumenty ['fru·mənti] hvedevælling.

frump [frʌmp] dårligt (, ufikst, smagløst el. gammeldags) klædt kvinde.

frustrate [frʌ'streⁱt, 'frʌstreⁱt] krydse, kuldkaste, tilintetgøre (planer); modarbejde, bringe til at mislykkes; forpurre; ugyldiggøre; skuffe, narre; *-d* skuffet; utilfredsstillet; frustreret.

frustration [frʌ'streⁱʃən] nederlag, tilintetgørelse, skuffelse.

frustum ['frʌstəm]: ~ *of a cone* keglestub.

frutescent [fru·'tesənt] ♧ buskagtig.

fruticose [ˈfru·tikous] ♧ buskagtig.

I. **fry** [frai] (vb.) stege på pande; blive stegt, brase; (subst.) stegt mad.

II. **fry** [frai] (subst.) fiskeyngel; småunger; *small* ~ ubetydeligheder; småfolk, børn.

frying-pan [ˈfraiiŋpän] stegepande; *out of the ~ into the fire* fra asken i ilden.

ft. fk. f. *feet, foot.*

fuchsia [ˈfju·ʃə] ♧ fuchsia, Kristi blodsdråbe.

fuchsine [ˈfu·ksin] fuchsin, rødt anilinfarvestof.

fuddle [ˈfʌdl] (vb.) drikke fuld; (subst.) forvirring, omtåget tilstand. **fuddled** (adj.) beruset, omtåget.

fuddy-duddy [ˈfʌdidʌdi] (subst.) gammelt nussehoved.

fudge [fʌdʒ] (subst.) løgn, sludder, humbug; fuskeri; sidste nyt indsat i avis på særlig plads; slags blød nougat; (vb.) lave historier, opdigte, forfalske, pynte på, fuske, snyde.

fuel [ˈfjuəl] (subst.) brænde, brændsel, brændstof; lidenskab; (vb.) forsyne med brændsel; indtage kul eller brændstof; *add ~ to the flames* puste til ilden, gyde olie i ilden.

fuel| oil brændselsolie. ~ **pump** benzinpumpe, brændstofpumpe.

fug [fʌg] indelukkethed, beklumrethed, dårlig luft, lugt, os.

fugacious [fjuˈgeiʃəs] flygtig, forgængelig.

fugacity [fjuˈgäsiti] flygtighed, forgængelighed.

fuggy [ˈfʌgi] indelukket, beklumret, lugtende.

fugitive [ˈfju·dʒitiv] (adj.) flygtig; upålidelig; (om farve) uægte; flydende; (subst.) flygtning; rømningsmand; ~ *verses* lejlighedsdigtning.

fugleman [ˈfju·glmän] mønster, forbillede, leder.

fugue [fju·g] (subst.) fuga; (med.) omflakken i en tågetilstand.

fulcra [ˈfʌlkrə] pl. af *fulcrum.*

fulcrum [ˈfʌlkrəm] støtte; støttepunkt; drejningspunkt, understøttelsespunkt; underlag under løftestang.

fulfil [fulˈfil] opfylde, fuldbringe, fuldbyrde; ~ *a promise* holde (el. opfylde) et løfte.

fulfilment [fulˈfilmənt] opfyldelse, fuldbyrdelse.

fulgent [ˈfʌldʒənt] glansfuld, strålende.

fulgurant [ˈfʌlgjurənt] glimtende, lynende.

fuliginous [fju·ˈlidʒinəs] sodet, mørk.

I. **full** [ful] (adj.) fuld, opfyldt; T mæt; hel, fuldstændig, uindskrænket; fyldig (fx. *figure);* indholdsrig (fx. *he leads a ~ life);* (om tøj) vid; (adv.) helt, fuldt; lige; (subst.) fuldstændighed; *I like a coat made ~ across the chest* jeg kan godt lide en frakke med god vidde over brystet; ~ *brothers and sisters* helsøskende; *his heart was ~* han var overvældet; *a ~ hour* en hel time; *a ~ meal* et rigeligt måltid; *be ~ in the face* have et fyldigt ansigt; *look sby. ~ in the face* se en lige i ansigtet; *in ~* fuldt ud; helt ud; *name in ~* fulde navn; *pay in ~* betale helt ud; *receipt in ~* saldokvittering; ~ *of days* mæt af dage; ~ *of one's subject* stærkt optaget af sit emne; ~ *out* for fuld fart; *to the ~* i fuldt mål, fuldstændig, fuldt ud; ~ *up* optaget, fuldt.

II. **full** [ful] (vb.) valke, stampe; kunne valkes.

full| age myndighedsalder; *of ~ age* myndig. ~ **-back** bak (i fodbold). ~ **-blooded** [ˈfulˈblʌdid] fuldblodig, fuldblods; blodrig; kraftig; lidenskabelig. ~ **-blown** helt udsprunget; (fig.) fyldig, moden; fuldt udviklet, færdig (fx. *plans).* ~ **-bodied** svær; fyldig. ~ **-bottomed wig** allongeparyk. ~ **-dress** (adj.) galla-; (fig. ogs.) med alt hvad der hører sig til; gennemgribende (fx. *investigation);* ~ *-dress debate* betydningsfuld (underhus)debat.

fuller [ˈfulə] valker, stamper; *fuller's earth* valkejord. **fullery** [ˈfuləri] valkeri, stampeværk.

full|-eyed med store, noget fremstående øjne. ~ **-face** med ansigtet vendt mod tilskueren; en face; (typ.) fed skrift. ~ **-faced** med rundt fyldigt ansigt. ~ **-fledged** [ˈfulfledʒd] flyvefærdig; ~ *-fledged barrister* advokat der har afsluttet sin uddannelse og har ret til at praktisere. ~ **-grown** [ˈfulgroun] voksen, helt udvokset. ~ **house** optaget, alt udsolgt; (i poker) fuldt hus.

fulling [ˈfuliŋ] valkning, stampning.

full-length i hel figur; et billede i hel figur; i hele sin længde; uforkortet.

fullness [ˈfulnės] fylde; mæthed; *in the ~ of time* når tidens fylde kommer; ~ *under the eyes* opsvulmethed el. hævelse under øjnene; *write with great ~* skrive meget udførligt.

full|-page helsides. ~ **-rigged** fuldrigget. ~ **-scale** i naturlig størrelse, i legemsstørrelse; (fig.) total; fuldstændig. ~ **-sized** i legemsstørrelse. ~ **-timer** fuldtbeskæftiget, heldagsbeskæftiget.

fully [ˈfuli] fuldt, fuldstændigt, helt, ganske; udførligt; ~ *ten days* hele (el. samfulde) ti dage.

fully-fashioned fuldfashioneret (fx. *stockings).*

fulmar [ˈfulmə] (zo.) isstormfugl, mallemuk.

fulminant [ˈfʌlminənt]: ~ *disease* pludselig og voldsom sygdom.

fulminate [ˈfʌlmineit] (vb.) lyne og tordne; brage; eksplodere; lade eksplodere; rase, tordne, udslynge bandstråle (imod); (subst.) knaldsalt; *mercuric* ~ knaldkviksølv. **fulminating| cap** fænghætte. ~ **cotton** skydebomuld.

fulmination [fʌlmiˈneiʃən] lynen og tordnen, bragen; bandstråle.

fulminic acid [fʌlˈminik ˈäsid] knaldsyre.

fulness [ˈfulnės] se *fullness.*

fulsome [ˈfulsəm] overdreven, modbydelig, vammel; servil; ~ *flattery* grov smiger.

fulvous [ˈfʌlvəs] gulbrun.

fumade [fju·ˈmeid], **fumado** [fju·ˈmeidou] røget sardin.

fumatorium [fju·məˈtå·riəm], **fumatory** [ˈfju·mətəri] røgkammer, desinfektionsanstalt.

fumble [ˈfʌmbl] (vb.) famle, fumle, rode; lege *(with* med), pille *(with* ved); stamme; tage kluntet på, fumle med, kludre med, forkludre; ~ *out* fremstamme.

fume [fju·m] (subst.) røg; virak; damp, dunst; lidenskabelighed, vrede; indbildning, hjernespind; (vb.) ryge; dampe, ose; rase, skumme, fnyse; røge; farve mørk; behandle med røgbejdse; *be in a ~* være opbragt; *-d oak* mørkt egetræ; ~ *away* fordampe; fordunste. **fume cupboard** (kem.) stinkskab.

fumigate [ˈfju·migeit] desinficere ved røg; parfumere. **fumigation** [fju·miˈgeiʃən] desinfektion; parfumering. **fumigatory** [ˈfju·migeitəri] desinficerende.

fuming [ˈfju·miŋ] rygende etc. (se *fume);* vred, rasende.

fumitory [ˈfju·mi·təri] ♧ jordrøg.

fun [fʌn] (subst.) morskab, sjov, løjer; (vb.) lave sjov, gøre løjer, spøge (fx. *you must be -ning); for ~, in ~* for spøg, for sjov; *I do not see the ~ of it* jeg kan ikke se det morsomme ved det; *have some ~* more sig; *make ~ of sby., poke ~ at sby.* gøre grin med én; *he is great ~* han er vældig sjov.

funambulist [fjuˈnämbjulist] linedanser.

function [ˈfʌŋ(k)ʃən] (subst.) funktion, virksomhed, bestilling, embedspligt; fest, højtidelighed; officielt arrangement; (vb.) fungere; virke. **functional** [ˈfʌŋ(k)ʃənəl] (adj.) funktions-, embedsmæssig; (ogs. med.) funktionel; funktionalistisk.

functionalism [ˈfʌŋ(k)ʃənəlizm] funktionalisme.
functionalist [ˈfʌŋ(k)ʃənəlist] funktionalist(isk).
functionary [ˈfʌŋ(k)ʃənəri] (adj.) = *functional;* (subst.) funktionær.

fund [fʌnd] (subst.) fond, kapital; (vb.) anbringe i statsobligationer; konvertere til langfristet lån, gøre uamortisabel; *-s* (ogs.) statspapirer, obligationer; offentlige midler; *have money in the -s* have penge anbragt i statsobligationer; *be in -s* være godt beslået (med penge); *no -s* (om check) ingen dækning.

fundament [ˈfʌndəmənt] bagdel, ende.

fundamental [fʌndəˈmentl] (adj.) fundamental, principiel (fx. *questions),* grundlæggende, grund-;

(subst.) grundlag, grundtræk; grundtone; *of ~ importance* af fundamental el. principiel betydning; *-s* grundbegreber, grundprincipper.

fundamentalism [fʌndəˈmentəlizm] fundamentalisme, den lære der anser Bibelen som guddommelig dikteret og derfor ufejlbarlig.

fundamentally [fʌndəˈmentəli] i bund og grund, principielt, inderst inde.

funded [ˈfʌndėd] anbragt i statsobligationer; *~ debt* fast (el. konsolideret) statsgæld.

fund-holder [ˈfʌndhoᵘldə] ejer af statspapirer.

Funen [ˈfju·nən] Fyn.

funeral [ˈfju·nərəl] begravelse; begravelses-, lig-; *that is his ~* **S** det bliver hans sag. **funeral| benefit** begravelseshjælp. **~ expenses** begravelsesomkostninger. **~ march** sørgemarch. **~ parlor** (amr.) begravelsesforretning. **~ pile, ~ pyre** ligbål. **~ sermon** ligtale.

funereal [fjuˈniəriəl] begravelses-; trist, sørgelig.

fungi [ˈfʌŋgai] pl. af *fungus.*

fungible [ˈfʌndʒibl] ombyttelig.

fungicide [ˈfʌndʒisaid] svampedræbende middel.

fungiform [ˈfʌndʒifå·m] svampeformet.

fungoid [ˈfʌŋgoid], **fungous** [ˈfʌŋgəs] svampeagtig.

fungus [ˈfʌŋgəs] (pl. *fungi* el. *funguses)* svamp; *dry rot ~* hussvamp; *parasitic ~* snyltesvamp.

funicular [fjuˈnikjulə]: *~ railway* tovbane, kabelbane.

funk [fʌŋk] (subst.) stor angst, skræk; fejhed; kryster, bangebuks; (vb.) være bange (for); luske sig fra; *be in a (blue) ~* være (angst og) bange, være hundeangst; *~ out* trække sig fejt tilbage, stikke af.

funk hole hule (man kan gemme sig i); sikkert skjul; (fig.) 'pjækketjans'; *bolt into a ~* krybe i et musehul.

funky [ˈfʌŋki] (adj.) bange.

funnel [ˈfʌnl] tragt; skorsten (på dampskib og lokomotiv).

funnies [ˈfʌniz] (amr. **S**) tegneserier.

funniment [ˈfʌnimənt] morsomhed, spøg, pjank.

I. **funny** [ˈfʌni] (adj.) morsom, sjov, pudsig; sær, besynderlig, løjerlig; mistænkelig; (subst.) komisk person; *the ~ man* komikeren; klovnen (på teater og i cirkus); *what a ~ thing to say* det var da en løjerlig bemærkning; *there is sth. ~ about it* der er noget muggent (ɔ: mistænkeligt) ved det; *feel ~, go all ~* få en underlig fornemmelse, være (,blive) utilpas.

II. **funny** [ˈfʌni] (subst.) lille robåd.

funny-bone [ˈfʌniboᵘn] snurreben (i albuen).

fur [fə·] (subst.) pels, skind; pelsværk; pelsvildt; dun (fx. på fersken); vinsten; belægning på tungen; kedelsten; (vb.) fore med skind, bedække, belægge; *make the ~ fly* stifte splid, volde ufred; komme op at nappes.

furbelow [ˈfə·biloᵘ] garnering på damekjole; pynte med garnering; *-s* falbelader.

furbish [ˈfə·biʃ] (vb.) polere, pudse; *~ up* (fig.) friske op, pudse op.

furcate [ˈfə·keⁱt] (adj.) gaffeldelt; (vb.) blive gaffeldelt. **furcated** [ˈfə·keⁱtid] gaffeldelt. **furcation** [fə·keⁱʃən] gaffelform, forgrening.

fur-coat [ˈfə·koᵘt] pels, pelskåbe.

furious [ˈfjuəriəs] rasende. **furiousness** raseri.

furl [fə·l] beslå (sejl); rulle sammen, folde sammen, lukke (paraply, vifte).

furlong [ˈfə·låŋ] (vejmål, ¹/₈ engelsk mil).

furlough [ˈfə·loᵘ] orlov, permission; give orlov.

furnace [ˈfə·nės] ovn, smelteovn; ildsted, fyr, fyrkanal; *~ coke* cinders.

furnish [ˈfə·niʃ] forsyne, udruste; møblere, udstyre; levere, skaffe, yde; fremsætte (fx. *~ an explanation); -ed flat* møbleret lejlighed; *~ particulars* give detaljerede oplysninger. **furnisher** leverandør, møbelhandler. **furnishings** [ˈfə·niʃiŋz] møbler; udstyr; *(metal) ~* beslag.

furniture [ˈfə·nitʃə] møbler, møblement; udstyr; tilbehør, inventar; beslag (på vindue); (typ.) formatsteg; *a piece of ~* et møbel; *much ~* mange møbler; *her mental ~* hendes åndelige udrustning; *~ van* flyttevogn.

furore [fjuəˈrå·rė] furore; ophidselse, opstandelse; *make* (el. *create) a ~* vække furore.

furred [fə·d] (adj.) pelsklædt; pelsforet; belagt (om tungen).

furrier [ˈfʌriə] buntmager. **furriery** [ˈfʌriəri] pelsværk; pelshandel, buntmagerforretning.

furrow [ˈfʌroᵘ] (subst.) plovfure; (dyb) rynke; (vb.) fure. **furrowy** [ˈfʌroᵘi] furet.

furry [ˈfə·ri] pelsklædt; bestående af pelsværk; pelsagtig; belagt (om tunge).

fur seal (zo.) pelssæl.

further [ˈfə·ðə] (adj. og adv.) fjernere, længere (borte); videre, yderligere, mere; (vb.) fremme (fx. *~ this cause),* befordre; *I may ~ mention* jeg kan endvidere nævne; *nothing ~* ikke mere; *what ~?* hvad så mere? *demand a ~ explanation* forlange en nærmere forklaring; *wish him ~* ønske ham hen hvor peberet gror; *I'll see you ~ first* det kunne aldrig falde mig ind; du kan rende og hoppe; *until ~ notice* indtil videre.

furtherance [ˈfə·ðərəns] (subst.) fremme (fx. *the ~ of popular education).*

further education undervisning efter skolegangens afslutning, videregående uddannelse.

Further India Bagindien.

furthermore (adv.) desuden, endvidere. **furthermost** (adv.) fjernest. **furthest** [ˈfə·ðist] fjernest; længst (borte).

furtive [ˈfə·tiv] (adj.) stjålen (fx. *a ~ glance),* hemmelig(hedsfuld); snigende (fx. *~ steps);* lyssky; listig.

furuncle [ˈfjuərʌŋkl] byld.

fury [ˈfjuəri] raseri; *Fury* furie.

furze [fə·z] ♧ tornblad.

fuscous [ˈfʌskəs] mørk; brun.

fuse [fju·z] (vb.) smelte, brænde over; (fig.) sammensmelte, sammenslutte; (subst.) brandrør; lunte; (elekt.) (smelte)sikring, prop; *the light has -d* (omtr.) der er sket en kortslutning.

fusee [fju·ˈzi·] spindel, snekke (i ur); lunte, brandrør; stormtændstik.

fusel [ˈfju·zəl]: *~ oil* fusel.

fuselage [ˈfju·zilidʒ] flyvemaskines skrog.

fusibility [fju·ziˈbiliti] smeltelighed.

fusible [ˈfju·zibl] smeltelig.

fusiform [ˈfju·zifå·m] tenformet.

fusilier [fju·ziˈliə] musketer; grenader.

fusillade [fju·ziˈleⁱd] (subst.) geværsalve; (vb.) skyde ned.

fusion [ˈfju·ʒən] smeltning; flydende tilstand; sammensmeltning; fusion.

I. **fuss** [fʌs] (subst.) larm, kvalm, ståhej, blæst; unødvendige ophævelser; overdreven opmærksomhed; forvirring; *make a ~* gøre ophævelser, lave ballade; *make a ~ about trifles* hænge sig i bagateller; *make a great ~ of sby.* gøre vældig stads af en.

II. **fuss** [fʌs] (vb.) have travlt, vimse om; gøre store ophævelser, bekymre sig om småting; gøre nervøs; *~ about* vimse omkring; *~ about* (el. *over) sby.* pylre om en, gøre vældig stads af en; *~ and fret* være nervøs og bekymret.

fuss|-budget (amr. **T**), **~ -pot T** pernittengryn; nussehoved.

fussy [ˈfʌsi] (adj.) nervøs, forvirret; geskæftig; nøjeregnende, overdreven pertentlig; overlæsset; *~ ornament* gnidret ornament.

fust [fʌst] søjleskaft; muggen lugt.

fustian [ˈfʌstiən] bommesi; (fig.) bombast, svulst; (adj.) bombastisk, svulstig.

fustic [ˈfʌstik] ♧ gultræ.

fustigate [ˈfʌstigeⁱt] prygle.

fustigation [fʌstiˈgeⁱʃən] prygl.

fustiness [ˈfʌstinės] muggenhed, skimlethed.

fusty [ˈfʌsti] muggen, skimlet; (fig.) antikveret, støvet, mosgroet.

fut. fk. f. *future.*

futile [ˈfju·tail] intetsigende; unyttig, frugtesløs, forgæves, ørkesløs, værdiløs.

futility [fju·ˈtiliti] unyttighed, indholdsløshed, tomhed (fx. *the ~ of his life).*

futtock [ˈfʌtək] ⚓ pytting; ~ *shroud* pyttingvant.

future [ˈfju·tʃə] (adj.) fremtidig, tilkommende; (subst.) fremtid, futurum; *-s* terminsforretninger; ~ *tense* futurum; ~ *perfect (tense)* førfremtid, futurum exactum; ~ *prospects* fremtidsudsigter; *for the ~* for fremtiden; *in ~* i fremtiden.

futurism [ˈfju·tʃərizm] futurisme.

futurist [ˈfju·tʃərist] futurist.

futurity [fjuˈtjuəriti] fremtid; fremtidig begivenhed; kommende tilstand.

fuzz [fʌz] dun, småtrævler. **fuzzy** [ˈfʌzi] dunet, (om hår) kruset; udvisket, uklar, sløret.

F. Z. S. fk. f. *Fellow of the Zoological Society.*

G

G [dʒi·].

G., g. fk. f. *genitive; German; Gospel; gram(me); guinea.*

Ga. fk. f. *Georgia.*

G. A. fk. f. *General Assembly.*

gab [găb] (subst.) snak, sludder; (vb.) snakke løs, bruge mund; *he has got the gift of the ~* han har et godt snakketøj; *stop your ~!* hold mund!

gabardine [ˈgăbədi·n] kaftan, talar; gabardine.

gabble [ˈgăbl] (vb.) sludre, plapre, jappe; (subst.) sludren, plapren, jappen, japperi.

gabbler [ˈgăblə] sludrehoved.

gaberdine se *gabardine.*

gabion [ˈgeⁱbiən] ⚔ skansekurv.

gable [ˈgeⁱbl] gavl; gavlfelt; gavltrekant (over dør el. vindue). **gabled** [ˈgeⁱbld] (adj.) med gavl(e).

gable-end gavlmur.

gablet [ˈgeⁱblėt] se *gable.*

Gabriel [ˈgeⁱbriəl].

gaby [ˈgeⁱbi] fjolds, idiot.

I. **Gad** [găd] **S** = *God.*

II. **gad** [găd] (subst.) skarp metalspids; jernstang; pigkæp; (vb.) være på farten, bisse; gro overdådigt; ~ *about* farte om; *be on the ~* være på farten.

gadabout [ˈgădəbaut] rendemaske, flane; en der har bisselæder i sålerne.

gad-fly [ˈgădflai] (subst., zo.) (okse)bremse, klæg.

gadget [ˈgădʒit] indretning, apparat, tingest, dippedut, finesse.

gadwall [ˈgădwå·l] (zo.) knarand.

Gael [geⁱl] gæler; gælisk.

Gaelic [ˈgeⁱlik] (subst. og adj.) gælisk.

I. **gaff** [găf] fangstkrog; ⚓ gaffel; (vb.) lande (fisk) med fangstkrog.

II. **gaff** [găf]: *blow the ~* plapre ud med hemmeligheden.

III. **gaff** [găf] **S** billigt forlystelsesetablissement; (amr.) trick, nummer; *he can't stand the ~* han kan ikke holde til det (ɔ: til strabadserne etc.).

gaffe [găf] (subst.) fadæse, bommert.

gaffer [ˈgăfə] 'gammelfar'; arbejdsformanden.

gaff-topsail ⚓ gaffeltopsejl.

I. **gag** [găg] (subst.) knebel (til mund), mundkurv; improviseret tilføjelse til en rolle; **S** morsomt trick, nummer; spøg, vittighed.

II. **gag** [găg] (vb.) kneble; give mundkurv på (fig.); improvisere, lægge ord ind i sin rolle; (amr.) give (, have) opkastningsfornemmelser.

gaga [ˈgăga·,ˈga·ga·] **S** senil, lallende, gaga.

I. **gage** [geⁱdʒ] se *gauge.*

II. **gage** [geⁱdʒ] (subst.) pant, sikkerhed; udfordring; (vb.) udfordre; *throw down the ~* kaste sin handske (ɔ: udfordre).

gaggle [ˈgăgl] (subst.) flok gæs; (vb.) skvadre.

gaiety [ˈgeⁱiti] munterhed; festlighed; pynt.

gaily [ˈgeⁱli] (adv.) muntert, lystigt; prægtigt.

I. **gain** [geⁱn] (subst.) fremgang; forøgelse (fx. *a ~ in weight);* vinding; *gains* (pl.) fortjeneste, profit, gevinst; *clear ~* nettoindtægt.

II. **gain** [geⁱn] (vb.) vinde, opnå, få (fx. *~ an advantage);* tjene, fortjene; nå (frem til) (fx. *the other shore);* tage til; (i vægt) tage på (fx. *she -ed three pounds);* (om ur) vinde; ~ *experience* høste erfaring; ~ *a footing* vinde indpas; ~ *ground* vinde terræn; ~ *a living* tjene til livets ophold; ~ *on* (el. *upon) sby.* hale (el. vinde) ind på en; ~ *on one's pursuers* få længere forspring for sine forfølgere, komme længere bort fra sine forfølgere; *the sea -s on the land* havet æder sig ind i landet; ~ *sby. over to one's side* vinde én for sit parti; *we had -ed our point* vi havde nået vort mål, vi havde opnået vor hensigt; ~ *strength* komme til kræfter.

gainful [ˈgeⁱnf(u)l] (adj.) indbringende, lønnet (fx. ~ *occupations).*

gainings [ˈgeⁱniŋz] indtægt; fortjeneste; vinding.

gainsay [geⁱnˈseⁱ] modsige, benægte.

Gainsborough [ˈgeⁱnzbərə].

'gainst [geⁱnst] fk. f. *against.*

gait [geⁱt] gang, måde at gå på; gangart; holdning.

gaiter [ˈgeⁱtə] gamache.

gal [găl] **T** pige.

gal. fk. f. *gallon(s).*

gala [ˈga·lə, ˈgeⁱlə] fest; *in ~ dress* i galla, i festdragt.

galactic [gəˈlăktik] (adj.) galaktisk, mælkevejs-; *a ~ figure* (fig.) et astronomisk (ɔ: meget stort) tal.

galactometer [gălək'tåmitə] mælkeprøver.

galantine [ˈgălənti·n] kød i gelé.

galanty show [gəˈlăntiʃoᵘ] skyggebilleder.

galaxy [ˈgăləksi] galakse, mælkevej; (fig.) strålende forsamling.

I. **gale** [geⁱl] ♧ pors.

II. **gale** [geⁱl] blæst, storm; *fresh ~* hård kuling; *moderate ~* stiv kuling; *strong ~* storm; *whole ~* stærk storm; ~ *of laughter* latterbrøl.

galeate(d) [ˈgălieⁱt(id)] (zo., ♧) hjelmformet.

galena [gəˈli·nə] (subst.) blyglans.

gale warning stormvarsel.

Galicia [gəˈliʃiə] Galicien.

Galician [gəˈliʃiən] galicier; galicisk.

Galilean [găliˈli·ən] galilæisk; galilæer.

Galilee [ˈgălili·] Galilæa.

galimatias [găliˈmătiăs] galimatias, vrøvl.

galingale [ˈgăliŋgeⁱl] ♧ fladaks.

galiot [ˈgăliåt] ⚓ galiot (skibstype).

galipot [ˈgălipåt] fyrreharpiks.

I. **gall** [gå·l] galde; bitterhed, had, vrede; (amr. **S**) frækhed.

II. **gall** [gå·l] galæble.

III. **gall** [gå·l] (vb.) gnide huden af, gnave, gøre hudløs; ærgre, forbitre; plage, genere; (subst.) sår opstået ved gnidning, gnavsår, ømt sted.

I. **gallant** [ˈgălənt] (adj.) kæk, tapper; ædelmodig, højmodig, ridderlig; prægtig, glimrende; galant.

II. **gallant** [ˈgălənt] (subst.) flot ung mand; galant herre; elsker, galan.

gallantry [ˈgăləntri] kækhed, tapperhed; ridderlighed; galanteri; lefleri.

gall-bladder [ˈgå·lblădə] galdeblære.

galled [gå·ld] (adj.) hudløs.

galleon [ˈgăliən] ⚓ (hist.) galleon.

gallery ['gāləri] galleri; søjlehal; korridor; billedgalleri, malerisamling; (finere) kunsthandel; (underjordisk) gang, (i mine) stolle; (på hus) svalegang, (i kirke) pulpitur; *in the ~* på galleriet; *play to the ~* spille for galleriet (ɔ: bruge billige virkemidler); *press ~* presseloge; *strangers' ~* (i Parlamentet) tilhørerloge.

galley ['gāli] galej; kabys; (typ.) skib.

galley| proof spaltekorrektur. **~ -slave** galejslave.

gall-fly ['gå·lflai] (zo.) gallehveps.

galliard ['gālja·d] gaillarde (munter dans).

I. **gallic** ['gālik] gallus-; *~ acid* gallussyre.

II. **Gallic** ['gālik] gallisk. **Gallican** ['gālikən] gallikansk; gallikaner. **gallice** ['gālisi·] på fransk. **gallicism** ['gālisizm] gallicisme. **gallicize** ['gālisaiz] forfranske.

galligaskins [gāli'gāskinz] (hist.) pludderhoser; (spøgende) vide bukser.

gallimaufry [gāli'må·fri] miskmask.

gallinaceous [gāli'neiʃəs] (adj.) hønse-.

gallinule ['gālinju·l] (zo.) rørhøne.

gallipot ['gālipåt] syltetøjskrukke.

gallivant [gāli'vānt] (vb.) farte om, fjase.

gall|-midge ['gå·lmidʒ] (zo.) galmyg. **~ -mite** (zo.) galmide. **~ -nut** galæble.

gallon ['gālən] gallon (= 4,544 liter; i Amerika: 3,785 liter).

galloon [gə'lu·n] galon, tresse, snor; *-ed* galoneret.

gallop ['gāləp] galopere; få til at galopere; galop; *at a ~* i galop. **gallopade** [gālo'peid] galopade.

galloper ['gāləpə] en der galoperer; adjudant; lille feltkanon.

gallophobe ['gālofoᵘb] franskhader. **gallophobia** [gālo'foᵘbjə] had til alt fransk.

gallows ['gāloᵘz] galge. **gallows|-bird** galgenfugl. **~ -ripe** som fortjener at hænges. **~ -tree** galge.

gall-stone ['gå·lstoᵘn] galdesten.

Gallup ['gāləp]: *~ poll* Gallupundersøgelse.

galoot [gə'lu·t] S klodsmajor, døgenigt, fyr.

galop ['gāləp] galop (dansen); danse galop.

galore [gə'lå·] i massevis, masser af (fx. *money ~*).

galosh [gə'låʃ] galoche.

Galsworthy ['gå·lzwə·ði; 'gālzwə·ði].

galumph [gə'lʌmf] spankulere, stoltsere.

galvanic [gāl'vānik] galvanisk; (fig.) pludselig; krampagtig (fx. *smile); opildnende, elektriserende (fx. speech); ~ battery* galvanisk batteri; *~ induction* galvanisk induktion.

galvanism ['gālvənizm] galvanisme. **galvanization** [gālvənai'zeiʃən] galvanisering. **galvanize** ['gālvənaiz] galvanisere; (fig.) opildne, elektrisere, sætte fart i; *~ sby. into action* vække én til dåd.

galvanometer [gālvə'nåmitə] galvanometer.

gambade [gām'beid], **gambado** [gām'beidoᵘ] en hests spring op i luften; hop, spring; lang lædergamache.

gambit ['gāmbit] gambit (i skak); (fig.) udspil, indledning.

gamble ['gāmbl] spille, spille højt, spille hasard; *~ with dice* spille terning; *~ in stocks* spekulere i aktier; *~ away a fortune* spille en formue væk, tabe en formue i spil.

gambler ['gāmblə] (hasard)spiller.

gambling ['gāmbliŋ] højt spil; hasard; *~ hell, ~ den* spillebule.

gamboge [gām'bu·ʒ] gummigut; stærk gul farve.

gambol ['gāmbəl] (subst.) glædeshop, hop; (vb.) hoppe; boltre sig.

gambrel ['gāmbrəl] hase (på en hest); hængejern til slagtekroppe.

I. **game** [geim] (subst.) leg, spil; parti (fx. *a ~ of chess, of billiards;* (i tennis:) *he won the three first -s);* kamp; (med kort) spil; (i bridge) game; plan, hensigt, taktik; kneb, 'nummer' (fx. *none of your little -s!);* vildt (fx. *winged ~* = fuglevildt); (let glds.) spøg, morskab; (tyvesprog) tyveri; *-s* (pl.) boldspil; (kamp-) lege (fx. *the Olympic Games); beat him at his own ~* slå ham med hans egne våben; *the ~ is four all* det står a fire; *40 points is ~* 40 points betyder vundet spil; *fair ~* vildt som det er lovligt at jage; *he is fair ~* han må altid holde for (el. stå for skud); *I know his little ~* jeg ved hvad han er ude på, jeg har gennemskuet ham; *~ of chance* spil hvor det kommer an på heldet, hasardspil; *~ of skill* spil hvor det kommer an på dygtighed; *make ~ of* gøre nar af; *he is off his ~* han er ikke i form; *play the ~* følge spillets regler; *that's a ~ two can play* hvis du gør det mod mig gør jeg det samme mod dig; (omtr.) vent bare! *you are playing his ~* du går hans ærinde (ɔ: hjælper ham uden at ville det); *play a good ~* spille godt, spille en god kamp; *play a waiting ~* forholde sig afventende; *the ~ is up* spillet er tabt; *what ~ is he up to?* hvad er han ude på? *he is up to every ~* han bruger alle kneb; *the ~ is not worth the candle* det er ikke umagen værd.

II. **game** [geim] (adj.) modig, kampberedt; *be ~ for* være parat til, ville være med til; *he is ~ for anything* (ogs.) han går med på den værste; *die ~* dø kæmpende; ikke give sig; *have a ~ leg* være halt.

III. **game** [geim] (vb.) spille, doble; *~ away* spille bort.

game| act jagtlov. **~ -bag** jagttaske. **~ -cock** kamphane. **-keeper** (herregårds)skytte; skovløber, jagtbetjent. **~ -law** jagtlov. **~ -licence** jagttegn. **~ preserve** vildtreservat.

games| master gymnastiklærer. **~ mistress** gymnastiklærerinde.

gamesome ['geimsəm] lystig, munter, kåd.

gamester ['geimstə] spiller.

gamete [gā'mi·t] gamet (kønscelle).

game-tenant lejer af jagt- eller fiskeret.

gaming ['geimiŋ] hasardspil. **gaming|-house** spillehus. **~ -table** spillebord.

gamma ['gāmə] gamma (græsk bogstav); *~ radiation* gammastråling; *~ rays* gammastråler.

gammer ['gāmə] gammel kone; mutter.

I. **gammon** ['gāmən] (subst.) humbug; (vb.) narre; *~!* sludder!

II. **gammon** ['gāmən] (subst.) røget skinke; (vb.) salte og røge (skinke).

gammoner ['gāmənə] svindler.

gammy ['gāmi] T lemlæstet, halt.

gamp [gāmp] T bomuldspeter, paraply.

gamut ['gāmət] skala; (fig. ogs.) omfang, række.

gamy ['geimi] modig; (om kød) som smager ligesom vildt der har hængt længe; som har en tanke; anløbet.

gander ['gāndə] (zo.) gase; (fig.) tåbe, fæ; *what's good* (el. *sauce) for the goose is good* (el. *sauce) for the ~* hvad den ene må det må den anden også; der skal være lige ret for alle; *take a ~ at* S kikke på.

I. **gang** [gāŋ] (subst.) bande; hob; afdeling, hold, sjak; (vb.) (tekn.) sammenkoble (maskiner etc.) så de arbejder sammen; *~ of thieves* tyvebande; *~ of workmen* sjak arbejdere; *~ up* slutte sig sammen; *~ up on* rotte sig sammen imod, overfalde i flok.

II. **gang** [gāŋ] (skotsk) (vb.) gå; *~ agley* gå galt.

gang-board ['gāŋbå·d] landgang(sbro).

gange [gāndʒ] bevikle (især fiskesnøre).

ganger ['gāŋə] sjakformand, arbejdsformand.

Ganges ['gāndʒi·z].

gangling ['gāŋgliŋ] (adj.) ranglet; høj og spinkel.

ganglion ['gāŋgliən] (anat.) ganglie, nervecentrum.

gangly ['gāŋgli] = *gangling.*

gang-plank ['gāŋplāŋk] landgang(sbræt).

gangrene ['gāŋgri·n] (subst.) koldbrand; (vb.) fremkalde koldbrand i, gå over til koldbrand, blive gangrænøs.

gangrenous ['gāŋgrinəs] angrebet af koldbrand, gangrænøs.

gangster ['gāŋstə] gangster. **gangsterism** ['gāŋstərizm] bandituvæsen.

gangue [gāŋ] (geol.) gangart.

gangway ['gāŋwei] landgang(sbro); gang mellem stolerækker; tværgang (mellem bænkene i Underhuset); *members below the* ~ uafhængige medlemmer (af Underhuset).

gannet ['gänit] (zo.) sule.

gantlet se *gauntlet*.

gantry ['gäntri] tøndelad; (jernb.) signalbro; (til raket) servicetårn. **gantry crane** portalkran, brokran.

Ganymede ['gänimi·d] Ganymedes; ung tjener.

gaol [dʒeⁱl] (subst.) fængsel; (vb.) sætte i f., fængsle.

gaol-bird ['dʒeⁱlbə·d] fange, vaneforbryder.

gaoler ['dʒeⁱlə] fangevogter, arrestforvarer.

gap [gäp] (subst.) åbning, spalte; kløft, (bjerg)pas; afbrydelse; hul (fx. *in one's knowledge)*, lakune; (fig. ogs.) svælg (fx. *between their views);* ⚔ breche; (vb.) åbne; *stop* (el. *fill, bridge, supply) a* ~ (ogs. fig.) udfylde et hul.

gape [geⁱp] (vb.) gabe, glo med åben mund, måbe; (subst.) gaben, måben.

gapes [geⁱps]: *the* ~ gabesyge.

garage ['gära·ʒ] (subst.) garage; benzintank, servicestation, bilreparationsværksted; (vb.) sætte i garage.

garb [ga·b] (subst.) dragt, klædning; mode, snit; (glds.) klædebon; (fig.) iklædning; (vb.) (i)klæde.

garbage ['ga·bidʒ] affald, køkkenaffald. **garbage| can** affaldsspand, skraldespand. ~ **-chute** affaldsskakt, nedstyrtningsskakt.

garble ['ga·bl] fordreje, forvanske, 'pynte på', forkludre.

garden ['ga·dn] (subst.) have; (vb.) gøre havearbejde, drive gartneri; *-s* have, anlæg, park; *common or* ~ T ganske almindelig; *front* ~ forhave; *everything in the* ~ *is lovely* S her går det godt; alt i orden; *think that everything in the* ~ *is lovely* (ogs.) tro den hellige grav velforvaret; *lead sby. up the* ~ narre (el. snyde) en; tage en ved næsen; *be led up the* ~ gå i vandet.

garden|-chafer (zo.) gåsebille. ~ **-city** haveby.

gardener ['ga·dnə] gartner.

garden-glass glasklokke til beskyttelse af planter.

gardenia [ga·'di·niə] ♧ gardenia.

gardening ['ga·dniŋ] havearbejde; havebrug; gartneri.

garden|-party havefest, selskab, som holdes i det fri. ~ **-plot** havelod, havestykke. ~ **-stuff** haveprodukter. ~ **-warbler** (zo.) havesanger. ~ **white** (zo.) kålsommerfugl.

garfish ['ga·fiʃ] (zo.) hornfisk.

garganey ['ga·gəni] (zo.) atlingand.

gargantuan [ga·'gäntjuən] kæmpemæssig.

garget ['ga·gət] yverbetændelse.

gargle ['ga·gl] (vb.) gurgle; (subst.) gurglevand.

gargoyle ['ga·goil] gargoil, vandspy, tud på tagrende (ofte formet som grotesk menneske- eller dyreskikkelse).

Garibaldi [gäri'bå·ldi] garibaldibluse.

garish ['gæəriʃ] påfaldende, pralende, prangende, grel.

garland ['ga·lənd] krans; (vb.) bekranse.

garlic ['ga·lik] hvidløg.

garment ['ga·mənt] klædningsstykke; *-s* klæder.

garner ['ga·nə] (subst.) kornloft; magasin; (vb.) magasinere, opsamle; hengemme.

garnet ['ga·nit] granat (halvædelsten); garnatrød.

garnish ['ga·niʃ] (vb.) pryde; garnere, besætte; forsyne; (jur.) stævne; lægge beslag på; (subst.) prydelse; garnering. **garnishment** [-mənt] garnering, prydelse; (jur.) stævning (til tredjepart); udlæg hos tredjepart.

garniture ['ga·nitʃə] garniture; tilbehør.

gar-pike ['ga·paik] (zo.) hornfisk.

garret ['gärit] loftskammer, kvistværelse; S øverste etage (ɔ: hovedet).

garrison ['gärisən] (subst.) garnison, besætning; (vb.) lægge i garnison, besætte; ligge som garnison i.

garrotte [gə'råt] (subst.) kvælning, strangulering; garottering; (vb.) kvæle, strangulere; garottere.

garrotter [gə'råtə] kvælertyv.

garrulity [gä'ru·liti] snakkesalighed.

garrulous ['gäruləs] snakkesalig.

garter ['ga·tə] strømpebånd; (amr.) sokkeholder, strømpeholder; (vb.) gøre til ridder af hosebåndsordenen; *the Order of the Garter* hosebåndsordenen (Englands højeste ridderorden); *Knight of the Garter* ridder af hosebåndsordenen.

garth [ga·þ] gård, have.

gas [gäs] (subst.) luftart (fx. *hydrogen and oxygen are -es);* gas; (amr. ogs.) benzin; T gas, sludder, tom snak, floskler; brovten; (vb.) behandle (, angribe) med gas, gasforgifte; gasbedøve; snakke, væve; indlægge gas i (hus, værelse osv.); *illuminating* ~ belysningsgas; *turn on (, off) the* ~ åbne (, lukke) for gassen; *turn down (, up) the* ~ skrue gassen ned (, op); *step on the* ~ gi' den gas, sætte farten op; ~ *oneself* tage gas (ɔ: begå selvmord); ~ *up* (amr.) fylde tanken op.

gas|-bag gasbeholder; (om person) vrøvlehoved. ~ **-bracket** gasarm. ~ **-buoy** lysbøje med gaslys. ~ **-burner** gasbrænder. ~ **chamber** gaskammer. ~ **-cock** gashane. ~ **coke** gaskoks, gasværkskoks.

Gascon ['gäskən] gascogner; pralhals; fra Gascogne. **gasconade** [gäskə'neⁱd] praleri; prale.

Gascony ['gäskəni] Gascogne.

gas-cooker gaskomfur.

gaselier [gäsə'liə] gaslysekrone.

gas-engine gasmotor.

gaseous ['geⁱziəs] gasagtig; luftformig.

gas-fitter gasarbejder; gasmester; gasfitter.

I. **gash** [gäʃ] (subst.) flænge, gabende sår; S mund; (vb.) flænge.

II. **gash** [gäʃ] S (adj.) ekstra, som er tilovers; (subst.) ekstraportion; rester.

gas|-helmet gasmaske. ~ **-holder** gasbeholder. ~ **-house** gasværk.

gasification [gäsifi'keⁱʃən] gasudvikling.

gasify ['gäsifai] omdanne til gas; forgasse.

gas-jet gasblus.

gasket ['gäskit] pakning (i stempel etc.); ⚓ beslagsejsing.

gas|-lamp gaslampe. ~ **-light** gasbelysning; gasblus. ~ **-main** hovedgasledning. ~ **-man** gasmålerkontrollør. ~ **-mantle** gasnet. ~ **-mask** gasmaske. ~ **-meter** gasmåler.

gasolene, gasoline ['gäsəli·n] (amr.) (motor-) benzin.

gasometer [gä'såmitə] gasbeholder. **gas-oven** gasovn; gaskammer.

gasp [ga·sp] (vb.) gispe, stønne, snappe (el. hive) efter vejret; (subst.) gisp, tungt åndedrag; ~ *for breath* snappe efter vejret; *be at one's last* ~ være ved at dø; *give one's last* ~ opgive ånden, udstøde sit sidste suk; *to the last* ~ til (sit) sidste åndedrag.

gasper ['ga·spə] S (tarvelig) cigaret.

gas|-pipe gasrør. ~ **-proof** gassikker. ~ **-ring** gasapparat. ~ **station** (amr.) servicestation. ~ **-stove** gasovn til opvarmning af værelse; gaskomfur.

gassy ['gäsi] gasfyldt; gasagtig; T snakkesalig, fuld af gas; tom, pralende.

gastric ['gästrik] gastrisk, mave-; ~ *catarrh* mavekatar; ~ *fever* gastrisk feber; ~ *juice* mavesaft; ~ *ulcer* mavesår.

gastritis [gä'straitis] mavekatar.

gastronome ['gästronoᵘm], **gastronomer** [gä'strånəmə] gastronom, kender. **gastronomic-(al)** [gästrə'nåmik(l)] gastronomisk. **gastronomy** [gä'strånəmi] gastronomi; (finere) kogekunst.

gastropod ['gästropåd] snegl.

gas-works ['gäswə·ks] gasværk.

gat [gät] (amr. S) skyder, revolver.

I. **gate** [geⁱt] (subst.) port, led, låge; (jernb.) bom; billedkanal (i filmforeviser); snæver gennemgang; vej, indgang; entré; lstrømning, tilskuere, udstillingsgæster; *free* ~ gr adgang; *get the* ~ (amr. S) blive smidt ud.

II. **gate** [geⁱt] (vb.) d universiteter) nægte udgangstilladelse.

gate|-bill liste over studenter der kommer hjem til kollegiet efter lukketid; bøde for denne forseelse. ~ **-crash** komme som ubuden gæst, trænge sig ind. ~ **-crasher** ubuden gæst. **-house** portnerhus; portbygning. ~ **-keeper** portvagt, portner; ledvogter. ~ **-legged**: ~ *-legged table* (slags) klapbord. ~ **-meeting** møde, hvortil der kun er adgang mod entré. ~ **-money** entré, billetindtægt. ~ **-post** portstolpe; *between you and me and the ~ -post* mellem os sagt. **-way** porthvælving, (indkørsels)port; (fig.) vej.

gather ['gäðə] (vb.) samle, indsamle; høste; plukke; udvælge; opdynge; slutte, opfatte, opfange, forstå; forsamle; samle sig, samles; vokse; flyde stærkere; trække sammen; (om håndarb.) rynke; ~ *flesh* blive tyk; *I ~ from your letter that* jeg forstår af Deres brev, at; ~ *ground upon sby.* indhente én, få forspring for én; ~ *head* trække sammen (om byld); tage til i styrke; ~ *in debts* indkassere udestående fordringer; ~ *in the grain* køre kornet ind; ~ *information* indhente oplysninger; ~ *speed* komme i fart, få mere og mere fart på; *be -ed to one's fathers* gå til sine fædre; ~ *oneself together* tage sig sammen; ~ *way* = ~ *speed*.

gatherer ['gäðərə] (subst.) (ind)samler, plukker.

gathering ['gäðəriŋ] (subst.) samling; forsamling; bullenskab, byld; (adj.) voksende, stigende; ~ *gloom* frembrydende mørke.

gathering-coal stort kulstykke der lægges på ilden for at den kan brænde natten over.

gathers ['gäðəz] (pl.) rynkning.

Gatling ['gätliŋ] gatlingmaskingevær.

gauche [goᵘʃ] kejtet, klodset.

gaucherie ['goᵘʃəri·] kejtethed, klodsethed.

gaucho ['gautʃoᵘ] gaucho.

gaud [gå·d] stads, flitter; *-s* pomp og pragt.

gaudy ['gå·di] prunkende, afstikkende, udmajet; (subst.) fest, gilde. **gaudy-day** festdag.

gauffer ['gå(·)fə] gaufrere.

gauge [geⁱdʒ] mål, måleredskab; sporvidde; kaliber; (snedkers) stregmål; (tekn.) lære, manometer; pejlstok; (vb.) måle, visere, kalibrere, justere; *take the ~ of* måle, vurdere; ~ *of wire* trådtykkelse.

gauger ['geⁱdʒə] måler; toldembedsmand der opkræver spiritusskat.

Gaul [gå·l] Gallien; galler, (for spøg) franskmand; gallisk kvinde. **Gaulish** ['gå·liʃ] gallisk.

gaumless ['gå·mlės] upraktisk, klodset, tåbelig.

gaunt [gå·nt] mager; udtæret; (om bygning:) barsk, streng i linjerne.

gauntlet ['gå·ntlėt] stridshandske; handske; kravehandske; spidsrod; *throw down the ~* kaste sin handske (udfordre); *take up the ~* tage handsken op (modtage udfordringen); *run the ~* løbe spidsrod. **gauntlet cuff** opslag på ærme.

gauntry ['gå·ntri] = *gantry*.

gaur ['gauə] gaurokse.

gauze [gå·z] gaze, flor.

gauze bandage gazebind.

gauzy ['gå·zi] gazeagtig.

gave [geⁱv] imperf. af *give*.

gavel ['gävəl] auktionsholders hammer.

gavial ['geⁱvjəl] gavial (indisk krokodilleart).

gavotte [gə'våt] gavotte (en dans).

gawk [gå·k] (subst.) klodset (el. kejtet) fyr; (vb.) **T** glo. **gawky** ['gå·ki] (adj.) klodset, kejtet, genert; (subst.) klodrian.

gay [geⁱ] livlig, munter, lystig; pralende, strålende, broget; pyntet; udsvævende.

gayal ['geⁱəl] (zo.) gayal.

gayety se *gaiety*.

gaze [geⁱz] stirre, se stift *(at* på); stirren; blik.

gazebo [gə'zi·boᵘ] udsigtspunkt; lille udsigtstårn; lysthus osv., hvorfra der er vid udsigt.

gazelle [gə'zel] (zo.) gazelle.

gazette [gə'zet] (subst.) statstidende, officiel tidende; (vb.) bekendtgøre; *be -d* stå i statstidende (etc.) som udnævnt (, forflyttet).

gazetteer [gäzi'tiə] geografisk leksikon; navneregister til atlas.

gazing-stock ['geⁱziŋståk] nogen eller noget, der ses på med nysgerrighed eller afsky.

gazogene ['gäzədʒi·n] apparat hvormed der produceres kulsyreholdigt vand.

G.B. fk. f. *Great Britain*.

G.B.E. fk. f. *Knight* (eller *Dame) Grand Cross of the Order of the British Empire*.

G.B.S. fk. f. *George Bernard Shaw*.

G.C.B. fk. f. *Knight Grand Cross of the Bath*.

G.C.E. fk. f. *General Certificate of Education*.

G.C.F. fk. f. *greatest common factor*.

G.C.M. fk. f. *greatest common measure*.

G.C.M.G. fk. f. *Knight Grand Cross of St. Michael and St. George*.

G.C.V.O. fk. f. *Knight Grand Cross of the Royal Victorian Order*.

Gdns. fk. f. *Gardens*.

Gds. fk. f. *Guards*.

I. **gear** [giə] (subst.) udstyr; apparat; tilbehør; grejer; seletøj; gear (på cykel osv.); udveksling, tandhjul; *be in ~* være i gang, i orden, klar til brug; *bottom ~* laveste gear; *throw into ~* sætte i gear; *change into second ~* sætte i andet gear; *throw out of ~* sætte ud af gear; koble fra; bringe i ulave; *top ~* højeste gear; *with a high ~* højt gearet; *with a low ~* lavt gearet.

II. **gear** [giə] (vb.) spænde for; forsyne med gear; sætte i gang; gribe ind i (om tandhjul); geare; ~ *to* indstille (el. indrette) efter, indstille på; ~ *to war production* omstille til krigsproduktion.

gear-box gearkasse, hjulkasse. **gearing** ['giəriŋ] indgreb, indgribning; gear (på cykel osv.).

gear|-lever ['giə'li·və], **-shift** (amr.) gearstang. ~ **-wheel** tandhjul.

gecco, gecko ['gekoᵘ] (zo.) gekkó.

gee [dʒi·] hyp (til hest); (amr. **S**) ih! nå da da! ih du store!

gee-gee ['dʒi·dʒi·] hyphest, hest (i barnesprog).

geese [gi·s] pl. af *goose*.

geeser, geezer ['gi·zə] gammel stabejs; *that old ~* 'det gamle liv'.

gee-up ['dʒi·'ʌp] hyp (til hest).

Geiger counter ['gaigə 'kauntə] geigertæller.

geisha ['geⁱʃə] geisha.

gelatine [dʒelə'ti·n] gelatine; husblas; *blasting ~* gelatinedynamit, sprænggelatine. **gelatinize** [dʒė'lätinaiz] omdanne til gelatine, blive til gelatine.

gelation [dʒė'leⁱʃən] frysning.

geld [geld] (vb.) gilde, kastrere. **gelding** ['geldiŋ] kastrering; kastrat; vallak.

gelid ['dʒelid] iskold.

gelignite ['dʒelignait] sprængstof indeholdende nitroglycerin; form for gelatinedynamit (el. sprænggelatine).

gem [dʒem] (subst.) ædelsten; (vb.) pryde med ædelstene; *a perfect ~* (ogs.) en sand perle.

I. **geminate** ['dʒeminėt] (adj.) par-, tvilling-.

II. **geminate** ['dʒemineⁱt] (vb.) fordoble, ordne parvis.

Gemini ['dʒeminai] Tvillingerne (stjernebilledet); *oh, gemini!* herre Jemini!

gemma ['dʒemə] (pl. *gemmae* ['dʒemi·]) knop.

I. **gemmate** ['dʒemeⁱt] (adj.) med knopper; som formerer sig ved knopskydning.

II. **gemmate** ['dʒemeⁱt] (vb.) sætte knopper; formere sig ved knopskydning.

gemmation [dʒė'meⁱʃən] (formering ved) knopskydning.

gemmiferous [dʒė'mifərəs] knopskydende; som danner eller indeholder ædelstene.

gemmiparous [dʒė'mipərəs] knopskydende; som formerer sig ved knopskydning.

gemmy ['dʒemi] ædelstensagtig; strålende.

I. **Gen.** fk. f. *General; Genesis*.

II. **gen.** fk. f. *general; genitive*.

III. **gen** [dʒen] S (pålidelige) oplysninger.

gendarm ['ʒa·nda·m] gendarm; klippespids.

gender ['dʒendə] (grammatisk) køn.

gene [dʒi·n] gen, arveanlæg, arveelement.

genealogic(al) [dʒi·niə'lådʒik(l)] genealogisk; ~ *tree* stamtræ. **genealogist** [dʒi·ni'älədʒist] genealog.

genealogy [dʒi·ni'älədʒi] genealogi; afstamning; stamtavle.

genera ['dʒenərə] pl. af *genus.*

I. **general** ['dʒen(ə)rəl] (adj.) almindelig; almen; fremherskende; generel; general-, hoved-; *in* ~ i almindelighed; *in a* ~ *way* i almindelighed sagt, i al almindelighed; ~ *direction* hovedretning; ~ *effect* totalvirkning; ~ *impression* hovedindtryk, helhedsindtryk; ~ *readers* almindelige læsere.

II. **general** ['dʒen(ə)rəl] (subst.) general; enepige.

general cargo stykgodsladning. **General Certificate (of Education):** *(A level,* omtr.) studentereksamen; *(O level,* omtr.) realeksamen.

general| class fællesklasse. ~ **dealer** købmand. ~ **election** (i Engl.) valg til Underhuset. ~ **goods** stykgods.

General Headquarters ⚔ hovedkvarter, overkommando.

generalissimo [dʒenərə'lisimoᵘ] generalissimus.

generality [dʒenə'räliti] hovedmængde; flertal; almindelighed; *generalities* almindelige bemærkninger, almindeligheder; *a rule of great* ~ en næsten generel regel.

generalization [dʒenərəl(a)i'zeⁱʃən] generalisering; induktion; S frase. **generalize** ['dʒen(ə)rəlaiz] generalisere, almindeliggøre; udbrede; ~ *a conclusion from* drage en almen slutning ud fra.

generally ['dʒen(ə)rəli] i almindelighed, sædvanligvis; i det hele taget; hyppigt; ~ *speaking* i det hele taget, stort set.

general| manager administrerende direktør. ~ **meeting** generalforsamling.

General Post Office hovedpostkontor. **general| practitioner** praktiserende læge (ikke specialist). ~ **public:** *the* ~ *public* det store publikum. ~ **report** generalangivelse. ~ **servant** enepige.

generalship ['dʒen(ə)rəlʃip] generalsværdighed; feltherretalent; taktik, strategi; førerskab, ledelse.

general| shop købmandshandel. ~ **store** landhandel. ~ **strike** generalstrejke.

generate ['dʒenəreⁱt] avle, frembringe, udvikle; afføde.

generating| set dynamo(anlæg). ~ **station** kraftstation.

generation [dʒenə'reⁱʃən] generation, slægtled; avl; frembringelse, udvikling; *the rising* ~ den opvoksende slægt.

generative ['dʒenərətiv] (adj.) avlende; frugtbar; ~ *organs* forplantningsorganer.

generator ['dʒenəreⁱtə] generator, dynamo; ophavsmand.

generic [dʒė'nerik] (adj.) omfattende; slægts-, fælles-; ~ *name* slægtsnavn; fællesbetegnelse; ~ *term* fællesbetegnelse. **generically** med et fælles navn.

generosity [dʒenə'råsiti] (subst.) ædelmodighed, højsindethed; gavmildhed, rundhåndethed.

generous ['dʒenərəs] (adj.) ædelmodig, højsindet; gavmild, rundhåndet; rigelig, stor (fx. *a* ~ *amount);* elskværdig; stærk, kraftig (om vin); ~ *diet* rigelig ernæring; *put a* ~ *construction on a statement* fortolke en udtalelse på en elskværdig måde.

genesis ['dʒenisis] skabelse; tilblivelse; tilblivelseshistorie; *Genesis* 1. Mosebog.

genet ['dʒenit] (zo.) genette (slags desmerkat).

genetic [dʒė'netik] (adj.) arveligheds-, tilblivelses-.

geneticist [dʒė'netisist] arvelighedsforsker.

genetics [dʒė'netiks] arvelighedsforskning, arvelighedslære.

I. **Geneva** [dʒi'ni·və] Genève; *the* ~ *Convention* Genferkonventionen; *the* ~ *Cross* Genferkorset, Det røde Kors.

II. **geneva** [dʒi'ni·və] genever.

Genevan [dʒi'ni·vən] genfer; kalvinist; genfisk.

Genevese [dʒeni'vi·z] genfer; genfisk.

I. **genial** ['dʒi·njəl] (adj.) mild (fx. *climate),* lun; gemytlig, elskværdig.

II. **genial** [dʒi'naiəl] (adj.) hage- (fx. *genial muscle).*

geniality [dʒi·ni'äliti] (subst.) mildhed; gemytlighed, elskværdighed.

geniculate(d) [dʒi'nikjuleⁱt(id)] (adj.) leddet; bøjet som et knæ.

genie ['dʒi·ni] ånd (i østerlandske æventyr); *the* ~ *of the lamp* lampens ånd.

genii ['dʒi·niai] genier, skytsånder (pl. af *genius).*

genital ['dʒenitəl] (adj.) køns-; genital-; *-s* (subst., pl.) genitalia, (især ydre) kønsorganer.

genitive ['dʒenitiv]: *the* ~, *the* ~ *case* genitiv, ejefald.

genius ['dʒi·njəs] (pl. *genii)* genius, skytsånd; (pl. *geniuses)* geni; genialitet; *a man of* ~ en genial mand, et geni; *the* ~ *of a language* et sprogs ånd.

genius loci ['dʒi·njəs 'loᵘsai] skytsånd; lokal atmosfære.

Genoa ['dʒenoə] Genua.

genocide ['dʒenosaid] folkedrab.

Genoese [dʒeno'i·z] genuesisk; genueser.

genotype ['dʒenotaip] (biol.) anlægspræg.

genre [ʒa·ŋr] genre; ~ *painting* genremaleri.

gens [dʒenz] (pl. *gentes* ['dʒenti·z]) (historisk:) slægt.

gent [dʒent] T fk. f. *gentleman; gents' outfitting* herreekvipering.

genteel [dʒen'ti·l] fin; fornem (i ironisk betydning); *he is* ~ han har fine fornemmelser, han spiller fornem. **genteelism** [dʒen'ti·lizm] 'dannet' udtryk.

gentian ['dʒenʃən] ✿ ensian.

gentile ['dʒentail] (subst.) ikke-jøde, hedning; (adj.) ikke-jødisk, hedensk.

gentility [dʒen'tiliti] (nu især) forloren finhed; fine fornemmelser, honnet ambition.

I. **gentle** ['dʒentl] (subst.) spyfluemaddike.

II. **gentle** ['dʒentl] (adj.) fornem; mild, venlig, blid; skikkelig (fx. *dog);* mild, let virkende (fx. *medicine);* svag (fx. *a* ~ *heat);* jævn (fx. *a* ~ *slope);* sagtmodig; nænsom; blid, sagte, dæmpet (fx. *music); a* ~ *breeze* en let brise; *the* ~ *passion* kærligheden; *the* ~ *reader* den ærede læser; *the* ~ *sex* det svage køn.

gentlefolk(s) fornemme folk; bedre folk, kultiverede mennesker.

gentleman ['dʒentlmən] (pl. *gentlemen)* herre, mand; dannet mand, mand af ære, gentleman; fornem mand; (jur.) mand, der lever af sine penge og ikke driver erhverv; amatør (modsat: professionel); *be born a* ~ være af god familie; *there is nothing of the* ~ *about him* han har ikke spor af levemåde; *independent* ~ rentier; *private* ~ privatmand; *gentleman's agreement* overenskomst hvor parterne stoler på hinanden uden skriftlig kontrakt; *gentlemen's boots* herrestøvler; *gentlemen's lavatory* herretoilet; ~ *in waiting* jourhavende kavaler; *gentleman's gentleman* kammertjener.

gentleman|-commoner student ved univ. i Oxford og Cambridge, som i kraft af sin byrd nød visse forrettigheder. ~ **-farmer** velhavende mand der driver landbrug (for sin fornøjelse).

gentleman|like ['dʒentlmənlaik], **-ly** [-li] fin, dannet; beleven, ridderlig.

gentlemen ['dʒentlmən] pl. af *gentleman; (ladies and)* ~*!* mine (damer og) herrer!

gentlewoman ['dʒentlwumən] (fornem) dame.

gently ['dʒentli] mildt, blidt (etc., jvf. II. *gentle).*

gentry ['dʒentri] lavadel; ogs. brugt ironisk = herrer, folk (fx. *the light-fingered* ~*).*

genual ['dʒenjuəl] knæ-.

genuflect ['dʒenjuflekt] bøje knæ. **genuflection** [dʒenju'flekʃən] knælen, knæfald.

genuine ['dʒenjuin] ægte, uforfalsket; original; virkelig.

genus ['dʒi·nəs] (pl. *genera)* slægt.

geocentric [dʒi·o'sentrik] geocentrisk.
geodesic [dʒi·oᵘ'desik] geodætisk. **geodesy** [dʒi-'ådisi] geodæsi, landmåling. **geodetic** [dʒio'detik] geodætisk. **geodetics** geodæsi.
Geoffrey ['dʒefri].
geog. fk. f. *geography.*
geognosy [dʒi'ågnəsi] geognosi, læren om jordskorpens dannelse.
geographer [dʒi'ågrəfə] geograf. **geographical** [dʒio'gråfikl] geografisk. **geography** [dʒi'ågrəfi] geografi; *show sby. the ~ of the house* (oftest:) vise en hvor toilettet er.
geol. fk. f. *geology.*
geologic(al) [dʒio'lådʒik(l)] geologisk. **geologist** [dʒi'ålədʒist] geolog. **geology** [dʒi'ålədʒi] geologi.
geom. [dʒi'åm] fk. f. *geometry.*
geometer [dʒi'åmitə] geometriker; (zo.) måler.
geometric(al) [dʒiə'metrik(l)] geometrisk; *~ drawing* geometrisk tegning, projektionstegning; *~ progression* kvotientrække.
geometrician [dʒiome'triʃən] geometriker.
geometry [dʒi'åmitri] geometri.
geophysical [dʒio'fizikəl] geofysisk. **geophysics** [dʒio'fiziks] geofysik.
geopolitics [dʒio'pålitiks] geopolitik.
I. **Geordie** ['dʒå·di] diminutiv af *George.*
II. **geordie** ['dʒå·di] sikkerhedslampe; kulgrubearbejder.
George [dʒå·dʒ] Georg; billede af St. Georg til hest, som hosebåndsridderne bærer; **S** automatisk pilot; *by ~* (omtr.) ved grød! (mild ed); *St. ~* St. Georg (Englands skytspatron).
georgette [dʒå·'dʒet] georgette (tyndt silkecrepe).
Georgia ['dʒå·dʒjə].
Georgian ['dʒå·dʒjən] georgisk; georgier; fra (el. i) tiden 1714-1830 (kongerne George I-IV's regeringstid).
Georgie ['dʒå·dʒi] diminutiv af *George.*
geotropic [dʒio'tråpik] geotropisk. **geotropism** [dʒi'åtropizm] geotropisme.
Gerald ['dʒerəld].
geranium [dʒi'reⁱnjəm] pelargonie, geranium.
Gerard ['dʒerəd, dʒe'ra·d].
gerfalcon ['dʒə·få·lkən] (zo.) jagtfalk.
geriatrics [dʒeri'åtriks], **geriatry** ['dʒeriətri] geriatri, læren om alderdommens sygdomme.
germ [dʒə·m] (subst.) kim, spire; mikrobe, bakterie; (vb.) fremskyde, fremspire.
I. **german** ['dʒə·mən] nærbeslægtet; *cousin ~* kødeligt søskendebarn.
II. **German** ['dʒə·mən] (subst. og adj.) tysk; tysker; (omtr. =) kotillon(bal); *High ~* højtysk; *Low ~* plattysk.
germander [dʒə·'måndə] ♧ kortlæbe.
germane [dʒə·'meⁱn] nærbeslægtet; relevant; (sagen) vedkommende.
Germanic [dʒə·'månik] germansk.
Germanism ['dʒə·mənizm] germanisme.
Germanize ['dʒə·mənaiz] germanisere.
German| measles (med.) røde hunde. *~* **Ocean**: *the ~ Ocean* Vesterhavet.
Germano|mania [dʒə·mänoᵘ'meⁱniə] snobberi for alt hvad der er tysk. **-phil** [dʒə·'mänoᵘfil] tyskerven. **-phobia** [dʒə·mänoᵘ'foᵘbiə] tyskerhad.
German| silver nysølv. *~* **text** fraktur.
Germany ['dʒə·məni] Tyskland.
germen ['dʒə·mən] ♧ frugtknude, frøgemme.
germicidal ['dʒə·misaidəl] bakteriedræbende, desinficerende. **germicide** ['dʒə·misaid] desinfektionsmiddel.
germinal ['dʒə·minəl] spire-.
germinate ['dʒə·mineⁱt] (få til at) spire, skyde. **germination** [dʒə·mi'neⁱʃən] spiring.
germ warfare bakteriologisk krigsførelse.
gerontology [dʒerån'tålədʒi] gerontologi, alderdomsforskning.
gerrymander ['dʒerimåndə] (vb.) lave fiduser, især ved partisk valgkredsordning. **gerrymandering** (subst.) valggeometri.
Gertie ['gə·ti] diminutiv af *Gertrude.*
Gertrude ['gə·tru·d].
gerund ['dʒerənd] gerundium, verbalsubstantiv.
gerund-grinder S terper, pedant.
gerundive [dʒi'rʌndiv] gerundiv.
gesso ['dʒesoᵘ] gips.
gest [dʒest] bedrift; beretning, krønike.
gestation [dʒe'steⁱʃən] svangerskab, drægtighed, drægtighedsperiode.
gesticulate [dʒe'stikjuleⁱt] gestikulere, fægte med armene. **gesticulation** [dʒestikju'leⁱʃən] gestikuleren; fagter. **gesticulative** [dʒe'stikjulətiv] ledsaget el. præget af gestikuleren. **gesticulatory** [dʒe-'stikjulətəri] gestikulerende.
gesture ['dʒestʃə] (subst.) fagte, gestus; (vb.) gestikulere.
get [get] *(got, got)* få; opnå; skaffe (sig); få (til at), bevæge (fx. *~ sby. to do it);* avle; nå, komme (fx. *~ home);* komme af sted (fx. *well, I must be -ting),* skrubbe af (fx. *he told them to ~);* forstå (fx. *we are beginning to ~ it; I don't ~ you);* blive (fx. *~ angry, ~ drunk* blive fuld; *~ killed); ~ one's bread* tjene sit brød; *he is out for what he can ~* han er beregnende; *~ a cold* blive forkølet; *~ dinner ready* gøre middagsmaden færdig; *~ you gone!* forsvind! *~ one's hair cut* lade sig klippe; *that's got him* nu er han færdig, den kan han ikke klare; *I have got it* jeg har forstået det; *I have got no money* jeg har ingen penge; *he has got to do it* han må gøre det; *~ it* opnå det; få ubehageligheder; *~ it hot* få sit fedt; *~ a language* lære et sprog; *we got to like him* vi kom til at holde af ham; *it -s me* jeg kan ikke finde ud af det; det irriterer mig; jeg bliver rørt over det; *~ your places* (el. *seats)* tag plads! stig ind! *~ him a situation* skaffe ham en stilling; *they got talking* de faldt i snak;
(forb. m. præp. og adv.) *~ about* komme omkring; bevæge sig omkring; komme i omløb (fx. *the rumour has got about),* brede sig, komme ud, blive kendt; *~ above oneself* være indbildsk, bilde sig noget ind; *~ abroad* brede sig (om rygte); *~ across* komme over (på den anden side); slå an, blive en succes; *he can't ~ it across* han kan ikke komme i kontakt med sine tilhørere; *~ along* bringe fremad; gøre fremskridt; klare sig; *how are you -ting along?* hvordan går det (med dig)? *they can only just ~ along on their small income* de kan kun lige klare sig med deres lille indtægt; *~ along with you!* af sted med dig! hold nu op! gå væk! *I can't ~ along with that fellow* jeg kan ikke komme ud af det med den fyr; *~ around* (amr. **T**) bevæge sig omkring; komme (meget) ud; komme uden om, omgå (fx. *~ around the law);*
~ at komme til, nå, få fat i; stikle til (fx. *he was -ting at me all the time);* overfalde, få ram på; bestikke; *what are you -ting at?* hvad sigter De til? *~ away* slippe bort; *there's no -ting away from it* man kan ikke komme uden om det; *~ away with it* komme godt fra det; *he would cheat you if he could ~ away with it* han ville snyde dig, hvis han kunne komme af sted med det; *~ away with you!* stik af med dig! *~ back* få tilbage; komme (el. vende) tilbage; *~ one's own back* få hævn; *~ back at* (amr.) få hævn over; *~ behind* (amr.) støtte; *~ by* komme forbi; komme i besiddelse af; klare sig; ikke vække anstød; *~ down* stå ned; gå fra bordet; *~ sby. down* **T** gøre én deprimeret, tage humøret fra én; *~ it down* få det skrevet ned; *~ down to* **T** tage fat på; *~ down to it* (ogs.) 'gå til makronerne'; *~ even with* hævne sig på; *what can I ~ for you?* (i butik) hvad ønsker De? *~ home* komme hjem; *that remark got home!* den sad! *~ home on sby.* få ram på en;
~ in komme ind; ankomme; blive valgt; *~ in with* indsmigre sig hos; blive gode venner med, komme i (lag) med; *~ into* komme ind i; trænge ind i; bringe ind i; *~ into bad habits* lægge sig dårlige vaner til; *~ sth. into one's head* sætte sig noget i hovedet; indprente sig noget; *I can't ~ it into my head* jeg kan

ikke få det ind i hovedet (ɔ: begribe det); *the wine got into his head* vinen steg ham til hovedet; *I don't know what got into him* jeg ved ikke, hvad der gik af ham; ~ *into a rage* blive rasende, ryge i flint; ~ *off* tage af (om tøj); sende af sted; skaffe bort; tage af sted; løsrive sig fra; slippe bort; slippe fra det; stå af (toget etc.); *his counsel got him off* hans forsvarer reddede ham fra straf; *tell sby. where to get off* **S** sætte en på plads; ~ *off the grass!* væk fra græsset! ~ *off to sleep* falde i søvn; ~ *off with a fright* slippe med skrækken; ~ *off with her* lære hende at kende; ~ *off with you!* af sted med dig!

~ *on* tage på (fx. ~ *on one's clothes);* drive fremad; stige op; gøre fremskridt, blive til noget; ~ *on!* af sted! videre! ~ *on horseback* stige til hest; ~ *on one's bicycle* sætte sig op på cyclen; ~ *on one's feet* komme på benene; *how are you -ting on?* hvordan har De det? hvordan går det? *be -ting on (in years)* være ved at komme op i årene; *I told him to ~ on or ~ out* jeg sagde til ham, at han ville få sin afsked, hvis han ikke ville bestille ngt. mere; *it is -ting on for 6* klokken er snart 6; *he is -ting on for 60* han er på vej til de 60; ~ *on to* sætte sig i forbindelse med; komme efter, opdage, gennemskue; ~ *on together* komme ud af det med hinanden; ~ *on with him* komme ud af det med ham; ~ *out* få ud, få væk; få frem (om ytring); få udgivet (om bog); komme ud; slippe ud; stå ud (af vogn); ~ *out (with you)!* (ogs.) sludder! ~ *out of bed on the wrong side* få det forkerte ben først ud af sengen; ~ *out of hand* blive ustyrlig; blive færdig med; ~ *out of here!* herut med dig! ~ *out of doing it* slippe for at gøre det; ~ *out of it* slippe godt fra det; ~ *a patience out* få en kabale til at gå op; ~ *over* overvinde; gøre ende på; komme over, komme udenom (kendsgerning); ~ *it over* få det overstået;

~ *rid of* blive fri for; rive sig løs fra; ~ *round* komme i omløb, komme ud; omgå; ~ *round sby.* overtale en, komme om ved en; ~ *round a difficulty* klare sig uden om en vanskelighed; ~ *round to doing it* få taget sig sammen til at gøre det; ~ *there* nå frem; komme frem, blive til noget; ~ *through* komme igennem (fx. *the wood, a book);* slippe igennem, bestå (fx. *an exam);* (om lov) blive vedtaget; (tlf.) få forbindelse *(to* med); ~ *through all one's money* bruge (el. formøble) alle sine penge; ~ *through with* gøre sig færdig med, få fra hånden; ~ *to* få; nå; bringe det til; ~ *to know* lære at kende; få at vide; ~ *to sleep* falde i søvn; ~ *to work* komme i gang; ~ *sby. to do it* få en til at gøre det; ~ *together* komme (, bringe) sammen; samle(s); finde hinanden; ~ *under* overvælde, besejre; få under kontrol; ~ *up* få op; vække; indrette; sætte i værk; forberede; sætte i scene; udstyre (bøger); pynte, klæde ud; opmuntre; affatte; studere; læse op (til en eksamen); bearbejde; ophobe; stå op (af sengen); *the wind is -ting up* vinden tager til i styrke; ~ *up by heart* lære udenad; ~ *up steam* få dampen op; ~ *oneself up* pynte sig, maje sig ud; ~ *up courage* samle mod; ~ *up to* (el. *with) sby.* indhente en; ~ *with child* gøre gravid, besvangre.

get-at-able [get'ätəbl] tilgængelig.

getaway ['getəweⁱ] flugt; start; udflugt (ɔ: undskyldning).

Gethsemane [geþ'seməni].

get-together ['getə'geðə] (subst.) komsammen.

get-up ['getʌp] udstyr (fx. *the attractive ~ of the book);* påklædning, antræk, mundering (fx. *where are you going in that ~?).*

gewgaw ['gju·gå·] stads, dingeldangel, unyttigt legetøj.

geyser ['gaizə] gejser, varm springkilde; ['gi·zə] gasbadeovn.

Ghana ['ga·nə].

gharry ['gäri] (heste)vogn (i Indien).

ghastliness ['ga·stlinės] ligbleghed; uhygge.

ghastly ['ga·stli] ligbleg; forfærdelig; uhyggelig.

gha(u)t [gå·t] bjergpas; trappe ned til en flod (i Indien); landingsplads ved en flodbred.

Ghazi ['ga·zi] muhammedansk fanatiker.

ghee [gi·] slags smør (der bruges i Indien).

gherkin ['gə·kin] lille sylteagurk.

ghetto ['getoᵘ] ghetto, jødekvarter.

Ghibelline ['gibilain] ghibelliner; ghibellinsk.

ghost [goᵘst] ånd, spøgelse; spor, skygge; (ogs. = *ghost image, ghost writer); the Holy Ghost* Helligånden; *give* (el. *yield) up the ~* opgive ånden; *as pale as a ~* ligbleg; *I have not the ~ of a chance* jeg har ikke den ringeste chance, jeg har ikke gnist af chance.

ghost image (i fjernsyn) spøgelsebillede, ekkobillede.

ghostlike ['goᵘstlaik] spøgelsesagtig.

ghostly ['goᵘstli] åndelig; spøgelsesagtig; gejstlig; ~ *hour* åndernes time.

ghost|-word ord opstået ved fejllæsning el. trykfejl. ~ **writer** 'neger' (skribent hvis arbejde udkommer under en andens navn).

ghoul [gu·l] (i orientalsk overtro) en ond ånd der fortærer lig; (fig.) gravskænder; pervers person.

ghoulish ['gu·liʃ] dæmonisk, uhyggelig.

G.H.Q. fk. f. *General Headquarters.*

G.I. ['dʒi·'ai] (subst.) menig (amerikansk) soldat.

giant ['dʒaiənt] (subst.) kæmpe, gigant; (adj.) kæmpemæssig, kæmpe-.

giantess ['dʒaiəntės] kæmpekvinde.

giant's-stride rundløb (gymnastikapparat).

giaour ['dʒauə] (tyrkisk ord for en) vantro, ikke-muhammedaner (især kristen).

gibber ['dʒibə] (vb.) tale (hurtigt og) uforståeligt, plapre. **gibberish** ['gibəriʃ] (subst.) uforståelig tale, volapyk, kaudervælsk.

gibbet ['dʒibit] (subst.) galge; (vb.) hænge i galge; hænge ud offentligt (fx. *be -ed in the press).*

I. **Gibbon** ['gibən].

II. **gibbon** ['gibən] gibbon (abeart).

gibbose ['giboᵘs], **gibbous** ['gibəs] pukkelrygget; (om månen) mellem halv og fuld.

Gibbs [gibz].

gibe [dʒaib] (subst.) skose, hån, spot, stikleri; (vb.): ~ *at* håne, spotte, drille. **giber** ['dʒaibə] spotter.

giblets ['dʒiblits] kråser (og anden indmad af fugle). **giblet soup** kråsesuppe.

Gibraltar [dʒi'brå·ltə]: *the Straits of ~* Gibraltarstrædet.

Gibson ['gibsən].

gibus ['dʒaibəs] klaphat, chapeau claque.

giddiness ['gidinės] svimmelhed; flygtighed; letsindighed (etc., se *giddy).* **giddy** ['gidi] (adj.) svimmel; svimlende (fx. *soar to ~ heights);* flygtig; letsindig, fjantet, kåd, pjanket, forfløjen, vilter; (vb.) gøre (, blive) svimmel; *my ~ aunt* **S** nej da! ih, du store! *I feel ~* det løber rundt for mig; *play the ~ goat* være pjanket, fjolle, pjatte; *turn ~* blive svimmel.

Gideon ['gidiən].

Gielgud ['gilgud].

gift [gift] (subst.) gave; talent, begavelse; (vb.) begave; *the living is in his ~* han har retten til at besætte præstekaldet; ~ *of tongues* evne til at tale i tunger; sprognemme; *deed of ~* gavebrev; *never look a ~ horse in the mouth* man skal ikke skue given hest i munde; *I would not have it as a ~* jeg ville ikke have det om jeg så fik det forærende. **gift-book** gavebog.

gifted ['giftid] (højt) begavet. **giftedness** begavelse.

gift|-shop gavebod. ~ **token,** ~ **voucher** gavekort. ~ **-wrap** (vb.) pakke ind som gave.

gig [gig] gig (tohjulet vogn); gig (let båd); rumaskine (i tekstilfabr.).

gigantic [dʒai'gäntik] enorm, kæmpemæssig, gigantisk.

gigantism [dʒai'gäntizm] (subst.) kæmpevækst.

gigantomachy [dʒaigän'tåməki] (i klassisk mytologi) kamp mellem giganterne og guderne; strid mellem stormagter.

giggle ['gigl] (vb.) fnise; (subst.) fnisen. **giggler** grinebider.

gig-lamps ['giglämps] S briller.
gigolo ['dʒigəloᵘ] gigolo.
gigot ['dʒigåt] bedekølle.
Gilbert ['gilbət]. **Gilchrist** ['gilkrist].
gild [gild] (regelmæssigt el. *gilt, gilt)* forgylde; ~ *the pill* (fig.) indsukre pillen; *Gilded Chamber* Overhus; *-ed youth* jeunesse d'oree, overklasseungdom.
gilder forgylder. **gilding** ['gildiŋ] forgyldning.
I. **gill** [gil] (subst.) gælle; kødlap under fugles næb; lamel (på svamp); ribbe (til afkøling af maskine); underansigt; (vb.) tage indvolde ud af fisk; *green about the -s* bleg om næbbet; *rosy about the -s* rødmosset; *grease one's -s* gøre sig til gode; *lick one's -s* slikke sig om munden.
II. **gill** [gil] bjergkløft, elv.
III. **gill** [dʒil] rummål = 0,142 l., (amr.) 0,118 l.
gill-cover ['gilkʌvə] gællelåg.
gillie ['gili] (højskotsk) tjener, jagtbetjent.
gill-slit ['gilslit] gællespalte.
gillyflower ['dʒiliflauə] ♧ gyldenlak; levkøj; nellike.
I. **gilt** [gilt] forgyldning; (zo.) gylt (ung so).
II. **gilt** [gilt] imperf. og perf. part. af *gild.*
gilt-edged ['giltedʒd] med guldsnit; ~ *securities* guldrandede papirer.
gilt|-head (zo.) dorade, guldbrasen. ~ **leather** gyldenlæder.
gimbals ['dʒimbəlz] slingrebøjle; *mounted on* (el. *hung in)* ~ kardansk ophængt.
gimcrack ['dʒimkräk] (subst.) legetøj; snurrepiberi; (adj.) tarvelig, uægte; skrøbelig, gebrækkelig.
gimcrackery ['dʒimkräkəri] snurrepiberier; dårligt stads.
gimlet ['gimlit] (subst.) vridbor; (vb.) bore; *with eyes like -s,* ~ *-eyed* med et gennemborende blik, skarpsynet.
gimme ['gimi] S = *give me.*
gimmick ['gimik] S dims, dingenot; fidus, kneb, trick; smart (reklame)påfund; noget der skal give særpræg.
gimp [gimp] gimp (med metaltråd overspundet fiskesnøre); møbelsnor.
I. **gin** [dʒin] genever; gin; ~ *and It* gin og (italiensk) vermouth.
II. **gin** [dʒin] (vb.) egreneringsmaskine; snare, done; (vb.) egrenere; fange i snare.
III. **gin** [gin] (på skotsk) hvis; (glds.) begynde.
ginger ['dʒindʒə] (subst.) ingefær; rødgult; rask hest; rødtop; fart, stimulans; (adj.) rødgul; rødhåret; (vb.) sætte fart i; krydre med ingefær; *the ~ group* den gruppe i parlamentet, der kræver drastisk handling; ~ *up* sætte fart i, loppe op.
ginger|-ale, ~ **-beer** sodavand med ingefærsmag; ingefærøl. **-bread** ingefærkage (omtr. = honningkage); krimskramsornamenter, kransekageornamenter; *the gilt is off the -bread* glansen er gået af St. Gertrud.
gingerly ['dʒindʒəli] (adj.) forsigtig, varsom; (adv.) forsigtigt, varsomt.
ginger|-nut lille ingefærkage. ~ **-pop** sodavand med ingefærsmag, ingefærøl.
gingery ['dʒindʒəri] (adj.) ingefær-, krydret, rødbrun; 'fuld af krudt'.
gingham ['giŋəm] gingham, zefyr (stribet el. ternet bomuldstøj); T paraply, 'bomuldspeter'.
gingival [dʒin'dʒaivəl] tandkøds-.
gingivitis [dʒindʒi'vaitis] tandkødsbetændelse.
ginglymus ['dʒiŋgliməs] hængselled.
ginned-up [dʒind'ʌp], **ginny** ['dʒini] S fuld.
gin-palace ['dʒinpälis] beværtning.
ginseng ['dʒinseŋ] ♧ ginseng, kraftrod.
gin-sling ['dʒinsliŋ] (amr.) en kold drik, der indeholder gin.
Giovanni [dʒio'va·ni]: *Don* ~ Don Juan.
gipsy ['dʒipsi] (subst.) sigøjner, sigøjnerinde; sigøjnersprog; (adj.) sigøjneragtig; (vb.) strejfe om i det frie; gøre en udflugt på landet.

gipsy|-bonnet, ~ **-hat** hat med bred skygge. ~ **-wort** ♧ sværtevæld.
giraffe [dʒi'ra·f] giraf.
girandole ['dʒirəndoᵘl] armstage; ildhjul (fyrværkeri); ørenring.
gird [gə·d] (regelmæssigt el. *girt, girt)* omgjorde; omgive; indhegne; udstyre; håne; (subst.) hån; ~ *oneself* omgjorde sig (fig.: gøre sig rede); ~ *on one's armour* iføre sig sin rustning; ~ *at* håne; ~ *up one's loins* omgjorde sin lænd (fig.: gøre sig rede).
girder ['gə·də] bærebjælke, drager.
girdle ['gə·dl] (vb.) omgjorde, ombælte, omgive; omsejle; (subst.) gjord, hofteholder, bælte; omfang; jernplade (til bagning).
girl [gə·l] pige; *his (best)* ~ hans kæreste; *old* ~ gamle tøs; *shop* ~ ekspeditrice. **girl| friend** veninde. ~ **graduate** kvindelig kandidat. ~ **guide** pigespejder.
girlhood ['gə·lhud] pigeår; *she had grown from* ~ *into womanhood* hun var fra pige blevet kvinde.
girlish ['gə·liʃ] (adj.) ungpigeagtig, pigelig, pige-.
girl scout (amr.) pigespejder.
Girondist [dʒi'råndist] girondiner.
girt [gə·t] imperf. og perf. part. af *gird.*
girth [gə·þ] (subst.) (bug)gjord; omfang; livvidde; (vb.) omgjorde, lægge gjord om, omgive; måle omfanget af; *a tree 30 feet in* ~ et træ der måler 30 eng. fod i omkreds.
gist [dʒist]: *the* ~ det væsentlige, kernen (fx. *the ~ of the matter).*
give [giv] (vb.) *(gave, given)* give, forære, skænke; give efter, vige (fx. *no one would ~ an inch);* slå sig (om træ); svede (om sten); tø; føre, vende *(on, into* til, mod); beskrive; udtrykke (fx. *it is -n in the following formula);* smitte med (fx. *you have -n me your cold);* volde (fx. ~ *trouble,* ~ *pain);* udstøde (fx. *a loud laugh, a cry, a sigh);* (subst.) elasticitet; eftergivenhed, villighed til at indgå kompromis;
~ *and take* gensidig imødekommenhed; noget for noget; ~ *battle* levere et slag; tage kampen op; ~ *bail* stille kaution; ~ *countenance to* opmuntre, støtte; ~ *fire!* fyr! ~ *sby. good morning* sige godmorgen til en; ~ *ground* vige, trække sig tilbage; ~ *the horse his head* (el. *rein* el. *line)* give hesten frie tøjler; ~ *it him!* giv ham en omgang! *I'll ~ it you* jeg skal gi' dig; ~ *judgment* udtale sin dom (el. mening); (jur.) afsige en kendelse; ~ *a lecture* holde et foredrag; ~ *like for like,* ~ *tit for tat,* ~ *as good as one gets* give lige for lige, give svar på tiltale; ~ *sby. a look* tilkaste en et blik; ~ *one's love* (el. *kind regards) to* sende venlig hilsen til; ~ *me good old Dickens, any day* næ må jeg så be' om Dickens; *don't ~ me that* kom ikke her med det sludder; ~ *one's mind* (el. *oneself) to sth.* hellige sig noget, koncentrere sig om noget; ~ *my respects to your mother* hils Deres moder fra mig; ~ *us a song* syng en sang for os; *he gave a start* det gav et sæt i ham; ~ *thanks* takke; ~ *a toast* udbringe en skål; ~ *trouble* volde ulejlighed; *I am given to understand* man lader mig forstå; *he gave it to be understood* han lod sig forlyde med; ~ *way* give efter, vige *(to* for); ~ *way to* (ogs.) blive afløst af; give sig hen i; ~ *way to tears* lade tårerne få frit løb; *I ~ you the ladies!* skål for damerne! *I ~ you that point in the argument* på det punkt indrømmer jeg De har ret; *I'll ~ you this, you are not lazy* du er ikke doven, det vil jeg indrømme dig (el. det må man lade dig);
(forb. m. adv. og præp.:) ~ *away* give bort (el. væk), forære væk; røbe, udlevere, melde; give efter, give sig; ~ *away the bride* være brudens forlover; ~ *away a chance* forspilde en chance; ~ *the game away* røbe hemmeligheden; *his accent gave him away* hans accent røbede ham; ~ *away in marriage* bortgifte; ~ *oneself away* udlevere sig (fig.); ~ *away the prizes* overrække præmierne; ~ *back* give tilbage, give igen, gengælde; vige tilbage; ~ *forth* = ~ *out;* ~ *in* opgive; indlevere, overrække; give efter *(to* for); ~ *in one's name* lade sig indskrive; ~ *into* føre til (om vej); gå ind på; ~ *off* udsende (fx. *smoke, steam);* afgive (fx. *heat);* ~ *(up)on* vende ud til, have udsigt til (om vindue o.l.);

~ *out* uddele; bekendtgøre; udbrede (fx. *rumours*); udsende (fx. *smoke*); afgive (fx. *heat*); slippe op (fx. *the food began to ~ out*); bryde sammen; ~ *out the hymns* nævne hvad salmer der skal synges; ~ *it out that* lade sig forlyde med at; ~ *oneself out to be* give sig ud for (at være); ~ *over* overlade; opgive (en vane); holde op (med); ~ *it to sby.* T give én en ordentlig omgang; ~ *up* opgive; holde op med; afgive, renoncere på; udlevere, overlade (*to* til); tilstå, bevillige; ~ *up one's effects to one's creditors* erklære sig for insolvent; ~ *up the ghost* opgive ånden; ~ *oneself up to* hellige sig, hengive sig helt til; give sig hen i (fx. *despair*); ~ *oneself up to the police* melde sig til politiet; *my mind was given up to* mit sind var optaget af, mit sind var opfyldt af.

give-away (subst.) afsløring; vareprøve (der gives væk som reklame), reklamepakke.

given [givn] (perf. part. af *give*); givet, forudsat; tilbøjelig, forfalden (*to* til); *be ~ to drink* være fordrukken; *be ~ over to evil courses* føre et slet levned; ~ *good health he will be able to do it* forudsat han er rask vil han kunne gøre det; ~ *name* (amr.) fornavn.

gizzard [ˈgizəd] (subst.) (hos fugle) kråse; (hos visse andre dyr) mave; *it frets my ~* det ærgrer mig; *it stuck in his ~* det faldt ham for brystet.

Gk. fk. f. *Greek.*

glabrous [ˈgleibrəs] glat, skallet, hårløs.

glacé [gläˈsei] glacé-; glaseret.

glacial [ˈgleisjəl] krystalliseret; is-; iskold (fx. *air, calm*); ~ *era* istid; *a ~ look* et isnende blik.

glaciated [ˈgleisieitid] (adj.) isdækket. **glaciation** [gläsiˈeiʃən] gletscherdannelse; is.

glacier [ˈgläsjə] bræ, gletscher.

glacis [ˈgläsi(s)] glacis.

glad [gläd] glad, fornøjet; *I am ~ to hear it* det glæder mig at høre det; *I am ~ of it* det glæder mig, jeg er glad for det; *I am ~ that you are here* det glæder mig, at du er her; *I shall be ~ to come* jeg glæder mig til at komme; *give sby. the ~ eye* S skyde med en; *give sby. the ~ hand* S stikke en på næven, hilse overstrømmende hjerteligt på en; give én en overstrømmende velkomst; ~ *news* glædelig efterretning; ~ *rags* (amr. S) stadstøj, bedste tøj, kisteklæder.

gladden [ˈglädn] (vb.) glæde.

glade [gleid] lysning, skovslette.

glad-hand (vb.) stikke på næven, hilse overstrømmende hjerteligt på.

gladiate [ˈgleidiėt] sværdformet.

gladiator [ˈglädieitə] gladiator.

gladiatorial [glädiəˈtå·riəl] gladiatoragtig.

gladiolus [glädiˈouləs] (pl. *gladioli* [-lai]) ♧ gladiolus.

gladly [ˈglädli] med glæde, gerne.

gladness [ˈglädnės] (subst.) glæde.

gladsome [ˈglädsəm] glad, lykkelig, glædelig.

Gladstone [ˈglädstən]: ~ *bag* håndkuffert, rejsetaske.

glair [glæə] (subst.) æggehvide; lim; (vb.) bestryge med æggehvide.

glairy [ˈglæəri] æggehvideagtig.

glaive [gleiv] glavind, sværd.

glamorize [ˈglämərαiz] (vb.) omgive med et strålende skær (fig.); forherlige.

glamorous [ˈglämərəs] (adj.) betagende, fortryllende, blændende.

glamour [ˈglämə] (subst.) trolddom, blændværk; fortryllelse, glans, glamour; (vb.) fortrylle; ~ *girl* feteret (films)skønhed, glamour girl.

glance [gla·ns] (subst.) glimt; øjekast, blik; (glds.) hentydning, antydning; (i mineralogi) glans; (vb.) glimte; vise sig et øjeblik; strejfe; hentyde til, let berøre; tilbagekaste (et skær); polere; *at a ~, at the first ~* ved første øjekast; straks; *take* (el. *cast*) *a ~ at, ~ at* se flygtigt på, kigge på; ~ *at* (ogs.) hentyde til; strejfe, berøre flygtigt (fig.); ~ *aside, ~ off* prelle af, glide af; *catch a ~ of* få et glimt af; ~ *over* (el. *through*) kigge igennem.

gland [gländ] kirtel.

glandered [ˈgländəd] (adj.) snivet. **glanders** [ˈgländəz] (subst.) snive (sygdom hos heste).

glandular [ˈgländjulə], **glandulous** [ˈgländjuləs] kirtelagtig, kirtel-.

glare [glæə] (vb.) stråle, skinne, blænde; være afstikkende, glo (om farver o.l.); stirre, glo, se skarpt; (subst.) blændende (el. skarpt) lys, skin; gennemborende (el. olmt) blik; *in the full ~ of publicity* i offentlighedens søgelys.

glaring [ˈglæəriŋ] blændende, strålende; gloende, stirrende; skrigende, skærende, afstikkende, grel; *a ~ blunder* en grov fejl; *a ~ contrast* en skrigende modsætning.

Glasgow [ˈgla·sgou, ˈgläs-].

glass [gla·s] glas; timeglas; spejl (fx. *look at oneself in the ~*); glasting; glasservice; kikkert, lorgnet; barometer (fx. *the ~ is falling*); termometer; (adj.) glasagtig, glas-; (vb.) sætte glas (el. ruder) i; dække med glas; spejle; glasere; *-es* (ogs.) kikkert, briller; *broken ~* glasskår; *a ~ of wine* et glas vin; *he is fond of his ~* han holder meget af at få sig et glas.

glass|-blower glaspuster. ~ **-case** glasklokke, montre, glasskab. ~ **-cloth** glasstykke, glaslærred. ~ **-covered**: ~ *-covered bookcase* bogskab. ~ **-cutter** glassliber, glasskærer. ~ **eye** glasøje. **-ful** glas; *a -ful of gin* et glas gin. ~ **-house** glasværk; glasudsalg; vinterhave, drivhus; glashus; S vagtarrest, kachot; *those who live in ~ -houses should not throw stones* man skal ikke kaste med sten, når man selv bor i et glashus.

glassine [ˈgla·si·n; (amr.) gläsi·n] (subst.) (omtr.) cellofan.

glassiness [ˈgla·sinės] glasagtighed.

glass|man glashandler, glarmester. ~ **-paper** glaspapir, sandpapir. **-ware** glasvarer, glassager. ~ **wool** glasuld. **-work** glasarbejde, glasvarer; *-works* glasværk. **-wort** salturt.

glassy [ˈgla·si] (adj.) glasagtig; spejlblank; spejlklar; (om øjne) udtryksløse, stive, glasagtige.

Glaswegian [gläsˈwi·dʒiən] indbygger i Glasgow.

Glauber [ˈglå·bə]; *-'s salt* glaubersalt.

glaucoma [glå·ˈkoumə] (med.) grøn stær. **glaucous** [ˈglå·kəs] blågrøn, dækket af blålig 'dug' (som blommer og druer); ~ *gull* gråmåge.

glaze [gleiz] (vb.) sætte glas i, sætte ruder i; give en glat, blank overflade; glasere (fx. *porcelain*); lasere (lægge gennemsigtig farve over); polere; lakere; glitte; få et glasagtigt udtryk, briste (om øjne); (subst.) glasur; glasering; politur; glans; lasering; (amr. ogs.) isslag. **glazed** (ogs.) blank, skinnende; (om øjne) udtryksløse, glasagtige, (hos en død) brustne; ~ *paper* glanspapir, satineret papir; ~ *starch* glansstivelse.

glazer [ˈgleizə] glaserer, polerer etc.; polerskive.

glazier [ˈgleiziə, ˈgleiʒə] glarmester; (i pottemageri) glaserer; *your father wasn't a ~!* din fader er ikke glarmester! du er ikke gennemsigtig!

glazing [ˈgleiziŋ] glarmesterarbejde; glasering etc. (se *glaze*); glasur; lasur(farver).

gleam [gli·m] (subst.) glimt (fx. *a ~ of humour*), skær; lys; stråle; lynstråle; (vb.) stråle, lyse, funkle, glimte; lyne. **gleamy** [ˈgli·mi] glimtende, funklende.

glean [gli·n] (vb.) sanke (fx. aks), indsamle; opsamle; samle sammen lidt efter lidt; erfare; bemærke; (subst.) eftersankning; efterhøst; *what did you ~ from them?* hvad fik du ud af dem? **gleaner** eftersanker; indsamler. **gleaning** [ˈgli·niŋ] sankning; indsamling; *-s* kundskaber man har samlet lidt efter lidt.

glebe [gli·b] præstegårdsjord.

glede [gli·d] (zo.) glente.

glee [gli·] lystighed, glæde, munterhed; sang (sunget af tre eller flere solostemmer). **glee-club** sangforening.

gleeful [ˈgli·ful] glad, lystig; glædelig.

gleg [gleg] kvik, opvakt, hurtig i vendingen.

glen [glen] bjergkløft, fjelddal.

glengarry [glenˈgäri] skottehue.

glib [glib] glat, facil, mundrap; ~ *speech* flydende tale; *have a ~ tongue, talk -ly* tale let og flydende, tale med stor tungefærdighed.

glide [glaid] (vb.) glide, svæve; (flyv.) bevæge sig i glideflugt; liste, snige sig; (subst.) gliden, svæven; glideflugt; (i musik) glidetone; (fon.) glidelyd.

glider ['glaidə] svæveplan; ~ *pilot* svæveflyver.

glim [glim] S lys, lampe; *douse the ~* slukke lyset; ~ *lamp* glimlampe.

glimmer ['glimə] (vb.) skinne mat, glimte, flimre; (subst.) glimten, flimren; svagt lys; (fig.) antydning; anelse; svagt glimt (fx. *of hope).*

glimpse [glimps] (subst.) glimt; flygtigt blik; (vb.) se flygtigt, få et glimt af, skimte; ~ *at* kaste et flygtigt blik på; *catch a ~ of* se et glimt af; skimte.

glint [glint] (subst.) glimt, blink; skær; (vb.) glimte.

glioma [gli'oᵘmə] glioma (svulst i hjernen el. rygmarven).

glissade [gli'sa·d, -'seⁱd] (vb.) glide (især: over bræ; ogs. i dans); (subst.) gliden.

glisten ['glisn] (vb.) glinse, funkle, stråle; (subst.) glans.

glister ['glistə] skinne.

glitter ['glitə] (vb.) glitre, glimre, stråle; (subst.) glitren, glans; *all that -s is not gold* det er ikke guld alt der glimrer; *-ing promises* gyldne løfter.

gloaming ['gloᵘmiŋ] skumring, tusmørke.

gloat [gloᵘt] fryde sig, gotte sig, hovere, være skadefro *(over* el. *on* over).

global ['gloᵘbl] global, verdensomfattende.

globate ['gloᵘbeⁱt], **globated** ['gloᵘbeⁱtid] kugleformet.

globe [gloᵘb] (subst.) kugle; klode; globus; rigsæble; glaskugle; lampekuppel; *the ~* verden; ~ *of the eye* øjeæble.

globe-flower ♧ engblomme.

globe-trotter ['gloᵘbtråtə] globetrotter.

globose ['gloᵘboᵘs] kugleformet. **globosity** [gloᵘ'båsiti] kugleform. **globular** ['glåbjulə] kugleformet. **globule** ['glåbju·l] lille kugle; dråbe, perle (fig.) (fx. *-s of fat, of sweat).* **globy** ['gloᵘbi] rund.

glomerate ['glåmərėt] (adj.) viklet sammen.

glomerule ['glåməru·l] ♧ nøgle.

gloom [glu·m] (subst.) mørke; tungsindighed, tristhed; (amr. T) trist person; (vb.) formørke; se mørk ud; formørkes; være nedtrykt. **gloomy** ['glu·mi] mørk, tungsindig, dyster, trist, nedtrykt.

glorification [glå·rifi'keⁱʃən] forherligelse; lovprisning; (religiøst:) forklarelse. **glorify** ['glå·rifai] forherlige; lovprise; kaste glans over, glorificere; (religiøst:) forklare; *the hotel is only a glorified boarding-house* hotellet er kun et bedre pensionat.

glorious ['glå·riəs] (adj.) herlig, strålende, storartet; ærefuld, berømmelig.

glory ['glå·ri] (subst.) ære, hæder; glans, herlighed, pragt, glorie; stolthed; (vb.) glæde sig, være stolt; *in all his ~* i al sin herlighed; *on the field of ~* på ærens mark; *go to ~* dø; *send to ~* dræbe; *he is in his ~* han er rigtig i sit es; ~ *in* sætte en ære i, være stolt (el. vigtig) af, fryde sig ved.

glory-hole ['glå·rihoᵘl] (lille) pulterkammer, rodeskuffe; indvarmningsovn (i glasværk).

Glos. fk. f. *Gloucestershire.*

I. **gloss** [glås] (subst.) glans; (neds.) skin, skær; (vb.) give glans, give en overfladisk glans; ~ *(over)* besmykke, dække over (fx. ~ *over one's faults).*

II. **gloss** [glås] (subst.) glos(s)e, note, kommentar, anmærkning, forklaring; fordrejelse.

III. **gloss** [glås] (vb.) kommentere; lægge en anden betydning i, bortforklare.

glossarist ['glåsərist] kommentator. **glossary** ['glåsəri] glosar.

glossematic [glåsi'mätik] glossematisk. **glossematics** (subst.) glossematik. **glosseme** ['glåsi·m] glossem.

glossiness ['glåsinės] glans.

glossitis [glå'saitis] glossitis, betændelse i tungen.

glossy ['glåsi] skinnende, blank, blankslidt, glat; prangende; (subst.) dameblad, ugeblad, magasin med blankt farvestrålende omslag.

glottal ['glåtl]: ~ *stop* stød (i sprog).

glottis ['glåtis] stemmeridse.

Gloucester ['glåstə] (stednavn); ost fra Gloucestershire; *double ~* særlig fed ost fra G.

glove [glʌv] handske; give handske på; *be hand in ~ with* være potte og pande med; *excuse my ~!* undskyld at jeg beholder handsken på! *fit like a ~* passe som hånd i handske; *take off the -s to him, handle him without -s* ikke tage med fløjlshandsker på ham, ikke lægge fingrene imellem; *attack the problem with -s off* gå lige til sagen; *throw down the ~* kaste sin handske (ɔ: udfordre); *take up the ~* tage handsken op (ɔ: modtage udfordringen). **glove compartment** handskerum. **gloveless** (adj.) uden handsker; hensynsløs. **glover** ['glʌvə] handskemager. **glove-stretcher** handskeblok.

glow [gloᵘ] (vb.) gløde; (subst.) glød, rødme; skær; (behagelig) varme; iver; *be all in a ~* være (dejlig) varm; ~ *with health* strutte af sundhed.

glow discharge lamp glimlampe.

glower ['glauə] (vb.) stirre vredt, skule, glo; (subst.) fjendtlig stirren, skulen.

glowing ['gloᵘiŋ] glødende; ~ *with happiness* glædestrålende.

glow-lamp ['gloᵘlämp] glødelampe.

glow-worm ['gloᵘwə·m] st. hansorm.

gloxinia [glåk'sinjə] ♧ gloxinia.

gloze [gloᵘz]: ~ *over* bortforklare, besmykke.

glucose ['glu·koᵘs] glykose, druesukker.

glue [glu·] (subst.) lim, klister; (vb.) lime; klæbe; *-d to* (fig.) klistret op ad.

gluey ['glu·i] limagtig, klæbrig.

glum [glʌm] nedtrykt, mut, mørk, trist.

glume [glu·m] (subst.) avne.

glut [glʌt] (subst.) overflod; (vb.) (over)mætte, overfylde; ~ *the market* oversvømme markedet; ~ *oneself with* forspise sig i.

gluten ['glu·tən] gluten. ~ **-bread** glutenbrød.

glutinous ['glu·tinəs] klæbrig.

glutton ['glʌtn] grovæder, frådser, slughals; (zo.) jærv; *a ~ for work* en hund efter arbejde. **gluttonize** ['glʌtənaiz] æde grådigt, frådse. **gluttonous** ['glʌtənəs] grådig, forslugen. **gluttony** ['glʌtəni] grådighed, forslugenhed, frådseri.

glycerin(e) ['glisərin] glycerin.

glycol ['glikål] glykol.

glyptic ['gliptik] glyptisk. **glyptics** glyptik stenskærerkunst.

G. M. fk. f. *Grand Master.*

gm. fk. f. *gramme.*

G-man ['dʒi·män] (amr.) fk. f. *Government man* medlem af statspolitiet; kriminalbetjent.

G. M. B. fk. f. *Grand Master of the Bath; good merchantable brand.*

G. M. M. G. fk. f. *Grand Master of St. Michael & St. George.*

G. M. T. fk. f. *Greenwich mean time.*

gnarled ['na·ld], **gnarly** ['na·li] knastet, knudret, kroget.

gnash [näʃ]: ~ *one's teeth* skære tænder; *weeping* (el. *wailing) and -ing of teeth* gråd og tænders gnidsel.

gnat [nät] (subst., zo.) myg.

gnaw [nå·] (vb.) gnave; nage.

gneiss [nais] (geol.) gneiss.

gnome [noᵘm] gnom, jordånd, bjergånd; dværg; tankesprog, sentens, aforisme. **gnomic(al)** ['noᵘmik(l)] aforistisk.

gnomon ['noᵘmån] (subst.) viser på solur.

gnostic ['nåstik] gnostisk; gnostiker.

gnu [nu·] (zo.) gnu.

I. **go** [goᵘ] *(went, gone)* (se ogs. *going, gone)* rejse, begive sig, tage (fx. ~ *to England;* ~ *on foot);* gå (fx. *this train -es to London; don't ~ yet);* afgå (fx. *the train* *has just gone);* forsvinde (fx. *the clouds have gone);* forløbe, gå (fx. *how did the play ~? everything went better than I expected);* være (fx. *~ armed);* blive (fx. *~ mad);* blive solgt, gå (fx. *he let his house ~ too cheap);* lyde (fx. *this is how the tune -es);* blive anbragt, have sin plads (fx. *where is this carpet to ~?*); skulle til, være nødvendig (fx. *all the things that ~ to rig out a ship);* knække, gå overbord (fx. *the mast went),* (fig.) gå rabundus, krakke (fx. *the bank may ~ any day);* sige (fx. *the clock -es tick-tock tick-tock);* (i kortspil) melde (fx. *~ two spades);*

(forskellige forbindelser:) *don't ~ and ...* gå nu ikke hen og ...; *it is a good house as houses ~ nowadays* det er et godt hus når man tager i betragtning hvordan huse ellers er nu om dage; *~ fishing, ~ out fishing* tage ud og fiske; *he -es frightening people* han går og forskrækker folk; *~ hunting,* (glds.) *~ a hunting* gå på jagt; *~ it* handle energisk, klemme på, mase på; *~ it alone* klare det på egen hånd; *it must ~* det må forsvinde, det må afskaffes; *who -es there?* hvem der? *two in four -es twice* to i fire er to; *~ a long way* slå godt til; *a little of him -es a long way* ham får man hurtigt nok af; *~ a long way towards* bidrage meget til; *the money -es only a little way* der er ikke forslag i pengene; *~ a great way* have stor indflydelse;

(forb. m. præp. og adv.) *~ about* gå omkring, løbe om; ⚓ stagvende; *~ about sth.* tage fat på noget; *~ about it in the right way* gribe det rigtigt an; *~ after* være ude efter; *it -es against my principles* det er i strid med (el. strider mod) mine principper; *~ ahead,* se *ahead; ~ along* gå bort, gå videre; *~ along!* af sted med dig! det mener du ikke! å gå væk! *as you ~ along* efterhånden; undervejs; *~ along with* gå med; følge (på vej); høre sammen med; *~ along with you!* = *~ along! ~ around* cirkulere; nå rundt, være nok til alle; *~ astray,* se *astray; ~ at* gå løs på, overfalde, angribe; gå i gang med, tage fat på; *I am -ing away for my holidays* jeg skal rejse i ferien; *~ back on,* se *IV. back; ~ before* gå forud for; *~ behind* undersøge nøjere, granske; *~ between* gå imellem; mægle; *~ beyond* overskride, gå ud over;

~ by gå forbi; gå hen, gå (om tiden); gå efter, rette sig efter, dømme efter; *that's a safe rule to ~ by* det er en regel, man trygt kan rette sig efter; *~ by the name of* gå under navnet, hedde; *~ by train* tage (el. rejse) med toget; *in times gone by* i svundne tider;

~ down synke; gå ned (om solen etc.); gå under (om skib); styrte ned (om fly); gå i gulvet (om bokser); falde (i pris); falde (politisk); lægge sig (om vind); forlade universitetet; glide ned (blive spist); vinde bifald, vinde tiltro; blive husket; *~ down in the world* deklassere sig, blive deklasseret; *~ down on one's knees* falde på knæ, knæle; *the account -es down to 1960* beretningen går helt til (el. er ført op til) 1960; *he will ~ down to history* (el. *posterity) as a traitor* han vil gå over i historien som en forræder; *that won't ~ down with him* det finder han sig ikke i, den tror (el. T: hopper) han ikke på; *~ down well with* vinde bifald hos, blive vel modtaget af; *~ far* slå godt til; (om person) blive til noget; drive det vidt; *he is far gone,* se *gone; as far as it -es* for så vidt (fx. *that is true as far as it -es); as far as that -es* hvad det angår; *~ fast* leve flot; *~ for* gå efter, prøve på at få; angribe, fare løs på, falde over; regnes for, gå for, sælges til; gå ind for, være en tilhænger af; *and that -es for him too* og det gælder også ham; *~ for a walk* gå en tur; *this is to ~ no further* det bliver mellem os;

~ in indtræffe (om efterretning); *~ in and win!* gå på! klem på! *~ in for* give sig af med; lægge sig efter, befatte sig med; *~ in for an examination* gå op til en eksamen; *~ in for dress* lægge stor vægt på sit toilette; *~ in for money* søge at tjene mange penge; *~ in for sport* dyrke sport; *~ into business* blive forretningsmand; *~ into effect* træde i kraft; *~ into a fit of laughter* få et latteranfald; *2 -es into 4* 2 går op i 4; *I shall ~ into the matter* jeg skal undersøge sagen; *~ into mourning* anlægge sorg; *~ into partnership with sby.* gå i kompagni med en; *all your things won't ~ into this trunk* alle dine sager kan ikke være i den kuffert; *I don't want to ~ into that* det ønsker jeg ikke at komme nærmere ind på; *all the time he was speaking he went like this* medens han talte gjorde han hele tiden sådan (udtalelsen ledsages af illustrerende gestus eller mimik); *~ near* nærme sig; være i begreb med; gå til hjertet; *I never went near his house* jeg har aldrig sat mine ben i hans hus;

~ off finde afsætning; gå af (om skydevåben); eksplodere; stikke af; blive ringere; (om kød) få en tanke, (om mælk) blive sur; falde i søvn, miste bevidstheden; gå, forløbe; (fx. *the performance went off well); ~ off gold* gå fra (el. forlade) guldet; *Hamlet -es off* H. (går) ud; *~ off one's head* T blive skør; *~ off (to sleep)* falde i søvn; *~ off with one's tail between one's legs* stikke halen mellem benene (fig.); *Jonas has gone off with a friend's wife* J. er stukket af med en vens kone;

~ on fortsætte, drage videre, tage videre, gå videre; gå for sig; foregå; blive ved, fortsættes; gå over *(to til); ~ on* fortsæt! å, gå væk! å, lad være! rend og hop! *all his money -es on books* alle hans penge går til bøger; *~ on for* nærme sig (fx. *he is -ing on for fifty, it is -ing on for five o'clock); the only evidence we have to ~ on* det eneste bevismateriale vi har at støtte os til; *~ on horseback* ride; *~ on in that way* bære sig sådan ad, tage sådan på vej; *~ on one's knees* falde på knæ; *~ on the stage* gå til scenen; *~ on strike* gå i strejke; *he went on to describe the journey* han gik over til (el. fortsatte med) at beskrive rejsen; *he went on to say that ...* han sagde dernæst (el. videre) at ...; *she does not ~ on until act two* hun kommer først på scenen i anden akt; *I must ~ on upon my journey* jeg må fortsætte min rejse;

~ out gå ud (ogs. om lys etc.); gå af mode; dø; (om minister) gå af; (om arbejdere) gå i strejke; (om pige) få plads, tage arbejde; (om tidsrum) slutte; *our hearts went out to them* vi havde den dybeste medfølelse med dem; *~ out of one's mind* gå fra forstanden; *~ out of one's way* gøre sig særlig umage; *~ over* læse igennem, gennemgå; bese (fx. *they went over the school),* undersøge; *~ over (big)* T gøre lykke; *there is enough food to ~ round* der er mad nok til at det kan nå rundt; *~ round to see him* gå hen for at besøge ham;

~ through gå igennem; gennemgå; gennemføre; undersøge nøje; bortødsle; *the book went through five editions* fem oplag af bogen blev udsolgt, bogen gik i fem oplag; *~ to!* (glds.) nåda! kil på! nej hør nu! *~ to live in another town* flytte til en anden by; *I don't know where the money -es to* jeg ved ikke, hvor pengene bliver af; *~ to pieces* gå i stykker, forfalde; bryde sammen; *I won't ~ to the price of it* så meget vil jeg ikke spendere; *the first prize went to Mr. Brown* hr. Brown fik (el. vandt) førstepræmien; *the property went to his son* sønnen arvede ejendommen; *~ to see* besøge; *that -es to show* (el. *prove) that* det viser (el. beviser) at; *he went to great trouble to prove it* han gjorde sig stor umage for at bevise det; *the song -es to this tune* sangen går på den melodi; *~ together* gå sammen, følges ad; passe sammen, stemme overens; *~ under* gå under, bukke under, blive ødelagt; gå til bunds; *~ up* gå op, stige; springe (el. ryge) i luften, blive ødelagt; begynde på universitetet; *new houses are -ing up everywhere* nye huse bliver opført (el. skyder op) overalt; *~ west* S forsvinde; falde, blive dræbt; *~ with* ledsage; følge, være enig med; følge med (fx. *the cupboards went with the house);* passe (el. stå) til; *~ well with* (om farve) stå godt til; *fish does not ~ well with tea* fisk og te passer ikke godt sammen; *~ without* undvære, klare sig uden; *that goes without saying* det følger af sig selv, det siger sig selv.

II. **go** [goᵘ] (subst.) hændelse, affære, historie, redelighed; energi, fart, appel, gåpåmod (fx. *he is full of ~);* forsøg, chance; omgang; *that's all* (el. *quite) the ~* det er stærkt på mode; *it was a ~* (amr.) det lykkedes; *here's a fine ~!* sikken redelighed! *have a ~* gøre et forsøg; *have a ~ at* forsøge (sig med); *make a ~ of it* (amr.) have held med sig; *it was a near ~* det var på et hængende hår, det var nær gået galt; *it is no ~* det duer ikke, den går ikke, der er ikke noget at gøre; *be on the ~* være i aktivitet; *he is always on the ~* (ogs.) han har bisselæder i skoene; *a rum ~* en løjerlig historie; *from the word ~* lige fra begyndelsen.

goad [gouᵘd] (subst.) pigstav, brod; (fig.) spore; (vb.) drive fremad med pigstav; anspore, ægge; *~ sby. into fury* drive en til raseri; *he was -ed by hunger into stealing* sulten drev ham til at stjæle.

go-ahead [ˈgoᵘəhed] (adj.) fremadstræbende, energisk; (subst.) gåpåmod; startsignal, 'grønt lys'.

goal [goᵘl] (subst.) mål; (vb.) lave mål; *keep ~* stå på mål; *reach one's ~* nå sit mål; *score* (el. *make*) *a ~* lave mål. **goal|-keeper** målmand. **~ -kick** målspark. **~ -line** mållinje. **~ -post** målstang.

go-as-you-please planløs, tilfældig, på må og få, på bedste beskub; vilkårlig.

goat [goᵘt] ged; liderlig person; (amr. S) syndebuk; *get sby.'s ~* gøre en vred, irritere en; *separate the sheep from the -s* skille fårene fra bukkene.

goatee [goᵘˈti·] fipskæg.

goat-herd [ˈgoᵘthə·d] gedehyrde.

goatish [ˈgoᵘtiʃ] bukkeagtig; vellystig, liderlig.

goatling [ˈgoᵘtliŋ] 1-2 års ged.

goat|skin gedeskind. **-sucker** (zo.) natravn. **~ willow** ♧ seljepil.

gob [gåb] klump; spytklat; **S** mund, flab, kæft; (amr. **S**) marinesoldat, sømand.

gobbet [ˈgåbit] stykke (fx. kød), luns, mundfuld, klump.

gobble [ˈgåbl] (vb.) sluge begærligt, hugge (el. guffe) i sig; pludre (om kalkun).

gobbledegook [ˈgåbldiˈguk] (amr. **S**) højtravende officiel stil, kancellistil.

gobbler [ˈgåblə] kalkunsk hane.

gobelin [ˈgoᵘbəlin, ˈgåbəlin] gobelin.

go-between [ˈgoᵘbitwi·n] mellemmand, mægler; ruffer.

goblet [ˈgåblit] vinglas (på fod); (glds.) bæger, pokal.

goblin [ˈgåblin] trold, nisse.

goby [ˈgoᵘbi] (zo.) kutling.

go-by [ˈgoᵘbai]: *give sby. the ~* lade som om man ikke ser en, med vilje undgå en.

go-cart [ˈgoᵘka·t] gangkurv; promenadevogn, klapvogn; let vogn; (racer:) go-cart.

god [gåd] gud; *the gods* (de der sidder på) galleriet (i teatret); *God Almighty* den almægtige (Gud); *God bless her!* Gud velsigne hende! *God forbid!* det Gud forbyde! *God willing* om Gud vil; *I wish to God, would to God, God grant it!* Gud give! *God knows* Gud ved (ɔ: vi ved ikke); Gud skal vide (ɔ: det er sikkert); *a sight for the gods* et syn for guder; *thank God* Gud være lovet; *God's truth* den rene sandhed; *a (little) tin god* 'en hel lille vorherre'; *ye gods (and little fishes)!* ih du forbarmende!

god|child gudbarn. **-damn** fordømt, fandens. **-daughter** guddatter. **-dess** gudinde. **-father** gudfader; *be -father to* stå (el. være) fadder til. **-fearing** gudfrygtig. **~ -forsaken** gudsforladt. **-given** himmelsendt. **-head** guddom(melighed). **-less** gudløs. **-like** guddommelig. **godliness** [ˈgådlinés] gudfrygtighed; *cleanliness is next to ~* (omtr.) renlighed er en god ting.

godly [ˈgådli] gudfrygtig.

godmother [ˈgådmʌðə] gudmoder.

godown [ˈgoᵘdaun] pakhus.

godparent [ˈgådpæərənt] gudfader, gudmoder.

God's acre [ˈgådzˈeˑkə] kirkegård.

godsend [ˈgådsend] uventet held; *it was a ~* det kom som sendt fra himlen.

godson [ˈgådsʌn] gudsøn.

god-speed [ˈgådˈspi·d] held; lykkelig rejse.

godwit [ˈgådwit] (zo.) kobbersneppe.

goer [ˈgoᵘə] gående; fodgænger; *comers and -s* ankommende og afrejsende; *he is a poor ~* han er ikke god til at gå; *this horse is a good ~* denne hest går godt.

goffer [ˈgoᵘfə] gaufrere; gaufrering.

go-getter [ˈgoᵘgetə] **S** gåpåfyr, smart (forretnings)mand. **go-getting** foretagsom, emsig, entreprenant.

goggle [ˈgågl] rulle med øjnene, stirre med vidtopspilede eller udstående øjne; se til siden (el. fra den ene side til den anden); (adj.) udstående, vidtopspilet, rullende. **goggle-eyed** [ˈgåglaid] med udstående øjne.

goggles automobilbriller, **S** briller; 'brilleslange'; drejesyge.

goglet [ˈgåglit] vandkøler.

Goidelic [goiˈdelik] gælisk.

I. **going** [ˈgoᵘiŋ] gående osv.; i gang; *let us be ~* lad os komme af sted; *is there any tea ~?* er der noget te at få? *be ~ to* være i begreb med at, skulle til at; *I am ~ to read* jeg skal til at læse, jeg vil læse nu; *I am not ~ to tell him* jeg vil ikke sige ham det; *where are you ~?* hvor skal du hen? *~ concern* igangværende virksomhed; *get ~* sætte sig i bevægelse; *~, ~, gone* (v. auktion) første, anden, tredje gang; *keep ~* holde i gang; *the greatest rascal ~* den største slubbert der er til; *set ~* sætte i gang; få på gled; *still ~ strong* stadig i fuld vigør.

II. **going** [ˈgoᵘiŋ] (subst.) gang, afrejse; føre (fx. *the ~ is good, the ~ is bad*); *-s* gerninger; færd; *stop while the ~ is good* holde op mens legen er god; *40 miles an hour is pretty good ~* 40 miles i timen er en rigtig god fart; *the ~ was very hard and difficult over the mountain roads* bjergvejene var overordentlig vanskelige at passere.

goings-on [ˈgoᵘiŋzˈån] leben; *pretty ~!* sikken redelighed!

goitre [ˈgoitə] struma; *exophthalmic ~* den basedowske syge.

gold [goᵘld] guld; rigdom; gylden farve; centrum (i en skive); *be as good as ~* være så god som dagen er lang, (om barn) opføre sig eksemplarisk; *he is worth his weight in ~* han er ikke til at veje op med guld; *rolled ~* gulddoublé.

gold| backing gulddækning. **-bearing** guldholdig. **~ -beater** guldslager. **~ -beater's skin** guldslagerhud. **-brick** (amr. **S**) soldat som tages ud af geleddet til særlig tjeneste, skulker; noget værdiløst der ser kostbart ud. **-crest** (zo.) fuglekonge. **~ -digger** guldgraver; **S** kvinde som er ude efter mænds penge. **~ dust** guldstøv.

golden [ˈgoᵘldn] (adj.) af guld, guld-, gylden, gyldenblond; *a ~ opportunity* en enestående lejlighed.

golden| age guldalder. **~ calf**: *the ~ calf* guldkalven. **~ -crested wren** (zo.) fuglekonge. **~ eagle** (zo.) kongeørn. **~ -eye** (zo.) hvinand. **~ mean**: *the ~ mean* den gyldne middelvej. **~ oriole** (zo.) guldpirol. **~ plover** (zo.) hjejle. **~ -rod** ♧ gyldenris. **~ section**: *the ~ section* det gyldne snit. **~ wedding** guldbryllup.

gold|-field guldfelt. **-finch** stillids. **-fish** guldfisk. **~ -leaf** bladguld.

gold|-of-pleasure ♧ hundehør. **~ plate** guldservice. **~ point** guldpunkt; *~ import point* nedre guldpunkt; *~ export point* øvre guldpunkt. **~ -smith** guldsmed. **~ standard** guld(mønt)fod.

golf [gålf] golfspil; spille golf. **golf-club** golfklub; golfkølle. **golf course** golfbane. **golfer** [ˈgålfə] golfspiller. **golf-links** golfbane.

Golgotha [ˈgålgəþə] Golgata.

Goliath [goˈlaiəþ].

golliwog [ˈgåliwåg] grotesk (neger)kludedukke.

golly [ˈgåli] den er mægtig! død og pine!

golosh [gəˈlåʃ] galoche.

goluptious [gəˈlʌpʃəs] lækker, delikat.

G.O.M. fk. f. *Grand Old Man.*

gombeen [gåmˈbi·n] åger.

gonad [ˈgånəd] kønskirtel, gonade.

gondola [ˈgåndələ] gondol.

gondolier [gåndəˈliə] gondolfører.

gone [gå(·)n] perf. part. af *go;* borte, væk; ødelagt, håbløs; forelsket; (om klokkeslæt og alder) over (fx. *he is ~ twenty-one; it is ~ five);* S tosset; *he has ~* han er gået; *where has it ~?* hvor er det blevet af? *you have been and ~ and done it* nu har du ødelagt det hele; *he is ~* han er borte; *be ~, get you ~!* af sted med dig! *let us be ~* lad os komme af sted; *in times ~ by* i svundne tider; *it is a ~ case with him* han er leveret; *dead and ~* død og borte; *he is far ~* han er langt nede (el. ude); han har det meget dårligt; han er ødelagt (økonomisk); *far ~ in drink* beruset; *far ~ in years* bedaget; *a ~ man* en færdig mand; *she is six months ~* hun er seks måneder henne (om gravid); *~ on* væk i, forelsket i.

goneness ['gånnės] afkræftelse.

goner ['gånə]: *he is a ~* det er sket med ham, han er færdig.

gonfalon ['gånfələn] banner. **gonfalonier** [gånfələ'niə] fanebærer.

gong [gån] gongong; S medalje; slå på en gongong; *be -ed* (om motorkører) 'blive knaldet'.

goniometer [goᵘni'åmitə] vinkelmåler.

gonna (amr.) T = *going to.*

gonorrhoea [gånə'ri·ə] gonorré.

goo [gu·] T klistret (, vammelt) stads.

I. **good** [gud] *(better, best)* god; pålidelig; velvillig; passende, egnet; gyldig, ægte; dygtig, flink; munter; sød, artig (om børn); sund, ufordærvet; ordentlig (fx. *give him a ~* beating); (anvendes ofte forstærkende foran adj.: *you had better take a ~ long walk* du gør bedst i at tage dig en rigtig lang spadseretur;) *a ~ five miles* godt (og vel) fem miles; *he as ~ as said so* han sagde det måske ikke med rene ord, men det var i al fald meningen; *will you be so ~ as to let me know* vil De være så venlig at underrette mig om; *without ~ cause* uden gyldig grund; *a ~ deal, a ~ few, a ~ many* en hel del; *a ~ fire* en ordentlig ild; *hold ~* gælde, holde stik; *make ~* se I. *make; have a ~ mind to* have stor lyst til; *he earns ~ money* han har en god løn; *her nose is rather ~* hun har en ret velformet næse; *that's a ~ one* (el. *'un)* den er god (om en usandsynlig historie); *like a ~ one* så det kan batte; *and a ~ thing too* det var godt det samme; *too much of a ~ thing* for meget af det gode; *have a ~ time* more sig, have det rart; *in ~ time* i rette tid; *all in ~ time* alt til sin tid; *do sby. a ~ turn* gøre en en tjeneste; *a ~ way* et godt stykke vej; *a ~ while* temmelig længe; *~ words* belærende ord; kærlige ord; god efterretning; *be as ~ as one's word* holde sit ord;

(forb. m. præp.) *~ at* dygtig til, flink til; *be ~ at sums* kunne regne godt; *be no ~ at* ikke du til; *~ for you!* bravo! *milk is ~ for you* man har godt af mælk; *he is ~ for £5,000* han er god for £5.000; *~ for nothing* uduelig; *I'm ~ for another 10 miles, if you like* jeg er villig (har kræfter) til at gå 10 miles til, om du ønsker det; *my car is ~ for another ten years* min vogn kan godt holde ti år til; *he is ~ for another ten years* han kan leve ti år til; *the ticket is ~ for one month* billetten gælder en måned; *he was ~ to me* han var god ved mig; *be ~ with children* være flink til at passe børn.

II. **good** [gud] (subst.; se ogs. *goods)* noget godt, det gode; *do ~* gøre godt, udføre fortjenstfulde gerninger; *it will do him ~* det vil gøre ham godt (el. være til gavn for ham); *much ~ may it do you* det får du ikke megen glæde af; god fornøjelse! *for ~, for ~ and all* for bestandig; *for your (own) ~* til dit eget bedste; *it is no ~* det er ingen nytte til, det nytter ikke noget; *he is up to no ~* han har ondt i sinde, han har noget lumskeri for; *what is the ~ of ...?* hvad kan det nytte at ...? *that is all to the ~* det er jo udmærket; det er så meget des bedre; *we were £3 to the ~* vi havde £3 i overskud.

good| afternoon goddag; farvel. **~ -bye** [gud'bai] farvel. **~ day** goddag; farvel. **~ evening** goddag, godaften. **~ fellow** rart menneske, flink fyr. **~ -fellowship** kammeratskab, hyggeligt samvær. **~ -for-nothing** ['gudfə'nʌþin] (adj.) uduelig; unyttig; (subst.) døgenigt, drog.

Good Friday langfredag.

good| humour godmodighed, elskværdighed. **~ -humoured** ['gud'hju·məd] godmodig, elskværdig.

goodies ['gudiz] slikkerier, godter.

goodish ['gudiʃ] antagelig, passabel; ret betydelig.

good-looking ['gud'lukiŋ] køn, nydelig.

goodly ['gudli] køn, behagelig, glædelig; betydelig.

goodman ['gudmən] (glds.) husfader, husbond.

good-nature (subst.) godmodighed, godhjertethed, elskværdighed. **good-natured** (adj.) ['gud'neⁱtʃəd] godmodig, godhjertet, elskværdig.

goodness ['gudnės] godhed; fortræffelighed; dyd; kraft (fx. *meat with the ~ boiled out); have the ~ to* vær så elskværdig at; *Goodness knows* Gud ved (ɔ: jeg ved det ikke); Gud skal vide (fx. *that I have tried hard); my Goodness! Goodness Gracious!* du store Gud! *for Goodness' sake* for Guds skyld.

good offices bona officia, venskabelig mellemkomst.

goods [gudz] ejendele, ting (fx. *steal a man's ~);* varer (fx. *leather ~);* gods; *he has the ~* han har det der skal til; *a piece of ~* S en pige, en 'pakke', en 'godte'; *a saucy little piece of ~* en fræk lille tingest; *deliver the ~* (fig.) gøre hvad man har påtaget sig, holde sit løfte, vise sig dygtig.

good| sense sund fornuft; *he had the ~ sense to* han var så fornuftig at. **~ -sized** ret stor.

goods|-manager godsekspeditør. **~ -office** godsekspedition.

good speed held og lykke.

goods| service godsekspedition. **~ -train** godstog; *send by ~ -train* sende som fragtgods. **~ -van** godsvogn. **~ -yard** godsbaneterræn.

good-tempered ['gud'tempəd] godmodig.

Good-Templar [gud'templə] goodtemplar.

good|-time girl T pige som kun er ude på at more sig. **~ turn** tjeneste (fx. *do him a ~ turn); one ~ turn deserves another* den ene tjeneste er den anden værd.

goodwife ['gudwaif] (glds.) husmoder, madmoder.

goodwill ['gud'wil] velvilje, god vilje, gunst; (bibelsk) kærlighed; (merk.) goodwill, kundekreds.

Goodwin ['gudwin]: *the ~ Sands* (sandbanke ved kysten af Kent).

good works gode gerninger.

goody ['gudi] lækkerbisken (se ogs. *goodies);* (glds.) mutter.

goody(-goody) ['gudi(-'gudi)] dydsiret, moraliserende, skinhellig.

gooey ['gu·i] T klistret, vammel.

goof [gu·f] S (subst.) fjols; (vb.) lave en fejl.

go-off ['goᵘå·f] begyndelse; *he did it first ~* han klarede det ved første forsøg; *drink it at one ~* drikke det på en gang; *at the first ~* lige fra begyndelsen.

goofy ['gu·fi] (adj.) S dum, tosset.

goon [gu·n] (amr. S) lejet bandit el. strejkebryder; fjog.

gooroo ['gu·ru·] åndelig og religiøs vejleder (i Indien).

goosander [gu'sändə] (zo.) stor skallesluger.

goose [gu·s] (pl. *geese)* gås; (pl. *gooses)* pressejern; *all his geese are swans* han har det med at overdrive; *cook his ~* gøre det af med ham, 'ordne' ham; *kill the ~ that lays the golden eggs* slagte hønen der lægger guldæg; *roast ~* gåsesteg.

goose-barnacle ['gu·s'ba·nəkl] (zo.) langhals (slags småkrebs).

gooseberry ['guzb(ə)ri] stikkelsbær; stikkelsbærvin; *play old ~ with* ødelægge; *play ~* være anstandsdame; være femte hjul til en vogn. **gooseberry fool** (omtr.) stikkelsbærgrød.

goose-|flesh gåsekød; (fig.) gåsehud. **-neck** (tekn.) svanehals. **~ pimples** gåsehud. **~ -quill** gåsefjer. **~ -skin** gåsehud. **~ -step** ⚔ prøjsisk parademarch, strækmarch.

G.O.P. (amr.) fk. f. *Grand Old Party (= the Republican party).*

gopher ['goᵘfə] (zo.) gopher.
Gordian ['gå·diən] gordisk; *cut the ~ knot* hugge den gordiske knude over.
I. **gore** [gå·] (subst.) (størknet) blod; kile, bredde (i nederdel).
II. **gore** [gå·] (vb.) indsætte en kile i; stange; gennembore.
gorge [gå·dʒ] (subst.) strube, svælg; ædegilde; hulvej, pas; (vb.) sluge; proppe; proppe sig; frådse; *my ~ rose at it, it made my ~ rise* jeg væmmedes ved det.
gorged [gå·dʒd] overmæt, overfyldt.
gorgeous ['gå·dʒəs] strålende, prægtig.
gorget ['gå·dʒit] (subst.) halskæde; farveplet på en fugls hals; (glds.) brystdug; (hist.) halskrave (på rustning).
gorgio ['gå·dʒioᵘ] ikke-sigøjner (i sigøjnersprog).
gorgon ['gå·gən] gorgo, medusa.
gorgonian [gå·'goᵘnjən] (adj.) gorgonisk, medusa-.
gorgonize ['gå·gonaiz] (vb.) stirre ondt på.
gorilla [gə'rilə] gorilla.
gormandize ['gå·məndaiz] frådse. **gormandizer** frådser.
gormless = *gaumless*.
gorse [gå·s] ♧ tornblad.
gory ['gå·ri] blodig, bloddryppende.
G.O.S. fk. f. *General Overseas Service* (i B.B.C.).
gosh [gåʃ] død og pine! orv!
goshawk ['gåshå·k] (zo.) duehøg.
Goshen ['goᵘʃən] Gosen.
gosling ['gåzliŋ] (zo.) gæsling.
gospel ['gåspəl] evangelium.
gospeller ['gåspələ] evangelieoplæser; *hot ~* fanatisk (religiøs) agitator.
gospel| side evangeliesiden, den nordlige side af alteret hvor evangeliet oplæses. **~ truth** den rene sandhed.
gossamer ['gåsəmə] flyvende sommer; fint vævet stof. **gossamery** ['gåsəməri] florlet.
gossip ['gåsip] (subst.) sludrebøtte, sladretaske; sladder, (hyggelig) snak, sludder; (vb.) sladre, snakke, sludre. **gossip column** avisrubrik med fashionabelt nyt. **gossiping** ['gåsipiŋ] sladren. **gossipy** sladderagtig, sladrende.
gossoon [gå'su·n] (irsk); ung fyr, knægt.
got [gåt] imperf. og perf. part. af *get*.
Goth [gåþ] goter; barbar, vandal.
Gotham ['gåtəm] T New York; *wise man of ~* tåbe, molbo.
Gothenburg ['gåþnbə·g] Göteborg.
Gothic ['gåþik] (adj.) gotisk; barbarisk; (subst., arkit.) gotik.
go-to-meeting (adj.) (om tøj) fin, stads-.
gotten ['gåtn] (amr.) perf. part. af *get*.
gouge [gaudʒ, gu·dʒ] (subst.) hulmejsel; (vb.) udhule; (amr.) snyde; *~ out an eye* klemme et øje ud af øjenhulen ved hjælp af tommelfingeren.
Goulard [gu'la·d]: *-'s extract, ~ water* blyvand.
goulash ['gu·läʃ] gullasch; (i kortspil) dallerød.
gourd [guəd] græskar; græskarflaske, kalabas.
gourmand ['guəmənd] gourmand; frådser.
gourmet ['guəmeⁱ] gourmet, feinschmecker.
gout [gaut] (arthritis urica) (ægte) gigt, podagra; dråbe, stænk; *~ of blood* blodplet.
gout|-fly (zo.) bygflue. **-weed** ♧ skvalderkål.
gouty ['gauti] (adj.) gigtsvag, gigtagtig, gigt-, podagristisk.
Gov. fk. f. *government; governor*.
govern ['gʌvən] (vb.) styre, lede; regere; bestemme; beherske (fx. *one's temper); the -ing body* styrelsen, bestyrelsen.
governess ['gʌvənės] lærerinde, guvernante.
governess cart jumbe.
government ['gʌvənmənt] styrelse, ledelse; regering; guvernement; stats-. **government| grant** statstilskud. **~ -house** guvernørbolig. **~ office** guvernementskontor, regeringskontor, ministerialkontor. **~ property** statsejendom. **~ securities** statsobligationer.
governor ['gʌvənə] (subst.) styrer, leder; hersker, regent; guvernør, statholder; direktør; bestyrelsesmedlem; (anvendes i på en gang ærbødig og jovial tiltale af arbejdere over for en foresat, omtr. =) hr. direktør, hr. fabrikant osv.; (tekn.) regulator (på dampmaskine); *the ~* den gamle (i omtale), far, mester, chefen. **governor-general** generalguvernør.
Govt. fk. f. *government*.
gowan ['gauən] (på skotsk) gåseurt, tusindfryd.
Gower ['gauə].
gowk [gauk] gøg; dumrian.
gown [gaun] (subst.) embedskappe; advokatkappe; akademikers kappe; (dames) kjole; (vb.) give kjole på. **gownsman** ['gaunzmən] akademiker.
G.P. fk. f. *general practitioner*.
G.P.O. fk. f. *General Post Office*.
G.R. fk. f. *General Reserve; Georgius Rex* (kong Georg).
gr. fk. f. *grain(s); grammar; gramme(s)*.
grab [gräb] (vb.) gribe, snappe; snuppe, gribe til; hugge; (subst.) snappen; tilegnelse på uhæderlig måde; noget, man har tilegnet sig på uhæderlig måde; grab, gribeskovl (på kran, o.l.); *make a ~ at sth.* gribe (el. snappe) efter noget. **grab-bag** gramsepose.
grabble ['gräbl] famle, gramse; krybe; *~ for* (ogs.) kravle rundt og lede efter.
I. **grace** [greⁱs] (subst.) ynde; gratie; elegance; elskværdighed; figur, forsiring (i musik); dispensation, tilladelse; gunst, nåde; privilegium; frist, respit; bordbøn; *the Graces* Gratierne; *with a bad ~* med slet dulgt ærgrelse, uvilligt, modstræbende; med en sur mine; *by the Grace of God* (i konges titel) af Guds nåde (fx. *by the Grace of God King of Great Britain); five day's ~* fem dages henstand (el. frist); *sue for ~* bede om nåde; *give oneself airs and -s* skabe sig, være affekteret; *with a good ~* beredvilligt, uden at vise modvilje; *be in sby.'s good -s* være afholdt af en, nyde ens bevågenhed; *he had the ~ to apologize* han havde så megen anstændighedsfølelse, at han bad om undskyldning; *His Grace* Hans Nåde; *act of ~* nådesbevisning; *days of ~* løbedage, respitdage; *state of ~* nådestand; *this year of ~* dette Herrens år; *say ~* bede bordbøn.
II. **grace** [greⁱs] (vb.) pryde, smykke; begunstige; udmærke, hædre; benåde; *the occasion was -d by the presence of the Queen* dronningen kastede glans over begivenheden ved sin nærværelse.
grace-cup ['greⁱskʌp] pokal; det sidste glas der tømmes før opbruddet (ofte efter at en skål er udbragt).
graceful ['greⁱsf(u)l] graciøs, yndefuld; elegant, fin, smuk.
graceless ['greⁱslės] blottet for ynde; fordærvet, lastefuld; gudsforgåen.
grace-note (i musik) efterslag.
gracious ['greⁱʃəs] nådig; tiltalende; venlig (fx. *it was ~ of her to come); good ~!* du gode Gud! *most ~* allernådigst; *~ living* det at leve fornemt og i smukke omgivelser.
gradate [grə'deⁱt] lade gå gradvis over i hinanden, nuancere.
gradation [grə'deⁱʃən] gradation, gradvis overgang, nuancering; trindeling; (gram.) aflyd.
grade [greⁱd] (subst.) grad, trin, rang, klasse, sort, kvalitet; krydsning; skråning, stigning, fald; (amr.) karakter; klasse (i underskolen); (vb.) sortere; gradere; klassificere; krydse (om kvæg); planere; (amr.) give karakter(er); rette (fx. *examination papers); Grade A* førsteklasses; *Grade A milk* (omtr.) børnemælk; *make the ~* **S** klare den; have succes; *on the down ~* dalende, i nedgang; for nedadgående; *on the up ~* stigende, i opgang, for opadgående.
grade| book (amr.) karakterbog. **~ crossing** (amr.) niveauoverskæring. **~ school** (omtr.) grundskole, underskole.

gradient ['greidjənt] (adj.) gående; (subst.) skråning; *upward ~* stigning; *downward ~* fald.
gradin(e) ['greidin] trin (som i amfiteater); alterhylde.
gradual ['grädjuəl, -dʒuəl] gradvis, trinvis. **gradually** ['grädjuəli, -dʒ-] gradvis, efterhånden, lidt efter lidt.
I. **graduate** ['grädjueit] (vb.) gradere, inddele; graduere, gå gradvis over til; tage (universitets-) eksamen, tage embedseksamen; (amr.) dimittere; *~ to* (fig.) avancere til; *-d cup* måleglas; *-d system of taxation* progressiv beskatning.
II. **graduate** ['grädjuėt] (subst.) kandidat, en der har taget eksamen.
graduation [grädju'eiʃən, -dʒ-] gradering; tildeling af en akademisk grad; afgang (fra læreanstalt).
I. **graft** [gra·ft] (subst.) podning, podet plante; (med.) transplantering; transplanteret væv; (vb.) pode; (med.) transplantere.
II. **graft** [gra·ft] (subst.) svindel; korruption; (vb.) svindle. **grafter** [gra·ftə] (subst.) svindler.
Grail [greil]: *the Holy ~* den hellige gral.
grain [grein] (subst.) korn, frøkorn; (et) gran; narv(side) (af læder); (i træ) årer; (fig.) struktur, fiber, inderste væsen; (vægtenhed =) 0,0648 g; (vb.) give en kornet overflade; ådre, åre; *against the ~* imod spånen (el. årerne); *it goes against the ~ with me* det er mig imod; *in ~* vaskeægte, helt igennem (fx. *a rogue in ~*); *with a ~ of salt* cum grano salis, med skønsomhed; *his stories must be taken with a ~ of salt* når han fortæller en historie, må man altid trække lidt fra.
grained [greind] (adj.) kornet; (om træ) året, ådret; (om læder) narvet.
I. **grains** [greinz] avner, mask.
II. **grains** [greinz] (åle)lyster, harpun.
gralloch ['grälək] (subst.) indvolde af en hjort; (vb.) udtage indvoldene af en hjort.
gram. fk. f. *grammar.*
gram [gräm] gram; **T** grammofon.
gramarye ['grämәri] (glds.) trolddom.
gramercy [grə'mə·si] (glds.) ih, du fredsens! mange tak.
graminaceous [greimi'neiʃəs] (adj.) græsagtig.
gramineous [grä'miniəs, grei-] (adj.) græsagtig; *~ plant* græsplante.
graminivorous [grämi'nivərəs] græsædende.
grammar ['grämə] grammatik; rigtig sprogbrug; grammatisk rigtigt udtryk; elementarbog; begyndelsesgrunde; *bad ~* grammatisk forkert; dårligt sprog; *speak* (el. *use) bad ~* tale forkert i grammatisk henseende; *that is not ~* det er grammatisk forkert; *~ of political economy* ledetråd i statsøkonomi.
grammarian [grə'mæəriən] grammatiker.
grammar school latinskole, (fra 1944) gymnasium, gymnasieskole.
grammatical [grə'mätikl] grammatisk.
gramme [gräm] gram.
gramophone ['grämәfoun] grammofon.
Grampians ['grämpjənz]: *the ~* Grampianbjergene.
grampus ['grämpəs] (zo.) Risso's delfin; pustende og stønnende person.
Granada [grə'na·də].
granary ['granəri] kornmagasin.
grand [gränd] (adj.) stor; stor- (fx. *Grand Vizier);* hoved- (fx. *entrance);* storslået; herlig, prægtig; fornem, fin; stolt; **T** storartet, glimrende (fx. *that's ~);* (subst.) flygel; (amr. **S**) 1000 (dollars); *a ~ dinner* en bedre middag.
grandam ['grändäm], **grandame** ['grändeim] gammel kone; bedstemoder; (om dyr) moders moder.
grand|-aunt ['grända·nt] grandtante. **-child** barnebarn. **~ -dad** bedstefader. **-daughter** sønnedatter, datterdatter.
Grand| Duchess storhertuginde; storfyrstinde. **~ Duke** storhertug; storfyrste.
grandee [grän'di·] grande; fornem adelsmand, stormand.
grandeur ['grändʒə] storslåethed, ophøjethed; storhed, højhed; pragt, glans.
grandfather ['grän(d)fa·ðə] bedstefader; *grandfather('s) clock* bornholmerur.
grandiloquence [grän'diləkwəns] stortalenhed, svulstighed, ordskvalder. **grandiloquent** [grän'diləkwent] stortalende, svulstig, bombastisk.
grandiose ['grändious] grandiøs, storslået; svulstig, bombastisk. **grandiosity** [grändi'åsiti] storslåethed; grandiositet.
grand jury anklagejury (som undersøger om der er grundlag for tiltale).
grandma ['gränma·], **grandmamma** ['granmə-ma·] bedstemoder.
Grand Master ['grändma·stə] stormester.
grandmother ['grän(d)mʌðə] bedstemoder; *teach your ~ to suck eggs* ægget vil lære hønen.
grand-nephew søn af ens nevø eller niece.
grand-niece datter af ens nevø eller niece.
Grand Old Party (amr.) det republikanske parti.
grand|pa ['gränpa·], **-papa** ['gränpəpa·] bedstefader. **-parents** ['grän(d)pæərənts] bedsteforældre. **~ piano** flygel.
grandsire ['grän(d)saiə] bedstefader; stormester; (om dyr) faders fader.
grandson ['grän(d)sʌn] sønnesøn, dattersøn.
grand-stand ['grändständ] tilskuertribune på væddeløbsbane, fodboldplads o.l.; *~ play* spil beregnet på at tækkes publikum, spil for galleriet.
grand total: *the ~* det samlede resultat.
grand-uncle grandonkel.
grange [grein(d)ʒ] avlsgård; mindre landejendom.
grangerize ['greindʒəraiz] forsyne (en trykt bog) med illustrationer klippet ud af andre bøger; klippe illustrationer ud af (en bog).
granite ['gränit] granit; *the ~ City* (Aberdeen); *the ~ State* (New Hampshire i De forenede Stater).
granivorous [grə'nivərəs] kornædende.
granny ['gräni] bedstemoder; gammel kone. **granny('s) knot** kællingeknude.
grant [gra·nt] (vb.) give, skænke, indrømme, tilstå, bevillige; (subst.) indrømmelse, tilståelse; bevilling, (stats)tilskud; (til studier ogs.) stipendium; gave; gavebrev; *God ~!* Gud give! *I ~ that* jeg indrømmer at; *-ing it to be true* hvis vi antager (el. sætter) at det er sandt; *-ed it had happened* forudsat at det var hændt; *take sth. for -ed* anse noget for givet; *Government ~* statstilskud. **grant-aided** med statstilskud.
grantee [grän'ti·] en der har modtaget en bevilling (, et statstilskud); stipendiat.
grant-in-aid statstilskud.
granular ['gränjulə] (adj.) kornet.
I. **granulate** ['gränjuleit] (vb.) give (fx. læder) en kornet overflade; få en kornet overflade.
II. **granulate** ['gränjulėt] (adj.) kornet.
granulated nopret, ru; *~ sugar* krystalmelis 'syltesukker', 'tesukker'.
granulation [gränju'leiʃən] granulation (i sår).
granule ['gränjul] lille korn. **granulous** (adj.) ['gränjuləs] kornet.
grape [greip] drue; ⚔ kardæsk; *-s* (ogs.) muk (en hestesygdom); *a bunch of -s* en klase vindruer; *the ~ are sour, sour -s* 'de er sure', sagde ræven om rønnebærrene.
grape-fruit ['greipfru·t] grapefrugt.
grape-hyacinth ♧ perlehyacint.
grapery ['greip(ə)ri] drivhus til vindyrkning.
grape|-shot ⚔ kardæsk. **~ -sugar** druesukker. **~ -vine** vinranke; *~ -vine (telegraph)* (omtr.) junglefelegraf; *learn it by ~ -vine* (ogs.) få det at vide ad hemmelige kanaler.
graph [gräf] (subst.) kurve; grafisk fremstilling; (vb.) tegne en kurve, fremstille grafisk.

graphic(al) ['gräfik(l)] grafisk; skrive-, skrift-; tydelig tegnet, anskuelig fremstillet, malende, livagtig; *~ representation* grafisk fremstilling.
graphite ['gräfait] grafit.
graphology [grä'fålədʒi] grafologi.
graphomania [gräfoᵘ'meⁱniə] skrivemani.
graphometer [grä'fåmitə] vinkelmåler.
grapnel ['gräpnəl] dræg; anker.
grapple ['gräpl] (subst.) entrehage, entredræg; griben, greb; brydning, kamp, håndgemæng; (vb.) gribe; holde fast; klamre sig til; kæmpe, brydes; *~ for* (ogs.) drægge efter; *~ with* kæmpe med; (fig.) tumle med (fx. *a problem).*
grappling-iron entrehage.
grapy ['greⁱpi] drueagtig; drue-.
Grasmere ['gra·smiə].
I. **grasp** [gra·sp] (subst.) greb, tag; magt, vold (fx. *in the ~ of a merciless adversary);* opfattelsesevne; (klar) forståelse; *beyond one's ~* uden for ens rækkevidde; *it is beyond my ~* (fig.) det overstiger min fatteevne; *get a good ~ of sth.* få et godt tag i noget; (fig.) få en klar opfattelse af noget; forstå noget helt; *~ of iron, iron ~* jernhårdt greb; *within (one's) ~* inden for rækkevidde; (fig.) som man kan forstå (el. fatte).
II. **grasp** [gra·sp] (vb.) gribe, tage (el. få) fat i, holde fast ved; begribe, fatte (fx. *it is easy to ~); all ~, all lose* den, der vil have alt, får intet; *I didn't quite ~ it* (fig.) jeg fik ikke rigtig fat i det. **grasper** ['gra·spə] en der griber osv.; gnier, grisk menneske. **grasping** (adj.) gerrig, begærlig, grisk.
I. **grass** [gra·s] (subst.) græs; engjord; græsgang; grønfoder; **S** asparges; dagen (i grubesprog); *at ~* på græs; (fig.) ledig; *blade of ~* græsstrå; *bring, drive, put (out), send (out), turn to ~* sætte på græs; *cut the ~* slå græs; *go to ~* gå på græs; dø, bide i græsset; vente, være ledig, holde fri, vente på beskæftigelse; *while the ~ grows, the steed starves* mens græsset gror, dør horsemor; *piece of ~* græsplet; *he did not let the ~ grow under his feet* han gik straks i gang med sit forehavende; han spildte ikke tiden.
II. **grass** [gra·s] (vb.) dække med græs; slå til jorden, overvinde (om bryder, bokser); skyde (en fugl); lande (en fisk); fodre med frisk græs; drive ud på græsgang.
grass|-cutter en der slår græs; slåmaskine. **~ -grown** bevokset med græs. **-hopper** (zo.) græshoppe. **-hopper-warbler** (zo.) græshoppesanger. **~ parakeet** undulat. **-plot** græsplæne. **~ -roots** (fig.) (dybeste) rødder; grundlag; (adj.) som er udsprunget af (el. har sin rod i) folket, folkelig. **~ -snake** snog. **~ widow** græsenke. **~ widower** græsenkemand. **-wrack** ♧ bændeltang, ålegræs.
grassy ['gra·si] græsrig; græsagtig; græsbevokset.
I. **grate** [greⁱt] (subst.) gitter; rist; kaminrist; kamin; (vb.) tilgitre; forsyne med rist; *-d door* gitterdør.
II. **grate** [greⁱt] (vb.) gnide, rive, skure; knirke, skurre, rasle, hvine; irritere; *~ on* skurre mod, (fig.) irritere, gå på nerverne; *~ on one's ears* skurre i ens ører; *~ the teeth* skære tænder.
grateful ['greⁱtf(u)l] taknemmelig; behagelig, glædelig.
grater ['greⁱtə] rivejern.
gratification [grätifi'keⁱʃən] tilfredsstillelse; glæde, fornøjelse, nydelse.
gratify ['grätifai] tilfredsstille; glæde, fornøje; *-ing* opmuntrende.
I. **grating** ['greⁱtiŋ] (subst.) gitter, gitterværk; rist.
II. **grating** ['greⁱtiŋ] (adj.) skurrende, raslende, hvinende; ubehagelig, pinlig.
gratis ['greⁱtis] gratis.
gratitude ['grätitju·d] taknemmelighed.
gratuitous [grə'tju·itəs] gratis; frivillig; vilkårlig, umotiveret; unødvendig (fx. *the order was carried out with ~ brutality).* **gratuitously** uden grund.
gratuity [grə'tju·iti] gratiale; drikkepenge; erkendtlighed; ⚔ hjemsendelsespenge.
gratulation [grätju'leⁱʃən] lykønskning.
gravamen [grə'veⁱmən] (pl. *gravamina* [grə'veⁱminə]) (jur.) klage, klagepunkt.
I. **grave** [greⁱv] grav; *bring sby. to his ~, drive sby. into his ~* lægge en i graven; *have one foot in the ~* gå på gravens rand; *someone* (el. *a goose) walked over my ~* (siges når man får en pludselig kuldegysning).
II. **grave** [greⁱv] (vb.) gravere; udskære; ⚓ skrabe og labsalve en skibsbund; (se ogs. *graven).*
III. **grave** [greⁱv] alvorlig, værdig, højtidelig, adstadig; dyb (om tone); betydningsfuld, vægtig; dyster; mørk (om farve).
IV. **grave** [gra·v]: *~ accent* accent grave.
grave|-clothes ligklæder. **~ -digger** graver.
gravel ['grävəl] (subst.) grus; ral; (med.) nyregrus, blæregrus; (vb.) dække med grus, gruse; forvirre, bringe i forlegenhed; sætte til vægs.
gravelled ['grävəld] gruset, gruslagt; sat til vægs.
gravelly ['grävəli] (adj.) gruset, grusholdig; (om stemme) skurrende.
gravel|-pit grusgrav. **~ -voiced** med en skurrende stemme. **~ -walk** grusgang.
graven ['greⁱvən] udskåret; *~ image* (bibelsk) udskåret billede (ɔ: afgudsbillede); *it is ~ on my memory* det står uudsletteligt indpræget i min erindring.
graver ['greⁱvə] (subst.) gravstik(ke).
Graves' disease ['greⁱvz di'zi·z] den basedowske syge.
grave|stone gravsten. **-yard** kirkegård.
gravid ['grävid] (adj.) gravid, svanger.
gravimeter [grə'vimitə] gravimeter, tyngdemåler.
graving ['greⁱviŋ] gravering, graveret arbejde; indprægning; ⚓ skrabning og labsalving af skibsbund.
graving dock tørdok.
gravitate ['gräviteⁱt] stræbe mod tyngdepunktet, gravitere; synke, løbe ned; *~ to* drages mod, bevæge sig hen imod.
gravitation [grävi'teⁱʃən] gravitation, tyngdekraft; *the law of ~* tyngdeloven. **gravitational** (adj.): *~ effect* tyngdevirkning.
gravity ['gräviti] alvor, værdighed, højtidelighed; gravitet; betydning, vægt; tyngde; dybde (om tone); *law of ~* tyngdeloven; *centre of ~* tyngdepunkt; *specific ~* vægtfylde.
gravure [grä'vjuə] gravure (fx. *photogravure).*
gravy ['greⁱvi] sauce; kødsaft, sky. **gravy-boat** sauceskål.
gray [greⁱ] se *grey.*
grayling ['greⁱliŋ] (zo.) stalling.
graze [greⁱz] (vb.) græsse; (lade) afgræsse, sætte på græs, fodre med græs; strejfe, berøre let; afskrabe (hud); (subst.) græsning; strejfen; strejfsår, strejfskud; hudafskrabning.
grazier ['greⁱziə] kvægopdrætter; kvæghandler.
grazing ['greⁱziŋ] græsning, græsgang; strejfen, let berøring. **grazing-ground** græsgang.
I. **grease** [gri·s] (subst.) fedt; smørelse; vognsmørelse; urenset uld; muk (en hestesygdom); *in (pride of) ~* jagtbar, tjenlig til at skydes (fx. om hjort).
II. **grease** [gri·z] (vb.) fedte; smøre; bestikke; *~ sby.'s palm* (el. *hand)* bestikke en; *~ the wheels* (fig.) smøre godt (fremme en sag ved bestikkelse etc.); *like -d lightning* som et forsinket lyn.
grease| band ['gri·sbänd] limring, limbælte. **~ -box, ~ cup** smørekop. **~ gun** fedtsprøjte, smørepistol. **~ monkey** (amr.) smører; flyvemekaniker. **~ paint** (teater)sminke. **-paper** pergamentpapir, smørrebrødspapir. **~ -proof** fedttæt. **-proof paper** smørrebrødspapir, pergamentpapir.
greaser ['gri·zə] smører; overfyrbøder (på skib); (nedsættende om) mexikaner.
greasy ['gri·zi] fedtet; glat; olieagtig; plumret; salvelsesfuld; slesk; (om hest) befængt med muk; *~ weather* tåget, fugtigt vejr.
great [greⁱt] stor, storartet, fremragende, dygtig, mægtig, anselig, fornem, betydelig, betydningsfuld,

af betydning; højmodig, ædel; meget benyttet; indflydelsesrig; *~ age* høj alder; *~ big* vældig stor, mægtig stor (fx. *see what a ~ big apple I found); take ~ care* passe godt på; *a ~ deal* meget, en hel del; *I have made ~ friends with him* han og jeg er blevet vældig fine venner; *Greater London* Storlondon; *the ~ majority* det overvejende flertal; *a ~ many* mange, en hel del, en hel mængde; *he is ~ on history* han er stærkt interesseret i (, meget dygtig til) historie; *in ~ pain* meget forpint; *the Great Powers* stormagterne; *Great God! Great Cæsar! Great Scott!* ih, du store! *the Great War* første verdenskrig; *a ~ way* en lang vej; *go a ~ way with sby.* påvirke en stærkt; *Great White Way* (amr.: Broadway omkring Times Square); *the ~ world* de fornemme kredse.

great-aunt grandtante. **Great Britain** Storbritannien.

great|-coat overfrakke, vinterfrakke. **~ -grandchild** barnebarnsbarn. (~ -)**great-grandfather** (tip)-oldefader. **~ -hearted** højsindet. **-ly** (adv.) i høj grad, meget. **~ -nephew** grandnevø. **-ness** ['greⁱtnės] størrelse; betydning; høj værdighed; storhed; højsindethed; herlighed. **~ -niece** grandniece. **~ -uncle** grandonkel.

greaves [gri·vz] (omtr. =) fedtegrever; (hist.) benskinner (på rustning).

grebe [gri·b] (zo.) lappedykker.

Grecian ['gri·ʃən] græsk; græker(inde).

Greece [gri·s] Grækenland.

greed [gri·d] begærlighed, grådighed.

greediness ['gri·dinės] begærlighed, grådighed.

greedy ['gri·di] begærlig, grådig; gerrig; *~ of* (el. *for) gain* begærlig efter vinding; *~ of* (el. *for) honour* ærgerrig.

Greek [gri·k] (subst.) græker, grækerinde; græsk; (glds.) bedrager, bondefanger; (adj.) græsk; *that is ~ to me* det er det rene volapyk for mig. **Greek| cross** græsk (ligearmet) kors. **~ -letter fraternity** amerikansk studenterklub eller elevsamfund, der til navn har en kombination af bogstaver fra det græske alfabet, fx. phi, beta, kappa.

I. **green** [gri·n] (subst.) grønt (farven); grønning; grønt løv; grønt æble; uerfarenhed; 'green' (del af golfbane omkring et hul); *-s* grønsager; (amr.) grønt brugt til udsmykning; *do you see any ~ in my eye?* står der fjols på ryggen af mig? det kan du ikke bilde mig ind.

II. **green** [gri·n] (vb.) grønnes; gøre grønt.

III. **green** [gri·n] (adj.) grøn; frisk; ung, ny; blomstrende, kraftig; umoden (fx. om frugt); mild (fx. *winter);* (fig.) uerfaren, umoden, grøn; naiv; *~ old age* blomstrende alderdom; *a ~ wound* et frisk sår.

green|back (amr.) pengeseddel. **~ belt** grønt område (omkring by el. bebyggelse). **~ -bottle fly** (zo.) guldflue.

greener ['gri·nə] (subst.) uøvet arbejder; grønskolling; nyankommen immigrant.

greenery ['gri·n(ə)ri] væksthus; grønt, grønt løv.

green|eyed ['gri·naid] grønøjet; skinsyg. **-finch** (zo.) grønirisk. **~ fingers:** *she has ~ fingers* alting gror under hendes hænder. **-fly** bladlus. **-gage** ♧ reineclaude. **~ glass** glas af ringe kvalitet, flaskeglas (ogs. om glas af andre farver). **~ goose** gås under 4 måneder gammel. **-grocer** grønthandler. **-grocery** grønthandel; grønsager. **-horn** grønskolling, naivt fjols; (amr. ogs.) nyankommen immigrant. **-house** drivhus, væksthus.

greenish ['gri·niʃ] grønlig.

Greenland ['gri·nlənd] Grønland. **Greenlander** grønlænder.

Greenlandic [gri·n'ländik] grønlandsk.

green| light grønt lys; *give him the ~ light* (fig.) give ham grønt lys (tilladelse til at gå videre med planen etc.). **-room** skuespillerfoyer. **-shank** (zo.) hvidklire. **-sick** blegsottig. **-sickness** blegsot. **~ -stuff** grønsager. **-sward** ['gri·nswå·d] grønsvær.

Greenwich ['grinidʒ].

greenwood ['gri·nwud] grøn skov; *under the ~ tree* i den grønne skov.

greet [gri·t] hilse; (på skotsk) græde.

greeting ['gri·tiŋ] hilsen; *-s telegram* lykønskningstelegram; *-s telegram form* festblanket.

gregarious [gre'gæəriəs] som lever i flok, selskabelig; *~ animal* hordedyr.

Gregorian [gre'gå·riən] gregoriansk.

Gregory ['gregəri] Gregor.

grenade [gri'neⁱd] håndgranat.

grenadier [grenə'diə] grenader.

grenadine ['grenədi·n] grenadine (fint, tyndt silke- el. uldstof); læskedrik; rød farve; fricandeau; nellikesort.

grew [gru·] imperf. af *grow.*

grey [greⁱ] (adj.) grå; (om tøj o.l.) ubleget; (om ild) gået ud, slukket; (subst.) gråt, grå farve; gråskimmel; *the (Scots) Greys* (britisk dragonregiment); *it is turning him ~* det sætter ham grå hår i hovedet.

grey|beard ['greⁱbiəd] gråskæg; 'skæggemand' (stentøjskande). **Grey Friar** gråbroder.

grey| goose grågås. **~ -hen** (zo.) urhøne. **-hound** mynde; *ocean -hound* hurtigsejlende (passager)damper. **-ish** grålig. **-lag** (zo.) grågås. **-ling** (zo.) stalling. **~ matter** hjerne(masse); *he's a bit deficient in the ~ matter* han er ikke videre begavet **~ -mould** drueskimmel. **~ plover** (zo.) strandhjejle.

grid [grid] (subst.) rist; (elekt.) ledningsnet; samlenet; (i radio) gitter; (på kort) gradnet.

griddle ['gridl] bageplade.

gride [graid] gnide skurrende imod hinanden; skurre, knirke.

gridiron ['gridaiən] stegerist; rist; bjælkesystem til at støtte skib i dok; (amr.) fodboldbane (til amr. fodbold).

grief [gri·f] sorg; *come to ~* komme til skade; komme galt af sted, gå fallit, gå til grunde; ⚓ forlise.

grievance ['gri·vəns] besværing, klagepunkt, grund til klage; *nurse a ~* føle sig forfordelt; *what is his ~?* (ogs.) hvad beklager han sig over?

grieve [gri·v] volde sorg, bedrøve; græmme sig, sørge; *what the eye doesn't see, the heart doesn't ~ for* hvad øjet ikke ser, har hjertet ikke ondt af.

grievous ['gri·vəs] svær, hård (fx. *punishment);* frygtelig, alvorlig, bitter.

I. **griff(in)** ['grif(in)] ny mand, nyankommen og derfor uerfaren (især i Indien); **S** vink, tip.

II. **griffin** ['grifin] grif (bevinget løve med ørnehoved); lammegrib.

griffon ['grifən] grif; (hunderace) griffon.

grig [grig] fårekylling; græshoppe; sandål; *as merry as a ~* sjæleglad.

grill [gril] (subst.) gitter, rist; grill; grilleret ret; grillering; (vb.) grillere, stege (på rist); krydsforhøre.

grillage ['grilidʒ] bjælkefundament til bygning.

grille [gril] gitter(værk); tremmeværk; billetluge.

grill-room ['grilrum] grill-room, lokale i restaurant, hvor kød tilberedes og serveres.

grilse [grils] blanklaks, lille sommerlaks.

grim [grim] streng, ubarmhjertig, grum; bister, barsk; grusom, uhyggelig; *hold on like ~ death* klamre sig fast.

grimace [gri'meⁱs] (subst.) grimasse; (vb.) lave grimasser.

grimalkin [gri'mälkin] gammel hunkat; ondskabsfuld gammel kælling.

grime [graim] (subst.) (specielt sodet eller fedtet) snavs, smuds; (vb.) tilsmudse. **griminess** ['graiminės] smudsighed, smuds.

Grimsby ['grimzbi].

grimy ['graimi] grimet, snavset.

grin [grin] (vb.) grine, vise tænder; le, smile; (subst.) grin; *~ and bear it* gøre gode miner til slet spil; *~ like a Cheshire cat* grine som en flækket træsko.

I. **grind** [graind] (vb.) *(ground, ground)* male (på en kværn) (fx. *~ corn into flour);* knuse, mase; slibe; hvæsse (fx. *~ a knife);* rive (farver o.l.); gnide stærkt imod hinanden; **skure** (*on* mod); glatte, polere; dreje; plage, undertrykke, mishandle; herse med, terpe (*into* ind i); håne, gøre latterlig; kunne males (, slibes); slide i det (fx. *~ for an exam); ~ away at* slide med, terpe; *he has an axe to ~,* se *axe; ~ down* slibe, finmale, findele; (fig.) underkue; *~ the faces of the poor* udnytte (, underkue) de fattige; *~ out* (fig.) frembringe med stort besvær; pine frem; *~ out a tune on an organ* spille en melodi på en lirekasse; *~ one's teeth* skære tænder; *~ to a halt* langsomt gå i stå.

II. **grind** [graind] (subst.) knusning, malen; slibning; hvæsning; skuren; slid (fx. *learning Latin is a ~);* hængen i; eksamenslæsning; eksamensterperi; *take a ~* gå (en lang, anstrengende) tur.

grinder [ˈgraində] skærsliber; kindtand; den øverste møllesten; manuduktør, eksamensterper; streng arbejdsgiver; (amr.) lang sandwich (skåret på langs af brødet).

grindery [ˈgraindəri] sliberi; skomagermateriale.

grinding [ˈgraindiŋ] (adj.) hård; kedelig, tyngende (fx. *poverty);* skurrende (fx. *voice).*

grindstone [ˈgrain(d)stoᵘn] slibesten; *keep his nose to the ~* holde ham til ilden; *keep one's nose to the ~* slide i det.

gringo [ˈgriŋgoᵘ] fremmed, englænder, angloamerikaner (i Sydamerika).

grinner [ˈgrinə] grinebider.

grip [grip] gribe, tage fat i; (fig.) få tag i, fatte, begribe, fængsle; (subst.) tag, greb; magt (fx. *be in his ~);* forståelse; overblik (*of* over, fx. *a subject);* greb (fx. på kårde, pistol); håndtag; jag, pludselig smerte; (amr.) håndtaske; influenza; *be at -s with* være i heftig kamp med; (fig.) være inde på livet af (fx. *a problem); ~ one's attention* fængsle ens opmærksomhed; *~ an audience* få tag i tilhørerne; *lose one's ~* miste sit tag; (fig.) falde af på den.

gripe [graip] (subst.) greb, tag; magt; greb, håndtag; (vb.) gribe; klemme, pine; tynge; (amr. **S**) irritere; brokke sig; *be -d* have mavekneb. **gripes** mavekneb, bugvrid.

grippe [grip] influenza.

gripper [ˈgripə] griberedskab, griber.

gripsack [ˈgripsåk] (amr.) rejsetaske.

griskin [ˈgriskin] svineryg; lille gris.

grisly [ˈgrizli] uhyggelig.

Grisons [ˈgri·zåŋz] Graubünden.

grist [grist] knust malt; korn som skal males; mel; (fig.) fordel; (amr.) portion; *that brings ~ to the mill* det giver fortjeneste (el. penge i kassen); *all is ~ that comes to his mill* han forstår at udnytte enhver mulighed; han kan få noget ud af alting.

gristle [ˈgrisl] brusk.

gristly [ˈgrisli] brusket, bruskagtig.

I. **grit** [grit] sandsten; grus, sand; (stens) struktur (fx. *a hone of good ~);* (fig.) rygrad, ben i næsen; *he has plenty of ~* ham er der krummer i.

II. **grit** [grit] (vb.) frembringe en skurrende el. hvinende lyd; *~ one's teeth* skære tænder.

grit cell ♧ stencelle.

grits [grits] gryn.

gritty [ˈgriti] (adj.) grynet; som sand, sandet; jordet (fx. om bær); (om person) bestemt, energisk, karakterfast; *~ pear* stenet pære.

I. **grizzle** [ˈgrizl] (vb.) jamre, klynke, beklage sig.

II. **grizzle** [ˈgrizl] (subst.) gråt, grå farve.

grizzled [ˈgrizld] gråsprængt.

grizzly [ˈgrizli] grålig; grå bjørn; *~ bear* grå bjørn.

groan [groᵘn] (vb.) sukke (*for* efter); stønne; knurre, brumme; knage (om træ); (subst.) stønnen; mishagsytring; *~ down a speaker* bringe en taler til tavshed ved mishagsytringer; *the table -ed with food* bordet bugnede af mad.

groat [groᵘt]: *I don't care a ~ for him* jeg bryder mig ikke en døjt om ham.

groats [groᵘts] (større) gryn, havregryn.

grocer [ˈgroᵘsə] urtekræmmer, kolonialhandler; *-'s shop,* (amr.) *-'s store* kolonialhandel, købmandsforretning. **grocery** [ˈgroᵘsəri] kolonialvarer; (amr.) købmandsforretning.

grog [gråg] grog, toddy; drikke grog, drikke toddy. **grog-blossom** rubin på næsen.

groggy [ˈgrågi] omtåget; usikker; svag (efter sygdom eller chok); *be ~* (om bokser) være groggy, svømme; *that chair looks a bit ~* den stol ser noget vakkelvorn ud.

grog-shop knejpe.

groin [groin] lyske; grat(bue), ribbe; høfde; *-ed vault* krydshvælving.

grommet [ˈgråmit] tovkrans; øje, ring (i snørehul); ⚓ grommetring.

gromwell [ˈgråmwəl] ♧ stenfrø; *corn ~* agerstenfrø.

groom [gru·m] (subst.) staldkarl; tjener, kongelig kammertjener; brudgom; (vb.) passe, soignere, pleje; (især amr.) skole, (op)træne; *~ a horse* strigle en hest; *well groomed* soigneret; *~ of the stole* overkammerherre; *~ of the great chamber* hofembedsmand, der er ansvarlig for kongens sovegemak; *~ in waiting* tjenstgørende kammerherre.

groomsman [ˈgru·mzmən] (omtr.) forlover.

groove [gru·v] (subst.) grube; rende, fure; skure; fals, not, hulkel; (i grammofonplade) rille; (vb.) fure, rifle, rille, danne rende i, grave; *get into a ~* (fig.) komme ind i en fast skure; *settle down in one's ~* komme i de vante folder igen; *his mind works in a narrow ~* han er åndelig smalsporet; *in the ~* **S** i fineste form; *-d and tongued boards* pløjede brædder.

groove punch (blikkenslagerværktøj) falsmejsel.

groover [ˈgru·və] falsejern.

grope [groᵘp] famle (*for* efter), føle sig for; *~ one's way* famle sig frem.

grosbeak [ˈgroᵘsbi·k] (zo.) kernebider.

gross [groᵘs] stor, tyk; uformelig; grov, plump; sløv; tæt; kraftig (fx. *vegetation);* brutto- (fx. *income, weight);* (subst.) hovedmasse, hovedstyrke; gros (tolv dusin); *~ amount* bruttobeløb; *~ feeder* grovæder; *~ injustice* skammelig uretfærdighed; *~ insult* grov fornærmelse; *in (the) ~* i det store; en gros; *dealer in (the) ~* engroshandler; *the ~ of the people* folkets store masse. **grossly** [ˈgroᵘsli] plumpt, groft.

Grosvenor [ˈgroᵘvnə].

grotesque [groˈtesk] grotesk, underlig.

grotto [ˈgråtoᵘ] grotte.

grouch [grautʃ] **T** (subst.) gnavpotte; gnavenhed; (vb.) mukke, surmule. **grouchy** [ˈgrautʃi] gnaven.

I. **ground** [graund] imperf. og perf. part. af *grind; ~ glass* matteret glas; *~ rice* rismel.

II. **ground** [graund] (subst.) jord, grund, terræn; område; grundstykke, byggeplads; bane; grundlag, grund; bund; gulv; bundfarve; jordledning, jordforbindelse; grund, årsag, begrundelse, motivering; *-s* bundfald, grums, bærme; anlæg; domspræmisser;

change (el. *shift) one's ~* skifte standpunkt, ændre taktik, ændre signaler; *that's common ~* (fig.) det er vi enige om, der kan vi mødes; *cover much ~* komme et godt stykke videre (el. frem); (fig. ogs.) nå en hel del, komme meget stof igennem; *cover new ~* (fig.) tage nye emner op til behandling; *cut the ~ from under sby.'s feet* slå grunden væk under én; *football ~* fodboldbane; *forbidden ~* tabu, forbudt område; *break fresh ~* opdyrke ny jord; (fig.) være banebrydende; *gain ~* vinde terræn; *give ~* vige; *keep* (el. *hold* el. *stand) one's ~* holde stand; holde sig (om priser); *lose ~* miste indflydelse; miste terræn, vige tilbage; *take the ~* ⚓ løbe på grund;

above ~ levende; *below ~* død; *from the ~ up* (fig.) fra grunden; *see how the ~ lies* se på terrænforholdene; se hvordan landet ligger; *run into the ~* (amr. **T**) overdrive; *on the ~ of* på grund af; *on very good -s* af særdeles gode grunde; *this suits me down to the ~* dette passer mig glimrende; *fall to the ~* falde om; falde til jorden; slå fejl; *go under ~* gå under jorden.

III. **ground** [graund] (vb.) sætte el. lægge på jorden; grunde, grundlægge; basere (*on* på); ⚓ sætte på grund; gå på grund; undervise i begyndelsesgrundene; (elekt.) lede ned i el. sætte i forbindelse med jorden, jorde; grunde (ved maling); ~ *arms* nedlægge våbnene; *be -ed* (flyv.) ikke (kunne) gå op; *be well -ed in* være velfunderet i, have gode kundskaber i (fx. *history*).

ground aerial jordantenne.

groundage ['graundidʒ] havnepenge.

ground|-ash ung ask; stok (af asketræ). **-bait** bundmading. ~ **-beetle** (zo.) løbebille. ~ **connection** jordforbindelse. ~ **-control(led) approach** (flyv.) landing ved hjælp af jordstationeret radar. ~ **crew** (flyv.) jordpersonel. ~ **-defences** antiluftskyts. **-floor** stueetage; *get* (el. *be let*) *in on the ~-floor* få aktier i et selskab på samme betingelser som stifterne; være med fra begyndelsen. ~ **flora** bundflora. ~ **forces** landstridskræfter. ~ **game** harer og kaniner. ~ **ice** grundis.

grounding ['graundiŋ] grundstødning; grundlæggende undervisning, grundlag (fx. *a good ~ in French*); (maling) grunding.

ground-ivy ['graund'aivi] ♧ korsknap.

groundless ['graundlės] grundløs.

groundling ['graundliŋ] (zo.) grundling.

ground|-nut ['graundnʌt] jordnød. ~ **-plan** grundplan. ~ **-plate** fodstykke. ~ **-plot** byggegrund. ~ **-rent** grundleje. ~ **-sea** underdønning.

groundsel ['graunsəl] ♧ brandbæger.

ground| sheet teltunderlag. ~ **speed** (flyv.) distancefart. ~ **-swell** underdønning. ~ **-tax** grundskat. ~ **-to-air** jord-til-luft (fx. *missile*). ~ **-water** grundvand. **-work** grundlag, fundament.

group [gru·p] gruppe; hold; flyverregiment; (vb.) gruppere; *the (Oxford) ~ movement* Oxfordbevægelsen. **group captain** oberst (i flyvevåbnet).

grouping gruppering.

group therapy (med.) gruppeterapi.

I. **grouse** [graus] rype; skyde ryper; *black ~* urfugl; (se ogs. *hazel ~, red ~* etc).

II. **grouse** [graus] (vb.) knurre, give ondt af sig, brokke sig, mukke, gøre vrøvl; (subst.) mukken.

grout [graut] (subst.) mørtel; (vb.) udfylde med mørtel.

grove [groᵘv] lund, lille skov.

grovel ['gråvl] krybe, ligge i støvet, (fig. ogs.) ligge på maven. **groveller** ['gråvlə] krybende person. **grovelling** ['gråvliŋ] krybende, lav, gemen.

grow [groᵘ] *(grew, grown)* (se ogs. *growing, grown*) gro, vokse; tiltage; blive (fx. *you are -ing old*); blive til; dyrke (fx. *~ flowers*); *~ a new branch* (om et træ) skyde en ny gren; *~ a moustache* lægge sig overskæg til; *~ to be* efterhånden blive;

(forb. m. præp. og adv.) *~ from* opstå af, følge af; *~ in bulk* tiltage i omfang; *~ in favour* vinde anseelse; *~ in wisdom* blive klogere; *~ into fashion* blive mode; *~ into a habit* blive til vane; *~ (up)on sby.* få magt over en; *bad habits ~ on one* dårlige vaner bliver til ens anden natur (el. tager overhånd); *a picture that -s on one* et billede, man kommer til at holde mere og mere af; *he -s on you* han vinder ved nærmere bekendtskab; *~ out of* opstå af, være en følge af; *you ~ out of it* man vokser fra det, det fortager sig med alderen; *he has -n out of his clothes* han er vokset fra sit tøj; *~ out of favour with* falde i unåde hos; *~ out of all recognition* forandre sig, så man (, det etc.) ikke er til at kende igen; *~ out of use* gå af brug; *~ up* blive voksen, vokse op; vokse frem.

grower ['groᵘə] (subst.) dyrker, producent; *rapid -s* hurtigt voksende blomster (, træer etc.); *slow -s* langsomt voksende blomster (, træer etc.). **growing** ['groᵘiŋ] (adj.) voksende, stigende, tiltagende; (subst.) vækst; dyrkning, avl. **growing| pains** voks(e)værk. ~ **-point** vækstpunkt. ~ **season** vækstid. ~ **weather**: *it is ~ weather* der er grøde i luften.

growl [graul] (vb.) knurre, brumme, rumle; (subst.) knurren, brummen, rumlen. **growler** ['graulə] knurrende hund; brumbasse; (glds.) firhjulet droske.

grown [groᵘn] perf. part. af *grow*; voksen; *be ~ over* være tilgroet; *a ~ person* en voksen; *~ people* voksne; *grown-up* voksen.

growth [groᵘþ] vækst; tiltagen; dyrkning, avl (fx. *of foreign ~*), produktion; vegetation; udvækst, svulst (fx. *a cancerous ~*); *~ of fruit* frugtavl; *of one's own ~* hjemmeavlet; *young ~* ungskov.

groyne [groin] høfde.

G.R.T. fork. f. *Gross Register Tonnage* bruttoregistertonnage.

grub [grʌb] (vb.) grave, rydde, rode; arbejde strengt; spise; fodre; (subst.) maddike; foder; **S** mad, kost; (i cricket) bold, der triller langs jorden. **grub-axe** ryddehakke.

grubber ['grʌbə] slider; ryddegaffel.

grubby ['grʌbi] snavset; maddikebefængt.

grub-hoe ['grʌbhoᵘ] ryddehakke.

grubstake (amr. **T**) (subst.) levnedsmidler leveret til guldgraver mod andel i det eventuelle fund; andel i guldfund opnået på denne måde; (vb.) levere levnedsmidler, opnå andel, på denne måde.

Grub Street ['grʌbstri·t] (tidligere navn på gade i London); fattige forfattere; tredjerangs litteratur; *~ author* forhutlet forfatter.

grudge [grʌdʒ] (vb.) ikke unde; misunde; (subst.) uvilje, vrede, nag; *bear* (el. *owe) sby. a ~, have* (el. *cherish) a ~ against sby.* bære nag til en, have et horn i siden på en; *~ doing it* gøre det modstræbende, ikke være meget for at gøre det; *he -s me even the food I eat* han under mig ikke den mad jeg spiser; *~ no effort* ikke spare nogen anstrengelse. **grudger** misunder, uven. **grudging** modstræbende, uvillig; smålig; knapt tilmålt. **grudgingly** modstræbende.

I. **gruel** ['gru·əl] (subst.) havresuppe, vælling; *have* (el. *get) one's ~* (glds. **T**) få sin bekomst, blive alvorligt afstraffet, blive dræbt; *give him his ~* (glds. **T**) give ham hvad han har godt af (ɔ: straffe el. dræbe ham).

II. **gruel** ['gru·əl] (vb.) straffe hårdt, udmatte.

gruelling ['gru·əliŋ] udmattende, enerverende, hård, anstrengende.

gruesome ['gru·səm] uhyggelig, makaber.

gruff [grʌf] (adj.) barsk, brysk, bister; *a ~ voice* en grov stemme.

grumble ['grʌmbl] (vb.) knurre, brumme, gøre vrøvl, besvære sig, beklage sig, give ondt af sig, mukke; (subst.) knurren, brummen. **grumbler** ['grʌmblə] gnavpotte, brumbasse, skumler.

grume [gru·m] blodklump.

grummet ['grʌmit] = *grommet.*

grumose ['gru·moᵘs], **grumous** ['gru·məs] (adj.) klumpet.

grumpy ['grʌmpi] i dårligt humør, sær, gnaven.

Grundy ['grʌndi]: *Mrs. ~* (personifikation af snerpethed); *what will Mrs. ~ say?* hvad vil folk sige?

Grundyism ['grʌndiizm] snerpethed.

grunt [grʌnt] (vb.) grynte; (subst.) grynten, grynt.

Gruyere ['gru·jæə] schweizerost.

gryphon ['grifən] grif (fabeldyr).

gs. fk. f. *guineas.*

G.S. fk. f. *General Staff; General Service.*

G.S.O. fk. f. *General Staff Officer.*

G.S.R. fk. f. *Great Southern Railway.*

Guadalquivir [gwa·dəl'kwivə].

guana ['gwa·na] (zo.) leguan.

guano ['gwa·noᵘ] guano, fuglegødning.

guarantee [gärən'ti·] garanti; kaution, sikkerhed (for lån); en til hvem garanti gives; garant; (vb.) garantere (for), kautionere. **guarantor** [gärən'tå·] garant, kautionist.

guaranty ['gärənti] garanti, kaution, sikkerhed (for lån).

I. **guard** [ga·d] (vb.) bevogte (fx. *prisoners*), beskytte, forsvare; vogte (fx. *one's tongue*); eskortere; bevare; våge over, holde vagt; være på sin post; tage sig i agt for; være forsigtig; gardere sig (*against* imod); *~ against* (ogs.) forebygge.

II. **guard** [ga·d] (subst.) vagt, livvagt, garde; beskyttelse; bevogtning; fængselsbetjent; konduktør, togfører; forbehold; urkæde; hattesnor; rækværk; gitter; skærm; parerplade (på kårde); håndbøjle (på gevær); *the -s* livgarden; *~ of honour* æresvagt, æreskompagni; *off one's ~* uforsigtig, uopmærksom; *be off one's ~* (ogs.) ikke tage sig i agt; *catch him off his ~* overrumple ham; *be* (el. *stand) on one's ~* være på sin post; tage sig i agt; *go on* (el. *mount) ~* stille sig (el. stå) på vagt; *relax one's ~* give sig en blottelse; *relieve the ~* afløse vagten; *stand ~* stå skildvagt, stå på vagt; *keep under a strong ~* bevogte omhyggeligt.

guard|-boat bevogtningsfartøj. **~ -chain** urkæde.

guarded ['ga·did] (adj.) bevogtet; forsigtig; forbeholden, reserveret.

guard-house vagtbygning, vagt.

guardian ['ga·djən] værge, formynder; beskytter; opsynsmand, kustode; bestyrer, forstander; *the -s of the law* retfærdighedens håndhævere; *natural ~* født værge; *testamentary ~* testamentarisk værge; *~ ad litem* procesværge; *Board of Guardians* (glds.) fattigkommission. **guardian| angel** skytsengel. **-ship** formynderskab, beskyttelse. **~ spirit** skytsånd.

guard|less ['ga·dlės] værgeløs, ubeskyttet. **~ -rail** sikkerhedsrækværk, trappegelænder. **~ -ring** beskyttelsesring. **~ -room** vagtstue. **-ship** vagtskib.

guardsman ['ga·dzmən] garder, gardist.

guava ['gwa·və] (subst.) ♧ guava.

gudgeon ['gʌdʒən] (zo.) grundling (lille karpefisk); dumrian; tap, pind; ⚓ rorløkke.

guelder rose ['geldəroᵘz] ♧ snebolle(træ).

Guelf, Guelph [gwelf] welfer.

guerdon ['gə·dən] belønning.

guereza [ge'ri·zə] (zo.) guereza (en abeart).

guerilla [gə'rilə] guerilla; *~ warfare* guerillakrig.

I. **Guernsey** ['gə·nzi].

II. **guernsey** ['gə·nzi] jerseytrøje.

guerrilla se *guerilla.*

I. **guess** [ges] gætte; gætte på; *~ at* gætte på; gætte; *I ~* (glds. el. amr.) formodentlig, sikkert; *I should ~ his age at thirty* el. *I should ~ him to be thirty* jeg gætter på at han er 30 år.

II. **guess** [ges] (subst.) gætning; gisning; *it is anybody's ~* ingen ved det med sikkerhed; *give* (el. *make) a ~* gætte, formode; *I give you three -es* du må gætte tre gange; *that was a good ~* det var godt gættet; *my ~ is that* jeg gætter på at; *at a rough ~* efter et løst skøn; skønsmæssigt.

guessing ['gesiŋ] gætten, gætteri. **guess-work** gætteværk.

guest [gest] gæst; (zo. i sammensætninger) parasit.

guest|-chamber gæsteværelse. **~ -house** (finere) pensionat. **~ -room** gæsteværelse. **~ -rope** ⚓ vaterline (langs skibssiden).

guff [gʌf] pladder, vrøvl.

guffaw [gʌ'få·] (subst.) skraldende latter; (vb.) le højrøstet, skogre.

guggle ['gʌgl] se *gurgle.*

guidable ['gaidəbl] som kan ledes.

guidance ['gaidəns] ledelse, førelse; vejledning.

guide [gaid] (vb.) lede, føre; vise vej; (subst.) fører; vejleder; omviser, fremmedfører; rejsehåndbog, rejsefører; vejledning; fanekort (i kartotek); ledeskinne; *be -d by* lade sig lede af, rette sig efter; *(girl) ~* pigespejder; *a London ~* en rejsehåndbog over London; *-d missile* styrbart projektil, fjernstyret missil.

guide|-post vejskilt. **-way** føringsliste, ledeskinne. **~ window** (i kamera) filmvindue.

guidon ['gaidən] standart; fanebærer.

guild [gild] gilde, lav.

guilder ['gildə] gylden (hollandsk mønt).

guildhall ['gildhå·l] gildehus, lavshus; *the Guildhall* Guildhall, rådhuset i *the City of London.*

guild socialism form for socialisme, hvis mål var genindførelsen af lavsvæsenet.

guile [gail] svig, falskhed; list. **guileful** ['gaiful] svigefuld. **guileless** ['gaillės] uden svig; troskyldig.

guillemot ['gilimåt] (zo.) lomvi; *black ~* tejst.

guilloche [gi'loᵘʃ] guillochering, slangeornament.

guillotine [gilə'ti·n] (subst.) guillotine; skæremaskine (til papir); (i Underhuset) en bestemmelse der fastsætter begrænset tid til behandlingen af et lovforslag; (vb.) guillotinere.

guilt [gilt] brøde, skyld; strafbarhed. **guiltiness** ['giltinės] skyld, strafværdighed. **guiltless** ['giltlės] skyldfri, uskyldig; *he is ~ of Greek* han har ikke begreb om græsk.

guilty ['gilti] skyldig; strafværdig; brødefuld; skyldbevidst; *find sby. ~* kende en skyldig; *~ of* skyldig i; *plead ~* erkende sig skyldig.

I. **Guinea** ['gini] Guinea (på Afrikas vestkyst).

II. **guinea** ['gini] guinea (en ikke længere anvendt guldmønt; nu: værdibetegnelse for 21 sh.)

guinea|-corn ♧ durrha. **~ -fowl, ~ -hen** perlehøne. **~ -pig** (en gnaverart) marsvin; (fig.) medlem af en direktion, der får 1 guinea pr. møde, 'pengegris'; præst der vikarierer i et fremmed sogn mod et honorar af 1 guinea pr. gudstjeneste; forsøgskanin.

guise [gaiz] dragt, påklædning; forklædning; måde; *under the ~ of friendship* under venskabs maske.

guitar [gi'ta·] guitar. **guitarist** [gi'ta·rist] guitarspiller.

gulch [gʌlʃ] (amr.) (dyb og snæver) bjergkløft.

gulden ['guldən] gylden (hollandsk mønt).

gules [gju·lz] rødt (i heraldik).

gulf [gʌlf] (subst.) golf, (hav)bugt; afgrund, svælg; malstrøm; (vb.) opsluge; *the Gulf Stream* Golfstrømmen.

Gulf-weed ♧ sargassotang.

gulfy ['gʌlfi] med mange strømhvirvler.

I. **gull** [gʌl] (zo.) måge; *black-headed ~* hættemåge; *common ~* stormmåge; *greater black-backed ~* svartbag; *lesser black-backed ~* sildemåge.

II. **gull** [gʌl] (subst.) dumrian, tosse; (vb.) narre; bedrage.

gullet ['gʌlit] spiserør, svælg.

gullibility [gʌli'biliti] dumhed, lettroenhed.

gullible ['gʌləbl] dum, lettroende, blåøjet.

Gulliver ['gʌlivə].

gully ['gʌli] (subst.) erosionskløft, rende, kløft; kloaknedløb; (vb.) danne erosionskløft i, udhule, fure. **gully|-hole** kloaknedløb. **~ -trap** vandlås.

gulp [gʌlp] (subst.) slurk, drag, synkebevægelse; (vb.) sluge, nedsvælge, tylle i sig; *at one ~* i en eneste mundfuld, i et drag; *~ down* synke, nedsvælge, sluge; *~ down a sob* undertrykke en hulken; *~ out* fremhulke.

I. **gum** [gʌm] (subst.) gumme, tandkød.

II. **gum** [gʌm] (subst.) gummi, klæbemiddel, lim; harpiks (især af frugttræer); gummitræ; slags bolsje, (= *chewing ~)* tyggegummi; (vb.) gummiere; klæbe; udsvede harpiks; *-s* (amr.) galocher; *~ up* S hindre, få til at gå i stå, standse.

III. **gum** [gʌm]: *by ~* (vulgært for *'by God').*

gum| arabic ['gʌm'ärəbik] gummi arabikum. **-boil** tandbyld. **-boot** gummistøvle. **~ -elastic** gummi elastikum.

gumminess ['gʌminės] klæbrighed.

gummous ['gʌməs] gummiagtig, klæbrig; tyk.

gummy ['gʌmi] klæbrig.

gumption ['gʌm(p)ʃən] foretagsomhed, gåpåmod; omløb i hovedet; *he has no ~* (ogs.) der er ingen fut i ham.

gum|-resin gummiharpiks. **-shoe** (subst.) (amr.) galoche, gummisko; detektiv, politibetjent; (vb.) liste. **~ -tree** gummitræ; *be up a ~ -tree* være i en fæl knibe.

gun [gʌn] (subst.) kanon, gevær, bøsse; pistol, revolver; insektsprøjte; skud (fx. *a salute of 21 -s);* (vb.) skyde med bøsse; *be -ning for* være på jagt efter; være ude efter; prøve at få ram på; *a big* (el. *great) ~* T en prominent person, en af de store kanoner; *it is blowing great -s* der blæser en brandstorm; *jump the ~* tyvstarte; *son of a ~* slyngel; (se ogs. *stick (to), spike).*

gun|-barrel bøsseløb. **-boat** kanonbåd. **~ camera**

⚔ fotogevær. ~ **-carriage** affutage, lavet (understel til kanon). ~ **-cotton** skydebomuld. ~ **-deck** batteridæk, kanondæk. ~ **dog** jagthund (til jagt med bøsse). ~ **-fire** skydning, artilleriild, kanonild. **-man** bøssemager; (amr.) gangster, bandit; revolvermand, lejet morder. ~ **-metal** rødgods.

gunnel [ˈgʌnəl] ⚓ ræling; (zo.) tangspræl.

gunner [ˈgʌnə] artillerist; (flyv.) maskingeværskytte; ⚓ kanonér; (ogs.) jæger; artillerihest; *kiss the -'s daughter* blive bundet til en kanon og få tamp.

gunnery [ˈgʌnəri] artilleri (som fag). **gunnery| drill** kanonbetjening. ~ **school** artilleriskole.

gunny [ˈgʌni] groft paklærred; sækkelærred (af jute).

gun|play skyderi. ~ **-port** kanonport.

gunpowder [ˈgʌnpaudə] krudt; ~ *factory* krudtværk; *the Gunpowder Plot* krudtsammensværgelsen (Nov. 5, 1605).

gun|-room (i krigsskibe) kadetmesse. ~ **-runner** våbensmugler. ~ **-running** våbensmugleri. **-shot** skud; skudvidde. **-shot wound** skudsår. **-smith** bøssemager. ~ **-stock** bøsseskæfte, geværskæfte. ~ **-team** kanonbetjening, kanonmandskab.

Gunter [ˈgʌntə] (engelsk matematiker); *-'s chain* landmålerkæde; *according to* ~ garanteret rigtigt.

gunwale [ˈgʌnəl] ⚓ essing, ræling.

gup [gʌp] S sludder, vås.

guppy [ˈgʌpi] (zo.) guppy (en akvariefisk).

gurgitation [gə·dʒiˈteiʃən] syden, kogen.

gurgle [ˈgə·gl] (vb.) gurgle, klukke; skvulpe; (subst.) gurglen, klukken.

Gurkha [ˈguəkə] (medlem af en hindustamme i Nepal).

gurnard [ˈgə·nəd], **gurnet** [ˈgə·nit] (zo.) knurhane (en fisk).

guru [ˈgu(·)ru·] åndelig vejleder (el. fører).

gush [gʌʃ] (vb.) strømme, bruse; springe, fosse, vælde (frem); tale overspændt, strømme over i følelser, svømme hen; (subst.) strøm, udgydelse.

gusher [ˈgʌʃə] noget, der strømmer frem; petroleumskilde; overstrømmende (el. dumt, sentimentalt) menneske. **gushing** [ˈgʌʃiŋ] strømmende; overstrømmende.

gushy [ˈgʌʃi] overstrømmende.

gusset [ˈgʌsit] spjæld, kile (i tøj); knudeplade (i jernkonstruktion).

gust [gʌst] vindstød; udbrud (fx. *-s of rage).*

Gustavus [guˈsta·vəs] Gustav.

gusto [ˈgʌstoᵘ] velbehag, oplagthed.

gusty [ˈgʌsti] stormfuld, byget.

gut [gʌt] (subst.) tarm; snævert pas; 'kattetarm' (egentlig fåretarm, hvoraf der fremstilles violinstrenge); gut (en art silkeline, der bl.a. bruges som fiskeforfang); (vb.) tage indvoldene ud (især af fisk); tømme; plyndre; ødelægge; rasere, udbombe; *a -ted house* et hus hvis indre er helt udbrændt el. nedrevet; *-s* (ogs.) indvolde, indmad; (fig.) indre; indhold; kerne; karakterstyrke, rygrad, initiativ.

gut-scraper [ˈgʌtskreⁱpə] S spillemand.

gutta-percha [ˈgʌtəˈpə·tʃə] guttaperka.

guttate [ˈgʌteⁱt], **guttated** [ˈgʌteⁱtid] dråbeplettet, spættet.

gutter [ˈgʌtə] (subst.) rende; tagrende; rendesten; fure; (vb.) lave rende i; udhule, fure; give afløb gennem en rende; løbe; dryppe.

gutter| press smudspresse. ~ **-snipe** gadedreng.

guttle [ˈgʌtl] sluge, frådse.

guttural [ˈgʌt(ə)rəl] (adj.) guttural, strube-; (subst.) guttural, strubelyd.

I. **guy** [gai] (subst.) Guy Fawkes-figur (som 5. nov. bliver båret omkring og senere brændt); fugleskræmsel; (amr.) fyr (fx. *he is a regular* ~ han er en gæv fyr); (vb.) gøre grin med, gøre nar af, drille; S stikke af; *look a regular* ~ (ogs.) se farlig ud.

II. **guy** [gai] (subst.) bardun; (vb.) fastgøre (el. sikre) med barduner.

guzzle [ˈgʌzl] drikke overdrevent, tylle (el. bælle) i sig; frådse, stoppe sig. **guzzler** dranker; grovæder.

gybe [dʒaib] ⚓ gibbe, bomme.

gyle [gail] bryg; ølurt; gærkar.

gym [dʒim] S gymnastiksal; gymnastik.

gymkhana [dʒimˈka·nə] idrætshus; sportsstævne; ridestævne.

gymnasium [dʒimˈneⁱzjəm] gymnastiksal; ~ *shoes* gymnastiksko. **gymnast** [ˈdʒimnäst] gymnast. **gymnastic** [dʒimˈnästik] (adj.) gymnastisk. **gymnastics** [dʒimˈnästiks] (subst.) gymnastik.

gymnosophist [dʒimˈnåsəfist] gymnosofist (asketisk indisk filosof).

gymnospermous [dʒimnoˈspə·məs] (adj.) ♧ nøgenfrøet.

gym shoe gymnastiksko, gummisko.

gynaecocracy [gainiˈkåkrəsi] kvindevælde.

gynaecologist [gainiˈkålədʒist] gynækolog.

gynaecology [gainiˈkålədʒi] gynækologi.

gynocracy [gaiˈnåkrəsi] kvindevælde.

gyp [dʒip] (subst.) oppasser, tjener (ved et *college,* især i Cambridge); S snyder; snyderi; (vb.) snyde, stjæle; *give sby.* ~ give en en omgang, give en kanel.

gypper [ˈdʒipə] S snyder.

gypseous [ˈdʒipsiəs] gipsagtig, gipsholdig; gips.

gypsum [ˈdʒipsəm] gips.

gypsy [ˈdʒipsi] se *gipsy.*

gyrate [dʒaiˈreⁱt] dreje sig i en kreds, rotere. **gyration** [dʒaiˈreⁱʃən] kredsbevægelse, kredsløb; kredsen; roteren.

gyratory [ˈdʒairətəri] roterende; kredsende; ~ *traffic* rundkørsel.

gyrfalcon [ˈdʒə·få·kən] jagtfalk.

gyrocompass [ˈdʒaiərəkʌmpəs] gyrokompas.

gyromancy [ˈdʒaiərománsi] gyromanti.

gyroscope [ˈgaiərəskoᵘp] gyroskop.

gyroscopic [gaiərəˈskåpik] gyroskopisk; ~ *compass* gyrokompas.

gyve [dʒaiv] fodlænke; lænke (subst. og vb.).

H

H [eⁱtʃ]; *drop one's h'es (aitches)* ikke udtale h'erne.

H. el. **h.** fk. f. *harbour; hard; height; high; hour(s); husband; hydrant.*

ha [ha·] ha! ah!

ha. fk. f. *hectare.*

H. A. fk. f. *Horse Artillery; heavy artillery.*

hab. fk. f. *habitat* (lat.) = *he lives.*

habeas corpus [ˈheⁱbjəsˈkå·pəs]: ~ *Act* (en lov fra 1679, der beskytter en engelsk borger imod at blive holdt fængslet uden undersøgelse og dom); *writ of* ~ ordre til at fremstille en anholdt for retten.

haberdasher [ˈhäbədäʃə] en der handler med sysager, bånd osv.; (især amr.) herreekviperingshandler. **haberdashery** [ˈhäbədäʃəri] sy- og besætningsartikler, 'småting' (sysager og bånd); (amr.) herreekvipering.

habergeon [ˈhäbədʒən] brystharnisk.

habiliments [həˈbilimənts] klædning, klæder.

habit [ˈhäbit] (subst.) sædvane, vane; dragt, dameridedragt; (glds.: ~ *of body)* legemskonstitution, *(~ of mind)* temperament; (vb.) klæde, iføre; *be in the ~ of* have for vane at, pleje at; *he is in the ~ of doing it* han plejer at gøre det; *it is a ~ with him* det er en vane han har; *get* (el. *fall) into bad -s* tillægge sig (el. få) dårlige vaner; *get into the ~ of doing it* komme i vane med at gøre det; *out of (sheer) ~* af (ren og skær) vane; *the force of ~* vanens magt; *through* (el. *from) force of ~* af gammel vane.

habitability [hãbitə'biliti] beboelighed. **habitable** ['hãbitəbl] beboelig. **habitant** ['hãbitənt] indbygger; ['hãbitå·ŋ] fransk indbygger i Canada el. Louisiana el. efterkommer af en sådan. **habitat** ['hãbitãt] hjemsted; bosted, opholdssted; voksested; findested; beliggenhed. **habitation** [hãbi'teiʃən] beboelse; bolig.

habitual [hə'bitjuəl] tilvant; vanemæssig; sædvanlig, almindelig; *~ drunkard* vanedranker. **habituate** [hə'bitjueit] vænne *(sby. to sth.* en til noget); (amr. T) være stamgæst i. **habituation** [həbitju'eiʃən] tilvænning. **habitude** ['hãbitju·d] vane; indstilling, temperament; legemskonstitution. **habitué** [hə'bitjuei] stamgæst, hyppig gæst.

hachure [hã'ʃuə] (vb.) skravere; (subst.) *-s* skravering (fx. på landkort).

hacienda [hãsi'endə] gård, plantage (i Sydamerika).

I. **hack** [hãk] (vb.) hakke; lave hak i; sparke over skinnebenet (i fodbold); hoste; (subst.) hakke; hakken; hak.

II. **hack** [hãk] (subst.) lejet hest, krikke; (amr.) hyrevogn; (amr. T) (droske)bil; (adj.) forslidt, fortærsket; leje-; (vb.) udleje; engagere til kedsommeligt rutinearbejde; *~ (writer)* skribent der udfører litterært rutinearbejde på bestilling; *~ along* lunte af sted.

hacking cough hård tør hoste.

hackle ['hãkl] hegle (subst. og vb.); hakke i; halsfjer på hane; flue (til fiskeri); *when his -s are up* når han rejser børster.

hackly ['hãkli] forhakket, takket, ru.

hackney ['hãkni] ride- og kørehest; (glds.) lejet hest; slave. **hackney-coach** hyrevogn.

hackneyed ['hãknid] forslidt, fortærsket, banal.

hacksaw ['hãkså·] (subst.) nedstryger, jernsav.

hack work slavearbejde; litterært rutinearbejde.

hack writer skribent der udfører litterært rutinearbejde på bestilling.

had [hãd, (h)əd] imperf. og perf. part. af *have; you ~ better go* du gør (el. gjorde) bedst i at gå; du må hellere gå; *I ~ rather go* jeg vil (el. ville) hellere gå.

haddock ['hãdək] (zo.) kuller.

hade [heid] skråning; skråne.

Hades ['heidi·z] Hades.

hadji ['hãdʒi·] pilgrim (som har været i Mekka).

hadn't ['hãdnt] sammentrukket af *had not.*

hadst [hãdst] glds. 2. pers. sing. imperf. af *have.*

hae- se *he-.*

haft [ha·ft] (subst.) håndtag, skaft; (vb.) forsyne med skaft, skæfte.

hag [hãg] (subst.) grim, gammel kone (el. kælling), heks; (zo.) slimål.

hagberry ['hãgbəri] hægebær.

hagfish ['hãgfiʃ] (zo.) slimål.

haggard ['hãgəd] (adj.) vild; uhyggelig; mager, udtæret; forgræmmet; (subst.) utæmmet høg.

haggis ['hãgis] (skotsk ret af hakket fåre- el. kalveindmad).

haggish ['hãgiʃ] hekseagtig.

haggle ['hãgl] (vb.) tinge, prutte.

hagiarchy ['hãgia·ki], **hagiocracy** [hãgi'åkrəsi] gejstligt herredømme.

hagio|grapha [hãgi'ågrəfə] hagiografa, visse skrifter i det gamle testamente. **-grapher** [hãgi'ågrəfə] hagiograf, forfatter af helgenbeskrivelser. **-graphy** [hãgi'ågrəfi] hagiografi, helgenbeskrivelse. **-logi** [hãgi'ålədʒi] hagiologi, helgenlitteratur.

hag-ridden ['hãgridn] plaget (af mareridt); (fig. ogs.) forpint, hærget.

Hague [heig]: *the ~* Haag (byen).

ha-ha [ha·'ha·] (forsænket) gærde.

I. **hail** [heil] (subst.) hagl; (vb.) **hagle; lade det** hagle med.

II. **hail** [heil] (vb.) hilse; praje; råbe; (subst.) prajning, råb; *hail!* hil! vel mødt! *~ from* komme fra; være hjemmehørende i; *Hail Mary* Ave Maria; *be within ~* være så nær at man kan tilkaldes ved et råb; være inden for hørevidde; ⚓ være på prajehold.

hail-fellow(-well-met) ['heilfelou('wel'met)] bonkammerat; bonkammeratlig.

hail|stone hagl. **-storm** haglvejr.

haily ['heili] hagl-.

hair [hæə] hår; *he has combed my ~ the wrong way* han har irriteret mig; *dress one's ~* sætte sit hår; *get in sby.'s ~* irritere en; *a fine head of ~* smukt, kraftigt hår; *keep your ~ on!* bare rolig! ikke hidsig! *let one's ~ down* slå håret ud; (fig.) slappe af, slå sig løs; *lose one's ~* blive skaldet; **T** blive hidsig (el. gal i hovedet); *it made my ~ stand on end* det fik håret til at rejse sig på hovedet af mig; *put up one's ~* sætte håret op; *have sby. by the short -s* **S** have en i sin magt, have krammet på en; *split -s* være hårkløver; *take a ~ of the dog that bit you* (omtr. =) med ondt skal man ondt fordrive (især om at drikke mere spiritus som middel mod tømmermænd); *he did not turn a ~* han fortrak ikke en mine.

hair|breadth hårsbred; *have a -breadth escape* undslippe med nød og næppe; *know to a -breadth* kende ud og ind. **~ brush** hårbørste. **-cloth** hårdug. **~ -cut** klipning. **~ -do** frisure. **-dresser** frisør; barber; *ladies' -dresser* damefrisør(inde). **-dressing** frisering. **~ -grass** ✿ dværgbunke. **-grip** hårklemme.

hairiness ['hæərinės] hårethed.

hairless ['hæəlės] hårløs.

hair|-line fin streg, (typ.) hårstreg; hårgrænse; *receding ~ -line* (omtr.) flenskaldethed. **~ -pencil** (fin) pensel. **-pin** hårnål. **-pin bend** hårnålesving (på en vej). **~ -raiser T** gyser. **~ -raising** rædselsvækkende, hårrejsende. **hair's breadth** = *hairbreadth.* **hair| seal** (zo.) hårsæl. **~ -space** (typ.) hårspatie. **~ -splitter** ordkløver. **~ -splitting** ordkløveri. **~ -trigger** snellert (i geværlås).

hairy ['hæəri] håret, lådden.

Haiti ['heiti].

hake [heik] (zo.) kulmule.

halberd ['hãlbəd] hellebard. **halberdier** [hãlb'diə] hellebardist.

halcyon ['hãlsiən] (subst.) halcyon, isfugl; (adj.) fredelig, stille; *~ days* lykkelige dage.

I. **hale** [heil] (vb., glds.) hale; slæbe.

II. **hale** [heil] (adj.) sund, rask, kraftig; *~ and hearty* rask og rørig.

half [ha·f] (subst., pl. *halves)* halvdel; semester; (i fodbold) halvleg; (adj.) halv; (adv.) halvt; *~ the year* det halve år; *~ a pound* et halvt pund; *I have ~ a mind to do it* jeg kunne godt have lyst til at gøre det; *~ a moment* et lille øjeblik; *you could see it with ~ an eye* man kunne se det med et halvt øje; *an hour and a ~* halvanden time; *that was a book and a ~* det var vel nok en bog (ɔ: vældig god, stor etc.); *three hours and a ~* 3½ time; *~ as much again* halvanden gang så meget; *my better ~* min bedre halvdel; *he is too clever by ~* han er morderlig dreven; *too kind by ~* altfor venlig; *he does not do things by halves* han nøjes ikke med at gøre noget halvt; *cry halves* forlange at få det halve; *go halves with sby. over sth.* dele noget lige med en; *come in ~* gå i stykker; *cut in ~* skære midt over; *do you like beer? not ~!* **S** kan du lide øl? ja det kan du bande på! *not ~ bad* slet ikke dårlig, mægtig god; *you haven't got ~ a nerve* du er ikke så lidt fræk; *he didn't ~ swear* ih hvor han bandede; *at ~ past 6* klokken halv seks; *be ~ seas over* være anløben, være halvfuld.

half-a-crown 2½ sh.

half-a-dozen (omtr.) en halv snes, nogle stykker.

half-and-half ['ha·fənd'ha·f] lige blanding (fx. af ale og porter); *do sth. on the ~ basis* dele lige.

half-back ['ha·f'bãk] (i fodbold) halfback.

half|-baked halvbagt; (fig.) uudviklet, umoden, grøn; indskrænket; ungdommelig, uerfaren, naiv; ikke gennemtænkt, halvfordøjet (fx. *ideas*). ~ **-belt** spændetamp (i frakke). ~ **-binding** halvbind, vælskbind. ~ **-blood** halvblod. ~ **-bound** i halvbind (el. vælskbind). ~ **-bred** halvblods, halvdannet. ~ **-breed** halvblod, blandingsrace. ~ **-brother** halvbroder. ~ **-caste** halvkaste, barn af et medlem af en farvet race og europæer. ~ **-cock**: *at ~ -cock* (med hanen) i ro; *go off at ~ -cock* handle overilet; gå for tidligt i gang. ~ **-crown** (en mønt, 2¹/₂ shillings værd). ~ **-done** halvgjort; halvkogt, halvstegt. ~ **-hearted** forsagt; lunken, ligegyldig, uinteresseret, uden begejstring. **-hitch** halvstik. ~ **-holiday** halv fridag. ~ **-hose** sok. ~ **-hour** halv time; *it wants ten minutes to the ~ -hour* den mangler ti minutter i halv; *the clock strikes the ~ -hours* uret slår halvtimeslag. ~ **-hunter** dobbeltkapslet ur med et mindre glas i den yderste kapsel. ~ **-length** brystbillede. ~ **-life (period)** (i atomfysik) halveringstid. ~ **-mast**: *at ~ -mast* på halv stang. ~ **-measure** halv forholdsregel. **-moon** halvmåne. ~ **-mourning** halvsorg.

halfness ['ha·fnės] halvhed.

half|pace forhøjning; trappeafsats. ~ **-pay** halv gage, pension, ventepenge.

halfpence ['heⁱpəns] halvpence; *three ~* 1¹/₂ d.

halfpenny ['heⁱpəni] halvpenny; *sixpence ~* seks og en halv penny; *a twopenny- ~ stamp* et frimærke til to en halv pence. **halfpennyworth** ['heⁱpəniwə·þ] for en halv penny.

half|-seas-over (adj.) anløben, halvfuld. ~ **-sister** halvsøster. ~ **-size** (adj.) i halv størrelse. ~ **-sleeve** halvlangt ærme. **-staff** halv stang. ~ **-staffed** på halv stang. ~ **-ticket** barnebillet. ~ **-timbered house** bindingsværkshus. ~ **-timbering** bindingsværk. ~ **-time** halvleg; *be on ~ -time* kun arbejde den halve dag. ~ **-title** smudstitel. ~ **-tone** autotypi. ~ **-track** ⚔ halvbæltekøretøj. ~ **-turn** halv drejning. ~ **volley** (subst.) halvflugtning; (vb.) halvflugte.

half-way ['ha·f'weⁱ] på halvvejen; midtvejs; halvvejs; *~ measures* halve forholdsregler; *meet sby. ~* (fig.) møde en på halvvejen; *meet trouble ~* tage bekymringerne på forskud.

half|-witted åndssvag, imbecil, fjollet. ~ **-world** demimonde. ~ **-year** halvår. ~ **-yearly** halvårlig.

halibut ['hälibət] helleflynder; *Greenland ~* hellefisk.

halite ['heⁱlait] stensalt.

halitosis [häli'toᵘsis] dårlig ånde.

hall [hå·l] større (offentlig) bygning; hal, sal; hall, vestibule, forstue, entré; herregård; (i universitetssprog) kollegium, kollegiespisesal, middagsmåltid der; *servants' ~* tjenerskabets spise- og opholdsstue.

hallelujah [häli'lu·jə] hallelujah.

halliard ['häljəd] ⚓ fald (det tov, hvormed et sejl hejses).

hall-mark ['hå·lma·k] (subst.) stempel i guld- og sølvvarer, der garanterer metallets ægthed; prøvemærke; (fig.) tegn på ægthed eller fornemhed; kendemærke, særkende; (vb.) stemple med prøvemærke.

hallo, halloa [hə'loᵘ] hallo! halløj! (udtryk for forbavselse, omtr. =) ih, du store! (hilsen, svarende til) goddag, godmorgen, godaften.

halloo [hə'lu·] (vb.) råbe (hallo); huje; råbe opmuntrende til; praje; hallo; *don't ~ till you are out of the wood* glæd dig ikke for tidligt.

hallow ['häloᵘ] hellige, indvie; (ogs. = *hallo*).

Hallowe'en ['häloᵘ'i·n] allehelgensaften, 31. okt.

Hallowmas ['häloᵘmäs] (glds.) allehelgensdag, 1. nov.

hallucination [hälu·si'neⁱʃən] hallucination, sansebedrag.

hallux ['häləks] (pl.: *halluces* ['häləsi·z]) storetå.

halm [ha·m] halm, strå, stængel.

halma ['hälmə] halma.

halo ['heⁱloᵘ] (subst.) glorie, stråleglans; ring (om solen el. månen); (vb.) omgive med glorie.

halophyte ['häləfait] ♧ saltplante.

I. **halt** [hå·lt] (adj.) halt; (subst.) halten; (vb.) halte; tøve, vakle.

II. **halt** [hå·lt] (subst.) holdt; holdeplads, trinbræt (lille jernbanestation); (vb.) holde, holde stille, gøre holdt, standse; lade holde, lade gøre holdt; *make a ~* gøre holdt.

halter ['hå·ltə] (subst.) grime; strikke; (vb.) lægge grime på.

halting ['hå·ltiŋ] haltende; usikker, tøvende.

halve [ha·v] halvere; dele i to lige store dele; *~ a hole with him* (i golf) nå et hul med det samme antal slag som han.

halves [ha·vz] pl. af *half*.

halyard ['häljəd] ⚓ tov, fald (se *halliard*).

I. **Ham** [häm] Kam (i Bibelen).

II. **ham** [häm] skinke; bagdel; radioamatør; *~ (actor)* S frikadelle, dårlig skuespiller; *squat on one's -s* sidde på hug.

hamadryad [hämə'draiəd] hamadryade.

Hamburg ['hämbə·g]. **hamburger, Hamburg steak** (amr.) hakkebøf, hamburger.

Hamburgh ['hämbərə] (druesort; hønserace).

hames [heⁱmz] (pl.) stavtræer.

ham|-fisted S, ~ **-handed T** klodset.

Hamitic [hä'mitik] hamitisk.

hamlet ['hämlit] lille landsby.

I. **hammer** ['hämə] (subst.) hammer; geværhane; *bring to the ~* bringe under hammeren, sælge ved auktion; *come under the ~* blive solgt ved auktion; *go (el. be) at it ~ and tongs* gå på med krum hals; arbejde af al kraft; *~ and sickle* hammer og segl; *throwing the ~* hammerkast.

II. **hammer** ['hämə] (vb.) hamre (fx. *~ nails into wood; ~ at the door; ~ sth. into sby.'s head); ~ away at sth.* slå løs på noget; blive ved med at arbejde på noget, slide med noget; *be -ed* (i børssprog) blive erklæret for insolvent; *~ out* udhamre; (fig.) udtænke, udpønse.

hammer|-beam stikbjælke. ~ **-cloth** kuskebukdækken. ~ **-head** hammerhoved; (zo.) hammerhaj. ~ **-toe** (anat.) hammertå.

hammock ['hämək] hængekøje. **hammock|-chair** liggestol. ~ **-netting** ⚓ finkenet.

I. **hamper** ['hämpə] (subst.) stor kurv, lågkurv; *~ of food* madkurv.

II. **hamper** ['hämpə] (vb.) hæmme; hindre; belemre.

Hampshire ['hämpʃiə]. **Hampstead** ['hämstėd].

Hampton ['häm(p)tən]: *~ Court* (slot i nærheden af London).

hamshackle ['hämʃäkl] binde et dyr med hovedet til det ene forben.

hamster ['hämstə] (zo.) hamster.

hamstring ['hämstriŋ] hasesene; skære haserne over på; (fig.) lamme, gøre virkningsløs.

hamstrung ['hämstrʌŋ] imperf. og perf. part. af *hamstring*.

I. **hand** [händ] hånd; (hos visse dyr) fod, forpote; side (fx. *on one ~, on all -s);* arbejder, mand (fx. *factory ~; all -s on deck);* håndskrift (fx. *write a good ~);* underskrift; viser (på ur); håndsbred (4 *inches*, længdeenhed i hvilken man måler en hests højde); håndelag, behændighed; kort (som man har på hånden); parti, omgang (fx. *play another ~);* spiller (deltager i et spil kort); klapsalve, bifald;

(forskellige forbindelser) *bind sby. ~ and foot* binde en på hænder og fødder; *wait on sby. ~ and foot* opvarte en i alle ender og kanter; *bear him a ~* give ham en håndsrækning; *change -s* komme på andre hænder, skifte ejer; *a cool ~* en fræk fyr; *his ~ was forced* han var i en tvangssituation; *get a ~* blive modtaget med klapsalver; *give sby. a ~* gå en til hånde; klappe ad en; *be a good ~ at* være dygtig til; *he plays a good ~* (i kortspil) han er en dygtig spiller; *have a ~ in* deltage i; *hold one's ~* stille sig afventende; *keep one's ~ in* holde sig i øvelse; ***keep a firm* (el. *one's*) *~ on*** have hånd i hanke med; *lay -s on sth.* bemægtige sig noget, få fat på noget; *lay -s on sby.* lægge hånd på en; *lend a ~* give en håndsrækning (fx. *with the luggage); not lift a ~* ikke røre en finger; *lift one's ~ against* (el. *to)* (true med at) angribe, lægge hånd på; *an old ~* en som har erfaring, 'en gammel rotte'; *be a poor ~ at* være dårlig til; *I could not see my ~ in front of me* jeg kunne ikke se en hånd for mig; *put* (el. *set) one's ~ to* tage fat på, gå i gang med; *set one's ~ to a document* underskrive et dokument; *shake -s with him* give ham hånden, trykke hans hånd; *show one's ~* lægge kortene på bordet; *strengthen (, weaken) his ~* (fig.) styrke (, svække) hans stilling (, forhandlingsposition); *take a ~* tage en hånd i med; *take a ~ at bridge* spille bridge; *throw in one's ~* opgive ævred; *try one's ~ at* forsøge sig med; *not do a -'s turn* ikke bestille et slag; *the upper ~ (of)* overtaget (over), overmagt (over); *I have got a wretched ~* sikke nogle elendige kort jeg har;

(forb. m. præp. og adv.) *at ~* nær ved, ved hånden, nær forestående; *hear sth. at first ~* få førstehåndsviden om noget; *at his -s* fra hans side, fra ham; *by ~* ved håndkraft; i hånden (fx. *sewn by ~); bring up by ~* flaske op; *deliver by ~* aflevere pr. bud; *made by ~* håndgjort; *win -s down* komme ind som en flot nr. 1; vinde med lethed; *play for one's own ~* (fig.) handle ud fra egoistiske motiver; pleje sine egne interesser; *live from ~ to mouth* leve fra hånden i munden;

~ in ~ hånd i hånd; *a bird in the ~*, se *bird; cash in ~* kassebeholdning; *be ~ in glove with* være pot og pande med, være fine venner med; *work ~ in glove with* arbejde intimt sammen med; *in English -s* på engelske hænder; *in the -s of money-lenders* i ågerkarlekløer; *the work is in ~* arbejdet er under udførelse; *have in ~* have lager af, ligge inde med; have krammet på, have magt over; *have sth. in ~* (ogs.) have noget for; *apply in one's own ~* indgive egenhændig ansøgning; *keep sby. (, one's desires) well in ~* holde styr på en (, på sine lidenskaber); *the situation is well in ~* situationen er under kontrol; *put in ~* sætte i arbejde; påbegynde; *take in ~* tage sig (energisk) af; *fall into the -s of one's enemies* falde i sine fjenders hænder; *play into sby.'s -s* gå ens ærinde; *show of -s* håndsoprækning (fx. *vote by a show of -s);*

off ~ på stående fod, improviseret; *-s off!* fingrene af fadet! væk med fingrene! *get sth. off one's -s* blive af med ngt., få ngt. afsat; få ngt. fra hånden; *have sth. off one's -s* være af med ngt., være færdig med ngt.;

on ~ på lager; til rådighed; ved hånden; *work on ~* arbejde under udførelse; *time hangs heavy on my -s* jeg har svært ved at få tiden til at gå; *have sth. on one's -s* have besværet med (og ansvaret for) ngt. (fx. *I have two houses on my -s); on the other ~* på den anden side; *on one's -s and knees* på alle fire;

out of ~ på stående fod, improviseret, straks, uden videre; *get out of ~* blive ustyrlig, tage magten fra én; *settle the question out of ~* gøre kort proces; *feed out of one's ~* være let at styre; *~ over ~, ~ over fist* (støt og) hurtigt; *make money ~ over fist* skovle penge ind; *to ~* ved hånden; *come to ~* fremkomme, nå frem, ankomme; *~ to ~*, se *hand-to-hand; ready to one's ~* ved hånden; *yours to ~* vi har modtaget Deres brev; *-s up!* hænderne op! *the ship was lost with all -s* skibet gik under med hele besætningen; *with a heavy ~* tungt, klodset; med hård hånd; *with a high ~* egenmægtigt; *with one's own ~* egenhændigt.

II. **hand** [händ] (vb.) (over)række; føre ved hånden; *~ down plates from a shelf* tage tallerkener ned fra en hylde og række dem til en anden; *I -ed her down to the carriage* jeg fulgte hende til vognen; *~ down one's property to one's descendants* lade sin ejendom gå i arv til sine efterkommere; *it is said that acquired characters are not -ed down to offspring* det siges, at erhvervede karakteregenskaber ikke arves af afkommet; *~ in* overrække; indlevere (fx. *~ in a telegram); ~ in one's resignation* indgive afskedsbegæring; *when you have read this, kindly ~ it on to your friends* når De har læst dette, bedes De venligst lade det gå (, sende det) videre til Deres venner; *~ out* udlevere, uddele; *I -ed her out of the carriage* jeg hjalp hende ud af vognen; *he is quite rich, but he doesn't like -ing out* han er temmelig velhavende, men er ikke meget for at give penge ud; *~ over* aflevere; *~ it to sby.* **S** yde en anerkendelse, tage hatten af for én.

hand|bag håndtaske, (dame)taske; håndkuffert. **-ball** kastebold; art boldspil. **~ -barrow** bærebør; tohjulet trækvogn. **-bell** bordklokke. **-bill** løbeseddel, reklameseddel. **-book** håndbog. **~ -brake** håndbremse. **-breadth** håndsbred.

h. and c. fk. f. *hot and cold (water supply).*

hand|cart trækvogn. **-clap** klappen; *a slow -clap* langsom rytmisk klappen (udtryk for mishag). **-cuff** (subst.) håndjern; (vb.) give håndjern på. **~ -drill** håndboremaskine.

Handel [händl] Händel.

handful ['händful] (pl. *handfuls)* håndfuld; *he is a bit of a ~* han er ikke let at styre.

hand| gallop kort galop. **~ -glass** håndspejl; lup; (i havebrug) glasklokke. **~ -grenade** ['händgrine'd] håndgranat. **-grip** håndtryk; håndtag; fæste, hjalte; *come to -grips* komme i håndgemæng. **-hold** noget at holde sig fast ved (fx. for en bjergbestiger).

handicap [händikäp] handicap, hindring, vanskelighed, hæmning; (i sport:) handicap(løb); (vb.) handicappe; belaste, hæmme, hindre. **handicapped** ['händikäpt] (om person ogs.) erhvervshæmmet; *mentally ~ children* evnesvage børn.

handicapper ['händikäpə] opmand som bestemmer betingelserne for handicapløbet.

handicraft ['händikra·ft] håndarbejde; håndværk. **handicraftsman** [-mən] håndværker.

handily (adv.) bekvemt (etc., se *handy).*

handiness ['händinės] behændighed, fingernemhed; hensigtsmæssighed.

handiwork ['händiwə·k] værk, arbejde, kunstværk; *I suppose that is your ~* (fig.) det har du vist været mester for.

handkerchief ['häŋkətʃif] lommetørklæde; tørklæde.

I. **handle** ['händl] (vb.) tage fat på, beføle; håndtere; behandle (fx. *a teacher must know how to ~ children);* handle med, omsætte; lede, føre; manøvrere (fx. et skib); gøre brug af; have at gøre med; omgås med; forsyne med håndgreb; ekspedere, klare, ordne; gribe an (fx. *he -d the affair clumsily);* afvikle (fx. *traffic); ~ sby.* (ogs.) ordne en; *they were roughly -d by the mob* folkemængden gav dem en ublid medfart; *~ without gloves* ikke tage på med fløjlshandsker; *we ~ 1.000 tons a year* vi omsætter (el. ekspederer) 1000 tons om året.

II. **handle** ['händl] (subst.) håndgreb, håndtag; skaft; hank; *your speech may give him a ~ against you* din tale kan give ham noget at hænge sin hat på (el. et holdepunkt for et angreb mod dig); *take by the right ~* få fat i den rigtige ende; *fly off the ~* **S** blive flintrende gal i hovedet; *a ~ to one's name* en titel.

handle-bar ['händlba·] cykelstyr; *~ basket* cykelkurv.

hand-line ['händlain] håndsnøre.

handling ['händliŋ] berøring; behandling; ekspedition etc. (se I. *handle); penselføring; ~ of traffic* færdselsregulering; *he takes some ~* han er ikke nem at klare (el. styre).

hand|-luggage håndbagage. **~ -made** håndgjort, håndsyet. **-maid(en)** tjenerinde. **~ -me-down** **S** færdigsyet (tøj), stangtøj. **~ -mill** håndkværn. **~ -organ** lirekasse. **~ -out** gave, almisse; tildeling; pressemeddelelse. **~-picked** omhyggelig udvalgt, udsøgt. **-rail** gelænder. **-saw** håndsav. **-'s breadth** håndsbred.

handsel ['hän(d)səl] (subst.) gave, nytårsgave, handsel; håndpenge; udbetaling 'på hånden'; forsmag; (vb.) give handsel; indvie, bruge for første gang.

handshake ['händʃe'k] håndtryk.

handsome ['hänsəm] smuk, køn; pæn; anselig.

betydelig, klækkelig; ædel, fin; gavmild; ~ *is that* ~ *does* den er smuk, som handler smukt.

hand|spike ⚓ håndspage. ~ **-spring** kraftspring. ~ **-to-hand** mand mod mand; ~ *-to-hand fight* nærkamp. ~ **-to-mouth** fra hånden og i munden. ~ **-writing** håndskrift; *the* ~ *-writing on the wall* (bibelsk) skriften på væggen.

handy ['händi] behændig, fingernem; bekvem, nem, praktisk; ved hånden, nær ved; belejlig, til passende tid; *he is* ~ *with an axe* han er flink til at bruge en økse; *come in* ~ komme belejligt (el. tilpas), komme til nytte.

handy-dandy ['händi'dändi] (en leg: 'hvilken hånd vil du have?').

handy-man altmuligmand.

I. **hang** [häŋ] *(hung, hung;* regelmæssigt i betydningen: aflive ved hængning); hænge; hænge op; behænge; hænge (i galgen); bringe i galgen; lade hænge; være hængt op; være i ligevægt;

I'm -ed if I will gu' vil jeg ej; *oh,* ~ *it!* pokkers også! ~ *a door* sætte en dør på hængslerne; ~ *fire* (om gevær) ikke straks gå af; (fig.) nøle; ikke komme nogen vegne; *negotiations hung fire* det gik tungt med forhandlingerne; *let that go* ~ blæse være med det, det bryder jeg mig ikke om; ~ *one's head* hænge med hovedet; ~ *a jury* hindre nævningerne i at afgive en kendelse ved som nævning at nægte sit samtykke til kendelsen; ~ *paper on a wall* tapetsere en væg; ~ *wallpaper* sætte tapet op, tapetsere;

(forb. m. præp. og adv.) ~ *about* stå (el. gå) og drive, drive den af; blive i nærheden af; ~ *back* tøve, have betænkeligheder; ~ *by a thread* hænge i en tråd; ~ *in the balance* stå hen i det uvisse; ~ *on* hænge ved; hænge fast; støtte sig til; være afhængig af (fx. *everything hangs on your answer);* holde ud; blive til besvær; lytte spændt til; *they seemed to* ~ *(up)on his lips* (el. *words)* (ogs.) de hang ved hans læber; ~ *out* læne sig ud (fx. *don't* ~ *out of the window);* **S** bo, holde til (fx. *where do you* ~ *out?);* ~ *together* hænge sammen; holde sammen; *his story does not* ~ *together well* der er ingen rigtig sammenhæng i hans historie; ~ *up* hænge op; opsætte; lade noget være uafgjort; **T** lægge røret (ↄ: telefonen) på; *the whole business was hung up owing to his dilatoriness* det hele blev forsinket på grund af hans smøleri; ~ *up one's hat in a house* (ogs.) indrette sig hos en, som om man er hjemme; *this material -s so well* dette stof falder så smukt; ~ *a room with paper* tapetsere et værelse.

II. **hang** [häŋ] (subst.) måde hvorpå ngt. hænger el. sidder, er sat sammen, virker; betydning; *notice the* ~ *of the coat* lægge mærke til hvordan frakken sidder; *the* ~ *of a dress (, curtain)* en kjoles (, et gardins) fald; *the* ~ *of a machine* en maskines indretning, måden hvorpå den virker; *get the* ~ *of* forstå, få fat i, komme 'efter; *I don't care a* ~ jeg bryder mig pokker om det.

hangar ['häŋ(g)ə] hangar.

hangdog ['häŋdåg] fyr af et skurkagtigt udseende, skummel fyr; (adj.) skummel. ~ *face* skurkefjæs.

hanger ['häŋə] bøjle (til at hænge tøj på); strop; hirschfænger; kedelkrog; *pothooks and -s* børns første skriveøvelser.

hanger-on ['häŋər'ån] (pl.: *hangers-on)* (subst.) snylter; (pl.) slæng, påhæng.

hangfire (subst.) efterbrænder (ↄ: skud som går noget sent af).

hanging ['häŋiŋ] hængende; hængning; omhæng, gardin, draperi; *it is a* ~ *affair* (el. *matter)* det kan man blive hængt for; ~ *committee* censurkomite (ved udstilling); ~ *plant* hængeplante.

hangman ['häŋmən] bøddel.

hangnail ['häŋneⁱl] neglerod.

hang-out ['häŋaut] **S** tilholdssted.

hang-over ['häŋoᵘvə] rest; levn; tømmermænd.

hank [häŋk] dukke (garn); (merk.) streng; ⚓ løjert.

hanker ['häŋkə] hige, længes, plages af længsel *(after, for* efter), attrå.

hankering ['häŋkəriŋ] higen, længsel.

hanky ['häŋki] (i barnesprog) lommetørklæde.

hanky-panky ['häŋki'päŋki] fiksfakserier, hokuspokus, luskeri.

Hanover ['hänovə] Hannover. **Hanoverian** [häno'viəriən] hannoveransk; hannoveraner.

Hansard ['hänsəd] de trykte parlamentsforhandlinger; (svarer til) rigsdagstidende,

Hanse [häns] Hansa; *the* ~ *towns* hansestæderne.

Hanseatic [hänsi'ätik] hanse-; *the* ~ *League* hanseforbundet.

hansel ['hänsəl] se *handsel.*

hansom ['hänsəm], ~ **cab** tohjulet droske.

Hants [hänts] Hampshire.

hap [häp] (glds.) (subst.) hændelse, tilfælde; lykke; lykketræf; (vb.) hænde; *it was my good* ~ *to meet him* jeg havde det held at træffe ham.

haphazard ['häp'häzəd] (subst.) (ren og skær) tilfældighed, slumpetræf; (adj.) tilfældig, vilkårlig; *at* el. *by* ~ på må og få, på slump, på lykke og fromme.

hapless ['häplės] ulykkelig.

haply ['häpli] tilfældigvis, måske.

ha'p'orth ['heⁱpəþ] fk. f. *halfpennyworth.*

happen ['häpn] ske; hænde, hændes, hænde sig, træffe sig; *as it -s* tilfældigvis, for resten; *I -ed to be there* el. *it so -ed that I was there* jeg var der tilfældigvis; ~ *on* tilfældigvis træffe (el. finde), støde på.

happening ['häpniŋ] hændelse.

happily ['häpili] (adv.) lykkeligt; heldigvis.

happiness ['häpinės] lykke; lyksalighed; velvalgthed (om udtryk); *wish sby. every* ~ ønske en alt godt.

happy ['häpi] lykkelig; lyksalig; glad; 'salig', perialiseret; (om udtryk etc.) heldig; velvalgt, træffende; *the story has a* ~ *ending* historien ender godt; *I don't feel quite* ~ *about it* jeg er noget bekymret over det, jeg er ikke rigtig glad (el. tryg) ved det; *in a* ~ *hour* i en heldig stund; ~ *families* firkort.

happy-go-lucky ['häpigoᵘlʌki] ubekymret, sorgløs, ligeglad; *live in a* ~ *fashion* leve uden at bekymre sig om dagen og vejen.

hara-kiri ['härə'kiri] harakiri.

harangue [hə'räŋ] (subst.) tale; svada, tirade, ordskvalder, præk; (vb.) holde tale til; præke. **haranguer** [hə'räŋə] taler; ordgyder.

harass ['härəs] (vb.) trætte, udmatte; pine, plage, hærge (fx. *the Vikings -ed the coasts);* ⚔ forstyrre; *-ing fire* ⚔ foruroligelsesild. **harassment** ['härəsmənt] forstyrrelse, uro; udmattelse.

harbinger ['ha·bindʒə] (subst.) bebuder, forløber; (vb). bebude, melde; ~ *of spring* forårsbebuder.

harbor ['ha·bə] (amr.) = *harbour.*

harbour ['ha·bə] havn; (vb.) huse, give ly; skjule (fx. ~ *an escaped criminal);* rumme; nære (fx. *suspicions, mistrust);* søge ly, finde ly; finde havn, ankre i havn; opspore. **harbourage** ['ha·bəridʒ] ly, ankerplads, havn(eplads).

harbour| dues havneafgifter. ~ **-master** havnefoged.

I. **hard** [ha·d] (subst.) landingssted; **S** strafarbejde.

II. **hard** [ha·d] (adj.) hård; kraftig, i form, i træning (fx. *get* ~ *by taking regular exercise);* voldsom, stærk (fx. *a* ~ *blow);* streng (fx. *discipline, winter);* vanskelig, svær (fx. ~ *to understand);*

~ *and fast,* se *hard-and-fast;* ~ *cash* rede penge, kontanter; *in* ~ *condition* i fin form; *have* ~ *luck* være uheldig; blive hårdt behandlet; *it is* ~ *luck* (el. *lines) on him* det er synd for ham; ~ *of hearing* tunghør; *be* ~ *on sby.* være hård (el. streng) mod en; ~ *to please* ikke nem at gøre tilpas; ~ *water* hårdt (kalkholdigt) vand; *he has learnt it the* ~ *way* han har måttet slide sig til det, han er ikke kommet let til det; ~ *words* hårde ord; svære ord; *it was* ~ *work* det holdt hårdt.

III. **hard** [ha·d] (adv.) hårdt (fx. *work* ~*);* strengt (fx. *it froze* ~*);* kraftigt (fx. *push* ~*);* energisk, af al magt (fx. *try* ~*);* skarpt, nøje, stift (fx. *look* ~ *at);* ~ *by* tæt, nær, umiddelbart (fx. *follow* ~ *behind);* ~ *by* tæt ved; *drink ~* drikke tæt; *it will go ~ with them* det bliver slemt for dem; *it shall go ~ but I will find them* hvis jeg på nogen måde kan, vil jeg finde dem; *be ~ put to it* være i forlegenhed, være vanskeligt stillet; *I was ~ put to it to* det kneb for mig at; *it was raining ~* det skyllede ned; *take it too ~* tage det for tungt; *try ~* prøve af al magt, gøre sig umage; *~ up* i pengevanskeligheder, på knæene; *be ~ up for* være helt uden (fx. *work); it is ~ upon one* klokken er næsten et.

hard-and-fast streng, urokkelig, ufravigelig, rigoristisk (fx. *rule).*

hard|-back = *~ cover.* ~ **-bitted** hårdmundet, stædig (om hest). ~ **-bitten** stædig, stejl; hærdet, forhærdet. **-board** hård (træ)fiberplade. ~ **-boiled** hårdkogt. ~ **-cover** indbunden (bog). ~ **-earned** surt erhvervet, dyrekøbt.

harden ['ha·dn] (vb.) gøre hård, hærde; bestyrke (fx. *his conviction);* gøre forhærdet; blive hård, hærdes; blive fast; blive forhærdet. **hardened** forhærdet (fx. *a ~ criminal).* **hardening** hærdning; forhærdelse; *~ of the arteries* åreforkalkning.

hard|-favoured, ~ **-featured** med grove, frastødende træk; barsk. ~ **-fisted** gerrig; se ogs. *~ -handed.* **-fought:** *~ -fought battle* hårdnakket kamp. ~ **-gotten** surt erhvervet. ~ **-grained** (om træ) hårdt; (fig.) hårdhjertet. ~ **-handed** hårdhændet, med barkede næver. ~ **-headed** nøgtern, praktisk, usentimental; klog. **-heads** ♧ sorthovedknopurt. ~ **-hearted** hårdhjertet.

Hardicanute ['ha·dikənju·t] Hardeknud.

hardihood ['ha·dihud] dristighed.

hardily ['ha·dili] (adv.) tappert, uforfærdet.

hardiness ['ha·dinės] udholdenhed, hårdførhed; robusthed; tapperhed, uforfærdethed; dristighed, frækhed.

hard labour tvangsarbejde, strafarbejde.

hard-luck story tiggers (etc.) fortælling om sin kranke skæbne, jeremiade, jammerhistorie.

hardly ['ha·dli] hårdt (fx. *be ~ treated);* næppe, næsten ikke, knap; *~ anybody* næsten ingen; *~ anything* næsten intet; *~ ever* næsten aldrig; *hardly ... when* næppe ... før; *it is ~ enough* det er vist ikke nok.

hard-mouthed ['ha·dmauðd] hårdmundet, stivmundet (om hest); stædig; umedgørlig.

hardpan ['ha·dpän] (subst.) al.

hard-rubber ebonit.

hards [ha·dz] (subst., pl.) blår.

hard-set stiv, stivnet; determineret, bestemt; streng, ubøjelig.

hardshell ['ha·dʃel] hårdskallet; streng, ubøjelig.

hardship ['ha·dʃip] genvordighed, besværlighed, lidelse, prøvelse; *-s* (ogs.) strabadser; afsavn; *endure -s* (ogs.) døje modgang; lide ondt.

hardtack ['ha·dtăk] ⚓ beskøjter.

hardware ['ha·dwæə] isenkram. **hardwareman** ['ha·dwæəmən] isenkræmmer.

hardwood ['ha·dwud] løvtræ; *~ forest* løvskov.

hardworking (adj.) flittig.

hardy ['ha·di] (adj.) dristig; hårdfør, robust; modstandsdygtig; *~ annual* hårdfør etårig plante; (fig.) stående (samtale)emne.

I. **hare** [hæə] (subst.) hare; *~ and hounds* papirsjagt, sporleg; *mad as a (March) ~* skrupgal; *first catch your ~ then cook him* man skal ikke sælge skindet, før bjørnen er skudt; *start a ~* jage en hare op; (fig.) bringe et emne på bane, rejse en diskussion; *run with the ~ and hunt with the hounds* bære kappen på begge skuldre.

II. **hare** (vb.): *~ off* styrte af sted.

harebell ['hæəbel] ♧ blåklokke.

hare-brained ['hæəbre'nd] ubesindig, tankeløs.

hare|-lip hareskår. ~ **-lipped** med hareskår.

harem ['hæərəm] harem.

hare's|-ear ♧ hareøre. ~ **-foot (clover** el. **trefoil)** ♧ harekløver.

haricot ['hăriko^u] snittebønne; (ret af fårekød etc.).

hari-kiri se *hara-kiri.*

hark [ha·k] (vb.) lytte, høre efter (især i tilråb til et hundekobbel); *~ at him!* (ironisk) hør ham! *~ back* løbe tilbage for at finde sporet igen, vende tilbage til sit udgangspunkt, til et emne; *~ to* høre på, lytte til.

harl [ha·l] trævl (af hør eller hamp); stråle (i fjer).

harlequin ['ha·likwin] Harlekin; broget.

harlequinade [ha·likwi'ne'd] harlekinade.

harlequin-duck (zo.) strømand.

Harley ['ha·li]; *~ Street* gade i London, hvor mange speciallæger har konsultationslokaler.

harlot ['ha·lət] skøge.

harlotry ['ha·lətri] skørlevned.

harm [ha·m] (subst.) skade, fortræd; (vb.) skade, gøre fortræd; *where's the ~ in doing that?* hvad kan det skade (at gøre det)? *I meant no ~* det var ikke så slemt ment; *there's no ~ done* der er ingen skade sket; *out of -'s way* i sikkerhed; *that won't ~ him, that won't do him any ~* det tager han ingen skade af.

harmful ['ha·mful] skadelig; ond.

harmless ['ha·mlės] uskadelig, harmløs, sagesløs.

harmonic [ha·'månik] (adj.) harmonisk; (subst.) overtone.

harmonica [ha·'månikə] mundharmonika, glasharmonika.

harmonics [ha·'måniks] harmonilære.

harmonious [ha·'mo^unjəs] (adj.) harmonisk; samdrægtig; fredelig, venskabelig.

harmonist ['ha·mənist] harmonist; komponist.

harmonium [ha·'mo^unjəm] harmonium, stueorgel.

harmonization [ha·mənai'ze'ʃən] harmonisering; (fig.) samklang, harmoni. **harmonize** ['ha·mənaiz] harmonisere; (fig.) bringe i samklang; afstemme; være i samklang, harmonere; komme overens.

harmony ['ha·məni] harmoni; (fig.) samdrægtighed, fredelighed.

harness ['ha·nis] (subst.) seletøj; (vb.) give seletøj på, spænde for; *die in ~* dø under arbejdet, hænge i til det sidste; *work (, run) in double ~* gå i spand sammen, arbejde sammen; *~ the water-power* udnytte vandkraften.

Harold ['hărəld] Harald.

harp ['ha·p] (subst.) harpe; (vb.) spille på harpe; *~ on* (fig.) altid komme tilbage til, tærske langhalm på; *be always -ing on the same string* altid spille på den samme streng, altid synge den samme vise (ɔ: altid tale om det samme). **harper** ['ha·pə], **harpist** ['ha·pist] harpespiller, harpenist.

harpoon [ha·'pu·n] (subst.) harpun; (vb.) harpunere.

harpooner [ha·'pu·nə] (subst.) harpunér.

harp-seal ['ha·psi·l] (zo.) grønlandssæl.

harpsichord ['ha·psikå·d] cembalo.

harpy ['ha·pi] (i mytologi) harpy; (fig.) grisk person, blodsuger; afrakket kælling.

harquebus ['ha·kwibəs] (glds.) hagebøsse.

harridan ['hăridən] pulverheks, gammel kælling.

harrier ['hăriə] harehund, støver; terrænsportsmand, terrænløber; (zo.) kærhøg.

Harrovian [hə'ro^uvjən] harrovianer, elev af skolen i **Harrow** ['hăro^u].

harrow ['hăro^u] harve (subst. og vb.); (fig.) sønderrive; pine. **harrowing** (adj.) oprivende.

I. **Harry** ['hări] = *Henry; Old ~* Fanden.

II. **harry** ['hări] hærge, plyndre; plage.

harsh [ha·ʃ] besk, stram; hård, skurrende; ru, grov, rå, barsk; ubehagelig, disharmonisk, skærende. **harshen** ['ha·ʃən] (vb.) gøre besk, hård osv.

hart [ha·t] hanhjort; *~ of ten* hjort med 10 takker på geviret; *~ royal* en af kongen forgæves jaget hjort som derefter er fredet.

hartal ['ha·ta·l] proteststrejke (i Indien).

hartshorn ['ha·tshå·n] hjortetak; hjortetakspiritus; *salt of ~* hjortetaksalt. **hart's-tongue** ♧ hjortetunge.

harum-scarum ['hæərəm'skæərəm] (adj.) vild, ubesindig, forvirret, fremfusende; (subst.) vild person, galning, fusentast.

harvest ['ha·vist] (subst.) høst, afgrøde; (vb.) høste, indhøste; *reap the ~ of one's hard work* (fig.) høste lønnen for sit slid. **harvester** høstkarl; mejemaskine, selvbinder. **harvester thresher** mejetærsker.

harvest| festival høstfest; takkegudstjeneste i anledning af høsten. ~ **-fly** cikade. ~ **home** afslutning på høsten; høstgilde. **-man** høstkarl; (zo.) mejer. ~ **mite** augustmide. ~ **mouse** (zo.) dværgmus.

Harwich ['hāridʒ].

has [hāz, ubetonet: (h)ez] har (3. person sing. i præsens af *have).*

has-been ['hāzbi·n] **S** person (el. ting) der hører fortiden til; *a ~* en forhenværende, et fortidslevn.

hash [hāʃ] (vb.) hakke, skære i stykker; forkludre; (subst.) hakkemad; labskovs, biksemad, hachis; virvar, forkludring; *he made a ~ of it* han forkludrede det hele; *I'll soon settle his ~* ham skal jeg snart få gjort kål på (el. få ordnet).

hasheesh, hashish ['hāʃi·ʃ] haschisch (narkotisk middel).

hash| house (amr. **S**) billig beværtning. ~ **slinger** (amr. **S**) opvarter.

haslet ['heⁱzlit] indmad (især af svin).

hasn't ['hāznt] = *has not.*

hasp [ha·sp] (subst.) haspe, vindueskrog, overfald; spænde; ten; nøgle (garn); (vb.) (lukke med) haspe el. spænde.

hassle [hāsl] (amr.) skænderi; skændes.

hassock ['hāsɔk] græstue; bedeskammel; knælepude.

hast [hāst] har (glds. 2. person sing. i præsens af *have).*

hastate ['hāsteⁱt] (adj.) spydformet.

haste [heⁱst] hast, hastværk, fart; *make ~* skynde sig; *be in ~* have hastværk; *more ~, less speed* hastværk er lastværk; *act in ~* handle overilet. **hasten** ['heⁱsn] haste, ile, skynde sig; fremskynde.

hastily ['heⁱstili] hurtigt, skyndsomt; overilet.

hastiness ['heⁱstinės] hurtighed, hastighed; overilelse, hidsighed; iver.

Hastings ['heⁱstiŋz].

hasty ['heⁱsti] hastig, hurtig; forhastet; hidsig; hastværks-; *~ pudding* grød.

hat [hāt] hat; *a bad ~* en skidt knægt; *I'll eat my ~ first* jeg vil hellere lade mig hænge; *I'll eat my ~ if he doesn't* det vil jeg æde min gamle hat på; *then I'll eat my ~* så må du kalde mig Mads; *send* (el. *pass) round the ~* lade hatten gå rundt (ɔ: samle ind); *hang up one's ~* slå sig ned for længere tid; *talk through one's ~* vrøvle, snakke hen i vejret; *keep sth. under one's ~* **S** fortie noget, holde noget hemmeligt; *my ~!* ih, du store! nu har jeg aldrig set så galt!

hatband ['hātbānd] hattebånd; *broad ~* sørgeflor om hatten.

hatbox ['hātbåks] hatteæske.

I. **hatch** [hātʃ] (subst.) nederste halvdør; lem; (især ⚓) luge; stigbord; *down the ~!* **T** skål! *under -es* ⚓ under dæk; i frivagt; (fig.) suspenderet; underkuet, under tøffelen, i en andens vold; velforvaret; død.

II. **hatch** [hātʃ] (vb.) udruge; udklække; ruge; udruges; udklækkes; (subst.) udrugning; udklækning; yngel, kuld; *count one's chickens before they are -ed* sælge skindet før bjørnen er skudt.

III. **hatch** [hātʃ] skravere; skravering.

hatchery ['hātʃɔri] udklækningsanstalt.

hatchet ['hātʃit] (subst.) håndøkse, lille økse; (vb.) hugge; *bury the ~* begrave stridsøksen, slutte fred; *take* (el. *dig) up the ~* grave stridsøksen op, begynde krig; *throw the ~* overdrive.

hatchet|-face smalt ansigt med skarpskårne træk, skarpt ansigt. ~ **-man** (amr.) gangster; håndlanger, 'vagthund', revolverjournalist.

hatching ['hātʃiŋ] udrugning, udklækning; skravering.

hatchment ['hātʃmɔnt] våben, våbenskjold (afdøds våben som hængtes op på hans hus og senere i kirken).

hatchway ['hātʃweⁱ] ⚓ luge.

hate [heⁱt] (vb.) hade, afsky; **T** være meget ked af (fx. *I ~ to trouble you),* ikke kunne fordrage (fx. *I ~ being late);* (subst.) had.

hateful ['heⁱtf(u)l] afskyelig; forhadt.

hat-guard ['hātga·d] hattesnor.

hath [hāþ, hɔþ] har (glds. 3. person sing. præsens af *have).*

Hathaway ['hāþɔweⁱ].

hat|less ['hātlės] uden hat. **-peg** hatteknage. **-pin** hattenål. **-rack** knagerække til hatte.

hatred ['heⁱtrid] had *(of* el. *for* til).

hatstand ['hātstānd] stumtjener.

hatter ['hātɔ] hattemager; *mad as a ~* splittergal.

hat trick: *do the ~* score tre mål i samme kamp; (i kricket) tage tre gærder med tre på hinanden følgende bolde.

hauberk ['hå·bɔ·k] ringbrynje.

haughtily ['hå·tili] arrogant, hovmodigt, overlegent.

haughtiness ['hå·tinės] arrogance, hovmod, overlegenhed.

haughty ['hå·ti] arrogant, hovmodig, overlegen.

haul [hå·l] (vb.) hale, slæbe, transportere; (subst.) halen, slæben, transport; dræt; fangst; udbytte; *get a fine ~* gøre et godt kup; *~ sby. over the coals* give en en ordentlig overhaling; *~ down one's flag* stryge flaget; overgive sig; *~ sby. up* bremse en (i hans vidtløftigheder, overdrivelser o.l.); *~ up* ⚓ gå tættere op til vinden.

haulage ['hå·lidʒ] transport(omkostninger); arbejdskørsel. **haulage contractor** vognmand.

haulier ['hå·ljɔl] vognmand; mand, der transporterer kul frem til skakten i en mine.

haulm [hå·m] halm, strå, stængel.

haunch [hå·nʃ] hofte; kølle; *-es* (ogs.) bagfjerding; bagdel, ende; *~ of mutton* fårekølle; *~ of venison* dyrekølle.

haunt [hå·nt] (subst.) tilholdssted; opholdssted; hjemsted; (vb.) besøge ofte, frekventere; hjemsøge; stadig forfølge; spøge i; plage, besvære; *I am -ed by that idea* den tanke spøger stadig i mit hoved; *the house is -ed* det spøger i huset; *a -ed look* et jaget (el. plaget el. forpint) udtryk.

haunter ['hå·ntɔ] stamgæst; genganger, spøgelse.

haunting ['hå·ntiŋ] uforglemmelig, ikke til at ryste af sig, som stadig forfølger en.

hautboy ['(h)oᵘboi] (subst.) obo. **hautboy player** oboist.

hauteur [oᵘ'tɔ·, 'oᵘtɔ·] arrogance, hovmod.

Havana [hɔ'vānɔ] Havanna; havannacigar.

Havanese [hāvɔ'ni·z] havannesisk; havanneser.

I. **have** [hāv, (h)ɔv] *(had, had)* have, være (som hjælpeverbum, fx. *I ~ done my work; I ~ gone);* eje, besidde, have (fx. *~ a motorcar);* få (fx. *~ a baby);* snyde, narre (fx. *I think he is trying to ~ you; you have been had);* overvinde, slå af marken (fx. *he had you completely in the first game);* tage sig (fx. *~ a cigar);* spise, drikke (fx. *~ dinner; what will you ~?);* (efterfulgt af inf. m. *to)* måtte, være nødt til (fx. *I ~ to do my work);* (m. objekt og inf.) have til at (fx. *what will you ~ me do?);* (efterfulgt af perf. part.) lade (på dansk efterfulgt af inf., fx. *he had the table repaired* han lod bordet reparere);

(forskellige forbindelser) *I'm not having any* jeg skal ikke nyde noget; *~ at him* gå løs på ham; *~ done* holde op (med), være færdig med; *~ done with* være færdig med; *~ sby. down* få en på besøg; *~ got* (ogs.) have (fx. *I ~ got a motor-car); ~ got to* være nødt til, måtte (fx. *I ~ got to go); you ~ had it* **S** du kan ikke få det, der er ikke mere; du er færdig, det er ude (el. sket) med dig; *~ a hair-cut* blive klippet, lade sig klippe; *~ it* (ogs.) sige, hævde (fx. *he will ~ it that); as Byron has it* som der står hos B.; *~ it in for sby.* (amr.) være ude efter en; *let him ~ it* lade ham have den; give ham en ordentlig omgang; *I ~ no French* jeg kan ikke fransk; *~ on* have på (fx. *~ a hat on); ~ sby. on* T lave grin med en, snyde en; *~ nothing on sby.* T ikke vide noget ufordelagtigt om en; *~ you anything on to-night?* har du noget for i aften? *~ one's sleep out* få sovet ud; *~ it out with him* have et opgør med ham; *you will ~ to do it* du bliver nødt til at gøre det; *you may not want to go, but you will ~ to* du vil måske nødig tage derhen, men du bliver nødt til det; *~ sby. up* få en på besøg; *be had up (for theft)* blive stillet for retten (som anklaget for tyveri); *~ everything one's own way* få sin vilje i alt; *~ it your own way* (gør) som du vil; ja ja da! *~ one's wish* få sit ønske opfyldt.

II. **have** [hāv] (subst.) T bedrageri, svindel; *the haves and the have-nots* ['hāvnåts] de rige og de fattige.

havelock ['hāvlåk] havelock.

haven ['he'vn] havn, tilflugtssted.

haven't ['hāvnt] sammentrukket af *have not.*

haver ['he'və] (vb.) vrøvle; sige en masse sludder for at trække tiden ud.

haversack ['hāvəsāk] ⚔ brødpose; (lærreds-) skuldertaske, tværsæk.

havoc ['hāvək] ødelæggelse; nederlag; blodbad; *terrible ~ was caused by the earthquake* jordskælvet anrettede frygtelige ødelæggelser; *wreak ~ on, play ~ with, make ~ of* anrette skade på, ødelægge.

I. **haw** [hå·] ♧ tjørn; kødbær; (zo.) blinkhinde.

II. **haw** [hå·] (uartikuleret lyd svarende til:) øh, ømøh, øbøh; *hum and ~* hakke og stamme i det.

Hawaii [ha·'waii·, hə'waii·].

hawfinch ['hå·finʃ] (zo.) kirsebærfugl, kernebider.

haw-haw ['hå·hå·] (subst.) støjende latter; (adj.) affekteret (om eng. udtale).

I. **hawk** [hå·k] (subst.) høg; falskspiller, bedrager; (vb.) jage med falk; jage.

II. **hawk** [hå·k] (vb.) rømme sig, harke; (subst.) rømmen, harken.

III. **hawk** [hå·k] (vb.) høkre, sjakre; *~ about* udsprede (fx. *news); ~ from door to door* handle ved dørene.

IV. **hawk** [hå·k] (subst.) kalkbræt.

hawkbit ['hå·kbit] ♧ borst.

hawker ['hå·kə] gadesælger, bissekræmmer; falkejæger.

hawk-eyed med falkeblik; skarpsynet.

hawking ['hå·kiŋ] sjakren; falkejagt; harken.

hawk|-moth (zo.) aftensværmer. *~* **-owl** (zo.) høgeugle.

hawse [hå·z] ⚓ klys (hul i skibets bov); *a foul ~* ⚓ uklare kæder; *a clear ~* ⚓ klare kæder.

hawser ['hå·zə] ⚓ trosse, kabeltov, pertline.

hawser-laid (adj.) trosseslået.

hawthorn ['hå·þå·n] ♧ tjørn.

Hawthorne ['hå·þå·n].

hay [he'] hø; *get* (el. *make) ~ out of* (amr.) drage fordel af, udnytte til sin fordel; *look for a needle in a bundle of ~* lede efter en nål i en høstak; *make ~* bjærge hø; *make ~ of* bringe forvirring i; *make ~ while the sun shines* smede medens jernet er varmt; *it is not ~* (amr.) det er ikke småpenge (ↄ: det er mange penge).

hay|-box høkasse. **-cock** høstak. *~* **-fever** ['he'-'fi·və] høfeber. **-field** græsmark der bruges til høslæt. *~* **-fork** høtyv. *~* **-loft** høstænge. **-rick** (stor) høstak. *~* **-seed** græsfrø; (amr. S) bonde(knold). *~* **-stack** høhæs.

haywire ['he'waiə]: *go ~* komme i uorden; blive skør, opføre sig som om man var skør.

hazard ['hāzəd] (subst.) tilfælde, træf; risiko, fare, vovestykke; hasard, lykkespil; hul (i billard og boldspil); (vb.) vove, sætte på spil; *~ a remark* driste sig til at komme med en bemærkning; *at all -s* koste hvad det vil.

hazardous ['hāzədəs] vovelig, risikabel, hasarderet.

I. **haze** [he'z] (subst.) tåge, dis.

II. **haze** [he'z] (vb.) pine, plage, drille.

hazel ['he'zl] hassel; nøddebrun.

hazel| grouse, *~* **hen** (zo.) jærpe.

hazelly ['he'zəli] (adj.) nøddebrun; bevokset med hassel.

hazel-nut ['he'zlnʌt] hasselnød.

haziness ['he'zinės] disethed; omtågethed.

hazy ['he'zi] diset, tåget; dunkel, ubestemt; omtåget, anløben; *be ~ about what to do* ikke rigtig vide hvad man skal gøre.

H. B. fk. f. *hard black* (om blyant).

H. B. M. fk. f. *Her (, His) Britannic Majesty.*

H-bomb ['e'tʃbåm] brintbombe.

H. C. fk. f. *House of Commons.*

H. C. F. fk. f. *highest common factor.*

he [hi·, (h)i] han; den, det; (subst.) han; *he who, he that* den som.

H. E. fk. f. *His Eminence; His Excellency; high explosive.*

I. **head** [hed] (subst.) hoved; forstand; chef, overhoved (fx. *the ~ of a clan);* duks; top, (det) øverst(e) (fx. *the ~ of a page);* forstavn; stykke (fx. *fifty ~ of cattle);* overskrift, afsnit, kategori (fx. *under several -s);* pynt, forbjerg; ⚓ galion; (på sejl) faldsbarm; (brugt som adj.) over- (fx. *~ waiter* overtjener);

(forskellige forbindelser) *the Head* T rektor; *fall ~ first* falde på hovedet; *give him his ~* give ham frie tøjler; *give a horse his ~* give en hest tøjlen; *keep one's ~* holde hovedet koldt; *keep one's ~ above water* (fig.) holde sig oven vande; *lose one's ~* tabe hovedet, blive forvirret; miste hovedet, blive halshugget; *make ~ against* gøre modstand mod; *I cannot make ~ or tail of it* jeg forstår ikke et ord (el. muk) af det (hele); *-s or tails* plat eller krone *(heads* krone, *tails* plat); *toss one's ~* slå med nakken;

(forb. m. præp. og adv.) *above the -s of one's audience* hen over hovedet på sine tilhørere; *be ~ and shoulders above* (fig.) rage langt op over; *at the ~ of* i spidsen for; *at the ~ of the table* for bordenden; *at the ~ of the list* først på listen, som nummer et; *by the ~* med forstavnen lavere i vandet end agterenden; *win by a ~* vinde med en hovedlængde; *have a good ~ for figures* være god til at huske tal (, til at regne); *put it into his ~* sætte ham det i hovedet; *take it into one's ~* sætte sig det i hovedet; *back of the ~* nakke; *~ of a bed* hovedgærde; *she has a beautiful ~ of hair* hun har et dejligt hår; *~ of a ladder* øverste trin på en stige; *~ of an office* kontorchef; *~ of a river* en flods udspring; *off one's ~* fra forstanden; *eat one's ~ off* se I. *eat; talk his ~ off* snakke ham halvt ihjel; *I can do that on my ~* det kan jeg gøre ligesom en mis; *be easy on that ~* på det punkt (el. hvad det angår) kan du være rolig; *the ~ on a glass of ale* skummet på et glas øl; *have a ~ on one's shoulders* være et fornuftigt menneske; *out of one's ~* (amr.) = *off one's ~; put it out of his ~* få ham til at glemme det, få ham fra det; *~ over heels* til op over begge ører (fx. *~ over heels in love); turn ~ over heels* slå kolbøtte; *be promoted over the -s of one's colleagues* springe forbi (ↄ: blive forfremmet forud for) sine kolleger; *bring matters to a ~* fremtvinge en afgørelse; *come to a ~* trække sammen (om byld); nærme sig krisen, nå et afgørende punkt; *it has gone to his ~* det er steget ham til hovedet; *they laid* (el. *put) their -s together* de stak hovederne sammen.

II. **head** [hed] (vb.) stå øverst på (fx. *his name -ed the list);* lede (fx. *~ a rebellion);* gå forrest i (fx. *~ a procession);* (i fodbold) heade; *~ off* dirigere (el. lede) i en anden retning; *~ off a quarrel* afværge en strid; *~ straight for* sætte kursen lige imod, styre lige imod.

headache ['hede'k] hovedpine; S bekymring; problem; *that is your ~* det må du ordne, det bliver din sag, det bliver din hovedpine.

head|band pandebånd. **-board** hovedgærde; ⚓ flynder. *~* **-boy** duks. **-cheese** (amr., omtr.) (grise-) sylte. **-clerk** fuldmægtig, kontorchef. *~* **-dress** hovedpynt, coiffure.

header ['hedə] dukkert; hovedkulds fald el. spring; hovedspring; hovedstød (i fodbold); (mursten:) binder, kop; *take a ~* (ogs.) falde på hovedet; *take* *a ~ into a swimming pool* springe på hovedet ud i et svømmebassin.

head|fast ['hedfa·st] (subst.) ⚓ forvarp, fortrosse. **-gear** hovedtøj, hovedbeklædning. **~ -hunter** hovedjæger.

headiness ['hedinės] stivsindethed, voldsomhed; (driks) berusende egenskab, styrke.

heading ['hediŋ] titel, hoved, overskrift, rubrik; kategori.

head lamp forlygte.

headland ['hedlənd] pynt, odde, forbjerg; (agr.) forpløjning.

headless ['hedlės] (adj.) hovedløs.

headlight ['hedlait] frontlanterne (på lokomotiv); forlygte.

headline ['hedlain] overskrift; *hit the -s* blive dagens helt, blive den store sensation.

head|long ['hedlåŋ] hovedkulds, på hovedet; ubesindigt; voldsomt. **-louse** (zo.) hovedlus. **-man** ['hed'măn] hovedmand, høvding; formand. **-master** ['hed'ma·stə] rektor; skolebestyrer; skoleinspektør. **~ -mastership** rektorat, skolebestyrerstilling. **-mistress** (kvindelig) rektor, skolebestyrerinde. **~ -money** kopskat; pris, der er udsat for hver tagen fange.

headmost ['hedmoᵘst] forrest.

head-nurse (subst.) oversygeplejerske.

head-on: *strike an iceberg ~* løbe stævnen lige ind i et isbjerg; *a ~ collision* et sammenstød køler mod køler (, ⚓ stævn mod stævn); et frontalt sammenstød.

headphones ['hedfoᵘnz] (til radio) hovedtelefon.

headpiece ['hedpi·s] hjelm; hovedbeklædning; grime; (fig.) hoved, forstand (fx. *he has a good ~*); (typ.) foransat vignet.

headquarters ['hed'kwå·təz] hovedkvarter.

headrace ['hedreⁱs] overvand(sledning) der driver vandhjul.

head| register hovedstemme, hovedregister (ɔ: falset). **~ rest** nakkeholder på barberstol o.l. **-sail** forsejl. **~ sea** ⚓ næsesø. **-set** hovedtelefon. **-ship** førerstilling; rektorat. **~ shrinker S** psykiater.

headsman ['hedzmən] skarpretter.

headspring ['hedspriŋ] kilde, udspring; hovedspring.

headstall ['hedstå·l] hovedstol (på seletøj).

I. **headstone** ['hedstoᵘn] gravsten.

II. **head stone** hjørnesten.

headstrong ['hedstråŋ] stædig; hidsig, halsstarrig, egensindig.

head-waiter overtjener.

head-waters udspring, kilder (pl.) (fx. *the ~ of the Nile).*

headway ['hedweⁱ] bevægelse fremad; fremskridt; fart; højde, åbning (i dør, under brobue osv.); *fetch ~, make ~* skyde fart; gøre fremskridt.

head| wind modvind. **-word** titelord, titelhoved; opslagsord. **~ -work** tankearbejde.

heady ['hedi] stivsindet, egensindig; overilet, voldsom; (om drikkevarer) berusende, som går til hovedet; ophidsende.

heal [hi·l] (vb.) læge, hele; kurere; læges (fx. *the wound -ed).*

heal-all ['hi·lå·l] universalmiddel.

heald [hi·ld] sølle (i væv).

healer ['hi·lə] læge; lægemiddel; lægedom; naturlæge; *time is the great ~* tiden læger alle sår. **healing** ['hi·liŋ] lægende.

health [helþ] sundhed; helbred; velgående, skål; *bill of ~* sundhedspas; *Ministry of Health* (kan gengives) sundhedsministerium; *be in good (, bad) ~* have det godt (, dårligt); *drink sby.'s ~* drikke ens skål; *your (good) ~!* Deres velgående (el. skål)! *here's a ~ to* skål for.

health| exercises sygegymnastik. **-ful** sund, god for helbredet. **~ -giving** sund, helbredende. **~ insurance** sygeforsikring. **~ officer** (omtr.) embedslæge; embedsmand i sundhedsstyrelsen. **~ -resort** kursted, sanatorium.

healthy ['helþi] sund, rask.

heap [hi·p] (subst.) hob, bunke, dynge; masse; (vb.): *~ (up)* ophobe, dynge op, bunke sammen; *a ~ of* mange, en bunke; *I was struck* (el. *knocked) all of a ~* jeg var fuldstændig lamslået; *-s of time* masser af tid; *-s of times* masser af gange; *I am -s better* jeg har det meget bedre; *he -ed insults on me* han overdængede mig med fornærmelser; *~ up riches* dynge rigdomme sammen; *he -ed me with favours* han overøste mig med gunstbevisninger; *a -ed spoonful* en topskefuld.

heapy ['hi·pi] som ligger i bunker (el. i dynger).

hear [hiə] *(heard, heard)* høre; afhøre; erfare, få at vide; høre på; *please ~ me out* vær så venlig at lade mig tale ud; *the court -d the witnesses* retten påhørte vidnernes udsagn; *~ witnesses* (ogs.) afhøre vidner; *~ a case* behandle en retssag; *he wouldn't ~ of it* det ville han ikke høre tale om.

heard [hə·d] imperf. og perf. part. af *hear.*

hearer ['hiərə] tilhører.

hearing ['hiəriŋ] hørelse; påhør; behandling (af retssag), domsforhandling; *gain a ~* finde gehør, blive hørt; *give him a (fair) ~* give ham lejlighed til at blive hørt, høre på hvad han har at fremføre (el. sige); *out of ~* uden for hørevidde; *within ~* inden for hørevidde.

hearing aid høreapparat.

hearken ['ha·kən] lytte.

hearsay ['hiəseⁱ] forlydende, rygte; omtale; *by* (el. *from) ~* von hörensagen.

hearsay evidence vidneudsagn om noget man kun har kendskab til på anden hånd.

hearse [hə·s] rustvogn, ligvogn; (glds.) ligbåre.

heart [ha·t] hjerte, mod; midte, centrum, kerne; *-s* (i kortspil) hjerter; *break his ~* knuse hans hjerte; *give one's ~ to* skænke sit hjerte til; *have a ~!* vær nu lidt rar! vær ikke så hård! *not have the ~ to do sth.* ikke kunne nænne at gøre noget; *his ~ is in the right place* han har hjertet på det rette sted; *he has his ~ in his mouth* hjertet sidder i halsen på ham; *his ~ sinks into his boots* hjertet synker ned i bukserne på ham; *lose ~* tabe modet; *lose one's ~ to* tabe sit hjerte til, blive forelsket i; *pluck up ~, take ~* fatte mod, skyde hjertet op i livet; *set one's ~ on* være stærkt opsat på; *~ and soul* af hele sit hjerte, med liv og sjæl; *wear one's ~ on one's sleeve* bære sine følelser til skue; *our -s went out to them* vi havde den dybeste medfølelse med dem;

(forb. m. præp.) *after one's own ~* efter sit hjerte; *I have your welfare at ~* dit velfærd ligger mig på sinde; *at (the bottom of one's) ~* inderst inde; *by ~* udenad; *from one's ~* af hele sit hjerte; *in (good) ~* ved godt mod; (om jord) frugtbar; *in one's ~ of -s* inderst inde; *find it in one's ~ to* bringe det over sit hjerte at; *in the ~ of Africa* midt inde i Afrika; *in his secret ~* i sit stille sind; *the ~ of the matter* sagens kerne; *~ of oak* kerneved af eg, stærkt egetømmer; (fig.) modig, karakterfast mand; *an affair of the ~* et hjerteanliggende; *change of ~* sindelagsskifte; *out of ~* modløs; *cry one's ~ out* græde bitterligt; græmme sig; *eat one's ~ out* græmme sig, ruge over sine sorger; *lay to ~* lægge sig på sinde; *take to ~* lægge sig på sinde, tage sig nær; *to one's -'s content* af hjertens lyst, af et godt hjerte; *love with all one's ~* elske af hele sit hjerte; *with half a ~* uvilligt, ugerne.

heart|-ache ['ha·teⁱk] hjertesorg. **~ -beat** hjerteslag; hjertebanken. **-break** hjertesorg. **-breaking** hjerteskærende; fortvivlende. **-broken** med knust hjerte, sorgbetynget. **-burn** halsbrynde; kardialgi. **-burning** (subst.) misfornøjelse; nag; skinsyge.

hearten ['ha·tn] opmuntre.

heart-failure hjertelammelse; *die of ~* (ogs.) dø af et hjerteslag.

heart-felt ['ha·tfelt] inderlig, hjertelig.

hearth [ha·þ] arne, arnested; kamin; fyrsted; (tekn.) esse, herd. **hearth|rug** kamintæppe. **-stone** arnesten; arne; skuresten.

heartily ['ha·tili] hjerteligt, varmt; ivrigt; kraftigt; dygtigt; muntert, glad; meget; grundigt, inderligt; ~ *sick of* led og ked af.

heartless ['ha·tlės] hjerteløs.

heart-rending ['ha·trendiŋ] hjerteskærende.

heart-searching grundig overvejelse, selvprøvelse, selvransagelse.

heartsease ['ha·tsi·z] ♧ stedmoderblomst.

heart-sick ['ha·tsik] hjertesyg.

heartsome ['ha·tsəm] opmuntrende; munter.

heart-sore ['ha·tså·] (adj.) sorgbetynget; (subst.) hjertesorg.

heart|-strings (fig.) hjerterødder, dybeste følelse. **~ throb** (med.) hjertebanken; S skat; ~ *throbs* (ogs.) ømme følelser. **~ -to-heart** fortrolig (fx. *a ~ -to-heart talk).* **~ -whole** (adj.) ikke forelsket; oprigtig, af hele sit hjerte. **-wood** kerneved, kernetræ.

hearty ['ha·ti] (adj.) hjertelig, oprigtig, venlig; sund, kraftig, stærk, solid; (subst.) sportsidiot; *my hearties!* mine brave gutter! *a ~ meal* et solidt måltid.

heart-yarn (i tov) kalv.

heat [hi·t] (subst.) hede, varme; (sport:) heat, (enkelt) løb; stærk smag (som af peber, sennep o. l.); brunst; (vb.) varme, opvarme; gøre hed; blive hed, blive varm; ophidse; *be in (, on, at) ~* 'løbe', være brunstig; *dead ~* dødt løb; *final ~* afgørende løb; *the ~ is on* S politiet er efter ham (, dem etc.); *turn on the ~* lukke op for varmen; (fig.) lægge stærkt pres på ham (, dem etc.); *prickly ~* (med.) hedetøj.

heat|-apoplexy (med.) hedeslag. **~ barrier** (flyv.) varmemur.

heated ['hi·tid] (adj.) opvarmet; ophedet; (fig.) hidsig (fx. *discussion);* heftig. **heatedly** (adv.) ophidset, heftigt.

heat engine varmekraftmaskine.

heater ['hi·tə] varmeapparat, ovn; (glds.) strygebolt; S pistol.

heath [hi·þ] hede; lyng. **heath|-berry** (fællesbetegnelse for bærsorter, der vokser på heden). **~ -cock** urhane.

heathen ['hi·ðn] (subst.) hedning; (adj.) hedensk. **heathendom** [-dəm] hedenskab. **heathenish** [-iʃ] hedensk. **heathenism** [-izm] hedenskab. **heathenize** [-aiz] gøre til hedning. **heathenry** [-ri] hedenskab.

heather ['heðə] lyng; *take to the ~* (glds.) blive fredløs.

heathery ['heðəri] lyngagtig, lyng-; lyngbevokset.

heath-game ['hi·þge'm] urhøns.

Heath-Robinson ['hi·þ 'råbinsn] (adj., om mekanik etc.) sindrig, kompliceret og praktisk uanvendelig.

heathy ['hi·þi] lyngbevokset.

heating ['hi·tiŋ] (adj.) varmende; ophidsende; (subst.) opvarmning. **heating value** varmeværdi.

heat| lightning kornmod. **~ -spots** hedetøj. **~ -stable** varmebestandig. **~ -stroke** (med.) hedeslag. **~ -treat** varmebehandle (fx. mælk). **~ -unit** varmeenhed. **~ -wave** varmebølge.

heave [hi·v] (vb.) hæve, løfte; hive; hale, slæbe, kaste; hæve sig; stige; stige og synke (fx. om bryst); svulme; have ondt, være lige ved at kaste op; ånde tungt, stønne; (subst.) hævning; bølgen; dønning; tung ånden, sukken; kvalme, stønnen; *~ ho!* hiv ohoj! *~ the lead* hive loddet; *~ a sigh* udstøde et suk, sukke dybt; *~ in sight* komme i sigte; *my stomach -d* det vendte sig i mig; *~ to* ⚓ lægge bi, dreje under.

heaven ['hevn] himmel(en), himmerige; (især i pl. ogs.) himmelhvælving; *good -s* du milde himmel! *~ knows* det må himlen vide; *move ~ and earth* sætte himmel og jord i bevægelse; *in the seventh ~ of delight* i den syvende himmel; *thank ~* himlen være lovet.

heavenly ['hevnli] himmelsk; *~ bodies* himmellegemer.

heavenward(s) ['hevnwəd(z)] mod himlen.

heaves [hi·vz] (lungesygdom hos heste) engbrystighed.

heavily ['hevili] tungt (fx. *a ~ loaded truck);* svært; besværligt, langsomt; hårdt (fx. *be punished ~);* stærkt, heftigt, meget; (glds.) tungsindigt, bedrøvet.

heaviness ['hevinės] tunghed osv., se *heavy.*

heavy ['hevi] tung, svær; stor; solid; besværlig; hård; heftig, stærk; plump; trættende, kedelig, højtidelig, alvorlig; *~ air* tung luft; *~ bread* klægt brød; *~ casualties* svære tab; *~ cleaning* grovere rengøringsarbejde; *~ debt* trykkende gæld; *~ expenses* store udgifter; *play the ~ father* spille den strenge fader; *~ fire* stærk skydning; *~ going* tungt føre; *~ guns* svært skyts; *~ industry* sværindustri; *~ news* sørgelige nyheder; *a ~ sailor* en dårlig sejler, et dårligt sejlende skib; *~ sea* svær sø, oprørt hav; *~ taxes* tyngende (el. høje) skatter; *time hangs ~ on my hand* tiden falder mig lang; *~ to the stomach* tungt fordøjelig; *~ traffic* arbejdskørsel; *~ water* tungt vand; *~ with sleep* søvndrukken; *~ workers* hårdtarbejdende.

heavy|-armed svært bevæbnet. **~ -handed** kluntet, kejtet; håndfast; despotisk, tyrannisk. **~ -laden** tungt ladet; som bærer på store byrder; med tungt hjerte. **~ -set**: *a ~ -set man* en svær mand. **~ -weight** sværvægtsbokser, sværvægtsbryder.

hebdomadal [heb'dåmədəl] ugentlig; uge-.

Hebe ['hi·bi·].

hebetate ['hebite't] sløve, afstumpe.

hebetude ['hebətju·d] sløvhed, afstumpethed.

h. e. bomb fk. f. *high explosive bomb.*

Hebraic [hi'bre'ik] hebraisk. **Hebraism** ['hi·bre'izm] hebraisk sprogejendommelighed.

Hebrew ['hi·bru(·)] hebræer; hebraisk.

Hebrides ['hebridi·z]: *the ~* Hebriderne.

hecatomb ['hekəto^u m] hekatombe.

heck [hek] T pokker(s); *a ~ of a fix* en pokkers knibe; *where the ~ is it?* hvor pokker er den?

heckle ['hekl] (subst. og vb.) hegle; (vb.) plage med spørgsmål, komme med forstyrrende tilråb.

heckler ['heklə] afbryder, ballademager (ved vælgermøde).

hectic ['hektik] hektisk; feberhed; tuberkuløs; inciterende.

hecto|gram(me) ['hektogräm] hektogram. **-graph** ['hektogra·f] (subst.) hektograf; (vb.) hektografere. **-litre** ['hektoli·tə] hektoliter. **-metre** ['hektomi·tə] hektometer.

hector ['hektə] (subst.) pralhans, skryder, tyran; (vb.) prale; true; tyrannisere.

he'd [hi·d] trukket sammen af *he had* el. *he would.*

heddles ['hedlz] (pl.) søller (i væv).

hedge [hedʒ] (levende) hegn, hæk; (vb.) plante hegn om (fx. *~ a field);* omhegne, omgærde; klippe (el. plante) hæk; knibe udenom, gardere sig ved at tage forbehold; ikke (ville) tage klart standpunkt, ikke ville komme ud af busken; tøve, vakle, ikke kunne bestemme sig; vædde på begge parter (i sport); dække sig; *be on the wrong side of the ~* tage fejl; *~ sby. about* (el. *round, in) with rules, prohibitions* indskrænke ens handlefrihed, binde en på hænder og fødder med regler, forbud; *~ round with care and affection* hæge om.

hedgehog ['hedʒ(h)åg] pindsvin; ⚔ pindsvinestilling.

hedgehop ['hedʒhåp] (amr. S) flyve meget lavt (hen over).

hedgerow ['hedʒro^u] hæk; levende hegn.

hedge|-school skole under åben himmel (tidligere i Irland); tarvelig skole. **~ -sparrow** (zo.) jernspurv. **~ -stake** gærdestav.

hedonism ['hi·donizm] hedonisme (læren om nydelsen som det højeste gode). **hedonist** ['hi·donist] hedonist. **hedonistic** [hi·do'nistik] hedonistisk.

heebie-jeebies ['hi·bi'dʒi·biz] (amr. S) dårligt humør, 'nerver'; delirium tremens.

heed [hi·d] (vb.) agte, ænse, give agt på, bryde sig om; (subst.) agt, opmærksomhed; omhu; forsigtighed; *give* el. *pay ~ to, take ~ of* ænse, passe på, lægge mærke til; *take ~* vogte sig. **heedful** ['hi·df(u)l] opmærksom; forsigtig. **heedless** ['hi·dlės] ligegyldig, uagtsom, ubetænksom, ubesindig.

heehaw ['hi·hå·] skryde (om et æsel); slå en skraldende latter op; (subst.) skryden; skraldende latter.

I. **heel** [hi·l] (subst.) hæl; endeskive (af brød, ost); rest, slat; **S** løjser, slyngel; ⚓ slagside, krængningsvinkel; mastefod; *heel!* (til hund) hinter! *come to ~* falde til føje; *cool one's -s* (måtte) vente; *dig in one's -s* (fig.) (kridte skoene og) stå fast; *down at ~* (om sko) udtrådt, nedtrådt; *be down at ~* være derangeret, være lurvet klædt; *follow at sby.'s -s* (el. *on sby.'s ~*) følge lige i hælene på en; *leave the house -s foremost* blive båret ud af huset som død; *kick one's -s* vente utålmodigt; *kick up one's -s* slå bagud, være kåd; *lay by the -s* arrestere, pågribe; *turn on one's ~* (pludselig) gøre omkring; *be out at (the) ~* have hul på strømpehælen, være lurvet klædt; *show one's -s, show a clean pair of -s, take to one's -s* stikke af, flygte; *throw up sby.'s -s* overvinde en; *under ~* underkuet.

II. **heel** [hi·l] (vb.) bagflikke; sætte nye hæle på; (amr. **S**) følge i hælene på; forsyne (især med penge); *well-heeled* velbeslået; *~ in* indslå planter; *~ (over)* ⚓ krænge, hælde.

heeler ['hi·lə] (amr. **S**) følgesvend, servil tilhænger af en politisk fører.

heel|piece bagflik. **-tap** ['hi·ltäp] bagflik; slat (i et glas); flikke; *no -taps!* drik ud!

heft [heft] (subst.) løften; (vb.) løfte (for at bedømme vægten); veje i hånden.

hefty ['hefti] stærk, kraftig, muskuløs, håndfast.

hegemony [hi'geməni, 'hedʒi-, 'hegi-] hegemoni, (over)herredømme (fx. *world ~*).

he-goat ['hi·goᵘt] gedebuk.

heifer ['hefə] kvie.

heigh [heⁱ] halløj.

heigh-ho ['heⁱ'hoᵘ] ak! ak ja!

height [hait] højde; høj; højdepunkt, toppunkt (fx. *the ~ of folly*); høj rang; højeste magt; *the ~ of fashion* højeste mode; *in the ~ of the storm* mens stormen er på sit højeste.

heighten ['haitn] forhøje, hæve; øge, overdrive; blive højere (el. stærkere), tage til.

Heinie ['haini] (amr. **S**) tysker.

heinous ['heⁱnəs] afskyelig; frygtelig.

heir [æə] arving; arve. **heir| apparent** retmæssig arving, nærmeste arving, tronarving. *~* **-at-law** intestatarving.

heiress ['æərės] kvindelig arving; godt parti.

heirless ['æəlės] uden arvinger.

heirloom ['æəlu·m] arvestykke.

heir presumptive præsumptiv arving, arving under forudsætning af, at der ikke fødes arvelader en børn; (til trone) arveprins(esse).

heirship ['æəʃip] arveret, det at være arving.

hejira ['hedʒirə] hedschra.

held [held] imperf. og perf. part. af *hold*.

Helen ['helin] Helene, Helena.

Helena ['helinə]; *St. ~* [senti'li·nə] (øen).

helical ['helikl] skrueformet, spiral-.

helices pl. af *helix*.

Helicon ['helikån] Helikon.

helicopter ['helikåptə] helikopter.

Heligoland ['heligoländ] Helgoland.

heliocentric [hi·ljoᵘ'sentrik] heliocentrisk.

heliochrome ['hi·lioᵘkroᵘm] farvefotografi. **heliochromy** ['hi·lioᵘkroᵘmi] farvefotografering.

heliograph ['hi·ljogra·f] heliograf; heliografere. **heliographic** [hi·ljo'gräfik] heliografisk. **heliography** [hi·li'ågrəfi] heliografi.

heliogravure ['hi·lioᵘgrə'vjuə] heliogravure.

heliolater [hi·li'ålətə] soltilbeder. **heliolatry** [hi·li'ålətri] soldyrkelse.

heliometer [hi·li'åmitə] heliometer, solmåler.

Helios ['hi·liås] Helios (græsk solgud).

helioscope ['hi·ljəskoᵘp] helioskop, solkikkert.

heliosis [hi·li'oᵘsis] sygdom fremkaldt ved udsættelse for sollys; solstik.

heliotrope ['heljətroᵘp] ♧ heliotrop.

heliozoan ['hi·lioᵘ'zoᵘən] (zo.) soldyr.

heliport ['helipå·t] start- og landingsplads for helikoptere.

helium ['hi·ljəm] helium.

helix ['hi·liks] (pl. *helices* ['helisi·z]) spiral, skruelinje; det ydre øres kant; (arkit.) volut.

he'll [hi·l] sammentrukket af: *he will*.

hell [hel] helvede; spillebule; *run like ~* løbe som bare pokker; *make one's life a ~* gøre livet til et helvede for en; *ride ~ for leather* ride alt hvad remmer og tøj kan holde; *a ~ of a noise* et helvedes spektakel; *oh ~!* så for fanden! *if you are late there'll be ~ to pay* hvis du kommer for sent, så er fanden løs (el. så bliver der et helvedes vrøvl); *suffer ~ on earth* lide alle helvedes kvaler; *what the ~ do you want?* hvad fanden vil De? *Hell's Kitchen* (tidligere forbryderkvarter i New York).

Hellas ['heläs].

hellbender ['hel'bendə] (zo.) amerikansk kæmpesalamander, dynddjævel.

hell-bomb S brintbombe.

hellcat ['helkät] furie.

hellebore ['helibå·] ♧ nyserod.

Hellene ['heli·n] hellener; *King George of the -s* kong Georg af Grækenland. **Hellenic** [he'li·nik] hellenisk, græsk. **Hellenism** ['helinizm] hellenisme.

Hellenist ['helinist] hellenist, kender af græsk sprog; græsk jøde. **Hellenistic** [heli'nistik] hellenistisk.

Hellenize ['helinaiz] hellenisere.

Hellespont ['helispånt].

hellfire ['hel'faiə] helvedes ild; svovlpølen.

hellhound ['helhaund] helvedeshund, djævel.

hellish ['heliʃ] helvedes, djævelsk.

hello ['he'lou] se *hallo*.

helm [helm] ror, rorpind, rat.

helm-angle rorvinkel.

helmet ['helmit] hjelm. **helmeted** ['helmitid] hjelmklædt.

helminth ['helminþ] indvoldsorm. **helminthic** [hel'minþik] som vedrører indvoldsorm; ormdrivende middel. **helminthoid** [hel'minþoid] ormeagtig. **helminthology** [helmin'þålədʒi] læren om indvoldsorme.

helmsman ['helmzmən] ⚓ rorgænger.

helot ['helət] helot; træl.

helotry ['helətri] slaveri; heloter.

I. **help** [help] (subst.) hjælp, bistand; hjælper, støtte; pige, hushjælp; hjælpemiddel; *be of ~* være til hjælp; *by the ~ of* ved hjælp af; *there's no ~ for it* der er ikke noget at gøre ved det.

II. **help** [help] (vb.) hjælpe; støtte; hjælpe til, bidrage til; forsyne; forhindre, lade være med; *~ the soup* øse suppen op; *I cannot ~ it* jeg kan ikke gøre for det; *how can I ~ it?* hvad kan jeg gøre for det? *he could not ~ himself* han kunne ikke dy sig; *I cannot ~ laughing* jeg kan ikke lade være med at le; *I cannot ~ your being a fool* jeg kan ikke gøre for, at du er et fæ; *it won't happen again, if I can ~ it* det skal ikke ske igen, hvis jeg kan forhindre det; *don't tell him more than you can ~* fortæl ham ikke mere, end du er nødt til; *every little -s* lidt har også ret; *so ~ me God!* **så** sandt hjælpe mig Gud! *~ oneself* tage selv, forsyne sig, tage for sig af retterne; *~ forward* (fig.) fremme; *~ on* hjælpe frem; *~ me on (, off) with my coat* hjælp mig frakken på (, af); *~ out* hjælpe ud; hjælpe gennem vanskeligheder osv.; understøtte; *~ a lame dog over a stile* hjælpe en med at komme ud af en forlegenhed; *~ yourself to some claret, please* å, tag (selv) noget rødvin; *he -ed me to a glass of wine* han skænkede et glas vin til mig; *may I ~ you to some more meat?* må jeg give Dem lidt mere kød?

helper ['helpə] hjælper.

helpful ['helpf(u)l] hjælpsom; nyttig.

helping ['helpiŋ] forsyning, portion.

helpless ['helplės] hjælpeløs.

helpmate ['helpme'it], **helpmeet** ['helpmi·t] medhjælp; hjælper(ske); (ofte = ægtefælle).
helter-skelter ['heltə'skeltə] (i) vild forvirring; hulter til bulter; over hals og hoved.
helve [helv] økseskaft; (vb.) sætte skaft på.
helvella [hel'velə] ♧ foldhat (en svampeart).
Helvetia [hel'vi·ʃiə] Helvetien, Schweiz. **Helvetic** [hel'vetik] helvetisk, schweizisk.
I. **hem** [hem] (vb.) søm; kantning; (subst.) sømme; kante; indeslutte; ~ *in* (el. *about, round*) indestænge, indeslutte; omgærde; *we are -med in by rules and regulations* vi kan ikke røre os for reglementer og forskrifter.
II. **hem** [hem] hm! rømmen; (vb.) rømme sig; ~ *and haw* hakke og stamme.
hemal ['hi·məl] hæmal, blod-.
he-man ['hi·'män] T rigtigt mandfolk, 100 % mandfolk.
hematine ['hemətin] hæmatin.
hematite ['hemətait] (subst.) blodsten, hæmatit.
hemicycle ['hemisaikl] halvkreds.
hemisphere ['hemisfiə] halvkugle, hemisfære.
hemispheric(al) ['hemi'sferik(l)] halvkugleformet, hemisfærisk.
hemistich ['hemistik] halvvers.
hemlock ['hemlåk] ♧ skarntyde; skarntydeekstrakt; ~ *(spruce)* art gran, især Tsuga canadensis.
hemoglobin [hi·moᵘ'gloᵘbin] hæmoglobin.
hemophilia [hi·moᵘ'filiə] blødersygdom.
hemoptysis [hi·moᵘp'taisis] blodspytning.
hemorrhage ['hemərid3] blødning; *cerebral* ~ hjerneblødning; *intestinal* ~ tarmblødning.
hemorrhoids ['hemoroidz] hæmorroider.
hemp [hemp] hamp; (glds., fig.) reb (til hængning).
hemp agrimony ♧ hjortetrøst.
hempen ['hempən] af hamp; *a* ~ *collar* (glds., fig.) løkken på bødlens reb; ~ *widow* enken efter en hængt.
hemp-nettle ♧ hanekro.
hemstitch ['hemstitʃ] hulsøm; sy hulsøm.
hen [hen] høne; hun (af fugl).
henbane ['henbe'in] ♧ bulmeurt.
hence [hens] fra nu af; heraf, derfor; (glds.) herfra; *twenty-four hours* ~ om fire og tyve timer.
henceforth ['hens'få·þ], **henceforward** ['hens'få·wəd] fra nu af, for fremtiden.
henchman ['hen(t)ʃmən] drabant, tjener, håndgangen mand, følgesvend; kreatur, håndlanger.
hen-coop ['henku·p] hønsebur.
hendecagon [hen'dekəgən] ellevekant.
hendecasyllable ['hendekəsiləbl] ellevestavelsesvers.
hen-harrier ['hen'häriə] (zo.) blå kærhøg.
hen-house hønsehus.
henna ['henə] henna (farvestof). **hennaed** ['henəd] hennafarvet.
hennery ['henəri] hønseri; hønsehus, hønsegård.
hen-party T dameselskab.
henpeck ['henpek] have under tøflen; *a -ed husband* en tøffelhelt.
Henry ['henri] Henrik.
hep [hep] (amr. S) med på den, med på noderne; jazzinteresseret, som har forstand på jazz; *be* ~ *to* være inde i.
hepatic [hi'pätik] hepatisk, lever-. **hepatica** [hi'pätikə] leverurt. **hepatitis** [hepə'taitis] leverbetændelse.
hepato- ['hepəto] lever-.
hep-cat, hepster jazzmusiker; jazzentusiast.
heptagon ['heptəgån] syvkant.
heptarchy ['hepta·ki] heptarki.
her [hə·, hə] hende; sig; hendes; sin, sit, sine.
Heracles ['herəkli·z] Herakles, Herkules.
herald ['herəld] (subst.) herold; budbringer; våbenkyndig, heraldiker; (vb.) forkynde, melde, indvarsle, bringe bud om, bebude; hilse velkommen (fig.); modtage med begejstring; ~ *of spring* forårsbebuder. **heraldic** [he'rädik] heraldisk. **heraldry** ['herəldri] heraldik; heroldværdighed.

herb [hə·b] urt, plante; *perennial* ~ staude. **herbaceous** [hə·'beiʃəs] urteagtig; ~ *border* blomsterrabat, staudebed. **herbage** ['hə·bid3] urter, planter. **herbal** ['hə·bəl] (subst.) plantebog, botanik; (adj.) urte-, urteagtig. **herbalist** ['hə·bəlist] plantekender; plantesamler; forhandler af lægeurter. **herbarium** [hə·'bæriəm] herbarium.
herb| beer urtete. ~ **bennet** ♧ febernellikerod.
herbivorous [hə·'bivərəs] (adj.) planteædende.
herb| Paris ♧ firblad. ~ **Robert** ♧ stinkende storkenæb. ~ **tea** urtete.
Herculean [hə·'kju·liən] herkulisk; bomstærk.
Hercules ['hə·kjuli·z] Herkules.
herd [hə·d] hjord, flok; mængde; (vb.) gå i flok, samle sig, stuve sig sammen; samle i flok; *the common* ~ hoben, den store hob.
herd instinct flokinstinkt.
herdsman ['hə·dzmən] hyrde, røgter.
here [hiə] her, herhen; kom her! hør her! hør engang! *from* ~ herfra; *leave* ~ rejse herfra; ~ *and there* hist og her; ~ *below* her på jorden (mods. i himmelen); ~ *you are* værsgo (når man rækker noget); *here's how, here's to you!* skål! *here's (a health) to Smith!* Smiths skål! skål for Smith! *that's neither* ~ *nor there* det hører ingen steder hjemme; det kommer ikke sagen ved; ~ *goes!* så starter vi! nu skal du (, I) høre! *look* ~! hør engang! ~ *there and everywhere* overalt, alle (vide) vegne.
hereabout(s) ['hiərəbaut(s)] her omkring.
hereafter [hiə'ra·ftə] herefter; *the* ~ det hinsides, livet efter dette.
hereby ['hiə'bai] (adv.) herved, herigennem.
hereditable [hi'reditəbl] (adj.) arvelig.
hereditament [heri'ditəmənt] arv, arvemasse, arvegods.
hereditary [hi'reditəri] arvelig, arve-.
heredity [hi'rediti] arvelighed.
Hereford ['herifəd].
herein ['hiə'rin] heri.
hereof ['hiə'råv] herom; heraf.
heresiarch [he'ri·zia·k] stifter af kættersk sekt.
heresy ['herisi] kætteri. **heretic** ['heritik] kætter; kættersk. **heretical** [hi'retikl] kættersk.
here|to ['hiə'tu·] hertil. **-tofore** ['hiətu'få·] hidtil, før; tidligere. **-upon** ['hiərə'pån] herpå, derpå. **-with** ['hiə'wið] hermed.
heritable ['heritəbl] arvelig; arveberettiget. **heritage** ['heritid3] arv.
herm [hə·m] (subst.) herme.
hermaphrodite [hə·'mäfrodait] (subst.) hermafrodit, tvekønnet væsen el. plante; (adj.) hermafroditisk, tvekønnet. **hermaphroditic** [hə·mäfrə'ditik] hermafroditisk, tvekønnet. **hermaphroditism** [hə·'mäfrodaitizm] tvekønnethed.
hermeneutics [hə·mi'nju·tiks] hermeneutik, fortolkningskunst.
Hermes ['hə·mi·z] Hermes.
hermetic [hə·'metik] (adj.) hermetisk, lufttæt; *the Hermetic art* alkymien; ~ *seal* hermetisk tillukning.
hermetically [hə·'metikəli] (adv.) hermetisk, lufttæt.
hermit ['hə·mit] eremit. **hermitage** ['hə·mitid3] eneboerhytte; eremitage; eremitagevin. **hermit-crab** (zo.) eremitkrebs. **hermitess** ['hə·mitės] eneboerske.
hernia ['hə·njə] brok. **hernial** ['hə·njəl] brok-. **herniotomy** [hə·ni'åtəmi] brokoperation.
hero ['hiəroᵘ] (*pl. -es*) helt, heros.
Herod ['herəd] Herodes.
heroic [hi'roᵘik] (adj.) heroisk; heltemodig; helte-; (om middel) drastisk; (subst.) heltedigtning; heltedigtets versemål; ~ *couplet* heroisk kuplet, rimede 5-fodede jamber; ~ *treatment* hestekur. **heroically** [hi'roᵘikəli] heltemodigt. **heroics** (pl.) heltestil, højtravende udtryksmåde.
heroin ['heroᵘin] (kem.) heroin.
heroine ['heroᵘin] heltinde.

heroism ['heroᵘizm] heltemod.

heron ['herən] hejre. **heronry** hejrekoloni.

hero-worship ['hiəroᵘwə·ʃip] heltedyrkelse.

herpes zoster ['hə·pi·z 'zåstə] (med.) helvedesild.

herring ['heriŋ] sild; *red ~* røget sild; (fig.) falsk spor; *draw a red ~ across the track* aflede opmærksomheden fra et emne; *neither fish, flesh, nor good red ~* hverken fugl eller fisk.

herring-bone sildeben (ogs. om vævning og syning); (i skisport) saksning. **herringer** ['heriŋə] sildefisker. **herring gull** (zo.) sølvmåge. **herring-pond**: *the ~* dammen (ɔ: Atlanterhavet).

hers [hə·z] hendes; sin, sit, sine.

herself [hə'self] hun selv, hende selv; sig selv; sig; selv, se ogs. *himself.*

Hertfordshire ['ha·fədʃə], **Herts.** [ha·ts, hə·ts] Hertfordshire.

he's [hi·z] sammentrukket af *he is* el. *he has.*

hesitance ['hezitəns], **hesitancy** ['hezitənsi] tøven, betænkelighed; uvished; usikkerhed; ubeslutsomhed; stammen.

hesitant ['hezitənt] (adj.) nølende; tøvende; usikker; ubeslutsom; stammende.

hesitate ['hezite'ⁱt] (vb.) tøve, nøle; nære betænkeligheder; stamme, hakke i det; udtrykke sig tøvende; *~ about what to do* ikke rigtig vide (el. være i tvivl om) hvad man skal gøre; *~ at* vige tilbage for; *~ to* nære betænkelighed ved at; *he will not ~ to do it* han vil ikke tage i betænkning (el. betænke sig på) at gøre det.

hesitatingly ['heziteⁱtiŋli] (adv.) tøvende; usikkert.

hesitation [hezi'teⁱʃən] (subst.) tøven, betænkelighed; usikkerhed; stammen.

hesitative ['heziteⁱtiv] (adj.) tøvende; usikker.

Hesperian [he'spiəriən] hesperisk, vestlig.

Hesperides [he'speridi·z] Hesperider.

Hesperus ['hespərəs] aftenstjerne.

Hesse ['hesi] Hessen. **Hessian** ['hesjən] hessisk; hesser; (om stof) hessian; *~ boots* el. *Hessians* lange støvler.

hest [hest] (glds.) befaling.

hetaera [he'tiərə], **hetaira** [he'taiərə] hetære.

heteroclite ['hetəroklait] (adj.) uregelmæssig; (subst.) uregelmæssigt bøjet navneord.

heterodox ['hetərodåks] heterodoks, anderledestænkende; kættersk. **heterodoxy** ['hetərodåksi] heterodoksi; kætteri.

heterodyne ['hetərodain] heterodyn.

heterogeneity [hetərodʒi'ni·iti] uensartethed. **heterogeneous** [hetəro'dʒi·njəs] heterogen, uensartet.

hetman ['hetmən] hetman (polsk feltherre; kosakhøvding).

het-up ophidset, ude af flippen.

hew [hju·] (vb.) hugge; udhugge; *~ out a career for oneself* arbejde sig op, bryde sig en karriere; *~ to* (amr.) holde sig nøje til.

hewn [hju·n] perf. part. af *hew.*

hexagon ['heksəgån] sekskant; sekskantet. **hexahedral** ['heksə'hi·drəl] sekssidet. **hexahedron** ['heksə'hi·drən] sekssidet figur.

hexameter [hek'sämitə] heksameter.

hey [heⁱ] hej! hvad! *~ presto* vupti, vips.

heyday ['heⁱdeⁱ] blomstringstid, bedste tid, velmagtsdage; *in the ~ of his power* på højdepunktet af sin magt; *in the ~ of youth* i ungdommens vår.

hf. fk. f. *half.*

H.F. fk. f. *high-frequency.*

hf.-bd. fk. f. *half-bound.*

H.G. fk. f. *High German; Home Guard; Horse Guards; His (, Her) Grace.*

hg. fk. f. *hectogram.*

H.H. fk. f. *His* (el. *Her) Highness; His Holiness (the Pope).*

hhd. fk. f. *hogshead.*

H-hour tidspunktet for planlagt militær aktion.

hi! [hai] høj! hov! hør (De der)! pst!

hiatus [hai'eⁱtəs] åbning, kløft, lakune; hiat.

Hiawatha [haiə'wåþə].

hibernal [hai'bə·nəl] (adj.) vinterlig. **hibernate** ['haibəneⁱt] (vb.) ligge i vinterdvale; overvintre. **hibernation** [haibə'neⁱʃən] overvintring; vinterdvale.

Hibernia [hai'bə·niə] Irland. **Hibernian** [hai'bə·niən] irsk; irlænder. **hibernicism** [hai'bə·nisizm] irsk ejendommelighed, irsk udtryk.

hiccough, hiccup ['hikʌp] (subst. og vb.) hikke.

hic jacet ['hik 'dʒeⁱsèt] (latin:) her hviler; gravskrift.

hick [hik] (amr. **S**) bondeknold.

hickory ['hikəri] hickorytræ, nordamerikansk valnøddetræ.

hid [hid] imperf. og perf. part. af *hide.*

hidalgo [hi'dälgoᵘ] hidalgo (spansk adelsmand).

hidden ['hidn] perf. part. af III. *hide.*

I. **hide** [haid] (subst.) hud, skind; *save one's ~* redde (el. hytte) sit skind; *he hadn't seen ~ or hair of her* han havde ikke set det ringeste spor af hende; *tan sby.'s ~* garve ens rygstykker, give en prygl; *have a thick ~* være tykhudet (ɔ: ufølsom).

II. **hide** [haid] (subst.) jordareal (ca. 120 acres).

III. **hide** [haid] *(hid, hid(den))* (vb.) skjule; skjule sig; *~ out* skjule sig, krybe i skjul.

hide-and-seek skjul (leg). **hideaway** ['haidəweⁱ] skjulested.

hidebound ['haidbaund] (adj.) bornert, forstokket, snæversynet, fuld af fordomme, forbenet.

hideous ['hidiəs] (adj.) hæslig (fx. *a ~ crime);* frygtelig, skrækkelig.

hide-out ['haidaut] **T** skjulested.

I. **hiding** ['haidiŋ] prygl; *he gave him a good ~* han gav ham en ordentlig dragt prygl.

II. **hiding** ['haidiŋ]: *be in ~* være, holde sig skjult; *go into ~* skjule sig, krybe i skjul.

hiding-place ['haidiŋpleⁱs] skjulested.

hie [hai] (vb.) ile, skynde sig.

hierarch ['haiəra·k] hierark, kirkefyrste, ypperstepræst. **hierarchal** [haiə'ra·kl], **hierarchic(al)** [haiə'ra·kik(l)] hierarkisk. **hierarchy** ['haiəra·ki] hierarki, præstevælde; rangfølge, rangforordning. **hieratic** [haiə'rätik] hieratisk (om en form for hieroglyffer kun forståelig for indviede); gejstlig, præstelig.

hierocracy [haiə'råkrəsi] præstevælde.

hieroglyph ['haiəroglif] hieroglyf. **hieroglyphic** [haiəro'glifik] hieroglyfisk; hieroglyf.

hieroglyphical [haiəro'glifikl] hieroglyfisk.

hierolatry [haiə'rålətri] helgentilbedelse.

hierophant ['haiərofänt] en der åbenbarer eller forklarer religiøse mysterier.

hi-fi ['hai'fai] fk. f. *high fidelity.*

higgle ['higl] (vb.) sjakre, tinge.

higgledy-piggledy ['higldi'pigldi] (adv.) hulter til bulter; i vild uorden.

high [hai] (adj.) høj; ophøjet (fx. *position, ideals);* fornem; højtstående (fx. *official);* stærk (fx. *colour, wind);* heftig, stor; højtliggende; lidt rådden, som har en tanke (om kødmad fx. vildt); **T** fuld, perialiseret; **S** »høj« (ɔ: påvirket af narkotika); høj- (fx. *season; Gothic; German);* (adv.) højt (fx. *play ~);* (subst.) højdepunkt; højtryk (meteorol.); højt gear; *~ and dry* (om fartøj) på land; (fig.) sat udenfor; hjælpeløs; *~ and low* høj og lav; (adv.) vidt og bredt; *~ and mighty* stormægtig; hoven, stor på den; *~ feeding* overdådig kost, fin mad; *with a ~ hand* egenmægtig, på en despotisk eller dominerende måde; *~ hopes* højspændte forventninger; *~ looks* stolt mine; *on ~* i det høje; *from on ~* fra det høje; *~ sea* stærk søgang; *the ~ seas* det åbne hav; *smell ~* have en tanke (om kød); *in ~ spirits* munter; *the sun is ~* solen står højt på himmelen; *it is ~ time for me to be off* det er på høje tid, at jeg kommer af sted; *a ~ Tory* en yderliggående konservativ; *wear one's hair ~* have håret sat op; *~ words* vrede ord.

high| altar højalter. ~ **-angle fire** krumbaneskydning. **-ball** (amr.) whiskysjus. **-binder** (amr. S) bølle, gangster. ~ **-blown** opblæst. ~ **-born** af fornem byrd. **-boy** højt skuffemøbel, chiffoniere. ~ **-bred** af fin race, fin, dannet; fornem. **-brow** person med intellektuelle prætentioner, intellektuel. ~ **chair** (barne)stol.

High-Church ['hai'tʃə·tʃ] højkirke; højkirkelig. **High-Churchman** ['hai'tʃə·tʃmən] tilhænger af højkirken.

high|-class førsteklasses, fin. ~ **-coloured** stærkt farvet; overdreven.

High| Command overkommando. ~ **Commissioner** højkommissær.

high| day festdag, højtidsdag; *it was ~ day* det var højlys dag. ~ **-explosive** højeksplosiv; *~ -explosive (bomb)* sprængbombe. **-falutin** ['haifə'lu·tin] (adj.) højtravende, svulstig, affekteret, bombastisk. ~ **farming** intensivt landbrug. ~ **-fed** velnæret; forkælet. ~ **-fidelity** (adj.) som gengiver støjfrit og uden forvrængning. ~ **-flier** ærgerrigt menneske; sværmer. ~ **-flown** højtflyvende; højtravende. ~ **-flyer** se ~ *-flier*. ~ **-flying** højtflyvende. ~ **forest** højskov. ~ **-frequency** højfrekvens.

Highgate ['haigėt].

high|-grade førsteklasses. ~ **-handed** egenmægtig, dominerende, despotisk. ~ **-hat** (amr. S) høj i hatten, stor på det, storsnudet; (vb.) være storsnudet (over for). ~ **-hatted**, ~ **-hatty** (amr. S) høj i hatten, stor på det, storsnudet. ~ **jump** højdespring.

highland ['hailənd] højland; *the Highlands* (især:) højlandene i Skotland. **Highlander** højlænder.

high-level (fig.) på højt plan (fx. *a ~ meeting*).

high-level bridge højbro.

high| life den fornemme verden; livet i den fornemme verden, overklassetilværelse. **-light** ['hai'lait] (subst.) lyseste sted (på billede); højdepunkt (fx. *-lights of a story*); (vb.) kaste (et kraftigt) lys over; (fig. ogs.) fremhæve særligt, henlede opmærksomheden på. ~ **-lows** (glds.) støvler (som når til anklerne).

highly ['haili] (adv.) højt, i høj grad, højlig, højst, meget, stærkt; *~ connected* med aristokratiske forbindelser, af fornem familie; *~ recommended* stærkt anbefalet; *speak ~ of* tale i høje toner om, prise; *think ~ of* have høje tanker om; *~ strung* se *high-strung*.

high|-mettled ['haimetld] tapper, fyrig, vælig. ~ **-minded** højsindet. ~ **-neck(ed)** højhalset.

highness ['hainės] højhed; *His (Royal) Highness* hans (kongelige) højhed.

high|-octane (om benzin) med højt oktantal. ~ **-pitched** (om tone) høj; (fig.) højstemt; nervøs; (om tag o.l.) stejl; *a ~ -pitched aim* et højt mål. ~ **politics** storpolitik. ~ **-powered** mægtig, indflydelsesrig. ~ **-pressure** (subst.) højtryk; (adj.) højtryks-; (fig.) pågående. ~ **-pressure gas** trykgas. ~ **-pressure gas holder** trykgasbeholder. ~ **-priced** dyr. ~ **-priest** ypperstepræst. ~ **-principled** med ædle grundsætninger, med høje etiske principper. ~ **-proof** med høj alkoholprocent. ~ **-ranking** højtstående. ~ **road** landevej; (fig.) slagen vej; *be on the ~ road to* være godt på vej til; *be on the ~ road to perdition* ile sin undergang i møde. ~ **school** (omtr.) fagskole; højere skole; (amr. omtr.) gymnasieskole; *senior ~ school* gymnasium. ~ **-seasoned** stærkt krydret. ~ **-souled** højsindet. ~ **-sounding** højtravende. ~ **-speed** (adj.) hurtiggående, hurtigløbende. ~ **-spirited** højsindet, stolt; trodsig; fyrig, livlig. ~ **street** hovedgade (i købstad). ~ **-strung** stærkt spændt; overspændt, nervøs; *she is ~ -strung* (ogs.) hun har et nervøst temperament.

hight [hait] (glds. og poetisk) hedder, hed, kaldes, kaldtes; kaldt, kaldet (fx. *a maiden ~ Elaine); Childe Harold was he ~* Childe Harold hed han.

high| tea større måltid med te sent på eftermiddagen. ~ **tension** højspænding. ~ **-toned** højstemt, ophøjet. ~ **treason** højforræderi.

highty-tighty ['haiti'taiti] se *hoity-toity*.

high|-up ['hai'ʌp] (adj.) højtstående. ~ **water** højvande. ~ **water mark** højvandsmærke; kulminationspunkt. **-way** ['haiweⁱ] (hoved)landevej. **-wayman** landevejsrøver. ~ **yellow** (amr. T) mulat (af meget lys hudfarve).

H.I.H. fk. f. *His* (el. *Her) Imperial Highness.*

hijack ['haidʒäk] (amr. S) (overfalde og) udplyndre en transport; bortføre fly.

hijacker ['haidʒäkə] røver; luftpirat.

hike [haik] vandre, være på fodtur. **hiker** vandrer, vandrefugl. **hiking** vandresport.

hilarious [hi'læəriəs] (adj.) munter, lystig, overgiven, løssluppen. **hilarity** [hi'läriti] (løssluppen) munterhed; (overgiven) lystighed.

hill [hil] høj, bakke, bjerg; *up ~ and down dale* (ogs.) alle vegne, vidt og bredt.

hillbilly ['hilbili] (amr. T) bonde(knold) (fra de sydlige bjergegne).

hill country bakket el. bjergrigt højland.

hillo(a) [hi'loᵘ] hallo! (vb.) råbe hallo.

hillock ['hilək] lille høj; tue.

hill-side ['hilsaid] skrænt, skråning.

hilly ['hili] bakket; kuperet; bjergfuld; bakke-; *~ range* højdedrag.

hilt [hilt] kårdefæste; hjalte; *up to the ~* (fig.) fuldstændig, ubetinget; *prove up to the ~* bevise fuldt ud.

hilted ['hiltid] forsynet med fæste.

him [him, im] ham; den, det; sig.

H.I.M. fk. f. *His* (el. *Her) Imperial Majesty.*

Himalayas [himə'leⁱəz]: *the ~* Himalaya(bjergene).

himself [(h)im'self] han selv, selv; sig selv; sig (fx. *he washed ~*); *by ~* alene, på egen hånd; *he is not ~* han er ikke rigtig sig selv; *he says so ~* han siger det selv; det er ham selv, der siger det; *he came to ~* han blev sig selv igen.

I. **hind** [haind] (subst., zo.) hind.

II. **hind** [haind] (adj.) bagest, bag-; (subst.) bageste del.

III. **hind** [haind] (subst.) tjenestekarl; forvalter.

I. **hinder** ['haində] (adj.) bageste, bag-.

II. **hinder** ['hində] (vb.) hindre, forhindre; hæmme, afbryde; være til hinder.

hindermost ['haindəmoᵘst] bagest.

hind leg ['haindleg] bagben; *talk the ~ off a donkey* snakke fanden et øre af.

hindmost ['haindmoᵘst] (adj.) bagest.

hindquarters ['haind'kwå·təz], bagfjerding.

hindrance ['hindrəns] hindring; *be a ~* (ogs.) være i vejen.

hindsight ['haindsait] ⚔ bageste sigtemiddel; (spøgende:) bagklogskab.

Hindu ['hin'du·] hindu. **Hinduism** ['hinduizm] hinduisme. **Hindustan** [hindu'sta·n] Hindustan. **Hindustani** [hindu'sta·ni] hindustansk; hindustani.

hinge [hin(d)ʒ] (subst.) hængsel; (fig.) hovedpunkt, hovedsag; (vb.) forsyne med hængsel; *-d* (ogs.) drejelig; *~ on* dreje sig om, bero på, afhænge af, komme an på; *off the -s* (fig.) af lave; sindssyg; *go off the -s* (fig., ogs.) gå over gevind.

hinny ['hini] (subst., zo.) mulæsel.

hint [hint] (subst.) vink, antydning, hentydning; insinuation; (vb.) give vink, antyde; insinuere; *take a ~* tage sig noget ad notam; forstå en halvkvædet vise; *~ at* hentyde til, antyde.

hinterland ['hintəländ] bagland, opland.

I. **hip** [hip] hofte; *smite ~ and thigh* slå skånselsløst; *have on the ~* have krammet på.

II. **hip** [hip] ♧ hyben.

III. **hip** grat (i et tag).

IV. **hip** (amr. S) = *hep.*

hip|-bath sædebad. ~ **-flask** lommelærke. ~ **-joint** hofteled.

hippic ['hipik] hørende til heste, heste-.

hippo ['hipoᵘ] (zo.) flodhest.

hippocampus [hipoᵘ'kämpəs] (pl. *hippocampi* [hipoᵘ'kämpai]) (zo.) søhest.

hip-pocket baglomme (i benklæder).

hippocras ['hipokräs] kryddervin.
Hippocratic [hipo'krätik]: *the ~ oath* lægeløftet.
Hippocrene ['hipokri·n] Hippokrene.
hippodrome ['hipədroᵘm] hippodrom, cirkus.
hippogriff, hippogryph ['hipogrif] hippogryf, bevinget hest.
hippopotamus [hipə'påtəməs] (zo.) flodhest.
hip| roof valmtag. ~ **-shot** (adj.) med hoften af led. ~ **-socket** hofteskål.
hipster ['hipstə] se *hep cat.*
hire ['haiə] (vb.) leje, hyre, fæste, ansætte; (subst.) leje, hyre, løn; *for ~* til leje; (om taxa etc.) fri; *~ out* udleje; *~ (oneself) out* tage arbejde. **hired| girl** (amr.) tjenestepige (på landet). ~ **man** (amr.) tjenestekarl.
hireling ['haiəliŋ] lejesvend.
hire-purchase afbetalingssystem; *on the ~ system* på afbetaling.
hirsute ['hə·sju·t] (adj.) håret; *~ beard* vildmandsskæg.
his [hiz; svagt ofte iz] hans; sin, sit, sine.
Hispano [hi'speⁱno] (i sammensætninger:) spansk- (fx. *~ -American).*
hispid ['hispid] stridhåret.
hiss [his] (vb.) hvisle, hvæse, syde; hysse, pibe; pibe ud; (subst.) hvislen, hvæsen; hyssen, piben; hvislelyd.
hist [st; hist] hys! tys! pst!
histogeny [hi'ståd3ini] vævsdannelse.
histological [histə'lådʒikl] histologisk. **histology** [hi'stålədʒi] histologi, vævslære.
historian [hi'stå·riən] historiker, historieskriver.
historic [hi'stårik] historisk (fx. *a ~ day; a ~ place); ~ present* historisk præsens.
historical [hi'stårikl] historisk; *~ novel* historisk roman.
historiographer [histå·ri'ågrəfə] historiker, historiograf. **historiographical** [histå·riə'gräfikl] (adj.) historiografisk. **historiography** [histå·ri'ågrəfi] historieskrivning; historiografi.
history ['hist(ə)ri] historie; beretning; *ancient ~* oldtidens historie, oldtidshistorie; *become ~* gå over i historien; *that is ~ now* det hører fortiden til; *that is ancient ~ now* (fig.) det er en gammel historie; *make ~* skabe historie; *medieval ~* middelalderens historie, middelalderhistorie; *natural ~* naturhistorie; *~ of the world* verdenshistorie.
histrionic [histri'ånik] skuespil-, skuespiller-, teater-; teatralsk. **histrionics** [histri'åniks] skuespilkunst; teaterforestillinger; (fig.) teatralsk optræden. **histrionism** ['histriənizm] skuespillervæsen; skuespilkunst.
I. **hit** [hit] (subst.) stød, slag; træffer; succes, schlager; god idé, godt indfald; hib *(at* til, fx. *that was a ~ at me); direct ~* fuldtræffer; *a lucky ~* et heldigt greb, et held; *his last novel was quite a ~* hans sidste roman gjorde lykke; *~ or miss* tilfældigt, på må og få.
II. **hit** [hit] *(hit, hit)* (vb.) træffe, ramme, støde, slå; finde; (amr.) nå; *~ back* bide fra sig; *~ below the belt* ramme under bæltestedet; *~ the books* studere; *~ the bottle* **S** drikke; *~ a man when he is down* sparke til en falden modstander; skubbe til den hældende vogn; *it ~ his fancy* det tiltalte ham; *~ the hay* (amr. **S**) krybe i kassen, gå i seng; *you've ~ it* du har fuldstændig ret; *that is meant to ~ me* det sigter til mig; *~ off* tage på kornet; *they ~ it off well* de kommer godt ud af det sammen; *~ on, ~ upon* komme på; tilfældigt træffe el. opdage; *~ out* lange ud, slå om sig; *~ the right path* komme ind på den rigtige vej.
hit-and-run driver flugtbilist.
hitch [hitʃ] (vb.) bevæge sig fremad i ryk el. spring; halte; (få til at) hænge fast, blive hængende; rykke (op); hægte fast, hage fast; spænde (heste) for; tøjre; (se ogs. *hitchhike);* (subst.) ryk, stød; hindring; standsning; (amr.) (militær) tjenestetid; ⚓ stik; *~ one's chair to the table* rykke sin stol ind til bordet; *~ one's wagon to a star* (fig.) sætte sig høje mål; *-ed up* spændt for; **S** gift; *~ up one's trousers* hive op i bukserne; *there is a ~ somewhere* der er slinger i valsen; *have a ~ in one's gait* halte; *everything went off without a ~* det hele gik glat.
hitch|hike ['hitʃhaik] **S** blaffe, rejse på tommelfingeren; en sådan rejse. **-hiker S** blaffer.
hither ['hiðə] (adv.) hid, herhen; *~ and thither* hid og did.
hitherto ['hiðə'tu·] hidtil.
hit-skip = *hit-and-run.*
Hittite ['hitait] (adj.) hittitisk; (subst.) *-s* (pl.) hittiter.
hive [haiv] (subst.) bikube; (vb.) fange bier i kube; (om bierne) samle honning i bikube; indsamle; bo sammen; *~ off* sværme (om bier).
hives [haivz] kløende udslæt.
H. L. fk. f. *House of Lords.*
hl. fk. f. *hectolitre.*
H. L. I. fk. f. *Highland Light Infantry.*
H. M. fk. f. *Her* (el. *His) Majesty.*
hm. fk. f. *hectometre.*
H-mast fjernsynsmast.
H. M. S. fk. f. *Her* (el. *His) Majesty's Ship; Her* (el. *His) Majesty's Service.* **H. M. S. O.** fk. f. *Her* (el. *His) Majesty's Stationery Office.*
ho [hoᵘ] hej! halløj!
H. O. fk. f. *Home Office.*
hoar [hå·] (adj.) hvidgrå, hvid; grånet, hvid af ælde; (subst.) hvidhed, gråhed; ælde; rim; tåge.
hoard [hå·d] (subst.) forråd; skat; sammensparede penge; (fig.) fond (fx. *a ~ of witty stories);* (i arkæologi) depotfund; (vb.) ophobe, hamstre, samle til bunke, puge penge sammen; (fig.) gemme på.
hoarder ['hå·də] pengepuger, hamstrer.
hoarding ['hå·diŋ] plankeværk.
hoar-frost ['hå·frå(·)st] rimfrost.
hoarse [hå·s] (adj.) hæs.
hoary ['hå·ri] (adj.) grå, hvid af ælde; grånet; hvidhåret; (fig.) mosgroet (fx. *joke);* ældgammel (fx. *~ ruins); ~ antiquity* den grå oldtid. **hoary-headed** grånet; hvidhåret.
hoatzin [hoᵘ'ätsin] (zo.) hoatzin, sigøjnerfugl.
hoax [hoᵘks] (subst.) puds, spøg, mystifikation; svindelnummer; avisand; (vb.) narre, mystificere.
hob [håb] hylde eller plade på kamin, hvor ting sættes til varme.
hob and nob (glds.) = *hobnob.*
hobble ['håbl] (vb.) humpe, halte; binde forbenene (på en hest) sammen; (subst.) humpen; halten; fodreb (til en hests forben); (glds.) forlegenhed, knibe.
hobbledehoy ['håbldi'hoi] lemmedasker, kejtet ung fyr.
hobble skirt tøndebåndsnederdel.
I. **hobby** ['håbi] (zo.) lærkefalk.
II. **hobby** ['håbi] hobby, fritidsinteresse; kæphest.
hobby-horse ['håbi'hå·s] kæphest, gyngehest, karruselhest; (fig.) kæphest.
hobgoblin ['håbgåblin] (drilagtig) nisse; bussemand.
hobnail ['håbneⁱl] skosøm; (glds.) bondeknold; (vb.) forsyne med skosøm; *a pair of -ed boots* et par sømbeslåede støvler.
hobnob ['håbnåb] (vb.) fraternisere, omgås fortroligt, snakke og drikke *(with* med).
hobo ['hoᵘboᵘ] (amr. **S**) landstryger, vagabond.
Hobson ['håbsn]: *it is a case of -'s choice* der er intet valg, man må tage hvad der tilbydes eller undvære.
I. **hock** [håk] hase, haseled; skank.
II. **hock** [håk] rhinskvin.
III. **hock** [håk] (subst.) (amr. **S**) pant; (vb.) pantsætte; *in ~* stampet (ɔ: pantsat); i spjældet; *put into ~* stampe; sætte i spjældet.
hockey ['håki] (subst.) hockey.
hock shop ['håkʃåp] lånekontor.
hocus ['hoᵘkəs] (subst.) bedrager; vin tilsat noget bedøvende; (vb.) bedrage, narre; komme bedøvende middel i.

hocus-pocus ['hoᵘkəs'poᵘkəs] (subst.) hokuspokus, taskenspilleri; (vb.) narre, bedrage.

hod [håd] (murerhåndlangers) kalktrug; skulderbræt; kulkasse, kulspand. **hod carrier,** se *hodman.*

hodden [hådn] groft uldent stof; ~ *grey* groft uldent stof vævet af sort og hvidt garn.

Hodge [hådʒ] landarbejderen, bonden.

hodge-podge ['hådʒpådʒ] ruskomsnusk.

hodiernal [hådi'ə·nəl] af i dag.

hodman ['hådmən] håndlanger; murerhåndlanger, murerarbejdsmand.

hodometer [hå'dåmitə] kilometertæller.

hoe [hoᵘ] (subst.) hakke; hyppejern, lugejern; (vb.) hakke; hyppe; *Dutch* ~ skuffejern; *have a hard row to* ~ have et vanskeligt arbejde for. **hoe-cake** (amr.) majskage.

I. **hog** [håg] svin; orne; galt; (fig.) svin, gris; ungt får der endnu ikke er klippet; S godstogslokomotiv; *a* ~ *in armour* en simpel fyr med fine klæder på; *go the whole* ~ tage skridtet helt ud; løbe linen ud; *behave like a* ~ opføre sig som en tølper; *bring one's -s to the wrong market* komme til den forkerte.

II. **hog** [håg] (vb.) studse, klippe; skyde ryg; S rage til sig; køre hensynsløst; ~ *down* hugge i sig.

Hogarth ['hoᵘga·þ].

hogback ['hågbåk] højdedrag m. stejle sider; bakkekam.

hogg [håg] ungt får der endnu ikke er klippet.

hogged [hågd] studset, kortklippet; stærkt krummet; ⚓ kølsprængt.

hogget ['hågit] årgammelt får.

hoggish ['hågiʃ] (adj.) svinsk, grådig.

hogmanay ['hågmə'neⁱ] (skotsk) årets sidste dag, nytårsaften(sdag).

hogmane ['hågmeⁱn] studset manke.

hogshead ['hågzhed] (rummål, omtr. =) oksehoved.

hog|skin svinelæder. **-sty** svinesti. ~ **-tie** (amr.) (binde alle fire ben sammen på et dyr), svinebinde; krumslutte; (fig.) binde på hænder og fødder. ~ **-wash** svineføde; (fig.) sprøjt; tom snak.

hoick [hoik] tvinge flyvemaskine til pludselig stigning.

hoiden ['hoidn] viltert pigebarn, vildkat. **hoidenish** vild, kåd.

hoi polloi ['hoi 'påloi] mængden, den jævne befolkning, hoben.

hoist [hoist] (vb.) hejse; løfte; (subst.) hejs; hejseapparat, spil; elevator; *give him a* ~ give ham et skub (for at hjælpe ham op); se ogs. *petard.*

hoity-toity ['hoiti'toiti] vilter, kåd, tankeløs; vigtig, arrogant.

hokey-pokey ['hoᵘki'poᵘki] (slags) iskage; S hokus pokus.

hokum ['hoᵘkəm] billigt teatertrick; sludder.

Holborn ['hoᵘbən] (gade i London).

I. **hold** [hoᵘld] (subst.) hold, tag, greb, brydetag; støttepunkt, støtte, fodfæste; (skibs)last; *catch* (el. *lay* el. *seize* el. *take)* ~ *of* tage fat i; *get* ~ *of* få fat i (el. på); *have a* ~ *on* (el. *over)* (fig.) have et fast greb om; have magt over (el. indflydelse på); have en klemme på; *let go one's* ~ give slip; *no -s barred* alle kneb gælder.

II. **hold** [hoᵘld] *(held, held)* (vb.) (transitivt) holde (fx. *a child in one's arms),* (af)holde (fx. *a meeting);* holde tilbage (fx. *one's breath);* fastholde (fx. *the attention);* bære; rumme (fx. *the room won't* ~ *more than a hundred persons);* indeholde; beholde i sig (fx. *he cannot* ~ *his food);* eje, besidde, have (fx. ~ *shares in a company);* indehave (fx. *a record);* beklæde (fx. *a position; an office* et embede); forsvare, hævde besiddelsen af, holde (fx. *a fortress);* mene, anse for (fx. ~ *sby. to be a fool; I* ~ *it to be impossible);* holde på; (intransitivt) holde, ikke gå i stykker (fx. *the rope will* ~*);* gælde, stå ved magt (fx. *the principle, the promise still -s);* holde sig, vare, blive ved (fx. *this weather won't* ~*);*

(forskellige forbindelser) ~ *their attention* holde deres opmærksomhed fangen; *be left -ing the baby,* se *baby;* ~ *a conversation* føre en samtale; ~ *good* gælde; ~ *one's ground* hævde sig, hævde stillingen; ~ *your jaw* (el. *noise)!* hold kæft! ~ *land* eje jord; ~ *land of the crown* have krongods i forpagtning; ~ *the line* (i telefon) et øjeblik! ~ *one's own,* se I. *own; this beam -s the next storey* denne bjælke bærer etagen ovenover; ~ *one's tongue* holde mund; ~ *strange views* nære besynderlige anskuelser; ~ *water* være vandtæt; (fig.) holde stik, være logisk uangribelig, kunne stå for en nærmere prøvelse;

(forb. m. præp. og adv.) ~ *(oneself) aloof* holde sig for sig selv, holde sig (fornemt) tilbage; ~ *back* holde igen; holde sig tilbage; ~ *sby. back* holde en tilbage; ~ *back from* afholde sig fra; ~ *back information* tilbageholde oplysninger; ~ *by one's decision* holde fast ved (el. blive ved) sin beslutning; ~ *by one's teachers* rette sig efter (el. holde sig til) hvad ens lærere har doceret; ~ *down* holde nede; (amr.) bestride (fx. *a position);* ~ *forth* præke, holde tale, holde foredrag (ofte m. nedsættende betydning); ~ *forth a hope of sth.* stille noget i udsigt; ~ *hard!* stop lidt! ~ *in contempt* foragte; ~ *in great esteem* nære agtelse for; ~ *in one's temper* (el. *oneself)* beherske sig; ~ *off* holde (sig) borte (, tilbage); (amr.) udsætte, udskyde; ~ *people off* holde folk på afstand; ~ *off from* (amr.) holde sig fra, undlade; tøve med; ~ *on* holde sig fast; holde ud, blive ved, fortsætte; ~ *on!* stop lidt! ~ *on to* holde fast på (i, ved), fastholde (fx. *he held on to his explanation);*

~ *out* stille i udsigt, love; frembyde; holde stand, holde ud; ~ *out a baby* holde et barn frem; ~ *out one's hand* række hånden frem; ~ *oneself out as* (amr.) give sig ud for at være; ~ *out for* stå fast på sit krav om; ~ *over* udsætte; ~ *sth. over* lade noget stå hen (fx. ~ *over a decision for a week);* (lade) blive siddende i et embede; prolongere; holde i reserve (fx. *now we shall* ~ *over the rest of the goods);* ~ *to one's word* stå ved sit ord; ~ *up* række op (fx. *one's hand);* holde oppe, understøtte; fremholde; standse, holde tilbage; holde op, holde i skak (med revolver etc.); holde sig (oppe); holde ud; ~ *up as an example* fremholde som eksempel; ~ *up to ridicule* stille i gabestokken, latterliggøre; ~ *up a train* standse et tog for at plyndre passagererne; ~ *with* være enig med; billige, synes om; *I don't* ~ *with Sunday dancing* jeg synes ikke det er rigtigt at danse om søndagen.

hold|-all ['hoᵘldå·l] taske, kuffert. ~ **-back** hindring.

holden ['hoᵘldn] glds. perf. part. af *hold.*

holder ['hoᵘldə] forpagter; indehaver, besidder; cigaretrør; holder.

holder-forth taler; prædikant; prækehest.

holdfast krampe, jernkrog, (tekn.) klo.

I. **holding** ['hoᵘldiŋ] (subst.) beholdning; aktiepost; (forpagtet) gård, landejendom; *small* ~ husmandsbrug; ~ *of shares* aktiepost.

II. **holding** (adj.): ~ *attack* angreb der sættes ind for at binde fjenden; ~ *company* holdingselskab.

hold-up ['hoᵘld'ʌp] trafikstandsning; holdop, røverisk overfald.

hole [hoᵘl] (subst.) hul; (vb.) hulle, lave huller i; gør en bal (i billard); *put sby. into a* ~ bringe en i forlegenhed; *make a* ~ *in* (ogs.) bruge en stor del af, gøre indhug i; ~ *up* (amr.) lukke (el. mure) sig inde (fx. *in one's office);* gemme sig, afsondre sig.

hole-and-corner (adj.) lyssky; triviel.

holiday ['hålidi, -deⁱ] helligdag; fridag, ferie; *-s* ferie; *go on a* ~ tage på ferie; *need a* ~ trænge til ferie.

holiday|-maker turist, badegæst, feriegæst. ~ **resort** feriested. ~ **settlement** feriekoloni.

holier-than-thou selvgod; farisæisk.

holily ['hoᵘlili] (adv.) helligt.

holiness ['hoᵘlinės] hellighed; fromhed.

Holinshed ['hålinʃed].

holla ['hålə; hå'la·] halløj! (vb.) råbe; praje.

I. **Holland** ['hålənd].

II. **holland** ['hålənd] ubleget lærred.

hollands ['håləndz] genever.

holler ['hålə] (amr. S) skrige (op).
hollo ['hålo^u], **holloa** ['hålo^u] se *holla.*
hollow ['hålo^u] (subst.) hulning; hulhed; hul, grube; (adj.) hul, dump; falsk; (vb.) gøre hul, udhule; ~ *cheeks* indfaldne kinder; *the* ~ *of the hand* den hule hånd; *hold in the* ~ *of one's hand* holde i sin hule hånd, have i sin magt; *beat them* ~ sejre overlegent over dem, banke dem sønder og sammen.
hollow|-eyed huløjet. ~ **-ground** hulsleben. ~ **-hearted** (adj.) falsk. ~ **ware** fade, skåle etc.
holly ['håli] ♧ kristtorn.
hollyhock ['hålihåk] ♧ stokrose.
Hollywood ['håliwud].
holm [ho^um] holm; engstrækning langs flod.
Holmes [ho^umz].
holm-oak ♧ steneg.
holocaust ['hålәkå·st] brændoffer; kæmpebrand (særlig m. tab af menneskeliv).
holograph ['hålogra·f] egenhændig skrevet dokument. **holographic** [hålo'gräfik] (adj.) egenhændig skrevet.
Holstein ['hålstain] Holsten; holstensk.
holster ['ho^ulstә] pistolhylster.
holt [ho^ult] skov, lund; træbevokset høj.
holy ['ho^uli] hellig; *the Holy of Holies* det allerhelligste. **holy day** helligdag.
Holy Father: *the* ~ paven. **Holy Ghost**: *the* ~ Helligånden. **holy ground** indviet jord. **Holy Land**: *the* ~ Det hellige Land. **Holy Office** inkvisitionen.
holy orders præsteembede, præsteindvielse; *take* ~ lade sig ordinere.
holystone skuresten; (vb.) skure (med skuresten).
holy terror frygtindgydende person; (om barn) rædselsfuld unge, plageånd; *he is a* ~ han er ikke til at have med at gøre; *the boys regarded him as a* ~ drengene nærede en sand rædsel for ham.
Holy Thursday Kristi himmelfartsdag. **holy water** vievand.
holy week: *the* ~ den stille uge.
Holy Writ den hellige skrift.
homage ['håmidʒ] (hist.) lenshylding; (fig.) hyldest; tribut; *do* (el. *pay)* ~ hylde, vise hyldest; *owe* ~ *to* stå i vasalforhold til. **homageable** lenspligtig.
I. **home** [ho^um] (subst.) hjem; (i sport) mål; (adj.) hjemlig; indenlandsk, indenrigs; indre; (adv.) hjem; til målet, i mål; *at* ~ hjemme; på hjemmebane; *be at* ~ *in* (el. *with*) *a subject* være fortrolig med et emne; *make onself at* ~ lade, som man er hjemme; *Mrs. Smith is at* ~ *on Tuesdays* fru Smith tager imod om tirsdagen; *from* ~ hjemmefra; ikke hjemme, bortrejst; *one's long* ~ ens sidste hvilested; *arrive* ~ komme hjem; *bring* ~, se *bring; it came* ~ *to me* jeg følte det dybt; det gik for alvor op for mig; *carry an argument* ~ drage de yderste konsekvenser af en påstand; *drive a nail* ~ slå et søm helt i; *drive a thrust* ~ føre et stød til bunds; *go* ~ ramme (fx. *my remark went* ~*); make one's* ~ *in* slå sig ned i; *he pushes his inquiries* ~ han går til bunds med sine undersøgelser; *screw* ~ skrue fast; *see sby.* ~ følge en hjem; *strike* ~ føre slaget til bunds; ramme sømmet på hovedet; *take* ~ (fig.) lægge sig på sinde; *nothing to write* ~ *about* ikke ngt. at råbe hurra for.
II. **home** [ho^um] (vb.) finde hjem (især om brevduer); (flyv.) vende tilbage til basen; ~ *on* finde hjem (, finde målet) ved hjælp af, orientere sig ved hjælp af.
III. **Home** [ho^um; (adeligt navn) hju·m].
home| affairs indre anliggender. **-bird, -body** hjemmemenneske. ~ **-bred** hjemmeavlet; udannet, ubehøvlet; medfødt, naturlig. ~ **-brewed** hjemmebrygget. **-coming** hjemkomst. ~ **consumption** hjemmeforbrug.
home counties: *the* ~ grevskaberne nærmest London, især Middlesex, Surrey, Kent og Essex.
Home Department = *Home Office.*
home| farm avlsgård. ~ **game** kamp på hjemmebane. ~ **guard** hjemmeværn.
home-keeping: *a* ~ *person* et hjemmemenneske.
home|less hjemløs, husvild. **-like** hjemlig.
homeliness ['ho^umlinės] tarvelighed; simpelhed; grimhed.
homely ['ho^umli] hjemlig, venlig, uformel, fortrolig, velkendt; dagligdags, jævn, beskeden, folkelig, borgerlig; (amr.) grim.
home-made hjemmelavet, hjemmebagt.
Home Office eng. ministerium, hvorunder politi, fængselsvæsen og civilforsvar sorterer; (omtr.) indenrigsministerium.
homeopath ['ho^umiopåþ] homøopat.
homeopathic [ho^umio'päþik] homøopatisk.
homeopathist [ho^umi'åpәþist] homøopat.
homeopathy [ho^umi'åpәþi] homøopati.
home| perm hjemmepermanent. ~ **port** ⚓ hjemsted.
I. **homer** ['ho^umә] brevdue; (baseball) = *home run.*
II. **Homer** ['ho^umә]. **Homeric** [ho'merik] homerisk.
Home Rule selvstyre (især Irlands).
home run (i baseball:) et slag der bringer bolden så langt bort, at slåeren kan nå hele vejen rundt og hjem.
Home Secretary (omtr.) indenrigsminister, se *Home Office.*
home|sick som har hjemve. **-sickness** hjemve. **-spun** (subst.) hjemmevævet tøj; (adj.) hjemmespundet, hjemmevævet, hjemmegjort; folkelig, jævn. **-stead** ['ho^umsted] hjem; bondegård, gård; (amr.) selvstændigt småbrug (især en gård på 160 acres, overladt kolonister af statsjorden). **-steader** (amr.) ejer af et *homestead.* ~ **stretch** opløb (sidste stykke af væddeløbsbane). **-thrust** velrettet (kårde)stød; velanbragt spydighed. ~ **trade** indenrigshandel. ~ **truth**: *I told him a few* ~ *truths* jeg sagde ham et par drøje sandheder. **-ward** [-wәd] hjem-; hjemad; *-ward bound* (for) hjemgående. **-wards** [-wәdz] hjemad. ~ **-work** hjemmearbejde, lektier.
homicidal [håmi'saidl] drabs-; morderisk.
homicide ['håmisaid] drab; drabsmand; *negligent* ~ uagtsomt manddrab; ~ *squad* mordkommission.
homiletic(al) [håmi'letik(l)] homiletisk. **homiletics** homiletik (gejstlig talekunst). **homilist** ['håmilist] prædikant.
homily ['håmili] homili, prædiken; moralprædiken.
homing ['ho^umiŋ] (adj.) med kurs mod hjemmet; som har hjemve; (subst., om raket) målsøgning.
homing | device målsøgningsapparat. ~ **pigeon** brevdue.
hominy ['håmini] majsgrød.
homo ['ho^umo^u] T = *homosexual.*
homo|geneity [håmodʒe'ni·iti] homogenitet, ensartethed. **-geneous** [håmo'dʒi·niәs] homogen, ensartet.
homologate [ho'måloge^it] billige; stadfæste.
homologous [ho'målәgәs] homolog, overensstemmende.
homo|morphic [håmo'må·fik], **-morphous** [-'må·fәs] ligedannet. **-morphy** [-'må·fi] ligedannethed.
homo|nym ['håmonim] homonym, enslydende ord. **-nymous** [ho'månimәs] homonym, enslydende.
homophony [ho'måfәni] samklang.
homosexual ['ho^umo^u'sekʃuәl] homoseksuel.
homosexuality [ho^umo^usekʃu'äliti] homoseksualitet.
homunculus [ho'mʌŋkjulәs] mandsling; homunkulus.
homy ['ho^umi] (adj.) hjemlig.
Hon. fk. f. *honorary; honourable.*
Honduras [hån'djuәrәs].
hone [ho^un] slibesten; (vb.) hvæsse, skærpe.
honest ['ånist] (adj.) ærlig, redelig, retskaffen, hæderlig, brav; ~ *Injun!* ['ånist'indʒәn] på ære! *make an* ~ *woman of* gifte sig med (en forført kvinde); *turn an* ~ *penny*, se *penny.* **honestly** ['ånistli] ærligt, rede-

ligt; ærlig talt; ærligt og redeligt (fx. ~ *it is all I know about it).*

honesty ['ånisti] ærlighed, redelighed; ♧ judaspenge; ~ *is the best policy* ærlighed varer længst.

honey ['hʌni] (subst.) honning; min ven, min skat! (vb.) søde med honning; smigre, snakke godt for. **honey|-bag** honningblære, honningmave (hos en bi). ~ **-bee** (zo.) honningbi. ~ **-buzzard** (zo.) hvepsevåge.

honeycomb ['hʌnikoᵘm] (subst.) bikage; flade dækket af sekskantede figurer; (vb.) gennemhulle.

honeydew ['hʌnidju·] honningdug (udsondring af bladlus); sirupbehandlet tobak.

honeyed ['hʌnid] sød som honning, honningsød, sukkersød.

honey|-guide (zo.) honninggøg. **-moon** (subst.) hvedebrødsdage; bryllupsrejse; (vb.) tilbringe hvedebrødsdagene (fx. *they -mooned in Norway).* **-mouthed** [-mauðd] indsmigrende, med sukkersøde ord.

honeysuckle ['hʌnisʌkl] ♧ gedeblad, kaprifolium.

honey-tongued ['hʌnitʌŋd] indsmigrende, med sukkersøde ord.

hong [håŋ] kinesisk pakhus; handelsplads i Kina; europæisk handelshus i Kina.

Hongkong ['håŋ'kåŋ].

honk [håŋk] (subst.) vildgåsens skrig; lyden af automobilhorn; trutten (med bilhorn), dytten; (vb.) trutte, dytte, tude.

honky-tonk ['håŋkitåŋk] (amr.) tarvelig beværtning, bule.

Honolulu [hånə'lu·lu·].

honor (amr.) = *honour.*

honorarium [(h)ånə'ræəriəm] (frivilligt ydet) honorar.

honorary ['ånərəri] æres-, honorær; ~ *member* æresmedlem; ~ *secretary* ulønnet sekretær.

honorific [ånə'rifik] (adj.) æres-; (subst.) ærbødighedsfrase.

I. **honour** ['ånə] (subst.) ære, hæder; værdighed; ærespost, æresbevisning; hæderstegn; honnør (i kortspil) (fx. *I have three -s); -s* (om universitetseksamen), se *honours degree;* ~ *and glory* ære og berømmelse; *birthday -s* titler og ordner, der uddeles af regenten på dennes fødselsdag; ~ *bright!* på ære! *do the -s* præsidere ved bordet, optræde som vært(inde); *meet with due* ~ (om veksel) blive tilbørlig honoreret; ~ *where* ~ *is due* ære den som æres bør; *in* ~ *bound to* æresforpligtet til (at), moralsk forpligtet til (at); *in* ~ *of* til ære for; *in* ~ *of the occasion* i dagens anledning; *military -s* militære æresbevisninger; *debt of* ~ æresgæld; *guest of* ~ hædersgæst; *maid of* ~ hofdame; *the -s of war* privilegier der indrømmes en slagen fjende (fx. fri afmarch); *pledge one's* ~ give sit æresord; *put sby. on his* ~ tage ens æresord for, at han vil gøre (el. afstå fra at gøre) noget; *he is an* ~ *to the school* skolen har ære af ham; *get through the examination with full -s* tage eksamen med glans; *Your Honour* Deres velbårenhed (især til dommere i *County Courts).*

II. **honour** ['ånə] (vb.) ære, hædre, beære; prise; honorere (veksel o.l.).

honourable ['ån(ə)rəbl] ærlig, hæderlig; ærefuld; velbåren, højvelbåren (titel for regeringsmedlemmer, visse højtstående embedsmænd, børn af visse adelige etc.); *the* ~ *member for* det ærede medlem for (tiltaleform brugt i underhuset); *Most Honourable* højvelbårne (bruges om *marquess); Right Honourable* højvelbårne (især om medlemmer af *the Privy Council* samt adelsmænd under *marquess); his intentions are* ~ han har reelle hensigter (ɔ: han vil gifte sig med pigen).

honour-card honnørkort.

honours degree en *B.A.*-grad som tildeles efter et mere specialiseret studium (modsat *pass degree); first class honours degree* (omtr.) første karakter (med udmærkelse).

honours examination eksamen til en *honours degree.*

honours list liste over titler og ordner der uddeles af regenten på dennes fødselsdag og ved nytår.

honours man en der studerer til el. har en *honours degree.*

honour-trick honnørstik.

Hon. Sec. fk. f. *Honorary Secretary.*

hooch [hu·tʃ] (amr. **S**) smuglersprit, indsmuglet eller hjemmebrændt spiritus.

hood [hud] (subst.) hætte; bilkaleche; (amr.) motorhjelm; røghætte; (vb.) trække en hætte over; dække, tilsløre.

hooded (adj.) med hætte; hætteformet; ♧ kappeformet; ~ *crow* (zo.) gråkrage; ~ *snake* (zo.) brilleslange.

hoodlum ['hu·dləm] (amr.) bølle.

hoodoo ['hu·du·] (amr. **T**) (subst.) ulykkesfugl; ulykke, uheld; (vb.) bringe ulykke.

hoodwink ['hudwiŋk] narre, bluffe, føre bag lyset.

hooey ['hu·i] (amr. **S**) vrøvl, sludder.

hoof [hu·f] (subst.) hov, (spøgende) fod; (vb.) sparke; *on the* ~ (om kvæg) levende, uslagtet; ~ *him out* **S** sparke ham ud; ~ *it* **S** gå, traske; (amr. **T**) trampe; danse.

hoofbeat (subst.) hovslag.

hoofed [hu·ft]: ~ *mammal* hovdyr.

hook [huk] (subst.) hage, krog; medekrog; hægte; stabel (til et hængsel); segl; havekniv; krumkniv; (i boksning) slag med bøjet albue; (vb.) få på krogen; fange med krog; få til at bide på; gøre fast med krog; hægte; fange med kunstgreb; stjæle, hugge, negle; bøje i krogform; bøje sig, kroge sig; stikke af; ~ *and eye* hægte og malle; *by* ~ *or by crook* på den ene eller på den anden måde, med ærlige eller uærlige midler; *get the* ~ blive smidt ud; ~, *line, and sinker,* se *sinker; off the -s* i uorden, af lave; færdig, leveret; væk; *drop* (el. *go) off the -s* skeje ud; gå fra forstanden; dø; *on one's own* ~ på egen hånd, for egen regning; *take* (el. *sling) your* ~ stik af med dig; ~ *it* stikke af, fordufte; ~ *on to* hage sig fast i; ~ *up* hægte sammen; koble til (el. sammen); samle (et apparat); spænde for.

hooka(h) ['hukə] (orientalsk) vandpibe.

hooked [hukt] kroget, krum.

hooker ['hukə] ⚓ huggert (lille fartøj); skude.

hook|-up sammenkobling af radiostationer, der muliggør fælles transmission. **-worm** (med.) hageorm (tarmsnylter).

I. **hooky** ['huki] kroget.

II. **hook(e)y** ['huki]: *play* ~ skulke (fra skolen), pjække.

hooligan ['hu·ligən] bølle, bisse. **hooliganism** bølleuvæsen, bølleoptøjer.

I. **hoop** [hu·p] (subst.) bånd, tøndebånd; ring; bøjle; fiskeben (i skørt); fiskebensskørt; (vb.) lægge bånd (el. ring) om; indfatte; *croquet* ~ kroketbue.

II. **hoop** [hu·p] (vb.) huje, råbe; (subst.) hujen, råben.

hooper ['hu·pə] bødker.

hooping-cough ['hu·piŋkå·f] kighoste.

hoop-iron båndjern.

hoop-la ['hu·pla·] (omtr.) ringspil (markedsforlystelse: man kan vinde gevinster ved at kaste en ring ned over dem).

hoopoe ['hu·pu·] (zo.) hærfugl.

hoose(e)gow ['hu·sgau] (amr. **S**) fængsel.

hoot [hu·t] (vb.) skrige; tude; huje efter; hysse ad, pibe ud; (subst.) hujen, skrig, tuden; *I don't care a* ~ jeg er revnende ligeglad; *you don't care two -s for me* du bryder dig ikke en døjt om mig; *it is not worth two -s* det er ikke en rød øre værd.

hooter ['hu·tə] signalhorn, alarmhorn; bilhorn; fabriksfløjte, sirene.

hoots [hu·ts] (på skotsk) snak (om en ting)! visvas!

hoove ['hu·v] trommesyge (hos kvæg).

hoover ['hu·və] ® (subst.) støvsuger; (vb.) støvsuge.

hooves (subst., pl. af *hoof).*

I. **hop** [håp] (vb.) hoppe (over); hinke; danse; (subst.) hop; **T** dans, bal; **S** flyvetur (især: uden mellemlanding); ~ *it!* stik af! forsvind! ~ *the twig* **S** stikke af (fra sin gæld); krepere; ~ *off* gå på vingerne (om flyvemaskine); *in three -s* (flyv.) med kun to mellemlandinger; i tre etaper; *be always on the* ~ altid være i bevægelse (el. på stikkerne); *catch sby. on the* ~ overraske en, komme bag på en; ~, *skip, and jump* trespring.

II. **hop** [håp] (subst.) humle; (vb.) høste humle; sætte humle **til**; *hops* humle; **S** narkotisk middel, opium.

hop-bine ['håpbain] ♧ humleranke.

hope [hoᵘp] (subst.) håb; (vb.) håbe; håbe på; ~ *against* ~ bevare håbet, selv når det ser mørkest ud; ~ *for* håbe på; ~ *for the best* håbe det bedste; ~ *in God* stole på Gud; *be past* (el. *beyond)* ~ være i en håbløs situation el. forfatning.

hopeful ['hoᵘpf(u)l] forhåbningsfuld; håbefuld; lovende; *a young* ~ en håbefuld ung mand (el. ung pige). **hopeless** ['hoᵘplės] håbløs.

hop-garden humlehave.

hoplite ['håplait] hoplit.

hop-o'my-thumb ['håpəmiþʌm] dværg, pusling, tommeliden.

hopper ['håpə] humleplukker; (zo.) springer (ostefluens larve); tragt; selvtømmende muddermaskine.

hop-picker humleplukker.

hopple ['håpl] (vb.) binde en hests forben sammen; (subst.) fodreb (til at binde en hests forben med).

hop|-pole humlestang. **-scotch** hinkeleg, paradis (børnelegen). ~ **-vine** humleranke.

Horace ['hårəs, -ės] Horats (romersk digter; personnavn).

Horatio [ho'reiʃioᵘ].

horde [hå·d] (subst.) horde; flok; (vb.) leve i flok.

horehound ['hå·haund]: *black* ~ ♧ tandbæger; *white* ~ ♧ kransburre.

horizon [ho'raizn] horisont, synskreds. **horizontal** [håri'zåntl] horisontal, vandret; ~ *bar* (gymn.) reck. **horizontality** [hårizån'täliti] vandret stilling.

hormone ['hå·moᵘn] (subst., fysiol.) hormon.

I. **horn** [hå·n] (subst.) horn; *take the bull by the -s* tage tyren ved hornene; *draw* (el. *pull) in one's -s* tage følehornene til sig; ~ *of plenty* overflødighedshorn; *on the -s of a dilemma* i et dilemma.

II. **horn** [hå·n] (vb.) stange; ~ *in* trænge sig på; ~ *in on* trænge sig ind på, blande sig i.

horn|beam ♧ avnbøg. **-bill** (zo.) næsehornsfugl. **-blende** hornblende. **-book** (glds.) fibel, abc-tavle dækket af gennemsigtigt horn.

horned ['hå·n(i)d] hornet; ~ *cattle* hornkvæg.

hornet ['hå·nit] hveps, gedehams; *bring* (el. *raise) a nest of -s about one's ears, poke one's head into a -s' nest* stikke hånden i en hvepserede.

hornless ['hå·nlės] uden horn, kullet.

horn|-owl hornugle. **-pipe** (et gammeldags blæseinstrument); hornpipe (en sømandsdans).

horn-rimmed: ~ *spectacles* hornbriller.

hornswoggle ['hå·nswågl] **S** svindle, snyde.

horntail ['hå·nteil] (zo.) træhveps.

hornwork ['hå·nwə·k] hornarbejde; ⚔ hornværk.

hornwort ♧ hornblad.

horny ['hå·ni] (adj.) hornagtig; barket (fx. *hands*). **horny-handed** med barkede næver.

horologer [hå'rålədʒə], **horologist** [hå'rålədʒist] urmager. **horology** [hå'rålədʒi] urmagerkunst.

horoscope ['håroskoᵘp] horoskop; *cast sby.'s* ~ stille ens horoskop.

horrible ['håribl] (adj.) skrækkelig, grufuld; frygtelig, forfærdelig; afskyelig, gyselig.

horrid ['hårid] (adj.) rædselsfuld; afskyelig; gyselig, ækel, væmmelig, modbydelig.

horrific [hå'rifik] (adj.) forfærdelig, skrækindjagende.

horrify ['hårifai] (vb.) forfærde, indjage skræk.

horror ['hårə] rædsel; afsky; afskyelighed, grufuldhed; *the -s* anfald af sygelige angstfornemmelser (især under delirium tremens), delirium; *Chamber of Horrors* rædselskabinet (i et panoptikon); *have a* ~ *of* nære en sand rædsel for, afsky; *the* ~ *of it all!* hvor afskyeligt!

horror| comic (rædsels)tegneserie. ~ **film** gyser. ~ **-stricken,** ~ **-struck** rædselsslagen.

horse [hå·s] (subst.) hest; hingst, vallak; rytteri, kavaleri; træhest (strafferedskab); buk, savbuk; stativ; ⚓ løjbom; (vb.) forsyne med heste, spænde heste for; bedække (en hoppe); *a* ~ *of another colour* et helt andet spørgsmål, en helt anden sag; *flog a dead* ~ diskutere en sag, der allerede er afgjort; spilde sine kræfter; *get on* (el. *mount* el. *ride) the high* ~ sætte sig på den høje hest; *a tip straight from the -'s mouth* en oplysning fra første hånd (el. fra sikker kilde), et staldtip; *master of the* ~ staldmester; *a regiment of* ~ et kavaleriregiment; *take the* ~ stige til hest; *5000* ~ 5000 mand kavaleri; *to* ~*!* sid op! *the -s are to* der er spændt for; *vaulting* ~ hest (gymnastikredskab).

horse|-and-buggy fra før bilen (etc.) blev opfundet; (fig.) håbløst forældet. **-back** hesteryg; *on -back* til hest. ~ **-bean** ♧ agerbønne; hestebønne. ~ **-block** op- og afstigningsblok. ~ **-breaker** hesteafretter, berider. ~ **-chestnut** hestekastanje. ~ **-cloth** hestedækken. ~ **-collar** kumte. ~ **-coper** hestepranger. ~ **-dealer** hestehandler. ~ **-drench** dosis hestemedicin. **-fair** hestemarked. **-flesh** hestekød; heste; *be a judge of -flesh* forstå sig på heste. ~ **-fly** hesteflue.

Horse Guards hestgarde; *the Royal* ~ hestgardens hovedkvarter i London; generalkommando.

horse|-hair krølhår, hestehår. ~ **-laugh** skraldende latter. ~ **-leech** hesteigle; blodigle; umættelig person. ~ **-litter** rosbåre, bærestol der bæres af heste.

horse|-mackerel hestemakrel; tunfisk. **-man** ['hå·smən] rytter. **-manship** ridekunst; ridefærdighed. ~ **-marines:** *tell that to the* ~ *-marines* den må du længere ud på landet med. ~ **-master** ridelærer og berider; hesteudlejer, vognmand. ~ **-nail** hesteskosøm. ~ **opera S** cowboy film. ~ **play** grove løjer; ballade. ~ **-power** hestekraft; hestekræfter (fx. *60 horsepower).* ~ **-race** hestevæddeløb. ~ **-radish** ♧ peberrod. ~ **-sense** sund fornuft. **-shoe** hestesko. ~ **soldier** kavalerist. ~ **-tail** hestehale; ♧ padderokke. ~ **-trade** hestehandel; (fig.) (politisk) studehandel. **-whip** (subst.) ridepisk; (vb.) give af ridepisken. **-whipping** prygl med ridepisken. **-woman** rytterske.

hors(e)y ['hå·si] heste-; hesteagtig; heste(sports-) interesseret; præget (i påklædning, ydre, optræden) af interesse for el. beskæftigelse med heste.

hortative ['hå·tətiv], **hortatory** ['hå·tətəri] formanende, opmuntrende, tilskyndende.

horticultural [hå·ti'kʌltʃərəl] (adj.) have-, havedyrknings-, havebrugs-; ~ *society* haveselskab. **horticulture** ['hå·tikʌltʃə] (subst.) havedyrkning; havekunst. **horticulturist** [hå·ti'kʌltʃərist] gartner.

hortus siccus ['hå·təs 'sikəs] herbarium.

hosanna [ho'zänə] hosianna.

hose [hoᵘz] (subst.) strømper; haveslange, brandslange; (vb.) (over)sprøjte.

hosier ['hoᵘʒə] trikotagehandler.

hosiery ['hoᵘʒəri] trikotage(fabrik).

hospice ['håspis] (subst.) hospits, gæstehjem, herberg, asyl.

hospitable ['håspitəbl] (adj.) gæstfri.

hospital ['håspitəl] hospital, sygehus; velgørenhedsinstitution; *Christ's Hospital* (friskole, tidligere beliggende i London); *in* ~ på hospitalet; *remove to a* ~ indlægge på et hospital. **hospital fever** hospitalstyfus.

hospitality [håspi'täliti] gæstfrihed.

hospitalize ['håspitəlaiz] hospitalisere, indlægge på hospital.

hospitaller ['håspitələ] johanniterridder; alumne på en stiftelse e.l.

Hospital| **Saturday, ~ Sunday** (dage på hvilke der foretoges offentlig indsamling til hospitalerne).

I. **host** [hoᵘst] vært; *reckon without one's ~* gøre regning uden vært; *-s* værtsfolk.

II. **host** [hoᵘst] hær, krigshær; skare; hærskare, mængde; *Lord of Hosts* hærskarernes Gud.

III. **host** [hoᵘst] hostie.

hostage ['håstidʒ] gidsel.

hostel ['håst(ə)l] hjem (ofte af filantropisk karakter), sygehjem (etc.); studenterkollegium; (glds.) gæstgiveri; *youth ~* vandrerherberg, vandrerhjem.

hostelry ['håstlri] gæstgiveri, værtshus.

hostess ['hoᵘstés] værtinde; (i passagerflyver) stewardess; pige der er ansat på restaurant for at underholde mandlige gæster, taxigirl.

hostile ['håstail] fjendtlig; fjendtligsindet.

hostility [hå'stiliti] fjendskab, fjendtlighed; *open (, suspend) hostilities* begynde (, indstille) fjendtlighederne.

hostler ['åslə] staldkarl (i en kro).

hot [håt] hed, varm; hidsig, heftig, vred; ivrig *(for* efter); (om smag) bidende, skarp, stærk; krydret, pebret; (om spor) nyt, frisk; lidenskabelig, ildfuld; stærkt sanselig; **S** spændende, farlig; radioaktiv; (om tyvekoster) 'varme' (ɔ: lette at efterspore); *~ and bothered* echaufferet, ophidset og forvirret; *~ and ~* (serveret) meget varmt; *give it him ~ and strong* **T** give ham en ordentlig omgang; *be ~ at sth.* **T** være knippeldygtig til noget; *~ from the press* lige udkommet; *you are getting ~* (fig.) tampen brænder! *the place is getting too ~ to hold him* jorden begynder at brænde under fødderne på ham; *keep the telegraph wires ~* få telegraftrådene til at gløde; *not so ~* **S** ikke særlig god, ikke noget at råbe hurra for; *make the place too ~ for* (el. *to hold) him* gøre ham tilværelsen så broget, at han må fortrække; *he is ~ on playing cricket* han er ivrig kricketspiller; *~ on the track of* lige i hælene på, lige ved at indhente (el. (op)nå); *~ under the collar* **T** gal i hovedet.

II. **hot** [håt] (vb.): *~ up* opvarme (mad).

hot| **air** (subst.) (fig.) pral, brovten, tom snak, floskler. **~ -air** (adj.) varmlufts-. **-bed** mistbænk; (fig.) arnested. **~ blast** indblæst varm luft. **~ -blooded** varmblodig. **~ brandy** varm cognacstoddy.

hotchpot(ch) ['håtʃpåt(ʃ)] miskmask, ruskomsnusk.

hot| **cockles** leg, hvor en af deltagerne, der har bind for øjnene, skal gætte hvem der slår ham. **~ coppers** tørhed i halsen (efter drik). **~ dog** (amr.) varm pølse (m. brød); *~ dog!* (amr. **S**) den er fin! ih du store! **~ -dog stand** pølsevogn.

hotel [ho'tel] hotel. **hotel keeper** hotelejer.

hot|**foot** ['håtfut] i største hast. **-head** brushoved. **-headed** hidsig, opfarende. **-house** ['håthaus] drivhus. **~ plate** kogeplade; fyrfad (til bordbrug). **-pot** ragout af kød og kartofler. **~ -press** (vb.) satinere; (subst.) satineringsmaskine. **~ rod** (amr.) gammel bil, lavet om så den kan køre stærkt. **~ -short** rødskør (skør i glødende tilstand). **-spur** (subst.) brushoved, fusentast; (adj.) hidsig. **~ -spurred** hidsig. **~ stuff S** skrap fyr. **~ -tempered** hidsig, opfarende.

Hottentot ['håtntåt] hottentot.

hot | **water** varmt vand; *be in ~ water* være i en slem knibe. **~ -water** (adj.) varmtvands-. **~ -water bottle** varmedunk. **~ -well** varmtvandsbeholder; hed kilde; (tekn.) varmtvandsbrønd.

hough [håk] hase; (vb.) skære haserne over på.

hound [haund] hund; jagthund; (vb.) jage (fx. *he was -ed out of the town by his enemies); ~ on* ophidse; *ride to* (el. *follow) -s* drive parforcejagt, drive rævejagt.

hound's-tongue ['haundztʌŋ] ♧ hundetunge.

hour ['auə] time; klokkeslæt; timeslag; stund; *-s* (ogs.) arbejdstid (fx. *long (, short) -s* lang (, kort) arbejdstid; åbningstid; *after -s* efter lukketid, efter arbejdstidens ophør; *the office -s are 10-5* kontoret er åbent fra 10-5, kontortiden er fra 10-5; *by the ~* pr. time (fx. *hire a cab by the ~); ~ by ~* **fra time til time**; *his ~ has come* (el. *struck)* hans time er kommet (han skal dø); nu har han sin (el. sit livs store) chance; *for -s (and -s)* i timevis; *an ~ and a half* halvanden time; *in a good (, evil) ~* i en heldig (, ulykkelig) stund; *in the ~ of danger* i farens stund; *keep good* (el. *early) -s* stå tidlig op og gå tidlig i seng; komme tidlig hjem (, på arbejde etc.); *keep bad* (el. *late) -s* stå sent op og gå sent i seng; komme sent hjem (, på arbejde etc.); *out of -s* uden for arbejdstiden; *a quarter of an ~* et kvarter; *the small -s* de små timer (ɔ: timerne efter midnat); *please state the date and the ~* vær så venlig at opgive dato og klokkeslæt; *the clock strikes the ~* den slår hel.

hour|**-glass** ['auəgla·s] timeglas. **~ -hand** lille viser.

houri ['huəri] huri.

hourly ['auəli] (adv.) hver time (fx. *the medicine is taken ~).*

I. **house** [haus] (pl. *houses* ['hauziz]) hus (ogs. om kongehus, teater, firma); forestilling (fx. *the second ~); the House* Tinget (Overhuset, Underhuset), *Christ Church* (i Oxford), børsen (i London); (amr.) Repræsentanternes Hus; **S** fattiggården; *a full ~* fuldt hus; *public ~* værtshus; *religious ~* kloster; *~ of call* fragtmandscentral; kro (, hotel), hvor man gør ophold undervejs; *~ of ill fame* (glds.) berygtet (el. offentligt) hus, bordel; *an Englishman's ~ is his castle* en englænders privatliv er ukrænkeligt; *keep ~* holde hus, føre hus; *keep ~ with* bo sammen med; *keep the ~* holde sig hjemme; *keep a good ~* føre stort hus, beværte sine gæster godt; *it went like a ~ on fire* det gik strygende; *we got on like a ~ on fire* vi kom vældig godt ud af det; *play ~* **T** lege far, mor og børn; *as safe as -s* 'bombesikkert'; *set up ~ for oneself* sætte foden under eget bord; *set one's ~ in order* bringe orden i sine sager; *the Lower House, the House of Commons* Underhuset; *the House of Lords, the Upper House* Overhuset; *the House of Representatives* førstekammeret i den amerikanske kongres; *the House rose at 9 o'clock* (parlaments)mødet hævedes kl. 9; *enter the House* blive medlem af parlamentet; *this is on the ~* denne omgang er for værtens regning.

II. **house** [hauz] (vb.) skaffe bolig til; skaffe tag over hovedet; bringe under tag; installere; huse; opbevare, have plads til; *~ together* bo sammen.

house|**-agent** ['hauseⁱdʒənt] indehaver af udlejningsbureau, ejendomsmægler. **-boat** husbåd. **-boy** tjener. **-breaker** indbrudstyv; entreprenør, der forestår nedrivning af huse. **-breaking** indbrud; nedrivning af hus. **-carl** ['hauska·l] huskarl (kriger af de angelsaksiske og nordiske kongers livvagt). **~ -charge** kuvertafgift. **~ -cleaning** hovedrengøring; (fig.) udrensning. **~ -flag** ⚓ kontorflag; ejerstander.

house-fly (zo.): *biting ~* stikflue; *common ~* stueflue.

household ['haus(h)oᵘld] (subst.) husholdning; husstand; (adj.) husholdnings-.

house|**holder** ['haushoᵘldə] familiefader, en som fører eget hus, ejer (el. lejer) af **hus** (el. lejlighed).

household| **gods** husguder, penater. **~ troops** livgarde. **~ word** velkendt udtryk el. navn.

house|**-hunter** boligsøgende. **-keeper** husmoder; husbestyrerinde. **-keeping** husholdning; *we started -keeping* vi begyndte at føre hus. **-keeping allowance** husholdningspenge. **-leek** ♧ husløg. **-less** husvild. **~ -line** ⚓ hyssing.

house|**maid** ['hausmeⁱd] stuepige; *-maid's knee* (med.) vand i knæet. **-martin** (zo.) bysvale. **~ officer** (med.) turnuskandidat. **~ painter** maler (håndværker). **~ -party** selskab (på landet) af overnattende gæster. **~ -physician** kandidat (på et hospital). **~ plant** stueplante. **~ porter** portner. **-proud:** *she is -proud* (om husmoder) hun gør meget ud af sit hus. **~ -rent** husleje. **~ -room** husrum; *I would not give that table ~ -room* jeg ville ikke have det bord i huset. **~ sparrow** gråspurv. **~ -surgeon** kandidat (på et hospital). **-top** hustag; *cry* (el. *proclaim) from* *the -tops* forkynde vidt og bredt. ~ **-trained** stueren (om hund). ~ **-warming** indflytningsgilde.

house|wife ['hauswaif] husmoder; ['hʌzif] syetui. **-wifely** ['hauswaifli] husmoderlig. **-wifery** ['hauswaifri, 'hʌzifri] husmodergerning. **-work** husligt arbejde.

housey-housey ['hausi 'hausi] (et lotterispil).

housing ['hauziŋ] (subst.) sadeldækken, skabrak; (kollektivt) huse, lejligheder, boliger; (adj.) bolig-; *provide ~ for* skaffe boliger til; ~ *conditions* boligforhold; *Minister of Housing* boligminister.

housing| estate typehusbebyggelse. ~ **shortage** bolignød.

houting ['hautiŋ] (zo.) snæbel (en fisk).

Houyhnhnms ['huinəmz] (fornuftvæsener i skikkelse af heste i Swifts *Gulliver's Travels*).

hove [hoᵘv] imperf. og perf. part. af *heave; ~ to* ⚓ underdrejet.

hovel ['håvəl] (subst.) skur; elendig hytte, rønne; niche til statue; kegleformet bygning, der rummer keramisk ovn; (vb.) anbringe i skur; bringe under tag.

hover ['håvə] (vb.) svæve; dvæle, sværme, vandre; ~ *about* kredse om; drive om i nærheden.

hovercraft ['håvəkra·ft] luftpudefartøj.

I. **how** [hau] hvordan; hvor (= i hvilken grad); ~ *are you?* hvordan har De det? ~ *do you do?* ['haudju'du·] goddag! *he knows ~ to do it* han ved hvordan det skal gøres; han kan gøre det rigtigt; ~ *is it that* hvordan kan det være at; *this is ~ you ought to do it* det er sådan du skal gøre det; ~ *hot it is!* hvor det er varmt! *well, that's ~ it is* sådan er det nu engang; *~'s that* hvordan kan det være; hvad siger du til det; *how's things?* **T** hvordan går det? *and ~!* **S** ja, det skal jeg love for! ~ *come?* (amr. **S**) hvordan kan det være (at ...)? ~ *ever did you find it?* hvordan i alverden fandt du det? ~ *many are there?* hvor mange er der? ~ *many there are!* hvor er der (dog) mange! ~ *much is that?* hvor meget bliver det? ~ *so* hvordan det; *it is incredible ~ stupid he is* det er utroligt så dum han er.

II. **how** [hau] (subst.) måde noget skal gøres på, metode (fx. *he knows the ~).*

howbeit ['hau'bi·it] (glds.) alligevel, desuagtet.

howdah ['haudə] teltsæde på ryggen af en elefant.

howdy ['haudi] (amr. **T**) davs! sige goddag til.

how-d'ye-do ['haudi'du·] værre redelighed, slem suppedas.

however [hau'evə] hvorledes end, hvordan end; hvor end (fx. ~ *fast he ran* hvor hurtigt han end løb); alligevel, dog, imidlertid.

howitzer ['hauitsə] haubitzer.

howl [haul] (vb.) hyle, tude; (subst.) hyl, hylen, tuden.

howler ['haulə] brøler, bommert; grædekone; *come a ~* komme galt af sted.

howler (monkey) (zo.) brøleabe.

howling ['hauliŋ] hylende; skrækkelig; dundrende (fx. *a ~ success).*

howsoever [hausoᵘ'evə] (adv.) hvordan end, hvor (meget) end.

hoy [hoi] ohoj! stop!

hoyden ['hoidn] viltert pigebarn, vildkat.

Hoyle [hoil] (forfatter af en bog om spil og sport); *according to ~* lige efter kogebogen.

H.P. fk. f. *hire purchase; buy it on the H.P.* købe det på afbetaling.

h.p. fk. f. *horse-power.*

H.Q. fk. f. *headquarters.*

hr. fk. f. *hour.*

H.R.H. fk. f. *His* (el. *Her) Royal Highness.*

I. **hub** [hʌb] hjulnav; mål (ved målkastning); center (fx. *a ~ of industry);* **T** ægtemand, mand; *the ~ of the universe* (fig.) verdens navle.

hubble-bubble ['hʌblbʌbl] boblende lyd; snakken i munden på hverandre; virvar; vandpibe.

hubbub ['hʌbʌb] larm, ståhej, hurlumhej.

hubby ['hʌbi] **T** (ægte)mand.

hubris ['hju·bris] hybris, overmod.

hubristic [hju'bristik] overmodig.

huckaback ['hʌkəbäk] håndklædestof.

huckle ['hʌkl] hofte. **huckle|backed** pukkelrygget. **-berry** (amr.) blåbær. ~ **-bone** hofteben.

huckster ['hʌkstə] (subst.) høker; gadehandler; (fig.) kræmmersjæl; (amr.) reklameagent; (vb.) høkre.

huckstress ['hʌkstrès] sælgekone.

huddle ['hʌdl] (vb.) kaste uordentligt imellem hinanden; hobe sammen, dynge sammen; gøre noget uordentligt (el. for hurtigt); sjuske med, jaske af; stimle, flokke sig; (subst.) hob, dynge; hurlumhej; stimmel; trængsel; rådslagning; *go into a ~* **S** holde rådslagning; *he -d the children into the car* han stoppede i en fart børnene ind i vognen; ~ *on* (el. *into) one's clothes* fare i tøjet, få tøjet på i en fart; ~ *a job through* jaske et stykke arbejde af; ~ *together* stimle sammen; trykke sig op ad hinanden; kaste i en dynge; ~ *together for warmth* (om flere) krybe sammen for at holde varmen; ~ *up* få lavet sammen i en fart; krybe sammen; *lie -d up* ligge sammenkrøbet.

Hudson ['hʌdsən].

I. **hue** [hju·] farve, lød; anstrøg.

II. **hue** [hju·]: ~ *and cry* (glds.) efterlysning el. forfølgelse af forbryder; *raise a ~ and cry* (fig.) skrige gevalt, gøre anskrig, starte en voldsom kampagne *(against* mod).

hueless ['hju·lès] farveløs.

huff [hʌf] (vb.) larme, fnyse; kujonere, tyrannisere, hundse; fornærme, blive fornærmet (, fortørnet, opbragt); mukke, give ondt af sig, vrisse; (i brætspillet 'dam') 'puste'; (subst.) fornærmelse; fortørnelse; ~ *and puff* puste og pruste; *in a ~* smækfornærmet.

huffish ['hʌfiʃ] (adj.) vranten, let at støde, prikken.

huffy ['hʌfi] (adj.) fornærmet, prikken.

hug [hʌg] (vb.) omfavne, knuge (el. trykke) ind til sig; (fig.) hænge ved, holde fast ved (fx. *a belief);* holde sig tæt ved (fx. *the side of the road);* (subst.) favntag, omfavnelse; ~ *oneself* gotte sig *(on sth.* over ngt.), gnide sig i hænderne (af selvtilfredshed); ~ *oneself in bed* krybe sammen i sengen af kulde; ~ *the shore* ⚓ holde sig tæt til kysten; ~ *the wind* ⚓ knibe tæt til vinden.

huge [hju·dʒ] (adj.) stor, uhyre, umådelig. **hugeness** ['hju·dʒnès] uhyre størrelse.

hugger-mugger ['hʌgəmʌgə] (subst.) forvirring, rod(eri), uorden; hemmelighed; (adj.) uordentlig; forvirret, rodet; hemmelig.

Hugh [hju·]. **Hughes** [hju·z].

hug-me-tight sjælevarmer.

Huguenot ['hju·gənåt] hugenot.

hulk [hʌlk] (aftaklet skib brugt som) logiskib, depotskib; (om person) klods. **hulking** stor, kluntet, klodset.

I. **Hull** [hʌl].

II. **hull** [hʌl] (subst.) hylster; bælg; has (fx. på nød); skrog (af skib); (vb.) afbælge, pille (ærter), hase; ramme i skroget; ~ *down* med skroget skjult under horisonten.

hullabaloo [hʌləbə'lu·] halløj, ståhej, rabalder.

hulled grain gryn.

hull insurance kaskoforsikring.

hullo ['hʌ'loᵘ], **hulloa** ['hʌ'loᵘ] hallo, halløj.

hum [hʌm] (vb.) surre, summe; mumle, brumme; nynne; stamme; tøve, vakle; **S** lugte, stinke; (subst.) surren, summen; mumlen, brummen; nynnen; humbug; hm! ~ *and haw,* se II. *haw; make things ~* sætte fart i tingene; sætte liv i kludene; *the ~ of the city* byens pulserende liv; ~ *along* suse af sted (i bil, på motorcykel o.l.).

human ['hju·mən] menneskelig, menneske-; ~ *being* menneske; *the ~ kind* menneskeslægten.

humane [hju'meⁱn] human, menneskekærlig; humanistisk; *the Humane Society* (et velgørenhedsselskab).

humanely [hju·'meⁱnli] menneskekærligt.

humanism ['hju·mənizm] humanisme.
humanist ['hju·mənist] humanist.
humanitarian [hjumäni'tæəriən] menneskeven; (adj.) humanitær.
humanity [hju'mäniti] menneskelighed; menneskehed, mennesker; humanitet, menneskekærlighed; *the humanities* de humanistiske fag, humaniora.
humanize ['hju·mənaiz] humanisere, menneskeliggøre, mildne(s).
humankind ['hju·mən'kaind] menneskeslægten.
humate ['hju·mėt] humussurt salt.
Humber ['hʌmbə].
humble ['hʌmbl] (adj.) ydmyg, underdanig, beskeden, spagfærdig, ringe, tarvelig; (vb.) ydmyge; *I did my ~ best* jeg gjorde mit bedste efter fattig evne; *of ~ birth* af ringe byrd; *in ~ circumstances* i ringe kår; *in my ~ opinion* efter min ringe mening; *my ~ self* min ringhed.
humble-bee ['hʌmblbi·] humlebi.
humble pie ['hʌmbl'pai]: *eat ~* ydmyge sig, bede ydmygt om forladelse; krybe til korset.
humbly ['hʌmbli] (adv.) ydmygt, beskedent.
humbug ['hʌmbʌg] (subst.) humbug, svindel; humbugsmager; tom snak, vås; pebermyntebolsje; (vb.) narre, bedrage. **humbuggery** ['hʌmbʌgəri] humbug, fidusmageri, bedrageri, svindel.
humdinger ['hʌmdiŋə] **S**: *it's a ~* den er mægtig god; den er helt fantastisk.
humdrum ['hʌmdrʌm] (adj.) kedelig, hverdagsagtig, hverdagsgrå, banal, ensformig, triviel; (subst.) kedsommelighed, hverdagsagtighed, banalitet, ensformighed, trivialitet.
Hume [hju·m].
humeral ['hju·mərəl] skulder-.
humic ['hjumik]: *~ acid* humussyre.
humid ['hju·mid] fugtig. **humidifier** [hju·'midifaiə] fugteapparat. **humidify** [hju·'midifai] (vb.) fugte. **humidity** [hju·'miditi] fugtighed.
humiliate [hju'milieⁱt] (vb.) ydmyge.
humiliation [hju·mili'eiʃən] ydmygelse.
humility [hju'militi] ydmyghed.
humming-bird kolibri.
humming-top snurretop.
hummock ['hʌmək] lille høj; tue.
hummocky ['hʌməki] ujævn, fuld af småhøje (el. tuer).
humor (amr. =) *humour.*
humorist ['hju·mərist] humorist.
humoristic [hju·mə'ristik] humoristisk.
humorous ['hju·mərəs] humoristisk.
humour ['hju·mə] (subst.) humor; humør; lune; stemning; (glds., med.) legemsvæske; (vb.) føje, rette sig efter, gå ind på; *in good (, bad) ~* i godt (, ondt) lune, i godt (, dårligt) humør; *be out of ~* være i dårligt humør (el. uoplagt); *be in the ~ for* være oplagt til; *please one's ~* følge sin lyst; *put sby. out of ~* sætte en i dårligt humør; *sense of ~* humoristisk sans; *when the ~ takes me* når det stikker mig; *take sby. in the ~* benytte ens gode humør; *children must not be -ed too much* man må ikke være for eftergivende mod børn; *I ~ his every whim* jeg føjer ham i alle hans luner.
hump [hʌmp] (subst.) pukkel; lille høj, tue; **S** dårligt humør; (jernb.) æselryg (til rangering); (flyv.) bjerg(kæde) der skal passeres; (vb.) bære (især på ryggen); **S** ærgre; *get the ~* komme i dårligt humør; *give sby. the ~* sætte en i dårligt humør, ærgre en; *over the ~* (fig.) over det værste; *~ up one's back* gøre sig skrutrygget; (om kat) skyde ryg.
humpback ['hʌmpbäk] (subst.) pukkel, pukkelrygget person; (zo.) knølhval. **humpbacked** (adj.) pukkelrygget.
humph [mm, hʌmf] hm! sige hm, brumme.
Humphrey ['hʌmfri].
humpty-dumpty ['hʌm(p)ti'dʌm(p)ti] lille og kluntet; *Humpty-dumpty sat on a wall* lille Trille lå på hylde (fra børnerim, hvori Humpty-dumpty er et æg).

I. **humpy** ['hʌmpi] (adj.) pukkelrygget, puklet; bulet.
II. **humpy** ['hʌmpi] (subst.) australsk hytte.
humus ['hju·məs] muldjord, humus.
Hun [hʌn] hunner (ogs. brugt hånligt om tysker).
I. **hunch** [hʌnʃ] (subst.) pukkel; klump; humpel; luns; anelse, fornemmelse; *I have a ~ that* jeg har en anelse om at, jeg har på fornemmelsen at.
II. **hunch** [hʌnʃ] (vb.) trække op; *~ up one's back* (el. *shoulders)* trække skuldrene op, gøre sig skrutrygget.
hunch|back pukkel; pukkelrygget person. **-backed** ['hʌnʃbäkt] pukkelrygget.
hunched [hʌntʃt] ludende.
hundred ['hʌndrəd] hundrede; (i klokkeslæt) nul nul (fx. *at fifteen ~ hours* kl. 15.00); *by -s, by the ~* i hundredevis; *have a ~ and one thing to do* have hundred og sytten ting at gøre.
hundredfold (adv.) hundredfold.
hundredth ['hʌndrədþ] hundrede (ordenstal); hundrededel.
hundredweight ['hʌndrədweⁱt] centner (i England: 112 lbs. (50,802 kg); i Amerika: 100 lbs. (45,359 kg)).
hung [hʌŋ] imperf. og perf. part. af: *hang; ~ up* forsinket.
Hungarian [hʌŋ'gæəriən] ungarsk; ungarer.
Hungary ['hʌŋgəri] Ungarn.
hunger ['hʌŋgə] (subst.) sult (fx. *die of ~); (fig.)* hunger, dyb trang *(for* til); tørst *(for* efter, fx. *a ~ for praise);* (vb.) sulte, hungre *(for, after* efter, fx. *~ after the truth);* udsulte. **hunger | cure** sultekur. *~* **-strike** sultestrejke.
hungrily ['hʌŋgrili] (adv.) forsultent, begærligt.
hungry ['hʌŋgri] (adj.) sulten; *be ~ for* være sulten efter, hungre efter; *~ as a hunter* sulten som en ulv.
hunk [hʌŋk] (subst.) stort stykke, humpel.
hunkers ['hʌŋkəz]: *on one's ~* på hug.
hunks [hʌŋks] **T** gnier, ubehagelig fyr.
hunky ['hʌŋki] (amr. **S**) udenlandsk arbejder; (adj.) i fin stand.
hunky-dory ['hʌŋki'då·ri] **T** (amr.) udmærket; den er fin.
hunt [hʌnt] (vb.) jage; jage efter, gå på jagt efter; (subst.) jagt (særlig de former for jagt, hvor man forfølger vildtet til hest og med hunde); storvildtjagt, rævejagt; forfølgelse; eftersøgning, søgen; jagtselskab; jagtrevier; *~ down* jage (og indhente); *~ down a criminal* forfølge og pågribe en forbryder; *~ for* lede efter (fx. *we -ed high and low for the book);* gå på jagt efter; *~ up* (el. *out)* finde, opsnuse (fx. *~ out an old edition); ~ a country* ride på jagt i en egn; *~ a mare* bruge en hoppe til jagt; *he -s the hounds himself* han fører selv hundekoblet på jagten.
hunter ['hʌntə] jæger; jagthest; dobbeltkapslet ur.
hunting ['hʌntiŋ] jagt (især rævejagt til hest), støverjagt, parforcejagt; (adj.) jagt-.
hunting|-box jagthytte. *~* **-crop** jagtpisk. *~* **-ground** jagtdistrikt; *the happy ~ -grounds* de lykkelige jagtmarker (indianernes himmerige). *~* **-watch** dobbeltkapslet ur.
Hunts [hʌnts] Huntingdonshire.
huntsman ['hʌntsmən] jæger, pikør, jagtfører (ved parforcejagt). **huntsmanship** jægerkunst; pikørstilling.
hunt-the-slipper (en leg; omtr. =) lad tøffelen gå.
hurdle ['hə·dl] risfletning; risgærde; ståltrådsgærde; hurdle, hæk (forhindring ved væddeløb); (fig.) forhindring, hurdle; (glds.) rakkersluffe.
hurdler ['hə·dlə] deltager i hækkeløb.
hurdle-race forhindringsløb, hækkeløb.
hurdy-gurdy ['hə·digə·di] lirekasse, lire.
hurl [hə·l] (vb.) kaste, slynge, kyle.
hurly-burly ['hə·libə·li] larm, tummel, virvar.
hurrah [hu'ra·], **hurray** [hu'reⁱ] hurra; råbe hurra.
hurricane ['hʌrikən] orkan (vindstyrke 12).

hurricane|-deck stormdæk. ~ **-lamp,** ~ **-lantern** stormlygte, flagermuslygte.

hurried ['hʌrid] (adj.) skyndsom, hastig; hastværks-.

hurry ['hʌri] (subst.) hast, hastværk; (vb.) ile, haste; skynde på; føre hurtigt af sted; forcere, fremskynde; skynde sig; *in a* ~ hastigt; i en fart; *be in a* ~ have hastværk, have travlt; *he won't do that again in a* ~ det varer noget, før han gør det igen; *you won't find a better one in a* ~ det bliver svært at finde en bedre; *in the* ~ i skyndingen; i farten; *there is no* ~ det haster ikke; ~ *away* (el. *off*) skynde sig (el. ile) af sted; føre (el. sende, transportere) hurtigt bort (el. af sted); *he hurried on his clothes* han skyndte sig (el. for) i tøjet; ~ *up* skynde sig; sætte fart i.

hurry-scurry ['hʌri'skʌri] forvirring, virvar; hovedkulds, i forvirring.

hurst [hə·st] skov, skovbevokset høj.

hurt [hə·t] *(hurt, hurt)* (vb.) gøre fortræd, skade, såre, gøre ondt; (subst.) fortræd, skade, sår, stød; *be* ~ komme noget til; komme til skade; (fig.) være krænket; ~ *oneself* slå sig; *I feel* ~ jeg føler mig krænket; ~ *sby.'s feelings* såre ens følelser; *my tooth still -s a little* det gør stadig lidt ondt i min tand; *that won't* ~ (ogs.) det er ingen skade til.

hurtful ['hə·tf(u)l] (adj.) skadelig.

hurtle ['hə·tl] (vb.) hvirvle, suse; svirre, fare; kaste, slynge.

hurtless ['hə·tlės] uskadelig; uskadt.

husband ['hʌzbənd] (subst.) ægtefælle, ægtemand, mand; (vb.) holde godt hus med; spare på; *ship's* ~ skibsinspektør.

husbandage ['hʌzbəndidʒ] provision til skibsinspektør.

husbandman ['hʌzbəndmən] (glds.) landmand.

husbandry ['hʌzbəndri] landbrug; økonomi, sparsommelighed; (glds.) husførelse.

hush [hʌʃ] hys! stille! (adj.) stille, rolig; (subst.) stilhed; (vb.) gøre stille; bringe til tavshed; berolige; være (el. blive) stille, tie; ~ *the baby to sleep* dysse barnet i søvn; ~ *up* holde hemmelig, dysse ned.

hushaby ['hʌʃəbai] visselulle.

hush-hush ['hʌʃ'hʌʃ] tys-tys; (adj.) hemmelig, som man ikke må tale om; (subst.) hemmelighedskræmmeri; ~ *system* fortielsessystem.

hush-money ['hʌʃmʌni] penge der betales for at få noget dysset ned.

husk [hʌsk] (subst.) skal, avne, has, kapsel; (amr. især) majskolbehylster; (vb.) skrælle, pille.

I. **husky** ['hʌski] (adj.) forsynet med skal etc. (se *husk);* hæs, rusten, sløret, grødet (om stemmen); **T** kraftig, svær; *a fine* ~ *fellow* et rigtigt mandfolk, en kraftkarl.

II. **husky** ['hʌski] (subst.) eskimo; eskimosprog; eskimohund, grønlandsk hund; kraftkarl, kleppert.

hussar [hu'za·] husar.

Hussite ['hʌsait] hussit.

hussy ['hʌsi] tøs, tøjte.

hustings ['hʌstiŋz] talertribune; valgkampagne; valghandling.

hustle ['hʌsl] (vb.) støde, trænge, skubbe; skynde sig, anstrenge sig; jage (med); (subst.) skub(ben), trængsel; *I won't be -d* jeg lader mig ikke jage med.

hustler ['hʌslə] (hurtig og energisk person), gåpåfyr.

hut [hʌt] (subst.) skur, hytte; barak; badehus; (vb.) anbringe (el. bo) i skur (, hytte, barak).

hutch [hʌtʃ] kasse, bur (fx. til kaniner); trug; hytte, lille hus.

hutment ['hʌtmənt] anbringelse i barakker; baraklejr, barak.

huzza [hʌ'za·, hu'za·] hurra! råbe hurra; hilse med hurra.

h.v. fk. f. *high voltage.*

hyacinth ['haiəsinþ] ♧ hyacint.

hyacinthine [haiə'sinþain] hyacintagtig.

hyaena [hai'i·nə] hyæne.

hyaline ['haiəl(a)in] (adj.) glasklar, krystalklar, gennemsigtig; (subst.) klar himmel; spejlblankt hav.

hyalite ['haiəlait] hyalit, glasopal.

hyalography [haiə'lågrəfi] glasætsning.

hyaloid ['haiəloid] gennemsigtig, glasagtig.

hybrid ['haibrid] bastard; hybrid; (adj.) bastardagtig; ~ *race* blandet race. **hybridization** [haibridai'zeiʃən] hybridisering.

Hyde Park ['haid 'pa·k].

hydra ['haidrə] hydra (i mytologi).

hydrangea [hai'dreindʒə] ♧ hortensia.

hydrant ['haidrənt] brandhane.

hydrate ['haidreit] hydrat.

hydraulic [hai'drå·lik] hydraulisk. **hydraulically** [hai'drå·likəli] (adv.) (ad) hydraulisk (vej). **hydraulics** [hai'drå·liks] hydraulik.

hydric ['haidrik] brint-.

hydride ['haidraid] -hydrid (fx. *calcium* ~ calciumhydrid); -brinte (kun i forbindelsen *boron* ~ borbrinte).

I. **hydro** ['haidrou] (fk. f. *hydropathic establishment)* badesanatorium, fysisk kuranstalt.

II. **hydro-** ['haidrou] -brinte (i kemiske forbindelser, fx. *hydrocarbon* kulbrinte).

hydro|cele ['haidrousi·l] (subst., med.) vandbrok. **-cephalus** [haidro'sefələs] (subst., med.) vand i hovedet.

hydrochloric ['haidro'klårik]: ~ *acid* (kem.) saltsyre.

hydrodynamic [haidrodai'nămik] (adj.) hydrodynamisk. **hydrodynamics** (subst.) hydrodynamik.

hydroelectric ['haidroui'lektrik]: ~ *power* hydroelektrisk kraft, elektricitet frembragt ved vandkraft.

hydrofoil ['haidrofoil] hydrofoil; ~ *boat* hydrofoilbåd, bæreplanbåd.

hydrogen ['haidridʒən] brint; -brinte (fx. ~ *sulphide* svovlbrinte).

hydrogenation [haidroudʒə'neiʃən] brintning.

hydrogen bomb brintbombe.

hydrogenize [hai'drådʒinaiz] (vb.) brinte.

hydrogen peroxide brintoverilte.

hydroglider ['haidroglaidə] glidebåd (se ogs. *hydroplane).*

hydro|grapher [hai'drågrəfə] hydrograf. **-graphical** [haidro'grăfikl] hydrografisk. **-graphy** [hai'drågrəfi] hydrografi.

hydrometer [hai'drămitə] flydevægt.

hydro|pathic [haidro'păþik] vandkur; vandkuranstalt. **-pathist** [hai'dråpəþist] læge som helbreder ved bade. **-pathy** [hai'dråpəþi] vandkur.

hydrophile ['haidrofail]: ~ *cotton* affedtet sygevat, vandsugende vat.

hydrophobia [haidro'foubjə] vandskræk; rabies, hundegalskab.

hydrophone ['haidrofoun] hydrofon (apparat til at opfange lyd i vand).

hydropic [hai'dråpik] (adj.) vattersottig.

hydroplane ['haidrəplein] hydroplan, hydroaeroplan, flyvebåd, vandflyvemaskine; dybderor på ubåd; bæreplanbåd.

hydroponics [haidrə'påniks] hydroponik, dyrkning af planter i næringsvæske uden jord.

hydropsy ['haidråpsi] vattersot.

hydrostatic [haidro'stătik] (adj.) hydrostatisk. **hydrostatics** hydrostatik, læren om væskers ligevægt.

hydrous ['haidrəs] (adj.) vandholdig.

hyena [hai'i·nə] (zo.) hyæne.

hyetograph ['haiətogra·f] regnkort.

hygiene ['haidʒi·n] hygiejne. **hygienic** [hai'dʒi·nik] hygiejnisk. **hygienics** hygiejne. **hygienist** ['haidʒinist] hygiejniker.

hygrometer [hai'grămitə] hygrometer, fugtighedsmåler.

hygroscope ['haigrəskoup] hygroskop, fugtighedsviser. **hygroscopic** [haigrə'skåpik] hygroskopisk.

hymen ['haimən] mødomshinde; hymen, ægteskab. **hymeneal** [haimi'ni·əl], **hymenean** [haimi'ni·ən] bryllups-.

hymn [him] (subst.) hymne; salme; (vb.) lovprise.

hymnal ['himnəl] (adj.) hymneagtig, hymne-; salmeagtig, salme-; (subst.) salmebog.

hymnbook salmebog. **hymnic** ['himnik] hymneagtig; salmeagtig. **hymnody** ['himnodi] salmesang; salmesamling; salmedigtning; salmeforskning.

hymnologist [him'nålədʒist] hymnedigter; salmedigter. **hymnology** [him'nålədʒi] hymnedigtning; salmedigtning; salmeforskning.

hyperaemia [haipə'ri·mjə] blodoverfyldning.

hyperbola [hai'pə·bələ] (mat.) hyperbel.

hyperbole [hai'pə·boli] overdrivelse, hyperbol.

hyperborean [haipə(·)bå·'ri(·)ən, haipə'bå·riən] (adj.) nordlig; bidende kold; (subst.) nordbo.

hypercritical ['haipə'kritikəl] overdrevent kritisk. **hypercriticism** ['haipə'kritisizm] overdreven kritik.

hypermetropia [haipəme'troᵘpiə] (subst.) overlangsynethed. **hypermetropic** [haipəme'tråpik] (adj.) overlangsynet.

hypertrophy [hai'pə·trofi] (subst.) hypertrofi, et organs overudvikling.

hyphen ['haifən] (subst.) bindestreg; (vb.) sætte bindestreg imellem. **hyphenate** ['haifəneⁱt] (vb.) sætte bindestreg imellem; (subst.) = *-d American* irskamerikaner, dansk-amerikaner etc.

hypnosis [hip'noᵘsis] (subst.) hypnose. **hypnotic** [hip'nåtik] (adj.) hypnotisk; søvndyssende; (subst.) sovemiddel. **hypnotism** ['hipnotizm] hypnotisme.

hypnotize ['hipnətaiz] hypnotisere.

hypo ['haipoᵘ] fiksersalt.

hypochondria [haipo'kåndriə] hypokondri, tungsind. **hypochondriac** [haipo'kåndriäk] hypokonder; hypokondrist.

hypocrisy [hi'påkrisi] hykleri; skinhellighed.

hypocrite ['hipokrit] hykler. **hypocritic(al)** [hipo'kritik(l)] hyklerisk; skinhellig.

hypodermic [haipo'də·mik] (adj.) som ligger under huden; (subst.) indsprøjtning under huden; ~ *needle* (med.) kanyle; ~ *syringe* lægesprøjte.

hypogynous [hai'pådʒinəs] (adj.) ♧ undersædig.

hypotenuse [hai'påtinju·z] (subst.) hypotenuse.

hypothec ['haipəþek, hai'påþek] hypotek, pant.

hypothecate [hai'påþikeⁱt] pantsætte.

hypothesis [hai'påþisis] (pl. *hypotheses* [-i·z]) hypotese, foreløbig teori, (videnskabelig) antagelse.

hypothetical [haipo'þetik(l)] hypotetisk, antaget.

hypsometer [hip'såmitə] (forst.) højdemåler.

hyrax ['hairäks] (zo.) klippegrævling.

hyson ['haisən] grøn te.

hyssop ['hisəp] ♧ isop.

hysteria [hi'stiəriə] hysteri. **hysteric(al)** [hi'sterik(l)] hysterisk. **hysterics** [hi'steriks] anfald af hysteri; *go into* ~ blive hysterisk, få et hysterisk anfald.

hysteron proteron ['histərån'pråtərån] udtryk hvor det sættes først, som normalt kommer sidst (fx. *I die, I faint, I fail);* (i logik) cirkelslutning.

hysterotomy [histə'råtəmi] kejsersnit.

I

I [ai].

I. fk. f. *Idaho; imperator, imperatrix; intransitive; Island; Isle.*

I [ai] jeg.

i' [i] fk. f. *in.*

Ia. fk. f. *Iowa.*

Iago [i'a·goᵘ].

iamb ['aiämb] jambe. **iambic** [ai'ämbik] jambisk.

iambus [ai'ämbəs] jambe.

iberian [ai'biəriən] (adj.) iberisk; (subst.) iberer.

ibex ['aibeks] (zo.) stenbuk.

ibid., ibidem [i'baidəm] sammesteds.

ibis ['aibis] (zo.) ibis.

I. C. A. O. fk. f. *International Civil Aviation Organization.*

Icarian [ai'kæəriən] ikarisk; højtflyvende. **Icarus** ['aikərəs] Ikaros.

ICBM fk. f. *intercontinental ballistic missile* interkontinental raket.

ice [ais] (subst.) is; iskage, dessertis; **S** diamanter; (vb.) dække med is, overtrække med is; fryse; lægge på is, iasafkøle; glasere (med sukker); *cut no* ~ være uden virkning, ikke gøre noget indtryk *(with* på); *that won't cut any* ~ det får du ikke noget ud af, det kommer du ingen vegne med; *dry* ~ tøris; *on* ~ (fig.) i beredskab; *skate on thin* ~ (fig.) komme på glatis, vove sig lovlig langt ud; ~ *up* overises.

ice|-age istid. ~ **-axe** isøkse. ~ **-bag** ispose. **-berg** ['aisbə·g] isbjerg. **-blink** isblink. **-bound** utilgængelig på grund af is, tilfrosset (fx. *harbour);* indefrosset (fx. *ship).* ~ **-box** isskab; (amr. ogs.) køleskab. ~ **-breaker** isbryder. ~ **-cap** permanent isdække; indlandsis; is på en bjergtop. ~ **-cream** (fløde)is.

ice|-field ismark. ~ **floe** (stor) isflage, isskosse. ~ **-foot** isfod, isbælte langs kysten i polaregnene.

Iceland ['aislənd] Island; islandsk. **Icelander** ['aisləndə] islænding.

Iceland gull (zo.) hvidvinget måge.

Icelandic [ais'ländik] islandsk.

Iceland poppy ♧ grønlandsk valmue.

ice| lolly sodavandsis. ~ **-pack** pakis; isomslag. ~ **-pantomime** is-show. ~ **-pick** isspyd. ~ **-show** is-show. ~ **-tray** bakke til frysning af isterninger. ~ **-tub** isbæger.

ichneumon [ik'nju·mən] (zo.) faraorotte. **ichneumon(-fly)** (zo.) snyltehveps.

ichnography [ik'någrəfi] iknografi, grundplantegning.

ichor ['aikå·] gudernes blod; blodvæske.

ichthyography [ikþi'ågrəfi] iktyografi, beskrivelse af (el. afhandling om) fisk. **ichthyologist** [ikþi'ålədʒist] iktyolog, fiskekyndig. **ichthyology** [ikþi'ålədʒi] iktyologi, læren om fiskene. **ichthyosaurus** [ikþiə'så·rəs] iktyosaurus.

I. C. I. fk. f. *Imperial Chemical Industries.*

icicle ['aisikl] istap.

icily ['aisili] iskoldt.

iciness ['aisinės] iskulde.

icing ['aisiŋ] (sukker)glasur.

icing|-sugar flormelis. ~ **-up** overisning.

I. C. J. fk. f. *International Court of Justice.*

icon [aikån] ikon, billede. **iconoclasm** [ai'kånoklāzm] billedstorm. **iconoclast** [ai'kånokläst] billedstormer. **iconoclastic** [aikåno'klästik] billedstormende, revolutionær. **iconolatry** [aikə'nålətri] billedtilbedelse. **iconoscope** [ai'kånəskoᵘp] (fjernsyn) ikonoskop.

icteric [ik'terik] (adj.) gulsottig.

icterine ['ikterain]: ~ *warbler* (zo.) gulbug.

icterus ['iktərəs] gulsot.

ictus ['iktəs] rytmisk accent.

icy ['aisi] iset; iskold, isnende.

id [id] (psyk.) id (individets primitive impulser).

I. D. fk. f. *Intelligence Department.*

I'd [aid] sammentrukket af *I had* el. *I would.*

Idaho ['aidəhoᵘ].

ide [aid] (zo.) emde.

idea [ai'diə] idé, begreb, forestilling; tanke; *an ~ strikes me* jeg får en idé; *I have an ~ he is not coming* jeg har på fornemmelsen, at han ikke kommer; *the ~ (of such a thing)! what an ~!* det var da en vanvittig tanke! *put -s in sby.'s head* sætte en fluer i hovedet; *that's the ~* sådan skal det være; der har vi det! *what's the (big) ~?* S hvad er meningen?

ideal [ai'diəl] (subst.) ideal, forbillede; (adj.) ideal, tanke-, tænkt; mønstergyldig, fuldendt, ideel. **idealism** [ai'diəlizm] idealisme. **idealist** [ai'diəlist] idealist. **idealistic** [aidiə'listik] idealistisk; *~ motives* ideelle motiver. **ideality** [aidi'äliti] idealitet. **idealize** [ai'diəlaiz] (vb.) idealisere; danne sig idealer.

ideate [ai'di·e'it] forestille sig.

idée fixe ['i·de'i'fi·ks] fiks idé, monomani.

identic [ai'dentik] identisk, enslydende. **identical** [ai'dentikl] identisk, ens, selv samme; *~ twins* enæggede tvillinger.

identification [aidentifi'ke'iʃən] identificering.

identify [ai'dentifai] identificere; klassificere, bestemme videnskabeligt; *it can easily be identified by* den er let kendelig på; *~ oneself with a movement* slutte sig til en bevægelse.

identity [ai'dentiti] identitet; *prove one's ~* legitimere sig. **identity card** legitimationskort.

ideography [idi'ågrəfi] ideografi, begrebsskrift.

ideological [aidiə'lådʒikəl] ideologisk. **ideology** [aidi'ålədʒi] ideologi.

Ides [aidz] idus (i romersk kalender).

id est [id est] det vil sige.

idiocy ['idjosi] idioti.

idiom ['idjəm] idiom, sprogejendommelighed; sprog; formsprog, udtryksform (i kunst). **idiomatic** [idjə'mätik] idiomatisk.

idiosyncrasy [idjo'siŋkrəsi] idiosynkrasi.

idiot ['idjət] idiot; fæ. **idiotic** [idi'åtik] idiotisk.

idle ['aidl] (adj.) ledig (fx. *an ~ moment);* ubeskæftiget; ørkesløs; doven; tom, unyttig; intetsigende; ubetydelig; forgæves; *be ~* (om virksomhed) ligge stille (fx. *the gasworks has been ~ for three weeks); ~ rumour* grundløst rygte; *run ~* gå tomgang; *stand ~* ligge stille; (vb.) drive (fx. *he -s away his time);* (om maskine) gå tomgang.

idleness ['aidlnės] dovenskab, driveri, lediggang; stilstand.

idler ['aidlə] lediggænger; drivert; tom jernbanevogn; mellemhjul.

idling ['aidliŋ] tomgang (etc., se *idle).*

idol ['aidl] (subst.) afgudsbillede; afgud. **idolater** [ai'dålətə] afgudsdyrker; tilbeder. **idolatrous** [ai'dålətrəs] (adj.) afguds-, afguderisk. **idolatry** [ai'dålətri] afgudsdyrkelse; forgudelse, tilbedelse. **idolization** [aidolai'ze'iʃən] forgudelse. **idolize** ['aidolaiz] forgude (fx. *the actor was -d by women).* **idolizer** ['aidolaizə] tilbeder.

idyl(l) ['aidil; 'idil] idyl; hyrdedigt. **idyllic** [ai'dilik] idyllisk.

i.e. ['ai'i·; 'ðät'iz] fk. f. *id est* det vil sige.

if [if] hvis, dersom; om; om også, selv om, om end (fx. *the weather was fine, if cloudy);* om så; når; *the surplus if any* det eventuelle overskud; *if anything* nærmest; snarere; *as if* som om; *it isn't as if I'm hungry* det er ikke fordi jeg er sulten; *he is thirty years if he is a day* han er mindst 30 år gammel; *even if* selv om; *if I feel any doubt, I inquire* når jeg er i tvivl spørger jeg; *if for no other reason* om ikke for andet; *if not* ellers, i modsat fald, i benægtende fald; *if it isn't John!* der har vi minsandten John! *if it was not that I knew you* hvis det ikke var fordi jeg kendte dig; *if I only knew* bare jeg vidste; *if so* i så fald; *if I were you* hvis jeg var Dem.

I.F.S. fk. f. *Irish Free State.*

I.F.T.U. fk. f. *International Federation of Trade Unions.*

igloo ['iglu·] snehytte (hos eskimoerne).

igneous ['igniəs] ild-, af ild; vulkansk; *~ rock* eruptivbjergart.

ignis ['ignis] ild; *~ fatuus* ['fätjuəs] (pl. *ignes fatui* ['igni·z 'fätjuai]) lygtemand.

ignitable [ig'naitəbl] antændelig.

ignite [ig'nait] tænde, sætte i brand; fænge, komme i brand. **igniter** [ig'naitə] tændsats, tændingsanordning.

ignition [ig'niʃən] tænding; antændelse; *retarded ~* lav (el. sen) tænding.

ignoble [ig'noᵘbl] lav, gemen, uværdig; (glds.) af lav byrd.

ignominious [igno'minjəs] forsmædelig, skændig, vanærende.

ignominy ['ignomini] forsmædelighed, skændsel, vanære.

ignoramus [igno're'iməs] ignorant.

ignorance ['ignərəns] uvidenhed.

ignorant ['ignərənt] uvidende; *be ~ of* være uvidende om.

ignore [ig'nå·] ikke tage hensyn til, ignorere; ikke tænke på, overse, overhøre.

iguana ['igwa·nə] (zo.) leguan.

I.H.P. fk. f. *indicated horse-power* indiceret hestekraft.

I.H.S. fk. f. *Jesus Hominum Salvator* Jesus menneskenes frelser.

ike [aik] S = *iconoscope.*

ileum ['iliəm] krumtarm.

ilex ['aileks] ♧ steneg; kristtorn.

Iliad ['iliäd] Iliade.

ilk [ilk] (på skotsk) samme; enhver; *of that ~* fra godset af samme navn (fx. *Guthrie of that ~* Guthrie fra godset G.); af samme slags.

I'll [ail] fk. f. *I shall* el. *I will.*

ill [il] (adj.) syg; dårlig; ond, slet; (adv.) dårligt, slet, ilde, ondt; (subst.) onde; ulykke, lidelse; *we can ~ afford it* vi har dårlig råd til det; *~ at ease* ilde til mode; *be ~* være syg; *be ~ in bed* ligge syg; *be taken ~, fall ~* blive syg; *it ~ becomes you* det sømmer sig ikke for dig, det tilkommer ikke dig; *with an ~ grace* ugerne, synligt modstræbende; *return ~ for good* gengælde godt med ondt; *speak ~ of* tale ondt om; *take sth. ~* tage noget ilde op; *~ weeds grow apace* ukrudt forgår ikke så let; *it's an ~ wind that blows nobody any good* intet er så galt, at det ikke er godt for noget; *it will go ~ with him* det vil gå ham galt.

Ill. fk. f. *Illinois.*

ill|-advised ['iləd'vaizd] dårlig betænkt; ubetænksom; *you would be ~ -advised to do so* det ville være uklogt af Dem at gøre det. **~ -affected** uvenlig stemt. **~ -behaved** uartig, uopdragen. **~ blood** ondt blod, had, fjendskab. **~ -boding** ildevarslende. **~ -bred** uopdragen, udannet, ukultiveret. **~ -breeding** uopdragenhed. **~ -conditioned** ubehagelig (om mennesker), ond(skabsfuld), tvær, nederdrægtig. **~ -considered** uovervejet. **~ -disposed** ondskabsfuld; uvenlig stemt.

illegal [i'li·gəl] ulovlig, illegal. **illegality** [ili'gäliti] ulovlighed, illegalitet.

illegibility [iledʒi'biliti] ulæselighed. **illegible** [i'ledʒibl] ulæselig.

illegitimacy [ili'dʒitiməsi] (subst.) uretmæssighed, ugyldighed; fødsel uden for ægteskab.

I. **illegitimate** [ili'dʒitimėt] (adj.) illegitim, uretmæssig; født uden for ægteskab; urigtig, uberettiget, ulogisk.

II. **illegitimate** [ili'dʒitime'it] (vb.) erklære for illegitim.

ill|-fated ['il'fe'itid] ulykkelig, skæbnesvanger, ulyksalig. **~ -favoured** (adj.) grim, styg, hæslig. **~ -feeling** fjendskab, bitterhed. **~ -gotten** erhvervet på uretmæssig vis (fx. *gains).* **~ -health** svagelighed. **~ humour** ondt lune. **~ -humoured** ubehagelig, irritabel.

illiberal [i'libərəl] (adj.) smålig, snæverhjertet, snæversynet; gerrig, karrig. **illiberality** [ilibə'räliti] smålighed; snæverhjertethed; snæversynethed; gerrighed, karrighed.

illicit [i'lisit] utilladelig; ulovlig; ~ *union* fri (erotisk) forbindelse.

illimitable [i'limitəbl] ubegrænset, uindskrænket; grænseløs.

Illinois [ili'noi].

illiteracy [i'litərəsi] analfabetisme, uvidenhed, udannethed. **illiterate** [i'litərėt] (adj.) analfabetisk, som ikke kan læse og skrive; uvidende; udannet; (subst.) analfabet.

ill|-judged ubetænksom, ufornuftig, uklog, uoverlagt; malplaceret. **~ -luck** ulykke, uheld; *as ~ -luck would have it* uheldigvis. **~ -mannered** uopdragen. **~ -natured** gnaven; ondskabsfuld.

illness ['ilnės] sygdom.

illogical [i'lådʒikəl] ulogisk.

ill|-omened ['il'o^{u}mənd] foretaget under ulykkelige varsler; uheldig, ulykkelig; ulyksalig, skæbnesvanger. **~ -starred** ulykkelig, uheldig, af ulykken forfulgt, foretaget under en uheldig stjerne; ulyksalig, skæbnesvanger. **~ temper** ondt lune. **~ -tempered** gnaven, irritabel, opfarende. **~ -timed** ubetimelig; som kommer ubelejligt; ilde anbragt, malplaceret. **~ -treat** behandle dårligt, mishandle. **~ -treatment** mishandling.

illume [i'l(j)u·m] oplyse, kaste lys over.

illuminant [i'l(j)u·minənt] som oplyser, giver lys; (subst.) belysningsmiddel.

illuminate [i'l(j)u·mine^{i}t] oplyse, belyse, kaste lys over; illuminere; forklare; illustrere. **illumination** [il(j)u·mi'ne^{i}ʃən] oplysning, belysning; illumination; lys, glans; illustration, illustrering. **illuminative** [i'l(j)u·minətiv] oplysende, belysende. **illumine** [i'l(j)u·min] (vb.) oplyse, opklare, kaste lys over.

ill-usage ['il'ju·zidʒ] mishandling.

ill-use ['il'ju·z] (vb.) mishandle.

illusion [i'l(j)u·ʒən] illusion; blændværk; selvbedrag; fantasifoster; sansebedrag; *optical ~* optisk bedrag, synsbedrag. **illusionist** [i'l(j)u·ʒənist] tryllekunstner, illusionist. **illusive** [i'l(j)u·siv] illuderende, skuffende. **illusory** [i'l(j)u·səri] illusorisk, skuffende.

illustrate ['iləstre^{i}t] illustrere; belyse. **illustration** [ilə'stre^{i}ʃən] illustration; eksempel; belysning. **illustrative** ['iləstre^{i}tiv, i'lʌstrətiv] (adj.) oplysende, forklarende; illustrerende; *be ~ of* illustrere, belyse.

illustrious [i'lʌstriəs] strålende, udmærket, berømt, hæderkronet.

ill-will ['il'wil] uvilje; nag; fjendskab.

Illyria [i'liriə] Illyrien. **Illyrian** [i'liriən] illyrisk; illyrier.

I. L. O. fk. f. *International Labour Organization.*

I. L. P. fk. f. *Independent Labour Party.*

I. L. S. fk. f. *Instrument Landing System* (system til landing i tåge).

I'm [aim] fk. f. *I am.*

image ['imidʒ] (subst.) billede; spejlbillede; forestilling; statue; helgenbillede; (vb.) afbilde; give en levende beskrivelse af; genspejle; forestille sig; *he is the ~ of his father* han er sin fader op ad dage, han er sin faders udtrykte billede; *he is the ~ of laziness* han er den personificerede dovenskab.

imagery ['imidʒri] (udskårne) billeder; statuer; billedrigdom; billedstil, billedsprog.

imaginable [i'mädʒinəbl] (op)tænkelig.

imaginary [i'mädʒinəri] indbildt; fingeret; imaginær (ogs. i matematik). **imagination** [imädʒi'ne^{i}ʃən] indbildningskraft, fantasi; indbildning, forestilling. **imaginative** [i'mädʒinətiv] fantasi-, indbildt; fantasirig; opfindsom. **imagine** [i'mädʒin] (vb.) forestille sig, tænke sig, tænke, tro, bilde sig ind; *I can't ~ why he did it* jeg begriber ikke, hvorfor han gjorde det; *just ~!* tænk engang!

imago [i'meigo^{u}] (zo.) imago, fuldt udviklet insekt.

imam, imaum [i'ma·m] imam, muhamedansk præst, muhamedansk fyrste.

imbecile ['imbisail] (adj.) imbecil, åndssvag; åndssløv; (subst.) imbecilt individ. **imbecility** [imbi'siliti] imbecilitet; åndssvaghed; åndssløvhed.

imbed [im'bed] gemme.

imbibe [im'baib] drikke, indsuge, opsuge.

imbricate ['imbrikėt] (adj.) taglagt (som teglsten, delvis over hinanden); ['imbrike^{i}t] (vb.) anbringe taglagt.

imbroglio [im'bro^{u}ljo^{u}] indviklet forhold (el. situation); knude (i drama etc.); forvikling, roderi, virvar.

imbrue [im'bru·] (vb.) væde, dyppe; farve.

imbrute [im'bru·t] gøre el. blive dyrisk.

imbue [im'bju·] imprægnere, mætte; farve; gennemtrænge, gennemsyre; bibringe, indgive; besjæle; *~ with* bibringe, indgive; *-ed with hatred* gennemsyret af had.

imitable ['imitəbl] som kan efterlignes. **imitate** ['imite^{i}t] efterligne. **imitation** [imi'te^{i}ʃən] (subst.) efterligning; imitation; (adj.) imiteret, uægte (fx. *~ pearls); an example for ~* et eksempel til efterfølgelse; *in ~ of sby.* efter ens eksempel; *~ leather* kunstlæder.

imitative ['imite^{i}tiv] efterlignende; efterlignet; *~ arts* bildende kunster. **imitator** ['imite^{i}tə] efterligner.

immaculate [i'mäkjulėt] (adj.) uplettet, pletfri; ulastelig (fx. *dress); ubesmittet; the Immaculate Conception* den ubesmittede undfangelse.

immanent ['imənənt] iboende, immanent.

immaterial [imə'tiəriəl] immateriel, ulegemlig; uvæsentlig, ubetydelig (fx. *~ details); it is ~ to me* det er mig ligegyldigt, det er ganske uden betydning (for mig). **immaterialism** [-izm] immaterialisme, læren om at alt eksisterende er af åndelig art. **immaterialist** [-ist] immaterialist. **immateriality** [imətiəri'äliti] ulegemlighed. **immaterialize** [imə'tiəriəlaiz] gøre ulegemlig.

immature [imə'tjuə] umoden. **immaturity** [imə'tjuəriti] umodenhed.

immeasurable [i'meʒ(ə)rəbl] som ikke kan måles, umålelig; umådelig.

immediacy [i'mi·djəsi] umiddelbarhed; umiddelbar nærhed.

immediate [i'mi·diət] (adj.) omgående, øjeblikkelig (fx. *an ~ reply);* nærmest (fx. *heir; superior* overordnet; *future; neighbourhood);* direkte (fx. *cause, connection);* umiddelbar (fx. *contact);* førstehånds (fx. *information);* presserende, uopsættelig; (på brev) haster; *~ danger* overhængende fare.

immediately [i'mi·djətli] straks, øjeblikkelig; direkte, umiddelbart.

immemorial [imi'må·riəl] umindelig; ældgammel; *from time ~* i umindelige tider, fra arilds tid; *~ usage* ældgammel skik og brug.

immense [i'mens] umådelig (stor), enorm, uendelig; vældig; S storartet. **immensity** [i'mensiti] uendelighed, uhyre størrelse, uhyre udstrækning.

immensurable [i'menʃərəbl] som ikke kan måles, umådelig.

immerse [i'mə·s] neddyppe, sænke ned; dukke ned; fordybe; *-d in a book* fordybet i en bog; *-d in debt* forgældet. **immersion** [i'mə·ʃən] nedsænkning, neddypning; dåb ved fuldstændig neddykning; fordybelse; (i astronomi) immersion. **immersion heater** elektrisk vandvarmer; dyppekoger.

immigrant ['imigrənt] indvandrer. **immigrate** ['imigre^{i}t] indvandre. **immigration** [imi'gre^{i}ʃən] indvandring.

imminence ['iminəns] truende nærhed. **imminent** ['iminənt] umiddelbart forestående (fx. *departure* afrejse); overhængende, truende (fx. *danger).*

immiscible [i'misibl] (adj.) som ikke kan blandes.

immitigable [i'mitigəbl] uforsonlig; som ikke kan mildnes.

immobile [i'mo^{u}bail] ubevægelig, urokkelig, rolig. **immobility** [imo'biliti] ubevægelighed. **immobilization** [imo^{u}bilai'ze^{i}ʃən] immobilisering, ubevægelighed. **immobilize** [i'moubilaiz] gøre ubevægelig, berøve bevægeligheden; (med.) immobilisere (fx. *a broken leg);* inddrage (mønt fra omsætningen).

immoderate [i'måd(ə)rėt] umådeholden, overdreven; voldsom.

immodest [i'mådist] ubeskeden; ufin (fx. ~ *remarks);* usømmelig. **immodesty** [i'mådisti] ubeskedenhed; usømmelighed.

immolate ['imoleit] (vb.) ofre. **immolation** [imo'leiʃən] (subst.) ofring; offer; opofrelse.

immoral [i'mårəl] umoralsk. **immorality** [imo'räliti] umoralskhed.

immortal [i'må·tl] udødelig; *the -s* de udødelige (guder). **immortality** [imå·'täliti] udødelighed.

immortalize [i'må·təlaiz] gøre udødelig, forevige.

immortelle [imå·'tel] ♧ evighedsblomst.

immovability [imu·və'biliti] ubevægelighed.

immovable [i'mu·vəbl] ubevægelig; urokkelig (fx. *purpose* forsæt); *-s* immobilier, fast ejendom; urørligt gods.

immune [i'mju·n] immun *(from against, to* over for, fx. ~ *from smallpox);* uimodtagelig. **immunity** [i'mju·niti] frihed (for visse forpligtelser, fx. ~ *from taxation),* immunitet, uimodtagelighed.

immunization [imjunai'zeiʃən] immunisering.

immunize ['imjunaiz] (vb.) immunisere, vaccinere.

immure [i'mjuə] (vb.) mure inde, indeslutte.

immutability [imju·tə'biliti] uforanderlighed.

immutable [i'mju·təbl] uforanderlig.

Imogen ['imodʒen].

imp [imp] djævleunge, lille djævel; gavstrik, unge (om barn).

I. **impact** [im'päkt] (vb.) presse ind; presse sammen.

II. **impact** ['impäkt] (subst.) stød, tryk, sammenstød; anslag (fx. af projektil); (ind)virkning; *point of* ~ anslagspunkt.

impair [im'pæə] (vb.) skade, forringe, svække (fx. ~ *one's health);* aftage, forværres. **impairment** [im'pæəmənt] forringelse, svækkelse.

impale [im'peil] (vb.) spidde.

impalement [im'peilmənt] spidning.

impalpability [impälpə'biliti] uhåndgribelighed, ulegemlighed, ufattelighed. **impalpable** [im'pälpəbl] ikke til at føle; uhåndgribelig; ulegemlig; ufattelig.

impanate [im'peinėt] (adj.) (om Kristi legeme efter brødets forvandling:) i brødet.

impanel [im'pänəl] (vb.) opføre på (nævninge-)liste; udfærdige en liste over (nævninger).

imparadise [im'pärədais] hensætte i en tilstand af himmelsk lyksalighed, henrykke, henrive; gøre til et paradis.

impark [im'pa·k] (vb.) omgærde, indelukke.

impart [im'pa·t] tildele, give; meddele; ~ *knowledge to sby.* bibringe en kundskaber.

impartial [im'pa·ʃəl] (adj.) upartisk, uhildet, uvildig, saglig. **impartiality** ['impa·ʃi'äliti] (subst.) upartiskhed, uhildethed, uvildighed, saglighed.

impartibility ['impa·ti'biliti] udelelighed. **impartible** (adj.) [im'pa·tibl] udelelig.

impassability [impa·sə'biliti] (subst.) ufremkommelighed; ufarbarhed; uoverstigelighed. **impassable** [im'pa·səbl] (adj.) ufremkommelig; ufarbar, uvejsom, uoverstigelig.

impasse [ām'pa·s] blindgyde; dødvande, dødt punkt (fx. i forhandling).

impassibility [impäsi'biliti] ufølsomhed, uimodtagelighed, upåvirkelighed, koldsindighed, uanfægtethed, apati. **impassible** [im'päsibl] ufølsom, upåvirket, apatisk.

impassioned [im'päʃənd] lidenskabelig.

impassive [im'päsiv] se *impassible.*

impassivity [impä'siviti] se *impassibility.*

impatience [im'peiʃəns] utålmodighed; utålsomhed. **impatient** [im'peiʃənt] utålmodig *(at* over, *for* efter); *be* ~ *of* (ogs.) ikke kunne tolerere, ikke ville finde sig i.

impawn [im'på·n] pantsætte.

impayable [im'peiəbl] ubetalelig, kostelig.

impeach [im'pi·tʃ] drage i tvivl; mistænkeliggøre, afsvække; bestride (fx. et vidnes troværdighed); anklage (fx. ~ *a judge for taking a bribe);* anklage for højforræderi. **impeachable** [im'pi·tʃəbl] som kan anklages; dadelværdig. **impeacher** [im'pi·tʃə] anklager. **impeachment** [im'pi·tʃmənt] anklage; anklage for højforræderi.

impeccability [impekə'biliti] (subst.) syndefrihed, ulastelighed, fejlfrihed. **impeccable** [im'pekəbl] (adj.) syndefri, fejlfri; ulastelig (fx. *dress, behaviour).*

impeccancy [im'pekənsi] syndefrihed. **impeccant** [im'pekənt] syndfri.

impecuniosity [impikju·ni'åsiti] (subst.) pengemangel; fattigdom. **impecunious** [impi'kju·njəs] (adj.) ubemidlet, fattig.

impedance [im'pi·dəns] (elekt.) impedans.

impede [im'pi·d] (vb.) hindre, forhindre, besværliggøre; belemre.

impediment [im'pedimənt] hindring, forhindring; ~ *in one's speech* talefejl.

impedimenta [impedi'mentə] tros, bagage.

impel [im'pel] (vb.) drive frem; tilskynde. **impellent** [im'pelənt] (adj.) fremdrivende; (subst.) drivfjer, drivende kraft. **impeller** skovlhjul; (i turbine) løbehjul; (i jetmotor) kompressorhjul.

impend [im'pend] (vb.) stå for døren, true.

impendent [im'pendənt], **impending** [im'pendiŋ] (adj.) forestående, kommende, truende (fx. ~ *danger).*

impenetrability [impenitrə'biliti] uigennemtrængelighed. **impenetrable** [im'penitrəbl] uigennemtrængelig, uforståelig, uudgrundelig; ~ *to reason* utilgængelig for fornuft.

impenitence [im'penitəns] ubodfærdighed. **impenitent** [im'penitənt] (adj.) ubodfærdig, forhærdet.

imperative [im'perətiv] (adj.) bydende, befalende; bydende (el. tvingende) nødvendig; imperativisk; (subst.) imperativ, bydemåde.

imperceptibility ['impəsepti'biliti] (subst.) umærkelighed; umærkbarhed. **imperceptible** [impə'septibl] (adj.) umærkelig; umærkbar; forsvindende lille.

imperfect [im'pə·fėkt] ufuldkommen; ufuldstændig, mangelfuld; defekt; ukomplet, ufuldendt; *the* ~ *(tense)* den udvidede datid (fx. *he was reading).*

imperfection [impə'fekʃən] ufuldkommenhed; mangelfuldhed; ufuldstændighed; svaghed, skrøbelighed.

imperforate(d) [im'pə·forėt, -reitid] uperforeret, uden huller; uden porer; (anat.) tillukket, sammengroet; (om frimærker) utakket.

I. **imperial** [im'piəriəl] (adj.) kejser-, kejserlig; rigs-; (før 1947) vedrørende det britiske rige, britisk; (fig.) majestætisk; fyrstelig (fx. *generosity);* ~ *eagle* (zo.) kejserørn; *Imperial Rome* Rom i kejsertiden.

II. **imperial** [im'piəriəl] (subst.) imperial (et papirformat); fipskæg (som Napoleon III's.).

imperialism [im'piəriəlizm] imperialisme. **imperialist** [im'piəriəlist] (subst.) imperialist; (adj.) imperialistisk.

imperil [im'peril] (vb.) bringe i fare.

imperious [im'piəriəs] (adj.) bydende (fx. *an* ~ *gesture),* myndig; herskesyg; presserende; bydende (el. tvingende) nødvendig.

imperishable [im'periʃəbl] (adj.) uforgængelig.

impermanent [im'pə·mənənt] (adj.) ikke varig, midlertidig.

impermeability [impə·mjə'biliti] (subst.) uigennemtrængelighed. **impermeable** [im'pə·mjəbl] (adj.) uigennemtrængelig *(to* for), tæt; fedttæt; ~ *to air* lufttæt; ~ *to water* vandtæt.

impermissible [impə·'misibl] (adj.) utilladelig; utilstedelig.

impersonal [im'pə·sənl] (adj.) upersonlig; (subst.) upersonligt verbum. **impersonality** [impə·sə'näliti] upersonlighed.

impersonate [im'pə·səneⁱt] personificere; udgive sig for; (på teater etc.) spille, fremstille.

impersonation [impə·sə'neⁱʃən] personifikation; det at udgive sig for en anden; (på teater) (opfattelse og) fremstilling af en rolle; *give -s of well-known actors* parodiere kendte skuespillere.

impersonator [im'pə·səneⁱtə] en som udgiver sig for en anden; (på teater) skaber af en rolle; imitator.

impersonify [impə·'sånifai] personificere.

impertinence [im'pə·tinəns] (subst.) næsvished, uforskammethed, impertinens; noget der er sagen uvedkommende. **impertinent** [im'pə·tinənt] (adj.) næsvis, uforskammet, impertinent; sagen uvedkommende.

imperturbability [impətə·bə'biliti] uforstyrrelig ro, uanfægtethed. **imperturbable** [impə'tə·bəbl] (adj.) rolig, uanfægtet.

impervious [im'pə·vjəs] uigennemtrængelig; uimodtagelig *(to* for); ~ *to air* lufttæt; ~ *to reason* uimodtagelig (el. utilgængelig) for fornuft; ~ *to water* vandtæt.

impetigo [impə'taigoᵘ] (med.) impetigo, børnesår.

impetuosity [impetju'åsiti] heftighed, voldsomhed. **impetuous** [im'petjuəs] heftig, voldsom, fremfusende, opfarende, impulsiv.

impetus ['impətəs] drivkraft, fart; skub; *give an* ~ *to* sætte fart i.

impiety [im'paiəti] ugudelighed; ukærlighed over for forældre; pietetsløshed.

impinge [im'pindʒ] (vb.): ~ *up(on)* ramme, støde imod, komme i kollision med; (fig.) krænke, gøre indgreb i (fx. ~ *on sby.'s authority).*

impious ['impiəs] (adj.) ugudelig; pietetsløs.

impish ['impiʃ] (adj.) troldsk; drilagtig, ondskabsfuld, skadefro, gavtyveagtig.

implacability [impleⁱkə'biliti] uforsonlighed. **implacable** [im'pläkəbl] uforsonlig.

implant [im'pla·nt] (vb.) indplante; indpode; ~ *a hope* indgive et håb.

implantation [impla·n'teⁱʃən] indplantning; indpodning.

implausible [im'plå·zibl] ikke plausibel, usandsynlig.

implement ['implimənt] (subst.) redskab (fx. *farm -s); -s* (ogs.) værktøj; ['impliment] (vb.) udføre, fuldføre, gennemføre, føre ud i livet (fx. ~ *a resolution),* sætte i værk (fx. ~ *a scheme); surgical -s* kirurgiske instrumenter. **implemental** [impli'mentl] anvendt som værktøj; mekanisk.

implementation [implimən'teⁱʃən] gennemførelse, udførelse, fuldførelse.

impletion [im'pli·ʃən] fyldning.

implicate ['implikeⁱt] (vb.) indvikle; indeslutte; indebære; nødvendiggøre, berettige til (en bestemt slutning el. formodning); inddrage, implicere, indblande (fx. *be -d in a crime).* **implication** [impli'keⁱʃən] inddragning; underforståelse; bibetydning; stiltiende slutning; *the -s of his remark* hvad hans bemærkning indebærer, hvad der ligger i hans bemærkning.

implicit [im'plisit] implicit; stiltiende (fx. *an* ~ *agreement),* medindbefattet, underforstået; ubetinget (fx. *belief; obedience).*

implore [im'plå·] anråbe, bønfalde, bede indtrængende (fx. ~ *sby. to do sth.).*

imploringly (adv.) bønligt, bønfaldende.

imply [im'plai] indebære i sig, rumme, betyde; antyde, give at forstå, lade formode; *implied* (ogs.) indirekte; underforstået; tilhyllet; *it is implied in the words* det ligger i ordene.

impolicy [im'pålisi] dårlig politik; uklogskab; uklog handling; uhensigtsmæssighed.

impolite [impə'lait] uhøflig.

impolitic [im'pålitik] (taktisk) uklog; uhensigtsmæssig.

imponderability [impåndərə'biliti] det ikke at kunne vejes. **imponderable** [im'påndərəbl] som ikke kan vejes og måles; uberegnelig. **imponderables** imponderabilier; faktorer hvis betydning ikke kan bestemmes.

I. **import** [im'på·t] (vb.) importere, indføre; betegne, betyde (fx. *what does this news* ~*?); it -s us to know* det er vigtigt for os at vide.

II. **import** ['impå·t] (subst.) importartikel, indførselsvare; import, indførsel; betydning; vigtighed (fx. *it is a matter of great* ~*); I am not sure of the* ~ *of his reply* jeg er ikke sikker på, hvor han egentlig ville hen med sit svar.

importable [im'på·təbl] som kan importeres.

importance [im'på·təns] (subst.) betydning, vigtighed (fx. *it is a matter of great* ~*);* vigtigmageri; *give* ~ *to* lægge vægt på.

important [im'på·tənt] (adj.) vigtig, af vigtighed, magtpåliggende, betydningsfuld, væsentlig; hoven, indbildsk.

importation [impå·'teⁱʃən] import, indførsel; importvare, importeret vare. **importer** [im'på·tə] importør; *the free -s* frihandelsmændene.

importunate [im'på·tjunėt] (adj.) påtrængende, besværlig, pågående. **importune** [im'på·tju·n] (vb.) falde til besvær, plage, bestorme med bønner (fx. *she -d him for money),* tigge; (om prostitueret) opfordre til utugt. **importunity** [impå·'tju·niti] påtrængenhed, pågåenhed, plagsomhed.

impose [im'poᵘz] (vb.) pålægge (fx. *a tax);* påtvinge; ~ *on* (el. *upon) sby.* narre en, føre en bag lyset; udnytte en; ~ *sth. on sby.* påtvinge en noget; prakke en noget på; ~ *a fine on sby.* idømme en en bøde; ~ *oneself* (el. *one's company) on them* trænge sig ind på dem, pånøde dem sit selskab, trænge sig på.

imposing [im'poᵘsiŋ] (adj.) ærefrygtindgydende, imponerende.

imposition [impo'ziʃən] pålægning; udskrivning (af skatter); skat; bedrageri; optrækkeri; straffepensum; ekstraarbejde (pålagt som straf); ~ *of hands* håndspålæggelse.

impossibility [impåsi'biliti] umulighed.

impossible [im'påsibl] umulig; ~ *of attainment* uopnåelig.

impost ['impoᵘst] afgift, skat; (arkit.) kæmfer.

impostor [im'påstə] bedrager. **imposture** [im'påstʃə] bedrageri, bedrag, svindel.

impot fk. f. *imposition* straffepensum.

impotence ['impotəns], **impotency** ['impotənsi] kraftløshed, svaghed; afmagt; impotens. **impotent** ['impotənt] kraftløs, svag; afmægtig; impotent.

impound [im'paund] indelukke, indespærre; beslaglægge, konfiskere; ~ *stray cattle* (glds.) optage herreløst kvæg.

impoverish [im'påvəriʃ] forarme; udpine (fx. *land).* **impoverishment** [-mənt] forarmelse, udpining.

impracticability [impräktikə'biliti] uigennemførlighed, umulighed; umedgørlighed; ufarbarhed. **impracticable** [im'präktikəbl] uigennemførlig, umulig (fx. *an* ~ *plan);* umedgørlig (fx. *an* ~ *person);* ufarbar (fx. *road).*

imprecate ['imprikeⁱt] ønske (el. nedkalde) ondt over; forbande. **imprecation** [impri'keⁱʃən] forbandelse. **imprecatory** ['imprikeⁱtəri] forbandende; forbandelses-.

impregnability [impregnə'biliti] uindtagelighed, uovervindelighed. **impregnable** [im'pregnəbl] uindtagelig (fx. *fortress);* uovervindelig; (fig.) uangribelig; ~ *arguments* uigendrivelige argumenter.

impregnate ['impregneⁱt, im'pregneⁱt] befrugte; imprægnere; mætte; (fig.) gennemtrænge. **impregnation** [impreg'neⁱʃən] befrugtning; imprægnering; mættelse.

impresario [impre'sa·rioᵘ] impresario.

imprescriptible [impri'skriptibl] umistelig, ufortabelig (fx. *right).*

I. **impress** [im'pres] (vb.) påtrykke; (ind)præge, indprente; gøre indtryk på (fx. *he -ed her favourably);* imponere (fx. *I was -ed by his knowledge);* presse (til krigstjeneste); beslaglægge.

II. **impress** ['impres] (subst.) aftryk, mærke, præg; (fig.) præg, stempel (fx. *his work bears the ~ of genius).*

impressibility [impresi'biliti] modtagelighed.

impressible [im'presibl] modtagelig.

impression [im'preʃən] indtryk; mærke, præg; virkning, indflydelse; aftryk; oplag (af bog etc.); *be under the ~ that* tro at, have det indtryk at.

impressionable [im'preʃənəbl] modtagelig for indtryk, let påvirkelig, letbevægelig. **impressionism** [im'preʃənizm] impressionisme. **impressionist** [-ist] impressionist; impressionistisk. **impressionistic** [impreʃə'nistik] impressionistisk.

impressive [im'presiv] som gør indtryk; virkningsfuld, slående; imponerende, betagende.

impressment [im'presmənt] presning (til tjeneste i flåden).

imprest ['imprest] forskud, lån (af en offentlig kasse).

imprimatur [impr(a)i'meⁱtə] imprimatur, trykketilladelse; (fig.) godkendelse.

imprimis [im'praimis] først, frem for alt, især.

I. **imprint** [im'print] (vb.) mærke, præge; (ind-)trykke, prente.

II. **imprint** ['imprint] (subst.) aftryk; mærke; præg; *(printer's ~)* angivelse af trykkested; *(publisher's ~)* forlæggermærke.

imprison [im'prizn] fængsle, sætte i fængsel; hindre, indsnævre (ens handlefrihed).

imprisonment [im'priznmənt] fængsling, fangenskab, fængsel (fx. *two years' ~); false ~* ulovlig frihedsberøvelse; *serve a turn of ~* afsone en fængselsstraf.

improbability [impråbə'biliti] usandsynlighed.

improbable [im'pråbəbl] usandsynlig.

improbity [im'proᵘbiti] uredelighed.

impromptu [im'pråm(p)tju·] (subst.) impromptu; improvisation; (adj.) improviseret (fx. *an ~ speech); speak ~* holde en improviseret tale.

improper [im'pråpə] (adj.) upassende (fx. *dress);* utilbørlig, usømmelig, uanstændig; urigtig, uheldig, fejlagtig, forkert (fx. *~ treatment of disease);* uegentlig; *~ fraction* uægte brøk.

impropriety [imprə'praiəti] usømmelighed; urigtighed; fejlagtighed.

improvable [im'pru·vəbl] som kan forbedres; som egner sig til kultur.

improve [im'pru·v] forbedre, forskønne, forædle; udnytte (fx. *one's time),* benytte (sig af) (fx. *the occasion);* blive bedre, forbedre sig, gøre fremskridt; stige (om pris); *~ in health* komme sig, blive raskere; *~ in looks* komme til at se bedre ud, blive kønnere; *~ oneself, ~ one's mind* øge sine kundskaber, berige sin ånd; *~ (up)on* forbedre (på); *he -s on acquaintance* han vinder ved nærmere bekendtskab; *he -d upon my offer* han overbød mig.

improvement [im'pru·vmənt] forbedring; fremskridt; *~ on* (el. *upon)* forbedring af, fremskridt i forhold til (el. sammenlignet med).

improver [im'pru·və] forbedrer, fornyer; en der forbedrer (sig), en der arbejder for en ringe løn for at lære, praktikant.

improvidence [im'pråvidəns] uforudseenhed, ubetænksomhed; letsindighed, sløsethed (især i pengesager). **improvident** [im'pråvidənt] uforudseende, ubetænksom; letsindig, sløset (især i pengesager).

improvisation [imprəvai'zeⁱʃən] improvisation. **improvise** ['imprəvaiz] improvisere. **improviser** ['imprəvaizə] improvisator.

imprudence [im'pru·dəns] mangel på klogskab, uklogskab; uforsigtighed; ubetænksomhed. **imprudent** [im'pru·dənt] uklog; uforsigtig; ubetænksom.

impudence ['impjudəns] uforskammethed. **impudent** ['impjudənt] uforskammet.

impugn [im'pju·n] angribe, bestride, drage i tvivl. **impugnable** [im'pju·nəbl] som kan bestrides. **impugnment** [im'pju·nmənt] bekæmpelse; modsigelse.

impuissance [im'pju(·)isəns] svaghed, magtesløshed. **impuissant** [im'pju(·)isənt] svag, magtesløs.

impulse ['impʌls] stød, tryk; impuls, tilskyndelse, (pludselig) indskydelse; *his first ~ was to* hans første indskydelse var at; *a man of ~* en impulsiv mand; *act on ~* handle spontant; *seized with an ~ to* grebet af en pludselig lyst til at.

impulsion [im'pʌlʃən] stød, tryk; tilskyndelse; indskydelse. **impulsive** [im'pʌlsiv] impulsiv.

impunity [im'pju·niti] frihed for straf; *with ~* ustraffet, uden risiko.

impure [im'pjuə] uren (fx. *~ air, metal, thought);* forfalsket; ukysk. **impurity** [im'pjuəriti] urenhed (fx. *impurities in milk).*

imputable [im'pju·təbl]: *~ to sby.* som kan tilskrives en. **imputation** [impju'teⁱʃən] beskyldning.

impute [im'pju·t]: *~ to* tillægge; tilskrive; *~ sth. to sby.* (ogs.) beskylde en for noget; *I ~ no evil motives to him* jeg tillægger ham ikke slette motiver.

I. **in** [in] (præp.) i, inde (, ude, oppe etc.) i (fx. *in April, in the church, in the rain, in the tree);* ind (, ud, ned etc.) i (fx. *put one's hands in one's pockets);* på (fx. *in the country, in English);* om (fx. *in the afternoon);* under (fx. *in the reign of Elizabeth);* til (fx. *in his defence, in honour of);* efter (fx. *in my opinion, in all probability);* hos (fx. *in Shakespeare);* med (fx. *in ink, in a top hat);* ved (fx. *in the University);*

(forskellige forb.; se ogs. hovedordet, fx. *all) in an accident* ude for et ulykkestilfælde; *in answer to* som svar på; *show what was in him* vise hvad han duede til; *in an hour* om en time (fx. *be back in an hour),* på en time (fx. *walk three miles in an hour); A. isn't in it with B.* A. kan ikke måle sig med B.; *in itself* i og for sig; *all citizens are equal in law* alle borgere er lige for loven; *in pairs* parvis, to og to; *there are twenty shillings in the pound* der går 20 s. på et pund; *in so* (el. *as) far as* for så vidt som; *in that* (konjunktion) eftersom, fordi, derved at, idet; *one in a thousand* en af (el. blandt) tusinde; *he was in the war* han var med i krigen.

II. **in** [in] (adv.) inde, hjemme (fx. *he is in);* ankommet (fx. *the train is in);* på plads; i hus (om korn); på mode; ved magten (fx. *the Conservatives were in);* ind (fx. *come in); be in* (i kricket) være slåer; *strawberries are in* det er jordbærsæson; *be in for* kunne vente sig (fx. *we are in for a hot summer);* have forpligtet sig til; have meldt sig til (fx. *a competition); be in for it* sidde net i det; kunne vente sig; *be in on it* (fig.) være indviet i det; være med i det; have en aktie i foretagendet; *be (, keep) in with* være (, holde sig) på en god fod med.

III. **in** (subst.): *the ins* medlemmerne af regeringspartiet; *know the ins and outs of a subject* kende et emne ud og ind.

in. fk. f. *inch(es).*

inability [inə'biliti] udygtighed, uduelighed, manglende evne; *the editor regrets his ~ to* redaktøren beklager ikke at kunne.

inaccessibility ['inäksesi'biliti] utilgængelighed; uopnåelighed; utilnærmelighed. **inaccessible** [inək'sesibl] utilgængelig; uopnåelig; utilnærmelig.

inaccuracy [in'äkjurəsi] (subst.) unøjagtighed.

inaccurate [in'äkjurėt] (adj.) unøjagtig.

inaction [in'äkʃən] uvirksomhed, træghed.

inactivate [in'äktiveⁱt] sætte ud af virksomhed; (med.) inaktivere (fx. *a serum).*

inactive [in'äktiv] uvirksom; træg, reaktionstræg. **inactivity** [inäk'tiviti] uvirksomhed; træghed; lediggang.

inadaptable [inə'däptəbl] som ikke lader sig tilpasse (el. tillempe).

inadequacy [in'ādikwəsi] utilstrækkelighed, mangelfuldhed; uhensigtsmæssighed.
inadequate [in'ādikwėt] utilstrækkelig, mangelfuld; uhensigtsmæssig.
inadhesive [inəd'hi·siv] som ikke klæber.
inadmissibility [inādmisi'biliti] (subst.) utilstedelighed, uantagelighed. **inadmissible** [inəd'misibl] (adj.) utilstedelig, uantagelig.
inadvertence [inəd'və·təns], **inadvertency** [-tənsi] (subst.) uagtsomhed; fejl, fejltagelse. **inadvertent** [-tənt] (adj.) uagtsom, uopmærksom, forsømmelig; utilsigtet. **inadvertently** (adv.) af uagtsomhed, af vanvare, uforvarende.
inalienability [ineiliənə'biliti] uafhændelighed.
inalienable [in'eiliənəbl] uafhændelig; umistelig (fx. *right*).
inamorata [inämə'ra·tə] elskede (om en kvinde)
inamorato [inämə'ra·tou] elskede (om en mand).
in-and-in ['inən'in]: ~ *breeding* indavl.
inane [i'nein] åndløs; åndsforladt, indholdsløs, intetsigende.
inanimate [in'änimėt] livløs, død, sløv. **inanimation** [inäni'meiʃən] livløshed; mangel på liv.
inanition [inə'niʃən] afkræftelse p. gr. af mangelfuld ernæring. **inanity** [i'näniti] tomhed; *inanities* hule fraser, intetsigende bemærkninger.
inappetence [in'äpitəns] mangel på appetit, madlede.
inapplicability ['inäplikə'biliti] uanvendelighed.
inapplicable [in'äplikəbl] uanvendelig.
inapposite [in'äpəzit] (adj.) (sagen) uvedkommende, malplaceret.
inappreciable [inə'pri·ʃəbl] (adj.) umærkelig (fx. *difference*); ubetydelig, ringe.
inapproachable [inə'proutʃəbl] utilgængelig, utilnærmelig.
inappropriate [inə'proupriėt] (adj.) malplaceret, upassende.
inapt [in'äpt] malplaceret; klodset; uegnet, uduelig.
inaptitude [in'äptitju·d] malplacerethed, klodsethed; uegnethed; uduelighed.
inarch [in'a·tʃ] afsuge (ɔ: pode uden overskæring).
inarticulate [ina·'tikjulėt] uartikuleret; utydelig; som har vanskelig ved at udtrykke sig; stum (*with* af, fx. *excitement*); (anat.) uleddet.
inartificial [ina·ti'fiʃəl] ukunstlet, naturlig.
inartistic [ina·'tistik] ukunstnerisk; blottet for kunstsans.
inasmuch [inəz'mʌtʃ]: ~ *as* for så vidt som; eftersom, da.
inattention [inə'tenʃən] uopmærksomhed, forsømmelighed. **inattentive** [inə'tentiv] uopmærksom; forsømmelig.
inaudibility [inå·di'biliti] det ikke at kunne høres.
inaudible [in'å·dibl] uhørlig.
inaugural [i'nå·gjurəl] indvielses-, åbnings-; indsættelses-; ~ *(address)* indvielsestale, åbningstale; ~ *sermon* tiltrædelsesprækеn. **inaugurate** [i'nå·gjureit] indvie (fx. *the new school)*; højtideligt indsætte; indvarsle (fx. *a new era*). **inauguration** [inå·gju'reiʃən] indvielse; højtidelig indsættelse; **Inauguration Day** den nyvalgte U.S.A.-præsidents tiltrædelsesdag (20. januar). **inauguratory** [i'nå·gjurətəri] se *inaugural*.
inauspicious [inå·'spiʃəs] ildevarslende, uheldig, ugunstig.
inboard ['inbå·d] (adj.) indenbords.
inborn ['inbå·n] medfødt.
inbred ['inbred] (adj.) medfødt, naturlig; indavlet.
inbreed ['in'bri·d] (vb.) indavle; *-ing* indavl.
inc. fk. f. *incorporated; Smith & Co., Inc.* (amr.) A/S Smith & Co.
Inca ['iŋkə] inka (peruansk konge).
incalculable [in'kälkjuləbl] som ikke kan beregnes; utallig; (fig.) uberegnelig.
incandescence [inkän'desns] hvidglødende tilstand, hvidglødhede.
incandescent [inkän'desnt] hvidglødende; (fig.) strålende, blændende; ~ *lamp* glødelampe.
incantation [inkän'teiʃən] besværgelse; besværgelsesformular.
incapability [inkeipə'biliti] udygtighed, uduelighed, manglende evne. **incapable** [in'keipəbl] uduelig, ude af stand (*of* til); udygtig; (subst.) undermåler; *drunk and* ~ døddrukken.
incapacitate [inkə'päsiteit]: ~ *from* (el. *for*) gøre uduelig til, sætte ud af stand til, berøve evnen til (fx. *his weak health -d him from working, for work)*; (jur.) udelukke fra (fx. ~ *him from voting*). **incapacity** [inkə'päsiti] udygtighed; uduelighed, inhabilitet; diskvalifikation.
incarcerate [in'ka·səreit] fængsle, indespærre.
incarceration [inka·sə'reiʃən] fængsling, indespærring.
incarnadine [in'ka·nədain] (adj.) kødfarvet; blodrød; (vb.) farve rød.
I. **incarnate** [in'ka·neit] (vb.) inkarnere; legemliggøre.
II. **incarnate** [in'ka·nėt] (adj.) inkarneret; legemliggjort, skinbarlig (fx. *the devil* ~).
incarnation [inka·'neiʃən] inkarnation; legemliggørelse.
incautious [in'kå·ʃəs] uforsigtig; ubesindig.
incendiarism [in'sendjərizm] brandstiftelse. **incendiary** [in'sendjəri] (adj.) brandstiftelses-; ophidsende, oprørsk; (subst.) brandstifter; agitator; ~ *bomb* brandbombe; ~ *speech* brandtale.
I. **incense** [in'sens] (vb.) ophidse, opirre; *-d at* opbragt (el. ophidset) over (fx. *he was -d at those remarks*).
II. **incense** ['insens] (subst.) røgelse, virak; (vb.) afbrænde røgelse (i); *burn* ~ *before sby.* (fig.) smigre en.
incentive [in'sentiv] (adj.) opflammende, æggende; (subst.) spore, drivfjeder, opmuntring; motiv.
inception [in'sepʃən] (subst.) begyndelse. **inceptive** [in'septiv] (adj.) begyndende; begyndelses-.
incertitude [in'sə·titju·d] uvished.
incessant [in'sesənt] (adj.) uophørlig.
incest ['insest] blodskam. **incestuous** [in'sestjuəs] blodskams-, skyldig i blodskam.
inch [inʃ] (subst.) (2,54 cm, omtr. =) tomme; bagatel, hårsbred; (vb.) inddele i tommer; rykke tomme for tomme frem (el. tilbage); *by -es* tommevis; *the stone missed my head by -es* stenen susede lige (el. tæt) forbi mit hoved; ~ *by* ~ tomme for tomme; *every* ~ *a gentleman* gentleman til fingerspidserne; *within an* ~ *of* ganske nær (el. tæt) ved; *flog sby. within an* ~ *of his life* prygle en halvt ihjel.
inchoate ['inkoueit] kun lige påbegyndt; begyndende, rudimentær, ufuldstændig, ufuldkommen.
inchoative ['inkouətiv; in'kouətiv] inkoativ (om verber der betegner påbegyndelsen af en handling).
incidence ['insidəns] (subst.) virkning, fordeling; udbredelse (fx. *of a disease*); *angle of* ~ indfaldsvinkel; *the* ~ *of taxation* skatternes fordeling mellem forskellige befolkningsgrupper.
incident ['insidənt] (subst.) begivenhed, tilfælde, hændelse, episode; (adj.): ~ *to* som (naturligt) hører til, som følger med (fx. *dangers* ~ *to his profession*).
incidental [insi'dentəl] tilfældig; bi-; ~ *to* som hører til, som følger med (fx. *hardships* ~ *to his career*); ~ *earnings* bifortjenester; ~ *expenses* tilfældige udgifter, diverse.
incidentally [insi'dentəli] tilfældigt, lejlighedsvis; for resten, i øvrigt, i forbigående (bemærket), i denne forbindelse.
incidental music ledsagemusik.
incidentals [insi'dentəlz] (pl.) tilfældige udgifter, diverse.
incinerate [in'sinəreit] brænde til aske, destruere.
incineration [insinə'reiʃən] forbrænding til aske; ligbrænding. **incinerator** [in'sinəreitə] destruktionsovn; havebrænder.
incipience [in'sipiəns] begyndelse.

incipient [in'sipiənt] (adj.) begyndende, frembrydende (fx. ~ *lunacy*).

incise [in'saiz] (vb.) indskære; udskære; *-d wound* snitsår. **incision** [in'siʒən] (subst.) indskæring, indsnit, snit; flænge.

incisive [in'saisiv] skærende; skarp; skarpsindig; bidende. **incisor** [in'saizə] fortand.

incitation [insi'teiʃən] tilskyndelse; spore, incitament, bevæggrund. **incite** [in'sait] anspore, ægge, tilskynde; ophidse. **incitement** [in'saitmənt] tilskyndelse; spore, incitament, bevæggrund.

incivility [insi'viliti] uhøflighed.

incivism ['insivizm] mangel på borgersind.

incl. fk. f. *inclusive.*

inclemency [in'klemənsi] (subst.) barskhed; hårdhed, strenghed, ubarmhjertighed.

inclement [in'klemənt] (adj.) barsk, ublid; hård, streng, ubarmhjertig.

inclinable [in'klainəbl] tilbøjelig; gunstigt stemt, velvillig, venlig (*to* over for, mod).

inclination [inkli'neiʃən] bøjning; hældning; hældningsvinkel; tilbøjelighed; ~ *of the head* hovedbøjning.

incline [in'klain] (vb.) bøje (fx. *the head*); gøre tilbøjelig (*to* til (at), fx. *this -s me to believe him*); være tilbøjelig (*to* til at, fx. *I ~ to believe him*); have tilbøjelighed (*to* til, fx. *to fatness*); hælde, skråne; (subst.) hældning, skråning; ~ *one's ear to* låne øre til, lytte velvilligt til. **inclined** [in'klaind] tilbøjelig (fx. *I am ~ to believe you*); skrå (fx. *an ~ plane*).

inclose [in'klouz], **inclosure** [in'klouʒə], se *enclose, enclosure.*

include [in'klu·d] (vb.) inkludere, iberegne, indbefatte, medregne, medtage; indeslutte; indeholde; ~ *in the bargain* give med i købet; *he was -d in the team* han kom med på holdet; *including bags* el. *bags included* inklusive sække, sække iberegnet. **inclusion** [in'klu·ʒən] indbefatning, medtagelse.

inclusive [in'klu·siv] inklusive (fx. *from 1 to 5 ~*); ~ *of* inklusive; ~ *terms* alt iberegnet; ~ *tour* akkordrejse; *an ~ charge of £5* 5 pund alt iberegnet.

incog [in'kåg] inkognito.

incognito [in'kågnitou] inkognito (fx. *the prince travelled ~*). **incognizable** [in'kågnizəbl] som ikke kan erkendes.

incoherence, incoherency [inko'hiərəns(i)] mangel på sammenhæng. **incoherent** [inko'hiərənt] usammenhængende.

incombustible [inkəm'bʌstibl] ubrændbar, uforbrændelig; ~ *material* ildfast materiale.

income ['inkəm] indtægt; *live within one's ~* sætte tæring efter næring, ikke give mere ud end man tjener. **incomer** ['inkʌmə] tiltrædende lejer el. forpagter; indvandrer; ubuden gæst; efterfølger.

income-tax ['inkəmtäks] indkomstskat; ~ *form* selvangivelsesblanket.

incoming ['inkʌmiŋ] indtræden, ankomst; indkommende, tiltrædende, ankommende; *-s* indkomster, indtægt.

incommensurability ['inkəmenʃərə'biliti] inkommensurabilitet. **incommensurable** [inkə'menʃərəbl] inkommensurabel; som ikke kan sammenlignes. **incommensurate** [inkə'menʃərit] som ikke står mål (*to* med); utilstrækkelig; ogs. = *incommensurable.*

incommode [inkə'moud] (vb.) ulejlige, volde besvær. **incommodious** [inkə'moudjəs] (adj.) ubekvem; besværlig; snæver, trang.

incommunicable [inkə'mju·nikəbl] umeddelelig; som ikke kan meddeles.

incommunicado [inkåmjuni'ka·dou] uden forbindelse med omverdenen; i ensomt fængsel. **incommunicative** [inkə'mju·nikətiv] umeddelsom; fåmælt.

incomparable [in'kåmpərəbl] som ikke kan sammenlignes (*with* med); uforlignelig, enestående, mageløs.

incompatibility ['inkəmpäti'biliti] uforenelighed; uforligelighed; ~ (*of temper*) gemytternes uoverensstemmelse. **incompatible** [inkəm'pätibl] uforenelig (*with* med); uforligelig.

incompetence, incompetency [in'kåmpitəns(i)] inkompetence; udygtighed, uduelighed; utilstrækkelighed. **incompetent** [in'kåmpitənt] inkompetent; uskikket, uduelig; ikke fyldestgørende.

incomplete [inkəm'pli·t] (adj.) ufuldstændig, ufuldendt, mangelfuld, defekt. **incompletion** [inkəm'pli·ʃən] (subst.) ufuldstændighed osv.

incomprehensibility [inkåmprihensi'biliti] ubegribelighed, ufattelighed, uforståelighed. **incomprehensible** [inkåmpri'hensibl] ubegribelig, ufattelig, uforståelig. **incomprehension** [inkåmpri'henʃən] manglende forståelse.

incompressible [inkəm'presibl] (adj.) som ikke kan sammentrykkes (el. sammenpresses).

incomputable [inkəm'pju·təbl] som ikke kan beregnes, uhyre stor.

inconceivable [inkən'si·vəbl] ufattelig, ubegribelig, utænkelig; utrolig.

inconclusive [inkən'klu·siv] ikke afgørende, ikke overbevisende (fx. *arguments*); resultatløs (fx. *negotiations*).

incondite [in'kåndit] dårligt udarbejdet (el. opbygget, konstrueret); plump.

incongruity [inkåŋ'gruiti] uoverensstemmelse; inkongruens; urimelighed; modsigelse. **incongruous** [in'kåŋgruəs] uoverensstemmende, inkongruent; fornuftstridig, urimelig, selvmodsigende; mærkelig, afstikkende.

inconsequence [in'kånsikwəns] mangel på logisk forbindelse, mangel på logik. **inconsequent** [in'kånsikwənt], **inconsequential** [inkånsi'kwenʃəl] uden logisk forbindelse, ulogisk, uden sammenhæng, selvmodsigende; irrelevant, ligegyldig.

inconsiderable [inkən'sid(ə)rəbl] ubetydelig.

inconsiderate [inkən'sidərét] (adj.) ubetænksom; lidet hensynsfuld, taktløs.

inconsistence, inconsistency [inkən'sistəns(i)] inkonsekvens, uoverensstemmelse, selvmodsigelse, uforenelighed. **inconsistent** [inkən'sistənt] inkonsekvent, usammenhængende, uoverensstemmende, selvmodsigende, uforenelig; *be ~ with* (ogs.) være i modstrid med, stride mod.

inconsolable [inkən'souləbl] utrøstelig.

inconsonance [in'kånsənəns] uoverensstemmelse; inkonsekvens; disharmoni, misklang. **inconsonant** [in'kånsənənt] uoverensstemmende; inkonsekvent; uharmonisk.

inconspicuous [inkən'spikjuəs] lidet iøjnefaldende, som man ikke lægger mærke til, uanselig.

inconstancy [in'kånstənsi] ubestandighed; ustadighed; flygtighed. **inconstant** [in'kånstənt] ubestandig; ustadig; flygtig.

inconsumable [inkən'sju·məbl] (adj.) som ikke kan fortæres el. forbruges.

incontestable [inkən'testəbl] ubestridelig.

incontinence [in'kåntinəns] tøjlesløshed; ukyskhed; (med.) inkontinens; ~ *of urine* ufrivillig afgang af urin; ~ *of speech* snakkesalighed.

I. **incontinent** [in'kåntinənt] tøjlesløs; ukysk; (med.) som lider af inkontinens.

II. **incontinent** [in'kåntinənt] (glds.) øjeblikkelig. **incontinently** (adv.) straks, sporenstregs.

incontrovertible [inkåntrə'və·tibl] uomtvistelig, ubestridelig.

inconvenience [inkən'vi·njəns] (subst.) ulejlighed, besvær(lighed), gene, ulempe; (vb.) ulejlige, besvære, genere, forstyrre. **inconvenient** [inkən'vi·njənt] (adj.) ubekvem, ubelejlig, besværlig.

inconvertible [inkən'və·tibl] som ikke kan udveksles med noget andet; (om papirpenge) uindløselig.

inconvincible [inkən'vinsibl] som ikke lader sig overbevise, stivsindet.

I. **incorporate** [in'kå·pəreⁱt] (vb.) optage, indføje (*into* i); omfatte, indlemme; inkorporere; forbinde sig, forene sig (*with* med); (glds.) blande; (amr.) omdanne til aktieselskab.

II. **incorporate** [in'kå·pərėt] (adj.) inkorporeret, indlemmet i en korporation; dannende en korporation; forbundet; (glds.) ulegemlig.

incorporation [inkå·pə'reⁱʃən] optagelse, indlemmelse; inkorporation; legemliggørelse; blanding.

incorporeal [inkå·'på·riəl] ulegemlig. **incorporeity** [inkå·pə'ri·iti] ulegemlighed.

incorrect [inkə'rekt] unøjagtig, urigtig, ukorrekt.

incorrigibility [inkåridʒi'biliti] uforbederlighed.

incorrigible [in'kåridʒibl] uforbederlig.

incorrupt [inkə'rʌpt] ufordærvet; (om tekst) uden forvanskninger, pålidelig; (se ogs. *incorruptible*). **incorruptibility** ['inkərʌpti'biliti] ufordærvelighed, uforgængelighed; ubestikkelighed. **incorruptible** [inkə'rʌptibl] ufordærvelig, uforgængelig; uforkrænkelig; ubestikkelig. **incorruption** [inkə'rʌpʃən] ufordærvet tilstand; uforkrænkelighed.

I. **increase** [in'kri·s] (vb.) tiltage, vokse, stige, øges; formere sig; (for)øge, forhøje, forstørre; ~ *speed* sætte farten op.

II. **increase** ['inkri·s] (subst.) forøgelse, vækst, stigning; *be on the* ~ være stigende; tiltage, vokse.

increasingly [in'kri·siŋli] mere og mere, i stigende grad, i stadig større udstrækning.

incredibility [inkredi'biliti] utrolighed. **incredible** [in'kredibl] utrolig. **incredibly** [-bli] utroligt.

incredulity [inkri'dju·liti] (subst.) vantro, skepsis.

incredulous [in'kredjuləs] (adj.) vantro, skeptisk; *be ~ of the evidence of one's own eyes* ikke tro sine egne øjne.

increment ['inkrimənt] tilvækst, forøgelse; løntillæg, alderstillæg; *two triennial -s* to alderstillæg med tre års mellemrum; *unearned* ~ grundværdistigning.

incriminate [in'krimineⁱt] (vb.) anklage, beskylde; inddrage (i en anklage), belaste.

incrustation [inkrʌ'steⁱʃən] skorpedannelse, belægning; kedelsten.

incubate ['inkjubeⁱt] (ud)ruge, ligge på æg; udklække. **incubation** [inkju'beⁱʃən] rugning, udklækning; inkubation; *period of* ~ inkubationstid.

incubator ['inkjubeⁱtə] udklækningsapparat, rugemaskine; (med.) kuvøse.

incubus ['iŋkjubəs] mare, mareridt; *the ~ of the examination* (fig.) eksamen der red ham som en mare.

inculcate ['inkʌlkeⁱt, in'kʌlkeⁱt] indprente, indskærpe. **inculcation** [inkʌl'keⁱʃən] indprentning, indskærpelse.

inculpate ['inkʌlpeⁱt, in'kʌlpeⁱt] (vb.) dadle, bebrejde; anklage; inddrage i anklage. **inculpation** [inkʌl'peⁱʃən] (subst.) dadel; beskyldning.

incumbency [in'kʌmbənsi] forpligtelse; byrde; gejstligt embede; præstekald.

incumbent [in'kʌmbənt] indehaver af et præstekald; ~ *(up)on* som påhviler, påhvilende; *it is ~ on you to* det påhviler dig at, det er din pligt at.

incunabula [inkju'näbjulə] (pl.) inkunabler, bogtryk fra før år 1500; begyndelsesstadier.

incur [in'kə·] udsætte sig for; pådrage sig; ~ *debts* gøre gæld; ~ *losses* lide tab; ~ *an obligation* påtage sig en forpligtelse; ~ *a penalty* hjemfalde til straf.

incurability [inkjuərə'biliti] uhelbredelighed. **incurable** [in'kjuərəbl] uhelbredelig.

incuriosity [inkjuəri'åsiti] ligegyldighed, uinteresserethed, uopmærksomhed. **incurious** [in'kjuəriəs] ligegyldig, uopmærksom, uinteresseret, uinteressant; *not* ~ ikke uinteressant, ikke uden interesse.

incursion [in'kə·ʃən] fjendtligt indfald, strejftog; indtrængen. **incursive** [in'kə·siv] fjendtlig, angribende.

incurvation [inkə·'veⁱʃən] krumning. **incurve** [in'kə·v] (vb.) krumme.

incus ['iŋkəs] (anat.) ambolt (i øret).

incuse [in'kju·z] (adj.) indstemplet, præget.

ind. fk. f. *independent; index; indicative.*

Ind. fk. f. *India; Indian; Indiana.*

indebted [in'detid]: *be ~ to* være (el. stå) i gæld til; *I am ~ to him for it* jeg skylder ham tak for det.

indebtedness [-nės] det at være i gæld; gæld (fx. *my ~ to my teachers).*

indecency [in'di·sənsi] usømmelighed, uanstændighed.

indecent [in'di·sənt] usømmelig, uanstændig; ~ *assault* voldtægtsforsøg; ~ *exposure* krænkelse af blufærdigheden.

indeciduous [indi'sidjuəs] stedsegrøn; (om hjorte:) som ikke skifter gevir.

indecipherable [indi'saif(ə)rəbl] ikke til at tyde, ulæselig.

indecision [indi'siʒən] ubestemthed, ubeslutsomhed, vaklen, rådvildhed. **indecisive** [indi'saisiv] ubestemt, uafgørende; rådvild, vaklende, ubeslutsom.

indecisiveness [-nės] ubestemthed, vaklen.

indeclinable [indi'klainəbl] ubøjelig (fx. *noun).*

indecomposable ['indi·kəm'poᵘzəbl] som ikke lader sig opløse i sine bestanddele.

indecorous [in'dekərəs] upassende, usømmelig, uanstændig. **indecorum** [indi'kå·rəm] usømmelighed, uanstændighed, uopdragenhed.

indeed [in'di·d] i virkeligheden, virkelig, faktisk; ja (fx. *I felt, ~ I knew),* ja vist; ganske vist (fx. *he may ~ be wrong);* nej virkelig! såh! *I am very glad* ~ jeg er virkelig glad, jeg er meget glad; ~ *it isn't!* vel er det ej! ~ *if I was not chosen again* sandelig om jeg ikke blev valgt igen; *thank you very much* ~ mange mange tak; *yes, ~!* ja, absolut!

indefatigability ['indifätigə'biliti] utrættelighed.

indefatigable [indi'fätigəbl] (adj.) utrættelig. **indefatigably** (adv.) utrætteligt.

indefeasible [indi'fi·zibl] uomstødelig; uigenkaldelig, umistelig (fx. ~ *rights).*

indefectible [indi'fektibl] fejlfri; ufejlbarlig; uforgængelig.

indefensible [indi'fensibl] som ikke kan forsvares; uholdbar (fx. *argument);* uforsvarlig, utilgivelig (fx. *error).*

indefinable [indi'fainəbl] udefinerlig.

indefinite [in'def(i)nit] utydelig; vag; ikke skarpt afgrænset; ubegrænset; ubestemt (fx. ~ *article,* ~ *pronoun).* **indefinitely** på ubestemt tid (fx. *defer the matter ~).*

indelibility [indeli'biliti] uudslettelighed. **indelible** [in'delibl] uudslettelig; ~ *pencil* blækstift.

indelicacy [in'delikəsi] uartighed, uanstændighed; taktløshed. **indelicate** [in'delikėt] uartig, uanstændig; ufin, taktløs.

indemnification [indemnifi'keⁱʃən] skadesløsholdelse, sikkerhed, erstatning. **indemnify** [in'demnifai] (vb.) sikre (*against* imod); holde skadesløs; ~ *sby. for sth.* (ogs.) erstatte en noget.

indemnity [in'demniti] skadesløsholdelse, sikkerhed, erstatning; fritagelse for strafansvar, indemnitet.

indemonstrable [in'demənstrəbl] ubeviselig, upåviselig.

I. **indent** [in'dent] (vb.) skære takker i, lave hak, tak(ker), bule(r) i; udfærdige in duplo; indrykke (en linie); afgive ordre (på varer); stemple; *an -ed coastline* en indskåret kyst; ~ *upon sby. for goods* rekvirere varer hos en.

II. **indent** ['indent] (subst.) rekvisition; ordre på varer der afgives til et udenlandsk firma; præg; dokument; hak; bule, fordybning.

indentation [inden'teⁱʃən] indsnit, hak, indskæring (fx. *coastal ~);* fordybning; (typ.) indrykning.

indention [in'denʃən] (typ.) indrykning.

indenture [in'dentʃə] (subst.) hak, bule; gensidig skriftlig kontrakt, lærekontrakt; (vb.) binde ved kontrakt; oprette lærekontrakt med; *take up one's -s* afslutte sin læretid.

independence [indi'pendəns] (subst.) uafhængighed, selvstændighed; (glds.) tilstrækkeligt udkomme:

(American) Independence Day den amerikanske frihedsdag, d. 4. juli; *the Declaration of I.* uafhængighedserklæringen.

independency [indi'pendənsi] uafhængig stat; (se ogs. *independence).*

independent [indi'pendənt] (adj.) uafhængig *(of* af), selvstændig; formuende; independent; (subst.) (politisk) uafhængig, løsgænger; (hist.) independent; *of ~ means* formuende, økonomisk uafhængig. **independently** uafhængigt, selvstændigt, på egen hånd.

indescribable [indi'skraibəbl] ubeskrivelig.

indestructibility ['indistrʌkti'biliti] uforgængelighed. **indestructible** [indi'strʌktibl] uforgængelig.

indeterminable [indi'tə·minəbl] ubestemmelig, som ikke kan afgøres. **indeterminate** [indi'tə·minėt] ubestemt, vag. **indetermination** ['inditə·mi'neiʃən] ubestemthed; ubeslutsomhed; vankelmodighed.

index ['indeks] (pl. *indexes* el. *indices)* indeks; viser; pegefinger; eksponent (i matematik); register, indholdsfortegnelse; fingerpeg; pristal, indekstal; (vb.) forsyne med register, udarbejde register til; *the Index* index, den katolske kirkes liste over forbudte bøger.

index| card kartotekkort. **~ figure** = *~ number.* **~ finger** pegefinger. **~ number** pristal. **~ -tied** pristalsreguleret.

India ['indjə] Indien; Ostindien, Forindien; *Further ~* Bagindien.

India ink tusch.

Indiaman ['indjəmən] (om skib) ostindiefarer.

Indian ['indjən] indisk; indiansk; inder; indianer; *Red ~ , American ~* indianer; *honest ~* **T** på ære!

Indiana [indi'ānə].

Indian| blue indiskblå. **~ club** kølle til gymnastiske øvelser. **~ corn** majs. **~ cress** ♧ bærkarse. **~ file** gåsegang. **~ gift** (amr. **T**) gave som giveren venter at få rigelig gengæld for. **~ ink** tusch. **~ summer** periode med sommerligt vejr langt hen på efteråret; (fig.) efterblomstring, genopblussen af livskraft i alderdommen.

India| Office (tidligere) ministeriet for Indien. **~ paper** indiapapir (tyndt trykpapir).

india-rubber ['indjərʌbə] gummi; viskelæder.

indicate ['indikeit] (vb.) vise, antyde, tilkendegive; gøre nødvendig; bebude, tyde på; indicere; *a drink was -d* en drink var tiltrængt (el. ville være på sin plads).

indication [indi'keiʃən] tilkendegivelse; antydning; tegn; symptom; indikation. **indicative** [in'dikətiv]: *~ of* som antyder, som er tegn på; *the ~ (mood)* indikativ.

indicator ['indikeitə] indikator; viser; nummertavle (fx. på hospital til at vise hvorfra der ringes); *(train ~)* togtidstavle. **indicatory** ['indıkətəri] angivende.

indices ['indisi·z] pl. af *index* (brugt i videnskabelige tekster).

indict [in'dait] anklage, sætte under tiltale *(for* for). **indictable** [in'daitəbl] som kan anklages; *~ offence* kriminel forseelse. **indictment** [in'daitmənt] anklage; anklagebeslutning; *(bill of) ~* anklageskrift.

Indies ['indiz]: *the ~* Indien; *the West ~* Vestindien; *the East ~* Ostindien.

indifference [in'dif(ə)rəns] ligegyldighed; middelmådighed. **indifferent** [in'dif(ə)rənt] ligegyldig; uanfægtet, ligeglad; neutral; middelmådig; tarvelig, ringe, dårlig; (fx. om helbred) så som så; (i kemi) indifferent. **indifferentism** [in'difərəntizm] indifferentisme, ligegyldighed. **indifferentist** [in'difərəntist] indifferentist.

indigence ['indidʒəns] fattigdom, armod.

indigene ['indidʒi·n] (subst.) indfødt.

indigenous [in'didʒinəs] (adj.) indfødt; indenlandsk; oprindelig hjemmehørende *(to* i); vildtvoksende.

indigent ['indidʒənt] (adj.) trængende, fattig.

indigested [indi'dʒestid] (glds.) ufordøjet; ikke gennemtænkt; uordnet. **indigestibility** ['indidʒesti'biliti] ufordøjelighed. **indigestible** [indi'dʒestibl] ufordøjelig. **indigestion** [indi'dʒestʃən] dårlig fordøjelse; dårlig mave.

indignant [in'dignənt] indigneret, harmfuld, opbragt, vred; *~ about, ~ at* vred over; *~ with* vred på.

indignation [indig'neiʃən] indignation, harme, vrede, forbitrelse; *~ meeting* protestmøde.

indignity [in'digniti] nedværdigende behandling, ydmygelse, krænkelse, nedværdigelse.

indigo ['indigoᵘ] indigo(farve).

indirect [indi'rekt] (adj.) indirekte (fx. *proof; tax; speech* tale); uærlig; *~ object* indirekte objekt, hensynsled; *~ reply* undvigende svar; *~ road, ~ route* omvej. **indirection** [indi'rekʃən] uærlighed, svig(efuldhed), kneb, fif. **indirectly** [indi'rektli] (adv.) ad omveje, indirekte, uærligt.

indiscernible [indi'sə·nibl] umærkelig.

indiscerptible [indi'sə·ptibl] uopløselig.

indisciplinable [in'disiplinəbl] uregerlig.

indiscreet [indi'skri·t] (adj.) ubetænksom, åbenmundet, indiskret, taktløs; uklog, uforsigtig. **indiscretion** [indi'skreʃən] ubetænksomhed, åbenmundethed, indiskretion, taktløshed, uforsigtighed.

indiscriminate [indis'kriminėt] (adj.) tilfældig, planløs, vilkårlig, ukritisk; *deal out ~ blows* slå løs i blinde; lange ud til højre og venstre; *give ~ praise* rose i flæng; *he is an ~ reader* han læser uden plan. **indiscriminately** i flæng, uden forskel, planløst, kritikløst, på må og få.

indiscrimination ['indiskrimi'neiʃən] kritikløshed, tilfældighed, vilkårlighed, planløshed.

indispensability ['indispensə'biliti] uundværlighed. **indispensable** [indis'pensəbl] uundværlig, absolut nødvendig; *an ~ obligation* en absolut forpligtelse.

indispose [indi'spoᵘz] gøre uskikket; gøre upasselig; gøre utilbøjelig; stemme ugunstig. **indisposed** [indi'spoᵘzd] (adj.) utilpas, uoplagt, indisponeret; *~ to* utilbøjelig til (at). **indisposition** [indispo'ziʒən] utilbøjelighed *(to* til, til at); ildebefindende.

indisputable ['indis'pju·təbl, in'dispjutəbl] (adj.) ubestridelig; uomtvistelig.

indissolubility ['indisålju'biliti] (subst.) uopløselighed; uløselighed; uforgængelighed. **indissoluble** [indi'såljubl, in'disəljubl] (adj.) uopløselig; uløselig; uforgængelig, ubrødelig (fx. *~ friendship).*

indistinct [indi'stiŋkt] (adj.) utydelig, uklar; *an ~ recollection* en svag erindring. **indistinctive** [indi'stiŋktiv] ikke karakteriserende, ikke betegnende.

indistinguishable [indi'stiŋgwiʃəbl] ikke til at skelne (fra hinanden); utydelig.

indistributable [indis'tribjutəbl] som ikke kan uddeles el. fordeles.

indite [in'dait] forfatte, skrive.

individual [indi'vidjuəl] (adj.) enkelt (fx. *in the ~ case; each ~ member);* individuel, personlig; særskilt; særpræget; (subst.) individ; person, menneske; *~ equipment* ⚔ personlig udrustning; *~ fire* ⚔ fri skydning; *the liberty of the ~* den personlige frihed.

individualism [indi'vidjuəlizm] individualisme, egoisme.

individualistic [individjuə'listik] (adj.) individualistisk.

individuality [individju'āliti] individualitet; personlighed; særpræg, egenart.

individualize [indi'vidjuəlaiz] individualisere, kendetegne; specificere, angive nøjagtigt.

individually (adv.) enkeltvis, (hver) for sig, hver især.

indivisibility ['indivizi'biliti] (subst.) udelelighed. **indivisible** [indi'vizibl] (adj.) udelelig.

indo- ['indoᵘ] indo-, indisk.

Indo-China Indokina.

indocile [in'doᵘsail] ikke lærvillig, ikke modtagelig for belæring; tungnem; umedgørlig. **indocility** [indo'siliti] manglende lærvillighed; tungnemhed; umedgørlighed.

indoctrinate [in'dåktrine't] uddanne, oplære; indgive bestemte (især politiske) anskuelser, indoktrinere. **indoctrination** [indåktri'ne'ʃən] uddannelse, instruktion, indoktrinering.

Indo|-European ['indojuərə'pi·ən] indoeuropæisk; indoeuropæer. ~ **-Germanic** ['indodʒə·'mänik] indogermansk, indoeuropæisk.

indolence ['indoləns] (subst.) ladhed, magelighed; (med.) smertefrihed. **indolent** ['indolənt] (adj.) lad, magelig; (med.) smertefri, som ikke gør ondt (fx. *an ~ tumour).*

indomitable [in'dåmitəbl] utæmmelig, ukuelig (fx. *an ~ will);* uovervindelig.

Indonesia [indo'ni·zjə] Indonesien. **Indonesian** [indo'ni·zjən] indonesisk; indoneser.

indoor ['indå·] (adv.) inden døre, inde, indendørs(-).

indoor| aerial stueantenne. ~ **game** indendørsleg. ~ **relief** understøttelse i form af ophold på fattiggården.

indoors ['in'då·z] inden døre, inde (fx. *be ~, stay ~),* ind (fx. *go ~).*

indorse, indorsee (etc.) se *endorse, endorsee* (etc.).

indraught ['indra·ft] indtrækning; indadgående strøm.

indrawn ['in'drå·n] indadvendt, indesluttet.

indubitable [in'dju·bitəbl] utvivlsom.

induce [in'dju·s] medføre, forårsage, bevirke; inducere; ~ *to* få til at, bevæge til at, formå til at (fx. *I -d him to help us);* forlede til at.

induced| abortion svangerskabsafbrydelse. ~ **current** induktionsstrøm. ~ **draught** sugetræk.

inducement [in'dju·smənt] foranledning, bevæggrund; lokkemiddel, overtalelsesmiddel.

induct [in'dʌkt] indføre; indsætte (fx. ~ *sby. into an office);* (amr.) ⚔ indkalde.

inductance [in'dʌktəns] induktans; *mutual ~* gensidig induktionskoefficient.

inductee [indʌk'ti·] ⚔ indkaldt.

inductile [in'dʌktail] (adj.) som ikke kan udhamres; ikke strækbar; upåvirkelig, umedgørlig.

induction [in'dʌkʃən] indførelse; indsættelse; fremførelse; anførelse; (elekt. etc.) induktion; (amr.) ⚔ indkaldelse. **induction coil** induktionsspole; induktionsapparat.

inductive [in'dʌktiv] induktiv; ~ *circuit* induktiv strømkreds.

inductor alternator (elekt.) induktorgenerator.

indulge [in'dʌldʒ] forkæle, føje (fx. *a sick child);* hengive sig til, give frit løb, give efter for (fx. *one's inclinations),* tilfredsstille (fx. *one's taste for sth.. one's curiosity); ~ sby. (, oneself)* tillade en (, sig) at tilfredsstille sin trang(, lyst); ~ *sby. with sth.* glæde en med noget; ~ *in* tillade sig, unde sig, nyde, flotte sig med (fx. ~ *in a new suit, in a glass of wine);* forfalde til; være optaget af (fx. *a hobby); I am afraid he -s too much* han drikker desværre.

indulgence [in'dʌldʒəns] overbærenhed; eftergivenhed; svaghed; tilfredsstillelse; glæde; nydelse (*in* af); last; aflad. **indulgent** [in'dʌldʒənt] overbærende, mild, eftergivende.

indult [in'dʌlt] pavelig dispensation.

indurate ['indjuəre't] hærde; forhærde; blive forhærdet (el. hård). **induration** [indju're'ʃən] hærdning; hårdhed; forhærdelse.

Indus ['indəs].

industrial [in'dʌstriəl] industriel; industridrivende; erhvervsmæssig; industri- (fx. *area).*

industrial| accident ulykke på arbejdspladsen. ~ **disease** erhvervssygdom. ~ **exhibition** industriudstilling. ~ **insurance** arbejderforsikring.

industrialism [in'dʌstriəlizm] industrialisme. **industrialist** industridrivende.

industrial revolution: *the ~ revolution* industriens gennembrud.

industrials industriaktier.

industrial school fagskole; ungdomshjem, opdragelsesanstalt.

industrious [in'dʌstriəs] flittig. **industry** ['indəstri] flid, driftighed; industri; industrigren, erhverv, erhvervsgren.

indwell ['in'dwel] (vb.) bo; bebo. **indweller** ['in'dwelə] beboer; indbygger. **indwelling** ['in'dweliŋ] iboende.

I. **inebriate** [in'i·brie't] (vb.) beruse, drikke fuld.

II. **inebriate** [in'i·briėt] (adj.) beruset; (subst.) dranker.

inebriates' home drankerhjem.

inebriation [ini·bri'e'ʃən] beruselse, fuldskab.

inebriety [ini'braiəti] drukkenskab, drikfældighed; beruselse; fuldskab.

inedible [in'edibl] uspiselig.

inedited [in'editid] utrykt, ikke udgivet; ubearbejdet.

ineffability [inefə'biliti] uudsigelighed. **ineffable** [in'efəbl] uudsigelig; ubeskrivelig.

ineffaceable [inė'fe'səbl] uudslettelig.

ineffective [ini'fektiv] virkningsløs, ineffektiv; udygtig, uduelig, ikke fyldestgørende.

ineffectual [ini'fektjuəl, -tʃuəl] virkningsløs, frugtesløs; unyttig. **inefficacious** [inefi'ke'ʃəs] se *ineffectual.* **inefficacy** [in'efikəsi] virkningsløshed, unyttighed. **inefficiency** [inė'fiʃənsi] virkningsløshed, unyttighed, uduelighed, udygtighed. **inefficient** [inė'fiʃənt] virkningsløs, unyttig, ufyldestgørende, uduelig, udygtig.

inelastic [ini'lästik] (adj.) uelastisk.

inelegance [in'eligəns] mangel på elegance, smagløshed. **inelegant** [in'eligənt] uelegant, smagløs.

ineligible [in'elidʒibl] ikke valgbar; uegnet.

ineluctable [ini'lʌktəbl] uundgåelig. **ineluctably** uundgåeligt, uvægerlig.

inept [i'nept] malplaceret (fx. *remark);* tåbelig; urimelig. **ineptitude** [i'neptitju·d] tåbelighed; urimelighed: udygtighed.

inequality [ini'kwåliti] ulighed; uoverensstemmelse; ujævnhed; utilstrækkelighed.

inequilateral [ini·kwi'lätərəl] ikke ligesidet.

inequitable [in'ekwitəbl] uretfærdig.

inequity [in'ekwiti] uretfærdighed.

ineradicable [ini'rädikəbl] som ikke kan udryddes, uudryddelig.

inerrable [in'ə·rəbl] ufejlbarlig.

inert [i'nə·t] træg, uvirksom; (i kemi) inaktiv. **inertia** [i'nə·ʃiə] inerti; træghed, slaphed.

inescapable [ini'ske'pəbl] uundgåelig, som man ikke kan slippe fra.

inessential [ini'senʃəl] uvæsentlig.

inestimable [in'estiməbl] uvurderlig.

inevitability [inevitə'biliti] uundgåelighed. **inevitable** [i'nevitəbl] uundgåelig. **inevitably** nødvendigvis, uvægerlig, uundgåelig.

inexact [inėg'zäkt] unøjagtig. **inexactitude** [inėg'zäktitju·d] unøjagtighed.

inexcusable [iniks'kju·zəbl] uundskyldelig, utilgivelig.

inexecutable [inėk'sekjutəbl] uudførlig.

inexhaustibility ['inėgzå·sti'biliti] uudtømmelighed, utrættelighed. **inexhaustible** [inėg'zå·stibl] uudtømmelig, utrættelig.

inexorability [ineksərə'biliti] ubønhørlighed. **inexorable** [in'eksərəbl] ubønhørlig.

inexpediency [inėk'spi·djənsi] uhensigtsmæssighed. **inexpedient** [-ənt] uhensigtsmæssig; ikke tilrådelig.

inexpensive [inėk'spensiv] (pris)billig. **inexpensiveness** [-nės] prisbillighed.

inexperience [inėk'spiəriəns] mangel på erfaring, uerfarenhed. **inexperienced** [inėk'spiəriənst] uerfaren.

inexpert [ineks'pə·t] ukyndig, udygtig; uøvet.

inexpiable [in'ekspiəbl] (om forbrydelse etc.) som ikke kan sones; (glds.) uforsonlig (fx. *hatred).*

inexplicability [ineksplikə'biliti] uforklarlighed. **inexplicable** [in'eksplikəbl] uforklarlig.
inexplicit [iniks'plisit] vag, upræcis.
inexplorable [iniks'plå·rəbl] ikke til at udforske.
inexpressible [inėk'spresibl] ubeskrivelig, uudsigelig, usigelig. **inexpressibles** (glds.) unævnelige (ɔ: bukser). **inexpressive** [inėk'spresiv] udtryksløs.
inexpugnable [inėks'pʌgnəbl] uindtagelig, uovervindelig.
inextinguishable [inėk'stiŋgwiʃəbl] uudslukkelig.
inextricable [in'ekstrikəbl] uløselig; som ikke kan redes ud; ~ *confusion* håbløs forvirring.
inf. fk. f. *infantry; infra.*
infallibility [infăli'biliti] ufejlbarlighed.
infallible [in'fălibl] ufejlbarlig.
infamous ['infəməs] (adj.) berygtet; skændig, infam; æreløs. **infamy** ['infəmi] (subst.) skændsel, vanære; skændselsgerning.
infancy ['infənsi] den spæde barnealder, barndom; (jur.) umyndighed, mindreårighed.
infant ['infənt] lille barn, spædt barn; (jur.) umyndig, mindreårig; barne-, barnlig.
infanta [in'făntə] infantinde (spansk el. portugisisk prinsesse). **infante** [in'făntė] infant (spansk el. portugisisk prins).
infanticide [in'făntisaid] barnemord; barnemorder(ske).
infantile ['infəntail] barne-, børne-; barnlig, infantil; ~ *paralysis* børnelammelse.
infantine ['infəntain] barne-; barnlig.
infant mortality spædbørnsdødelighed.
infantry ['infəntri] infanteri, fodfolk.
infantryman infanterist.
infant-school (skole for børn i alderen 5-7, omtr.) børnehave.
infatuate [in'fătjueⁱt] bedåre, forblinde; *be -d with* være forgabet i. **infatuation** [infătju'eⁱʃən] forblindelse; forgabelse, blind forelskelse.
infeasibility [infi·zi'biliti] (subst.) umulighed, ugørlighed. **infeasible** [in'fi·zibl] (adj.) umulig, ugørlig.
infect [in'fekt] (vb.) smitte, inficere; besmitte; forpeste. **infection** [in'fekʃən] (subst.) smitte, infektion; besmittelse; forpestelse. **infectious** [in'fekʃəs] (adj.) smitsom; smittende; ~ *matter* smitstof.
infelicitous [infi'lisitəs] uheldig, ulykkelig. **infelicity** [infi'lisiti] uheld, ulykke; uheldig handling; uheldigt udtryk.
infer [in'fə·] slutte, drage en slutning; indebære; antyde. **inferable** [in'fə·rəbl] som man kan ræsonnere sig til. **inference** ['infərəns] (logisk) slutning. **inferential** [infə'renʃəl] som man kan ræsonnere (el. har ræsonneret) sig til.
inferior [in'fiəriə] lavere, ringere (*to* end); tarvelig; *his -s* hans underordnede. **inferiority** [infiəri'åriti] lavere stand; underordning; underlegenhed; tarvelig(ere) kvalitet. **inferiority complex** mindreværdskompleks.
infernal [in'fə·nəl] helvedes; hørende til underverdenen; djævelsk, infernalsk, forbandet; ~ *machine* helvedesmaskine.
inferno [in'fə·noᵘ] helvede.
infertile [in'fə·tail] ufrugtbar. **infertility** [infə·'tiliti] ufrugtbarhed.
infest [in'fest] hjemsøge, plage; *be -ed with* være befængt med; myldre med. **infestation** [infes'teⁱʃən] hjemsøgelse, befængthed.
infidel ['infidəl] vantro; ateist, hedning. **infidelity** [infi'deliti] vantro; utroskab.
infighting ['infaitiŋ] (i boksning) kamp på nært hold.
infiltrate ['infiltreⁱt] infiltrere, (lade) sive ind (i), (lade) sive igennem, gennemsyre. **infiltration** [infil'treⁱʃən] infiltration, gennemsivning.
infinite ['infinit] uendelig, grænseløs; *the* ~ uendeligheden, det uendelige rum; *the Infinite* Gud; *-ly* (ogs.) i det uendelige. **infinitesimal** [infini'tesiməl] uendelig lille; uendelig lille størrelse.
infinitival [infini'taivəl] infinitivisk. **infinitive** [in'finitiv] infinitivisk; infinitiv, navnemåde.
infinitude [in'finitju·d], **infinity** [in'finiti] uendelighed.
infirm [in'fə·m] (adj.) svag, svagelig; usikker, skrøbelig, vaklende. **infirmary** [in'fə·məri] sygehus, sygeafdeling (fx. i en skole). **infirmity** [in'fə·miti] svaghed, skavank; svagelighed, skrøbelighed.
infix [in'fiks] (vb.) fæste, indprente; indsætte, indskyde.
inflame [in'fleⁱm] (vb.) ophidse (fx. *his speeches -d the people),* opflamme; gøre betændt; blive ophidset; blive betændt; *-d* betændt (fx. *-d eyes);* ophidset.
inflammability [inflămə'biliti] antændelighed, brandfarlighed. **inflammable** [in'flăməbl] let antændelig, brandfarlig. **inflammation** [inflə'meⁱʃən] antændelse; (med.) betændelse.
inflammatory [in'flămətəri] (adj.) betændelses-; ophidsende; ~ *speech* brandtale.
inflate [in'fleⁱt] puste op, fylde med luft, pumpe (fx. ~ *the tube);* gøre opblæst; drive priserne i vejret. **inflated** [in'fleⁱtid] opblæst; svulstig; ~ *prices* opskruede priser.
inflation [in'fleⁱʃən] oppustning, oppumpning; opblæsthed; svulstighed; inflation.
inflationary [in'fleⁱʃənəri] inflations-; *the* ~ *spiral* 'skruen uden ende' (med stigende priser, lønninger etc.).
inflect [in'flekt] bøje; modulere. **inflection** = *inflexion.* **inflective** [in'flektiv] bøjelig; bøjnings-. **inflexibility** [infleksi'biliti] ubøjelighed. **inflexible** [in'fleksibl] ubøjelig, ukuelig, urokkelig. **inflexion** [in'flekʃən] bøjning; (stemmes) modulation, tonefald. **inflexional** [in'flekʃənəl] bøjnings-.
inflict [in'flikt] bibringe, påføre, tildele; ~ *a defeat (, a wound, a blow) on sby.* tilføje en et nederlag (, et sår, et slag); ~ *oneself* (el. *one's company) on sby.* plage en med sit selskab. **infliction** [in'flikʃən] bibringelse; tildeling; plage, lidelse; straf.
inflorescence [inflo'resəns] opblomstren, blomstring; blomsterstand.
inflow ['infloᵘ] indstrømmen, tilstrømmen; tilgang, tilførsel.
influence ['influəns] (subst.) indflydelse; (vb.) have indflydelse på, påvirke; *exercise one's* ~ gøre sin indflydelse gældende; *under the* ~ *of* (el. *-d by)* under påvirkning af, påvirket af; *under the* ~ **T** (spiritus)påvirket. **influent** ['influənt] indstrømmende, tilstrømmende; biflod. **influential** [influ'enʃəl] indflydelsesrig.
influenza [influ'enzə] influenza.
influx ['inflʌks] indstrømmen, tilførsel, tilstrømning, tilgang.
inform [in'få·m] underrette, oplyse, meddele; præge; gennemtrænge, (op)fylde (*with* med); ~ *the police about it* indgive anmeldelse til politiet om det; ~ *against* melde; angive, anklage, stikke; ~ *him of it* meddele ham det; *-ed* (ogs.) oplyst; *well -ed* velunderrettet; velorienteret.
informal [in'få·məl] uformel; formløs, 'folkelig', tvangfri, jævn; uregelmæssig; ~ *visit* uofficielt besøg. **informality** [infå·'măliti] formløshed; tvangfrihed; uregelmæssighed.
informant [in'få·mənt] hjemmelsmand, meddeler.
information [infå·'meⁱʃən] underretning, oplysning(er), meddelelse; viden, kundskab(er); anmeldelse, anklage; *for your* ~ til Deres orientering; *lay an* ~ *against* indgive anmeldelse mod; *much* ~ mange oplysninger; *a piece* (el. *bit) of* ~ en oplysning; *to the best of my* ~ efter hvad jeg har erfaret, så vidt jeg ved.
information office oplysningskontor.
informative [in'få·mətiv], **informatory** [in'få·mətəri] oplysende, belærende.

informer [in'få·mə] anmelder, angiver, stikker.
infra ['infrə] under; ~ *dig.* under ens værdighed.
infraction [in'fräkʃən] brud, krænkelse.
infrangible [in'fränd3ibl] ubrydelig.
infra|-red infrarød. ~ **-structure** ['infrə'strʌktʃə] ⚔ infrastruktur, underbygning, militære anlæg.
infrequency [in'fri·kwənsi] sjældenhed, ualmindelighed. **infrequent** [in'fri·kwənt] sjælden, ualmindelig.
infringe [in'frin(d)ʒ] bryde (fx. *an oath); overtræde* (fx. *a rule);* krænke (fx. *a patent); ~ (on) sby.'s rights* gøre indgreb i ens rettigheder. **infringement** [-mənt] brud, overtrædelse, krænkelse; indgreb, overgreb.
infructuous [in'frʌktjuəs] gold; frugtesløs.
infuriate [in'fjuərieˈt] gøre rasende *(against* på); *infuriating* til at blive rasende over.
infuse [in'fju·z] hælde, gyde; indgyde; gennemtrænge; lave et udtræk af; ~ *fresh blood into* tilføre nyt blod; ~ *sby. with new hope* indgyde en nyt håb; ~ *the tea(-leaves)* hælde (kogende) vand på tebladene; *let the tea* ~ lade teen (stå og) trække.
infusibility [infju·zi'biliti] usmeltelighed. **infusible** [in'fju·zibl] usmeltelig; tungtsmeltelig. **infusion** [in'fju·ʒən] påhældning; indgydelse, tilførsel; udtræk; (med.) infusion; infusionsvæske.
infusoria [infju·'så·riə] (pl.) infusionsdyr, infusorier. **infusorial** [infju·'så·riəl] infusorie-. **infusorian** [infju·'så·riən] infusorie-; infusionsdyr.
ingathering ['ingäðəriŋ] høst, bjergning, indhøstning.
ingeminate [in'dʒemineˈt] gentage.
ingenious [in'dʒi·njəs] sindrig, snild; snedig; begavet.
ingénue [fr. el. änʒeˈ'nju·] ingénue.
ingenuity [indʒi'nju·iti] sindrighed, snildhed; genialitet, begavelse; snildt (el. snedigt) påfund, snild anordning.
ingenuous [in'dʒenjuəs] (adj.) oprigtig, åbenhjertig, ærlig; naiv, troskyldig.
ingest [in'dʒest] spise, nedsvælge, tage (næring) til sig.
ingle [iŋgl] ild, arne. **inglenook** kaminkrog; kakkelovnskrog.
inglorious [in'glå·riəs] ikke berømt, ubekendt; skammelig, skændig, vanærende (fx. *an ~ defeat).*
ingoing ['ingoᵘiŋ] (adj.) tiltrædende (fx. *administration);* (subst.) tiltrædelse; penge der betales for overtagelse af forretning etc.
ingot ['iŋgət] barre (af metal).
ingrain ['in'greˈn] (vb.) farve i ulden. **ingrained** ['in'greˈnd] rodfæstet, indgroet.
ingratiate [in'greˈʃieˈt]: ~ *oneself with* indynde sig hos. **ingratiating** indsmigrende.
ingratitude [in'grätitju·d] utaknemlighed.
ingredient [in'gri·diənt] ingrediens, bestanddel (fx. *the -s of a pudding).*
ingress ['ingres] indtræden; indtrængen; adgang.
ingrowing ['ingroᵘiŋ] indgroet (om negl).
inguinal ['ingwinəl] lyske-.
ingurgitate [in'gə·dʒiteˈt] nedsvælge, opsluge. **ingurgitation** [ingə·dʒi'teˈʃən] nedsvælgen, opslugning.
inhabit [in'häbit] bebo, bo i. **inhabitable** [in'häbitəbl] beboelig. **inhabitancy** [in'häbitənsi] beboelse, fast ophold.
inhabitant [in'häbitənt] beboer; indbygger.
inhalation [inhə'leˈʃən] indånding; inhaleren.
inhale [in'heˈl] indånde; inhalere; (fig.) nedsvælge. **inhaler** [in'heˈlə] indåndingsapparat; inhalator.
inharmonic [inha·'månik], **inharmonious** [inha·'moᵘnjəs] uharmonisk.
inhere [in'hiə]: ~ *in* hænge ved; klæbe ved, høre til, være (uløselig) forbundet med. **inherence** [in'hiərəns], **inherency** [in'hiərənsi] vedhængen; vedklæben; (uløselig) forbindelse. **inherent** [in'hiərənt] vedhængende; iboende, naturlig; *be ~ in,* se *inhere (in).* **inherently** i følge sin natur.
inherit [in'herit] arve. **inheritable** [in'heritəbl] arvelig. **inheritance** [in'heritəns] arv. **inheritor** [in'heritə] arving. **inheritress** [-très], **inheritrix** [-triks] kvindelig arving.
inhesion [in'hi·ʒən] = *inherence.*
inhibit [in'hibit] hindre, forhindre *(from* i); forbyde, hæmme. **inhibition** [in(h)i'biʃən] hindring, forbud, hæmning. **inhibitory** [in'hibitəri] hindrende; forbuds-; hæmmende, hæmnings-.
inhospitable [in'håspitəbl] ugæstfri. **inhospitality** [inhåspi'täliti] ugæstfrihed.
inhuman [in'hju·mən] umenneskelig, barbarisk, grusom. **inhumanity** [inhju'mäniti] umenneskelighed.
inhumation [inhju'meˈʃən] begravelse. **inhume** [in'hju·m] begrave, jorde.
inimical [i'nimikl] fjendtlig *(to* overfor); skadelig *(to* for).
inimitable [i'nimitəbl] uforlignelig, som ikke kan efterlignes.
iniquitous [i'nikwitəs] ubillig, uretfærdig; syndig, lastefuld. **iniquity** [i'nikwiti] ubillighed, uretfærdighed; synd, forbrydelse, misgerning; *a sink of ~* en lastens hule.
init. fk. f. *initio* (i begyndelsen).
initial [i'niʃəl] (adj.) begyndende, begyndelses- (fx. *letter);* indledende, først (fx. *the ~ stages);* (subst.) begyndelsesbogstav, forbogstav, initial; (vb.) sætte forbogstav ved; undertegne med forbogstav; mærke.
initial| costs anskaffelsesomkostninger. **-ly** til at begynde med; i forlyd. ~ **sound** forlyd. ~ **word** initialord (fx. *NATO).*
I. **initiate** [i'niʃieˈt] (vb.) indvie *(into* i); optage *(into* i, fx. *a society);* tage initiativet til, sætte i gang; indlede; ~ *into* (ogs.) indføre i (ɔ: lære); ~ *a question* rejse et spørgsmål.
II. **initiate** [i'niʃièt] indviet.
initiation [iniʃi'eˈʃən] begyndelse; indvielse; optagelse; indførelse *(into* i).
initiative [i'niʃiətiv] (adj.) første, begyndelses-, indlednings-; (subst.) initiativ; *take the ~ in doing it* tage initiativet til at gøre det; *have the ~* have ret til at tage initiativet, have ret til at fremsætte lovforslag.
initiator [i'niʃieˈtə] (subst.) initiativtager; ⚔ tændladning.
initiatory [i'niʃiətəri] første, begyndelses-, indlednings-; indledende (fx. *some ~ remarks);* indvielses-; optagelses- (fx. *ceremonies).*
initio [i'niʃioᵘ] (adv.) i begyndelsen.
inject [in'dʒekt] indsprøjte; indgive, indgyde. **injection** [in'dʒekʃən] indsprøjtning; injektion; lavement.
injudicious [indʒu'diʃəs] uforstandig, uklog, uoverlagt.
Injun ['indʒən] (amr. S) indianer; se ogs. *honest.*
injunction [in'dʒʌŋ(k)ʃən] pålæg; påbud; (jur.) forbud, tilhold.
injure ['indʒə] beskadige (fx. *several houses were -d in the storm; a bullet -d the eye);* såre, kvæste; skade (fx. *one's health);* gøre uret, forurette, såre, krænke.
injurious [in'dʒuəriəs] skadelig, ødelæggende *(to* for); fornærmelig, sårende.
injury ['indʒəri] (subst.) skade, beskadigelse, overlast, fortræd; kvæstelse; uret, krænkelse, fornærmelse; *you are doing him an ~* du gør ham uret; *without ~* uden at tage skade, uden men, helskindet.
injustice [in'dʒʌstis] uretfærdighed; uret.
ink [iŋk] (subst.) blæk; (typ.) tryksværte, farve; *(Indian ~)* tusch; (vb.) besmøre med blæk (el. sværte el. tusch); (typ.) indfarve; ~ *one's fingers* få blæk på fingrene; ~ *in* trække op med blæk el. tusch (fx. *a drawing); written in ~* skrevet med blæk.
ink|-bag (zo.) blækkirtel (hos blæksprutte). ~ **-bottle** blækflaske, blækhus. ~ **-horn** (glds.) blækhorn.

inkling ['iŋkliŋ] antydning, mistanke, anelse; *get an ~ of what is happening* (ogs.) få færten af hvad der foregår.

ink|-pad (subst.) sværtepude. ~ **-pot** blækhus. ~ **-roller** farvevalse. ~ **slab** farvebord. ~ **-slinger** blæksmører. **-stand** skrivetøj. ~ **-well** (fast) blækhus.

inky ['iŋki] blækagtig, blækket, sort som blæk, blækplettet; blækket (fx. *fingers).*

inlaid ['in'leⁱd] indlagt; ~ *work* indlagt arbejde.

I. **inland** ['inlənd] (adj.) indlands-, indre, (som er, som ligger osv.) inde i landet, i det indre af landet; indenlandsk.

II. **inland** [in'länd] (adv.) ind i landet; inde i landet.

inlander ['inləndə] en, som bor i det indre af landet.

Inland Revenue: *the Board of ~* (svarer til) skattedepartementet.

inland trade indenrigsk handel.

in-laws ['in'lå·z] svigerfamilie; **S** lovlydige borgere.

inlay ['in'leⁱ] (vb.) indlægge; (subst.) indlæg; indlagt arbejde, mosaik.

inlet ['inlet] fjord, vig; indlagt (el. indføjet) stykke; (tekn.) indløb; *air ~* lufttilgang. **inlet| pipe** indløbsrør, tilstrømningsrør. ~ **valve** indsugningsventil.

inly ['inli] (poet.) i sit indre, i sit stille sind; inderligt, nøje.

inmate ['inmeⁱt] beboer; alumne; (på sindssygehospital) patient, (i fængsel) fange; (glds.) lem.

in memoriam [in mi'må·riəm] til minde.

inmost ['inmoᵘst] inderst; *one's ~ thoughts* (ogs.) ens lønligste tanker.

inn [in] kro, gæstgiveri, herberg; *Inns of Court* juristkollegier, hvor jurister uddannes.

innards ['inədz] (pl.) **T** indvolde; indvendige dele.

innate ['i'neⁱt] medfødt; instinktiv.

innavigable [i'nävigəbl] ufarbar, usejlbar.

inner ['inə] indre, indvendig; ~ *circle* inderkreds; *the ~ man* det indre (el. glds.: indvortes) menneske (ɔ: sjælen, spøgende: maven); *satisfy the ~ man* stille sin sult.

innermost ['inəmoᵘst] inderst.

inner| sole bindsål. ~ **tube** slange (i dæk).

innervate ['inə·veⁱt, i'nə·veⁱt] innervere, forsyne med nerveforbindelser, sende impulser til; stimulere.

innervation [inə·'veⁱʃən] innervation.

innings ['iniŋz] inning, indleg (i kricket etc.); tur (til at have magten), magtperiode; chance (fx. *you have had your ~); it is your ~ now* nu er det Deres tur; vis nu hvad De duer til.

innkeeper ['inki·pə] krovært.

innocence ['inəsəns] uskyld(ighed); harmløshed; troskyldighed; enfoldighed.

innocent ['inəsənt] uskyldig; uskadelig, harmløs; troskyldig; enfoldig; naiv; *little ~* et gudsord fra landet; *the massacre of the Innocents* barnemordet i Bethlehem; henlæggelse af lovforslag der ikke er blevet færdigbehandlet inden parlamentsamlingens udløb; ~ *of* **T** helt uden, aldeles blottet for.

innocuity [ino'kju·iti] uskadelighed. **innocuous** [i'nåkjuəs] uskadelig, ufarlig; harmløs.

innominate [i'nåminit] navnløs, ubenævnt, uden navn.

innovate ['inoveⁱt] indføre ny metoder. **innovation** [ino'veⁱʃən] indførelse af ny metoder, fornyelse; nyhed, forandring. **innovator** ['inoveⁱtə] fornyer, reformator.

innoxious [i'nåkʃəs] uskadelig.

innuendo [inju'endoᵘ] (pl. *-es)* antydning; hentydning, insinuation.

innumerable [i'nju·mərəbl] utallig.

innutritious [inju'triʃəs] uden (el. med ringe) næringsværdi.

inobservance [inəb'zə·vəns] uopmærksomhed; ~ *of* tilsidesættelse af.

inobservant [inəb'zə·vənt] uopmærksom.

inoculate [i'nåkjuleⁱt] pode, vaccinere; ~ *with* indpode.

inoculation [inåkju'leⁱʃən] indpodning; vaccination.

inodorous [in'oᵘdərəs] lugtløs, lugtfri.

inoffensive [inə'fensiv] uskadelig, harmløs; skikkelig.

inofficious [inə'fiʃəs] uden embede; som ikke overholder sine moralske forpligtelser.

inoperable [in'åpərəbl] som ikke kan opereres; uigennemførlig.

inoperative [in'åpərətiv] ude af kraft; virkningsløs.

inopportune [in'åpətju·n] ubelejlig.

inordinate [i'nå·dinėt] overdreven; ubehersket (fx. ~ *passions).*

inorganic [inå·'gänik] uorganisk; ~ *chemistry* uorganisk kemi.

inorganization [inå·gənai'zeⁱʃən] mangel på organisation.

inorganized [in'å·gənaizd] (adj.) uorganiseret.

inosculate [in'åskjuleⁱt] forbinde sig; forbinde.

inosculation [inåskju'leⁱʃən] forbindelse.

in-patient ['inpeⁱʃənt] hospitalspatient.

input ['input] den kraft der tilføres en maskine; indgangsspænding.

inquest ['inkwest] undersøgelse; retslig undersøgelse; ligsyn; *coroner's ~* retsligt ligsyn.

inquietude [in'kwaiətju·d] uro.

inquire [in'kwaiə] spørge, forhøre sig; spørge om; undersøge, anstille undersøgelse; ~ *of sby. about sth.* spørge en om ngt.; ~ *after him* spørge til ham; ~ *for him* spørge efter ham, spørge til ham; ~ *the way* spørge om vej; ~ *into* udforske, undersøge.

inquiring (adj.) spørgende; videbegærlig.

inquiry [in'kwaiəri] spørgsmål; efterspørgsel; forespørgsel (fx. *on ~ we learned that ...);* enquete; efterlysning, efterforskning, undersøgelse; *make inquiries* (ogs.) forhøre sig.

inquisition [inkwi'ziʃən] (retslig el. offentlig) undersøgelse; inkvisition. **inquisitive** [in'kwizitiv] spørgelysten; nysgerrig. **inquisitiveness** [-nės] spørgelyst; nysgerrighed. **inquisitor** [in'kwizitə] spørger; undersøger; eksaminator; undersøgelsesdommer; inkvisitor; *grand ~* storinkvisitor. **inquisitorial** [inkwizi'tå·riəl] undersøgelses-; inkvisitions-; inkvisitorisk.

inroad ['inroᵘd] fjendtligt indfald, strejftog; overfald; indhug; *make -s on* gøre indhug i; *make -s on sby.'s time* lægge beslag på ens tid; *make -s on one's capital* bruge (løs) af sin kapital.

inrush ['inrʌʃ] tilstrømning, indtrængen.

insalivate [in'säliveⁱt] blande med spyt. **insalivation** [insäli'veⁱʃən] fødens blanding med spyt.

insalubrious [insə'l(j)u·briəs] usund. **insalubrity** [-briti] usundhed.

insane [in'seⁱn] sindssyg; ~ *asylum* sindssygeanstalt.

insanitary [in'sänitəri] (adj.) usund, sundhedsfarlig, uhygiejnisk.

insanity [in'säniti] sindssyge, vanvid.

insatiability [inseⁱʃə'biliti] umættelighed. **insatiable** [in'seⁱʃəbl], **insatiate** [in'seⁱʃiėt] umættelig.

inscribe [in'skraib] indskrive; indgravere; indhugge; indføre (på en liste); forsyne med påskrift; indskrive (geometrisk); *-d copy* dedikationseksemplar.

inscription [in'skripʃən] inskription; indskrivning; indførelse; indskrift, påskrift; dedikation. **inscriptive** [in'skriptiv] indskrifts-; indskriftagtig.

inscrutability [inskru·tə'biliti] uudgrundelighed, uransagelighed. **inscrutable** [in'skru·təbl] uudgrundelig, uransagelig.

insect ['insekt] insekt; (fig.) kryb, lus. **insecticide** [in'sektisaid] insektdræbende middel. **insectivorous** [insek'tivərəs] insektædende.

insecure [insi'kjuə] usikker, utryg. **insecurity** [insi'kjuəriti] usikkerhed, utryghed.

inseminate [in'sèmine'ᶦt] (vb.) inseminere. **insemination** [insemi'neᶦʃən] insemination; *artificial* ~ kunstig sædoverføring.

insensate [in'sensėt] (adj.) ufølsom, livløs; blind (fx. *hatred*), ufornuftig, tåbelig.

insensibility [insensi'biliti] følelsesløshed; ufølsomhed; uimodtagelighed, sløvhed; bevidstløshed. **insensible** [in'sensibl] følelsesløs; ufølsom; umærkelig; bevidstløs; *become* ~ miste bevidstheden; *he was* ~ *of his danger* han var ikke opmærksom på den fare som truede ham.

insensitive [in'sensitiv] ufølsom, uimodtagelig (*to* for).

inseparability [insepərə'biliti] uadskillelighed.

inseparable [in'sep(ə)rəbl] uadskillelig; *-s* uadskillelige venner.

insert [in'sə·t] indskyde, indføre, indsætte; indføje; indrykke (*in* el. *into* i, fx. ~ *an advertisement in a newspaper*). **insertion** [in'sə·ʃən] indførelse, indsættelse; indrykning (i avis); indsendt stykke, inserat; (i håndarbejde) mellemværk; (om muskel) tilhæftning.

in-service training videreuddannelse (mens man er i tjeneste).

inset ['inset] (subst.) noget som indsættes, indskud, indlæg; kort indsat i et større, bikort; (vb.) sætte ind, lægge ind, indføje.

inshore ['in'ʃå·] (adv. og adj.) inde ved land; hen imod land; kyst-; ~ *fisheries* strandfiskeri; ~ *of* nærmere kysten end.

inside ['in'said] (subst.) inderside, indvendig del, det indvendige; en indvendig passager (i en vogn); T mave(n); (adj.) indvendig; (adv. og præp.) indeni, indenfor, inde; ind; indre; inde i, inden for; *from the* ~ indefra; ~ *of a week* på mindre end en uge; *examine* ~ *and out* undersøge i alle ender og kanter; *the umbrella is blown* ~ *out* paraplyen vender sig; *know it* ~ *out* kende det ud og ind; *put on one's socks* ~ *out* tage sokkerne på med vrangen udad; *turn* ~ *out* krænge, vende vrangen ud på.

inside information oplysninger der kun kendes af en indviet kreds.

insider ['in'saidə, in'saidə] indviet, person der har førstehåndskendskab til sagen.

inside track inderbane.

insidious [in'sidjəs] underfundig, lumsk, snigende.

insight ['insait] indblik; indsigt.

insignia [in'signiə] insignier, værdighedstegn; mærke, emblem; ~ *of rank* ⚔ gradstegn, distinktioner; *regimental* ~ ⚔ regimentsmærke.

insignificance [insig'nifikəns] ubetydelighed, betydningsløshed. **insignificant** [insig'nifikənt] ubetydelig, betydningsløs.

insincere [insin'siə] uoprigtig, falsk; hyklerisk. **insincerity** [insin'seriti] uoprigtighed, falskhed.

insinuate [in'sinjue'ᶦt] insinuere; antyde (fx. *he -d that you are a liar*); ~ *oneself into* liste, snige sig, trænge ind i; ~ *oneself into his favour* indynde sig hos ham. **insinuating** (adj.) indsmigrende, kælen, slesk. **insinuation** [insinju'eᶦʃən] antydning, insinuation; indtrængen. **insinuative** [in'sinjuətiv] insinuerende, indsmigrende.

insipid [in'sipid] flov, uden smag (fx. ~ *food*); fad; åndsforladt, åndløs (fx. *conversation*). **insipidity** [insi'piditi], **insipidness** [in'sipidnės] flovhed, åndsforladthed, åndløshed.

insist [in'sist] hævde, påstå; ~ *on* hævde, holde på, fastholde (fx. *a claim*); (bestemt) kræve, fordre (fx. *immediate payment*); *he -s on going* han vil absolut gå, han insisterer på at gå; ~ *that* hævde (, kræve etc.) at.

insistence [in'sistəns], **insistency** [in'sistənsi] hævden, holden på; vedholdenhed, fastholdelse (*on* af).

insistent [in'sistənt] vedholdende, pågående, ihærdig.

insobriety [inso'braiəti] drikfældighed.

insolation [inso'leᶦʃən] solbestråling; (med.) hedeslag.

insole ['insoᵘl] bindsål; indlægssål.

insolence ['insoləns] uforskammethed.

insolent ['insolənt] uforskammet.

insolubility [insålju'biliti] u(op)løselighed. **insoluble** [in'såljubl] uopløselig (fx. *chalk is* ~ *in water*); uløselig, uforklarlig.

insolvency [in'sålvənsi] insolvens. **insolvent** [in'sålvənt] insolvent.

insomnia [in'såmniə] søvnløshed.

insomuch [inso'mʌtʃ]: ~ *that* i en sådan grad, at.

insouciance [in'su·siəns] sorgløshed, ubekymrethed.

insouciant [in'su·siənt] sorgløs, ubekymret.

inspan [in'spän] (vb.) spænde for.

inspect [in'spekt] have opsyn med; undersøge nøje, inspicere; mønstre, bese. **inspection** [in'spekʃən] opsyn; undersøgelse, inspektion, eftersyn; mønstring, besigtigelse; ~ *of the ground* åstedsforretning; ~ *invited* grunden etc. kan beses; *on* ~ ved nærmere eftersyn. **inspector** [in'spektə] inspektør; overbetjent. **inspectress** [in'spektrės] inspektrice.

inspiration [inspi'reᶦʃən] indånden; indskydelse (fx. *a sudden* ~); inspiration. **inspiratory** [in'spaiərətəri] indåndings-. **inspire** [in'spaiə] indånde; indgive, indgyde; inspirere; ~ *him with confidence*, ~ *confidence in him* indgyde ham tillid; *-d article* (avis-) artikel der bygger på underhåndsoplysninger; 'bestilt arbejde'.

inspirit [in'spirit] opflamme, oplive.

inspissate [in'spise'ᶦt] fortykke.

inspissation [inspi'seᶦʃən] fortykkelse.

inst. fk. f. *instant* dennes (ɔ: i denne måned); *the 7th* ~ den 7. dennes.

instability [instə'biliti] ustadighed, ustabilitet, usikkerhed.

install [in'stå·l] anbringe; indsætte (fx. i et embede); indrette, stille op, installere.

installation [instə'leᶦʃən] indsættelse; anbringelse; installation; anlæg (fx. *military -s*).

instalment [in'stå·lmənt] rate, afdrag; afsnit (af føljeton etc.); hæfte (af større værk); *on the* ~ *system* (el. *plan*) på afbetaling.

I. **instance** ['instəns] (subst.) tilfælde, eksempel; instans; foranledning; *at the* ~ *of* foranlediget af, på foranledning af; *for* ~ for eksempel; *in the first* ~ til at begynde med, først.

II. **instance** ['instəns] (vb.) anføre som eksempel.

I. **instant** ['instənt] (adj.) øjeblikkelig; indstændig, indtrængende; (om mad) som kan tilberedes i løbet af et øjeblik; ~ *coffee* pulverkaffe.

II. **instant** ['instənt] (subst.) øjeblik; *the* ~ *you come* så snart (el. i samme øjeblik som) De kommer; *in an* ~ om et øjeblik; *on the* ~ straks; *at that very* ~ i det selvsamme øjeblik.

instantaneous [instən'teᶦnjəs] øjeblikkelig; ~ *photograph* øjebliksfotografi.

instanter [in'stäntə] øjeblikkeligt.

instantly ['instəntli] øjeblikkeligt, straks.

instead [in'sted] i stedet (fx. *give me that* ~); ~ *of* i stedet for.

instep ['instep] (subst.) vrist.

instigate ['instige'ᶦt] tilskynde, anspore, ophidse (fx. ~ *sby. to do sth.*); ophidse til, anstifte (fx. ~ *rebellion*). **instigation** [insti'geᶦʃən] tilskyndelse, ophidselse; anstiftelse. **instigator** ['instigeᶦtə] ophidser; anstifter.

instil [in'stil] inddryppe, hælde dråbevis; indgyde, bibringe (fx. ~ *certain ideas into his mind*). **instillation** [insti'leᶦʃən] inddrypning; indgyden, bibringelse.

I. **instinct** ['instiŋkt] (subst.) instinkt, naturdrift.

II. **instinct** [in'stiŋkt] (adj.) præget, besjælet (*with* af).

instinctive [in'stiŋktiv] instinktmæssig, uvilkårlig. **instinctivity** [instiŋk'tiviti] instinktmæssighed, uvilkårlighed.

institute ['institju·t] (vb.) stifte, oprette; indføre, anordne, fastsætte (fx. *rules*); indsætte (*into*, *to* i (et embede)); indlede (fx. *an investigation);* (subst.) institut; *-s* (også.) værk, der indeholder en kortfattet redegørelse for en videnskabs grundprincipper; oversigt, lærebog; ~ *legal proceedings against* indlede retsforfølgning mod, anlægge sag mod.

institution [insti'tju·ʃən] institution; oprettelse, stiftelse; indretning, lov; anstalt; indsættelse, kaldelse. **institutional** [insti'tju·ʃənəl] institutions-, institutionsmæssig, institutionspræget; ~ *advertising* goodwill-reklame, prestigereklame.

instruct [in'strʌkt] (vb.) instruere; undervise; belære; underrette. **instruction** [in'strʌkʃən] undervisning; lære; råd; (pl.) anvisning(er), forskrift(er), instruktion(er). **instructional** [in'strʌkʃənəl] undervisnings-, pædagogisk, belærende; ~ *film* instruktionsfilm. **instructive** [in'strʌktiv] (adj.) instruktiv, belærende, lærerig. **instructor** [in'strʌktə] lærer, instruktør; (amr.) lektor, undervisningsassistent.

instrument ['instrumənt] redskab; instrument; dokument; *musical* ~ musikinstrument.

instrumental [instru'mentəl] medvirkende, behjælpelig (fx. *be ~ in finding him a job);* instrumental (fx. *music);* instrument-; ~ *case* (gram.) instrumentalis. **instrumentalist** [instru'mentəlist] instrumentalist.

instrumentality [instrumən'täliti] virksomhed, medvirken, hjælp; *by the ~ of* ved hjælp af.

instrumentally [instru'mentəli] som redskab, som middel; med instrumenter. **instrumentation** [instrumən'teiʃən] instrumentering.

instrument flying blindflyvning, instrumentflyvning.

insubordinate [insə'bå·dinėt] ulydig, opsætsig. **insubordination** ['insəbå·di'neiʃən] insubordination, ulydighed, opsætsighed.

insubstantial [insəb'stänʃl] uvirkelig, illusorisk, tynd, svag.

insufferable [in'sʌf(ə)rəbl] utålelig, ulidelig.

insufficiency [insə'fiʃənsi] utilstrækkelighed; uduelighed, udygtighed; (med.) insufficiens. **insufficient** [insə'fiʃənt] utilstrækkelig; uduelig, uskikket.

insufflation [insʌ'fleiʃən] (med.) insufflation (ɔ: indførelse af luft fx. i lungesækken), pustning.

insular ['insjulə] ømæssig, ø-; (fig.) afsondret, isoleret; snæversynet. **insularity** [insju'läriti] ømæssig beliggenhed; (fig.) afsondrethed, isolerthed, snæversynethed.

insulate ['insjuleit] isolere. **insulation** [insju'leiʃən] isolation. **insulator** ['insjuleitə] isolator; isolering(smateriale).

insulin ['insjulin] ® insulin; ~ *shock* insulinchok.

I. **insult** ['insʌlt] (subst.) fornærmelse, forhånelse; *add ~ to injury* føje spot til skade.

II. **insult** [in'sʌlt] (vb.) fornærme, forhåne.

insuperability [insju·pərə'biliti] uovervindelighed. **insuperable** [in'sju·pərəbl] uovervindelig.

insupportable [insə'på·təbl] uudholdelig.

insurable [in'ʃuərəbl] som kan forsikres; ~ *interest* forsikringsmæssig interesse; ~ *value* forsikringsværdi.

insurance [in'ʃuərəns] forsikring, assurance; forsikringssum; forsikringspræmie; *effect an ~* tegne forsikring.

insurance| agent akkvisitør. ~ **broker** assurancemægler. ~ **company** forsikringsselskab. ~ **policy** forsikringspolice. ~ **premium** forsikringspræmie.

insurant [in'ʃuərənt] (subst.) forsikringstager.

insure [in'ʃuə] forsikre, assurere. **insurer** [in'ʃuərə] assurandør.

insurgency [in'sə·dʒənsi] oprør(skhed).

insurgent [in'sə·dʒənt] (adj.) oprørsk; (subst.) oprører.

insurmountable [insə·'mauntəbl] uoverstigelig; uovervindelig (fx. *an ~ difficulty).*

insurrection [insə'rekʃən] oprør, opstand. **insurrectional** [-əl], **insurrectionary** [-əri] oprørsk, oprørs-. **insurrectionist** [-ist] oprører.

insusceptibility ['insəsepti'biliti] uimodtagelighed, ufølsomhed. **insusceptible** [insə'septibl] uimodtagelig, ufølsom.

int. fk. f. *interest, interior, interjection.*

intact [in'täkt] intakt; uberørt; ubeskadiget, ubrudt.

intagliated [in'täljeitid] indgraveret. **intaglio** [in'ta·ljoᵘ, in'täljoᵘ] indgraveret arbejde; (en) gemme; (typ.) dybtryk.

intake ['inteik] tilgang; tilførsel; indsugning (fx. i motor). **intake valve** indsugningsventil.

intangible [in'tändʒibl] ulegemlig, uhåndgribelig.

integer ['intidʒə] (subst.) hele, helhed; helt tal.

integral ['intigrəl] (adj.) hel, udelt; uløselig, uadskillelig; integrerende; (subst.) hele, helhed; (mat.) integral; ~ *calculus* integralregning.

integrate ['intigreit] fuldstændiggøre, integrere; indordne; *an -d school* en skole hvor raceskellet er ophævet. **integration** [inti'greiʃən] fuldstændiggørelse, integrering; indordning; ophævelse af raceskel.

integrity [in'tegriti] helhed, fuldstændighed; ufordærvethed, renhed; retskaffenhed, ærlighed; integritet; hæderlighed; *I respect his ~ of scholarship* jeg respekterer hans videnskabelige hæderlighed.

integument [in'tegjumənt] (subst.) dække, hud, hinde.

intellect ['intilekt] forstand, fornuft; intelligens, intellekt. **intellection** [inti'lekʃən] forståelse, opfattelse; tankevirksomhed. **intellectual** [inti'lektjuəl] forstandsmæssig, forstands-; åndelig, ånds- (fx. *life).* **intellectuality** ['intilektju'äliti] forstand, intelligens; forstandsmæssig indstilling.

intelligence [in'telidʒəns] intelligens, forstand; indsigt; efterretning(er), underretning, meddelelse(r).

intelligence| departement militært (og politi-) efterretningsvæsen. ~ **quotient** intelligenskvotient.

intelligencer [in'telidʒənsə] en der bringer meddelelser, meddeler; spion.

intelligence| service ⚔ efterretningstjeneste. ~ **test** intelligensprøve.

intelligent [in'telidʒənt] forstandig, klog, intelligent.

intelligentsia [inteli'dʒentsiə]: *the ~* 'intelligensen', de intellektuelle (som samfundsklasse betragtet).

intelligibility [intelidʒi'biliti] forståelighed, tydelighed. **intelligible** [in'telidʒibl] forståelig, tydelig.

intemperance [in'temp(ə)rəns] umådeholdenhed (i drik); drikfældighed. **intemperate** [in'temp(ə)rėt] umådeholden (i drik); drikfældig; ubehersket, voldsom.

intend [in'tend] (vb.) have i sinde, have til hensigt; agte (fx. *what do you ~ to do?);* tilsigte, mene (fx. *what do you ~ by that word?);* bestemme; *was it -ed?* var det med vilje? *the gift was -ed for you* gaven var tiltænkt dig; *is that sketch -ed to be me?* skal den tegning forestille mig? *-ing buyer* liebhaver.

intended [in'tendid] påtænkt; tilkommende, forlovede.

intense [in'tens] intens, voldsom, stærk (fx. ~ *cold),* inderlig (fx. *happiness),* heftig (fx. ~ *pain);* (om person) med stærke følelser, stærkt følelsespræget. **intensification** [intensifi'keiʃən] intensivering; forstærkelse; skærpelse. **intensify** [in'tensifai] forstærke, forøge, skærpe. **intension** [in'tenʃən] (voldsom åndelig) anstrengelse; begrebsindhold; styrke, heftighed, intensitet. **intensity** [in'tensiti] intensitet, styrke; heftighed; iver. **intensive** [in'tensiv] intensiv, stærk, kraftig; (gram.) forstærkende.

intent [in'tent] (subst.) agt, hensigt; (adj.) begærlig *(on* efter), opsat *(on* på, fx. ~ *on doing his best);* spændt; anspændt; *to all -s and purposes* praktisk talt, i virkeligheden; *with ~ to defraud* med bedragerisk hensigt.

intention [in'tenʃən] hensigt, forsæt; *his -s are good* han har de bedste hensigter; *honourable -s* reelle hensigter; *it was without ~* det var ikke tilsigtet (el. med vilje).

intentional [in'tenʃənəl] forsætlig, tilsigtet. **intentioned** [in'tenʃənd] -menende, -sindet; *ill-* ~ ildesindet; *seriously* ~ med alvorlige hensigter, alvorligt ment; *well-* ~ velmenende.

I. **inter** [in'tə·] begrave.

II. **inter-** ['intə] mellem-.

I. **interact** ['intəräkt] (subst.) mellemakt, pause; mellemspil.

II. **interact** [intə'räkt] (vb.) virke gensidigt; påvirke hinanden.

interaction [intə'räkʃən] vekselvirkning.

Interbank fk. f. *International Bank for Reconstruction and Development.*

interblend [intə'blend] blande.

interbreed [intə'bri·d] (biol.) krydse(s).

intercalary [in'tə·kələri] indskudt; ~ *day* skuddag; ~ *year* skudår. **intercalate** [in'tə·kəleⁱt] indskyde. **intercalation** [intə·kə'leⁱʃən] indskydning, indskud.

intercede [intə'si·d] gå i forbøn; *she -d for him with the king* hun gik i forbøn for ham hos kongen.

intercept [intə'sept] opsnappe, opfange; afskære; afbryde; hindre, standse. **interception** [intə'sepʃən] opsnappen; afskæring; hindring, standsning. **interceptor** hurtiggående jager til nærforsvar.

intercession [intə'seʃən] mellemkomst; forbøn. **intercessor** [intə'sesə] mægler, talsmand; en, der går i forbøn. **intercessory** [intə'sesəri] mæglende; ~ *prayer* forbøn.

I. **interchange** [intə'tʃeⁱn(d)ʒ] (vb.) veksle, udveksle; ombytte.

II. **interchange** ['intətʃeⁱn(d)ʒ] (subst.) udveksling; veksling, skifte.

interchangeable [intə'tʃeⁱndʒəbl] udskiftelig, som kan udveksles; ombyttelig; vekslende, skiftende; ~ *with* (ogs.) ensbetydende med.

intercollegiate [intəkə'li·dʒiėt] mellem kollegierne (fx. ~ *games).*

intercolonial [intəkə'loᵘnjəl] mellem kolonierne (fx. ~ *trade).*

intercom ['intə'kåm] internt samtaleanlæg.

intercommunicate [intəkə'mju·nikeⁱt] stå i forbindelse med hinanden, meddele sig til hinanden. **intercommunication** ['intəkəmju·ni'keⁱʃən] forbindelse, samkvem.

intercommunion [intəkə'mju·njən] indbyrdes forbindelse.

inter-continental ['intəkånti'nentəl] interkontinental (fx. ~ *ballistic missile).*

intercostal [intə'kåstəl] (anat.) mellem ribbenene; ♧ mellem ribberne i et blad; *-s* (subst.) ⚓ intercostaler, indskudsplader.

intercourse ['intəkå·s] samkvem; forbindelse; omgang; *sexual* ~ kønslig omgang.

intercross [intə'krå·s] krydse(s), lægge (el. ligge) over kors.

intercurrent [intə'kʌrənt] som kommer imellem, tilstødende; (med.) interkurrent, som opstår under forløbet af en anden sygdom.

inter|depend [intədi'pend] (vb.) være indbyrdes afhængige. **-dependence, -dependency** [intədi'pendəns(i)] indbyrdes afhængighed. **-dependent** [intədi'pendənt] indbyrdes afhængige.

I. **interdict** [intə'dikt] (vb.) forbyde; belægge med interdikt.

II. **interdict** ['intədikt] (subst.) forbud; interdikt; *put an* ~ *upon* forbyde; *lay* el. *put under an* ~ belægge med interdikt. **interdiction** [intə'dikʃən] forbud; udstedelse af interdikt; interdikt.

I. **interest** ['intərest] (subst.) interesse; rente(r); indflydelse; *bear* ~ *at the rate of 5 per cent.* el. *bear 5 per cent.* ~ give 5 procents rente; *the common* ~ (ogs.) det fælles bedste; *compound* ~ rentes rente; *have an* ~ *in* have andel i; have interesse for; *in the -s of sby.* i ens interesse, til ens bedste; *travel in the -s of a firm* rejse for et firma; *the landed* ~ det store hartkorn, godsejerne; *lend out money at* ~ låne penge ud mod renter; *put out money at* ~ sætte penge på rente; *rate of* ~ rentesats, rentefod; *simple* ~ simpel rente; *take (an)* ~ *in* vise interesse for, interessere sig for; *use one's* ~ gøre sin indflydelse gældende; *return a blow with* ~ give en lussing igen med renter.

II. **interest** ['intərest] (vb.) interessere.

interested ['intərestid] interesseret (fx. *he is* ~ *in history);* egennyttig (fx. ~ *motives).*

interesting ['intərestiŋ] interessant.

interface ['intəfeⁱs] grænseflade.

interfere [intə'fiə] støde sammen, kollidere, komme i kollision; lægge sig imellem; gribe ind; stryge skank; *don't* ~ pas dig selv; ~ *in* blande sig i; ~ *with* blande sig i, gribe ind i; pille ved (fx. *don't* ~ *with that machine);* være til hindring for; forstyrre (fx. *don't* ~ *with me),* skade (fx. ~ *with health);* vanskeliggøre. **interference** [intə'fiərəns] indblanding, indgreb *(with* i); mellemkomst; interferens, forstyrrelse, fx. i radio el. radar.

interflow [intə'floᵘ] glide over i hinanden.

interfluent [in'tə·fluənt] sammenflydende.

interfund fk. f. *International Monetary Fund.*

interfuse [intə'fju·z] (vb.) blande(s). **interfusion** [intə'fju·ʒən] blanding.

interim ['intərim] foreløbig, midlertidig; *in the* ~ i mellemtiden.

interior [in'tiəriə] (adj.) indre, indvendig; indenrigs-; (subst.) indre; interiør; *Department of the Interior* (amr.) indenrigsministerium; *Secretary of the Interior* (amr.) indenrigsminister.

interior| decorator maler, tapetserer; indendørsarkitekt. ~ **design** indendørsarkitektur.

interjacent [intə'dʒeⁱsənt] mellemliggende.

interject [intə'dʒekt] indskyde. **interjection** [intə'dʒekʃən] udråb, udbrud; udråbsord. **interjectional** [intə'dʒekʃənəl] udråbs-.

interlace [intə'leⁱs] (vb.) sammenflette; blande; indflette; være sammenflettet (el. sammenslynget). **interlacement** [-mənt] sammenfletning, sammenslyngning.

interlacing (i fjernsyn) springskandering.

interlard [intə'la·d] spække; ~ *with foreign words* spække med fremmedord.

interleaf ['intəli·f] indskudt (hvidt) blad.

interleave [intə'li·v] gennemskyde med hvide blade.

interline [intə'lain] (vb.) skrive mellem linierne; mellemfore. **interlinear** [intə'linjə] (adj.) skrevet el. trykt mellem linierne, interlinear. **interlineation** [intəlini'eⁱʃən] det at skrive (el. ngt. der er skrevet) mellem linierne.

interlining [intə'lainiŋ] mellemfoer; ogs. = *interlineation.*

interlink [intə'liŋk] sammenkæde.

interlock [intə'låk] gribe ind i hinanden; lade gribe ind i hinanden, sammenføje; *be -ed* (om film) løbe synkront.

interlocution [intəlo'kju·ʃən] samtale. **interlocutor** [intə'låkjutə] deltager i en samtale. **interlocutory** [intə'låkjutəri] som har form af en samtale (fx. ~ *instruction).*

interlope [intə'loᵘp] blande sig i andres forhold; trodse et handelsmonopol; drive smughandel. **interloper** ['intəloᵘpə, intə'loᵘpə] en der blander sig i andres forhold el. trodser et handelsmonopol; smughandler.

interlude ['intəl(j)u·d] mellemspil; (fig.) episode; *there were -s of bright weather* det var klart vejr ind imellem.

intermarriage [intə'märidʒ] indbyrdes giftermål (mellem medlemmer af to stammer eller familier); indgifte. **intermarry** ['intə'märi] gifte sig indbyrdes.

intermeddle [intə'medl] blande sig *(with, in* i). **intermeddler** [intə'medlə] en der uopfordret blander sig i andres affærer.

intermediary [intə'mi·djəri] (subst.) mellemled;

mellemmand, formidler, mægler; (adj.) mellemliggende.

intermediate [intə'mi·djėt] mellemliggende, mellem-.

intermediate| host (zo.) mellemvært. ~ **-range** mellemdistance- (fx. *ballistic missiles*). ~ **school** mellemskole.

intermedium [intə'mi·djəm] mellemmand; bindeled.

interment [in'tə·mənt] begravelse.

intermezzo [intə'medzo[u]] intermezzo.

interminable [in'tə·minəbl] uendelig, endeløs.

intermingle [intə'miŋgl] blande (sig).

intermission [intə'miʃən] afbrydelse, standsning, pause; *without* ~ uafbrudt.

intermit [intə'mit] afbryde, standse, lade holde op for en tid; blive afbrudt, standse, holde op for en tid. **intermittence** [intə'mitəns] ophør, afbrydelse, standsning.

intermittent [intə'mitənt] (adj.) periodisk optrædende; uregelmæssig (fx. *an* ~ *pulse*), afbrudt.

intermittent light blinkfyr, blinklys.

intermittently med mellemrum, med afbrydelser, ind imellem.

intermix [intə'miks] (vb.) blande. **intermixture** [intə'mikstʃə] (subst.) blanding.

I. **intern** ['intə·n] (subst., amr.) kandidat (på hospital).

II. **intern** [in'tə·n] (vb.) internere.

internal [in'tə·nəl] indre; indvendig; indenlandsk, indenrigsk; ~ *angle* indvendig vinkel; ~ *combustion engine* forbrændingsmotor, eksplosionsmotor; ~ *secretion* intern (ɔ: indre) sekretion; *for* ~ *use* (med.) til indvortes brug.

I. **international** [intə'näʃnl] (adj.) international, mellemfolkelig.

II. **International** [intə'näʃənl], **Internationale** [intənäʃə'na·l] (subst.) Internationale.

internationalize [intə'näʃənəlaiz] (vb.) internationalisere, gøre international.

international| law folkeret. ~ **match** landskamp.

internecine [intə'ni·sain] gensidigt ødelæggende; dødbringende.

internee [intə'ni·] interneret.

internment [in'tə·nmənt] internering.

internment camp interneringslejr.

internode ['intəno[u]d] ♧ stængelled.

internuncio [intə'nʌnʃio[u]] internuntius.

interpellate [in'tə·pele[i]t] interpellere, stille spørgsmål til. **interpellation** [intə·pe'le[i]ʃən] interpellation.

interpenetrate [intə'penitre[i]t] trænge helt ind i; trænge ind i hinanden.

interphone ['intəfo[u]n] (amr.) = *intercom.*

interplanetary [intə'plänitəri] (adj.) interplanetarisk.

interplay ['intəple[i]] samspil.

interpolate [in'tə·pole[i]t] indskyde, indføje (ord i tekst); interpolere. **interpolation** [intə·po'le[i]ʃən] indskyden; interpolation; indskud. **interpolator** [in'tə·pole[i]tə] tekstforfalsker, interpolator.

interposal [intə'po[u]zəl] mellemkomst. **interpose** [intə'po[u]z] sætte (el. lægge) imellem; lægge sig imellem, intervenere, mægle; afbryde, indskyde.

interposer [intə'po[u]zə] mellemmand, mægler.

interposition [intəpə'ziʃən] mellemstilling; mellemkomst, intervention, mægling.

interpret [in'tə·prėt] fortolke, forklare, udlægge; tolke; være tolk. **interpretable** [in'tə·pritəbl] som kan fortolkes. **interpretation** [intə·pri'te[i]ʃən] fortolkning, forklaring, tydning; tolkning, oversættelse. **interpretative** [in'tə·pritətiv] fortolkende, forklarende. **interpreter** [in'tə·pritə] fortolker, tolk. **interpretress** [in'tə·pritrės] kvindelig tolk.

interracial [intə're[i]ʃjəl] mellem (el. for) to el. flere racer.

interregnum [intə'regnəm] interregnum.

interrelation(ship) [intəri'le[i]ʃən(ʃip)] indbyrdes forhold.

interrogate [in'terəge[i]t] spørge; afhøre, forhøre.

interrogation [interə'ge[i]ʃən] spørgen; afhøring, forhør, spørgsmål; spørgsmålstegn; *mark* (el. *note* el. *point) of* ~ spørgsmålstegn.

interrogative [intə'rågətiv] spørgende; spørgende ord. **interrogator** [in'terəge[i]tə] spørger. **interrogatory** [intə'rågətəri] spørgende; spørgsmål.

interrupt [intə'rʌpt] afbryde; forstyrre; ~ *the view* spærre for udsigten. **interrupter** [intə'rʌptə] (elekt.) afbryder. **interruption** [intə'rʌpʃən] afbrydelse; forstyrrelse. **interruptory** [intə'rʌptəri] afbrydende; forstyrrende.

intersect [intə'sekt] gennemskære, overskære, gennembryde, dele; krydse; krydse (el. skære) hinanden. **intersection** [intə'sekʃən] gennemskæring, vejkryds, korsvej; *line of* ~ skæringslinie. **intersectional** [intə'sekʃənl] skærings-.

interspace ['intə'spe[i]s] (subst.) mellemrum; (vb.) spatiere.

intersperse [intə'spə·s] indstrø, indflette; udstrø, overså (fx. *a sky -d with stars*).

interspersion [intə'spə·ʃən] indstrøning, udstrøning.

interstate ['intə'ste[i]t] (adj., amr.) mellemstatlig (ɔ: mellem enkeltstaterne) (fx. ~ *railways*, ~ *commerce*).

interstellar ['intə'stelə] interstellar, mellem stjernerne.

interstice [in'tə·stis] mellemrum, sprække. **interstitial** [intə'stiʃəl] mellemrums-; mellem-; mellemliggende.

intertribal [intə'traibl] mellem stammer; ~ *wars* stammekrige.

intertropical [intə'tråpikl] som ligger i troperne.

intertwine [intə'twain], **intertwist** [-'twist] sammenflette, sammenslynge; slynge sig om hinanden.

interurban ['intər'ə·bən] (adj.) mellembys-, mellem (to) byer.

interval ['intəvəl] mellemrum; mellemtid, pause; interval; frikvarter; *at -s* med visse mellemrum, nu og da; *at -s of three minutes* med tre minutters mellemrum; *lucid* ~ lyst øjeblik; ~ *signal* (i radio) pausesignal.

intervene [intə'vi·n] komme imellem, intervenere, gribe ind, lægge sig imellem, tage affære; ske (el. forekomme) i mellemtiden; *the intervening period* den mellemliggende tid. **intervener** intervenient. **intervenient** [intə'vi·niənt] som kommer imellem, griber ind osv. **intervention** [intə'venʃən] mellemkomst, indskriden, intervention.

interview ['intəvju·] (subst.) sammenkomst, møde; interview; samtale; mundtlig prøve; (vb.) have sammenkomst med; have en samtale med, interviewe, udspørge; besøge (en) for at indhente oplysninger. **interviewer** ['intəvju·ə] interviewer.

intervolve [intə'vålv] rulle (to ting) sammen.

inter-war ['intə'wå·]: *the* ~ *years* mellemkrigsårene.

interweave [intə'wi·v] sammenvæve; sammenblande, sammenfiltre.

interwind [intə'waind] sammensno, sammenslynge, sammenfiltre.

interzonal [intə'zo[u]nəl] (i Tyskland) interzone- (fx. *traffic*); mellem zoner(ne).

intestacy [in'testəsi] det at der ikke findes noget testamente efter en afdød.

intestate [in'testėt] person der er død uden at efterlade sig testamente; som ikke er testamenteret; *die* ~ dø uden at efterlade sig testamente; ~ *succession* (jur.) intestatarv.

intestinal [in'testinl] tarm-, indvolds-. **intestine** [in'testin] indre, indvortes; tarm; *-s* (ogs.) indvolde; *the large* ~ tyktarmen; *the small* ~ tyndtarmen.

intimacy ['intiməsi] intimitet, fortrolighed, fortroligt forhold; intimt (ɔ: seksuelt) forhold.

I. **intimate** ['intimėt] (adj.) fortrolig, intim (fx. ~ *friendship*); indgående (fx. *knowledge*); indre, inderst;

(subst.) fortrolig ven; *be on ~ terms with* stå på en fortrolig fod med.

II. **intimate** ['intimeⁱt] (vb.) give at forstå, antyde, tilkendegive, melde, bebude. **intimately** ['intimètli] fortroligt; nøje. **intimation** [inti'meⁱʃən] antydning, vink; tilkendegivelse.

intimidate [in'timideⁱt] intimidere, skræmme. **intimidation** [intimi'deⁱʃən] intimidering, skræmmen.

intimity [in'timiti] intimitet; afsondrethed.

intituled [in'titju·ld] (om lov:) med titlen.

into ['intu (foran vokallyd), 'intə (foran konsonantlyd)] ind i, i; ud i, ud på, på; op i; ned i; over i; til; *~ the bargain* oven i købet; *we have been ~ that* det har vi drøftet (el. været igennem); *far ~ the night* (til) langt ud på natten; *flatter him ~ doing it* ved smiger få ham til at gøre det; *go ~ the park* gå ind i parken; *two ~ four goes twice* to i fire er to; *grow ~ a habit* blive til en vane; *translate ~ English* oversætte til engelsk.

in-toed ['intoᵘd] med tæerne indad.

intolerable [in'tål(ə)rəbl] utålelig. **intolerance** [in'tålərəns] intolerance, utålsomhed. **intolerant** [in'tålərənt] intolerant, utålsom (*of, towards* over for).

intonate ['intoneⁱt] istemme, intonere; lade tone; messe; tale recitativisk. **intonation** [into'neⁱʃən] intonering, toneangivelse; modulation; messen; intonation. **intone** [in'toᵘn] = *intonate.*

intoxicant [in'tåksikənt] berusende middel el. drik.

intoxicate [in'tåksikeⁱt] beruse; drikke fuld; *-d with* beruset af. **intoxication** [intåksi'keⁱʃən] beruselse, fuldskab, rus.

intr. fk. f. *intransitive.*

intractability [inträktə'biliti] uregerlighed, umedgørlighed, stridighed. **intractable** [in'träktəbl] uregerlig, umedgørlig, ustyrlig (fx. *children);* ikke let at bearbejde.

intramural ['intrə'mjuərəl] (adj.) inden for murene.

intransigent [in'tränsidʒənt] stejl, som nægter at gå på akkord, uforsonlig.

intransitive [in'tränsitiv, -'tra·n-] intransitiv.

intrant ['intrənt] indtrædende, tiltrædende.

intravenous [intrə'vi·nəs] (med.) intravenøs, i en blodåre.

intrench(ment) = *entrench(ment).*

intrepid [in'trepid] uforfærdet, frygtløs. **intrepidity** [intri'piditi] uforfærdethed, frygtløshed.

intricacy ['intrikəsi] indviklethed; *intricacies* forviklinger. **intricate** ['intrikèt] indviklet, kompliceret; forvirrende.

intrigue [in'tri·g] (subst.) intrige, rænke; (hemmelig) kærlighedsforbindelse; (vb.) intrigere; smede rænker; have en (hemmelig) kærlighedsforbindelse (*with* med); vække interesse (el. nysgerrighed) hos, tiltrække, fængsle; forvirre. **intriguer** [in'tri·gə] intrigant person, rænkesmed. **intriguing** [in'tri·giŋ] interessant; fængslende, pikant; (subst.) intrigeren.

intrinsic [in'trinsik] indre, væsentlig; *~ value* egenværdi, reel værd, værdi i handel og vandel (modsat affektionsværdi).

intro(d). fk. f. *introduction.*

introduce [intrə'dju·s] indføre; præsentere, forestille (*to* for); indbringe; indlede; *be -d* (ogs.) komme frem, komme i brug; *~ a Bill before Parliament* forelægge et lovforslag; *~ a subject into the conversation* bringe et emne på bane.

introduction [intrə'dʌkʃən] indførelse; forestilling, præsentation; anbefaling; indledning; *letter of ~* introduktionsskrivelse. **introductory** [-'dʌktəri] indledende.

introit ['introit, in'troᵘit] (subst.) introitus, indgangssalme.

introspect [intro'spekt] analysere sine egne tanker og følelser. **introspection** [intro'spekʃən] selvbeskuelse, selvanalyse, selviagttagelse. **introspectionist** [intro'spekʃənist] selvbeskuer. **introspective** [intro'spektiv] selvbeskuende, selvransagende, selvanalyserende; indadvendt.

I. **introvert** [intro'və·t] (vb.) vende indad.

II. **introvert** ['introvə·t] (subst.) indadvendt person.

intrude [in'tru·d] trænge sig på; komme til besvær; *~ on* trænge sig ind på, antaste; *~ sth. on sby.* pånøde en ngt.; *~ oneself on* trænge sig ind på. **intruder** [in'tru·də] påtrængende menneske, ubuden gæst; *~ (aircraft)* fly der trænger ind over fjendtligt territorium.

intrusion [in'tru·ʒən] indtrængen; pånøden. **intrusive** [in'tru·siv] påtrængende, som trænger sig ind.

intubate ['intjubeⁱt] anbringe kateter (, rør) i.

intuit [in'tjuit] (vb.) vide intuitivt. **intuition** [intju'iʃən] intuition, anskuelse, umiddelbar opfattelse; *know by ~* vide intuitivt. **intuitional** [intju'iʃənəl], **intuitive** [in'tju·itiv] intuitiv, umiddelbart erkendende.

intumesce [intju'mes] svulme op. **intumescence** [intju'mesns] opsvulmen.

intussusception [intəsʌ'sepʃən] (tarm)indkrængning.

inunction [in'ʌŋkʃən] (med.) indgnidning (af salve).

inundate ['inʌndeⁱt] overstrømme, oversvømme. **inundation** [inʌn'deⁱʃən] oversvømmelse.

inure [in'juə] hærde (*to* imod), vænne (*to* til); komme til anvendelse, træde i kraft (fx. *the benefits ~ from the first day of disability).* **inurement** [-mənt] hærdning; øvelse.

inurn [in'ə·n] lægge i urne.

inutile [in'ju·tail] unyttig.

inutility [inju'tiliti] unyttighed.

invade [in'veⁱd] falde ind i, gøre indfald i, trænge ind i, invadere; gøre indgreb i, krænke (fx. *his rights);* overfalde. **invader** [in'veⁱdə] angriber; en der gør indgreb.

I. **invalid** [in'välid] (adj.) ugyldig (fx. *an ~ cheque).*

II. **invalid** ['invəli·d] (adj.) (kronisk) syg, svagelig; (subst.) patient; invalid.

III. **invalid** [invə'li·d] (vb.) sætte på sygelisten, fjerne fra aktiv tjeneste som utjenstdygtig; *~ him home* hjemsende ham som utjenstdygtig.

invalidate [in'välideⁱt] afkræfte; gøre ugyldig. **invalidation** [inväli'deⁱʃən] ugyldiggørelse.

invalid| chair rullestol. *~* **diet** sygekost.

invalidism ['invəlidizm] invaliditet, utjenstdygtighed. **invalidity** [invə'liditi] ugyldighed; utjenstdygtighed.

invaluable [in'välju(ə)bl] uvurderlig.

invariability [inværiə'biliti] uforanderlighed. **invariable** [in'væəriəbl] uforanderlig; ufravigelig, gængs; (i matematik) konstant. **invariably** (adv.) uvægerlig; altid.

invasion [in'veⁱʒən] indfald, angreb; invasion; indgreb; *~ of my rights* indgreb i mine rettigheder. **invasive** [in'veⁱsiv] angribende; angrebs-, invasions-.

invective [in'vektiv] (subst.) skældsord.

inveigh [in'veⁱ] (vb.): *~ against* skælde ud på, rase mod.

inveigle [in'vi·gl] (vb.) forlede, lokke (*into* til). **inveiglement** [in'vi·glmənt] (subst.) forlokkelse.

invent [in'vent] (vb.) opfinde; opdigte, finde på. **invention** [in'venʃən] (subst.) opfindelse; påfund, påhit; løgn, løgnehistorie; opfindsomhed. **inventive** [in'ventiv] opfindsom. **inventor** [in'ventə] opfinder.

inventory ['inventri] opgørelse, inventarieliste, lageropgørelse; katalog; *make* el. *take* el. *draw up an ~* optage en fortegnelse.

inveracity [invə'räsiti] (subst.) usandfærdighed, usandhed.

Inverness [invə'nes].

inverse [in'və·s] omvendt; *be in ~ ratio to* el. *be -ly proportionate to* el. *vary -ly as* (mat.) stå i omvendt forhold til, være omvendt proportional med.

inversion [in'və·ʃən] omstilling; inversion, omvendt ordstilling; homoseksualitet.

I. **invert** ['invə·t] (adj.) homoseksuel.
II. **invert** [in'və·t] (vb.) vende, vende op og ned på.
invertebrate [in'və·tibrèt] (zo.) hvirvelløs; (om person) uden rygrad; holdningsløs.
inverted| commas anførelsestegn, gåseøjne. ~ **pleat** wienerlæg.
invert sugar invertsukker.
invest [in'vest] (vb.) (om kapital) anbringe, investere (fx. ~ *money in stocks);* indsætte (i et embede); indeslutte, belejre (fx. *a fortress);* (be)klæde; ~ *in* investere i, sætte penge i; **T** købe, spendere på sig selv (fx. ~ *in a new dress);* ~ *with* indhylle i, omgive med (fx. *mystery);* give, skænke, forlene med, udstyre med (fx. *absolute power);* iklæde.
investigate [in'vestigeⁱt] (vb.) udforske; undersøge. **investigation** [investi'geⁱʃən] (subst.) udforskning; undersøgelse. **investigative** [in'vestigeⁱtiv] (adj.) forsknings-, undersøgelses-. **investigator** [in'vestigeⁱtə] (subst.) forsker; undersøger. **investigatory** [in'vestigeⁱtəri] (adj.) forsknings-, undersøgelses-.
investiture [in'vestitʃə] indsættelse (i et embede); investitur, indsættelsesret.
investment [in'vestmənt] investering, pengeanbringelse; anbragt kapital; indsættelse (i embede); belejring, blokade; klædning. **investor** [in'vestə] en, som har penge at anbringe el. har anbragt penge i noget.
inveteracy [in'vetərəsi] indgroethed, hårdnakkethed, rodfæstethed. **inveterate** [in'vet(ə)rèt] indgroet; kronisk, vanskelig at helbrede; forhærdet, inkarneret; *an* ~ *drunkard* en uforbederlig dranker.
invidious [in'vidjəs] (adj.) odiøs; vilkårlig; som vækker uvilje (særlig på grund af vilkårlighed, uretfærdighed), uretfærdig; stødende (fx. ~ *remarks).*
invigilate [in'vidʒileⁱt] føre tilsyn (ved skriftlig eksamen); overvåge, inspicere.
invigilation [invidʒi'leⁱʃən] eksamenstilsyn.
invigilator [in'vidʒileⁱtə] (person som har) eksamenstilsyn.
invigorate [in'vigəreⁱt] give kraft, styrke, stramme op. **invigoration** [invigə'reⁱʃən] styrkelse, ny kraft; opstramning, opstrammende virkning.
invincibility [invinsi'biliti] uovervindelighed. **invincible** [in'vinsibl] uovervindelig; urokkelig.
inviolability [invaiələ'biliti] ukrænkelighed; ubrødelighed. **inviolable** [in'vaiələbl] ukrænkelig; ubrødelig. **inviolacy** [in'vaiələsi] ukrænkelighed; ubrødelighed.
inviolate [in'vaiəlèt] (adj.) ukrænket; **ubrudt.**
invisibility [invizi'biliti] usynlighed.
invisible [in'vizibl] usynlig; ~ *exports* usynlig eksport; ~ *mending* kunststopning.
invitation [invi'teⁱʃən] indbydelse, invitation; opfordring, anmodning.
invite [in'vait] (vb.) indbyde, invitere; opfordre, bede; udbede sig; opfordre til; udsætte sig for (fx. *failure);* ~ *the smile* kalde på smilet.
inviting (adj.) indbydende, fristende.
invocation [invo'keⁱʃən] påkaldelse, anråbelse; nedkaldelse, fremmanen. **invocatory** [in'våkətəri] påkaldende; anråbelses-.
invoice ['invois] (subst.) faktura; (vb.) fakturere, udfærdige faktura over.
invoke [in'voᵘk] påkalde, anråbe (fx. *God);* nedkalde (fx. *vengeance on* (over) *them);* fremmane (fx. *a spectre);* påberåbe sig.
involucre ['invəlu·kə] ♧ svøb (om blomsterstand), sporegemme.
involuntarily [in'våləntərili] ufrivilligt; uvilkårligt. **involuntary** [in'våləntəri] ufrivillig; uvilkårlig.
involute ['invəl(j)u·t] indviklet; spiraldrejet; ♧ (om blad) indadrullet.
involution [invə'l(j)u·ʃən] indvikling; forvikling; indviklethed; potensopløftning; involution.
involve [in'vålv] indvikle; indhylle; indeholde, medføre; involvere (fx. *it -s great expenses);* inddrage, implicere, omfatte; indvirke på. **involved** [in'vålvd] indviklet, kompliceret; ~ *in* impliceret i; engageret i; optaget af; ~ *in debt* forgældet; *there is too much* ~ der står for meget på spil.
invulnerability [invʌlnərə'biliti] usårlighed. **invulnerable** [in'vʌlnərəbl] usårlig.
inward ['inwəd] indre; indvendig, indvortes; ind(ad)gående; indad; ~ *bound* ⚓ for indgående.
inwardly ['inwədli] indvendigt, indadtil, i ens stille sind.
inwardness ['inwədnès] egentlig beskaffenhed (el. natur); *true* ~ dybere mening; *the true* ~ *of the case* den dybere sammenhæng.
I. **inwards** ['inwədz] (subst., pl.) indvolde; indvendige dele.
II. **inwards** ['inwədz] (adv.) indad, i ens indre; *turned* ~ indadvendt.
inwrought ['inrå·t] indvævet; indvirket; mønstret; ~ *with* (fig.) indvævet (el. indflettet) i; tæt forbundet med.
iodic [ai'ådik] jodholdig; ~ *acid* jodsyre. **iodide** ['aiədaid] jodforbindelse; *potassium* ~ jodkalium; *sodium* ~ jodnatrium. **iodine** ['aiədi·n] jod. **iodism** ['aiədizm] jodforgiftning. **iodize** ['aiədaiz] behandle (el. præparere) med jod. **iodoform** [ai'ådəfå·m] jodoform.
I. of M. fk. f. *Isle of Man.*
I. of W. fk. f. *Isle of Wight.*
ion ['aiən] ion.
Ionia [ai'oᵘnjə] Jonien.
Ionian [ai'oᵘnjən] jonisk; joner.
ionization [aiənai'zeⁱʃən] ionisering; ~ *chamber* ioniseringskammer.
iota [ai'oᵘtə] jota; bagatel, tøddel.
IOU ['aioᵘ'ju·] (= *I owe you)* gældsbrev.
Iowa ['aiəwə].
ipecac ['ipikäk], **ipecacuanha** [ipikäkju'änə] ipecacuanha, brækrod.
Iphigenia [ifidʒi'naiə]. **Ipswich** ['ipswitʃ].
I. Q. el. **IQ** fk. f. *intelligence quotient.*
I. R. A. fk. f. *Irish Republican Army.*
Irak [i'ra·k] Irak, Mesopotamien.
Iran [i(ə)'ra·n] Iran, Persien. **Irani** [i'ra·ni], **Iranian** [ai'reⁱnjən] iransk, persisk.
Iraq [i'ra·k] Irak, Mesopotamien.
irascibility [(a)iräsi'biliti] hidsighed. **irascible** [(a)i'räsibl] opfarende, hidsig. **irate** [ai'reⁱt] (adj.) vred, opbragt, forbitret.
IRBM fk. f. *intermediate-range ballistic missile.*
IRC fk. f. *International Red Cross.*
ire [aiə] vrede, forbitrelse.
ireful ['aiəf(u)l] vred, forbitret.
Ireland ['aiələnd] Irland.
Irene ['airi·n; ai'ri·ni].
irenic(al) [ai'renik(l)] fredelig, fredsommelig; fredsstiftende.
iridescence [iri'desəns] iriseren, spillen i regnbuens farver.
iridescent [iri'desənt] iriserende, spillende i regnbuens farver.
iridium [ai'ridiəm] iridium (et metal).
iris ['aiəris] (anat.) iris, regnbuehinde; ♧ sværdlilje.
Irish ['aiəriʃ] irsk (adj. og subst.); *the* ~ irlænderne, irerne. **Irishism** ['aiəriʃizm] irsk sprogejendommelighed. **Irishman** ['aiəriʃmən] irlænder. **Irishry** ['aiəriʃri] irsk befolkning. **Irish stew** irsk stuvning, sammenkogt ret af bedekød med kartofler og løg.
Irishwoman ['aiəriʃwumən] irlænderinde.
iritis [aiə'raitis] (med.) regnbuehindebetændelse.
irk [ə·k] (vb.) trætte; kede (fx. *it -s me to do that).*
irksome ['ə·ksəm] trættende; kedsommelig.
IRO ['airoᵘ] fk. f. *International Refugee Organization.*
iron ['aiən] (subst.) jern; (fig.) kraft, styrke; hårdhed, grusomhed; strygejern; **S** penge; pistol, skyder; (pl.) lænker; (adj.) af jern; fast, urokkelig; **hård, gru-**

som; *the Iron Duke* et tilnavn til Wellington; *have too many -s in the fire* have for mange jern i ilden; *a man of ~* en hård (, ubøjelig, ubarmhjertig) mand; *rule with an ~ rod* regere med jernhånd; *strike while the ~ is hot* smede mens jernet er varmt.

II. **iron** ['aiən] (vb.) lægge i lænker; beklæde med jern; stryge (med strygejern); *~ out* udjævne, udglatte.

iron|bound jernbeslået; (om kyst) klippefuld; (fig.) hård, ubøjelig. **-clad** (adj.) pansret; (subst.) panserskib. **~ curtain**: *the ~ curtain* jerntæppet. **~ filings** jernfilspåner. **~ -founder** jernstøber.

ironical [ai'rånikl] ironisk; *-ly enough* ved skæbnens ironi.

ironing ['aiəniŋ] strygning; presning; strygetøj.

ironing|-board strygebræt. **~ -room** strygestue.

ironist ['aiərənist] ironiker.

iron|lung jernlunge. **-master** jernværksejer. **-monger** ['aiənmʌŋgə] isenkræmmer. **-mongery** ['aiənmʌŋgəri] isenkramvarer. **~ -mould** rustplet, blækplet. **~ pyrites** jernkis. **~ ration** nødration. **-work** jernarbejde. **-works** (sing. el. pl.) jernværk.

I. **irony** ['aiəni] jernhård; jern-.

II. **irony** ['aiərəni] ironi; ironiseren.

Iroquois ['irokwoi] irokeser; irokesisk.

irradiant [i'reidiənt] lysende, strålende.

irradiate [i'reidieit] bestråle, belyse; kaste (el. sprede) lys over, oplyse, udstråle, udbrede (fx. *~ happiness)*; pryde; stråle. **irradiation** [ireidi'eiʃən] strålen, udstrålen; stråleglans; (fig.) oplysning, belysning.

irrational [i'räʃ(ə)nəl] ufornuftig; urimelig, irrationel; irrational (fx. *numbers)*. **irrationality** ufornuft, urimelighed; irrationalitet.

irreclaimable [iri'kleiməbl] uigenkaldelig; uforbederlig; (om landområde) som ikke kan bringes under kultur.

irrecognisable [i'rekəgnaizəbl] uigenkendelig.

irreconcilability [irekənsailə'biliti] uforsonlighed; uforenelighed. **irreconcilable** [i'rekənsailəbl] uforsonlig, uforenelig.

irrecoverable [iri'kʌv(ə)rəbl] ubodelig, uerstattelig (fx. *~ losses); ~ debt* uerholdelig fordring.

irrecusable [iri'kju·zəbl] uafviselig.

irredeemable [iri'di·məbl] uindløselig; uigenkaldelig; uerstattelig (fx. *an ~ loss);* uforbederlig.

irredentist [iri'dentist] forkæmper for genforening med moderlandet af områder under fremmed herredømme.

irreducible [iri'dju·sibl] som ikke kan reduceres yderligere.

irrefragability [irefrəgə'biliti] uomstødelighed, uigendrivelighed. **irrefragable** [i'refrəgəbl] (adj.) uomstødelig, uigendrivelig (fx. *argument)*.

irrefrangible [iri'frändʒibl] (adj.) ubrydelig.

irrefutable [i'refjutəbl] (adj.) uigendrivelig.

irregular [i'regjulə] uregelmæssig; uordentlig; udskejende, udsvævende; ugyldig, ikke i overensstemmelse m. forskrifterne; ureglementeret; ⚔ irregulær. **irregularity** [iregju'läriti] uregelmæssighed.

irregulars [i'regjuləz] (subst. pl.) irregulære tropper.

irrelative [i'relətiv] uden gensidigt forhold, uden forbindelse, uvedkommende; absolut.

irrelevance [i'relivəns], **irrelevancy** [i'relivənsi] irrelevans, det at være sagen uvedkommende; uvedkommende bemærkning. **irrelevant** [i'relivənt] irrelevant, (sagen) uvedkommende.

irreligion [iri'lidʒən] religionsløshed; irreligiøsitet. **irreligious** [-dʒəs] religionsløs; irreligiøs.

irremediable [iri'mi·diəbl] ulægelig, uhelbredelig, uafhjælpelig; ubodelig.

irremissible [iri'misibl] utilgivelig; som man ikke kan slippe for, som ikke kan eftergives.

irremovability ['irimu·və'biliti] uafsættelighed.

irremovable [iri'mu·vəbl] uafsættelig; som ikke kan fjernes eller flyttes.

irreparable [i'repərəbl] uoprettelig; ubodelig.

irreplaceable [iri'pleisəbl] uerstattelig.

irreprehensible [iripri'hensibl] (adj.) udadlelig, ulastelig.

irrepressible [iri'presibl] ukuelig, ubetvingelig.

irreproachable [iri'proutʃəbl] udadlelig, ulastelig.

irresistibility ['irizisti'biliti] uimodståelighed.

irresistible [iri'zistibl] uimodståelig.

irresolute [i'rezəl(j)u·t] ubeslutsom; vankelmodig. **irresolution** [irezə'l(j)u·ʃən] ubeslutsomhed, vaklen.

irresolvable [iri'zålvəbl] uopløselig.

irrespective [iri'spektiv]: *~ of* uden hensyn til, uanset.

irresponsibility ['irispånsi'biliti] uansvarlighed; ansvarsfrihed; ansvarsløshed, letsindighed. **irresponsible** [iri'spånsibl] ansvarsfri, uansvarlig, ansvarsløs, letsindig.

irresponsive [iri'spånsiv] uden sympati, som ikke reagerer (*to* over for).

irretentive [iri'tentiv] som savner evne til at fastholde (indtryk, o.l.).

irretrievable [iri'tri·vəbl] uoprettelig (fx. *an ~ loss)*. **irretrievably** (adv.) uopretteligt, uigenkaldeligt, redningsløst (fx. *lost)*.

irreverence [i'rev(ə)rəns] uærbødighed, pietetsløshed (*of* for). **irreverent** [-rənt] uærbødig; pietetsløs.

irreversible [iri'və·sibl] (adj.) uomstødelig; som ikke kan vendes; (om maskine) ikke omstyrbar; (kem. etc.) irreversibel.

irrevocable [i'revəkəbl] uigenkaldelig (fx. *an ~ decision)*.

irrigate ['irigeit] overrisle, vande; udskylle. **irrigation** [iri'geiʃən] overrisling; (kunstig) vanding; udskylning. **irrigator** ['irigeitə] overrislingsapparat; irrigator, udskylningsapparat.

irritability [iritə'biliti] pirrelighed, irritabilitet.

irritable ['iritəbl] pirrelig, irritabel. **irritant** ['iritənt] pirrende; pirringsmiddel; årsag til irritation.

irritate ['iriteit] pirre, irritere; drille. **irritation** [iri'teiʃən] pirring, irritation; ophidselse. **irritative** ['iriteitiv] pirrende, irriterende; ophidsende.

irruption [i'rʌpʃən] pludselig indtrængen; indfald (i et land o.l.), invasion. **irruptive** [i'rʌptiv] indbrydende.

Irvingite ['ə·viŋait] irvingianer.

is [iz] er, 3. pers. sing. præsens af *be*.

Isaac ['aizək] Isak.

isabella [izə'belə] (subst.) isabellafarve; (adj.) isabellafarvet.

isagogic [aisə'gådʒik] indledende. **isagogics** isagogik, indledning.

Isaiah [ai'zaiə] Jesaias, Esajas.

ischiadic [iski'ädik], **ischiatic** [iski'ätik] hofte-, ischias-.

-ish -agtig (fx. *childish* barnagtig); -lig (fx. *greenish* grønlig); ret, temmelig (fx. *coldish* temmelig kold); omkring (fx. *he is fortyish* han er o. de fyrre'; *it is eightish* klokken er cirka 8.

Ishmael ['iʃmeiəl] Ismael; en, som er i krig med samfundet; fredløs. **Ishmaelite** ['iʃmiəlait] ismaelit; en, som er i krig med samfundet; fredløs.

isinglass ['aiziŋgla·s] husblas; glimmer; marieglas.

Isis ['aisis]: *the ~* Themsen ved Oxford.

Islam ['izla·m] Islam. **Islamism** ['izləmizm] muhamedanisme. **Islamite** ['izləmait] muhamedaner. **Islamitic** [izlə'mitik] islamitisk, muhamedansk.

island ['ailənd] ø; helle (på kørebanen); *in the ~* på øen. **islander** ['ailəndə] øbo.

isle [ail] ø (bruges især poetisk eller i faste forbindelser, fx. *the Isle of Man; the Isle of Wight; the British Isles)*.

islet ['ailėt] lille ø, holm.

Islington ['izliŋtən].

ism [izm] (ironisk) -isme, teori, lære.

isn't = *is not*.

isobar ['aisoba·] isobar, linie gennem steder med samme lufttryk.
isocheim ['aisokaim] isokimen, linie gennem steder der har samme middeltemperatur om vinteren.
isochromatic [aisokro'mätik] ensfarvet; isokrom.
isochronous [ai'såkrənəs] isokron, ligetidig.
isogonic [aiso'gånik]: ~ *line* isogon, linie gennem steder med samme magnetiske misvisning.
isolate ['aisəleit] isolere, afsondre; udskille. **isolation** [aisə'leiʃən] isolering, afsondring; ~ *hospital* epidemihospital. **isolationism** [aisə'leiʃənizəm] isolationisme. **isolationist** [aisə'leiʃənist] isolationist.
isomeric [aiso'merik] (adj.) isomer.
isopod ['aisopåd] (zo.) isopode (et krebsdyr).
isosceles [ai'såsili·z] ligebenet (om trekant).
isotherm ['aisoþə·m] (subst.) isoterm, linie gennem steder med samme middeltemperatur om sommeren. **isothermal** [aiso'þə·məl] (subst.) isoterm.
isotope ['aisotoup] (subst.) isotop.
Ispahan [ispə'ha·n].
Israel ['izreiəl] Israel. **Israeli** [iz'reili] (adj.) israelisk; (subst.) israeler. **Israelite** ['izriəlait] israelit. **Israelitish** ['izriəlaitiʃ] israelitisk.
issuable ['iʃuəbl] som kan udstedes; som fører til afgørelse. **issuance** ['iʃuəns] udstedelse, udsendelse.
I. **issue** ['isju·; 'iʃu·] (subst.) udgang, afløb; udstrømning, strøm (fx. *of blood);* udgivelse, udsendelse (fx. *of a book);* udstedelse, emission (fx. ~ *of shares* aktieemission), udlevering; udlån (fra bibliotek); udgave, oplag; nummer (af et blad) (fx. *it will appear in our next* ~*);* problem, spørgsmål (fx. *debate an* ~*);* stridspunkt; resultat, udfald (fx. *await the* ~*);* afslutning; børn, afkom (fx. *die without* ~*); be at* ~ være uenige; *the matter* (el. *point) at* ~ den sag der er under debat, stridsspørgsmålet; *join* (el. *take)* ~ *with* indlade sig i diskussion med; *shirk* (el. *dodge) the* ~ gå uden om spørgsmålet (el. sagen).
II. **issue** ['isju·; 'iʃu·](vb.) udgå, komme ud; strømme ud; stamme *(from* fra); hidrøre *(from* fra); ende *(in* med); udlevere; udstede; udgive (fx. en bog).
isthmian ['isþmiən] istmisk.
isthmus ['isməs] landtange (fx. *the Isthmus of Panama).*
I. **it** [it] den, det; *it is late* klokken er mange; *it is two o'clock* klokken er to; *that's it* det er rigtigt, ja netop; *that's it, give us a song* det er rigtigt, lad os få en sang; *that's probably it* det er nok forklaringen, det er nok derfor; *is it far?* er der langt (derhen)? *it is a long way to Oxford* der er langt til O.; *it is 6 miles to O.* der er 6 miles til O.; *it is no way there* der er ikke ret langt derhen; *you are going it* du flotter dig; *foot it* gå til fods; *get (, give) it,* se *get, give; lord it* spille herre; *have done it* (T ogs.) være kommet galt af sted; *we had a good time of it* vi morede os godt; *I thought I was absolutely 'it' in my new blouse* jeg syntes, jeg var vældig fiks i min nye bluse; *for impudence he is really it* (amr. T) han er noget af det frækkeste; *what is it?* hvad er der? *who is it?* hvem er det?
II. **it** [it] S sex-appeal, charme.
III. **It** [it] italiensk vermut (fk. f. *Italian).*
I. T. A. fk. f. *Independent Television Authority.*
Italian [i'täljən] italiensk; italiener; ~ *iron* pibejern. **Italianism** [i'täljənizm] italiensk (sprog)ejendommelighed. **Italianize** [i'täljənaiz] italienisere; spille italiener.
I. **Italic** [i'tälik] (adj.) italisk.
II. **italic** [i'tälik] (adj.) kursiv; *italics* kursiv; *the -s are ours* fremhævet af os. **italicize** [i'tälisaiz] kursivere.
Italy ['itəli] Italien.
itch [itʃ] (vb.) klø; (subst.) kløe; fnat, skab; stærk lyst, længsel; *be -ing to* brænde efter at; *my fingers* ~ *to box his ears* mine fingre klør efter at give ham en lussing; *have an* ~ *for money, have an -ing palm* være pengebegærlig. **itch-mite** fnatmide, skabmide.
itchy ['itʃi] kløende; fnattet, skabet.
I. **item** ['aitem] (subst.) (enkelt) artikel, punkt, post; (vb.) optegne, notere; ~ *of information* oplysning; ~ *of news* nyhed.
II. **item** ['aitəm] (adv.) item, ligeledes. **itemize** ['aitəmaiz] opføre de enkelte poster, specificere (en regning).
iterance, iterancy ['itərəns(i)] gentagelse.
iterate ['itəreit] gentage. **iteration** [itə'reiʃən] gentagelse. **iterative** ['itərətiv] iterativ, gentagende.
itineracy = *itinerancy.*
itinerancy [i'tinərənsi] det at drage fra sted til sted; omvandren. **itinerant** [i'tinərənt] (om)rejsende, (om)vandrende. **itinerary** [i'tinərəri] (subst.) rejsebeskrivelse; rejseplan, rute; rejsehåndbog. **itinerate** [i'tinəreit] rejse om, vandre om.
its [its] dens, dets; sin, sit, sine.
it's [its] sammentrukket af: *it is, it has.*
itself [it'self] den selv, det selv; sig selv, sig; selv; selve; *by* ~ af sig selv; for sig selv, alene; *she is kindness* ~ hun er godheden selv.
Ivanhoe ['aivənhou].
I've [aiv] sammentrukket af: *I have.*
ivied ['aivid] dækket af vedbend; vedbendklædt.
ivory ['aivəri] (subst.) elfenben; ting af elfenben; (adj.) af elfenben, elfenbens-; elfenbensgul, elfenbenshvid; *black* ~ negerslaver; *ivories* elefanttænder; terninger; billardballer; pianotangenter; tænder.
ivory-black ['aivəri'bläk] elfenbenssort.
Ivory Coast: *the* ~ Elfenbenskysten.
ivory| gull (zo.) ismåge. ~ **nut** elfenbensnød.
ivy ['aivi] ♧ vedbend, efeu.
I.W. fk. f. *Isle of Wight.*
izard ['izəd] den pyrenæiske gemse.

J

J [dʒei].
J. fk. f. *Judge; Julius; Justice.*
Ja. fk. f. *James.*
jab [dʒäb] (vb.) støde, stikke; pirke; (subst.) stød; stik.
jabber ['dʒäbə] (vb.) pludre, plapre; lire af; (subst.) pludren, plapren.
jacaranda [dʒäkə'rända] ♧ jakaranda.
jacinth ['dʒäsinþ] (min.) hyacinth.
I. **Jack, jack** [dʒäk] Jack; menig sømand, søulk; støvleknægt; savbuk; vinde; stegevender; trækile; (i klaver) hammer; (i kortspil) knægt; (tekn.) donkraft; (tlf.) jack; (zo.) lille gedde; ⚓ gøs; S penge; T (i tiltale) kammerat, makker; (adj. om dyr) han- (fx. ~ *monkey); -s* terrespil; *every man* ~ hver moders sjæl, hver eneste en; *before you could say* ~ *Robinson* før man vidste et ord af det; før man kunne tælle til tre.
II. **jack** [dʒäk], ~ *up* løfte m. donkraft; ~ *up* (T ogs.) opgive; ~ *him up* T give ham en balle.
jack-a-dandy indbildsk, lapset fyr.
jackal ['dʒäka·l] (zo.) sjakal; (om person) håndlanger, 'kreatur'.
jackanapes ['dʒäkəneips] næbbet unge, Per Næsvis; laps, spradebasse.
jackass ['dʒäkäs] hanæsel; (fig.) ['dʒäka·s] fæ, fjols.
jackboot ['dʒäkbu·t] (glds.) kravestøvle; militær rytterstøvle; vandstøvle.
jackdaw ['dʒäkdå·] (zo.) allike.
jacket ['dʒäkit] (subst.) jakke, trøje; omslag på

bog; (tekn.) kappe; (vb.) give jakke (el. trøje) på; *potatoes in their -s* kartofler med skræl på.
jacketing ['dʒäkitiŋ] S klø, bank.
Jack Frost frosten (personificeret).
Jack|-in-office ['dʒäk-] storsnudet embedsmand, bureaukrat, kontorius. ~ **-in-the-box** ['dʒäk-] trold i en æske. ~ **-in-the-green** ['dʒäk-] (en figur, om hvilken der danses ved majfest).
Jack Ketch bøddelen. **jack-knife** stor foldekniv.
Jack of all trades altmuligmand, tusindkunstner.
jack|-o'-lantern lygtemand. ~ **pine** ♧ banksfyr. ~ **-plane** skrubhøvl. **-pot** pulje (i poker); (i lotteri) den store gevinst; *hit the -pot* (ogs. fig.) vinde den store gevinst. ~ **-pudding** ['dʒäk'pudiŋ] bajads. ~ **-rabbit** (amr.) præriehare.
Jack Robinson se *Jack.*
jack|screw donkraft. ~ **-snipe** (zo.) enkeltbekkasin. **-stones** terrespil. **-straws** skrabnæsespil. ~ **-tar** T sømand, søulk. ~ **-towel** rullehåndklæde.
Jacob ['dʒeⁱkəb].
Jacobean [dʒäkə'bi·ən] som hører til (el. stammer fra) Jakob I's regeringstid (1603-25).
I. **Jacobin** ['dʒäkobin] jakobiner.
II. **jacobin** ['dʒäkobin] (zo.) parykdue.
Jacobite ['dʒäkobait] jakobit (tilhænger af Jakob II og hans slægt).
Jacob's ladder ['dʒeⁱkəbz'lädə] jakobsstige (plante og bibelsk); ⚓ jakobslejder, faldereb.
jaconet ['dʒäkənət] jaconet, en slags hvidt bomuldstøj.
jacquerie [ʒäkə'ri·] bondeopstand.
I. **jade** [dʒeⁱd] (subst.) øg, krikke; tøs, mær.
II. **jade** [dʒeⁱd] (subst.) nefrit, jade (en grøn sten).
jaded ['dʒeⁱdid] udmattet, udkørt, træt; *a ~ appetite* en sløvet appetit.
Jaeger ['jeⁱgə] jaeger (fint uldstof, bl.a. brugt til undertøj).
jag [dʒäg] (subst.) tak, spids, tand; (amr. S) rus (fx. *have a ~ on);* (vb.) gøre takket, lave takker i.
jagged ['dʒägid] takket, forrevet.
jagger ['dʒägə] kagespore.
jaggy ['dʒägi] savtakket.
jaguar ['dʒägjuə] (zo.) jaguar.
jail [dʒeⁱl], **jailer** (amr.) = *gaol* (etc.).
jake [dʒeⁱk] (subst., amr., T) bondeknold; grønskolling; (adj.) fin, førsteklasses.
jakes [dʒeⁱks] S lokum, das.
jalap ['dʒäləp] ♧ jalaprod.
jalop(p)y [dʒä'låpi] (subst., amr.) gammel smadderkasse, bilvrag.
jalousie ['ʒälu·zi·] jalousi, persienne.
I. **jam** [dʒäm] (subst.) syltetøj; (fig.) en fornøjelse, en ren svir; en lækkerbisken (fx. *~ for the Press); some people get all the ~* der er nogen der er heldige; *money for ~* let tjente penge.
II. **jam** [dʒäm] (subst.) trængsel, stimmel, (trafik-) standsning, trafikknude; *get into a ~* komme i knibe.
III. **jam** [dʒäm] (vb.) trykke, presse, klemme (fx. *he -med his finger in the door);* proppe (fx. *~ one's clothes into a suitcase);* blokere (fx. *the river was -med with logs);* forstyrre (radioudsendelse); binde, gå trangt, sidde fast; sætte sig fast, blive blokeret, gå i baglås; S (i jazz) improvisere; *~ the brakes on* hugge bremserne i.
Jamaica [dʒə'meⁱkə] Jamaica; jamaicarom.
jamb [dʒäm] dørstolpe, sidekarm.
jamboree [dʒämbo'ri·] lystighed; spejderstævne, jamboree.
James [dʒeⁱmz] Jakob; *scallop of St. ~* ibsskal.
jammer ['dʒämə], **jamming station** støjsender.
jam-pot ['dʒämpåt] syltetøjskrukke.
jam-session sammenkomst af jazz-musikere, hvor man spiller el. improviserer for egen fornøjelse; jam-session.
I. **Jane** [dʒeⁱn]. II. **jane** [dʒeⁱn] (amr. S, neds.) kvinde.
Janeiro [dʒə'niəroᵘ]. **Janet** ['dʒänėt].
jangle ['dʒäŋgl] (vb.) skændes; skurre, skramle, klirre, rasle, klemte; skramle (, rasle etc.) med; (subst.) kævl, strid; raslen, klirren, klemten, skramlen.
Janissary ['dʒänizəri] janitschar.
janitor ['dʒänitə] portner; skolepedel; (amr.) vicevært.
Janizary ['dʒänizəri] janitschar.
jankers ['dʒäŋkəz] S straffeeksercits, arrest.
January ['dʒänjuəri] januar.
Jap [dʒäp] T japaner; japansk.
I. **Japan** [dʒə'pän] Japan; japansk.
II. **japan** [dʒə'pän] (subst.) lakarbejde; japanlak; (vb.) lakere (med japanlak).
Japanese [dʒäpə'ni·z] japansk, japaner.
jape [dʒeⁱp] (subst.) spøg, hib; (vb.) spøge; gøre nar af; håne.
I. **jar** [dʒa·] (vb.) skurre, hvine, skratte, klirre; vibrere, ryste; være i modstrid med hinanden, ikke harmonere (fx. *our opinions -red);* skændes; få til at skurre (etc.); forstyrre; ryste, chokere; *~ on sby.* irritere en, støde en; *~ on sby.'s ears* skurre i ens ører; *~ on sby.'s nerves* gå en på nerverne; *~ with* (el. *against)* skurre mod; være i modstrid med, disharmonere med; (om farver) skrige mod.
II. **jar** [dʒa·] (subst.) skurren, hvinen, skratten, klirren; vibration; stød, bump, rystelse, chok; sammenstød (fig.), skænderi.
III. **jar** [dʒa·] (subst.) lerkrukke, stentøjskrukke; glas (fx. *jam ~* sylte(tøjs)glas).
IV. **jar** [dʒa·]: *on the ~* på klem.
jardinière [ʒa·din'jæə] urtepotteskjuler, blomsteropsats, blomsterstativ, jardiniere.
jargon ['dʒa·gən] kaudervælsk, jargon; opstyltet sprog.
jargonelle [dʒa·gə'nel] kejserindepære.
jarring ['dʒa·riŋ] skurrende, disharmonisk, grel; rystende.
jarvey ['dʒa·vi] (irsk:) kusk.
jasmine ['dʒäsmin] ♧ jasmin.
jasper ['dʒäspə] jaspis.
jaundice ['dʒå·ndis] gulsot, skinsyge, mistænksomhed, misundelse.
jaundiced ['dʒå·ndist] syg af gulsot; misundelig, skinsyg; *~ with envy* gul og grøn af misundelse.
jaunt [dʒå·nt] (vb.) foretage udflugter, strejfe om; (subst.) tur, udflugt.
jauntily ['dʒå·ntili] (adv.) muntert, kækt (etc., se *jaunty).* **jaunty** ['dʒå·nti] (adj.) munter, flot, kæk, forsoren, friskfyragtig; *wear one's hat at a ~ angle* gå med hatten kækt på snur.
Java ['dʒa·və] Java. **Javanese** [dʒa·və'ni·z] javanesisk, javansk; javaneser, javaner.
javelin ['dʒävlin] kastespyd; *throwing the ~* spydkast.
I. **jaw** [dʒå·] (subst.) kæbe; T snakken, skælden; kæft; moralpræken; *-s* (ogs.) mund, gab; bakker (på skruestik, tang); *the -s of death* dødens gab; *his ~ dropped* han blev lang i ansigtet, han fik et måbende udtryk i ansigtet; *his -s were set* han bed tænderne sammen (havde et udtryk af sammenbidt energi); *hold your ~* hold kæft; *the lower ~* underkæben; *there is too much ~ about him* han kæfter for meget op; *none of your ~!* ingen mukken! *the upper ~* overkæben.
II. **jaw** [dʒå·] (vb.) T bruge kæften, skræppe op, skælde ud; sludre, snakke.
jawbation [dʒå·'beⁱʃən] tirade, moralprædiken.
jaw|-bone (under)kæbeben. ~ **-breaker** ord der er svært at udtale; *it is a ~ -breaker* det er lige til at brække tungen på.
jay [dʒeⁱ] (zo.) skovskade; (fig.) sludrechatol, vrøvlehoved.
jaywalk ['dʒeⁱwå·k] T gå over gaden i strid med færdselsreglerne. **jaywalker** ['dʒeⁱwå·kə] T fumlegænger.
jazz [dʒäz] (subst.) jazz; halløj, ballade; (vb.) jazze; spille i jazzstil; lave halløj; *~ up* sætte fut i; spille i jazzstil.

jazzband jazzband, jazzorkester. **jazzman** jazzmusiker.
jazzy ['dʒäzi] jazzagtig; med fut i; grel, med grelle farver.
J. B. fk. f. *John Bull.*
jealous ['dʒeləs] jaloux, skinsyg (*of* på); nidkær; *be ~ of one's rights* våge skinsygt over sine rettigheder; *keep a ~ eye on his movements* holde et vågent øje med hans bevægelser.
jealousy ['dʒeləsi] skinsyge, jalousi; (skinsyg) årvågenhed; nidkærhed.
jeans [dʒi·nz] bukser, jeans.
jeep [dʒi·p] ⚔ jeep.
jeer [dʒiə] (vb.) håne, spotte; (subst.) hån, spot.
jejune [dʒi'dʒu·n] gold, mager, tør, åndløs, indholdsløs.
jell [dʒel] **T** stivne (til gelé).
jellied ['dʒelid] geléagtig; i gelé (fx. *~ eels).*
jelly ['dʒeli] gelé; tyk saft; *beat sby. into a ~* slå en til plukfisk.
jelly-fish ['dʒelifiʃ] (zo.) vandmand.
jemimas [dʒi'maiməz] (glds.) fjederstøvler.
jemmy ['dʒemi] (kort) brækjern.
jennet ['dʒenit] lille spansk hest.
jenneting ['dʒenitiŋ] (tidligt) sommeræble.
jenny ['dʒeni] bevægelig kran; spindemaskine; hun- (fx. *~ monkey, ~ wren).*
jeopardize ['dʒepədaiz] bringe i fare, sætte på spil. **jeopardy** ['dʒepədi] (subst.) fare.
jerboa [dʒə·'boᵘə] (zo.) springmus.
jeremiad [dʒeri'maiəd] jeremiade.
Jeremiah [dʒeri'maiə] Jeremias.
Jericho ['dʒerikoᵘ] Jeriko; *go to ~!* gå pokker i vold! *I wish you were in* (el. *at) ~* gid du sad på Bloksbjerg.
I. **jerk** [dʒə·k] (vb.) støde (pludselig), rykke, kaste; give et sæt, gøre et ryk; spjætte; (subst.) pludseligt stød; ryk, puf, kast; spjæt; (amr. **S**) fjols, skvat; *~ along* bevæge sig (, køre) i ryk; *by -s* i sæt; *~ out one's words* støde ordene frem.
II. **jerk** [dʒə·k] (vb.) soltørre (kød).
jerkin ['dʒə·kin] jakke, vams.
jerky ['dʒə·ki] stødvis, rykvis, som farer nervøst sammen; skumplende.
Jerome (som fornavn oftest) ['dʒerəm]; (som efternavn oftest) [dʒə'roᵘm].
I. **jerry** ['dʒeri] **S** (nat)potte.
II. **Jerry** ['dʒeri] **S** tysker.
jerry|-builder ['dʒeribildə] byggespekulant. **~ -built** bygget på spekulation, skrøbelig. **~ -can** jerrycan, kanister, flad dunk til benzin el. vand.
jersey ['dʒə·zi] jerseytrøje; (zo.) jerseyko.
Jerusalem [dʒə'ru·sələm]; *~ artichoke* jordskok; *~ oak* drueurt; *~ pony* æsel.
jessamine ['dʒesəmin] ♧ jasmin.
jest [dʒest] (vb.) spøge, sige i spøg; (subst.) spøg, vittighed, morsomhed; *~ about* (el. *with)* spøge med; *in ~* for (el. i) spøg; *take a ~* forstå spøg.
jest-book anekdotesamling.
jester ['dʒestə] spøgefugl; hofnar; *he is a licensed ~* han har frisprog.
jestingly ['dʒestiŋli] i spøg.
Jesuit ['dʒezjuit] jesuit. **jesuitic(al)** [dʒezju'itik(l)] jesuitisk.
Jesus ['dʒi·zəs].
I. **jet** [dʒet] (subst.) jet, gagat (et mineral).
II. **jet** [dʒet] (vb.) springe frem, udspy, sprude, vælde.
III. **jet** [dʒet] (subst.) stråle; strålerør; tud; indløbstap (ved støbning); gasbrænder; gasblus; jetfly; jetmotor, reaktionsmotor.
jet-black (adj.) kulsort.
jet| engine jetmotor, reaktionsmotor. **~ fighter** jetjager. **~ plane** jetfly(vemaskine). **~ propulsion** reaktionsdrift.
jetsam ['dʒetsəm] strandingsgods; gods, der kastes over bord for at lette skibet; (fig.) menneske, der er et viljeløst bytte for skæbnen; (stykke) vraggods.
jettison ['dʒetisn] (subst.) udkastning af gods for at lette skibet; (vb.) udkaste (gods for at lette skibet); kaste over bord; afkaste (en byrde), afryste; (fig.) befri sig for, lette sig for.
I. **jetty** ['dʒeti] (subst.) gagatlignende, kulsort.
II. **jetty** ['dʒeti] (subst.) mole, anløbsbro.
jeune premier [fr.] førsteelsker.
Jew [dʒu·] (subst.) jøde; (vb.) snyde, overliste; *tell that to the -s* den må du længere ud på landet med; *unbelieving ~* (spøgefuldt, omtr. =) vantro Thomas; *the Wandering ~* den evige jøde. **Jew-baiting** jødeforfølgelse.
jewel ['dʒu·il; 'dʒu·əl] (subst.) juvel, ædelsten, perle; smykke; skat; (i ur) sten; (fig.) klenodie, perle; (vb.) smykke med juveler. **jewel-case** juvelskrin; smykkeskrin. **jeweller** ['dʒu·ilə] juvelér, guldsmed. **jewellery, jewelry** ['dʒu·ilri] ædelstene, kostbarheder; smykker.
Jewess ['dʒu·ės] jødinde. **Jewish** ['dʒu·iʃ] jødisk.
Jewry ['dʒuəri] jødefolket; jødekvarter.
jew's-ear ♧ judasøre (en svampeart).
Jezebel ['dʒezibl] Jesabel; skamløs kvinde.
I. **jib** [dʒib] (vb.) blive sky (*at* for); stejle; være stædig (om hest); protestere; standse (brat); ⚓ gibbe, bomme; *~ at* (fig.) vægre sig ved, protestere imod; vige tilbage for.
II. **jib** [dʒib] (subst.) udligger, kranarm; ⚓ klyver; (på lystfartøjer ogs.) fok; *the cut of one's ~* ens ydre apparition, ens påklædning.
jibber ['dʒibə] sky hest, stædig hest.
jib|-boom ⚓ klyverbom; fokkebom. **~ -door** ['dʒib'då·] tapetdør.
jibe [dʒaib] (subst.) hån, spot; skose; (vb.) håne, spotte, skose.
jiff [dʒif], **jiffy** ['dʒifi] øjeblik (fx. *wait a ~).*
I. **jig** [dʒig] (subst.) jig, gigue (en livlig dans); pilk (fiskeredskab); (tekn.) borelære, borekasse; *the ~ is up* (amr. **S**) spillet er ude.
II. **jig** [dʒig] (vb.) vippe, danse, hoppe, bevæge (sig) hurtigt op og ned; sigte (fx. erts) ved at ryste et sold op og ned under vandet; pilke.
jigger ['dʒigə] (subst.) en der danser *jig;* en der sigter (fx. erts); (ryste)sold; jigger (løsthængende dametrøje); (zo.) sandloppe; ⚓ papegøje(sejl); talje; **S** dør; fængsel(scelle); tingest; løjerlig fyr; (amr. **S**) dram; *well, I'm -ed!* det var som pokker! *~ up* **S** spolere; lave rod i.
jigger-mast papegøjemast.
jiggery-pokery **T** fup, fidusmageri.
jiggle ['dʒigl] ryste let, rokke.
jigsaw dekupørsav. **jigsaw puzzle** puslespil.
jilt [dʒilt] (vb.): *~ him* svigte ham, slå op med ham (efter at have opmuntret ham); (subst., omtr. =) kokette.
Jim [dʒim] fk. f. *James.*
Jim Crow ['dʒim'kroᵘ] (amr. **S**) neger; racediskrimination; forskelsbehandling over for negre; *~ car* jernbanevogn (el. sporvogn) der er reserveret negre.
jim-jams ['dʒim'dʒämz] **S** delirium tremens, dille.
jimmy ['dʒimi] (subst.) (kort) brækjern; (vb.) åbne med brækjern.
jimp [dʒimp] elegant, slank; knap, utilstrækkelig.
jimson (weed) ['dʒimsn ('wi·d)] (amr., ♧) pigæble.
jingle ['dʒiŋgl] (vb.) ringle, klirre, rasle; lade klirre, rasle med; (subst.) ringlen, klirren, raslen; remse; klingklang.
Jingo ['dʒiŋgoᵘ] chauvinist; chauvinistisk; *by ~* ved Gud; død og pine. **jingoism** ['dʒiŋgoᵘizm] chauvinisme.
jink [dʒiŋk]: *high jinks* løjer, lystighed, fest og ballade.
jinn [dʒin], **jinnee** ['dʒini·] ånd (i muhamedansk tro).
jinricksha, jinrikisha [dʒin'rik(i)ʃə] rickshaw.

jinx [dʒiŋks] (amr. **S**) ulykkesfugl, ting der bringer ulykke.

jitney ['dʒitni] (amr. **S**) 5 cent(stykke); bus med billig takst; (adj.) billig.

jitter ['dʒitə] (amr. **S**) (vb.) ryste, skælve, dirre; (subst.) rysten, skælven, dirren; *have the -s* dirre af nervøsitet, være rystende nervøs, være skrupnervøs.

jitterbug ['dʒitəbʌg] jitterbug; en der danser jitterbug.

jittery ['dʒitəri] **S** nervøs; skælvende, dirrende (af nervøsitet).

jiu-jitsu se *jujitsu.*

jive [dʒaiv] (subst., amr.) (hot) jazz; jitterbug; (vb.) danse jitterbug.

Jn. fk. f. *junction.*

Joan [dʒoᵘn]: *~ of Arc* Jeanne d'Arc.

I. **Job** [dʒoᵘb] Job; *-'s comforter* dårlig trøster (der kun gør ondt værre); *-'s news* jobspost (ɔ: dårligt nyt).

II. **job** [dʒåb] (subst.) stykke arbejde, akkordarbejde, (tilfældigt) arbejde, job, forretning, stilling; accidensarbejde (i bogtrykkersprog); korruption, nepotisme; affære, historie; bræk, røveri; tingest; (se ogs. *jab); it is (quite) a ~* **T** det er et værre mas, det er et slid; *it was a (put-up) ~* **S** der var fup med i spillet, det var aftalt spil; *it was a bad (, good) ~ that* det var ærgerligt (, et held) at; *do his ~ for him* (fig.) ødelægge ham, ruinere ham; *do a ~ on* spolere, ødelægge; *give sth. up as a bad ~* opgive noget som håbløst; *have a ~ doing it* have besvær med at få det gjort; *make a good ~ of it* klare det fint; *make the best of a bad ~* prøve at få det bedste ud af det (selvom det er gået skævt); *odd -s* tilfældigt arbejde; *be on the ~* have meget travlt; *paid by the ~* akkordlønnet; *payment by the ~* akkordløn; *it was a tough ~* det var et drøjt stykke arbejde; *work by the ~* arbejde på akkord.

III. **job** [dʒåb] (vb.) udføre arbejde (på akkord); spekulere, jobbe, handle med aktier; misbruge en betroet stilling til egen fordel; *~ him into the post* putte ham ind i stillingen, skaffe ham stillingen ved protektion; (se ogs. *jab).*

jobation [dʒoᵘ'beⁱʃən] (subst.) balle, moralpræken.

jobber ['dʒåbə] børsspekulant, aktiehandler; akkordarbejder; mellemhandler.

jobbernowl ['dʒåbənoᵘl] dumrian.

jobbery ['dʒåbəri] jobberi; misbrug af politisk magt til egen fordel; korruption, nepotisme.

jobbing gardener havemand.

jobless ['dʒåblés] arbejdsløs. **job lot** blandet vareparti; (fig.) blandet selskab.

jobmaster udlejer af vogne og heste.

job work akkordarbejde; (typ.) accidensarbejde.

jockey ['dʒåki] (subst.) jockey, rideknægt; (vb.) tage ved næsen; snyde; manøvrere; *~ for position* prøve at manøvrere sig ind i en gunstig position; prøve at luske sig til en fordel; *~ sby. out of his money* snyde en for hans penge; *~ sby. into doing sth.* narre en til at gøre ngt.

jockey-club jockeyklub. **jockeyship** ['dʒåkiʃip] ridekunst.

jock-strap ['dʒåksträp] skridtbind.

jocose [dʒo'koᵘs] munter, spøgefuld. **jocular** ['dʒåkjulə] munter, spøgefuld. **jocularity** [dʒåkju'läriti] munterhed, spøgefuldhed.

jocund ['dʒåkənd] lystig. **jocundity** [dʒo'kʌnditi] lystighed.

Jodhpurs ['dʒådpuəz] Jodhpurs, stramme ridebenklæder, der når til anklerne.

Joe [dʒoᵘ] fk. f. *Joseph; a ~ Miller* en gammel vittighed.

jog [dʒåg] (vb.) ryste, skumple, lunte, traske; støde til, puffe; (subst.) stød, skub, puf; *~ along* lunte af sted, tage den med ro; *matters ~ along* det går som det bedst kan; *we manage to ~ along somehow* vi klarer os lige; *~ sby.'s memory* opfriske ens hukommelse; *we must be -ging* vi må af sted.

joggle ['dʒågl] (vb.) skubbe, ryste, støde; blive skubbet, skumple af sted; (subst.) stød, skub; (tekn.) fortanding; *-d frame* forkrøppet understel.

jog-trot ['dʒåg'tråt] luntetrav; gammel slendrian.

Johannesburg [dʒoᵘ'hänisbə·g].

I. **John** [dʒån] Johan (se *Lackland);* (i Bibelen) Johannes (fx. *~ the Baptist);* **S** fyr.

II. **john** [dʒån] (amr. **S**) wc.

John| Bull englænderen som type. *~* **Doe** (jur.) N.N. *~* **Dory** (zo.) st. petersfisk.

Johne's disease (kvægsygdom, svarende til) den lollandske syge.

John Law (amr. **S**) politibetjent.

johnny ['dʒåni] **S** fyr, laps; wc.

Johnny-come-lately nyankommen.

Johnson ['dʒånsən]. **Johnsonese** ['dʒånsə'ni·z] (litterær stil som ligner Samuel Johnsons).

I. **join** [dʒoin] (vb.) forbinde, forene, sammenføje, samle; slutte sig til, melde sig ind i; forene sig, mødes, (om floder) flyde sammen; deltage, være med; *what God hath -ed together, let no man put asunder* hvad Gud har sammenføjet, skal mennesker ikke adskille; *~ the army* gå ind i hæren; *~ battle* begynde kampen; *~ forces with* gøre fælles sag med; *~ hands* tage hinanden i hånden; (fig.) slutte sig sammen, løfte i flok; *let us ~ the ladies* lad os gå ind til damerne; *~ in* deltage (i), være med (i); falde i, stemme i; *~ in the game* (ogs.) spille med; *~ issue with sby.* indlade sig i diskussion med en; *~ up* **T** melde sig som frivillig.

II. **join** [dʒoin] (subst.) sammenføjning.

joinder ['dʒoində] forbindelse, forening.

joiner ['dʒoinə] snedker, bygningssnedker.

joinering ['dʒoinəriŋ], **joinery** ['dʒoinəri] snedkerarbejde.

I. **joint** [dʒoint] (subst.) sammenføjning; samling; fuge; hængsel; led (fx. *finger -s);* ♧ knæ; (jernb.) skinnestød; steg (fx. *a ~ of beef);* beværtning, smugkro, spillebule; hus; *put out of ~* bringe af led; *put his nose out of ~* stikke ham ud, fortrænge ham; *the time is out of ~* tiden er af lave; *be out of ~ with* ikke passe sammen (el. harmonere) med; være utilfreds med.

II. **joint** [dʒoint] (adj.) forenet, fælles, samlet; *on* (el. *for) ~ account* for fælles regning; a meta; *~ action* fælles optræden; *~ author* medforfatter; *~ concern* fælles anliggende; *by ~ efforts* ved forenede anstrengelser; *during their ~ lives* så længe de begge (el. alle) er i live.

III. **joint** [dʒoint] (vb.) sammenpasse, forbinde; fuge; passe ind i. **jointed** ['dʒointid] forbundet; leddet.

jointer ['dʒointə] rubank, langhøvl.

jointing plane = *jointer.*

jointly ['dʒointli] fælles; solidarisk; *be ~ and severally responsible* hæfte solidarisk (el. in solidum).

joint mice mus i knæet.

joint stock aktiekapital.

joint-stock ['dʒointståk]: *~ bank* aktiebank; *~ company* aktieselskab.

jointure ['dʒointʃə] (subst.) enkesæde, enkelod; livgeding.

joist [dʒoist] gulvbjælke, loftsbjælke.

joke [dʒoᵘk] (subst.) spøg, vittighed; (vb.) spøge, spøge med; *carry the ~ too far* drive spøgen for vidt; *crack* (el. *cut) a ~* rive en vittighed af sig; *the ~ of it* det morsomme (el. komiske) ved det; *he is the ~ of the town* han er til grin for hele byen; *it is really past* (el. *beyond) a ~* det er ikke morsomt længere; *play a practical ~ upon him* drive grove løjer med ham; *take a ~* forstå spøg; *I was only joking* det var kun min spøg.

joker ['dʒoᵘkə] spøgefugl, spasmager; joker (i kortspil).

joking ['dʒoᵘkiŋ] spøg; *~ apart* spøg til side.

jokingly [-li] for spøg.

jollification [dʒålifi'keⁱʃən] lystighed; muntert lag. **jolliness** ['dʒålinés], **jollity** ['dʒåliti] jovialitet, lystighed.

jolly ['dʒåli] (adj.) jovial, gemytlig; fornøjelig, munter; i løftet stemning; T herlig (fx. *weather); stor* (fx. *it is a ~ shame; he is a ~ fool);* (adv.) vældig (fx. *clever); he is in a ~ mess* T han er kommet godt op at køre; *~ good!* fint! *take ~ good care* passe gevaldig på; *he is ~ well right* han har skam ret.

II. **jolly** ['dʒåli] (vb.) T drille; *~ him along* snakke godt for ham, opmuntre ham.

jolly-boat ['dʒålibo^u^t] jolle.

Jolly Roger piratflag.

jolt [dʒo^u^lt] (vb.) støde, ryste; bumpe; skumple; (subst.) stød, rysten; bump.

jolterhead ['dʒo^u^ltəhed] dumrian.

Jonah ['dʒo^u^nə] Jonas; ulykkesfugl.

Jonathan ['dʒånəþən]; *Brother ~* (benævnelse for en amerikaner).

Jones ['dʒo^u^nz]; *keep up with the -es* ikke stå tilbage for naboerne (m.h.t. at have bil, fjernsyn etc.).

jorum ['dʒå·rəm] stort drikkekar, punchebolle; punch.

Jos. fk. f. **Joseph** ['dʒo^u^zėf].

josh [dʒåʃ] (amr. S) (subst.) spøg, drilleri; (vb.) holde sjov (med), drille.

joskin ['dʒåskin] bondeknold.

joss [dʒås] kinesisk gudebillede.

josser ['dʒåsə] S fyr.

joss|-house kinesisk tempel. **~ -stick** røgelsespind.

jostle ['dʒåsl] (vb.) skubbe, støde, puffe (til); trænges; *~ against* støde imod; *~ through* mase sig igennem.

jot [dʒåt] jota; prik, punkt; (vb.) notere, optegne; *not a ~* ikke den mindste smule; ikke en tøddel; *~ down* kradse (el. notere, skrive) ned.

jotter ['dʒåtə] notesbog, notesblok.

jottings ['dʒåtiŋz] (hastigt nedkradsede) notater.

jounce [dʒauns] ryste, støde, skumple.

journal ['dʒə·nəl] journal, dagbog; dagblad, tidsskrift; magasin; ⚓ skibsjournal, logbog; (tekn.) akseltap, lejesøle.

journalese [dʒə·nə'li·z] dårligt avissprog. **journalism** ['dʒə·nəlizm] journalistik. **journalist** ['dʒə·nəlist] journalist. **journalistic** [dʒə·nə'listik] journalistisk; dagblads-. **journalize** ['dʒə·nəlaiz] føre dagbog, bogføre.

journey ['dʒə·ni] (subst.) rejse (mest til lands); ekspedition; tur (fx. *this bus goes ten -s a day); reach one's -'s end* komme til vejs ende; *go on* (el. *make) a ~* foretage en rejse; *a pleasant ~!* god rejse!

journeyman ['dʒə·nimən] svend, håndværkssvend; *~ painter* malersvend.

joust [dʒaust, dʒu·st] (subst.) dyst, turnering; (vb.) dyste, deltage i turnering.

Jove [dʒo^u^v] Jupiter; *by ~!* ih du milde! ved Gud! minsandten!

jovial ['dʒo^u^vjəl] gemytlig, jovial; munter, livlig, (adj.) selskabelig anlagt.

joviality [dʒo^u^vi'åliti] munterhed.

jowl [dʒaul] kæbe, kind; kødlap (på fuglehals); *cheek by ~* side om side, tæt ved siden af hinanden; *with a heavy ~* med et kødfuldt hageparti.

joy [dʒoi] glæde, fryd, lykke; *~ of living* livsglæde; *wish him ~* ønske ham til lykke; *I wish you ~ of it* (ironisk) god fornøjelse. **joyful** ['dʒoiful] lystig, glad. **joyfulness** [-nės] glæde. **joyless** ['dʒoilės] glædesløs. **joyous** ['dʒoiəs] glad, munter; glædebringende.

joy|-ride T (subst.) fornøjelsestur (især uden tilladelse); (vb.) køre en tur for sin fornøjelse. **-stick** (flyv. glds. S) styrepind.

J.P. ['dʒe^i^'pi·] fk. f. *Justice of the Peace.*

Jr. fk. f. *junior.*

jubilant ['dʒu·bilənt] jublende, triumferende, hoverende.

jubilee ['dʒu·bili·] (halvtredsårs)jubilæum, jubelfest, jubelår; *silver ~* 25 års jubilæum; *diamond ~* 60 års jubilæum.

Judaic [dʒu'de^i^ik] jødisk.

Judaism ['dʒu·de^i^izm] jødedom.

I. **Judas** ['dʒu·dəs] Judas; forræder.

II. **judas** ['dʒu·dəs] kighul i en dør.

judder ['dʒʌdə] vibrere; (om sanger ogs.) bævre.

I. **judge** [dʒʌdʒ] (subst.) dommer; kender; sagkyndig; *Book of Judges* Dommernes Bog; *be a ~ of pictures* have forstand på malerier; *he is no ~ (of that)* det har han ikke forstand på.

II. **judge** [dʒʌdʒ] (vb.) dømme; fælde dom; være dommer (fx. *~ at a flower show);* bedømme; anse for; dømme efter; slutte; skønne; *~ for yourself* du kan selv dømme; *~ not that ye be not judged* dømmer ikke, at I ikke selv skal dømmes; *you may ~ (of) my astonishment* De kan forestille Dem min forbavselse.

judg(e)ment ['dʒʌdʒmənt] dom; mening; vurdering, skøn (fx. *in my ~* efter mit skøn); omdømme (fx. *sound ~);* dømmekraft; (Guds) straffedom, straf; *day of ~* dommedag; *deliver ~* afsige dom; *deliver one's ~* udtale sin dom; *set oneself up in ~ on* opkaste sig til dommer over; *pronounce ~* afsige dom.

judg(e)ment| creditor rekvirent, domhaver. **~ day** dommedag. **~ debtor** rekvisitus, domfældte. **~ -seat** dommersæde.

judicature ['dʒu·dikətʃə, -tjuə] retspleje; domstol; *the ~* den dømmende magt; *the Supreme Court of J.* (omtr.) højesteret.

judicial [dʒu'diʃəl] retslig (fx. *inquiry);* rets- (fx. *decision* kendelse); dommer- (fx. *bench* sæde); (fig.) kritisk; kølig; upartisk.

judicial| act retshandling. **~ murder** justitsmord. **~ power** dømmende magt.

judiciary [dʒu'diʃiəri] (subst.): *the ~* den dømmende myndighed (el. magt); domstolene; dommerne, dommerstanden; (adj.) rets-, doms-, dømmende.

judicious [dʒu'diʃəs] klog, skønsom.

Judith ['dʒu·diþ].

judo ['dʒu·do^u^] judo (slags jiu-jitsu).

I. **Judy** ['dʒu·di] (Mr. Punchs kone i marionetkomedien).

II. **judy** ['dʒu·di] S pige.

jug [dʒʌg] kande; S (subst.) kachot, fængsel; (vb.) sætte i fængsel.

Juggernaut ['dʒʌgənå·t] Jagannatha, indisk guddom og gudebillede, kørt i en enorm vogn, under hvis hjul, efter sigende, mange kastede sig og knuste; (fig.) en uimodståelig kraft, som ødelægger alt på sin vej; noget man blindt ofrer sig for; molok.

juggins ['dʒʌginz] S fæhoved.

juggle ['dʒʌgl] (vb.) gøre tryllekunster, jonglere; (fx. *~ with words);* narre; lave fiksfakserier med, forfalske; (subst.) tryllekunst; *~ the accounts* pille ved regnskaberne; *~ the figures* manipulere med tallene; *~ people out of their money* franarre folk deres penge.

juggler ['dʒʌglə] tryllekunstner, taskenspiller, jonglør; gøgler. **jugglery** ['dʒʌgləri] taskenspillerkunst; bedrageri.

Jugoslav ['ju·go^u^sla·v] jugoslaver; jugoslavisk.

Jugoslavia ['ju·go^u^'sla·viə] Jugoslavien.

jugular ['dʒʌgjulə, 'dʒu·gjulə] hals-; halsåre.

juice [dʒu·s] saft; væske; S benzin, olie, elektrisk strøm; *gastric ~* mavesaft; *tobacco ~* tobakssovs. **juiceless** ['dʒu·slės] saftløs. **juiciness** ['dʒu·sinės] saftfuldhed. **juicy** ['dʒu·si] saftfuld, saftig, fugtig; (om pibe) sovset.

ju-jitsu [dʒu·'dʒitsu·] jiujitsu (japansk brydning).

juju ['dʒu·dʒu·] amulet; magi.

jujube ['dʒu·dʒu·b] ♧ jødetorn; (frugt:) brystbær; brystsukker.

ju-jutsu [dʒu·'dʒutsu·] = *ju-jitsu.*

juke-box ['dʒu·k båks] juke box, grammofonautomat, automatisk pladespiller.

julep ['dʒu·lep] (en læskedrik).

Julia ['dʒu·ljə]. **Julian** ['dʒu·ljən] juliansk; *~ calendar* juliansk tidsregning. **Juliet** ['dʒu·ljət]. **Julius** ['dʒu·ljəs].

July [dʒu'lai] juli.

jumble ['dʒʌmbl] (vb.) kaste sammen, blande sammen; (subst.) broget blanding; virvar; roderi, sammensurium, miskmask. **jumble sale** basar.

jumbo ['dʒʌmboᵘ] (subst.) kæmpe, stor klods.

I. **jump** [dʒʌmp] (vb.) hoppe, springe (el. ryge) i vejret (om priser); støde; (om bil) hugge; fare sammen; stemme overens (*with* med); springe over (fx. ~ *a fence;* ~ *a chapter in a book);* stikke af fra; lade springe (fx. ~ *a horse over a fence); he -ed* (ogs.) det gibbede i ham; ~ *one's bail* (amr. **S**) stikke af medens man mod kaution er på fri fod; ~ *the bus* springe af (, på) bussen; ~ *a claim* sætte sig i besiddelse af jord som en anden har fået tildelt; krænke en andens rettigheder; ~ *the gun* tyvstarte; ~ *the queue* springe 'over i køen; mase sig frem; ~ *the track* løbe af sporet; ~ *at* gribe efter med begge hænder, modtage med begejstring; ~ *down sby.'s throat* falde 'over en; ~ *for joy* springe i vejret af glæde; ~ '*in* (fig.) springe til; ~ *off* springe af; starte, gå i gang; ~ *on* (fig.) slå ned på; falde 'over; ~ *to conclusions* drage forhastede slutninger; ~ *to one's feet* springe op med et sæt.

II. **jump** [dʒʌmp] (subst.) hop, spring, sæt; (krampe)trækning; **S** røveri; *the -s* **S** nervøse trækninger; delirium tremens; *get the* ~ *on* (amr. **S**) få et forspring frem for, komme i forkøbet; *the high* ~ højdespring; *the long* ~ længdespring; *be all of a* ~ være nervøs; *be on the* ~ være travlt beskæftiget; være nervøs.

jump bid springmelding.

jumped-up som pludselig er kommet frem; parvenuagtig; *they are a* ~ *lot* de er opkomlinge.

jumper ['dʒʌmpə] springer; løstsiddende lang bluse; jumper; matrosbluse.

jumping-jack sprællemand.

jumping|-off ground (fig.) springbræt. ~ **-pit** springgrav. ~ **sheet** springlagen, redningslagen.

jumpy ['dʒʌmpi] hoppende; springende; skumplende; urolig, nervøs.

jun. fk. f. *junior.*

junction ['dʒʌŋkʃən] forening, forbindelse; jernbaneknudepunkt; skiftestation; trafikknudepunkt.

juncture ['dʒʌŋktʃə] afgørende tidspunkt, kritisk øjeblik; *at this* ~ netop nu (el. da), i denne situation, under disse omstændigheder.

June [dʒu·n] juni.

June-berry ♧ bærmispel; druepære.

jungle ['dʒʌŋgl] jungle; (fig. ogs.) vildnis; (amr. **S**) vagabondlejr. **jungly** ['dʒʌŋgli] kratbevokset.

junior ['dʒu·njə] yngre, yngst, junior; *barrister* som ikke er *King's Counsel;* (amr.) student i næstsidste studieår; *he is my* ~ *by some years* han er nogle år yngre end jeg.

juniper ['dʒu·nipə] enebær; ~ *berry* (frugten) enebær.

I. **junk** [dʒʌŋk] bras, ragelse, skrammel; humpel, klump; ⚓ gammelt tovværk; salt kød; junke (kinesisk fartøj).

II. **junk** [dʒʌŋk] (vb.) **S** kassere.

junket ['dʒʌŋkėt] (subst.) slags tykmælk; lystighed, kalas; (vb.) feste, holde gilde.

junketing kalas, fest(er), festlighed(er).

junk|man marskandiser, produkthandler. ~ **playground** skrammellegeplads. ~ **shop** marskandiserbutik.

Juno ['dʒu·noᵘ]. **Junonian** [dʒu'noᵘnjən] junonisk.

junta ['dʒʌntə] rådsforsamling i Spanien; (se ogs. *junto).*

junto ['dʒʌŋtoᵘ] hemmelig forsamling, politisk sammensværgelse; klike, junta.

Jupiter ['dʒu·pitə].

Jurassic [dʒuə'räsik] (adj., geol.) jura-; ~ *period* juratiden.

juridical [dʒuə'ridikl] juridisk, retslig. **jurisconsult** ['dʒuəriskənsʌlt] retslærd; jurist. **jurisdiction** [dʒuəris'dikʃən] jurisdiktion; retskreds, domsmyndighed. **jurisprudence** [dʒuəris'pru·dəns] jurisprudens, retsvidenskab, retsfilosofi. **jurisprudent** [dʒuəris'pru·dənt] jurist, retslærd. **jurisprudential** [dʒuərispru'denʃəl] (adj.) retsvidenskabelig.

jurist ['dʒuərist] jurist, retslærd. **juristic(al)** [dʒu'ristik(l)] juridisk.

juror ['dʒuərə] nævning.

jury ['dʒuəri] nævninge, jury; bedømmelseskomité, dommerkomité (ved udstilling etc.); *grand* ~ anklagejury (som afgør hvorvidt der er grund til at rejse anklage); *petty* ~ , *common* ~ , *trial* ~ almindelig jury (af indtil 12 medlemmer som skal afgøre skyldsspørgsmålet); *the* ~ *brought him in guilty* nævningene fandt ham skyldig; *be* (el. *sit) on the* ~ være nævning.

jury| box nævningeaflukke. **-man** nævning. ~ **-mast** ⚓ nødmast. ~ **-rigged** ⚓ nødrigget. ~ **rudder** ⚓ nødror.

I. **just** [dʒʌst] (adj.) retfærdig (*to* imod); retskaffen, redelig; rigtig (fx. ~ *proportion);* rimelig; tilbørlig, velfortjent (fx. *punishment);* berettiget (fx. *suspicion); to be* ~ (ogs.) retfærdigvis.

II. **just** [dʒʌst] (adv.) lige (fx. *he has* ~ *arrived;* ~ *tell me his address);* netop, just; lige akkurat (fx. *he* ~ *managed to get through);* bare (fx. ~ *listen);* kun (fx. *she is* ~ *a child);* ~ *about* på det nærmeste; ~ *about here* sådan omtrent her; ~ *about to go* lige ved at gå; ~ *as* lige som; præcis som (fx. ~ *as I said);* ~ *as good* akkurat lige så god; ~ *now* lige nu; lige før (fx. *he was here* ~ *now); only* ~ kun lige akkurat; *it is* ~ *splendid* det er aldeles vidunderligt; *it is* ~ *the thing for you* det er lige noget for Dem; ~ *what do you want me to do?* hvad vil du egentlig have jeg skal gøre? ~ *under* (ogs.) knap (fx. *increased by* ~ *under fifty per cent.);* ~ *(you) wait!* vent bare!

III. **just** [dʒʌst] turnering; deltage i turnering.

justice ['dʒʌstis] retfærdighed, ret, billighed; berettigelse; dommer; *the administration of* ~ rettens pleje, retsplejen; *let* ~ *be done* lade retfærdigheden ske fyldest, lade retten gå sin gang; *the* ~ *of his claims* det berettigede i hans fordringer; *do* ~ *to* lade vederfares retfærdighed; *you are not doing yourself* ~ du yder ikke dit bedste; *do him* ~ yde ham retfærdighed; give ham hvad der tilkommer ham; *to do him* ~ *we must admit that he is industrious* man må lade ham, at han er flittig; *do* ~ *to everybody* gøre ret og skel til alle sider; *in* ~ retfærdigvis; *bring to* ~ anklage, rejse anklage mod; *Justice of the Peace* fredsdommer (ulønnet dommer uden juridisk uddannelse); *Lord Chief Justice* retspræsident (for *King's (, Queen's) Bench Division).*

justiceship ['dʒʌstisʃip] dommerembede; dommerværdighed.

justifiable ['dʒʌstifaiəbl] forsvarlig, berettiget.

justification [dʒʌstifi'keⁱʃən] retfærdiggørelse, forsvar, motivering, berettigelse.

justifier ['dʒʌstifaiə] forsvarer.

justify ['dʒʌstifai] retfærdiggøre, forsvare; begrunde, motivere, berettige; (typ.) justere, udslutte; ~ *our existence* bevise vor eksistensberettigelse.

justly ['dʒʌstli] med rette, med grund; retfærdigt.

jut [dʒʌt] (vb.): ~ *out* rage frem, springe frem; fremspring.

I. **jute** [dʒu·t] jute.

II. **Jute** [dʒu·t] jyde. **Jutish** jysk.

Jutland ['dʒʌtlənd] Jylland; jysk. **Jutlander** ['dʒʌtləndə] jyde.

jutting ['dʒʌtiŋ] fremspringende.

juvenescence [dʒuvi'nesəns] første (el. begyndende) ungdom.

juvenile ['dʒu·vinail] ungdommelig; ungdoms-; (subst.) ungt menneske.

juvenile| court børnedomstol. ~ **delinquency** ungdomskriminalitet. ~ **delinquent** ungdomsforbryder. ~ **lead** (subst.) førsteelsker, elsker (om rollefaget).

juxtapose [dʒʌkstə'poᵘz] (vb.) sammenstille, stille side om side; *-d* sidestillet; *-d to* sidestillet med, side om side med.

juxtaposition [dʒʌkstəpo'ziʃən] sidestilling.

K

K [keⁱ].

K. fk. f. *King; Knight.*

Kabyle [kə'bail] kabyler.

Kaffir ['käfə] kaffer; *-s* (ogs.) sydafrikanske guldmineaktier.

kail [keⁱl] grønkål.

kailyard ['keⁱlja·d] kålhave, køkkenhave; *the Kailyard School* (en skotsk forfattergruppe).

Kaiser ['kaizə] (tysk) kejser.

kale [keⁱl] grønkål; (amr.) **S** penge.

kaleidoscope [kə'laidəskoᵘp] kalejdoskop. **kaleidoscopic** [kəlaidə'skåpik] kalejdoskopisk.

kali ['keⁱli] salturt.

Kanaka ['känəkə, kə'näkə] indfødt på Sydhavsøerne.

kangaroo [käŋgə'ru·] kænguru.

Kans. fk. f. *Kansas* ['känzəs].

kaolin ['keⁱolin] kaolin, porcelænsler.

kapok ['ka·påk] kapok.

Kate [keⁱt]. **Katherine** ['käþərin]. **Kathleen** ['käþli·n].

kayak ['kaiäk] kajak.

kayo ['keⁱ'oᵘ] **S** knockout; (vb.) slå ud.

K.B. fk. f. *Knight of the Bath; King's Bench.*

K.B.E. fk. f. *Knight of the British Empire.*

K.C. fk. f. *King's Counsel; King's College.*

K.C.B. fk. f. *Knight Commander of the Bath.*

Keble ['ki·bl].

keck [kek] (vb.): *~ at* være ved at brække sig over.

kedge(-anchor) ['kedʒ('äŋkə)] ⚓ varpanker.

kedgeree [kedʒə'ri·] (slags plukfisk med ris og æg).

I. **keel** [ki·l] (subst.) køl; kulpram; *on an even ~* på ret køl; (fig.) roligt, støt; *lay (down) the ~ for* lægge kølen til.

II. **keel** [ki·l] (vb.) forsyne med køl; vende kølen i vejret; *~ over* kuldsejle; **T** falde om. **keelage** ['ki·lidʒ] havneafgift.

keelhaul ['ki·lhå·l] (vb.) kølhale; give en overhaling.

keelson ['kelsn] kølsvin.

keen [ki·n] (adj.) skarp (fx. *edge; competition);* hvas; bidende, gennemtrængende (fx. *a ~ east wind);* intens, stærk (fx. *a ~ hunger);* skrap; energisk; ivrig (fx. *a ~ tennis player); a ~ ear* et fint øre; *have a ~ eye for* have et skarpt blik for; *~ on* opsat på (fx. *he is ~ on going away),* meget interesseret i (fx. *games, a girl);* ivrig efter; (se ogs. *mustard).*

keen-sighted skarpsynet.

I. **keep** [ki·p] *(kept, kept)* (vb.) holde (fx. *~ a car, ~ one's balance; ~ Christmas);* bevare, beholde (fx. *you may ~ this);* underholde, forsørge (fx. *she -s the whole family);* overholde (fx. *the law);* gemme, opbevare (fx. *will you ~ this for me?);* opholde (fx. *I must not ~ you);* føre (fx. *a diary; accounts);* drive (fx. *a public-house, a school);* holde sig (fx. *~ ready; will this meat ~?);* blive ved med (fx. *she kept crying* hun blev ved med at græde); *~ the fire burning* holde ilden vedlige; *~ him waiting* lade ham vente; *what can be -ing him?* hvor bliver han af? *~ sby. going* understøtte en økonomisk; (om læge) holde en på benene, holde en i gang; *will £5 ~ you going?* kan du klare dig med £5? *~ goal* stå i mål; *~ hold of* (el. *on)* holde fast på; *~ house* føre hus; *~ pace with* holde trit med; *~ the peace* holde fred; *~ quiet* forholde sig rolig; *~ silent* tie stille; *~ time* holde takt; gå rigtigt, gå præcist (om ur);

~ aloof holde sig på afstand; *~ at it!* bliv ved! hæng i! *~ him at it* holde ham til ilden (ɔ: til arbejdet); *~ at him* blive ved med at plage ham; *~ away (from)* holde sig borte (fra); *~ back* holde (sig) tilbage; tilbageholde (fx. *5s. from his pay); ~ sth. back from sby.* skjule noget for en (ɔ: ikke fortælle det); *he could ~ nothing down* han kunne ikke holde mad i sig; *~ from* (af-) holde sig fra; *I couldn't ~ from laughing* jeg kunne ikke lade være med at le; *~ him from doing it* forhindre ham i at gøre det; *~ it from him* skjule det for ham; *~ in* holde inde; lade sidde over; betvinge (fx. *one's indignation); ~ the fire in* holde ilden vedlige; *~ sby. in clothes* holde en med tøj; *~ in repair* vedligeholde; *~ in with* **T** holde sig gode venner med; *~ off* holde (sig) borte; *~ off!* bliv mig fra livet! *~ off that subject* hold dig fra det emne; *~ off your hands* fingrene væk;

~ on blive ved; *~ your hair* (el. *shirt) on* **S** bare rolig! *~ straight on* blive ved lige ud; *~ on at sby.* hele tiden plage en; *~ out* holde sig borte; *~ to* holde sig til (fx. *the main roads; the point* sagen); *~ sth. to oneself* (be-) holde noget for sig selv; *we will ~ it to ourselves* det bliver mellem os; *he -s himself to himself* han holder sig for sig selv, han passer sig selv; *~ to the left* holde til venstre; *~ under* holde nede, holde under kontrol; *she -s him under* (fig.) hun sidder på ham; *~ up* holde oppe (fx. *one's courage);* bevare, opretholde (fx. *the standard);* vedligeholde (fx. *one's house); how long did you ~ it up last night?* hvor længe holdt I ud i aftes? *~ it up* (ogs.) holde spillet gående; *~ up with* holde trit med.

II. **keep** [ki·p] (subst.) borgtårn; underhold, kost; *earn one's ~* tjene til sit underhold (el. til føden); *he doesn't earn his ~* han gør ikke gavn for føden; *for -s* for bestandig; for alvor, til evig arv og eje; *is it mine for -s?* må jeg beholde den?

keeper ['ki·pə] (subst.) besidder, vogter, dyrepasser; fangevogter, slutter; målmand; (i kricket) keeper; *am I my brother's ~?* er jeg min broders vogter? *Keeper of the Great Seal, Lord Keeper* seglbevarer.

keeping ['ki·piŋ] forvaring, varetægt, besiddelse; underhold; overensstemmelse; *the ~ of bees* bihold; *be in ~ with* stemme overens med, svare til (fx. *his acts are not in ~ with his words).*

keepsake ['ki·pseⁱk] erindring, minde, souvenir; *as a ~* til erindring.

keg [keg] lille tønde, lille fad, fustage.

kelp [kelp] kelp (aske af tang).

I. **Kelt,** se *Celt.*

II. **kelt** [kelt] (zo.) nedfaldslaks.

I. **ken** [ken] (subst.) kendskab; (glds.) synsfelt; *it is out of* (el. *beyond) my ~* det forstår jeg mig ikke på.

II. **ken** [ken] (vb., glds. og dial.) vide, kende.

I. **kennel** ['kenl] (subst.) hundehus; kennel; hule, rønne; (vb.) opholde sig i hule; bo elendigt; gemme sig; bringe hundene tilbage til hundehusene efter jagten.

II. **kennel** ['kenl] rendesten.

Kentish ['kentiʃ] kentisk, fra Kent.

Kentish plover (zo.) hvidbrystet præstekrave.

Kentucky [ken'tʌki].

Kenya ['ki·njə, 'kenjə].

kepi ['keⁱpi] kepi, militærkasket.

kept [kept] imperf. og perf. part. af *keep; ~ woman* holdt kvinde.

keratin ['kerətin] keratin.

keratitis [kerə'taitis] hornhindebetændelse.

kerb [kə·b] kantsten; *business done on the ~* efterbørsforretninger.

kerb|-crawling **S** (det at køre sin bil langsomt langs fortovskanten for at finde en gadepige). *~* **-drill** færdselsundervisning.

kerbstone kantsten; *~ market* efterbørs.

kerchief ['kə·tʃif] (hoved)tørklæde.

kermes ['kə·mi·z] kermes (rødt farvestof).

kermess, kermis ['kə·mis] kermesse.

kern(e) [kə·n] infanterist i den gamle irske hær; irsk bonde.

kernel ['kə·n(ə)l] (subst.) kerne; (vb.) sætte kerne.

kerosene, kerosine ['kerosi·n] petroleum.

kersey ['kə·zi] kirsej, kersej (groft uldent stof).
kerseymere ['kə·zimiə] kashmir; *-s* kashmirsbenklæder.
kestrel ['kestrəl] (zo.) tårnfalk.
Keswick ['kezik].
ketch [ketʃ] ketch (tomastet fartøj).
ketchup ['ketʃəp] ketchup.
kettle ['ketl] kedel; gryde; *a fine* (el. *pretty) ~ of fish* en køn historie, 'en køn kop te'; *hark at the pot calling the ~ black!* du (, han etc.) er ikke et hår bedre! du skulle nødig snakke om nogen! I har ikke noget at lade hinanden høre!
kettledrum ['ketldrʌm] pauke. **-mer** paukeslager.
kettle-holder grydelap.
Kew [kju·].
I. **key** [ki·] (subst.) nøgle (ogs. fig.); facitliste; tangent, tast; (på fløjte) klap; tonart; kile; *keep under lock and ~* holde under lås og lukke, gemme omhyggeligt; *have the ~ of the street* stå uden tag over hovedet; *master ~* hovednøgle; *the House of Keys* Underhuset på øen Man; *power of the -s* (pavens) nøglemagt; *and much more in the same ~* og så videre i samme dur.
II. **key** [ki·] (vb.) fæste, kile fast; stemme; *~ up* stemme (instrument); stramme op; *-ed up* (ogs.) anspændt, nervøs.
key|board ['ki·bå·d] nøglebræt; klaviatur, tastatur. **~ -bugle** ['ki·'bju·gl] klaphorn. **-hole** nøglehul. **~ industry** nøgleindustri. **~ man** person i nøglestilling; centralfigur. **~ money** ekstrabetaling som forlanges ved indgåelse af lejemål. **-note** grundtone. **~ -ring** nøglering. **-stone** ['ki·stoᵘn] slutsten (i bue); hovedprincip.
K. G. fk. f. *Knight of the Garter.*
kg. fk. f. *kilogramme.*
khaki ['ka·ki] kaki (gulbrunt uniformsstof); kakifarvet.
khamsin ['kämsin] chamsin (ægyptisk ørkenvind).
khan [ka·n] kan (fyrstetitel; karavanserai, herberg for karavaner).
Khartum [ka·'tu·m].
Khedive [ke'di·v] vicekonge af Ægypten.
kibe [kaib] frostknude; *tread on sby's -s* trænge sig ind på en.
kibitzer ['kibitsə] tilskuer til kortspil etc., der blander sig i spillet; 'ugle'.
kibosh ['kaibåʃ]: *put the ~ on* skære ned, gøre det af med.
I. **kick** [kik] (vb.) sparke; slå bagud (om heste); støde, slå (om geværer); **T** protestere, gøre vrøvl, stritte imod; *~ the bucket* krepere, dø; *~ one's heels* spilde tiden med at vente; *~ oneself* ærgre sig gul og grøn; *~ about* (el. (amr.) *around)* koste med; mishandle; **S** drøfte frem og tilbage (fx. *an idea); ~ against, ~ at* (fig.) gøre vrøvl over, stritte imod; *~ against the pricks* stampe mod brodden; *~ at* sparke efter; *~ in* (amr. **S**) yde bidrag; krepere; *~ off* give bolden op; (amr. **S**) krepere; *~ out* smide ud; (i fodbold) sparke bolden ud af banen; *~ over the traces* slå til skaglerne, skeje ud; *~ up one's heels* more sig, slå sig løs; **S** dø, smække stængerne i vejret; *~ up a row* larme; gøre kvalm, lave et farligt hus; *~ sby. upstairs* blive af med en ved at forfremme ham (ofte om parlamentsmedlemmer der adles og får sæde i overhuset).
II. **kick** [kik] (subst.) spark, slag; **S** fornøjelse, spænding, stimulans; indvending; (amr. **S**) lomme; grund til klage; (geværs) tilbageslag; *I get a lot of ~ out of it* jeg har megen fornøjelse af det; jeg nyder det; *get more -s than ha'pence* få mere skænd end ros, få en ublid medfart; *get the ~* **S** blive smidt ud; *he has not much ~ left in him* der er ikke meget spræl (el. krudt) i ham mere; *there is a ~ in it* (om spiritus) den strammer op, den slår.
kickback tilbageslag; (fig.) heftig (el. skarp) reaktion; **S** returkommission; tilbagelevering af tyvekoster.

kicker ['kikə] hest (etc.) der vil sparke; (amr. **S**) kværulant.
kick| pleats gålæg. **-shaw** ['kikʃå·] lille lækkeri; tarveligt smykke; (pl.) dingeldangel. **~ -starter** kickstarter (på motorcykel). **-up** ['kikʌp] **T** ballade.
kid [kid] (subst.) kid; barn, unge, rolling; kidskind; (vb.) narre; gøre nar af; drille; *don't ~ yourself about that* tag ikke fejl af det.
kid glove glacéhandske; *handle with -s* (fig.) tage på med fløjlshandsker.
kidnap ['kidnäp] kidnappe. **kidnapper** ['kidnäpə] kidnapper, barnerøver.
kidney ['kidni] nyre; art, slags; natur, gemyt.
kidney| bean ♧ snittebønne. **~ -vetch** ♧ rundbælg.
kike [kaik] (amr. **S**) jøde.
kill [kil] (vb.) dræbe; slagte; (fig.) tilintetgøre, ødelægge, kvæle; (elekt.) slukke for; (om motor) få til at gå i stå; (subst.) jagtudbytte (fx. *a plentiful ~); ~ a ball* (i fodbold) lægge en bold død; *be -ed* (ogs.) falde (i krigen); *~ a Bill* vælte et lovforslag; *-ed in action* faldet i kamp; *~ off* rydde af vejen, udrydde; gøre det af med; *it's ~ or cure* det må briste eller bære; *be in at the ~* være med i det afgørende øjeblik; *he was got up to ~* han var flot udhalet; *his jokes nearly -ed us* vi var lige ved at dø af grin over hans vittigheder.
Killarney [ki'la·ni].
killer ['kilə] morder; (zo.) spækhugger.
killer-whale (zo.) spækhugger.
killing ['kiliŋ] (subst.) drab, slagtning; **T** fin forretning; (adj.) dræbende; dødelig; **T** vældig; uimodståelig; vældig sjov.
killjoy ['kildʒoi] dødbider, glædesforstyrrer, 'lyseslukker'.
kiln [kil(n)] (subst.) kølle, tørreovn; ovn; *~ -dried* ovntørret.
kilo ['ki·loᵘ], **kilogram(me)** ['kilogräm] kilogram. **kilometer** (amr.) = **kilometre** [ki'lâmitə] kilometer. **kilowatt** ['kilowåt] kilowatt. **kilowatthour** kilowatt-time.
kilt [kilt] (subst.) kilt, skotteskørt; (vb.) opkilte, lægge i plisseer.
kilter ['kiltə] (amr.): *out of ~* i uorden, ude af balance.
kimono [ki'moᵘnoᵘ] kimono.
kin [kin] (subst.) slægt, slægtning, slægtskab, art; (adj.) beslægtet; *~ to* beslægtet med; *the next of ~* de nærmest beslægtede.
I. **kind** [kaind] (subst.) art, slags; natur; *a difference in ~* en artsforskel; *pay in ~* betale i naturalier; *repay in ~, reply in ~* give igen med samme mønt; *Communion in both -s* nadveren i begge skikkelser; *I'm not the marrying ~* jeg er ikke den type der gifter sig; *coffee of a ~* en slags kaffe, noget der skulle forestille kaffe; *two of a ~* to af samme slags; *things of every ~* alle mulige ting; *what ~ of a man is he?* hvordan er han? *sth. of that ~* noget i den retning; *he said nothing of the ~* det sagde han aldeles ikke; *those* (el. *these) ~ of things, that ~ of thing* den slags ting; *I ~ of expected it* jeg ventede det næsten; *I ~ of thought this would happen* jeg havde ligesom på fornemmelsen, at det ville ske.
II. **kind** [kaind] (adj.) god, venlig, kærlig; velvillig; velment; *be so ~ as to, be ~ enough to* være så venlig at; *it is really too ~ of you* det er alt for galt.
kinda ['kaində] (amr.) = *kind of,* se I. *kind.*
kindergarten ['kindəga·tn] børnehave.
kind-hearted ['kaind'ha·tid] kærlig, venlig.
kindle ['kindl] (vb.) tænde, fænge; (fig.) vække, ophidse, sætte i brand, (få til at) blusse, stråle.
kindliness ['kaindlinės] venlighed.
kindling ['kindliŋ] (subst.) noget til at tænde op med (fx. *paper makes good ~* papir er godt at tænde op med); optændingsbrænde, pindebrænde.
kindling| temperature antændelsestemperatur. **~ wood,** se *kindling.*

kindly ['kaindli] (adj.) venlig (fx. *a ~ man); (adv.)* venligt (fx. *speak ~); will you ~ help me* vær så venlig at hjælpe mig; *take ~ to* have let ved at vænne sig til (el. finde sig (til rette) i).

kindness ['kaindnés] venlighed, godhed, imødekommenhed; *do sby. a ~* gøre en en tjeneste, vise en en venlighed.

kindred ['kindrid] slægtskab, slægtninge, familieskab; lighed; (adj.) beslægtet (fx. *~ languages); ~ soul* åndsfrænde.

kine [kain] (poet.) køer.

kinema ['kainimə], **kinematograph** [kaini'mätəgra·f] se *cinema(tograph).*

kinetic [kai'netik] kinetisk; *~ energy* bevægelsesenergi. **kinetics** [kai'netiks] kinetik.

I. **king** [kiŋ] (subst.) konge; dam (i damspil); *the Kings* Kongernes Bog; *King's ...,* se nedenfor; *~ of diamonds, ~ of hearts* ruder-, hjerterkonge.

II. **king** [kiŋ] (vb.): *~ it* spille konge.

king|-bolt hovedbolt, styrebolt. *~* **-craft** regeringskunst. *~* **-cup** ♧ engkabbeleje.

kingdom kongerige; *the ~ of God* Guds rige; *the animal ~* dyreriget; *thy ~ come* komme dit rige; *send him to kingdom come* ekspedere ham over i evigheden.

kingfisher ['kinfiʃə] (zo.) isfugl.

kingly (adj.) kongelig.

kingmaker (fig.) indflydelsesrig person der bringer en anden til magten.

King-of-Arms overherold.

king|pin konge (i keglespil); (tekn.) = *~ -bolt;* (fig.) hovedmand. *~* **plank** ⚓ fisk.

King's Bench Division overrettens hovedafdeling.

King's| Counsel, se *counsel.* *~* **English** dannet sprogbrug; standardengelsk. *~* **evidence** kronvidne (der tidligere ved at angive sine medskyldige blev fri for straf). *~* **evil** skrofulose.

king|ship kongeværdighed. *~* **-size** (adj.) ekstra stor.

kink [kiŋk] (subst.) kinke (bugt på tov); karakterbrist, åndelig el. moralsk abnormitet; (vb.) slå bugter, danne bugter på.

kinkajou ['kiŋkədʒu·] (zo.) snohalebjørn.

kinky ['kiŋki] fuld af bugter; (om hår etc.) filtret; (om person) sær, som er lidt til en side.

kinsfolk ['kinzfo^u^k] slægtninge. **kinship** ['kinʃip] slægtskab. **kinsman** ['kinzmən] slægtning. **kinswoman** ['kinzwumən] kvindelig slægtning.

kiosk ['ki·åsk; ki'åsk] kiosk.

kip [kip] S (vb.) sove; (subst.) søvn; *~ down* (ogs.) lægge sig (til at sove). **kiphouse** logihus, natherberge.

kipper ['kipə] saltet, flækket og røget sild; laks i gydetiden.

Kirghiz ['kə·giz; (amr.) kiə'gi·z] kirgiser; kirgisisk.

kirk [kə·k] (på skotsk) kirke; *the Kirk* den skotske kirke.

kirkman ['kə·kmən] medlem af den skotske kirke.

kismet ['kismet] skæbne.

kiss [kis] (subst.) kys; (vb.) kysse, kysses; *~ the book* kysse Biblen (v. edsaflæggelse i retten); *~ the dust* (el. *ground)* bide i græsset; kaste sig i støvet; *~ hands* kysse på hånden; (ogs. *~ the Queen's hand)* modtage sin officielle udnævnelse af dronningen (til ministerpost etc.); *~ one's hand to her* sende hende et fingerkys; *~ the rod* kysse riset; underkaste sig en straf.

kisser ['kisə] S ansigt; kyssetøj.

kiss-proof (adj.) kysægte.

kit [kit] tønde, kar el. balje af træ; udstyr, (især soldats) mundering, tøj, 'kluns'; (håndværkers) værktøj.

II. **kit** [kit] (vb.): *~ out, ~ up* T udstyre.

kit bag køjesæk, kitbag, rejsetaske; ⚔ paksæk.

kitchen ['kitʃin] køkken. **kitchener** ['kitʃənə] komfur.

kitchenet(te) [kitʃi'net] tekøkken.

kitchen|-garden ['kitʃin'ga·dən] køkkenhave. *~* **-maid** køkkenpige. *~* **-midden** køkkenmødding. *~* **police** T (soldater der er afgivet til) køkkentjeneste. *~* **-range** komfur.

kite [kait] (zo.) glente; drage (legetøj); akkomodationsveksel; dækningsløs check; *fly a ~* lege med drage, sætte en drage op; (fig.) sende en prøveballon op; udgive dækningsløs check; udstede akkomodationsveksel, drive vekselrytteri.

kite| balloon drageballon. **-flier** vekselrytter.

kith [kiþ]: *~ and kin* slægt og venner.

kit inspection ⚔ munderingseftersyn.

kitten ['kitn] kattekilling; (vb.) få killinger.

kittiwake ['kitiwe^i^k] (zo.) ride (en art måge).

kittle ['kitl] (adj., skotsk) kilden, vanskelig; *~ cattle* kvæg, der er vanskeligt at drive; (fig.) 'et vanskeligt folkefærd'.

kitty ['kiti] pulje (i spil); T (fælles) kasse.

kiwi ['ki·wi] (zo.) kivi (en fugl).

klaxon ['kläksən] ® kraftigt automobilhorn.

kleenex ['kli·neks] ® renseserviet.

kleptomania [klepto'me^i^niə] kleptomani. **kleptomaniac** [klepto'me^i^niäk] kleptoman.

Klondike ['klåndaik].

km. fk. f. *kilometre.*

knack [näk] greb; tag; håndelag; færdighed; kneb; *there is a ~ in it* man skal kende taget; *he has the ~ of it* han kender taget; *have a ~ of* have en vis evne til.

knacker ['näkə] hestehandler; hesteslagter; opkøber og ophugger af skibe; en der opkøber og nedriver gamle huse, nedrivningsentreprenør.

knag [näg] knast, knort, knude. **knaggy** ['nägi] knortet; knastet.

knap [näp] hugge (skærver). **knapper** ['näpə] skærvehugger.

knapsack ['näpsäk] ransel, rygsæk, tornyster.

knave [ne^i^v] knægt, bonde (i kortspil); svindler, kæltring. **knavery** ['ne^i^v(ə)ri] svindel, kæltringestreg. **knavish** ['ne^i^viʃ] kæltringeagtig.

knead [ni·d] (vb.) ælte (dej). **kneading-trough** ['ni·diŋtrå·f] dejtrug.

knee [ni·] knæ; *bring* (el. *force) him to his -s* tvinge ham i knæ; *bend one's -s to* falde på knæ for; *go on one's -s* falde på knæ; *it is on the -s of the gods* det ligger i fremtidens skød.

knee-breeches knæbenklæder. **knee-cap** knæskal. **knee-deep** (som når) til knæene (fx. *~ snow); he was ~ in water* han stod i vand til knæene. **knee-joint** ['ni·dʒoint] knæled.

kneel [ni·l] *(knelt, knelt)* knæle. **kneeling-stool** bedeskammel.

knee-pan ['ni·pän] knæskal.

knell [nel] (vb.) ringe (til begravelse), klemte; (subst.) ringning (til begravelse).

knelt [nelt] imperf. og perf. part. af *kneel.*

knew [nju·] imperf. af *know.*

Knickerbocker ['nikəbåkə] New Yorker.

knickerbockers knæbukser, knickers.

knickers ['nikəz] damebenklæder; knæbukser, knickers.

knick-knack ['niknäk] nipsgenstand.

knife [naif] (subst., pl. *knives)* kniv; (vb.) stikke (, myrde) med kniv; *before you could say ~* lige pludselig; i løbet af nul komma fem; *he has got his ~ into me* han er ude efter mig; *war to the ~* krig på kniven; *play a good ~ and fork* have en god appetit.

knife|-board knivbræt. *~* **-edge** knivsæg. *~* **-edged** knivskarp. *~* **-grinder** skærslipper. *~* **-rest** knivbuk. *~* **-switch** (elekt.) knivafbryder.

knight [nait] ridder; (nu:) en som har rang nærmest under *baronet* og ret til titlen *Sir;* springer (i skakspil); (vb.) slå til ridder, udnævne til ridder; *~ of the pen* journalist; *~ of the road* farende svend, vagabond.

Knight Commander kommandør (i ridderorden).

knight-errant ['nait'erənt] vandrende ridder.

knighthood ['naithud] ridderskab (fx. *all the ~ of France); titel af knight; confer a ~ on sby.* slå (, udnævne) en til ridder; *order of ~* ridderorden.

knightly ['naitli] ridderlig.

Knight Templar ['nait'templə] tempelherre.

knit [nit] *(knit(ted), knit(ted)* strikke, knytte, binde; sammenknytte, forene; (om brækket ben etc.) vokse sammen; (subst.) strikket arbejde, strikning; *~ the brows* rynke panden; *~ together* (ogs.) holde sammen; sammenknytte; forene; *~ up* knytte sammen; reparere (ved at strikke); (fig.) afslutte.

knitting strikning, strikketøj. **knitting-machine** strikkemaskine. **knitting-needle** strikkepind.

knives [naivz] pl. af *knife.*

knob [nåb] knop, knude; dup, knap; kuglegreb (på dør), dørknap; S se I. *nob; with -s on* og mere til; og meget værre (fx. *we have the same problem with -s on).*

knobby ['nåbi] (adj.) knudret; knoppet, ru.

knobkerrie ['nåbkeri] kastekølle. **knobstick** ['nåbstik] kastekølle; skruebrækker.

knock [nåk] (vb.) banke, hamre, slå; (om motor) banke; T dupere; S overvælde; (amr. S) rakke ned (på), kritisere; (subst.) slag, stød, banken; *sby. -s* det banker; *~ about* strejfe om, flakke om; slå løs på, mishandle; *~ against* støde på; (fig.) rende på; træffe; *~ at the door* banke på døren; *there is a ~ at the door* det banker; *~ back* hælde i sig (fx. *a drink); ~ him cold* slå ham ud; *~ down* slå til jorden; rive ned (fx. *a house);* skille ad (fx. *a machine);* (amr. ogs.) tjene; *~ the price down* prutte prisen ned; *it was -ed down to him* han fik hammerslag på det; *~ off* slå af; slå af på (pris); indstille arbejdet, holde fri, holde fyraften; holde op med; gøre færdig i en fart, rable af sig; hælde i sig (fx. *a drink);* (amr. S) dræbe; stjæle; krepere; *~ him off his feet* slå benene væk under ham; *~ out* banke ud (fx. *a pipe);* slå ud; udkaste (fx. *an idea for a play);* T rable af sig, få fra hånden; *~ out a living* tjene til dagen og vejen; *~ under* underkaste sig; *~ up* vække ved at banke på døren, banke op; lave sammen i en fart (fx. *he -ed up a meal); -ed up* udkørt.

knock-about ['nåkəbaut] larmende; (om tøj) som kan tåle lidt af hvert; *~ (performance)* knockabout nummer, klovnenummer med grove virkemidler; *~ comedy* falde-på-halen komedie.

knocker ['nåkə] en som banker; dørhammer; (amr.) kværulant; *muffled ~* omviklet dørhammer (til tegn på, at der er en syg i huset); *up to the ~* ekstra god(t); helt i orden; perfekt.

knock-kneed ['nåkni·d] (adj.) kalveknæet.

knock-out ['nåk'aut] knockout; auktion ved hvilken de bydende slutter sig sammen for at holde priserne nede; S knaldsucces; *it is a ~* (ogs.) den er fantastisk god.

I. **knoll** [noᵘl] lille høj; top af en bakke.

II. **knoll** [noᵘl] ringe, klemte; ringen, klemten.

knot [nåt] (subst.) knude; (i træ) knast; gruppe, klynge, samling; forvikling, vanskelighed; sløjfe; roset, kokarde, kvast; ⚓ knob; (zo.) islandsk ryle; (vb.) knytte, binde i knude; danne knuder.

knot-grass ♧ vejpileurt, skedeknæ.

knotted ['nåtid] (adj.) knudret, knortet. **knottiness** ['nåtinès] knudrethed; forvikling, vanskelighed. **knotty** ['nåti] knudret, knastet; indviklet, vanskelig.

knot|-weed ♧ vejpileurt. **-wort** ♧ bruskbæger.

knout [naut] knut, russisk pisk.

I. **know** [noᵘ] *(knew, known)* vide, kende, kende igen; kunne (fx. *a language, a lesson)*; forstå sig på; *~ about* kende til; vide noget om; *that's all you ~ about it* det er noget du tror; *he -s all the answers* han er inde i sagerne; han kan det hele; *for all I ~* så vidt jeg ved; *he may be dead for all I ~* han kan godt være død, jeg ved ikke noget om det; *be -n as* være kendt som; gå under navnet ...; *you ought to ~ better than to do that* du burde være alt for fornuftig til at gøre det; *~ sby. by sight* kende en af udseende; *~ him by his voice* kende ham på stemmen; *come to ~* erfare; *get to ~ sby.* lære en at kende; *~ one's own mind* vide hvad man vil; *not if I ~ it* ikke med min gode vilje; jeg skal ikke nyde noget; *there is no -ing, you never ~* man kan aldrig vide; *~ of* kende til; *not that we ~ of* ikke så vidt vi ved; *what do you ~!* det må jeg sige! (se ogs. *known).*

II. **know** [noᵘ] (subst.): *be in the ~* vide besked, være indviet.

knowable ['noᵘəbl] som kan vides; omgængelig.

know-all T bedrevidende person, en der tror han ved alt.

know-how ['noᵘhau] sagkundskab, teknisk dygtighed.

knowing ['noᵘiŋ] (adj.) kundskabsrig, kyndig, erfaren; snu; medvidende (fx. *smile);* meget sigende (fx. *look* blik); *a ~ bird* en snu fyr. **knowingly** (adv.) med forsæt, med vilje; *look ~ at him* sende ham et meget sigende blik.

knowledge ['nålidʒ] kundskab, kendskab, erfaring; viden; *to my ~* så vidt jeg ved; *he had to my (certain) ~ been bribed* jeg vidste (med sikkerhed) at han var blevet bestukket; *much ~* mange kundskaber; *~ of* kendskab til.

knowledgeable ['nålidʒəbl] velinformeret, kyndig.

known [noᵘn] perf. part. af *know; make it ~* bekendtgøre det; *make oneself ~ to* præsentere sig for.

know-nothing ignorant, uvidende person.

Knox [nåks].

knuckle ['nʌkl] kno; skank (af en kalv); (vb.) banke; slå med knoerne; underkaste sig; *~ down, ~ under* falde til føje, give efter; *~ down to work* tage energisk fat på arbejdet; *near the ~* lige på stregen (ɔ: vovet); *give him a rap over* (el. *on) the -s* give ham (et rap) over fingrene.

knuckle|-duster ['nʌkl 'dʌstə] knojern. **-head** ['nʌklhed] fæhoved.

knurl [nə·l] (vb.) rifle, roulettere.

K. O. knockout.

koala [koᵘ'a·lə] (zo.) pungbjørn.

kodak ['koᵘdäk] ® kodak (fotografiapparat).

koh-i-noor ['koᵘinuə] kohinoor (en brillant).

kohlrabi ['koᵘl'ra·bi] ♧ kålrabi.

kopje ['kåpi] lille høj.

Koran [kå'ra·n]: *the ~* koranen.

Korea [kə'riə] Korea. **Korean** [kə'riən] koreaner; koreansk.

kosher ['koᵘʃə] koscher, rituelt forskriftmæssig, uangribelig.

kotow, kowtow ['koᵘ'tau; 'kau'tau] ydmyg hilsen (egl. ved at kaste sig næsegrus ned); hilse ydmygt; *~ to* (fig.) ligge på maven for.

K. P. fk. f. *kitchen police.*

kraal [kra·l] krål, sydafrikansk landsby.

Kremlin ['kremlin]: *the ~* Kreml.

kris [kris] kris, malajisk dolk.

Kriss Kringle [kris'kriŋgl] julemanden.

Kruger ['kru·gə] Krüger.

K. T. fk. f. *Knight of the Thistle; Knight Templar.*

Kt. fk. f. *knight.*

kudos ['kju·dås] (spøgende om) hæder; ære; ry, berømmelse.

Ku-Klux-Klan ['kju·'klʌks'klän] Ku-Klux-Klan (hemmeligt selskab i sydstaterne med det formål at holde negrene nede).

kumiss ['ku·mis] kumys (drik af gæret hoppemælk).

Kurd [kə·d] kurder(inde).

Kurdistan [kə·di'sta·n] Kurdistan.

kw. fk. f. *kilowatt.*

Ky. fk. f. *Kentucky.*

L

L [el].

£ fk. f. *libra* ɔ: *pound(s) sterling*, pund sterling (især stillet således: £25).

L. fk. f. *Lake, Late, Learner, Left, Liberal.*

l. fk. f. *left; lira; litre(s).*

La. fk. f. *Louisiana.*

laager [ˈla·gə] vognlejr, vognborg; (vb.) sætte i vognlejr (el. vognborg), slå lejr.

Lab. fk. f. *Labrador; Labour (Party).*

lab. [läb] fk. f. *laboratory.*

label [ˈleⁱbl] (subst.) seddel, mærkeseddel, mærke, etikette; (på bogbind) rygskilt; (vb.) mærke; etikettere, forsyne med seddel; rubricere.

labial [ˈleⁱbiəl] (adj.) læbe-, labial; (subst.) læbelyd.

labialize [ˈleⁱbiəlaiz] (vb.) labialisere.

labiate [ˈleⁱbieⁱt] (adj.) læbeblomstret; (subst.) læbeblomst.

labile [ˈleⁱbil] ustabil.

labiodental [ˈleⁱbioᵘˈdentl] labiodental; læbetandlyd.

labium [ˈleⁱbiəm] (pl. *labia*) læbe, skamlæbe.

labor (amr.) = *labour.*

laboratory [ləˈbårətəri, ˈläb(ə)rətəri] laboratorium.

Labor Day (en årlig fridag i de fleste stater i U.S.A., alm. første mandag i september).

laborious [ləˈbå·riəs] møjsommelig, anstrengende; brydsom; flittig, arbejdsom; anstrengt, tung (fx. *style*).

laborite [ˈleⁱbərait] (amr.) medlem af et arbejderparti. **labor union** (amr.) fagforening.

I. **labour** [ˈleⁱbə] (subst.) arbejde; anstrengelse, besvær, møje; fødselsveer; arbejderne, arbejderklassen, arbejderpartiet, arbejderbevægelsen; arbejdskraft (fx. *skilled* ~ faglært a.); *Ministry of Labour* arbejdsministerium; ~ *of Hercules* herkulesarbejde, kæmpearbejde; ~ *of love* arbejde man gør for sin fornøjelse, kært arbejde; arbejde man gør for at glæde en anden; *hard* ~ strafarbejde; *lost* ~ spildt møje; *be in* ~ have fødselsveer.

II. **labour** [ˈleⁱbə] (vb.) arbejde (*at* på); stræbe, slide, anstrenge sig; arbejde på; arbejde (el. kæmpe) sig frem; udpensle, uddybe; bearbejde; have fødselsveer; ~ *along a road* arbejde sig frem ad en vej; ~ *for breath* kæmpe for at få vejret; ~ *under* lide under, have at kæmpe med; ~ *under a delusion* svæve i en vildfarelse.

labour| camp arbejdslejr. ~ **conflict** arbejdskonflikt. ~ **demonstration** arbejderdemonstration.

laboured [ˈleⁱbəd] kunstlet, anstrengt; omhyggeligt udarbejdet.

labourer [ˈleⁱbərə] arbejdsmand; *(agricultural)* ~ landarbejder.

labour| exchange arbejdsanvisningskontor. ~ **government** arbejderregering.

labouring arbejdende; arbejder-.

labourite [ˈleⁱbərait] medlem af arbejderpartiet, tilhænger af arbejderbevægelsen.

labour| leader arbejderfører. ~ **-market** arbejdsmarked. ~ **movement** arbejderbevægelse.

Labour Office: *the International* ~ det internationale arbejdsbureau (i Genève).

Labour Party: *the* ~ arbejderpartiet.

labour|-saving arbejdsbesparende. ~ **service** arbejdstjeneste.

Labrador [ˈläbrədå·]; ~ *dog* (el. *retriever*) labradorretriever.

labret [ˈleⁱbrėt] læbesmykke.

laburnum [ləˈbə·nəm] ♧ guldregn.

labyrinth [ˈläbərinþ] labyrint. **labyrinthine** [läbəˈrinþain] labyrintisk.

I. **lac** [läk] gummilak.

II. **lac** [läk] (100.000 rupi).

lace [leⁱs] (subst.) snørebånd, snor, lidse; knipling; blonde; (vb.) snøre (fx. ~ *one's boots*); bræmme, besætte med kniplinger; blande (mælk, øl o.l.) med spiritus; piske, slå løs på, prygle; *make* ~ kniple; *-(d) boots* snørestøvler; ~ *sby.'s jacket* give en en dragt prygl.

Lacedaemon [läsiˈdi·mən].

lace-pillow [ˈleisˈpiloᵘ] kniplepude.

lacerate [ˈläsəreⁱt] sønderrive, flænge.

laceration [läsəˈreⁱʃən] sønderrivelse; rift, flænge.

lacewing [ˈleⁱswiŋ] (zo.) florflue.

laches [ˈlätʃiz] forsømmelse (af at hævde en ret i tide).

lachrymal [ˈläkriməl] tåre-. **lachrymal| duct** tårekanal. ~ **gland** tårekirtel. ~ **sac** tåresæk.

lachrymation [läkriˈmeⁱʃən] gråd.

lachrymator [ˈläkrimeⁱtə] ⚔ tåregas.

lachrymatory [ˈläkrimətəri] tåreflaske (fra antikke grave); tåre-. **lachrymatory| gas** tåregas. ~ **shell** tåregasbombe.

lachrymose [ˈläkrimoᵘs] grædende; begrædelig; *be* ~ (ogs.) være en tåreperse; have let til tårer.

lacing [ˈleⁱsiŋ] snore, snørebånd; borter, tresser.

laciniate [läˈsiniėt] fliget.

lack [läk] (subst.) mangel, trang, nød; (vb.) mangle, lide mangel på; *for* ~ *of* af mangel på; *there is no* ~ *of* det skorter ikke på; *be -ing* mangle, savnes; *be -ing in* mangle; *-ing in ideas* idéforladt.

lackadaisical [läkəˈdeⁱzikl] affekteret, smægtende, sentimental.

lackadaisy [ˈläkəˈdeⁱzi], **lackaday** [ˈläkədeⁱ] ak! o ve!

lacker [ˈläkə] se *lacquer.*

lackey [ˈläki] (subst.) lakaj; spytslikker; (vb.) opvarte, vise sig som lydig slave af.

lackey (moth) (zo.) ringspinder.

Lackland [ˈläkländ]: *John* ~ Johan uden Land.

lack-lustre [ˈläklʌstə] glansløs, mat, trist.

laconic [ləˈkånik] lakonisk; kort og fyndig.

laconically [ləˈkånikəli] lakonisk.

lacquer [ˈläkə] (subst.) lakfernis, lakering; lakarbejder, lakerede arbejder; (vb.) fernisere, lakere.

lacquey [ˈläki] se *lackey.*

lacrosse [la·ˈkrås] lakrosse (et boldspil).

lactate [ˈläkteⁱt] (subst.) mælkesurt salt; (vb.) give die.

lactation [läkˈteⁱʃən] diegivning.

lacteal [ˈläktiəl] mælkeagtig; mælke-, lymfe-; ~ *vessel* lymfekar.

lactescent [läkˈtesənt] mælkeagtig; mælkeafsondrende.

lactic [ˈläktik] mælke- (fx. ~ *acid*).

lactometer [läkˈtåmitə] mælkeprøver.

lactose [ˈläktoᵘs] (subst.) laktose, mælkesukker.

lacun|a [ləˈkju·nə] (pl. *-ae, -as* [-i·, -əz]) lakune, hul.

lacustrine [ləˈkʌstrin] indsø-.

lacy [ˈleⁱsi] kniplingagtig.

lad [läd] knægt, (halvvoksen) dreng; knøs; **T** fyr; kernekarl, guttermand.

I. **ladder** [ˈlädə] (subst.) stige; trappe; lejder; nedløben maske (på strømpe); *the* ~ *of success* (omtr.) vejen til succes; *get one's foot on the* ~ gøre en begyndelse; *the social* ~ den sociale rangstige.

II. **ladder** [ˈlädə] (vb.) gå i stykker (ved at en maske løber ned); *the stocking -ed* der løb en maske på strømpen.

ladder|proof maskefast. ~ **repair needle** opmaskningsnål.

laddie [ˈlädi] kæleform af *lad;* (i tiltale:) lille ven, gamle ven.

lade [leid] *(laded; laden* el. *laded)* lade, læsse, laste, belæsse; øse.

laden ['leidn] perf. part. af *lade;* (ogs.) besværet, tynget *(with* af).

la-di-da ['la·dida·] S (subst.) krukket person, krukke; (adj.) krukket, 'fin', 'fornem'.

ladies ['leidiz] pl. af *lady; Ladies* dametoilet; *ladies'* dame- (fx. *compartment* kupé; *page* side; *room* toilet); *ladies' man* dameven; kavaler.

lading ['leidiŋ] ladning.

ladle ['leidl] (subst.) stor ske, slev, potageske; støbeske; øse; skovl (på møllehjul); (vb.) øse; ~ *out* øse op; (fx. ~ *out soup),* øse ud, uddele til højre og venstre.

lady ['leidi] dame; frue, hustru; lady; kvindelig (fx. ~ *doctor,* ~ *secretary); Lady* titel for damer af en vis rang; *Our Lady* Vor Frue, den hellige Jomfru; *his young* ~ T hans kæreste; *ladies and gentlemen* mine damer og herrer; ~ *of pleasure* kurtisane, skøge; *the Old Lady of Threadneedle Street* (spøgefuldt) Bank of England.

lady|bird (zo.) mariehøne. **-bug** (zo., amr.) mariehøne. ~ **chair** guldstol.

Lady Day Mariæ bebudelsesdag (25. marts).

lady|-dog hunhund. **-fly** mariehøne. ~ **friend** veninde, damebekendtskab. ~ **-help** ung pige i huset (med familiær stilling). ~ **-in-waiting** hofdame. ~ **-killer** hjerteknuser, Don Juan, dameven.

ladylike ['leidilaik] fin, kvindelig, elegant, dannet, fornem; kvindagtig.

lady|-love kæreste; elskede. ~ **nurse** barnefrøken.

lady's bower ['leidiz 'bauə] ♧ klematis.

lady's-delight ♧ vild stedmodersblomst.

ladyship ['leidiʃip] rang som *Lady; her Ladyship* hendes nåde.

lady's| maid kammerjomfru. ~ **man** dameven. ~ **-mantle** ♧ løvefod. ~ **slipper** ♧ fruesko. ~ **smock** ♧ engkarse.

ladytide ['leiditaid] tiden omkring *Lady Day.*

I. **lag** [läg] (vb.) komme bagefter, nøle; bevæge sig langsomt; smøle; (subst.) forsinkelse; ~ *behind* komme (, være) bagefter.

II. **lag** [läg] (subst.) straffefange, deporteret forbryder; straffetid, deportationsperiode; *old* ~ recidivist.

III. **lag** [läg] (vb.) pågribe, fængsle, deportere.

IV. **lag** [läg] (vb.) beklæde, isolere.

lager (beer) ['la·gə (biə)] pilsner; *dark lager* lagerøl.

laggard ['lägəd] (subst.) efternøler, nøler; smøl, snøvl; (adj.) langsom, træg.

I. **lagging** ['lägiŋ] (adj.) langsom, nølende.

II. **lagging** ['lägiŋ] (subst.) beklædning, isolation.

lag-goose ['läggu·s]: *grey* ~ grågås.

lagoon [lə'gu·n] strandsø, lagune.

laic ['leiik] (adj.) læg; (subst.) lægmand.

laid [leid] imperf. og perf. part. af *lay.*

lain [lein] perf. part. af *lie.*

lair [læə] (subst.) leje, hule; tilflugtssted.

laird [læəd] (på skotsk) godsejer, herremand.

laissez-faire ['leisei'fæə] laissez-faire, kræfternes frie spil (i det økonomiske liv).

laity ['leiiti] lægfolk.

I. **lake** [leik] lakfarve.

II. **lake** [leik] sø, indsø.

Lake District: *the* ~ sødistriktet i Nordvest-England.

lake-dwelling pælebygning.

Lake poet sødigter, forfatter af søskolen (se *Lake School*).

lake red lakrød.

Lake School: *the* ~ søskolen (romantisk digterskole, hvortil hører: Wordsworth, Coleridge og Southey).

Lake Superior Øvresøen.

lakh [la·k] = II. *lac.*

lam [läm] S slå, prygle; (amr.) stikke af; *on the* ~ på flugt.

I. **lama** ['la·mə] lama (præst i Tibet).

II. **lama** ['la·mə] (zo.) lama.

lamb [läm] (subst.) lam, lammekød; troskyldig, naiv fyr; sød ung mand; (vb.) læmme; *I may as well be hanged for a sheep as for a* ~ (omtr.) jeg kan lige så godt løbe linen ud; *roast* ~ lammesteg.

lambaste [läm'beist] (vb.) S klø, tæve; skælde ud; gennemhegle.

lambent ['lämbənt] (adj.) slikkende, spillende (om ild); lysende, klar, legende, spillende (om vid, øjne).

Lambeth ['lämbeþ]: ~ *Palace* (residens i London for ærkebiskoppen af Canterbury); ~ *walk* (en dans der var populær i trediverne).

lambkin ['lämkin] ungt lam, lille lam.

lamblike ['lämlaik] lammeagtig; spag.

lambrequin ['lämbəkin] (glds.) hjelmklæde; (amr.) gardinkappe.

lambskin ['lämskin] lammeskind.

lamb's-lettuce ♧ vårsalat.

lamb's-wool ['lämzwul] lammeuld; drik lavet af varmt øl blandet med kødet af stegte æbler og tilsat forskellige krydderier.

lame [leim] (adj.) halt; haltende, mangelfuld, utilfredsstillende; (vb.) gøre halt; skamslå; ~ *excuse* dårlig undskyldning.

lame duck (fig.) hjælpeløs person; insolvent spekulant; (amr.) politiker i slutningen af sin embedsperiode efter et valg hvor han ikke er blevet genvalgt.

lamell|a [lə'melə] (pl. *-ae* [-i·]) lamel (tynd plade).

lament [lə'ment] (vb.) jamre, klage, sørge *(for* over); sørge over, beklage; begræde; (subst.) klage, jammerklage; sørgesang; *(late) lamented* afdød, salig.

lamentable ['lämənt əbl] beklagelig, sørgelig; jammerlig, ynkelig. **lamentation** [lämen'teiʃən] (subst.) klage, jammer; sorg.

lamina ['läminə] (pl. *laminae* ['lämini·]) tynd plade, tynd hinde; ♧ bladplade.

I. **laminate** ['lämineit] (vb.) udvalse; kløve(s) i skiver; laminere.

II. **laminate** ['läminėt] (adj.) lagdannet.

laminated| glass splintfrit glas. ~ **plastic** laminat. ~ **spring** bladfjeder. ~ **wood** lamineret træ.

lamination [lämi'neiʃn] lameldannelse; laminering.

laminboard ['läminbå·d] møbelplade.

Lammas ['läməs] en fest for brød af den nye høst, 1. august; *at latter* ~ (spøgende) aldrig.

lamp [lämp] lampe, (gade)lygte; (fig.) lys; *-s* T øjne, glugger; *smell of the* ~ (fig. om stil) være kunstlet (el. anstrengt); *hand 'on the* ~ (fig.) række faklen videre.

lampblack ['lämp'bläk] (subst.) lampesod; kønrøg; (vb.) sværte (med kønrøg).

lamp|-chimney lampeglas. ~ **holder** (lampe-) fatning. **-light** lampelys, kunstigt lys. ~ **-lighter** lygtetænder; *run like a* ~ *-lighter* løbe som en besat.

lampoon [läm'pu·n] smædedigt, smædeskrift; forfatte smædeskrift(er) om.

lampooner [läm'pu·nə], **lampoonist** [läm'pu·nist] smædedigter.

lamp-post ['lämppoust] lygtepæl.

lamprey ['lämpri] (zo.) lampret.

lamp-shade ['lämpʃeid] lampeskærm.

Lancashire ['läŋkəʃ(i)ə].

Lancaster ['läŋkəstə].

lance [la·ns] lanse, spyd; (med.) lancet, sneppert; ⚔ lansenér; (vb.) perforere; gennembore; åbne med lancet; kaste, slynge, udsende; *break a* ~ *with* bryde en lanse med.

lance-corporal underkorporal.

lancelet ['la·nslėt] (zo.) lancetfisk.

lanceolate ['la·nʃəleit] ♧ lancetbladet.

lancer ['la·nsə] lansenér.

lancers ['la·nsəz] lanciers (en dans).

lancet ['la·nsit] (med.) lancet.

lancet|-arch spidsbue. ~ **window** (smalt) spidsbuevindue.

lancinating ['länsineitiŋ] (adj.) skærende, jagende (om smerte).

Lancs. fk. f. *Lancashire.*

I. **land** [länd] (subst.) land (modsat vand); jord, grundejendom, jordegods; land, rige; *by ~* over land, til lands; *native ~* fødeland; *~ of promise, promised ~* det forjættede land; *Land of the Rose* England; *Land of the Shamrock* Irland; *Land of the Thistle* Skotland; *go on the ~* blive landarbejder; *work on the ~* være landarbejder.

II. **land** [länd] (vb.) lande; landsætte, bringe i land, sætte af (fx. *~ me at the station);* få til at lande (el. havne); anbringe; bringe (fx. *~ oneself in difficulties);* (om fisk) fange, tage på land, lande; (fig.) kapre (fx. *a husband),* vinde (fx. *a prize);* skaffe sig (fx. *a job);* redde i land; T lange, give (fx. *~ sby. a blow);* lande, havne, ankomme, ende, komme ned; *be nicely -ed* sidde net i det; *be -ed with* være belemret med, have fået på halsen.

land-agent ejendomskommissionær; godsforvalter.

landau ['ländå·] landauer.

land-breeze fralandsbrise.

landed ['ländid] bestående i landejendom; jordejende; jord-, grund-, gods-, godsejer-.

landed| gentry landadel. **~ property** jordejendom, fast ejendom. **~ proprietor** godsejer, jordbesidder.

land|fall ['ländfå·l] landkending; *make a ~* få landkending. **~ forces** landstyrker. **~ girl** 'terne', ung pige der gør frivillig hjælpetjeneste ved landbrug. **-holder** forpagter; grundejer, jordbesidder.

landing ['ländiŋ] landing; landgang; landingsplads; trappeafsats, repos; *forced ~* nødlanding.

landing| craft landgangsfartøj. **~ -field** (flyv.) (start- og) landingsplads, flyveplads. **~ flap** (flyv.) landingsklap. **~ gear** (flyvemaskines) understel. **~ net** fangstnet. **~ party** ⚔ landgangskorps. **~ place** landingsplads. **~ -stage** landgangsbro. **~ strip** landingsplads.

land-jobber grundspekulant.

landlady ['länle'di] værtinde (som udlejer værelser), hotelværtinde; kvindelig godsejer.

landlocked ['ländlåkt] helt eller næsten helt omgivet af land.

landloper ['ländloᵘpə] vagabond, landstryger.

landlord ['länlå·d] godsejer; vært (husvært el. hotelvært). **landlordism** ['länlå·dizm] godsejersystemet, godsejervælde.

land|lubber (neds.) landkrabbe. **-mark** grænseskel; landmærke, orienteringspunkt; (fig.) milepæl. **-mine** landmine. **-owner** godsejer, grundejer. **-owning** (subst.) jordbesiddelse; (adj.) jordejende; jordejer-. **-plane** landflyvemaskine (mods. vandflyvemaskine). **~ -rail** (zo.) engsnarre.

landscape ['länske'p] landskab; landskabsmaleri.

landscape| gardener havearkitekt, anlægsgartner. **~ painter** landskabsmaler.

landscaper ['länske'pə] havearkitekt.

landscapist ['länske'pist] landskabsmaler.

Land's End ['ländz'end] (sydvestligste spids af England, i Cornwall).

landslide ['ländslaid] jordskred, skred; (ofte fig. om fuldstændig ændring af politisk situation som følge af valg). **landslip** jordskred, skred.

landsman ['ländzmən] landkrabbe (om person).

land|-spout skypumpe. **~ -steward** godsforvalter. **~ -tax** grundskyld. **~ value** grundværdi.

landward ['ländwəd] mod land; land-.

land-wind fralandsvind.

lane [le'n] smal vej (fx. mellem hegn); stræde, smal gade; gang; vognbane; sejlrute; luftrute; *form a ~* danne spalier.

lang syne ['läŋ'sain] (skotsk) for længe siden, (i) gamle dage.

language ['läŋgwidʒ] sprog; (vulg.) skældsord, eder; *in a foreign ~* på et fremmed sprog; *~ of flowers* blomstersprog; *use bad ~* bande; *strong ~* **kraftudtryk,** eder; *use strong ~* bruge stærke udtryk; føre et kraftigt sprog.

languid ['läŋgwid] (adj.) træg, mat, svag, sløv, ligegyldig, blasert; flov (om handel).

languish ['läŋgwiʃ] (vb.) blive mat, sygne hen, sløves, slappes; se smægtende ud, smægte *(for* efter); vansmægte (fx. *in prison).* **languishing** smægtende (fx. *look).*

languor ['läŋgə] smægten; mathed, kraftesløshed; slaphed, sløvhed, døsighed; (trykkende) stilhed. **languorous** ['läŋgərəs] mat; som forårsager mathed; smægtende (fx. *tones).*

lank [läŋk] (adj.) høj og tynd (el. mager), indskrumpet; slap, slatten; glat (om hår). **lanky** ['läŋki] ranglet, opløben.

lanner ['länə] (zo.) feldeggsfalk (hun). **lanneret** ['länərət] feldeggsfalk (han).

lanolin(e) ['länoli·n] lanolin.

lansquenet ['länskənet] landsknægt; slags kortspil.

lantern ['läntən] lygte, lanterne; *dark ~* blændlygte.

lantern|-fly (zo.) lyscikade. **~ -jawed** hulkindet. **~ -jaws** hule kinder. **~ -lecture** lysbilledforedrag. **~ -slide** lysbillede.

lanyard ['länjəd] snor (til at bære pistol el. fløjte i); ⚓ taljereb; ⚔ aftrækkersnor.

I. **lap** [läp] (vb.) labe, slikke; skvulpe; (subst.) laben; skvulpen; tyndt sprøjt; *~ up* labe i sig; (fig.) sluge råt.

II. **lap** [läp] (subst.) skød; flig, snip; (i sport) omgang, etape, runde; *be in Fortune's ~* være tilsmilet af lykken; *be in the ~ of luxury* være omgivet af luksus.

III. **lap** [läp] (vb.) indhylle, indsvøbe, omgive *(in* med); *~ over* overlappe, ligge ud over; lægge ud over.

IV. **lap** [läp] (subst.) polérskive; (vb.) finpolere.

lap-dog skødehund. **lap dovetail** (subst.) fordækt sinke.

lapel [lə'pel] opslag på frakke, revers.

lapidary ['läpidəri] (subst.) kender af ædle stene; stenskærer; (adj.) sten-; hugget i sten; lapidarisk; kort og træffende, fyndig; *~ style* lapidarstil.

lapis-lazuli [läpis'läzjulai] lapis lazuli, lasursten.

lapis-lazuli blue lapisblå.

Lapland ['läpländ] Lapland. **Lapland bunting** (zo.) laplandsværling. **Laplander** ['läpländə] laplænder. **Lapland longspur** (amr.) = *Lapland bunting.*

Lapp [läp] (subst.) laplænder, lap; (adj.) lappisk.

lappet ['läpit] (subst.) flig, snip, lap.

Lappish ['läpiʃ] lappisk.

lapse [läps] (subst.) fald; fejl; forsømmelse; fejltrin, lapsus; afvigelse, frafald *(from* fra); udløb, forløb (af tid); gliden, løb; (vb.) glide *(into* over i), henfalde *(into* til); forse sig, begå en fejl; henrinde, (hen-) glide; (hen)gå; ophøre; bortfalde, forældes; hjemfalde; *~ into* henfalde til; *~ of memory* erindringsforskydning; *~ of the pen* skrivefejl; *a ~ of time* et stykke tid; *a ~ of two years* et tidsrum af to år.

lapstreak ['läpstri·k] klinkbygget; klinkbygget fartøj.

lapwing ['läpwiŋ] (zo.) vibe.

larboard ['la·bå·d] (glds.) bagbord, bagbords-.

larceny ['la·sni] tyveri; *~ by finding* ulovlig omgang med hittegods.

larch [la·tʃ] ♧ lærketræ, lærk.

lard [la·d] (subst.) svinefedt; fedt flæsk; spæk; (vb.) spække (fx. *~ meat; a speech -ed with quotations).*

larder ['la·də] spisekammer.

lardon ['la·dən] spækkestrimmel.

lardy ['la·di] med svinefedt; fed.

lardy-dardy ['la·di'da·di] (adj.) affektert.

large [la·dʒ] (adj.) stor, bred, tyk; udstrakt, rummelig; omfattende; vidtrækkende; storsindet, ædel, large; i stor stil; pralende; (om vind) rum, gunstig; stor- (fx. *consumer, farmer, producer); at ~* **i frihed, løs, på fri fod** (fx. *the murderer is at ~);* i det hele, i almindelighed (fx. *the country at ~)*; udførligt (fx. *discuss it at ~)*; tilfældigt, på må og få, til højre og venstre; *talk at ~* tale vidt og bredt; *~ of limb* sværlemmet; *on a ~ scale* i stor målestok; *sail ~* sejle rumsköds; *talk ~* prale, være stor i munden.

large| calorie kilogramkalorie. **~ -handed** gavmild, rundhåndet. **~ -hearted** næstekærlig, højsindet, storsindet.

largely ['la·dʒli] i stor udstrækning, i høj grad; overvejende.

large-minded storsindet.

largeness ['la·dʒnės] betydelig størrelse, stor udstrækning, størrelse; storhed, storsindethed.

large-scale storstilet; i stor målestok; *~ industry* storindustri.

largess ['la·dʒės] rundhåndethed; gave.

lariat ['läriət] lasso; (vb.) lassoe, indfange med lasso.

I. **lark** [la·k] (subst.) lærke; (vb.) fange lærker.

II. **lark** [la·k] (subst.) løjer, sjov; (vb.) = *have a ~; have a ~* lave sjov, gøre løjer; *for a ~* for spøg, i sjov; *~ about* løbe om og lave halløj, pjanke.

larkspur ['la·kspə·] ♧ ridderspore.

larn [la·n] T = *learn.*

larrikin ['lärikin] (subst.) bølle.

larrup ['lärəp] slå, prygle.

larva ['la·və] (pl. *larvae* ['la·vi·]) larve. **larval** ['la·vəl] larve-; *in the ~ stage* på larvestadiet.

laryngeal [lə'rindʒiəl] strube- (fx. *~ mirror* strubespejl).

laryngitis [lärin'dʒaitis] laryngitis (betændelse i strubehovedet).

laryngoscope [lə'riŋgəskoᵘp] laryngoskop, strubespejl.

larynx ['läriŋks] (anat.) strubehoved.

Lascar ['läskə] indisk sømand (på europæisk skib).

lascivious [lə'siviəs] lysten, vellystig, liderlig.

laserwort ['leⁱsəwə·t] ♧ foldfrø.

I. **lash** [läʃ] (subst.) piskesnert, piskeslag, piskesmæld; slag, snert; bidende satire; øjenhår.

II. **lash** [läʃ] (vb.) piske; blinke, glimte; snerte; gennemhegle; slå med; ⚓ binde, surre, naje; *~ into* hidse op til; *~ out* sparke, lange ud; fare op; øse penge ud; flotte sig; *~ out against* lange ud efter, angribe voldsomt.

lashing ['läʃiŋ] prygl; surring; *-s of* (ogs.) masser af.

lash-up improviseret arrangement.

lass [läs] pige; tøs (kærtegnende). **lassie** ['läsi] (lille) pige.

lassitude ['läsitju·d] udmattelse, træthed.

lasso ['läsoᵘ] (subst.) lasso; (vb.) lassoe, fange med lasso.

I. **last** [la·st] (subst.) 1. (skomagers) læst; 2. læst (rummål); *stick to one's ~* blive ved sin læst.

II. **last** [la·st] (adv., adj.) sidst; yderst; foregående, forrige; *~ of all* allersidst; *at ~* til sidst; endelig, omsider; *at long ~* langt om længe; *breathe one's ~* drage sit sidste suk; *~ but one* næstsidst; *~ but two* tredjesidst; *~ (but) not least* sidst, men ikke mindst; *the ~ day* den sidste dag, den yderste dag; *the ~ ditch* (fig.) den sidste skanse; *die in the ~ ditch* kæmpe til det sidste; *first and ~* helt igennem (fx. *he was first and ~ a poet); from first to ~* fra først til sidst; *of the ~ importance* af yderste vigtighed; *~ night* i aftes; i nat, sidste nat; *the second ~* den næstsidste; *you will never hear the ~ of it* det vil du komme til at høre for; *you will never see the ~ of him* ham bliver du aldrig kvit; *that was the ~ thing one would expect* det var det sidste man skulle vente; *the ~ thing* (el. *word) in hats* det sidste ny (el. skrig) i hatte; *his ~ word* hans sidste ord; *the ~ word has not been said on the matter* det afgørende ord er ikke sagt i den sag; sagen er ikke uddebatteret; *~ year* i fjor; *this time ~ year* i fjor på denne tid.

III. **last** [la·st] (vb.) vare, vedvare, holde sig; slå **til**; (subst.) varighed, holdbarhed, udholdenhed; *he cannot ~ much longer* han gør det sikkert ikke længe; *~ out the winter* slå til vinteren over, vare vinteren ud.

last-ditch (adj.) (en) sidste fortvivlet (fx. *fight, resistance).*

lasting ['la·stiŋ] (adj.) varig; holdbar; (subst.) lasting (et tætvævet, stærkt stof).

lastly ['la·stli] endelig; til sidst (i opregning) (fx. *~, I must explain ...).*

last-minute som foretages (, sker etc.) i sidste sekund (el. øjeblik).

Lat. fk. f. *Latin.*

lat. fk. f. *latitude.*

latch [lätʃ] (subst.) klinke; smæklås; (vb.) lukke med klinke; smække (med smæklås); *~ on to* få fingre i, få fat i; blive klar over; komme i lag med.

latchet ['lätʃit] skorem, skotvinge.

latch-key ['lätʃki·] gadedørsnøgle, entrénøgle.

latch-key children nøglebørn.

late [leⁱt] sen; sildig; forsinket; forhenværende; nylig (stedfunden); afdød, salig; sent, for sent *(for* til); *be (too) ~* komme for sent; *~ dinner* middag om aftenen; *early and ~* tidlig og silde; *keep ~ hours* gå sent i seng (og stå sent op); *(rather) ~ in the day* (fig.) noget sent, lovlig sent; *~ in life* i en fremrykket alder; *in the ~ 19th century* i slutningen af det 19. århundrede; *in the ~ spring* sent (el. langt hen) på foråret; *in the ~ twenties* sidst i tyverne; *the ~ Mr. N* afdøde hr. N.; *the ~ Prime Minister* 1. den afdøde statsminister; 2. den forhenværende s.; *of ~* nylig, for kort tid siden; i den senere tid; *of ~ years* i de senere år; *it is ~* klokken er mange; *sit (up) ~* sidde længe oppe.

late-comer efternøler; nyankommen, nytilkommen.

lateen [lə'ti·n] latinerrigget fartøj; latinersejl; *~ sail* latinersejl.

lately ['leⁱtli] nylig; i den senere tid.

latency ['leⁱtənsi] latens, det at være latent el. bunden.

latent ['leⁱtənt] skjult; latent, bunden (fx. *heat).*

late-pass nattegn.

later ['leⁱtə] senere, nyere; yngre; *I saw him no ~ than yesterday* jeg så ham så sent som i går; *~ on* senere (hen); *sooner or ~* før eller siden.

lateral ['lätərəl] side-; sideskud (på en plante), sideknop; *~ branch* sidegren; (af slægt) sidelinje.

laterally (adv.) sidelæns.

laterite ['lätərait] laterit (slags rødt ler).

latest ['leⁱtist] senest, sildigst; nyest; *by 10 at (the) ~* senest kl. 10; *~ news* nyeste (el. sidste) nyt; *the ~ thing* det sidste ny, det sidste skrig.

latex ['leⁱteks] latex, saft (især af gummitræet), mælkesaft.

lath [la·þ] (subst.) forskallingsbræt; lægte; liste; underlag for puds; (vb.) belægge med lægter; *thin as a ~* tynd som en pind; *~ and plaster wall* pudset væg.

lathe [leⁱð] drejebænk.

lather ['la·ðə] (vb.) skumme; indsæbe; svede; T prygle; (subst.) skummen, skum; sæbeskum; (stærk) sved; *in a ~* skummende, svedende; (fig.) helt ude af det (af nervøsitet).

Latin ['lätin] latin; latiner; latinsk; *~ America* Latinamerika (den del af Amerika syd for U.S.A., hvor det officielle sprog er spansk el. portugisisk); *the ~ peoples* de romanske folk. **Latinism** ['lätinizm] latinisme, latinsk udtryk. **Latinist** ['lätinist] latiner. **latinity** [lə'tiniti] kendskab til og brug af latin. **latinize** ['lätinaiz] (vb.) latinisere. **Latin Quarter** latinerkvarter.

latitude ['lätitju·d] bredde, breddegrad; frihed, spillerum (fx. *allow him greater ~); råderum; degree of ~* breddegrad; *high -s* nordlige og sydlige breddegrader (fjernt fra ækvator); *low -s* tropiske breddegrader; *in the ~ of 30° N* på 30 grader nordlig bredde.

latitudinarian ['lätitju·di'næəriən] frisindet, tolerant. **-ism** [-izm] tolerance.

latrine [lə'tri·n] latrin.

latter ['lätə] sidst (af to) (fx. *the ~ half); the ~* (mods. *former)* sidstnævnte, denne, dette, disse; *the ~ end* slutningen, døden; *in these ~ days* i nyere tid; i vor tid.

latter-day nutids-; *the Latter-day Saints* de sidste dages hellige, mormonerne. **latterly** i den senere tid, nutildags, nylig.

lattice ['lätis] (subst.) gitter; gittervindue; (vb.) forsyne med gitter. **latticed** ['lätist] tilgitret, med gitter for.

lattice| girder gitterdrager. **~ window** gittervindue; blyindfattet vindue. **~ -work** gitterværk.

Latvia ['lätviə] Letland. **Latvian** lettisk.

laud [lå·d] (vb.) prise, lovprise; (subst.) pris, lovprisning.

laudable ['lå·dəbl] rosværdig, prisværdig.

laudanum ['lå·dnəm] laudanum, opiumsdråber.

laudatory ['lå·dətəri] lovprisende, rosende.

I. **laugh** [la·f] (vb.) le; smile; sige leende; *~ at* le ad; udle, gøre sig lystig over; *~ down* udle, lade drukne i latter, slå hen i latter; *~ in sby.'s face* le en op i ansigtet; *~ in one's sleeve* le i skægget; *~ off* le ad, slå hen i latter; *I'll make him ~ on the wrong* (el. *other) side of his mouth* jeg skal nok tage pippet fra ham, han er vist ikke så kæphøj når jeg er færdig med ham; *~ to scorn* udle, hånle ad; *it is enough to make a cat ~* det er til at dø af grin over.

II. **laugh** [la·f] (subst.) latter; *the ~ was against him* han blev til latter (el. grin); *there is a ~ on every page* på hver side er der noget morsomt (el. noget at le ad); *have a good ~ at* få sig en ordentlig latter over; *have the ~ of* triumfere over; *I had* (el. *got) the ~ on him* jeg fik latteren på min side; *raise a ~* vække munterhed.

laughable ['la·fəbl] lattervækkende, morsom.

laughing ['la·fiŋ] latter; (adj.) leende; smilende.

laughing| gas lattergas. **~ matter:** *no ~ matter* ikke noget at le ad, en alvorlig sag. **~ -stock** skive for latter; *be a ~ -stock to* være til latter for.

laughter ['la·ftə] latter.

I. **launch** [lå·nʃ] (vb.) udslynge; slynge, kaste (fx. *a spear);* rette; sætte i gang, starte, begynde (fx. *~ an attack);* sætte i vandet, skyde ud, lade løbe af stabelen, søsætte (fx. *a ship);* udskyde (fx. *a torpedo);* opsende (fx. *a rocket); ~ him in(to) business* sætte ham i gang med en forretning; *~ (out) into* kaste sig ud i, vove sig ud i (el. på); *~ out* øse penge ud; *~ threats against* udslynge trusler mod.

II. **launch** [lå·nʃ] (subst.) ⚓ stabelafløbning, søsætning; barkasse, stor båd.

launcher ['lå·nʃə] udskydningsapparat; raketstartbane; (på gevær) granatstol. **launching pad** (raket)afskydningsrampe.

launder ['lå·ndə] vaske (og rulle el. stryge); kunne vaskes (fx. *it -s well).*

launderette [lå·ndə'ret] selvbetjeningsvaskeri.

laundress ['lå·ndrės] vaskekone.

laundry ['lå·ndri] vaskeri (fx. *send clothes to the ~);* vasketøj (fx. *the ~ has come back).*

I. **laureate** ['lå·riėt] (adj.) kronet med laurbærkrans; *Poet Laureate* hofdigter.

II. **laureate** ['lå·rieⁱt] (vb.) krone, kranse med laurbær; tildele grad ved universitet; udnævne til hofdigter.

laurel ['lårəl] (subst., ♧) laurbær, laurbærtræ; (vb.) krone med laurbær; *gain* (el. *win) -s* høste laurbær; *rest on one's -s* hvile på sine laurbær; *look to one's -s* passe på at man ikke bliver overgået af en rival, våge skinsygt over sit ry.

lav [läv] **T** = *lavatory.*

lava ['la·və] lava.

lavaret ['lävərėt] (zo.) helt (en fisk).

lavatory ['lävətəri] toilet, wc, vaskerum; håndvask; *gentlemen's ~* herretoilet; *ladies' ~* dametoilet; *~ pan* wc-kumme.

lave [leⁱv] (glds.) bade; beskylle.

lavement ['leⁱvmənt] udskylning, lavement.

lavender ['lävində] lavendel; lavendelblå; (vb.) parfumere med lavendel; lægge lavendler mellem; *lay up in ~* (fig.) gemme omhyggeligt til senere brug.

lavender grey lavendelgrå.

lavish ['läviʃ] ødsel *(in, of* med), rundhåndet, flot; rigelig; overflødig; ødsle med, strø om sig med, bortødsle; *~ one's affection on sby.* øde sin kærlighed på en, kaste al sin kærlighed på en. **lavishly** ['läviʃli] ødselt, med rund hånd.

I. **law** [lå·] **S** Gud Fader bevares!

II. **law** [lå·] (subst.) lov; ret; retsvidenskab, jura; juridisk virksomhed; forspring; pusterum, frist; *civil ~* borgerlig ret; *international ~* folkeret; *necessity knows* (el. *has) no ~* nød bryder alle love; *be at ~* føre proces; *follow the ~* studere jura; *go to ~* anlægge sag; *have the ~ of* anlægge sag mod; *lay down the ~* udtale sig myndigt og selvsikkert, docere; *lay down the ~ to him* foreskrive (el. diktere) ham hvad han skal gøre, give ham ordentlig besked; *make it ~* lovfæste det; *take the ~ into one's own hands* tage sig selv til rette; *be a ~ unto oneself* sætte sig ud over alle hensyn (el. bestemmelser), gøre hvad der passer én.

law|-abiding ['lå·əbaidiŋ] (adj.) lovlydig. **~ -breaker** lovovertræder. **~ -court** domstol, ret; *the Law Courts* (især retsbygningen i London).

lawful ['lå·f(u)l] lovlig, retmæssig (fx. *the ~ owner); lovformelig; *~ age* fuldmyndighed; *~ business* lovligt ærinde; *~ money* lovligt betalingsmiddel.

law|giver ['lå·givə] lovgiver. **-giving** lovgivende; lovgivning.

lawk(s) [lå·k(s)] **S** Gud Fader bevares!

lawless ['lå·lės] ulovlig (fx. *a ~ act);* lovløs (fx. *a ~ country);* retsløs.

law| lord ['lå·lå·d] juridisk kyndigt medlem af Overhuset. **~ -maker** lovgiver.

law merchant: *the ~* lovene vedrørende handelsforhold.

I. **lawn** [lå·n] lawn (en slags fint lærred); lawnærmer (på biskops ornat); bispeembede.

II. **lawn** [lå·n] græsplæne, plæne; lysning, åben plet mellem træer.

lawn|-mover plæneklipper, græsslåmaskine. **~ -sprinkler** plænevander. **~ -tennis** ['lå·n'tenis] lawntennis, tennis.

lawny ['lå·ni] plæneagtig; jævnt dækket med græs; som er lavet af (el. ligner) lawn.

law student juridisk student, jurist.

law-suit ['lå·sju·t] proces, retssag, søgsmål; *carry on a ~* føre proces; *be involved in a ~ with* ligge i proces med.

lawyer ['lå·jə] jurist, advokat.

lax [läks] løs, slap. **laxate** ['läkseⁱt] (vb.) løsne, slappe. **laxative** ['läksətiv] (adj.) afførende; (subst.) laksativ, afførende middel; *~ pill* afføringspille. **laxity** ['läksiti] slaphed, løshed; ubestemthed.

I. **lay** [leⁱ] *(laid, laid)* (vb.) lægge, sætte (fx. *a snare, a trap);* stille; få til at lægge sig, dæmpe (fx. *the dust, the waves);* slå ned (fx. *crops laid by the storm);* mane i jorden (fx. *a ghost);* lægge på (fx. *linoleum);* lægge til rette; nedlægge (fx. *a cable, pipes);* fremsætte, gøre gældende, rejse (fx. *~ claim to sth.);* vædde; dække; lægge æg; ⚔ indstille (fx. *a gun); ~ one's bones* blive begravet; dø; *don't dare to ~ a finger on me* vov ikke at røre mig; *~ hands on* ordinere, indvi; få fat på, finde, lægge hånd på; *~ hold of* tage fat i, gribe; *~ siege to* belejre; *~ the table* dække bord; *I'll ~ ten to one* jeg tør (el. vil) holde 10 mod 1;

~ about one slå om sig; *~ aside* lægge til side; lægge op (fx. *money);* henlægge, skrinlægge (fx. *a plan);* opgive; aflægge (fx. *a habit);* gøre uarbejdsdygtig; svigte (fx. *old friends);* kassere; *~ bare* blotlægge, afsløre; *~ one's case before* forelægge (el. fremlægge) sin sag for; *~ by* lægge til side, lægge op (fx. *~ money by);* ⚓ dreje under; *~ down* lægge ned; nedlægge (fx. *~ down one's arms);* fastlægge (fx. *~ down the main outlines of a scheme),* fastsætte; hævde; opstille; konstruere, bygge; tilså *(in* med); *~ down the condi-*

tion that stille den betingelse at; ~ *down the law*, se II. *law;* ~ *down one's life* ofre sit liv; ~ *down one's office* nedlægge sit hverv; ~ *in* forsyne sig med, indtage; *the scene is laid in London* scenen er henlagt til London; ~ *into* klø løs på; ~ *low* slå ned; tvinge til at holde sengen; *be laid low* ligge i sengen; *laid low* (ogs.) sengeliggende; ~ *off* afmærke, afmåle; afskedige; lade være, holde op; ⚓ lægge fra; (især amr.) afskedige midlertidigt, holde pause, holde fri; ~ *off him* lade ham slippe, lade ham være i fred; ~ *on* lægge på, pålægge (fx. ~ *a tax on sth.);* smøre på, påstryge (fx. *paint);* indlægge (fx. *electricity);* arrangere, ordne; tildele; angribe, slå, banke; *everything was laid on* (ogs.) alt var ordnet (el. for hånden); *a job with a car laid on* et job hvor der følger bil med (el. hvor man får bil stillet til rådighed); ~ *it on thick* give én en ordentlig dragt prygl; smøre tykt på; ~ *open* åbne, slå hul på; blotte; afsløre, røbe; ~ *oneself open to* udsætte sig for (fx. *criticism);* ~ *out* lægge frem; klæde (lig) og lægge (det) i kiste; tilrettelægge; arrangere; anlægge; strække til jorden, slå bevidstløs; give ud (penge); ~ *oneself out* anstrenge sig; ~ *over* udsætte, opsætte; ~ *to* tage fat; slå løs; (om skib) dreje under; ~ *to the oars* ro 'til; ~ *sby. under the necessity of doing sth.* tvinge én til at gøre noget; ~ *up* lægge op (fx. *a ship);* samle (fx. *treasures);* tvinge til at holde sengen; *be laid up* ligge i sengen; ~ *up a car* klodse en bil op; ~ *up for* sætte kurs mod.

II. **lay** [leⁱ] imperf. af *lie.*

III. **lay** [leⁱ] (subst.) retning, stilling; andel, part; **S** arbejde, forretning, fag, specialitet; (amr.) pris; *the* ~ *of the land* terrænforholdene; (fig.) 'hvordan landet ligger'.

IV. **lay** [leⁱ] (subst.) sang, kvad, digt.

V. **lay** [leⁱ] (adj.) læg; lægmands-.

lay-about ['leⁱəbaut] dagdriver, arbejdssky person.

lay brother lægbroder.

lay-by ['leⁱbai] rastplads (ved motorvej).

lay-days liggedage.

I. **layer** ['leⁱə] æglægger; deltager i væddemål.

II. **layer** ['læə] lag; aflægger; (vb.) aflægge, nedkroge, formere ved aflægning.

layer cake lagkage.

layer-on ['leⁱərån] (typ.) pålægger.

layette [leⁱ'et] babyudstyr.

lay figure ['leⁱfigə] ledcdukke, gliedermann; (fig.) marionet.

lay| lord overhusmedlem som ikke er *law lord.* **-man** lægmand. ~ **-off** arbejdsstandsning.

lay|out ['leⁱaut] anlægning, anlæg, plan, indretning; opsætning, udstyr; (bog)tilrettelægning; satsskitse; (reklame etc.) layout. ~ **-up** ['leⁱʌp] oplægning (af skib).

lazar ['läzə] (glds.) spedalsk. **lazaret(to)** [läzə'ret(oᵘ)] spedalskhedshospital, epidemihospital; karantænebygning; karantæneskib.

laze [leⁱz] dovne, drive. **lazily** ['leⁱzili] dovent.

laziness ['leⁱzinės] dovenskab.

lazuli ['läzjulai]: *lapis* ~ lapis lazuli.

lazy [leⁱzi] doven, lad. **lazy|-bones** ['leⁱziboᵘnz] dovenlars. ~ **-tongs** vinduessaks (redskab hvormed genstande udenfor rækkevidde kan nås).

lb. [paund] fk. f. *libra* eng. pund: 454 g.

lbs. [paundz] pl. af *lb.*

l/c fk. f. *letter of credit.*

L. C. C. fk. f. *London County Council.*

L. C. J. fk. f. *Lord Chief Justice.*

Ld. fk. f. *Lord; limited.*

L E A fk. f. *Local Education Authority.*

lea [li·] eng, mark (der ligger hen som græsgang); (om garn) fed.

leach [li·tʃ] (vb.) væde, fugte; filtrere; udvaske; udlude.

I. **lead** [led] (subst.) bly; blylod, lod; blyantstift; grafit; *-s* (pl.) (ogs.) blyplader, blytag, blytækning, blyindfatninger; (typ.) skydelinier, skydning; (vb.) overtrække (el. indfatte) med bly; (typ.): ~ *out* skyde; *cast of the* ~ lodskud; *heave the* ~ ⚓ hive loddet; *(red)* ~ mønje; *swing the* ~ skulke, pjække den; *white* ~ blyhvidt.

II. **lead** [li·d] *(led, led)* føre, lede, anføre; stå i spidsen for (fx. *an army);* bevæge, forlede (fx. *what led you to think so?);* lade føre; dirigere; (i kortspil) spille ud (fx. ~ *the king);* føre (fx. *England -s by 40 runs);* være foran, være førstemand, føre an, gå foran; føre hen (fx. *where does this road* ~*?);* sigte foran (et mål der er i bevægelse, fx. ~ *a duck);* ~ *astray* føre på vildspor, føre på afveje, forføre; ~ *sby. a dance,* se I. *dance;* ~ *a life* føre (, leve) et liv; ~ *sby. a dog's life* gøre én livet surt; ~ *off* begynde, indlede; ~ *on* opmuntre (el. lokke) til at fortsætte; forlede; ~ *out of* ligge ved, støde op til (fx. *my room -s out of the hall);* ~ *to* føre til, få til at; *I am led to believe* jeg må tro; *South to* ~ (i bridgeopgave) syd spiller ud; ~ *up to* forberede; lægge op til; efterhånden føre til; ~ *the way,* se I. *way.*

III. **lead** [li·d] (subst.) ledelse, anførsel, førerskab; føring (fx. *lose the* ~ *in a race);* forspring; vink, fingerpeg; indledning (t. artikel); (i skuespil) hovedrolle, hovedrolles indehaver, helt(inde); bånd, snor (til hund); rende i isen; (elekt.) leder, ledning; (i kortspil) forhånd, udspil; *follow the* ~ følge eksemplet; *gain the* ~ komme foran; *give him a* ~ give ham et vink, sætte ham på sporet; vise ham et godt eksempel; *have a* ~ *of a yard* have et forspring på en yard, føre med en yard; *keep a dog on the* ~ føre en hund i snor; *return one's partner's* ~ (i bridge) svare på sin makkers invitation; *take the* ~ tage føringen, gå i spidsen.

leaded ['ledid] blyindfattet.

leaden ['ledn] bly-; blygrå; blytung.

leader ['li·də] fører, anfører, leder, førstemand; dirigent; forsanger; fordanser; den der spiller ud; førsteadvokat; ledende artikel, leder; (film) førestrimmel; forløber (i firspand etc.); (anat.) sene; (i gartneri) ledegren; (fra tagrende) nedløbsrør; (se ogs. *leading question).*

leaderette [li·də'rėt] kort ledende artikel.

leadership ['li·dəʃip] førerskab, ledelse; lederevner.

lead-in ['li·din] indføring (til radio etc.).

I. **leading** ['lediŋ] (subst.) blyindfatning; (typ.) skydning.

II. **leading** ['li·diŋ] (subst.) ledelse, førerskab; (adj.) ledende, førende; hoved-; vigtigste.

leading| article leder (i avis), ledende artikel. ~ **case** retssag, hvis afgørelse tjener som præcedens. ~ **fashion** herskende mode. ~ **hand** forhånd. ~ **lady** primadonna. ~ **light** ledefyr; (fig.) ledende skikkelse. ~ **man** førsteskuespiller, hovedrolles indehaver. ~ **mark** ⚓ ledemærke. ~ **motive** ledemotiv. ~ **part** hovedrolle. ~ **question** suggestivt spørgsmål; spørgsmål der er sådan formuleret, at det lægger den adspurgte (fx. vidnet) svaret i munden. ~ **-strings** (pl.) gåsele; (fig.) ledebånd; *be in* ~ *-strings* gå i ledebånd; lade sig lede.

lead|line ['ledlain] lodline. ~ **monoxide** (kem.) blyilte, sølverglød. ~ **pencil** blyant.

leadsman ['ledzmən] ⚓ lodhiver.

I. **leaf** [li·f] (pl. *leaves)* blad, løv; blad (af bog); tynd plade; fløj, dørfløj; klap, plade (til at sætte i bord); broklap; *in* ~ med udsprungne blade; *come into* ~ springe ud, få blade; *take a* ~ *out of his book* efterligne ham; tage ham til forbillede; tage ved lære af ham; *turn over a new* ~ tage skeen i den anden hånd, begynde et nyt og bedre levned.

II. **leaf** [li·f] få blade; springe ud; blade i (fx. *a book);* ~ *through a book* blade en bog igennem.

leafage ['li·fidʒ] løv, løvværk, blade.

leaf|-fat flomme. ~ **fungus** bladsvamp.

leafiness ['li·finės] løvrigdom.

leafing ['li·fiŋ] løvspring.

leaf| insect (zo.) vandrende blad. ~ **-lard** flommefedt. **-less** [li·flės] bladløs.

leaflet ['li·flėt] lille blad; brochure, pjece; småtryk; seddel; ♧ småblad.

leaf|-mould bladjord. **-roll** ♧ bladrullesyge. ~ **stripe** ♧ stribesyge (hos byg). ~ **-work** løvværk.

leafy ['li·fi] bladrig, bladlignende; løv-.

I. **league** [li·g] (subst.) (et længdemål =) ca. 3 engelske mil; *seven-league boots* syvmilestøvler.

II. **league** [li·g] (subst.) forbund, liga; (vb.) indgå forbund; forene; alliere sig *(with* med); *the League (of Nations)* Folkenes Forbund.

leaguer ['li·gə] forbundsmedlem; vognborg; belejring.

leak [li·k] (subst.) læk; lækage; utæthed; (vb.) lække, være læk; være utæt (fx. *the tent -s); røbe; an inspired* ~ en bevidst indiskretion; *start* (el. *spring) a* ~ springe læk; ~ *in* sive ind; ~ *out* sive ud, blive bekendt; ~ *it to the press* lade det sive ud til pressen; give pressen besked om det under hånden.

leakage ['li·kidʒ] læk; lækage; udsivning; ~ *of current* (elekt.) strømtab.

leaky ['li·ki] læk, utæt.

leal [li·l] tro, trofast, ærlig; *the land of the* ~ ɔ: himlen.

I. **lean** [li·n] (subst.) hældning.

II. **lean** [li·n] (imperf. og perf. part. *leant* [lent] el. *leaned)* hælde; støtte (sig), læne (sig); ~ *against* læne sig til (el. op ad) (fx. ~ *against the door);* ~ *backwards* læne sig tilbage; ~ *on* støtte sig til (fx. *the table; his advice);* ~ *on sby.'s arm* tage en under armen; ~ *over backwards* (fig.) gå til den modsatte yderlighed; gøre sig overdreven umage; *the Leaning Tower of Pisa* det skæve tårn i Pisa.

III. **lean** [li·n] (subst.) magert kød; (adj.) mager; *you must take the* ~ *with the fat* man må tage det onde med det gode.

lean-faced (adj., typ.) mager.

leaning ['li·niŋ] tendens, hældning, tilbøjelighed.

leant [lent] imperfektum og perf. part af *lean.*

lean-to ['li·ntu·] skur (med halvtag).

I. **leap** [li·p] (imperf. og perf. part *leapt* [lept] el. *leaped)* springe, hoppe; springe over, hoppe over; lade springe; *look before you* ~ tænk dig godt om, før du handler.

II. **leap** [li·p] (subst.) spring; *by -s and bounds* med stormskridt.

leap day ['li·pdeⁱ] skuddag.

leap-frog ['li·pfråg] (subst.) springen buk; (vb.) springe buk; (fig.) skiftevis passere hinanden; *play* ~ springe buk.

leapt [lept] imperf. og perf. part. af *leap.*

leap year ['li·pjiə] skudår.

learn [lə·n] (imperf. og perf. part. *learned* el. *learnt)* lære; få at vide, erfare, høre; ~ *by heart* lære udenad; ~ *by rote* lære på ramse. **learned** ['lə·nid] (adj.) lærd; ~ *journal* videnskabeligt tidsskrift.

learner ['lə·nə] elev (fx. i en forretning); *Learner* (kendemærke på bil:) skolevogn; *he is a quick* ~ han er hurtig til at (tage ved) lære.

learning ['lə·niŋ] lærdom.

I. **lease** [li·s] (subst.) leje, forpagtning; lejemål; forpagtningskontrakt, lejekontrakt; forpagtningstid; frist; *a long* ~ forpagtning på langt åremål; *give a new* ~ *of life* indgyde nyt liv; *take a new* ~ *of life* få nyt liv, leve op igen, forynges; *take on* ~ leje.

II. **lease** [li·s] (vb.) udleje, bortforpagte, bortfæste; forpagte, leje.

leasehold ['li·shoᵘld] forpagtning; lejet el. forpagtet ejendom; (adj.) lejet, forpagtet. **leaseholder** lejer, forpagter, fæster.

lease-lend, se *Lend-Lease.*

leash [li·ʃ] (subst.) kobbel; rem, snor; (vb.) holde (el. føre) i snor, binde sammen; binde; koble; *a* ~ *of hounds, hares, etc.* tre hunde, harer osv.; *on a* ~ i bånd; i snor; *hold in* ~ beherske; tøjle, holde i ave (el. i tømme); *strain at the* ~ være ivrig efter at komme til, vente utålmodigt.

least [li·st] mindst, ringest; *at* ~ i det mindste; mindst; (indledende en berigtigelse) det vil (da) sige, eller rettere sagt; *in the* ~ i mindste måde; *not in the* ~ ikke spor; *to say the* ~ *(of it)* mildest talt.

least common multiple mindste fælles mangefold.

leastways ['li·stweⁱz] i det mindste.

leat [li·t] mølle-rende.

leather ['leðə] (subst.) læder, skind; læderstykke, læderrem; fodbold, kricketbold; (i pl. ogs.) skindbukser; (vb.) beklæde med læder; tampe, bearbejde ens ryg; *nothing like* ~ éns egne varer er altid bedst.

leatherback (zo.) læderskildpadde.

leatherette [leðə'ret] kunstlæder.

leather-head S dumrian.

leatherjacket (zo.) stankelbenslarve.

leathern ['leðən] af læder; læder-.

leatherneck ['leðənek] (amr.) marineinfanterist, 'læderhals'.

leathery ['leðəri] læderagtig, sej (som læder).

I. **leave** [li·v] (subst.) tilladelse; permission; orlov; frihed; afsked; ~ *ashore* landlov; *ask* ~ bede om lov; *beg* ~ *to* bede om lov til at; *by your* ~ med Deres tilladelse; ~ *of absence* orlov; *home on* ~ hjemme på orlov; ~ *out* tilladelse til at gå ud; *take one's* ~ tage afsked; *take* ~ *of one's children* tage afsked med sine børn; *take* ~ *of one's senses* gå fra forstanden; *take* ~ *to* tillade sig at.

II. **leave** [li·v] *(left, left)* forlade, gå fra (fx. *I can't possibly* ~ *him);* efterlade, lade tilbage, glemme (fx. *I left my gloves in the pub);* lade ligge (el. stå) (fx. *he left his luggage at the station);* lægge, stille, anbringe; efterlade sig; testamentere; aflevere; gøre til (fx. *polio had left him a wreck);* overlade; ophøre med, holde op med; tage af sted, rejse, afrejse; (af)gå (fx. *when does the train* ~*?); it -s me cold* det rør mig ikke; ~ *go* (el. ~ *hold) of* give slip på; ~ *much to be desired* lade meget tilbage at ønske; *be (nicely) left* blive taget ved næsen; *six from seven -s one* seks fra syv er en; ~ *the matter open* lade det stå hen; ~ *the door open* lade døren stå; ~ *the table* rejse sig fra bordet; *she was left a widow* hun blev enke; ~ *word with* lægge besked hos;

~ *the books about* lade bøgerne ligge og flyde; ~ *alone* lade være (i fred); holde sig fra; *we had better* ~ *well alone* vi må hellere lade det være som det er, det er godt nok; ~ *it at that* lade det være nok, nøjes med det; ~ *behind* efterlade sig, lægge bag sig, lade tilbage; glemme; ~ *for* rejse til, afgå til; ~ *off* holde op (med), aflægge; *he left off smoking* han holdt op med at ryge; ~ *the church on your left* gå højre om kirken; ~ *out* udelade; forbigå; springe over, glemme; *he was left out of the team* han blev sat af holdet; ~ *it over* lade det vente; gemme det; ~ *it to me* overlad det til mig; lad mig om det; ~ *it to chance* (ogs.) lade tilfældet råde; *he left all his money to her* han testamenterede hende alle sine penge; *I'll* ~ *that to you* det må du selv bestemme; (som svar på spørgsmål om pris ogs.) det er efter behag.

leaved [li·vd] med blade; med fløje.

leaven [levn] surdej; (vb.) syre; gennemsyre.

leaves [li·vz] pl. af *leaf.*

leave-taking ['li·vteⁱkiŋ] afsked.

leaving certificate afgangsbevis.

leaving examination afgangseksamen.

leavings ['li·viŋz] levninger, madrester.

Lebanon ['lebənən] Libanon.

lech [letʃ] **T**: *have a* ~ *for* være varm på, være lysten efter.

lecher ['letʃə] liderlig person, vellystning.

lecherous ['letʃərəs] (adj.) vellystig, liderlig.

lechery ['letʃəri] liderlighed.

lectern ['lektən] læsepult, pult (i kirke); (i universitetet) kateder, talerstol.

lection ['lekʃən] lektie (forelæst stykke af Bibelen); læsemåde, variant (i tekst).

lecture ['lektʃə] (subst.) foredrag, forelæsning; forelæsningsrække; straffepræken; (vb.) holde forelæsning; holde straffepræken for; skælde ud. **lecture-list** lektionskatalog.

lecturer ['lektʃərə] foredragsholder; forelæser; lektor.

lecture room auditorium.

lectureship ['lektʃəʃip] lektorat.

led [led] imperf. og perf. part. af *lead*.

ledge [ledʒ] fremspringende kant; liste; smal hylde; revle (på dør); klipperev; klippeafsats.

ledger ['ledʒə] hovedbog; stor, flad sten (især på gravsted); *balance the* ~ afslutte hovedbogen.

ledger line bilinie (i nodesystem).

lee [li·] ly, læ; læside; *under the* ~ *of* i læ af.

leeboard ['li·bå·d] ⚓ sværd (plade på skibsside, til at forhindre afdrift).

I. **leech** [li·tʃ] (subst.) igle; (fig.) blodsuger; (glds.) læge; (vb.) årelade ved igler; *he sticks like a* ~ han suger sig fast som en igle; han er ikke til at ryste af.

II. **leech** [li·tʃ] (subst.) ⚓ lig, agterlig (på sejl).

leech-rope (subst.) ⚓ stående lig.

Leeds [li·dz].

leek [li·k] porre; (Wales' nationalsymbol); *eat the* ~ finde sig i en fornærmelse.

leer [liə] sideblik, (ondt el. sjofelt) blik; (vb.) skæve, skotte *(at* til); ~ *at her* (ogs.) sende hende et sjofelt blik.

leery ['liəri] S snu, snedig; forsigtig.

lees [li·z] bundfald, bærme; *drain to the* ~ tømme til sidste dråbe.

leeward ['luəd, 'li·wəd] læ; (adv.) i læ; *the Leeward Islands* ['li·wəd] (den nordligste gruppe af de små Antiller).

leeway ['li·weⁱ] afdrift; forsinkelse; spillerum, (sikkerheds)margin; *make up* ~ indhente det forsømte; *have much* ~ *to make up* være langt bagefter med sit arbejde.

I. **left** [left] venstre; til venstre; venstre fløj; venstre side; venstre(parti); *the extreme* ~ yderste venstre fløj (af parti etc.); *to the* ~ til venstre; *right and* ~ til højre og venstre; *look neither* ~ *nor right* hverken se til højre eller venstre.

II. **left** [left] imperf. og perf. part. af *leave*.

left|-hand drive venstrestyring (i bil). ~ **-handed** (adj.) kejthåndet; kejtet, klodset, tvivlsom (fx. *a* ~ *-handed compliment);* venstrehånds (fx. *blow);* venstresnoet (fx. *rope).* ~ **-handed marriage** morganatisk ægteskab, ægteskab til venstre hånd. ~ **-hander** kejthåndet person; slag med venstre hånd.

leftism ['leftizm] venstreorientering, venstreorienteret indstilling.

leftist ['leftist] venstreorienteret.

left-luggage office (amr.) garderobe (på jernbanestation).

left-over ['leftoᵘvə] levn, rest; *-s* (ogs.) levninger.

I. **leg** [leg] (subst.) ben; kølle; skaft; etape (af en flyverejse); S snyder, falskspiller; ~ *before wicket* (i kricket) ben for; *be on one's last -s* gå på gravens rand, ligge på sit yderste; (fig. ogs.) synge på det sidste vers; *fall on one's -s* falde ned på benene; slippe heldigt fra det; *feel* (el. *find) one's -s* begynde at kunne støtte på benene; (fig.) begynde at føle sig sikker, finde sig til rette; *get on one's -s* rejse sig (for at tage ordet); *give sby. a* ~ *up* give en en håndsrækning; *not have a* ~ *to stand on* ikke have noget at støtte sig til; stå meget svagt (i en debat, retssag o.l.); ikke have nogen (gyldig) undskyldning; *keep one's -s* holde sig på benene; *make a* ~ gøre skrabud; *pull sby.'s* ~ bilde én noget ind, gøre grin (el. lave sjov) med én; *put one's best* ~ *foremost* sætte det lange ben foran; *run off one's -s* udaset; *set sby. on his -s (again)* bringe en på fode (el. på benene); *shake a* ~ få sig en svingom, danse; *show a* ~*!* se så at komme ud af fjerene! *stand on one's own -s* stå på egne ben; *take to one's -s* tage benene på nakken; *walk sby. off his -s* gå en sønder og sammen, gøre en helt udmattet.

II. **leg** [leg]: ~ *it* T gå på sine ben; bene af, stikke af.

legacy ['legəsi] legat, arv. **legacy|-duty** arveafgift. ~ **-hunter** testamentjæger.

legal ['li·gəl] (adj.) lovlig, legal, lovhjemlet, retsgyldig, retmæssig, lovformelig, juridisk, retslig, rets-; *take* ~ *action* gå rettens vej; ~ *adviser* juridisk rådgiver; *free* ~ *aid* fri proces; *the* ~ *profession* juristerne, advokatstanden; ~ *tender* lovligt betalingsmiddel.

legal deposit pligtaflevering (af bøger).

legalism ['li·gəlizm] streng fastholden ved (el. overholdelse af) loven; juristeri; (rel.) lovtrældom.

legality [li'gäliti] lovlighed; lovgyldighed.

legalize ['li·gəlaiz] legalisere, gøre lovgyldig.

legate ['legėt] legat, sendebud. **legatee** [legə'ti·] arving. **legation** [li'geⁱʃən] legation; legationskontor. **legator** [li'geⁱtə] testator.

legend ['ledʒənd] legende, sagn; indskrift, inskription, billedunderskrift, billedtekst; *become a* ~ (fig.) blive en fabel, (om person ogs.) blive en sagnskikkelse. **legendary** ['ledʒəndəri] legende-; legendarisk, sagnagtig; legendesamling; *the* ~ *age* sagntiden.

legerdemain ['ledʒədə'meⁱn] taskenspillerkunst.

leger line ['ledʒə'lain] bilinie (i nodesystem).

legging ['legiŋ] lang gamache; *-s* (ogs.) gamachebukser.

leggy ['legi] langbenet.

I. **Leghorn** ['leg'hå·n] Livorno; [le'gå·n] italiener (om høne).

II. **leghorn** ['leghå·n] slags stråhat.

legibility [ledʒi'biliti] læselighed.

legible ['ledʒəbl] (let) læselig, tydelig.

legion ['li·dʒən] legion; mængde; *their name is* ~ deres tal er legio; *foreign* ~ fremmedlegion; *the L. of Honour* æreslegionen.

legionary ['li·dʒənəri] legionær; legions-.

legislate ['ledʒisleⁱt] give love. **legislation** [ledʒis'leⁱʃən] lovgivning. **legislative** ['ledʒislətiv] lovgivende (fx. ~ *power);* lovgivnings-. **legislator** ['ledʒisleⁱtə] lovgiver. **legislature** ['ledʒisleⁱtʃə] lovgivningsmagt, lovgivende forsamling.

legist ['li·dʒist] (subst.) lovkyndig, retslærd.

legitimacy [li'dʒitiməsi] lovmæssighed; retmæssighed; det at være født i ægteskab; ægtefødsel; ægthed; legitimitet; arveret; berettigelse.

I. **legitimate** [li'dʒitimeⁱt] (vb.) gøre lovlig, erklære ægte, legitimere, lyse i kuld og køn.

II. **legitimate** [li'dʒitimėt] (adj.) retmæssig; lovlig; ægtefødt; legitim; berettiget; rimelig (fx. *reason); -ly* (ogs.) med rette, med føje.

legitimation [lidʒiti'meⁱʃən] legitimation, lovliggørelse, gyldighedserklæring.

legman ['legmən] (amr. S) reporter.

leg-of-mutton bedekølle, fårelår; ~ *sleeve* skinkeærme.

leguminous [le'gju·minəs] bælg-; ~ *plant* bælgplante.

leg-up ['legʌp]: *give sby. a* ~ T give én en håndsrækning.

legwork ['legwə·k] S reportage.

Leicester ['lestə].

Leics. fk. f. *Leicestershire.*

leister ['li·stə] lyster (fiskeredskab).

leisure ['leʒə] fritid, (god) tid; *at* ~ i ro og mag; *be at* ~ have tid; have fri; *at his* ~ når han får tid, når det er ham belejligt; ~ *hour* ledig stund; ~ *time* fritid.

leisured ['leʒəd] (adj.) økonomisk uafhængig, magelig; *the* ~ *class(es)* den besiddende (el. privilegerede) klasse.

leisurely ['leʒəli] (adv.) magelig; rolig; i ro og mag.

Leith [li·þ].

leitmotif ['laitmoᵘti·f] ledemotiv.

leman ['lemən] (glds.) elsker(inde).

lemma ['lemə] spidsord, opslagsord; præmis.

lemming ['lemiŋ] (zo.) lemming.

lemon ['lemən] ⚘ citron; citrontræ; S hoved; citrongul; *the answer was a* ~ S svaret var negativt

(el. en afvisning); de sagde nej; *she is a ~* hende er der ikke noget ved; hun er et kedeligt løg.
lemonade [lemə'neⁱd] citronsodavand, limonade.
lemon|-coloured ['lemənkʌləd] citrongul. ~ **-drop** citronbolsje. ~ **-juice** citronsaft. ~ **-peel** citronskal. ~ **-sole** (zo.) rødtunge. ~ **-squash** lemonsquash. ~ **-squeezer** citronpresser.
lemony ['leməni] citronagtig.
lemur ['li·mə] (zo.) halvabe; lemur, maki; *black ~* (zo.) sortmaki.
lend [lend] *(lent, lent)* udlåne, låne; give, yde; *~ countenance to* gå med til; støtte; *~ an ear* låne øre; *~ a (helping) hand* hjælpe, give en håndsrækning, række en hjælpende hånd; *~ oneself to* lade sig bruge til, gå med til; *~ itself to* være velegnet til; *it -s itself to abuse* det kan let give anledning til misbrug; *~ to* (ogs.) give (fx. *this fact -s probability to the story).*
lender ['lendə] långiver.
lending-library lejebibliotek.
Lend-Lease: *the ~ Act* låne-og-leje loven.
length [leŋþ] længde; strækning; udstrækning; varighed; *at ~* i sin fulde længde; fuldstændig; udførlig; omsider; langt om længe; til sidst; længe; *at full ~* i hele sin længde; *at great ~* meget udførligt, meget længe; *at some ~* ret udførligt, temmelig længe; *keep sby. at arm's ~* holde en i tilbørlig afstand, holde en tre skridt fra livet; *win by three -s* vinde med tre (heste)længder; *ten feet in ~* 10 fod i længden; *throughout the ~ and breadth of the country* over hele landet; *go to the ~ of saying* gå så vidt, at man siger; *he went to the ~ of* han strakte sig endda så vidt at han; *be prepared to go to all -s* ikke sky noget middel; være parat til at gøre hvad det skal være; *travel the ~ and breadth of the country* gennemrejse landet på kryds og tværs.
lengthen [leŋþn] forlænge, udvide; gøre el. blive længere; (om tøj) lægge ned; *-ed* længere, langvarig.
lengthways ['leŋþweⁱz], **lengthwise** [-waiz] på langs.
lengthy ['leŋþi] langtrukken; omstændelig.
leniency ['li·niənsi] mildhed, lemfældighed; skånsomhed.
lenient ['li·niənt] mild; lemfældig; skånsom.
lenity ['leniti], se *leniency.*
lens [lenz] linse; (fot. ogs.) objektiv.
I. **Lent** [lent] faste, fastetid.
II. **lent** [lent] imperf. og perf. part. af *lend.*
Lenten ['lentən] (adj.) faste-; (fig.) alvorlig, dyster, bedrøvelig; *~ fare* tarvelig kost.
lentil ['lentil] ♧ linse.
Lent| lily ♧ påskelilje. ~ **term** forårssemester.
Leo ['li·oᵘ] Leo; stjernebilledet Løven.
Leonard ['lenəd].
leonine ['li·onain] løve-; løveagtig.
leopard ['lepəd] (zo.) leopard.
leopard's-bane ♧ gemserod.
leper ['lepə] (subst.) spedalsk.
leprechaun ['leprəkå·n] nisse, dværg.
leprosy ['leprəsi] spedalskhed.
leprous ['leprəs] (adj.) spedalsk.
Lesbian ['lezbiən] lesbisk; (subst.) lesbisk kvinde.
lese-majesty ['li·z 'mädʒisti] majestætsforbrydelse, majestætsfornærmelse; højforræderi.
lesion ['li·ʒən] (subst.) skade, læsion.
less [les] mindre, ringere; færre; minus, med fradrag af; på nær (fx. *a month ~ two days); in ~ than no time* på et øjeblik, i løbet af nul komma fem; *none the ~* ikke desto mindre; *no ~ than £100* hele 100 pund; *not ~ than £100* mindst 100 pund; *no ~ a person than* ingen ringere end.
-less -løs (fx. *moneyless* pengeløs), uden.
lessee [le'si·] lejer, forpagter, fæster.
lessen ['lesn] (vb.) formindske, nedsætte; undervurdere; formindskes, aftage, blive svagere.
lesser ['lesə] mindre, ringere; *choose the ~ evil* vælge det mindste af to onder.
lesson ['lesn] lektie; (undervisnings)time; bibelstykke; lektion; irettesættelse, lærestreg (fx. *let this be a ~ to you*), lærepenge (fx. *it was a dear ~); (vb.)* undervise, belære; irettesætte; *-s* (ogs.) undervisning; *do* (el. *prepare) one's -s* læse lektier; *take -s from* (el. *of* el. *with) sby.* tage timer hos en; *take -s in* tage timer i, tage (el. gå til) undervisning i; *read sby. a ~* holde en straffepræken for én, læse én teksten.
lessor [le'så·, 'le'så·] bortforpagter, udlejer.
lest [lest] for at ikke; af frygt for at (fx. *I hid it ~ he should see it);* for det tilfælde at; (efter frygtsverber etc.) at, for at (fx. *we were afraid ~ he should come).*
I. **let** [let] (glds.) hindring; (i tennis) netbold; (adj.) hindre; *without ~ or hindrance* uhindret.
II. **let** [let] *(let, let)* lade (= tillade); bortforpagte, udleje; udlejes; *~ alone* lade være; endsige, for ikke at tale om; *apartments to (be) ~* værelser til leje; *~ blood* årelade; *~ me by* lad mig komme forbi; *~ down* (ned)sænke, lade gå ned, fire ned, slå ned; svigte, lade i stikken; skade; *~ down a dress* lægge en kjole ned (ɔ: forlænge); *~ the side down* svigte sit parti; *~ drive at* lange ud efter; kaste efter; *~ fall a remark* lade en bemærkning falde; *~ go* slippe; give slip (på); ⚓ lade gå, kaste los; *~ oneself go* slå sig løs, ikke lægge bånd på sig; give sine følelser frit løb; snakke løs; *~ go with a pistol* fyre løs; *~ it go at that* lade det blive ved det; *let's go!* (amr.) hæng i! *~ him have it* skælde ham bælgen fuld; lange ham en ud; fyre løs på ham; *~ in* lukke ind, (lade) slippe ind; indføje, indlægge; snyde; *~ in for* udsætte for; *~ in on* indvie i; *~ into* (lade) slippe ind i, lukke ind i (fx. *~ him into the house);* indføje i; indsætte i (fx. *~ a window into a wall); ~ sby. into a secret* indvie en i en hemmelighed; *~ loose* slippe løs; *~ off* lade slippe (fx. *they ~ him off with a caution);* affyre (fx. *a gun); ~ on* sladre; foregive; røbe (noget), lade sig mærke med (noget) (fx. *he knows but he will never ~ on); ~ out* lukke ud; røbe (fx. *a secret);* leje ud; lægge ud; lade slippe; løslade; *~ out at* lange ud efter; *~ up* **T** tage af (fx. *the rain is -ting up);* høre op; slappe af; *~ up on* tage lempeligere på.
III. **-let** (diminutivendelse, fx. *flowerlet* lille blomst, *leaflet* lille blad).
letdown ['letdaun] nedsættelse af tempoet; mindskelse af arbejdsindsatsen; antiklimaks; fald; afslappelse, afspænding; skuffelse, 'afbrænder'.
lethal ['li·þəl] dødelig, dødbringende (fx. *a ~ dose); ~ gene* (biol.) letalgen.
lethargic [le'þa·dʒik] letargisk; døsig; dvalelignende; dorsk, sløv. **lethargy** ['leþədʒi] døsighed; letargi; sløvhed.
Lethe ['li·þi] Lethe; glemsel; død.
let-off ['letåf] (subst.) løsladelse, frigivelse.
Lett [let] lette (person fra Letland).
I. **letter** ['letə] udlejer.
II. **letter** ['letə] (subst.) bogstav; brev; (amr.) skoles initial båret som hæderstegn for sportspræstation; (vb.) mærke med bogstaver; sætte titel på (en bog etc.); *to the ~* bogstavelig, til punkt og prikke; *-s* litteratur, lærdom; *man of -s* litterat, skribent; lærd.
letter|-bag postsæk. ~ **-book** kopibog. ~ **-box** brevkasse; postkasse. ~ **-card** lukket brevkort, korrespondancekort. ~ **-carrier** postbud. ~ **-case** brevtaske, lommebog.
lettered ['letəd] mærket med bogstaver; med rygtitel; boglærd, litterær, dannet.
letter file brevordner.
lettergram ['letəgräm] brevtelegram.
lettering ['letəriŋ] indskrift, bogstaver.
letter|-paper brevpapir. ~ **-perfect:** *be ~ -perfect* kunne sin rolle perfekt. **-press** tekst (modsat illustrationer). ~ **-press** kopipresse. **-press printing** bogtryk. ~ **-weight** brevpresser. ~ **-writer** brevskriver; brev- og formularbog.
Lettic ['letik], **Lettish** ['letiʃ] lettisk.
lettuce ['letis] ♧ (hoved)salat.
let-up ['letʌp] ophør, pause, aftagen, afslapning.
leucocyte ['lju·kosait] hvidt blodlegeme.

I. **Levant** [li'vänt]: *the* ~ Levanten, de østlige middelhavslande.

II. **levant** [li'vänt] (vb.) stikke af, fordufte.

levantine ['levəntain; li'väntain] (subst.) levantiner; (adj.) levantisk.

levator(-muscle) [lə'veitə(mʌsl)] (subst.) løftemuskel.

I. **levee** ['levi; 'levei] (subst.) morgenaudiens; kur.

II. **levee** ['levi, le'vi·] (subst.) floddige, dæmning.

I. **level** [levl] (subst.) højde, niveau, plan; flade, slette; nivellerinstrument; *(spirit ~)* vaterpas; *find one's own ~* (fig.) finde sit rette element (el. sin rette plads); *things will find their ~ again* det ordner sig nok; *high ~* højt niveau, højt plan, høj standard; *above the ~ of the sea* over havet; *at the highest ~* (fig.) på højeste plan; *on a ~ with* på højde med, på samme niveau som; i samme plan som; *on the ~* T ærlig(t), oprigtig(t), regulær(t).

II. **level** [levl] (adj.) jævn, lige, flad; plan, vandret; nøgtern, sindig; rolig; jævnbyrdig; *I will do my ~ best* jeg skal gøre alt hvad jeg kan; *one ~ teaspoonful* en strøget teskefuld; *make ~* jævne; *~ with* i flugt med, i niveau med; på højde med; jævnbyrdig med.

III. **level** [levl] (vb.) planere, nivellere, jævne; jævne med jorden (fx. *a fire -led the house); gøre* lige, stille lige; sigte; rette *(at* mod); *~ an accusation against sby.* rette en anklage mod en; *~ one's gun at sby.* rette sin bøsse mod en, sigte på en med sin bøsse; *~ down* nivellere nedefter, sænke; *~ up* nivellere opefter, hæve; *~ sth. with the ground* jævne noget med jorden.

level| country sletteland. **~ crossing** jernbaneoverskæring (i niveau). **~ -headed** ['levl'hedid] besindig, rolig, fornuftig.

leveller ['levlə] (subst.) nivellør; forkæmper for social udjævning; noget som udjævner sociale forskelle.

levelling ['levliŋ] planering, udjævning; nivellement; *line of ~* nivelleringslinie; *~ staff* nivellerlægte.

level stress lige stærkt tryk på de (to) vigtigste stavelser (fx. *'afternoon' is sometimes pronounced with ~).*

I. **lever** ['li·və] (subst.) vægtstang; løftestang; håndtag; stang (fx. *gear ~* gearstang).

II. **lever** ['li·və] (vb.) løfte (med løftestang).

leverage ['li·vəridʒ] (subst.) vægtstangsanordning, vægtstangssystem; vægtstangsvirkning; (fig.) indflydelse.

leveret ['lev(ə)rèt] harekilling.

leviable ['leviəbl] som kan udskrives (fx. *a ~ tax);* som kan beskattes (fx. *~ goods).*

leviathan [li'vaiəþən] leviathan, vældigt havuhyre, kolossalt skib.

levigate ['levigeit] pulverisere.

levitate ['leviteit] lette, løfte; løfte sig, svæve opad. **levitation** [levi'teiʃən] levitation (det spiritistiske fænomen at genstande af sig selv løfter sig og svæver i luften).

Levite ['li·vait] levit. **Leviticus** [li·'vitikəs] 3. Mosebog.

levity ['leviti] letsindighed.

I. **levy** ['levi] (vb.) rejse (fx. *an army);* udskrive (fx. *troops, taxes);* pålægge (fx. *a fine, taxes);* opkræve (fx. *taxes); ~ on sby.'s property* foretage udlæg i ens ejendom; *~ blackmail on* presse penge af; *~ war on* (forberede og) indlede krig mod.

II. **levy** ['levi] (subst.) udskrevne tropper, udskrivning; pålægning, opkrævning; opbud (af tropper); *capital ~* formuekonfiskation, engangsskat.

lewd [l(j)u·d] utugtig, smudsig; sjofel; liderlig.

lexical ['leksikl] leksikalsk.

lexicographer [leksi'kågrəfə] leksikograf, ordbogsforfatter; *the Great L.* (om dr. Samuel Johnson).

lexicon ['leksikən] leksikon, ordbog.

Leyden ['laidn]; *~ jar* leydenerflaske.

L.G. fk. f. *Low German; Life Guards; Landing Ground.*

liability [laiə'biliti] (subst.) tilbøjelighed; ansvarlighed; ansvar (fx. *criminal ~* strafansvar); (mods. *asset:*) passiv, (fig.) belastning; *liabilities* forpligtelser; passiver; *~ for military service* værnepligt; *~ to pay damages* erstatningsansvar, erstatningspligt; *~ to pay taxes* skattepligt.

liability insurance: *third party ~* ansvarsforsikring.

liable ['laiəbl] ansvarlig; hæftende; pligtig, forpligtet; tilbøjelig, udsat *(to* for); *~ in damages* erstatningspligtig *(to* over for); *~ to duty* toldpligtig; *your words are ~ to misconstruction* dine ord kan let opfattes forkert; *make oneself ~ to* udsætte sig for.

liaise [li'eiz] (vb.) fungere som forbindelsesofficer; *~ with* etablere med.

liaison [li'eizå·ŋ] illegitimt forhold, fri forbindelse; overtrækning (af konsonant til ord, der begynder med vokal); forbindelsesled; *~ officer* forbindelsesofficer.

liana [li'a·nə] ♧ lian.

liar ['laiə] løgner, løgnerske.

libation [lai'beiʃən] drikoffer, drik.

I. **libel** ['laibl] (subst.) (jur.) injurie(r), æresfornærmelse (i skriftlig form); bagvaskelse; smædeskrift; (fig.) fornærmelse (fx. *the portrait is a ~ on him).*

II. **libel** ['laibl] (vb.) skrive smædeskrift om, injuriere, bagvaske.

libeller ['laibələ] bagvasker, æreskænder.

libellous ['laibələs] ærekrænkende, ærerørig, injurierende.

liberal ['lib(ə)rəl] liberal, frisindet; fordomsfri; gavmild, rundhåndet, flot; rigelig; *Liberal* (subst.) liberal; *a ~ construction* en fri fortolkning; *~ education* almendannelse; *a ~ table* et velforsynet bord; et gæstfrit bord; *take a ~ view of* se stort på.

liberalism ['lib(ə)rəlizm] liberalisme, frisind. **liberality** [libə'räliti] gavmildhed; frisindethed; fordomsfrihed; gave. **liberalization** [libərəlai'zeiʃən] liberalisering. **liberalize** ['lib(ə)rəlaiz] frigøre for fordomme, gøre liberal; blive liberal; liberalisere.

liberate ['libəreit] frigive, sætte i frihed; befri *(from* for).

liberation [libə'reiʃən] frigivelse; befrielse. **liberator** ['libəreitə] befrier.

Liberia [lai'biəriə].

libertine ['libətain] tøjlesløs, udsvævende; udsvævende menneske, libertiner; fritænker. **libertinism** ['libətinizm] ryggesløshed, usædelighed; fritænkeri.

liberty ['libəti] frihed; *liberties* (ogs.) privilegier; *at ~* fri, ledig; *you are at ~ to do so* det står dig frit for at gøre det; *set prisoners (, slaves) at ~* sætte fanger (, slaver) på fri fod; *~ of conscience* religionsfrihed; *~ of the press* trykkefrihed; *take the ~ of doing sth.* tage sig den frihed at gøre ngt.; *take liberties with* tage sig friheder over for; *this is ~ hall* her kan De gøre lige hvad der passer Dem.

liberty-man matros med landlov.

libidinous [li'bidinəs] vellystig; liderlig.

I. **Libra** ['laibrə] (astron.) Vægten.

II. **libra** ['laibrə] pund.

librarian [lai'bræəriən] bibliotekar. **librarianship** bibliotekarstilling.

library ['laibrəri] bibliotek; bogserie; *circulating ~* lejebibliotek; *walking ~* (fig.) levende (el. omvandrende) leksikon.

libret|to [li'bretou] (pl. *-tos* el. *-ti)* libretto, operatekst.

lice [lais] pl. af *louse.*

I. **licence,** (amr.: **license**) ['laisəns] (subst.) bevilling, tilladelse; autorisation; licens; udskænkningsret; kørekort; frihed, handlefrihed; tøjlesløshed; liderlighed, vellystighed; *doctor's ~* jus practicandi; *driving ~* kørekort; *poetic ~* digterisk frihed; *be married by (special) ~* blive gift på kongebrev; *take (out) a ~* løse bevilling el. licens; *trade ~* næringsbevis.

II. **licence, license** ['laisəns] (vb.) autorisere, give bevilling (fx. *~ sby. to sell alcoholic liquor).*

licensed ['laisənst] autoriseret, privilegeret; ~

buffoon, ~ jester (omtr.) en der nyder frisprog; *~ hotel* hotel med spiritusbevilling; *~ listener* licensbetalende lytter.

licensee [laisən'si·] bevillingshaver.

licenser ['laisənsə] udsteder af et privilegium.

licentiate [lai'senʃiėt] autoriseret udøver af en vis virksomhed; licentiat.

licentious [lai'senʃəs] tøjlesløs, ryggesløs; udsvævende, liderlig, vellystig.

lichen ['laikėn] (subst.) ♧ lav.

lich-gate ['litʃge'it] = *lych-gate*.

licit ['lisit] (adj.) lovlig, tilladt.

lick [lik] (vb.) slikke, slikke på; prygle, slå, (give) klø (fx. *the boy was -ed by the headmaster);* vinde over (fx. i sportskamp); *~ sby. at his own game* slå en på hans eget felt; *~ sby.'s boots* (el. *shoes)* krybe for en; slikke én op ad ryggen; *~ the dust* bide i græsset; *~ one's lips* (el. *chops)* slikke sig om munden; *that -s everything, that -s creation* det overgår alt; *it -s me* det går over min forstand; *go as hard as one can ~* løbe så hurtigt man kan; *~ into shape* sætte skik på, give form.

II. **lick** [lik] (subst.) slikken, slik; saltslikke; slag; fart (fx. *at full ~); a ~ and a promise* kattevask; *give it a ~ and a promise* kun lige gøre det nødvendigste ved det; *we were going a hell of a ~* vi havde mægtig skub på.

lickerish ['likəriʃ] (adj.) lækkersulten, slikvorn; grådig, begærlig; sanselig, liderlig, lysten.

licking ['likiŋ] (subst.) slikken; dragt prygl, klø, tæv, bank; *get a ~* få klø (etc.).

lickspittle ['likspitl] spytslikker.

licorice ['likəris] lakrids.

lid [lid] låg; dæksel; øjenlåg; *put the ~ on* (fig.) sætte en stopper for; *take the ~ off* (fig.) afsløre, åbenbare. **lidless** ['lidlės] uden låg; uden øjenlåg.

lido ['li·doᵘ] lido; badestrand, friluftsbad; *the Lido* Lidoen (ved Venezia).

I. **lie** [lai] (subst.) løgn, usandhed; (vb.) lyve; *give sby. the ~* beskylde en for at lyve; *give sth. the ~* (bevise at noget er løgn, modbevise noget; *tell -s* lyve; *white ~* nødløgn, hvid løgn; *~ in one's teeth* (el. *throat)* lyve groft (el. frækt); *~ oneself out of sth.* lyve sig fra noget.

II. **lie** [lai] *(lay, lain)* (vb.) ligge; være beliggende; hvile, være begravet (fx. *here lies...); an appeal -s to* sagen kan appelleres til; *her talents do not ~ that way* hendes evner går ikke i den retning; *~ about* ligge og flyde; *~ back* læne sig tilbage; *~ by* ligge hen, hvile; *~ down* lægge sig ned; ligge ned; hvile sig, lægge sig; *take it lying down, ~ down under it* finde sig i det uden at kny; *~ in* ligge i barselseng; sove længe (om morgenen); *as far as in me lies* så vidt som det står i min magt; *~ low* (fig.) ligge i støvet, være kastet til jorden; holde sig skjult, skjule sine virkelige hensigter; *~ on* påhvile; tynge; afhænge af; *~ on the bed one has made* ligge som man har redt; *~ over* opsættes, udsættes; stå hen; *~ to* ⚓ ligge underdrejet; *~ under* være genstand for, være underkastet; *~ up* gå til sengs, holde sengen; ⚓ gå i dok; *~ with* tilkomme (fx. *it -s with you to decide it),* påhvile; bero på, ligge hos (fx. *the fault -s with him).*

III. **lie** [lai] (subst.) leje; beliggenhed; (dyrs) tilholdssted; *the ~ of the land* situationen, terrænet; *know the ~ of the land* vide hvordan landet ligger.

lie-a-bed ['laiəbed] syvsover.

lie-by ['laibai] vigespor.

lie detector løgnedetektor.

lie-down [lai'daun] (subst.): *have a ~* tage sig et hvil, lægge sig lidt.

lief [li·f] (adv.) gerne.

liege [li·dʒ] lens-, lenspligtig; vasal-; vasal; fyrste, lensherre. **liegeman** [li·dʒmən] vasal.

lie-in [lai'in] (subst.): *have a ~* sove længe.

lien ['li·ən] retentionsret, tilbageholdelsesret.

lieu [l(j)u·]: *in ~ of* i stedet for.

Lieut.-Col. fk. f. *lieutenant-colonel.*

lieutenancy [lef'tenənsi; ⚓ le'tenənsi; (amr.) lu·'tenənsi] løjtnantsstilling, løjtnantsrang; statholderskab.

lieutenant [lef'tenənt; ⚓ le'tenənt; (amr.) lu·'tenənt] løjtnant, ⚓ søløjtnant; statholder, stedfortræder; *first ~* premierløjtnant; *second ~* sekondløjtnant; *L. of the Tower* kommandant i Tower.

lieutenant|-colonel oberstløjtnant. **~ -commander** ⚓ kaptajnløjtnant. **~ -general** generalløjtnant. **~ -governor** viceguvernør.

Lieut.-Gen. fk. f. *lieutenant-general.*

life [laif] (pl. *lives)* liv, levned; levnedsbeskrivelse, biografi (fx. *a ~ of Milton*); levetid; *after* (el. *from) the ~* efter naturen, efter levende model; *as large as ~* i legemsstørrelse (fx. *a statue as large as ~);* (fig.) i egen høje person, lyslevende, ikke til at tage fejl af; *bring to ~* bringe til live igen; *come to ~* blive levende (igen); komme til sig selv; *the ~ to come* det kommende liv, livet efter døden; *his early ~* hans ungdom; *imprisonment for ~* livsvarigt fængsel, fængsel på livstid; *for (dear* el. *very) ~* som om det gjaldt livet, af alle livsens kræfter, det bedste man har lært (fx. *run for dear ~); not for the ~ of me, not on my ~* ikke for alt i verden, ikke om så det gjaldt mit liv; *many lives were lost* mange menneskeliv gik tabt; *it is a matter of ~ and death* det gælder livet, det er et spørgsmål om liv eller død; *at my time of ~* i min alder; *I'm having the time of my ~* jeg har aldrig moret mig så godt; *see (sth. of) ~* lære livet at kende; *he was the ~ and soul of the party* han underholdt hele selskabet, han var selskabets midtpunkt; *such is ~* sådan er livet; *to the ~* (aldeles) livagtig; *true to ~* virkelighedstro; *their ~ together* deres samliv.

life|-annuitant livrentenyder(ske). **~ -annuity** livrente. **~ -assurance** livsforsikring. **~ -belt** redningsbælte. **~ -blood** hjerteblod. **~ -boat** redningsbåd. **~ -buoy** redningsbøje, redningskrans. **~ certificate** leveattest. **~ expectancy** forventet levealder. **~ guard** livredder (ved badestrand). **~ guards** ⚔ livgarde. **~ insurance** livsforsikring. **~ interest** livrente; livsvarig brugsret. **~ -jacket** redningsvest. **-less** livløs; død; (fig.) uden liv, trist, kedsommelig. **-like** livagtig. **~ -line** redningsline; ⚓ livline; (fig.) livsvigtig forsyningslinie (el. forbindelseslinie). **~ -long** livsvarig, der varer hele livet igennem; *a ~ -long friend* en ven for livet. **~ net** (amr.) springlagen. **~ -office** livsforsikringsselskab. **~ -preserver** totenschläger; (amr.) redningsvest, redningsbælte.

lifer ['laifə] livsfange.

life|-raft redningsflåde. **~ -saver** livredder, redningsmand. **~ -saving apparatus** redningsapparat. **~ -sentence** dom på livsvarigt fængsel. **~ -size(d)** i legemsstørrelse. **~ -table** dødelighedstabel. **~ -tenant** fæster på livstid. **-time** levetid; *the chance of a -time* alle tiders chance. **~ -work** livsværk.

I. **lift** [lift] (vb.) løfte, hæve; ophæve (fx. *a blockade);* tage op, grave op (fx. *potatoes);* stjæle (fx. *cattle),* hugge, plagiere; lette (fx. *the fog -ed);* (om sejl) leve; (om gulv etc.) slå sig; *~ the ban* hæve forbudet; *~ up one's voice* opløfte sin røst.

II. **lift** [lift] (subst.) elevator; løfteapparat (til biler); løften, hævning; opdrift; håndsrækning, hjælp; forfremmelse; stigning; rejsning; *give sby. a ~* lade én køre med (sig); give én en håndsrækning.

lift|car elevatorstol. **~ -man** elevatorfører. **~ -shaft, ~ -well** elevatorskakt.

ligament ['ligəmənt] (anat.) (sene)bånd, ligament.

ligate ['laige'it] (med.) afsnøre (fx. en vorte); underbinde. **ligation** (med.) underbinding.

ligature ['ligətʃuə] bånd, bind; underbinding; (typ.) ligatur.

I. **light** [lait] (subst.) lys; dagslys, dag; lyskilde; belysning, oplysning; ild; tændstik; fyr, fyrtårn; lysåbning, vindue, vinduesrude; *according to one's -s* efter (fattig) evne; *beat* (el. *knock) his -s out* slå håm halvt fordærvet; *bring to ~* bringe for dagen; *come to ~* komme for dagen; *he is no great ~* han er ikke noget lys, han har ikke opfundet krudtet; *in the ~ of* i lyset af, under hensyn til, i betragtning af; *put a person in a false* ~ stille én i et falsk lys; *see the* ~ se dagens lys; fødes; (fig.) komme til sandheds erkendelse, blive omvendt, lade sig overbevise; *come to see the matter in another* ~ se sagen i et nyt lys, få et andet syn på sagen; *he stands in my* ~ han står mig i lyset; *stand in one's own* ~ stå sig selv i lyset; *strike a* ~ stryge en tændstik; slå ild; *throw* (el. *shed)* ~ *on* kaste lys over; *may I trouble you for a* ~*?* De har vel ikke en tændstik? kunne De ikke give mig lidt ild?

II. **light** [lait] (vb.) (imperf. og perf. part. *lighted* el. *lit)* lyse; tænde; oplyse, lyse for; ~ *a fire* tænde op; ~ *up* tænde; lyse op (i); tændes.

III. **light** [lait] (vb.): ~ *into* falde 'over, angribe; ~ *(up)on* falde **på**, sætte sig på (fx. *the bird -ed upon the roof);* dale (el. slå) ned på, ramme; træffe på, støde på.

IV. **light** [lait] (adj.) lys; ~ *brown* lysebrun.

V. **light** [lait] (adj.) let; ubetydelig; undervægtig; (om drik) mild, let; munter, sorgløs; letbenet, letsindig, letfærdig; mild; ⚓ flov, laber (om vind); ~ *breeze* let brise; ~ *in the head,* se *light-headed;* ~ *losses* små tab; *make* ~ *of* tage sig let, lade hånt om, behandle som en bagatel; ~ *music* let musik, underholdningsmusik; ~ *programme* (i radioen) underholdningsprogram; ~ *reading* morskabslæsning; *be a* ~ *sleeper* sove let; ~ *soil* løs jord; ~ *syllable* trykløs (el. ubetonet) stavelse.

VI. **light** [lait] (adv.) let (fx. *sleep* ~*); travel* ~ rejse med lille bagage; (se ogs. *lightly).*

light-armed letbevæbnet.

light-buoy ['laitboi] ⚓ lystønde.

light-draft ['laitdra·ft] ⚓ med ringe dybgående.

I. **lighten** ['laitn] (vb.) oplyse; lysne; lyne, blinke.

II. **lighten** ['laitn] (vb.) lette, opmuntre; blive lettere; blive opmuntret.

I. **lighter** ['laitə] (subst.) tænder, cigartænder, lighter.

II. **lighter** ['laitə] (subst.) pram, lægter; (vb.) transportere med pram eller lægter.

lighterage ['laitəridʒ] prampenge, lægterpenge.

lighterman ['laitəmən] lægterfører, pramfører.

light|-fingered ['laitfiŋgəd] fingernem; langfingret, tyvagtig. ~ **-footed** let til bens. ~ **-handed** som har en let hånd; som ikke bærer ret meget; ikke fuldt bemandet. ~ **-headed** forstyrret i hovedet; svimmel; tankeløs, kåd. ~ **-hearted** munter, sorgløs. ~ **-heeled** let til bens. **-house** fyrtårn. **-house keeper** fyrpasser.

lighting ['laitiŋ] belysning. **lighting-up time** lygtetændingstid.

light-keeper fyrpasser, fyrmester.

lightly ['laitli] let; letsindigt, skødesløst, uden grundig overvejelse (fx. *this award is not given* ~*);* muntert; mildt; ~ *come,* ~ *go* hvad der kommer let, går let; *get off* ~ slippe billigt (fra det).

light-minded ['lait'maindid] letsindig, ustadig, flygtig.

lightning ['laitniŋ] lyn; *flash of* ~ lynglimt; *like (greased)* ~ som et (forsinket) lyn; *with* ~ *speed* med lynets fart.

lightning| arrester (elektr.) overspændingsafleder. ~ **-conductor,** ~ **-rod** lynafleder. ~ **strike** overrumplingsstrejke, uvarslet strejke. ~ **war** lynkrig.

light-o'-love ['laitəlʌv] flane, kokette.

lights [laits] lunger (af slagtede svin, får etc. især som føde for katte etc.); (se ogs. I. *light).*

light sail ⚓ letvejrssejl, flyversejl.

lightship ['laitʃip] fyrskib.

lightsome ['laitsəm] lys, munter, glad.

light-wave ['laitweⁱv] lysbølge.

light-weight ['laitweⁱt] (subst.) letvægt; letvægter; (adj.) letvægts-; (fig.) overfladisk.

light year lysår.

ligneous ['ligniəs] træ-, træagtig.

lignite ['lignait] brunkul.

ligule ['ligju·l] ♧ skedehinde.

likable ['laikəbl] sympatisk, tiltalende.

I. **like** [laik] (adj.) lig, lige, lignende; samme, lige så stor; (glds.) sandsynlig; (adv.) ligesom, som; *be* ~ ligne (fx. *the picture is not* ~*); they are as* ~ *as two peas* de ligner hinanden som to dråber vand; *what is he* ~*?* hvordan er han? hvordan ser han ud? *that is just* ~ *him!* hvor det ligner ham! det er netop hvad man kunne vente af ham! ~ *enough* sandsynligvis; *feel* ~ have lyst til (fx. *I feel* ~ *a cup of tea);* være oplagt til (fx. *I don't feel* ~ *working);* føle sig som; *look* ~ se ud til (at være), se ud som; *what does he look* ~*?* hvordan ser han ud? *it looks* ~ *rain* det ser ud til regn; ~ *father* ~ *son* æblet falder ikke langt fra stammen; ~ *master* ~ *man* som herren er, så følger ham hans svende; *something* ~ sådan noget som, noget i retning af, henved; *that's something* ~ det lader sig høre; *something* ~ *a dinner!* en knippel middag! ~ *this* sådan, på denne (her) måde; ~ *that* sådan, på den måde (fx. *don't shout* ~ *that); a man* ~ *that* sådan en mand.

II. **like** [laik] (subst.) lige, mage; *the* ~ (noget) lignende, sligt; *and the* ~ og så videre; og den slags; *did you ever hear the* ~ *(of that)?* har De nogen sinde hørt mage? *I never saw the* ~ *of you* et menneske som dig har jeg aldrig truffet; ~ *will to* ~ krage søger mage; *the -s of me* folk af min slags, mine lige.

III. **like** [laik] (vb.) kunne lide, holde af, synes om; gerne ville have; bryde sig om; *I rather* ~ *him* jeg synes ganske godt om ham; *I should* ~ *to know* jeg gad vide; *I should not* ~ *to* jeg ville nødig; *I would* ~ *a bottle of beer* jeg vil gerne have en flaske øl; *what would you* ~*?* hvad skal det være? *he does not* ~ *me to see it* han bryder sig ikke om at jeg ser det; *as you* ~ som De ønsker; *I* ~ *that!* (ironisk) det er vel nok kønt! det er dog for galt!

IV. **like** [laik]: *likes and dislikes* sympatier og antipatier.

likelihood ['laiklihud] sandsynlighed; *in all* ~ højst sandsynligt.

likely ['laikli] sandsynlig, rimelig, trolig; lovende, håbefuld; egnet, passende; *a* ~ *story!* (ironisk) den tror jeg ikke på! *there is* ~ *to be some trouble* der bliver rimeligvis en del besvær; *he is* ~ *to come* han kommer sandsynligvis; *as* ~ *as not* højst sandsynligt; *not bloody* ~*!* (vulgært) gu' vil jeg ej!

like-minded ['laik'maindid] ligesindet.

liken ['laikən] sammenligne *(to* med), ligne *(to* ved).

likeness ['laiknės] lighed; billede, portræt; *the portrait is a good* ~ portrættet er meget vellignende; *in the* ~ *of a friend* under venskabs maske; *the god appeared in the* ~ *of a swan* guden viste sig i en svanes skikkelse (el. i skikkelse af en svane); *have one's* ~ *taken* lade sig portrættere, blive fotograferet, malet etc.

likewise ['laikwaiz] ligeså, ligeledes.

liking ['laikiŋ] smag, behag, forkærlighed; *have a* ~ *for* holde af, synes om; *take a* ~ *to* komme til at synes om, få sympati for; *to my* ~ efter min smag.

lilac ['lailək] (subst., ♧) syren; (adj.) lilla.

Lilliput ['lilipʌt] (lilleputternes land i *Gulliver's Travels).*

Lilliputian [lili'pju·ʃiən] (subst.) lilleput; (adj.) lilleputiansk; lille bitte, lilleput-.

lilt [lilt] (vb.) tralle, synge muntert; (subst.) munter vise; rytme, liv, sving; *with a* ~ *(in the voice)* med melodisk stemme.

lily ['lili] ♧ lilje; *paint* (el. *gilt) the* ~ prøve at forbedre på noget der i sig selv er fuldkomment.

lily-livered (adj.) fej.

lily of the valley (pl.: *lilies of the valley)* ♧ liljekonval.

lily-white (adj.) liljehvid; (fig.) uskyldsren; (amr.) som kæmper for raceadskillelse.

I. **limb** [lim] (subst.) rand, kant.

II. **limb** [lim] (subst.) lem; ben; tilhørende del; (hoved)gren; (vb.) sønderlemme; ~ *of the devil,* ~ *of Satan* uartigt barn, skarnsunge; ~ *of the law* advokat, politimand (etc.); *be torn ~ from ~* blive sønderrevet; *go out on a ~* (fig.) bringe sig i en farlig situation, løbe en risiko; *escape with life and ~* komme levende (el. godt) fra det.

I. **limber** ['limbə] (adj.) bøjelig, smidig; (vb.) gøre bøjelig, gøre smidig; *~ (oneself) up* varme op (fig., fx. før et kapløb).

II. **limber** ['limbə] (subst.) forstilling (til kanon); (vb.): *~ up* prodse på.

limbo ['limboᵘ] limbus, helvedes forgård (hvor de afdøde tænktes at opholde sig, der uden egen skyld var forhindret i at komme i himlen); (fig.) glemsel; fængsel; *descend into ~* gå i glemmebogen; *dismiss sth. into ~* overgive ngt. til glemselen.

I. **lime** [laim] (subst., ♧) lind, lindetræ.

II. **lime** [laim] (subst.) kalk; kalksten; fuglelim; (adj.) ravgul; (vb.) behandle med kalk; overstryge med lim; fange.

III. **lime** [laim] (subst.) (lille, grønlig, tyndskallet) citron.

lime|-juice ['laimdʒu·s] lime-juice (slags citronsaft, se III. *lime*). **-juicer** = *limey*.

lime-kiln ['laimkiln] kalkbrænderi, kalkovn.

limelight ['laimlait] kalklys; rampelys; *in the ~* i rampelyset; *come into the ~* komme frem, blive kendt.

limen ['laimən] (bevidsthedens) tærskel.

lime-pit kalkbrud; kalkkule.

limerick ['limərik] limerick, humoristisk femliniet vers.

lime|stone kalksten. **~ -tree** lindetræ. **~ -twig** limpind (til fuglefangst); (fig.) snare. **-wash** (subst.) hvidtekalk; (vb.) hvidte. **~ -water** kalkvand.

limey ['laimi] (amr. **S**) britisk sømand, englænder.

limit ['limit] (subst.) grænse; prisgrænse, limitum; yderste grænse; begrænsning; (mat.) grænseværdi; (vb.) begrænse, indskrænke; *-s* (ogs.) rammer (fx. *confine* (holde) *it within narrow -s); off -s* (amr.) forbudt område (for militært personel); *within -s* indenfor rimelige grænser; *without ~* ubegrænset, grænseløs; *set -s to* begrænse; *that is the ~* det er højdepunktet, det er dog den stiveste.

limitary ['limitəri] grænse-; begrænset; begrænsende.

limitation [limi'teⁱʃən] begrænsning, indskrænkning; (jur.) forældelse (af fordring o.l.).

limited ['limitid] begrænset, indskrænket; snæver; *~ (liability) company* aktieselskab; *~ monarchy* indskrænket monarki.

limitless ['limitlės] ubegrænset, grænseløs.

limitrophe ['limitroᵘf] grænse-; tilstødende, som grænser op til hinanden.

limn [lim] tegne, male; aftegne; skildre.

limner ['limnə] tegner, maler.

limnology [lim'nålədʒi] ferskvandsbiologi.

limonite ['laimənait] brunjernsten.

limousine ['limuzi·n] limousine (en automobiltype).

I. **limp** [limp] (vb.) halte, humpe; (fig., om beskadiget skib) slæbe sig afsted, sejle langsomt og tungt; (subst.) halten; *walk with a ~* halte.

II. **limp** [limp] (adj.) svag; kraftesløs; slap, blød, slatten, bøjelig; *~ cloth* bøjeligt bogbind.

limpet ['limpit] (zo.) albueskæl; (fig.) en som ikke er til at ryste af, taburetklæber; *stick like a ~* holde ihærdigt fast (fx. på et embede), suge sig fast som en igle.

limpet mine ⚔ skildpadde (mine der kan klæbes fast til skibsside etc.).

limpid ['limpid] (glas)klar, gennemsigtig.

limpidity [lim'piditi] klarhed.

limy ['laimi] kalk-, kalkholdig, kalkagtig; klæbrig.

linage ['lainidʒ] linietal; liniebetaling.

linchpin ['lintʃpin] lundstikke (på hjul); *the ~ in* (el. *of) his plan* (fig.) det som hele hans plan står og falder med.

Lincoln ['liŋkən].

Lincs. fk. f. *Lincolnshire* ['liŋkənʃjə].

linctus ['liŋktəs] brystdråber, hostesaft.

linden ['lindən] ♧ lind, lindetræ.

I. **line** [lain] (subst.) linie; streg; rynke, fure (i ansigtet); verslinie; grænse; række; line, snor, snøre; ledning; ende (tovværk); branche, fag; specialitet, særligt felt, særlig interesse; fremgangsmåde; retning; slægt, familie (fx. *he comes of a good ~);* (vare-) parti; vareart; (jernb.) spor, banelinie; *-s* (ogs.) lod, skæbne; linjer til afskrift (som straf i skolen); replik (-ker), rolle;

cross the ~ gå over grænsen (fx. *cross the ~ to Canada);* ⚓ passere linien (ækvator); *here I draw the ~* her trækker jeg grænsen; *drop me a ~* send mig et par ord; *get a ~ on* få noget at vide om; *hard -s on him!* det var synd for ham! *take a high ~ with* sætte sig på den høje hest over for; *hold the ~* holde stand, ikke vige; *shoot a ~* **T** prale; *take a strong ~* gå energisk frem; *take that ~* (fig.) følge den fremgangsmåde, gå frem på den måde; *toe the ~* , se *toe;*

all along the ~ over hele linien (fx. *success all along the ~); in ~* på linie, på række; ⚓ over ét; *what ~ are you in?* hvad er Deres fag? *that's not (in) my ~* det falder ikke inden for mit område; det giver jeg mig ikke af med, det er ikke noget for mig; *stand in (a) ~* stå i række, stå i kø; *come into ~ with* stille sig på linie med, være enig med, arbejde sammen med; *~ of conduct* handlemåde; holdning; *~ of depths* dybdekurve (på søkort); *the ~ of duty* pligtens vej; *~ of march* marchretning; *~ of skirmishers* skyttekæde; *~ of soundings* pejlingslinie, pejlelinie; *ship of the ~* linieskib; *out of ~* ikke på linie; (fig. ogs.) ude af trit; *on a direct ~ to* i lige linie med; *on these -s* efter disse retningslinier.

II. **line** [lain] (vb.) liniere, trække linier i; fure (fx. *a face -d with care);* opstille på linie; kante; stå i rækker langs, stå opstillet langs (fx. *thousands -d the route);* fore, beklæde; *~ one's pockets* **S** fylde lommerne, tjene tykt; *~ through* gennemstrege, overstrege; *~ up* opstille på linie; stille sig i kø; *~ the roads with troops* opstille tropper langs vejene.

I. **lineage** ['liniidʒ] afstamning, slægt.

II. **lineage** ['lainidʒ] linietal; liniebetaling.

lineal ['liniəl] linie-, nedstammende i lige linie, direkte.

lineament ['liniəmənt] træk, ansigtstræk.

linear ['liniə] linieformig, linie-; lineær; *~ measure* længdemål; *~ motion* retliniet bevægelse.

line|block, -cut stregkliché. **~ -drawing** (subst.) stregtegning.

lineman (amr.) telefonmontør.

linen ['linin] (subst.) lærred; linned; lingeri, undertøj; dækketøj; sengetøj; hvidevarer; lærredspapir; (adj.) linned, lærreds-; *wash one's dirty ~ in public* holde opgør for åbent tæppe. **linen|-draper** hvidevarehandler. **~ -drapery** hvidevarer. **~ paper** lærredspapir. **~ -press** linnedskab.

line-of-battle ship (glds.) linieskib.

liner ['lainə] liner, rutebåd; ruteflyvemaskine.

line-shooter ['lainʃu·tə] pralhals.

linesman ['lainzmən] liniesoldat; linievogter (i fodbold etc.); (amr.) telefonmontør.

line-spacing linieafstand.

line-up ['lainʌp] opstilling, gruppering.

ling [liŋ] ♧ lyng; (zo.) lange.

linger ['liŋgə] (vb.) tøve, nøle, dvæle; blive (stående, siddende etc.); holde sig; slentre, lunte; lade vente på sig; lide længe, pines (af sygdom); *~ on* (for)blive, vedblive at leve; *he -ed on for some years* han holdt den gående (ɔ: levede) endnu nogle år; *~ out one's life* henslæbe sit liv; *~ over* smøle med.

lingerer ['liŋgərə] efternøler.

lingerie ['lãnʒəri·] lingeri, dameundertøj.

lingering ['liŋgəriŋ] (adj.) langvarig; dvælende; (subst.) tøven; *any ~ doubt(s) were removed* enhver rest af tvivl blev fjernet.

lingo ['liŋgoᵘ] (pl.: *lingoes)* (fremmed) sprog, uforståeligt sprog, kaudervælsk, volapyk.

lingua franca ['liŋgwə 'frāŋkə] blandingssprog; (ofte:) fællessprog.
lingual ['liŋgwəl] (adj.) tunge- (fx. ~ *bone);* sprog- (fx. ~ *studies).*
linguist ['liŋgwist] lingvist, sprogkyndig person; *he is a good* ~ han har gode sprogkundskaber.
linguistic [liŋ'gwistik] lingvistisk, sproglig, sprogvidenskabelig. **linguistics** [liŋ'gwistiks] lingvistik, sprogvidenskab.
liniment ['linimənt] liniment, flydende salve.
lining ['lainiŋ] (subst.) indvendig beklædning, belægning, foring; foer; kant; *every cloud has a silver* ~ oven over skyerne er himlen altid blå; enhver sag har sine lyse sider.
I. **link** [liŋk] (subst.) led, ring; (fig.) forbindelse, forbindelsesled; bånd; *the -s of brotherhood* broderskabets bånd.
II. **link** [liŋk] (vb.) sammenkæde, sammenlænke; forbinde, forbindes; *he -ed his arm in hers, he -ed arms with her* han tog hende under armen; ~ *hands* danne kæde; ~ *up* forbinde; forbindes.
III. **link** [liŋk] (subst.) fakkel.
IV. **link** [liŋk], **links** [liŋks] golfterræn, golfbane.
link|boy, -man (glds.) fakkeldrager (som lyste folk hjem). ~ **-up** ['liŋkʌp] (subst.) møde; forbindelse.
Linnaeus [li'ni(·)əs] Linné.
linnet ['linit] (zo.) tornirisk.
lino ['laino^u] **T** linoleum; (typ.) linotype.
linocut ['laino^ukʌt] linoleumssnit.
linoleum [li'no^uljəm] linoleum.
linotype ['lainotaip] linotype (sættemaskine, der støber hele linier).
linseed ['linsi·d] hørfrø. **linseed| cake** hørfrøkage. ~ **oil** linolie.
linsey-woolsey ['linzi'wulzi] (stof af uld og bomuld), (omtr. =) hvergarn.
lint [lint] charpi (optrævlet linned til forbinding).
lintel ['lintl] overligger (over dør el. vindue), dæksten.
liny ['laini] (adj.) gennemtrukket af linier, furet.
lion ['laiən] løve; berømthed; berømt mand; *-s* (ogs.) seværdigheder; *the lion's share* broderparten; *the British* ~ ((symbol for) Storbritannien); *a* ~ *in the path* en (indbildt) hindring (el. fare) (som undskyldning for ikke at handle); *walk into the -'s mouth* gå lige i løvens gab.
lioness ['laiənės] løvinde.
lion|-hearted ['laiən'ha·tid] modig som en løve; *Richard the L.* Rikard Løvehjerte. ~ **-hunter** løvejæger; en der er ivrig efter at omgås berømte personer, snob.
lionize ['laiənaiz] gøre stads af; fejre som en berømthed; fetere.
lion-tamer løvetæmmer.
lip [lip] (subst.) læbe; kant, rand; lille tud; **S** næsvished, næsvise bemærkninger; (vb.) kysse; *it escaped my -s* det slap mig ud af munden; *hang one's* ~ hænge med næbbet; *hang on sby.'s -s* hænge ved ens læber (ɔ: lytte beundrende); *keep a stiff upper* ~, se I. *stiff; lick one's -s* slikke sig om munden; *lower* ~, *under* ~ underlæbe; *I heard it from his own -s* jeg hørte det af hans egen mund; *none of your* ~*!* ikke næsvis!
lip|-deep blot med læberne, hyklerisk, overfladisk. ~ **-homage** hyklerisk hyldest, smiger. ~ **-labour** mundsvejr.
lipped [lipt] med kant, rand, med ... læber, -læbet (fx. *thick-lipped).*
lippy ['lipi] fræk, næbbet.
lip|-reading mundaflæsning. ~ **-service** tomme ord, mundsvejr; *do (, pay , show)* ~ *-service to* hylde i ord men ikke i gerning; hykle respekt for. **-stick** læbestift.
liquation [li'kweⁱʃən], **liquefaction** [likwi'fäkʃən] smeltning; fortætning; omdannelse til væske; smeltet tilstand. **liquefy** ['likwifai] gøre flydende; bringe i flydende tilstand, (om luft) fortætte(s); blive flydende.
liqueur [li'kjuə] likør.
liquid ['likwid] (subst.) væske; (i fonetik) likvid; (adj.) flydende; klar; ren, smeltende (om toner etc.); (om pengemidler etc.) likvid, let realisabel; ~ *air* frostklar luft; (kem.) flydende luft; ~ *eyes* (fugtig-) blanke øjne.
liquidate ['likwideⁱt] afvikle, likvidere; betale (en gæld); udrydde.
liquidation [likwi'deⁱʃən] afvikling, likvidation; *go into* ~ træde i likvidation.
liquidator ['likwideⁱtə] likvidator.
liquidity [li'kwiditi] likviditet; flydende tilstand.
liquid manure ajle.
liquor ['likə] væske; spirituøs drik, spiritus, brændevin; saft, kraft, sky; (med.) liquor, slags mikstur; *be the worse for* ~ være fuld; *under the influence of* ~ spirituspåvirket; ~ *(up)* **S** drikke; ~ *him up* drikke ham fuld.
liquorice ['likəris] lakrids.
liquorish ['likəriʃ] drikfældig; (se ogs. *lickerish).*
lira ['liərə] lire (italiensk mønt).
Lisbon ['lizbən] Lissabon.
lisp [lisp] (vb.) læspe; fremlæspe; (subst.) læspen. **lisping** læspen; lallen, pludren.
lissom(e) ['lisəm] smidig.
I. **list** [list] (subst.) liste, fortegnelse, rulle; æg (på stof); strimmel (stof), tætningsliste; stribe; grænse; (vb.) indrullere, katalogisere; hverve; lade sig hverve; opføre på en liste, lave en liste over; (glds.) = *enlist.*
II. **list** [list] (subst.) slagside; (vb.) have slagside.
III. **list** [list] (vb., glds.) lyste, have lyst.
listen ['lisn] (vb.) lytte, høre efter; (amr. **T**) lyde (fx. *it does not* ~ *right);* ~ *in* høre radio; lytte (til noget som man ikke har ret til at høre); overvære forelæsninger uden at være indskrevet; ~ *to* lytte til, høre på, høre efter; ~ *to reason* tage imod fornuft.
listener ['lisnə] tilhører; (radio)lytter; *good* ~ opmærksom tilhører.
listening post lyttepost.
listless ['listlės] ligegyldig, ugidelig, udeltagende, uinteresseret; slap, sløv.
lists [lists] kampplads; *enter the* ~ *against* bryde en lanse med, vove en dyst med; *enter the* ~ *for* træde i skranken for.
lit [lit] imperf. og perf. part. af *light.*
litany ['litəni] litani.
literacy ['litərəsi] det at kunne læse og skrive (modsat: analfabetisme).
literal ['litərəl] bogstavelig, ordret; prosaisk; bogstav-; ~ *error* trykfejl; *in a* ~ *sense* bogstavelig taget; *in the* ~ *sense of the word* i ordets bogstavelige (el. egentlige) betydning; ~ *translation* ordret oversættelse.
literalism ['litərəlizm] bogstavtrældom, bogstavdyrkelse, bogstavtro; tør realisme.
literally ['litərəli] bogstaveligt, ordret (fx. *translate sth.* ~*);* bogstavelig talt, formelig (fx. *he was* ~ *torn to pieces).*
literary ['lit(ə)rəri] boglig, litterær, litteratur- (fx. ~ *history);* ~ *man* litterat.
literate ['litərėt] en som kan læse og skrive (modsat: analfabet); boglig dannet person; *be* ~ kunne læse og skrive.
literatim [litə'reⁱtim] bogstav for bogstav, efter bogstaven.
literature ['lit(ə)rətʃə; -tjuə] litteratur.
lithe [laið] smidig, bøjelig. **lithesome** [-səm] smidig.
lithograph ['liþəgrāf] (subst.) litografi; (vb.) litografere.
lithographer [li'þågrəfə] litograf. **lithographic** [liþo'grāfik] litografisk. **lithography** [li'þågrəfi] litografi.
Lithuania [liþju'eⁱnjə] Litauen. **Lithuanian** litauer; litauisk.

litigant ['litigənt] procederende, procesførende; procederende part.
litigate ['litigeⁱt] (vb.) føre proces (om).
litigation [litiˈgeⁱʃən] retstrætte, proces.
litigious [liˈtidʒəs] trættekær, proceslysten; omtvistelig.
litmus ['litməs] lakmus (farvestof). **litmus-paper** lakmuspapir.
litotes ['laitoti·z] litote(s) ('underdrivelse').
litre ['li·tə] liter.
I. **litter** ['litə] (subst.) båre; bærebør; bærestol; strøelse, halm; kuld (grise o.l.); uorden, roderi; affald, (efterladt) madpapir o.l.
II. **litter** ['litə] (vb.) bestrø, ligge strøet udover; lave roderi i (el. på); få unger; ~ *down the horse* strø under hesten; *his desk was -ed with books* hans skrivebord flød med bøger.
litter-bin affaldsbeholder, affaldsspand. **litter lout** skovsvin.
little ['litl] *(less* el. *lesser; least)* lille, liden, lidet, (kun) lidt; ringe, lav, smålig, snæver; (subst.) smule; *a* ~ lidt; et lille øjeblik; ~ *better* lidet (el. ikke stort) bedre; *a* ~ *better* lidt (el. noget) bedre; ~ *by* ~, *by* ~ *and* ~ lidt efter lidt; *in* ~ i det små, i lille format, en miniature; *make* ~ *of* anse for at have ringe betydning, ikke regne for noget særligt; ~ *Mary* **T** maven; *no* ~, *not a* ~ ikke så lidt, en hel del; *a* ~ *one* en lille, et barn; ~ *ones*, ~ *people* børn; ~ *or nothing* så godt som ingenting; *the* ~ *people* alferne; *he* ~ *thought that* ... lidet anede han at ...; ~ *ways* små særheder; *what* ~ *I get* den smule jeg får.
Little-Englander ['litlˈiŋgləndə] anti-imperialist.
little-go ['litlgoᵘ] første del af eksamen til opnåelse af B. A. graden i Cambridge.
little Mary T maven.
littleness ['litlnės] lidenhed.
littoral ['litərəl] (subst.) kyststrækning, strandegn; (adj.) kyst- (fx. *the* ~ *region);* ~ *drift* materialevandring (langs kysten).
liturgic [liˈtə·dʒik] liturgisk.
liturgy ['litədʒi] liturgi.
livable ['livəbl] (adj.) værd at leve (fx. *a* ~ *life),* beboelig (fx. *a* ~ *house),* let at omgås (fx. *a* ~ *person).*
I. **live** [liv] (vb.) leve; bo; klare sig (fx. *no boat could* ~ *in such a sea);* ~ *by* ernære sig ved, leve af; *he -s by himself* han bor alene; *he -s by his pen* han lever af sin pen, han lever af at skrive; ~ *down* bringe i forglemmelse; komme over, overvinde; ~ *hard* leve stærkt, føre et vildt liv; leve under hårde vilkår; ~ *in* bo i (fx. *a cottage);* ~ *ˈin* bo på sin arbejdsplads; ~ *in a small way* leve tarveligt, leve fattigt; *we* ~ *and learn!* man skal lære så længe man lever; ~ *and let* ~ være tolerant; ~ *ˈon* leve videre; ~ *on £6 a week* leve af £6 om ugen; ~ *on vegetables* leve af grøntsager; ~ *out* overleve; bo ude (ikke på arbejdspladsen), 'ligge hjemme'; ~ *rough* leve tarveligt, leve under hårde vilkår; ~ *through* gennemleve, overleve; ~ *to do sth.* leve længe nok til at kunne gøre ngt.; ~ *to see* opleve (at se); ~ *to be old*, ~ *to a great age* opnå en høj alder; ~ *up to* leve op til (fx. *one's reputation, one's ideals);* leve i overensstemmelse med, komme på højde med; ~ *it up* leve flot, leve stærkt.
II. **live** [laiv] (adj.) levende (fx. ~ *cattle; a real* ~ *lord);* glødende; strømførende (fx. *rail);* skarp (fx. *cartridge, ammunition);* ueksploderet (fx. *bomb);* (om person) levende, livlig, energisk; ~ *coals* gløder; ~ *match* ubrugt tændstik; ~ *wire* strømførende ledning; (fig.) krudtkarl.
livelihood ['laivlihud] udkomme; levebrød; *earn* (el. *gain) one's* ~ (ogs.) tjene til livets ophold; *earn an honest* ~ skaffe sig udkommet ved hæderligt arbejde.
liveliness ['laivlinės] liv, livlighed.
livelong ['livlån]: *the* ~ *day* hele den udslagne dag.
lively ['laivli] livlig, levende.
liven [laivn] (vb.): ~ *up* sætte liv i; blive livlig.
I. **liver** ['livə] (subst.) lever; (adj.) leverbrun; *white* ~ fejhed.
II. **liver** ['livə]: *a* ~ *in Brooklyn* en, der bor i Brooklyn; *a good* ~ en gourmand; *a loose* ~ en, der fører et udsvævende liv.
liver-fluke (zo.) fåreflynder, leverikte.
liveried ['livərid] livréklædt.
liverish ['livəriʃ]: *feel* ~ være i dårligt humør.
Liverpool ['livəpu·l].
Liverpudlian [livəˈpʌdliən] indbygger i Liverpool; liverpoolsk.
liverwort ['livəwə·t] ♧ halvmos, levermos.
livery ['livəri] tjenerdragt, livré; lavsdragt; overdragelse, overdragelsesdokument; (amr.) udlejningsforretning (for køretøjer etc.) (fx. *automobile* ~); se ogs. *livery-stable.*
livery| company lav i *the City of London.* ~ **horse** hest der lejes ud. **-man** medlem af et ~ *company;* ejer af *livery-stable,* fodervært. ~ **-servant** livréklædt tjener. ~ **-stable** vognmandsforretning; lejestald, hestepension.
lives [laivz] pl. af *life;* **[livz]** 3. person sing. præs. af vb. *live.*
live-stock ['laivståk] besætning, kreaturer.
livid ['livid] blyfarvet, blygrå, blå (som følge af slag); ligbleg; bleg af raseri, rasende, edderspændt.
living ['liviŋ] (adj.) levende; livagtig; (subst.) liv, levned; levebrød, udkomme; (præste)kald; *earn a* ~ *as* ernære sig som; *he is the* ~ *image of his father* han er faderen op ad dage; *make a* ~, *earn one's* ~ tjene sit brød, tjene til livets ophold.
living|-room opholdsstue, dagligstue. ~ **space** livsrum, lebensraum. ~ **wage** løn som man kan leve af.
Livonia [liˈvoᵘnjə] Livland.
Livy ['livi] Livius.
lizard ['lizəd] (zo.) firben.
ll. fk. f. *lines.*
llama ['la·mə] (zo.) lama.
LL.D. fk. f. *legum doctor* dr. juris.
Lloyd's [loidz] (skibsassurancekontor i London). **Lloyd's List** (skibsfartstidende, der udgives i London). **Lloyd's Register** (årlig skibsfortegnelse).
lo! [loᵘ] (glds.) se!
L.O. fk. f. *liaison officer.*
loach [loᵘtʃ] (zo.) smerling.
I. **load** [loᵘd] (subst.) byrde, vægt; læs, ladning; masse, mængde (fx. *a* ~ *of troubles, -s of money);* belastning; *take a* ~ *off my mind* lette en sten fra mit hjerte.
II. **load** [loᵘd] (vb.) belæsse, læsse på, laste, lade; bebyrde, belaste, overlæsse, overfylde (fx. ~ *one's stomach with food);* tynge (ned); komme bly i; forfalske; komme gift i; *-ed* (**S** ogs.) fuld, drukken; ~ *a camera* sætte film i et kamera; *-ed dice* forfalskede terninger; *the dice were -ed against him* han havde alle chancerne imod sig; ~ *the question* formulere spørgsmålet således at man får det ønskede svar; lægge den adspurgte svaret i munden; *-ed table* bugnende bord; *his tongue was -ed* hans tunge var belagt; ~ *up* lade, laste; **T** skovle i sig, tage for sig af retterne; *a -ed word* et belastet ord.
load|-line lastelinie. **-star** ledestjerne. **-stone** magnet(jernsten). ~ **test** belastningsprøve.
I. **loaf** [loᵘf] (subst., pl. *loaves)* brød; sukkertop; **S** hoved (fx. *use your* ~); *a* ~ *of bread* et brød; *half a* ~ *is better than no bread* smuler er også brød; *loaves and fishes* (fig.) materielle goder.
II. **loaf** [loᵘf] (vb.) drive, dovne.
loafer ['loᵘfə] (subst.) dagdriver, drivert; (amr. omtr. =) hyttesko.
loaf-sugar ['loᵘfˈʃugə] topsukker.
loam [loᵘm] (subst.) lermuld, ler; muldholdig sandblandet lerjord; (vb.) dække med ler. **loamy** ['loᵘmi] leret, lermuldet.
loan [loᵘn] (subst.) lån; (vb.) udlåne; *Government* ~ statslån; *on* ~ som et lån, til låns. **loan-word** låneord.
loath [loᵘþ] (adj.) uvillig; *we were* ~ *to part* vi ville

så nødig skilles; vi var bedrøvede over at skulle skilles; *nothing* ~ meget villig.

loathe [loᵘð] (vb.) være led ved, føle modbydelighed el. væmmelse for, hade, afsky, væmmes ved.

loathing ['loᵘðiŋ] (subst.) lede, væmmelse, afsky.

loathsome ['loᵘðsəm] hæslig, modbydelig.

loaves [loᵘvz] pl. af *loaf.*

lob [låb] (subst.) (i tennis) langsom (høj) bold; S pengekasse, pengeskuffe; (zo.) sandorm; (vb.) lunte, sjokke; slå (bolden) over modspillerens hoved (i tennis); kaste langsomt og højt (i cricket).

I. **lobby** ['låbi] (subst.) forværelse; vestibule, forhal, foyer; korridor; (i Underhuset) vandrehal; (fig.) pressionsgruppe (der prøver at øve indflydelse på lovgivningsmagten); *division* ~ afstemningskorridor; *they went into the same* ~ (fig.) de stemte ens.

II. **lobby** ['låbi] (vb.) påvirke hemmeligt, forsøge at påvirke (parlamentsmedlem) privat til fordel for en bestemt politik.

lobbyist ['låbiist] bagtrappepolitiker.

lobe [loᵘb] lap, flig; øreflip.

lobster ['låbstə] hummer; rødkjole (øgenavn for en soldat). **lobster| moth** (zo.) bøgespinder. **~ pot** hummertejne.

local ['loᵘkl] (adj.) stedlig, lokal; lokal-; (subst.) lokaltog; lokal nyhed; person, der hører hjemme på stedet, 'indfødt'; (amr.) lokal fagforening; *the* ~ T (især:) den lokale pub (, biograf). **local colour** lokalkolorit.

locale [loᵘ'ka·l] stedet, hvor en begivenhed finder sted.

local government kommunalstyre, lokalt selvstyre.

localism ['loᵘkəlizm] lokal ejendommelighed, stedlig betegnelse; lokalpatriotisme.

locality [lo'käliti] sted, lokalitet, egn; beliggenhed; *sense* (el. *bump) of* ~ stedsans. **localization** [loᵘkəlai'zeⁱʃən] lokalisering, stedfæstelse. **localize** ['loᵘkəlaiz] lokalisere, stedfæste. **localizer** (flyv.) ledestråle.

locally ['loᵘkəli] (adv.) lokalt; stedvis.

local train lokaltog.

locate [lo'keⁱt] (vb.) anbringe, placere; indsætte (i embede); bosætte sig; bestemme stedet for, lokalisere, stedfæste, udleje; *be -d* være beliggende; *~ a town on a map* finde (, vise) en by på et kort.

location [lo'keⁱʃən] (subst.) sted; plads; placering, beliggenhed; opholdssted, stedfæstelse, lokalisering; udlejning; sted (uden for filmstudie) hvor en scene optages, udeoptagelse, udendørsscene.

loch [låk] (skotsk) sø, fjord.

I. **lock** [låk] (subst.) lås, lukke; sluse; aflukke; lok, hårlok, tot; åregaffel; *keep under* ~ *and key* forvare under lås og lukke, gemme omhyggeligt; ~, *stock, and barrel* altsammen, rub og stub.

II. **lock** [låk] (vb.) låse; låses; låse inde; lukke (fx. *the door -s automatically);* indeslutte; sætte bremse på (hjul); ~ *in* låse inde; *-ed in each other's arms* tæt omslynget; ~ *into* låse inde i; ~ *out* låse ude; lockoute; ~ *up* låse af; låse inde; spærre inde; binde (kapital).

lockage ['låkidʒ] slusepenge; sluseværker; slusehøjde, slusefald.

lock-chamber ['låktʃeⁱmbə] slusekammer.

Locke [låk].

locker ['låkə] (væg)skab. **locker-room** omklædningsrum.

locket ['låkit] medaljon, kapsel.

lock|-gate ['låk'geⁱt] sluseport, dokport. **~ -jaw** ['låkdʒå·] (med.) trismus, mundklemme, krampe i tyggemusklerne (ved stivkrampe). **~ -keeper** slusevogter. **~ nut** kontramøtrik. **~ -out** ['låk'aut] (subst.) lockout. **-smith** låsesmed, kleinsmed. **~ -stitch** stikkesting (på symaskine). **~ -up** (subst.) arrest; lukketid; (adj.) til at låse. **~ washer** kontraskive.

locomotion [loᵘkə'moᵘʃən] bevægelse; bevægelsesevne; befordring, befordringsmåde; *means of* ~ befordringsmiddel.

locomotive ['loᵘkəmoᵘtiv] som kan bevæge sig, bevægelig; lokomotiv.

locum ['loᵘkəm] = *locum-tenency; locumtenens.*

locum-tenency ['loᵘkəm'ti·nənsi] vikariat. **locum-tenens** ['loᵘkəm'ti·nənz] vikar (især f. læge el. præst).

locust ['loᵘkəst] (vandre)græshoppe; = ~ *-tree.*

locust-bean ♧ johannesbrød. **locust-tree** ♧ johannesbrødtræ, falsk akacie.

locution [lo'kju·ʃən] (subst.) tale, udtryksmåde, talemåde.

lode [loᵘd] (mineral)gang, åre. **lode|-gold** gangguld. **-star** ledestjerne. **-stone** magnet(jernsten).

I. **lodge** [lådʒ] (subst.) hytte, hus; jagthytte; portnerhus, portnerbolig; (frimurer)loge; leje, hule.

II. **lodge** [lådʒ] (vb.) give logi, huse, indlogere (fx. ~ *the soldiers in the school);* logere, bo, bo til leje *(with* hos); anbringe, plante (fx. *a bullet in his brain);* give i forvaring, deponere (fx. *one's valuables in the bank);* sende ind, indsende (fx. *an application),* indgive (fx. *a complaint);* blive siddende, sætte sig fast (fx. *a bullet -d in his leg);* (om korn) slå ned, blive slået ned, gå i leje.

lodge|-keeper, -man portner.

lodgement ['lådʒmənt] (subst.) anbringelse, deponering; indgivelse, indsendelse; ophobning, ansamling (fx. *of water); -s* logi; *find a* ~ få fodfæste, sætte sig fast; (om vand etc.) samle sig.

lodger ['lådʒə] (subst.) logerende, lejer; *take in -s* leje værelser ud.

lodging ['lådʒiŋ] logi (fx. *pay for board and* ~; *seek* ~ *for the night); -s* logi, lejet værelse, lejede værelser; *live in -s* bo til leje; *take -s with* leje værelser hos, leje sig ind hos.

lodging-house ['lådʒiŋhaus] logihus, natteherberge.

lodgment = *lodgement.*

loess ['loᵘes] (subst., geol.) løs.

loft [låft] loft, loftsrum; galleri; (i kirke) pulpitur; dueslag.

lofty ['låfti] (meget) høj, knejsende (fx. *spire);* ophøjet (fx. *aims);* ædel; stolt, overlegen.

log [låg] (subst.) tømmerstok, bjælke; brændeknude; ⚓ log; logbog, dagbog; (vb.) hugge tømmer; rydde (skov); fælde; indføre i logbog; *heave the* ~ logge; *sleep like a* ~ sove som en sten.

log. fk. f. *logarithm.*

loganberry ['loᵘgənbəri] loganbær (krydsning mellem hindbær og brombær).

logan-stone ['lågənstoᵘn] rokkesten.

logarithm ['lågəriþm] logaritme. **logarithmic** [lågə'riþmik] logaritmisk.

log-book ['lågbuk] logbog, skibsjournal.

log-cabin bjælkehytte.

logger ['lågə] skovhugger.

loggerhead ['lågəhed] klodrian, fæ; *be at -s (with each other)* være i totterne på hinanden. **loggerhead turtle** (zo.) karetteskildpadde.

loggia ['lådʒə] loggia.

logging ['lågiŋ] skovarbejde.

log-house ['låghaus] bjælkehus.

logic ['lådʒik] (subst.) logik; (adj.) logisk. **logical** ['lådʒikl] logisk. **logician** [lo'dʒiʃən] logiker. **logistic** [lo'dʒistik] logistik, symbolsk logik.

logistics [lo'dʒistiks] ⚔ forsyningstjeneste (troppernes beklædning, bespisning, transport og indkvartering).

log|-line ['låg-] ⚓ logline. **-man** skovarbejder. **~ reel** ⚓ logrulle. **~ -rolling** gensidig ros og reklame; (i politik) studehandel. **~ -wood** blåtræ, kampechetræ.

loin [loin] lænd; mørbradstykke; (på hest) kryds; *kidney end of* ~ nyrestykke; ~ *of veal* kalvenyresteg.

loin-cloth lændeklæde.

loiter ['loitə] (vb.) drive, slentre, nøle; give sig god tid; stå og drive (el. hænge); *-ing prohibited* 'ophold forbudt' (fx. i en port); ~ *about,* ~ *around* drive om.

loiterer ['loitərə] efternøler, dagdriver.

loll [lål] læne sig mageligt, 'ligge og dovne'; sidde (el. ligge) henslængt, sidde og hænge; (om hunds tunge:) ~ *out* (lade) hænge ud af munden.
Lollard ['låləd] (øgenavn på) tilhænger af Wyclif.
lollipop ['lålipåp] slik, slikkepind; *-s* slik.
lollop ['låləp] (vb.) lunte afsted; daske afsted; fare afsted i hop og spring; ryge op.
lolly ['låli] (subst.) slikkepind; **S** penge; *ice* ~ ispind.
Lombard ['låmbəd] longobarder, lombarder; lombardisk; ~ *Street* (centrum for Londons pengemarked). **Lombardic** [låm'ba·dik] lombardisk.
Lombardy ['låmbədi] Lombardiet.
Lomond ['loᵘmənd].
London ['lʌndən] London; londoner-; londonsk.
Londoner ['lʌndənə] londoner.
London| particular Londontågen. ~ **pride** ♧ porcelænsblomst.
lone [loᵘn] ene, enlig, ensom.
lonely ['loᵘnli] ensom; ~ *hearts' bureau* ægteskabsbureau.
lonesome ['loᵘnsəm] ensom; *be on one's* ~ være alene.
lone wolf ensom ulv; (fig.) enspændernatur.
I. **long** [låŋ] (adj.) lang; langvarig (fx. *a* ~ *debate);* (adv.) længe; (subst.) lang stavelse; lang lyd; *all day* ~ hele dagen lang; *a week at (the) -est* højst en uge; *don't be* ~ bliv ikke for længe væk; vær ikke for længe om det; *he won't be* ~ (ogs.) han kommer snart; *be* ~ *in doing sth.* være længe om at gøre noget; *before* ~ inden længe; *a* ~ *custom (, tradition)* en gammel skik (, tradition); *for* ~ længe, i lang tid; *he is not* ~ *for this world* han har ikke langt igen, han gør det ikke længe; *have a* ~ *head* være snu (el. klog); *he has gone to his* ~ *home* han er afgået ved døden; *no -er* ikke længere, ikke mere; *make a* ~ *nose* række næse; *a* ~ *purse* en velspækket pung; *in the* ~ *run* i det lange løb; *the* ~ *and (the) short of it is that he is coming* kort og godt: han kommer; *so* ~! farvel (så længe); *I don't care so* ~ *as I get the money* jeg er lige glad, når bare jeg får pengene; *have a* ~ *tongue* være snakkesalig; *go a* ~ *way,* se I. *go.*
II. **long** [låŋ] længes (*for* efter; *to* efter at).
long. fk. f. *longitude.*
long|boat ['låŋboᵘt] storbåd. **-bow** [-boᵘ] bue; *draw the -bow* spinde en ende. ~ **-clothes** bærekjole. ~ **-dated** langfristet. ~ **-distance** fjern; (i sport) distance- (fx. *race);* (tlf.) udenbys- (fx. *call).* ~ **dozen** 13 stk.
long-drawn-out langtrukken, langvarig.
long-eared (adj.) langøret; ~ *bat* (zo.) langøret flagermus; ~ *owl* (zo.) skovhornugle.
longed-for (adj.) ønsket, attrået.
longevity [lån'dʒeviti] lang levetid.
longevous [lån'dʒi·vəs] længe levende.
long|-haired langhåret; (fig.) (hyper)intellektuel; verdensfjern. **-hand** almindelig skrift (modsat stenografi). ~ **-headed** langskallet; snu, klog. ~ **-horned beetle** (zo.) træbuk. ~ **hundred**: *a* ~ *hundred* 120 stk.
longicorn ['låndʒikå·n] (zo.) træbuk.
longing ['låŋiŋ] (adj.) længselsfuld; (subst.) længsel.
longish ['låŋiʃ] langagtig.
longitude ['låndʒitju·d] (geografisk) længde; ~ *by account,* ~ *by dead reckoning* gisset længde.
longitudinal [låndʒi'tju·dinəl] længde-; på langs.
long|-lived ['låŋ'livd] længe levende; længe varende, (lang)varig. ~ **primer** (typ.) korpus. ~ **-range** ['låŋ're¹ndʒ] (adj.) langtrækkende; langdistance- (fx. *rockets).* **-shoreman** ['låŋʃå·mən] havnearbejder, dokarbejder. ~ **shot** usikker chance; risikabelt foretagende; (i film) total; *not by a* ~ *shot* ikke på langt nær. ~ **-sighted** langsynet; vidtskuende. **-spun** langtrukken, vidtløftig. ~ **-standing** (adj.) mangeårig, gammel (fx. *friendship).* ~ **-suffering** (adj.) langmodig; (subst.) langmodighed. ~ **suit** lang farve (i bridge); **T** (éns) stærke side. ~ **-term** (adj.) langfristet; langsigtet, på langt sigt. ~ **vacation** sommerferie. ~ **waves** langbølger. **-ways** ['låŋwe¹z] på langs. ~ **-winded** ['låŋ'windid] langtrukken, vidtløftig; som ikke let taber vejret. **-wise** ['låŋwaiz] på langs.
loo [lu·] (subst.) (slags) kortspil; **S** wc.
looby ['lu·bi] fæ, halvtosset individ.
loofah ['lu·fa·] frottersvamp.
I. **look** [luk] se (fx. ~ *the other way);* se ud (fx. *he -s tired; he -s older than he is);* se ud til at være (fx. *he -s fifty; he -s a rascal);* ~ *about one* se sig om; ~ *about for sth.* se sig om efter ngt. (fx. *he was -ing about for a job);* ~ *after* følge med øjnene, se efter, tage sig af, drage omsorg for, passe (fx. *his wife -s after the shop); the devil -s after his own* Fanden hytter sine; *he needs -ing after* han trænger til at nogen tager sig af ham; *I am able to* ~ *after myself* jeg kan klare mig på egen hånd; jeg behøver ingen barnepige; ~ *oneself again* være kommet sig, ligne sig selv igen; *she does not* ~ *her age* hun holder sig godt; ~ *ahead* se frem(ad); (fig.) være forudseende, tænke på fremtiden; ~ *ahead!* (ogs.) pas på! forsigtig! ~ *alive!* skynd dig! se at få lidt fart på! ~ *as if* se ud som om (fx. *you* ~ *as if you were ill),* se ud til at (fx. *it -s as if he misunderstood);*
~ *at* se på, betragte, overveje, tage i betragtning (fx. *let us* ~ *at his motives); it is not much to* ~ *at* det syner ikke af meget; *to* ~ *at him you wouldn't guess he was 50* når man ser ham tror man ikke han er 50; ~ *away* se bort; ~ *back* se tilbage; tænke tilbage; længes tilbage; få tilbagefald; *since then he has never -ed back* siden da er det uafbrudt gået fremad for ham; ~ *down on sby.* se ned på en, ringeagte en; ~ *down one's nose at* se ned på; rynke på næsen ad; ~ *for* søge efter, se efter (fx. *go and* ~ *for him);* vente (fx. *I am not looking for profit);* ~ *for a job* søge arbejde; ~ *forward,* se I. *forward;* ~ *here!* hør (engang)! se her! ~ *in* se indenfor (fx. *I shall* ~ *in again to-morrow);* ~ *in on sby.* se ind til én; ~ *in to a transmission* se en fjernsynsudsendelse; ~ *into sth.* undersøge ngt.; kigge ind (el. ned) i ngt.; ~ *into a book* kigge (lidt) i en bog; ~ *like,* se I. *like;* ~ *nearer home* gribe i sin egen barm;
~ 'on være tilskuer, se 'til, (fx. ~ *on and do nothing);* ~ *on sth. as* anse ngt. for, betragte ngt. som (fx. ~ *on him as a benefactor); be well -ed on* være vel anskrevet, have et godt rygte; *the room -s on to the garden* værelset vender ud til haven; ~ *out* se ud (fx. ~ *out of the window);* passe på (fx. *you will have to* ~ *out);* finde frem; ~ *out for* holde udkig efter; ~ *out on* vende ud til (fx. *the room -s out on the park);* ~ *over* bese, besigtige; gennemse (fx. ~ *over some papers);* se gennem fingre med; overse; ~ *round* se sig om; (fig.) tænke sig (godt) om; ~ *sharp* skynde sig; ~ *small* være flov (el. forlegen); ~ *through* se gennem, se i (fx. *a telescope);* gennemse; gennemgå; ~ *to sth.* passe på noget, tage sig af noget; ~ *to it that* sørge for at (fx. ~ *to it that this doesn't happen again);* ~ *to sby. to do sth.* vente at en vil gøre ngt.; *I* ~ *to you for help* el. *I* ~ *to you to help me* jeg venter at du vil hjælpe mig; ~ *towards* vende mod (fx. *the house -s towards the south);* ~ *up* se opad, løfte hovedet; tage opsving (fx. *trade was -ing up);* opsøge, finde; slå op (el. efter) (fx. ~ *up a word in a dictionary);* ~ *sby. up* besøge en, opsøge en; ~ *up to* se op til; beundre; *he -ed me up and down* han 'målte' mig; ~ *upon* = ~ *on;* ~ *well* se godt ud; tage sig godt ud; ~ *where you are going!* se dig for!
II. **look** [luk] (subst.) blik; udtryk, mine, udseende; *(good) -s* skønhed (fx. *she has lost her -s); have a* ~ *at* kaste et blik på, se på; *I don't like the* ~ *of it* det ser jo ikke så godt ud.
looker ['lukə] (fjernsyns)seer; *she is a* ~ hun ser godt ud.
looker-on ['lukər'ån] (pl. *lookers-on)* tilskuer.
look-in ['luk'in] kort visit; **S** chance; andel i hvad der planlægges eller foregår; *have a* ~ 'have en aktie med'; have en chance (for at vinde).
-looking ['lukiŋ] (i sammensætninger) som ser ... ud, med et ... udseende (fx. *suspicious-looking).*

looking-glass ['lukiŋgla·s] spejl.
look-out ['luk'aut] udkig (*for* efter); udsigt; udkigsmand; udkigstårn; ⚓ udkigstønde; *that is his ~* det må han selv sørge for, det bliver hans sag.
I. **loom** [lu·m] (subst.) vævestol; *~ (of an oar)* årelomme.
II. **loom** [lu·m] (vb.) vise sig utydeligt, dukke frem (gennem tåge, regntykning osv.), rejse sig truende; *~ large* rejse sig truende; tårne sig op, dominere; *~ large in sby.'s mind* helt optage ens tanker.
I. **loon** [lu·n] (subst.) lømmel, tølper.
II. **loon** [lu·n] (subst., zo.) lom.
loony ['lu·ni] (subst. og adj.) **T** sindssyg, tosset, skør; *~ bin* galeanstalt.
loop [lu·p] (subst.) løkke; strop; sløjfe; krumning; (vb.) slå løkke på; danne en løkke; *~ the ~* (flyv.) loope; *-ing the ~* looping.
looper ['lu·pə] (zo.) målerlarve.
loophole ['lu·phoᵘl] skydeskår; smutvej, smuthul; udvej; *a ~ in the law* et hul i loven.
loop-line sløjfe (på jernbane), vigespor.
I. **loose** [lu·s] (vb.) løse, løse op, åbne; slippe løs, slippe, løsne; *~ (off)* affyre, afskyde.
II. **loose** [lu·s] (adj.) løs; vid, løstsiddende (fx. *coat);* slap; løssluppen; løsagtig, løs på tråden, udsvævende; usammenhængende, ubestemt, unøjagtig; i løskøb, i løs vægt; *break ~* bryde ud; *come ~* gå løs; *be at a ~ end* ikke have noget særligt at gøre, ikke have bestemte planer; *let ~* slippe løs.
III. **loose** [lu·s]: *be on the ~* være på fri fod, strejfe frit omkring; (fig.) være udsvævende, skeje ud; *give a ~ to* give frit løb.
loose| bowels (med.) tyndt liv. *~* **end** løs (tov-, garn-) ende; *~ ends* (fig.) småting som ikke er gjort færdige; *be at a ~ end* ikke have noget særligt at gøre, ikke have bestemte planer, ikke vide hvad man skal tage sig til. *~* **-leaf** (adj.) løsblad- (fx. *system); ~ -leaf notebook* ringbog.
loosen ['lu·sn] (vb.) løsne, gøre løs, løse op; blive løs; *get one's tongue -ed* få tungen på gled; *~ up* slappe af; slække på.
looseness ['lu·snės] løshed; løsagtighed; *~ of the bowels* tyndt liv.
loosestrife ['lu·sstraif] ♧ fredløs.
loot [lu·t] (subst.) bytte, rov; plyndring; (vb.) plyndre, røve.
lop [låp] (vb.) hugge af (fx. *~ branches from a tree);* kappe, beskære; hænge ned; daske; blive krap (om søen); (subst.) afhugget top, afhuggede kviste; afhugning, beskæring.
lope [loᵘp] løbe med lange, fjedrende skridt.
lop-eared ['låpiəd] med hængende ører.
loppings ['låpiŋz] afhuggede grene.
loppy ['låpi] slap, slatten; (om søen) krap.
lop-sided ['låp'saidid] skæv, usymmetrisk.
loquacious [lo'kweⁱʃəs] (adj.) snaksom, snakkesalig.
loquacity [lo'kwăsiti] snaksomhed, snakkesalighed.
loquat ['loᵘkwăt] japansk mispel.
Lor [lå·] jøsses!
Loraine [lå'reⁱn] Lothringen, Lorraine.
loran ['lå·răn] fk.f. *long range navigation* loran, navigation ved hjælp af radiobølger.
lord [lå·d] herre, hersker, overherre; lord, medlem af Overhuset; lensherre, godsejer; ægtemand; *the Lords* (ogs.) Overhuset; *the -s of (the) creation* skabningens herrer, det stærke køn; *~ of the soil* godsejer; *the Lord* Herren; *in the year of our Lord* i det Herrens år; *O Lord!* Gud! *Good Lord!* du gode Gud! *the Lord knows who* Gud ved hvem; *the House of Lords* Overhuset; *my ~* Deres Excellence; (i retten) [mi'lʌd, mi'lå·d] hr. dommer; *live like a ~* leve fyrsteligt; *drunk as a ~* fuld som en allike; *~ it* spille herre(r); *~ it over* tyrannisere.
Lord-Lieutenant generalguvernør for Ulster; (tidligere) vicekonge i Irland; i et *county* en højtstående embedsmand, hvis opgaver er af rent repræsentativ karakter.
lordliness ['lå·dlinės] fornemhed; pragt; hovmod.
lordling ['lå·dliŋ] lille herre, ubetydelig *lord.*
lordly ['lå·dli] fornem; prægtig, overdådig; hovmodig.
Lord Mayor borgmester (i visse større byer); *Lord Mayor's Day* 9. november (hvor Londons borgmester tiltræder sit embede); *Lord Mayor's Show* optog på *L.M.'s Day.*
Lord's (kricketbane i London).
lords and ladies ♧ aronsstav, dansk ingefær.
Lord's Day: *the ~* søndag.
lordship ['lå·dʃip] herredømme; domæne; *his (, your) ~* hans (, Deres) Excellence.
Lord's Prayer: *the ~* fadervor.
lords spiritual gejstlige medlemmer af Overhuset.
Lord's Supper: *the ~* nadveren, nadverens sakramente.
Lord's Table: *the ~* nadverbordet, alterbordet.
lords temporal verdslige medlemmer af Overhuset.
lore [lå·] kendskab (ofte til et særligt område, og ofte baseret på tradition, fx. *herbal lore).*
lorgnette [lå·n'jet] stanglorgnet.
loris ['lå·ris] (zo.) dovenabe, lori.
lorn [lå·n] (adj.) forladt, ensom.
Lorraine [lå'reⁱn] Lothringen, Lorraine.
lorry ['låri] lastvogn, lastbil.
losable ['lu·zəbl] som kan mistes.
Los Angeles [lås'ăndʒili·z].
lose [lu·z] *(lost, lost)* tabe, miste, fortabe, sætte over styr; gå glip af; blive af med, lide tab; spilde (fx. *there is not a moment to ~);* komme for sent til (fx. *~ the train);* skille af med, koste (fx. *it lost him a lot of money),* forspilde; (se ogs. *lost); ~ one's head* miste hovedet, blive halshugget; tabe hovedet, blive forvirret; *~ heart* tabe modet; *~ one's heart* tabe sit hjerte, forelske sig; *~ patience* tabe tålmodigheden; *~ one's temper* miste selvbeherskelsen, blive hidsig; *~ no time in doing sth.* gøre noget ufortøvet; *~ one's way* fare vild; *~ oneself* fare vild; fortabe sig; *~ oneself in* fordybe sig i (fx. *a book),* fortabe sig i.
loser ['lu·zə] (subst.) taber; *be a good ~* (forstå at) tage et nederlag med godt humør; *you will be the ~* du vil tabe derved.
losing ['lu·ziŋ] (adj.) tabende; tabbringende; håbløs; *play a ~ game* være sikker på at tabe; *losings* (subst. pl.) tab.
loss [lå(·)s] tab; spild; skibbrud; bortgang (= død); *at a ~* rådvild; *be at a ~ (how) to* være i vildrede med hvordan man skal, ikke vide hvordan man skal; *I am at a ~ to understand* jeg begriber overhovedet ikke; *be at a ~ for* ikke kunne finde (på); *sell at a ~* sælge med tab; *cut the ~* begrænse tabet ved at springe fra i tide; *total ~* totalskade, totalforlis; *without ~ of life* uden tab af menneskeliv.
lost [lå(·)st] imperf. og perf. part. af *lose;* (adj.) tabt, mistet, bortkommet; som er faret vild; forsvundet (fx. *~ in the crowd);* spildt (fx. *time);* forspildt (fx. *opportunity);* fortabt (fx. *he felt ~);* glemt (fx. *it is a ~ art); all hands ~* hele besætningen omkommet; *be ~* mistes, gå tabt; fare vild; forlise; gå til grunde; *the bill was ~* lovforslaget blev forkastet; *be ~ in thought* være hensunken i tanker; *be ~ on* være spildt på; *it was ~ on her* det var spildt på hende; det gik over hovedet på hende; *be ~ to* være uimodtagelig for, være tabt for; *he is ~ to all sense of shame* han ejer ikke skam i livet; *a ~ cause* en allerede tabt sag, et håbløst foretagende; *~ property office* hittegodskontor.
I. **lot** [låt] (subst.) lod, skæbne; parti (varer), masse; (ved auktion) nummer; lod (jordlod; lotterilod); *the ~* det hele, hele redeligheden; *a ~ of* en mængde (el. masse); *-s of money* masser af penge; *a ~ too small* meget for lille; *you will like it a ~* du vil komme til at synes vældig godt om det; *he is a bad ~* han er en skidt fyr; *by -s* ved lodtrækning; *by small -s* i små partier;

cast -s kaste lod; *draw -s* trække lod; *it fell to his ~* det faldt i hans lod; *they are sold in one ~* de sælges under ét; *throw in one's ~ with them* gøre fælles sag med dem; stille sig på deres side.

II. **lot** [låt] (vb.) fordele i lodder, udstykke.

loth [loᵘþ] uvillig.

Lothian ['loᵘðiən].

lotion ['loᵘʃən] lotion, kosmetisk badevand (fx. *~ for the eyes); boracic ~* borvand.

lottery ['låtəri] lotteri(spil). **lottery| bond** præmieobligation. **~ -ticket** lodseddel. **~ -wheel** lykkehjul.

lotto ['låtoᵘ] tallotteri.

lotus ['loᵘtəs] vandlilje, lotus, lotustræ. **lotus-eater** lotofag, lotusspiser.

loud [laud] høj; lydelig, kraftig, stærk (fx. *a ~ sound);* højrøstet, larmende; støjende; skrigende, påfaldende (fx. *colours);* (adv.) højt; højt og lydeligt.

louden ['laudn] (vb.) gøre høj, gøre larmende; blive høj, blive larmende.

loud|-hailer ⚓ højttaler. **~ -mouthed** højrøstet; opkæftende.

loudness ['laudnės] højde, styrke. **loud-speaker** højttaler.

lough [låk] sø, indsø (i Irland).

Louisiana [lu·izi'ănə].

I. **lounge** [laundʒ] (vb.) slentre, drive omkring; ligge mageligt henslængt, læne sig mageligt, drive; stå (el. sidde) og hænge.

II. **lounge** [laundʒ] (subst.) slentren, driven; (magelig) spadseretur; opholdsstue, dagligstue; salon, hall, vestibule (i hotel); lille sofa; chaiselong; *~ (chair)* magelig lænestol; *~ (suit)* jakkesæt.

lounge lizard S gigolo.

lounger ['laundʒə] drivert, dagdriver.

lour ['lauə] se truende ud, formørkes.

I. **louse** [laus] (subst., pl. *lice)* lus.

II. **louse** [lauz] (vb.) afluse.

lousewort ['lauswə·t] ♧ troldurt.

lousy ['lauzi] luset, infam, gemen; *~ with* smækfuld af (fx. *money).*

lout [laut] lømmel, klods, bondeknold.

loutish ['lautiʃ] lømmelagtig, klodset.

louver ['lu·və] ventilationsåbning; (hist.) lyre.

lovable ['lʌvəbl] (adj.) værd at elske, indtagende, henrivende, elskelig.

lovage ['lʌvidʒ] ♧ løvstikke.

I. **love** [lʌv] (subst.) kærlighed *(for, of, to* til); elskov; elskede, hjertenskær; Amor; kærlig hilsen; (i spil) ingenting, nul; *~ all* nul-nul; *make ~* kysses, kærtegne hinanden, elske; *my ~* elskede, min skat; *there is no ~ lost between them* de kan ikke lide hinanden; *play for ~* spille om ingenting (uden indsats); *do sth. for ~* gøre noget gratis; *it is not to be had for ~ or money* det er ikke til at opdrive; *he would not do it for ~ or money* han ville ikke gøre det for nogen pris; *marry for ~* gifte sig af kærlighed; *in ~ with* forelsket i; *fall in ~ with* forelske sig i; *~ in a cottage* kærlighed og kildevand; *a ~ of a kitten* en henrivende (el. allerkæreste, yndig) killing; *give my ~ to her, give her my ~* hils hende fra mig; *make ~ to* gøre kur til; *send one's ~ to* sende kærlige hilsener til; *fifteen ... love* (i tennis) femten ... nul; *with much ~* med mange kærlige hilsener.

II. **love** [lʌv] (vb.) elske, holde (meget) af; *I ~ to read* jeg elsker (el. holder meget af) at læse; *will you come? I should ~ to, but I cannot* tager De med? det ville jeg inderlig (el. forfærdelig) gerne, men jeg kan ikke.

love|-affair kærlighedsaffære. **~ -bird** (zo.) dværgpapegøje. **~ -child** elskovsbarn, uægte barn. **~ -feast** kærlighedsmåltid. **-less** uelsket; ukærlig, uden kærlighed. **~ -letter** kærlighedsbrev, kærestebrev.

loveliness ['lʌvlinės] (subst.) dejlighed.

love-lorn forladt af sin elskede; elskovssyg.

lovely ['lʌvli] yndig, dejlig, smuk, herlig, storartet.

love|-making kurmageri; kyssen og krammen. **~ -match** inklinationsparti. **~ -philtre, ~ -potion** elskovsdrik.

lover ['lʌvə] elsker, tilbeder; kæreste; beundrer; *-s* (ogs.) elskende (fx. *a pair of -s).*

love|-seat S-formet sofa, sladresofa, tête-à-tête. **-sick** elskovssyg. **~ -song** elskovssang. **~ story** kærlighedsroman. **~ token** kærlighedspant.

loving ['lʌviŋ] kærlig, øm; hengiven.

loving|-cup ['lʌviŋ'kʌp] festpokal (som går fra mund til mund i et selskab). **~ -kindness** ['lʌviŋ-'kaindnės] kærlig hensyntagen; miskundhed.

I. **low** [loᵘ] (adj.) lav (fx. *wall; price);* sagte, dæmpet (fx. *voice);* svag (fx. *pulse);* dyb; ringe (fx. *of ~ birth* af r. herkomst; *~ visibility* r. sigtbarhed); simpel, tarvelig (fx. *taste);* ussel, nedrig (fx. *trick);* nedringet (fx. *dress),* udringet (fx. *shoe);* (om vokal) åben; (rel.) lavkirkelig; (adv.) lavt; sagte; dybt; billigt; *a ~ bow* et dybt buk; *brought ~* ydmyget; *buy ~* købe billigt; *cut ~* gøre nedringet; *~ down* langt nede; *~ in the list* langt nede på listen; *lay ~* strække til jorden; vælte; dræbe; kaste på sygelejet; ydmyge; lægge i graven; *lie ~* ligge på jorden; holde sig skjult; *run ~* være ved at slippe op; *be in ~ spirits* være i dårligt humør.

II. **low** [loᵘ] (subst.) lavpunkt; *reach a new ~* (ogs.) stå lavere end nogensinde.

III. **low** [loᵘ] (vb.) brøle (om kvæg); (subst.) brøl.

low|-born af ringe herkomst. **~ -bred** uopdragen, simpel. **~ -brow** (adj.) **T** lavpandet; ikke-intellektuel; (subst.) person uden intellektuelle ambitioner. **~ -browed** lavpandet; (fig., om hus etc.) skummel, dyster.

Low Church (subst.) lavkirke; (adj.) lavkirkelig.

Low Countries: *the ~* Nederlandene.

low-cut nedringet (fx. *dress);* udringet (fx. *shoe).*

I. **low-down** ['loᵘdaun] (adj.) tarvelig, simpel; *play it ~* lave en svinestreg *(on* mod).

II. **low-down** ['loᵘdaun] (subst.) kendsgerninger; *give sby. the ~ on it* (ogs.) fortælle en hvordan det (i virkeligheden) hænger sammen.

I. **lower** ['lauə] (vb.) se truende ud, formørkes.

II. **lower** ['loᵘə] (vb.) gøre lavere; sænke, nedsænke, nedfire; affire; nedsætte (fx. *the rent* huslejen); moderere; slå af på (fx. *the price);* bøje (fx. *one's head);* ydmyge; forringe, svække (fx. *one's bodily condition);* synke, dale; aftage; *-ed bayonet* fældet bajonet; *~ a boat* sætte en båd i vandet; *~ a sail* stryge et sejl; *~ oneself* nedværdige sig.

III. **lower** ['loᵘə] (adj.) lavere, nedre, under-; laverestående (fx. *~ animals).*

lower boy dreng i en af de nederste klasser.

lower case (letters) små bogstaver.

Lower Chamber Underhus.

lower classes: *the ~* underklassen. **lower deck** ⚓ underdæk; (fig.) underofficerer og menige.

Lower House Underhus.

lower| jaw underkæbe. **~ lip** underlæbe. **~ middle class** (den) lavere middelstand. **-most** ['loᵘəmoᵘst] lavest. **~ orders** underklasse.

Low German nedertysk, plattysk.

low-grade af ringe kvalitet.

lowland ['loᵘlənd] lavland; *the Lowlands* det skotske lavland.

Lowlander ['loᵘləndə] indbygger i det skotske lavland; lavlandsbeboer.

Low Latin vulgærlatin.

lowly ['loᵘli] (adj.) beskeden, ydmyg; simpel, ringe; (adv.) beskedent, i det små; ydmygt.

low-lying lavtliggende. **low-minded** lavsindet. **low-necked** nedringet. **low-pitched** (om tag) med lav rejsning; (om tone) dyb. **low-priced** (pris)billig. **low-relief** basrelief. **low-spirited** nedslået, nedtrykt.

Low Sunday 1. søndag efter påske.

low water ['loᵘ'wå·tə] lavvande; *be in ~* være i vanskeligheder; være langt nede; have ebbe i kassen, have småt med penge.

low-water mark lavvandsmærke.
loyal ['loiəl] loyal, tro (mod bestående myndigheder); trofast, redelig, ærlig. **loyalist** ['loiəlist] tro undersåt, lovlydig borger. **loyalty** ['loiəlti] loyalitet; trofasthed.
lozenge ['låzindʒ] rude, rombe; pastil.
L.P. fk. f. *Labour Party; long-playing.*
L.P.S. fk. f. *Lord Privy Seal.*
L.P.T.B. fk. f. *London Passenger Transport Board.*
£.s.d. el. **L.S.D.** ['eles'di·] fk. f. *libra,* pl. *librae* (ɔ: *pound(s)), solidus,* pl. *solidi* (ɔ: *shilling(s)), denarius,* pl. *denarii* (ɔ: *penny, pence)* penge; *it is a question of ~* det er et pengespørgsmål.
Lt. fk. f. *Lieutenant.*
L.T.A. fk. f. *London Teachers' Association; Lawn Tennis Association.*
ltd., Ltd. fk. f. *limited* A/S.
lubber ['lʌbə] klodset fyr, klodrian; dårlig sømand.
lubberly ['lʌbəli] (adj.) klodset.
lubber('s) line styrestreg.
lubricant ['lu·brikənt] smørestof, smøremiddel, smørelse. **lubricate** ['lu·brikeⁱt] gøre glat; smøre. **lubrication** [lu·bri'keⁱʃən] smøring. **lubricator** ['lu·brikeⁱtə] smøreapparat.
lubricious [lu·'briʃəs] lysten, liderlig, slibrig.
lubricity [lu·'brisiti] glathed; slibrighed; liderlighed.
luce [lu·s] (zo.) gedde.
lucerne [lu·'sə·n] ♧ lucerne.
lucid ['lu·sid] klar; overskuelig; lysende, skinnende; gennemsigtig; *~ interval* lyst øjeblik. **lucidity** [lu·'siditi] klarhed.
Lucifer ['lu·sifə] morgenstjernen; Lucifer, Satan.
lucifer (match) (glds.) svovlstik, tændstik.
luciferous [lu'sifərəs] lysende, som spreder lys.
luck [lʌk] tilfælde, skæbne; lykketræf; held, lykke; *bad ~, ill ~* ulykke, uheld; *good ~* lykke, held; *for ~* for at det skal bringe dig lykke; *be in ~* have held med sig; *a great piece of ~* et stort held; *be off one's ~* have uheld; *be down on one's ~* være inde i en uheldig periode; *that's my usual ~, that's just my ~* jeg er da også altid uheldig; *try one's ~* forsøge lykken; *worse ~!* desværre! *as ~ would have it* til alt (u)held, (u)heldigvis.
luckily ['lʌkili] heldigvis, til alt held.
luckless ['lʌklės] ulykkelig, uheldig, forfulgt af uheld.
luck-money lykkeskilling.
Lucknow ['lʌknau].
luck-penny lykkeskilling.
lucky ['lʌki] lykkelig, heldig; lykkebringende, lykke- (fx. *star, stone); ~ bag* lykkepose; *~ coin* lykkeskilling; *~ dip* lykkepose; *a ~ hit* et lykketræf.
lucrative ['lu·krətiv] indbringende, lukrativ.
lucre ['lu·kə]: *filthy ~* usselt mammon.
lucubrate ['lu·kjubreⁱt] studere ved lys (om natten). **lucubration** [lu·kju'breⁱʃən] (natligt) studium; lærd værk, åndsprodukt.
Lucullan [lu·'kʌlən]. **Lucullian** [-iən] lukullisk.
Lucy ['lu·si, 'lju·si].
Luddite ['lʌdait] (medlem af en arbejdersammenslutning (1811-16) som ødelagde maskiner for at hindre industrialiseringen).
ludicrous ['lu·dikrəs] (adj.) latterlig, naragtig, løjerlig.
lues ['lu·i·z] syfilis.
luff [lʌf] ⚓ (subst.) forlig; (vb.) luffe.
I. **lug** [lʌg] (subst.) hank, øre; **S** fyr; drønnert, klodrian, dumrian; ⚓ luggersejl; (zo.) sandorm.
II. **lug** [lʌg] (vb.) hale, slæbe, trække, rykke.
luggage ['lʌgidʒ] bagage, rejsegods. **luggage|-rack** bagagenet. *~* **-ticket** garantiseddel. *~* **-van** bagagevogn.
lugger ['lʌgə] ⚓ lúgger (lille skib).
lugsail ['lʌgseⁱl, 'lʌgsl] ⚓ luggersejl.
lugubrious [lu·'gju·briəs] sorgfuld, trist; dyster; *~ face* bedemandsansigt.
lugworm ['lʌgwə·m] (zo.) sandorm.
Luke [lu·k] Lukas.
lukewarm ['lu·kwå·m] lunken.
lull [lʌl] (vb.) lulle *(to sleep* i søvn); bringe til ro; dysse i søvn; berolige; dulme; tage af, løje af; (subst.) standsning, ophold; (kortvarigt) vindstille; afløjning.
lullaby ['lʌləbai] vuggevise; visselulle.
lumbago [lʌm'beⁱgoᵘ] lændegigt, lumbago.
lumbar ['lʌmbə] lænde-, lumbal.
lumber ['lʌmbə] tømmer; skrammel; (vb.) fylde op, fylde med skrammel (ogs. *~ up);* ligge og fylde op; rumle; bevæge sig tungt af sted, humpe; gøre skovarbejde.
lumbering ['lʌmbəriŋ] (adj.) tung, klodset; (subst.) rumlen; skovhugst; tømmerhandel.
lumber|jack, -man skovhugger, skovarbejder. *~* **-room** pulterkammer. *~* **yard** tømmerplads.
luminary ['lu·minəri] lysende legeme, himmellegeme; lys (om person).
luminiferous [lumi'nifərəs] lysende.
luminosity [lu·mi'nåsiti] klarhed; (astr.) lysstyrke.
luminous ['lu·minəs] lysende, strålende; selvlysende; klar.
lumme ['lʌmi] ih du store!
lummox ['lʌməks] (amr.) klodsmajor; fjog.
lummy ['lʌmi] **S** førsteklasses; (se ogs. *lumme).*
I. **lump** [lʌmp] (subst.) klump (fx. *of clay);* knude; masse; stykke (fx. *of sugar);* bule; (om person) stor tamp, klods, drog; *by the ~, in the ~* under et, en bloc, på en gang, på et bræt; *a ~ in the throat* en klump i halsen; *a ~ on the forehead* en bule i panden.
II. **lump** [lʌmp] (vb.) slå sammen, tage under ét; danne klumper, klumpe; lunte (af sted); *if you don't like it you can ~ it* hvis du ikke synes om det, kan du lade være (ɔ: det bliver ikke anderledes); du bliver nødt til at finde dig i det; *~ together* slå sammen (under ét), skære over én kam.
lumper ['lʌmpə] havnearbejder; **S** soldat i militsen; mellemmand i handelstransaktioner.
lump-fish ['lʌmpfiʃ] (zo.) stenbider.
lumping ['lʌmpiŋ] stor; tung.
lumpish ['lʌmpiʃ] kluntet; svær, træg, dorsk.
lump|sucker ['lʌmpsʌkə] (zo.) stenbider. *~* **sugar** hugget sukker. *~* **sum** sum udbetalt en gang for alle.
lumpy ['lʌmpi] klumpet; *~ sea* krap sø.
lunacy ['lu·nəsi] sindssyge, vanvid.
lunar ['lu·nə] måne- (fx. *~ crater); ~ caustic* helvedessten.
lunate ['lu·nėt] halvmåneformet.
lunatic ['lu·nətik] sindssyg, vanvittig.
lunatic| asylum (glds.) sindssygehospital. *~* **fringe** rabiat (el. fanatisk) yderfløj (af parti etc.).
lunch [lʌnʃ] lunch, frokost; (vb.) spise lunch; *~ sby.* traktere en med lunch. **luncheon** ['lʌnʃən] = *lunch.* **luncheonette** [lʌnʃə'net] frokostrestaurant, lille restaurant. **luncheon mat** dækkeserviet.
lune [lu·n] halvmåne.
lunette [lu·'net] lynette (befæstningsværk; lyshul i hvælvet tag); urglas med flad midte; *-s* svømmebriller (til undervandssvømning).
lung [lʌŋ] lunge; (fig. om park etc.) åndehul (fx. *the -s of London).*
lunge [lʌn(d)ʒ] (subst.) stød, udfald; (vb.) gøre udfald; kaste sig fremad.
lunged [lʌŋd] med lunger.
lungwort ['lʌŋwə·t] ♧ lungeurt.
lunoid ['lju·noid] halvmåneformet.
lupin(e) ['lu·pin] (subst., ♧) lupin.
lupine ['lu·pain] (adj.) ulveagtig.
lupus ['lu·pəs] (med.) lupus.
lurch [lə·tʃ] (subst.) slingren, dinglen; krængning; svajen; pludseligt ryk el. tag; (vb.) krænge over, svaje; slingre, dingle, tumle; *leave sby. in the ~* lade en i stikken.
lurcher ['lə·tʃə] (subst.) krybskyttehund.
I. **lure** [ljuə] (subst.) lokkemad; lokkemiddel; (fig.) tiltrækning, dragende magt; (vb.) lokke.

II. **lure** [ljuə] (subst.) horn til at kalde kvæget sammen med; lur.
lurid ['ljuərid] (adj.) bleg, gusten; brandrød, glødende; som ild der ses igennem el. sammen med skyer el. røg; uhyggelig, makaber; *cast a ~ light on* kaste et uhyggeligt skær over; (fig.) stille i et uhyggeligt lys.
lurk [lə·k] ligge på lur, lure, ligge skjult. **lurking-place** ['lə·kiŋpleⁱs] skjulested, smuthul.
luscious ['lʌʃəs] sød og saftig (fx. *pear); lækker*, delikat; fyldig; (se ogs. *lush).*
lush [lʌʃ] (adj.) saftig, frodig, yppig; overdådig.
I. **lust** [lʌst] (subst.) lyst, begær, liderlighed; *the -s of the flesh* kødets lyst; *~ of gain* havesyge.
II. **lust** [lʌst] (vb.) føle begær; *~ after, ~ for* begære; tørste efter.
lustful (adj.) vellystig, liderlig.
lustration [lʌ'streⁱʃən] (rituel) renselse.
I. **lustre** ['lʌstə] (subst.) glans; pragt; berømmelse; prisme (til lysekrone); lysekrone; lustre (blankt stof vævet af uld og bomuld); *lend ~ to* kaste glans over.
II. **lustre** ['lʌstə] (vb.) give glans; stråle, skinne.
III. **lustre** ['lʌstə] d.s.s. *lustrum.*
lustreless ['lʌstəlés] glansløs, mat.
lustrous ['lʌstrəs] blank, skinnende, strålende.
lustr|um ['lʌstrəm] (pl. *-a, -ums)* femårsperiode.
lusty ['lʌsti] kraftig, stærk, sund; trivelig.
lutanist ['lu·tənist] lutspiller.
I. **lute** [lu·t] (subst.) lut.
II. **lute** [lu·t] (subst.) kit; (vb.) kitte, tætte.
Luther ['lu·þə]. **Lutheran** ['lu·þərən] luthersk; lutheraner. **Lutheranism** ['lu·þərənizm] lutheranisme.
luting ['lu·tiŋ] kit, kitning.
lutist ['lu·tist] lutspiller.
luxate ['lʌkseⁱt] forvride, bringe af led. **luxation** [lʌk'seⁱʃən] forvridning.
luxe [luks]: *de ~* luksus- (fx. *train de ~; de ~ car).*
Luxemburg ['lʌksəmbə·g].
luxuriance [lʌg'zjuəriəns], **luxuriancy** [-i] yppighed, frodighed. **luxuriant** [lʌg'zjuəriənt] yppig, frodig; overdådig, rig.
luxuriate [lʌg'zjuərieⁱt] vokse frodigt; frådse, svælge; gasse sig (fx. *in the sunshine); ~ in* (ogs.) nyde (fx. *a good cigar).*
luxurious [lʌg'zjuəriəs] luksuriøs, yppig, overdådig.
luxury ['lʌkʃəri] overdådighed, luksus, behagelighed; vellevned; nydelse; *live in ~* leve omgivet af luksus.
lyceum [lai'siəm] lyceum; forelæsningssal, litterært selskab; et litterært selskabs bygning.
lych-gate ['litʃgeⁱt] tagdækket kirkegårdslåge.
Lydia ['lidiə] Lydien. **Lydian** ['lidiən] lydisk.
lye [lai] lud.
I. **lying** ['laiiŋ] (adj.) løgnagtig; falsk; (subst.) løgn.
II. **lying** ['laiiŋ] liggen; leje; liggende.
lying-in ['laiiŋ'in] barselseng; barsel; *lying-in hospital* fødselsstiftelse.
lyme-grass ['laimgra·s] ♧ marehalm.
lymph [limf] lymfe; vaccine.
lymphatic [lim'fätik] lymfe- (fx. *vessel* kar); træg, sløv.
lyncean [lin'si·ən] los-, losagtig; skarpsynet.
lynch [linʃ] lynche. **lynch law** lynchjustits.
lynx [liŋks] los. **lynx-eyed** skarpsynet.
Lyons ['laiənz] (navn); (geogr.) Lyon.
lyre ['laiə] lyre. **lyre-bird** (zo.) lyrehale.
lyric ['lirik] (adj.) lyrisk; (subst.) lyrisk digt; sangtekst; *-s* lyrisk digtning; *~ poet* lyriker.
lyrical ['lirikl] lyrisk.
lyrist ['lirist] lyriker; ['laiərist] lyrespiller.
lysol ['laisål] lysol.

M

M [em].
m. fk. f. *mark, married, masculin, meridian, metre(s), mile(s), million(s), minute(s).*
M. fk. f. *Monsieur.*
'm fk. f. *madam, am.*
M' fk. f. *Mac.*
M.A. ['em'eⁱ] fk. f. *Master of Arts; Military Academy.*
ma [ma·] **T** mor.
ma'am [məm] frue (brugt i tiltale af hushjælp etc.); [mäm] (tiltale til damer af den kongelige familie).
Mab [mäb] fk. f. *Mabel; Queen ~* fedronningen.
I. **Mac, M', Mc** [mək, mäk] forstavelse i navne (fx. *MacArthur* [mək'a·þə], *M'Kay* [mə'kai, mə'keⁱ], *Mac Intyre* ['mäkintaiə].
II. **mac** [mäk] **T** fk. f. *mackintosh.*
macabre [mə'ka·br] (adj.) makaber.
macadam: *~ road* [mə'kädəm roᵘd] makadamiseret vej. **macadamization** [məkädəmai'zeⁱʃən] makadamisering. **macadamize** [mə'kädəmaiz] makadamisere.
macaque [mə'ka·k] (zo.) makak (abe).
macaroni [mäkə'roᵘni] makaroni; (glds.) spradebasse.
macaronic [mäkə'rånik] makaronisk vers.
macaroon [mäkə'ru·n] makron.
macassar [mə'käsə]: *~ oil* makassarolie.
Macaulay [mə'kå·li].
macaw [mə'kå·] ara (papegøjeart).
Macbeth [mäk'beþ].
Mac Carthy [mə'ka·þi].
MacDonald [mək'dånəld].
I. **mace** [meⁱs] kølle, stav, scepter; *spiked ~* morgenstjerne.
II. **mace** [meⁱs] muskatblomme.
mace-bearer ['meⁱsbærərə] scepterbærer.
Macedonia [mäsi'doᵘnjə] Makedonien.
Macedonian makedoner; makedonisk.
macerate ['mäsəreⁱt] (vb.) udbløde(s), blødgøre(s); afmagre, blive afmagret.
maceration [mäsə'reⁱʃən] udblødning; afmagring.
Mach [ma·k]: *~ number* machtal (angiver forholdet mellem et flys hastighed og lydens); *~ two* to gange lydens hastighed.
machete [mə'tʃeⁱti] machete (en lang kniv der bruges i Sydamerika).
Machiavelli [mäkiə'veli]. **Machiavellian** [mäkiə'veljən] (adj.) machiavellistisk.
machicolated [mä'tʃikoleⁱtid] forsynet med skoldehuller.
machicolation [mətʃiko'leⁱʃn] skoldehul; galleri med skoldehuller.
machinate ['mäkineⁱt] smede rænker, intrigere.
machination [mäki'neⁱʃən] intrige, hemmeligt anslag; rænkespil, komplot. **machinator** ['mäkineⁱtə] rænkesmed.
machine [mə'ʃi·n] (subst.) maskine; indretning; (fig.) maskineri; (vb.) maskinforarbejde, bearbejde med maskine; sy på maskine.
machine|-gun (subst.) maskingevær; (vb.) (be-) skyde med maskingevær. *~* **gunner** maskingeværskytte. **-like** maskinmæssig. *~* **-made** lavet på maskine, maskinfremstillet. *~* **-minder** maskinpasser.

machinery [mə'ʃi·nəri] maskineri; maskiner.
machine-tool [mə'ʃi·ntu·l] værktøjsmaskine.
machinist [mə'ʃi·nist] maskinbygger, maskinist; maskinsyer(ske).
mack [mäk] T fk. f. *mackintosh*.
mackerel ['mäkrəl] makrel. **mackerel-sky** himmel med makrelskyer (el. lammeskyer).
mackintosh ['mäkintåʃ] (et (gummi)imprægneret stof); gummifrakke, regnfrakke.
macle [mäkl] tvillingkrystal.
macrocosm ['mäkrəkåzm] makrokosmos, verdensaltet.
macul|a ['mäkjulə] (pl. *-ae* [-i·]) plet. **maculate** ['mäkjulėt] plettet; ['mäkjuleⁱt] plette. **maculation** [mäkju'leⁱʃən] plet(ter).
mad [mäd] (adj.) vanvittig, afsindig, gal; rasende (*with, at* på); ude af sig selv (*with* af); fjollet; tosset; ~ *for* (el. *after, about, on*) gal efter, forhippet på; *like* ~ som en forrykt, som en vild, af alle kræfter; *drive* (el. *send*) *him* ~ gøre ham forrykt; *go* ~ blive forrykt.
madam ['mädəm] frue, frøken (i tiltale); *she is a bit of a* ~ (fig.) hun er herskesyg (el. dominerende).
madame ['mädəm] fru (titel foran fransk dames navn); *Madame Tussaud's* [tə'soᵘz] (panoptikon i London).
madcap ['mädkäp] vildkat, brushoved.
madden ['mädn] (vb.) gøre rasende; gøre vanvittig. **maddening** irriterende; som kan gøre én vanvittig (el. rasende).
madder ['mädə] (subst.) ♧ krap; (adj.) kraprød.
mad-doctor ['mäd'dåktə] sindssygelæge.
made [meⁱd] imperf. og perf. part. af *make;* bygget (fx. *he is well made);* ~ *dish* sammensat ret; ~ *in Denmark* dansk fabrikat, dansk arbejde; *he is a* ~ *man* hans lykke er gjort.
Madeira [mə'diərə] Madeira; madeira(vin).
Madeira cake sandkage.
mademoiselle [mädəm'zel] frk. (titel brugt om fransk dame, ofte om fransk guvernante).
made-over ['meⁱdoᵘvə] lavet om, ombygget.
made-up ['meⁱdʌp] kunstig, lavet; opdigtet; sminket; sammensat; konfektioneret, færdigsyet.
made-up| goods færdigvarer. ~ **tie** maskinbundet (el. færdigbundet) slips.
madhouse ['mädhaus] T galeanstalt.
madman ['mädmən] sindssyg person, gal.
madness ['mädnės] sindssyge, afsindighed, vanvid.
Madras [mə'dräs, -a·s]. **Madrid** [mə'drid].
madrigal ['mädrigəl] madrigal; elskovsdigt.
madwoman ['mädwumən] sindssyg kvinde.
madwort ['mädwə·t] ♧ river.
Maecenas [mi'si·näs] mæcen.
maelstrom ['meⁱlstroᵘm] malstrøm.
Mae West ['meⁱ 'west] oppustelig redningsvest (for flyvere).
maffick ['mäfik] juble, foranstalte støjende glædesdemonstrationer (over sejrsbulletin).
mag [mäg] fork. f. *magneto;* S magasin; halvpenny.
magazine [mägə'zi·n] magasin; tidsskrift. **magazine rifle** magasingevær.
Magdalen ['mägdəlin] Magdalene; ~ *College* ['må·dlin'kålidʒ] (i Oxford); ~ *hospital* magdalenehjem.
Magellan [mə'gelən]: *Strait of* ~ Magellanstrædet.
magenta [mə'dʒentə] magentarød.
maggot ['mägət] larve, maddike; indfald, lune, grille.
maggoty ['mägəti] fuld af larver; fuld af luner; som har mange (sære) indfald, lunefuld.
magi ['meⁱdʒai] (pl. af *magus*): *the Magi* de hellige tre konger. **magian** ['meⁱdʒən] magisk; troldmand.
magic ['mädʒik] magi, trolddom; trylleri; (adj.) magisk; *black* ~ sort magi.
magical ['mädʒikl] magisk. **magician** [mə'dʒiʃən] tryllekunstner, troldmand.
magic| lantern lysbilledapparat. ~ **wand** tryllestav.
magisterial [mädʒi'stiəriəl] øvrigheds-; fredsdommer-; skolemesteragtig; myndig, autoritativ.
magistracy ['mädʒistrəsi] stilling som fredsdommer; øvrighed; fredsdommere.
magistral [mə'dʒistrəl] (adj.) dogmatisk; (om lægemiddel) ordineret, efter recept.
magistrate ['mädʒistrėt] (subst.) fredsdommer, dommer.
Magna C(h)arta ['mägnə'ka·tə] det store frihedsbrev.
magnanimity [mägnə'nimiti] højmodighed.
magnanimous [mäg'näniməs] højmodig, højsindet.
magnate ['mägneⁱt] stormand, magnat.
magnesia [mäg'ni·ʃə] (subst., kem.) magnesia.
magnesium [mäg'ni·ziəm] magnium, magnesium; ~ *light* magniumslys.
magnet ['mägnėt] magnet. **magnetic** [mäg'netik] magnetisk, magnet-.
magnetic| course misvisende kurs. ~ **needle** magnetnål.
magnetics [mäg'netiks] læren om magnetisme.
magnetic tape magnetbånd, lydbånd; (fjernsyn:) billedbånd.
magnetism ['mägnitizm] magnetisme, tiltrækningskraft. **magnetize** ['mägnitaiz] magnetisere.
magnetizer ['mägnitaizə] magnetisør.
magneto [mäg'ni·toᵘ] magnet (i bil etc.).
magneto-ignition magnettænding.
magnetron ['mägnitrån] (i radio) magnetron.
magnification [mägnifi'keⁱʃən] (subst.) forstørrelse.
magnificence [mäg'nifisns] pragt, herlighed.
magnificent [mäg'nifisnt] storslået, pragtfuld; (om måltid) overdådig; ~ *specimen* pragteksemplar.
magnifier ['mägnifaiə] forstørrelsesglas; forstørrelsesapparat.
magnify ['mägnifai] forstørre; overdrive; (glds.) lovprise. **magnifying glass** forstørrelsesglas, lup.
magniloquence [mäg'nilokwəns] pralen, svulstighed.
magniloquent [mäg'nilokwənt] stortalende, pralende, svulstig.
magnitude ['mägnitju·d] størrelse; storhed; vigtighed; (astr.) størrelsesorden; størrelse (fx. *star of the first* ~).
magnolia [mäg'noᵘljə] ♧ magnolia.
magnum ['mägnəm] magnumflaske (rummende $1^1/_2$ l).
magnum-bonum ['mägnəm 'boᵘnəm] magnum bonum (kartoffelsort, blommesort).
magnum opus ['mägnəm 'åpəs (el. oᵘpəs)] storværk, hovedværk.
magpie ['mägpai] (zo.) skade; (fig.) sludrebøtte.
magus ['meⁱgəs] (pl. *magi* ['meⁱdʒai]) (subst.) mager, troldmand, se ogs. *magi*.
Magyar ['mägia·] magyar; magyarisk.
Maharaja(h) [ma·hə'ra·dʒə] maharaja, indisk fyrste.
Maharanee [ma·hə'ra·ni] maharajas hustru.
Mahatma [mə'ha·tmə] mahatma (indisk titel som gives til store åndelige førere).
Mahdi ['ma·di] mahdi.
mah-jong(g) ['ma·'dʒåŋ] mah-jong (kinesisk selskabsspil).
mahlstick ['må·lstik] malerstok.
mahogany [mə'hågəni] mahogni; mahognitræ; mahognifarve.
Mahomet [mə'håmėt] Muhamed. **Mahometan** [mə'håmitən] muhamedansk; muhamedaner. **Mahometanism** [mə'håmitənizm] muhamedanisme.
mahout [mə'haut] elefantfører.
I. **maid** [meⁱd] (subst.) pige; husassistent, (tjeneste-) pige; (poet.) pige, mø, jomfru; *lady's* ~ kammerpige; *old* ~ gammel jomfru, pebermø.
II. **maid** [meⁱd] (vb.) være kammerpige for.
maiden ['meⁱdn] (poet.) (subst.) jomfru, pige;

(adj.) ugift (fx. *aunt);* jomfru-; pige-; jomfruelig, uberørt, ren.

maidenhair [ˈmeⁱdnhæə] ♧ venushår.

maidenhead [ˈmeⁱdnhed] jomfruelighed; mødom; jomfruhinde; renhed, ubesmittethed.

maiden|hood [ˈmeⁱdnhud] jomfruelighed, jomfrustánd; renhed, ubesmittethed. **-like, -ly** [ˈmeⁱdnlaik, -li] jomfruelig; bly. ~ **name** pigenavn. ~ **speech** jomfrutale. ~ **voyage** jomfrurejse.

maidhood [ˈmeⁱdhud] = *maidenhood.*

maid-of-all-work enepige. **maid-of-honour** hofdame; slags kage.

maidservant [ˈmeⁱdsə·vənt] husassistent.

I. **mail** [meⁱl] (subst.) panser, (vb.) pansre (fx. *the -ed fist); coat of* ~ panserskjorte.

II. **mail** [meⁱl] (subst.) postsæk, brevsæk; brevpost, post; (vb., især amr.) sende med posten, poste, lægge i postkassen.

mail|-bag [ˈmeⁱlbäg] postsæk. **-box** (amr.) postkasse; brevkasse. ~ **-cart** postvogn; barnevogn (for noget større børn), promenadevogn. ~ **-clad** i panser og plade. ~ **-coach** postvogn.

mailing-list adressekartotek.

mailman (amr.) postbud.

mail|-order firm postordrefirma. ~ **-train** posttog.

maim [meⁱm] (vb.) lemlæste; ødelægge.

I. **main** [meⁱn] (subst.) hovedledning; (poet.) åbent hav, verdenshav; *with might and* ~ af al magt, af alle kræfter; *in the* ~ for største delen; i hovedsagen; *the Spanish Main* nordkysten af Sydamerika fra Panama til Orinoco; havet ud for denne kyststrækning; (omtr.) Det karaibiske Hav.

II. **main** [meⁱn] (adj.) hoved- (fx. *point, street),* væsentligst, vigtigst. **main| chance** egen fordel, egne interesser; *have an eye to the* ~ *chance* være om sig. ~ **-deck** hoveddæk; øverste dæk. ~ **force**: *by* ~ *force* med magt. ~ **hatch** storluge. **-land** [ˈmeⁱnlənd] fastland.

mainly [ˈmeⁱnli] hovedsagelig.

main|mast [ˈmeⁱnma·st el. -məst] ⚓ stormast. ~ **road** hovedvej.

mains (elekt.) ledningsnet.

main|sail ⚓ storsejl. **-sheet** storskøde. **-spring** hovedfjeder, drivfjeder.

mains receiver lysnetmodtager.

mainstay ⚓ storstag; (fig.) væsentligste støtte, fast holdepunkt, grundpille.

Main Street (amr.) hovedgaden.

maintain [menˈteⁱn] (vb.) holde, opretholde (fx. *order in the town);* vedligeholde, bevare; hævde, fastholde (fx. *that one is innocent);* forsvare (fx. *one's rights);* ernære, underholde (fx. *one's family).* **maintainable** [menˈteⁱnəbl] som kan opretholdes, holdbar. **maintenance** [ˈmeⁱntinəns] vedligeholdelse; opretholdelse; (fx. ~ *of good order);* hævdelse, forsvar; underhold; kostpenge; alimentation; underholdsbidrag.

main|top ⚓ storemærs. ~ **yard** storrå.

maisonette [meⁱzəˈnet] mindre hus; lejlighed i to eller tre etager.

maize [meⁱz] ♧ majs.

maizena [meⁱˈziˑnə] ® maizena, majsmel.

majestic [məˈdʒestik] majestætisk. **majesty** [ˈmädʒisti] majestæt; *His (, Her) Majesty* Hans (, Hendes) Majestæt.

majolica [məˈjålikə] majolika (slags fajance).

major [ˈmeⁱdʒə] (adj.) større, ældre; størst, vigtigst (af to); stor; dur-; (subst.) dur; major; fuldmyndig person; (amr.) hovedfag; (vb., amr.): ~ *in history* have historie som hovedfag; *Brown* ~ store B., den ældste af brødrene B. eller af drengene ved navn B. (i skolesprog); *C* ~ C-dur; *the* ~ *part* størstedelen.

major-domo [ˈmeⁱdʒə ˈdouˈmou] hovmester, majordomus.

major-general generalmajor.

majority [məˈdʒåriti] flertal, majoritet; stilling som major; fuldmyndighed; *the* ~ *of* de fleste (af); ~ *of shares,* ~ *holding* aktiemajoritet; *attain* (el. *arrive at* el. *reach) one's* ~ blive fuldmyndig; *gain a* ~ få flertal; *join the* ~ gå al kødets gang, dø.

major| premise oversætning (i en syllogisme). ~ **prophets**: *the* ~ *prophets* de store profeter.

majorship [ˈmeⁱdʒəʃip] majorsrang, majorstilling.

major suit høj farve (i bridge: spar el. hjerter).

majuscule [məˈdʒʌskju·l] stort bogstav.

I. **make** [meⁱk] (vb.) *(made, made)* (se ogs. *made)* lave (fx. ~ *tea; what is it made of?)* udføre, foretage (fx. *alterations);* fremstille, fabrikere (fx. *paper, cars);* skabe (fx. *God made man);* tilberede (fx. *a dinner);* gøre (fx. ~ *a good impression;* ~ *him happy);* fremsætte, (frem)komme med (fx. *accusations; an offer);* få til at (fx. ~ *him understand);* tvinge til at, lade (fx. *the author -s him say that ...);* gøre til, udnævne til (fx. ~ *him a colonel);* udgøre, blive (fx. *that -s £50 in all);* være (fx. *two and two -s four; will you* ~ *a fourth at bridge?);* (vise sig at) være, blive (fx. *she made him a good wife);* tjene (fx. *£500 a year);* skaffe sig (fx. *enemies);* indbringe, opnå (en pris af) (fx. *an envelope bearing two rare stamps made £50);* spise (fx. *I made a good breakfast);* pege (fx. *all the evidence -s in the same direction);* bevæge sig, styre, sætte kursen *(towards* mod, fx. *he made towards the Church);* nå (fx. *the harbour, the top, the train);* tilbagelægge (fx. *50 miles);* (i kortspil) blande, 'vaske'; vinde; (i sport) score; (gram.) hedde (fx. *mouse -s mice in the plural);*

(forb. m. subst., se ogs. *bone, difference, face* etc.); (N.B. ~ + subst. har ofte samme betydning som det tilsvarende vb., fx. ~ *a bow* bukke, ~ *reply* svare, ~ *a start* begynde); ~ *a bed* rede en seng, ~ *conditions* stille betingelser; ~ *a fire* tænde op; ~ *a mistake* tage fejl; *he will never* ~ *an officer* der bliver aldrig nogen officer ud af ham; ~ *a road* anlægge en vej; ~ *sail* sætte sejl; ~ *a speech* holde en tale; ~ *terms* stille betingelser; *what time do you* ~ *it?* hvad er klokken efter Deres ur? ~ *a trick* (i kortspil) få et stik; *he made her his wife* han giftede sig med hende;

(forb. m. vb. og adj., se ogs. *bold, free, light, merry* etc.); ~ *believe* bilde ind; foregive, lade som om; (om børn) lege (fx. *let's* ~ *believe that we're Red Indians);* ~ *it do,* ~ *do with it* klare (el. hjælpe) sig med det; ~ *do and mend* klare sig med og reparere på det man har (i stedet for at købe nyt); ~ *good* erstatte (fx. *a loss);* godtgøre, bevise (fx. *a charge);* virkeliggøre, udføre, gøre alvor af (fx. *a threat);* opfylde, holde (fx. *a promise);* få (, have) succes, klare sig godt, blive til noget; ~ *oneself heard* skaffe sig ørenlyd; ~ *oneself heard above the noise* overdøve larmen;

(andre forbindelser): ~ *after* sætte efter; ~ *against* tale imod (fx. *it -s against his theory);* skade; ~ *as if one had* lade som om man havde; ~ *as if to go* gøre mine til at gå; *he is as wise (, ugly* etc.) *as they make 'em* han er noget af det klogeste (, grimmeste etc.) man kan tænke sig; ~ *at* true ad; ~ *away* skynde sig bort; ~ *away with* stjæle, stikke af med; ødsle bort; skaffe sig af med, ødelægge, dræbe; (om mad) sætte til livs; ~ *away with oneself* begå selvmord; ~ *for* sætte kursen mod (fx. ~ *for home);* styre (el. fare) hen imod (fx. ~ *for the door);* (fig.) pege i retning af, være til gunst for, gavne; bidrage til (at skabe) (fx. *this will* ~ *for better newspapers); he is made for the job* han er som skabt til det arbejde; ~ *it* klare den; ~ *an enemy of him* gøre ham til sin fjende; ~ *a habit of it* gøre det til en vane; *what do you* ~ *of it?* hvad får du ud af det? hvordan mener du det skal forstås? ~ *off* stikke af, løbe sin vej;

~ *out* skelne, tyde; finde ud af, forstå, blive klog på (fx. *I cannot* ~ *out what happened);* udfærdige; udstede (fx. *a cheque*); udfylde (fx. *a form);* foregive, give indtryk af, give det udseende af (fx. *he made out that he had been busy);* bevise; klare sig; *how are things making out?* hvordan går det? *he is not so bad as he is made out (to be)* han er ikke så slem som man vil gøre ham til; *how do you* ~ *that out?* **hvordan kommer du** til det resultat? ~ *over* overdrage; (amr.) lave om, forandre (fx. ~ *over a dress);* ~ *up* lave, sammensætte, opstille (fx. *a list);* samle, ordne; pakke ind; tilberede, tillave, blande; sy (fx. *a suit);* opdigte (fx. *it is a made-up story);* erstatte (fx. *you must ~ it up to him);* indhente (ngt. forsømt); bøde på, udfylde (fx. *the deficiency);* bilægge (fx. *a quarrel);* danne, udgøre (fx. *the branches which ~ up the organization);* lægge teint; sminke sig, (om skuespiller ogs.) lægge maske; (typ.) ombryde; ~ *up a bed* rede op; ~ *up the fire* lægge (brændsel) på ilden; ~ *up a fourth* være fjerdemand (fx. til en bridge); *we made it up* vi blev gode venner igen; ~ *up for* bøde på; opveje; ~ *up for lost time* indhente det forsømte; ~ *up for a part* sminke sig til én rolle; *be made up of* bestå af; ~ *up one's mind to do it* beslutte sig til at gøre det; ~ *up to* give erstatning, holde skadesløs; **T** indynde sig hos, gøre sig lækker for, fedte for; lægge an på; ~ *up one's mind to do it* beslutte sig til at gøre det; ~ *it up with* slutte fred med.

II. **make** [meᶦk] (subst.) tilvirkning; forarbejdning, snit (fx. *a coat of first-class ~);* fabrikat, mærke (fx. *cars of all -s);* (om person) bygning, (fig.) støbning; *is this your own ~?* har du selv lavet dette her? *be on the ~* være om sig, være beregnende.

make-believe [ˈmeᶦkbili·v] (subst.) leg; skin; foregivende, påskud.

maker [ˈmeᶦkə] fabrikant; *the Maker* skaberen.

makeshift [ˈmeᶦkʃift] (subst.) nødhjælp; surrogat, erstatning; (adj.) midlertidig, improviseret (fx. *dinner); the box was a ~ for a table* kassen gjorde det ud for bord.

make-up [ˈmeᶦkʌp] (subst.) make-up, sminke (fx. *that lady uses too much ~);* sminkning, maskering, maske (fx. skuespillers); sammensætning; personlighed, habitus (fx. *his mental ~);* indpakning, udstyr (fx. *an attractive ~);* opdigt, løgn; (typ.) ombrydning.

make-up| examination (amr.) sygeeksamen. ~ **man** (på teater) sminkør; (typ.) ombryder.

make-weight [ˈmeᶦkweᶦt] tilgift: fyldekalk.

making [ˈmeᶦkiŋ] fremstilling, fabrikation, forarbejdning, tilvirkning; tilblivelse, udvikling; *in the ~* i sin vorden; *that was the ~ of him* det blev afgørende for hans udvikling, det lagde grunden til hans succes.

makings (pl.) indtægt, fortjeneste; bestanddele, materialer, stof; *he has in him the ~ of a great statesman* der er stof i ham til en stor statsmand.

mal- [mäl] dårlig(t); mis- (fx. *maltreat);* u-.

I. **Malacca** [məˈläkə] Malakka.

II. **malacca (cane)** spanskrørsstok.

malachite [ˈmäləkait] (min.) malakit.

maladjusted [ˈmäləˈdʒʌstid] dårligt tilpasset; (i psykologi) miljøskadet.

maladjustment [ˈmäləˈdʒʌstmənt] dårlig ordning; manglende tilpasning; misforhold; (i psykologi) miljøskade.

maladministration [ˈmälədminiˈstreᶦʃən] dårlig forvaltning (el. styrelse); misrøgt (af et embede).

maladroit [ˈmälədroit] (adj.) ubehændig.

malady [ˈmälədi] (subst.) sygdom.

Malagasy [mäləˈgäsi] (subst.) madagasser (indbygger på Madagascar); (adj.) madagassisk.

malaise [mäˈleᶦz] ildebefindende.

malapert [ˈmäləpə·t] næsvis (person).

malapropism [ˈmäləpråpizm] (subst.) forkert brug (el. forveksling) af (fremmed)ord (fx. *allegory* for *alligator).*

malapropos [mälˈäprəpoᵘ] (adj. og adv.) malplaceret; ubelejlig, uheldig, i utide.

malar [ˈmeᶦlə] (subst.) kindben; (adj.) kind-.

malaria [məˈlæriə] (subst., med.) malaria, sumpfeber.

malarial [məˈlæriəl] (adj.) malaria- (fx. *~ patient).*

malark(e)y [məˈla·ki] **S** vrøvl.

Malay [məˈleᶦ] (subst.) malaj; (adj.) malajisk. **Malayan** [məˈleᶦən] malajisk. **Malaysia** [məˈleᶦʃə].

Malcolm [ˈmälkəm].

malcontent [ˈmälkəntent] (især politisk) utilfreds, misfornøjet (med det bestående styre); *-s* (pl.) utilfredse, misfornøjede; (ofte =) oprørske elementer.

male [meᶦl] mandlig, han-; mands-; mandig, maskulin; mandfolk, han. ~ **animal** handyr. ~ **child** drengebarn. ~ **choir** herrekor.

malediction [mäliˈdikʃən] forbandelse.

malefactor [ˈmälifäktə] forbryder, misdæder.

maleficent [mäˈlefisənt] forbryderisk; skadelig; som volder ondt.

male| nurse sygeplejer. ~ **thread** udvendigt gevind.

malevolence [məˈlevələns] uvilje, ondskab; ondskabsfuldhed.

malevolent [məˈlevələnt] ondskabsfuld.

malfeasance [mälˈfi·zəns] ulovlig handling; mislighed, embedsforbrydelse, myndighedsmisbrug.

malformation [ˈmälfå·ˈmeᶦʃən] vanskabthed; misdannelse.

malformed [mälˈfå·md] vanskabt.

malice [ˈmälis] ondskab, had, nag; forbryderisk hensigt; *with ~ aforethought* (el. *prepense)* med fuldt overlæg, forsætligt.

malicious [məˈliʃəs] (adj.) ondskabsfuld.

malign [məˈlain] (adj.) ondskabsfuld, ond; skadelig; (vb.) tale ondt om, bagtale. **malignancy** [məˈlignənsi] ondskab; ondartethed. **malignant** [məˈlignənt] ondskabsfuld; (med.) ondartet. **maligner** [məˈlainə] bagtaler. **malignity** [məˈligniti] ondskab, had; (med.) ondartethed.

malinger [məˈliŋgə] (vb.) simulere. **malingerer** (subst.) simulant.

I. **Mall** [mäl]: *the ~* (promenade i St. James's Park, London).

II. **mall** [må·l] = *maul.*

mallard [ˈmäləd] (zo.) vildand, gråand, moseand, stokand.

malleable [ˈmäliəbl] (adj.) smedelig, hammerbar (fx. *iron);* (fig.) eftergivende, føjelig; påvirkelig.

mallet [ˈmälit] træhammer, (kroket)kølle.

mallow [ˈmäloᵘ] ♧ katost; (om farve) mauve.

malmsey [ˈma·mzi] malvasier (vin).

malnutrition [mälnju·ˈtriʃən] underernæring, fejlernæring.

malodorous [mäˈloᵘdərəs] ildelugtende.

malpractice [mälˈpräktis] (subst.) fejlgreb; ulovlighed; mislighed, embedsmisbrug; (med.) uforsvarlig behandling.

malt [må(·)lt] (subst.) malt; (vb.) malte; blive til malt.

Malta [ˈmå(·)ltə].

malt-dust maltaffald.

Maltese [ˈmå·lˈti·z, målˈti·z] (adj.) maltesisk; malteser- (fx. *cross);* (subst.) malteser.

malt-house malteri.

malting [ˈmå·ltiŋ] maltning; malteri.

maltreat [mälˈtri·t] mishandle, maltraktere. **maltreatment** [-mənt] mishandling.

maltster [ˈmå·ltstə] maltgører.

malversation [mälvəˈseᶦʃən] underslæb (især med offentlige midler), uredelighed.

mam [mäm] = I. *mam(m)a.*

ma'm = *ma'am.*

mamba [ˈmämbə] (zo.) mamba (art giftslange).

mamilla [məˈmilə] (subst.) brystvorte.

I. **mam(m)a** [məˈma·] mama, mor.

II. **mamm|a** [ˈmämə] (pl. *-ae* [-i·]) (kvinde)bryst, brystvorte, brystkirtel.

mammal [ˈmäməl] pattedyr.

mammary [ˈmäməri] bryst-; *~ gland* brystkirtel, mælkekirtel.

mammon [ˈmämən] mammon, rigdom.

mammoth [ˈmäməþ] mammut; kæmpe- (fx. *a ~ enterprise).*

mammy [ˈmämi] moder, mama; (gammel) negerkvinde, sort barnepige.

I. **man** [män] (subst., pl. *men)* menneske; mand;

tjener; arbejder; menig; vasal; brik (i spil); (adj.) mandlig; ~ *about town* levemand; ~ *and boy* fra dreng af; *as a* ~ som menneske (betragtet); *he's my* ~ det er den rette mand (til at gøre det); *the* ~ *in the street* menig mand, hvem som helst; *one's* ~ *of business* ens sagfører; ~ *of his word* mand, som man kan stole på; ~ *of the world* mand, der kender livet, erfaren, praktisk mand; verdensmand; *the fall of* ~ syndefaldet; *be one's own* ~ være sin egen herre; være herre over sig selv; *to a* ~ alle som en; *men* (ogs.) arbejdere; ⚔ menige, menigt mandskab; *men's wear* herreekvipering.

II. **man** [mǎn] (vb.) ⚓ bemande (fx. *a ship*); ~ *oneself* mande sig op; ~ *the yards* mande ræer.

III. **Man** [mǎn]: *the Isle of* ~ øen Man.

manacle ['mǎnəkl] håndjern; belægge med håndjern, hindre.

manage ['mǎnidʒ] håndtere (fx. *a tool*); lede (fx. *an institution*); styre (fx. *a boat, a business*); behandle, manøvrere; klare, overkomme, bære sig ad med; kunne magte, tumle (fx. *a flock of boys*); klare sig (fx. *I shall* ~ *somehow*); *can you* ~ *another piece of cake* T kan du spise et stykke kage til? *can you* ~ *with both the parcels?* kan du have begge pakkerne? *I suppose it can be -d* det kan nok lade sig ordne; *they all -d to get out* det lykkedes dem alle at slippe ud.

manageability [mǎnidʒə'biliti] medgørlighed.

manageable ['mǎnidʒəbl] medgørlig; let at styre etc.

management ['mǎnidʒmənt] (subst.) bestyrelse, ledelse; behandling; manøvrering; manipuleren; takt, klogskab.

manager ['mǎnidʒə] leder, bestyrer, direktør, driftsleder, disponent; *good* ~ god økonom, sparsommelig husmoder. **managerial** [mǎnə'dʒiəriəl] bestyrelses-, direktør-. **managership** direktørpost.

managing ['mǎnidʒiŋ] ledende, bestyrende; herskesyg; geskæftig; sparsommelig, gerrig; ~ *clerk* disponent; ~ *director* administrerende direktør.

man-at-arms bevæbnet rytter.

manatee [mǎnə'ti·] (zo.) søko.

Manchester ['mǎntʃistə]: *the* ~ *School* Manchesterskolen; ~ *goods* bomuldsvarer.

man-child drengebarn.

Manchuria [mǎn'tʃuəriə] Manchuriet. **Manchurian** (adj.) manchurisk.

Mancunian [mǎn'kju·niən] indbygger i Manchester.

mandamus [mǎn'deⁱməs] (jur.) ordre.

mandarin ['mǎndərin] mandarin (kinesisk embedsmand; frugt).

mandatary ['mǎndətəri] mandatar, fuldmægtig; mandatarmagt.

mandate ['mǎndeⁱt] (subst.) mandat, fuldmagt; befaling; (vb.) overdrage til mandatar(magt); *-d territory* mandatområde.

mandatory ['mǎndətəri] mandatar(magt); mandat-, mandatar-; befalende; påbudt, obligatorisk.

mandible ['mǎndibl] (under)kæbe; kindbakke.

mandolin(e) ['mǎndəlin] mandolin.

mandragora [mǎn'drǎgərə], **mandrake** ['mǎndreⁱk] alrune.

mandrel ['mǎndrəl] spindel (på drejebænk); dorn.

mandrill ['mǎndril] (zo.) mandril.

mane [meⁱn] manke.

man-eater ['mǎni·tə] menneskeæder; menneskeædende tiger eller løve eller haj.

manège [mǎ'neⁱʒ] ridekunst; ridebane; rideskole.

manes ['meⁱni·z] (pl.) manes (afdødes ånder).

manful ['mǎnf(u)l] mandig, tapper.

manganese [mǎŋgə'ni·z] (kem.) mangan.

mange ['meⁱn(d)ʒ] (med.) skab (udslæt).

mangel(-wurzel) ['mǎŋgl('wə·zl)] (subst., ♣) bede, runkelroe.

manger ['meⁱn(d)ʒə] krybbe.

manginess ['meⁱn(d)ʒinės] (med.) skabethed.

I. **mangle** ['mǎŋgl] (vb.) sønderrive, lemlæste; (fig.) ødelægge, radbrække (fx. *a piece of music*).

II. **mangle** ['mǎŋgl] (subst.) rulle; (vb.) rulle (fx. ~ *the washing*).

mango ['mǎŋgoᵘ] ♣ mango (indisk frugt); mangotræ.

mangold ['mǎŋgoᵘld] (subst., ♣) bede, runkelroe.

mangonel ['mǎŋgonel] (hist.) blide.

mangosteen ['mǎŋgosti·n] ♣ garciniatræ, mangostan.

mangrove ['mǎŋgroᵘv] mangrovetræ.

mangy ['meⁱn(d)ʒi] (adj.) skabet, lurvet, ussel.

man-handle bevæge ved håndkraft, bakse med; prygle, mishandle.

man-high (adj.) mandshøj.

man-hole mandehul.

manhood ['mǎnhud] manddom, manddomsalder; mandighed, mod; mænd; ~ *suffrage* valgret for mænd.

man-hour arbejdstime.

man-hunting (adj.) giftesyg.

mania ['meⁱniə] vanvid, galskab; mani.

maniac ['meⁱniǎk] (subst. og adj.) vanvittig, gal, sindssyg (person). **maniacal** [mə'naiəkl] (adj.) vanvittig, gal, sindssyg.

manic ['mǎnik] (adj.) manisk. **manic-depressive** maniodepressiv.

manicure ['mǎnikjuə] manicure, pleje af hænder og negle; (vb.) manicurere. **manicurist** ['mǎnikjuərist] manicurist, manicuredame.

manifest ['mǎnifest] (adj.) tydelig, klar, åbenbar (fx. *truth, failure*); (subst.) manifest, fortegnelse over et skibs ladning, ladningsliste; (vb.) røbe, vise, tilkendegive (fx. *some impatience*); bevise; åbenbare sig; opføre på ladningsliste; ~ *itself* vise sig; give sig udslag.

manifestation [mǎnifes'teⁱʃən] åbenbarelse, tilkendegivelse, udslag; *-s of life* livsytringer.

manifesto [mǎni'festoᵘ] manifest, (program-) erklæring.

manifold ['mǎnifoᵘld] (adj.) mangfoldig; (vb.) mangfoldiggøre; duplikere; (subst.) grenrør, forgreningsrør (fx. *exhaust* ~ udblæsningsforgreningsrør); samlerør; gennemslagspapir (tyndt papir).

manikin ['mǎnikin] mandsling; kunstners leddedukke; anatomisk model.

Manila [mə'nilə] Manila; manilacigar; ~ *(hemp)* manilahamp; ~ *paper* manilapapir.

maniple ['mǎnipl] manipel (romersk hærafdeling).

manipulate [mə'nipjuleⁱt] (vb.) behandle, håndtere, manipulere; behændigt påvirke el. lede; bearbejde (fx. *the electors*); forfalske, rette i (fx. *a report*).

manipulation [mənipju'leⁱʃən] (subst.) håndteren, behandling, manipulation.

man jack: *every* ~ *of you* hver eneste af jer.

mankind [mǎn'kaind] menneskeheden, menneskeslægten; ['mǎnkaind] mandkønnet.

manlike ['mǎnlaik] som en mand, mandlig, mandig; mandhaftig.

manly ['mǎnli] mandig, mandhaftig.

man-made skabt af mennesker; syntetisk fremstillet; ~ *fibres* kemofibre.

manna ['mǎnə] manna. **manna grass** ♣ sødgræs.

mannequin ['mǎnikin] mannequin.

manner ['mǎnə] måde; væsen, optræden; dannet optræden, levemåde; skik, sædvane; stil (fx. *in the futurist* ~); (kunstlet) manér; slags; *-s* optræden, manerer (fx. *bad -s, good -s*); levemåde, livsform, sæder (fx. *the -s of that age*); sæder og skikke; *adverb of* ~ mådesbiord; *all* ~ *of things* alle mulige ting; *by no* ~ *of means* på ingen måde, under ingen omstændigheder; *in a* ~ på en måde, i nogen grad; *in a* ~ *of speaking* så at sige; *in* (el. *after*) *this* ~ på denne måde; *no* ~ *of* aldeles ingen; *as to the* ~ *born* som var han (el. hun etc.) skabt (el. født) til det; *he has no -s* han har ingen levemåde, han ved ikke hvordan man skal opføre sig.

mannered ['mǎnəd] manieret, affekteret; *well* ~ velopdragen.

mannerism ['mänərizm] manér, manierisme.
mannerist ['mänərist] manieret person.
mannerless ['mänəlés] uopdragen, ubehøvlet.
mannerliness ['mänəlinés] god tone, høflighed, velopdragenhed.
mannerly ['mänəli] høflig, velopdragen.
mannish ['mäniʃ] mandhaftig.
manoeuvre [mə'nu·və] manøvre; manøvrere; manøvrere med; ~ *for position* prøve at bringe sig i en gunstig stilling.
man-of-all-work faktotum, altmuligmand.
man-of-war ['mänəv'wå·] krigsskib, orlogsskib.
manometer [mə'nåmitə] manometer, trykmåler.
manor ['mänə] gods; *lord of the* ~ godsejer. ~ **-house** herregård (hovedbygningen).
manorial [mə'nå·riəl] gods-, herregårds-.
man power arbejdskraft, (disponibelt) menneskemateriale.
manqué [ma·ŋ'keⁱ] (adj.) mislykket (ɔ: som ikke er blevet det han har drømt om) (fx. *an artist* ~).
man-rope ⚓ faldrebstov.
mansard ['mänsa·d], **mansard roof** mansardtag; brudt tag.
manse [mäns] (på skotsk) præstegård.
mansion ['mänʃən] palæ; *mansions* (pl.) (ofte) stor ejendom med flere lejligheder. **mansion-house** herregårds hovedbygning; *the Mansion-House* (embedsbolig i London for Lord Mayor).
man-size(d) S beregnet for en voksen mand; stor, gevaldig.
manslaughter ['mänslå·tə] (omtr.) (uágtsomt) manddrab; vold (el. legemsbeskadigelse) med døden til følge.
manslayer ['mänsleⁱə] drabsmand.
mansuetude ['mänswitju·d] mildhed, blidhed.
mantel ['mäntl], **mantel|piece** kamingesims; kaminindfatning. **-shelf** kamingesims, kaminhylde.
mantilla [män'tilə] (subst.) mantille.
mantis ['mäntis] (zo.) knæler.
mantissa [mən'tisə] mantisse.
mantle ['mäntl] (subst.) kappe, kåbe; glødenet (i lamper); (fig.) dække (fx. *of snow*); (vb.); tildække, dække, indhylle; skjule; rødme; *incandescent* ~ glødenet; ~ *on* brede sig over, dække.
mantlet ['mäntlét] let kappe; overstykke.
man-trap ['mänträp] fodangel; faldgrube.
manual ['mänjuəl] manuel, hånd-; håndbog; manual (på orgel); ~ *alphabet* fingeralfabet; ~ *exercise* geværgreb; ~ *labour* legemligt arbejde, kropsarbejde; *sign* ~ egenhændig underskrift; ~ *training* undervisning i praktiske fag (i skole); ~ *work* = ~ *labour*; ~ *worker* kropsarbejder.
manufactory [mänju'fäktəri] fabrik. **manufactural** [mänju'fäktʃərəl] fabriks-. **manufacture** [-'fäktʃə] (subst.) produktion, fremstilling, fabrikation; industri; industrivare, fabrikat, produkt; (vb.) fabrikere, fremstille, tilvirke; *-d goods* fabriksvarer.
manufacturer [mänju'fäktʃərə] fabrikant, producent. **manufacturing** [-'fäktʃəriŋ] fabrikation; fabriks-; industri-.
manumission [mänju'miʃən] frigivelse (af slave).
manumit [mänju'mit] frigive (en slave).
manure [mə'njuə] (vb.) gøde; (subst.) gødning; *liquid* ~ ajle.
manuscript ['mänjuskript] håndskreven, i manuskript; håndskrift, manuskript.
Manx [mäŋks] mansk, hørende til øen Man; det manske sprog; ~ *cat* haleløs kat.
Manxman ['mäŋksmən] beboer af øen Man.
Manx shearwater (zo.) skråpe.
many ['meni] mange; mangen; mængde; *this* ~ *a day, for* ~ *a long day* i lange tider; ~ *a time* ofte, mangen en gang; *as* ~ *again* lige så mange til; *one too* ~ en for meget; (om person) tilovers, ikke ønsket; *he is one too* ~ *for me* ham kan jeg ikke hamle op med, ham kan jeg ikke magte; *I have not seen him these* ~ *years* jeg har ikke set ham i mange år; *they behaved like so* ~ *guttersnipes* de opførte sig som rene gadedrenge; *say in so* ~ *words* sige med rene ord; *the* ~ de mange, mængden; *a good* ~, *a great* ~ en mængde. **many|-headed** mangehovedet. ~ **-sided** mangesidet; mangesidig.
Maori ['ma·ri, 'mauri] (subst.) maori.
map [mäp] kort (*of* over), landkort; tegne kort over, kortlægge; *off the* ~ (fig.) glemt, forældet, ikke aktuel, betydningsløs; *wipe off the* ~ udslette totalt; *put on the* ~ (fig.) bringe i forgrunden, gøre kendt, give betydning; ~ *out* kortlægge i detaljer; planlægge nøje.
maple ['meⁱpl] ahorn, løn; *common* (el. *English*) ~ navr. **maple sugar** ahornsukker.
maquis [ma·'ki] krat (på Korsika); korsikansk fredløs; *the* ~ maquisen (den franske modstandsbevægelse i den anden verdenskrig).
mar [ma·] (vb.) spolere, ødelægge; *it's make or* ~ det er knald eller fald.
marabou ['märəbu·] marabustork.
maraschino [märə'ski·noᵘ] maraschino (en kirsebærlikør).
marasmic [mə'räzmik] (med.) hentæret, angrebet af marasmus. **marasmus** [mə'räzməs] (med.) marasmus, atrofi, afkræftelse.
Marathon ['märeþən] Marathon; ~ *race* marathonløb.
maraud [mə'rå·d] (vb.) marodere, strejfe om på rov; (subst.) plyndringstogt. **marauder** [mə'rå·də] marodør.
I. **marble** ['ma·bl] (subst.) marmor; kunstværk af marmor; (marmor-, glas-, ler-) kugle (til leg); *-s* (ogs.) skulptursamling; *play -s* spille kugler.
II. **marble** ['ma·bl] (adj.) marmor-, marmorhård, marmorhvid, marmoreret.
III. **marble** ['ma·bl] (vb.) marmorere; *-d edges* marmoreret snit (på bog). **marble-topped** med marmorplade.
marc [ma·k] kvas (rester efter druepresning).
marcel [ma·'sel] (vb.) ondulere; (subst.) = ~ *wave* ondulering.
I. **March** [ma·tʃ] marts.
II. **march** [ma·tʃ] (subst.) grænse; grænsedistrikt; (vb.) grænse (*with* til).
III. **march** [ma·tʃ] (vb.) marchere; rykke frem; (fig.) udvikle sig (fx. *events are beginning to* ~); lade marchere, føre (fx. *they -ed the prisoner away*); ~ *upon* rykke frem mod.
IV. **march** [ma·tʃ] (subst.) march; (fig.) gang, udvikling (fx. *the* ~ *of events*); *be on the* ~ være på march; (fig.) stadig gå frem; *dead* ~ sørgemarch; *forced* ~ ilmarch; *steal a* ~ *upon sby.* overliste én, (ubemærket) komme én i forkøbet, snige sig til en fordel frem for én.
March hare: *as mad as a* ~ splittergal.
marching ['ma·tʃiŋ] march-; ~ *orders* marchordre.
marchioness ['ma·ʃənés] markise.
marchpane ['ma·tʃpeⁱn] marcipan.
march past forbidefilering.
Mardi Gras ['ma·di'gra·] hvidetirsdag (hvor der holdes fest med karnevalsoptog etc.).
mardy ['ma·di] T pylret.
mare [mæə] (zo.) hoppe; *the grey* ~ *is the better horse* det er konen, der regerer; *money makes the* ~ *to go* den, der smører godt, kører godt.
mare's nest ['mæəznést]: *find a* ~ få en lang næse; *it was a* ~ det var en vildmand.
mare's tail ['mæəzteⁱl] lang fjersky; ♧ hestehale.
Margaret ['ma·g(ə)rit].
margarine [ma·dʒə'ri·n, ma·gə'ri·n] margarine.
Margate ['ma·gét].
marge [ma·dʒ] rand, kant; T fk. f. *margarine*.
margin ['ma·dʒin] (subst.) rand, kant; margen; bred; spillerum, forskel; overskud; (= ~ *of profit*) forskel mellem indkøbs- og udsalgspris, gevinstmargen, fortjeneste; (vb.) forsyne med rand (el. margen); forsyne med randbemærkninger; skrive i margenen;

allow (el. *leave) a* ~ give et vist spillerum, lade en margen stå åben; *win by a narrow* ~ vinde med nød og næppe.
marginal ['ma·dʒinəl] marginal-, rand- (fx. ~ *notes).* **marginal costs** grænseomkostninger.
marginalia [ma·dʒi'neⁱliə] randbemærkninger.
marginal| income grænseindtægt. ~ **land** jord som det vanskeligt betaler sig at dyrke. ~ **note** randnote, marginalnote, randbemærkning. ~ **seat** usikkert mandat (ved parlamentsvalg).
marginate(d) ['ma·dʒineⁱt(id)] forsynet med rand.
margravate ['ma·grəveⁱt] markgrevskab. **margrave** ['ma·greⁱv] markgreve. **margravine** ['ma·grəvi·n] markgrevinde.
marguerite [ma·gə'ri·t] ♧ margerit.
Maria [mə'raiə]: *Black* ~ 'salatfadet'.
Marian ['mæəriən] Maria-; tilhænger af Maria Stuart.
Marie ['ma·ri]: ~ *biscuit* mariekiks.
marigold ['mārigoᵘld] ♧ morgenfrue; *African* ~ fløjlsblomst.
marihuana [ma·rihu'a·na] (amr.) haschisch, marihuana; ~ *cigarette* marihuanacigaret.
marinade [māri'neⁱd] (vb.) marinere; (subst.) marinade.
marinate ['mārineⁱt] (vb.) marinere.
marine [mə'ri·n] (adj.) som hører til havet, søen; sø-; hav-; marine-, skibs-; (subst.) flåde; marine; søstykke; *-s* (ogs.) landgangstropper, marineinfanteri; ~ *animal* havdyr; *mercantile* (el. *merchant)* ~ handelsflåde; *tell that to the -s* den må du længere ud på landet med.
marine insurance søforsikring.
mariner ['mārinə] sømand.
marine stores skibsekvipering; skibsprovianteringshandel; forretning der handler med gammelt skibsinventar.
mariolatry [mæəri'ålətri] mariadyrkelse.
marionette [māriə'net] marionet, dukke.
marital [mə'raitl, 'māritl] ægteskabelig; ~ *status* ægteskabelig stilling.
maritime ['māritaim] maritim, sø-; søfarts-; søfarende; kyst-, strand-, som lever ved kysten.
maritime| court søret. ~ **law** sølov, søret. ~ **trade** søhandel.
marjoram ['ma·dʒərəm] ♧ merian.
I. **Mark** [ma·k] Markus.
II. **mark** [ma·k] (subst.) mark (mønt).
III. **mark** [ma·k] (vb.) mærke; tegn *(of* på); kendetegn (fx. i pas); fabriksmærke, stempel, kvalitet; karakter (i skolen); betydning, vigtighed; mål (fx. for skydning), (fig.) skydeskive, offer; plads ved startlinie; (flyv.) model, type; *bad* ~ anmærkning; *bear the* ~ *of* være præget af; *get good* (el. *high) -s* få gode karakterer; *hit the* ~ nå målet, ramme i centrum; *leave one's* ~ *on* sætte sit præg på; *make one's* ~ skabe sig en karriere; blive kendt; sætte sig spor, gøre indtryk; *a man of* ~ en betydelig mand; *below the* ~ utilfredsstillende, ikke fyldestgørende; *beside the* ~ (ogs. fig.) ved siden af; *be beside the* ~ (ogs.) skyde forbi, ikke ramme; (fig.) ikke komme sagen ved; ~ *of exclamation* udråbstegn; ~ *of interrogation* spørgsmålstegn; *fall short of the* ~ forfejle målet; *wide of the* ~ helt ved siden af; *be wide of the* ~ være vild på kareten, ramme helt ved siden af; *get off the* ~ starte; *up to the* ~ tilfredsstillende, fyldestgørende; *bring sby. up to the* ~ få en til at makke ret; *I don't feel quite up to the* ~ jeg føler mig ikke rigtig rask; *keep sby. up to the* ~ holde en til ilden.
IV. **mark** [ma·k] (vb.) mærke, sætte mærke på (el. i, ved); efterlade mærke(r) (el. spor, pletter) på; afmærke; betegne, markere; kendetegne, præge, karakterisere; notere; give karakter for, censurere, bedømme (fx. *the essay is difficult to* ~); mærke sig, lægge mærke til (fx. ~ *my words);* ~ *time* marchere på stedet; (fig.) stå i stampe, ikke komme af stedet; ~ *down* mærke med lavere pris, nedsætte prisen på; ~ *trees for cutting* udvise træer; ~ *off* afmærke, afgrænse; ~ *out* afmærke, afgrænse; udvælge, udpege *(for* til); ~ *up* forhøje prisen på.
mark-book karakterbog.
marked [ma·kt] mærket; markeret; udpræget, tydelig (fx. *a* ~ *improvement).*
markedly ['ma·kidli] udpræget, tydeligt.
marker ['ma·kə] markør; mærke, bogmærke.
I. **market** ['ma·kit] (subst.) torv; marked; *black* ~ sort børs; *dull* ~ flovt marked; *find a ready* ~, *meet with a ready* ~ finde god afsætning; *come into the* ~ komme i handelen; *put on the* ~ bringe i handelen; *be in the* ~ *for sth.* optræde som køber af noget; *the* ~ *rose* priserne steg.
II. **market** ['ma·kit] (vb.) afsætte, sælge, sende til torvs, bringe på markedet; handle (på torvet).
marketable ['ma·kitəbl] (adj.) sælgelig, salgbar; kurant.
market analysis markedsanalyse.
marketer ['ma·kitə] torvegæst. **market|-garden** handelsgartneri. **-gardener** handelsgartner. ~ **-hall** torvehal.
marketing ['ma·kitiŋ] torvehandel; torveindkøb; afsætning, salg; markedsføring. **marketing|analysis** salgsanalyse. ~ **possibilities** afsætningsmuligheder.
market|-place torv(eplads), markedsplads. ~ **-price** markedspris, dagspris. ~ **report** markedsberetning. ~ **-town** købstad. ~ **-value** værdi i handel og vandel, salgsværdi.
marking ['ma·kiŋ] mærkning; aftegning; karaktergivning; (forst.) udvisning.
marking| hammer skovhammer, stempelhammer. ~ **-ink** mærkeblæk. ~ **iron** (forst.) stempeljern.
marksman ['ma·ksmən] finskytte. **marksmanship** [-ʃip] skydefærdighed.
marl [ma·l] (subst.) mergel; (vb.) mergle.
Marlborough ['må·lbrə].
marlin ['ma·lin] (*zo.*) sejlfisk; marlin; sværdfisk.
marline ['ma·lin] (tovværk) merling.
marlinespike ['ma·linspaik] merlespiger.
Marlow ['ma·loᵘ].
marlpit ['ma·lpit] mergelgrav.
marmalade ['ma·məleⁱd] orangemarmelade.
Marmora ['ma·mərə]: *the Sea of* ~ Marmarahavet.
marmoreal [ma·'må·riəl] marmoragtig.
marmoset ['ma·məzet] (zo.) egernabe, silkeabe.
marmot ['ma·mət] (zo.) murmeldyr.
marocain ['mārəkeⁱn] (subst.) marocain (et kjolestof).
I. **maroon** [mə'ru·n] (adj.) rødbrun.
II. **maroon** [mə'ru·n] (subst.) kanonslag.
III. **maroon** [mə'ru·n] maronneger, (opr.) bortløben negerslave; person, der er ladt tilbage på en øde ø eller kyst; (vb.) lade tilbage på en øde ø eller kyst; drive omkring.
marplot ['ma·plåt] geskæftig klodrian.
marque [ma·k]: *letter(s) of* ~ kaperbrev.
marquee [ma·'ki·] stort telt.
Marquesas [ma·'keⁱsās]: *the* ~ Marquesasøerne.
marquess ['ma·kwis] markis.
marquetry ['ma·kitri] dekupørarbejde, indlagt arbejde.
marquis ['ma·kwis] markis.
marquisate ['ma·kwizėt] markisværdighed.
marram-grass ['mārəm'gra·s] ♧ klittag, hjælme.
marriage ['māridʒ] giftermål, ægteskab; vielse, bryllup; *ask in* ~ fri til; *give in* ~ bortgifte; *take in* ~ tage til ægte, gifte sig med.
marriageable ['māridʒəbl] giftefærdig.
marriage| articles ægtepagt. ~ **-bed** ægteseng, brudeseng. ~ **lines** vielsesattest. ~ **portion** medgift; ~ *portion insurance* brudeudstyrsforsikring. ~ **settlement** ægtepagt.
married ['mārid] (adj.) gift; ægteskabelig; ~ *couple* ægtepar; ~ *life* ægteskab; ægteskabeligt samliv; *her* ~ *name* hendes navn som gift; *the* ~ *state* ægtestanden.

marrow ['märoᵘ] marv; indre kraft; inderste; *(vegetable)* ~ slags græskar; *he was chilled to the* ~ han var gennemfrossen, kulden gik ham gennem marv og ben; *spinal* ~ rygmarv.

marrowbone ['märoᵘboᵘn] marvben; *on your -s!* på knæ!

marrowfat ['märoᵘfät] ♧ slags ært.

marrowless marvløs.

marrowy marvfuld.

I. **marry** ['märi] gifte sig; gifte sig med; vie; bortgifte; ~ *below oneself* gifte sig under sin stand; ~ *a fortune*, ~ *money* gifte sig penge til; ~ *off one's daughter* få sin datter gift; *he is not a -ing man* han er ikke den type der gifter sig.

II. **marry** ['märi] (glds.) død og pine! det må jeg sige!

Mars [ma·z] Mars.

Marseillaise [ma·sə'leⁱz]: *the* ~ Marseillaisen.

Marseilles [ma·'seⁱlz] Marseille.

marsh [ma·ʃ] mose, sump, morads; marsk.

marshal ['ma·ʃl] (subst.) marskal, ceremonimester; (amr. ogs.) politidirektør, brandchef; (vb.) opstille, ordne, føre; *-ling yard* rangerbanegård.

marshalship ['ma·ʃlʃip] marskalstilling, marskallat.

marsh|-gas sumpgas. ~ **-harrier** (zo.) rørhøg. ~ **-mallow** læge-stokrose, altæa; form for slik lavet heraf. ~ **-mallow-syrup** altæasaft. ~ **-marigold** engkabbeleje. ~ **-plant** sumpplante. ~ **-titmouse** (zo.) sumpmejse. ~ **-warbler** (zo.) kærsanger.

marshy ['ma·ʃi] sumpet.

marsupial [ma·'s(j)u·piəl] (zo.) pungdyr.

mart [ma·t] marked, torv, markedsplads; handelscentrum; auktionslokale.

martello [ma·'teloᵘ]: ~ *tower* (lille befæstet tårn; af sådanne byggedes der under Napoleonskrigene flere på Englands kyster).

marten ['ma·tin] mår.

Martha ['ma·þə].

martial ['ma·ʃl] krigs-, militær, krigerisk, martialsk; *court* ~ krigsret; ~ *law* belejringstilstand; militær undtagelsestilstand; ~ *spirit* krigsbegejstring.

Martian ['ma·ʃiən] (subst.) Marsbeboer; (adj.) Mars-.

I. **martin** ['ma·tin] (zo.) (by)svale.

II. **Martin** ['ma·tin] Martin, Morten.

martinet [ma·ti'net] streng officer, rekrutplager; tyran.

martingale ['ma·tiŋgeⁱl] springrem (på ridehest); fordobling af indsats; ⚓ pyntenet.

Martinmas ['ma·tinməs] mortensdag, 11. november.

martlet ['ma·tlėt] (zo.) (by)svale.

I. **martyr** ['ma·tə] (subst.) martyr; offer *(to* for); *be a* ~ *to* (ogs.) lide (frygteligt) af, være plaget af (fx. *rheumatism).*

II. **martyr** ['ma·tə] (vb.) gøre til martyr; pine, martre; *be -ed* (ogs.) lide martyrdøden.

martyrdom ['ma·tədəm] martyrium.

marvel ['ma·vəl] vidunder; (glds.) forundring; (vb.) forundres, forbavses, undre sig *(at* over); *the pills worked -s* pillerne gjorde underværker. **marvellous** ['ma·vələs] (adj.) ganske mærkværdig, utrolig; eventyrlig; vidunderlig, storslået.

Marxian ['ma·ksiən], **Marxist** ['ma·ksist] marxistisk; marxist.

Mary ['mæəri]: *the Virgin* ~ Jomfru Marie; *little* ~ (spøgende) maven, mavsen.

Marylebone ['märələbən; 'märəbən].

marzipan [ma·zi'pän] marcipan.

mascara [mäs'ka·rə] mascara (til farvning af øjenbryn og -vipper).

mascot ['mäskət] maskot.

masculine ['ma·skjulin, 'mäs-] (adj.) mandlig, maskulin; mandig; mandhaftig; hankøns-; hankøn, maskulinum.

Masefield ['meⁱsfi·ld].

I. **mash** [mäʃ] (subst.) mos, kartoffelmos; (i brygning) mæsk.

II. **mash** [mäʃ] (vb.) mose (ud); mase; (i brygning) mæske; ~ *sby.* T flirte med én, lægge an på én; *be -ed on sby.* T være skudt i en; *-ed potatoes* kartoffelmos; ~ *the tea* hælde (kogende) vand på tebladene.

masher ['mäʃə] hjerteknuser, laps.

mashie ['mäʃi] slags golfkølle.

mash-tub ['mäʃtʌb] mæskekar.

mask [ma·sk] maske; maskeret person; camouflage; (vb.) maskere; tilsløre; camouflere; foretage skinangreb mod; maskere sig; *throw off one's* ~ (ogs. fig.) kaste masken; *-ed ball* maskerade. **masker** ['ma·skə] maskeret person, maske.

masochism ['mäzoᵘkizm] masochisme.

mason ['meⁱsn] murer; stenhugger; frimurer; (vb.) mure. **masonic** [mə'sånik] frimurer-. **masonry** ['meⁱsnri] murerarbejde; murerhåndværk; frimureri.

masque [ma·sk] maskespil; maskerade.

masquerade [mäskə'reⁱd] maskerade; (fig.) komediespil; forstillelse; (vb.) deltage i en maskerade; være forklædt; ~ *as* give sig ud for, klæde sig ud som, forklæde sig som.

masquerader [mäskə'reⁱdə] deltager i en maskerade, udklædt person; (fig.) en der spiller komedie.

I. **mass** [mäs] (subst.) masse; mængde; (vb.) ophobe(s), hobe (sig) sammen; *the* ~ størstedelen, flertallet; *the -es* masserne, de brede lag; *be a* ~ *of* være fuld af; *he was a* ~ *of bruises* han var forslået over hele kroppen; *in the* ~ som helhed; alt i alt; for størstedelen.

II. **Mass** [mäs] messe; *low* ~ stille messe; *say* ~ læse messe.

III. **Mass.** fk. f. *Massachusetts.*

Massa ['mäsə] herre (i negersprog).

Massachusetts [mäsə'tʃu·sets].

massacre ['mäsəkə] (subst.) massakre; blodbad, nedsabling; (vb.) massakrere, nedsable, myrde; *the* ~ *of the Innocents*, se *innocent.*

massage ['mäsa·ʒ] (subst.) massage; (vb.) massere.

mass communications massemeddelelsesmidler.

masseur [mä'sə·] massør.

masseuse [mä'sə·z] massøse.

massif ['mäsi·f] (bjerg)massiv, bjergmasse, gruppe bjerge.

massive ['mäsiv] (adj.) massiv, svær.

mass| media massemeddelelsesmidler. ~ **meeting** ['mäs'mi·tiŋ] massemøde. ~ **-produce** masseproducere, massefremstille. ~ **production** masseproduktion.

massy ['mäsi] (adj.) massiv, svær.

I. **mast** [ma·st] (subst.) mast; *before the* ~ forude; *ship before the* ~ tage hyre som menig sømand.

II. **mast** [ma·st] (subst.) olden (agern og bog).

I. **master** ['ma·stə] (subst.) mester *(of* i); herre *(of* over); hersker; principal, arbejdsgiver; håndværksmester, -mester (fx. ~ *carpenter* tømrermester); lærer (fx. *dancing* ~); læremester; kaptajn, (skibs)fører; (foran drengenavn brugt især af tjenestefolk) unge hr. (fx. *Master John Brown);* (omtr. =) magister *(of* i); (adj.) mesterlig, mester-; hoved-, over-, ledende; *the Master* Mesteren, Herren, Kristus; *-'s certificate* skibsførerbevis; *-'s desk* kateder; *the old -s* de gamle mestre; *be* ~ *of* være herre over; eje; beherske, mestre. være en mester i; *Master of Arts* (omtr.) cand. mag., mag. art.; *Master of Ceremonies* (over)ceremonimester; (ved radioudsendelse) konferencier; ~ *of foxhounds* jagtleder (ved rævejagt); *Master of the Horse* hofstaldmester; *make oneself* ~ *of a language* tilegne sig et sprog; *Master of Science* (omtr.) cand. mag., mag. scient.

II. **master** ['ma·stə] (vb.) mestre (fx. *a language),* beherske, tilegne sig, lære sig; blive herre over, betvinge, få bugt med, tæmme.

master-builder bygmester.

masterful ['ma·stəful] bydende, dominerende, tyrannisk; myndig.

master|-hand mesterhånd, mester. ~ **-key** hovednøgle.
master|less herreløs; ustyrlig. **-ly** mesterlig, virtuosmæssig.
master|-mariner kaptajn, skipper. ~ **-mason** stenhuggermester; frimurer af 3. grad. ~ **-mind** (vb). lede (i det skjulte); stå bag, være hjernen bag (fx. *he ~ -minded the operations in Africa)*. **-piece** mesterværk; mesterstykke. **-ship** herredømme; lærerstilling; **-stroke** mestertræk; mesterstykke.
mastery [ˈmaˑstəri] herredømme; overtag; beherskelse (fx. *~ of the technique)*.
mast|-head [ˈmaˑsthed] (subst.) mastetop; (amr.) avishoved; (vb.) sende op i mastetoppen; hejse til tops. ~ **-hoop** ⚓ mastebånd.
mastic [ˈmästik] mastikstræ; mastiks; slags cement.
masticate [ˈmästikeⁱt] tygge. **mastication** [mästiˈkeⁱʃən] tygning.
mastiff [ˈmästif, ˈmaˑstif] mastiff, dogge.
mastodon(t) [ˈmästədån(t)] mastodont.
mast-partners (pl.) ⚓ mastefisk.
masturbation [mästəˑˈbeⁱʃən] masturbation, onani.
I. **mat** [mät] (subst.) måtte; underlag (til varme fade etc.), bordskåner; madras (til brydekamp); lille tæppe, sengeforligger; sammenfiltret masse; *leave on the ~* nægte at modtage; *put on the ~* give en røffel, skælde ud; *go to the ~ with* give sig i kamp med, indlede polemik mod.
II. **mat** [mät] (vb.) sammenfiltre; dække med måtter (, tæpper); sammenfiltres.
III. **mat(t)** [mät] (adj.) mat; (subst.) mat overflade; mat guldkant; (vb.) mattere.
matador [ˈmätədåˑ] matador (i tyrekamp; i kortspil).
matboard [ˈmätbåˑd] pap, karton.
I. **match** [mätʃ] (subst.) lige, ligemand, jævnbyrdig; værdig modstander; mage; ting der passer sammen (med en anden), modstykke, pendant; ægteskab, parti; match, (sports)kamp; *they are a bad ~* de passer dårligt sammen; *be a ~ for* kunne måle sig med; være jævnbyrdig med; *he is more than a ~ for you* han er dig overlegen, ham kan du ikke klare (dig mod); *he has not his ~* han har ikke sin lige; *make a ~ of it* gifte sig; *~ meet* (el. *find) one's ~* finde sin ligemand; få kam til sit hår.
II. **match** [mätʃ] (vb.) kunne måle sig med, kunne sættes ved siden af; passe til, stå til; stille op *(against* imod); gifte (bort); skaffe magen til, finde ngt. som passer til; passe sammen, være mage; *they are ill -ed* de passer dårligt sammen; *to ~* som passer til, i samme stil, som står dertil (fx. *a dress with a hat and gloves to ~)*.
III. **match** [mätʃ] (subst.) tændstik; lunte; *strike a ~* stryge en tændstik. **match|-board** [ˈmätʃbåˑd] pløjet bræt. ~ **-book** tændstikmappe. ~ **-box** tændstikæske.
matchet [ˈmätʃət] = *machete*.
matching [ˈmätʃiŋ] tilsvarende.
matchless [ˈmätʃlės] mageløs.
matchlock [ˈmätʃlåk] luntebøsse; luntelås.
match-maker [ˈmätʃmeⁱkə] Kirsten Giftekniv (en som stifter partier).
matchwood [ˈmätʃwud] tændstiktræ; *reduce to ~* slå i stumper og stykker, slå til pindebrænde.
I. **mate** [meⁱt] (subst.) kammerat, makker, medhjælper; ægtefælle, mage; ⚓ styrmand; -mat (fx. *boatswain's ~* bådsmandsmat).
II. **mate** [meⁱt] (vb.) gifte (bort), gifte sig med, parre; gifte sig, parre sig.
III. **mate** [meⁱt] mat (i skak); (vb.) gøre mat.
maté [ˈmäteⁱ] maté, paraguayte.
matelot [ˈmätloᵘ] sømand, matros.
mater [ˈmeⁱtə] (i skoledrengesprog) moder.
material [məˈtiəriəl] (adj.) stoflig, legemlig, materiel; vægtig, væsentlig, betydningsfuld; (subst.) emne, materiale, stof. **materialism** [-izm] materialisme.
materialist [məˈtiəriəlist] (subst.) materialist; (adj.) materialistisk. **materialistic** [mətiəriəˈlistik] materialistisk. **materialize** [məˈtiəriəlaiz] legemliggøre, materialisere; legemliggøres, åbenbare sig; tage fast form, blive til virkelighed (fx. *our plan did not ~)*.
matériel [mətiəriˈel] materiel.
maternal [məˈtəˑnəl] moderlig, moder-; på mødrene side; *~ grandfather* morfader.
maternity [məˈtəˑniti] moderskab; moderværdighed, moderlighed.
maternity| benefit barselhjælp. ~ **frock** omstændighedskjole, ventekjole. ~ **home** fødeklinik. ~ **hospital** fødselsstiftelse. ~ **nurse** jordemoder. ~ **ward** fødeafdeling. ~ **work** barselpleje.
matey [ˈmeⁱti] (adj.) kammeratlig, intim; (subst.) kammerat, makker.
mathematical [mäþiˈmätikl] matematisk.
mathematician [mäþiməˈtiʃən] matematiker.
mathematics [mäþiˈmätiks] matematik.
maths [mäþs] T matematik.
matin [ˈmätin] morgen-.
matinée [ˈmätineⁱ] matiné, eftermiddagsforestilling.
matins [ˈmätinz] (subst., pl.) morgengudstjeneste; (i kloster) matutin (første tidebøn).
matriarch [ˈmeⁱtriaˑk] kvindeligt familieoverhoved; værdig gammel kvinde.
matriarchy [ˈmeⁱtriaˑki] matriarkat.
matric. fk. f. *matriculation (examination)*.
matricide [ˈmeⁱtrisaid] modermord; modermorder.
matriculate [məˈtrikjuleⁱt] immatrikulere; blive immatrikuleret. **matriculation** [mətrikjuˈleⁱʃən] immatrikulation; *~ (examination)* (svarer omtr. til) studentereksamen.
matrimonial [mätriˈmoᵘnjəl] ægteskabelig, ægteskabs-. **matrimony** [ˈmätriməni] ægteskab, ægtestand.
matr|ix [ˈmeⁱtriks, ˈmät-] (pl. *-ixes, -ices)* matrice; støbeform; underlag (i lokkemaskine); skruemøtrik; (geol.) grundmasse, indlejringsmasse; (glds.) livmoder; (fig.) oprindelse.
matron [ˈmeⁱtrən] gift kone, matrone; oldfrue, økonoma, plejemoder, oversygeplejerske, forstanderinde. **matronly** [ˈmeⁱtrənli] matroneagtig, sat, værdig; frue-.
Matt. fk. f. *Matthew*.
I. **matter** [ˈmätə] (subst.) anliggende, sag, emne, spørgsmål *(of* om); indhold; grund, årsag, anledning *(of* til); stof, materiale; (i filosofi) materie(n); (med.) pus, materie; (typ.) manuskript, sats; *-s* forholdene; sagerne (fx. *he came to discuss -s with me); for that ~*, *for the ~ of that* for den sags skyld; *the form and the ~* formen og indholdet; *in the ~ of* når det drejer sig om; hvad angår; *the ~ in hand* den foreliggende sag; *no ~!* det gør ingenting! bryd Dem ikke om det! *no ~ what (, where) it is* lige meget (el. ligegyldigt, uanset) hvad (, hvor) det er; hvad (, hvor) det end måtte være; *a ~ of* (foran talord) sådan noget som, omtrent (fx. *a ~ of 7 miles); it is a ~ of ...* (ogs.) det gælder ..., det drejer sig om ...; *~ of business* forretningsanliggende; *~ of consequence* vigtig sag; *~ of course* selvfølge; *~ of dispute* stridsspørgsmål; *~ of doubt* tvivlsom sag; *~ of fact* kendsgerning, realitet; nøgtern, prosaisk, saglig; *as a ~ of fact* i virkeligheden, faktisk; *~ of habit* vanesag; *it is a ~ of regret* det er meget beklageligt; *~ of taste* smagssag; *what ~?* hvad gør det? det gør ingenting; *what's the ~?* hvad er der i vejen? *what's the ~ with him?* hvad fejler han? *there is something the ~ with it* der er noget i vejen med den.
II. **matter** [ˈmätə] (vb.) være af betydning, betyde noget, gøre noget; afsondre materie; *it does not ~* det gør ikke noget; det har ikke noget at betyde; *what does it ~?* hvad gør det? *it -ed little whether* det betød kun lidt om; *not that it -s* ikke fordi det betyder noget; *it is character that -s* det er karakteren det kommer an på.

 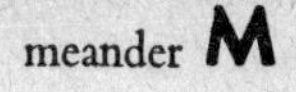

matter-of-course selvfølgelig. **matter-of-fact** prosaisk, nøgtern, saglig.
Matthew [ˈmäþju·] Matthæus.
I. **matting** [ˈmätiŋ] måtte(r), måttebelægning, måttemateriale, måttefremstilling.
II. **matting** [ˈmätiŋ] mattering.
mattock [ˈmätək] (subst.) hakke.
mattress [ˈmätrės] madras.
maturate [ˈmätjure^{i}t] bringe (byld) til at trække sammen; modnes; modne.
maturation [mätjuˈre^{i}ʃən] (subst.) modning.
mature [məˈtjuə] (adj.) moden, fuldstændig udviklet, udvokset; forfalden til betaling; (vb.) modne, udvikle, lagre; modnes; lagres; forfalde til betaling.
maturity [məˈtjuəriti] modenhed; forfaldstid; *at* ~ på forfaldsdagen.
matutinal [mätjuˈtainl; (amr.) məˈtju·tinəl] morgen-, tidlig.
maty [ˈme^{i}ti] (adj.) **T** kammeratlig, intim.
Maud [må·d].
maudlin [ˈmå·dlin] (adj.) drivende sentimental, rørstrømsk; halvfuld; (subst.) sentimentalitet.
maugre [ˈmå·gə] (glds.) til trods for.
maul [må·l] (subst.) knippel, kølle; mukkert; (vb.) mishandle, maltraktere, gennemprygle, skamslå; tage klodset på, befamle; kritisere sønder og sammen.
maulstick [ˈmå·lstik] malerstok.
maunder [ˈmå·ndə] tale usammenhængende, væve, fortabe sig i vrøvl; ~ *about* vandre om uden mål og med.
Maundy Thursday [ˈmå·ndi ˈþə·zdi] skærtorsdag.
mausoleum [må·səˈli·əm] mausoleum.
mauve [mo^{u}v] mauve (grålilla).
maverick [ˈmävərik] (amr.) kalv som ikke er brændemærket; (om person) individualist, uortodoks partitilhænger.
mavis [ˈme^{i}vis] sangdrossel.
mavourneen [məˈvuəni·n] (irsk) min elskede.
maw [må·] mave; kro (hos fugle); svælg.
mawkish [ˈmå·kiʃ] vammel; sentimental, rørstrømsk.
maxillary [mäkˈsiləri] kæbe-.
maxim [ˈmäksim] grundsætning, (leve)regel.
maximum [ˈmäksiməm] (pl. *maxima)* maksimum, højdepunkt; maksimal-, højeste; ~ *price* maksimalpris.
I. **May** [me^{i}] maj; vår.
II. **may** [me^{i}] hvidtjørn(blomster).
III. **may** [me^{i}] (imperf. *might)* kan, kan måske (fx. *the young* ~ *die, but the old must* børn kan dø, gamle folk skal dø); må (gerne), må have lov til (fx. *you* ~ *go now)*; gid ... må, måtte (fx. ~ *you live long* gid du må leve længe);
it ~ *be* måske; det er nok muligt; *as soon as* ~ *be* så snart som muligt; *as the case* ~ *be* alt efter omstændighederne; *be that as it* ~, *however that* ~ *be* hvordan det end forholder sig dermed; *that is as it* ~ *be, but ...* det er nok muligt men ...; *I* ~ *be mistaken* det er muligt at jeg tager fejl; *he* ~ *not be very old, but* han er måske nok ikke særlig gammel, men; han er ganske vist ikke særlig gammel, men; *they* ~ *not sell the goods* de sælger måske ikke varerne; de må ikke sælge varerne; *come what* ~ ske hvad der vil; *go where you* ~ hvor du end går; ~ *I trouble you for the bread* vil De være så venlig at række mig brødet; *you* ~ *well say so* det må du nok sige; *you* ~ *well look astonished* jeg kan godt forstå du ser forbavset ud; *who* ~ *you be?* hvem er så De? *who* ~ *that be?* hvem mon det er? hvem kan det være? *that they might not* for at de ikke skulle; at de måske ikke ville (fx. *I told them that they might not see me again); they might have offered to help us* (ogs.) de kunne nu godt have tilbudt at hjælpe os; *might I ask a question?* må jeg have lov til at stille et spørgsmål? *call himself what he might* hvad han end kaldte sig.
maybe [ˈme^{i}bi·] måske.
may-beetle, may-bug [ˈme^{i}bʌg] oldenborre.

I. **May Day** majdag, den første maj.
II. **mayday** (det internationale radiotelefoniske nødsignal).
Mayfair [ˈme^{i}ˈfæə] (kvarter i Londons Westend).
may-fly (zo.) døgnflue.
mayhem [ˈme^{i}(h)əm] lemlæstelse, legemsbeskadigelse.
may lily ♧ majblomst.
mayonnaise [me^{i}əˈne^{i}z] mayonnaise; *salmon* ~ laks i mayonnaise.
mayor [mæə] borgmester. **mayoralty** [ˈmæərəlti] borgmesterembede; borgmesters embedstid.
mayoress [ˈmæərės] borgmesterinde.
maypole [ˈme^{i}po^{u}l] majstang.
May Queen majdronning.
may-weed ♧ stinkende gåseurt.
I. **maze** [me^{i}z] (subst.) labyrint; forvirring; *in a* ~ forvirret, ør i hovedet.
II. **maze** [me^{i}z] (vb.) forvirre, gøre forstyrret.
mazurka [məˈzə·kə] mazurka.
mazy [ˈme^{i}zi] forvirret, labyrintisk, indviklet.
M. C. fk. f. *Master of Ceremonies; Member of Congress; Military Cross.*
M. D. fk. f. *Medicinae Doctor (= Doctor of Medicine)* dr. med.
Md. fk. f. *Maryland.*
M. D. A. P. fk. f. *Mutual Defense Assistance Program.*
Mddx., Mdx., Mx. fk. f. *Middlesex.*
me [mi·, mi] mig; *cardigans are not particularly me* cardigans er ikke det der klæder mig bedst.
Me. fk. f. *Maine.*
M. E. fk. f. *Middle English.*
I. **mead** [mi·d] (subst.) mjød.
II. **mead** [mi·d] (subst., poet.) eng, vang.
meadow [ˈmedo^{u}] eng. **meadow| bittercress** engkarse. ~ **foxtail** ♧ engrævehale. ~ **pipit** (zo.) engpiber. ~ **rue** ♧ frøstjerne. ~ **saffron** ♧ tidløs. ~ **-sweet** ♧ mjødurt.
meadowy [ˈmedo^{u}i] eng-; engagtig.
meagre [ˈmi·gə] mager; dårlig, ringe, tarvelig.
I. **meal** [mi·l] måltid; *a hot* ~ (ogs.) varm mad.
II. **meal** [mi·l] (usigtet) mel.
mealies [ˈmi·liz] (pl.) (i Sydafrika) majs.
meal| ticket spisebillet. **-time** spisetid. ~ **worm** (zo.) melorm.
mealy [ˈmi·li] melet; bleg; (om hest) plettet.
mealy|-bug (zo.) skjoldlus. ~ **-mouthed** forsigtig i sin tale, ulden, glat, slesk.
I. **mean** [mi·n] (adj.) ringe, tarvelig; dårlig (fx. *he is no* ~ *author)*; lurvet, ussel; lumpen, gemen (fx. *he played me a* ~ *trick)*, nedrig, lav, simpel; smålig, gnieragtig, nærig, gerrig; (amr.) arrig, uomgængelig; sløj, ilde til pas; *feel* ~ føle sig lille, føle sig ilde tilpas; *of no* ~ *ability* af ikke ringe dygtighed.
II. **mean** [mi·n] (adj.) middel-, mellem-, gennemsnitlig; gennemsnits- (fx. ~ *temperature)*; (subst.) mellemting, middelvej; gennemsnit; *the golden* (el. *happy)* ~ den gyldne middelvej.
III. **mean** [mi·n] (vb.) *(meant, meant)* betyde; have i sinde, agte (fx. *do you* ~ *to stay long? he means no harm)*; mene *(by* med, fx. *what do you* ~ *by that?)*, ville sige, sigte til; bestemme *(for* for, til); mønte *(for* på); mene, tænke *(for* som, fx. *it was -t for a tablecloth); he -s business* han mener det alvorligt; ~ *ill by sby.* ikke mene en det godt; ~ *well by sby.* mene en det godt; *it is -t for you* det er tiltænkt dig; *is this picture -t for me?* skal det billede forestille mig? *he was -t for an architect* det var meningen at han skulle være arkitekt, han var bestemt til at blive a.; ~ *it for the best* gøre det i bedste mening; *you don't* ~ *it* det er ikke Deres alvor; *I didn't* ~ *to hurt you* det var ikke min mening at såre dig; *you don't* ~ *to say* De mener da vel ikke, De vil da vel ikke sige; *that word -s "cat"* det ord betyder »kat«.
mean-born af ringe herkomst.
meander [miˈändə] (subst.) bugtning; **à la grecque**

(bort); (vb.) bugte sig; gøre sidespring (i en fortælling etc.); vandre (omkring); slentre af sted.

I. **meaning** ['mi·niŋ] (adj.) betydningsfuld; (meget)sigende (fx. *a ~ smile).*

II. **meaning** ['mi·niŋ] (subst.) betydning, mening; hensigt; *what is the ~ of* hvad betyder, hvad er meningen med; *with ~* betydningsfuldt, meget sigende; *within the ~ of the act* i lovens forstand.

meaningful meningsfuld. **meaningless** meningsløs, blottet for mening, intetsigende.

mean proportional mellemproportional.

means [mi·nz] (subst.) midler, middel; formue; *ways and -s* udveje (fx. for regeringen til at skaffe penge), økonomisk udvej; *by all ~* naturligvis, så gerne; endelig, for alt i verden; *by mechanical ~* ad mekanisk vej; *by no ~* på ingen måde; *by any ~* på nogen måde; *by this ~* på denne måde, ved dette middel, herigennem; *by fair ~ or foul* med det gode eller med det onde; *by ~ of* ved hjælp af; *live beyond one's ~* leve over evne; *live within one's ~* ikke leve over evne, sætte tæring efter næring; *~ of communication* samfærdselsmiddel; *~ of payment* betalingsmiddel; (se ogs. I. *end).*

mean-spirited fej, forsagt.

means test trangsbedømmelse.

meant [ment] imperf. og perf. part. af *mean.*

meantime ['mi·n'taim], **T meanwhile** ['mi·n'wail] imidlertid, i mellemtiden; *in the ~* imidlertid, i mellemtiden.

measles ['mi·zlz] mæslinger; (hos svin) tinter; *German ~* røde hunde.

measly ['mi·zli] befængt med tinter; syg af mæslinger; **T** elendig, jammerlig, luset, sølle, snoldet.

measurable ['meʒərbl] målelig, som kan måles; *within ~ distance of* nær ved, ikke langt fra.

I. **measure** ['meʒə] (subst.) mål; målebånd, måleredskab; målesystem; takt; forholdsregel; lovforslag; måde(hold); grad, omfang; versemål; *-s* (ogs.) (kul)lejer; *greatest common ~* største fællesmål; *dry (, liquid) ~* mål for tørre (, flydende) varer; *know no ~* ikke kende nogen grænse; *linear ~, ~ of length* længdemål; *a chain's weakest link is the ~ of its strength* en kæde er så stærk som dens svageste led; *set -s to* begrænse; *short ~* knebent mål; *take the ~ of* opmåle; (fig.) danne sig et skøn over; *take sby.'s ~, take the ~ of sby.* tage mål af en, finde ud af hvad en dur til, danne sig et skøn over ens karakter; *take -s* tage forholdsregler; tage skridt, træffe foranstaltninger *(to* til (at)); *beyond ~* overordentlig, over al måde; *~ for ~* lige for lige; *in a ~* til en vis grad, delvis; *in ~ as* i samme grad som, alt eftersom; *in a great ~* i høj grad, i stor udstrækning; *in some ~* til en vis grad; *made to ~* syet efter mål.

II. **measure** ['meʒə] (vb.) måle; opmåle; tage mål af (fx. *the tailor -d him for a new suit of clothes);* bedømme *(by* efter); måle af, udmåle; afpasse *(to* efter); tilbagelægge; *he -d his length* han faldt så lang han var; *~ swords with* krydse klinger med; *~ one's strength with sby.* prøve kræfter med en; *~ by one's own yard* dømme efter sig selv; *~ out* udmåle, uddele; *~ up to* komme på højde med.

measured ['meʒəd] (adj.) taktfast, rytmisk; afmålt (fx. *steps);* mådeholden, begrænset; velovervejet (fx. *words);* nøjagtigt udmålt (fx. *a ~ mile).*

measureless ['meʒəlės] uendelig, umådelig.

measurement ['meʒəmənt] måling; mål (fx. *the -s of a room).*

measurement certificate målebrev.

measurer ['meʒərə] måler, justerer.

measuring|-tape målebånd. *~* **worm** (zo.) måler (-larve).

meat [mi·t] kød; (nu kun i enkelte forbindelser) mad, måltid; (fig.) stof, (vægtigt) indhold (fx. *a book full of ~); butcher's ~* kød; *~ and drink* mad og drikke; *it was ~ and drink to him* det var noget der passede i hans kram; det var lige noget han kunne bruge; *one man's ~ is another man's poison* hvad der kurerer en (grov)smed, slår en skrædder ihjel; *green ~* grønsager; *after (, before) ~* efter (, før) maden; *sit at ~* sidde til bords.

meat-grinder (amr.) kødhakkemaskine.

meat|less uden kød, kødløs, vegetarisk. *~* **-pie** kødpostej. *~* **-safe** flueskab. *~* **-tea** te og koldt bord, aftensmad.

meaty ['mi·ti] kødfuld; kød-; indholdsrig, vægtig.

Mecca ['mekə] Mekka; (fig.) valfartssted.

mechanic [mi'känik] (subst.) mekaniker, håndværker, maskinarbejder; (adj.) mekanisk.

mechanical [mi'känikl] mekanisk, maskinmæssig, maskin-; som har med legemligt arbejde at gøre.

mechanical engineer maskiningeniør.

mechanician [mekə'niʃən] mekaniker.

mechanics [mi'käniks] mekanik; (fig.) teknik, 'den tekniske side' (fx. *the ~ of play-writing).*

mechanism ['mekənizm] mekanisme; (fig.) mekanik, teknik.

mechanization [mekənai'zeⁱʃən] (subst.) mekanisering. **mechanize** ['mekənaiz] mekanisere, gøre mekanisk.

med. fk. f. *medicine.*

medal ['medl] medalje. **medalled** ['medld] belønnet med medalje, prisbelønnet, dekoreret. **medallion** [mi'däljən] medaljon. **medal(l)ist** ['medəlist] medaljør; medaljekender; medaljevinder.

meddle ['medl] blande sig *(with, in* i); befatte sig *(with* med); fingerere, røre, pille *(with* ved); blande sig i ting, der ikke kommer en ved.

meddler ['medlə] pilfinger, geskæftig person.

meddlesome ['medlsəm] geskæftig, som blander sig i alt.

Mede [mi·d] meder.

I. **Media** ['mi·diə] Medien.

II. **media** pl. af *medium.*

mediaeval se *medieval.*

medial ['mi·diəl] middel-; midt-.

I. **Median** ['mi·diən] medisk; meder.

II. **median** ['mi·diən] midter-; median.

I. **mediate** ['mi·diėt] (adj.) indirekte, middelbar, andenhånds; mellemliggende, mellem.

II. **mediate** ['mi·dieⁱt] (vb.) mægle, formidle, bringe i stand (ved mægling).

mediation [mi·di'eⁱʃən] mægling; formidling, mellemkomst.

mediator ['mi·dieⁱtə] mægler; mellemmand. **mediatorial** [mi·diə'tå·riəl] mæglende, mægler-, mæglings-. **mediatorship** ['mi·dieⁱtəʃip] mæglerrolle. **mediatory** ['mi·diətəri] = *mediatorial; ~ effort* mæglingsforsøg.

medical ['medikl] (adj.) medicinsk, læge-; (subst.) **T** mediciner, lægestuderende.

medical| attendance lægehjælp, lægetilsyn. *~* **jurisprudence** retsmedicin. *~* **man** læge. *~* **officer** embedslæge; militærlæge. *~* **practitioner** praktiserende læge. *~* **superintendent** overlæge.

medicament [me'dikəmənt] medikament, lægemiddel.

medicate ['medikeⁱt] behandle medicinsk; præparere til medicinsk brug; *-d cotton-wool* sygevat.

medication [medi'keⁱʃən] medicinsk behandling; medicinsk præparering.

medicative ['medikətiv] (adj.) medicinsk; lægende.

Medicean [medi'si·ən] mediceisk.

medicinal [me'disinəl] lægende, medicinsk (fx. *~ baths); take beer -ly* tage øl som medicin.

medicine ['medsin] (subst.) medicin; lægevidenskab; (vb.) give medicin; *take one's ~* tage sine øretæver, tage følgerne af hvad man har gjort.

medicine| chest husapotek. *~* **dropper** pipette. *~* **-man** medicinmand, troldmand.

medick ['medik] ♧ sneglebælg.

medico ['medikoᵘ] **T** læge, mediciner.

medico-legal retsmedicinsk.

medieval [medi'i·vl, mi·d-] middelalderlig. **medievalism** [-izm] begejstring for middelalderen, middelalderlig ånd. **medievalist** [-ist] specialist i middelalderens historie.

mediocre ['mi·diouka] middelmådig.

mediocrity [mi·di'åkriti] middelmådighed.

meditate ['mediteit] gruble, anstille betragtninger, meditere; tænke på, pønse på (fx. *revenge); om*gås med planer om, overlægge, have i sinde. **meditated** påtænkt.

meditation [medi'teiʃən] grublen, dybe tanker, overvejelse, eftertænkning, eftertanke; betragtning; mediteren, meditation; *book of -s* andagtsbog.

meditative ['mediteitiv] tænksom, spekulativ.

mediterranean [meditə'reinjən] (om hav) helt eller delvis omsluttet af land; indhav. **Mediterranean** middelhavs-; *the M.* Middelhavet.

I. **medium** ['mi·diəm] (subst., pl. *media, mediums)* medium, middel; mellemmand; mellemting, mellemtal; middelvej (fx. *the happy ~* den gyldne m.); milieu, omgivelser; (nærings)substrat; (spiritistisk) medium; *by* (el. *through) the ~ of* ved hjælp af (fx. *through the ~ of the press); ~ of circulation* (el. *exchange)* omsætningsmiddel.

II. **medium** ['mi·diəm] (adj.) mellem-; middel- (fx. *of ~ height);* middelstor; middelsvær (fx. *artillery);* middelgod.

medium|-sized [-saizd] af middelstørrelse. **~ wave** mellembølge.

medlar ['medlə] ♧ almindelig mispel.

medley ['medli] (subst.) blanding, miskmask, sammensurium; blandet selskab; potpourri; antologi; (adj.) blandet, forvirret.

medulla [me'dʌlə] marv. **medullary** [-ri] marv-.

I. **Medusa** [mi'dju·zə] Medusa.

II. **medus|a** [mi'dju·zə] (pl. *-ae, -as)* vandmand.

meed [mi·d] løn, belønning, pris; *one's ~ of praise* den ros, der tilkommer en.

meek [mi·k] ydmyg, spagfærdig, spag, sagtmodig.

meerschaum ['miəʃəm] merskum, merskumspibe.

I. **meet** [mi·t] (vb.) *(met, met)* møde, mødes (fx. *we met (each other) in the street);* træffe sammen med, komme i berøring med, træffe på, støde sammen med; lære at kende; efterkomme, imødekomme (fx. *his wish);* opfylde, tilfredsstille (fx. *a demand* et behov), svare til; besvare, gendrive, imødegå (fx. *criticism, objections);* overvinde; dække (fx. *~ expenses);* honorere (krav, efterspørgsel, veksel); nå sammen, nå om én (fx. *his coat won't ~); till we ~ again!* på gensyn! *~ sby at the station* tage imod (el. hente) en på stationen; *that won't ~ my case* det er jeg ikke hjulpet med; det forslår ikke; *will £5 ~ the case?* kan £5 gøre det? *~ one's death* finde døden; *make both ends ~* få sine indtægter til at slå til; få det til at løbe rundt; *~ Mr. Brown* (amr.) må jeg præsentere Dem for hr. B.; *I'll ~ your train* jeg henter dig ved toget; *~ up with* (især amr.) træffe, støde på; *~ with* møde, træffe, støde på (fx. *I met with him in the train);* få, lide, komme ud for, opleve; *~ with an accident* have (el. komme ud for) et uheld; *~ with approval* vinde bifald; *I have never met with that word before* jeg er aldrig stødt på den glose før; *I have never met with such treatment before* jeg har aldrig før været ude for sådan en behandling.

II. **meet** [mi·t] (subst.) møde, mødested, samlingssted (for deltagere i rævejagt); (amr.) (sports)stævne.

III. **meet** [mi·t] (adj., glds.) passende, tilbørlig.

meeting ['mi·tiŋ] møde; forsamling; (sports-) stævne; duel; sammenløb (af floder); *adjourn the ~* hæve mødet; *general ~* generalforsamling. **meeting|-house** forsamlingshus; bedehus; bygning, hvor *dissenters* holder andagtsmøder; (amr.) kirke. **~ -place** mødested.

Meg [meg] fk. f. *Margaret.*

megacycle ['megəsaikl] megacycle, megahertz.

megalith ['megəliþ] megalit, utilhugget sten brugt til forhistoriske mindesmærker.

megalomania ['megəlo'meinjə] storhedsvanvid.

megaphone ['megəfoun] råber, megafon.

megaton ['megətån] megaton, 1 million tons; *~ bomb* megatonbombe (med en sprængkraft svarende til 1 mill. tons trotyl).

megrim ['mi·grim] migræne, hovedpine; grille, lune, indfald; *the -s* dårligt humør; kuller.

melancholia [melən'kouljə] melankoli.

melancholic [melən'kålik] melankolsk, tungsindig. **melancholy** ['melənkəli] (adj.) melankolsk, sørgmodig, tungsindig; trist; (subst.) melankoli, tungsindighed.

Melbourne ['melbən].

mêlée ['melei] håndgemæng; broget blanding.

melic ['melik] melisk; lyrisk; *~ grass* flitteraks.

melilot ['melilåt] ♧ stenkløver.

meliorate ['mi·liəreit] forbedre, forædle; blive bedre.

melliferous [me'lifərəs] honningførende. **mellifluent** [me'lifluənt], **mellifluous** [me'lifluəs] (om tone, stemme) honningsød, smeltende, blid.

mellow ['melou] blød, mør, moden, saftig; mildnet (af tiden), modnet, afdæmpet, fin; fyldig; mild; munter, gemytlig; 'bedugget', beruset; (vb.) modne, gøre blød etc.; afdæmpe, mildne; modnes; *a ~ old house* et hus med patina. **mellowness** [-nės] blødhed, modenhed; fylde; afdæmpet farve; 'bedugget' tilstand.

melodic [mi'lådik] melodi-; melodisk. **melodious** [mi'loudjəs] melodisk, velklingende. **melodiousness** [-nės] velklang. **melodist** ['melədist] sanger, komponist.

melodrama ['melədra·mə] melodrama. **melodramatic** [melodrə'mätik] melodramatisk.

melody ['melədi] melodi, velklang, musik.

melon ['melən] melon.

Melpomene [mel'påmini·].

melt [melt] smelte; smelte bort, opløses; røre; røres; lade sig røre; *~ away* smelte bort; *~ down* omsmelte; *~ into* smelte sammen med; gå over i; *~ into tears* smelte hen i tårer.

melting|-point smeltepunkt. **~ -pot** smeltedigel; støbeske; *in the ~ -pot* (fig.) i støbeskeen.

mem. fk. f. *memento; memorandum.*

member ['membə] medlem, repræsentant (for en valgkreds); lem; del, led; *~ of Christ* kristen; *M. of Parliament* parlamentsmedlem.

membership ['membəʃip] stilling som medlem, medlemskab; medlemmer, medlemstal (fx. *the union has a large ~).*

membrane ['membrein] hinde. **membranous** [mem'breinəs] (adj.) hindeagtig.

memento [mi'mentou] souvenir, minde, erindring; mindelse; memento.

memo ['memou] = *memorandum.*

memoir ['memwå·] biografi, monografi, afhandling; *-s* (ogs.) memoirer, erindringer.

memorable ['mem(ə)rəbl] mindeværdig. **memorand|um** [memə'rändəm] (pl. *-a, -ums)* notat, notits, optegnelse; memorandum; (skriftlig) fremstilling; *~ of association* (aktieselskabs) stiftelsesoverenskomst.

I. **memorial** [mi'må·riəl] (adj.) minde- (fx. *~ service* mindegudstjeneste).

II. **memorial** [mi'må·riəl] (subst.) mindesmærke; petition, bønskrift, andragende (henvendt til regering); *-s* (pl.) beretning, optegnelse.

Memorial Day (i USA) mindedag for dem der er faldet i krig.

memorialist [mi'må·riəlist] forfatter (el. underskriver) af et andragende. **memorialize** [mi'må·riəlaiz] indgive andragende til; fejre (el. bevare) mindet om, mindes.

memorize ['meməraiz] fæstne i hukommelsen, memorere, lære udenad; (glds.) optegne.

memory ['meməri] hukommelse; minde, erindring; eftermæle; *I have a bad ~ for dates* jeg er ikke god til at huske datoer; *beyond the ~ of man* ikke i mands minde; *of blessed ~* salig ihukommelse; *from ~* efter hukommelsen; *in ~ of* til minde om; *slip of the ~* huskefejl; *if my ~ serves me (right)* om jeg husker ret; *to the best of my ~* så vidt jeg husker; *call to ~* mindes; *commit a poem to ~* lære et digt udenad; *within the ~ of man, within living ~* i mands minde; *a weak ~ makes weary legs* hvad man ikke har i hovedet, må man have i benene.

mem-sahib ['memsa·ib] (indisk tiltale til europæisk) frue.

men [men] pl. af *man.*

menace ['menəs] (vb.) true; true med; (subst.) trussel.

ménage [me'na·ʒ] husholdning.

menagerie [mi'nădʒəri] menageri.

I. **mend** [mend] (vb.) istandsætte, reparere, rette, udbedre, forbedre; bedres, komme sig (fx. *the patient is -ing);* forbedre sig (fx. *it is never too late to ~);* lappe, stoppe; *~ the fire* lægge mere brændsel på; *it doesn't ~ matters* det gør ikke sagen bedre; *~ one's pace* fremskynde sin gang, øge farten; *~ one's ways* forbedre sig, blive et bedre menneske; *matters at worst are sure to ~* når nøden er størst, er hjælpen nærmest; *least said soonest -ed* jo mindre man taler om sagen, des bedre er det.

II. **mend** [mend] (subst.) bedring; reparation, udbedret sted; lap, stopning; *be on the ~* være i bedring.

mendable ['mendəbl] som kan repareres.

mendacious [men'deiʃəs] løgnagtig.

mendacity [men'dăsiti] løgnagtighed.

mendicancy ['mendikənsi] tiggeri.

mendicant ['mendikənt] tigger; tiggermunk; (adj.) tigger- (fx. *friar, order).*

mending ['mendiŋ] istandsættelse, reparation; forbedring; lapning, stopning; lappetøj, stoppetøj.

menfolk ['menfoᵘk] mandfolk (pl.).

menhir ['menhiə] stor opretstående råt tilhugget sten, bautasten.

menial ['mi·niəl] (adj.) tjenende; tjener-; ringe, tarvelig, simpel; (subst.) tyende, tjener.

meningitis [menin'dʒaitis] (med.) meningitis; hjernehindebetændelse.

menopause ['menopå·z] (subst.) klimakterium, overgangsalder. **menses** ['mensi·z] (pl.) menstruation. **menstrual** ['menstruəl] månedlig; menstruations-. **menstruate** ['menstrueit] (vb.) menstruere, have menstruation. **menstruation** [menstru'eiʃən] menstruation.

mensurability [menʃurə'biliti] målelighed.

mensurable ['menʃurəbl] målelig.

mensuration [menʃu'reiʃən] måling.

men's wear herreekvipering.

mental ['mentl] (adj.) mental, intellektuel, sinds-, ånds-, åndelig; sjæle- (fx. *~ anguish* sjælekval); sindssyge- (fx. *~ patient, ~ specialist);* udført i hovedet, hoved-; **S** skør; *he is a bit ~* (ogs.) han er lidt til en side; *make a ~ note of sth.* skrive sig noget bag øret.

mental| activity hjernevirksomhed. **~ age** intelligensalder. **~ arithmetic** hovedregning. **~ cruelty** åndelig grusomhed. **~ deficiency** evnesvaghed, åndssvaghed. **~ faculties** åndsevner. **~ hospital** sindssygehospital.

mentality [men'tăliti] mentalitet.

mental reservation stiltiende forbehold.

menthol ['menþål] mentol.

mention ['menʃən] (subst.) omtale; (vb.) omtale, nævne, anføre; *make ~ of* omtale; *don't ~ it* (ogs.) ingen årsag, ikke noget at takke for; alt forladt; *not to ~* for ikke at tale om.

mentor ['mentå·] mentor, vejleder.

menu ['menju·] spiseseddel, menu, spisekort.

Mephistophelean [mefistə'fi·liən] mefistofelisk.

Mephistopheles [mefi'ståfili·z] Mefistofeles.

mercantile ['mə·kəntail] merkantil, købmands-, handels-; *~ marine* handelsflåde; *the ~ system* merkantilismen.

mercantilism ['mə·kəntilizm] merkantilisme.

mercantilist ['mə·kəntilist] merkantilist.

mercenary ['mə·sinəri] (adj.) pengebegærlig, kræmmeragtig; lejet, til fals; (subst.) lejesoldat; *mercenaries* lejetropper.

mercer ['mə·sə] manufakturhandler.

mercerize ['mə·səraiz] mercerisere.

mercery ['mə·səri] manufakturforretning; manufakturvarer.

merchandise ['mə·tʃəndaiz] (handels)varer.

merchant ['mə·tʃənt] købmand, grosserer.

merchantable ['mə·tʃəntəbl] salgbar, kurant.

merchant|man ['mə·tʃəntmən] handelsskib, koffardiskib. **~ marine** handelsflåde. **~ prince** handelsfyrste. **~ service** handelsflåde. **merchant ship** (el. **vessel)** handelsskib, koffardiskib.

merchantship ['mə·tʃəntʃip] købmandsskab, købmandsvirksomhed.

Mercia ['mə·ʃiə].

merciful ['mə·sif(u)l] barmhjertig, nådig; *-ly* (ogs.) heldigvis, gudskelov.

merciless ['mə·silės] ubarmhjertig.

mercurial [mə·'kjuəriəl] (adj.) livlig, fuld af liv; letbevægelig; urolig; kviksølv-; (subst.) kviksølvpræparat. **mercuric** [mə·'kjuərik] merkuri-. **mercurous** ['mə·kjurəs] merkuro-.

I. **Mercury** ['mə·kjuri] Merkur.

II. **mercury** ['mə·kjuri] kviksølv.

mercy ['mə·si] barmhjertighed, nåde; medlidenhed *(on* med); benådning (for dødsstraf) (fx. *petition for ~);* (Guds) lykke, held; *it is a ~ that* det er en Guds lykke at; *be at the ~ of sby.* være i ens magt (el. vold); *beg for ~, cry for ~* bede om nåde; *for -'s sake* for Guds skyld; *sister of ~* barmhjertig søster; *~ (on us)!* Gud forbarme sig! *have ~ on sby.* forbarme sig over én; være én nådig; *be thankful for small mercies* være taknemmelig for lidt; *left to the tender mercies of* overgivet på nåde og unåde til, i kløerne på; *recommend to ~* indstille til benådning.

mercy killing medlidenhedsdrab.

mercy seat: *the ~* nådestolen.

I. **mere** [miə] (subst.) dam, lille sø.

II. **mere** [miə] (adj.) blot og bar, slet og ret, ren (fx. *he is a ~ boy; it is a ~ trifle);* lutter; *he is a ~ child* (ogs.) han er kun et barn; *by ~ chance* ved et rent tilfælde; *for the ~ purpose of* ene og alene for at; *~ words* (tom) snak.

merely ['miəli] kun, alene, blot.

meretricious [meri'triʃəs] uægte, forloren; udstafferet, prangende, skrigende; skøge-, skøgeagtig.

merganser [mə·'gänsə] (zo.) skallesluger.

merge [mə·dʒ] nedsænke; (lade) gå op *(in* i); **blive** opslugt; gå op i en højere enhed; *be -d into* **gå op i,** smelte sammen med; *~ into* glide over i.

merger ['mə·dʒə] sammensmeltning, sammenslutning (af handelsselskaber).

meridian [mə'ridiən] (subst.) middagshøjde, meridian; højdepunkt, kulmination; middag; (adj.) middags-; højeste; *~ altitude* middagshøjde.

meridional [mə'ridiənl] (adj.) meridian-; **sydlig,** sydeuropæisk; (subst.) sydlænding.

meringue [mə'räŋ] marengs.

merino [mə'ri·noᵘ] merinofår; merino (et **uldent** stof), merinogarn.

meristem ['meristem] (subst., ♧) dannelsesvæv.

I. **merit** ['merit] (subst.) fortjeneste, fortræffelighed, dyd, fortrin, fordel; *-s* fortjeneste, værd; *judge a case on its -s* bedømme en sag ud fra de foreliggende kendsgerninger; *each case is decided on its -s* (ogs.) sagerne afgøres fra gang til gang; *make a ~ of sth.* regne sig noget til fortjeneste; *I claim no ~ for it* jeg regner mig det ikke til fortjeneste; *-s and demerits* fortrin og mangler.

II. **merit** ['merit] (vb.) fortjene (fx. *~ reward).*

meritocracy [meri'tåkrəsi]: *the ~* den gruppe mennesker der er nået frem til ledende stillinger i kraft af egne fortjenester (og ikke ved fødselsprivilegier).

meritorious ['meri'tå·riəs] fortjenstfuld.
merlin ['mə·lin] (zo.) dværgfalk.
merlon ['mə·lən] murtak, murtinde.
mermaid ['mə·meⁱd] havfrue.
merman ['mə·män] havmand.
merrily ['merili] lystigt.
merriment ['merimənt] munterhed.
merry ['meri] munter, lystig, glad; *a ~ Christmas (to you)!* glædelig jul! *make ~* more sig, feste; *make ~ over* gøre sig lystig over, gøre nar af.
merry|-andrew ['meri'ändru·] klovn, bajads. **~ -go-round** ['merigoᵘraund] (subst.) karrusel. **~ -making** ['merimeⁱkiŋ] lystighed, fest(lighed). **~ -thought** ['meriþå·t] gaffelben (på en fugl), ønskeben.
mésalliance [me'zäliəns] mesalliance.
meseems [mi'si·mz] (glds.) det synes mig.
I. **mesh** [meʃ] (subst.) maske; indgreb; *-es* (pl., ogs.) net, garn, snarer; *in ~* i indgreb (tilkoblet); *throw into ~* bringe i indgreb.
II. **mesh** [meʃ] (vb.) fange (i garn); indvikle; (om tandhjul etc.) indgribe, bringe i indgreb (*with* med); *~ with* (fig.) passe sammen med, harmonere med.
meshy ['meʃi] masket, netformet.
mesmerism ['mezmərizm] mesmerisme, hypnotisme, dyrisk magnetisme. **mesmerist** ['mezmərist] hypnotisør. **mesmerize** ['mezməraiz] (vb.) hypnotisere.
mesne [mi·n] (jur.) mellem-; *~ lord* underlensherre.
Mesopotamia [mesəpə'teⁱmjə] Mesopotamien.
I. **mess** [mes] (subst.) roderi, blanding, forvirret masse, uorden; rod; kludder; svineri, griseri, søle; *in a ~* snavset, rodet, forvirret; i knibe; *the house was in a pretty ~* huset lå i ét rod; *be in a pretty ~* sidde net i det; *get into a ~* komme i fedtefadet, komme i knibe; *make a ~ of* bringe forvirring i, kludre med, forkludre; svine til; *what a ~!* sikke noget rod!
II. **mess** [mes] (vb.): *~ (up)* forkludre, ødelægge, spolere; snavse (el. svine, grise) til; *~ about* fjolle rundt; daske rundt; mishandle; *~ about with* gå og rode med, svine med; omgås; have noget for med.
III. **mess** [mes] (subst.) messe, fælles bord; ⚓ bakke; (glds.) ret; *~ of pottage* ret linser.
IV. **mess** [mes] (vb.) spise; ⚓ skaffe.
message ['mesidʒ] budskab, meddelelse, besked, hilsen; telegram; *go -s* gå ærinder; *on a ~* i et ærinde; *go on a ~* gå et ærinde. **message-form** telegramblanket.
messenger ['mesindʒə] bud, sendebud, kurér. **messenger boy** bud.
mess gear = *mess kit.*
Messiah [mė'saiə] Messias.
messieurs ['mesəz] de herrer, d'hrr.; *~ Smith & Brown* herrer Smith & Brown.
mess| jacket messejakke. **~ kit** kogegrejer; kogekar, spisebestik; ⚓ skaffegrejer. **-mate** (messe)kammerat. **~ -room** messe.
Messrs. ['mesəz] fk. f. *Messieurs.*
mess-tin (mil.) kogekar.
messuage ['meswidʒ] (jur.) (land)ejendom.
messy ['mesi] (adj.) rodet; snavset (fx. *a ~ job);* griset.
mestizo [me'sti·zoᵘ] mestits.
met [met] imperf. og perf. part. af I. *meet.*
Met. fk. f. *Meteorological.*
metabolic [metə'bålik] (adj.) stofskifte- (fx. *~ disorder* stofskiftesygdom).
metabolism [me'täbəlizm] stofskifte.
metacarpus [metə'ka·pəs] mellemhånd.
metacentre ['metəsentə] ⚓ metacenter.
metage ['mi·tidʒ] måling (af kul); målepenge.
I. **metal** ['metl] (subst.) metal; malm; glasmasse; (til vej) skærver, (jernb. ogs.) ballast; (fig.) stof, (se ogs. *mettle); -s* (jernb.) skinner; *leave* (el. *run off) the -s* løbe af sporet.
II. **metal** ['metl] (vb.) metalforhude; makadamisere.
metallic [mi'tälik] metallisk, metal-.
metalliferous [metə'lifərəs] metalholdig.
metalline ['metəlain] (adj.) metallisk.
metalloid ['metəloid] (subst.) metalloid.
metallurgy [me'tälədʒi] metallurgi
metal-work metalsløjd.
metamorphic [metə'må·fik] metamorfisk; forvandlings-; (geol.) metamorf.
metamorphose [metə'må·foᵘz] (vb.) forvandle.
metamorpho|sis [metə'må·fəsis] (pl. *-ses* [si·z]) metamorfose, forvandling.
metaphor ['metəfə] metafor. **metaphoric(al)** [metə'fårik(l)] metaforisk, billedlig.
metaphysic(al) [metə'fizik(l)] metafysisk.
metaphysician [metəfi'ziʃən] metafysiker.
metaphysics [metə'fiziks] metafysik.
metatarsus [metə'ta·səs] mellemfod.
metathesis [me'täþəsis] (pl. *-ses* [-si·z]) metatese.
I. **mete** [mi·t] (vb.): *~ (out)* udmåle, tildele.
II. **mete** [mi·t] (subst.) grænse.
metempsychosis [metempsi'koᵘsis] sjælevandring.
meteor ['mi·tjə] meteor. **meteoric** [mi·ti'årik] meteorisk, meteorlignende; *a ~ career* en kometagtig karriere. **meteorite** ['mi·tjərait] meteorsten.
meteoro|logical [mi·tjərə'lådʒikl] meteorologisk. **-logist** [mi·tjə'rålədʒist] meteorolog. **-logy** [mi·tjə'rålədʒi] meteorologi.
meter ['mi·tə] måler; (amr.) = *metre.*
methane ['meþeⁱn] metan.
methinks [mi'þiŋks] (glds.) det synes mig.
method ['meþəd] måde, fremgangsmåde, metode; system; *reduce to ~* bringe metode i; *there is ~ in his madness* der er metode i galskaben.
methodic(al) [mi'þådik(l)] metodisk, systematisk, planmæssig.
Methodism ['meþədizm] metodisme. **methodist** ['meþədist] metodist; metodistisk. **methodistic** [meþə'distik] metodistisk.
methodize ['meþədaiz] bringe metode (el. system) i.
methought [mi'þå·t] (glds.) det syntes mig.
Methuselah [mə'þju·sələ] Methusalem.
methyl ['meþil] metyl.
methylate ['meþileⁱt] denaturere; *-d spirits* denatureret sprit, kogesprit.
meticulous [mė'tikjuləs] (adj.) (pedantisk) omhyggelig, pertentlig.
metonymy [mi'tånimi] metonymi.
metre ['mi·tə] meter; metrum, versmål. **metric** ['metrik] meter-; vers-, på vers; *the ~ system* metersystemet. **metrical** ['metrikl] metrisk. **metrics** ['metriks] metrik. **metric ton** meterton (1000 kg).
Metro ['metroᵘ] (subst.) **T**: *the ~* Londons bybane.
Metroland ['metroᵘländ] Londons yderdistrikter.
metronome ['metrənoᵘm] metronom, taktmåler.
metropolis [mi'tråpəlis] (pl. *-es* [-iz]) hovedstad; ærkebispesæde; *the ~* (især) London, Storlondon.
metropolitan [metrə'pålitən] (adj.) hovedstads-; (subst.) hovedstadsbeboer; (rel.) metropolit, ærkebiskop.
mettle ['metl] liv, mod, fyrighed, iver; stof, natur, temperament; *be on one's ~* være parat til at gøre sit bedste; *put sby. on his ~* anspore en til at gøre sit bedste.
mettled ['metld], **mettlesome** ['metlsəm] livlig, modig, fyrig; vælig.
I. **mew** [mju·] (subst.) måge.
II. **mew** [mju·] (vb., glds.) fælde, skifte fjer el. ham.
III. **mew** [mju·] (subst.) (falke)bur; (vb.) sætte i bur; *~ up* (fig.) spærre inde; *~ oneself up* (ogs.) mure sig inde.
IV. **mew** [mju·] (vb.) mjave; (subst.) mjaven.
mewl [mju·l] klynke; mjave.
mews [mju·z] staldbygninger (ofte samlet omkring en gaard el. gyde; nu ofte ombygget til beboelse).

Mexican ['meksikən] mexikansk; mexikaner.
Mexico ['meksikoᵘ] Mexiko.
mezzanine ['mezəni·n] (subst.) mezzanin(etage).
mezzotint ['medzoᵘtint] mezzotintotryk, sortkunst (en særlig kobberstikteknik).
mfd. fk. f. *manufactured.*
M.F.G.B. fk. f. *Miners' Federation of Great Britain.*
m.g. fk. f. *machine gun.*
mg. fk. f. *milligram.*
M.G.C. fk. f. *Machine-Gun Corps.*
Mgr. fk. f. *Monseigneur; Monsignor.*
M.I. fk. f. *military intelligence; mounted infantry.*
Miami [mai'ämi].
miaow [mi'au] (vb.) mjave; (subst.) mjaven.
miasma [mi'äzmə] miasma, smitstof.
miaul [mi'å·l] mjave.
mica ['maikə] glimmer, marieglas. **micaceous** [mai'ke'ʃəs] glimmeragtig. **micate** ['maikeⁱt] sætte marieglas i.
Micawber [mi'kå·bə].
mice [mais] pl. af *mouse.*
Mich. fk. f. *Michigan.*
Michael ['maikl].
Michaelmas ['miklməs] mikkelsdag, d. 29. septbr.; ~ *daisy* strandasters; ~ *term* efterårssemester.
Michigan ['miʃigən].
Mick [mik] **S** irlænder.
Mickey ['miki]. **mickey** ['miki] **T**: *take the ~ out of* lave grin med, holde for nar.
mickle [mikl]: *many a little makes a ~* mange bække små gør en stor å.
microbe ['maikroᵘb] mikrobe, bakterie.
micro|biologist ['maikrobai'ålədʒist] mikrobiolog. **-climate** ['maikro'klaimit] mikroklima. **-cosm** ['maikrokåzm] mikrokosmos, lilleverden. **-film** ['maikrofilm] (subst.) mikrofilm; (vb.) mikrofotografere, affotografere (på mikrofilm). **-groove** ['maikrogru·v] mikrorille. **-meter** [mai'kråmitə] mikrometer. **-phone** ['maikrəfoᵘn] mikrofon. **-scope** ['maikrəskoᵘp] (subst.) mikroskop. **-scopic(al)** [maikrə'skåpik(l)] (adj.) mikroskopisk. **-watt** ['maikrowåt] mikrowatt. **-wave** ['maikroweⁱv] mikrobølge.
micturition [miktʃə'riʃən] (sygelig trang til) vandladning.
I. **mid** [mid] midt-; *from ~ April to ~ May* fra midt i april til midt i maj; *in mid(-)* midt i (fx. *in mid(-) July); be suspended in ~ air* svæve i luften; *in ~ ocean* midt ude på det åbne hav.
II. **'mid, mid** [mid] midt iblandt, under.
Midas ['maidäs].
midday ['middeⁱ] middag, kl. 12; middags-.
midden ['midn] mødding.
middle ['midl] (subst.) midte; liv (midje); (adj.) mellem-, middel-, midt-, midterst; (vb.) anbringe i midten; *-s* mellemkvaliteter; *in the ~ of* midt i; midt på; midt under (fx. *in the ~ of the lecture);* midt om (fx. *in the ~ of the night).*
middle| age alder mellem 40 og 60; *the Middle Ages* middelalderen. ~ **-aged** ['midl'eidʒd] midaldrende. ~ **-class** ['midl'kla·s] (adj.) middelstands-, bourgeoisi-. ~ **classes**: *the ~ classes* middelstanden. ~ **-cut** mellemstykke (fx. af fisk). ~ **distance** mellemgrund; (ved kapløb) mellemdistance.
Middle East: *the ~* Det mellemste Østen.
middle| finger langemand. ~ **ground** mellemgrund; ⚓ middelgrund; (fig.) mellemstandpunkt.
Middle Kingdom: *the ~* Riget i Midten (gammelt navn for Kina).
middle|man ['midlmän] mellemhandler. **-most** midterst, mellemst. ~ **-of-the-road** (adj.) som indtager et mellemstandpunkt, moderat, midter- (fx. *party).* ~ **-sized** middelstor, mellemstor. ~ **tint** mellemfarve. ~ **watch** (vagten ml. midnat og kl. 4), hundevagt. ~ **weight** mellemvægt; mellemvægts-.
middling ['midliŋ] middelgod, jævn, andenklasses; middelmådig; nogenlunde, temmelig. **middlings** ['midliŋz] mellemkvalitet(er) (fx. af mel).
middy ['midi] **T** kadet; ~ *blouse* matrosbluse.
midge [midʒ] (zo.) myg; (om person) se *midget.*
midget ['midʒit] (subst.) dværg, purk, lille person; fotografi i mindste format; (adj.) dværg- (fx. *submarine);* lilleput-; ~ *car* midgetbil; ~ *golf* minigolf.
midland ['midlənd] indre land; indre; indlands-; *the Midlands, the Midland Counties* Midtengland.
midmost ['midmoᵘst] midterst.
midnight ['midnait] midnat; midnats-; *dark* (el. *black) as ~* bælgmørk; *burn the ~ oil* arbejde til langt ud på natten; ~ *pass* ⚔ nattegn.
midriff ['midrif] mellemgulv.
midship ['midʃip] den midterste del af et skib; midtskibs-. **midshipman** kadet. **midships** ['midʃips] midtskibs.
midst [midst] midte; midt i, midt iblandt; *in the ~ of* midt i; *in the ~ of the fray* der hvor det gik hedest til; *in our ~* midt iblandt os, i vor midte.
midsummer ['midsʌmə] midsommer; *Midsummer day* midsommerdag, st. hansdag; ~ *madness* toppunktet af galskab, det glade vanvid; *A Midsummer Night's Dream* En Skærsommernatsdrøm.
midway ['mid'weⁱ] midtvejs, halvvejs.
midwife ['midwaif] jordemoder.
midwifery ['midwifri] fødselshjælp, obstetrik.
midwinter ['mid'wintə] midvinter, vintersolhverv.
mien [mi·n] væsen, optræden, holdning, udseende.
miff [mif] fornærmethed; uenighed; (vb.) sætte i dårligt humør; surmule; *they have had a ~* der er kommet en kurre på tråden.
I. **might** [mait] imperf. af *may.*
II. **might** [mait] magt, kraft, evne; *with ~ and main, with all his ~* af al magt, af alle kræfter.
might-have-been (subst.): *the ~* det der kunne være sket; *a ~* en der kunne være blevet noget stort (, større); en mislykket eksistens.
mightily ['maitili] mægtigt, kraftigt; vældig, meget, svært. **mightiness** ['maitinés] højhed, mægtighed.
mighty ['maiti] mægtig, kraftig; vældig, overordentlig; *high and ~* stor på den, hoven; (i titel) højmægtig.
mignonette [minjə'net] ♧ reseda.
migraine [mi'greⁱn] migræne.
migrant ['maigrənt] (adj.) (om)vandrende; (subst.) trækfugl.
migrate [mai'greⁱt] udvandre, vandre (om); flytte; trække (bort), drage bort.
migration [mai'greⁱʃən] udvandring; flytning; (fugles) træk; *the period of the great -s* folkevandringstiden.
migratory ['maigrətəri] (adj.) (om)vandrende, nomadisk, nomade-.
migratory| bird trækfugl. ~ **locust** vandregræshoppe.
Mikado [mi'ka·doᵘ] mikado.
I. **Mike** [maik] fk. f. *Michael; for the love of ~* **S** for himlens skyld.
II. **mike** [maik] **S** = *microphone.*
III. **mike** [maik] **S** drive, dovne, skulke; *be on the ~* drive den af.
mil. fk. f. *military.*
Milan [mi'län] Milano.
milch [miltʃ]: ~ *cow* malkeko.
mild [maild] (adj.) mild; blid, sagtmodig; let (fx. *a ~ cigar);* (subst.) en lettere ølsort; *draw it ~* overdriv nu ikke, tag den med ro, små slag.
mildew ['mildju·] (subst.) meldug, skimmel, mug; (vb.) blive angrebet af meldug, blive skimlet (el. muggen). **mildewed, mildewy** angrebet af meldug, overtrukket med skimmel, jordslået.
mildly ['maildli] (adv.) mildt, blidt, sagtmodigt; *to put it ~* mildest talt, med et mildt udtryk.
mild steel blødt stål.
mile [mail] (engelsk) mil (1609 m); *for -s* milevidt, i miles omkreds; *-s better* **T** hundrede gange bedre;

o
ke
selv
agt på,
sig om,
and come
d; ~ *that!*
delig ikke;
ld, a machine
hvis De ikke
, hvorfor ikke;
yd dig ikke om
det! det gør ikke
er ~ (about) putting
tage handskerne på;
s jeg tager det ikke så
er mindre; ~ *one's p's*
korrekt; passe på hvad
ass of beer jeg kunne godt
øl; *do you ~ my smoking a*
at jeg ryger en cigar? ~ *the*
't ~ telling you jeg kan godt

] til sinds; (i smstg.) af karakter
-sindet (fx. *German-minded); in-*
ninded flyveinteresseret); indstillet
); if you are so ~ hvis du har lyst
aində] -vogter, -passer.
naindf(u)l] (adj.): *be ~ of* være opmærk-
ke på, være optaget af (fx. *one's duties).*
['maindlės] (adj.): *be ~ of* ikke ænse, ikke
være ligeglad med (fx. *danger).*
reader tankelæser.
ne [main] min, mit, mine (brugt substanti-
. *this book is ~); a friend of ~* en ven af mig.
mine [main] (subst.) ⚔, ⚓ mine; grube, bjerg-
; mine; (fig.) guldgrube (fx. *this book is a ~ of*
rmation); spring a ~ on sby. overrumple en.

III. **mine** [main] (vb.) grave gruber (i); drive gruber; drive bjergværksdrift; udvinde, bryde; minere, grave; undergrave; lægge miner under, sprænge i luften ved hjælp af miner; udlægge miner (i); spærre med miner; *the ship was -d* skibet blev minesprængt.

mine| barrage ⚓ minespærring. ~ **detector** minesøger. **-field** minefelt. **-layer** mine(ud)lægger.

miner ['mainə] minearbejder; minør.

mineral ['minərəl] (subst.) mineral; (adj.) mineralsk, mineral-; *-s* (ogs.) mineralvand.

mineral kingdom: *the ~* mineralriget.

mineralogical [minərə'lådʒikl] mineralogisk. **mineralogist** [minə'rälədʒist] mineralog. **mineralogy** [minə'rälədʒi] mineralogi.

mineral| oil mineralolie. ~ **water** mineralvand.

miner's lamp grubelampe.

Minerva [mi'nə·və].

mine|-sweeper minestryger. ~ **-sweeping** minestrygning. ~ **-thrower** minekaster.

mingle ['mingl] blande, blande sig (fx. *they -d with the crowd).*

mingy ['mindʒi] T gerrig, nærig.

miniaceous [mini'eiʃəs] mønjerød. **miniate** ['miniei t] mønjere.

miniature ['minjətʃə, 'minitʃə] (subst.) miniatur, miniaturportræt; (adj.) miniatur-; (vb.) fremstille en miniature; *in ~* i miniatur(format), en miniature.

minim ['minim] (subst.) halvnode; dråbe; bagatel; nedstreg.

minimal ['miniməl] (adj.) minimal.

minimize ['minimaiz] bringe ned til det mindst mulige; begrænse til et minimum; bagatellisere, ringeagte, undervurdere, forklejne.

minim|um ['miniməm] (subst.) (pl. *-a)* minimum; (adj.) minimums- (fx. *thermometer); minimal-* (fx. *rate* sats; *wage* løn); mindste-; *reduce to a -um* nedsætte til det mindst mulige.

mining ['mainiŋ] (subst.) grubedrift, bjergværksdrift; minedrift, mineudlægning, minering; (adj.) mine- (fx. *engineer, industry).*

minion ['minjən] yndling, favorit; håndlanger, kreatur; servil underordnet; (typ.) kolonel; mignon; *the -s of the law* lovens håndhævere.

miniskirt ['miniskə·t] lårkort kjole (, nederdel).

minister ['ministə] (subst.) minister (både i betydn. 'medlem af regeringen' og 'gesandt'); præst (især dissenterpræst); tjener, redskab *(of, to* for); (vb.) tjene; ~ *to* hjælpe, tjene; pleje (fx. *the sick);* bidrage til; sørge for; (om præst) være præst for, betjene.

ministerial [mini'stiəriəl] minister-, ministeriel; regerings-; præstelig, præste-; bidragende, medvirkende *(to* til); udøvende.

ministerialist [mini'stiəriəlist] tilhænger af regeringen.

ministrant ['ministrənt] (adj.) tjenende; (subst.) tjener, hjælper; (rel.) ministrant, messetjener.

ministration [mini'streiʃən] tjeneste, hjælp; præstetjeneste; *-s* (ogs.) kirkelige forretninger el. handlinger.

ministry ['ministri] ministerium, ministerstilling, ministertid; præsteembede; præstegerning; præsteskab; *enter the ~* blive præst; *through the ~ of N.* ved N.'s hjælp.

minium ['miniəm] mønje.

miniver ['minivə] gråværk, hermelin.

mink [miŋk] (zo., pelsværk) mink.

Minn. fk. f. *Minnesota.*

Minneapolis [mini'äpəlis].

Minnesota [mini'souta].

minnow ['minou] (zo.) elritse.

minor ['mainə] (adj.) mindre; underordnet, lavere; yngre, lille; (i musik) mol-; mol; (subst. og adj.) mindreårig, umyndig; *A ~* a-mol; *Brown ~* den yngste af brødrene B. (i skolesprog).

minority [m(a)i'nåriti] mindreårighed, umyndighed; minoritet; mindretal; *be in the ~* være i mindretal; *be in a ~ of one* stå helt alene med sit synspunkt; ~ *report* mindretalsbetænkning.

minor| key mol, moltoneart; *in a ~ key* i mol; (fig.) nedtrykt, melankolsk; i mindre målestok. ~ **premise** undersætning (i syllogisme). ~ **prophets:** *the ~ prophets* de små profeter. ~ **suit** (i bridge) lav farve (ruder el. klør).

minster ['minstə] domkirke, klosterkirke.

minstrel ['minstrəl] skjald, sanger, folkesanger, negersanger; ~ *show* optog af musikanter og komikere, gerne sværtede for at ligne negre.

minstrelsy ['minstrəlsi] sang, skjaldekunst; sangerskare.

I. **mint** [mint] mønt (ↄ: hvor mønter præges); oprindelse, kilde; *a ~ of* en mængde; *he is worth a ~ of money* han er hovedrig.

II. **mint** [mint] (vb.) (ud)mønte, præge; (fig. ogs.) opfinde, lave, danne, skabe (fx. *a new word).*

III. **mint** [mint] (adj.): *in ~ condition* (el. *state)* ubrugt og fejlfri.

IV. **mint** [mint] (subst., ♧) mynte; *crisped* (el. *curled) ~* krusemynte.

mintage ['mintidʒ] møntning; mønt, penge; møntpræg, præg; prægningsomkostninger; *a word of new ~* et nydannet ord, en nydannelse.

mint|-master møntdirektør. ~ **-sauce** (marinade tilsat krusemynteblade).

minuet [minju'et] menuet.

minus ['mainəs] minus (fx. *8 minus 2 is six);* negativ (fx. *a ~ quantity* en negativ størrelse); uden; (subst.) minustegn.

minuscule [mi'nʌskju·l] minuskel, lille bogstav; (adj.) ganske lille, ubetydelig.

I. **minute** [mai'nju·t] (adj.) ganske lille, ubetydelig; nøjagtig, minutiøs (fx. *a ~ description).*

II. **minute** ['minit] (subst.) minut; optegnelse;

there's no one within -s of him (fig. T) d…
der kan hamle op med ham; *it sticks*…
det kan ses på lang afstand.

mileage ['mailidʒ] antal mil, …
bil, svarer til) kilometerstand; …
relse pr. mil.

milepost ['mailpoᵘst] mile…

Milesian [mai'li·zjən] irsk; …

milestone ['mailstoᵘn] mileste…

milfoil ['milfoil] ♧ røllike.

milieu ['mi·ljə·] milieu.

militant ['militənt] stridende, kæmp… risk, stridbar.

milit|arism ['militərizm] militarisme. … [-ərist] militarist; militær ekspert. **-arize** [-əra… litarisere.

military ['militəri] militær (subst. og adj.), mi… tær-, krigs-; ~ *academy* officersskole; ~ *heel* officers-hæl; ~ *man* militær; *compulsory* ~ *service* almindelig værnepligt.

militate ['militeᶦt] (vb.) kæmpe; ~ *against* modvirke, modarbejde, stride mod, bekæmpe.

militia [mi'liʃə] milits, landeværn.

militiaman [mi'liʃəmən] landeværnssoldat.

milk [milk] (subst.) mælk; (vb.) give mælk (fx. *the cows are -ing well*); malke, (fig. ogs.) tappe; opsnappe (et telegram); *full* ~ sødmælk; *it is no use crying over spilt* ~ det nytter ikke at græde over spildt mælk; ~ *of sulphur* svovlmælk.

milk|-and-water udvandet, flov. ~ **chocolate** flødechokolade.

milker malker, malkepige, malkemaskine; malkeko.

milk| float mælkevogn. ~ **-glass** mælkeglas (hvidt glas). **-maid** malkepige. **-man** mælkemand. ~ **parsley** ♧ seline; kærsvovlrod. ~ **powder** tørmælk. ~ **run** mælketur; (✈ flyv.) rutineflyvning. **-sop** blødagtig person, mors dreng. ~ **thistle** ♧ marietidsel. ~ **-tooth** mælketand. ~ **-vetch** ♧ astragel. ~ **-white** mælkehvid.

milky ['milki] mælkeagtig, mælke-; tam, flov, fersk; blødagtig; frygtsom; *the Milky Way* (astr.) Mælkevejen.

mill [mil] (subst.) mølle; fabrik, spinderi, værk; maskine; kværn; **S** boksekamp; (vb.) male; (ud-) valse; valke, stampe; fræse; rifle, rande (mønt); **S** bearbejde (med næverne); bokse; hvirvle, male, mase rundt; *he has been through the* ~ han har prøvet lidt af hvert; han kender rummelen; han har gennemgået en hård skole; *put through the* ~ lade gennemgå en hård skole.

millboard ['milbå·d] tykt pap.

mill-dam mølledam, mølledæmning.

millenarian [mili'næəriən] (adj.) tusindårig; (subst.) en som tror på tusindårsriget. **millenary** [mi'lenəri] (adj.) tusindfoldig; tusindårig; (subst.) årtusinde; tusindårsfest; en som tror på tusindårsriget. **millenial** [mi'leniəl] (adj.) tusindårs-; som tilhører eller vedrører tusindårsriget. **millennium** [mi'leniəm] årtusinde; tusindårsrige.

millepede ['milipi·d] (zo.) tusindben.

miller ['milə] møller; fræsemaskine.

miller's thumb (zo.) ferskvandsulk, grødeulk.

millesimal [mi'lesiməl] (ordenstallet) tusinde; (subst.) tusindedel; (adj.) tusindedels.

millet ['milit] ♧ hirse.

mill-hand fabriksarbejder.

milliard ['miljəd] milliard.

milligram(me) ['miligrăm] milligram.

millilitre ['milili·tə] milliliter.

millimetre ['milimi·tə] millimeter.

milliner ['milinə] modehandler(inde).

millinery ['milinəri] modepynt; modehandel.

milling ['miliŋ] mølledrift, mølleri.

milling| cutter fræser. ~ **machine** fræsemaskine.

million [miljən] million; *the* ~ (ogs.) de brede lag.

millionaire [miljə'næə] millionær.

(vb.) …

mim… plikator; …

I. **mimic** … imaginær, ski… imitator, parodi…

II. **mimic** ['mi… terligne, efterabe; p…

mimicry ['mimikri] … rodiering; *protective* ~ be…

mimosa [mi'moᵘzə] mi…

min. fk. f. *mineralogy, min…*

minaret ['minərét] minaret.

minatory ['minətəri] truende.

mince [mins] (vb.) hakke småt, sk… mildne, pynte på; tale affekteret; sm… fars; farsret; *-d meat* fint hakket kød, k… *matters, not* ~ *one's words* tage bladet fra mu… lige ud af posen, sige sin mening rent ud.

mincemeat ['minsmi·t] blanding af rosine… render, æbler etc. (serveret i postej); *make* ~ *of* … til plukfisk, gøre kål på.

mince-pie ['mins'pai] postej indeholdende *mincemeat.*

mincer kød(hakke)maskine.

mincing ['minsiŋ] affekteret, jomfrunalsk.

I. **mind** [maind] (subst.) sind, sindelag, gemyt; sjæl, ånd; forstand, mening, tanke; tankegang; tilbøjelighed, lyst; erindring, minde;

absence of ~ åndsfraværelse; *at the back of his* ~ *he knew that there was sth. wrong* han havde en uklar fornemmelse af at der var noget galt; *bear in* ~ huske på; *bring* (el. *call) to* ~ erindre; minde om; *change one's* ~ komme på andre tanker, ombestemme sig; *a dirty* ~ en beskidt tankegang; *give one's* ~ *to sth.* koncentrere sig om ngt.; *give sby. a piece of one's* ~ sige én sin mening; give én ren besked; skælde én huden fuld; *have in* ~ huske; tænke på; have i sinde; *have sth. on one's* ~ være bekymret over noget; have noget på hjerte; *have a good* (el. *great)* ~ *to* have stor lyst til (at); *I have half a* ~ *to* jeg kunne næsten have lyst til (at); *keep in* ~ huske på; *keep one's* ~ *on* koncentrere sin opmærksomhed om; *keep an open* ~ ikke lægge sig fast på en bestemt anskuelse; vente med at beslutte sig; *know one's* ~ vide hvad man vil; *he does not know his own* ~ han ved ikke hvad han selv vil; *make up one's* ~ *to* beslutte sig til at;

be of one ~ *with sby.* dele ens anskuelser; *out of sight out of* ~ ude af øje ude af sind; *be out of one's* ~ være fra forstanden; *pass out of* ~ blive glemt; *presence of* ~ åndsnærværelse; *put sby. in* ~ *of* minde en om; *put sth. out of one's* ~ slå noget af hovedet; *read sby.'s* ~ læse ens tanker; *be in one's right* ~ være ved sine fulde fem; *be of the same* ~ være af samme mening; *speak one's* ~ sige sin mening; *take sby.'s* ~ *off* bortlede ens

(ogs.) referat, forhandlingsprotokol; *half a* ~ et lille øjeblik; *this* ~ straks; *I knew him the* ~ *I saw him* jeg kendte ham straks (el. i samme øjeblik) jeg så ham; *to the* ~ præcis, på minuttet; *wait a* ~ vent et øjeblik; *I won't be a* ~ jeg kommer straks, jeg er straks færdig.
III. **minute** ['minit] (vb.) optegne, protokollere; måle nøjagtigt, tage tid (fx. på et arbejdes varighed); ~ *down* notere.
minute|-book ['minitbuk] forhandlingsprotokol. ~ **-gun** minutskud. ~ **-hand** minutviser, den store viser.
I. **minutely** ['minitli] (adv.) hvert minut, hvert øjeblik.
II. **minutely** [m(a)i'nju·tli] (adv.) nøje, minutiøst.
minutiae [mai'nju·ʃii·] (subst.) småting, detaljer.
minx [miŋks] næbbet tøs, fræk tøs.
miracle ['mirəkl, -rikl] mirakel, vidunder, undergerning; (hist.) mirakelspil; *work -s* gøre mirakler; (fig.) gøre underværker.
miracle-monger mirakelmager.
miraculous [mi'räkjuləs] mirakuløs, vidunderlig.
mirage ['mira·ʒ] luftspejling, fata morgana; blændværk; illusion, indbildning.
mire ['maiə] (subst.) mose, sump; mudder, dynd; (vb.) tilsøle; sidde (el. køre) fast i dynd; (fig.) køre fast, komme i vanskeligheder; *be in the* ~ (fig.) være i klemme, være i vanskeligheder; *drag sby.* (el. *sby.'s name) through the* ~ tilsøle ens rygte, svine en til.
mirror ['mirə] (subst.) spejl; (fig.) afspejling; mønster, eksempel; (vb.) afspejle, spejle. **mirror| carp** (zo.) spejlkarpe. ~ **writing** spejlskrift.
mirth [mə·þ] munterhed, latter. **mirth|ful** ['mə·þf(u)l] lystig. **-less** glædesløs, trist.
miry ['maiəri] dyndet, mudret.
misadventure ['misəd'ventʃə] uheld; ulykke; *homicide by* ~ uagtsomt manddrab.
misadvise ['misəd'vaiz] råde slet; vildlede.
misalliance ['misə'laiəns] mesalliance.
misanthrope ['mizənþroᵘp] misantrop, menneskehader. **misanthropic** [mizən'þråpik] misantropisk, menneskefjendsk. **misanthropy** [miz'änþrəpi] misantropi.
misapplication ['misäpli'keⁱʃən] misbrug, urigtig anvendelse. **misapply** ['misə'plai] anvende forkert, misbruge.
misapprehend ['misäpri'hend] misforstå. **misapprehension** ['misäpri'henʃən] misforståelse.
misappropriate [misə'proᵘprieⁱt] (vb.) tilegne (el. tilvende) sig uretmæssigt; misbruge.
misappropriation ['misəproᵘpri'eⁱʃən] uretmæssig tilegnelse, underslæb.
misbecome ['misbi'kʌm] misklæde, ikke passe (sig) for.
misbegotten ['misbi'gåtn] uægte født; (fig., T) elendig.
misbehave ['misbi'heⁱv]: ~ *(oneself)* opføre sig dårligt (el. forkert). **misbehaviour** ['misbi'heⁱvjə] dårlig (el. forkert) opførsel.
misbelief ['misbi'li·f] (subst.) falsk tro, vantro.
misbeliever ['misbi'li·və] (subst. om person) vantro.
miscalculate ['mis'kälkjuleⁱt] beregne forkert; forregne sig. **miscalculation** ['miskälkju'leⁱʃən] fejlregning, regnefejl; fejlvurdering.
miscall [mis'kå·l] med urette kalde (fx. *these changes -ed improvements).*
miscarriage [mis'käridʒ] dårligt udfald; uheld; det at ngt. mislykkes; (brevs) bortkomst (under forsendelsen); for tidlig fødsel, abort; *have a* ~ abortere; ~ *of justice* justitsmord.
miscarry [mis'käri] slå fejl; mislykkes, strande (fx. *the scheme miscarried);* gå tabt (undervejs) (fx. *the letter miscarried);* føde for tidligt (fx. *the woman miscarried),* abortere.
miscast [mis'ka·st]: *be* ~ (om skuespiller) få en rolle man ikke egner sig til, blive forkert placeret (i et stykke); *the play is* ~ rollebesætningen er forkert.
miscegenation ['misidʒi'neⁱʃn] raceblanding.
miscellaneous [misi'leⁱnjəs] (adj.) blandet (fx. *writings* skrifter); diverse.
miscellany [mi'seləni] blanding, samling af blandet indhold.
mischance [mis'tʃa·ns] ulykke, uheld.
mischief ['mistʃif] fortræd, skade; gale streger, spilopper; skælmeri (fx. *her eyes were full of* ~); gavtyv, skælm; ~ *is brewing* der er ugler i mosen; *do sby. a* ~ gøre en fortræd; skade en; *Satan finds some* ~ *still for idle hands to do* (omtr.) lediggang er roden til alt ondt; *get into* ~ komme galt af sted; *keep out of* ~ holde sig i skindet; forhindre (en) i at lave gale streger; *make* ~ stifte ufred; *mean* ~ have ondt i sinde; varsle ilde; *play the* ~ *with* skade, gøre fortræd; ødelægge; bringe i forvirring; *suspect* ~ ane uråd; *what the* ~ *are you doing?* hvad pokker bestiller du? *be up to* ~ have spilopper for.
mischief-maker urostifter.
mischievous ['mistʃivəs] skadelig (fx. *a* ~ *rumour);* gavtyveagtig, fuld af spilopper; drilagtig, skælmsk; ~ *child* lille spilopmager.
miscible ['misibl] blandbar; *be* ~ *with* kunne blandes med.
misconceive ['miskən'si·v] opfatte forkert, misforstå. **misconception** ['miskən'sepʃən] misforståelse.
I. **misconduct** ['mis'kåndəkt] (subst.) dårlig opførsel, forseelse; utilladeligt forhold; *matrimonial* ~ ægteskabsbrud; ~ *in office* embedsforbrydelse, uredelig embedsførelse.
II. **misconduct** ['miskən'dʌkt] (vb.) administrere dårligt; ~ *oneself* opføre sig dårligt, begå ægteskabsbrud.
misconstruction ['miskən'strʌkʃən] mistydning; misforståelse.
misconstrue ['miskən'stru·] mistyde, misforstå.
miscount ['mis'kaunt] (vb.) tælle fejl; regne fejl; (subst.) fejltælling; fejlregning.
miscreant ['miskriənt] skurk.
miscue ['mis'kju·] (i billard) (vb.) støde fejl; kikse; (subst.) fejlstød, skævt stød, kikser.
misdate ['mis'deⁱt] fejldatere.
misdeal ['mis'di·l] (i kortspil) (subst.) fejlgivning; (vb.) give forkert.
misdeed ['mis'di·d] (subst.) misgerning, ugerning, udåd.
misdemeanant ['misdi'mi·nənt] forbryder, lovovertræder. **misdemeanour** [-'mi·nə] forseelse; lovovertrædelse.
misdirect ['misdi'rekt] vildlede; vise forkert vej; give en forkert retning; anvende forkert; misbruge (fx. *one's abilities);* adressere forkert. **misdirection** [-'rekʃən] vildledelse; fejlagtig retsbelæring; fejladressering.
misdoings [mis'du(·)iŋz] misgerninger, forsyndelser.
misemploy ['misém'ploi] misbruge.
mise-en-scène ['mi·za·n'seⁱn] iscenesættelse, opsætning; (fig.) skueplads, omgivelser.
misentry ['mis'entri] fejlpostering.
miser ['maizə] gnier.
miserable ['miz(ə)rəbl] elendig, ynkelig, ulykkelig; jammerlig, ussel.
miserere [mizə'riəri] miserere, bodssalme.
miserly ['maizəli] gnieragtig, gerrig.
misery ['miz(ə)ri] elendighed, ulykke, lidelse; *you six foot of* ~ dit lange, sure spektakel.
misfeasance [mis'fi·zəns] myndighedsmisbrug, embedsmisbrug, forseelse.
misfire ['mis'faiə] (vb.) (om skydevåben) klikke, ikke gå af; (om motor) ikke starte; sætte ud; (fig.) falde til jorden (fx. *the joke -d),* ikke gøre virkning; (subst.) fejltænding, svigtende affyring; klikken; (fig.) fiasko.
misfit ['mis'fit] (vb.) passe dårligt, sidde dårligt (fx. om tøj); (subst.) noget som ikke passer (fx. *his suit was a* ~); *he is a* ~ han er kommet på en forkert hylde.

misfortune [mis'få·tʃən] ulykke, uheld.
misgive [mis'giv]: *his mind* (el. *heart) misgave him* han fik bange anelser; han blev bange (el. tvivlrådig).
misgiving [mis'giviŋ] tvivl, bekymring; *-s* (ogs.) bange anelser.
misgovern ['mis'gʌvən] misregere, regere dårligt. **misgovernment** ['mis'gʌvənmənt] misregimente, dårlig regering.
misguidance ['mis'gaidəns] vildledelse. **misguide** ['mis'gaid] vildlede. **misguided** (adj.) vildledt, vildført; forkert anvendt, misforstået (fx. *kindness; zeal* iver).
mishandle ['mis'händl] håndtere klodset, mishandle; forkludre, lede dårligt.
mishap ['mishäp] uheld; ulykke.
mishear ['mis'hiə] høre fejl.
mishmash ['miʃmäʃ] sammensurium, miskmask.
misinform ['misin'få·m] underrette forkert. **misinformation** ['misinfå·'meⁱʃən] forkert underretning.
misinterpret ['misin'tə·prėt] mistyde. **misinterpretation** ['misintə·pri'teⁱʃən] mistydning.
misjudge ['mis'dʒʌdʒ] bedømme forkert, fejlbedømme, undervurdere, miskende. **misjudgment** [mis'dʒʌdʒmənt] fejlskøn, fejlbedømmelse, forkert dom.
mislay [mis'leⁱ] (vb.): *~ sth.* forlægge noget.
mislead [mis'li·d] forlede; vildlede.
mismanage ['mis'mänidʒ] lede slet, ordne dårligt, forkludre. **mismanagement** [-mənt] dårlig ledelse, dårlig forvaltning.
misname [mis'neⁱm] benævne fejlagtig; give et forkert navn.
misnomer ['mis'noᵘmə] misvisende el. forkert benævnelse.
misogynist [mai'sådʒinist] kvindehader.
misplace ['mis'pleⁱs] anbringe forkert; *-d* ilde anbragt, malplaceret, uheldig, skænket til en som ikke er den (, det) værdig (fx. *-d confidence)*. **misplacement** forkert anbringelse.
misprint [mis'print] trykfejl; (vb.) lave trykfejl.
misprize [mis'praiz] (vb.) ikke synes om, foragte.
mispronounce ['misprə'nauns] udtale forkert.
mispronunciation ['misprənʌnsi'eⁱʃən] forkert udtale.
misquotation ['miskwoᵘ'teⁱʃən] forkert citat.
misquote ['mis'kwoᵘt] citere forkert.
misread ['mis'ri·d] læse forkert, misforstå.
misrepresent ['misrepri'zent] fremstille urigtigt, fordreje; give et falsk billede af. **misrepresentation** ['misreprizen'teⁱʃən] urigtig fremstilling, fordrejelse.
misrule ['mis'ru·l] (subst.) misregimente, dårligt styre; (vb.) misregere; styre dårligt.
I. **miss** [mis] (subst.) frøken; (ung) pige, skolepige; pigebarn; *Miss Robinson* (den ældste) frøken R.; *the Misses Smith, the Miss Smiths* frøknerne Smith; *junior ~ frock* pigekjole.
II. **miss** [mis] (vb.) savne; forfejle (sit mål); ikke træffe; ramme ved siden af, skyde forbi; ikke nå (fx. *one's aim)*, gå glip af, ikke få, lade slippe fra sig, forpasse (fx. *an opportunity);* miste; forsømme; ikke opfatte (fx. *he -ed the point of the joke);* ikke få øje på, overse; overhøre; springe over, udelade; komme for sent til (fx. *the train);* undgå (fx. *I just -ed hitting the other car);* gå fejl af (fx. *we -ed each other at the station); ~ the boat* (fig.) forpasse lejligheden, ikke gribe chancen mens den er der; *~ the bus,* se *bus; ~ fire,* se *misfire; just ~ being* være lige ved at være; *~ the mark* skyde forbi; *~ one's mark* forfejle sit mål; *~ out* udelade; springe over; gøre fiasko; *~ one's way* fare vild; *a film not to be -ed* en film som De ikke bør snyde Dem selv for; en film som De 'må se; *an experience I would not have -ed* en oplevelse jeg ikke ville have undværet.
III. **miss** [mis] (subst.) fejlskud, forbier; fejlslag; kikser; T abort; *give sby. a ~* undgå en; *give sth. a ~* holde sig fra noget; undlade at gøre (, høre, se, spise osv.) noget; *that was a lucky ~* det var et held jeg slap fra det; *a ~ is as good as a mile* nærved og næsten slår ingen mand af hesten; nærved skyder ingen hare.
IV. **Miss.** fk. f. *Mississippi.*
missal ['misəl] missale, messebog.
misshapen ['mis'ʃeⁱpən] (adj.) vanskabt, misdannet.
missile ['misail; (amr.) 'misil] kasteväben; projektil; missil, raket; *~ base* raketbase; *guided ~* styrbart projektil.
missing ['misiŋ] forsvunden, manglende; som savnes, savnet; *be ~* savnes; mangle (fx. *there is a page ~* der mangler en side); *the ~* de savnede; *the ~ link* det manglende mellemled mellem abe og menneske.
mission ['miʃən] mission, sendelse; ærinde; hverv, kald, opgave; gesandtskab, delegation; missionsvirksomhed; missionsmark; missionsstation; række af vækkelsesmøder; *Foreign Missions* hedningemission; *Home Missions* indre mission; *~ in life* livsopgave; *Missions to Seamen* sømandsmission; *on a ~* i en sendelse, i et ærinde.
missionary ['miʃənəri] missionær, lægprædikant; udsending; missions- (fx. *~ college* missionsskole).
missionize ['miʃənaiz] missionere; forsøge at omvende.
missis ['misiz] frue(n) (brugt af hushjælp etc.); T kone (fx. *my ~).*
Mississippi [misi'sipi].
missive ['misiv] officiel skrivelse, brev.
Missouri [mi'zuəri].
mis-spell ['mis'spel] stave forkert. **mis-spelling** stavefejl.
mis-spend ['mis'spend] forøde, anvende ilde; *a mis-spent youth* en forspildt ungdom.
mis-state ['mis'steⁱt] fremstille urigtigt. **misstatement** ['mis'steⁱtmənt] urigtig fremstilling.
missus ['misəs] se *missis.*
missy ['misi] lille frøken.
I. **mist** [mist] (subst.) tåge; dis; *in a ~* omtåget, forvirret; *Scotch ~* regntykning.
II. **mist** [mist] (vb.) blive tåget; sløre; dugge.
I. **mistake** [mi'steⁱk] (subst.) fejltagelse; fejl; fejlgreb; misforståelse, forveksling; *and no ~* det kan du tage gift på; så det kan batte noget; *make a ~* gøre en fejl; tage fejl; *by ~* ved en fejltagelse.
II. **mistake** [mi'steⁱk] (vb.) *(mistook, mistaken)* tage fejl af, misforstå, forveksle *(for* med); *there is no mistaking it* det er ikke til at tage fejl af.
mistaken [mis'teⁱkn] misforstået; forfejlet; *be ~* tage fejl; *not to be ~* (ogs.) som ikke er til at tage fejl af, umiskendelig. **mistakenly** fejlagtigt, med urette.
mister ['mistə] hr.; (vb.) sige hr. til.
misterm ['mis'tə·m] (vb.) med urette kalde.
mistime ['mis'taim] (vb.) vælge en ubelejlig tid til; lade indtræffe på et forkert tidspunkt.
mistimed (adj.) ubetimelig, uheldig.
mistle-thrush ['misl-] (zo.) misteldrossel.
mistletoe ['misltoᵘ, 'mizltoᵘ] ♧ mistelten.
mistook [mis'tuk] imperf. af *mistake.*
mistral ['mistrəl] mistral, nordvestvind (i Sydfrankrig).
mistranslate ['misträns'leⁱt] oversætte forkert. **mistranslation** forkert oversættelse.
mistreat ['mis'tri·t] behandle dårligt.
mistress ['mistrės] (husets) frue, madmoder; lærerinde; herskerinde, herre *(of* over); mester *(of* i); elskerinde; kæreste, elskede; *M. of the Robes* overhofmesterinde.
mistrust ['mis'trʌst] (vb.) nære mistillid til, mistro; (subst.) mistillid, mistro. **mistrustful** [-f(u)l] mistroisk.
misty ['misti] tåget; diset; sløret; (fig.) tåget, vag.
misunderstand ['misʌndə'ständ] misforstå. **misunderstanding** ['misʌndə'ständiŋ] misforståelse, uenighed.
misusage ['mis'ju·zidʒ] misbrug, mishandling.
I. **misuse** ['mis'ju·z] (vb.) misbruge, mishandle.

II. **misuse** ['mis'ju·s] (subst.) misbrug, forkert brug.
I. **mite** [mait] (subst.) (zo.) mide.
II. **mite** [mait] (subst.) lille smule; skærv (fx. *the widow's ~);* lille pus, lille kræ.
miter se *mitre.*
mitigate ['mitigeⁱt] formilde, dæmpe, lindre; *mitigating circumstances* formildende omstændigheder.
mitigation [miti'geⁱʃən] formildelse, lindring, formildende omstændighed; nedsættelse.
mitrailleuse [mitrai'ə·z] mitrailleuse, maskingevær.
mitre ['maitə] bispehue, bispeværdighed; (i snedkersprog) gering (slags fugning), geringsfuge; (vb.) samle på gering, gere sammen; *confer a ~ upon* gøre til biskop.
mitre|-box skærekasse. **~ -joint** geringsfuge. **~ -wheel** konisk tandhjul.
mitt [mit] se *mitten;* baseballhandske; **S** næve; *-s* **S** boksehandsker.
mitten ['mitn] bælgvante, vante; muffedise; halvhandske; *-s* **S** boksehandsker; *give the ~* give en kurv, afskedige; *get the ~* få løbepas; *handle without -s* ikke tage med fløjlshandsker på.
mitten crab (zo.) uldhåndskrabbe.
mittimus ['mitiməs] arrestordre; **T** afskedigelse.
mix [miks] (vb.) blande; tilberede, lave; sammenblande; blande sig; (i film) overtone; omgås; komme (godt) ud af det; (subst.) blanding; (i film) overtoning; **T** rod, kludder, forvirring; **S** slagsmål; *~ up* blande sammen, rode sammen, forveksle; *get -ed up with* blive indblandet i; komme i lag med; *he doesn't ~ well* han forstår ikke at omgås folk; *~ with* omgås; *~ with the world* færdes ude blandt folk.
mixed [mikst] blandet; forvirret.
mixed| bag broget samling. **~ bathing** fællesbadning (for herrer og damer). **~ breed** blandet race. **~ company** blandet selskab. **~ marriage** blandet ægteskab (mellem personer af forskellig religion el. race). **~ number** blandet tal. **~ school** fællesskole. **~ -up** forvirret.
mixer ['miksə] blander; blandemaskine (fx. *concrete ~);* røremaskine; mixer; (amr.) bartender; *a good ~* en der har let ved at omgås folk.
mixer tap blandingshane, blandingsbatteri (til brusebad etc.).
mixing ['miksiŋ] (subst.) blanding; (i film) mixning; (adj.) blandings-, blande-; *~ valve* blandingsbatteri (til brusebad etc.).
mixture ['mikstʃə] blanding, mikstur; meleret stof; *the ~ as before* (fig.) det sædvanlige; *~ stop* (i orgel) mikstur.
mix-up ['miks'ʌp] forvirring, roderi; slagsmål.
mizen, mizzen ['mizn] ⚓ mesanmast.
mizzen|mast mesanmast. **-sail** mesan.
I. **mizzle** ['mizl] støvregne; støvregn.
II. **mizzle** ['mizl] **T** brokke sig, gøre vrøvl; forvirre; stikke af.
ml. fk. f. *millilitre.*
Mlle. fk. f. *Mademoiselle.*
M.M. fk. f. *military medal.*
mm. fk. f. *millimetre.*
Mme. fk. f. *Madame.*
mnemonic [ni'månik] mnemoteknisk, som understøtter hukommelsen.
mnemonics hukommelseskunst; mnemoteknik.
mo [moᵘ] **S** øjeblik; *half a ~* et lille øjeblik.
mo. fk. f. *month.*
M.O. fk. f. *medical officer; money order.*
moan [moᵘn] (vb.) klage, stønne; jamre over; (subst.) klage, stønnen, klagende lyd.
moat [moᵘt] fæstningsgrav; voldgrav.
mob [måb] (subst.) pøbel, pøbelhob; flok; bande; (vb.) stimle sammen (om); overfalde i flok.
mobbish ['måbiʃ] pøbelagtig.
mobile ['moᵘbail] bevægelig, mobil; letbevægelig, livlig; levende; (subst.) uro, mobile; *~ warfare* bevægelseskrig.
mobility [moᵘ'biliti] bevægelighed. **mobilization** [moᵘbilai'zeⁱʃən] mobilisering. **mobilize** ['moᵘbilaiz] mobilisere.
mob-law ['måblå·] folkejustits, lynchjustits.
mobocracy [må'båkrəsi] pøbelherredømme.
mob-rule pøbelherredømme, pøbelregimente.
moccasin ['måkəsin] mokkasin; (zo.) mokkasinslange.
mocha ['moᵘkə; 'måkə] mokka(kaffe).
I. **mock** [måk] (vb.) spotte *(at* over); håne, spotte over; efterligne, efterabe, gøre nar af; gøre latterlig; narre; skuffe (fx. *their hopes);* trodse (fx. *the door -ed every attempt at opening it).*
II. **mock** [måk] (subst.) (dårlig) efterligning; spot, latterliggørelse; skive for spot; *make a ~ of* gøre nar af.
III. **mock** [måk] (adj.) forloren, uægte, forstilt, fingeret; *~ attack* skinangreb.
mocker ['måkə] spotter.
mockery ['måkəri] spot, latterliggørelse; genstand for spot; dårlig efterligning, parodi; spilfægteri, (tom) komedie; latterligt og forgæves forsøg; *make a ~ of* gøre nar af; *hold up to ~* latterliggøre.
mock-heroic (adj.): *~ poem* komisk heltedigt.
mocking-bird ['måkiŋbə·d] spottedrossel, spottefugl.
mock-turtle ['måk'tə·tl] forloren skildpadde.
mock-up ['måkʌp] model i naturlig størrelse (fx. *a ~ of an aeroplane).*
mod. fk. f. *modern.*
modal ['moᵘdl] formel; (gram.) modal; *~ auxiliary* modalverbum.
modality [moᵘ'däliti] modalitet.
mode [moᵘd] måde; mode; skik, brug; toneart; *~ of payment* betalingsmåde.
I. **model** ['mådl] model; mønster *(of* på), eksemplar, forbillede; nøje efterligning, (éns) udtrykte billede; model, mannequin; eksemplarisk, mønster-, mønstergyldig; *on the ~ of* efter (mønster af).
II. **model** ['mådl] modellere; forme *(on* efter); anlægge, indrette; gå mannequin; *~ oneself (up)on sby.* efterligne én, tage én til forbillede.
modeller ['mådlə] modellør.
I. **moderate** ['måd(ə)rėt] (adj.) mådeholden (fx. *in drinking),* moderat; rimelig (fx. *price);* ikke videre stor (, god, dygtig etc.); middelmådig, nogenlunde.
II. **moderate** ['mådəreⁱt] (vb.) (af)dæmpe, mildne, nedsætte; lægge bånd på, betvinge, beherske; moderere; tage af, dæmpes; føre forsædet ved forhandlinger; være diskussionsleder (el. ordstyrer).
moderate| breeze frisk brise. **~ gale** stiv kuling.
moderately ['mådərėtli] (adv.) med måde, jævnt, nogenlunde.
moderation [mådə'reⁱʃən] mådehold, moderation; sindighed, sindsligevægt, beherskelse; *Moderations* første offentlige eksamen ved Oxford til opnåelse af B.A. graden; *in moderation* med måde.
moderator ['mådəreⁱtə] mægler; presbyteriansk præst (med særlig bemyndigelse); diskussionsleder, ordstyrer (fx. ved radiodiskussion); (i atomreaktor) moderator.
modern ['mådən] moderne, nyere, nymodens, ny, nutids-; *the -s* nutidens forfattere, komponister osv.; nutidens mennesker; *~ history* den nyere tids historie.
modernism ['mådənizm] modernisme, moderne tidsånd, ny skik, nyere smag. **modernist** ['mådənist] modernist.
modernistic [mådə'nistik] (adj.) modernistisk.
modernity [må'də·niti] modernitet, moderne præg, nyhed. **modernization** [mådənai'zeⁱʃən] modernisering. **modernize** ['mådənaiz] modernisere.
modest ['mådist] beskeden, fordringsløs; moderat; sømmelig, anstændig, ærbar, blufærdig.
modesty ['mådisti] beskedenhed, fordringsløshed; anstændighed, ærbarhed; blufærdighed.
modicum ['mådikəm] lille smule (fx. *with a ~ of effort);* minimum.

modifiable [ˈmådifaiəbl] som kan forandres el. tillempes. **modification** [mådifiˈkeⁱʃən] modifikation, omformning, omdannelse, ændring; begrænsning, indskrænkning, mildnelse; (gram.) omlyd.

modify [ˈmådifai] modificere, omforme, omdanne, ændre; begrænse, formilde; moderere (fx. *one's demands)*; (gram.) nærmere bestemme (fx. *adjectives ~ nouns)*; forandre ved omlyd.

modish [ˈmoᵘdiʃ] moderne, nymodens.

modiste [moˈdi·st] modehandlerinde, dameskrædderinde.

Mods. [mådz] S fk. f. *Moderations.*

modulate [ˈmådjuleⁱt] afpasse, modulere. **modulating valve** modulationsrør. **modulation** [mådjuˈleⁱʃən] toneføring, modulation.

modus [ˈmoᵘdəs] måde; *~ vivendi* modus vivendi, foreløbig ordning.

I. **Mogul** [moˈgʌl]: *the Great ~* stormogulen.

II. **mogul** [moˈgʌl] (subst.) magnat, storhed.

mohair [ˈmoᵘhæə] mohair, angorauld.

Mohammed [moˈhämed] Muhamed.

Mohammedan [moˈhämidən] muhamedansk; muhamedaner. **Mohammedanism** [-izm] muhamedanisme.

Mohawk [ˈmoᵘhå·k] mohawkindianer.

Mohican [ˈmoᵘikən] mohikaner; *the last of the -s* den sidste mohikaner.

Mohocks [ˈmoᵘhåks] londonbøller (i 18. årh.).

moiety [ˈmoiəti] halvdel; del.

moil [moil] (vb.): *toil and ~* slide og slæbe.

moire [mwa·] (subst.) moiré.

moiré [ˈmwa·reⁱ] (subst.) moiré; (adj.) moireret, vatret.

moist [moist] fugtig. **moisten** [ˈmoisn] fugte; blive fugtig. **moisture** [ˈmoistʃə] fugt(ighed).

moke [moᵘk] S æsel.

molar [ˈmoᵘlə]: *~ (tooth)* kindtand.

molasses [məˈläsiz] sirup; melasse.

mold [moᵘld] se *mould.*

Moldavia [målˈdeⁱvjə] Moldau.

I. **mole** [moᵘl] (subst.) modermærke.

II. **mole** [moᵘl] (subst.) mole, havnedæmning, stendæmning.

III. **mole** [moᵘl] (subst., zo.) muldvarp.

mole-cast [ˈmoᵘlka·st] muldvarpeskud.

mole-cricket [ˈmoᵘlkrikit] jordkrebs.

molecular [moᵘˈlekjulə] (adj.) molekylær; *~ weight* molekylvægt.

molecule [ˈmålikju·l] molekyle.

mole-hill [ˈmoᵘlhil] muldvarpeskud; *make a mountain out of a ~* gøre en myg til en elefant.

moleskin [ˈmoᵘlskin] muldvarpeskind; molskind (slags tykt bomuldstøj); *-s* (ogs.) molskindsbukser.

molest [moˈlest] besvære, plage, forulempe, antaste; *be -ed* lide overlast.

molestation [moᵘleˈsteⁱʃən] overlast, forulempelse.

moll [mål] S tøs, prostitueret; gangsterpige.

mollification [målifiˈkeⁱʃən] blødgørelse; formildelse. **mollify** [ˈmålifai] blødgøre, formilde.

mollusc [ˈmålәsk] bløddyr.

molly [ˈmåli] kvindagtig person, svækling.

molly-coddle [ˈmålikådl] slapsvans, svækling, skvat, pylrehoved; (vb.) pylre om, forkæle.

Moloch [ˈmoᵘlåk] Molok.

molt [moᵘlt] fælde, skifte ham; fældning.

molten [ˈmoᵘltən] smeltet; støbt.

Moluccas [moˈlʌkəz]: *the ~* Molukkerne.

molybdenum [måˈlibdinəm] molybdæn.

moment [ˈmoᵘmənt] øjeblik; drivkraft; vigtighed, betydning; *the ~ I saw him* straks (el. i samme øjeblik) jeg så ham; *half* (el. *just) a ~* et lille øjeblik; *this ~* på øjeblikket, straks (fx. *go this ~!)*; for et øjeblik siden, i dette øjeblik (fx. *I only heard it this ~)*; *at any ~* hvad øjeblik det skal være; *at the ~* for øjeblikket; *I was busy at the ~* jeg havde travlt netop da; *at the same ~* i samme øjeblik; *at that very ~* i det samme; *go this very ~!* gå øjeblikkelig! *from ~ to ~* hvert øjeblik, når som helst; *of ~* af vigtighed, betydningsfuld; *it is of no ~* det er uden betydning; *of the ~* øjeblikkets, aktuel; *the man of the ~* dagens mand; *~ of truth* det øjeblik da tyren får dødsstødet ved en tyrefægtning; (fig.) afgørende øjeblik; *to the ~* på minutten, præcis.

momentarily [ˈmoᵘməntərili] for et øjeblik; hvert øjeblik, momentvis.

momentary [ˈmoᵘməntəri] øjeblikkelig, som varer et øjeblik; momentan, forbigående; *in ~ expectation of* mens han (, vi etc.) hvert øjeblik ventede …

momently [ˈmoᵘməntli] (adv.) hvert øjeblik; fra det ene øjeblik til det andet; straks; hvad øjeblik det skal være; for øjeblikket.

momentous [moᵘˈmentəs] betydningsfuld, vigtig; kritisk, skæbnesvanger.

moment|um [moˈmentəm] (pl. *-a)* bevægelsesmængde; impuls, drivende kraft, fart, fremdrift.

Mon. fk. f. *Monmouthshire.*

monachal [ˈmånəkl] klosterlig, kloster-, munke-.

monachism [ˈmånəkizm] munkeliv, munkevæsen.

Monaco [ˈmånəkoᵘ].

monad [ˈmånəd] monade.

monarch [ˈmånək] monark, hersker, konge, kejser, fyrste. **monarchic(al)** [måˈna·kik(l)] monarkisk. **monarchist** [ˈmånəkist] monarkist. **monarchy** [ˈmånəki] monarki, kongedømme, kejserdømme.

monastery [ˈmånəstəri] kloster. **monastic** [məˈnästik] (adj.) klosterlig, kloster-, munke- (fx. *vows* løfter); (subst.) munk. **monasticism** [məˈnästisizm] munkevæsen; klosterliv.

Monday [ˈmʌndi, ˈmʌndeⁱ] mandag; *Black ~* første skoledag efter en ferie.

monde [må·nd] den fine verden.

monetary [ˈmʌnitəri] mønt- (fx. *unit* enhed); penge-; *~ policy* valutapolitik; *~ standard* møntfod.

money [ˈmʌni] penge, mønt; *-s* pengesummer; *throw good ~ after bad* ofre flere penge på et tvivlsomt foretagende; *make* (el. *coin) ~* tjene (mange) penge; *much ~* mange penge; *have one's -'s worth* få (fuld) valuta for sine penge; *cheap at* (el. *for) the ~* billig til prisen; *keep sby. in ~* forsyne en med penge; *come into ~* komme til penge; *he thinks I am made of ~* han tror jeg har penge som græs, han tror jeg er en ren Krøsus; *man of ~* pengemand, kapitalist; *out of ~* læns for penge; *piece of ~* pengestykke.

money|-bag pengesæk; rig person, Krøsus; *~ -bags* (ogs.) penge, rigdomme. **~ -bill** lovforslag der drejer sig om statsudgifter eller statsindtægter. **~ -box** sparebøsse; indsamlingsbøsse; pengeskrin. **~ changer** vekselerer.

moneyed [ˈmʌnid] bemidlet, velhavende; penge-; *the ~ interest* kapitalen, kapitalisterne; *~ man* pengestærk mand, velhavende mand.

money|-grubber pengepuger. **~ -lender** pengeudlåner, ågerkarl. **~ lending** udlån af penge, åger. **~ -making** (adj.) indbringende, som tjener penge. **~ -market** pengemarked. **~ -order** postanvisning. **~ -spinner** indbringende foretagende; bog (, stykke) som giver kasse. **-wort** ♧ pengebladet fredløs.

-monger [ˈmʌŋgə] -handler, -kræmmer; en der spekulerer i … (fx. *scandal-monger)*.

Mongol [ˈmåŋgål] mongol; mongolsk.

Mongolia [måŋˈgoᵘljə] Mongoliet.

Mongolian [måŋˈgoᵘljən] mongol; mongolsk.

mongoloid [ˈmåŋgåloid] mongoloid.

mongoose [ˈmåŋgu·s] mungo (slags desmerdyr); *Egyptian ~* (zo.) faraorotte.

mongrel [ˈmʌŋgrəl] (adj.) blandet, af blandet race, uægte; (subst.) køter, bastard; mellemting.

monism [ˈmånizm] monisme. **monist** [ˈmånist] monist. **monistic** [måˈnistik] monistisk.

monition [moˈniʃən] advarsel, påmindelse.

I. **monitor** [ˈmånitə] (subst.) en der advarer el. formaner; elev der midlertidigt fører tilsyn med sine kammerater; ordensduks; rigsskibstype):

én hvis hverv det er at aflytte udenlandske radioudsendelser; (ved fjernsyn) kontrolmodtager.

II. **monitor** ['månitə] (vb.) aflytte (udenlandske) radioudsendelser; overvåge radioudsendelses kvalitet (etc.); afprøve for radioaktivitet; spore (raket etc.); *-ing service* lyttetjeneste.

monitorial [måni'tå·riəl] advarende, formanende.

monitor screen (ved fjernsyn) kontrolmodtager.

monitory ['månitəri] advarende, formanende.

monk [mʌŋk] munk.

monkery ['mʌŋkəri] munkeliv, munkevæsen; kloster; munke.

I. **monkey** ['mʌŋki] (subst.) abe; abekat, spilopmager; rambukklods; **S** £500; (amr. **S**) $500; *get one's ~ up* blive gal i hovedet; *put his ~ up* gøre ham gal i hovedet.

II. **monkey** ['mʌŋki] (vb.) lave abekattestreger; *~ with sth.* pille ved noget (fx. *don't ~ with the saw).*

monkey|-bread frugt af abebrødtræet. **~ -bridge** ⚓ øverste kommandobro. **~ -business** abekattestreger. **-flower** ♧ abeblomst. **~ jacket** (kort, tætsluttende trøje). **~ -nut** jordnød. **~ -puzzle** ♧ araucaria, abetræ. **~ wrench** universalskruenøgle.

monkhood ['mʌŋkhud] munkestand; munkevæsen; munke.

monkish ['mʌŋkiʃ] munkeagtig.

monkshood ['mʌŋkshud] ♧ venusvogn.

Monmouth ['månməþ].

mono- ['månə] en-; ene-; mono-.

monochrome ['månəkroᵘm] monokrom.

monocle ['månåkl] monokel.

monocotyledon ['månoᵘkåti'li·dən] (subst.) enkimbladet. **monocotyledonous** ['månoᵘkåti'li·dənəs] (adj.) enkimbladet.

monocular [må'nåkjulə] enøjet; for ét øje.

monody ['månədi] sørgesang.

monoecious [må'ni·ʃəs] ♧ enbo, sambo.

monogamist [må'någəmist] monogamist.

monogamous [må'någəməs] (adj.) monogam.

monogamy [må'någəmi] monogami.

monogram ['månəgräm] monogram, navnetræk.

monograph ['månogräf] monografi.

monolith ['månoliþ] monolit, støtte udhugget af én sten.

monolithic [måno'liþik] (adj.) monolitisk; (fig.) som udgør en massiv blok.

monologue ['månəlåg] monolog, enetale.

monomania ['månoᵘ'meⁱnjə] fiks idé; monomani. **monomaniac** ['månoᵘ'meⁱniäk] monomant individ; en der er besat af en fiks idé.

monomaniacal [månəmə'naiəkəl] (adj.) monoman.

monometallism [månə'metəlizm] enkelt møntfod.

monoplane ['månəpleⁱn] monoplan, endækker.

monopolist [mə'nåpəlist] indehaver af et monopol; monopoltilhænger. **monopolistic** [mənåpə'listik] monopolmæssig. **monopolize** [mə'nåpəlaiz] få monopol på, have eneret til; monopolisere, lægge beslag på, tiltage sig eneherredømmet over; *~ the conversation* ikke lade nogen anden få et ord indført.

monopoly [mə'nåpəli] monopol, eneret; (spil, omtr. =) Matador®; *have a ~ of* have monopol på.

monorail ['månəreⁱl] énskinnet jernbane.

monosyllabic [månəsi'läbik] enstavelses-; som svarer med enstavelsesord, fåmælt.

monosyllable [månə'siləbl] enstavelsesord.

monotheism ['månoþi·izm] monoteisme, læren om og troen på én gud. **monotheist** ['månəþi·ist] monoteist.

monotone ['månətoᵘn] ensformig tone, monotoni, ensformighed; foredrage monotont. **monotonous** [mə'nåtənəs] monoton, enstonig, ensformig.

monotony [mə'nåtəni] ensformighed, monotoni.

monotype ['månətaip] (typ.) monotype.

monovalent ['månəvəˡlənt] monovalent; éngyldig.

monoxide [må'nåksaid]: *carbon ~* kulilte.

Monroe [mən'roᵘ]: *the ~ doctrine, Monroeism* Monroedoktrinen.

monsieur [mə'sjə(·)] monsieur, hr.

monsoon [mån'su·n] monsun (vind); regntid (i Indien).

monster ['månstə] (subst.) uhyre, monstrum, misfoster, vanskabning; fabeldyr; (fig.) uhyre, afskum; (adj.) kæmpemæssig; *~ meeting* massemøde.

monstrance ['månstrəns] monstrans.

monstrosity [mån'stråsiti] vanskabthed; vanskabning, misfoster, uhyre; uhyrlighed; afskyelighed.

monstrous ['månstrəs] uhyre, unaturlig stor; afskyelig; vanskabt; uhyrlig.

Mont. fk. f. *Montana* [mån'tänə].

montage [mån'ta·ʒ] (films)montage.

Montagu(e) ['måntəgju·].

Montagu's harrier (zo.) hedehøg.

Montenegrian [månti'ni·griən], **Montenegrin(e)** [månti'ni·grin]montenegrinsk;montenegriner.**Montenegro** [månti'ni·groᵘ].

month [mʌnþ] måned; *this day ~, a ~ from to day* i dag om en måned; *for -s* i månedsvis; *the ~ of July* juli måned.

monthly ['mʌnþli] (adj.) månedlig; måneds-; en gang om måneden; (subst.) månedsblad, månedsskrift; (i pl. ogs.) menstruation.

Montreal [måntri'å·l].

monument ['månjumənt] monument, mindesmærke; mindesten; evigt minde *(of* om); *the Monument* (en søjle i London til minde om branden 1666); *ancient monuments* oldtidsminder; *natural monuments* naturskønheder.

monumental [månju'mentl] monument-, minde-; monumental; storslået; kolossal; *~ mason* stenhugger.

moo [mu·] sige bu (som en ko), brøle; brøl(en).

mooch [mu·tʃ] **S** drive, slentre; luske; drive den af; skulke; stjæle, 'nuppe', 'negle'; *~ around* drive omkring.

moo-cow ['mu·kau] bu-ko.

I. **mood** [mu·d] (gram.) måde.

II. **mood** [mu·d] (sinds)stemning, humør; *in the ~ for* oplagt til; *in the ~ to* oplagt til at; *be in a drinking ~* være oplagt til at drikke; *man of -s* lunefuld person, stemningsmenneske.

moody ['mu·di] gnaven, nedslået, tungsindig; lunefuld.

I. **moon** [mu·n] (subst.) måne; *there is a ~ to-night* det er måneskin i aften; *the ~ is new* det er nymåne; *ask* (el. *cry) for the ~* forlange urimeligheder; ønske det uopnåelige; *promise sby. the ~* love en guld og grønne skove; *once in a blue ~* yderst sjældent; en sjælden gang.

II. **moon** [mu·n] (vb.) *~ about, ~ along* slentre (el. drive) omkring; *~ away one's time* drømme tiden bort.

moon|beam månestråle. **-calf** idiot; misfoster. **-fish** (zo.) glansfisk. **-less** uden måneskin.

moonlight ['mu·nlait] (subst.) måneskin; (adj.) måneskins-; månelys.

moonlighter ['mu·nlaitə] en som begår overfald om natten; (amr.) hjemmebrænder.

moonlight| flit(ting) natlig flytning for at undgå at betale husleje. **~ school** (amr.) aftenskole på landet (hvor der undervises i læsning og skrivning).

moonlit ['mu·nlit] (adj.) månelys, måneklar, månebelyst.

moon|raker (svarer omtr. til) molbo. **-rise** måneopgang. **-seed** ♧ månefrø. **-set** månenedgang.

moonshine ['mu·nʃain] snak, sludder; (amr.) hjemmebrændt spiritus (især whisky), smuglersprit; måneskin. **moonshiner** ['mu·nʃainə] (subst.) spritsmugler, hjemmebrænder.

moonstone ['mu·nstoᵘn] månesten (slags feldspat).

moonstruck ['mu·nstrʌk] (adj.) vanvittig, tosset, månesyg; (om fisk) uegnet til føde.

moony ['mu·ni] måneagtig; månebelyst, månelys; drømmende; tåbelig; bedugget, let beruset.

I. **Moor** [muə] (subst.) maurer; mor, morian.

II. **moor** [muə] (subst.) (lyng)hede.

III. **moor** ['muə] (vb.) ⚓ fortøje, lægge for anker.

moorage ['muəridʒ] fortøjning(splads); fortøjningsafgift.

moor|cock skotsk hanrype. **-fowl** skotsk rype. **-game** skotske ryper. **-hen** rørhøne; skotsk hunrype.

mooring-mast fortøjningsmast (for luftskib).

moorings ['muəriŋz] fortøjning; fortøjningsbøje, fortøjningsplads; *let go the ~* kaste fortøjningen los.

I. **Moorish** ['muəriʃ] (adj.) maurisk.

II. **moorish** ['muəriʃ] (adj.) hedeagtig.

moorland ['muələnd] hede, lynghede.

moose [mu·s] (amerikansk) elsdyr, elg.

moot [mu·t] bringe på bane; diskutere; (adj.) omstridt; (subst.) (ting)møde; fingeret retssag (som øvelse for juridiske studenter), øvelsesdiskussion; *a ~ point* et omstridt punkt; *a ~ question* et åbent spørgsmål.

I. **mop** [måp]: *-s and mows* grimasser; *~ and mow* lave grimasser.

II. **mop** [måp] (subst.) mop, svaber, opvaskebørste; uredt hår; 'paryk', kraftig hårvækst; (vb.) moppe; tørre; *~ one's brow* tørre (sveden af) sin pande; *~ the floor with sby.* gøre det helt af med én; *~ up* tørre op; **T** afslutte, gøre kål på, få til side (fx. *arrears of work);* samle sammen, skovle ind (fx. *money);* absorbere; opsuge (fx. *loose money* ledige penge); sluge, hælde i sig (fx. *a drink);* ⚔ udrense (et erobret terræn for fjender).

mope [moᵘp] (vb.) være forknyt, hænge med næbbet; være sløv; (subst.) dødbider; *~ about* gå og være forknyt; *the -s* melankoli; *get the -s* blive i dårligt humør.

moped ['moᵘped] knallert (cykel med motor).

mopish ['moᵘpiʃ] nedslået, forknyt, sløv.

moppet ['måpit] (kæleord for) barn, unge; langhåret skødehund.

mopping-up (operations) ⚔ udrensning.

moquette [mo'ket] opskåren mekka; *uncut ~* uopskåren mekka.

moraine [må'reⁱn] moræne.

I. **moral** ['mårəl] moralsk; moral-; dydig, sædelig; *a ~ certainty* en til vished grænsende sandsynlighed; *~ rearmament* moralsk oprustning.

II. **moral** ['mårəl] (subst.) moral (fx. *the ~ of the story); morals* moral, moralske grundsætninger, sæder, vandel; *point the ~* uddrage moralen.

morale [må'ra·l] (subst.) moral (fx. *the ~ of the troops is excellent);* kampånd; *undermine the ~* nedbryde moralen.

moralist ['mårəlist] moralist, moralprædikant.

morality [mə'räliti] moral, dyd; sædelighed; (hist.) moralitet (ɔ: allegorisk skuespil).

moralization [mårəlai'zeⁱʃən] moraliseren.

moralize ['mårəlaiz] moralisere; uddrage en moral af; forbedre moralsk.

morally ['mårəli] moralsk; praktisk talt.

morass [mə'räs] morads, mose, sump.

moratorium [mårə'tå·riəm] moratorium; (fig.) udsættelse, foreløbigt forbud.

Moravia [mə'reⁱvjə] Mähren.

Moravian [mə'reⁱvjən] mährisk; herrnhutisk; *~ brethren* mähriske brødre, herrnhutere.

morbid ['må·bid] sygelig, morbid; syg; patologisk; makaber.

morbidity [må·'biditi] sygelighed.

mordacious [må·'deⁱʃəs] (adj.) skarp, bidende, sarkastisk.

mordacity [må·'däsiti] bidskhed, skarphed.

mordant ['må·dənt] (adj.) bidende; skarp (fx. *criticism);* (vb.) bejdse, ætse; (subst.) bejdse, ætsende væske.

more [må·] mere; mer, flere; (ved sammenligning mellem to) mest; (bruges til at omskrive komparativ, fx. *~ numerous* talrigere; *~ easily* lettere); *all the ~* så mange flere, så meget desto mere; *as much ~* dobbelt så meget; *we can do no ~* vi kan ikke gøre mere; *no ~ can you* det kan du lige så lidt (el. heller ikke); *no* (el. *not any) ~ than* lige så lidt som; *once ~* en gang til; *one pound ~, one ~ pound* et pund til; *~ or less* mer eller mindre; omtrent (fx. *it is an hour's walk ~ or less); so much the ~* så meget desto mere; *the ~ so as ...* så meget mere som ...; *(the) ~ fool you to marry* hvor kunne du være så dum at gifte dig; *(the) ~ 's the pity* så meget desto værre; desværre; *(and) what is ~, (and) ~ than that* (og) hvad mere er.

moreish ['må·riʃ]: *it's got a ~ taste* **S** det smager efter mere.

morel [må'rel] ♧ natskygge; (svampeslægten) morkel.

morello [mə'reloᵘ] ♧ morel.

moreover [må·'roᵘvə] desuden, endvidere.

Moresque [må'resk] maurisk.

morganatic [må·gə'nätik] morganatisk; *~ marriage* ægteskab til venstre hånd.

I. **morgue** [må·g] lighus; avisredaktions arkiv.

II. **morgue** [må·g] arrogance, hovmod.

moribund ['måribʌnd] (adj.) døende.

Mormon ['må·mən] mormon.

Mormonism ['må·mənizm] mormonisme.

morn [må·n] (poet.) morgen.

morning ['må·niŋ] morgen, formiddag; *the ~ after (the day before)* dagen derpå; *in the ~* om morgenen, om formiddagen; i morges; *on the ~ of Nov. 9th* den 9. nov. om morgenen; *to-morrow ~* i morgen tidlig, i morgen formiddag; *this ~* i morges, nu til morgen, (nu) i formiddag.

morning-afterish: *feel ~* have tømmermænd.

morning| call visit (aflagt om eftermiddagen). **~ coat** jaket. **~ -dress** formiddagsdragt. **~ -gift** morgengave. **~ -glory** ♧ snerle. **~ prayer** morgengudstjeneste. **~ -room** opholdsstue. **~ service** morgengudstjeneste. **~ star** morgenstjerne. **~ watch** ⚓ morgenvagt, vagt fra 4 til 8 morgen.

Moroccan [mə'råkən] marokkansk; marokkaner.

I. **Morocco** [mə'råkoᵘ] Marokko.

II. **morocco** [mə'råkoᵘ] safian, maroquin.

moron ['må·rån] lettere åndssvag person, sinke.

morose [mə'roᵘs] (adj.) gnaven, vranten, sur.

morpheme ['må·fi·m] morfem.

Morpheus ['må·fju·s, -fiəs] Morpheus.

morphia ['må·fjə], **morphine** ['må·fi·n] morfin.

morphine addict morfinist.

morphinism ['må·finizm] morfinisme.

morphology [må·'fålədʒi] morfologi; formlære.

morris-dance ['måris'da·ns] (en folkedans).

morrow ['måroᵘ] følgende dag, morgendag; tiden lige efter; *on the ~ of* umiddelbart efter.

I. **morse** [må·s] (zo.) hvalros.

II. **Morse** [må·s]: *the ~ alphabet* morsealfabetet.

morsel ['må·sl] bid; lille stykke.

mortal ['må·tl] dødelig; dødbringende; døds-; jordisk; **T** forfærdelig; dødelig, menneske; *~ enemy* dødsfjende; *~ fear* dødsangst; *~ fight* kamp på liv og død; *his ~ frame* hans jordiske hylster; *four ~ hours* fire stive (klokke)timer; *be in a ~ hurry* have forfærdelig travlt; *no ~ reason* ingen verdens (el. ingen som helst) grund; *his ~ remains* hans jordiske levninger; *any ~ thing* alt muligt, hvad som helst, noget som helst.

mortality [må·'täliti] dødelighed; menneskehed.

mortality table dødelighedstabel.

I. **mortar** ['må·tə] (subst.) mørtel, kalk; (vb.) mure.

II. **mortar** ['må·tə] (subst.) morter (til stødning); ⚔ morter; (vb.) skyde med mortér.

mortar-board ['må·təbå·d] mørtelbræt; (firkantet, flad) akademisk hovedbeklædning.

mortgage ['må·gedʒ] (subst.) pant, pantebrev, panteobligation, prioritet; (vb.) belåne, (fig.) pantsætte; sætte i pant; ~ *oneself to a cause* gå (helt) ind for en sag; *-d to* forpligtet over for.

mortgage deed pantebrev, panteobligation.

mortgagee [må·gə'dʒi·] panthaver. **mortgagor** [må·gə'dʒå·] pantsætter; panteskyldner.

mortice, se *mortise*.

mortician [må·'tiʃən] (amr.) bedemand.

mortification [må·tifi'keiʃən] ydmygelse; krænkelse, skuffelse, sorg; spægelse (fx. ~ *of the flesh);* (med.) koldbrand. **mortify** ['må·tifai] krænke; ydmyge; ærgre, plage; fremkalde koldbrand i; angribes af koldbrand; ~ *the flesh* spæge sig, spæge sit kød.

mortise ['må·tis] (subst.) taphul; (vb.) sammentappe, indtappe.

mortise| chisel stemmejern. ~ **-joint** tapsamling.

mortmain ['må·tmein] korporations besiddelse af uafhændeligt gods; *hold in* ~ besidde som uafhændeligt gods.

mortuary ['må·tjuəri] (subst.) ligkapel; (adj.) begravelses-, grav-; døds-.

I. **Mosaic** [mə'zeiik] (adj.) mosaisk; *the ~ law* Moseloven.

II. **mosaic** [mə'zeiik] (subst.) mosaik.

moschatel ['måskətel] ♧ desmerurt.

Moscow ['måskou] Moskva.

moselle [mə'zel] moselvin.

Moses ['mouziz].

Moslem ['måzlem] muhamedaner; muhamedansk.

mosque [måsk] moské.

mosquito [mə'ski·tou] moskito; myg.

mosquito| craft torpedobåde og lignende mindre krigsfartøjer. ~ **-net** moskitonet.

I. **moss** [mås] (subst.) mose, tørvemose.

II. **moss** [mås] (subst., ♧) mos; *a rolling stone gathers no* ~ rullende sten samler ikke mos, den der flyver og farer fra det ene til det andet bliver aldrig velhavende.

moss|-berry tranebær. ~ **-grown** mosbevokset; forældet, mosgroet. **-iness** ['måsinės] mosgroethed. ~ **-rose** mosrose. ~ **-troopers** røvere i grænseegnene mellem England og Skotland i det 17. årh.

mossy ['måsi] mosklædt; mosagtig.

most [moust] mest, flest; det meste, størstedelen; de fleste (fx. ~ *people* de fleste mennesker); højst, i høj grad, særdeles (fx. *a ~ tedious fellow);* bruges til at omskrive superlativ (fx. *the ~ tedious* (den kedeligste) *fellow I know); ask the ~ possible for it* forlange det mest mulige for det; *at (the)* ~ i det højeste; ~ *certainly* aldeles sikkert; *the Most High* Gud; *make the ~ of* udnytte så godt som muligt, drage størst mulig nytte af; få det mest mulige ud af; overdrive betydningen af; ~ *of all* allermest; *for the ~ part* for størstedelen; ~ *willingly* særdeles gerne.

most-favoured-nation (adj.) mestbegunstigelses- (fx. *clause* klausul; *principle; treatment).*

mostly ['moustli] for største delen, mest, hovedsagelig; for det meste.

mot [mou] vittighed, bonmot.

mote [mout] støvgran, sandskorn; (bibelsk:) *why beholdest thou the ~ that is in thy brother's eye?* hvorfor ser du skæven i din broders øje?

motel [mou'tel] motel, hotel for bilister.

motet [mou'tet] motet.

moth [måþ] møl; natsommerfugl.

moth-ball ['måþbå·l] mølkugle; møltablet; *in -s* (om skib) oplagt; 'i mølpose' (ɔ: beskyttet af et plasticovertræk); (fig.) i reserve.

moth-eaten ['måþi·tn] mølædt; forældet; medtaget.

I. **mother** ['mʌðə] (subst.) moder; kyllingemoder; (vb.) være moder for, tage sig moderligt af; adoptere, anerkende som sit barn; ~ *of two children* moder til to børn; *Mother's Day* moders dag; *mother's help* barnefrøken, ung pige i huset; *mother's mark* modermærke; *every mother's son* hver eneste mors sjæl.

II. **mother** ['mʌðə] eddikemoder.

mother|-church moderkirke. ~ **country** moderland, fædreland. ~ **-fixation** (psyk.) moderbinding.

motherhood ['mʌðəhud] moderskab, moderværdighed.

mother-in-law ['mʌðərinlå·] svigermoder.

motherless ['mʌðəlės] moderløs.

motherly ['mʌðəli] moderlig.

mother-of-pearl ['mʌðərəv'pə·l] perlemor.

mother| ship moderskib. ~ **-sick** (adj.) morsyg. ~ **-spot** modermærke.

Mother Superior abbedisse.

mother| tongue modersmål. ~ **wit** sund fornuft, medfødt vid, mutterwitz.

mothery ['mʌðəri] mudret, grumset.

moth-proof (adj.) mølbehandlet.

mothy ['måþi] mølædt.

motif [mou'ti·f] (inden for kunst) motiv.

I. **motion** ['mouʃən] (subst.) bevægelse (fx. *watch her graceful -s);* gang; vink; forslag (fx. *the ~ was rejected);* (jur.) andragende; henstilling; (med.) afføring; (i teknik) mekanisme; *set* (el. *put) in* ~ sætte i gang; *in three -s* i tre tempi; *of one's own* ~ af egen drift; *go through the -s of working* lade som om man arbejder (ɔ: udføre mekaniske bevægelser uden virkelig at bestille noget).

II. **motion** ['mouʃən] (vb.) give tegn (til), vinke (til); ~ *him away* vinke ham bort; ~ *him to a seat,* ~ *(to) him to sit down* give tegn til ham at han skal sætte sig.

motionless ['mouʃənlės] ubevægelig.

motion picture (amr.) film.

motion sickness (med.) bevægelsessyge, transportsyge (fællesbetegnelse for køresyge, luftsyge etc.).

motivate ['moutiveit] (vb.) motivere; tilskynde; skabe interesse hos.

motivation [mouti'veiʃən] motivation, bevæggrund(e). **motivational** [mouti'veiʃənl] (adj.) motiv-; ~ *research* motivanalyse (i reklame).

motive ['moutiv] (subst.) bevæggrund, motiv *(of* til); motiv, hovedtanke, grundtanke; (adj.) driv-, bevægelses-; ~ *force,* ~ *power* drivkraft.

motiveless ['moutivlės] umotiveret.

motivity [mou'tiviti] bevægkraft, drivkraft.

motley ['måtli] (adj.) broget, spraglet, mangefarvet; blandet; broget dragt; (subst.) narredragt.

motor ['moutə] (subst.) motor; (automo)bil, motorbåd, motorcykel; drivkraft; bevægemuskel, bevægenerve; (adj.) bevægende, motorisk, motor-; bil-; (vb.) køre i automobil, bile.

motor| accident bilulykke. ~ **-assisted** med hjælpemotor. ~ **-bike** motorcykel. ~ **-boat** (subst.) motorbåd; (vb.) sejle i motorbåd. ~ **-bus** (motor-) omnibus. **-cade** [-keid] (amr.) bilkortege. ~ **-car** bil, automobil. ~ **-coach** turistbil, rutebil. ~ **court** (amr.) motel. ~ **-cycle** motorcykel; (vb.) køre på m. ~ **-drive** biltur. **-drome** [-droum] motorvæddeløbsbane.

motored ['moutəd] (adj.) med motor.

motor| engine (automo)bilmotor. ~ **exhibition** (automo)biludstilling. ~ **-horn** (automo)bilhorn.

motoring ['moutəriŋ] (subst.) bilkørsel, bilisme; (adj.) bil-; ~ *accident* biluheld; ~ *trip,* ~ *tour* biltur.

motorism ['moutərizm] bilisme. **motorist** ['moutərist] bilist. **motorization** ['moutərai'zeiʃn] motorisering. **motorize** ['moutəraiz] motorisere.

motor|-launch motorbåd. **-less** uden motor. ~ **-lorry** (åben) lastbil. **-man** vognstyrer, togfører, chauffør. ~ **muscle** bevægemuskel. ~ **nerve** bevægenerve. ~ **-race** bilvæddeløb. ~ **-road** bilvej. ~ **-school** køreskole. ~ **-ship** motorskib. ~ **-show** (automo-) biludstilling. ~ **-spirit** benzin. **-van** (lukket) lastbil. ~ **-vehicle** motorkøretøj. ~ **-vessel** motorskib. **-way** motorvej.

mottle ['måtl] plet; spraglethed; marmorering.

mottled ['måtld] broget, spraglet, marmoreret.

mottling ['måtliŋ] marmorering.

motto ['måtou] valgsprog, devise, motto.

moujik ['mu·ʒik] musjik, russisk bonde.

I. **mould** [moᵘld] (subst.) form, støbeform; budding o.l. der er lavet i en form; skikkelse; støbning, type, præg; skabelon; (vb.) forme *(upon* efter); danne, støbe; tage form, forme sig, danne sig.

II. **mould** [moᵘld] (subst.) muld; jord; (vb.): ~ *(up)* dække med muld.

III. **mould** [moᵘld] (subst.) skimmel, mug, skimmelsvamp; (vb.) mugne, blive skimlet.

mouldable ['moᵘldəbl] (adj.) som kan formes, plastisk.

mouldboard muldfjæl (på plov).

I. **moulder** ['moᵘldə] (vb.) smuldre, hensmuldre.

II. **moulder** ['moᵘldə] (subst.) former.

mouldiness ['moᵘldinės] muggenhed; skimmel, mug.

moulding ['moᵘldiŋ] støbning, formning; kelliste, profileret liste; pynteliste; karnis, gesims.

moulding| machine fræsemaskine (til træ). ~ **sand** formsand.

mouldy ['moᵘldi] muggen; forældet, gammeldags; **S** elendig, 'rådden', 'skaldet' (fx. *this ~ school).*

moult [moᵘlt] (vb.) fælde, skifte ham; afkaste.

moulting (subst.) hudskifte, fældning (af fjer).

mound [maund] (subst.) vold; høj, tue; dynge; (vb.) beskytte med en vold; dynge op.

I. **mount** [maunt] bjerg (især bibelsk, poetisk el. i forb. m. egennavne, fx. *Mount Etna); the Sermon on the Mount* Bjergprædikenen.

II. **mount** [maunt] (subst.) karton, papir (til at klæbe billeder på); beslag; montering; (ride)hest.

III. **mount** [maunt] (vb.) stige, vokse; stige op ad (el. på), gå op ad (el. på) (fx. *the ladder, the platform);* stige til hest; bestige (fx. *~ the throne);* hjælpe i sadlen, sætte på en hest; forsyne med hest; besætte, beslå, indfatte, montere, klæbe op, anbringe; (om maskiner, våben) montere, opstille; (om teaterstykke) sætte op; ⚔ iværksætte (fx. *an attack, an operation); ~ guard over* bevogte; beskytte; *~ the high horse* sætte sig på den høje hest; *the troops were miserably -ed* tropperne havde elendige heste; *~ up* hobe sig op, løbe op.

mountain ['mauntin] bjerg; (fig.) (enorm) mængde; *the M.* Bjerget (under den franske revolution); *a ~ of flesh* (om person) et kødbjerg.

mountain| ash ♧ røn. ~ **avens** [-'ävənz] ♧ dryas, fjeldsimmer. ~ **chain** bjergkæde. ~ **-climber** bjergbestiger. ~ **-climbing** bjergbestigning. ~ **dew** skotsk whisky (der er brændt i smug).

mountaineer [maunti'niə] (subst.) bjergboer; bjergbestiger; (vb.) foretage bjergbestigning(er).

mountaineering [maunti'niəriŋ] bjergbestigning.

mountainous ['mauntinəs] (adj.) bjergfuld; enorm.

mountain| pine ♧ bjergfyr. ~ **range** bjergkæde.

mountebank ['mauntibäŋk] kvaksalver; charlatan; gøgler, humbugsmager, markskriger. **mountebankery** [-əri] markskrigeri; kvaksalveri.

mounted ['mauntid] ridende, bereden (fx. *~ police),* til hest; opstillet, monteret, opklæbet, indfattet.

mounting ['mauntiŋ] montering, opklæbning, indfatning, beslag.

mourn [må·n] sørge *(for, over* over); sørge over, begræde; bære sorg.

mourner ['må·nə] sørgende; deltager i begravelse; *the -s* de efterladte; følget; *the chief ~* den nærmeste pårørende (ved begravelse).

mournful ['må·nf(u)l] sorgfuld, sørgmodig, sørgelig.

mourning ['må·niŋ] (subst.) sorg, sørgedragt; (adj.) sørgende, sørge-; *be in ~* sørge, bære sorg; *go into ~* anlægge sorg; *go out of ~* lægge sorgen; *year of ~* sørgeår.

I. **mouse** [maus] (subst., pl. *mice)* mus; forsagt og tilbageholdende person; **S** blåt øje; *when the cat's away, the mice will play* når katten er ude spiller musene på bordet.

II. **mouse** [mauz] (vb.) fange mus; jage mus; søge omhyggeligt; *~ about* være på musejagt; liste om; *~ a hook* ⚓ muse en hage.

mouse-coloured musegrå.

mouser ['mauzə] musefanger. **mouse-trap** musefælde.

mousse [mu·s] mousse (en dessert).

mousseline [mu·s'li·n] musselin.

moustache [mə'sta·ʃ] moustache, overskæg.

moustached [mə'sta·ʃt] med overskæg, med moustache.

mousy ['mausi] museagtig; fuld af mus; som lugter af mus; musegrå; stille som en mus; sky, uanselig.

I. **mouth** [mauþ] (subst.) mund; munding (fx. *the ~ of the river);* åbning; *by word of ~* mundtlig; *be down in the ~* være nedslået, hænge med hovedet; *give ~* give hals; *make -s* skære ansigt, lave grimasser; *put the words into his ~* lægge ham ordene i munden, påstå at han har sagt det; *take the words out of his ~* tage ordet (el. brødet) ud af munden på ham; *with one ~* enstemmigt.

II. **mouth** [mauð] (vb.) deklamere; tage i munden, spise; skære ansigt, lave grimasser; forme (ord) lydløst med læberne; *~ a horse* vænne en hest til bidslet, køre en hest til.

mouther ['mauðə] svulstig taler.

mouthful ['mauþful] mundfuld.

mouth| mirror mundspejl. ~ **-organ** mundharmonika. **-piece** mundstykke; (fig.) talerør; *telephone -piece* telefontragt. ~ **-wash** mundvand (til at skylle munden med).

mouthy ['mauði] svulstig.

movability [mu·və'biliti] bevægelighed.

movable ['mu·vəbl] (adj.) bevægelig, rørlig; forskydelig; (subst.) *-s* rørligt gods, løsøre.

I. **move** [mu·v] (vb.) flytte, bevæge; sætte i gang, sætte i bevægelse; bevæge sig; flytte sig, gøre en bevægelse; (fig.) foretage sig noget, tage affære; bevæge sig, færdes (fx. *in the best circles);* røre (fx. *I was -d to tears);* tilskynde; foreslå; fremsætte forslag *(for* om); udvikle sig, gå; trække (i skak etc.); (merk.) finde købere; *black (is) to ~* sort skal trække (i skak); *~ an amendment* stille et ændringsforslag; *have your bowels -d?* har De haft afføring? *~ heaven and earth* sætte himmel og jord i bevægelse; *~ house* flytte; *~ in* flytte ind; *~ in society* komme (el. gå) meget ud; *~ a piece* flytte en brik; *the train -d slowly into the station* toget rullede langsomt ind på stationen; *~ on* give ordre til at gå videre; sprede (opløb); gå videre, sprede sig; *~ on!* passér gaden! *feel -d to* have lyst til at; *~ with the times* følge med tiden.

II. **move** [mu·v] (subst.) bevægelse; flytning; træk (i skak o.l.); (fig.) skridt, skaktræk; *make a ~* (ogs.) røre på sig, bryde op; *you must make a ~ soon* du må snart foretage dig noget; *the next ~ is up to the western powers* (fig.) det er Vestmagterne der har udspillet; *be on the ~* være i bevægelse; være på farten; *get a ~ on* få fart på, rubbe sig; *a wrong ~* et fejltræk; et misgreb.

movement ['mu·vmənt] bevægelse; gang; udvikling; liv(lighed); (merk.) omsætning; (i musik) sats; (med.) afføring; (i ur) værk; *let me know your -s* lad mig vide hvor du opholder dig (el. hvad du foretager dig); *watch sby.'s -s* holde et vågent øje med en; *a ~ of impatience* en utålmodig bevægelse.

mover ['mu·və] forslagsstiller; drivkraft, ophavsmand; se ogs. *prime mover.*

movie ['mu·vi] (subst., amr.) film; biograf; (adj.) film-, biograf-; *the -s* film(en); *go to the -s* gå i biografen.

movie| goer biografgænger. **-land** filmverdenen. ~ **-man** filmsfotograf. ~ **star** filmstjerne. ~ **theatre** biograf(teater).

moving ['mu·viŋ] bevægende, driv-, drivende; som bevæger sig; rørende, gribende; *~ pictures* **levende billeder, film;** *the ~ spirit of the enterprise* sjælen i foretagendet; ~ *staircase* rullende trappe, escalator.

I. **mow** [mau] grimasse; (vb.) skære ansigt.

II. **mow** [moᵘ] (subst.) høbunke, høstak (i lade); hogulv.

III. **mow** [moᵘ] (vb.) *(mowed; mown* el. *mowed)* slå, meje.

mower ['moᵘə] mejer, høstkarl; slåmaskine.

mowing ['moᵘiŋ]: ~ *machine* slåmaskine.

mown [moᵘn] perf. part. af III. *mow; new-mown hay* nyslået hø.

M.P. ['em'pi·] fk. f. *Member of Parliament; Military Police.*

m.p.g. fk. f. *miles per gallon.*

m.p.h. fk. f. *miles per hour.*

M.P.S. fk. f. *Member of the Pharmaceutical Society.*

M.R. fk. f. *Master of the Rolls.*

Mr. ['mistə] hr. (fx. ~ *Jones,* ~ *President).*

MRA fk. f. *Moral Rearmament* Moralsk Oprustning.

M.R.C.P. fk. f. *Member of the Royal College of Physicians.*

M.R.C.S. fk. f. *Member of the Royal College of Surgeons.*

M.R.C.V.S. fk. f. *Member of the Royal College of Veterinary Surgeons.*

Mrs. ['misiz] fru; *Colonel and Mrs. B.* oberst B. og frue.

MS. fk. f. *manuscript.* **M/S** fk. f. *motor ship.*

MSS. fk. f. *manuscripts.*

Mt. fk. f. *Mount* (fx. *Mt. Everest).*

much [mʌtʃ] (adj. el. adv.) megen, meget; (foran superlativ) langt, absolut (fx. ~ *the best plan); om* trent, nogenlunde (fx. *in* ~ *the same way,* ~ *as usual);*

as ~ lige så meget; det samme (fx. *I would do as* ~ *for you); he said as* ~ det var netop hvad han sagde; det var meningen med hans ord; *I feared as* ~ det var det, jeg var bange for; *I thought as* ~ jeg tænkte det jo nok; *as* ~ *as to say* som om man ville sige; *we did not get so* ~ *as a cup of tea* vi fik ikke så meget som en kop te; *it is as* ~ *as he can do* det er alt hvad han kan præstere; *it is as* ~ *as my job is worth* det kan koste mig min stilling; jeg kan blive fyret for det; ~ *as I like him* hvor godt jeg end kan lide ham, så ...; ~ *cry and little wool* viel Geschrei und wenig Wolle, stor ståhej for ingenting; *without* ~ *difficulty* uden større vanskelighed; *it wasn't* ~ *good* det var ikke meget bevendt, der var ikke meget ved det; *how* ~ *is this?* hvad koster denne? ~ *less* endsige, langt mindre; *make* ~ *of* gøre meget ud af, forkæle, gøre stads af; *I didn't make* ~ *of that play* jeg fik ikke meget ud af det stykke (ɔ: forstod det ikke); *it does not matter* ~ det spiller ikke nogen videre rolle; *not* ~ *of a* ikke nogen videre god (fx. *teacher*); *nothing* ~ ikke noget videre, ikke meget; ~ *of a size* omtrent lige store; *pretty* ~ *alike* omtrent ens; *so* ~ *for* sådan gik det med, færdig med, det er alt hvad der kan siges om; *so* ~ *for the present* det er tilstrækkeligt for øjeblikket, det er alt hvad der er at sige for øjeblikket; *it was all so* ~ *nonsense* det var det bare vrøvl; *so* ~ *so* og det i den grad; *so* ~ *the better* så meget desto bedre; *I know this* (el. *thus)* ~ *that* så meget ved jeg, at; ~ *to my delight* til min store glæde; *he was too* ~ *for me* ham kunne jeg ikke klare; *too* ~ *of a good thing* for meget af det gode; *not up to* ~ ikke meget bevendt; ~ *you care about it* som om du brød dig det mindste om det.

muchness ['mʌtʃnès]: *much of a* ~ omtrent det samme, hip som hap, næsten ens.

mucilage ['mju·silidʒ] slim, planteslim.

mucilaginous [mju·si'lädʒinəs] slimet, klæbrig.

muck [mʌk] (subst.) møg, gødning, skarn, snavs; (fig.) møg, bras; roderi; (vb.) gøde; snavse (el. svine) til; spolere; ~ *about* drive (el. nusse) omkring; ~ *about with* rode med; ~ *in* **S** dele; tage sin del af slæbet (ɔ: arbejdet); *make* ~ *of* svine til; (fig.) spolere; ~ *out* muge ud (i); ~ *up* spolere.

mucker ['mʌkə] **S** fald (i sølen); slemt uheld, fiasko; *come a* ~ falde, styrte; være meget uheldig, gøre fiasko.

muck-rake ['mʌkreⁱk] rakke politiske modstandere (etc.) til, drive skandalejournalistik; *muck-raking paper* skandaleblad, smudsblad.

mucky ['mʌki] snavset, beskidt.

mucous ['mju·kəs] slimet; ~ *membrane* slimhinde.

mucus ['mju·kəs] slim.

mud [mʌd] mudder, dynd, slam; *consider sby. as* ~ foragte en, ikke regne en for noget; *throw* ~ *at* bagtale; *here's* ~ *in your eye!* **S** skål!

mudbath gytjebad, slambad.

muddle ['mʌdl] (subst.) forvirring, roderi; (vb.) forvirre; forplumre, forkludre; plumre; gøre omtåget; kludre; *make a* ~ *of* forplumre, forkludre; ~ *away* sløse bort, forøde; ~ *on* gå frem på bedste beskub; ~ *along,* ~ *through* klare sig på bedste beskub.

muddle-headed forvirret.

muddy ['mʌdi] mudret, snavset, sølet; mørk; grumset (fx. *complexion*), uklar, sløret; (vb.) tilsøle, plumre.

mudguard stænkeskærm.

Mudie's ['mju·diz] (et lejebibliotek i London).

mud lark ['mʌdla·k] gadeunge, hjemløst barn.

mud|-slinging bagtalelse, tilrakning. ~ **volcano** dyndvulkan. **-wort** ♧ dyndurt.

Muezzin [mu'ezin] muezzin.

I. **muff** [mʌf] (subst.) muffe.

II. **muff** [mʌf] (subst.) fæ, klodsmajor; (vb.) forkludre, kludre i det; ikke gribe (fx. *he -ed the ball); make a* ~ *of* forkludre, forfuske.

muffin ['mʌfin] (te)bolle.

muffle ['mʌfl] indhylle; omvikle for at dæmpe lyden; dæmpe; ~ *up* indhylle, indsvøbe; 'pakke ind' (fx. ~ *yourself up well).*

muffler ['mʌflə] halstørklæde; lyddæmper, dæmper.

mufti ['mʌfti] mufti (muhamedansk retslærd); civilt tøj; *in* ~ civilklædt, i civil.

I. **mug** [mʌg] (subst.) krus; **S** fjæs, ansigt; mund; tosse; fæ; (vb.) skære ansigter; fotografere; give en omgang (øl osv.); *two -s can play at that game* **S** (omtrent =) hvis du slår, så slår jeg igen; *it is a mug's game* **S** det er det rene pip, det får du (etc.) ikke spor ud af.

II. **mug** [mʌg] (vb.) slide med (for at lære); slide i det, pukle; ~ *up* sminke sig; ~ *up a subject* læse et fag op (før eksamen).

mugger ['mʌgə] (zo.) indisk krokodille.

muggy ['mʌgi] fugtig, lummer(varm).

mughouse ['mʌghaus] knejpe, snask.

mugwort ['mʌgwə·t] ♧ gråbynke.

mugwump ['mʌgwʌmp] (amr. S) politisk løsgænger, en der holder sig fra partipolitik.

mulatto [mju'lätoᵘ] mulat.

mulberry ['mʌlb(ə)ri] morbær; morbærtræ; morbærfarve.

mulch [mʌl(t)ʃ] dækningsmateriale (halm etc.) for at hindre udtørring af jord; dække med sådant materiale.

mulct [mʌlkt] bøde, mulkt; mulktere; ~ *sby. (in) £10* idømme én en bøde på £10; ~ *of* berøve, plyndre for.

mule [mju·l] muldyr; bastard, blanding; stædig person; tøffel uden bagkappe; mulemaskine (slags spindemaskine); *as obstinate as a* ~ så stædig som et æsel. **muleteer** [mju·li'tiə] muldyrdriver. **mulish** ['mju·liʃ] muldyragtig; stædig.

I. **mull** [mʌl]: *make a* ~ *of* forkludre, spolere; ~ *over* (amr.) spekulere (el. gruble) over.

II. **mull** [mʌl] (subst.) moll (slags tøj).

III. **mull** [mʌl] (vb.) opvarme og krydre (øl, vin); *-ed wine* afbrændt vin, kryddervin.

IV. **mull** [mʌl] (subst.) (skotsk) pynt, forbjerg; snusdåse.

mullein ['mʌlin] ♧ kongelys.

mullet ['mʌlit] (zo.): *grey* ~ multe; *red* ~ (gulstribet) mulle.
mulligatawny [mʌligə'tå·ni] stærkt krydret karrysuppe.
mullion ['mʌliən] vinduespost (lodret og især af sten).
mullock ['mʌlək] affald (fra guldudvinding).
multi- ['mʌlti] mange-, fler-.
multi|-engined flermotoret. ~ **-farious** [-'fæəriəs] (adj.) mangeartet. ~ **-form** mangeartet. ~ **-lateral** [-'lätərəl] flersidig (fx. *treaty*); mangesidet, mangesidig. ~ **-lingual** [-'lingjuəl] flersproget. ~ **-millionaire** [-miljə'næə] mangemillionær. ~ **-nucleate** [-'nju·kliit] (adj.) flerkernet. ~ **-partite** [-'pa·tait] (adj.) flersidig.
multiple ['mʌltipl] (adj.) mangeartet (fx. ~ *interests*), mangfoldig; (subst.) mangefold; *least* (el. *lowest*) *common* ~ mindste fælles fold.
multiple| expansion engine flergangsmaskine. ~ **grid valve** flergitterrør. ~ **-stage amplifier** flertrinsforstærker. ~ **store** kædeforretning.
multiplex ['mʌltipleks] mangfoldig. **multiplicand** [mʌltipli'känd] multiplikand.
multiplication [mʌltipli'keiʃən] mangfoldiggørelse; forøgelse; multiplikation; ~ *sign* multiplikationstegn.
multiplicity [mʌlti'plisiti] mangfoldighed.
multiplier ['mʌltiplaiə] multiplikator.
multiply ['mʌltiplai] multiplicere, gange; forøge, formere, mangfoldiggøre; formere sig.
multi|-racial ['mʌlti'reiʃəl] som omfatter flere racer. ~ **-stage** ['mʌlti'steidʒ] flertrins- (fx. *compressor, rocket*).
multitude ['mʌltitju·d] mængde, masse, mangfoldighed; *the* ~ den store hob.
multitudinous [mʌlti'tju·dinəs] talrig, mangfoldig; masse-.
multure ['mʌltʃə] mølletold, møllers løn (i form af korn el. mel).
I. **mum** [mʌm] (adj.) tavs, stille; (udråbsord) hyss! *keep* ~ *about it* el. *mum's the word* sig det ikke til nogen!
II. **mum** [mʌm] (subst.) mumme (ølsort).
III. **mum** [mʌm] (vb.) gøgle, spille pantomime.
IV. **mum** [məm] (subst.) (vulg.) frue; [mʌm] (barnesprog) mor.
mumble ['mʌmbl] (vb.) gumle (på); mumle; fremmumle; (subst.) mumlen.
Mumbo-Jumbo ['mʌmbou 'dʒʌmbou] (subst.) afgud; hokuspokus; volapyk.
mummer ['mʌmə] skuespiller (i pantomime).
mummery ['mʌməri] gøgl, pantomime, maskeradeoptog; (fig.) tomt komediespil, narrespil, mummespil.
mummiform ['mʌmifå·m] mumieagtig.
mummify ['mʌmifai] mumificere, balsamere; blive mumificeret; tørre ind.
I. **mummy** ['mʌmi] mumie.
II. **mummy** ['mʌmi] (i barnesprog) moder.
mump [mʌmp] surmule.
mumpish ['mʌmpiʃ] gnaven.
mumps [mʌmps] (med.) fåresyge; surmuleri.
munch [mʌnʃ] gumle, tygge, gnaske.
mundane ['mʌndein] verdens-, verdslig, jordisk; jordbunden, prosaisk.
mungoose se *mongoose*.
Munich ['mju·nik] München.
municipal [mju'nisipl] kommunal, by-; ~ *town* købstad. **municipality** [mjunisi'päliti] kommune; kommunal myndighed, magistrat.
munificence [mju'nifisns] gavmildhed, rundhåndethed. **munificent** gavmild, rundhåndet.
muniment ['mju·nimənt] (adkomst)dokument.
munition [mju'niʃən] (vb.) forsyne med ammunition.
munitions [mju'niʃənz] (pl.) ammunition, udrustning.
munnion ['mʌniən], se *mullion*.
mural ['mjuərəl] (subst.) vægmaleri, fresko; (adj.) mur-, væg-; ~ *crown* (heraldisk) murkrone; ~ *painting* vægmaleri, fresko.
murder ['mə·də] (subst.) mord; (vb.) myrde; tilintetgøre; fordærve, forvanske, mishandle, radbrække (sprog etc.); *attempted* ~ attentat, mordforsøg; ~ *will out* enhver forbrydelse bliver opdaget før eller senere, alt kommer for en dag; *the* ~ *is out* hemmeligheden er røbet, mysteriet er opklaret. **murderer** ['mə·dərə] morder. **murderess** ['mə·dərės] morderske. **murderous** ['mə·dərəs] morderisk; mord- (fx. *weapon*); blodtørstig; dræbende; frygtelig, utålelig (fx. *heat*).
mure ['mjuə] indemure.
muriatic acid [mjuəri'ätik 'äsid] saltsyre.
murk [mə·k] mørke.
murky ['mə·ki] mørk, skummel.
murmur ['mə·mə] (subst.) mumlen, susen, rislen, brusen; (fig.: protest) knurren; (vb.) mumle; sige lavmælt el. sagte; knurre (*at, against* over); bruse, risle; fremmumle; *he paid without a* ~ han betalte uden at kny. **murmurous** ['mə·mərəs] knurrende; mumlende; susende; rislende. **murmur-vowel** mumlevokal.
murphy ['mə·fi] S kartoffel.
mus. fk. f. *music*
muscadel [mʌskə'del], **muscatel** [mʌskə'tel] muskatvin, muskateller; muskatellerdrue.
muscle ['mʌsl] muskel; muskler, muskelkraft; ~ *in on* mase sig ind på.
muscle-bound stiv i musklerne, overtrænet.
muscled ['mʌsld] med stærke muskler, muskuløs.
muscleless uden muskler, svag, slap.
Muscovite ['mʌskəvait] (glds.) moskovit, russer; russisk; ~ *glass* marieglas.
Muscovy ['mʌskəvi] (glds.) Rusland.
muscular ['mʌskjulə] muskuløs; muskel-.
muscularity [mʌskju'läriti] muskelstyrke.
Mus. D. el. **Mus. Doc.** fk. f. *musicae doctor* (= *Doctor of Music*).
I. **Muse** [mju·z] (subst.) muse (gudinde).
II. **muse** [mju·z] (vb.) gruble, grunde, fundere (*upon, over* over); *lost in a* ~ i dybe tanker.
muser ['mju·zə] grubler, drømmer.
museum [mju'ziəm] museum.
museum piece museumsgenstand; (fig. ogs.) oldsag.
mush [mʌʃ] blød masse; (majs)grød; sentimentalitet; **S** paraply; kæft, fjæs.
mushroom ['mʌʃrum] (subst.) svamp, paddehat; champignon; (adj.) svampeagtig; hastig opvokset (fx. ~ *suburb*); (vb.) plukke svampe; skyde op som paddehat(te); brede sig hastigt; *go -ing* tage på svampetur.
mushy ['mʌʃi] grødagtig, blød som grød; **T** sentimental, rørstrømsk.
music ['mju·zik] musik; noder; *piece of* ~ musikstykke; *play from* ~ spille efter noder; *sheet of* ~ nodeblad; *face the* ~ tage skraldet; *set a poem to* ~ sætte musik til et digt.
musical ['mju·zikl] (subst.) = ~ *comedy*; (adj.) musikalsk; melodisk (fx. ~ *voice*); musik-.
musical| box spilledåse. ~ **chairs** 'Jerusalem brænder' (selskabsleg). ~ **comedy** (omtr.) operette(film).
musicale [mjuzi'ka·l] musikaften, koncert i privat hjem.
musical glasses glasharmonika.
musicality [mjuzi'käliti] musikalitet.
music|-book nodebog. ~ **box** (amr.) spilledåse. ~ **case** nodemappe. ~ **-hall** varieté.
musician [mju'ziʃən] musiker, komponist, musikkyndig.
musician's cramp spillekrampe.
music|-paper nodepapir. ~ **-reading** nodelæsning. ~ **-rest** nodestol. ~ **-stand** nodestativ. ~ **-stool** klaverstol.

musk [mʌsk] moskus. **musk-deer** moskushjort.
musket ['mʌskit] gevær, musket.
musketeer [mʌski'tiə] musketer.
musketry ['mʌskitri] geværskydning; geværild; *school of* ~ skydeskole.
musk| melon muskatmelon. ~ **-ox** moskusokse. ~ **-rat** bisamrotte. ~ **-rose** moskusrose. ~ **-seed** desmerkorn.
musky ['mʌski] moskusagtig, moskusduftende.
Muslim ['mʌslim] muhamedaner; muhamedansk.
muslin ['mʌzlin] musselin.
musquash ['mʌskwåʃ] bisamrotte; bisamskind.
muss [mʌs] (subst.) rod; **S** ballade; (vb.) bringe i ulave, krølle.
mussel ['mʌsl] (zo.) blåmusling; ferskvandsmusling.
Mussulman ['mʌslmən] muselmand, muhamedaner; muhamedansk.
I. **must** [mʌst] (imperf. *must* el. *had to*, perf. *have been obliged to)* må, måtte (nødvendigvis); skal (, skulle) absolut; er (, var) nødt til; (subst.) absolut nødvendighed; livsbetingelse; noget man ikke kommer uden om, ikke må gå glip af (fx. *this book is a* ~); ~ *you go?* skal du absolut gå? *if you* ~ *know* hvis De endelig vil vide det; *you* ~ *not smoke here* De må ikke ryge her.
II. **must** [mʌst] (subst.) ugæret druesaft, most.
III. **must** [mʌst] (adj.) gal, rasende; (subst.) rasende elefant; vildskab, (hanelefants) raseri.
IV. **must** [mʌst] (subst.) skimmel, mug.
mustache [mu'sta·ʃ], **mustachio** [mu'sta·ʃoᵘ] se *moustache*.
mustang ['mʌstäŋ] mustang, halvvild præriehest.
mustard ['mʌstəd] sennep; *keen as* ~ meget ivrig; fyr og flamme; *he is as keen as* ~ (ogs.) han er vældig skrap.
mustard| gas sennepsgas. ~ **-plaster** sennepsplaster. ~ **-pot** sennepskrukke; hidsig person. ~ **-poultice** sennepsomslag. ~ **seed** sennepskorn.
muster ['mʌstə] (vb.) mønstre, samle; opdrive; (fx. *I cannot* ~ *five shillings);* (subst.) mønstring, revy; mandskabsrulle; ~ *in* ⚓ påmønstre; ⚔ (amr.) hverve, indkalde; ~ *out* ⚓ afmønstre; ⚔ (amr.) hjemsende; ~ *up* opbyde, samle; ~ *all one's strength* opbyde alle sine kræfter; *pass* ~ blive godkendt, blive anerkendt, kunne stå for kritik, bestå prøven, gå an.
muster|-book, ~ **-roll** styrkeliste, mandskabsrulle.
mustn't ['mʌsnt] = *must not.*
musty ['mʌsti] muggen; forældet, umoderne.
mutability [mju·tə'biliti] foranderlighed, ustadighed. **mutable** ['mju·təbl] foranderlig, omskiftelig, skiftende; ustadig.
mutation [mju'teⁱʃən] forandring, omskiftelse; mutation; omlyd.
I. **mute** [mju·t] (adj.) stum; (subst.) stum person; døvstum person; statist; bedemands medhjælper; stumt bogstav; dæmper; sordin; (vb.) dæmpe.
II. **mute** [mju·t] (subst.) fugleskarn; (vb., om fugle) klatte.
mute swan (zo.) knopsvane.
mutilate ['mju·tileⁱt] lemlæste; skamfere. **mutilation** [mju·ti'leⁱʃən] lemlæstelse, skamfering.
mutineer [mju·ti'niə] (subst.) mytterist, deltager i mytteri, oprører; (vb.) gøre mytteri.
mutinous ['mju·tinəs] oprørsk.
mutiny ['mju·tini] (subst.) mytteri; (vb.) gøre mytteri; *raise a* ~ anstifte mytteri.
mutism ['mju·tizm] stumhed; døvstumhed.
mutt [mʌt] **S** fjols, skvat.
mutter ['mʌtə] (vb.) mumle vredt; brumme; fremmumle; (om torden) rumle; (subst.) (vred) mumlen; brummen; rumlen.
mutton ['mʌtn] fårekød, bedekød; *dead as* ~ stendød; *let us return to our -s* lad os komme tilbage til sagen.
mutton-chop ['mʌtn'tʃåp] (omtr. =) lammekotelet; ~ *whiskers* rundt afklippede bakkenbarter.
mutton|-fist tyk, rød næve. ~ **-head** (subst.) kødhoved, dumrian. ~ **-headed** (adj.) dum.
mutual ['mju·tjuəl] gensidig, indbyrdes; fælles (fx. *our* ~ *friend);* ~ *admiration society* roseklub.
mutuality [mju·tju'äliti] gensidighed.
I. **muzzle** ['mʌzl] (subst.) mule (fx. *of a horse),* snude; mundingsstykke, munding (fx. *of a gun);* mundkurv; gasmaske, respirator.
II. **muzzle** ['mʌzl] (vb.) give mundkurv på, lukke munden på; ⚓ tvinge (skib) til at ligge stille; tage sejl ind. **muzzle-loader** forlader (om gevær, kanon). **muzzler** ['mʌzlə] (i boksning) slag på munden; ⚓ modvind. **muzzle velocity** ⚔ mundingshastighed.
muzzy ['mʌzi] omtåget, sløv, forvirret.
M. V. fk. f. *motor vessel.*
M. V. O. fk. f. *Member of the Royal Victorian Order.*
Mx. fk. f. *Middlesex.*
my [mai] min, mit, mine; *my!* ih, du store! *Oh my!* men dog!
mycelium [mai'si·ljəm] ♧ mycelium.
mycology [mai'kålədʒi] mykologi, svampelære.
myelin ['maiəlin] marvskede.
mynheer [main'hiə] hollænder.
myopia [mai'oᵘpiə] (subst.) nærsynethed. **myopic** [mai'åpik] (adj.) nærsynet.
myositis [maio'saitis] muskelgigt.
myosotis [maio'soᵘtis] ♧ forglemmigej.
myriad ['miriəd] (subst.) myriade; utal; (adj.) talløs, utallig. **myriapod** ['miriəpåd] (zo.) tusindben.
myrmidon ['mə·midən] (lydig) følgesvend, (servil) håndlanger.
myrrh [mə·] myrra.
myrtle ['mə·tl] ♧ myrte.
myself [mai'self; mi-] jeg selv, selv; mig selv, mig; *I did not believe it* ~, *I* ~ *did not believe it* jeg troede det ikke selv; *I am not* ~ jeg er ikke mig selv; *I wash* ~ jeg vasker mig; *by* ~ alene; *I like to find out for* ~ jeg holder af at finde ud af tingene på egen hånd.
mysterious [mi'stiəriəs] hemmelighedsfuld, mystisk, gådefuld.
mystery ['mistəri] mysterium, hemmelighed, gåde; hemmelighedsfuldhed, mystik; mysterieskuespil; *make a* ~ *of* indhylle i mystik; *the* ~ *of the thing* det mystiske ved sagen.
mystery| play (hist.) mysterieskuespil. ~ **religion** mysteriereligion. ~ **ship** armeret handelsskib, camoufleret krigsskib. ~ **train** '(ud i det) blå tog'.
mystic ['mistik] mystisk, hemmelighedsfuld; mystiker. **mystical** ['mistikl] mystisk. **mysticism** ['mistizism] mystik.
mystification [mistifi'keⁱʃən] mystifikation.
mystify ['mistifai] mystificere.
mystique [mi'sti·k] (subst.): *the* ~ *of sth.* det skær af mystik som omgiver ngt.
myth [miþ] myte. **mythic** ['miþik], **mythical** ['miþikl] mytisk. **mythological** [miþə'lådʒikl] mytologisk. **mythologist** [mi'þålədʒist] mytolog.
mythology [mi'þålədʒi] mytologi.
myxoedema [miksi·'di·mə] myxødem.

N

N [en].
N. fk. f. *New; North, Northern.*
n. fk. f. *neuter; noon; noun; number.*
Na. fk. f. *Nebraska.*
N. A. fk. f. *North America(n).*
Naafi, N. A. A. F. I. fk. f. *Navy, Army, Air Force Institutes* (omtr. = soldaterhjem).
nab [näb] **S** snuppe, nappe, arrestere.
nabob [ˈneⁱbåb] nabob; statholder; rigmand (som berigede sig i Indien).
nabs [näbz] **S**: *my* ~ min gode mand, min ven.
nacelle [nəˈsel] ballonkurv; gondol (til luftskib); motorgondol.
nacre [ˈneⁱkə] perlemor.
nacreous [ˈneⁱkriəs] perlemors-.
nadir [ˈneⁱdiə] nadir; laveste punkt.
I. **nag** [näg] lille hest, pony; krikke, øg; **S** væddeløbshest.
II. **nag** [näg]: ~ *(at)* (ustandselig) skænde på; hakke på, stikke til; plage.
III. **nag** [näg] (subst.) skænden; hakken (på).
nagger [ˈnägə] rappenskralde.
naiad [ˈnaiäd] najade, vandnymfe.
I. **nail** [neⁱl] (subst.) negl, klo; søm, nagle; *as hard as -s* jernhård; i udmærket form; *hit the ~ on the head* ramme hovedet på sømmet; *-s in mourning* 'sørgerand', sorte negle; *that was a ~ in his coffin* det var en pind til hans ligkiste; *pay on the ~* betale straks.
II. **nail** [neⁱl] (vb.) sømme, spigre; nagle; beslå med søm; **S** fange, gribe; 'hugge', 'negle', opdage; ~ *down* sømme fast; ~ *sby. down to (a promise)* holde en fast ved (et løfte); ~ *on to* sømme fast på; ~ *(a lie) to the counter* afsløre (en løgn); ~ *one's colours to the mast* fastholde sit standpunkt, ikke ville give sig (el. kapitulere); ~ *up* tilspigre; sømme til.
nail-brush [ˈneⁱlbrʌʃ] neglebørste.
nailer [ˈneⁱlə] sømsmed; kernekarl, knop *(at, on* til).
nailery [ˈneⁱləri] sømfabrik.
nail-file [ˈneⁱlfail] neglefil.
nailing [ˈneⁱliŋ] (glds. **S**) førsteklasses; ~ *good* knippelgod, storartet.
nail|-polish neglelak. ~ **-puller** sømudtrækker. ~ **-scissors** neglesaks. ~ **-varnish** neglelak.
naïve [na·ˈi·v] naiv, naturlig; ligefrem.
naiveté [na·ˈi·vteⁱ], **naivety** [na·ˈi·vti] naivitet; naturlighed.
naked [ˈneⁱkid] nøgen, blottet, bar; (fig.) nøgen (fx. *facts, truth);* utilsløret; *the ~ eye* det blotte øje; ~ *light* åbent lys. **nakedness** nøgenhed; (bibl.) blusel.
namable [ˈneⁱməbl] nævneværdig.
namby-pamby [ˈnämbiˈpämbi] (adj.) affekteret, sentimental; (subst.) sentimentalt sludder; sentimental person; blødagtig person.
I. **name** [neⁱm] (subst.) navn; betegnelse, benævnelse; rygte, ry, berømmelse; *call -s* skælde ud; *Christian ~, first ~,* (amr.) *given ~* fornavn; *give it a ~* **T** sig hvad De vil have (at drikke); *have a ~ for* have ry (el. ord) for; *have the ~ of a miser* have ord for at være en gnier; *have a lazy ~* have ry for at være doven; *keep one's ~ on the books* vedblive at være medlem; *lend one's ~ to* lægge navn til; *put one's ~ down* indmelde sig, indskrive sig, tegne sig; *send in one's ~* lade sig melde; *take one's ~ off the books* ophøre med at være medlem, melde sig ud;
(forb. m. præp.) *by ~, by the ~ of* ved navn; *go by* (el. *under) the ~ of* gå under navnet; *know by ~* kende af navn; kende ved navn; *in ~ only* kun af navn; *what's in a ~?* hvad gør navnet til sagen? *what in the ~ of fortune?* hvad i alverden? *a man of ~* en berømt mand; *of the ~ of* ved navn; *he has not got a penny to his ~* han ejer ikke en rød øre.
II. **name** [neⁱm] (vb.) nævne (ved navn); give navn, benævne, kalde, opkalde, *(after,* (amr.) *for* efter); udnævne, bestemme *(for* til); kalde til orden; ~ *the day* bestemme bryllupsdagen.
III. **name** [neⁱm] (brugt som adj.) navne- (fx. *sign);* kendt, berømt.
name|able [ˈneⁱməbl] nævneværdig, som kan nævnes. ~ **-brand** mærkevare. **-day** navnedag. **-less** [ˈneⁱmlės] navnløs; anonym, ukendt; unævnelig.
namely [ˈneⁱmli] nemlig.
name|-part titelrolle. **-sake** [ˈneⁱmseⁱk] navne, navnefætter.
Nancy [ˈnänsi].
nancy [ˈnänsi] (adj.) kvindagtig, homoseksuel; (subst.) homoseksuel.
nankeen [näŋˈki·n] nankin; *-s* nankinsbukser.
nanny [ˈnäni] barnepige; ~ *(-goat)* hunged.
I. **nap** [näp] (subst.) lur, lille blund, skraber; (vb.) blunde, sove; *have a ~ after dinner* tage sig en middagslur; *catch sby. -ping* overrumple en; komme bag på en.
II. **nap** [näp] luv (på tøj).
III. **nap** [näp] (navn på et kortspil).
napalm [ˈneⁱpa·m, ˈnäpa·m] napalm, benzingelé (brugt i bomber).
nape [neⁱp] nakke; ~ *of the neck* nakke.
napery [ˈneⁱp(ə)ri] (glds.) dækketøj.
naphtha [ˈnäfþə, ˈnäpþə] nafta.
naphthalene [ˈnäfþəli·n, ˈnäpþəli·n] naftalin.
napkin [ˈnäpkin] serviet; ble. **napkin ring** servietring.
Naples [ˈneⁱplz] Napoli.
napless [ˈnäplės] glat, luvslidt.
Napoleon [nəˈpoᵘljən].
napoleon [nəˈpoᵘljən] napoleondor, (glds.) tyvefrancstykke; slags kortspil; napoleonskage.
Napoleonic [nəpoᵘliˈånik] napoleonisk, Napoleons-.
napoo [na·ˈpu·] **S** ⚔ færdig, forbi, nytter ikke; (af: il n'y en a plus).
I. **nappy** [ˈnäpi] forsynet med luv; (om drik) stærk.
II. **nappy** [ˈnäpi] ble.
narcissism [na·ˈsisizm] narcissisme.
narciss|us [na·ˈsisəs] (pl. *-i* [-ai], *-uses)* narcis; pinselilje.
narco|-analysis [ˈna·koᵘəˈnälisis] narkoanalyse. **-mania** [na·koˈmeⁱniə] narkomani. **-maniac** [na·koˈmeⁱniäk] (subst.) narkoman. **-maniacal** [na·koməˈnaiəkəl] (adj.) narkoman.
narcosis [na·ˈkoᵘsis] bedøvelse, bedøvelsestilstand.
narcotic [-ˈkåtik] bedøvende, narkotisk; bedøvende middel; *-s* narkotika. **narcotism** [ˈna·kətizm] bedøvelse. **narcotize** [ˈna·kətaiz] bedøve.
narghile [ˈna·gili] tyrkisk vandpibe.
I. **nark** [na·k] **S** (subst.) stikker; angiver; (vb.) stikke, angive.
II. **nark** [na·k] (vb.) **T** irritere.
narrate [näˈreⁱt] fortælle, berette. **narration** [näˈreⁱʃən] fortælling. **narrative** [ˈnärətiv] fortællende, berettende; fortælling, beretning. **narrator** [näˈreⁱtə] fortæller.
I. **narrow** [ˈnäroᵘ] (vb.) indsnævre; indsnævres; ~ *down* indskrænke, sammentrække.
II. **narrow** [ˈnäroᵘ] (adj.) snæver, smal, trang, lille, kneben (fx. *majority* flertal; *victory);* snæversynet; smålig; nøje (fx. *examination* undersøgelse); (subst.) snævring; ~ *circumstances* trange kår; *have a ~ escape* (el. *shave)* slippe fra det med nød og næppe; *it was a ~ escape* det kneb, det var på et hængende hår; ~ *gauge* smal sporvidde.
narrow-gauge [ˈnäroᵘgeⁱdʒ] smalsporet.
narrow-hearted [ˈnäroᵘha·tid] snæverhjertet.

narrowly [ˈnåroᵘli] snævert, knebent, med nød og næppe; nøje (fx. *look ~ at it); she ~ escaped drowning* (ogs.) hun var lige ved at drukne.

narrow-minded [ˈnåroᵘˈmaindid] smålig, snæversynet, bornert.

narwhal [ˈna·wəl] (zo.) narhval.

nasal [ˈneⁱzl] næse-, nasal; næselyd; ~ *twang* snøvlen. **nasality** [neⁱˈzäliti] nasalklang. **nasalization** [neⁱzəlaiˈzeⁱʃən] nasalering. **nasalize** [ˈneⁱzəlaiz] nasalere.

nascency [ˈnäsnsi] tilblivelse(sstadium), oprindelse; fødsel. **nascent** [ˈnäsnt] begyndende, spirende, opdukkende.

Naseby [ˈneⁱzbi].

nastiness [ˈna·stinės] ækelhed; grimt udtryk (el. ord), griseri.

nasturtium [nəˈstə·ʃəm] ♧ nasturtium.

nasty [ˈna·sti] ækel, væmmelig, modbydelig (fx. *taste);* grim, styg (fx. *sight);* ubehagelig (fx. *he was very ~);* gemen (fx. *trick);* griset, uhumsk, uanstændig; *that dog has a ~ temper* den hund er ondskabsfuld; *a ~ piece of work* en grim streg; **T** en ækel person.

natal [ˈneⁱtl] føde- (fx. *place);* fødsels- (fx. *day).*

Natal [nəˈtäl].

natality [neⁱˈtäliti] fødsel; fødselsprocent.

natatorial [neⁱtəˈtå·riəl] svømme- (fx. *bird).*

natch [nätʃ] **S** naturligvis.

nation [ˈneⁱʃən] nation, folk, folkeslag.

national [ˈnäʃnəl] national, national- (fx. *bank);* lands- (fx. *congress);* folke- (fx. *will);* stats- (fx. *property* ejendom); patriotisk; landsomfattende; (subst.) statsborger.

national| anthem nationalsang. ~ **church** folkekirke. ~ **debt** statsgæld. ~ **guard** (amr. omtr.) hjemmeværn. ~ **insurance** folkeforsikring (tvungen forsikring mod sygdom og arbejdsløshed).

nationalism [ˈnäʃnəlizm] nationalisme. **nationalist** [ˈnäʃənəlist] (subst.) nationalist; (adj.) nationalistisk.

nationality [näʃəˈnäliti] nationalitet.

nationalization [näʃnəlaiˈzeⁱʃən] nationalisering.

nationalize [ˈnäʃnəlaiz] nationalisere; give indfødsret; gøre til en selvstændig nation.

national service almindelig værnepligt.

national serviceman værnepligtig.

nation-wide [ˈneⁱʃənwaid] landsomfattende.

native [ˈneⁱtiv] (adj.) indfødt; føde-, hjem- (fx. *district* egn; *town);* hjemlig, indenlandsk, national-, hjemmehørende *(to* i, fx. *animals ~ to England);* medfødt, naturlig (fx. *her ~ modesty);* ren, ublandet, gedigen, nativ (fx. *gold);* (subst.) indfødt; indfødt borger *(of* i); indenlandsk plante (el. dyr); østers fra østersbanker i engelske farvande; ~ *country* fædreland; *go ~* begynde at leve som en indfødt; ~ *language* modersmål; *be a ~ of London* være indfødt londoner, være født i London; ~ *prince* indfødt fyrste (især i de tidligere indiske vasalstater).

nativity [nəˈtiviti] fødsel; horoskop; *calculate* (el. *cast) his ~* stille hans horoskop; *the Nativity* Kristi fødsel; juledag.

NATO fk. f. *North Atlantic Treaty Organization* NATO.

natron [ˈneⁱtrən] kulsurt natron, soda.

natter [ˈnätə] snakke, knevre, plapre; klynke.

natty [ˈnäti] net, fin, fiks, smart; ferm, flink.

I. **natural** [ˈnätʃrəl] (subst.) idiot; (i musik) hvid tangent; opløsningstegn; *he is a ~ for the job* han er som skabt til det arbejde.

II. **natural** [ˈnätʃrəl] (adj.) naturlig; natur- (fx. *forces; gas; state* tilstand); uægte, illegitim (fx. *son);* medfødt (fx. *abilities);* naturfarvet; (i musik) som er uden fortegn, i C-dur; *it does not come ~ to me* det falder mig ikke naturligt; *he is a ~ orator* han er den fødte taler; *be a ~ poet* have medfødte digteriske evner, være digter af naturen.

natural|-born fra fødselen, født. ~ **frequency** (radio) egenfrekvens. ~ **history** naturhistorie.

naturalism [ˈnätʃrəlizm] naturalisme. **naturalist** [-list] naturforsker; naturalist.

naturalistic [nätʃrəˈlistik] naturalistisk.

naturalization [nätʃrəlaiˈzeⁱʃən] naturalisation.

naturalize [ˈnätʃrəlaiz] naturalisere; give indfødsret; akklimatisere; blive naturaliseret.

naturally [ˈnätʃrəli] naturligt; naturligvis; som naturligt er; af naturen, i følge naturens orden; ~ *gifted* veludrustet fra naturens hånd.

natural| method naturmetode. ~ **note** (radio) egentone. ~ **philosopher** fysiker. ~ **philosophy** fysik. ~ **science** naturvidenskab. ~ **selection** naturlig udvælgelse. ~ **wavelength** egenbølgelængde.

nature [ˈneⁱtʃə] natur, naturen; art, slags, beskaffenhed; *good ~* elskværdighed, godmodighed; *by ~* af naturen; *draw from ~* tegne efter naturen; *from the ~ of the case* ifølge sagens natur; *be one of Nature's gentlemen* have hjertets dannelse; *in the ~ of* i retning af, af samme slags som; *in the ~ of things* ifølge tingenes natur; *it has become part of his ~* det er gået ham i blodet; *in the course of ~* efter naturens gang; *in the order of ~* efter naturens orden; *state of ~* naturtilstand; *in a state of ~* (ogs.) splitternøgen; *pay one's debt to ~* dø.

naturist [ˈneⁱtʃərist] naturist, nudist.

naught [nå·t] intet; nul; værdiløs; *set at ~* ikke regne for noget, tilsidesætte, trodse; *care ~ for* ikke bryde sig spor om; *bring to ~* tilintetgøre; ødelægge; *come to ~* kuldkastes, ikke blive til noget.

naughty [ˈnå·ti] uartig.

nausea [ˈnå·siə] kvalme. **nauseate** [ˈnå·sieⁱt] fremkalde kvalme hos; fylde med væmmelse.

nauseous [ˈnå·siəs] kvalmende; væmmelig.

nautch [nå·tʃ] indisk ballet udført af kvinder; ~ *girl* indisk danserinde, dansepige.

nautical [ˈnå·tikl] nautisk; sø-, sømandsmæssig; ~ *mile* sømil; ~ *table* navigationstabel; ~ *term* sømandsudtryk, maritimt (fag)udtryk.

nautilus [ˈnå·tiləs] (zo.) nautil, papirsnekke.

naval [ˈneⁱv(ə)l] flåde- (fx. *base);* skibs- (fx. *gun);* sø- (fx. *battle; hero);* ~ *architect* skibskonstruktør; ~ *architecture* skibsbygningskunst; ~ *college,* (amr.:) ~ *academy* søofficersskole; ~ *dockyard,* ~ *shipyard* orlogsværft; ~ *officer* søofficer.

I. **nave** [neⁱv] skib (i en kirke), midterskib.

II. **nave** [neⁱv] hjulnav.

navel [ˈneⁱv(ə)l] navle.

navel| orange navelappelsin. ~ **-string** navlestreng.

navigability [nävigəˈbiliti] sejlbarhed.

navigable [ˈnävigəbl] farbar, sejlbar (fx. *river);* styrbar (fx. *ship).*

navigate [ˈnävigeⁱt] sejle, besejle, befare; navigere, styre. **navigation** [näviˈgeⁱʃən] sejlads; navigation. **navigation light** (flyv.) positionslys.

navigator [ˈnävigeⁱtə] sømand; navigatør; søfarer.

navvy [ˈnävi] jord- og betonarbejder; *(steam) ~* gravemaskine.

navy [ˈneⁱvi] flåde; krigsflåde, marine; marineblåt.

navy| blue marineblå(t). ~ **yard** orlogsværft.

nay [neⁱ] ja, ja endog (fx. *this remedy is useless, nay dangerous);* nej; nejstemme; *say sby. ~* sige nej til én, modsige én.

Nazarene [näzəˈri·n] nazaræer. **Nazareth** [ˈnäzəriþ].

naze [neⁱz] næs.

Nazi [ˈna·tsi] nazist; nazistisk; *the ~ movement* nazismen. **nazify** [ˈna·tsifai] nazificere.

N. B. fk. f. *North Britain* (ↄ: Skotland); *North British; New Brunswick; nota bene.*

N. B. C. fk. f. *National Broadcasting Company.*

N. B. G. fk. f. *no bloody good* **S** til ingen verdens nytte, intet som helst værd.

N. C. fk. f. *North Carolina.*

N. C. O. [ˈensi·ˈoᵘ] fk. f. *non-commissioned officer.*

n. d. fk. f. *no date* uden år(stal).

N.D. fk. f. *North Dakota.*
N.E. fk. f. *north-east.*
neap [ni·p] niptid; (vb.) nærme sig niptid.
Neapolitan [niə'pålitən] neapolitansk; neapolitaner.
neap tide nipflod, niptid.
I. **near** [niə] (adv., præp.) nær *(to, upon* ved); nær ved; nærved, i nærheden af; tæt ved, pr. (fx. *X-town near* (fk. *nr.) Oxford* X-town pr. Oxford); ~ *by* (lige) i nærheden; *bring* ~ (el. *nearer) to* nærme; *come* (el. *draw, get)* ~ (el. *nearer)* nærme sig; *come* ~ *(to) being run over* være lige ved at blive kørt over; *it will go* ~ *to ruining him* det vil næsten ruinere ham.
II. **near** [niə] (adj.) nær, nærliggende; nær, nærstående, kær (fx. *friend);* som berører en stærkt (fx. *affairs);* nøjagtig, som holder sig nær til originalen (fx. *translation);* nærmer, venstre (fx. *horse, side);* nærig, påholdende; *have a* ~ *escape* (el. *shave)* slippe fra det med nød og næppe; *it was a* ~ *thing* det var nær ved at gå galt, det var på et hængende hår; ~ *is my shirt, but -er is my skin* enhver er sig selv nærmest.
III. **near** [niə] (vb.) nærme; nærme sig.
near- (som forstavelse) næsten; som ligner; imiteret (fx. *near-leather).*
near-beer (amr.) afholdsøl.
near-by nærliggende, tilstødende.
Near East: *the* ~ Den nære Orient.
nearly ['niəli] (adv.) nær(t) (fx. ~ *related* beslægtet); næsten, omtrent (fx. *they are* ~ *identical); it concerns me* ~ det berører mig stærkt; *not* ~ langt fra; *not* ~ *so good* (ogs.) ikke nær så god.
near|-miss ⚔ bombe som rammer nær nok til at beskadige målet. **-ness** ['nionės] nærhed; nært forhold, nært slægtskab; T nærighed. **-side** (adj.) venstre. ~ **-sighted** ['niə'saitid] nærsynet.
I. **neat** [ni·t] (adj.) net, ren; proper (fx. *housewife);* ordentlig, ryddelig (fx. *desk);* pæn, nydelig, sirlig (fx. *handwriting);* fiks, elegant (fx. *conjuring trick; solution);* behændig (fx. *theft);* flink, ferm; nydelig, velskabt; ligefrem, ukompliceret; enkel (fx. *dress, solution);* ren, ublandet; *a whisky* ~ en tør whisky (ɔ: uden vand).
II. **neat** [ni·t] (subst.) kvæg, hornkvæg.
'neath [ni·þ] (præp.) (poet.) under.
neat-handed ['ni·t'händed] behændig.
neat-herd ['ni·thə·d] kvæghyrde.
neatness ['ni·tnės] nethed etc. (se I. *neat);* orden (fx. i skole).
neat's|-foot oil klovolie. ~ **tongue** oksetunge.
I. **neb** [neb] næb, tud; spids.
II. **Neb.** fk. f. **Nebraska** [ni'bräskə].
nebul|a ['nebjulə] (pl. *-ae* [-i·]) tågeplet, stjernetåge; plet på hornhinden.
nebular ['nebjulə] stjernetåge-.
nebulosity [nebju'låsiti] tågethed.
nebulous ['nebjuləs] tåget; uklar; skyet.
necessarily ['nesisərili] nødvendigvis.
necessary ['nesisəri] nødvendig *(to* for); fornøden; fornødenhed; *if* ~ om fornødent; til nød; *necessaries of life* livsfornødenheder; *they lack the very necessaries of life* de mangler endog det allernødvendigste.
necessitarian [nisesi'tæəriən] determinist; deterministisk.
necessitate [ni'sesiteⁱt] nødvendiggøre.
necessitous [ni'sesitəs] nødlidende, fattig, trængende.
necessity [ni'sesiti] nødvendighed, fornødenhed, nødvendighedsartikel; nød, trang; ~ *knows no law* nød bryder alle love; ~ *is the mother of invention* nød lærer nøgen kvinde at spinde; *there is no* ~ *to* det er ikke nødvendigt at; *of* ~ nødvendigvis; *only in case of* ~ kun i nødstilfælde (el. nødsfald); *make a virtue of* ~ gøre en dyd af nødvendigheden; *be under the* ~ *of* være tvunget til, se sig nødsaget til.
I. **neck** [nek] (subst.) hals; halsstykke; halsudskæring (på kjole); landtange; S frækhed; *break one's* ~ brække halsen; *break the* ~ *of it* få det værste (af det) overstået; ~ *and crop* med hud og hår, helt og holdent; *get it in the* ~ S få en hård behandling, 'få kærligheden at føle'; ~ *and* ~ side om side, ganske lige; ~ *or nothing* koste hvad det vil; *it is* ~ *or nothing* det er knald eller fald; *he is a pain in the* ~ S han er en prøvelse; *save one's* ~ redde livet, redde sig; *stick one's* ~ *out* S udsætte sig for ubehageligheder; *stiff* ~ halsstarrighed; *win by a* ~ vinde med en halslængde.
II. **neck** [nek] (vb.) kæle intimt for (el. med); kæle (for hinanden).
neckband ['nekbänd] halslinning.
neckerchief ['nekətʃif] (glds.) halstørklæde.
neck|lace ['neklis] halsbånd. **-let** ['neklėt] halsbånd; boa. **-tie** ['nektai] slips. **-wear** ['nekwæə] halstørklæder, slips og flipper.
necro|mancer ['nekromänsə] åndemaner, troldmand. **-mancy** ['nekromänsi] åndemanen, trolddom. **-mantic** [nekro'mäntik] trolddoms-.
necropolis [ne'kråpəlis] begravelsesplads, kirkegård.
necrosis [ne'kroᵘsis] nekrose, vævshenfald.
nectar ['nektə] nektar, gudedrik; blomsterhonning. **nectareous** [nek'tæəriəs] nektarsød, liflig.
nectarine ['nektərin] ♧ nektarin (art fersken).
nectarium [nek'tæəriəm] = *nectary.*
nectary ['nektəri] ♧ nektarie, honninggemme, honningkirtel.
Ned [ned] kælenavn f. *Edward, Edmund.*
N.E.D. fk. f. *New English Dictionary.*
Neddy ['nedi] æsel; d.s.s. *Ned.*
née [neⁱ] født (foran gift kvindes pigenavn, fx. *Mrs. Smith, née Brown).*
I. **need** [ni·d] (subst.) nød, mangel, trang; behov; brug *(of* for); nødvendighed; *-s* (ogs.) fornødenheder (fx. *my -s are few); at* ~ i en nødssituation; *if* ~ *be* hvis det behøves, i nødsfald; *in case of* ~ i nødsfald; *in the hour of* ~ i nødens stund; *be (, stand) in* ~ *of, have* ~ *of* behøve, have nødig; have brug for, trænge til (fx. *this flat is in* ~ *of repair); is there any* ~ *to hurry?* er det nødvendigt at skynde sig? *there's no* ~ *for you to go* du behøver ikke at gå; *a friend in* ~ *is a friend indeed* i nøden skal man kende sine venner; *supply a* ~ afhjælpe et savn.
II. **need** [ni·d] (vb.) (imperf.: *needed* el. *need)* behøve, trænge til; være nødt til; (glds.) behøves; *this -s to be done carefully* dette må gøres omhyggeligt.
needful ['ni·df(u)l] nødvendig, fornøden; *the* ~ det fornødne (fx. *I have done the* ~*);* (kontante) penge.
I. **needle** ['ni·dl] (subst.) nål, synål, magnetnål, strikkepind, hæklenål; grammofonstift; kanyle (til sprøjte); spids klippe, tinde; obelisk; *as sharp as a* ~ meget skarpsindig, meget kvik, 'vaks', hurtig i opfattelsen.
II. **needle** ['ni·dl] (vb.) sy (, prikke hul på) med en nål; (fig.) stikke til, tirre; ~ *one's way through the crowd* forsigtigt bane sig vej (el. sno sig frem) gennem mængden.
needle|-book nålebog. ~ **-case** nålehus. **-ful** ende garn. ~ **furze,** ~ **gorse** ♧ visse. ~ **-gun** tændnålsgevær. ~ **point** nålespids. ~ **-point lace** syet knipling.
needless ['ni·dlės] unødvendig, unødig; ~ *to say* selvfølgelig.
needle|woman syerske. **-work** håndarbejde, sytøj.
needments ['ni·dmənts] nødvendighedsartikler; rejsefornødenheder, bagage.
needn't ['ni·dnt] = *need not.*
needs [ni·dz] nødvendigvis, absolut, endelig; ~ *must when the devil drives* der er ting man må gøre hvad enten man bryder sig om det eller ej.
needy ['ni·di] trængende, nødlidende.
ne'er ['næə] aldrig.
ne'er-do-well ['næəduwel] døgenigt.
nefarious [ni'fæəriəs] forbryderisk, afskyelig, skændig.
negation [ni'geⁱʃən] nægtelse, benægtelse; negation.

I. **negative** ['negətiv] (adj.) negativ (fx. ~ *electricity);* nægtende (fx. *a ~ sentence* en nægtende sætning); benægtende (fx. *a ~ answer); maintain a ~ attitude* forholde sig negativ.

II. **negative** ['negətiv] (subst.) benægtelse, afslag; (fotografisk) negativ; (mat.) negativ størrelse; (gram.) nægtende (el. negerende) ord; *answer in the ~* svare benægtende; *the answer is in the ~* svaret er benægtende.

III. **negative** ['negətiv] (vb.) forkaste, stemme ned (fx. *a Labour amendment was -d);* afslå, sige nej til; modbevise (fx. *experience -s the theory);* neutralisere (fx. *~ an acid);* gøre virkningsløs (fx. *it -d his efforts).*

neglect [ni'glekt] (vb.) forsømme (fx. *~ one's duty);* negligere, tilsidesætte, ringeagte; (subst.) forsømmelse, ligegyldighed (*of* for), efterladenhed; vanrøgt; forsømthed; *fall into ~* blive forsømt; (om ord etc.) gå af brug; *state of ~* forsømt tilstand; *~ of duty* pligtforsømmelse; *~ to do it* undlade (el. forsømme) at gøre det.

neglectful [ni'glektf(u)l] forsømmelig, ligegyldig.

negligé, negligee ['negli·ʒeⁱ] negligé, morgendragt, morgenkjole.

negligence ['neglidʒəns] forsømmelighed, skødesløshed; forsømmelse; (jur.) uagtsomhed.

negligent ['neglidʒənt] forsømmelig, skødesløs, efterladende; *be ~ of* være ligegyldig med, forsømme (fx. *he was ~ of his duties).*

negligible ['neglidʒəbl] ubetydelig, forsvindende lille.

negotiability [nigoᵘʃiə'biliti] negotiabilitet; omsættelighed.

negotiable [ni'goᵘʃiəbl] som der kan forhandles om; negotiabel, omsættelig (fx. *cheque, bill);* farbar (fx. *a ~ road); ~ instruments* omsætningspapirer.

negotiate [ni'goᵘʃieⁱt] forhandle (om); bringe i stand (ved forhandling) (fx. *~ a treaty);* udvirke; afslutte, slutte; afhænde, omsætte; komme over; klare (fx. *~ a difficult road);* **T** sætte til livs; *-d peace* forhandlingsfred.

negotiation [nigoᵘʃi'eⁱʃən] forhandling, underhandling; afslutning (af lån, traktater); salg. **negotiator** [ni'goᵘʃieⁱtə] underhandler; forhandler.

negress ['ni·grės] negerinde.

negro ['ni·groᵘ] (pl. *-es*) neger.

negroid ['ni·groid] negroid, negeragtig.

negus ['ni·gəs] vintoddy.

neigh [neⁱ] vrinske; vrinsken.

neighbour ['neⁱbə] nabo, naboerske; sidemand, sidekammerat; (bibl.) næste; *opposite ~* genbo.

neighbourhood ['neⁱbəhud] naboskab, nabolag, nærhed; (om)egn, bydel, kvarter, strøg; naboer; *in the ~ of £1,000* sådan noget som £1000.

neighbouring ['neⁱbəriŋ] nærliggende, tilgrænsende, nabo- (fx. *country, town);* om(kring)liggende, omkringboende.

neighbourly ['neⁱbəli] omgængelig, elskværdig; nabo-; nabovenlig; *be ~* optræde som en god nabo.

neither ['naiðə, (især amr.) 'ni·ðə] ingen (af to), ingen af delene, hverken den ene eller den anden; (og) heller ikke; *she does not like him, and ~ do I* hun holder ikke af ham, og det gør jeg heller ikke; *~ ... nor* hverken ... eller; *that is ~ here nor there* det har ikke noget med sagen at gøre; det hører ingen steder hjemme; *I am on ~ side* jeg er neutral.

nem. con. fk. f. *nemine contradicente* enstemmig.

nem. dis. fk. f. *nemine dissentiente* enstemmig; forudsat at ingen stemmer (el. siger) imod.

nemesis ['nemisis] nemesis.

nenuphar ['nenjufa·] ♧ åkande, nøkkerose.

neo- ['ni(·)oᵘ] neo-, ny- (fx. *neo-Fascism).*

neolithic [ni·oᵘ'liþik] neolitisk, fra den yngre stenalder; *the ~ age* den yngre stenalder.

neologism [ni·'ålədʒizm] neologisme, nydannelse (om ord).

neon ['ni·ån] neon; *~ light* neonlys; *~ sign* lysreklame.

neophyte ['ni·ofait] nyomvendt; begynder; novice.

Nepal [ni'på·l] Nepal.

nephew ['nevju; (især amr.) 'nefju·] nevø, brodersøn, søstersøn.

nephrite ['nefrait] nefrit, nyresten.

nephritic [ne'fritik] nyre-.

nephritis [ne'fraitis] nyrebetændelse.

nepotism ['nepotizm] nepotisme, begunstigelse af slægt og venner.

Neptune ['neptju·n] Neptun.

nereid ['niəriid] nereide, havnymfe.

Nero ['niəroᵘ].

I. **nerve** [nə·v] (subst.) nerve; kraft, fasthed, mod, gode nerver; **T** frækhed; ♧ bladnerve, bladåre, bladstreng; *-s* (ogs.) nervøsitet; *be all -s* være meget nervøs; *you 'have a ~!* hvor *er* du fræk! *have the ~ to* have mod til at; **T** være fræk nok til at; *get on sby.'s -s* gå en på nerverne, gøre en nervøs; *lose one's ~* tabe modet; *strain every ~* anstrenge sig til det yderste.

II. **nerve** [nə·v] (vb.) styrke, stålsætte, give kraft; *~ oneself for* samle mod til.

nerveless ['nə·vlės] kraftløs, slap.

nerve-racking som tager hårdt på nerverne, enerverende. **nerve surgery** nervekirurgi.

nervine ['nə·vi·n] nervestyrkende; nervestyrkende middel.

nervous ['nə·vəs] nerve-; nervøs, nervesvag; stærk, kraftig; kraftfuld; *~ break-down* nervesammenbrud; *~ disease* nervelidelse; *~ strain* nervepres; *~ system* nervesystem.

nervy ['nə·vi] **T** nervøs; **S** fræk; enerverende.

nescience ['nesiəns] uvidenhed.

nescient ['nesiənt] uvidende.

ness [nes] næs, forbjerg, pynt.

I. **nest** [nest] (subst.) rede; tilholdssted, hule, bo; flok, bande, sværm; sæt (af genstande, der kan sættes ind i hverandre; skuffer, æsker el.l.); *~ of tables* indskudsborde; *~ of thieves* tyverede; *~ of vice* lastens hule.

II. **nest** [nest] (vb.) bygge rede; søge efter fuglereder; anbringe (inden i hinanden).

nest-egg redeæg; spareskilling.

nestle ['nesl] ligge lunt; putte sig ned; trykke, putte (sig) (ind til).

nestling ['nesliŋ] nyudklækket fugleunge, dununge.

I. **net** [net] (adj.) netto, netto- (fx. *income, price);* (vb.) indbringe netto; tjene netto (fx. *they ~ £900 a year).*

II. **net** [net] (subst.) net, garn, snare; tyl; netværk; (vb.) fange i net; fange i sit garn; sætte net om (el. i); knytte net; filere.

net ball (i tennis) netbold.

netball spil der ligner basketball.

net capital egenkapital.

nether ['neðə] nedre, underste, under-; *~ garments* benklæder; *the ~ man* benene; *the ~ world* underverdenen, helvede.

Netherlander ['neðələndə] hollænder, nederlænder.

Netherlandish ['neðələndiʃ] nederlandsk.

Netherlands ['neðələndz]: *the ~* Nederlandene, Holland.

nethermost ['neðəmoᵘst] nederst, dybest.

netting ['netiŋ] net, netværk; filering.

netting-needle ['netiŋ'ni·dl] filerenål.

nettle ['netl] nælde, brændenælde; (vb.) brænde (som en nælde); (fig.) irritere, ærgre, pikere; *grasp the ~* tage fast om nælden. **nettle-rash** nældefeber.

net weight egenvægt.

network ['netwə·k] netværk; net.

neural ['njuərəl] nerve-. **neuralgia** [njuə'rāldʒə] neuralgi, nervesmerter. **neuralgic** [njuə'rāldʒik] neuralgisk.

neurasthenia [njuərās'þi·niə] neurasteni, nervesvækkelse. **neurasthenic** [njuərās'þenik] neurastenisk; nervesvag; neurasteniker.

neuritis [njuə'raitis] nervebetændelse.
neurologist [njuə'rålədʒist] neurolog, nervespecialist.
neurology [njuə'rålədʒi] neurologi.
neurosis [njuə'roᵘsis] neurose. **neurotic** [njuə'råtik] nerve-; nervesvækket; nervesvækket person; neurotiker.
neuter [nju·tə] (subst.) neutrum, intetkøn; intetkønsord; kønsløst insekt; kastrat; neutral person; (adj.) intetkøns-; kønsløs; ♧ gold; *stand* ~ forholde sig neutral.
neutral ['nju·trəl] neutral; frigear; *change into* ~ sætte i frigear.
neutrality [nju'träliti] neutralitet.
neutralization [nju·trəl(a)i'zeⁱʃən] neutralisering; neutral tilstand; modvirkning.
neutralize ['nju·trəlaiz] neutralisere; erklære neutral; modvirke, ophæve virkningen af; nedkæmpe, tilintetgøre. **neutralizer** ['nju·trəlaizə] neutraliserende middel, modvægt.
neutrodyne ['nju·troᵘdain] neutrodyn.
neutron ['nju·trån] (subst.) neutron.
Nev. fk. f. **Nevada** [ne'va·də].
never ['nevə] aldrig; slet ikke; *well, I* ~*!* nu har jeg aldrig hørt så galt! ~ *heard of* uhørt; ~ *a one* ikke en eneste; *be it* ~ *so bad* om det så er aldrig så dårligt; *he* ~ *so much as spoke* han sagde ikke et ord; *you were* ~ *such a fool as to do that!* du har da vel aldrig været så dum at gøre det! **never|-ceasing,** ~ **-ending** uophørlig. ~ **-fading** uvisnelig.
nevermore ['nevə'må·] aldrig mere.
never-never (subst.) **T:** *the* ~ *(system)* afbetalingssystemet; *buy on the* ~ købe på afbetaling; *the* ~ *(land)* fjernt, utilgængeligt område (især om den nordlige del af Queensland i Australien); (fig.) drømmeland.
never-say-die (adj.) ukuelig (fx. *a* ~ *spirit).*
nevertheless [nevəðə'les] ikke desto mindre.
new [nju·] ny; frisk; nymodens, moderne; ~ *bread* frisk brød; ~ *milk* nymalket mælk; *the* ~ *woman* den moderne kvinde; *feel a* ~ *man* føle sig som et nyt (og bedre) menneske; ~ *from school* lige kommet ud af skolen; ~ *to the work* uvant med arbejdet, ny i tjenesten.
newborn ['nju·bå·n] nyfødt.
Newcastle ['nju·ka·sl].
newcomer ['nju·kʌmə] nyankommen.
New Deal (præsident F. D. Roosevelts politik i trediverne for at modvirke den økonomiske krise).
newel ['nju·əl] mægler, mæglersøjle (i trappe).
new|fangled ['nju·fåŋgld] (adj.) nymodens. ~ **-fashioned** moderne.
Newfoundland [nju·fənd'lånd, nju'faundlənd]; ~ *dog* [nju'faundlənd dåg] newfoundlænder. **-er** [-ə] newfoundlænder.
Newgate ['nju·gėt] (forhen fængsel i London).
Newgate frill, Newgate fringe skipperskæg.
newish ['nju·iʃ] temmelig ny.
new-laid ['nju·leⁱd] nylagt (om æg).
new look mode fra omkring 1947 med længere og videre kjoler; **T** moderne udseende.
newly ['nju·li] nylig, netop, ny-; på en ny måde.
newly| married nygift. ~ **-weds** (pl.) nygifte, brudepar.
Newman ['nju·mən]. **Newmarket** ['nju·ma·kit].
new-mown ['nju·moᵘn] nyslået.
New Orleans [nju·'å·lianz].
news [nju·z] nyhed, nyheder; efterretning; nyhedsstof; *the* ~ (i radioen, svarer til) radioavisen; *a piece* (el. *bit, an item) of* ~ en nyhed; *no* ~ *is good* ~ intet nyt er godt nyt; *he is in the* ~ *today* han er i avisen i dag; *this is* ~ *to me* dette er nyt for mig.
news| agency telegrambureau. ~ **-agent** bladhandler. **-bill** løbeseddel. **-boy** avisdreng. ~ **bulletin, -cast** (radio) presseudsendelse, radioavis. ~ **cinema** biograf der kun viser ugerevyer og kortfilm. ~ **dealer** bladhandler. ~ **item** avisnyhed. **-letter** internt meddelelsesblad; indendørsblad. ~ **-man** avisbud; avissælger. **-monger** nyhedskræmmer.
newspaper ['nju·speⁱpə] avis, blad. **newspaper man** bladmand, pressemand. **newspaper-round:** *do a* ~ gå med aviser.
news|print avispapir. ~ **-reel** filmsjournal, ugerevy. ~ **-room** avislæsestue. ~ **-service** nyhedstjeneste. ~ **-stand** aviskiosk.
New Style efter den gregorianske kalender.
news| vendor ['nju·zvendå·] avissælger, bladhandler. ~ **-woman** aviskone.
newsy ['nju·zi] (adj.) fuld af nyheder (fx. *a* ~ *letter);* sladderagtig; (subst., amr.) avisdreng.
newt [nju·t] (zo.) salamander; *the common* ~ den lille salamander; *the crested* ~ den store salamander; *the smooth* ~ den lille salamander.
New Year ['nju·jiə] nytår, årsskifte; *a happy* ~ glædeligt nytår! ~ *'s Day* nytårsdag; ~ *'s Eve* nytårsaften.
New York ['nju·'jå·k].
New Zealand [nju·'zi·lənd].
I. **next** [nekst] (adj.) næste (fx. *the* ~ *train;* ~ *year);* nærmest (fx. *how far is it to the* ~ *neighbour?);* tilstødende, nabo- (fx. *the* ~ *house);* førstkommende, næste (fx. ~ *Sunday);* følgende, næste (fx. *the* ~ *day);* (subst.) næste brev (fx. *I will tell you in my* ~*);* næste nummer (fx. *to be concluded* (sluttes) *in our* ~*); the* ~ *day* (ogs.) dagen efter; ~ *door*, se på alfabetisk plads; *the* ~ *house* (ogs.) huset ved siden af; *in the* ~ *place* desuden, endvidere; *he is in the* ~ *room* han er i værelset ved siden af; ~ *to* næst efter (fx. *the best player* ~ *to you);* nærmest ved; ved siden af (fx. *his room is* ~ *to mine);* næsten (fx. ~ *to impossible;* ~ *to nothing); he lives* ~ *to me* (ogs.) han er min nærmeste nabo.
II. **next** [nekst] (adv.) dernæst, derefter, derpå, så (fx. *what shall I do* ~*? who comes* ~*?* hvem kommer så?); næste gang (fx. *when I see you* ~*);* (præp.) (nærmest) ved (fx. *the table* ~ *the fire); the gentleman* ~ *me at table* min sidemand ved bordet; *the* ~ *best thing* det næstbedste; *what* ~*?* nu har jeg hørt det med!
I. **next door** (lige) ved siden af, i huset ved siden af (fx. *he lives* ~*);* ~ *but one* det andet hus herfra; ~ *to* ved siden af, dør om dør med (fx. *he lives* ~ *to us);* (fig.) næsten (fx. *it is* ~ *to impossible).*
II. **next-door** (adj.) nærmest (fx. *our* ~ *neighbours); we are* ~ *neighbours* vi bor dør om dør.
next-of-kin nærmeste pårørende.
nexus ['neksəs] nexus, sammenhæng; forbindelse; bindeled; kæde, række, gruppe.
N. G. fk. f. *No Good.*
Niagara [nai'ägərə].
nib [nib] spids, pennespids; pen; *cacao* ~ kakaokerne.
nibble ['nibl] (vb.): ~ *at* nippe til; bide forsigtigt i, (ogs. fig.) være ved at bide på; (fig.) hakke på, kritisere.
niblick ['niblik] slags golfkølle.
nibs [nibz]: *his* ~ **S** nævnte person; kalorius; hans stormægtighed.
Nicaragua [nikə'ra·gwə].
I. **Nice** [ni·s] Nice, Nizza.
II. **nice** [nais] (adj.) pæn, rar, tiltalende (fx. *a* ~ *fellow);* behagelig, elskværdig; dejlig (fx. *a* ~ *day),* lækker; net; fin; taktfuld; fintmærkende, skarp (fx. *a* ~ *observer);* fintskelnende; hårfin (fx. ~ *shades of meaning* betydningsnuancer); nøjagtig (fx. *balance);* kræsen *(in* med (hensyn til)); delikat, vanskelig (fx. *a* ~ *question);* kilden; (ironisk:) køn, nydelig (fx. *a* ~ *state of affairs);* ~ *and ...* (bruges forstærkende) fx. ~ *and cool* dejlig køligt.
nicely ['naisli] pænt (etc., se *nice);* **T** udmærket; *be doing* ~ være i god bedring; have det godt.
nicety ['naisiti] nøjagtighed, akkuratesse; vanskelighed; fin distinktion, ubetydelig forskel; spidsfindighed; lille detalje; *to a* ~ nøjagtig, på en prik; *stand upon niceties* tage det alt for nøje, være overpertentlig, være en pernittengryn.

niche [nitʃ] (subst.) niche; (fig.) plads i tilværelsen; (vb.) anbringe i en niche; *he has found the right ~ for himself* (ogs.) han er kommet på den rette hylde.

Nicholas ['nikələs] Nikolaj.

I. **nick** [nik] (subst.) hak, snit, skår; kærv; *in the ~* **S** i fængsel, i spjældet; *in the ~ of time* netop i rette øjeblik, i sidste øjeblik.

II. **nick** [nik] (vb.) skære hak i, lave skår i; nå lige i rette tid (fx. *~ the train);* træffe; få fat i; **S** hugge, stjæle; nappe, arrestere.

III. **Nick** [nik]: *Old ~* fanden.

nickel ['nikl] nikkel; (amr.) femcentstykke.

nickel-plate ['niklpleit] (vb.) fornikle.

nicker ['nikə] (vb.) vrinske; (subst.) vrinsken; **S** et pund sterling.

nick-nack ['niknäk] nipsgenstand.

nickname ['nikneim] (subst.) øgenavn; (vb.) give øgenavn (fx. *he was -d Fatty).*

nicotine [nikə'ti·n, 'nikəti·n] nikotin.

nicotinism ['nikəti·nizm] nikotinforgiftning.

nictate ['niktei t], **nictitate** ['niktiteit] blinke med øjnene.

nidification [nidifi'keiʃən] redebygning. **nidify** ['nidifai] bygge rede.

niece [ni·s] niece, broderdatter, søsterdatter.

niff [nif] **S** ubehagelig lugt, odeur.

nifty ['nifti] **S** smart, flot, fin; ildelugtende.

Nigeria [nai'dʒiəriə].

niggard ['nigəd] (subst.) gnier; (adj.) gerrig *(of* med), gnieragtig. **niggardly** [-li] gnieragtig, gerrig.

nigger ['nigə] (hånligt om neger) nigger; chokoladebrun farve; *work like a ~* slide som et bæst; *there is a ~ in the woodpile* der stikker noget under, der er noget muggent ved det; *the ~ heaven* (amr.) galleriet (i et teater).

niggle ['nigl] nusse, pille *(at* med). **niggling** ['nigliŋ] pertentlig, sirlig; gnidret; smålig.

nigh [nai] nær, næsten, nær ved; *winter is ~ at hand* vinteren står for døren; *draw ~* rykke nærmere.

night [nait] nat, aften; mørke; *all ~* hele natten; *at (by, in the) ~* om natten; *~ and day* dag og nat; *late at ~* sent om aftenen; *first ~* premiere; *last ~* i aftes, i nat; *-'s lodging* nattekvarter; *make a ~ of it* få sig en glad aften; svire hele natten; *o'nights* om natten; *the piece had a run of 100 -s* stykket gik 100 gange; *on the ~ of the 11th* natten mellem den 11. og 12.; *have a ~ out* (el. *off)* have en friaften; være ude en aften; *stay over ~, stop the ~* overnatte, blive natten over; *this ~* i aften, i nat.

night|-bird natfugl; (om person) natteravn. **~-blindness** natteblindhed. **~-blooming cereus** ♧ nattens dronning. **~-cap** nathue; aftentoddy, aftendrik; sky, der hviler over bjergtop. **~-cart** renovationsvogn. **~-dress** natkjole, natdragt.

nighted ['naitid] formørket, overskyet; som befinder sig i uvidenhedens mørke.

night|fall ['naitfå·l] mørkets frembrud, mørkning. **~-fighter** (flyv.) natjager. **~-flowering catchfly** ♧ natlimurt. **~-glass** natkikkert. **~-gown** natkjole.

nightie ['naiti] = *nighty.*

nightingale ['naitiŋgeil] (zo.) nattergal.

night|jar ['naitdʒa·] (zo.) natravn. **~-light** natlampe.

nightly ['naitli] natlig, nat-; hver nat, hver aften.

night|-man renovationsmand. **-mare** mareridt. **~-owl** (zo.) natugle; (om person) natteravn. **~ rocket** ♧ aftenstjerne, natviol. **~ safe** døgnboks. **~-school** aftenskole. **-shade** ♧ natskygge; *deadly -shade* galnebær. **~-shift** nathold, natarbejde. **~-shirt** natskjorte. **~-soil** latrin. **~-stand** natbord. **~ stick** (amr.) politistav. **-stool** natstol. **~-time** nat, nattetid. **~-walker** søvngænger(ske). **~-walking** søvngængeri. **~-watch** nattevagt. **~-watcher, ~-watchman** natvægter, nattevagt. **~-work** natarbejde.

nighty ['naiti] **T** natdragt, natkjole.

nigrescent [nai'gresənt] sortladen, næsten sort.

nihilism ['naiilizm] nihilisme. **nihilist** ['naiilist] nihilist. **nihilistic** [naii'listik] nihilistisk.

nil [nil] intet, nul (fx. *three goals to ~).*

Nile [nail]: *the ~* Nilen.

nilgai ['nilgei] (zo.) nilgai (art indisk antilope).

nimble ['nimbl] let, rap, rask, adræt, kvik. **nimble|-fingered** langfingret; fingernem. **~-footed** rapfodet.

nimbo-stratus ['nimbou'streitəs] regnsky.

nimbus ['nimbəs] nimbus, glorie.

niminy-piminy ['nimini'pimini] (adj.) pertentlig; affekteret; sippet, snerpet; blødsøden.

nincompoop ['ninkəmpu·p] fjols, fæ, skrog.

nine [nain] ni; nital; nier; *the Nine* de 9 muser; *a ~ days' wonder* en sensation, der hurtigt er glemt; *~ times out of ten* i ni af ti tilfælde; *dressed up to the -s* overdreven elegant klædt; udstafferet; i stiveste puds.

nine-eyes ['nainaiz] (zo.) negenøjne, lampret.

ninefold ['nainfould] nidobbelt.

ninepins ['nainpinz] kegler.

nineteen ['nain'ti·n] nitten; *talk ~ to the dozen* sludre, snakke op ad døre og ned ad stolper. **nineteenth** ['nain'ti·nþ] nittende.

ninetieth ['naintiiþ] halvfemsindstyvende; halvfemsindstyvendedel. **ninety** ['nainti] halvfems; *in the nineties* i halvfemserne.

ninny ['nini] dumrian, dosmer.

ninth [nainþ] niende; niendedel; *in the ~ place* for det niende.

ninthly ['nainþli] for det niende.

Niobe ['naiəbi].

I. **nip** [nip] (vb.) nippe, nappe, knibe, klemme (fx. *one's finger in a door);* nippe 'af (fx. *side shoots);* svide, bide, angribe (fx. *-ped by the frost);* nippe, smådrikke; (fig.) sætte en stopper for; skynde sig, svippe, smutte, 'stikke' (fx. *across the street);* **S** negle, hugge; *~ in* afbryde, blande sig i en samtale; *~ in the bud* kvæle i fødselen.

II. **nip** [nip] (subst.) bid, nap; skarphed, bidende kulde (el. vind); slurk, tår.

nipper ['nipə] (hests) fortand; (krabbes) klo; **S** lille dreng, purk, (pl. ogs.) småfyre. **nippers** tang, niptang; lorgnet, næseklemmer; *a pair of ~* en (nip-)tang.

nipping ['nipiŋ] bidende kold.

nipple ['nipl] brystvorte; sut (på patteflaske); (fx. til smøring:) nippel. **nipplewort** ♧ haremad.

Nippon ['nipån] Japan. **Nipponese** [nipə'ni·z] japansk.

nippy ['nipi] (adj.) skarp, bidende; hurtig, rap; (subst.) serveringsdame (især i Lyons' restauranter).

Nirvana [niə'va·nə] Nirvana.

Nissen hut ['nisənhʌt] tøndeformet barak.

nit [nit] luseæg.

nitid ['nitid] nitid, strålende, pragtfuld.

nitrate ['naitreit] nitrat, salpetersurt salt.

nitre ['naitə] salpeter.

nitric ['naitrik] salpeter-; *~ acid* salpetersyre.

nitrogen ['naitrədʒən] kvælstof.

nitroglycerine ['naitro'glisəri·n] nitroglycerin.

nitrous ['naitrəs] salpeterholdig; *~ oxide* kvælstofforilte, lattergas.

nitwit ['nitwit] **S** skvadderhoved, fjols.

I. **nix** [niks] **S** nej, nix; intet, (om person) 'nul'.

II. **nix** [niks], **nixie** ['niksi] nøkke.

N.J. fk. f. **New Jersey** [nju· 'dʒə·zi].

N.M. fk. f. **New Mexico** [nju· 'meksikou].

N.N.E. fk. f. *north north-east.*

N.N.W. fk. f. *north north-west.*

I. **no** [nou] nej; ikke; nej(stemme); ingen, ikke nogen; intet, ikke noget; *cold or ~ you must go* hvad enten det er koldt eller ej så må du af sted; *whether or ~* under alle omstændigheder; *whether or ~ you like it* (hvad) enten du synes om det eller ej; *is your mother ~ better?* har din moder det ikke bedre? *~ go,* se II. *go; the noes have it* forslaget er forkastet; *there is ~ denying that ...* man kan ikke nægte, at ...; *there is ~*

knowing (, saying etc.) *what he may do next* det er ikke til at vide (, sige etc.) hvad han nu kan finde på; ~ *less than ten* hele ti; ~ *more* ikke mere, aldrig mere, heller ikke, lige så lidt; *if you won't do it,* ~ *more will I* hvis du ikke vil gøre det, vil jeg heller ikke; *say* ~ *more* så er vi enige, så er den sag afgjort; ~ *one* ingen; ~ *one man could have done it* ingen kunne have gjort (el. klaret) det alene; *in* ~ *small degree* i ikke ringe grad; ~ *smoking* tobaksrygning forbudt; *I will not take* ~ *for an answer* det nytter ikke du siger nej; *in* ~ *time* på et øjeblik.

II. **No.** ['nʌmbə] fk. f. *number.*

Noah ['noᵘə, 'nå·ə].

I. **nob** [nåb] **S** burgøjser, storborger; *the nobs* 'de fine'.

II. **nob** [nåb] **S** knold, hoved; (vb.) ramme i hovedet.

III. **nob** [nåb] (vb.) **S** indsamle (penge); indsamle penge hos.

nobble ['nåbl] **S** bedrage; tilsvindle sig; hugge, stjæle; vinde for sig (ved bestikkelse, smiger); lave fiksfakserier med (væddeløbshest for at hindre den i at vinde).

nobbler ['nåblə] bedrager; slag i hovedet; (omtr.) priest (lystfiskers kølle til aflivning af fisk).

nobby ['nåbi] (adj.) **S** flot, smart, elegant; (subst.) (omtr.) priest (se *nobbler).*

Nobel ['noᵘbel]: *the* ~ *Prize* Nobelprisen.

nobility [no'biliti] adel, adelstand (omfatter fem grader: *duke, marquess, earl, viscount, baron,* og dens medlemmer har sæde i Overhuset); adelskab; ædelhed, storhed; ~ *of mind* sjælsadel, en ædel karakter.

noble ['noᵘbl] ædel, ophøjet; fornem; prægtig, storslået; adelig; (subst.) adelsmand.

noble| fir sølvgran, 'nobilisgran'. **-man** [-mən] adelsmand. ~ **-minded** højsindet.

noblesse [noᵘ'bles] adel (især i udlandet).

noblewoman adelig dame.

nobody ['noᵘbədi, -bådi] ingen; (om person) ubetydelighed, nul; *a mere* ~ et rent nul.

nock [nåk] hak, indskæring; (i pil) kærv.

noctambulation [nåktämbju'leⁱʃən], **noctambulism** [nåk'tämbjulizm] søvngængeri. **noctambulist** [-list] søvngænger(ske).

noctograph ['nåktəgräf] skriveramme for blinde.

nocturnal [nåk'tə·nl] natlig, natte-; ~ *animal* natdyr.

nocturne ['nåktə·n] nocturne, nattestemning (om kunstværk).

I. **nod** [nåd] (subst.) nik; *the land of Nod* søvnens rige; *get something on the* ~ få noget på kredit; *a* ~ *is as good as a wink to a blind horse* han forstår (el. undertiden: forstår ikke) en halvkvædet vise.

II. **nod** [nåd] nikke, sidde og nikke (af søvnighed); halvsove, begå en fejl; nikke med; tilkendegive ved et nik; ~ *approval* nikke bifaldende; ~ *him welcome* hilse ham velkommen med et nik; *have a -ding acquaintance with* være på hat med; *Homer sometimes -s* (omtr.) selv den klogeste kan begå fejl.

nodal ['noᵘdl]: ~ *point* knudepunkt.

noddle ['nådl] (subst.) **T** hoved, knold; (vb.) nikke.

noddy ['nådi] tåbe, dumrian.

node [noᵘd] knude, knudepunkt; ♧ bladfæste.

nodose [noᵘ'doᵘs] knudret. **nodosity** [no'dåsiti] knudret beskaffenhed; knude.

nodular ['nådjulə] knudeformet, med små knuder.

nodule ['nådju·l] lille knude. **nodulous** ['nådjuləs] småknudet.

Noel [noᵘ'el] jul.

noggin ['någin] lille krus; lille mål (4 *pints*).

nohow ['noᵘhau] på ingen måde; *feel* ~ føle sig utilpas; *look* ~ se forkommen ud.

noise [noiz] (subst.) støj, larm, spektakel; lyd (fx. *we heard strange -s);* (vb.): ~ *(abroad)* udbasunere, forkynde vidt og bredt; *when it became -d abroad* da det rygtedes; *a big* ~ **T** en af de store kanoner; *make a* ~ gøre støj, støje (fx. *don't make such a* ~*); make a* ~ *about* råbe op om, udbrede sig om; *make a* ~ *in the world* vække opsigt, blive bekendt.

noiseless ['noizlės] lydløs; støjfri.

noisiness ['noizinės] larm, støj.

noisome ['noisəm] skadelig, usund; modbydelig; ildelugtende.

noisy ['noizi] støjende.

nomad ['nåməd] nomade. **nomadic** [no'mädik] nomadisk, nomade- (fx. ~ *peoples).* **nomadize** ['nåmədaiz] leve som nomader, nomadisere.

no man's land ingenmandsland.

nom de plume ['nå·m də 'plu·m] (påtaget) forfatternavn, pseudonym.

nomenclature ['noᵘmənkleⁱtʃə, noᵘ'menklətʃə] nomenklatur.

nominal ['nåminəl] nominel (fx. ~ *damages);* ubetydelig (fx. ~ *difference);* pålydende (fx. *the* ~ *value is 1,000, but the market price is 950*); navne- (fx. *a* ~ *list); he was both the* ~ *and the real ruler* han var hersker både af navn og af gavn.

nominate ['nåmineⁱt] nominere; opstille (valgkandidat); indstille (fx. ~ *sby. for an advancement);* foreslå; udpege; udnævne.

nomination [nåmi'neⁱʃən] nominering, opstilling, indstilling, forslag; indstillingsret; udnævnelse.

nominative ['nåm(i)nətiv]: *the* ~ *case* nævneform, nominativ.

nominator ['nåmineⁱtə] en som nominerer etc., se *nominate.* **nominee** [nåmi'ni·] en som er nomineret etc., se *nominate;* kandidat.

non- [nån] ikke-, u-, in-.

non-acceptance ['nånək'septəns] manglende accept (af veksel).

nonage ['noᵘnidʒ] mindreårighed, umyndighed.

nonagenarian [noᵘnədʒi'næəriən] halvfemsindstyveårig; (én der er) i halvfemserne.

non-aggression pact ikke-angrebspagt.

nonagon ['nånəgån] nikant.

non|-alcoholic alkoholfri. ~ **-aligned** som ikke tilhører nogen (politisk) blok. ~ **appearance** udeblivelse. ~ **-attendance** fraværelse.

nonce [nåns]: *for the* ~ for lejligheden, midlertidigt.

nonce-word ord som er dannet til en bestemt lejlighed, engangsord.

nonchalance ['nånʃələns] ligegyldighed; uinteresserthed, nonchalance, skødesløshed. **nonchalant** [-lənt] ligegyldig, uinteresseret, nonchalant, skødesløs.

non-collegiate ['nånkə'li·dʒiėt] (om student) som ikke bor på et kollegium.

non-com. fk. f. *non-commissioned officer.*

non-combatant ['nån'kåmbətənt] nonkombattant.

non-commissioned ['nånkə'miʃənd]: ~ *officer* underofficer, officiant.

non-committal ['nånkə'mitl] uforbindende, uforpligtende, forbeholden (fx. *answer);* neutral (fx. *attitude);* uvillig til at tage standpunkt.

non-committed neutral, alliancefri.

non-complicated ukompliceret.

non compos mentis [nån 'kåmpås 'mentis] sindssyg.

non|-conducting ikke ledende, isolerende. ~ **-conductor** isolator.

nonconforming afvigende, dissenter-. **nonconformist** medlem af et andet kirkesamfund end statskirken, dissenter. **nonconformity** uoverensstemmelse med statskirken; dissenterne; separatisme; uoverensstemmelse *(to, with* med).

non-content ['nånkən'tent] nej, nejstemme (ved afstemning i Overhuset).

non-cooperation passiv modstand, borgerlig ulydighed (skattenægtelse etc., især om Gandhis politik).

nondescript ['nåndiskript] ubestemmelig; ubestemmelig person el. ting.

non-disclosure fortielse.

none [nʌn] ingen, ikke nogen; intet; (foran *the*

fulgt af komparativ, og foran *too*:) (slet) ikke, ikke spor (fx. *he is ~ the better; the pay is ~ too high); it is ~ of your business* det kommer ikke dig ved; *his health is ~ of the best* hans helbred er just ikke det bedste; *he would have ~ of it* han ville ikke vide af det; *~ of your impudence!* nu ikke fræk! *~ of that!* hold op med det! *~ the less* ikke desto mindre; *I am ~ the wiser for it* det bliver jeg ikke klogere af; *~ too* (ogs.) ikke altfor, ikke særlig (fx. *the conversation flowed ~ too easily); ~ too soon* ikke et minut for tidligt.

nonentity [nå'nentiti] (om person) nul, ubetydelighed; noget ikke-eksisterende, fantasifoster.

non-essential ['nåni'senʃəl] (adj. og subst.) uvæsentlig (ting).

nonesuch ['nʌnsʌtʃ] uforlignelig person el. ting.

non-existence ikke-væren, ikke-eksistens; ikke eksisterende ting. **non-existent** ikke eksisterende; *it is ~* det eksisterer ikke.

non-fiction faglitteratur samt skuespil og digte.

non-fulfilment ikke-opfyldelse, misligholdelse.

non-interference, non-intervention ikke-indblanding.

non-iron (adj.) strygefri (fx. *shirt*).

non|-juring som ikke har svoret troskab (nemlig til William og Mary), jakobitisk. **~ -juror** ['nån'dʒuərə] jakobit.

non-moral (adj.) amoralsk; uden morale.

nonpareil ['nånpərel] uforlignelig, mageløs; (typ.) nonpareille.

non-partisan, non-party ikke partibundet; upartisk.

non|-payment manglende betaling; uopfyldt betalingsforpligtelse. **~ -performance** ikke-opfyldelse, misligholdelse.

nonplus ['nån'plʌs] (subst.) rådvildhed, forlegenhed; klemme; (vb.) gøre rådvild, forbløffe.

non|-residence fraværelse fra embedskreds el. ejendom. **~ -resident** udensogns; udenfor boende.

nonsense ['nånsəns] vrøvl, vås; dumheder; pjat; *talk ~* vrøvle. **nonsensical** [nån'sensikl] urimelig, tåbelig.

non-sequitur ['nån'sekwitə] fejlslutning, slutning som ikke er begrundet i præmisserne.

non-skid (adj.) skridfast, skridsikker; *~ groove* skridrille.

non-smoker ikke-ryger(kupé).

non-smoking: *~ compartment* kupé for ikkerygere.

non-stop ['nån'ståp] som foretages uden ophold undervejs; uden ophold; non-stop (fx. *performance*); *~ flight* flyvning uden mellemlanding; *~ train* gennemgående tog.

nonsuch se *nonesuch*.

nonsuit ['nån's(j)u·t] (subst.) afvisning af en proces; (vb.) afvise.

non-union som ikke er medlem af en fagforening; som ikke respekterer fagforeningsbestemmelser; *~ labour* uorganiseret arbejdskraft. **non-unionist** uorganiseret arbejder.

non-user ['nån'ju·zə] ikke-benyttelse (af en rettighed).

I. **noodle** ['nu·dl] tosse, fæ; **S** hoved, 'knold'.

II. **noodle** ['nu·dl] nudel.

nook [nuk] krog, hjørne; *-s (and corners)* krinkelkroge; *search every ~ and cranny* (omtr.) gennemsøge de fjerneste kroge.

noon [nu·n] middag, kl. 12; *at ~* (ogs.) midt på dagen.

noon|day, -tide middag; (fig.) middagshøjde, højdepunkt.

noose [nu·s] (subst.) løkke, løbeknude; (vb.) fange (med snare); forsyne med løbeknude; *put one's head in(to) the ~* lægge strikken om sin egen hals, lade sig fange.

nor [nå·] (efter *neither*) eller; (i andre tilfælde) heller ikke; ej heller, og heller ikke, og ... ikke; *neither gold nor silver* hverken guld eller sølv; *she has no money (and) ~ has he* hun har ingen penge, og det har han heller ikke; *I thought of him, nor did I forget you* jeg tænkte på ham, og jeg glemte heller ikke dig.

nor' = *north*.

Nordic ['nå·dik] nordisk.

Norfolk ['nå·fək]; *~ -jacket* norfolkjakke, sportsjakke (med bælte).

norm [nå·m] norm, rettesnor.

normal ['nå·məl] normal, regelmæssig; vinkelret; lodret; normal- (fx. *temperature*); *above (, below) ~* over (, under) normalen.

normalcy ['nå·məlsi] normal tilstand; *return to ~* blive normal igen.

normalization [nå·məlai'zeⁱʃən] normalisering.

normalize ['nå·məlaiz] normalisere.

normal school seminarium.

Norman ['nå·mən] (subst.) normanner; (adj.) normannisk, (arkit., omtr.) romansk, i rundbuestil; *the ~ Conquest* normannernes erobring af England. **Normandy** ['nå·məndi] Normandiet.

Norn [nå·n] norne.

Norse [nå·s] norsk; nordisk; *Old ~* oldnordisk; *the ~* nordboerne; nordmændene.

Norseman nordboer, skandinav; nordmand.

north, North [nå·þ] nord; nordlig del; nordlig, nord-; norden-; mod nord, nordpå; *the North* Norden; (amr.) nordstaterne; *~ by east* nord til øst; *in the ~ of England* i det nordlige England, i Nordengland; *to the ~ of* nord for.

Northampton [nå·'þämtən].

Northants. fk. f. *Northamptonshire*.

North Britain Skotland.

North country Nordengland; nordengelsk.

north|-east ['nå·þ'i·st] nordost; nordøstlig. **~ -easter** nordøstvind. **~ easterly, ~ -eastern** nordøstlig. **~ -eastward** mod nordøst; nordøstlig; nordøst.

northerly ['nå·ðəli] nordlig, mod nord.

northern ['nå·ðən] nordisk; nordlig, nord-.

northerner ['nå·ðənə] nordbo; beboer i den nordlige del af landet; (amr.) nordstatsmand.

northern lights nordlys.

northernmost ['nå·ðənmoᵘst] nordligst.

north light vindue mod nord; lys fra nord.

Northman ['nå·þmən] nordbo, skandinav, viking.

northmost nordligst.

north-north|-east ['nå·þnå·þ'i·st] nord-nord-ost (*of* for). **~ -west** [-'west] nord-nord-vest (*of* for).

north-polar nordpols-.

North Sea: *the ~* Nordsøen, Vesterhavet.

North Star: *the ~* Nordstjernen.

Northumberland [nå·'þʌmbələnd].

Northumbrian [nå·'þʌmbriən] northumbrisk.

north|ward(s) ['nå·þwəd(z)] mod nord, nordpå; *-wards of* nord for. **-west** ['nå·þ'west] nordvest; nordvestlig. **-wester** [nå·þ'westə], **~ -westerly** (adj.) nordvestlig (fx. *wind*). **~ -western** [nå·þ'westən] (adj.) nordvestlig. **~ -westward** [nå·þ'westwəd] mod nordvest, nordvestlig.

Norway ['nå·weⁱ] Norge.

Norway| haddock (zo.) rødfisk. **~ lobster** (zo.) jomfruhummer. **~ spruce** ♧ rødgran.

Norwegian [nå·'wi·dʒən] norsk; nordmand.

Norwich ['nåridʒ].

nos., Nos. ['nʌmbəz] fk. f. *numbers*.

I. **nose** [noᵘz] (subst.) næse; snude; tud; lugtesans, sporsans; spion, angiver; *bleed from the ~* have næseblod; *blow one's ~* pudse næsen; *count -s* foretage en optælling; *he will cut off his ~ to spite his face* det bliver værst for ham selv; *follow one's ~* gå lige efter næsen; *lead by the ~* trække om ved næsen, få til at gøre hvad man vil; *look down one's ~ at* se ned på, rynke på næsen ad; *on the ~* (amr. **T**) præcis, nøjagtig; (om væddemål) som vinder (fx. *bet $ 10 on the favourite on the ~*); *pay through the ~* betale i dyre domme, blive trukket op; *as plain as the ~ on one's face* soleklart; *snap* (el. *bite*) *sby.'s ~ off* snerre (el.

bide) ad én; *speak through the* ~ snøvle; *turn up one's* ~ *at* rynke på næsen ad; *under one's very* ~ lige for næsen af en.

II. **nose** [noᵘz] (vb.) lugte, vejre; snuse; snøvle; trykke næsen mod; bevæge sig forsigtigt frem; trække omkring ved næsen; ~ *about* snuse rundt; støve rundt (*for* efter); ~ *into* stikke sin næse i; snage i; ~ *out* opsnuse.

nose|-bag ['noᵘzbäg] mulepose; madpose, brødpose. ~ **-band** næsebånd (på hest). ~ **-bleed** næseblod; ♧ røllike. ~ **-bleeding** næseblod.

-nosed ['noᵘzd] -næset (fx. *broad-nosed*).

nose-dive ['noᵘzdaiv] (flyv.) (brat) dykning; styrtdykning; (vb.) dykke (brat).

nose|gay ['noᵘzgeⁱ] (subst.) buket. ~ **-heavy** (om flyvemaskine) næsetung. **-less** uden næse.

noser ['noᵘzə] stærk modvind; slag el. fald på næsen.

nose|-rag lommeklud. ~ **-ring** næsering.

nosey se *nosy*.

nosing ['noᵘziŋ] trinforkant.

nosology [no'såləd ʒi] sygdomslære.

nostalgia [nå'stäld ʒiə] hjemve; sentimental længsel (efter en svunden tid).

nostril ['nåstril] næsebor; *it stinks in his -s* det er ham en vederstyggelighed.

nostrum ['nåstrəm] vidundermedicin, patentmedicin.

nosy ['noᵘzi] med stor næse; ildelugtende; nysgerrig; *Nosy Parker* **S** nysgerrigper.

not [nåt] ikke: ~ *at all* slet ikke, aldeles ikke, på ingen måde; å jeg be'r; *I could* ~ *but* jeg kunne ikke lade være at; ~ *but what* (end)skønt; *better* ~ han gør klogest i at lade være, det kan han lige vove på; *if* ~ se under: *if;* ~ *that* ikke fordi (fx. ~ *that it matters* ikke fordi det gør noget); *I think* ~ jeg mener nej; *I should think* ~ (ogs.) det skulle bare mangle; nej Vorherre bevares! *he won't pay, not he!* man kan være sikker på at *han* ikke betaler! ~ *yet* ikke endnu, endnu ikke.

nota bene ['noᵘtə'bi·ni] nota bene, vel at mærke.

notability [noᵘtə'biliti] bemærkelsesværdighed, mærkværdighed; notabilitet. **notable** ['noᵘtəbl] (adj.) mærkelig, bemærkelsesværdig, mærkbar; tydelig (fx. *difference);* bekendt; (subst.) notabilitet. **notably** især, navnlig.

notarial [noᵘ'tæəriəl] notarial, udfærdiget af en notarius, notarial-.

notarized ['noᵘtəraizd] notarielt bekræftet.

notary ['noᵘtəri] notar(ius); ~ *public* notarius publicus.

notation [no'teⁱʃən] nodeskrift, tegnsystem; (amr.) notat.

notch [nåtʃ] (subst.) indsnit, hak, kærv; (amr.) snævert pas; (vb.) gøre indsnit i; notere, score (fx. *he -ed yet another victory); a* ~ *above* **T** en tak bedre end.

I. **note** [noᵘt] (subst.) tegn, mærke; tonetegn, node, tangent, tone; notits, optegnelse; note, anmærkning; (diplomatisk) note, billet, lille brev; gældsbevis; banknote, pengeseddel; nota, regning; anseelse; betydning, vigtighed; opmærksomhed; brevpapir; *he changed his* ~ han anlagde en anden tone; *compare -s* (fig.) udveksle meninger (el. erfaringer, indtryk); *exchange of -s* noteudveksling; ~ *of interrogation* spørgsmålstegn; *make a* ~ *of* notere, mærke sig; *strike the right* ~ anslå den rette tone; *take* ~ *of* tage notits af, lægge mærke til; tage til efterretning; *take -s of* notere, skrive ned; *a man of* ~ en anset mand; *as per* ~ ifølge nota; *speak without -s* tale uden manuskript.

II. **note** [noᵘt] (vb.) lægge mærke til, tage notits af, notere sig, mærke sig, bemærke; notere, skrive op; forsyne med anmærkninger.

note|book notesbog; kollegiehæfte. **-case** seddelmappe. ~ **-circulation** seddelcirkulation; seddelmængde, seddelmasse.

noted ['noᵘtid] bekendt.

note|less ['noᵘtlės] ubekendt, ubemærket. ~ **-paper** brevpapir. ~ **-worthy** værd at lægge mærke til, bemærkelsesværdig.

nothing ['nʌþiŋ] intet, ikke noget; ubetydelighed, nul; slet ikke, ikke spor af (fx. *I have been fortunate; I've had a number of offers ... Fortunate nothing! They were damned lucky to get you); a mere* ~ en ren bagatel; ~ *at all* slet intet; ~ *(else) but* intet andet end, kun; ~ *doing* **T** der er ikke noget at gøre; du kan tro nej; det bliver der ikke noget af; *the police has* ~ *on him* politiet har ikke noget på ham (ɔ: intet anklagemateriale); *they have* ~ *on us* (amr. **T**) de har ikke noget at lade os høre; *she is* ~ *if not pretty* hun er meget smuk; smuk det er hun; ~ *like as large* ikke nær så stor; langt fra så stor; *make* ~ *of* ikke regne for noget; ikke få noget ud af; *I can make* ~ *of it* jeg kan ikke blive klog på det; ~ *short of* intet mindre end; ~ *venture,* ~ *have* hvo intet vover, intet vinder;

(forb. m. præp.) *for* ~ gratis (fx. *I got it for* ~*);* forgæves (fx. *he had all the trouble for* ~*);* uden grund (fx. *they quarrelled for* ~*); there is* ~ *for it but to* der er ikke andet at gøre end at; *there's* ~ *in it* det har ikke noget på sig; *come to* ~ ikke blive til noget, mislykkes; *there is* ~ *to it* det er der ingen kunst ved; det er let nok; *it is* ~ *to me* det betyder ikke noget for mig, det er mig ligegyldigt; det er en bagatel for mig; *my trouble is* ~ *to theirs* mine vanskeligheder er intet mod deres.

nothingness ['nʌþiŋnės] intethed, betydningsløshed; bagatel; *vanish into* ~ blive til intet.

I. **notice** ['noᵘtis] (subst.) opmærksomhed, notits, iagttagelse, kendskab; underretning, varsel; opslag, bekendtgørelse; opsigelse; notits, artikel, (kortere) anmeldelse; *give* ~ meddele, underrette *(of* om); *give* ~ *(to quit)* sige op; *this is to give* ~ *that* herved bekendtgøres at; *receive* ~ blive sagt op; *serve* ~ meddele (officielt); *take* ~ iagttage; (om barn) skønne, lægge mærke til omgivelserne; *take* ~ *of* lægge mærke til, bekymre sig om, tage notits af, tage til efterretning; *he is sitting up and taking* ~ **T** (omtr. =) han er i bedring;

(forb. m. præp.) *at short* ~ med kort varsel, på kort sigt; *at six months'* ~ med et halvt års varsel; *beneath sby.'s* ~ ikke ens opmærksomhed værd; *bring into* ~ henlede opmærksomheden på; *come into* ~ vække opmærksomhed; *term of* ~ opsigelsesfrist; *bring to sby.'s* ~ henlede ens opmærksomhed på; ~ *to mariners* efterretninger for søfarende; *subject to* ~ som kan opsiges; *be under* ~ *(to leave)* være sagt op; *it has come* (el. *fallen) under my* ~ jeg har bragt i erfaring; *leave without* ~ rejse (fra sin stilling) uden varsel; *pass without* ~ gå upåagtet hen.

II. **notice** ['noᵘtis] (vb.) bemærke, lægge mærke til, mærke sig, tage notits af; omtale.

noticeable ['noᵘtisəbl] værd at lægge mærke til, bemærkelsesværdig; mærkbar.

notice-board opslagstavle.

notifiable ['noᵘtifaiəbl] som skal bekendtgøres etc. (se *notify).*

notification [noᵘtifi'keⁱʃən] kundgørelse, bekendtgørelse; anmeldelse.

notify ['noᵘtifai] bekendtgøre, anmelde (fx. ~ *change of address);* underrette *(of* om); tilkendegive.

notion ['noᵘʃən] begreb, forestilling, tanke; anelse, idé; *-s* (amr. ogs.) småartikler; syartikler; *he has no* ~ *of doing it* han tænker ikke på at gøre det; *I had no* ~ *of it* jeg havde ingen anelse om det. **notional** ['noᵘʃənəl] (adj.) tænkt, teoretisk, indbildt, abstrakt; fantastisk, lunefuld.

notoriety [noᵘtə'raiəti] berygtethed, det at være velkendt; kendt person.

notorious [noᵘ'tå·riəs] almindelig bekendt, vitterlig, notorisk; berygtet.

notoriously (adv.) vitterligt, notorisk, erfaringsmæssigt (fx. *it is* ~ *difficult).*

no-trump(s) sans (i bridge).

Nottingham ['nåtiŋəm].

Notts. fk. f. *Nottinghamshire.*

notwithstanding [nåtwið'ständiŋ] trods, til trods (for); desuagtet, ikke desto mindre; uagtet, endskønt, uanset.

nougat ['nu·ga·] nougat.

nought [nå·t] intet; nul; værdiløs; *set at ~* ikke regne for noget, tilsidesætte, trodse; *care ~ for* ikke bryde sig spor om; *bring to ~* tilintetgøre; ødelægge; *come to ~* kuldkastes, ikke blive til noget.

noun [naun] substantiv, navneord.

nourish ['nʌriʃ] nære, give næring. **nourishment** ['nʌriʃmənt] næring.

nous [naus] (sund) fornuft, omløb.

nouveau riche ['nu·voᵘ'ri·ʃ] opkomling; parvenu.

Nov. fk. f. *November.*

Nova Scotia ['noᵘvə'skoᵘʃə].

novel ['nåv(ə)l] (adj.) ny, ualmindelig, hidtil ukendt; (subst.) roman.

novelette [nåvə'let] kortere roman; (nedsættende:) sypigeroman.

novelist ['nåv(ə)list] romanforfatter.

novelty ['nåvlti] nyhed; *novelties* spøg- og skæmtartikler.

November [no'vembə] november.

novice ['nåvis] novice; begynder; nyomvendt.

noviciate, novitiate [no'viʃiėt] prøvetid; læretid; noviciat.

now [nau] nu; (forklarende:) se (fx. *~ this was not very wise of him for ...); (every) ~ and again, (every) ~ and then* nu og da; *before ~* tidligere, før; *by ~* nu, ved denne tid, allerede; *how ~?* hvad nu? *just ~* lige nu, for et øjeblik siden; lige straks; *now ... now* snart ... snart (fx. *~ hot, ~ cold); ~ that* nu da (fx. *~ that the weather is warmer); ~ then* nå; se så; nå, nå; så, så; hov, hov; pas nu på (hvad du gør eller siger); kan du nære dig; *~ there!* se så! *till ~, up to ~* indtil nu, hidtil.

nowadays ['nauədeⁱz] (adv.) nutildags, nuomstunder.

noway(s) ['noᵘweⁱ(z)] (adv.) på ingen måde.

nowhere ['noᵘwæə] intetsteds; *be ~* (ogs.) ikke blive placeret (ved væddeløb); falde rent igennem, mislykkes fuldstændig; *that will get you ~* det kommer du ingen vegne med; *~ near* ikke på langt nær, langt fra.

nowise ['noᵘwaiz] (adv.) ingenlunde.

noxious ['nåkʃəs] skadelig, usund.

nozzle ['nåzl] spids, tud; (fx. på støvsugerslange) mundstykke; (fx. i jetmotor) dyse; *(spray ~)* strålespids, strålerør; **S** tud, næse.

N.P. fk. f. *Notary Public.*

nr. fk. f. *near.*

N.S. fk. f. *Nova Scotia.*

N.S.A. fk. f. *National Service Acts.*

N.S.P.C.A. fk. f. *National Society for the Prevention of Cruelty to Animals.*

N.S.P.C.C. fk. f. *National Society for the Prevention of Cruelty to Children.*

N.S.W. fk. f. *New South Wales.*

N.T. fk. f. *New Testament; Northern Territory* (i Australien).

-n't [-nt] fk. f. *not* (især efter hjælpeverber, fx. *don't).*

nth [enþ] n'te (fx. *the ~ power* n'te potens); *to the ~ degree* (fig.) i allerhøjeste grad.

nuance [fr., nju'a·ns] nuance.

nub [nʌb] (subst.) klump, stump; (fig.) kerne, hovedpunkt (fx. *the ~ of the problem).*

nubile ['nju·bil] giftefærdig.

nubilous ['nju·biləs] skyet, tåget; dunkel.

nuclear ['nju·kliə] atom-, kerne- (fx. *energy; fission* spaltning; *physics; weapon).*

nuclear|-powered atomdreven. *~* **power station** atomkraftværk.

nucleus ['nju·kliəs] (pl. *nuclei* ['nju·kliai]) kerne; cellekerne, atomkerne; (fig.) kerne, grundstamme.

nude [nju·d] nøgen, blottet; (jur.) ikke lovformelig, ugyldig; nøgen figur, nøgenstudie; *from the ~* efter nøgen model; *pose in the ~* stå nøgen model.

nudge [nʌdʒ] (vb.) puffe til med albuen; (subst.) puf.

nudism ['nju·dizm] nudisme, nøgenkultur.

nudist ['nju·dist] nudist.

nudity ['nju·diti] nøgenhed.

nugacity [nju'gäsiti] intetsigenhed, betydningsløshed, værdiløshed, virkningsløshed.

nugatory ['nju·gətəri] intetsigende, betydningsløs, værdiløs, virkningsløs.

nugget ['nʌgit] klump, guldklump.

nuisance ['nju·sns] uvæsen, besværlighed, onde, plage, ubehagelighed; *that's a ~* det er kedeligt; *don't be a ~* plag mig dog ikke; *commit no ~* urenlighed forbydes; *a public ~* en landeplage, en pestilens; *make a ~ of oneself* være utålelig, gøre sig udtilbens.

null [nʌl] ugyldig; intetsigende; værdiløs; *~ and void* (jur.) ugyldig; død og magtesløs; *declare ~ and void* (ogs.) mortificere.

nullification [nʌlifi'keⁱʃən] ophævelse.

nullify ['nʌlifai] ophæve, gøre ugyldig, anullere.

nullity ['nʌliti] ugyldighed; annullering.

numb [nʌm] (adj.) følelsesløs, død (af kulde), valen, stiv; (vb.) gøre stiv; gøre følelsesløs; (fig. ogs.) lamme.

I. **number** ['nʌmbə] (subst.) tal; nummer; antal, mængde; hæfte, nummer; *-s* (ogs.) regning (fx. *he is not good at -s);* vers; *among the ~* deriblandt; *by* (el. *in) ~, to the ~ of* i et antal af; *double the ~* det dobbelte antal; *I have got his ~* (fig., **T**) jeg kender ham, jeg ved hvordan han er; *be published in -s* udkomme hæftevis; *in great -s* i stort antal; *~ one* nummer et; (fig.) én selv, sig selv (fx. *he always thought first of ~ one); take care of* (el. *look after) ~ one* se på sin egen fordel, mele sin kage; *lose the ~ of one's mess* **S** dø; *the science of -s* regning; *a ~ of* en mængde, en række (af) (fx. *he has written a ~ of plays); -s of* en mængde, utallige; *of their ~* af dem; *plural ~* flertal; *out of, without ~* utallig, talløs (fx. *times without ~); his ~ is up* det er ude med ham.

II. **number** ['nʌmbə] (vb.) nummerere; regne; beløbe sig til; tælle; *he is -ed among* han regnes blandt; *~ in succession* forsyne med fortløbende numre; *~ off* råbe numrene op på; dele ind (i gymnastik).

numberless ['nʌmbəlės] utallig, talløs.

number plate (på bil) nummerplade.

Numbers ['nʌmbəz] fjerde Mosebog.

numeral ['nju·mərəl] tal-; talord; taltegn, tal (fx. *Arabic -s).*

numeration [nju·mə'reⁱʃən] tælling; nummerering; tallæsning.

numerator ['nju·mэreⁱtə] tæller (i brøk).

numerical [nju'merikl] (adj.) numerisk, tal-; *in ~ order* i nummerorden.

numerically i talmæssig henseende, talmæssigt.

numerous ['nju·mərəs] (adj.) mangfoldig, talrig, mandstærk.

numinous ['nju·minəs] numinøs, som indgyder religiøs ærefrygt.

numismatic [nju·miz'mätik] numismatisk; mønt-. **numismatics** numismatik (møntvidenskab).

numismatist [nju(·)'mizmətist] numismatiker, møntkender; møntsamler.

numskull ['nʌmskʌl] dosmer, fæ.

nun [nʌn] nonne. **nun-buoy** spidstønde.

nuncio ['nʌnʃioᵘ] nuntius, pavelig gesandt.

nuncupative ['nʌnkju·peⁱtiv] mundtlig (fx. *will* testamente).

nun moth (zo.) nonne.

nunnery ['nʌnəri] nonnekloster.

nuptial ['nʌpʃəl] bryllups- (fx. *the ~ day* bryllupsdagen); ægteskabelig (fx. *happiness).* **nuptials** (subst.) bryllup.

N.U.R. fk. f. *National Union of Railwaymen.*

Nuremberg ['njuərəmbə·g] Nürnberg.

I. **nurse** [nə·s] (subst.) (ogs. *sick ~)* sygeplejerske; (ogs. *children's ~)* nurse, barnepige; barneplejerske; (glds.: *wet ~)* amme; (fig.) fostermoder, beskytter; *male ~* sygeplejer; diakon; *put a child out to ~* sætte et barn i pleje.

II. **nurse** [nə·s] (vb.) amme (fx. *the mothers ~ their own babies);* passe, pleje (fx. *~ sby. back to health);* fremelske (fx. *~ a plant);* nære, have (fx. *~ hopes, hatred);* holde i sine hænder, holde (blidt) om; kæle for (fx. *~ a kitten); ~ the fire* sidde ved ilden; *~ a constituency* tage sig omhyggeligt af sin valgkreds (lige forud for valg); *~ a glass of wine* sidde længe over et glas vin; *~ a child* (ogs.) sidde med et barn på skødet.

nurse|-child plejebarn. *~* **-crop** skærmbevoksning, ammekultur. **-ling** spædbarn. *~* **-maid** barnepige.

nursery ['nə·sri] børneværelse, barnekammer; planteskole, handelsgartneri; *night ~* børnenes soveværelse.

nursery|-garden planteskole, handelsgartneri. *~* **-governess** lærerinde for små børn, barnefrøken. *~* **-maid** barnepige. **-man** handelsgartner. *~* **-rhyme** børnerim. *~* **school** børnehave. *~* **slope** begynderbakke (til skiløb). *~* **-tale** ammestuefortælling.

nursing ['nə·siŋ] sygepleje; barnepleje; (adj.) diende; ammende; *~ home* klinik, sygehjem, plejehjem.

nursling ['nə·sliŋ] spædbarn.

nurture ['nə·tʃə] (subst.) næring; opfostring, opdragelse; (vb.) nære; opfostre, opdrage.

nut [nʌt] (subst.) nød; møtrik; vanskeligt problem; **S** knold, hoved; laps; (vb.) plukke nødder; *-s* (ogs.) nøddekul; *female ~* gevindskåren møtrik; *for -s* **T** om så jeg (han etc.) fik guld for det, om jeg stod på hovedet (fx. *I can't play golf for -s); be off one's ~* være tosset; være skør i bolden; *he is -s* han er skør; *be -s on* være helt væk i (fx. *a girl),* være skør efter (fx. *all of us were -s on flying); it is -s to him* det er ham en sand fornøjelse; *a hard ~ to crack* en hård nød at knække; *go -ting* tage på nøddetur.

N. U. T. fk. f. *National Union of Teachers.*

nut|-brown ['nʌtbraun] nøddebrun. **-cracker** (zo.) nøddekrige. **-cracker(s)**, *pair of ~ -crackers* nøddeknækker. *~* **-gall** ♧ galæble. **-hatch** [-hätʃ] (zo.) spætmejse.

nutmeg ['nʌtmeg] muskat, muskatnød.

nutria ['nju·triə] nutria, bæverrotteskind.

nutrient ['nju·triənt] nærende. **nutriment** ['nju·trimənt] næring.

nutrition [nju'triʃən] ernæring. **nutritional** ernærings-.

nutritionist [nju'triʃənist] ernæringsfysiolog. **nutritious** [nju'triʃəs] nærende. **nutritive** ['nju·tritiv] nærende; nærings-; næringsstof; *~ value* næringsværdi.

nuts [nʌts] sludder! *~ to you!* æh bæh! (se ogs. *nut).*

nutshell ['nʌtʃel] nøddeskal.

nutting ['nʌtiŋ] nøddeplukning, nøddetur; *go ~* tage på nøddetur.

nut-tree ['nʌttri·] nøddetræ, hasselbusk.

nutty ['nʌti] med nøddesmag; **S** flot, smart; tosset.

nut-weevil (zo.) nøddesnudebille.

nuzzle ['nʌzl] trykke næsen mod; smyge sig ind til; stikke snuden i; ligge lunt.

N.W. fk. f. *north-west.*

N. Y. fk. f. *New York.*

N. Y. A. fk. f. *National Youth Administration.*

nyctalopia [niktə'loᵘpiə] natteblindhed.

nylon ['nailən] nylon; *-s* **T** nylonstrømper.

nymph [nimf] nymfe; puppe.

nymphal ['nimfəl] nymfe-; puppe-.

nymphet ['nimfėt] ung nymfe, meget ung pige (der er let på tråden).

N. Z. fk. f. *New Zealand.*

O

I. **O** [oᵘ] O; nul.

II. **O** [oᵘ] å! o! ak! *O for ...* åh, hvem der havde ...; åh, hvor jeg savner ...

O' [oᵘ, o] forstavelse i irske navne; søn af (fx. *O'Brien).*

o' [ə, o] fk. f. *of* eller *on.*

o/a fk. f. *on account of.*

oaf [oᵘf] skifting; fjols; fjog; klodrian. **oafish** ['oᵘfiʃ] dum, klodset.

oak [oᵘk] eg, egetræ; yderdør (for studenternes værelser i et kollegium); *sport one's ~* stænge yderdøren og frabede sig visitter.

oak|-apple galæble. *~* **-bark** egebark. *~* **brush** egepur.

oaken ['oᵘkən] af egetræ, ege-.

oak-gall galæble. **oakling** ['oᵘkliŋ] ung eg.

Oaks [oᵘks]: *the ~* hestevæddeløb ved Epsom.

oakum ['oᵘkəm] værk (opplukket tovværk).

oakum-picking værkplukning (tidligere alm. beskæftigelse for fanger og fattiglemmer).

oar [å·] åre; roer; ro; *pull a good ~* være en dygtig roer; *put in one's ~* blande sig i andre folks sager, blande sig i en samtale; *-s out!* årerne ud! *-s ready!* klar ved årerne! *toss -s!* rejs årerne! *ship your -s!* årerne ind! *rest* (el. *lie) (up)on one's -s* hvile på årerne; hvile på sine laurbær.

oared [å·d] med årer.

oarfish (zo.) sildekonge.

oarsman roer. **oarsmanship** dygtighed til roning.

oarswoman roerske.

oas|is [oᵘ'eⁱsis] (pl. *-es* [-i·z]) oase.

oast [oᵘst], **oasthouse** kølle, tørreovn (til humle).

oat [oᵘt] (oftest i pl.) havre; *wild -s* flyvehavre; *sow one's wild -s* rase ud, løbe hornene af sig; *feel one's -s* **T** være kåd, være opfyldt af ubændigt livsmod; føle sig, være indbildsk.

oatcake havrekiks. **oaten** ['oᵘtn] havre-, af havre.

oat-grass enghavre.

oath [oᵘþ] (pl. *-s* [oᵘðz]) ed; *take an ~, make ~* aflægge ed; *on (one's) ~* under ed; *put sby. on ~* tage en i ed.

oatmeal ['oᵘtmi·l] havremel, havregryn. **oatmeal porridge** havregrød.

ob. fk. f. *obiit* ['åbiit] (vb.) døde.

obduracy ['åbdjurəsi] forstokkethed, stædighed (etc., se *obdurate).* **obdurate** ['åbdjurėt] forstokket (fx. *an ~ sinner),* stiv(sindet), stædig, halsstarrig, umedgørlig; hård.

O. B. E. fk. f. *(Officer of) the Order of the British Empire.*

obeah ['oᵘbiə] form for trolddom (el. magi).

obedience [o'bi·djəns] lydighed *(to* mod).

obedient [o'bi·djənt] lydig *(to* imod); *your ~ servant* ærbødigst, med højagtelse.

obeisance [o'beⁱsəns] reverens, dybt buk; *do ~ to* hylde; adlyde, bøje sig for.

obelisk ['åbilisk] obelisk.

Oberon ['oᵘbərən].

obese [o'bi·s] (meget) fed, lasket.

obesity [o'bi·siti] fedme, laskethed.

obey [o'beⁱ] adlyde.

obfuscate ['åbfʌskeⁱt] formørke; forvirre, gøre uforståelig.

obfuscation [åbfʌsˈkeiʃən] formørkelse; forvirring.

obituary [əˈbitjuəri] avisnotits om dødsfald; (kort) nekrolog; mindeord; ~ *notice* nekrolog.

obj. fk. f. *object.*

I. **object** [ˈåbdʒikt, -ekt] (subst.) genstand *(of* for, *an ~ of admiration);* hensigt, mål; (gram.) objekt, genstandsled; *what an ~ he looks!* hvor ˈser han dog ud! sikken han ser ud! *salary no ~.* lønnen er underordnet.

II. **object** [əbˈdʒekt] (vb.) indvende, komme med indvendinger, gøre indsigelse; protestere *(to* imod, fx. *a suggestion),* have noget at indvende *(to* imod); *if you don't ~* hvis du ikke har noget imod det.

object-glass [ˈåbdʒéktgla·s] (subst.) objektiv (i kikkert etc.).

objection [əbˈdʒekʃən] (subst.) indvending, indsigelse, protest *(to* mod); misbilligelse *(to* af), modvilje *(to* mod); hindring *(to* for); *I have no ~ to your going* jeg har ikke noget imod at du går; *take ~ to* gøre indsigelse mod.

objectionable [əbˈdʒekʃənəbl] ubehagelig (fx. *smell);* stødende (fx. *remark);* forkastelig.

objective [åbˈdʒektiv] (subst.) objektiv; ⚔ mål (fx. *military -s);* formål; (adj.) objektiv, saglig; *the ~ case* akkusativ; *~ point* mål, formål, angrebsmål.

objectivity [åbdʒekˈtiviti] objektivitet.

objectless [ˈåbdʒiktlés] hensigtsløs, formålsløs.

object-lesson (time i) anskuelsesundervisning; praktisk illustration, levende eksempel, skoleeksempel.

objector [əbˈdʒektə, åb-] modstander, opponent; *conscientious ~* militærnægter.

objurgate [ˈåbdʒə·geit] skænde på, irettesætte.

objurgation [åbdʒə·ˈgeiʃən] skænd, irettesættelse, bebrejdelse, straffetale.

oblation [åbˈleiʃən] offer (i kirkelig betydning); gave (til kirke).

obligate [ˈåbligeit] forpligte.

obligation [åbliˈgeiʃən] forpligtelse; taknemmelighedsgæld; *be under an ~ to* være forpligtet til; stå i taknemmelighedsgæld til; *~ to buy* købetvang.

obligatory [åˈbligətəri] tvungen, obligatorisk, bindende.

oblige [əˈblaidʒ] (vb.) nøde, tvinge; vise sig imødekommende; *~ sby.* gøre én en tjeneste, vise én en venlighed; vise sig imødekommende mod en; *an answer by return of post will ~ (me)* De bedes venligst svare omgående; *~ me by leaving the room* vær så venlig at forlade værelset; *be -d to* være nødt til, måtte; *I am much -d to you* jeg er Dem meget forbunden, mange tak; *~ with a song* give en sang til bedste, (være så elskværdig at) synge (el. optræde med) en sang; *could you ~ me with a match?* De kunne vel ikke låne mig en tændstik?

obligee [åbliˈdʒi·] fordringshaver.

obliging [əˈblaidʒiŋ] imødekommende, forekommende, tjenstvillig, elskværdig.

obligor [åbliˈgå·] skyldner.

oblique [əˈbli·k] hældende; skrå, skæv; (fig.) indirekte, forblommet; uredelig; *in ~ terms* i forblommede udtryk.

oblique| angle skæv vinkel. **~ case** oblik kasus, afhængighedsfald. **~ fire** ⚔ skråild. **~ speech** indirekte tale.

obliquity [əˈblikwiti] skævhed; uredelighed.

obliterate [əbˈlitəreit] udslette, tilintetgøre; stemple (frimærke). **obliteration** [əblitəˈreiʃən] udslettelse, tilintetgørelse; stempling (af frimærke).

oblivion [əˈbliviən] forglemmelse, glemsel; *act of ~* amnesti; *fall* (el. *sink) into ~* gå i glemme; gå i glemmebogen; *save from ~* bevare for efterverdenen.

oblivious [əˈbliviəs]: *be ~ of* glemme, være ligeglad med, ikke ænse.

oblong [ˈåblåŋ] (adj.) aflang; (subst.) aflang figur, rektangel.

obloquy [ˈåbləkwi] dadel, bebrejdelse; bagvaskelse, nedrakning; vanry.

obnoxious [əbˈnåkʃəs] utiltalende, afskyelig (fx. *smell);* anstødelig, stødende (fx. *remarks); ~ to* forhadt af; (glds.) udsat for (fx. *actions ~ to censure).*

oboe [ˈoubou] obo. **oboist** [ˈouboust] oboist.

O'Brien [o(u)ˈbraiən].

obs. fk. f. *observation, obsolete.*

obscene [åbˈsi·n] obskøn, uanstændig, slibrig; modbydelig.

obscenity [åbˈsi·niti] obskønitet, uanstændighed, slibrighed; modbydelighed.

obscurant [åbˈskjuərənt] obskurant, mørkemand, fjende af oplysning. **obscurantism** [-izm] obskurantisme. **obscuration** [åbskjuˈreiʃən] formørkelse.

I. **obscure** [əbˈskjuə, åb-] mørk, dunkel, uklar; skjult, ubemærket, afsides, uanselig, ukendt; *of ~ origin* af ringe herkomst; *he lives an ~ life* han fører en tilbagetrukken tilværelse.

II. **obscure** [əbˈskjuə, åb-] (vb.) fordunkle, formørke, tilsløre.

obscurity [əbˈskjuəriti] mørke, dunkelhed, uklarhed; ubemærkethed.

obsecration [åbsiˈkreiʃən] indtrængende bøn.

obsequial [åbˈsi·kwiəl] begravelses-; grav-. **obsequies** [ˈåbsikwiz] begravelse, ligbegængelse.

obsequious [åbˈsi·kwiəs] (adj.) slesk, servil, underdanig, krybende.

observable [əbˈzə·vəbl] mærkbar, bemærkelsesværdig; som kan iagttages; som skal el. kan overholdes.

observance [əbˈzə·vəns] overholdelse (fx. *of a law),* iagttagelse; helligholdelse (fx. *of the Lord's Day);* højtideligholdelse (fx. *of the Queen's birthday);* skik, form, ceremoni; *according to old ~* efter gammel vedtægt.

observant [əbˈzə·vənt] opmærksom, agtpågivende; omhyggelig med overholdelsen *(of* af).

observation [åbzəˈveiʃən] iagttagelse; bemærkning; observation; iagttagelsesevne; *escape ~* undgå at blive set.

observational [åbzəˈveiʃənəl] (adj.) observations-.

observation| car udsigtsvogn, turistvogn (i tog). **~ post** observationspost.

observatory [əbˈzə·vətri] observatorium.

observe [əbˈzə·v] (vb.) iagttage, lægge mærke til, bemærke, observere; overholde, følge (fx. *rules);* højtideligholde, holde, fejre (fx. *a birthday);* helligholde (fx. *the Sabbath);* sige, bemærke, ytre; *~ silence* forholde sig tavs.

observer [əbˈzə·və] iagttager, betragter; en som overholder (en lov, skik); observatør; (astr.) observator.

observing [əbˈzə·viŋ] opmærksom.

obsess [əbˈses] (vb.) besætte, stadig plage, forfølge; *-ed with* besat af, helt optaget af.

obsession [əbˈseʃən] besættelse; tvangstanke, tvangsforestilling; fiks idé.

obsessional [əbˈseʃənl] som har karakter af en tvangstanke.

obsolescence [åbsoˈlesns] forældethed, forældelse.

obsolescent [åbsoˈlesnt] som er ved at gå af brug (fx. *~ words).*

obsolete [ˈåbsəli·t] gået af brug, forældet.

obstacle|-course ⚔ feltbane. **~ race** forhindringsløb.

obstetric(al) [åbˈstetrik(l)] hørende til fødselsvidenskaben. **obstetrician** [åbsteˈtriʃən] obstetriker, fødselslæge. **obstetrics** [åbˈstetriks] obstetrik, fødselsvidenskab.

obstinacy [ˈåbstinəsi] egensindighed, stædighed; hårdnakkethed. **obstinate** [ˈåbstinét] egensindig, stædig, hårdnakket.

obstipation [åbstiˈpeiʃən] forstoppelse.

obstreperous [əbˈstrepərəs] støjende, larmende, højrøstet; uregerlig.

obstruct [əbˈstrʌkt] spærre, være i vejen for, tilstoppe; hindre; hæmme, standse, forsinke, sinke; lave obstruktion.

obstruction [əbˈstrʌkʃən] spærring, tilstopning

hindring, forsinkelse; obstruktion, visnepolitik. **obstructionist** [-ist] en som driver obstruktion.

obstructive [əb'strʌktiv] spærrende, stoppende, hindrende, forsinkende.

obtain [əb'teⁱn] (vb.) få, opnå, vinde, skaffe sig; holde sig (fx. *the custom still -s)*, bestå, gælde, herske, være i brug; ~ *one's purpose* nå sin hensigt.

obtainable [əb'teⁱnəbl] (adj.) opnåelig, erholdelig.

obtrude [əb'tru·d, åb-] (vb.) påtvinge, pånøde (*sth. upon sby.* en noget, fx. *he -s his opinions upon others);* trænge sig på, være påtrængende.

obtrusion [əb'tru·ʒən, åb-] påtrængenhed, pånøden. **obtrusive** [əb'tru·siv, åb-] påtrængende.

obtuse [əb'tju·s] sløv, stump, (fig.) tykhovedet, dum; ~ *angle* stump vinkel.

I. **obverse** ['åbvə·s] (adj.) omvendt (om bladform).

II. **obverse** ['åbvə·s] (subst.) avers, forside (af en mønt); modstykke.

obviate ['åbvieⁱt] forebygge, imødegå, fjerne, undgå.

obvious ['åbviəs] iøjnefaldende, umiskendelig, tydelig, indlysende, klar, selvfølgelig, ligefrem, nærliggende.

O.C. fk. f. *Officer Commanding.*

ocarina [åkə'ri·nə] okarina (musikinstr.).

I. **occasion** [ə'keⁱʒən] (subst.) lejlighed, anledning *(for, of* til, fx. *it was the ~ rather than the cause o the war);* foranledning; grund *(for, of* til, fx. *there is no ~ for alarm);* (stor) begivenhed, højtidelig anledning, fest; *-s* (ogs., glds.) (nødvendige) forretninger; *on ~* ved lejlighed; lejlighedsvis; *on that ~* ved den lejlighed; *on the ~ of his marriage* ved hans bryllup; i anledning af hans b.; *on the slightest ~* ved mindste foranledning; *rise* (el. *be equal) to the ~* være situationen voksen; *there is no ~ for you to do that* der er ingen anledning til at De skal gøre det; *take ~ to say* benytte lejligheden til at sige.

II. **occasion** [ə'keⁱʒən] (vb.) foranledige, forårsage, give anledning til.

occasional [ə'keⁱʒ(ə)nəl] tilfældig, som forekommer nu og da; lavet for anledningen, lejligheds- (fx. *~ poem);* (som er) til specielt brug; *~ table* mindre bord, rygebord osv. **occasionally** [-i] af og til, lejlighedsvis.

Occident ['åksidənt]: *the ~* Vesten, Occidenten, Europa og Amerika (modsat *the Orient).* **Occidental** [åksi'dentl] vestlig, vesterlandsk.

occipital [åk'sipitl] (adj.) baghoved-, nakke-.

occiput ['åksipʌt] baghoved, nakke.

occlude [å'klu·d] lukke, tilstoppe; udelukke, spærre for; okkludere.

occlusion [å'klu·ʒən] lukning, tillukning; okklusion.

occult [å'kʌlt] (adj.) skjult, hemmelig, okkult; (vb.) skjule, formørke. **occultation** [åkʌl'teⁱʃən] formørkelse, okkultation. **occultism** ['åkəltizm] okkultisme.

occupancy ['åkjupənsi] tagen i besiddelse; okkupation; besiddelse. **occupant** [-pənt] beboer; besidder, indehaver; *the -s of the carriage* de der sad (el. sidder) i vognen.

occupation [åkju'peⁱʃən] beskæftigelse; erhverv; besiddelse; tagen i besiddelse; ⚔ okkupation, besættelse, indtagelse; *ready for immediate ~* klar til indflytning.

occupational [åkju'peⁱʃənəl] erhvervs-, erhvervsmæssig, faglig; *~ disease* erhvervssygdom; *~ therapy* beskæftigelsesterapi.

occupier ['åkjupaiə] beboer, lejer, besidder, indehaver.

occupy ['åkjupai] tage i besiddelse; ⚔ besætte. okkupere; besidde; bebo; optage; beskæftige, sysselsætte; *be occupied in* være beskæftiget med; *-ing power* besættelsesmagt.

occur [ə'kə·] forekomme, hænde, indtræffe; *~ to sby.* falde en ind; *it -red to me that* det faldt mig ind at; jeg kom til at tænke på at. **occurrence** [ə'kʌrəns] hændelse, begivenhed, forekomst.

ocean ['oᵘʃən] ocean, hav, verdenshav; *-s of* T oceaner af (fx. *time);* masser af.

ocean| green havgrøn. ~ **greyhound** hurtiggående oceandamper.

Oceania [oᵘʃi'eⁱniə] Oceanien. **oceanic** [oᵘʃi'änik] ocean-, hav-; stor som et ocean.

ocean lane dampskibsrute over oceanet.

oceanography [oᵘʃiə'någrəfi] havforskning.

ocellus [o'seləs] (pl. *ocelli* [-lai]) punktøje; øje-(plet).

ocelot ['oᵘsilåt] (zo.) ozelot, sydamer. vildkat.

ochre ['oᵘkə] okker; *brown ~* mørk okker; *yellow ~* lys okker.

ochreous ['oᵘkriəs] okkeragtig, okkergul.

o'clock [ə'klåk] klokken; *at five ~* klokken fem; *it is five ~* klokken er fem; *he knows what ~ it is* han ved hvad klokken er slået; *what ~ is it?* hvad er klokken?

octagon ['åktəgən] ottekant.

octagonal [åk'tägənəl] ottekantet.

octane ['åkteⁱn] (kem.) oktan; *~ number* (el. *rating)* oktantal.

octant ['åktənt] oktant.

octave ['åktiv] oktav.

octavo [åk'teⁱvoᵘ] oktav(format); bog i oktav.

octennial [åk'tenjəl] som varer otte år; som indtræffer hvert ottende år.

octet [åk'tet] oktet.

October [åk'toᵘbə] oktober.

octogenarian [åktodʒi'næəriən] firsårig, (en der er) i firserne.

octopus ['åktəpəs] blæksprutte; (fig.) mangearmet uhyre.

octoroon [åktə'ru·n] afkom af hvid og kvartneger.

octosyllable ['åktosiləbl] ord (el. verslinie) med otte stavelser.

octroi ['åktrwa·] eneret, monopol; accise; accisebod; embedsmænd der opkræver accise.

O.C.T.U., Octu ['åktu·] fk. f. *Officer Cadets Training Unit.*

octuple ['åktjupl] (adj.) ottefold.

ocular ['åkjulə] okular; øje(n)-; (adj.) synlig, som man ser med sine egne øjne; *~ demonstration* synligt bevis, syn for sagn; *~ witness* øjenvidne.

oculist ['åkjulist] øjenlæge.

odalisque ['oᵘdəlisk] odalisk.

odd [åd] ulige; umage (fx. *~ stockings);* overskydende, som er tilovers; enkelt; tilfældig, spredt; mærkelig, sær, underlig, besynderlig; *~ days* ulige datoer; *~ number* ulige tal; *play at ~ or even* spille effen eller ueffen; *eighty ~ years* nogle og firs år; *twenty ~ pounds* nogle og tyve pund; *twenty pounds ~* tyve pund og noget (ɔ: og nogle shillings (og pence)); *three hundred ~* trehundrede og noget; *~ jobs* tilfældigt arbejde, forefaldende arbejde; *~ hand* reservemand; *~ man* reservemand; altmuligmand; den der har den afgørende stemme (ved afstemning); *~ man out* en der er tilovers; T enspændernatur; *~ moments* ledige stunder; *an ~ glove* en umage handske; *an ~ volume* et enkelt bind af et værk.

Oddfellow ['ådfeloᵘ] medlem af Oddfellowordenen.

oddity ['åditi] særhed, besynderlighed; underlig person (el. ting), original; sjældenhed, kuriositet.

odd-job man mand der udfører alt forefaldende arbejde, altmuligmand.

oddly ['ådli] (se ogs. *odd)* på en sær (osv.) måde; *~ enough* løjerligt nok, sært nok.

odd man se *odd.*

oddments ['ådmənts] rester, uensartede stykker, snurrepiberier.

odds [ådz] (tilstået) fordel, begunstigelse; chancer, største udsigt (til at vinde); odds; uenighed, strid; overmagt; forskel, ulighed; *~ and ends* rester, uensartede stykker, småting, småpillerier, tilfældigt ragelse; *the ~ are 10-1* odds er 10; *the ~ are that* sandsynligheden taler for at; der er størst udsigt til at; *the ~ are against us* vi har chancerne imod os; *fight against ~* kæmpe en ulige kamp; kæmpe mod en overmagt; *be at ~ with* være uenig med, kives med; *give* (el. *lay*) *~ of 3-1* (omtr.) holde 3 mod 1; *what's the ~?* hvad gør det? *it is* (el. *makes*) *no ~* det betyder ikke noget, det gør ingen forskel; *lay ~* holde større sum mod mindre; *I'll lay you any ~* jeg vil holde hvad det skal være; *make the ~ even* udjævne forskellen; *split the ~* mødes på halvvejen. **odds-on** (adj.) som har overvejende chance for at vinde; overvejende sandsynlig; *~ chance* overvejende chance.

ode [oᵘd] ode.

odeum [oᵘ'di·əm] koncertsal.

odious ['oᵘdjəs] forhadt; afskyelig, modbydelig, frastødende.

odium ['oᵘdjəm] had, modvilje, uvilje; *bring ~ on sby.* lægge en for had.

odometer [o'dåmitə] kilometertæller.

odontology [ådån'tålədʒi] tandlægevidenskab.

odoriferous [oᵘdə'rifərəs] duftende, vellugtende, lugtende.

odorous ['oᵘdərəs] duftende, vellugtende; ildelugtende.

odour ['oᵘdə] lugt, duft, vellugt; ry (*of* for); anstrøg; *body ~* armsved; *be in good (, bad) ~* have godt (, dårligt) ry; *be in bad ~ with* være ilde anskrevet hos; *~ of sanctity* skær el. anstrøg af hellighed (fx. *lend an ~ of sanctity to sth.* dække over noget ved at anlægge en hellig mine); *die in the ~ of sanctity* få en salig ende.

odourless ['oᵘdəlės] lugtfri; duftløs.

Odysseus [ə'disju·s]. **Odyssey** ['ådisi] Odyssé.

O. E. fk. f. *Old English*

OECD fk. f. *Organization for Economic Co-operation and Development.*

oecumenical [i·kju'menikl] økumenisk.

O. E. D. fk. f. *Oxford English Dictionary.*

oedema [i'di·mə] (med.) ødem, væskeansamling.

Oedipus ['i·dipəs].

O. E. E. C. fk. f. *Organization for European Economic Cooperation.*

o'er [oə, å·] fk. f. *over.*

oesophagus [i·'såfəgəs] spiserør.

oestrum ['i·strəm], **oestrus** ['i·strəs] brunst, parringslyst.

of [åv, əv] 1. udtrykker genitiv (fx. *the roof ~ the house* husets tag; *the work ~ an enemy* en fjendes værk);

2. af (fx. *some ~ them; ~ good family);*

3. om (fx. *read ~, hear ~);*

4. for (fx. *south ~; cure* (vb.) *~; free ~; glad ~);*

5. fra (fx. *within 10 miles ~);*

6. i (fx. *professor ~ Greek; guilty ~ theft);*

7. på (fx. *envious ~; a boy ~ ten* en dreng på ti år);

8. over (fx. *complain ~; make lists ~);*

9. oversættes ikke (fx. *a glass ~ water; the kingdom ~ Sweden; the name ~ John; the winter ~ 1953; the third ~ January; I dont' understand a word ~ English);*

10. (amr., om klokkeslæt) i (fx. *a quarter of three);*

11. andre oversættelser: *2 cases ~ 25 bottles* 2 kasser à 25 flasker; *a man ~ ability* en dygtig mand; *50 years ~ age* 50 år gammel; *all ~ them* alle; *the battle ~ Naseby* slaget ved N.; *be ~ the party* høre til selskabet; *we were only four ~ us* vi var kun fire; *the three ~ you* I tre; *~ an evening* om aftenen.

off [å·f, åf] (adv.) bort, af sted (fx. *march ~);* borte (fx. *five miles ~);* af (fx. *fall ~);* uden for scenen, i kulissen (fx. *noises ~);* færdig, helt; (adj.) side- (fx. *~ road, ~ street);* fjern, fjerneste, modsat (fx. *the ~ side of the house);* højre, fjermer (fx. *the ~ hind leg);* dårlig; (præp.) bort (el. ned, op) fra (fx. *fall ~ a ladder);* af; fra land; borte fra (fx. *keep ~ the grass);* ud for, på højden af (fx. *~ the Cape);*

~ and on, on and ~ se II. *on; be ~* være borte; tage af sted; være på vej; have fri; være forbi, være hævet (fx. *the engagement is ~* forlovelsen er hævet); sove; *be ~!* af sted med dig! pil af! *they are ~!* (i væddeløbssprog) nu starter de! *I'm ~* nu stikker jeg af; *I must be ~* jeg må af sted; *that dish is ~* den ret er udgået (på restaurant); *the hot water is ~* der er lukket for det varme vand; *be badly ~* være dårligt stillet; *be well ~* være godt stillet, være velstående; *be well ~ for tea* have te nok; *~ colour, ~ day* se nedenfor; *~ duty,* se *duty; be ~ one's feed* ingen appetit have; se ogs. II. *feed; finish ~* afslutte; *he is ~ his head* T han er ikke rigtig klog; *I was never ~ my legs* jeg var hele tiden på benene; *~ the map* T ude af verden; afsides, fjerntliggende; *~ the mark* ved siden af; *a month ~* en måned frem i tiden; *take a month ~ from the office* tage en måned fri fra kontoret; *the ~ season* den stille årstid; *the ~ side* højre side (om køretøjer); *where are you ~ to?* hvor skal du hen? *a street ~ Oxford Street* en sidegade til O. S.; *a little parlour ~ his bedroom* en lille dagligstue ved siden af hans soveværelse.

offal ['åfəl] affald; indmad (af slagtekvæg).

off-beat (adj.) T utraditionel. **off-chance** svag mulighed. **off-colour** (adj.) med forkert farve; (fig.) sløj, træt, uoplagt; tvivlsom. **off day** (subst.) fridag; uheldig dag, dag hvor man ikke er på højde med situationen (fx. *this is one of my -s).*

offence [ə'fens] forbrydelse, lovovertrædelse, forseelse; fornærmelse, krænkelse; anstød; forargelse; vrede; angreb; *give ~* vække anstød, fornærme; *no ~ meant* det var ikke ment som en fornærmelse; *take ~ at* blive fornærmet over; tage anstød af; *quick to take ~* let at fornærme, sårbar; *weapons of ~* angrebsvåben.

offenceless uskyldig, uskadelig, harmløs.

offend [ə'fend] fornærme, støde, krænke; forsynde sig, forse sig; støde an (*against* mod).

offended fornærmet (*at* over; *with* på); stødt.

offender [ə'fendə] lovovertræder, forbryder; *old ~* vaneforbryder, recidivist.

offense (amr.) = *offence.*

offensive [ə'fensiv] (adj.) offensiv, angrebs-; fornærmelig, uforskammet, anstødelig (fx. *language);* modbydelig (fx. *smell);* (subst.) offensiv, angreb; *act on* (el. *take*) *the ~* tage offensiven.

I. **offer** ['åfə] (vb.) tilbyde (fx. *I -ed to help him);* give, byde, frembyde (fx. *a magnificent view);* danne (fx. *a contrast);* udbyde; udsætte, udlove (fx. *a reward);* ofre, frembære, opsende (fx. *a prayer);* yde, gøre (fx. *resistance);* fremføre, fremsætte (fx. *an opinion);* gøre mine til, forsøge (fx. *he -ed to strike me);* tilbyde sig, frembyde sig; opgive (til eksamen); *~ one's hand* række hånden frem (til håndtryk); tilbyde sin hånd, fri; *~ up* ofre, frembære, opsende; *as occasion -s* el. *when an opportunity -s* når lejlighed byder sig.

II. **offer** ['åfə] (subst.) tilbud (*of* om; *to* om at); bud; *make an ~ for sth.* gøre (el. give) et bud på noget; byde på noget; *make an ~ of sth. to sby.* tilbyde én ngt.; *I ignored the ~ of his hand* jeg overså hans fremstrakte hånd; *on ~* udbudt til salg; *~ of marriage* ægteskabstilbud.

offering ['åfəriŋ] offer, gave.

offertory ['åfətəri] kollekt; (i katolsk messe) offertorium.

off-hand ['å·f'händ] (adj.) improviseret; uovervejet, rask henkastet (fx. *an ~ remark);* skødesløs, uhøjtidelig (fx. *~ manners);* affejende, affærdigende; (adv.) improviseret, på stedet, uden forberedelse.

office ['åfis] kontor (fx. *a lawyer's ~);* embede (fx. *hold* (beklæde) *an ~);* hverv (fx. *the ~ of chairman);* funktion, bestilling (fx. *it was his ~ to advise them);* tjeneste (man yder en); pligt (fx. *little domestic -s);* ministerium (fx. *the War Office);* gudstjeneste, ritual, *-s* (ogs.) økonomirum (ↄ: køkken, bryggers o.lign.); udenomsbekvemmeligheder;

be in ~ have regeringsmagten, være ved magten (fx. *the Labour Party is in ~);* være minister; *come into ~* (om parti) overtage (el. tiltræde) regeringen; *be out of ~* (om parti) være i opposition; *do the ~ of* gøre tjeneste som, fungere som; *fire* ~ brandassuranceselskabs kontor; *give him the* ~ S give ham et vink; *good -s* vennetjenester; udmærket hjælp; venskabelig mellemkomst; *the last -s* begravelsesritualet; *life* ~ livsforsikringsselskabs kontor; *resign* ~ gå 'af.

office|-bearer embedsmand. ~ **-block** kontorbygning. ~ **-boy** kontorbud. ~ **-holder** embedsmand. ~ **-hours** (pl.) kontortid; *the* ~ *-hours are 10-5* (ogs.) kontoret er åbent 10-5. ~ **proof** huskorrektur.

officer ['åfisə] (subst.) officer; embedsmand (fx. *a customs* ~*)*; funktionær; politibetjent; (i forening) bestyrelsesmedlem; *first* ~ første styrmand; *medical* ~ (med.) embedslæge; *second* ~ ⚓ anden styrmand; *the army was well -ed* hæren havde gode officerer; ~ *of the day* ⚔ vagthavende officer.

official [ə'fiʃəl] (adj.) offentlig, officiel (fx. *the* ~ *religion)*; embedsmæssig; embeds- (fx. *his* ~ *duties)*; (om lægemiddel) officinel; optaget i farmakopeen; (subst.) embedsmand, tjenestemand (fx. *he is a government* ~*)*; funktionær.

officialdom [ə'fiʃəldəm] embedsmandsstanden; bureaukratisme.

officialese [əfiʃə'li·z] kancellistil, ministeriel kontorjargon.

officialism [ə'fiʃəlizm] bureaukratisme, kontorpedanteri.

official list kursliste.

officially [ə'fiʃəli] (adv.) officielt; på embeds vegne.

official| quotation kursnotering. ~ **receiver** konkursbos bestyrer. ~ **residence** embedsbolig.

officiate [ə'fiʃieit] (vb.) virke, optræde, fungere (fx. *he -d as chairman)*; forrette gudstjeneste; ~ *at a marriage* forrette en vielse.

officious [ə'fiʃəs] (adj.) (alt for) tjenstivrig, geskæftig; nævenyttig.

offing ['åfiŋ] rum sø; *gain* (el. *get) an* ~ komme ud i rum sø; *stand for the* ~ stå til havs; *in the* ~ (fig.) i farvandet, i sigte, under opsejling, på trapperne; *elections are in the* ~ (ogs.) der er udsigt til et valg.

offish ['åfiʃ] (adj.) tilbageholden, reserveret.

off|-key (adj.) falsk; forkert. ~ **-licence** tilladelse til at sælge spirituosa der ikke nydes på stedet. ~ **-peak** (adj.) når der ikke er spidsbelastning, stille (fx. *period)*; ~ *-peak flights* flyverejser i stille perioder (til nedsat takst). ~ **-print** særtryk. ~ **-scourings** affald; (fig.) udskud (fx. *the* ~ *of humanity)*.

I. **offset** ['åfset] (subst.) ♧ rodskud, sideskud, aflægger; (ogs. af bjerg) udløber; (arkit.) murafsats, terrasse; (merk.) modkrav; (fig.) modvægt; (i landmåling) afsætning; (typ.) offset; afsmitning.

II. **offset** ['åfset] (vb.) erstatte, opveje.

off|shoot udløber, sidegren. **-shore** fra land, fralands-; ud for kysten, kyst-; (amr.) udlandet; udlands-. **-side** (i sport) offside. **-spring** afkom, efterkommer(e); resultat, produkt. ~ **-stage** (adj.) uden for scenen. ~ **-street** (adj.) uden for hovedgaderne. ~ **-the-cuff** (adj.) improviseret. ~ **-the-record** uofficiel, som ikke må refereres i pressen. ~ **-the-shoulder** skulderfri (om kjole). ~ **-white** off-white.

O.F.S. fk. f. *Orange Free State.*

oft [å(·)ft] ofte; *many a time and* ~ tit og mange gange.

often ['å(·)fn] ofte, tit; *as* ~ *as I tried* hver gang jeg prøvede; *as* ~ *as not* el. *more* ~ *than not* som oftest, i de fleste tilfælde; *once too* ~ én gang for meget.

oftentimes ['å(·)fntaimz] ofte.

ogival [ou'dʒaivəl] (adj.) spidsbueformet, gotisk.

ogive ['oudʒaiv] (subst.) spidsbue.

ogle ['ougl] (vb.) kokettere (med), kaste forelskede blikke til, lave øjne til; (subst.) forelsket blik.

ogre ['ougə] trold, menneskeæder; uhyre, umenneske. **ogreish** ['ougəriʃ] menneskeædende, skrækindjagende. **ogress** ['ougrés] troldkælling.

oh [ou] åh! ak!

O.H.(B.)M.S. fk. f. *on His* (el. *Her) (Britannic) Majesty's Service.*

Ohio [o'haiou].

ohm [oum] ohm.

I. **oil** [oil] (subst.) olie; *-s* (ogs.) oliefarver, olietøj; *painting in -s* oliemaleri; *pour* ~ *on the flames* (fig.) gyde olie i ilden, puste til ilden; *pour* ~ *on troubled waters* (fig.) gyde olie på bølgerne; *strike* ~ finde olie (ved boring); gøre et godt kup; blive pludselig rig.

II. **oil** [oil] (vb.) smøre, oliere, overstryge med olie, imprægnere med olie; ~ *sby.'s palm* bestikke en; ~ *one's tongue (, words)* tale indsmigrende, bruge smiger.

oil|-burner oliefyr; maskine der drives med olie. **-cake** oliekage, foderkage. ~ **-can** smørekande; oliekande; oliedunk. **-cloth** voksdug. ~ **-colour** oliefarve.

oiled [oild] olieret; smurt; T fuld.

oiler ['oilə] oliekande; smører; olietankskib.

oil|-field oliefelt. ~ **heater** oliefyr. **-man** oliehandler. ~ **-painting** oliemaleri. ~ **-paper** olieret papir, oliepapir. ~ **-silk** olieret silke. **-skin** olietøj (imprægneret stof), oilskin. ~ **-skins** olietøj. ~ **-stone** oliesten, fin slibesten. ~ **stove** petroleumsovn. ~ **-tanning** oliegarvning, semsgarvning. ~ **-well** oliekilde.

oily ['oili] oliet, olieagtig, olieret, olieglat, fedtet af olie; (fig.) slesk; salvelsesfuld.

ointment ['ointmənt] salve (se ogs. III. *fly)*.

O.K. ['ou'kei], **okay, okeh** ['ou'kei] rigtig, i orden, all right; (vb.) godkende (fx. *that has been O.K.'ed)*; *be* ~ (ogs.) have det godt.

okapi [ou'ka·pi] (zo.) okapi.

Okie ['ouki] (amr.) omvandrende landarbejder fra Oklahoma.

Okla. fk. f. **Oklahoma** [ouklə'houmə].

old [ould] *(older, oldest* el. *elder, eldest)* gammel; erfaren, sikker, dreven; old- (fx. *Old English, Old High German)*; **T** (brugt som fyldeord, fx. *have a rare* ~ *time* more sig glimrende); ~ *as the hills* ældgammel; *give me any* ~ *book* giv mig bare en eller anden bog; *good* ~ *Peter* gode gamle Peter; *my* ~ *woman* **T** 'madammen', min kone; *of* ~, *in times of* ~, *in days of* ~ i gamle dage, fordum; *grow* ~ blive gammel, ældes.

old| age alderdom. ~ **-age pension** aldersrente. ~ **-age pensioner** aldersrentenyder. ~ **bachelor** (gammel) pebersvend. ~ **boy** tidligere elev; gamle dreng, gamle ven. ~ **-clothes man** marskandiser.

olden: *in* ~ *days* i gamle dage, fordum.

old|-established gammel, hævdvunden. ~ **-fashioned** gammeldags, antikveret; konservativ; af den gamle skole; gammelklog; *an* ~ *-fashioned look* et strengt blik. ~ **-fogyish** ['ould'fougiiʃ] (adj.) stokkonservativ.

Old Glory (amr.) stjernebanneret.

old| hand en der har erfaring, 'gammel rotte'. ~ **-hat** (adj., amr. T) konservativ, gammeldags, antikveret.

oldish ['ouldiʃ] ældre, aldrende.

old| lag vaneforbryder, recidivist. ~ **-line** (amr.) erfaren; grundfæstet; konservativ, gammeldags. ~ **maid** gammel jomfru, pebermø. ~ **maidish** jomfrunalsk, gammel-jomfruagtig. ~ **man** (i tiltale) du gamle, gamle ven; *the* ~ *man* den gamle (ɔ: éns far; ⚓ kaptajnen etc.); ~ *man Smith* fatter Smith. ~ **rose** gammelrosa.

oldster ['ouldstə] ældre (person).

Old Style efter den julianske kalender.

old|-time gammeldags, gammel. ~ **timer** en der er gammel i gårde. ~ **-womanish** kællingeagtig. ~ **-world** ['ouldwə·ld] fra gammel tid, gammel, gammeldags; som hører til den gamle verden.

oleaginous [ouli'ädʒinəs] olieagtig, olieholdig; (fig.) salvelsesfuld.

oleander [ouli'ändə] ♧ oleander, nerium.

oleaster [ouli'ästə] ♧ sølvblad.

oleic [ou'li·ik]: ~ *acid* oliesyre.

oleiferous [ouli'ifərəs] olieholdig.

oleograph ['ouliogra·f] olietryk.

olfactory [ål'fäktəri] (adj.) lugte- (fx. *organ)*.

oligarchy [ˈåliga·ki] oligarki, fåmandsherredømme.

olio [ˈouliou] labskovs, ruskomsnusk; (fig.) broget blanding; sammensurium.

olivaceous [åliˈveiʃəs] (adj.) olivengrøn.

olive [ˈåliv] oliventræ, olietræ; oliven; olivenfarve; (adj.) oliven-, olivenfarvet; *olives* (ogs.) 'benløse fugle'.

olive-branch [ˈålivbra·nʃ] oliegren (ogs. fig. ɔ: symbol på fred); (fig. ogs.) barn; *hold out the* ~ tilbyde fred.

Oliver [ˈålivə]. **Olivia** [åˈliviə].

'ologies [ˈålədʒiz]: *the* ~ **T** videnskaberne.

Olympia [oˈlimpiə] Olympia. **Olympiad** [-piäd] olympiade. **Olympian** [-piən] olympisk.

Olympic [oˈlimpik] olympisk; ~ *games* olympiske lege. **Olympus** [-pəs] Olympen.

O.M. fk. f. *Order of Merit.*

Omaha [ˈouməha·].

omasum [ouˈmeism] foldemave (hos drøvtygger).

ombre [ˈåmbə] l'hombre.

omega [ˈåmigə] omega.

omelet [ˈåmlėt] omelet, æggekage; *sweet* ~ omelet med syltetøj.

omen [ˈoumən] (subst.) omen, varsel; (vb.) varsle (om); *be of good* ~ være et godt varsel, varsle godt; *bird of ill* ~ ulykkesfugl.

omentum [ouˈmentəm] (anat.) tarmnet.

ominous [ˈåminəs] ildevarslende, uheldsvanger.

omissible [oˈmisibl] som kan undlades (el. udelades).

omission [oˈmiʃən] undladelse, udeladelse, forsømmelse; *sin of* ~ undladelsessynd.

omit [oˈmit] undlade, forsømme; udelade, springe over.

omnibus [ˈåmnibəs] (subst.) omnibus; publikum, folk i almindelighed; (adj.) som omfatter mange forskellige ting, omfattende; ~ *book* større antologi, omnibusbog; ~ *(box)* stor loge (i teater); ~ *clause* generalklausul; ~ *wire* hovedledning.

omni|farious [åmniˈfæriəs] af alle slags, allehånde. **-potence** [åmˈnipətəns] almagt. **-potent** [åmˈnipətənt] almægtig. **-present** [åmniˈprezənt] allestedsnærværende. **-science** [åmˈnisiəns] alvidenhed. **-scient** [åmˈnisiənt] alvidende.

omnium gatherum [ˈåmniəmˈgäðərəm] sammensurium, broget blanding; større komsammen.

omnivorous [åmˈnivərəs] altædende.

I. **on** [ån] (præp.) på, op på; over, om (fx. *a book ~ a subject, talk ~, write ~);* ved (fx. *a house ~ the river);* (umiddelbart) efter, ved (fx. ~ *her arrival;* ~ *second thoughts* ved nærmere eftertanke); i (fx. *a blow ~ the head; ~ the town council; ~ fire* i brand; *he is here ~ business);* af (fx. *live ~ fruit; interest ~ a capital);* mod (fx. *he drew his knife ~ me; march ~ the town);* til (fx. ~ *my right* til højre for mig; *smile ~ him);* ud fra (fx. ~ *this theory; ~ this principle);* for næsen af (ɔ: mens én taler etc.) (fx. *walk out ~ him; shut the door ~ him);*

be ~ a committee (, the town council) sidde i (el. være medlem af) et udvalg (, byrådet); *be ~ (the staff of) a newspaper* være medarbejder ved en avis; *this (one) is ~ me, have this (one) ~ me* jeg giver denne omgang; *this (one) is ~ the house* det er værtens omgang; ~ *the first of April* den 1. april; ~ *the morning of the first of April* den 1. april om morgenen; ~ *Friday* i fredags, om fredagen, på fredag; ~ *Friday next* på fredag; ~ *Friday last* i fredags; ~ *Fridays* om fredagen; *I have it ~ good authority* jeg har det fra pålidelig kilde; ~ *returning home* da han var kommet hjem, ved sin hjemkomst; ~ *sale* til salg; ~ *the whole* i det hele taget, i det store og hele.

II. **on** [ån] (adv.) på (fx. *keep one's hat ~);* videre (fx. *go ~, read ~);* fremad; *be* ~ være i virksomhed; være i gang (fx. *the battle is now ~);* være på færde, foregå; være på programmet; være inde på scenen; være oppe, blive hørt (ɔ: blive eksamineret); være åben (fx. *the tap, the wireless is ~),* være sat til; **T** have lyst til at være med; *breakfast is ~ from 8 to 10* der serveres morgenmad fra 8 til 10; *the case was ~* sagen var for; *Hamlet is now ~* Hamlet opføres nu; *the light is ~* lyset brænder; ~ *and off* nu og da, fra tid til anden; *he is neither ~ nor off* han ved ikke hvad han selv vil; ~ *and* ~ videre og videre, uophørligt, i det uendelige; *he played ~ and ~* han spillede og spillede; *from that day ~* fra den dag (af); *further ~* længere frem(me), længere henne; *go ~ talking* blive ved med at tale; *have you anything ~ to-night?* har du noget for i aften? *later ~* senere hen; *send ~ (ahead)* sende i forvejen; *sit ~* blive siddende; *and so ~* og så videre; ~ *to* op (el. ned, over, ud, ind) på (fx. *he climbed ~ to the roof); be (, get) ~ to* være (, blive) klar over; *well ~ in the day* langt hen på dagen.

O.N. fk. f. *Old Norse.*

once [wʌns] (adv.) en gang; engang; én gang; når først, så snart, bare (fx. ~ *you hesitate you are lost);* (adj.) tidligere; ~ *a year* en gang om året; ~ *again* en gang til, endnu en gang; ~ *and again* af og til; *at* ~ straks; på en gang (samtidig); *all at* ~ med et, pludselig; på en gang; ~ *bitten twice shy* brændt barn skyer ilden; *for* ~ for én gangs skyld, undtagelsesvis; ~ *for all* én gang for alle; ~ *in a way* (el. *while)* af og til; ~ *more* en gang til, endnu en gang; *this* ~ denne ene gang; *not* ~ aldrig, ikke en eneste gang, slet ikke; ~ *or twice* et par gange.

once-over: *give sby.* (el. *sth.) the* ~ **T** lade blikket hastigt undersøgende glide hen over (, 'lige kigge på') en (el. noget).

on-coming [ˈånkʌmiŋ] som nærmer sig, som er i anmarch (fx. *the ~ danger);* forestående; kommende; modgående (fx. *blinded by an ~ car).*

one [wʌn] én, ét; den (el. det) ene (fx. *carrying his head on ~ side; from ~ end to the other);* eneste (fx. *the ~ way to do it);* en, nogen, man; en vis (fx. ~ *Mr. Brown);* ettal, etter; (brugt som støtteord oversættes det ikke, fx. *a big house and a small ~* et stort hus og et lille, et stort og et lille hus; *the little -s* de små, børnene); *-'s* ens, sin, sit, sine (fx. *be on -'s guard* være på sin post);

you are a ~ du er vist en værre én; ~ *another* hinanden; ~ *and all* alle og enhver, alle som en; *it is all ~ to me* det er mig ganske det samme; ~ *and six* en shilling og sixpence; ~ *fine morning* en skønne dag; *the nobleman, for he looked ~* adelsmanden, for det så han ud til at være; *number ~,* se I. *number; make ~ (of the party)* være med; *be made ~* blive forenet; blive gift; *the* ~ den, det, han, hun (fx. *he is the ~ I mean; the ~ in the glass); this* ~ denne her; *that* ~ den der;

(forb. m. præp.) *be at ~ with* være enig med; ~ *by ~* en og en (ad gangen), en efter en, enkeltvis; *by -s and twos* en og to ad gangen; *I for ~* jeg for min del; *in* ~ på én gang; ~ *of these days* en skønne dag, en af dagene, en dag, en gang i fremtiden; *my career has been ~ of difficulties* min løbebane har været fuld af vanskeligheder; *he is ~ of the gang* han hører til banden; *that's ~ on you* (om en skose:) der fik du den; *be ~ up on sby.* **T** demonstrere sin overlegenhed over for en; hævde sig over for en; ~ *up to you* et point til dig; *be ~ with* være enig med; ~ *with another* gennemsnitlig, i det store og hele. **one-** en- (fx. *one-celled* encellet).

one|-armed (adj.) enarmet; ~ *-armed bandit* spilleautomat. ~ **-eyed** (adj.) enøjet; (fig.) enøjet, snæversynet; **T** se *one-horse.* ~ **-horse** (adj.) enspænder-; **T** ubetydelig, tarvelig, sølle, andenrangs. ~ **-horse town** provinshul. ~ **-idea'd** monoman. ~ **-legged** enbenet; ensidig, utilstrækkelig. **-ness** enhed, harmoni; enshed, identitet. ~ **-price store** enhedsprisforretning.

oner [ˈwʌnə] **S** brillant fyr, kernekarl, knop *(at* til); ordentligt slag; dundrende løgn.

onerous [ˈånərəs] byrdefuld, besværlig.

oneself [wʌnˈself] sig, sig selv; en selv; *by* ~ alene, for sig selv.

one|-sided ensidig (fx. *a ~ -sided account*). ~ **-step** (subst.) onestep; (vb.) danse onestep. ~ **-track** (adj.) ensporet.

one-way: ~ *street* gade med ensrettet færdsel; ~ *traffic* ensrettet færdsel.

onion [ˈʌnjən] løg; rødløg; *off one's* ~ **S** fra forstanden; *know one's -s* **T** vide besked.

onlooker [ˈånlukə] tilskuer.

only [ˈoᵘnli] 1. adj.: eneste; 2. adv.: kun, blot, bare, alene; først, ikke før, endnu (så sent som), for ikke længere siden end; 3. konjunktion: men ... bare;

(eksempler:) 1. adj.: *an* ~ *child* enebarn, eneste barn; *God's* ~ *begotten Son* Guds enbårne søn; 2. adv.: ~ *you can guess* kun du kan gætte; *you can* ~ *guess* du kan kun gætte (ikke gøre andet); *if* ~ hvis bare, gid; *if it was* ~ *to* om det så bare var for at; om ikke for andet så for at; *it was* ~ *too true* det var kun alt for sandt; *I shall be* ~ *too pleased* det vil være mig en meget stor glæde; ~ *lately* først for nylig; *he came* ~ *yesterday* han kom først i går; *I saw him* ~ *this morning* jeg så ham endnu (så sent som) i morges; *it was* ~ *last week* det er ikke længere siden end i sidste uge; ~ *just* kun lige akkurat; lige nu; 3. konjunktion: *he is a nice chap* ~ *he talks too much* han er en flink fyr men han taler bare for meget.

onomatopoeic [ånomätoˈpi·ik], **onomatopoetic** [ånomätopoᵘˈetik] onomatopoietisk, lydmalende.

onrush [ˈånrʌʃ] fremstød, fremstormen.

onset [ˈånset] angreb, anfald; begyndelse.

onslaught [ˈånslå·t] voldsomt angreb, stormløb.

onto [ˈåntu, -tə] op (, ned, over, ud, ind) på.

ontology [ånˈtålədʒi] ontologi.

onus [ˈoᵘnəs] byrde, pligt, ansvar; ~ *of proof*, ~ *probandi* bevisbyrde.

onward [ˈånwəd] (adj.) fremadgående. **onward(s)** [ˈånwəd(z)] (adv.) fremad, videre frem; *from today* ~ fra i dag af.

onyx [ˈåniks, ˈoᵘniks] onyks.

oodles [ˈu·dlz] (pl.): ~ *of* **T** masser af.

oof [u·f] **T** penge. **oofy** [ˈu·fi] **T** ved muffen, rig, velbeslået.

ooze [u·z] (vb.) sive, flyde trægt, pible frem; udsondre, afgive; (subst.) flydende dynd, mudder; garverlud; ~ *away* (fig.) forsvinde lidt efter lidt, svinde bort; *the secret -d out* hemmeligheden sivede ud; ~ *with* dryppe af.

oozy [ˈu·zi] mudret, dyndet; dryppende.

o.p. fk. f. *out of print* udsolgt.

opacity [oˈpäsiti] uigennemsigtighed; dunkelhed; uklarhed; træghed i opfattelsen.

opal [ˈoᵘpəl] opal.

opalescence [oᵘpəˈlesns] farvespil. **opalescent** [-nt] opaliserende.

opaque [oˈpeⁱk] uigennemsigtig; dunkel; træg i opfattelsen, sløv.

ope [oᵘp] (poet.) åbne; åben.

I. **open** [ˈoᵘpn] (vb.) åbne, lukke op; begynde, indlede (fx. ~ *a debate*); åbenbare; åbnes, åbne sig, begynde; springe ud; ~ *an account* åbne en konto; ~ *one's eyes* slå øjnene op; spærre øjnene op (af forbavselse); ~ *fire* åbne ild; ~ *trenches* grave skyttegrave; ~ *into* føre ind (el. ud) til; have dør ind (el. ud) til; *two rooms -ing into each other* to værelser med dør imellem; ~ *on to* vende ud til; føre ud til; ~ *out* udfolde; brede ud (fx. *a map*); udvikle; åbenbare; udbrede sig; ~ *up* gøre tilgængelig, åbne; lukke op, blive tilgængelig; sætte farten op; ~ *up on* åbne ild mod, fyre løs på.

II. **open** [ˈoᵘpn] (adj.) åben (*to* for); fri; tilgængelig (*to* for, fx. *the public*), offentlig; ubedækket, ubeskyttet; udsat (*to* for, fx. *criticism*); modtagelig (*to* for, fx. *suggestions*); gavmild; åbenlys, utilsløret (fx. *hostility*), åbenbar, offentlig (fx. *scandal, secret*); åbenhjertig, uforbeholden; ikke afgjort, åbentstående; åben (fx. *question*); mild (fx. *weather, winter*); ~ *exhaust* fri udblæsning; *keep* ~ *house* holde åbent hus, føre et gæstfrit hus; *lay oneself* ~ *to* udsætte sig for (fx. *attack*); *an* ~ *mind* et modtageligt sind, upartiskhed; ~ *scholarship* stipendium der kan søges af alle; *in the* ~ *(air)* i fri luft, under åben himmel; *come into the* ~ kaste masken, afsløre sine planer, komme ud af busken; ~ *to doubt* tvivl underkastet; *be* ~ *to offers* være villig til at modtage tilbud; ~ *to persuasion* til at overtale; *there are two courses* ~ *to you* to veje står dig åbne; *be* ~ *with sby.* være oprigtig mod en.

open| access fri adgang. ~ **access library** bibliotek med åbne hylder. ~ **account** løbende konto. ~ **-air** frilufts- (fx. *life; theatre*). ~ **-and-shut** (adj.) ganske ligetil. ~ **-armed** med åbne arme; *an* ~ *-armed welcome* en hjertelig velkomst. **-bill** (zo.) gabenæb.

opencast: ~ *coal* kul der er brudt fra jordoverfladen; ~ *mining* dagbrydning.

open cheque check der ikke er crosset.

opener [ˈoᵘpnə] indleder; (dåse)åbner, oplukker.

open|-eyed [ˈoᵘpnˈaid] med åbne øjne, årvågen; forbavset. ~ **-field system** (hist.) fællesdrift ~ **-handed** rundhåndet, gavmild. ~ **-hearted** åbenhjertig; varmhjertet. ~ **-hearth** (adj.) Siemens-Martin (fx. *furnace, process*).

opening [ˈoᵘpniŋ] (adj.) åbnings-, indlednings-, begyndelses-; første; (subst.) åbning, hul; begyndelse, indledning; chance, lovende mulighed, udvej; (ledig) stilling; ~ *bid*, ~ *call* åbningsmelding.

open|-minded fordomsfri. ~ **-mouthed** [ˈoᵘpnˈmauðd] med åben mund; måbende; larmende, højrøstet. ~ **order** ⚔ spredt orden. ~ **season** tid hvor jagt og fiskeri er tilladt; *in the* ~ *season* (ogs.) uden for fredningstiden. ~ **shop** virksomhed der beskæftiger både organiserede og uorganiserede arbejdere. ~ **-work** (subst.) gennembrudt arbejde; (adj.) gennembrudt (fx. ~ *-work stockings*).

opera [ˈåpərə] opera.

operable [ˈåpərəbl] anvendelig, som kan bringes til at fungere; *an* ~ *patient* en patient der kan opereres.

opera|-cloak aftenkåbe. ~ **-glass(es)** teaterkikkert. ~ **-hat** klaphat, chapeaubas. ~ **-house** opera, operabygning.

operate [ˈåpəreⁱt] virke, arbejde, være i gang; bevirke; drive, sætte i gang; betjene (en maskine); lede; (med.) operere; ~ *on him* operere ham; ~ *a typewriter* bruge en skrivemaskine.

operatic [åpəˈrätik] opera-; ~ *singer* operasanger.

operating [ˈåpəreⁱtiŋ] drifts- (fx. *profits* overskud); operations- (fx. ~ *-table* operationsbord; ~ *-theatre* operationsstue).

operation [åpəˈreⁱʃən] virksomhed, funktion, gang, (arbejds)proces; operation; betjening, drift; virkning; *be in* ~ være i drift (el. funktion); være i kraft; *come into* ~ træde i funktion; træde i kraft.

operational [åpəˈreⁱʃənl] drifts- (fx. *costs*); driftsklar; ⚔ operationsklar (fx. *the new jet-fighter will be* ~ *in 3 months*); operativ.

operative [ˈåp(ə)rətiv] (adj.) virkende, virksom; kraftig; gyldig; arbejdende, arbejder-, praktisk; (med.) operativ (fx. *treatment*); (subst.) arbejder; *become* ~ træde i kraft; *the* ~ *word* det afgørende ord.

operator [ˈåpəreⁱtə] en der betjener en maskine, operatør; spekulant; *telegraph* ~ telegrafist; *telephone* ~ telefonist(inde); *wireless* ~ radiotelegrafist.

operetta [åpəˈretə] operette; kort opera.

Ophelia [oˈfi·ljə].

ophthal|mia [åfˈþälmiə] øjenbetændelse. **-mic** [åfˈþälmik] øjen-. **-mologist** [åfþälˈmålədʒist] øjenlæge. **-mology** [-ˈmålədʒi] oftalmologi.

I. **opiate** [ˈoᵘpiėt] (subst.) (opiumholdigt) sovemiddel; beroligende middel; (adj.) opiumholdig.

II. **opiate** [ˈoᵘpieⁱt] (vb.) bedøve ved opium, dysse i søvn, få til at sove.

opine [oˈpain] mene.

opinion [əˈpinjən] mening; anskuelse (*of* om); opfattelse; (sagkyndigt) skøn, udtalelse (*on* om); *give one's* ~ sige sin mening (*of, on* om); *hold an* ~ nære en anskuelse; *in my* ~ efter min mening; *it is a matter* *of* ~ det er en skønssag; *public* ~ den offentlige mening; *received* ~ almindelig opfattelse; *be of (the)* ~ *that* være af den mening at; *I have no* ~ *of* jeg nærer ikke høje tanker om.

opinionated [ə'pinjəne'tid] påståelig.

opinion poll opinionsundersøgelse.

opium ['oᵘpjəm] opium.

opossum [ə'påsəm] (zo.) opossum.

oppidan ['åpidən] elev i Eton som bor uden for skolen.

opponent [ə'poᵘnənt, å-] modstander.

opportune ['åpətju·n] betimelig; belejlig (fx. *moment);* opportun; som kommer i rette øjeblik.

opportunism ['åpətju·nizm] opportunisme.

opportunist ['åpətju·nist] opportunist.

opportunity [åpə'tju·niti] (gunstig) lejlighed *(of, for* til); chance; belejlig tid, rette øjeblik; *at the first* ~ ved første lejlighed; *take* (el. *seize) the* ~ benytte lejligheden; *miss* (el. *lose) the* ~ lade lejligheden slippe sig af hænde.

oppose [ə'poᵘz] modstå, gøre modstand mod, modsætte sig, bekæmpe; gøre indvendinger, opponere; stille op mod hinanden; stille op, sætte op *(to, with* imod). **opposed** [-d] modstillet, modsat; fjendtlig; *be* ~ *to* være imod, være modstander af.

opposer [ə'poᵘzə, å-] fjende, modstander, opponent. **opposing** [ə'poᵘziŋ, å-] modsat; som gør modstand.

opposite ['åpəzit] (adj.) modsat *(to, from* af); lige overfor liggende, på den modsatte side; overfor (fx. *the house* ~); (subst.) modsætning; *on the* ~ *side of the river* på den anden side af floden; ~ *to* (ogs.) over for; *play* ~ spille sammen med (i film etc.).

opposite| neighbour genbo. ~ **number** person i tilsvarende stilling.

opposition [åpə'ziʃən] (subst.) modstand; modstilling; modsætning, modsætningsforhold, opposition; oppositionsparti; (adj.) oppositions-, oppositionspartiets (fx. *the* ~ *benches); Her (, His) Majesty's O.* oppositionen (i parlamentet); *in* ~ *to* i modsætning til; i opposition til; lige over for.

oppress [ə'pres] trykke, tynge (på); undertrykke, overvælde; *feel -ed with heat* føle varmen trykkende; *-ed with grief* knuget af sorg.

oppression [ə'preʃən] tryk, undertrykkelse; nedtrykthed.

oppressive [ə'presiv] trykkende (fx. *weather);* hård, tung, tyngende (fx. *taxes);* tyrannisk.

oppressor [ə'presə] undertrykker.

opprobrious [ə'proᵘbriəs] fornærmelig, hånende, forsmædelig, vanærende; ~ *language* ukvemsord.

opprobrium [ə'proᵘbriəm] vanære, skam; ukvemsord.

oppugn [å'pju·n] bekæmpe, bestride.

opt [åpt] vælge; ~ *for* optere for, vælge; ~ *out* **T** bakke ud, trække sig ud.

optative ['åptətiv] optativ (subst. og adj.), ønske-.

optic ['åptik] (adj.) syns- (fx. *nerve).*

optical ['åptikəl] optisk, syns-; ~ *illusion* synsbedrag.

optician [åp'tiʃən] optiker. **optics** ['åptiks] optik.

optimates [åpti'me'ti·z] optimater, stormænd, aristokrati.

optimism ['åptimizm] optimisme, lyst syn på tilværelsen. **optimist** ['åptimist] optimist.

optimistic [åpti'mistik] optimistisk.

optimize ['åptimaiz] være optimist.

optimum ['åptiməm] (subst.) optimum; (adj.) optimal, gunstigst mulig.

option ['åpʃən] valg; option; forkøbsret; (merk.) præmieforretning; *at* ~ efter eget valg; *with the* ~ *of a fine* subsidiært en bøde; *have an* ~ *on sth.* have noget på hånden; have forkøbsret til noget.

optional ['åpʃənəl] valgfri; frivillig.

opulence ['åpjuləns] velstand, rigdom; overflod.

opulent [-lənt] velstående, rig; overdådig, yppig (fx. *vegetation).*

opus ['åpəs, 'oᵘpəs] opus, arbejde.

opuscule [å'pʌskju·l] mindre arbejde, (el.værk.)

or [å·] eller; ellers; *one or two* én à to; *two or three* to-tre; *make haste, or (else) you will be late* skynd dig, ellers kommer du for sent.

orach ['åritʃ] ♧ (have)mælde.

oracle ['årəkl] orakel, orakelsvar; *work the* ~ tilvejebringe det ønskede resultat ved hemmelig indflydelse; **S** rejse penge. **oracular** [å'räkjulə] orakel-, gådefuld.

oral ['å·rəl] (adj.) mundtlig; (anat.) oral, mund-; (om medicin) som indtages gennem munden; (subst., **T**) mundtlig eksamen.

I. **Orange** ['årin(d)ʒ] Oranien; *the House of* ~ huset Oranien.

II. **orange** ['årin(d)ʒ] (subst.) appelsin, orange; appelsintræ; (adj.) orangegult; orange.

orangeade ['årindʒ'e'd] orangeade.

orange|-blossom orangeblomst (anvendes i England i brudekranse). ~ **-coloured** orangegul.

Orange Free State: *the* ~ Oranjefristaten.

Orangeman ['årindʒmən] orangist (medlem af et protestantisk selskab i Irland).

orange-peel appelsinskal; (adj.) appelsinfarvet.

Orange River: *the* ~ Oranjefloden.

orangery ['årindʒəri] orangeri.

orange|-stick neglepind (til manicure). ~ **-tip** (zo.) aurorasommerfugl. ~ **-tree** appelsintræ, orangetræ.

orang-outang [o'räŋu'täŋ], **orangutan** [o'räŋu'tän] orangutang.

orate [å·'re't] holde tale(r).

oration [å're'ʃən] (højtidelig) tale; (gram.): *direct* ~ direkte tale; *indirect* ~ indirekte tale.

orator ['årətə] taler. **oratorical** [årə'tårikl] oratorisk, taler-.

oratorio [årə'tå·rioᵘ] oratorium.

oratory ['årətəri] talekunst, veltalenhed; bedekammer; kapel.

orb [å·b] (subst.) klode, kugle, sfære; himmellegeme; rigsæble; øje; (vb.) give form som en cirkel el. kugle; (poet.) omgive.

orbed [å·bd], **orbicular** [å·'bikjulə], **orbiculate** [å·'bikjulét] klodeformig, kugleformet, rund.

I. **orbit** ['å·bit] (himmellegemes el. satellits) bane; (anat.) øjenhule; (zo.) huden omkring en fugls øje; (fig.) virkefelt, sfære; *in* ~ (om satellit) inde i sin bane.

II. **orbit** ['å·bit] (vb.) bevæge sig i en bane omkring (fx. ~ *the earth);* sende ud i en bane; kredse.

orc [å·k] (zo.) spækhugger.

Orcadian [å·'ke'diən] fra (el. hørende til) Orkneyøerne; beboer af Orkneyøerne.

orchard ['å·tʃəd] frugthave, frugtplantage. **orchardman** frugtavler.

orchestra ['å·kistrə] orkester; musiktribune; (amr.) orkesterpladser. **orchestral** [å·'kestrəl] orkester- (fx. *music).*

orchestrate ['å·kistre't] instrumentere.

orchestration [å·ke'stre'ʃən] instrumentering.

orchid ['å·kid] ♧ orkidé, gøgeurt.

orchis ['å·kis] ♧ gøgeurt.

ordain [å·'de'n] (vb.) ordne, indrette, forordne, fastsætte, bestemme; beskikke, ordinere, præstevie. **ordainer** [å·'de'nə] en som ordner, bestemmer; en som indsætter, ordinant. **ordainment** [å·'de'nmənt] ordning, anordning, bestemmelse; ordination.

ordeal [å·'di·əl, å·'di·l] (hård) prøvelse; (hist.) gudsdom; ~ *by fire* ildprøve, jernbyrd.

I. **order** ['å·də] (subst.) orden; ridderorden; munkeorden; (god) orden, ro; ordning, anordning, rækkefølge, opstilling; stand, rang, klasse; slags; størrelsesorden; ordenstegn; ordre, anvisning, forskrift, befaling; (jur.) kendelse; reglement, bekendtgørelse, forordning; dagsorden, forretningsorden; ritual; ordre, bestilling; fribillet, adgangskort; anvisning til udbetaling; postanvisning;

by ~ *of* efter ordre fra, på befaling af; ~ *for* bestilling på; *of a high* ~ af **høj** kvalitet (el. rang); *the* *higher -s of society* samfundets øverste klasser; *confer (holy) -s on* ordinere; *be in (holy) -s* tilhøre den gejstlige stand; *take (holy) -s* indtræde i den gejstlige stand; blive ordineret; *Order in Council* kongelig forordning; *in ~* i orden; i overensstemmelse med forretningsordenen; *put in ~* bringe i orden, ordne; *in short ~* meget snart, (amr.) straks; *in ~ that, in ~ to* for at; *~ of battle* slagorden; *~ of the day* dagsorden; ⚔ dagsbefaling; (fig.) tidens løsen; *be on ~* være i ordre; *sth. on the ~ of* ngt. i retning af; *out of ~* i uorden; utilpas; ikke i overensstemmelse med reglementet; *a tall ~* (fig., T) et skrapt forlangende; *made to ~* lavet på bestilling; *call to ~* kalde til orden; *under the -s of* kommanderet af; *be under -s to* have ordre til at.

II. **order** [ˈå·də] (vb.) give ordre til, beordre, befale; foreskrive, ordinere; bestille (fx. *~ a room);* ordne, indrette, bestemme, lede; *~ arms!* gevær ved fod! *~ about* jage med, koste med; *~ away* sende bort.

order-book [ˈå·dəbuk] ordrebog. **order-form** ordreseddel, bestillingsseddel.

orderly [ˈå·dəli] (adj.) ordentlig, velordnet, metodisk; fredelig, lovlydig, stille, rolig (fx. *an ~ crowd);* tjenstgørende; (subst.) ordonnans; (amr.) portør (på hospital); *medical ~* ⚔ sygepasser.

orderly| officer ⚔ vagthavende officer. **~ -room** kompagnikontor.

order-paper dagsorden (i parlamentet).

ordinal [ˈå·dinl] ordens-; ordenstal.

ordinance [ˈå·dinəns] forordning, bestemmelse, anordning; (rel.) ritual.

ordinarily [ˈå·dnrili] ordinært etc. (se *ordinary);* sædvanligvis, i reglen.

ordinary [ˈå·dnri] (adj.) ordinær, ordentlig; almindelig, sædvanlig; tarvelig, ubetydelig, middelmådig; (subst.) ordinær dommer; spisehus, kro; table-d'hôte; *in ~* ordinær, ordentlig, regelmæssig; hof-, liv- (modsat *extraordinary* = tilkaldt, eller *honorary* = titulær) (fx. *physician-in- ~* livlæge; *surgeon-in- ~ to the King* kongens livlæge; *chaplain-in- ~* hofprædikant); *~ seaman* jungmand, letmatros, halvbefaren matros; *out of the ~* usædvanlig, uden for det sædvanlige.

ordinate [ˈå·dinėt] (i matematik) ordinat.

ordination [å·diˈneⁱʃən] ordning; ordination, præstevielse.

ordnance [ˈå·dnəns] ⚔ svært skyts, artilleri; materiel; *piece of ~* kanon; *~ map* (omtr. =) generalstabskort, Geodætisk Instituts kort; *Royal Army Ordnance Corps* (svarer til) Hærens tekniske Korps; *Ordnance Survey Department* (svarer omtr. til) Geodætisk Institut.

ordure [ˈå·djuə] skarn, snavs, smuds.

ore [å·] erts, malm; metal.

Ore. fk. f. **Oregon** [ˈårigən].

organ [ˈå·gən] organ; (zo. etc. ogs.) redskab, (om avis ogs.) avis, blad; (musik) orgel, (= *barrel ~)* lirekasse; *~ of taste* smagsorgan.

organ|-blower bælgetræder. **~ -builder** orgelbygger.

organdie [ˈå·gəndi] organdi.

organ-grinder lirekassemand.

organic [å·ˈgänik] organisk. **organism** [ˈå·gənizm] organisme.

organist [ˈå·gənist] organist.

organization [å·gən(a)iˈzeⁱʃən] organisering, organisation, organisme.

organize [ˈå·gənaiz] organisere, arrangere, indrette, ordne; blive organisk; organisere sig; *-d* (ogs.) organisk. **organizer** [ˈå·gənaizə] organisator, arrangør.

organ|-loft orgelpulpitur. **~ -pipe** orgelpibe. **~ stop** orgelregister.

orgasm [ˈå·gäzm] orgasme.

orgiastic [å·dʒiˈästik] orgiastisk, vild.

orgy [ˈå·dʒi] orgie.

oriel [ˈå·riəl] karnap, karnapvindue.

I. **Orient** [ˈå·riənt]: *the ~* Østen, Orienten.

II. **orient** [ˈå·riənt] (adj.) østlig; østerlandsk; orientalsk, strålende; opgående (om solen).

III. **orient** [ˈå·rient] (vb.) vende mod øst; orientere.

I. **oriental** [å·riˈentl] (adj.) østlig, østerlandsk, orientalsk.

II. **Oriental** [å·riˈentl] (subst.) orientaler, østerlænding. **orientalism** [å·riˈentəlizm] orientalisme. **orientalist** [-list] orientalist.

orientate [ˈå·rienteⁱt] orientere; vende mod øst.

orientation [å·rienˈteⁱʃən] orientering.

orifice [ˈårifis] munding, åbning.

orig. fk. f. *original(ly); origin.*

origin [ˈåridʒin] oprindelse, kilde *(of* til); herkomst; (mat., i kurve) begyndelsespunkt; (anat., om muskel) udspring.

original [əˈridʒənl] (adj.) oprindelig, original; første; ægte; original-, grund- (fx. *language, text);* (subst.) original, originalværk; grundsprog, originalsprog (fx. *read Homer in the ~);* original, særling; *~ bid* (i kortspil) åbningsmelding.

originality [əridʒiˈnäliti] originalitet.

originally originalt (fx. *think ~);* oprindelig, fra først af.

original sin arvesynd.

originate [əˈridʒineⁱt] grundlægge, skabe, være skaberen af; give anledning til; *~ from* (el. *in) sth.* hidrøre fra ngt., udspringe (el. opstå) af ngt., have sin oprindelse i ngt.; *the scheme -s with* (el. *from) the government* planen stammer fra regeringen, det er regeringen der står bag planen; *the fire -d in the basement* ilden opstod i kælderen.

origination [əridʒiˈneⁱʃən] skabelse, opståen, oprindelse, fremkomst.

originative [əˈridʒineⁱtiv] skabende, opfindsom, initiativrig.

originator [əˈridʒineⁱtə] skaber, ophavsmand; forslagsstiller.

oriole [ˈå·rioᵘl] (zo.) pirol; guldpirol.

Orion [oˈraiən] Orion.

orison [ˈårizən] (glds.) bøn.

Orkney [ˈå·kni]: *the ~ Islands* Orkneyøerne.

Orleans [å·ˈliənz] (i Frankrig); (amr.) se *New Orleans.*

orlop [ˈå·låp], **~ deck** banjerdæk (nederste dæk på orlogsskib).

ormolu [ˈå·məlu·] guldbronze.

I. **ornament** [ˈå·nəmənt] (subst.) ornament, prydelse, smykke, pynt; nipsgenstand; pryd *(to* for).

II. **ornament** [ˈå·nəment] (vb.) smykke, pryde, udsmykke, dekorere.

ornamental [å·nəˈmentl] ornamental, dekorativ, som tjener til pynt; *~ painter* dekorationsmaler; *~ shrub* sirbusk.

ornamentation [å·nəmenˈteⁱʃən] udsmykning, dekoration, pynt.

ornate [å·ˈneⁱt, ˈå·-] (adj.) (overdrevent) udsmykket, 'overbroderet', pyntet.

ornery [ˈå·nəri] (adj.) (amr.) umedgørlig, stædig; smålig, lav, ringe.

ornithological [å·niþəˈlådʒikl] ornitologisk. **ornithologist** [å·niˈþålədʒist] ornitolog, fuglekender. **ornithology** [å·niˈþålədʒi] ornitologi, læren om fugle.

orotund [ˈårotʌnd] klangfuld, fuldtonende (fx. *voice);* værdig; højstemt, bombastisk.

orphan [ˈå·fən] (adj.) forældreløs; (subst.) forældreløst barn; (vb.) gøre forældreløs (fx. *children -ed by the war).*

orphanage [ˈå·fənidʒ] forældreløshed; vajsenhus.

orphanhood [ˈå·fənhud] forældreløshed.

Orpheus [ˈå·fju·s] Orfeus.

orpiment [ˈå·pimənt] auripigment.

orpine [ˈå·pin] ♧ st.hansurt.

orris [ˈåris] sværdlilje; violrod.

ortho|dontic [å·þəˈdåntik] tandregulerende. **-dox** [ˈå·þədåks] ortodoks, rettroende; vedtægtsmæssig, almindelig anerkendt. **-doxy** ['å·þədåksi] rettroenhed, ortodoksi. **-gonal** [å'þågənl] retvinklet. **-grapher** [å·'þågrəfə] ortograf. **-graphic(al)** [å·þə'gräfik(l)] ortografisk. **-graphy** [å·'þågrəfi] retskrivning. **-p(a)edic** [å·þə'pi·dik] ortopædisk. **-p(a)edy** ['å·þəpi·di] ortopædi.

ortolan ['å·tələn] (zo.) hortulan.

O.S. fk. f. *old style; ordinary seaman; Ordnance Survey; Old School; outsize.*

o.s. fk. f. *only son.* **o/s** fk. f. *outstanding; out of stock.*

oscillate ['åsileit] svinge; oscillere; (om radio) hyle. **oscillation** [åsi'leiʃən] oscillation, svingning; hylen (i radio). **oscillator** ['åsileitə] oscillator, svingningsgenerator. **oscillatory** ['åsilətəri] svingende; ~ *circuit* (elekt.) svingningskreds.

oscillograf [å'siləgra·f] oscillograf.

osculant ['åskjulənt] tæt sammenhængende; som danner mellemled mellem to arter. **osculate** ['åskjuleit] røre hinanden; være nær beslægtet; kysse. **osculation** [åskju'leiʃən] berøring; kyssen. **osculatory** ['åskjulətəri] kysse-.

osier ['ouʒə] vidje; pil; *common* ~ båndpil.

osier-bed pileplantning.

Osiris [o'saiəris].

osmium ['åzmiəm] osmium.

osmosis [åz'mousis] osmose (ɔ: gennemsivning).

osmotic [åz'måtik] osmotisk.

osprey ['åspri] esprit (ɔ: fjer til hattepynt); (zo.) fiskeørn.

osseus ['åsjəs] (adj.) benet; knogle-.

Ossian ['åsiən]. **Ossianic** [åsi'änik] Ossiansk.

ossicle ['åsikl] lille knogle.

ossification [åsifi'keiʃən] forbening. **ossify** ['åsifai] forbene, forbenes.

ostensible [å'stensibl] tilsyneladende, skin-; påstået, angiven, angivelig.

ostentation [åsten'teiʃən] stillen til skue, pralen, praleri. **ostentatious** [åsten'teiʃəs] pralende, demonstrativ.

osteo|logy [åsti'ålədʒi] knoglelære. **-ma** [åsti'oumə] knoglesvulst. **-pathy** [åsti'åpəþi] osteopati.

ostler ['åslə] staldkarl, stalddreng.

ostracism ['åstrəsizm] ostrakisme, forvisning ved folkeafstemning (i det gamle Athen); boykotning.

ostracize ['åstrəsaiz] forvise; boykotte, 'fryse ud'.

ostrich ['åstritʃ] struds. **ostrich feather** strudsfjer.

ostrichism ['åstritʃizm] strudsepolitik.

O.T. fk. f. *Old Testament.*

O.T.C. fk. f. *Officers' Training Corps.*

Othello [ou'þelou].

other ['ʌðə] anden, andet, andre; *the* ~ *day* forleden dag; *give me some book or* ~ giv mig en eller anden bog; *every* ~ *day* hver anden dag; *on the* ~ *hand* på den anden side; *on the* ~ *side* på den anden side, omstående; *of all -s* frem for alle; *why should he do it of all -s* hvorfor skulle netop han gøre det; *some time or* ~ en gang, på et eller andet tidspunkt; *something or* ~ et eller andet; *somehow or* ~ på den ene eller anden måde; ~ *than* (ogs.) anderledes end, andet end.

otherwise ['ʌðəwaiz] anderledes, på anden måde; ellers, i modsat fald; *unless you are* ~ *engaged* hvis De ikke er optaget på anden måde; *such as think* ~ anderledes tænkende.

otherworldly ['ʌðə'wə·ldli] overjordisk; som lever i en anden verden.

otiose ['ouʃious] overflødig, unyttig.

otitis [ou'taitis] ørebetændelse.

otology [ou'tålədʒi] otologi, læren om øresygdomme. **otoscope** ['outəskoup] ørespejl.

Ottawa ['åtəwə].

otter ['åtə] (zo.) odder.

I. **Ottoman** ['åtəmən] (adj.) osmannisk, tyrkisk; (subst.) osmanner, tyrker.

II. **ottoman** ['åtəmən] (subst.) ottoman.

O.U. fk. f. *Oxford University.*

oubliette [u·bli'et] (glds.) oubliette, fangehul.

O.U.D.S. ['audz] fk. f. *Oxford University Dramatic Society.*

ought [å·t] (imperf. *ought*) bør, burde, skulle; *you* ~ *to do it* du bør (el. burde) gøre det.

I. **ounce** [auns] (subst.) unse (28,35 gram i alm. handelsvægt); *not an* ~ *of* ikke en smule, ikke gran af.

II. **ounce** [auns] (subst.) sneleopard; (glds.) los.

our [aue] (attributivt) vores, vor, vort, vore; *our home* vort (el. vores) hjem.

ours [auəz] (prædikativt) vores, vor, vort, vore; *this is* ~ dette tilhører os; (litterært) dette er vort; (alm. tale) det er vores; *a friend of* ~ en ven af os; *this country of* ~ vort land.

ourself [auə'self] (pluralis majestatis) (vi) selv (fx. *we ourself know*), os selv, os.

ourselves [auə'selvz] (forstærkende) selv (fx. *we did it* ~); (refleksivt) os (fx. *we enjoyed* ~); *we are all by* ~ vi er helt alene; *we did it by* ~ vi gjorde det uden hjælp.

oust [aust] drive ud, fordrive, fortrænge.

ouster ['austə] (jur.) fordrivelse, udsættelse.

I. **out** [aut] ude, ud, udenfor; frem, op (af lommen etc.); fremme; oppe; sluppet op, opbrugt (fx. *my strength is* ~); til ende (fx. *before the day is* ~), forbi, omme (fx. *before the year is* ~); gået ud, slukket (fx. *the fire is* ~); gået af, ikke længere ved magten (fx. *the Whigs are* ~); udkommet (fx. *the new book is* ~); gået af mode (fx. *frock-coats are* ~); udsprungen (fx. *the rose is* ~); udruget (fx. *the chickens are* ~); gået over sine bredder (fx. *the river is* ~); (gået) i strejke (fx. *the miners are* ~); gået af led (fx. *my arm is* ~); udkommanderet (fx. *the regiment is* ~); røbet (fx. *the secret is* ~); *there, now it's* ~ (ogs.) nu er det sagt;

(forsk. forb.; se ogs. hovedordet fx. *all, come, fall, go, way*); ~ *and about again* oppe igen, på benene igen; ~ *and away*, ~ *and* ~, se på alfab. plads; *be* ~ (ogs.) tage fejl, regne forkert (fx. *I was only five years* ~ jeg havde kun regnet fem år forkert); *he is* ~ *there* han er derude; (med en anden intonation) der tager han fejl; *you are not far* ~ du tager ikke meget fejl; *my watch is five minutes* ~ mit ur går fem minutter forkert; *she is* ~ hun har haft sin debut i selskabslivet; *the moon is* ~ det er måneskin; *the sun is* ~ det er solskin; *be* ~ *hunting* være ude at jage, være på jagt; *her day* ~ hendes fridag; ~ *you go* herut med dig; *go all* ~ *to* sætte alt ind på at; *hear me* ~ lad mig tale ud; *the* ~ *side* det parti der er ude (i spil); det parti der ikke er ved magten; oppositionen;

(forb. m. præp.) *be* ~ *for* være ude efter (fx. *he is* ~ *for your money*); *be* ~ *for a walk* være ude at spadsere; *three days* ~ *from* ⚓ efter tre dages sejlads fra; *I was* ~ *in my calculations* jeg tog fejl i mine beregninger, jeg har forregnet mig; ~ *of* uden for (fx. *remain* ~ *of the house*); ud af (fx. *come* ~ *of the house*); ude af (fx. ~ *of herself with joy*); uden (fx. ~ *of money*); af (fx. *drink* ~ *of a glass*); (på grund) af (fx. *he asked* ~ *of curiosity*); fra (fx. *an advertisement* ~ *of a newspaper*); blandt (fx. *one instance* ~ *of several*); *be* ~ *of* være udgået for (fx. *tobacco*); *be* ~ *of patience* have tabt tålmodigheden; *be (, feel)* ~ *of it* være (, føle sig) tilovers; *you are absolutely* ~ *of it* du tager fuldstændig fejl, du er helt forkert på den; *three days* ~ *of* ⚓ efter tre dages sejlads fra; ~ *of one's mind* sindssyg; *times* ~ *of number* utallige gange; ~ *of print* udsolgt; *he is* ~ *of sorts* han er ikke rask; ~ *of temper* i dårligt humør; ~ *of work* arbejdsløs; ~ *upon him!* (glds.) fy! han burde skamme sig; *be* ~ *with* være uenig (, uvenner) med; *fall* ~ *with* blive uenig (, uvenner) med; ~ *with it!* ud med sproget!

II. **out** [aut] (vb.) tage ud; komme frem *(with* med); slå ud; smide ud.

III. **out** [aut] (subst.) udvej; (typ.) udeladelse, noget der er faldet ud, **T** begravelse; *the -s* (i spil) det parti der er ude; (i politik) det parti der ikke er ved magten; oppositionen; *be at -s with* **T** være på kant med; *know the ins and -s of sth.* kende ngt. ud og ind.

out-and-away uden sammenligning, langt (fx. *he is ~ the best).*

out-and-out ['autənd'aut] helt igennem, i alle henseender; ubetinget, absolut, vaskeægte (fig.); fuldstændig, gennemført; *an ~ Yankee* en fuldblods yankee.

out-and-outer T en der klart tager standpunkt; en der gør tingene grundigt; vældig dygtig fyr; yderliggående person.

out|back ['autbäk]: (i Australien) *the ~* de fjerntliggende og tyndt befolkede egne, ødemarken. **-balance** [aut'bäləns] veje mere end, mere end opveje. **-bid** [aut'bid] overbyde. **-board** ['autbå·d] udenbords; *-board motor* påhængsmotor. **-bound** ['aut'baund] udgående. **-brave** [aut'breⁱv] trodse; overgå (i mod). **-break** ['autbreⁱk] udbrud; rejsning, oprør. **-buildings** ['autbildiŋz] udhuse. **-burst** ['autbə·st] udbrud.

out|cast ['autka·st] forstødt; hjemløs, udstødt (af samfundet). **-caste** ['autka·st] kasteløs. **-class** [aut'kla·s] overgå, rage op over, være overlegen. **-come** ['autkʌm] resultat. **-cry** ['autkrai] skrig, råb, nødskrig; ramaskrig.

out|dated [aut'deⁱtid] forældet. **-distance** [aut'distəns] distancere, løbe fra. **-do** [-'du·] overgå; stikke ud. **-door** ['autdå·] udendørs; frilufts; *-door relief* (glds.) fattighjælp til personer der ikke bor på fattiggården. **-doors** ['aut'då·z] udendørs, under åben himmel, i fri luft, ude i det fri.

outer ['autə] ydre, yder-.

outer|most ['autəmoᵘst] yderst. **~ space** det ydre rum (ɔ: verdensrummet).

out|face [aut'feⁱs] få til at slå øjnene ned; trodse. **-fall** ['autfå·l] udløb, afløb; flodmunding. **-field** ['autfi·ld]: *the -field* marken. **-fielder** markspiller. **-fit** ['autfit] (subst.) udstyr, ekvipering; udrustning; gruppe, hold, flok; (vb.) udstyre, udruste. **-fitter**: *gentlemen's -fitter* herreekviperingshandler. **-flank** [aut'flänk] omgå. **-flow** ['autfloᵘ] udstrømning; (fig.) strøm (fx. *of bad language).* **-general** [aut'dʒenərəl] overgå i feltherredygtighed; overliste. **-go** ['autgoᵘ] (subst.) udgift, udgifter; [aut'goᵘ] (vb.) overgå. **-goer** ['autgoᵘə] afgående (el. fratædende) person. **-going** ['autgoᵘiŋ] (adj.) afgående, fratrædende; udgående; åben, udadvendt; (subst.) afgang, fratræden. **-goings** udgifter. **-grow** [aut'groᵘ] overgå i vækst, vokse hurtigere end, vokse fra; blive for stor til (fx. *one's clothes); -grow one's strength* vokse for stærkt. **-growth** ['autgroᵘþ] udvækst (fx. *on a tree)*; produkt, følge, resultat.

out|haul ['authå·l], **-hauler** ⚓ udhaler.

out-Herod [aut'herəd]: *~ Herod* overgå Herodes (i grusomheder).

outhouse ['authaus] udhus.

outing ['autiŋ] udflugt.

outlander ['autländə] udlænding, fremmed.

outlandish [aut'ländiʃ] aparte, fremmedartet, sær, besynderlig.

outlast [aut'la·st] vare længere end, overleve.

outlaw ['autlå·] (subst.) fredløs; (vb.) sætte uden for loven; gøre fredløs; forvise; sætte udenfor; gøre ulovlig, forbyde ved lov. **outlawry** ['autlå·ri] fredløshed.

out|lay ['autleⁱ] udlæg, udgift(er). **-let** udløb, afløb, afsætningsmarked.

outline ['autlain] (subst.) omrids, kontur; resumé, oversigt, hovedtræk; (vb.) tegne i omrids, give omrids af, skitsere, angive hovedtrækkene i; *be -d* (ogs.) tegne sig, tegne sin silhouet.

outlive [aut'liv, 'aut'liv] overleve, komme over, overvinde.

I. **outlook** ['autluk] (subst.) udsigt; udsigtspunkt, udkigssted; (fremtids)udsigter; syn (på tingene), livssyn, livsanskuelse.

II. **outlook** [aut'luk] (vb.) få til at sænke blikket.

out|lying ['autlaiiŋ] afsidesliggende, fjerntliggende, perifer, underordnet. **-manoeuvre** [autmə'nu·və] udmanøvrere, overliste. **-march** ['aut'ma·tʃ] marchere fra, distancere. **-match** [aut'mätʃ]: *-match sby.* overgå en, være en overlegen, overtræffe en. **-moded** [aut'moᵘdid] forældet, gået af mode, passé. **-most** ['autmoᵘst] yderst.

outnumber [aut'nʌmbə] være overlegen i antal; *-ed* talmæssig underlegen.

out-of-date ['autəv'deⁱt] umoderne, gammeldags, forældet; ikke længere gyldig.

out-of-door ['autəv'då·] = *outdoor.*

out-of-pocket ['autəv'påkit]: *~ expenses* direkte (kontante) udgifter.

out-of-the-way ['autəvðə'weⁱ] afsides, afsidesliggende; usædvanlig.

out-of-work ['autəv'wə·k] arbejdsløs.

outpace [aut'peⁱs] gå hurtigere end, løbe fra.

out-patient ['autpeⁱʃənt] ambulant patient; *-s department* poliklinik.

out|play [aut'pleⁱ] (vb.) (i sport) spille bedre end; *be -played by* blive udspillet af. **-port** ['autpå·t] udhavn. **-post** ['autpoᵘst] forpost, fremskudt post el. stilling. **-pouring** ['autpå·riŋ] udgydelse; *-pouring of the heart* hjertesuk. **-put** ['autput] produktion; udbytte (fx. af mine); arbejdsydelse; (elekt.) udgangseffekt.

outrage ['autreⁱdʒ, 'autridʒ] (vb.) øve vold imod; forurette, fornærme, krænke, forsynde sig mod; (subst.) vold; voldshandling, skændselsgerning; grov forurettelse, fornærmelse, krænkelse.

outrageous [aut'reⁱdʒəs] skændig; oprørende, skammelig.

outrange [aut'reⁱndʒ] (vb.) række længere end.

outrank [aut'räŋk] (vb.) have højere rang end.

outré ['u·treⁱ] excentrisk, aparte, outreret; upassende; overdreven.

out|reach [aut'ri·tʃ] strække sig ud over, nå længere end. **-ride** [aut'raid] ride fra; ride bedre end; *-ride the storm* ride stormen af. **-rider** forrider; *-riders* (ogs.) motorcykeleskorte (af politi). **-rigger** ['autrigə] udrigger, udriggerbåd, udligger.

outright [aut'rait] (adv.) straks, på stedet (fx. *killed ~);* helt og holdent, fuldstændigt; rent ud (fx. *tell him ~);* uforbeholdent; ['autrait] (adj.) fuldstændig, absolut, gennemført; direkte (fx. *denial; opposition); buy ~* købe kontant.

out|rival [aut'raivl] tage luven fra, fordunkle, stille i skyggen. **-run** [aut'rʌn] løbe fra, løbe hurtigere end; overgå. **-sail** [-'seⁱl] sejle fra. **-set** ['autset] begyndelse; *from the -set* fra første færd. **-shine** [-'ʃain] overstråle.

I. **outside** ['aut'said] (subst.) yderside; ydre; udvendig passager (på diligence); *at the (very) ~* højest, i det højeste; (fx. *it will take a year at the ~); open the door from the ~* åbne døren udefra; *the ~ of the house* det udvendige af huset; *on the ~* udenpå, udenfor.

II. **outside** ['aut'said] (adj.) udvendig (fx. *measurements),* ydre; yderst (fx. *limit),* højest; maksimal (fx. *estimate);* udefra kommende (fx. *help),* udenforstående; (adv.) udenpå, ovenpå; udenfor (fx. *wait ~);* (præp.) uden for; undtagen; ud over; *~ broadcast* reportage, direkte transmission; *~ callipers* krumpasser; *an ~ chance* en meget lille chance; *that is the ~ edge* **T** det er dog den stiveste; *~ of* uden for; (amr.) undtagen; *get ~ of* **S** sætte til livs; (amr.) fatte, begribe; *~ of a horse* **T** til hest; *~ pressure* pres udefra; *~ right* højre yderwing; *the ~ world* verden udenfor.

outsider ['aut'saidə] fremmed; udenforstående; uindviet; outsider.

out|sit [aut'sit] sidde længere end, blive længere end. **-size** ['autsaiz] (subst.) stor størrelse; (adj.) ekstra stor, usædvanlig stor; *-size gown* fruekjole. **-skirts** ['autskə·ts] udkant; *on the -skirts of the town* i udkanten af byen. **-smart** [aut'sma·t] (amr.) narre, overliste. **-span** [aut'spän] spænde fra. **-spoken** [aut'spoᵘkn] frimodig, dristig, djærv, åbenhjertig. **-spread** ['aut'spred] udbredt (fx. *with -spread wings).*

-standing [aut'ständiŋ] fremtrædende, iøjnefaldende (fx. *characteristic);* fremragende (fx. *bravery, personality);* udestående, ubetalt (fx. *accounts, debts);* ['autständiŋ] udstående (fx. *ears).* **-stay** [aut'ste^i] blive længere end; *-stay one's welcome* blive længere end man er velkommen; trække for store veksler på folks gæstfrihed. **-stretched** [aut'stretʃt; foran subst. 'autstretʃt] udstrakt. **-strip** [aut'strip] distancere.

out|-talk [aut'tå·k] overgå i tungefærdighed, bringe til tavshed. ~ **-top** [aut'tåp] rage op over; overgå. **-vie** [aut'vai] overgå, overbyde. **-vote** [aut'vo^{u}t] overstemme, nedstemme; *be -voted* (ogs.) komme i mindretal.

outward ['autwəd] (adj.) ydre, udvendig, udvortes; udgående; (adv.) udad, ud; (subst.) ydre. **outward bound** for udgående (om skib). **outwards** ['autwədz] udad, ud, udefter.

out|wear [aut'wæə] vare længere end; slide op. **-weigh** [-'we^i] veje tungere end, gælde mere end. **-wit** [-'wit] overliste, narre.

I. **outwork** [aut'wə·k] (vb.) arbejde bedre end.

II. **outwork** ['autwə·k] (subst.) udenværk; udearbejde.

outworn ['autwå·n] (adj.) slidt op; udslidt; (fig.) forslidt, fortærsket (fx. *quotation);* forældet (fx. *method).*

ouzel ['u·zl] (zo.) ringdrossel.

ova ['o^{u}və] æg (pl. af *ovum).*

oval ['o^{u}vəl] (adj.) oval, ægformet; (subst.) oval; oval plads; *the Oval* (en cricketbane i London).

ovary ['o^{u}vəri] (anat.) ovarium, æggestok; ♧ frugtknude.

ovation [o^u've^{i}ʃən] ovation, hyldest.

oven [ʌvn] ovn.

over ['o^{u}və] (præp.) over, ud over; på den anden side af (fx. ~ *the river);* (adv.) over (fx. ~ *to England);* derover (fx. *children of fourteen and* ~); ovre (fx. ~ *in England);* forbi (fx. *those days are* ~), omme; tilovers, tilbage (fx. *if you have money* ~); omkuld (fx. *fall* ~); over ende; igennem (fx. *read it* ~); om, rundt (fx. *turn* ~); alt for, overdrevent, over- (fx. ~ *polite); over!* (i radiotelefoni) skifter!

~ *again* om igen; ~ *against* lige over for; *all* ~ over det hele; *he was trembling all* ~ han rystede over hele kroppen; *all* ~ *the world* over hele verden; *that's John all* ~ hvor det ligner John (at sige el. gøre det); *she is all* ~ *him* **S** hun er helt væk i ham; *it is all* ~ *with him* det er forbi med ham; ~ *and above* ud over; ~ *and* ~ *(again)* atter og atter, gang på gang, om og om igen; ~ *a cup of tea* ved en kop te; ~ *here* her ovre, her over; *knock* ~ vælte; ~ *the night* natten igennem, natten over; ~ *a period of three years* gennem (el. over) et tidsrum af tre år; ~ *the signature Smith* underskrevet Smith; ~ *there* der ovre, der over.

II. **over** ['o^{u}və] (subst.) skud der går over målet; langt skud; (i cricket) over; *-s* (typ.) overskud.

overact ['o^{u}və'räkt]: ~ *(in) a part* overspille en rolle.

I. **overall** ['o^{u}vərå·l] (adj.) total, samlet (fx. *the* ~ *membership is 83),* generel; (adv.) alt i alt; over alt; *be dressed* ~ ⚓ flage over top(pene).

II. **overall** ['o^{u}vərå·l] (subst.) kittel.

overalls ['o^{u}verå·lz] overall, overtræksbukser.

over|anxious ['o^{u}və'räŋ(k)ʃəs] overdrevent ængstelig; overdrevent ivrig. **-arch** [o^{u}və'ra·tʃ] hvælve sig over (fx. *trees* ~ *the road).* **-awe** [o^{u}və'rå·] skræmme, imponere, indgyde ærefrygt. **-balance** [-'bäləns] (vb.) veje mere end; mer end opveje; bringe ud af ligevægt, vippe op; få overbalance; (subst.) overvægt, overskud. **-bear** [-'bæə] undertrykke, kue, overvælde, nedslå, overvinde. **-bearing** [-'bæəriŋ] bydende, myndig, overlegen, hovmodig, anmassende.

over|bid [o^{u}və'bid] (vb.) overbyde; (i kortspil) melde over; (subst.) overbud; overmelding. **-blown** [o^{u}və'blo^{u}n] afblomstret; (om storm, fare) drevet over. **-board** ['o^{u}vəbå·d] over bord; udenbords; *o -board about* **T** være vildt begejstret for. **-bold** ['o^{u}və'bo^{u}ld] dumdristig; fræk. **-brim** ['o^{u}və'brim] flyde over. **-build** ['o^{u}və'bild] (be)bygge for tæt; *-build oneself* forbygge sig. **-burden** [-'bə·dn] overlæsse; overbebyrde; *-burdened* (ogs.) tynget ned.

over|call [o^{u}və'kå·l] (i kortspil) melde over. **-capitalize** ['o^{u}vəkə'pitəlaiz] overkapitalisere. **-cast** ['o^{u}və'ka·st] (adj.) overtrukken, overskyet; (vb.) formørke; sy kastesting over; (subst.) skydække. **-cautious** ['o^{u}və'kå·ʃəs] for forsigtig.

I. **overcharge** ['o^{u}vətʃa·dʒ] (subst.) for stor byrde, for stort læs; overpris, for høj pris.

II. **overcharge** [o^{u}və'tʃa·dʒ] (vb.) overlæsse; tage overpris af; forlange (el. beregne sig) for høj pris af (fx. *the landlord -d me £2; I was -d for the meal).*

over|cloud [o^{u}və'klaud] blive overskyet; formørke. **-coat** ['o^{u}vəko^{u}t] overfrakke. **-come** [o^{u}və'kʌm] overvinde, få bugt med (fx. *difficulties),* besejre, overvælde (fx. *-come by fear).* **-crowd** [-'kraud] (vb.) overfylde, overbefolke.

over|do [o^{u}və'du·] gøre for meget ud af, overdrive; koge (el. stege) for længe; overanstrenge; *-do it* (ogs.) gå for vidt, overdrive, spænde buen for højt; overanstrenge sig. **-dose** ['o^{u}və'do^{u}s] (subst.) for stor dosis; (vb.) give for stor dosis, overdosere. **-draft** ['o^{u}vədra·ft] overtræk (på konto). **-draw** ['o^{u}və'drå·] overtrække, hæve for meget (på en konto); overdrive. **-dressed** ['o^{u}və'drest] overpyntet. **-drive** ['o^{u}və'draiv] (vb.) overanstrenge; køre for hurtigt (el. for langt); (subst.) overgear. **-due** ['o^{u}və'dju·] for længst forfalden (fx. *bill);* forsinket (fx. *the train is -due); a reform is -due* en reform burde for længst være gennemført; *-due book* bog der er beholdt for længe (fra bibliotek).

over|eat ['o^{u}və'ri·t] forspise sig. ~ **-estimate** ['o^{u}və'restimėt] (subst.) overvurdering; ['o^{u}və'restime^{i}t] (vb.) overvurdere.

over|fatigue ['o^{u}vəfə'ti·g] (subst.) overtræthed; (vb.) gøre overtræt. **-feed** ['o^{u}və'fi·d] fodre for stærkt.

I. **overflow** [o^{u}və'flo^u] (vb.) flyde over; gå over sine bredder; oversvømme; *be -ing with* strømme over af (fx. *a heart -ing with gratitude),* være fuld af.

II. **overflow** ['o^{u}vəflo^u] (subst.) oversvømmelse; overflod; overskud; ~ *meeting* møde for dem der ikke er plads til ved hovedmødet; ~ *pipe* overløbsrør.

overground ['o^{u}və'graund] som befinder sig på el. over jordoverfladen (fx. *the* ~ *portion of a plant); still* ~ endnu i live.

overgrow ['o^{u}və'gro^u] blive overgroet; vokse for meget; (se ogs. *outgrow);* ~ *oneself* (el. *one's strength)* vokse for stærkt. **overgrown** ['o^{u}və'gro^{u}n] overgroet; opløben (fx. *an* ~ *boy).* **overgrowth** ['o^{u}vəgro^{u}þ] for stærk vækst; yppighed, overflod.

overhand ['o^{u}vəhänd] (i sport) overhånds-, overarms- (fx. ~ *throw).*

I. **overhang** ['o^{u}və'häŋ] (vb.) hænge ud over, rage op over; hænge over hovedet på, true.

II. **overhang** ['o^{u}vəhäŋ] (subst.) fremspring; ⚓ overhæng.

overhanging ['o^{u}və'häŋiŋ] hængende, ludende; fremspringende; overhængende.

I. **overhaul** [o^{u}və'hå·l] overhale; efterse, undersøge (fx. *be -ed by a doctor);* mønstre nøje; indhente, sejle op, hale ind på.

II. **overhaul** ['o^{u}vəhå·l] overhaling, eftersyn, mønstring.

overhead ['o^{u}və'hed] over hovedet, ovenover, ovenpå; oppe i luften; *-s,* ~ *charges* generalomkostninger; ~ *line* luftledning; ~ *railway* højbane; ~ *wire* luftledning.

over|hear [o^{u}və'hiə] høre (tilfældig, ubemærket), komme til at høre; lytte til, udspionere. **-heat** ['o^{u}və'hi·t] overophede. **-indulge** ['o^{u}vərin'dʌldʒ] være for svag over for, forkæle; hengive sig til overdreven nydelse. **-indulgence** ['o^{u}vərin'dʌldʒəns] svaghed; overdreven nydelse. **-joyed** [o^{u}və'dʒoid] henrykt.

overladen ['oᵘvə'leⁱdn] overlæsset.

I. **overland** [oᵘvə'länd] til lands, over land (fx. *travel ~*).

II. **overland** ['oᵘvələnd] land- (fx. *the ~ route*).

I. **overlap** ['oᵘvəläp] (subst.) delvis dækning.

II. **overlap** [oᵘvə'läp] (vb.) delvis dække, overlappe; (delvis) falde sammen (fx. *our visits -ped*); *-ping* (adj., ogs.) taglagt.

I. **overlay** ['oᵘvə'leⁱ] (vb.) belægge, dække, overtrække; (geol.) overlejre.

II. **overlay** ['oᵘvəleⁱ] (subst.) dække; lille dug, lysedug.

over|leaf ['oᵘvə'li·f] omstående. **-leap** [oᵘvə'li·p] springe over; ['oᵘvə'li·p] springe for langt; *o. oneself* forløfte sig, spænde buen for højt. **-lie** [oᵘvə'lai] ligge hen over; ligge ihjel. **-load** ['oᵘvə'loᵘd] overlæsse, overbelaste.

overlook [oᵘvə'luk] give udsigt over, vende ud mod (fx. *the room -s a garden*); se ud over, skue ud over; gennemse, se på (fx. *a map*); overse, ikke bemærke; se gennem fingre med; ignorere; føre opsyn med, overvåge; (i overtro:) se på med onde øjne, forhekse med blikket; *-looking the sea* med udsigt over havet.

overlord ['oᵘvəlå·d] overherre.

overly ['oᵘvəli] (amr.) alt for, over- (fx. *anxious*).

over|man arbejdsformand (især i mine). **-master** [oᵘvə'ma·stə] besejre, kue, overvælde. **-match** [oᵘvə'mätʃ] være for stærk for; overtræffe, overgå. **-much** ['oᵘvə'mʌtʃ] i alt for høj grad.

overnight ['oᵘvə'nait] den foregående aften (fx. *he told a story he heard ~*); natten over (fx. *stay ~*); i nattens løb (fx. *the mushrooms sprang up ~*); (fig.) fra den ene dag til den anden (fx. *such reforms cannot be made ~*).

over|pass [oᵘvə'pa·s] (vb.) passere, overskride; overgå; ['oᵘvəpa·s] (subst.) overføring (i vejbygning). **-past** ['oᵘvə'pa·st] forbi, ovre, overstået. **-pay** ['oᵘvə'peⁱ] betale for meget (for). **-peopled** ['oᵘvə'pi·pld] overbefolket. **-play** [oᵘvə'pleⁱ] overspille (en rolle); overdrive betydningen af; *-play one's hand* (fig.) udnytte sin position for stærkt, vove sig for langt ud. **-pleased** ['oᵘvə'pli·zd]: *not ~* mellemfornøjet. **-plus** ['oᵘvəplʌs] overskud. **-power** [oᵘvə'pauə] overvælde, overmande. **-pressure** ['oᵘvə'preʃə] alt for stærkt tryk; overanstrengelse.

overprint ['oᵘvə'print] (vb.) overstemple; trykke i for mange eksemplarer; (fot.) overeksponere (en kopi); (subst.) overtryk, overstempling.

overrate ['oᵘvə'reⁱt] overvurdere.

overreach [oᵘvə'ri·tʃ] strække sig ud over; overliste, narre, bedrage; (om heste) smede (slå med baghovene mod forhovene under galop); *~ oneself* (fig.) forløfte sig (på ngt.), spænde buen for højt.

over|ride [oᵘvə'raid] skamride; ride over; nedtrampe; tilsidesætte, sætte sig ud over (fx. *his wishes*); underkende (fx. *his decision*); have forret frem for; *-riding* (ogs.) altovervejende. **-ripe** ['oᵘvə'raip] overmoden. **-rule** [-'ru·l] beherske; underkende. **-run** [-'rʌn] overgro (fx. *-run with weeds*); sprede sig over; oversvømme (fx. *-run with rats*); strømme over; besejre, løbe over ende; (om taletid) overskride.

over|sea(s) ['oᵘvə'si·(z)] oversøisk; over havet, hinsides havet, udenlands. **-see** ['oᵘvə'si·] føre opsyn med, efterse, tilse. **-seer** ['oᵘvəsiə] arbejdsformand, værkfører; tilsynsførende; (glds.) fattigforstander.

oversell [oᵘvə'sel] sælge mere end man kan levere; (fig.) gøre for meget ud af.

over|shade [oᵘvə'ʃeⁱd] overskygge. **-shadow** [oᵘvə'ʃädoᵘ] overskygge, dække (fx. *clouds -shadow the sky*); fordunkle.

over|shoe ['oᵘvəʃu·] galoche. **-shoot** ['oᵘvə'ʃu·t] skyde forbi (el. over); ødelægge (jagtområde) ved for hyppige jagter; (flyv.) flyve for langt; komme ud over landingsbanen; *-shoot oneself* (el. *the mark*) skyde over målet; gå for vidt, vove sig for langt ud; *-shot wheel* overfaldshjul. **-sight** ['oᵘvəsait] uagtsomhed, forsømmelse, forglemmelse; opsyn, tilsyn. **-size** ['oᵘvə'saiz] se *outsize*. **-sleep** ['oᵘvə'sli·p]: *-sleep (oneself)* sove over sig, s. for længe. **-spill** ['oᵘvəspil] overskud; befolkningsoverskud. **-spread** [oᵘvə'spred] brede sig over, strække sig over. **-state** ['oᵘvə'steit] angive for højt; overdrive. **-stay** ['oᵘvə'steⁱ], se *outstay*. **-step** ['oᵘvə'step] overskride. **-stock** ['oᵘvə'ståk] overfylde; tage for mange varer på lager; *-stock a farm* holde for stor besætning på en gård. **-strain** ['oᵘvəstreⁱn] (subst.) overanstrengelse; ['oᵘvə'streⁱn] (vb.) overanstrenge. **-strung** ['oᵘvə'strʌŋ] overanstrengt, overnervøs, eksalteret; krydsstrenget. **-stuffed** [oᵘvə'stʌft] overfyldt; (om møbler) overpolstret. *~* **-subscribe** ['oᵘvəsʌb'skraib] overtegne (lån osv.).

overt ['oᵘvə·t] åbenlys; åbenbar; åben.

over|take [oᵘvə'teⁱk] indhente; overhale (bil); overraske, overrumple; komme over; overvælde. **-task** ['oᵘvə'ta·sk] overlæsse, overanstrenge; stille for store krav til. **-tax** [-'täks] beskatte for højt; overbelaste; trække for store veksler på (fx. *his patience*).

I. **overthrow** [oᵘvə'þroᵘ] (vb.) kaste omkuld; kuldkaste, ødelægge; vælte, styrte (fx. *a government*).

II. **overthrow** ['oᵘvəþroᵘ] (subst.) kuldkastelse, omstyrtelse; undergang, fald.

over|time ['oᵘvətaim] overarbejde, overtid; over tiden; *work -time* arbejde over. **-top** [oᵘvə'tåp] (vb.) rage op over; overgå; besejre. **-train** (vb.) overtræne. **-trick** (i kortspil) overtræk. **-trump** ['oᵘvə'trʌmp] stikke med højere trumf.

overture ['oᵘvətjuə] forslag, tilbud; tilnærmelse; (i musik) ouverture; *make -s* søge en tilnærmelse; træde i forhandlinger, indlede underhandlinger *(to* med); *peace -s* fredsfølere.

over|turn [oᵘvə'tə·n] vælte (fx. *a table*); kæntre. **-value** ['oᵘvə'välju·] overvurdere. **-watched** [oᵘvə'wåtʃt] forvåget. **-weening** [oᵘvə'wi·niŋ] indbildsk, anmassende, overmodig; overdreven. **-weight** ['oᵘvəweⁱt] (subst.) overvægt; (adj.) overvægtig; (vb.) overbelaste. **-whelm** [oᵘvə'welm] (vb.) vælte ud over, oversvømme; overvælde; overmande. **-wind** [-'waind] trække (et ur) for stærkt op.

I. **overwork** [oᵘvə'wə·k] (vb.) overanstrenge, overanstrenge sig.

II. **overwork** ['oᵘvə'wə·k] (subst.) overanstrengelse; ['oᵘvəwə·k] (subst.) ekstraarbejde, overarbejde.

over|worn ['oᵘvə'wå·n] udmattet. **-wrought** ['oᵘvə'rå·t] overanstrengt; eksalteret, overspændt.

Ovid ['åvid].

oviduct ['oᵘvidʌkt] ægleder.

oviform ['oᵘvifå·m] ægformet.

ovine ['oᵘvain] fåreagtig, fåret; fåre-.

oviparous [oᵘ'vipərəs] æglæggende.

ovoid ['oᵘvoid] (adj.) ægformet; (subst.) ægformet genstand.

ovulation [oᵘvju'leⁱʃən] ovulation, ægdannelse, ægløsning.

ovule ['oᵘvju·l] ♧ frøanlæg.

ovum ['oᵘvəm] (pl. *ova* ['oᵘvə]) æg, ægcelle.

owe [oᵘ] skylde; være skyldig; have at takke for; *~ him £50* skylde ham £50; *~ a debt of gratitude to* stå i taknemmelighedsgæld til.

owing ['oᵘiŋ] skyldig, udestående, som skal betales; *~ to various circumstances* på grund af forskellige omstændigheder; *he paid all that was ~* han betalte alt hvad der skyldtes; *be ~ to* skyldes; *it is ~ to him that* det skyldes ham at.

owl [aul] ugle; (fig.) (om person) en der gerne vil give indtryk af at være klog; fjols; *drunk as an ~* fuld som en allike.

owlet ['aulet] lille ugle; kirkeugle.

owlet-moth (zo.) ugle (natsværmer).

owlish ['auliʃ] ugleagtig; dum.

I. **own** [oᵘn] (adj.) egen, eget, egne; kødelig (fx. *~ brother* kødelig broder, helbroder (modsat *half-*

brother)); the town has a character all its ~ byen har et ganske særligt præg; *come into one's ~* få sin ret, få hvad der tilkommer en; *he cooks his ~ meals* han laver selv sin mad; *may I have it for my very ~?* må jeg få det helt alene? *get one's ~ back* få revanche; *hold one's ~* holde stand, stå fast; klare sig; hævde sig, stå sig; *in* (el. *at) your ~ (good) time* når det er Dem belejligt; *make one's ~* tilegne sig; *of one's ~* sin egen, sit eget (fx. *she has a room of her ~); I have reasons of my ~* jeg har mine særlige grunde; *she has a fortune of her ~* hun har privat formue; *on one's ~* på egen hånd; *he is on his ~* (ogs.) han er sin egen mand, han er selvstændig (forretningsmand osv.); *he stands in his ~ light* han står sig selv i lyset.

II. **own** [oᵘn] (vb.) eje; anerkende, vedkende sig, kendes ved (fx. *~ a child);* erkende, indrømme (fx. *one's faults); ~ to* bekende, indrømme, vedkende sig; *~ up* tilstå, gå til bekendelse.

owner ['oᵘnə] ejer.

owner|-driver bilejer der selv kører sin vogn. **-less** herreløs. **-ship** ejendomsret.

ox [åks] (pl. *-en)* okse.

oxalic [åk'sälik]: *~ acid* oksalsyre.

oxbow ['åksboᵘ] (amr.) åg (til okseforspand); (geol.) slangebugtning i flod; *~ lake* hesteskoformet sø.

Oxbridge ['åksbridʒ] (fiktivt universitetsnavn, af Oxford og Cambridge).

ox-eye ['åksai] ♧ okseøje. **ox-eyed** kvieøjet.

Oxford ['åksfəd]; *~ bags* meget rummelige benklæder; *the ~ group movement* Oxford(gruppe)bevægelsen (udgået fra Buchman); *the ~ movement* Oxfordbevægelsen (højkirkelig retning i den anglikanske kirke).

oxidation [åksi'deⁱʃən] iltning, forbrændingsproces, oksydering.

oxide ['åksaid] oksyd, oxid. **oxidize** ['åksidaiz] ilte, oksydere; anløbe.

oxlip ['åkslip] ♧ fladkravet kodriver.

Oxon. fk. f. *Oxfordshire; Oxford.*

Oxonian [åk'soᵘnjən] fra Oxford; (subst.) oxforder.

ox-tail ['åksteⁱl] oksehale.

oxy-acetylene ['åksiə'setili·n] autogen- (fx. *torch* brænder; *welding* svejsning).

oxygen ['åksidʒən] ilt.

oxygenate [åk'sidʒineⁱt], **oxygenize** [åk'sidʒinaiz] oxydere, ilte.

oxygen tent ilttelt.

oyes, oyez [oᵘ'jes] hør! (retsbetjents el. udråbers råb for at påbyde stilhed).

oyster ['oistə] østers.

oyster| -bed østersbanke. **~ -catcher** (zo.) strandskade. **~ -knife** østerskniv.

oz. fk. f. *ounce(s).*

ozone ['oᵘzoᵘn] ozon.

P

P [pi·]; *mind one's p's and q's* passe godt på hvad man siger og gør.

p. fk. f. *page; participle; past; new pence (, penny).*

P. & O. ['pi·ənd'oᵘ] fk. f. *Peninsular and Oriental Steam Navigation Company.*

Pa. fk. f. *Pennsylvania.*

p.a. fk. f. *per annum* årlig.

pa [pa·] **T** papa.

pabulum ['päbjuləm] føde; næring; *mental ~* åndelig føde.

I. **pace** [peⁱs] (subst.) skridt; fart; gang, måde at gå på; pasgang; *at a great ~* med stærk fart; *go the ~* fare af sted; (fig.) leve i sus og dus; *keep ~ with* holde trit med; *put him through his -s* prøve (el. lade ham vise) hvad han dur til; *set the ~* bestemme farten; give tonen an.

II. **pace** [peⁱs] (vb.) gå, skride, gå pasgang; gå hen over, gå frem og tilbage i (el. på); pace; *~ (out)* afskridte, afmåle med skridt.

III. **pace** ['peⁱsi]: *~ Smith* med al respekt for Smith, med Smiths tilladelse.

pace-maker ['peⁱsmeⁱkə] pacer.

pacer ['peⁱsə] gående; pasgænger; pacer.

pachyderm ['päkidə·m] tykhudet dyr; tykhud.

pachydermatous [päki'də·mətəs] tykhudet.

pacific [pə'sifik] fredelig, forsonlig; freds- (fx. *policy);* beroligende; *the Pacific (Ocean)* Stillehavet.

pacifically [pə'sifikəli] ad fredelig vej.

pacification [päsifi'keⁱʃən] pacificering, beroligelse, genoprettelse af fred.

pacificator [pə'sifikeⁱtə] fredsstifter.

pacificatory [pə'sifikətəri] fredsstiftende.

pacifier ['päsifaiə] fredsstifter.

pacifism ['päsifizm] fredsvenlighed, pacifisme.

pacifist ['päsifist] fredsven, pacifist.

pacify ['päsifai] (vb.) stille tilfreds, berolige; tilfredsstille; pacificere; stifte fred i.

I. **pack** [päk] (subst.) pakke, balle, bylt; indpakning, emballage; spil (fx. *a ~ of cards);* mængde, flok; kobbel (fx. *a ~ of hounds);* bande; pakis; (med.) pakning, omslag (fx. *cold ~, hot ~);* ⚔ oppakning; *a ~ of cigarettes* (amr.) en pakke cigaretter; *a ~ of lies* lutter løgn; *a ~ of thieves* en tyvebande.

II. **pack** [päk] (vb.) pakke; pakke ind; pakke sammen; emballere; nedlægge, henkoge (og lægge i dåse); (over)fylde; proppe, (sammen)stuve; sende (afsted); stimle sammen, samle sig i flok; sammensætte partisk, besætte med sine meningsfæller; *books ~ easily* bøger er lette at pakke; *a -ed house* fuldt hus; *~ a jury* samle en jury af partiske medlemmer; *a -ed lunch* en frokostpakke, en madpakke; *send -ing* sætte på porten; *~ it in* (el. *up)* opgive det; holde op med det; *~ off* jage bort, sætte på porten; sende af sted (i en fart) (fx. *~ the boy off to school); ~ oneself off* forsvinde, se at komme af sted; *~ up* pakke (ned), pakke ind, pakke sammen; **T** gøre færdig; standse; gå i stå.

package ['päkidʒ] pakning, emballage; pakke, balle, kollo.

packaged ['päkidʒd]: *~ tour* (amr. **T**) rejse arrangeret af rejsebureau, selskabsrejse.

package deal samlet overenskomst.

pack-animal lastdyr.

pack-drill ⚔ stroppetur (med fuld oppakning).

packer ['päkə] pakker, pakkemaskine; konservesfabrikant.

packet ['päkit] (subst.) (lille) pakke, bundt; paketbåd, postskib; (vb.) indpakke, sammenbundte; *a ~* **S** en masse penge; *make a ~* **S** tjene en formue; *a ~ of needles* et brev nåle; *stop a ~* ⚔ **S** blive alvorligt såret. **packet-boat** paketbåd.

pack|-horse pakhest. **~ -ice** pakis.

packing ['päkiŋ] pakning, emballage; nedlægning. **packing-case** pakkasse.

pack|man bissekræmmer. **~ -saddle** paksadel; kløvsadel. **~ -thread** sejlgarn.

pact [päkt] pagt, overenskomst.

I. **pad** [päd] (subst.) underlag, pude, valk; hynde; blød sadel; stempelpude; trædepude; (skrive)blok; benskinne (til cricket etc.); afskydningsrampe.

II. **pad** [päd] (vb.) polstre, udstoppe; *~ out* fylde ud (med overflødigt stof).

III. **pad** [påd] (subst.) vej; *knight of the ~* landevejsrøver.
IV. **pad** [påd] (vb.) gå, traske, lunte, trave; (ogs. **S**: *~ it, ~ the hoof).*
padded ['pădid] (adj.) polstret, udstoppet; *~ cell* gummicelle; *~ shoulders* vatskuldre.
padding ['pădiŋ] udstopning; belægning; fyldekalk, spaltefyld (i avis etc.).
I. **paddle** ['pădl] (vb.) pagaje, padle; soppe, vade, pjaske; fingerere; give smæk; *~ one's own canoe* (fig.) være uafhængig, selv bestemme farten.
II. **paddle** ['pădl] (subst.) padleåre; skovl på et vandhjul; *double ~* pagaj, tobladet åre.
paddle|-board skovl på et vandhjul. ~ **-box** ⚓ hjulkasse. ~ **steamer** hjuldamper. ~ **-wheel** skovlhjul.
paddling pool soppedam, soppebassin.
paddock ['pădək] vænge; indhegning (for heste); sadleplads (ved væddeløbsbane).
I. **Paddy** ['pădi] (af *Patrick*), øgenavn for irlænder.
II. **paddy** ['pădi] ris (på roden); uafskallet ris.
paddy-field rismark.
padlock ['pădlåk] hængelås; (vb.) lukke med hængelås.
padre ['pa·dri] T præst, feltpræst.
Padua ['pădjuə].
paean ['pi·ən] festhymne; sejrssang.
paede|rast ['pi·dərăst] pæderast. **-rasty** pæderasti.
paedi|atrician [pi·diə'triʃən] pædiater, børnelæge. **-atrics** [pi·di'ătriks] pædiatri, læren om børnesygdomme.
paedo|baptism [pi·do'băptizm] barnedåb (modsat voksendåb). **-baptist** tilhænger af barnedåb.
pagan ['peigən] hedensk; hedning. **paganism** ['peigənizm] hedenskab. **paganize** ['peigənaiz] (vb.) gøre hedensk; afkristne.
I. **page** [peidʒ] (subst.) piccolo; (hist.) page; *~ a guest* sende en piccolo ud i lokalerne for at kalde på en gæst.
II. **page** [peidʒ] (subst.) side, blad (fx. *both sides of the page); (vb.)* paginere.
pageant ['pădʒənt] festoptog; (historisk) festspil; tom pragt, prunk. **pageantry** ['pădʒəntri] pomp og pragt; tom pragt.
page-boy piccolo.
page proof ombrudt korrektur.
paginal ['pădʒinl] side-; side for side. **paginate** ['pădʒineit] paginere. **pagination** [pădʒi'neiʃən], **paging** ['peidʒiŋ] paginering.
pagoda [pə'goudə] pagode, gudehus; kiosk; gml. indisk mønt.
pah [pa·] pyt! uf! æv! føj!
paid [peid] imperf. og perf. part. af *pay; put ~ to* gøre en ende på, gøre det af med.
paid-up capital indbetalt kapital.
pail [peil] spand. **pailful** ['peilful] spandfuld.
paillasse [păli'ăs] halmmadras.
I. **pain** [pein] (subst.) smerte; lidelse; *-s* (ogs.) fødselsveer; umage, ulejlighed, møje; *give ~* gøre ondt, smerte; *be in ~* have ondt, føle smerte, lide; *have a ~ in* have ondt i (fx. *the stomach); put him out of ~* gøre ende på hans lidelser; **S** slå ham ihjel; *under* (el. *on) ~ of death* under dødsstraf; *take pains* gøre sig umage.
II. **pain** [pein] (vb.) gøre ondt, smerte; bedrøve.
pained [peind] (fig.) såret, forpint.
pain|ful ['peinf(u)l] smertelig, pinefuld, tung, pinlig. ~ **-killer** smertestillende middel. **-less** ['peinlės] smertefri.
pains, se I. *pain.*
painstaking ['peinzteikiŋ] flittig, samvittighedsfuld.
I. **paint** [peint] (subst.) maling, farve, sminke.
II. **paint** [peint] (vb.) male; sminke; skildre, fremstille, beskrive; sminke sig; pensle (fx. *~ the gums with iodine); ~ well* male godt; være et egnet motiv (til maleri); *wet ~! fresh -ed!* malet (plakat til advarsel); *he is not so black as he is -ed* **han er bedre end sit rygte;** *~ in* indføje (i maleri); *~ out* male over.
paint|-box malerkasse; farvelade ~ **-brush** malerkost, pensel.
painted lady (zo.) tidselsommerfugl.
I. **painter** ['peintə] maler; kunstmaler.
II. **painter** ['peintə] ⚓ fangeline, slæbeline; *cut the ~* (fig.) bryde forbindelsen.
painting ['peintiŋ] malerkunst; maleri, maling.
paintress ['peintrės] malerinde.
paint roller malerulle.
painty ['peinti] oversmurt med maling; *a ~ smell* lugt af maling.
I. **pair** [pæə] (subst.) par (om to sammenhørende); tospand; *a ~ of boots* et par støvler; *that's another ~ of shoes* (el. *boots)* det er en anden historie; *a ~ of scissors* en saks; *a ~ of stairs* en trappe; *a two ~ room* et værelse på anden etage; *a carriage and ~* en vogn med to heste; *in pairs* to og to, parvis.
II. **pair** [pæə] (vb.) parre; parres; *the two members were -ed* de to (underhus)medlemmer (ɔ: af modsatte partier) havde en aftale om begge at udeblive ved en afstemning; *~ off* parre; parre sig, slå sig sammen to og to.
pajamas [pə'dʒa·məz] (amr.) pyjamas.
Pakistan [pa·ki'sta·n]. **Pakistani** [pa·ki·'sta·ni] pakistaner, pakistansk.
pal [păl] **S** kammerat, god ven; *~ (up) with* blive gode venner med.
palace ['pălės] palads, slot; bispegård. **palace-car** salonvogn.
paladin ['pălədin] omstrejfende ridder, eventyrer; helt; ridder i Karl den Stores følge.
palaeography [păli'ågrəfi] palæografi, oldskrifttydning.
palaeolithic [pălio'liþik] (adj.): *the ~ age* den ældre stenalder.
palaeontology [păliån'tålədʒi] palæontologi. læren om uddøde dyr og planter.
palanquin [pălən'ki·n] bærestol, palankin.
palatable ['pălətəbl] velsmagende; tiltalende.
palatal ['pălətl] gane-, palatal; (subst.) palatal, ganelyd. **palatalize** ['pălətəlaiz] palatalisere; mouillere.
palate ['pălėt] gane, smag.
palatial [pə'leiʃəl] paladsagtig.
palatinate [pə'lătinėt] pfalzgrevskab; *the Palatinate* Pfalz.
palatine ['pălətain] pfalzgrevelig; *count ~* pfalzgreve.
palaver [pə'la·və] (subst.) palaver, forhandling (særlig mellem afrikanske indfødte og europæere); tom snak; smiger; (vb.) snakke vidt og bredt; smigre.
I. **pale** [peil] pæl; grænse; enemærke; (i heraldik) pæl; *be beyond the ~* have gjort sig socialt umulig, have sat sig uden for det gode selskab.
II. **pale** [peil] bleg; *as ~ as death* dødbleg; *turn ~* blegne.
III. **pale** [peil] (vb.) blegne, blive bleg, gøre bleg.
pale| ale (en lys alkoholholdig ølsort). ~ **-face** blegansigt, hvid mand. ~ **-faced** bleg, med et blegt ansigt.
Palestine ['pălistain] Palæstina.
palette ['pălit] palet. **palette-knife** paletkniv.
palfrey ['på·lfri] ridehest (især for damer); (poet.) ganger.
Pali ['pa·li] pali (sproget i buddhisternes hellige bøger).
palimpsest ['pălimpsest] palimpsest, håndskrift hvis oprindelige tekst er slettet for at give plads for en ny.
paling ['peiliŋ] stakit; pæle, pæleværk.
palisade [păli'seid] (subst.) palisade, pæleværk; (vb.) omgive med palisade.
I. **pall** [på·l] (subst.) pallium; ligklæde, sort klæde over en kiste; dække; *a ~ of smoke* **et røgtæppe.**

II. **pall** [på·l] (vb.) blive flov, tabe sin kraft, svækkes, blive kedelig, miste sin tiltrækning *(upon* for); overmætte, sløve; *it -ed upon me* (ogs.) jeg tabte efterhånden interessen for det, det begyndte at kede mig.

palladium [pə'leˈdiəm] palladium; billede af Pallas Athene; bolværk, værn, beskyttelsesmiddel.

Pallas Athene ['päläs ə'þi·ni] Pallas Athene.

Pallas's sand grouse (zo.) steppehøne.

pall-bearer ['på·lbæərə] sørgemarskal; (amr.) ligbærer.

pallet ['pälit] palet; pal; lastpalle (til gaffeltruck); halmmadras.

palliasse ['päliäs] halmmadras.

palliate ['pälieˈt] besmykke, undskylde; lindre.

palliation [päli'eˈʃən] undskyldning, besmykkelse; lindring.

palliative ['päliətiv] (adj.) undskyldende; besmykkende; lindrende; (subst.) lindrende middel.

pallid ['pälid] bleg, gusten. **pallid harrier** (zo.) steppehøg.

pallium ['päliəm] pallium.

Pall Mall ['pel'mel; 'päl'mäl] (gade i London).

pallor ['pälə] bleghed.

pally ['päli] **T** kammeratlig, intim, fidél.

I. **palm** [pa·m] (subst.) håndflade, flad hånd; ⚓ ankerflig; sejlmagerhandske; (vb.) berøre med håndfladen, beføle; gemme i hånden; *grease sby.'s ~* bestikke en; *have an itching ~* være grisk; *~ sth. off upon sby.* prakke en ngt. på; *~ off as* udgive for.

II. **palm** [pa·m] (subst.) palme; palmegren; sejr; *bear* (el. *carry off) the ~* gå af med sejren, bære prisen; *yield the ~ to sby.* indrømme at være besejret af én.

palmaceous [päl'meˈʃəs] palmeagtig, af palmefamilien.

palmate ['pälmit], **palmated** ['pälmeˈtid] ♧ håndformet.

palmer ['pa·mə] pilgrim.

Palmerston ['pa·məstən].

palmetto [päl'metoᵘ] viftepalme; dværgpalme.

palmist ['pa·mist] kiromant, en der spår efter håndens linjer. **palmistry** [-ri] kiromanti.

palm-oil ['pa·moil] palme-olie; **S** bestikkelse.

Palm Sunday ['pa·m'sʌndi] palmesøndag.

palm-tree ['pa·mtri·] palme.

palmy ['pa·mi] palmebevokset, palmelignende; sejrrig, lykkelig; *~ days* glansperiode.

palp [pälp] føletråd, følehorn. **palpability** [pälpə'biliti] håndgribelighed. **palpable** ['pälpəbl] håndgribelig; som er til at tage og føle på; tydelig, åbenbar.

palpate ['pälpeˈt] beføle; (med.) palpere. **palpation** [päl'peˈʃən] beføling.

palpitate ['pälpiteˈt] banke (heftigt), skælve. **palpitation** [pälpi'teˈʃən] hjertebanken.

palsgrave ['pälzgreˈv] pfalzgreve.

palsy ['på·lzi] lamhed; (vb.) lamme; ryste, skælve; *shaking ~* rystelammelse.

palter ['på(·)ltə] bruge kneb, komme med udflugter; tinge, prutte.

paltriness ['på(·)ltrinės] usselhed, elendighed, ubetydelighed.

paltry ['på(·)ltri] ussel (fx. *for a ~ three hundred pounds)*, elendig, ubetydelig, sølle.

paludal [pä'lu·dl] sumpet, sump- (fx. *~ fever)*.

paly ['peˈli] (poet.) bleg, gusten.

pampas ['pämpəs] Pampas (øde sletter i Sydamerika).

pamper ['pämpə] forvænne, forkæle.

pamphlet ['pämflėt] pjece, brochure, polemisk skrift, flyveskrift.

pamphleteer [pämfli'tiə] forfatter af flyveskrifter (etc.); (vb.) skrive flyveskrifter (etc.).

I. **Pan** [pän] Pan.

II. **pan** [pän] pande; kasserolle, fad; vægtskål; (wc-)kumme; fordybning, lavning; saltpande; (i film) panorering; **S** ansigt; *brain ~* pandeskal, hjerneskal.

III. **pan** [pän] (vb.) (i film) panorere; (om teaterstykke) rakke ned, sable ned; *~ out* vaske (guldholdigt grus) for at få guld; afgive guld; spænde af (fx. *see how it -s out)*; *~ out well* lykkes, give udbytte.

panacea [pänə'siə] universalmiddel.

panache [pə'na·ʃ, pə'näʃ] hjelmbusk; (fig.) pomp, prunk, glans; flothed; pral.

Panama [pänə'ma·] Panama; panamahat.

Pan-American ['pänə'merikən] panamerikansk (omfattende alle stater i Nord- og Sydamerika).

Pan-Anglican ['pän'äŋglikən] pananglikansk (omfattende alle grene af den anglikanske kirke).

pancake ['pänkeˈk] (subst.) pandekage; (flyv.) flad brat landing; (vb.) foretage flad brat landing; *Pancake Day, P. Tuesday* hvidetirsdag.

panchromatic [pänkroᵘ'mätik] pankromatisk.

pancreas ['päŋkriəs] bugspytkirtel.

pancreatic [päŋkri'ätik] som hører til bugspytkirtelen; *~ juice* bugspyt.

panda ['pändə] (zo.) lille panda, kattebjørn; (ogs.: *giant ~)* stor panda, bambusbjørn.

pandect ['pändekt] fuldstændig lovsamling; *the Pandects* Justinians samlinger af retslærdes betænkninger.

pandemic [pän'demik] (subst.) pandemi, meget udbredt epidemi; (adj.) pandemisk.

pandemonium [pändi'moᵘnjəm] pandæmonium, de onde ånders bolig; helvede; øredøvende spektakel; vild forvirring.

pander ['pändə] (subst.) kobler, ruffer; villigt redskab; (vb.) koble; *~ to* være kobler for; (fig.) lefle for (fx. *their low tastes)*.

pane [peˈn] (vindues)rude; (firkantet) felt; (se ogs. *peen)*.

panegyric [päni'dʒirik] panegyrik, lovtale. **panegyrical** [päni'dʒirikl] panegyrisk, lovprisende, rosende, smigrende.

panegyrist [päni'dʒirist] lovpriser. **panegyrize** ['pänidʒiraiz] berømme, rose; holde lovtaler.

I. **panel** ['pänl] (subst.) felt, fag; fylding (i dør); fløj (af altertavle); pude (til sadel); (bogb.) rygfelt; rude (i kuvert); liste, nævningeliste; jury; (udvalgt) gruppe, udvalg, bedømmelseskomité; fortegnelse over sygekasselæger (el. sygekassepatienter); indfældet stykke i kjole, kile; langt, smalt fotografi; omskiftertavle, betjeningstavle.

II. **panel** ['pänl] (vb.) inddele i felter; beklæde med panel.

panel doctor sygekasselæge.

panelling ['pän(ə)liŋ] panel; felter, fyldinger.

panellist ['pänəlist] medlem af diskussionsgruppe (ved radiodiskussion).

panel| patient sygekassepatient. *~* **practice** sygekassepraksis.

pang [päŋ] smerte, kval, stik; *-s of childbirth* fødselsveer; *-s of conscience* samvittighedskvaler; *-s of death* dødskval.

Pan-German ['pän'dʒə·mən] altysk.

pangolin [päŋ'goᵘlin] (zo.) skældyr.

panhandle ['pänhändl] (amr. **S**) tigge. **panhandler** ['pänhändlə] (amr. **S**) tigger.

panic ['pänik] (subst.) panik; panisk skræk; (adj.) panisk; (vb.) fremkalde panik hos; blive grebet af panik.

panicky ['päniki] panikagtig; (som let bliver) grebet af panik, panikslagen, hovedløs.

panicle ['pänikl] ♧ top (en blomsterstand).

panic|-monger ['pänikmʌŋgə] en der forsøger at skabe panik, panikmager. *~* **-stricken** [-strikn], *~* **-struck** [-strʌk] grebet af panik, panikslagen.

panjandrum [pän'dʒändrəm] matador, stormand; stormægtighed.

pannage ['pänidʒ] olden; ret til (el. afgift for) at holde svin på olden.

pannier ['päniə] kurv (især til at bære på ryggen el. som bæres af lastdyr); krinoline; *-s* **cykeltasker** (der sættes over bagagebæreren).

pannikin ['pänikin] metalkrus; lille pande.

panoplied ['pänəplid] fuldt rustet.
panoply ['pänəpli] fuld udrustning; pragtskrud; pomp.
panorama [pänə'ra·mə] panorama.
panoramic [pänə'rämik] panorama-.
pan-pipe panfløjte.
Pan-Slavic ['pän'sla·vik] panslavisk. **Panslavism** ['pän'sla·vizm] panslavisme.
pansy ['pänzi] stedmoderblomst; **S** kvindagtigt mandfolk; homoseksuel; (adj.) kvindagtig, homoseksuel.
pant [pänt] (subst.) gisp, snappen efter vejret, stønnen; (vb.) stønne, puste, gispe; hige *(for, after* efter); ~ *(out)* fremstønne; ~ *for breath* snappe efter vejret.
pantalet(te)s [päntə'lets] mamelukker, damebenklæder.
Pantaloon [päntə'lu·n] Pantalone; latterlig person i komedier og pantomimer.
pantaloons (pl., glds.) bukser.
pantechnicon [pän'teknikən] møbelopbevaringsmagasin; ~ *(van)* flytteomnibus.
pantheism ['pänþiizm] panteisme. **pantheist** [-ist] panteist. **pantheistic** [pänþi'istik] panteistisk.
pantheon ['pänþiən] panteon; gudekreds.
panther ['pänþə] panter.
panties ['päntiz] (børns el. kvinders) benklæder.
pantile ['päntail] vingetagsten.
panto ['päntoᵘ] **T** = *pantomime.*
pantograph ['päntogra·f] pantograf.
pantomime ['päntəmaim] (subst.) form for engelsk eventyrkomedie (der opføres ved juletid); (ogs.) pantomime (stumt skuespil); (vb.) udtrykke pantomimisk; spille i pantomime. **pantomimic** [päntə'mimik] pantomimisk. **pantomimist** ['päntəmaimist] pantomimiker.
pantry ['päntri] spisekammer; anretterværelse; stirrids.
pants [pänts] benklæder, bukser; underbukser; *a kick in the* ~ et spark bagi.
I. **pap** [päp] melpap; vælling, grød etc. (til små børn og syge); grødagtig masse; (ogs. fig.) barnemad.
II. **pap** [päp] (glds.) brystvorte.
papa [pə'pa·] papa, far.
papacy ['peⁱpəsi] pavedømme; paveværdighed, pontifikat. **papal** ['peⁱpəl] pavelig.
papaverous [pə'peⁱvərəs] valmueagtig.
papaw [pə'på·] ♧ melontræ; (amr.) papau.
I. **paper** ['peⁱpə] (subst.) papir; blad, avis; tapet; (videnskabeligt) foredrag; afhandling; (skriftlig eksamens)opgave; seddel; pakke, brev (fx. ~ *of pins* brev knappenåle); værdipapir, veksel; (penge)sedler; fribilletter; *-s* (ogs.) papillotter; *read a* ~ *on* holde foredrag om; holde forelæsning over; *send in one's -s* indgive sin afskedsansøgning, søge sin afsked; *in* ~ i sedler; (om bog) hæftet; *the house is full of* ~ de fleste tilskuere har fribillet; *on* ~ på papiret (ɔ: i teorien); *commit to* ~ nedskrive, bringe på papiret; *put pen to* ~ gribe pennen.
II. **paper** ['peⁱpə] (vb.) dække med papir, tapetsere; lægge i papir; indpakke i papir; **S** fylde (teater etc.) ved uddeling af fribilletter; ~ *over the cracks* (fig.) dække over uenigheden, bringe et spinkelt forlig i stand; ~ *up* tilklistre med papir.
III. **paper** ['peⁱpə] (adj.) papir-, papirs- (fx. *towel);* (fig.) skrivebords- (fx. *work);* som kun eksisterer på papiret (fx. *a* ~ *blockade; the* ~ *strength of the army).*
paper|-back (subst.) uindbunden bog, billigbog; (adj.) = ~ **-backed** uindbunden, hæftet, brocheret; i billigbogsudstyr. ~ **-bag** papirspose, dragtpose. ~ **-bag cookery** ovnstegning af mad som er indpakket i papir smurt med fedtstof. ~ **-boards**: *in* ~ *-boards* kartonneret. ~ **-bound** (om bog) hæftet, brocheret. ~ **-chase** sporjagt, papirsjagt. ~ **-cover** = *-back.* ~ **-hanger** tapetserer. ~ **-hanging** tapetsering. ~ **-hangings** tapeter, tapet.
paper|-knife papirkniv. ~ **-maker** papirfabrikant. ~ **-mill** papirfabrik. ~ **money** seddelpenge, papirspenge. ~ **-stainer** tapetfabrikant. ~ **stock** råmaterialer til papirfabrikation. ~ **-warfare** pennefejde. ~ **-weight** brevpresser.
papery ['peⁱpəri] som papir, papiragtig.
papier mâché ['päpieⁱ'ma·ʃeⁱ] papmaché.
papill|a [pə'pilə] (pl. *-ae* [-li·]) papil.
papist ['peⁱpist] papist. **papistical** [pə'pistikl] papistisk. **papistry** ['peⁱpistri] papisme.
papoose [pə'pu·s] indianerbarn.
pappus ['päpəs] fnug, fnok.
pappy ['päpi] grødagtig, blød.
papyr|us [pə'paiərəs] (pl. *-i* [-ai]) papyrus; papyrusrulle.
par [pa·] lighed, ligestilling; pari; det normale; *above* ~ over pari; *at* ~ til pari; *be on a* ~ *with* stå lige med; være på linie (el. på højde) med; *put on a* ~ *with* ligestille med; *I don't feel quite up to* ~ jeg føler mig skidt tilpas.
par. fk. f. *paragraph.*
parable ['pärəbl] parabel, lignelse.
parabola [pə'räbələ] (i geometri) parabel.
parabolic [pärə'bålik] parabolisk, af form som en parabel.
parabolical [pärə'bålikl] parabolisk, udtrykt i lignelser.
parachute ['pärəʃu·t] (subst.) faldskærm; (vb.) kaste ud med faldskærm, springe ud med faldskærm; ~ *dive* faldskærmsudspring; ~ *flare* faldskærmslys; ~ *troops* faldskærmstropper.
parachutist ['pärəʃu·tist] faldskærmssoldat, faldskærmsudspringer.
Paraclete ['pärəkli·t] Helligånden, talsmanden.
parade [pə'reⁱd] parade; paradeplads; promenade; opvisning (fx. *mannequin* ~*);* pralende fremvisning; *make a* ~ *of* = II. *parade* (fig.).
II. **parade** [pə'reⁱd] (vb.) (lade) paradere; paradere i, gå i procession gennem; (fig.) paradere med, vise, skilte med, stille til skue.
parade-ground paradeplads.
paradigm ['pärədaim] paradigma, bøjningsmønster.
paradisaic [pärədi'zeⁱik] paradisisk.
paradise ['pärədais] paradis; *an earthly* ~ et jordisk paradis; *fool's* ~, se I. *fool.*
paradisiac [pärə'disiäk], **paradisiacal** [pärədi'saiəkəl], **paradisial** [pärə'disiəl], **paradisic** [pärə'dizik] paradisisk.
parados ['pärədås] rygværn (i befæstningsanlæg).
paradox ['pärədåks] paradoks. **paradoxical** [pärə'dåksikl] paradoksal. **paradoxist** ['pärədåksist] paradoksmager. **paradoxy** ['pärədåksi] paradoksi, paradoksal beskaffenhed.
paraffin ['pärəfi(·)n] paraffin; petroleum; (vb.) paraffinere; *liquid* ~ paraffinolie.
paraffin| oil petroleum; *pure* ~ *oil* paraffinolie. ~ **wax** paraffin.
paragon ['pärəgən] mønster; (vb.) (poet.) sammenligne; ~ *of virtue* dydsmønster.
paragraph ['pärəgra·f] (subst.) paragraf, afsnit, stykke; notits, artikel (i et blad), petitartikel; (vb.) paragrafere, inddele i afsnit; behandle (el. omtale) i en avisnotits; *new* ~ (i diktat) ny linje, nyt afsnit.
paragrapher, paragraphist petitjournalist.
Paraguay ['pärəgweⁱ, 'pärəgwai].
parakeet ['pärəki·t] parakit (en papegøje); *grass* ~ undulat.
parallax ['pärəläks] parallakse.
parallel ['pärəlel] (adj.) parallel *(to, with* med); ligeløbende; tilsvarende; (subst.) parallel; sammenligning (fx. *draw a* ~ *between them);* sidestykke (fx. *without (a)* ~*);* (vb.) finde magen til, opvise et sidestykke til; løbe parallel med, svare til, kunne måle sig med; ~ *(of latitude)* breddegrad; ~ *bars* barre (til gymnastik).
parallelism ['pärəlelizm] parallelisme, lighed, parallel.
parallelogram [pärə'leləgräm] parallelogram.

paralysation [pārəlai'zeⁱʃən] lammelse.
paralyse ['pārəlaiz] lamme; lamslå.
paralysis [pə'rälisis] lammelse.
paralytic [pārə'litik] (adj.) lam, lammet; lamheds-; (subst.) paralytiker; ~ *stroke* slagtilfælde.
paramount ['pärəmaunt] øverst; altoverskyggende; *of ~ importance* af største (el. yderste) vigtighed; ~ *to* der går forud for, der går frem for; *lord* ~ overherre.
paramour ['pärəmuə] elsker, elskende, maitresse.
paranoia [pärə'noiə] paranoia, forrykthed.
parapet ['pärəpėt] brystning, (lavt) rækværk; ⚔ brystværn, jordvold el. sandsække foran skyttegrav.
paraphernalia [pärəfə'neⁱljə] tilbehør, udstyr; (glds. jur.) hustrus personlige ejendele.
paraphrase ['pärəfreⁱz] (subst.) parafrase, omskrivning; (vb.) parafrasere, omskrive.
paraphrastic [pärə'frästik] omskrivende.
paraselene [pärəsi'li·ni] bimåne.
parasite ['pärəsait] parasit, snyltegæst, snylter; snylteplante, snyltedyr; *-s* (ogs.) radioforstyrrelse fra atmosfæren. **parasitic** [pärə'sitik] snyltende, parasitisk; snylte-.
parasol [pärə'sål] parasol.
paratroops ['pärətru·ps] faldskærmstropper.
paratyphoid ['pärə'taifoid] paratyfus.
paravane ['pärəveⁱn] ⚓ paravane.
parboil ['pa·boil] halvkoge; (fig.) stege, skolde.
parcel ['pa·sl] (subst.) pakke; jordlod, parcel; (merk.) parti (varer); (nedsættende:) flok, samling; (glds.) del; (vb.) ⚓ smerte; *-s* (merk.) colli; ~ *(out)* fordele, udstykke; ~ *up* pakke ind; *part and* ~ fast bestanddel, integrerende del.
parcelling ⚓ smerting; slidbevikling.
parcel post pakkepost.
parch [pa·tʃ] (af)svide, brænde; riste; tørre ind; afsvides; *-ed* (ogs.) solsveden; *be -ed with thirst* have en brændende tørst; være meget tørstig.
parchment ['pa·tʃmənt] pergament.
I. **pard** [pa·d] (glds.) leopard.
II. **pard, pardner S** = *partner*.
pardon ['pa·dn] (vb.) tilgive; benåde; (subst.) tilgivelse, benådning, amnesti, (rel.) aflad; ~ *me* undskyld! *(I beg your)* ~ hvad behager? om forladelse! undskyld! *I beg you a thousand -s* jeg beder tusinde gange om forladelse.
pardonable ['pa·dnəbl] tilgivelig.
pardoner ['pa·dnə] afladskræmmer.
pare [pæə] skrælle (fx. *an apple*); klippe (fx. *one's nails*); skære, skrabe; beskære, beklippe; ~ *(down)* nedskære, nedbringe (fx. *one's expenses*); ~ *off* afskrælle.
parenchyma [pə'reŋkimə] (subst.) grundvæv, parenkym; cellevæv, marv.
parent ['pæərənt] fader; moder; ophav, oprindelse, rod (*of* til); *a* ~ en af forældrene; *-s* forældre; *our first -s* Adam og Eva.
parentage ['pæərəntidʒ] herkomst; forældreværdighed.
parental [pə'rentl] faderlig; moderlig; forældre-; ~ *school* skole for vanskelige børn.
parent company moderselskab.
parenthes|is [pə'renþisis] (plur. *-es* [-i·z]) parentes; (fig.) mellemrum, intermezzo.
parenthesize [pə'renþisaiz] indskyde i en parentes, sætte i parentes.
parenthetic(al) [pärən'þetik(l)] parentetisk.
parenthood ['pæərənthud] forældreværdighed.
paresis [pə'ri·sis] (med.) parese, lettere lammelse.
parget ['pa·dʒėt] murpuds, stukkatur.
pariah ['päriə] paria.
paring ['pæəriŋ] skræl, afskåret (el. afklippet) stykke, spån; afskåret osteskorpe; *nail -s* afklippede negle.
pari passu ['pæəri 'päsu·] i samme tempo (el. grad) (*with* som); side om side (*with* med); ~ *with* (ogs.) jævnsides med.
Paris ['päris].
parish ['päriʃ] sogn, kommune; sogne-; *go on the* ~ komme på sognet, få fattighjælp.
parish| clerk degn, klokker. ~ **council** sogneråd. ~ **councillor** sognerådsmedlem.
parishioner [pə'riʃənə] indbygger i et sogn, sognebarn.
parish|-pump (adj.) snævert lokal; sogne-; som kun interesserer sig for den hjemlige andedam. ~ **register** kirkebog.
Parisian [pə'rizjən] parisisk; pariser(inde).
parity ['päriti] paritet, ligestilling, lighed; pari.
I. **park** [pa·k] (subst.) (offentlig) park, anlæg; lystskov; parkeringsplads; østersbassin; ⚔ (vogn)park.
II. **park** [pa·k] (vb.) parkere; **T** (fig. ogs.) anbringe; efterlade, stille.
parka ['pa·kə] anorak.
Parkeston ['pa·kstən].
parking| meter parkometer. ~ **lot,** ~ **place,** ~ **space** parkeringsplads.
parky ['pa·ki] **S** (bidende) kold, iskold.
parlance ['pa·ləns] sprog(brug); *in common* (el. *ordinary*) ~ i daglig tale, efter almindelig sprogbrug; *legal* ~ juridisk sprog.
parley ['pa·li] (vb.) forhandle, underhandle, parlamentere; tale; (subst.) forhandling; underhandling; *sound a* ~ ⚔ give trompetsignal til underhandling.
parleyvoo [pa·li'vu·] **T** (adj.) fransk; (subst.) franskmand; (vb.) tale fransk.
parliament ['pa·ləmənt] parlament, rigsdag.
parliamentarian [pa·ləmen'tæəriən] (adj.) parlamentarisk; parlaments-; (subst.) tilhænger af parlamentet (i 17. årh.); parlamentariker.
parliamentarism [pa·lə'mentərizm] parlamentarisme.
parliamentary [pa·lə'mentəri] parlamentarisk; parlaments-, rigsdags-.
parlour ['pa·lə] (amr.: **parlor**) dagligstue; modtagelsesværelse; salon; (i kro) gæstestue; (i kloster) taleværelse; (amr.) salon (fx. *hairdresser's* ~ frisørsalon); atelier (fx. *photographer's* ~).
parlour| boarder kostskoleelev, der bor hos rektor; **S** særlig begunstiget medlem af husstanden. ~ **Bolshevist** salonkommunist. ~ **car** (amr.) salonvogn. ~ **game** selskabsleg. ~ **-maid** stuepige. ~ **pink S** moderat socialist.
parlous ['pa·ləs] (glds.) farlig; (adv.) forfærdelig, vældig.
Parmesan [pa·mi'zän]: ~ *(cheese)* parmesanost.
Parnassus [pa·'näsəs] Parnas; *grass of* ~ ♧ leverurt.
Parnell [pa·'nel, 'pa·nəl].
parochial [pə'roᵘkjəl] sogne-, kommunal; snæver (-synet), provinsiel.
parodist ['pärədist] parodiker. **parody** ['pärədi] parodi; parodiere.
parole [pə'roᵘl] (subst.) parole; æresord; prøveløsladelse; (vb.) løslade på æresord; prøveløslade.
parotid [pə'råtid]: ~ *gland* ørespytkirtel.
parotitis [pärə'taitis] (med.) fåresyge.
paroxysm ['pärəksizm] paroksysme, (voldsomt) anfald; *she burst into a* ~ *of tears* hun brast i en heftig gråd.
parquet ['pa·keⁱ, 'pa·kit; (amr.) pa·'ket] (subst.) parketgulv; (vb.) lægge parketgulv i; indlægge med træ.
parquet circle (amr.) parterre (i teater).
parquetry ['pa·kėtri] parketgulv, parketplader.
parr [pa·] (zo.) ung laks.
parricidal [päri'saidl] fadermorderisk; modermorderisk; landsforræderisk.
parricide ['pärisaid] fadermorder, modermorder; landsforræder; fadermord; modermord; landsforræderi.
parrot ['pärət] (subst.) papegøje; (fig.) eftersnakker; (vb.) snakke efter, efterplapre.
parrot|-crossbill (zo.) stor korsnæb. ~ **-fish** (zo.) papegøjefisk.

parrotry ['pärətri] eftersnakken, efterplapren.
parry ['päri] (vb.) afbøde; afparere; parere; (subst.) afparering, parade; ~ *a question* gå uden om et spørgsmål.
parse [pa·z] analysere (i grammatik).
Parsee [pa·'si·] parser.
parsimonious [pa·si'moᵘnjəs] (alt for) sparsommelig, påholdende, karrig. **parsimony** ['pa·siməni] sparsommelighed, påholdenhed.
parsley ['pa·sli] ♧ persille; *curled* ~ kruspersille.
parsnip ['pa·snip] ♧ pastinak; (se ogs. *butter*).
parson ['pa·sn] sognepræst, præst; *it's enough to make a ~ swear* (omtr. =) det kan få en engel til at miste tålmodigheden.
parsonage ['pa·snidʒ] præstegård.
parson's nose gump på fjerkræ.
I. **part** [pa·t] (subst.) del, part; andel; del af et skrift, hæfte, levering; reservedel; stemme (i musik); parti; side; rolle; (amr.) skilning; *-s* (ogs.) begavelse, evner; egn, kant (af landet); *do one's* ~ gøre sit; gøre sin skyldighed; *for (the) most* ~ for størstedelen; for det meste, i reglen; *for my* ~ hvad mig angår, for mit vedkommende; *in* ~ delvis; *in foreign -s* i udlandet; *in these -s* på disse kanter; *(the) most* ~ størstedelen, de fleste; *a man of -s* et begavet menneske; ~ *of* en del af; ~ *of speech* ordklasse; *on his* ~ fra hans side; *play a* ~ spille en rolle; spille komedie; *take it in good* ~ ikke tage det ilde op; *take (a) ~ in sth.* tage del i noget (fx. *take ~ in the conversation); take his* ~ tage parti for ham.
II. **part** [pa·t] (vb.) dele; adskille; skille; dele sig, gå i stykker; revne, springe, briste, sprænges; skilles; skille sig; ~ *company* skilles; gå hver sin vej; ~ *company with* skilles fra; være uenig med; ~ *friends* skilles som venner; ~ *from* tage afsked med; ~ *with* skille sig af med.
part. fk. f. *participle.*
partake [pa·'teⁱk] *(partook, partaken)* spise, drikke; deltage *(in, of* i); dele, tage del i; ~ *of* deltage i; nyde, indtage, spise (fx. *they had -n of an excellent meal);* have et anstrøg af; være noget præget af (fx. *his manner -s of stupidity); ~ of the nature of an insult* være af fornærmelig karakter; ~ *too freely of* tage for stærkt til sig af.
partaker [pa·'teⁱkə] deltager.
parterre [pa·'tæə] (blomster)parterre; gulv i teater (ɔ: parket og parterre); (amr.) parterre.
parthenogenesis ['pa·þino'dʒenisis] partenogenese; jomfrufødsel.
Parthia ['pa·þiə] Partien. **Parthian** ['pa·þiən] partisk; parter; ~ *shot* (el. *shaft)* rammende svar som afleveres idet man går, 'afskedssalut'.
partial ['pa·ʃəl] partiel, delvis; partisk; *be ~ to* ynde, holde af, være indtaget i, have en svaghed for, have forkærlighed for. **partiality** [pa·ʃi'äliti] partiskhed; svaghed, forkærlighed *(to, for* for). **partially** ['pa·ʃəli] delvis, for en del.
participant [pa·'tisipənt] deltager; deltagende.
participate [pa·'tisipeⁱt] deltage, tage del *(in* i); ~ *of the nature of satire* rumme et element af satire.
participation [pa·tisi'peⁱʃən] deltagelse. **participator** [pa·'tisipeⁱtə] deltager.
participial [pa·ti'sipiəl] participial. **participle** ['pa·t(i)sipl] tillægsform, participium.
particle ['pa·tikl] lille del; småord; partikel, atom; *not a* ~ ikke det mindste; ~ *of dust* støvkorn, støvgran; *there wasn't a ~ of truth in it* der var ikke et gran af sandhed deri.
parti-coloured ['pa·tikʌləd] broget, spraglet.
particular [pə'tikjulə] (adj.) særlig (fx. *for no ~ reason);* særskilt, bestemt, enkelt, speciel, vis; nøjagtig, detaljeret (fx. *a full and ~ description);* nøjeregnende, fordringsfuld, kræsen *(about, as to, in* med (hensyn til)); (glds.) mærkelig; (subst.) enkelthed; *in* ~ især, i særdeleshed (fx. *there is one word in ~); nothing in* ~ ikke noget særligt; *in this* ~ på dette punkt, i denne henseende; *(further) -s* nærmere omstændigheder; *for -s apply to* (el. *inquire at)* nærmere oplysninger fås hos; *go into -s* gå i detaljer.
particularity [pətikju'läriti] nøjagtighed, udførlighed, omstændelighed; særegenhed.
particularize [pə'tikjuləraiz] nævne særskilt, opføre enkeltvis, specificere; fremstille i enkeltheder, omtale udførligt.
particularly [pə'tikjuləli] særlig, især, i særdeleshed; særskilt; i enkeltheder, detaljeret; *more* ~ ganske særlig, især.
parting ['pa·tiŋ] (adj.) delende, skillende; afskeds- (fx. *words);* (subst.) deling, adskillelse; afsked, opbrud, skilsmisse; hårskilning; ~ *of the ways* vejskel; skillevej; ~ *shot* afskedssalut; ~ *visit* afskedsbesøg.
partisan [pa·ti'zän] partigænger, tilhænger; partifanatiker; partisan (ɔ: frihedskæmper); (hist.) partisan (slags spyd).
partisanship [pa·ti'zänʃip] tilhørighed til et parti; partigængeri, partibundethed; partipolitik.
partite ['pa·tait] (adj.) ♧ delt.
partition [pa·'tiʃən] (subst.) deling; afdeling, del; skel, skillerum, skillevæg; (vb.) dele; skifte (et bo); ~ *off* skilre fra, skille fra (med en skillevæg).
partition wall skillevæg, skillemur.
partitive ['pa·titiv] delende, delings-, partitiv.
partly ['pa·tli] til dels, delvis; for en del.
partner ['pa·tnə] deltager; parthaver, interessent, kompagnon; makker, medspiller; ægtefælle; partner, bordherre, borddame; dansepartner; *go -s* gå i kompagni, slå sig sammen.
partnership ['pa·tnəʃip] kompagni(skab), interessentskab; fællesskab, delagtighed; firma; *enter into* ~ gå i kompagniskab; *take sby. into* ~ optage en som kompagnon.
partook imperf. af *partake.*
part-owner medejer, parthaver, medreder.
part-payment delvis betaling, afdrag.
partridge ['pa·tridʒ] agerhøne. **partridge-wood** fasantræ.
part|-singing, ~ -song flerstemmig sang.
part-time ['pa·ttaim] (adj.) deltidsbeskæftiget; deltids- (fx. *work),* halvdags-.
parturient [pa·'tjuəriənt] fødende.
parturition [pa·tju'riʃən] fødsel.
partway (adv., amr.) delvis; et stykke (vej).
party ['pa·ti] parti; selskab; kommando, afdeling; gruppe; deltager *(to* i), medskyldig; part; (spøgende) person; *give* (el. *have,* **T** *throw) a* ~ holde selskab; *be at a* ~ være i selskab; *be* (el. *make) one of a* ~ være med, være blandt deltagerne; *go to a* ~ gå til selskab; *be a ~ to* være delagtig i, have noget at gøre med; *be a ~ to the case* være part i sagen.
party-coloured broget, spraglet.
party line partilinie; partiskel; (tlf.) partsledning; *vote along* (el. *on) -s* stemme efter partier; *cut across -s* gå på tværs af partierne.
party-liner partigænger.
party| man partimand, partigænger. **~ spirit** partiånd. **~ telephone** partstelefon. **~ ticket** partiprogram. **~ wall** skillemur, brandmur (mellem huse).
parvenu ['pa·vənju·] parvenu, opkomling.
pas [pa·, pl. pa·z] trin; forrang (fx. *have the ~).*
paschal ['pa·skəl] påske-.
pash [päʃ] **S** sværmeri; *have a ~ for sby.* sværme for en.
pasha ['pa·ʃə] pasha.
pasquinade [päskwi'neⁱd] smædeskrift.
I. **pass** [pa·s] (vb.) passere, gå (el. komme, bevæge sig, køre, ride etc.) forbi (el. over, igennem); gå, komme, bevæge sig etc.; gå (hen) (fx. *six months -ed)* forløbe, svinde; tilbringe, fordrive (fx. *~ the time);* gå rundt (fx. *the bottle -ed from hand to hand);* lade gå rundt, lade passere, sende videre, række (fx. *~ (me) the mustard, please);* overgå, gå i arv (fx. *the estate -ed to his son);* gå over, drive over, fortage sig (fx. *the pain soon -ed),* forsvinde (fx. *a custom that is -ing);* overgå, overstige (fx. *it -es my comprehension* det over-

stiger min fatteevne); foregå, gå for sig (fx. *I know what has -ed)*; bestå (fx. *an examination)*; blive vedtaget i (el. af, fx. *the bill -ed the Commons)*; slippe igennem, blive godkendt (af); vedtage (fx. *the House of Commons -ed the bill)*; godkende; udvikle sig, blive (*into* til); føre, lade glide (fx. *~ one's hand over sth.)*; stikke (fx. *a sword through sby.)*; sætte i omløb (fx. *~ false notes)*; være gangbar, gælde; afsiges, afsige (fx. *~ (a) sentence)*; udveksle, udveksles; (i kortspil) passe, melde pas; (i fægtning) gøre udfald; (i boldspil) lade (bolden) gå videre, aflevere;

it -es belief det er utroligt; *~ current* være gangbar (om penge); *~ one's lips* komme over ens læber; *it -es me to understand how* ... det går over min forstand hvordan ...; *~ muster* blive godkendt, blive anerkendt, kunne stå for kritik, bestå prøven, gå an; *~ a remark* fremsætte en bemærkning; *~ the time of day* hilse på hinanden, sige goddag (til hinanden); *bring (, come) to ~*, se II. *pass*; *~ water* lade vandet; *~ one's word* give sit ord;

(forb. med præp. og adv.): *~ away* gå bort; dø; gå til ende; forgå, svinde; fordrive (tiden); *~ by* passere forbi; forbigå, ignorere, springe over; *~ by the name of* ... gå under navnet ...; *~ for* gå for at være (fx. *~ for a rich man)*; *-ed for press* (typ.) trykfærdig; *be -ed for active service* blive taget til krigstjeneste; *~ in* indlevere; *~ in review* lade passere revy; *~ into* blive til, gå over til (fx. *when water boils it -es into steam)*; *~ off* gå over, fortage sig (fx. *the pain is -ing off)*; finde sted, forløbe; udgive (*as* for, fx. *~ oneself off as a rich man)*; *~ sth. off on sby.* prakke en ngt. på;

~ on gå videre; lade gå videre, sende videre; (lade) gå videre til; gå over (*to* til, fx. *another subject)*; dø, gå bort, afgå ved døden; *~ out* miste bevidstheden; tage eksamen, blive dimitteret; *~ over* springe over (fx. *let us ~ over the details)*; forbigå, lade upåagtet, se igennem fingre med; overrække, overdrage; *he -ed his hand over his eyes* han strøg sig med hånden over øjnene; *~ your eye over this letter* løb lige dette brev igennem; *~ a rope round it* slå et reb omkring det; *~ through* passere gennem, komme gennem; gennemgå, opleve; trænge igennem, stikke (el. jage, støde etc.) igennem (fx. *~ a sword through sby.)*; *~ under the name of* ... gå under navnet ...; *~ up* (amr. T) afvise, ignorere; lade gå fra sig (fx. *a chance)*.

II. **pass** [pa·s] (subst.) passage, gang, vej, overgang; pas, snævring; passerseddel, fribillet, pas; (kritisk) situation, kritisk punkt; stød (i fægtning); (hypnotisørs) strygning; aflevering (i fodbold); det at bestå eksamen; *bring to ~* bevirke, forårsage; iværksætte, gennemføre; *come to ~* hænde, indtræffe; *free ~* fribillet; *hold the ~* forsvare sin sag; *make a ~* (el. *-es) at a girl* **T** gøre tilnærmelser til en pige; blive nærgående over for en pige; *be at a pretty ~* sidde net i det; *sell the ~* forråde sin sag, begå forræderi.

passable ['pa·səbl] fremkommelig, farbar; antagelig, tålelig.

passage ['päsidʒ] passage, gennemgang, gennemrejse; overfart (fx. *a rough ~)*; forbifart, forbikørsel; gang, korridor; vej; ret til gennemgang; overgang; afsnit, sted (i en bog etc.); gennemførelse, vedtagelse; forbindelse, mellemværende, ordskifte; *~ of arms* dyst; *bird of ~* trækfugl; *book one's ~* bestille billet (til skibet); *the Bill had an easy ~ (through Parliament)* loven gik glat igennem; *force* (el. *make) a ~* bane sig vej, trænge sig igennem; *the ~ of time* tidens gang; *work one's ~* få fri rejse mod at udføre arbejde om bord; arbejde sig over.

passage| grave (arkæol.) jættestue. **-way** korridor, gang.

pass-book ['pa·sbuk] bankbog; kontrabog.

pass degree lettere universitetseksamen (sammenlignet med *honours*).

passé ['päseⁱ] forældet, passé, falmet.

passenger ['päs(i)ndʒə] passager; (fig.) én der ikke gør gavn; *foot ~* fodgænger.

passenger| car personbil; (amr. jernb.) personvogn. **~ -pigeon** vandredue. **~ -ship** passagerskib. **~ -train** persontog.

passer-by (pl. *passers-by*) (subst.) forbipasserende.

passerine ['päsərain]: *~ (bird)* (zo.) spurvefugl.

passibility [päsi'biliti] modtagelighed, følsomhed.

passible ['päsibl] modtagelig, følsom.

passim ['päsim] på forskellige steder, alle vegne, overalt (i bogen etc.).

passimeter [pä'simitə] billetautomat.

passing ['pa·siŋ] (adj.) forbigående, forbipasserende, forbisejlende; flygtig; tilfældig; (adv., glds.) overordentlig, såre (fx. *~ rich)*; (subst.) forbipassage, forbifart; bortgang, forsvinden, død; flugt; indtræffen; vedtagelse; *in ~* i forbifarten.

passing-bell ligklokke.

passing-out| ceremony (omtr.) dimissionsfest. **~ parade** afgangsparade (ved militærskole).

passion ['päʃən] lidenskab; vrede, forbitrelse; voldsom sindsbevægelse; heftigt udbrud; lidenskabelig lyst (*for* til), passion; lidenskabelig kærlighed, begær, attrå; *(Christ's) Passion* Kristi lidelse; *in a ~* i vrede, opbragt; *fly into a ~* flyve i flint (*about* over); *put in* (el. *throw into) a ~* gøre rasende.

passionate ['päʃənėt] lidenskabelig; passioneret.

passion|-flower ['päʃənflauə] passionsblomst. **-less** [-lės] lidenskabsløs, rolig, kold.

Passion|-music passionsmusik. **~ -play** passionsskuespil. **~ -week** den stille uge.

passive ['päsiv] passiv, uvirksom; *~ debt* rentefri gæld; *~ resistance* passiv modstand; *the ~ (voice)* passiv, lideform.

passivity [pä'siviti] passivitet.

pass|-key ['pa·ski·] hovednøgle; gadedørsnøgle. **-man** ['pa·smän] en der forbereder sig til (el. består) en *pass degree*.

Passover ['pa·soᵘvə] jødernes påskefest; påskelam.

pass|port pas. **-word** feltråb; løsen.

I. **past** [pa·st] (adj.) forløben (fx. *the ~ week)*; svunden, fortidig; tidligere (fx. *generations)*; (subst.) fortid; *for the ~ fortnight* i de sidste 14 dage; *for years ~* i årevis; *40 years ~* for 40 år siden; *in times long ~* i længst forsvundne dage; *his ~ (life)* hans fortid; *~ tense* fortid (i grammatik); *English ~ and present* engelsk før og nu; *it is a thing of the ~* det tilhører fortiden, det er et overstået stadium.

II. **past** [pa·st] (adv.) forbi (fx. *walk ~)*; (præp.) forbi (fx. *he walked ~ me)*; over, ud over; uden for rækkevidden af; *she is ~ child-bearing* hun er for gammel til at få børn; *~ danger* uden for fare; *~ endurance* (el. *bearing)* uudholdelig; *he is ~ help* han kan ikke hjælpes; *~ hope* håbløs; *he is ~ praying for* det er ude med ham, han står ikke til at redde; *ten ~ two* ti minutter over to; *at half ~ two* kl. halvtre; *I wouldn't put it ~ him* jeg kunne godt tiltro ham det; *he is ~ work* han kan ikke længere arbejde.

past-due interest forfaldne renter.

paste [peⁱst] (subst.) masse, dej; lermasse; pasta; klister; falsk(e) ædelsten(e); (vb.) klæbe, klistre; mørbanke; *~ up* klæbe op; tilklistre.

pasteboard ['peⁱstbå·d] (subst.) pap; dejbræt; **S** (visit)kort, spillekort, jernbanebillet; (adj.) pap-; (fig.) pap- (fx. *figure)*; uægte; skin- (fx. *fight)*; pseudo- (fx. *romanticism)*.

pastedown ['peⁱstdaun] forsatsblad (som klistres til bindet).

pastel ['pästəl] pastel, pastelmaleri; lille (litterær) skitse; (adj.) pastel- (fx. *blue, grey, yellow)*.

pastel(l)ist ['pästelist] pastelmaler.

pastel-shades pastelfarver (ɔ: nuancer).

pastern ['pästə·n] (hests) kode.

Pasteur [pä'stə·]. **pasteurization** [pästərai'zeⁱʃən] pasteurisering. **pasteurize** ['pästəraiz] pasteurisere.

pastille [pä'sti·l] pastil; røgelsespastil.

pastime ['pa·staim] tidsfordriv, morskab.

past-master ['pa·st'ma·stə] mester *(of, in* i); forhenværende mester (især blandt frimurere).

pastor ['pa·stə] sjælesørger, præst; åndelig vejleder. **pastoral** ['pa·st(ə)rəl] pastoral, hyrde- (fx. *letter; poetry);* idyllisk; præste-, præstelig; græsnings-; (subst.) hyrdebrev; hyrdedigt. **pastoralism** kvægavl (ofte nomadeagtig). **pastorate** ['pa·stəret] pastorat; præster, præstestand.

past participle perfektum participium, fortids tillægsmåde, kort tillægsform.

pastry ['peistri] (konditor)kager.

pastry-cook ['peistrikuk] konditor.

pasturage ['pa·stjuridʒ] græsning; græsgang.

pasture ['pa·stʃə] græs, græsgang; (vb.) sætte på græs, lade græsse; græsse.

I. **pasty** ['peisti] dejagtig, klisteragtig.

II. **pasty** ['pästi] kødpostej.

pasty-faced ['peistifeist] bleg(fed).

Pat [pät] irlænder, fk. f. *Patrick;* fk. f. *Patricia.*

I. **pat** [pät] (vb.) klappe; (subst.) klap; klat (fx. *of butter); ~ on the back* (fig.) lykønske, rose.

II. **pat** [pät] (adj., adv.) i rette øjeblik, tilpas, passende, à propos, belejlig; urokkelig, bomstille; på rede hånd, fiks og færdig, flydende; *know a lesson (off) ~* kunne en lektie på fingrene; *stand ~* stå fast, ikke give sig.

pat-a-cake 'klappe kage' (børneleg).

patch [pätʃ] (subst.) lap, flik; klud; klap (for øje); (jord)stykke; plet; skønhedsplet; nar, klovn; (vb.) lappe, bøde, flikke; *strike a bad ~* komme ind i en uheldig periode; *not a ~ on* ingenting mod, ingenting i sammenligning med; *~ up* lappe sammen; pynte på; bilægge så nogenlunde (fx. *~ up a quarrel).*

patchouli ['pätʃuli] patchouli.

patch| pocket påsyet lomme. **~ test** (med.) lappeprøve. **-work** lappeværk; lapperi, sammensurium; *-work quilt* kludetæppe.

patchy ['pätʃi] lappet, sammenflikket; uensartet.

pate [peit] hoved; isse; hjerne.

pâté ['pätei] postej; *~ de foie gras* [fr.] gåseleverpostej.

patella [pə'telə] (arkæol.) lille skål; (anat.) knæskal.

paten ['pätən] alterdisk, patene.

patency ['peitnsi] tydelighed.

I. **patent** ['peitənt] (adj.) åben, åbenbar, tydelig; tilgængelig for alle.

II. **patent** ['peitənt; især amr.: 'pätənt] (adj.) patent-; patenteret; (subst.) patent; (vb.) patentere; give patent på, tage patent på; *letters ~* ['pätənt] patent; *~ of nobility* adelspatent, adelsbrev; *take out a ~ for* tage patent på.

patentee [peitən'ti·, pät-] patenthaver.

patent-leather shoes ['peitənt-] lakssko.

patently ['peitəntli] (adv.) åbenbart, tydeligt, vitterligt.

Patent Office ['pätənt 'åfis]: *the ~* (svarer til) Patentdirektoratet.

pater ['peitə] **T** ophav, far; *~ familias* [fə'miliäs] familiefader.

paternal [pə'tə·nl] fader-, faderlig, fædrene; på fædrene side; *~ grandfather* farfader; *~ grandmother* farmoder.

paternity [pə'tə·niti] paternitet, faderskab.

paternoster ['pätə'nåstə] fadervor; rosenkrans.

path [pa·þ] (pl. *-s* [pa·ðz]) sti, gangsti; havegang; bane; (fig.) vej.

pathbreaker ['pa·þbreikə] banebryder.

pathetic [pə'þetik] rørende, gribende; *-ally* [-əli] rørende.

pathfinder ['pa·þfaində] stifinder, pionér.

pathless ['pa·þlės] uvejsom.

pathogenic [päþə'dʒenik] sygdomsfremkaldende.

pathological [päþə'lådʒikl] patologisk; *~ picture* sygdomsbillede.

pathologist [pə'þålədʒist] patolog.

pathology [pə'þålədʒi] patologi, sygdomslære.

pathos ['peiþås]: *the ~ of it* det rørende ved det, det gribende ved det.

pathway ['pa·þwei] (gang)sti; bane, vej.

patience ['peiʃəns] tålmodighed, udholdenhed, langmodighed; *(game of) ~* kabale (med kort); *the ~ comes out* kabalen går op; *I have no ~ with him* jeg kan ikke holde ham ud; *I am out of ~ with him* jeg kan ikke holde ham ud længere, jeg er træt af ham, jeg er blevet irriteret på ham; *lose (one's) ~* miste tålmodigheden; *play ~* lægge kabaler; *put out of ~* gøre utålmodig.

patience(-dock) ♧ engelsk spinat.

patient ['peiʃənt] (adj.) tålmodig; udholdende; (subst.) patient; *be ~ of such and such an interpretation* kunne fortolkes på den og den måde.

patina ['pätinə] patina; ir.

patio ['pätiou, 'pa·tiou] (indre gård i spansk-amerikanske bygninger).

patois ['pätwa·] almuesprog, dialekt.

patriarch ['peitria·k] patriark. **patriarchal** [peitri'a·kl] patriarkalsk. **patriarchy** ['peitria·ki] patriarkat.

patrician [pə'triʃən] patricisk, adelig; patricier.

patriciate [pə'triʃiėt] patricierrang; patriciat.

patricide ['pätrisaid] fadermord; fadermorder.

Patrick ['pätrik]: *St. ~* (Irlands skytshelgen).

patrimonial [pätri'mounjəl] arvet (fra fædrene), arve-. **patrimony** ['pätriməni] fædrenearv; arv, arvegods; kirkegods.

patriot ['pəitriət, 'pät-] patriot, fædrelandsven. **patriotic** [pätri'åtik] patriotisk. **patriotically** (adv.) patriotisk.

patriotism ['pätriətizm, 'peit-] patriotisme, fædrelandskærlighed.

patristic [pə'tristik] (adj.) patristisk.

patristics (subst.) patristik, studiet af kirkefædrene.

patrol [pə'troul] (subst.) patrulje; runde; patruljering; (vb.) afpatruljere; patruljere.

patrol| car (politi)patruljevogn. **-man** (amr.) politibetjent, gadebetjent. **~ wagon** (amr.) politibil, 'salatfad'.

patron ['peitrən, 'pät-] beskytter, velynder, mæcen; protektor (for udstilling etc.); (merk.) kunde, gæst (i butik, restaurant etc.); (for kirke) patron, kaldsherre; (rel.) skytshelgen.

patronage ['pätrənėdʒ] beskyttelse, protektion, yndest, støtte; kaldsret; søgning; nedladenhed.

patroness ['peitrənės, 'pät-] beskytterinde, velynderinde, protektrice; skytshelgeninde.

patronize ['pätrənaiz] beskytte, støtte, protegere; give sin søgning, handle hos; behandle nedladende; *well -d* godt besøgt.

patronizing ['pätrənaiziŋ] nedladende, beskyttende; *~ air* beskyttermine.

patron saint skytshelgen.

patronymic [pätrə'nimik] patronymikon, familienavn dannet af faderens navn.

patten ['pätn] træsko, trætøffel.

patter ['pätə] (vb.) tromme, hagle; klapre, trippe; plapre, snakke rivende hurtigt; rable (el. lire) af sig; (subst.) trommen, haglen; klapren, trippen, triptrap; snak, snakken (med rivende tungefærdighed); jargon, volapyk.

pattern ['pätən] model; mønster, snitmønster; forbillede (fx. *take sby. as a ~);* form, måde, type; (stof)prøve.

patty ['päti] lille postej. **patty|-pan** postejform. **~ shell** krustade, tartelet.

paucity ['på·siti] fåtallighed, knaphed.

Paul [på·l]: *St. Paul* Paulus; *St. Paul's (Cathedral)* St. Paulskirken (i London).

I. **Pauline** ['på·lain] paulinsk.

II. **Pauline** [på·'li·n] Pauline.

Paul Pry nysgerrigper, snushane.

paunch [på·nʃ] bug; vom, borgmestermave.

paunchy ['på·nʃi] med mave, mavesvær, tykmavet.

pauper ['på·pə] fattig person; fattiglem.

pauperism ['på·pərizm] fattigdom; de fattige, fattiglemmerne.

pauperization [på·pərai'zeiʃən] forarmelse. **pauperize** ['på·pəraiz] (vb.) forarme, gøre til fattiglemmer.

pause [på·z] (subst.) pause, afbrydelse, standsning; betænkelighed, uvished; (vb.) gøre en pause, holde pause, pausere, standse; betænke sig, nøle; *give sby.* ~ få en til at betænke sig; ~ *(up)on* dvæle ved, holde (en tone).

pave [peiv] brolægge; ~ *the way for* bane (el. jævne) vejen for.

pavement ['peivmənt] brolægning; stenbro; (i England) fortov; cementgulv, murstensgulv. **pavement-artist** fortovsmaler.

paver ['peivə] brolægger; brosten.

pavilion [pə'viljən] (subst.) telt, pavillon; (vb.) slå telt over.

paving ['peiviŋ] brolægning. **paving-stone** brosten, flise.

paviour ['peivjə] brolægger, brosten.

paw [på·] (subst.) pote, lab; hånd; næve; fod; (vb.) skrabe, stampe med foden; skrabe i, stampe på; ~ *(over)* begramse; befamle; *-s off!* væk med poterne! fingrene af fadet!

pawky ['på·ki] polisk, lun, sveden.

pawl [på·l] spærhage, pal.

I. **pawn** [på·n] (subst.) bonde (i skak); (fig.) (skak-) brik.

II. **pawn** [på·n] (subst.) pant; (vb.) pantsætte; *in* ~ pantsat.

pawn|broker ['på·nbroᵘkə] pantelåner. **-broking** pantelånervirksomhed.

pawnee [på·'ni·] panthaver.

pawner ['på·nə] pantsætter.

pawn|shop ['på·nʃåp] lånekontor. **-ticket** låneseddel.

pax [päks] (i børns leg) jeg overgiver mig!

I. **pay** [pei] (vb.) *(paid, paid,* se ogs. *paid)* betale, udrede; (af)lønne; betale (el. svare) sig; betale sig for (fx. *the enterprise will not* ~ *you);* yde, bevidne, vise (fx. *attention);* 'give kanel'; ⚓ labsalve; ~ *attention to,* se ogs. *attention;* ~ *a bill* el. *draft* indfri en veksel; ~ *a compliment* sige en kompliment; ~ *court to* gøre kur til; ~ *a visit* aflægge et besøg; ~ *one's way* betale for sig; betale enhver sit; *it -s its own way* det hviler i sig selv; *it won't* ~ det betaler sig ikke; *it only just -s* det kan lige løbe rundt;

~ *away* udbetale; ⚓ se: ~ *out;* ~ *back* betale tilbage; *I'll* ~ *you back for this!* det skal du få betalt! ~ *sby. back in his own coin* betale én (el. give én igen) med samme mønt; ~ *down* erlægge, betale kontant; ~ *£50 down and the rest by instalments* betale £50 ud og resten i afdrag; ~ *for* betale, betale for; (fig.) undgælde (el. bøde) for; *I'll make you* ~ *for this!* det skal du få betalt! *he will* ~ *for it very dearly* det kommer ham dyrt at stå; ~ *in* indbetale; ~ *off* afbetale; betale og afskedige, afmønstre; udbetale én gang for alle (el. på én gang); betale sig, give bonus; ⚓ falde af, dreje fra vinden; *I'll* ~ *you off for this!* det skal du få betalt! ~ *out* udbetale; (fig.) gengælde, hævne sig på, straffe; ⚓ fire på (trosse osv.); stikke ud; *I'll* ~ *you out!* det skal du få betalt! ~ *up* betale fuldt ud; punge ud.

II. **pay** [pei] (subst.) betaling, lønning, gage; sold; hyre; *in sby.'s* ~ i éns tjeneste, i éns sold, betalt af en (fx. *he was in the* ~ *of a foreign power).*

payable ['peiəbl] betalbar, at betale (fx. ~ *in advance);* som *kan* (ikke skal) betales (fx. ~ *in monthly instalments);* forfalden; udbytterig, som betaler sig (fx. *a* ~ *enterprise); bill* ~ *to bearer* veksel lydende på ihændehaveren, ihændehaverveksel.

pay-as-you-earn: *the* ~ *system* skat ved kilden, kildebeskatning.

pay|-day lønningsdag, gagedag; betalingsdag. ~ **-desk** kasse (i butik). ~ **dirt** guldholdigt grus; (fig.) værdifuldt materiale.

P.A.Y.E. fk. f. *pay as you earn* kildebeskatning.

payee [pei'i·] den til hvem pengene skal betales, modtager, (merk.) remittent.

payer ['peiə] betaler.

paying ['peiiŋ] lønnende, som betaler sig, som svarer regning; ~ *guest* betalende gæst, pensionær.

pay-load ['peiloᵘd] nyttelast.

paymaster ['peima·stə] kasserer; regnskabsfører.

Paymaster-General embedsmand som forestaar statens udbetalinger.

payment ['peimənt] betaling; indfrielse (af en veksel); afdrag; (fig.) gengæld.

pay-off ['peiåf] (subst.) udbetaling; profit; gengæld, hævn; klimaks, udfald; afgørende faktor; (adj.) lønnende; afgørende; *the* ~ *line* pointen (i anekdote).

pay|-packet lønningspose. ~ **-roll,** ~ **-sheet** lønningsliste. ~ **station** (amr.) telefonkiosk.

P.B. fk. f. *Prayer Book.*

P.B.I. fk. f. *poor bloody infantry.*

P.C. fk. f. *police constable; post-card; Privy Council; Privy Councillor.*

p.c. fk. f. *per cent, post-card, price current.*

pd. fk. f. *paid.*

p.d.q. fk. f. *pretty damn quick.*

pea [pi·] ært; *they are as like as two -s* de ligner hinanden som to dråber vand.

peace [pi·s] fred; fredsslutning; *the King's* (el. *Queen's)* ~ den offentlige ro og orden; *be at* ~ *with* leve i fred med, have et fredeligt forhold til; *break the* ~ forstyrre den offentlige ro og orden; *hold one's* ~ holde mund; *keep the* ~ holde fred; ikke forstyrre den offentlige ro og orden; *be bound over to keep the* ~ få et tilhold; *make* ~ stifte fred, slutte fred; *make one's* ~ *with* slutte fred med, forsone sig med; *justice of the* ~ fredsdommer.

peaceable ['pi·səbl] fredelig, fredsommelig.

peace| breaker fredsforstyrrer. ~ **establishment** fredsstyrke.

peaceful ['pi·sf(u)l] fredelig, rolig, fredfyldt.

peace|maker fredsmægler, fredsstifter; *blessed are the -makers* salige er de som stifter fred. ~ **-offering** takoffer (til Gud). ~ **officer** politifunktionær. ~ **-pipe** fredspibe.

I. **peach** [pi·tʃ] (subst.) fersken, ferskentræ; **S** pige; *a* ~ *of a hat* en aldeles yndig hat.

II. **peach** [pi·tʃ] (vb.) **S** sladre *(against, upon* om).

pea-chick påfugleunge.

peachy ['pi·tʃi] ferskenagtig, ferskenfarvet.

peacock ['pi·kåk] (subst.) påfugl(ehane); (vb.) bryste sig, spankulere stolt omkring; ~ *butterfly* dagpåfugleøje.

peacockery ['pi·kåkəri] overmod, overlegenhed, stolthed.

peacock green påfuglegrøn.

peacocky ['pi·kåki] vigtig.

pea|fowl ['pi·faul] (zo.) påfugl. ~ **-green** (adj.) ærtegrøn. **-hen** (zo.) påfuglehøne. ~ **-jacket** pjækkert, stortrøje.

I. **peak** [pi·k] (subst.) spids, bjergtinde; kasketskygge; maksimum, kulminationspunkt; toppunkt; spidsværdi, maksimalværdi; ⚓ pik; (adj.) top-, maksimal, med spidsbelastning, med topbelastning.

II. **peak** [pi·k] (vb.) hentæres, blive tynd, skrante.

peaked [pi·kt] spids; tynd, udtæret; ~ *cap* kasket med skygge, uniformskasket.

peak load spidsbelastning, topbelastning.

peaky ['pi·ki] (adj.) spids, tynd, udtæret.

I. **peal** [pi·l] (subst.) brag, drøn, skrald; ringen, kimen; klokkespil; *a* ~ *of laughter* en lattersalve; *the -s of the organ* orgelets brusen; *a* ~ *of thunder* et tordenskrald.

II. **peal** [pi·l] (vb.) brage, drøne, skralde, tordne; ringe, kime, klemte, bruse; lade brage, ringe med, kime med, klemte med.

pea| midge (zo.) ærtegalmyg. ~ **moth** (zo.) ærtevikler. **-nut** jordnød. ~ **-pod** ['pi·'påd] ærtebælg.

pear [pæə] pære, pæretræ.

pearl [pə·l] (subst.) perle; (fig. ogs.) guldkorn;

(vb.) **besætte med perler; perle; fiske perler;** *cast -s before swine* kaste perler for svin; *plain and ~* ret og vrang; se ogs. IV. *purl*.

pearl|-ash ['pə·lăʃ] perleaske (slags potaske). **~ -barley** ['pə·l'ba·li] perlegryn. **~ -button** perlemorsknap. **~ -diver** perlefisker.

pearled [pə·ld] perlebesat; *~ with dew* besat med dugperler.

pearl|-fisher perlefisker. **~ -oyster** perlemusling.

pearly ['pə·li] perleagtig, perleskinnende; perlesmykket; *pearlies* (subst. pl.) (dragt med) store perlemorsknapper som *costermongers* bruger ved deres årlige optog.

pear-tree ['pæətri·] pæretræ.

peasant ['pezənt] bonde (om småbønder og landarbejdere).

peasant blue almueblå.

peasantry ['pezəntri] bondestand, bønder; almue.

pease [pi·z] ærter; ærte- (fx. *~ pudding*).

pea-shooter ['pi·ʃu·tə] pusterør; ærtebøsse.

pea|-soup ['pi·su·p] gule ærter; *green-pea soup* (grøn)ærtesuppe. **~ -souper** ['pi·'su·pə] tæt, gul (londoner)tåge. **~ -soupy** ['pi·'su·pi] tæt og gul (om tåge).

peat [pi·t] tørv. **~ -bog** tørvemose. **~ -moss** tørvemose; ♧ tørvemos. **~ -reek** ['pi·tri·k] tørverøg.

peaty ['pi·ti] tørverig, tørveagtig.

peavey ['pi·vi] kanthage.

pebble ['pebl] sten (lille og rund); (linse af) bjergkrystal; *-s* (ogs.) småsten; ral, rullesten; *you are not the only ~ on the beach* der er også andre mennesker (, piger) til end dig.

pebbly ['pebli] fuld af småsten, stenet.

pecan ['pi·kən] amerikansk valnød, illinoisnød.

peccability [pekə'biliti] syndefuldhed. **peccable** ['pekəbl] syndig, syndefuld.

peccadillo [pekə'diloᵘ] lille synd, lille forseelse.

peccant ['pekənt] syndig; forkert, urigtig; usund, sygelig.

peccary ['pekəri] (zo., amr.) navlesvin, pekari.

peccavi [pe'ka·vi; pe'keⁱvai] jeg har syndet; syndsbekendelse.

I. **peck** [pek] (subst.) (rummål =) 9,087 liter (¼ *bushel*); mængde, masse (fx. *a ~ of trouble*).

II. **peck** [pek] (vb.) pikke, hakke (fx. med næbbet); pikke på; kysse (flygtigt); **S** spise; (subst.) pikken; hak; mærke; (flygtigt) kys; **S** mad; *~ at* hakke efter; (fig.) hakke på; *~ at one's food* sidde og stikke (el. nippe) til maden.

pecker ['pekə] (subst.) hakke; næb; (zo.) spætte; **S** næse; (amr. **S**) tissemand; *keep your ~ up!* tab ikke modet!

pecking-order hakkeorden.

peckish ['pekiʃ] **T** sulten, brødflov.

pectin ['pektin] pektin.

pectinate ['pektinėt] kamformet.

pectination [pekti'neⁱʃən] kamform, kam.

pectoral ['pektərəl] bryst-; *~ fin* brystfinne.

peculate ['pekjuleⁱt] begå underslæb, stjæle af kassen. **peculation** [pekju'leⁱʃən] underslæb, kassesvig. **peculator** ['pekjuleⁱtə] kassebedrager.

peculiar [pi'kju·ljə] (adj.) egen, ejendommelig, særegen (*to* for); særlig; egenartet; besynderlig; (subst.) særejendom, særret.

peculiarity [pikju·li'ăriti] egenhed, ejendommelighed, særegenhed.

peculiarly [pi'kju·ljəli] særlig, særdeles; ejendommelig, besynderlig.

pecuniary [pi'kju·njəri] pekuniær, penge-.

pedagogic(al) [pedə'gågik(l) pedə'gådʒik(l)] pædagogisk. **pedagogics** [pedə'gådʒiks] pædagogik.

pedagogue ['pedəgåg] pedant; skolemester, lærer, pædagog. **pedagogy** ['pedəgågi, -gådʒi] pædagogik.

I. **pedal** ['pedl] (subst.) pedal; (vb.) bruge pedalen; cykle; træde (en cykel etc.).

II. **pedal** ['pedl, 'pi·dl] (adj.) fod-.

pedal cycle trædecykel.

pedant ['pedənt] pedant. **pedantic** [pi'dăntik] pedantisk. **pedantically** [-əli] pedantisk. **pedantry** ['pedəntri] pedanteri.

peddle ['pedl] (vb.) sjakre; rejse som bissekræmmer, drive småhandel; nusse el. pusle med småting; gå omkring og falbyde; (fig.) udbrede, bringe til torvs (fx. *gossip*).

peddler ['pedlə] = *pedlar*.

peddling ['pedliŋ] ligegyldig, ubetydelig.

pedestal ['pedistl] (subst.) fodstykke, piedestal; basis; sokkel; postament; skrivebordsskab; (vb.) sætte på en piedestal.

pedestrian [pi'destriən] fodgænger; fod-; til fods; gående; (fig.) uinspireret, kedsommelig, prosaisk; *~ crossing* fodgængerovergang; fodgængerfelt. **pedestrianism** [-izm] fodsport.

pediatrics, pediatry se *paediatrics* etc.

pedicab ['pedikăb] cykel-rickshaw.

pedicel ['pedisel], **pedicle** ['pedikl] (♧, zo.) stilk.

pedicular [pe'dikjulə] befængt med lus, luset, luse-.

pedicure ['pedikjuə] pedicure, fodpleje; fodplejer.

pedigree ['pedigri·] stamtavle; herkomst; *~ dog* racehund.

pediment ['pedimənt] frontispice.

pedlar ['pedlə] bissekræmmer, kræmmer. **pedlary** [-ri] bissekræmmervarer; bissekræmmervirksomhed; (jur.) omførsel af varer, omløb med varer.

pedology [pi'dålədʒi] pedologi, jordbundslære.

pedometer [pi'dåmitə] skridttæller.

peduncle [pi'dʌŋkl] ♧ stilk.

pedunculate [pi'dʌŋkjulėt] stilket.

pee [pi·] **T** tisse.

peek [pi·k] kigge.

peek-a-boo ['pi·kə'bu·] (leg med småbørn) borte-kig.

peel [pi·l] (vb.) skrælle; afbarke; skalle, skalle af; **S** klæde sig af; (subst.) skal, skind, skræl; *~ off* skalle af; (flyv.) forlade formationen for at lægge an til landing; *candied ~* sukat.

peeler ['pi·lə] skrællemaskine; (glds. **S**) politibetjent, stridser.

peelings ['pi·liŋz] skræller.

peen [pi·n] hammerpen, hammernæb.

I. **peep** [pi·p] (vb.) kigge, titte; titte frem, blive synlig; (subst.) tilsynekomst, frembrud (fx. *~ of day*); kig, glimt (fx. *get a ~ of* få et glimt af).

II. **peep** [pi·p] (vb.) pippe, pibe; (subst.) pip, pippen, piben.

peeper ['pi·pə] en der kigger; **S** øje; fugl(eunge) der pipper, dyr der piber; se ogs. *peeping Tom*.

peep-hole kighul.

peeping Tom lurer, vindueskigger; **S** spanner.

peep-show ['pi·pʃoᵘ] perspektivkasse, kukkasse.

peep sight ⚔ diopter, hulsigte (på gevær).

I. **peer** [piə] stirre (*at* på), spejde; komme til syne, titte frem, bryde frem.

II. **peer** [piə] ligemand, lige (fx. *you will not find his ~*); overhusmedlem, medlem af højadelen; *create sby. a ~* ophøje en i adelsstanden; *life ~* livsvarigt medlem af Overhuset; *~ of the realm, hereditary ~* adelsmand hvis rang og sæde i Overhuset er arveligt; *without a ~* uforlignelig.

peerage ['piəridʒ] adelsrang; højadel; adelskalender. **peeress** ['piərės] adelsmands hustru, højadelig dame.

peerless ['piəlės] uforlignelig.

peery ['piəri] stirrende, nysgerrig (om blik).

peeve [pi·v] **T** irritere, ærgre; *be -d about sth.* ærgre sig (el. være irriteret) over noget.

peevish ['pi·viʃ] vranten, gnaven, sur.

peewit ['pi·wit] (zo.) vibe.

Peg [peg] kælenavn for *Margaret*.

I. **peg** [peg] (subst.) pind; trænagle; teltpløk; (i tønde) tap; (til tøj) knage; tøjklemme; (på violin) stemmeskrue; (drik) sjus; *come down a ~* stemme tonen ned, **slå lidt af**; *take him down a ~ (or two)* skære ham ned; *off the ~* færdigsyet; *a suit off the ~* T et sæt stangtøj; *a ~ to hang sth. on* (fig.) en anledning (el. et påskud) til ngt.; *he did not move* (el. *start, stir) a ~* han rørte sig ikke en tomme, han rørte sig ikke ud af stedet; *he is a square ~ in a round hole* han er kommet på en forkert hylde.

II. **peg** [peg] (vb.) fastgøre med pinde etc., pløkke, nagle; (fast)binde; fiksere (fx. *prices); markere* (med pinde); stikke, slå *(at* på); *~ away* klemme på *(at* med); *~ down* fastgøre, (fast)binde; *~ out* udstikke, afmærke (med pinde); slå til pæls (i kroket); T blive ruineret, gå til grunde; dø, krepere.

Pegasus ['pegəsəs] Pegasus.

Peggy ['pegi]. **Pegotty** ['pegəti].

pegtop ['pegtåp] snurretop; (adj.) vid foroven og snæver forneden (fx. *~ trousers).*

peignoir ['pe'nwa·] (glds.) peignoir, frisérkåbe, badekåbe.

pejorative ['pi·dʒərətiv] (adj.) nedsættende, pejorativ; (subst.) nedsættende ord.

peke [pi·k] T pekingeser.

Pekin [pi·'kin]. **Peking** [pi·'kiŋ] Peking.

pekinese [pi·ki'ni·z], **pekingese** [pi·kiŋ'i·z] pekingeser.

pekoe ['pekoᵘ, 'pi·koᵘ] peccoté.

pelagian [pe'leⁱdʒən], **pelagic** [pe'lädʒik] pelagisk, hav-.

pelargonium [pelə'goᵘnjəm] ♧ pelargonie.

pelerine ['peləri·n] pelerine, dameskulderslag.

pelf [pelf] penge, mammon, mønt.

pelican ['pelikən] (zo.) pelikan.

pelisse [pe'li·s] (glds.) kåbe, kappe.

pellet ['pelit] (lille) kugle (fx. papirs-, brød-); hagl (til skydevåben); pille; uglegylp.

pellitory ['pelitəri] ♧ springknap.

pell-mell ['pel'mel] (adj., adv.) hulter til bulter; hovedkulds; forvirret, uordentlig; (subst.) tumult, uorden.

pellucid [pe'l(j)u·sid] klar, gennemsigtig.

pellucidity [pel(j)u·'siditi] gennemsigtighed, klarhed.

pelmet ['pelmėt] kappe (over gardin).

Peloponnesian [peləpə'ni·ʃən] peloponnesisk; peloponneser.

I. **pelt** [pelt] (subst.) pels, skind med hårene på.

II. **pelt** (vb.) flå.

III. **pelt** (subst.): *(at) full ~* i fuld fart.

IV. **pelt** (vb.) bombardere (fx. *~ sby. with stones, with questions),* overdænge (fx. *~ sby. with abuse);* kaste (fx. *~ stones at sby.);* kaste sten (fx. *~ at sby.);* (om regn, hagl etc.) styrte ned, øse ned; *the hail -ed against the roof* haglene piskede på taget.

peltate ['pelteⁱt] skjolddannet.

pelter ['peltə] plaskregn.

peltinerved ['peltinə·vd] ♧ stjernenervet.

peltry ['peltri] pelsværk, pelsvarer.

pelvic ['pelvik] (adj., anat.) bækken-; *~ fin* bugfinne; *~ fracture* bækkenbrud.

pelvis ['pelvis] (anat.) bækken.

pemmican ['pemikən] pemmikan (tørret kød); (fig.) resumé.

I. **pen** [pen] (subst.) fold, indelukke; bås; kravlegård; ⚓ ubådsbunker; (vb.): *~ (in), ~ up* indelukke; indespærre; indeslutte; drive i folden.

II. **pen** [pen] (subst.) pen; (fig.) stil, skrivemåde; (vb.) skrive.

penal ['pi·nl] straffe-, kriminal-; strafbar, kriminel.

penal| code straffelov. **~ colony** straffekoloni.

penalize ['pi·nəlaiz] gøre strafbart; straffe; stille ugunstigt.

penal servitude strafarbejde.

penalty ['pen(ə)lti] straf, bøde; handicap; *pay the ~ of* bøde for; *under ~ of death* under dødsstraf.

penalty| area straffesparkfelt. **~ kick** straffespark.

penance ['penəns] bod, bodsøvelse.

pen-and-ink drawing pennetegning.

Penang [pi'näŋ].

pence [pens] pl. af *penny.*

penchant [fr., 'pa·ŋʃa·ŋ (amr.) 'penʃənt] hang, tilbøjelighed, forkærlighed.

pencil ['pensl] blyant; griffel, stift; (glds.) pensel; (fig.) lyskegle, strålebundt; (vb.) skrive (el. tegne) med blyant; pensle.

pencil-case ['penslkeⁱs] blyantsholder; penalhus.

pencilled ['pensld] skrevet med blyant; (fint) tegnet; stråleformet.

pencil-sharpener blyantspidser.

pencraft ['penkra·ft] skrivedygtighed, stil.

pendant ['pendənt] ørenring, hængesmykke; vedhæng; hængelampe; vimpel; pendant; ⚓ skinkel; (se ogs. *pendent).*

pendent ['pendənt] hængende; ragende ud over; uafgjort; (se ogs. *pending, pendant).*

I. **pending** ['pendiŋ] (adj.) svævende, uafgjort, verserende; *be ~* (jur.) versere.

II. **pending** ['pendiŋ] (præp.) under (fx. *~ the discussion);* indtil (fx. *~ his return); ~ your reply* indtil Deres svar foreligger.

pendulous ['pendjuləs] (frit) hængende; svingende.

pendulum ['pendjuləm] pendul.

pendulum-clock ['pendjuləmklåk] pendulur.

Penelope [pi'neləpi].

penetrability [penitrə'biliti] gennemtrængelighed. **penetrable** ['penitrəbl] gennemtrængelig; tilgængelig.

penetralia [peni'treⁱljə] inderste; allerhelligste.

penetrate ['penitreⁱt] trænge ind i, trænge igennem, gennemtrænge, gennembore; gennemskue (fx. *~ a disguise);* trænge ind, bane sig vej.

penetrating ['penitreⁱtiŋ] gennemtrængende (fx. *shriek; odour);* skarp, skarpsindig, indtrængende (fx. *analysis).*

penetration [peni'treⁱʃən] indtrængen, gennemtrængen; skarpsindighed; ⚔ gennembrud; (om projektil) gennemslag(skraft).

penetrative ['penitrətiv] indtrængende, gennemtrængende; skarp; skarpsindig.

penguin ['peŋgwin] (zo.) pingvin.

pen-holder ['penhoᵘldə] penneskaft.

penicillin [peni'silin, pe'nisilin] penicillin.

peninsula [pė'ninsjulə] (subst.) halvø; *the Peninsula* Den pyrenæiske Halvø. **peninsular** [pė'ninsjulə] (adj.) halvø-; halvøformet; på Den pyrenæiske Halvø; *the Peninsular War* krigen på Den pyrenæiske Halvø 1808-14.

penis ['pi·nis] penis.

penitence ['penitəns] anger; bodfærdighed.

penitent ['penitənt] (adj.) angrende, angerfuld, angergiven, bodfærdig; (subst.) skriftebarn. **penitential** [peni'tenʃəl] bods-. **penitentiary** [peni'tenʃəri] (adj.) bods-, pønitense-; fængsels-; (subst.) fængsel; opdragelsesanstalt.

penknife ['pennaif] (lille) lommekniv.

penman ['penmən] skribent; kalligraf; *he is a good ~* han skriver nydeligt, han har en god håndskrift.

penmanship ['penmənʃip] skrivedygtighed, kalligrafi; håndskrift.

Penn. fk. f. *Pennsylvania.*

pen-name ['penneⁱm] påtaget forfatternavn, pseudonym.

pennant ['penənt] vimpel, stander; (på node) fane; ⚓ skinkel.

pennies ['peniz] pl. af *penny.*

penniform ['penifå·m] fjerformet.

penniless ['penilės] fattig, pengeløs.

pennon ['penən] vimpel, stander; flag.

penn'orth ['penəþ] = *pennyworth.*

Pennsylvania [pensil'veⁱnjə] Pennsylvanien.

penny ['peni] (pl. *pence* om værdien; *pennies* pennystykker) penny (engelsk kobbermønt = $^1/_{12}$ shilling); *now the ~ dropped!* nu faldt tiøren! *a ~ for your* *thoughts!* hvad tænker De på? *in or a ~, in or a pound* når man har sagt a, må man også sige b; *a pretty ~* en pæn skilling (en betydelig sum); *it will cost a pretty ~* det bliver dyrt; *a ~ saved is a ~ gained* hvad der er sparet er fortjent; *spend a ~* gå på wc; *they haven't a ~ to their name* (el. *in the world)* de ejer ikke en rød øre; *turn an honest ~* tjene en ærlig skilling; *I always turn up like a bad ~* (omtrent:) jeg er ikke sådan at blive af med.

penny|-a-liner ['peniəlainə] bladneger. **~ -a-lining** spaltefyld. **~ -bank** sparekasse; sparebøsse. **~ dreadful** knaldroman. **~ farthing** $1^1/_4$ penny; velocipede, væltepeter. **~ -in-the-slot machine** automat. **~ -in-the-slot meter** automatmåler, gasautomat. **~ -piece** pennystykke. **-weight** (vægtenhed =) 1,555 g. **~ -wise** sparsommelig i småting; *be ~ -wise and pound-foolish* spare på skillingen og lade daleren rulle. **-wort** ♧ vandnavle.

pennyworth ['penəþ, 'peniwə·þ] så meget som fås for en penny; valuta (for ens penge); *a good ~* et godt køb.

penology [pi·'nålədʒi] læren om straffe.

pen| pal penneven. **~ -pusher** penneslikker.

pensile ['pensil] (adj.) (ned)hængende.

I. **pension** ['penʃən] pension; pensionere; *not for a ~* ikke for alt i verden; *~ off* give afsked med pension, sætte på pension.

II. **pension** [fr.] pension, pensionat.

pensionable ['penʃənəbl] pensionsberettiget; pensionsgivende; *~ age* pensionsalder.

pensionary ['penʃənəri] pensioneret; pensions-; pensionist.

pensioner ['penʃənə] pensionist; (i Cambridge) student som ikke har stipendium.

pensive ['pensiv] tankefuld, eftertænksom, tungsindig.

penstock ['penståk] stigbord; sluserende (til mølle).

pent, se *pent-up.*

pentagon ['pentəgən] femkant; *the Pentagon* det amerikanske forsvarsministerium.

pentameter [pen'tämitə] pentameter.

Pentateuch ['pentətju·k] de fem Mosebøger.

pentathlon [pen'täþlån] femkamp.

Pentecost ['pentikåst] (jødernes) pinse. **pentecostal** [penti'kåstl] pinse-.

penthouse ['penthaus] læskur, halvtag; overbygning; tilbygning; tagbolig.

pent-roof ['pentru·f] halvtag.

pent-up ['pent'ʌp] indelukket, indespærret; (fig.) indeklemt, indestængt, opdæmmet; undertrykt (fx. *~ fury).*

penultimate [pi'nʌltimėt] næstsidst.

penumbra [pi'nʌmbrə] halvskygge.

penurious [pi'njuəriəs] meget fattig, knap, sparsom; gerrig, nærig.

penury ['penjuri] dyb armod, fattigdom, trang; knaphed, mangel (*of* på).

pen-wiper ['penwaipə] pennevisker.

peon ['pi·ən] (i spansk Amerika) daglejer (som arbejder en gæld af), gældsfange; [pju·n, 'pi·ən] (i Indien) bud, tjener, politibetjent.

peony ['piəni] pæon.

I. **people** ['pi·pl] folk; man (fx. *~ say that he is rich);* folkeslag (fx. *primitive -s, the -s of Europe);* mennesker (fx. *several ~; stupid ~; old ~);* familie (fx. *you must meet my ~*); *the ~* folket, den store masse; *a man of the ~* en mand af folket; *why do you ask me of all ~?* hvorfor spørger du netop mig? *~ will talk* man siger så meget.

II. **people** ['pi·pl] (vb.) befolke.

people's| front folkefront. **~ police** folkepoliti. **~ republic** folkerepublik.

pep [pep] **S** pep, kraft, mod, fart.

pepper ['pepə] peber; (vb.) pebre; overdænge; beskyde.

pepper-and-salt salt og peber, gråmeleret (tøj); *~ moth* (zo.) birkemåler.

pepper|-box, ~ -caster, ~ -castor peberbøsse.

peppercorn ['pepəkå·n] peberkorn; ubetydelig, uvæsentlig; *~ hair* negerkrus; *~ rent* nominel leje.

peppermint ['pepəmint] pebermynte; *~ humbug* (omtr.) bismarcksklump.

pepper-pot peberbøsse.

peppery ['pepəri] pebret, peberagtig; (fig.) hidsig, irritabel; opfarende (fx. *a ~ old colonel);* skarp, bidende (fx. *satire).*

pep pill ferietablet.

pepsin ['pepsin] (kem.) pepsin.

pep talk opflammende tale.

peptic ['peptik] fordøjelses-.

Pepys [pi·ps, peps, 'pepis].

per [pə·] igennem; ved; om, pr.; *~ annum* om året; *as ~* ifølge, i henhold til; *~ bearer* pr. bud; *~ capita* pr. hoved, pro persona, hver; *~ cent* procent, pr. hundrede; *~ thousand* pr. tusinde, promille.

peradventure [pərəd'ventʃə] måske, muligvis; *beyond* (el. *without) ~* ubetinget, ganske givet; *if ~* hvis (det skulle ske) at; *lest ~* for at det ikke skal ske at.

perambulate [pə'rämbjuleⁱt] gennemvandre; berejse; inspicere.

perambulating ambulant, omvandrende.

perambulation [pərämbju'leⁱʃən] (subst.) vandring; gennemrejse; inspektionsrejse.

perambulator ['prämbjuleⁱtə, pə'räm-] barnevogn; *doll's ~* dukkevogn.

perceivable [pə'si·vəbl] synlig, følelig, som kan opfattes, som kan erkendes.

perceive [pə'si·v] (vb.) indse, erkende, opfatte, fornemme, spore, sanse, se, bemærke.

per cent [pə'sent] procent; *how much ~* hvor mange procent; *three -s* tre procents papirer.

percentage [pə'sentidʒ] procent; procentdel, del; procentsats; *a certain ~* en vis (procent)del; *there is no ~ in that* det får man ikke noget ud af.

perceptibility [pəseptə'biliti] mærkbarhed. **perceptible** [pə'septəbl] kendelig, mærkbar, synlig; *be ~* (ogs.) kunne spores. **perception** [pə'sepʃən] opfattelse, erkendelse, sansning; opfattelsesevne; (psyk.) perception.

perceptive [pə'septiv] hurtigt opfattende; modtagelig for indtryk, følsom, indsigtsfuld; opfattelses-; erkendelses-; *~ faculty* opfattelsesevne.

perceptivity [pə·sep'tiviti] (hurtig) opfattelsesevne, modtagelighed for indtryk; følsomhed.

perceptual [pə'septʃuəl] opfattelses-, erkendelses-, som vedrører opfattelse el. erkendelse.

I. **perch** [pə·tʃ] (subst.) stang, pind (for fugle), siddepind; høj plads, højt stade; (et længdemål =) $5^1/_2$ yards; ⚓ prik; (vb.) sætte sig, slå sig ned; sidde, balancere; anbringe, sætte, lægge (på et højt el. utilgængeligt sted); *come off your ~* **S** lad være at skabe dig! kom ned på jorden! *hop the ~* **S** dø, krepere; *knock sby. off his ~* **S** gøre det af med en.

II. **perch** [pə·tʃ] (subst., zo.) aborre.

perchance [pə'tʃa·ns] (glds.) måske.

percipience [pə'sipiəns] opfattelse(sevne).

percipient [pə'sipiənt] fornemmende, opfattende.

percolate ['pə·kəleⁱt] sive igennem; filtrere; lave kaffe (på kolbe etc.).

percolation [pə·kə'leⁱʃən] gennemsivning, filtrering.

percolator ['pə·kəleⁱtə] si, filter, filtreringsapparat; perkolator, kaffekolbe.

percussion [pə·'kʌʃən] stød, slag, sammenstød, rystelse; perkussion; *~ cap* fænghætte; *~ instrument* slaginstrument.

percussive [pə·'kʌsiv] stød-; perkussions-.

perdition [pə·'diʃən] evig fortabelse, undergang.

perdu [pə·'dju·]: *lie ~* ligge (el. holde sig) skjult.

peregrinate ['perigrineⁱt] vandre om, rejse.

peregrination [perigri'neⁱʃən] omvandren, rejse.

peregrine ['perigrin]: *~ falcon* vandrefalk.

peremptory [pə'remtəri, 'perəm-] bydende (fx.

a ~ manner), myndig; afgørende, bestemt, sikker, uigenkaldelig, kategorisk (fx. *a ~ command)*.

perennial [pə'renjəl] (adj.) som varer hele året; evig, stedsevarende: (om plante) flerårig; (subst.) flerårig plante, staude.

I. **perfect** ['pə·fikt] (adj.) perfekt, fuldendt, fuldkommen; ideal; fuldstændig, komplet (fx. *a ~ stranger)*; (subst.) førnutid, perfektum; *~ fifth* (i musik) ren kvint; *practice makes ~* øvelse gør mester.

II. **perfect** [pə'fekt] (vb.) fuldkommengøre; fuldende, udvikle, udvikle til fuldkommenhed (fx. *a method)*; *~ oneself* perfektionere sig, dygtiggøre sig.

perfectibility [pəfekti'biliti] udviklingsevne, perfektibilitet. **perfectible** [pə'fektəbl] perfektibel, udviklingsdygtig.

perfection [pə'fekʃən] fuldkommenhed; fuldendthed; fuldkommengørelse, fuldendelse.

perfectionist [pə'fekʃənist] perfektionist.

perfectly ['pə·fiktli] (adv.) helt, fuldstændigt.

perfect tense førnutid, perfektum.

perfervid [pə'fə·vid] hed, glødende, brændende.

perfidious [pə'fidiəs] perfid, troløs, falsk, forræderisk.

perfidy ['pə·fidi] perfidi, troløshed, falskhed, forræderi.

I. **perforate** ['pə·fəreᵢt] (vb.) gennembore, gennemhulle, perforere; trænge ind.

II. **perforate** ['pə·fərėt] (adj.) perforeret, gennemhullet.

perforation [pə·fə'reᵢʃən] gennemboring, perforering, hul; (om frimærke) takker; tak; takning.

perforator ['pə·fəreᵢtə] perforeringsapparat, hullemaskine.

perforce [pə'få·s] nødvendigvis.

perform [pə'få·m] udføre, foretage (fx. *an operation; calculations)*; gennemføre (fx. *~ one's work satisfactorily)*, fuldende; opfylde (fx. *one's duty, a contract)*; opføre, fremføre, spille (fx. *Hamlet)*; synge; (især om dyr:) *~ (tricks)* gøre kunster; *~ on the piano* spille klaver.

performable [pə'få·məbl] gennemførlig, gørlig, mulig, som lader sig udføre.

performance [pə'få·məns] udførelse; opfyldelse; præstation, værk, arbejde; forestilling, nummer af en forestilling, optræden, opførelse; (i teknik) ydelse, ydeevne (fx. *of an engine)*; *peak ~* toppræstation; *special ~* gæstespil, gæsteoptræden.

performer [pə'få·mə] (subst.) optrædende, rollehavende; (udøvende) kunstner, skuespiller; en der spiller; *be the principal -s* udføre hovedrollerne.

performing [pə'få·miŋ] (om dyr) dresseret.

I. **perfume** ['pə·fju·m] (subst.) duft, vellugt; parfume.

II. **perfume** [pə'fju·m] (vb.) parfumere, fylde med vellugt.

perfumer [pə'fju·mə] parfumefabrikant, parfumehandler.

perfumery [pə'fju·məri] parfumer; parfumeri.

perfunctory [pə'fʌŋktəri] skødesløs, overfladisk (fx. *examination)*; mekanisk, ligegyldig.

pergola ['pə·gələ] pergola.

perhaps [pə'häps, präps] måske.

peri ['piəri] peri (fe i persisk mytologi).

perianth ['periänþ] ♧ bloster.

pericardium [peri'ka·diəm] hjertesæk.

pericarp ['perika·p] ♧ frøgemme.

perichondrium [peri'kåndriəm] bruskhinde.

Pericles ['perikli·z] Perikles.

perigee ['peridʒi·] perigæum (planetbanes, satellitbanes punkt nærmest jorden); jordnære.

perihelion [peri'hi·ljən] perihelium (planetbanes punkt nærmest solen), solnære.

peril ['peril] (subst.) fare; risiko; (vb., poet.) bringe i fare; sætte på spil, vove; *at one's ~* på eget ansvar; *at the ~ of his life* med fare for sit liv; *touch him at your ~!* du kan bare prøve på at røre ham! *be in ~ of one's life* være i livsfare.

perilous ['periləs] farlig, vovelig.

perimeter [pə'rimitə] perimeter, (om)kreds; rand; ydergrænse.

perineum [peri'ni·əm] (anat.) perinæum, mellemkødet.

period ['piəriəd] periode, tid(srum); tidsafsnit; lektion; (skole)time; pause; slutning, ende; (gram.) periode; punktum; (astr.) omløbstid; *-s* (ogs.) veltalenhed, veltalende foredrag; menstruation; *~ !* punktum! (fig.: så er der ikke mere at sige om den ting); *~ furniture* møbler i tidens stil, stilmøbler; *~ novel* historisk roman; *put a ~ to* gøre ende på.

periodic [piəri'ådik] periodisk.

periodical [piəri'ådikl] (subst.) tidsskrift; (adj.) periodisk.

periosteum [peri'åstiəm] benhinde.

periostitis [periə'staitis] benhindebetændelse.

peripatetic [peripə'tetik] (adj.) omvandrende; peripatetisk; (subst.) peripatetiker.

peripheral [pə'rifərəl] periferisk.

periphery [pə'rifəri] periferi, omkreds.

periphrase ['perifreᵢz] omskrivning; omskrive.

periphras|is [pə'rifrəsis] (pl. [-i·z]) omskrivning.

periphrastic [peri'frästik] omskrivende, omskrevet.

periscope ['periskoᵘp] periskop.

perish ['periʃ] forgå, omkomme *(with* af; *by, from* af, ved); gå til grunde, forulykke, forlise; fordærves, visne; ødelægge; (bibl.) fortabes; *-ed with hunger* ved at omkomme af sult.

perishable ['periʃəbl] forgængelig; let fordærvelig; *-s* (subst. pl.) letfordærvelige varer.

perisher ['periʃə] **S** rad, skidt fyr, skarnsknægt.

perishing ['periʃiŋ]: *~ cold* **S** hundekoldt.

peristalsis [peri'stälsis] peristaltik.

peristaltic [peri'stältik] peristaltisk.

peristyle ['peristail] peristyl, søjlegård, søjlegang, søjlehal.

periton(a)eum [peritə'ni·əm] bughinde. **peritonitis** [peritə'naitis] bughindebetændelse.

periwig ['periwig] paryk; *-ged* med paryk på.

periwinkle ['periwiŋkl] (zo.) strandsnegl; ♧ singrøn, eviggrønt.

perjure ['pə·dʒə]: *~ oneself* aflægge falsk ed, sværge falsk; (svarer til:) afgive falsk forklaring for retten; *perjured* mensvoren.

perjurer ['pə·dʒərə] meneder.

perjury ['pə·dʒəri] mened; aflæggelse af falsk ed, edsbrud; (svarer til:) falsk forklaring for retten; *commit ~* aflægge falsk ed; afgive falsk forklaring for retten.

I. **perk** [pə·k]: *~ up* knejse, bryste sig, sætte næsen i sky; kvikke op; pynte; knejse med.

II. **perk** [pə·k] (vb.) **T** løbe igennem (om vand i kaffekolbe), lave kaffe (på kolbe).

perks [pə·ks] (pl.) **T** biindtægter.

perky ['pə·ki] vigtig, kry, kæphøj; forsoren; munter.

perm [pə·m] **T** fk. f. *permanent wave; she has had a ~* hun er blevet permanentet.

permafrost ['pə·məfråst] permafrost, permanent frossen jordbund.

permanence ['pə·mənəns] bestandighed, stadighed, varighed. **permanency** [-nənsi] stadighed; noget varigt; fast stilling.

permanent ['pə·mənənt] permanent; fast (fx. *job)*; varig (fx. *injury)*; blivende; bestandig, stadig (fx. *threat)*; *a ~ appointment* en fast ansættelse; *~ wave* permanentbølgning; *~ way* banelegeme.

permeability [pə·miə'biliti] gennemtrængelighed.

permeable ['pə·miəbl] gennemtrængelig.

permeate ['pə·mieᵢt]: *~ (through)* gennemtrænge (fx. *water -s (through) the soil)*, (fig.) gennemtrænge, gennemsyre; gå igennem, præge (fx. *the feeling that -s the speech)*.

permeation [pə·mi'eᵢʃən] gennemtrængen.

permissible [pə'misəbl] tilladelig, tilladt.

permission [pə'miʃən] tilladelse, lov (fx. *ask ~ to go* bede om lov til at gå).

permissive [pə'misiv] som giver tilladelse; fakultativ; liberal, tolerant.

I. **permit** [pə'mit] (vb.) tillade, give lov, lade; *weather -ting* hvis vejret tillader; *~ of* tillade, muliggøre; *be -ted to* få lov til at.

II. **permit** ['pə·mit] (subst.) skriftlig tilladelse.

permutable [pə'mju·təbl] ombyttelig.

permutation [pə·mju·'te'ʃən] ombytning, forvandling; omflytning, forandring af rækkefølgen; (mat.) permutation, omstilling (af tal etc.).

permute [pə(·)'mju·t] ombytte, omflytte; (mat.) permutere, omstille (tal etc.).

pernicious [pə·'niʃəs] skadelig, ødelæggende, ondartet; *~ anaemia* perniciøs anæmi.

pernickety [pə'nikiti] T pertentlig, pillen; kilden, vanskelig (fx. *a ~ question).*

perorate ['perore'it] holde tale, perorere; afslutte en tale. **peroration** [pero're'iʃən] slutning(safsnit) af en tale.

peroxyde [pə'råksaid]: *~ of hydrogen* (kem.) brintoverilte; *~ blonde* dame med affarvet hår.

perpend ['pə·pənd] (arkit.) binder (i mur); overligger.

perpendicular [pə·pən'dikjulə] (adj.) perpendikulær, lodret *(to* på); (subst.) lodret linie; lodret plan; lodret stilling; lodsnor; *~ (style)* engelsk sengotik; *drop a ~* nedfælde den vinkelrette; *the wall is out of the ~* muren er ude af lod.

perpendicularity ['pə·pəndikju'lăriti] lodret stilling.

perpetrate ['pə·pitre'it] begå, forøve.

perpetration [pə·pi'tre'iʃən] forøvelse; udåd.

perpetrator ['pə·pitre'itə] gerningsmand.

perpetual [pə'petjuəl] bestandig, evig (fx. *peace, youth);* stedsevarende; idelig, evindelig (fx. *their ~ quarrelling);* livsvarig; *~ calendar* evighedskalender; *~ curate* residerende kapellan; *~ motion machine* perpetuum mobile.

perpetuate [pə'petjue'it] fortsætte uafbrudt; bevare for alle tider, forevige.

perpetuation [pəpetju'e'iʃən] evig fortsættelse, forevigelse.

perpetuity [pə·pi'tjuiti] evighed, uafbrudt varighed; stadig besiddelse; uafhændelig ejendom; *for ~, in ~* for bestandig.

perplex [pə'pleks] forvirre, sætte i forlegenhed, gøre rådvild; forvikle, gøre indviklet.

perplexed [pə'plekst] (adj.) forvirret, rådvild; perpleks, paf, betuttet; indviklet.

perplexedly [pə'pleksidli] (adv.) forvirret, rådvildt.

perplexity [pə'pleksiti] indvikling, forvikling; forvirring, rådvildhed, tvivlrådighed.

perquisites ['pə·kwizits] sportler, biindtægter, emolumenter.

perron ['perən] monumental udvendig hovedtrappe med afsats el. terrasse.

perry ['peri] pærevin, pærecider.

persecute ['pə·sikju·t] forfølge; plage.

persecution [pə·si'kju·ʃən] forfølgelse.

persecutor ['pə·sikju·tə] forfølger.

perseverance [pə·si'viərəns] udholdenhed. **persevere** [pə·si'viə] holde ud, være standhaftig; blive (ihærdigt) ved *(in* med, fx. *one's work);* fremture *(in* i, fx. *one's follies).*

persevering [pə·si'viəriŋ] ihærdig, udholdende.

Persia ['pə·ʃə] Persien. **Persian** ['pə·ʃən] (adj.) persisk; (subst.) perser; (zo.) angorakat; *~ lamb* persianer.

persiennes [pə·si'enz] (udvendige) persienner.

persiflage [pæəsi'fla·ʒ] spot, persiflage.

persimmon [pə·'simən] daddelblomme.

persist [pə'sist] (vb.) vedvare, holde sig (fx. *the superstition still -s); ~ in* blive stædigt ved med (fx. *one's work);* stædigt fastholde (fx. *one's opinion);* fremture i (fx. *one's follies).*

persistence [pə'sistəns], **persistency** [pə'sistənsi] vedbliven, fastholden; ihærdighed; hårdnakkethed; fremturen; vedvaren.

persistent [pə'sistənt] ihærdig, udholdende, hårdnakket; vedvarende, vedholdende.

person ['pə·sn] person; ydre, skikkelse; *offence against the ~* (jur.) legemsbeskadigelse, legemskrænkelse; *in ~* personlig, selv; *without respect of -s* uden persons anseelse; *young ~* ung pige, ungt menneske.

personable ['pə·s(ə)nəbl] net, pæn, præsentabel.

personage ['pə·s(ə)nidʒ] (fornem el. betydelig) person; person (i skuespil etc.); *a prominent ~* en fremtrædende personlighed.

personal ['pə·s(ə)nəl] (adj.) personlig; (subst.) avisnotits med personligt nyt; *~ estate* (el. *property) = personalty.*

personality [pə·sə'năliti] personlighed; person; *personalities* personligheder (ɔ: nedsættende bemærkninger); *~ cult* persondyrkelse.

personalize ['pə·sənəlaiz] personificere.

personalty ['pə·snlti] løsøre, rørligt gods, formue bortset fra rettigheder i fast ejendom.

personate ['pə·səne'it] fremstille, optræde som; udgive sig for. **personation** [pə·sə'ne'iʃən] fremstilling, given sig ud for. **personator** ['pə·s(ə)ne'itə] fremstiller.

personification [pə·sånifi'ke'iʃən] personliggørelse, personifikation. **personify** [pə·'sånifai] personliggøre, personificere.

personnel [pə·sə'nel] personale; ⚔ personel, mandskab. **personnel| carrier** ⚔ mandskabsvogn. **~ manager** personalechef.

perspective [pə'spektiv] (adj.) perspektivisk; (subst.) perspektiv; udsigt; *~ (drawing)* perspektivtegning.

perspex ['pə·speks] ® gennemsigtigt plastikstof; splintfrit glas.

perspicacious [pə·spi'ke'iʃəs] skarpsynet, skarpsindig. **perspicacity** [pə·spi'kăsiti] skarpsynethed, skarpsindighed.

perspicuity [pə·spi'kjuiti] klarhed, anskuelighed.

perspicuous [pə'spikjuəs] klar, anskuelig.

perspiration [pə·spə're'iʃən] sved, transpiration.

perspire [pə'spaiə] svede, transpirere.

perspiring [pə'spaiəriŋ] svedt, svedig, varm.

persuade [pə'swe'id] overtale *(into, to* til at); overbevise *(of* om, *that* om at); *~ sby. out of sth.* få en fra noget; *-ed of* overbevist om.

persuader [pə'swe'idə] overtaler, overtalelsesmiddel; *hidden -s* skjulte fristere.

persuasion [pə'swe'iʒən] overtalelse, overtalelsesevne; overbevisning; tro; *try ~* forsøge med det gode.

persuasive [pə'swe'isiv] (adj.) overtalende, overbevisende; (subst.) overtalelsesmiddel; motiv, bevæggrund. **persuasiveness** overtalelsesevne, overbevisende kraft.

pert [pə·t] næsvis, næbbet; kæphøj.

pertain [pə·'te'in]: *~ to* høre til; angå; passe sig for.

pertinacious [pə·ti'ne'iʃəs] hårdnakket, halsstarrig; ihærdig, standhaftig.

pertinacity [pə·ti'năsiti] hårdnakkethed, halsstarrighed; ihærdighed, standhaftighed.

pertinen|ce, -cy ['pə·tinəns, -si] (subst.) relevans, forbindelse med den foreliggende sag; rammende karakter.

pertinent ['pə·tinənt] relevant, sagen vedkommende; træffende, rammende; *be ~ to* vedkomme (fx. *the question is not ~ to the matter in hand).*

perturb [pə'tə·b] forstyrre, forurolige (fx. *we were -ed by the news);* bringe forstyrrelse i (fx. *the social order).*

perturbation [pə·tə·'be'iʃən] forstyrrelse, forvirring, uro; (astr.) perturbation, ændring i planets bane.

perturbed [pə'tə·bd] urolig, forvirret.

Peru [pə'ru·].

peruke [pə'ru·k] paryk.
perusal [pə'ru·zəl] (grundig) gennemlæsning; undersøgelse.
peruse [pə'ru·z] gennemlæse (grundigt); granske; undersøge.
Peruvian [pə'ru·viən] peruaner, peruansk; ~ *bark* kinabark.
pervade [pə·'veᶦd] gennemtrænge, gennemstrømme; præge.
pervasion [pə·'veᶦʒən] gennemtrængen.
pervasive [pə·'veᶦsiv] som trænger frem overalt; vidt udbredt, almen, gennemtrængende.
perverse [pə'və·s] trodsig, forstokket, stædig, forhærdet, fordærvet, kontrær, urimelig; urigtig, bagvendt; pervers.
perversion [pə'və·ʃən] forvrængning, forvanskning; fordærvelse.
perversity [pə'və·siti] trodsighed, forstokkethed, forhærdelse, fordærvelse; urigtighed, urimelighed.
perversive [pə'və·siv] forvrængende; fordærvelig, skadelig.
I. **pervert** ['pə·və·t] (subst.) frafalden; degenereret individ, perverst menneske.
II. **pervert** [pə'və·t] (vb.) forvrænge, forvanske, fordreje, mistyde; fordærve, forføre.
perverted [pə'və·tid] forvrænget, forvansket, fordærvet; pervers.
pervious ['pə·viəs, -vjəs] gennemtrængelig (*to* for, fx. *light*), tilgængelig (*to* for), modtagelig (*to* for).
pesky ['peski] **S** ærgerlig, væmmelig, forbistret, irriterende.
pessary ['pesəri] (med.) pessar.
pessimism ['pesimizm] pessimisme. **pessimist** [-mist] pessimist. **pessimistic** [pesi'mistik] pessimistisk.
pest [pest] plage, pestilens; skadedyr; (glds.) pest, farsot.
pester ['pestə] besvære, plage.
pesticide ['pestisaid] middel mod skadedyr, pesticid.
pestiferous [pe'stifərəs] smitteførende, forpestende; (fig.) skadelig.
pestilence ['pestiləns] pest, farsot.
pestilent ['pestilənt] skadelig, ødelæggende, dødbringende; utålelig, besværlig, nederdrægtig.
pestilential [pesti'lenʃəl] pestagtig, som bringer pest med sig, pestsvanger; fordærvelig; utålelig, nederdrægtig.
pestle [pesl] (subst.) støder (til morter); (vb.) støde.
I. **pet** [pet] (subst.) anfald af dårligt humør; *be in a* ~ være i dårligt humør, surmule; *take* ~ blive fornærmet.
II. **pet** [pet] (subst.) kælebarn, kæledægge, yndling, favorit; kæledyr; (adj.) kæle-, yndlings-; (vb.) kæle for, gøre stads af, forkæle; (amr.) kæle intimt for (el. med); *he is a* ~ han er forfærdelig sød; *make a* ~ *of* gøre til sin kæledægge.
petal ['petl] ♧ kronblad.
petard [pe'ta·d] (glds., ⚔) petarde; *hoist with his own* ~ fanget i sit eget garn.
pet aversion: *my* ~ det værste jeg ved, min rædsel.
I. **peter** ['pi·tə] (vb.) (i kortspil) kalde.
II. **peter** ['pi·tə] (vb.): ~ *out* løbe ud i sandet, ikke blive til noget (fx. *the scheme -ed out*); forsvinde gradvis, tabe sig, dø hen; slippe op.
III. **peter** ['pi·tə] (subst.) **S** pengeskab; (fængsels-) celle.
Peter ['pi·tə]: *rob* ~ *to pay Paul* tage fra den ene for at give til den anden; *-'s pence* peterspenge.
Peter Pan ['pi·tə'pän] (figur i komedie af J. M. Barrie; dreng der aldrig bliver voksen); ~ *collar* drengekrave.
petiolate ['petioleᶦt], **petiolated** ['petioleᶦtid] ♧ med stilk, stilket. **petiole** ['petioᵘl] bladstilk.
petite [pə'ti·t] lille (om kvinde).
petition [pi'tiʃən] (subst.) bøn; ansøgning; andragende, begæring; (vb.) bede; ansøge, indgive en ansøgning (, et andragende) til; ~ *in bankruptcy* konkursbegæring.
petitionary [pi'tiʃən(ə)ri] bedende, ansøgende, bøn-.
petitioner [pi'tiʃənə] ansøger; klager (især i skilsmissesag).
pet name kælenavn.
Petrarch ['pi·tra·k] Petrarka.
petrel ['petrəl] (zo.) stormsvale; se ogs. *stormy petrel.*
petrifaction [petri'fākʃən] forstening. **petrify** ['petrifai] forstene; forstenes.
petrol ['petrəl] benzin; forsyne med benzin.
petrolatum [petro'leᶦtəm] vaselin. **petrol engine** benzinmotor.
petroleum [pi'troᵘljəm] råolie, jordolie, stenolie; ~ *jelly* vaselin.
petrol| filling station benzintank. ~ **tank** benzintank (i bil).
petticoat ['petikoᵘt] underskørt; **S** skørt, kvinde; ~ *government* skørteregimente.
pettifog ['petifåg] bruge lovtrækkerier, optræde småligt el. chikanøst. **pettifogger** vinkelskriver, lommeprokurator, lovtrækker.
pettifoggery ['petifågəri] prokuratorkneb, lovtrækkeri(er); smålige kneb. **pettifogging** (subst.) = *pettifoggery;* (adj.) smålig, chikanøs; ligegyldig, lumpen, ussel.
pettiness ['petinės] lidenhed, ubetydelighed; smålighed.
petting ['petiŋ] (subst.) (erotisk) kæleri.
pettish ['petiʃ] gnaven, pirrelig, lunefuld.
pettitoes ['petitoᵘz] grisetæer.
petty ['peti] lille, mindre; ubetydelig; underordnet; smålig; småtskåren.
petty| cash småbeløb. ~ **jury** almindelig jury (af indtil 12 medlemmer). ~ **larceny** rapseri. ~ **officer** ⚓ underofficer, oversergent. ~ **sessions** (underret beklædt af fredsdommere).
petulance ['petjuləns] gnavenhed, pirrelighed.
petulant ['petjulənt] gnaven, pirrelig; lunefuld.
petunia [pi'tju·niə] ♧ petunie.
pew [pju·] kirkestol, lukket stol i en kirke; **T** stol, siddeplads; *take a* ~ tag plads!
pewit ['pi·wit] (zo.) vibe.
pew-opener ['pju·oᵘpnə] kirkebetjent.
pewter ['pju·tə] tin, tinlegering; tinkrus, tinfade, tintøj; **S** pokal, præmiesum.
phaeton ['feᶦtn] faeton (let åben firhjulet vogn).
phagocyte ['fāgəsait] fagocyt.
phalanx ['fālāŋks] falanks, fylking; (anat.) fingerknogle, tåknogle.
phalarope ['fāləroᵘp] (zo.): *grey* (, amr.: *red*) ~ thorshane; *red-necked* (, amr.: *northern*) ~ odinshane.
phallic ['fālik] (adj.) fallisk.
phallus ['fāləs] (subst.) fallos.
phantasm ['fāntāzm] fantasibillede, syn, drøm, hjernespind, fantom.
phantasmagoria [fāntāzmə'gåriə] fantasmagori, række af fantasibilleder, blændværk.
phantasm|al, -ic [fān'tāzməl, -mik] spøgelseagtig, fantastisk, uvirkelig.
phantasy ['fāntəsi] fantastisk idé; lune; fantasi.
phantom ['fāntəm] fantasibillede, syn; genfærd, spøgelse; fantom; ~ *ship* spøgelseskib, dødssejler.
Pharaoh ['færoᵘ] Farao.
pharisaic(al) [fāri'seᶦik(l)] farisæisk.
pharisaism ['fāriseᶦizm] farisæisme.
Pharisee ['fārisi·] farisæer.
pharmaceutical [fa·mə'sju·tik(ə)l] farmaceutisk; ~ *chemist* apoteker; kemiker der arbejder med medicinalvarefremstilling.
pharmacist ['fa·məsist] farmaceut; (amr.) apoteker.
pharmaco|logist [fa·mə'kålədʒist] farmakolog. **-logy** [-dʒi] farmakologi, læren om lægemidler. **-poeia** [fa·məkə'pi·ə] farmakopé.

pharmacy ['fa·məsi] farmaci, apoterkerkunst; apotek.

pharos ['færås] fyrtårn.

pharyngal [fə'riŋgl], **pharyngeal** [fārin'dʒi·əl] svælg. **pharyngitis** [fārin'dʒaitis] svælgkatar.

pharynx ['fāriŋks] svælg.

phase [fe'z] fase, (om månen ogs.) skifte; (fig.) fase, stadium; aspekt, side (fx. *that is but one ~ of the subject); in ~* afpasset efter hinanden, i takt.

phased [fe'zd] som sker etapevis.

Ph. D. ['pi·e'tʃ'di·] fk. f. *philosophiae doctor* dr. phil.

pheasant ['feznt] fasan; *~'s eye* ♧ adonis. **pheasantry** ['fezntri] fasangård, fasaneri.

phenacetin [fi'näsitin] phenacetin.

Phenicia [fi'niʃiə] Fønikien.

Phenician [fi'niʃiən] fønikisk; føniker.

phenix ['fi·niks] fugl Føniks.

phenology [fi'nålədʒi] fænologi.

phenomena [fi'nåminə] pl. af *phenomenon.* **phenomenal** [fi'nåminəl] fænomenal, fænomen- (fx. *world);* som hviler på iagttagelser (fx. *science);* **T** fænomenal, enestående.

phenomen|on [fi'nåminən] (pl. *-a)* fænomen, foreteelse; *infant ~* vidunderbarn.

phenotype ['fi·notaip] fremtoningspræg.

phew [fju·] pyh(a), puh(a), pøj.

phial ['faiəl] medicinflaske, lille flaske.

phi beta kappa ['fai'bi·tə'käpə] akademisk broderorden (i Amerika), hvori de, der har særlig fine eksamensresultater, kan optages.

Philadelphia [filə'delfjə] Filadelfia.

philander [fi'ländə] gøre kur, flirte.

philanderer [fi'ländərə] kurmager.

philanthropic [filən'þråpik] filantropisk, menneskekærlig. **philanthropist** [fi'länþrəpist] filantrop, menneskeven. **philanthropy** [fi'länþrəpi] filantropi, menneskekærlighed.

philatelic [filə'telik] filatelistisk, frimærke-. **philatelist** [fi'lätəlist] filatelist, frimærkesamler. **philately** [fi'lätəli] filateli.

philharmonic [fil(h)a·'månik] (adj.) filharmonisk, musikelskende; (subst.) koncert givet af filharmonisk selskab.

philhellene ['filheli·n] filhellener, grækerven.

philhellenic [filhe'li·nik] grækervenlig.

philippic [fi'lipik] tordentale.

I. **Philippine** ['filipi·n]: *the ~ Islands, the Philippines* Filippinerne.

II. **philippine** ['filipi·n] filippine, filippinegave.

philistine ['filistain] (subst.) filister, spidsborger; (adj.) filistrøs, spidsborgerlig.

philological [filə'lådʒikl] filologisk, sprogvidenskabelig. **philologist** [fi'lålədʒist] filolog, sprogforsker. **philology** [fi'lålədʒi] filologi, sprogvidenskab.

Philomel ['filomel], **Philomela** [filo'mi·lə] nattergal.

philosopher [fi'låsəfə] filosof; *-s' stone* de vises sten. **philosophical** [filo'såfikl] filosofisk; *be ~ about it* tage det med filosofisk ro.

philosophism [fi'låsəfizm] sofisteri. **philosophist** [-fist] sofist.

philosophize [fi'låsəfaiz] filosofere.

philosophy [fi'låsəfi] filosofi; livsanskuelse; filosofisk ro; *natural ~* (glds.) fysik.

philtre ['filtə] elskovsdrik.

phiz [fiz] **T** ansigt, fjæs.

phlebitis [fli'baitis] årebetændelse.

phlebotomy [fli'båtəmi] åreladning.

phlegm [flem] slim; flegma, koldsindighed, dorskhed.

phlegmatic [fleg'mätik] flegmatisk.

phloem ['flo^u^em] ♧ sivæv, blødbast. **phloem strand** ♧ sistreng.

phlox [flåks] ♧ floks.

Phoenicia, Phoenician se *Phenicia, Phenician.*

phoenix ['fi·niks] fugl Føniks.

I. **phone** [fo^u^n] (subst.) sproglyd.

II. **phone** [fo^u^n] **T** (subst.) telefon; (vb.) telefonere (til), ringe (til); *he is not on the ~* han har ikke telefon; *hang up the ~* lægge røret på.

phoneme ['fo^u^ni·m] (subst.) fonem.

phonemics [fo'nemiks] fonematik, fonologi.

phonetic [fo'netik] fonetisk, lyd-; *~ notation* lydskrift.

phonetician [fo^u^ni'tiʃən] fonetiker.

phonetics [fo'netiks] fonetik.

phoney se *phony.*

phonic ['fo^u^nik] lyd-, akustisk.

phonograph ['fo^u^nəgra·f] fonograf; (amr.) grammofon.

phonology [fo'nålədʒi] historisk lydlære.

phony ['fo^u^ni] **S** (adj.) falsk, forloren; (subst.) svindler, fupmager; svindel, fup; *the ~ war* (den 2. verdenskrig indtil tyskernes invasion i Frankrig og Belgien).

phosgene ['fåzdʒi·n] fosgen (en giftgas).

phosphate ['fåsfe't] fosfat.

phosphorate ['fåsfəre't] forbinde med fosfor.

phosphoresce [fåsfə'res] fosforescere.

phosphorescence [fåsfə'resəns] fosforescens.

phosphorescent [fåsfə'resənt] fosforescerende.

phosphoric [fås'fårik] fosforagtig, fosfor; *~ acid* fosforsyre.

phosphorous ['fåsfərəs] fosforholdig, fosfor-; *~ acid* fosforsyrling.

phosphorus ['fåsfərəs] fosfor.

photo ['fo^u^to^u^] (subst.) fotografi; (vb.) fotografere.

photo|copy ['fo^u^təkåpi] (subst.) fotokopi; (vb). fotokopiere. *~* **-electric** fotoelektrisk (fx. *effect). ~* **-electric cell** fotocelle. *~* **-finish** ['fo^u^to^u^'finiʃ] afslutning af væddeløb, hvor vinderen må bestemmes ved hjælp af målfotografi; *it was a ~-finish* (fig.) de stod næsten lige. **-genic** [fo^u^to^u^'dʒenik] fotogen; *be -genic* (ogs.) se godt ud på fotografier.

photo|graph ['fo^u^təgräf, -gra·f] fotografi; fotografere; *I don't -graph well* jeg bliver ikke god på fotografier. **-grapher** [fə'tågrəfə] fotograf. **-graphic(al)** [fo^u^tə'gräfik(l)] fotografisk; *-graphical memory* klæbehjerne. **-graphy** [fə'tågrəfi] fotografering, fotografi (faget).

photogravure [fo^u^təgrə'vjuə] fotogravure.

photometer [fo^u^'tåmitə] lysmåler.

photo|micrograph ['fo^u^tə'maikrəgräf] mikrofotografi. **-micrographer** ['fo^u^təmai'krågrəfə] mikrofotograf. **-micrography** [-mai'krågrəfi] mikrofotografering.

photo|sensitive lysfølsom. **-stat** ['fo^u^təstät] fotostat, fotokopi. **-telegraphy** billedtelegrafi.

phrase [fre'z] (subst.) ordforbindelse, udtryk, udtryksmåde, talemåde, (ogs. i musik) frase; (vb.) udtrykke, kalde, benævne; formulere; (i musik) frasere.

phrase|-book parlør. *~* **-monger** frasemager.

phraseologic(al) [fre'ziə'lådʒik(l)] fraseologisk.

phraseology [fre'zi'ålədʒi] fraseologi, udtryksmåde.

phrenetic [fri'netik] (adj.) vanvittig, rasende, fanatisk.

phrenologic(al) [frenə'lådʒik(l)] frenologisk.

phrenologist [fri'nålədʒist] frenolog. **phrenology** [-dʒi] frenologi.

Phrygia ['fridʒiə] Frygien.

Phrygian ['fridʒiən] frygisk; fryger.

phthisis ['þaisis] lungetuberkulose, svindsot, tæring.

phut [fʌt]: *go ~* falde sammen, gå fløjten; gå rabundus.

phys. fk. f. *physics; physician; physiology.*

physic ['fizik] lægekunst, lægevidenskab; lægemiddel, medicin; (vb.) give medicin (især afføringsmiddel); hjælpe, lindre.

physical ['fizikl] fysisk; legemlig, legems-; materiel; håndgribelig; *~ medicine* fysiurgi; *~ training* gymnastik.

physician [fi'ziʃən] læge.

physicist ['fizisist] fysiker. **physics** ['fiziks] fysik.

physiognomic [fizi'nåmik] fysiognomisk. **physiognomist** [fizi'ånəmist] fysiognom. **physiognomy** [fizi'ånəmi] fysiognomi, ansigt, ansigtstræk; ansigtsudtryk; fysiognomik.

physio|logic(al) [fiziə'lådʒik(l)] fysiologisk. **-logist** [fizi'ålədʒist] fysiolog. **-logy** [fizi'ålədʒi] fysiologi; *-logy of nutrition* ernæringsfysiologi. **-therapist** [fiziə'þerəpist] fysioterapeut. **-therapy** [fiziə'þerəpi] fysioterapi.

physique [fi'zi·k] konstitution, legemsbygning, fysik (fx. *his strong ~).*

pi [pai] (subst., mat.) pi; (adj.) T 'hellig'.

pianist ['pjänist, 'piənist] pianist.

I. **piano** ['pja·nou, pi'a·nou] (adv.) piano, sagte.

II. **piano** ['pjänou, 'pja·nou] (subst.) klaver, piano; *grand ~* flygel; *upright ~* opretstående klaver.

pianoforte [pjänou'få·ti] piano(forte).

pianola [pjä'noulə] pianola (elektrisk klaver).

piano-player elektrisk klaver.

piastre [pi'ästə] pjaster (mønt).

piazza [pi'ädzə] piazza, åben plads; (amr.) [pi'äzə] veranda.

pibroch ['pi·bråk] en skotsk sækkepibemelodi.

pica ['paikə] (typ.) cicero.

picaresque [pikə'resk] pikaresk.

picaroon [pikə'ru·n] (subst.) sørøver, pirat; sørøverskib; (vb.) drive sørøveri; plyndre.

Piccadilly [pikə'dili].

piccalilli [pikə'lili] stærk pickles.

piccaninny ['pikənini] (subst.) lille barn (især negerbarn); (adj.) meget lille.

piccolo ['pikəlou] pikkolofløjte.

I. **pick** [pik] (vb.) hakke, stikke i, hakke op; plukke (fx. *flowers; a goose);* pille (fx. *~ a bone clean),* rense; pille i, pille fra hinanden; bestjæle, plyndre; stjæle, rapse; vælge, udvælge (fx. *~ the biggest apple);* nippe til maden; klimpre på; *~ and choose* vælge og vrage; *~ and steal* rapse; *have a bone to ~ with sby.* have en høne at plukke med en; *~ sby.'s brains* stjæle ens ideer; *~ holes in* (fig.) kritisere (sønder og sammen); *~ a lock* dirke en lås op; *~ one's nose* pille sig i næsen; *~ a pocket* begå lommetyveri; *~ a quarrel* yppe kiv *(with* med); *~ one's teeth* stange tænder; *~ one's way* træde forsigtigt; *~ one's words* vælge sine ord med omhu;

(forb. med præp. og adv.) *~ at* rykke i; *~ at sby.* være efter en, hakke på en, være på nakken af en; *~ at one's food* stikke (el. nippe) til maden; *~ off* pille af (el. væk); nedskyde enkeltvis; *~ on sby.* slå ned på en, udvælge en til et ubehageligt arbejde, være efter en, være på nakken af en; *~ out* hakke ud; (ud)finde; finde ud af (fx. *the meaning);* skelne, kunne se (fx. *I -ed him out in the crowd);* vælge; udvælge (fx. *the best pupils);* udhæve, fremhæve, variere (grundfarve); *~ to pieces* plukke i stykker; kritisere sønder og sammen; *~ up* hakke op (fx. *the ground);* samle op, tage (fx. *he -ed up his parcels);* tage op (fx. *the train stopped to ~ up passengers);* afhente (fx. *I'll ~ you up at six);* få fat i, samle, skaffe sig (fx. *information);* tilegne sig, lære (fx. *a foreign language);* genvinde (fx. *health),* genfinde; opfange, opfatte, tage (station i radio); komme sig, kvikke op; få fart på; *he has -ed up strange acquaintances* han har gjort mærkelige bekendtskaber; *~ up courage* fatte mod; *~ up flesh* genvinde sit huld, få kød på kroppen; *~ up a living by* slå sig igennem ved; *~ oneself up* rejse sig; *~ up with* gøre bekendtskab med.

II. **pick** [pik] (subst.) spidst redskab, hakke; *the ~ of* det bedste af, eliten af; *have one's ~* kunne vælge.

pick-a-back ['pikəbäk]: *ride ~* ride på ryggen (af en anden).

pickaninny se *piccaninny.*

pickaxe ['pikäks] (subst.) hakke; (vb.) hakke (i).

picked [pikt] udsøgt. **picker** ['pikə] plukker (fx. bærplukker).

pickerel ['pikərəl] (zo.) ung gedde, lille gedde; (amr.) gedde.

picket ['pikit] (subst.) pæl; tøjrpæl; teltpæl; forpost; feltvagt; strejkevagt; (vb.) omgive med stakit; tøjre; postere; anbringe strejkevagter ved, blokere, bevogte.

pickings ['pikiŋz] rester; ulovligt erhvervede biindtægter.

pickle ['pikl] (subst.) lage, saltlage, eddike; knibe, klemme; T skarnsunge; (vb.) lægge i lage, sylte, marinere; *-s* pickles; *-d* (S ogs.) fuld, beruset; *be in a pretty ~* sidde net i det; *I have a rod in ~ for him* jeg skal give ham en ordentlig omgang; der er lagt i kakkelovnen til ham.

picklock ['piklåk] dirk; indbrudstyv.

pick-me-up ['pikmiʌp] opstrammer, hjertestyrkning.

pickpocket ['pikpåkit] lommetyv.

pick-up ['pikʌp] (adj.) improviseret; opsamlende; (subst.) ting man har samlet op; tilfældigt bekendtskab, gadebekendtskab, gadepige; lille lastvogn el. varebil; (bils) accelerationsevne; *(gramophone) ~* pick-up (til grammofon).

Pickwick ['pikwik] (person hos Dickens).

Pickwickian [pik'wikiən] pickwickiansk; pickwickianer; *in a ~ sense* i gemytlig betydning.

picnic ['piknik] (subst.) skovtur, udflugt (med måltid i det fri); (vb.) foretage en udflugt; leve på feltfod; *no ~* ikke det bare legeværk.

picric ['pikrik]: *~ acid* pikrinsyre.

Pict [pikt] pikter. **Pictish** ['piktiʃ] piktisk.

pictorial [pik'tå·riəl] (adj.) billed-; illustreret; malerisk; illustreret blad; billedblad.

picture ['piktʃə] billede, maleri; udtrykte billede, legemliggørelse; film; tableau; (i fjernsyn) totalbillede; (vb.) male, afbilde; forestille sig; *the -s* biografen, filmen; *go to the -s* gå i biografen; *living ~* tableau; *moving* (el. *cinema) ~* film; *she is a ~* hun er billedskøn; *he is the ~ of his father* han er faderen op ad dage; *look the ~ of health* se ud som sundheden selv; *put sby. in the ~* orientere en, sætte en ind i sagen; *~ to oneself* forestille sig.

picture|-book billedbog. **~ -card** billedkort. **~ -gallery** malerisamling. **~ -hat** bredskygget (dame-) hat. **~ palace** biografteater. **~ postcard** prospektkort. **~ -signal** billedsignal.

picturesque [piktʃə'resk] malerisk (fx. *village);* pittoresk (fx. *style);* malende (fx. *account* beskrivelse).

picture| tube billedrør. **~ -writing** billedskrift.

picturization [piktʃərai'zeiʃən] filmatisering.

picturize ['piktʃəraiz] filmatisere.

piddle ['pidl] stikke til maden, spise uden appetit; nusse; tisse.

piddling ringe, sølle, ubetydelig.

pidgin ['pidʒin]: *that's not my ~* det er ikke min sag, det kommer ikke mig ved.

pidgin-English ['pidʒin'iŋgliʃ] kineserengelsk, pidginengelsk.

I. **pie** [pai] (subst., zo.) skade (fugl).

II. **pie** [pai] engelsk postej, pie; *as easy as ~* S så let som ingenting; *have a finger in the ~* have en finger med i spillet.

III. **pie** [pai] (subst., typ.) ødelagt sats, 'fisk'; (fig.) forvirring, uorden; *~, make ~ of* bringe i uorden.

piebald ['paibå·ld] broget, spraglet; broget hest; broget blanding.

I. **piece** [pi·s] (subst.) stykke; pengestykke; kanon; gevær; brik; S person, pigebarn; *-s* (ogs.) dele (fx. *a dinner service of 50 -s); a six ~ band* et seksmands orkester; *threepence a ~* tre pence stykket (pr. styk); *say one's ~* få sagt sin mening, få sagt hvad man har på hjerte;

by the ~ stykkevis; *work by the ~* arbejde på akkord; *~ by ~* stykke for stykke, lidt efter lidt; *~ of furniture* møbel; *a ~ of advice* et råd; *a ~ of news* en nyhed; *a ~ of information* en oplysning; *a ~ of bad luck* et uheld; *a ~ of (good) luck* et held; *~ of eight* (glds.) pjaster; *give him a ~ of my mind* sige ham min mening rent ud; *of a ~* af samme slags *(with* som); *they are of* *a* ~ de er to alen af ét stykke; *break to -s* brække i stykker; *come to -s, go to -s* gå i stykker; (fig.) bryde sammen; *take to -s* tage fra hinanden; skille ad; kunne skilles ad.

II. **piece** [pi·s] (vb.) bøde, lappe, udbedre; forene, forbinde; sammenstykke; ~ *on* passe ind, sætte på; ~ *out* øge, komplettere; udfylde; ~ *together* stykke sammen; lappe (sammen).

piece|-goods metervarer. **-meal** ['pi·smi·l] stykkevis, stykke for stykke; sammenstykket. ~ **-rate** akkordsats. ~ **-work** akkordarbejde. ~ **-worker** akkordarbejder.

pied [paid] broget.

pied-à-terre [pie'də'tæə] aftrædelsesværelse; midlertidigt opholdssted.

pier [piə] mole, landingsbro; bropille; murpille.

pierage ['piəridʒ] bolværkspenge.

pierce [piəs] gennembore, gennemtrænge, trænge igennem; gennemskue; bore sig ind, trænge frem.

piercing ['piəsiŋ] gennemtrængende (fx. *a ~ cry);* bidende, skarp (fx. *wind).*

pier-glass ['piəgla·s] pillespejl.

pierrot ['piəroᵘ] pjerrot.

pietism ['paiətizm] pietisme. **pietist** pietist.

pietistic(al) [paiə'tistik(l)] pietistisk.

piety ['paiəti] fromhed; pietet, sønlig kærlighed.

piffle ['pifl] (subst.) vås, pladder, pjat; (vb.) vrøvle, sludre.

piffling ringe, sølle, ubetydelig.

I. **pig** [pig] (subst.) gris, svin; klump, blok (af metal); **T** slughals, grovæder; *domestic ~* (zo.) tamsvin; *bring one's ~ to the wrong market* 'gå galt i byen', forregne sig; *buy a ~ in a poke* købe katten i sækken; *make a ~ of oneself* foræde sig, være grådig.

II. **pig** [pig] (vb.) få grise; ~ *(it),* ~ *(in) together* stuve sig sammen, kline sig sammen.

I. **pigeon** ['pidʒin] (subst.) due; (fig.) godtroende menneske; se ogs. *pidgin.*

II. **pigeon** ['pidʒin] (vb.) snyde (især i spil).

pigeon|-breast (med.) duebryst. **-gram** [-gräm] meddelelse pr. brevdue. **-hearted** frygtsom. ~ **-hole** (subst.) hul i dueslag; fag, rum; (vb.) lægge i særskilte rum; sortere, analysere; opbevare, lægge til side; 'sylte'; forsyne med rum. ~ **-house** dueslag. ~ **post** brevduepost.

pigeonry ['pidʒinri] dueslag.

pigeon-toed med tæerne indad; *be ~* gå indad på fødderne.

piggery ['pigəri] svinehus, svinesti; svinagtighed.

piggish ['pigiʃ] griset, svinsk; grådig.

piggin ['pigin] (subst.) strippe.

piggy| bank sparegris. ~ **-wiggy** øfgris; grissebasse.

pig|headed ['pig'hedid] stivsindet. ~ **-iron** råjern. **-let** lille gris; *-lets* smågrise. **-meat** flæsk, fedevarer.

pigment ['pigmənt] pigment, farve, farvestof.

pigmental [pig'mentl] farve-.

pigmy ['pigmi] se *pygmy.*

pig|nut jordnød. **-pen** svinesti. **-skin** svinelæder; **S** sadel; fodbold. **-sticking** vildsvinejagt (med spyd). **-sty** svinesti. **-tail** grisehale; hårpisk, 'rottehale'; tobaksrulle.

pig-tailed: ~ *monkey* (zo.) svinehaleabe. **pigwash** svinefoder.

pi-jaw ['paidʒå·] **S** moralpræken.

I. **pike** [paik] (zo.) gedde.

II. **pike** [paik] (subst.) spyd, pike; lanse; fanestang; (bjerg)spids; (vb.) gennembore med pike.

piked [paikt] forsynet med pigge; spids.

pikeman ['paikmən] bommand; pikenér.

pikestaff ['paiksta·f] spydstage; *as plain as a ~* klart som dagen.

pilaster [pi'lästə] pilaster, vægpille.

pilch [piltʃ] bleholder; let sadel.

pilchard ['piltʃəd] (zo.) sardin.

I. **pile** [pail] (subst.) stabel (fx. *a ~ of books);* dynge, hob; bål; ligbål; bygning, bygningskompleks; tørelement; atommile, atomreaktor; **T** formue; *funeral ~* ligbål; *make one's ~* samle sig en formue.

II. **pile** [pail] (vb.) stable (op), dynge (op); fylde, stoppe; ⚔ (om geværer) sætte sammen, stille i pyramide; ~ *on the agony* **T** smøre tykt på, udmale alle rædslerne; ~ *it on* **T** overdrive, smøre tykt på; ~ *up* dynge sammen, stable op; samle sig sammen; (om biler) brase sammen; (om bil, flyv.) blive knust.

III. **pile** [pail] (subst.) fundamentpæl, pæl.

IV. **pile** [pail] (vb.) føre pæle ned i (fx. ~ *the ground),* pilotere.

V. **pile** [pail] (subst.) hår, uld; luv.

pile-driver ['paildraivə] rambuk.

piles [pailz] hæmorroider.

pileus ['pailiəs] ♧ hat (på en svamp).

pilewort ['pailwə·t] ♧ vorterod.

pilfer ['pilfə] rapse, småstjæle. **pilferage** ['pilfəridʒ], **pilfering** rapseri.

pilgrim ['pilgrim] (subst.) pilgrim; (vb.) valfarte; *the P. Fathers* de engelske puritanere, som i 1620 med skibet *the Mayflower* forlod England for at bosætte sig i Amerika.

pilgrimage ['pilgrimidʒ] (subst.) pilgrimsrejse, valfart; (vb.) valfarte.

piling ['pailiŋ] opstabling; pæleværk.

pill [pil] pille; **S** (ved ballotering) kugle; billardkugle; bold; ~ *sby.* (ved ballotering) stemme imod ens optagelse.

pillage ['pilidʒ] (subst.) plyndring, bytte, rov; (vb.) plyndre, røve.

pillar ['pilə] pille, søjle; støtte; *from ~ to post* fra Herodes til Pilatus, fra sted til sted.

pillar-box (søjleformet, fritstående) postkasse.

pillared ['piləd] hvilende på piller, forsynet med piller; søjleformet.

pill-box ['pilbåks] pilleæske; ⚔ maskingeværrede, bunker.

pillion ['piliən] bagsæde på motorcykel; ridepude (som plads for en kvinde bag ved rytteren); *ride ~* sidde bagpå.

pillory ['piləri] (subst.) gabestok; (vb.) (ogs. fig.) sætte i gabestokken.

pillow ['piloᵘ] (subst.) hovedpude, pude; (vb.) lægge på pude, støtte som en pude; (tekn.) bæreleje; *take counsel of one's ~* sove på det.

pillow|-case, ~ **-slip** pudevår, pudebetræk.

pillowy ['piloᵘi] pudeagtig, pudeformet.

pilot ['pailət] lods; flyver, pilot; **S** præst; (adj.) forsøgs- (fx. *project);* prøve- (fx. *balloon; census* afstemning); (vb.) lodse; føre luftfartøj; (fig.) lodse, styre; *drop the ~* sende lodsen fra borde, sætte lodsen af.

pilotage ['pailətidʒ] lodspenge; lodsning; lodskontor.

pilot|-cloth en slags blåt, uldent tøj til overfrakker. ~ **-engine** lokomotiv der sendes ud for at skaffe fri bane for et tog. ~ **-fish** (zo.) lodsfisk. ~ **jack** lodsflag. ~ **-jacket** pjækkert. ~ **officer** (svarer til) flyverløjtnant II. ~ **whale** grindehval.

pimento [pi'mentoᵘ] allehånde, piment.

pimp [pimp] (subst.) alfons; ruffer; (vb.) drive rufferi.

pimpernel ['pimpənel] ♧ arve; *scarlet ~* ♧ rød arve; *wood* el. *yellow ~* ♧ lund-fredløs.

pimple ['pimpl] filipens. **pimpled** ['pimpld], **pimply** ['pimpli] fuld af filipenser.

I. **pin** [pin] (subst.) knappenål, nål (til at fæste med); pløk, pind, trænagle; stift, bolt; tap, sinketap; ⚓ åretold, kofilnagle; (på strengeinstrument) skrue; (til keglespil) kegle; (fig.) døjt, gran; *-s* (**T** ogs.) ben; *I don't care a ~* jeg bryder mig ikke en snus om det, jeg er revnende ligeglad; *I have got -s and needles in my leg* mit ben sover; *be on -s and needles* (amr. **T**) sidde som på nåle; *as clean as a new ~* fuldstændig ren.

II. **pin** [pin] (vb.) hæfte, fæste (med nåle), fastgøre (med stifter etc.), fastnagle, spidde; holde fast; lukke inde; være hæftet fast; kunne hæftes fast; ~ *down* holde fast, binde; ~ *him down to his promise* holde ham fast ved hans løfte; ~ *it on (to) him* **T** hænge ham op på det (ↄ: give ham skylden for det); ~ *one's faith to* (el. *on)* sætte al sin lid til, tro blindt på; ~ *sth. up* hæfte ngt. op (fx. ~ *up one's skirt)*, slå ngt. op (fx. ~ *up a notice)*.

pinafore ['pinəfå·] (barne)forklæde.

pin boy keglerejser.

pince-nez [fr.; 'pänsneⁱ] pince-nez.

pincer movement ⚔ knibtangsmanøvre.

pincers ['pinsəz] (knib)tang; klo (på krebsdyr); *a pair of* ~ en (knib)tang.

pincette [fr.] pincet.

I. **pinch** [pin(t)ʃ] (vb.) knibe, klemme; trykke; pine; (fig.) hærge; spinke og spare; **S** hugge, stjæle; nuppe, tage, anholde; ⚓ sejle (et skib) for tæt til vinden; *-ed* (ogs.) hærget, furet; ~ *and scrape* spinke og spare; ~ *sby.'s arm* knibe en i armen; *be -ed for* være i bekneb for, mangle; *they were -ed for room* det kneb med pladsen; ~ *off,* ~ *out* (ogs.) nippe af (fx. *side-shoots); know where the shoe -es* vide, hvor skoen trykker; *-ed with* hårdt medtaget af.

II. **pinch** [pin(t)ʃ] (subst.) knib, kniben, klemmen; tryk; nød, knibe, klemme, mangel (fx. *we feel the ~ every day);* så meget som man kan tage mellem to fingre, pris (tobak); *with a ~ of salt* med en vis skepsis, cum grano salis; *at* (el. *on) a* ~ i en snæver vending; når det kniber; *when it comes to the* ~ når det kniber, når det kommer til stykket.

pinchbeck ['pin(t)ʃbek] pinchbeck (guldlignende legering af kobber og zink, hvoraf der laves billige smykker); (adj.) uægte, forloren, tarvelig, billig.

pinchhit ['pinʃ'hit] (amr.): ~ *for sby.* vikariere for en, træde i stedet for en. **pinchhitter** (subst.) vikar.

pincushion ['pinkuʃin] nålepude.

I. **pine** [pain] ♧ fyr, fyrretræ; **T** ananas.

II. **pine** [pain] (vb.) hentæres (fx. *be pining from hunger);* fortæres af længsel, længes stærkt *(for* efter; *to* efter at); ~ *away* hentæres.

pineal ['piniəl] kogleformet; *the ~ gland, the ~ body* pinealkirtelen.

pineapple ['painäpl] ananas (planten og frugten); **S** håndgranat.

pine-barren hede med fyrretræer.

pine| bath fyrrenålsbad. ~ **bunting** (zo.) hvidkindet værling. ~ **-cone** fyrrekogle. ~ **grosbeak** (zo.) krognæb. ~ **-marten** (zo.) skovmår. ~ **moth** (zo.) fyrreugle.

pinery ['painəri] fyrreskov; ananas-have, ananasdrivhus.

pine-tree ['paintri·] fyrretræ; *Pine Tree State* staten *Maine* i U.S.A. **pinetum** [pai'ni·təm] fyrreplantage.

pine-weevil gransnudebille. **pine-wood** fyrreskov; fyrretræ.

pinfold ['pinfoᵘld] (subst.) kvægfold; (vb.) sætte i fold; indespærre som i en fold.

ping [piŋ] (vb.) smælde, knalde; (subst.) smæld, knald.

ping-pong ['piŋpåŋ] bordtennis, ping-pong.

pinguid ['piŋgwid] fed, fedtet.

pin-head ['pinhed] knappenålshoved.

I. **pinion** ['pinjən] (subst.) vinge; vingespids; svingfjer; (vb.) stække vingerne på; binde, lænke, bagbinde.

II. **pinion** ['pinjən] (subst.) drev; *bevel* ~ spidshjul.

I. **pink** [piŋk] (subst.) nellike; blegrød farve; toppunkt, ideal; rød jægerfrakke; spidsgattet fartøj; (adj.) blegrød, lyserød, rosa; *strike me ~!* det var som bare pokker! *in the ~ (of condition)* fuldkommen frisk og sund, så frisk som en fisk, i fineste form; *the ~ of perfection* fuldkommenheden selv.

II. **pink** [piŋk] (vb.) udhugge med huller el. tunger; gennembore (fx. med et sværd); (om motor) banke.

pink coat rød frakke (som benyttes af deltagere i parforcejagt).

pink-eye (med., vet.) smitsom konjunktivitis (bindehindebetændelse).

pinkish ['piŋkiʃ], **pinky** ['piŋki] blegrød, lyserød.

pin-money ['pinmʌni] nålepenge.

pinnace ['pinės] ⚓ slup.

pinnacle ['pinəkl] (subst.) tinde, lille tårn, spir; spids bjergtop; højdepunkt, top; (vb.) sætte spir (el. tinder) på; sætte på en tinde, ophøje.

pinnate ['pinėt] fjerformet; finnet.

pinny ['pini] **T** barneforklæde.

pinpoint (subst.) nålespids; meget lille punkt; prik; (vb.) ramme (, lokalisere, angive) præcist; ~ *bombing* præcisionsbombning.

pin-prick nålestik; *policy of -s* nålestikspolitik.

pint [paint] (rummål =) ca. ½ liter.

pintail ['pinteⁱl] (zo.) spidsand.

pintle ['pintl] tap; rortap.

pin-up girl pin-upper, pin-up girl.

pinworm ['pinwə·m] springorm, børneorm.

piny ['paini] rig på fyrretræer; fyrretræs- (fx. *smell).*

pioneer [paiə'niə] (vb.) bane vej for; være banebrydende; (subst.) pionér; banebryder, foregangsmand, nybygger.

pious ['paiəs] from, gudfrygtig; ~ *fraud* fromt bedrag.

I. **pip** [pip] (subst.) kerne, frugtkerne.

II. **pip** [pip] (subst.) pip (fuglesygdommen); dårligt humør; *give sby. the* ~ sætte en i dårligt humør.

III. **pip** [pip] (subst.) prik, øje (på terning el. dominobrik); stjerne (som distinktion); dut (i tidssignal).

IV. **pip** [pip] (vb.). ramme, strejfe; gøre ende på; slå, besejre, skyde, dræbe; dø; (om fugleunge) pikke hul på æggeskallen.

pipage ['paipidʒ] transport (fx. af olie) gennem rørledninger; afgift for sådan transport; system af rørledninger.

I. **pipe** [paip] (subst.) fløjte, pibe; rør, ledningsrør; (tobaks)pibe; fløjten, pippen, piben; *-(s)* sækkepibe; luftrør; *put that in your ~ and smoke it* nu kan du jo tygge på den; kan du give igen på den? ~ *of peace* fredspibe.

II. **pipe** [paip] (vb.) blæse på fløjte, fløjte, pibe (fx. ~ *all hands on deck);* pippe; forsyne med rør, lede gennem rør; trække (en kage) over med glasur; besætte med snorebroderi; ~ *one's eye* **T** tude, flæbe; ~ *the side* ⚓ pibe faldreb; ~ *down* **T** stemme tonen ned, stikke piben ind; ~ *up* **T** opløfte sin røst, stemme i.

pipe| bowl [-boᵘl] pibehoved. **-clay** (subst.) pibeler, pibepulver; (fig.) militært pedanteri; (vb.) rense med pibeler, pibe.

piped [paipt] rørformet.

pipe|-dream ønskedrøm. **-fish** (zo.) nålefisk; tangnål. **-ful** pibefuld, 'stop'. ~ **-key** hulnøgle. ~ **-layer** rørlægger. ~ **-laying** rørlægning. ~ **-light** fidibus. **~-line** rørledning; *in the ~ -line* undervejs. ~ **-man** rørlægger; strålemester.

pip emma ['pip'emə] = *p.m.*

piper ['paipə] sækkepibeblæser; fløjtespiller; *pay the* ~ betale gildet; *he who pays the ~ calls the tune* den der afholder udgifterne har ret til at være den bestemmende.

pipe|-rack pibestativ; (glds.) pibebræt. **-stem** (ogs. fig.) pibestilk. ~ **-thread** rørgevind.

pipet(te) [pi'pet] pipette, dråbetæller.

pipe-wrench rørtang.

piping ['paipiŋ] rørledning; besætning af snorebroderi; linjemønster af sukkerglasur; fløjten, piben; (adj.) fløjtende; pibende (fx. *voice); ~ hot* kogende hed, rygende varm; *the ~ times of peace* fredens sorgløse tider.

pipit ['pipit] (zo.) piber (fx. *meadow* ~ engpiber; *tawny* ~ markpiber; *tree* ~ skovpiber).

pipkin ['pipkin] lille lerpotte, lille stjærtpotte.

pippin ['pipin] pippinæble (sort af spiseæbler).

pip-squeak ['pipskwi·k] **S** lille granat; splejs.
pipy ['paipi] rørformet, bestående af rør.
piquancy ['pi·kənsi] skarp smag, skarphed; pikanteri.
piquant ['pi·kənt] skarp, pirrende; bidende; pikant.
pique [pi·k] (subst.) fornærmelse, såret stolthed; ærgrelse, irritation; (vb.) pikere, såre, støde; pirre; ægge; ~ *oneself on* være stolt af, gøre sig til af.
piqué ['pi·keⁱ] piké (slags tøj).
piquet [pi'ket] (et kortspil).
piracy ['pairəsi] sørøveri; ulovligt eftertryk; krænkelse af patentret.
pirate ['pairėt] sørøver; pirat; sørøverskib; en der udgiver ulovligt eftertryk; piratforlægger; plagiator; omnibus der konkurrerer med de faste; (vb.) drive sørøveri; plagiere; eftertrykke ulovligt; *wireless* ~ plankeværkslytter.
piratical [pai'rätikl] sørøver-; ~ *edition* piratudgave.
pirouette [piru'et] piruet; piruettere.
pis aller ['pi·z 'äleⁱ; fr.] sidste udvej, nødhjælp.
piscary ['piskəri] fiskerettighed. **piscatorial** [piskə'tå·riəl], **piscatory** ['piskətəri] fiske-, fiskeri-.
pisciculture ['pisikʌltʃə] fiskeavl.
piscina [pi'si·nə] (pl. *piscinae* [-i·], *piscinas*) piscina (vaskebækken for præsten i katolsk kirke); fiskedam; badebassin.
piscine ['pisain] fiske-. **piscivorous** [pi'sivərəs] fiskeædende, fiskespisende.
pisé ['pi·zeⁱ] klinelér, lerklinet murværk.
pish [p(i)ʃ] pyt!
pismire ['pismaiə] (zo.) myre.
piss [pis] (vb.) pisse; (subst.) pis.
pistachio [pi'sta·ʃioᵘ] pistacie.
pistil ['pistil] ⚘ støvvej.
pistillate ['pistilėt] (adj.): ~ *flower* hunblomst.
pistol ['pistl] pistol; (vb.) skyde med pistol.
pistole [pi'stoᵘl] (glds.) pistol (spansk mønt).
pistol-shot pistolskud.
piston ['pistən] stempel.
piston| engine stempelmotor. ~ **ring** stempelring. ~ **-rod** stempelstang. ~ **-valve** stempelventil; stempelglider.
I. **pit** [pit] (subst.) hul, grav, hule; grube (fx. *coal-* ~); (mine)skakt; kule (fx. *lime-* ~; *potato* ~); faldgrube; (bibl.) afgrund; (i teater) parterre; kampplads for haner; ar (fx. kopar); (amr.) sten (i frugt); *the* ~ *(of hell)* helvede; *the* ~ *of the stomach* hjertekulen.
II. **pit** [pit] (vb.) lave fordybninger el. huller i, grave i; lægge i kule; stille op (til kamp); sætte ind *(against* imod); mærke med ar; (amr.) tage stenen ud af frugt, udstene; *-ted with smallpox* koparret.
pit-a-pat ['pitəpät] triptrap, tik tak; banken; *go* ~ (om hjertet) banke.
I. **pitch** [pitʃ] beg; harpiks; (vb.) bege; *as dark as* ~ begsort, bælgmørk; *they that touch* ~ *will be defiled* den der rører ved beg får sorte fingre.
II. **pitch** [pitʃ] (vb.) opslå, stille op, rejse (fx. *a tent)*, anbringe; slå lejr; kaste (fx. i baseball), smide (fx. ~ *him out)*; styrte, falde (fx. ~ *on one's head)*; brolægge; (i musik) stemme, fastsætte tonehøjden af; ⚓ (om skib) duve, stampe, hugge i søen; **S** komme (frem) med, fortælle; *-ed battle* regulært slag; ~ *camp* slå lejr; ~ *in* tage energisk fat; ~ *into* kaste sig over, gå løs på; skælde kraftigt ud; *the song is -ed too high* sangen ligger for højt; ~ *upon* slå ned på, bestemme sig for; støde på; ~ *a yarn* **T** spinde en ende.
III. **pitch** [pitʃ] (subst.) højde, trin; højdepunkt; (i musik) tonhøjde, tone; stemmeleje; (i teknik) stigning på gevind; tandhjulsdeling; (tags) rejsning, hældning; (i baseball) kast; (på marked etc.) stade, plads; ⚓ duven, huggen; *queer his* ~ spolere hans planer, ødelægge (hele) tegningen for ham; *at its highest* ~ på højdepunktet.
pitch-and-toss ['pitʃən'tås] (omtr. =) klink; plat eller krone.
pitch|-black ['pitʃ'bläk] begsort. ~ **-blende** ['pitʃblend] begblende. ~ **-dark** bælgmørk; bælgmørke.
I. **pitcher** ['pitʃə] kaster (fx. i baseball); brosten.
II. **pitcher** ['pitʃə] kande, krukke; *(little) -s have (long) ears* små krukker har også ører.
pitch|-farthing ['pitʃfa·ðiŋ] (subst.) klink. **-fork** ['pitʃfå·k] (subst.) fork, høtyv, greb; (vb.) forke, kaste. **-pine** ['pitʃpain] pitchpine (harpiksfyldt sort af fyrretræ). **-pipe** stemmefløjte.
pitchy ['pitʃi] begagtig, beget; begsort, bælgmørk.
pitcoal stenkul.
piteous ['pitjəs, -tiəs] sørgelig, bedrøvelig, ynkelig (fx. *sight)*; (glds.) ussel; medlidende.
pitfall ['pitfå·l] faldgrube; fælde, snare.
pith [piþ] marv; rygmarv; (fig.) styrke, kraft, fynd (fx. *a speech that lacks* ~*)*; kerne (fx. *the* ~ *of the speech)*.
pit-head ['pithed] nedgang til (kul)mine.
pith| hat, ~ **helmet** tropehjelm.
pithless ['piþlės] marvløs; slap, mat.
pithy ['piþi] marv-, marvfuld; kraftig; fyndig.
pitiable ['pitiəbl] ynkværdig, jammerlig, elendig, ynkelig (fx. *attempt)*.
pitiful ['pitif(u)l] medlidende; ynkværdig (fx. *figure)*; jammerlig; ussel.
pitiless ['pitilės] ubarmhjertig; hård.
pitman ['pitmən] grubearbejder; (pl. *pitmans)* plejlstang.
pit props ['pitpråps] minetræ, afstivningstømmer (til minegang).
pit saw langsav.
pittance ['pitəns] ussel løn, ringe gave, almisse; (ringe) portion, smule, ubetydelighed.
pitter-patter ['pitə'pätə] klapren, klipklap; plasken.
pittite ['pitait] **T** tilskuer der sidder i parterret.
Pittsburgh ['pitsbə·g].
pituitary [pi'tjuitəri]: ~ *(gland* el. *body)* hypofyse.
I. **pity** ['piti] medlidenhed, medynk *(for, on* med); synd, skade, skam; *for -'s sake* for Guds skyld; *in* ~ *of* af medlidenhed med; *more's the* ~ trist nok; desværre kun; *take* ~ *on* forbarme sig over, få medlidenhed med; *it is a thousand pities* det er synd og skam; *what a* ~*!* hvor det er synd! *what a* ~ *I didn't know!* det er en skam at jeg ikke vidste det!
II. **pity** ['piti] (vb.) føle (,have) medlidenhed med; ynkes over; beklage, ynke.
pivot ['pivət] (subst.) tap, akse; midtpunkt; ⚔ fløjmand; (vb.) anbringe på en tap; dreje om en tap; svinge; (ogs. fig.) dreje sig *(upon* om).
pivotal ['pivətəl] drejelig, svingende, roterende; (fig.) væsentlig, som det hele står og falder med; kardinal-, central.
pivotally: ~ *connected* drejeligt forbundet; ~ *mounted* drejeligt ophængt.
pivot|-bearing tapleje. ~ **-joint** drejeled.
pixie, pixy ['piksi] alf, fe, nisse, trold.
pixilated ['piksileⁱtid] (amr. **T**) halvtosset, småtosset, bims.
pl. fk. f. *plate; plural.*
P.L. fk. f. *Poet Laureate; plain language.*
P.L.A. fk. f. *Port of London Authority.*
placability [pleⁱkə'biliti] forsonlighed.
placable ['pleⁱkəbl] forsonlig.
placard ['pläka·d] (subst.) plakat, opslag; (vb.) bekendtgøre; sætte plakater op på.
placate [plə'keⁱt] formilde.
I. **place** [pleⁱs] (subst.) plads, sted; stilling; stand, rang; lokale, hus, bolig, hjem, landsted, herresæde; pligt, opgave; placering (i sport); kuvert; *it is not my* ~ *to ...* det tilkommer ikke mig at ...; *find one's* ~ finde sin plads; (v. læsning) finde hvor man er kommet til; *get a* ~ (i sport) blive placeret; *give* ~ *to* give plads for, vige for; *go -s* komme ud og se sig om; *lay a* ~ *for sby.* dække (med kuvert) til en; *six -s*

were laid der var dækket til seks; *lose one's* ~ miste sin plads; (v. læsning) ikke kunne finde hvor man er kommet til; *take* ~ finde sted; *take one's* ~ indtage sin plads; *take the* ~ *of sby.* indtage ens plads, træde i ens sted;

in a ~ på et sted, på en plads; *be in* ~ være på (sin) plads; *in -s* på sine steder, hist og her; *in his* ~ i hans sted, i hans stilling; *put sby. in his* ~ sætte én på plads; *put oneself in sby.'s* ~ sætte sig i en andens sted; *in* ~ *of* i stedet for; *in the first* ~ for det første; ~ *of amusement* forlystelsessted; ~ *of business* forretningslokale; *out of* ~ malplaceret, ikke på sin plads; *all over the* ~ over det hele, alle vegne; *to three -s (of decimals), to the third* ~ *(of decimals)* med tre decimaler.

II. **place** [ple^is] anbringe, stille, lægge, sætte; placere *(with* hos); identificere, bestemme; ~ *before* forelægge; ~ *confidence in* sætte lid til, vise tillid.

placebo [plə'si·bo^u] (med.) placebo, narretablet, uvirksomt middel; (fig.) narresut.

place|-card bordkort. ~ **-hunter** embedsjæger, levebrødspolitiker. ~ **-kick** (i rugby) spark til liggende bold. **-man** ['ple^isman] (politisk udnævnt) embedsmand el. funktionær; kontorius.

placement ['ple^ismənt] anbringelse, placering.

place-name ['ple^isne^im] stednavn.

placenta [plə'sentə] (anat.) moderkage, efterbyrd; ♧ blomsterbund.

placer ['pläsə, 'ple^isə] (sekundært) guldleje.

placer| **gold** vaskeguld. ~ **mining** udvaskning af guld.

placid ['pläsid] (adj.) fredsommelig, stille, rolig.

placidity [plä'siditi] fredsommelighed, stilhed, ro.

placket ['pläkit] lomme, slids (i nederdel).

plagiarism ['ple^idʒiərizm] plagiat. **plagiarist** ['ple^idʒiərist] plagiator. **plagiarize** ['ple^idʒiəraiz] plagiere. **plagiary** ['ple^idʒiəri] plagiat, plagiator.

plague [ple^ig] (subst.) pest; landeplage; pestilens; plage; (vb.) plage, pine, være til plage for. **plaguer** ['ple^igə] plageånd.

plague|some ['ple^igsəm] besværlig, irriterende. ~ **-spot** plet på huden som symptom på pest; pestbefængt område hvorfra pesten breder sig; (fig.) smittekilde, pesthule.

plaguy ['ple^igi] forbandet, forbistret.

plaice [ple^is] (zo.) rødspætte.

plaid [pläd] skotskternet skærf, plaid; skotskternet stof (el. mønster).

I. **plain** [ple^in] (subst.) slette, jævn mark; (glds.) kampplads.

II. **plain** [ple^in] (vb., glds.) klage, sørge.

III. **plain** [ple^in] (adj.) tydelig, klar (fx. *the meaning is quite* ~); åbenlys; simpel, letfattelig, ligetil; usmykket, enkel, ensfarvet (fx. *a* ~ *blue dress);* jævn, dagligdags, almindelig (fx. *food);* tarvelig; (om hår) glat; (i strikning) ret (fx. ~ *stitch* ret maske; *knit one row* ~ strik en pind ret); (om personer) jævn, almindelig (fx. ~ *people);* ukunstlet, ligefrem; åbenhjertig, oprigtig, ærlig (fx. *let me be* ~ *with* (overfor) *you);* (om udseende omtr.) grim (fx. *a* ~ *girl);* ~ *bread and butter* bart smørrebrød; *his* ~ *duty* hans simple pligt; ~ *truth* ren (el. usminket) sandhed.

plain| **chart** søkort i Mercators projektion. ~ **chocolate** ren chokolade. ~ **clothes**: *in* ~ *clothes* i civil, civilklædt. ~ **-clothes man** opdager, civilklædt politibetjent. ~ **cook** (subst.) kokkepige til daglig madlavning. ~ **-cook** (vb.) lave daglig mad. ~ **cooking** daglig madlavning. ~ **dealing** (subst.) oprigtighed, ærlighed. ~ **-dealing** (adj.) oprigtig, ærlig.

plain English: *in* ~ rent ud.

plain language: *in* ~ i klart sprog (i modsætning til kodesprog).

plain| **paper** skrivepapir uden streger; mat fotografisk papir. ~ **sailing**: *it is* ~ *sailing* det er lige ud ad landevejen, det er noget der går af sig selv.

plainsman slettebo.

plain| **speaking** oprigtighed, åbenhed; *that is* ~ *speaking* det er rene ord for pengene. ~ **-spoken** (adj.) oprigtig, åben, djærv, ligefrem.

plaint [ple^int] (jur.) klageskrift; (poet.) klage.

plaintiff ['ple^intif] (subst.) klager, sagsøger.

plaintive ['ple^intiv] klagende; melankolsk.

plait [plät] (subst.) fletning; læg, plissé; (vb.) flette; plissere.

plan [plän] (subst.) plan *(for* til); grundrids, udkast; (bygnings)tegning; hensigt; (vb.) tegne en plan over (fx. ~ *a garden);* påtænke, tænke på (fx. *we are -ning to go abroad);* ~ *(out)* planlægge; *according to* ~ planmæssig; *on a new* ~ efter en ny plan.

I. **plane** [ple^in] (subst.) plan, flade; (fig.) niveau, stade (fx. *on the same* ~ *as a savage);* (flyv.) flyvemaskine; bæreplan, vinge; (værktøj) høvl; ♧ platan.

II. **plane** [ple^in] (adj.) plan.

III. **plane** [ple^in] (vb.) jævne, glatte; høvle; (flyv.) gå ned i glideflugt; **T** flyve.

planer ['ple^inə] høvlemaskine.

planet ['plänit] planet.

plane table målebord.

planetarium [pläni'tæəriəm] planetarium. **planetary** ['plänit(ə)ri] planetarisk, planet-; jordisk.

plane-tree ['ple^intri·] platan.

plangent ['pländʒənt] drønende, larmende, klingende.

planing ['ple^iniŋ] høvling.

planing|-machine høvlemaskine. ~ **-mill** høvlemaskine; maskinsnedkeri.

planish ['pläniʃ] hamre (ngt.) plant, udhamre, planere; glatte.

plank [pläŋk] (subst.) planke; gangbræt; ⚓ bord; (politisk) programpunkt; (vb.) belægge med planker; beklæde med planker; **T** anbringe (el. sætte) med et bump, smide; *walk the* ~ (om sørøvers offer) gå planken ud; ~ *down* **S** lægge på bordet, punge ud med. **planking** ['pläŋkiŋ] plankebeklædning, planker, (træbe)klædning.

plankton ['pläŋktån] plankton, svæv.

planned [pländ] (adj.) påtænkt (fx. *journey);* planlagt; planmæssig (fx. *retreat);* som sker efter en plan; organiseret; ~ *economy* planøkonomi.

planning ['pläniŋ] planlægning, projektering.

I. **plant** [pla·nt] (subst.) plante; inventar, materiel; virksomhed, anlæg, fabrik; **S** aftalt skurkestreg, nøje planlagt svindel (især som skal vildlede el. kaste mistanken på en uskyldig); tyvekoster, gemmested for tyvekoster; opdager; spion; fælde (for lovovertrædere).

II. **plant** [pla·nt] (vb.) plante; lægge (fx. ~ *potatoes);* beplante; anlægge (fx. *a garden);* oprette, grundlægge (fx. *a colony);* udplante; udsætte (fx. *fish in a river);* anbringe, placere (fx. ~ *oneself before the fire);* indplante, indpode (fx. *the idea in their minds);* indsmugle; **S** skjule (fx. ~ *stolen goods);* hemmeligt aftale og forberede et bedrageri etc. (især: for at vildlede el. kaste mistanken på en uskyldig); lange, give (fx. ~ *a blow);* ~ *stolen goods on sby.* anbringe tyvekoster hos en for at kaste mistanken på ham; ~ *up* tilplante.

Plantagenet [plän'tädʒinėt].

plantain ['pläntin] (subst.) ♧ vejbred; (palme:) pisang.

plantation [plän'te^iʃən] plantage, plantning.

planter ['pla·ntə] plantageejer, planter; landmand, farmer.

plantigrade ['pläntigre^id] (zo.) sålegænger.

planting ['pla·ntiŋ] plantage, plantning.

plant-louse ['pla·ntlaus] bladlus.

plantsman ['pla·ntsmən] handelsgartner, ejer af planteskole.

plaque [pla·k] platte; mindetavle; emblem.

I. **plash** [pläʃ] flette (grene) sammen.

II. **plash** [pläʃ] (vb.) pjaske i; stænke på; plaske; (subst.) plasken; pyt; stænk. **plashy** ['pläʃi] våd, sumpet; plaskende.

plasm [plăzm], **plasma** ['plăzmə] plasma; blodvæske.

I. **plaster** ['pla·stə] (subst.) pudsekalk, gips, puds; plaster; salve; ~ *of Paris* (brændt) gips.

II. **plaster** ['pla·stə] (vb.) kalke, pudse, gipse; overdække, oversmøre; klistre, overklistre; lægge plaster på; T yde erstatning; mildne, trøste; S gennemprygle; ⚔ bombardere, overdænge (fx. ~ *them with shells)*.

plastered ['pla·stəd] (adj.) S fuld, pløret.

plasterer ['pla·stərə] gipser, gipsarbejder.

plastering ['pla·stəriŋ] gipsning, pudsning, kalkning; kalkpuds.

plaster saint dydsdragon.

plastery ['pla·stəri] gipsagtig.

I. **plastic** ['plăstik] (adj.) formende, dannende; plastisk; som kan formes; (fig. ogs.) modtagelig (fx. *the ~ mind of a child)*; af plastic, plastic- (fx. *raincoat)*.

II. **plastic** ['plăstik] (subst.) formstof, plastic, plast.

plasticine ['plăstisi·n] modellervoks.

plasticity [plă'stisiti] plasticitet.

plasticize ['plăstisaiz] gøre plastisk, blødgøre.

plasticizer ['plăstisaizə] blødgøringsmiddel.

plastic surgery plastikkirurgi, plastisk kirurgi.

plastron ['plăstrən] brystharnisk; (fægters) plastron; skildpaddes bugskjold; indsats (i damekjole).

I. **plat** [plăt] stykke jord; plan (ɔ: kort).

II. **plat** [pla·] ret (på spisekort).

I. **plate** [pleⁱt] plade, metalplade; (dør)skilt; sølvtøj; pletsager; tallerken; kobberstik, stålstik, helsides illustration, planche; væddeløbspræmie (af sølv etc.), væddeløb med (sølv)præmie, pokalløb; (elekt.) anode; *(dental)* ~ tandprotese (el. kunstigt tandsæt) i overmunden, kunstig gane; *hand it him on a* ~ forære ham det.

II. **plate** [pleⁱt] (vb.) beklæde med metalplader, pansre; plettere.

plate-armour pladerustning; (et skibs) panser.

plateau ['plătoᵘ] højslette.

plateful ['pleⁱtful] tallerken(fuld).

plate|-glass ['pleⁱt'gla·s] spejlglas. ~ **-layer** skinnelægger, banearbejder. ~ **-mark** stempel (på guld- og sølvvarer). ~ **-powder** sølvpudsepulver.

plater ['pleⁱtə] pletterer.

plate-rack ['pleⁱtrăk] tallerkenrække.

platform ['plătfå·m] perron; forhøjning; talerstol; politisk program.

plating ['pleⁱtiŋ] plettering; beklædning med metalplader; pansring; panser; ⚓ klædning.

platinize ['plătinaiz] platinere.

platinotype ['plătinotaip] platinotypi.

platinum ['plătinəm] platin; ~ *blonde* platinblond.

platitude ['plătitju·d] banalitet, flovhed; banal tanke; banal bemærkning, flovse.

platitudinarian ['plătitju·di'næəriən] frasemager; banal.

platitudinize [plăti'tju·dinaiz] fremsætte banale bemærkninger.

platitudinous [plăti'tju·dinəs] banal.

Plato ['pleⁱtoᵘ] Platon. **Platonic** [plə'tånik] platonisk. **Platonism** ['pleⁱtənizm] platonisme. **Platonist** ['pleⁱtənist] platoniker.

platoon [plə'tu·n] ⚔ deling.

platter ['plătə] (glds.) (træ)tallerken; (amr.) fladt fad.

platypus ['plătipəs] (zo.) næbdyr.

plaudit ['plå·dit] bifaldsytring, bifald.

plausibility [plå·zə'biliti] tilsyneladende rigtighed; sandsynlighed; bestikkende optræden.

plausible ['plå·zəbl] plausibel, sandsynlig, bestikkende; med et bestikkende væsen.

I. **play** [pleⁱ] (vb.) spille; lege, more sig, spøge; optræde (på scenen), agere; flagre, svæve; bevæge sig, fungere, (om springvand) springe; sætte i virksomhed, lade spille; rette *(on* imod); spille imod (en); ledsage med musik; være egnet til at spille på (fx. *the lawn -s well)*; holde fri, gå ledig; ~ *fair* spille ærligt spil; ~ *first* have udspillet; ~ *a fish* udtrætte en fisk; ~ *the fool* spille idiot; ~ *the game* spille ærligt spil (se ogs. I. *game)*; ~ *high* spille højt spil; ~ *the man* handle som en mand; ~ *second (fiddle)* spille anden violin, spille en underordnet rolle;

(forb. med præp. og adv.): ~ *around* pjanke, flirte; ~ *at* spille (fx. ~ *at cricket)*, lege (fx. ~ *at soldiers)*; ~ *at doing sth.* lade som om man gør ngt.; gøre ngt. på skrømt; ~ *at home* spille på hjemmebane; ~ *away* sætte overstyr i spil; (i sport) spille på udebane; ~ *back* afspille; ~ *down* bagatellisere, gå let hen over; ~ *down to sby.* lefle for en; ~ *down to the crowd* spille for galleriet; ~ *for* spille om (fx. ~ *for money)*, spille for (fx. *shall I ~ sth. for you?)*; være ude efter, søge at opnå (fx. ~ *for safety)*; ~ *for time* søge at vinde tid; ~ *into sby.'s hands* gå ens ærinde, handle til ens fordel; ~ *off a match* spille en kamp om; ~ *off one against the other* spille den ene ud imod den anden; ~ *sth. off as sth. else* udgive noget for noget andet end det det er; ~ *(on) the piano* spille på klaveret; ~ *on sby.'s credulity* misbruge ens lettroenhed; ~ *the hose on the fire* rette brandslangen imod ilden; ~ *the guns on sth.* rette kanonerne imod ngt.; *the artillery -ed on the fortress* artilleriet beskød fæstningen; ~ *the searchlight on sth.* rette søgelyset imod ngt.; ~ *on words* lege med ord, lave ordspil; *-ed out* udtjent, færdig, udslidt, udmattet, som har udspillet sin rolle; ~ *to* spille for; ~ *up* slå stort op, blæse op; ~ *up!* spil 'til! ~ *up to sby.* støtte en, hjælpe en, (om skuespiller ogs.) lægge op til en; indynde sig hos en; snakke en efter munden; ~ *with* lege med (fx. ~ *with dolls*; ~ *with sby.'s affections)*; *he is not a man to be -ed with* han er ikke til at spøge med.

II. **play** [pleⁱ] (subst.) spil; leg; forlystelse, spøg; bevægelse; virksomhed; bevægelsesfrihed, spillerum; skuespil, teaterstykke; optræden, handlemåde; arbejdsnedlæggelse, arbejdsophør, ledighed; slør (= for stort spillerum); *give free ~ to* give frit løb, give frit spillerum; *give full ~ to one's powers* udfolde alle sine evner; *at* ~ legende (fx. *children at* ~); i spil (fx. *lose money at* ~); *at the* ~ i teatret; *be at* ~ være i gang; være i færd med at lege; *in* ~ for spøg (fx. *he said it only in* ~); (om bold) i spil; *in full* ~ i fuld gang; *hold* (el. *keep) sby. in* ~ holde en beskæftiget, give en fuldt op at bestille; *bring into* ~ sætte i gang; ~ *of colours* farvespil; ~ *of features* minespil; ~ *(up)on words* ordspil; *go to the* ~ gå i teatret; *make ~ with* gøre god brug af; brillere med; *make great ~ with* gøre et stort nummer ud af.

playable ['pleⁱəbl] som lader sig spille; som man kan spille på (el. med).

play|-act (vb.) være skuespiller; (fig.) agere, 'spille komedie'. ~ **-actor** (glds.) skuespiller, gøgler. ~ **-back** afspilning. ~ **-bill** teaterplakat. ~ **-book** tekst til teaterstykke. ~ **-box** legetøjsæske. ~ **-boy** ung levemand, fars søn. ~ **-day** fridag. ~ **-debt** spillegæld.

player ['pleⁱə] spiller, deltager i spil; skuespiller; professionel kricketspiller. **playerpiano** mekanisk klaver.

playfellow legekammerat.

playful ['pleⁱf(u)l] oplagt til leg; munter, kåd; spøgefuld, spøgende.

play|goer ['pleⁱgoᵘə] teatergænger. ~ **-ground** legeplads, boldplads. **-house** teater(bygning).

playing|-card spillekort. ~ **-field** sportsplads.

play|mate legekammerat. ~ **-off** omkamp. ~ **-pen** kravlegård. **-thing** legetøj; (fig.) kastebold. **-time** legetid, fritid; klokkeslæt hvor forestillingen skal begynde. **-work** legeværk, arbejde der går som en leg. **-wright** ['pleⁱrait] skuespilforfatter, dramatiker.

plea [pli·] påstand, erklæring, indlæg; forsvar; undskyldning; påskud; bøn; *on the ~ that* under påskud (el. påberåbelse) af at, idet man gør gældende at.

pleach [pli·tʃ] (sammen)flette.

plead [pli·d] tale i en sag for retten; føre en sag, plædere; påberåbe sig, anføre (som undskyldning); henvise til, forsvare, føre (en sag); anråbe, bede indtrængende, trygle; ~ *guilty* erkende sig skyldig efter tiltalen; ~ *not guilty* nægte sig skyldig; ~ *with sby. for* bede én indtrængende om, anråbe (el. trygle) én om.

pleadable ['pli·dəbl] som kan gøres gældende. **pleader** ['pli·də] sagfører; forsvarer. **pleading** ['pli·diŋ] (adj.) bedende, bønlig; (subst.) bønner; (jur.) plæderen; indlæg; *-s* (pl.) procedure, skriftveksling.

pleasance ['plezns] (glds.) fornøjelse; lysthave.

pleasant ['pleznt] behagelig (fx. *taste; surprise);* rar (fx. *fellow);* tiltalende; elskværdig *(to* mod, over for); hyggelig (fx. *afternoon);* fornøjelig; (glds.) lystig, gemytlig; *(a)* ~ *journey!* god rejse!

pleasantry ['plezntri] spøg, vittighed; munterhed, spøgefuldhed.

please [pli·z] behage, tiltale; tilfredsstille, glæde; have lyst (til); ~ *do!* det må du endelig! *as jolly as you* ~ i perlehumør; *do as you* ~ gør som du synes (el. finder for godt el. finder passende); ~ *God'*... Gud give ...; om Gud vil; *to* ~ *him* for at gøre ham tilpas; *that will* ~ *you* det vil falde i din smag; ~ *yourself* gør som du vil; *coffee,* ~ jeg vil gerne have kaffe; *yes,* ~ ja tak; *pass me the book,* ~ vær så venlig at række mig bogen; ~ *forward* bedes eftersendt; *if you* ~ hvis De ønsker; hvis De vil være så venlig; med Deres tilladelse; om jeg tør spørge; undskyld; (som svar på tilbud) ja tak; (ironisk) vil De tænke Dem (fx. *and, if you* ~, *on top of all that he asked me to pay for it).*

pleased [pli·zd] tilfreds, fornøjet, glad; *be* ~ *to* være glad ved at; behage at; *I shall be* ~ *to come* det vil være mig en fornøjelse at komme; *H. M. the Queen has been graciously* ~ *to* ... det har allernådigst behaget H. M. Dronningen at ...

pleasing ['pli·ziŋ] tiltalende, behagelig.

pleasurable ['pleʒərəbl] behagelig.

pleasure ['pleʒə] (subst.) glæde, fornøjelse; nydelse, lyst; velbehag; behag, forgodtbefindende; ønske, vilje; (vb.) fornøje, behage; *at* ~ efter behag; efter forgodtbefindende; *during one's* ~ så længe man har lyst; *during His (,Her) Majesty's* ~ (om fængselsstraf) på ubestemt tid; *man of* ~ levemand; *take (a)* ~ *in* finde behag i, finde fornøjelse i, nyde.

pleasure|-boat lystbåd. ~ **ground** lystanlæg, park. **-less** glædesløs. ~ **-loving,** ~ **-seeking** forlystelsessyg. ~ **-trip** fornøjelsestur.

pleat [pli·t] (subst.) fold, læg; (vb.) folde, plissere.

pleb [pleb] S plebejer.

plebeian [pli'bi·ən] plebejisk; plebejer.

plebiscite ['plebisit, -sait] folkeafstemning.

plebs [plebz] underklasse, pøbel, plebs.

plectrum ['plektrəm] plektron, plekter.

I. **pledge** [pledʒ] (subst.) pant, borgen, garanti; forpligtelse; løfte; afholdsløfte; skål (som udbringes); *take the* ~ aflægge afholdsløftet; *hold in* ~ have som pant; *put sth. in* ~ sætte noget i pant; *under* ~ *of secrecy* under tavshedsløfte.

II. **pledge** [pledʒ] (vb.) pantsætte, sætte i pant; forpligte; love højtideligt, indestå for; drikke med, skåle med, skåle, udbringe en skål for; ~ *one's word* (el. *honour)* give sit æresord.

pledgee [ple'dʒi·] panthaver.

pledger ['pledʒə] pantsætter, pantstiller.

pledget ['pledʒit] tot (fx. vat), kompres.

Pleiades ['plaiədi·z]: *the* ~ Plejaderne, syvstjernen.

plenary ['pli·nəri] fuld, fuldstændig, fuldtallig; ~ *meeting* plenarmøde; ~ *powers* fuldmagt.

plenipotentiary [plenipə'tenʃəri] (subst.) gesandt, befuldmægtiget udsending; (adj.) med (uindskrænket) fuldmagt.

plenitude ['plenitju·d] fuldstændighed, fylde, overflod.

plenteous ['plentjəs, -tiəs] rigelig.

plentiful ['plentif(u)l] rigelig.

plenty ['plenti] (subst.) fylde, overflod; velstand, rigdom; (adj.) T rigelig; (adv.) T vældig, mægtig (fx. *it was* ~ *cold);* ~ *of* fuldt op af, nok af, godt (el. rigeligt) med, masser af; ~ *of time* god tid.

plenum ['pli·nəm] plenum, plenarforsamling, plenarmøde; overtryk; rum med komprimeret luft; ~ *system* trykluftventilationssystem.

pleonasm ['pli·ənäzm] pleonasme.

pleonastic [pliə'nästik] pleonastisk.

plethora ['pleþərə] blodoverfyldning; overflod.

pleurisy ['pluərisi] lungehindebetændelse.

pleuritic [pluə'ritik] (adj.) som har lungehindebetændelse.

plexus ['pleksəs] netværk; (anat.) plexus.

pliability [plaiə'biliti] bøjelighed; smidighed; eftergivenhed; føjelighed, svaghed.

pliable ['plaiəbl] bøjelig; smidig; let påvirkelig, eftergivende, føjelig, svag.

pliancy ['plaiənsi] se *pliability.*

pliant ['plaiənt] se *pliable.*

plied imperf. og perf. part af *ply.*

pliers ['plaiəz]: *pair of* ~ niptang; *combination* ~ universaltang.

I. **plight** [plait] løfte, pant; (vb.) love; sætte i pant; ~ *one's troth to sby.,* ~ *oneself to sby., give one's* ~ *to sby.* skænke en sin tro.

II. **plight** [plait] (subst.) tilstand, forfatning (fx. *in a sad* ~).

Plimsoll ['plimsəl]: ~ *line,* ~ *mark* lastemærke.

plimsolls (subst. pl.) lærredssko med gummisåler.

plinth [plinþ] plint, sokkel.

Pliny ['plini] Plinius.

plod [plåd] (vb.) traske, gå med tunge skridt; hænge i; slide; (subst.) trasken; streng tur; hængen i, slid.

plodder ['plådə] slider. **plodding** ['plådiŋ] møjsommelig; tungt arbejdende; ihærdig.

plonk [plåŋk] plask, plump.

plop [plåp] (subst.) plump; (vb.) plumpe; (udråbsord) bang! bum!

I. **plot** [plåt] (subst.) stykke jord, plet (jord); parcel, grund, havelod; (amr.) plan, kort.

II. **plot** [plåt] (vb.) give en grundtegning af, tegne, give et rids af; indtegne på et kort el. diagram; fremstille grafisk; afsætte (fx. *a curve);* (radar) plotte; ~ *out* udstykke; inddele.

III. **plot** [plåt] (subst.) sammensværgelse, komplot, anslag; intrige, handling, fabel (i skuespil etc.); *lay -s* smede rænker.

IV. **plot** [plåt] (vb.) lægge planer, smede rænker, intrigere; planlægge, pønse på, lægge råd op om.

plotter ['plåtə] rænkesmed; konspirator; (radar) plotter; *the -s* de sammensvorne.

plough [plau] (subst.) plov, sneplov; pløjejord, pløjeland; (vb.) pløje; beskære; T (lade) dumpe til eksamen; *the Plough* Karlsvognen; ~ *a lonely furrow* holde sig for sig selv, gå sin dunkle vej alene; *put one's hand to the* ~ (fig.) gå i gang med et arbejde; ~ *the sand* (fig.) arbejde til ingen nytte, anstrenge sig forgæves; *take a* ~, *be -ed* dumpe; ~ *one's way* bane sig vej; ~ *back* reinvestere (fx. *profits);* ~ *in* nedpløje; ~ *through* slide (el. pløje) sig igennem; ~ *up* oppløje; pløje op af jorden.

ploughable ['plauəbl] som kan pløjes. **ploughboy** plovdreng; bondedreng, bondeknold. **plougher** ['plauə] (glds.) plovmand.

plough|-land (historisk: et arealmål). **-man** plovmand; landmand, bonde. **-share** plovjern. ~ **-tail:** *at the* ~ bag ploven.

plover ['plʌvə] brokfugl; *golden* ~ hjejle.

plow (amr.), se *plough.*

ploy [ploi] (subst.) beskæftigelse; foretagende; forlystelse.

pluck [plʌk] (vb.) rive, rykke, trække *(at* i); ribbe; gribe i (strenge); plukke (fx. ~ *a chicken,* ~ *flowers);* S snyde; plyndre; lade dumpe (til eksamen); (subst.) ryk, greb, tag, nap; mod, mandsmod; ~ *up courage* tage mod til sig.

plucky ['plʌki] modig, kæk, tapper.

I. **plug** [plʌg] (subst.) pløk, prop, tap; spuns; tændrør; stikprop; stik(kontakt); plombe (i tand); brandhane; plade tobak, skrå; (amr. S) udgangsøg, udslidt hest; høj hat; reklameindslag (i radio etc.); reklame, omtale (i avis).

II. **plug** [plʌg] (vb.) tilstoppe; plombere, tilproppe; S gøre reklame for; skyde, 'pløkke', slå løs på; mase, slide *(at* med); ~ *in* tilslutte, sætte 'til (med stikkontakt); ~ *a song on the audience* T banke en sang ind i hovedet på publikum.

plug| hat (amr. S) høj hat. ~ **-ugly** ['plʌgʌgli] (amr. S) gangster, bandit.

plum [plʌm] blomme; rosin; bedste del, lækkerbisken; ønskestilling; *be waiting for the -s to fall into one's mouth* vente at stegte duer skal flyve ind i munden på en.

plumage ['plu·midʒ] fjer; fjerbeklædning.

plumb [plʌm] (subst.) blylod, lod; (adj.) lodret; lige; rigtig, fuldstændig; nøjagtigt; (vb.) bringe i lod; lodde; måle; plombere; ~ *crazy* (amr. S) skrupskør; ~ *nonsense* det rene vrøvl; *out of* ~ ude af lod; ~ *with* lodret over.

plumbago [plʌm'beigou] grafit.

plumbeous ['plʌmbiəs] bly-, blyagtig, blygrå.

plumber ['plʌmə] blikkenslager, gas- og vandmester.

plumbery ['plʌməri] blikkenslagerarbejde.

plumbiferous [plʌm'bifərəs] blyholdig, blyførende.

plumbing ['plʌmiŋ] blikkenslagerarbejde, vand- og sanitetsinstallation.

plumbism ['plʌmbizm] blyforgiftning.

plumbless ['plʌmlės] uudgrundelig, bundløs.

plumb-line ['plʌmlain] lodline, lodsnor.

plum-cake ['plʌmkeik] plumkage.

plum-duff melbudding med rosiner.

plume [plu·m] fjer; fjerbusk; fjerlignende dusk; pynte med fjer; pudse (sine fjer); plukke; *strut in borrowed -s* pynte sig med lånte fjer; ~ *of smoke* røgfane; ~ *oneself* være stolt, bryste sig *(on* af).

plumelet ['plu·mlėt] lille fjer.

plummet ['plʌmit] lod; lodsnor; (vb.) lodde.

plummy ['plʌmi] fuld af blommer (el. rosiner); T lækker, udmærket; 'fed', indbringende (fx. *job).*

plumose [plu·'mous] fjeragtig; fjerklædt.

I. **plump** [plʌmp] (adj.) trind, trivelig, fyldig; buttet; (vb.) ~ *(up)* fylde, gøre fyldig, få til at svulme; blive fyldig, svulme.

II. **plump** [plʌmp] (vb.) falde tungt, plumpe; plumpe ud med; lade falde (el. plumpe ned); kun stemme på én kandidat (hvor der er mulighed for at give to eller flere sin stemme); ~ *for* (ogs.) gå stærkt ind for (fx. *a scheme);* støtte ubetinget.

III. **plump** [plʌmp] (subst.) tungt fald, plump; regnskyl; (adj.) udtrykkelig, ligefrem; (adv.) rent ud, lige ud (fx. *tell him* ~ *that he is a fool);* uden videre; lige, pladask (fx. *fall* ~ *in the river).*

plumper ['plʌmpə] (en, som afgiver) stemme på kun én kandidat; grov løgn.

plum-pudding ['plʌm'pudiŋ] plumbudding.

plumy ['plu·mi] fjeragtig; fjerklædt.

plunder ['plʌndə] (vb.) plyndre, udplyndre, røve; (subst.) plyndring, udplyndring; rov, bytte.

plunge ['plʌn(d)ʒ] (vb.) dukke; styrte (fx. ~ *the country into war);* kaste; støde (fx. *a dagger into one's breast),* stikke; dukke ned, kaste sig, styrte sig (ud) (fx. *he -d into the river*); handle overilet; spille højt spil.

II. **plunge** ['plʌn(d)ʒ] (subst.) neddukning, dykning; dukkert; spring; svømmebassin; dyb sø, dybt sted i sø; vovelig spekulation; *take the* ~ vove springet.

plunger ['plʌn(d)ʒə] dykker; (pumpe)stempel; S hasardspiller, spekulant.

I. **plunk** [plʌŋk] T (lydmalende ord som) plingplang; (amr. S) dollar.

II. **plunk** [plʌŋk] kaste (fx. ~ *a stone at sby.);* (lade) falde (med tung el. klirrende lyd); knipse (på en streng).

pluperfect ['plu·'pə·fikt] førdatid, pluskvamperfektum.

plural ['pluərəl] indeholdende flere, flertals- (fx. *ending);* (subst.) flertal.

pluralism ['pluərəlizm] det at have mere end ét præstekald. **pluralist** [-list] indehaver af flere (præste)embeder.

plurality [pluə'räliti] pluralitet, flerhed, majoritet, flertal; det at have mere end et præstekald el. embede.

plural| society samfund som rummer flere racer. ~ **voting** stemmeafgivning (el. stemmeret) i mere end én valgkreds.

plus [plʌs] (subst.) plus; additionstegn; (adj.) positiv (fx. *a* ~ *quantity);* og derover, og opefter (fx. *from the age of 11 plus* (el. 11 +)); ekstra; (se ogs. *eleven-plus examination).*

plus fours ['plʌs'få·z] plusfours.

plush [plʌʃ] (subst.) plys; (adj.) plys-; (fig.) luksuøs, luksus-, 'dyr'.

plushy ['plʌʃi] (adj.) plys-; plysses-; plysagtig; (fig.) luksuøs, luksus-, 'dyr'.

Plutarch ['plu·ta·k]. **Pluto** ['plu·tou].

plutocracy [plu·'tåkrəsi] plutokrati, rigmandsstyre, rigmandsaristokrati, pengeadel. **plutocrat** ['plu·təkrät] pengefyrste. **plutocratic** [plu·tə'krätik] plutokratisk.

Plutonian [plu·'tounjən], **Plutonic** [plu·'tånik] plutonisk; vulkansk; som ligger dybt inde i jorden.

plutonium [plu·'tounjəm] (kem.) plutonium.

pluvial ['plu·viəl] regn-; regnfuld.

pluviometer [plu·vi'åmitə] regnmåler.

pluvious ['plu·viəs] regn-, regnfuld.

I. **ply** [plai] (vb.) bruge flittigt (fx. *she plied her needle);* arbejde ivrigt med; drive (fx. *a trade);* udføre; plage, bestorme, bearbejde; (om bil etc.) vente på tur ved holdeplads; ⚓ krydse; befare, besejle; gå i fast rute (fx. *the ship plies between Esbjerg and Harwich);* ~ *sby. with food* proppe en med mad; ~ *with questions* bombardere med spørgsmål.

II. **ply** [plai] (subst.) tråd (fx. *three-ply wool);* en af de enkelte plader i krydsfinér; retning, tilbøjelighed.

Plymouth ['plimәþ].

plywood ['plaiwud] krydsfinér.

P.M. fk. f. *Prime Minister; Police Magistrate; Postmaster.*

p.m. ['pi·'em] fk. f. *post meridiem* (fx. *at 3* ~ kl. 3 eftermiddag); *post-mortem.*

P.M.G. fk. f. *Paymaster General; Postmaster General.*

pneumatic [nju'mätik] pneumatisk, luft-; luftring; ~ *despatch* (el. *post)* rørpost; ~ *tyre* luftring.

pneumonia [nju'mounjə] lungebetændelse.

pneumonic [nju'månik] lunge-; lungebetændelses-.

po [pou] T potte.

P.O. fk. f. *postal order; post office.*

poach [poutʃ] pochere (æg); nedtrampe; blive nedtrampet; gøre opblødt; blive opblødt; ælte (fx. ler); drive krybskytteri, drive ulovlig jagt (el. fiskeri) på (el. i); stjæle (sig til); ~ *on sby.'s preserves* (is. fig.) trænge ind på en andens enemærker, gå en i bedene; *-ed eggs* pocherede æg.

poacher ['poutʃə] vildttyv, krybskytte.

poachy ['poutʃi] sumpet, blød (om jord).

pochard ['poutʃəd] (zo.) taffeland.

pock [påk] pustel, byld, koppebyld.

I. **pocket** ['påkit] (subst.) lomme; sæk; hul, fordybning der indeholder guld etc.; enklave; ø (fx. *-s of unemployment* arbejdsløshedsøer); *(air)* ~ lufthul; *prices to suit all -s* priser der passer for enhver pung; *put one's hand in one's* ~ (fig.) give penge ud; punge ud; gøre et greb i lommen; *put one's pride in one's* ~ glemme sin stolthed, bide i det sure æble; *be in* ~ være ved muffen; have vundet el. tjent (fx. *be £3 in* ~*); be £3 out of* ~ have tabt £3.

II. **pocket** ['påkit] (vb.) putte (el. stikke) i lommen (fx. *~ the money);* bide i sig (fx. *he -ed the insult);* stikke til sig, tjene, indkassere; *~ a ball* (i billard) støde en bal i hullet; *~ one's pride* glemme sin stolthed, bide i det sure æble.

pocket|-book lommebog; tegnebog; (fig.) (penge)midler; (amr.) dametaske, håndtaske. *~* **-borough** valgkreds hvis vælgere var afhængige af godsejeren (før 1832). *~* **-glass** lommespejl. *~* **-handkerchief** lommetørklæde. *~* **-knife** lommekniv. *~* **-money** lommepenge. *~* **-piece** lykkeskilling. *~* **-size** i lommeformat.

pock-marked ['påkma·kt] koparret.

pod [påd] (subst.) bælg, kapsel; stime (af sæler el. hvaler); (vb.) bælge; sætte bælg.

podagra ['pådəgrə, pə'dägrə] podagra. **podagric** [pə'dägrik] podagristisk.

podgy ['pådʒi] buttet, tyk, fedladen.

podium ['poᵘdiəm] podium.

Poe [poᵘ].

poem ['poᵘim] digt.

poesy ['poᵘisi] (glds.) poesi, digtekunst.

poet ['poᵘėt] digter. **poetaster** [poᵘi'tästə] mådelig digter, versemager. **poetess** ['poᵘitės] digterinde.

poetic [poᵘ'etik], **poetical** [-kl] digterisk, poetisk. **poetics** [poᵘ'etiks] poetik.

poetry ['poᵘitri] poesi, digtning, digtekunst.

pogrom ['pågråm] pogrom, jødeforfølgelse.

poignancy ['poinənsi] skarphed, brod, bitterhed. **poignant** ['poinənt] skarp (fx. *a ~ sauce);* bitter (fx. *a ~ sorrow);* intens; skærende, gribende.

poinsettia [poin'setiə] ♧ julestjerne.

I. **point** [point] (subst.) spids, tak; punkt, prik; point; pointe (fx. *the ~ of the anecdote);* hovedsag; sag (fx. *keep to the ~; that's the ~* det er netop sagen); hensigt, øjemed; mening (fx. *there is not much ~ in doing that);* egenskab (fx. *he has good -s),* særkende, side; streg, kompasstreg; komma ved decimalbrøk (fx. *5.4 = five point four* 5,4 = fem komma fire); skilletegn, punktum; odde, pynt; radérnål; lampested; (på gevir) ende, tak; (se ogs. *points); ~ (lace)* syede kniplinger; *bad ~* (ogs.) svaghed; *good ~* (ogs.) god egenskab, dyd; *singing is not his strong ~* at synge er ikke hans stærke side;

(forb. med vb.) *carry* (el. *gain) one's ~* sætte sin vilje igennem; *get -s* vinde; *give -s to* give (mindre trænet sportsmand) points forud, give et forspring; være (én) overlegen; *it has its -s* det har sine fordele (el. gode sider); *you have got a ~ there* der sagde du noget vigtigt; *he made his ~* han overbeviste de andre; hans synspunkt sejrede; *we make a ~ of ...ing* vi lægger vægt på at ..., det er os magtpåliggende at ...; *not to put too fine a ~ on it* for at sige det rent ud; *I do not see your ~* jeg forstår ikke hvor du vil hen (med det du siger); *stretch a ~* gøre en undtagelse, ikke tage det så strengt;

(forb. med præp.) *at all -s* på alle punkter, i alle henseender; *be at the ~ of* være på nippet til, stå i begreb med; *be at the ~ of death* ligge for døden; *at the ~ of the sword* under tvang, under trusel om anvendelse af magt; *the case in ~* det tilfælde der er under drøftelse, det foreliggende tilfælde; *in ~ of* med hensyn til; *in ~ of fact* faktisk; *there is no ~ in doing that* det er der ikke nogen mening i (at gøre), det er nytteløst; *Dickens is a case in ~* D. er et eksempel på dette; *~ of conscience* samvittighedssag; *~ of honour* æressag; *~ of view* synspunkt; *be off the ~* ikke vedkomme sagen; *on the ~ of* på nippet til, i begreb med (fx. *I was on the ~ of leaving); be to the ~* vedkomme sagen, være relevant; *that is not to the ~* det kommer ikke sagen ved; *let us come to the ~* lad os komme til sagen; *when it came to the ~* da det kom til stykket; *frankness to the ~ of insult* en ligefremhed der grænser til uforskammethed; *up to a ~* til en vis grad.

II. **point** [point] (vb.) spidse (fx. *a pencil),* sætte spids på; skærpe; sigte *(at* på), rette *(at* mod), pege *(at, to* på); sætte (skille)tegn i; pointere, fremhæve, understrege, markere; (om mur) fuge; (om jagthund) stå, gøre stand; *~ a rope* ⚓ katte en ende; *~ out* udpege, påpege, fremhæve, gøre opmærksom på; *the minute hand -ed to twelve* den lille viser stod på tolv.

point-blank ['point'blăŋk] (adv.) ligefrem, direkte (fx. *ask him ~);* rent ud, pure (fx. *he refused it ~);* (adj.) lige, horisontal; *fire ~, fire at ~ range* skyde på meget nært hold.

point-duty: *be on ~* (om færdselsbetjent) have færdselstjeneste (i vejkryds etc.).

pointed ['pointid] spids, tilspidset; pointeret; skarp (fx. *a ~ reproof),* tydelig, demonstrativ (fx. *politeness); ~ arch* spidsbue; *~ style* spidsbuestil.

pointer ['pointə] viser (på ur, vægt); pegepind; pointer (jagthund); **T** vink, fingerpeg.

point-lace syet knipling.

pointless ['pointlės] meningsløs, uden pointe.

points [points] (pl.) (jernb.) sporskifte.

pointsman ['pointsmən] (jernb.) sporskifter; (i politiet) færdselsbetjent.

points rationing (rationeringssystem under den anden verdenskrig).

poise [poiz] (subst.) ligevægt; holdning; ro, sikkerhed (i optræden); (vb.) balancere med, holde i ligevægt; være i ligevægt, svæve; gøre (sig) rede; *-d* (ogs.) svævende, balancerende; afbalanceret; parat.

poison ['poizn] (subst.) gift; (vb.) forgifte, forgive; få forgiftning i; fordærve; *hate sby. like ~* hade en som pesten; *what's your ~?* **S** hvad vil De have at drikke? hvad skal det være?

poisoner ['poiznə] giftblander(ske).

poison|-fang gifttand. *~* **-gas** giftgas. **-ing** ['poizniŋ] forgiftning; giftblanderi; giftmord.

poisonous ['poiznəs] giftig; ødelæggende, skadelig, fordærvelig; **T** modbydelig, væmmelig.

poison pen anonym brevskriver (der ved ondsindede breve prøver at skade andre).

poison-pen letter anonymt smædebrev.

I. **poke** [poᵘk] (vb.) støde, puffe, stikke; rode op (fx. *the fire);* stikke frem; famle *(for* efter); snuse, stikke næsen *(into* i); (subst.) stød, puf, stik; *~ fun at* drive løjer med, gøre nar af; *~ one's nose into* stikke sin næse i.

II. **poke** [poᵘk] (subst.) (glds.) pose; *buy a pig in a ~* købe katten i sækken.

III. **poke** [poᵘk] (subst.) fremstående hatteskygge.

poke|-bonnet kysehat. *~* **-cheeked** med hængekinder.

I. **poker** ['poᵘkə] ildrager; nål til brandmaling; *as stiff as a ~* så stiv som en pind.

II. **poker** ['poᵘkə] poker (kortspil).

poker face udtryksløst ansigt, pokeransigt.

poker-work brandmaling.

poky ['poᵘki] trang, lille; ubetydelig; kedelig; tarvelig, snoldet.

Poland ['poᵘlənd] Polen.

polar ['poᵘlə] polar; polar-; *~ bear* isbjørn.

polarity [po'läriti] polaritet.

polarization [poᵘlərai'zeⁱʃən] polarisation.

polarize ['poᵘləraiz] polarisere.

polar light polarlys; nordlys, sydlys.

I. **Pole** [poᵘl] polak.

II. **pole** [poᵘl] pol; *they are -s apart* de er (himmel-) vidt forskellige; der er en afgrund imellem dem.

III. **pole** [poᵘl] (subst.) stang, stage, pæl, stolpe; (vb.) stage frem; *under bare -s* ⚓ for takkel og tov; *up the ~* **S** i knibe; tosset, skør.

pole-axe ['poᵘläks] stridsøkse; slagterøkse; entrebil; (vb.) hugge med stridsøkse; slå ned med slagterøkse.

pole|cat (zo.) ilder; (amr.) stinkdyr. *~* **flounder** (zo.) skærising. *~* **-jumping** stangspring.

polemic [på'lemik] (subst.) polemiker; (adj.) polemisk. **polemics** polemik. **polemize** ['pålimaiz] polemisere.

polenta [på'lentə] polenta, majsgrød.

pole-star polarstjerne, nordstjerne, ledestjerne.
pole-vault stangspring. ~ **-wood** stangskov.
police [pə'li·s, pə-] (subst.) politi; (vb.) føre politiopsyn med; holde orden blandt; forsyne med politi.
police|-constable politibetjent. ~ **cordon** politiafspærring. ~ **-court** politiret. ~ **-force** politistyrke. ~ **inspector** politiassistent. ~ **magistrate** dommer i politiretten. **-man** [pə'li·smən] politibetjent. ~ **office** politikammer. ~ **officer** politibetjent, politifunktionær. ~ **sergeant** overbetjent. ~ **State** politistat. ~ **station** politistation. **-woman** [pə'li·swumən] kvindelig politibetjent.
policlinic [påli'klinik] poliklinik.
I. **policy** ['pålisi] politik; statskunst; statsklogskab; taktik, fremgangsmåde; klogskab; snuhed.
II. **policy** ['pålisi] (forsikrings)police. **policyholder** forsikringstager.
polio ['poᵘlioᵘ], **poliomyelitis** ['poᵘlioᵘmaiə'laitis] børnelammelse, polio; ~ *victim* polioramt.
I. **Polish** ['poᵘliʃ] polsk.
II. **polish** ['påliʃ] (vb.) polere, pudse, blanke, bone; blankslibe, glatte; blive blank; (fig.) forfine, pudse af, pynte på; (subst.) politur, pudsecreme, blanksværte; glans, glathed; (fig.) politur, forfinelse, elegance, finhed; ~ *off* gøre det af med (fx. *an opponent);* ekspedere; klare, gøre færdig i en fart (fx. *one's work);* sætte til livs (fx. *a meal).*
polished ['påliʃt] (blank)poleret, pudset, blank; (fig.) sleben (fx. *manners).*
polisher ['påliʃə] polerer; polereværktøj, poleremiddel.
polite [pə'lait] høflig, beleven, fin, dannet, kultiveret.
politic ['pålitik] klog, snedig, velbetænkt; konstitutionel, forfatningsmæssig; *the body* ~ staten.
political [pə'litikl] (adj.) politisk, stats-; ~ *economy* nationaløkonomi; ~ *economist* nationaløkonom; ~ *science* statsvidenskab.
politician [påli'tiʃən] politiker, statsmand; levebrødspolitiker.
politicize [pə'litisaiz] politisere; give et politisk præg.
politico [pə'litikoᵘ] (nedsættende:) (parti)politiker; politikus.
politics ['pålitiks] politik; statskunst; politiske anskuelser; politisk liv.
polity ['påliti] regeringsform, forfatning, samfundsbygning; stat; politik.
polka ['pålkə] polka; ~ *dots* storprikket mønster.
I. **Poll** [pål] (subst.) poppedreng.
II. **poll** [poᵘl] (subst.) valgliste, valgprotokol; stemmeoptælling; stemmetal; stemmeafgivning, valg, afstemning; valgdeltagelse (fx. *heavy* (stor) ~; *light* (ringe) ~); valgsted; person, hoved; hammerbean; (hatte)puld; (glds.) hoved, nakke, baghoved; *(public opinion)* ~ opinionsundersøgelse; *declare the* ~ bekendtgøre (el. meddele) valgresultatet (officielt); *demand a* ~ forlange skriftlig afstemning; *take a* ~ foretage skriftlig afstemning.
III. **poll** [poᵘl] (vb.) afgive (sin stemme), stemme (fx. ~ *for a candidate);* optælle (stemmer); opnå, få, samle (stemmer) (fx. *he -ed over 5.000 votes);* spørge (ved opinionsundersøgelse); topstævne, tophugge (fx. *a tree);* klippe (skaldet); afhorne (fx. *-ed cattle).*
IV. **poll** [pål] (S i Cambridge) studenter der tager *pass degree.*
pollack ['påløk] (zo.) lubbe; sej (fisk).
pollard ['påləd] topstævnet træ; stykke kvæg uden horn; buk der har fældet geviret.
poll|-book valgliste, valgprotokol. ~ **-clerk** listefører. ~ **degree** lettere grad af universitetseksamen (modsat *honours).*
pollen ['pålin] blomsterstøv, pollen.
pollinate ['påline'ˈt] bestøve. **pollination** [påli'neiʃən] bestøvning.
polling ['poᵘliŋ] (subst.) afstemning, valghandling.
polling-booth stemmerum.
polliwog ['påliwåg] (zo.) haletudse.
pollock ['pålåk] = *pollack.*
poll-parrot ['pål'pärət] poppedreng; efterplaprer.
pollster ['poᵘlstə] interviewer (ved opinionsundersøgelse).
poll tax ['poᵘltäks] kopskat.
pollute [pə'l(j)u·t] forurene (fx. *a river; the air);* besmitte; vanhellige, krænke. **pollution** [pə'l(j)u·ʃən] besmittelse; forurening.
pollywog = *polliwog.*
polo ['poᵘloᵘ] polo.
polonaise [pålə'neiz] polonaise.
poloney [pə'loᵘni] slags pølse.
poltergeist ['påltəgaist] bankeånd.
poltroon [pål'tru·n] kryster, kujon.
poltroonery [pål'tru·nəri] fejhed.
poly|gamist [på'ligəmist] polygamist. **-gamous** [på'ligəməs] (adj.) polygam. **-gamy** [på'ligəmi] polygami. **-glot** ['påliglåt] mangesprogs-; polyglot. **-gon** ['påligən] polygon, mangekant. **-nomial** [påli'noᵘmiəl] (mat.) flerleddet (størrelse).
polyp ['pålip] (zo.) polyp.
polyphonic [påli'fånik] (adj.) polyfon, mangestemmig.
polypody ['pålipədi] ♧ engelsød.
polypous ['pålipəs] polypagtig. **polyp|us** ['pålipəs] (pl. *-i* [-ai]) (zo.) polyp.
polystyrene [påli'stairi·n] polystyren.
poly|syllabic [pålisi'läbik] flerstavelses-. **-syllable** ['påli'siləbl] flerstavelsesord. **-technic** [påli'teknik] (adj.) teknisk; (subst.) teknisk skole. **-theism** ['påliþi(·)izm] polyteisme.
polyvinyl [påli'vainil] polyvinyl.
pom. fk. f. *Pomeranian.*
pomade [pə'ma·d], **pomatum** [pə'meitəm] pomade; (vb.) pomadisere.
pomegranate ['påmgränėt] granatæble.
pomelo ['påmiloᵘ] ♧ pompelmus; stor grapefruit.
Pomerania [påmə'reinjə] Pommern.
Pomeranian [påmə'reinjən] pommersk; pommeraner; pommersk spidshund.
pommel ['pʌml] (subst.) sadelknap; kårdeknap; (vb.) banke, dunke, prygle; ~ *to a jelly* mørbanke.
pomp [påmp] pomp, pragt, prunk.
Pompeian [påm'pi·ən] pompejansk.
Pompeii [påm'pi·ai] Pompeji.
Pompey ['påmpi] Pompeius.
pom-pom ['påmpåm] maskinkanon.
pompon ['påmpån] pompon (pyntekvast).
pomposity [påm'påsiti] opblæsthed; svulstighed; opblæst person.
pompous ['påmpəs] højtravende, svulstig; opblæst.
ponce [påns] **S** alfons.
poncho ['påŋkoᵘ] poncho; regnslag.
pond [pånd] (subst.) dam; kær; sø; (vb.) opdæmme.
ponder ['påndə] overveje, overlægge; grunde.
ponderable ['påndərəbl] vejelig; målelig.
ponderous ['påndərəs] tung, massiv, klodset; kedsommelig.
pond-lily ['påndlili] ♧ åkande. **pondweed** ['påndwi·d] ♧ vandaks.
pong [påŋ] **T** stank; (vb.) stinke.
pongee [pån'dʒi·] kinesisk silke.
poniard ['pånjəd] dolk; (vb.) dolke, stikke.
pontiff ['påntif] ypperstepræst; pontifeks; pave, biskop. **pontifical** [pån'tifikl] pontifikal; pavelig, pave-; docerende; *-s* biskoppeligt skrud. **pontificate** [pån'tifikeit] pontifikat; pavestol; paves embedstid; (vb.) docere; stille sig an som om man var ufejlbarlig.
pontlevis [pånt'levis] vindebro.
pontoon [pån'tu·n] ponton. **pontoon-bridge** pontonbro.
pony ['poᵘni] pony; **S** £25. **pony-tail** hestehale (-frisure).

pooch [pu·tʃ] (især amr.) hund, køter.
poodle ['pu·dl] pudel, pudelhund.
pooh [pu·] pyt! åh!
pooh-pooh [pu·'pu·] blæse ad, bagatellisere, afvise hånligt.
I. **pool** [pu·l] (subst.) dam; vandpyt, pøl; bredning (i flod).
II. **pool** [pu·l] (subst.) pulje, indsats; pool (en form for sammenslutning af forretninger); form for billard; (vb.) slå sammen (i en pulje); samle; *swimming* ~ svømmebassin; *the football -s* (svarer omtrent til) tipstjenesten; *win (on) the -s* vinde i tipning.
pool's| coupon tipskupon. ~ **dividend** tipsgevinst.
poop [pu·p] ⚓ (subst.) halvdæk agter, hytte; (vb.) slå ind over agterfra (om en sø); tage en sø ind agterfra.
poor [puə] (adj.) fattig, trængende; stakkels (fx. ~ *fellow*); dårlig (fx. ~ *health; it is a ~ consolation)*; ringe (fx. *in my ~ opinion)*; mager, ussel, sølle; salig, afdød.
poor|-box kirkebøsse, fattigbøsse. ~ **cod** (zo.) glyse. ~ **-house** fattighus. ~ **-law** fattiglov.
poorly ['puəli] (adv.) dårligt; (adj.) dårlig, utilpas.
poor| man's lawyer retshjælp for ubemidlede. **-rate** ['puəreⁱt] fattigskat. ~ **-relief** fattigforsorg. ~ **-spirited** forsagt, frygtsom.
I. **pop.** fk. f. *popular; population.*
II. **pop** [påp] knald, smæld; mousserende drik; **T** skud; (adv.) med et knald; bang! vupti! *go (off)* ~ gå af med et knald, sige bang; revne med et knald; *in* ~ **S** stampet, pantsat.
III. **pop** [påp] (vb.) plaffe, knalde, smælde; affyre (med et knald); trække (prop) op med et knald; stikke (fx. ~ *one's head out of the window)*; **S** pantsætte, stampe (fx. ~ *one's watch)*; skynde sig (af sted), smutte, stikke (fx. ~ *over to the grocer's)*; ~ *corn* riste majs; ~ *the question* **S** fri; ~ *at* skyde på; ~ *in* kikke indenfor; smutte ind, komme ind; ~ *into* aflægge et kort besøg i, foretage en sviptur til; ~ *off* stikke af, smutte bort; gå af; plaffe ned; ~ *off (the hooks)* **T** kradse af (dø); ~ *out* smutte ud; gå ud; **T** kradse af (dø); ~ *up* fare op; ~ *up to town* smutte ind til byen.
IV. **pop** [påp] (subst., amr.) far.
V. **pop** [påp] (adj.) **T** populær, pop (fx. ~ *music)*.
popcorn ['påpkå·n] popcorn (ristet majs).
pope [poᵘp] pave.
popedom ['poᵘpdəm] pavedømme.
popery ['poᵘpəri] papisme; papistisk lære.
Pop-eye ['påpai]: ~ *the Sailor* Skipper Skræk.
pop-eyed ['påpaid] med udstående øjne.
pop-gun ['påpgʌn] luftbøsse, legetøjspistol.
popinjay ['påpindʒeⁱ] laps; papegøje (ved fugleskydning).
popish ['poᵘpiʃ] papistisk.
poplar ['påplə] poppel; *trembling* ~ bævreasp; *yellow* ~ tulipantræ.
poplin ['påplin] poplin (et stof).
poppet ['påpėt] (lille) skat (som kæleord); ⚓ skvætbord (til åregaffel).
popple ['påpl] skvulpe; boble; danse, bevæge sig op og ned; (subst.) skvulp(en), krusning, krap sø.
poppy [påpi] valmue; *Flanders* ~ Flandernvalmue (helliget mindet om dem der døde i den første verdenskrig); *Poppy Day*, d. 11. nov., på hvilken *Flanders poppies* sælges.
poppycock ['påpikåk] vrøvl, sludder.
popshop ['påpʃåp] lånekontor.
populace ['påpjuləs]: *the* ~ den almindelige (el. brede) befolkning, den store hob.
popular ['påpjulə] folke-; folkets; folkelig, populær; letfattelig; folkekær; udbredt; ~ *etymology* folkeetymologi; ~ *front* folkefront; ~ *rising* folkeopstand.
popularity [påpju'läriti] popularitet.
popularization [påpjulərai'zeⁱʃən] popularisering, udbredelse.
popularize ['påpjuləraiz] popularisere.
populate ['påpjuleⁱt] befolke.
population [påpju'leⁱʃən] befolkning; folkemængde, folketal; bestand (fx. *the pig* ~); *the* ~ *of students* antallet af studerende, studentertallet.
populous ['påpjuləs] folkerig, tæt befolket.
porbeagle ['på·bi·gl] (zo.) sildehaj.
porcelain ['på·slin] porcelæn.
porch [på·tʃ] overdækket indgang, bislag; forhal, våbenhus; (amr.) veranda.
porcine ['på·sain] svine-, som ligner et svin.
porcupine ['på·kjupain] (zo.) hulepindsvin.
I. **pore** [på·] (vb.) stirre *(over, upon* på); fordybe sig *(over* i); ~ *over the books* hænge over bøgerne.
II. **pore** [på·] (subst.) pore.
pork [på·k] svinekød, flæsk; *minced* ~ flæskefars; *roast leg of* ~ flæskesteg.
pork|-brawn grisesylte. ~ **-butcher** svineslagter. ~ **-cheese** grisesylte. ~ **-chop** svinekotelet.
porker ['på·kə] fedesvin.
pornography [på·'någrəfi] pornografi.
porosity [på·'råsiti] porøsitet.
porous ['på·rəs] porøs.
porphyry ['på·firi] porfyr.
porpoise ['på·pəs] (zo.) marsvin.
porridge ['påridʒ] havregrød, grød; *keep one's breath to cool one's* ~ holde sine gode råd for sig selv.
porringer ['pårindʒə] skål (til grød, vælling etc.).
I. **port** [på·t] (subst.) havn, søhavn; havneby; *free* ~ frihavn; ~ *of call* anløbshavn; *home* ~, ~ *of registry* hjemstedshavn; *any* ~ *in storm* i en nødsituation er enhver udvej god.
II. **port** [på·t] (subst.) åbning, port; ⚓ lasteport; koøje.
III. **port** [på·t] (subst.) holdning, måde at føre sig på.
IV. **port** [på·t] (subst.) portvin.
V. **port** [på·t] ⚓ (subst.) bagbord; (vb.) lægge (roret) bagbord; *the* ~ *watch* bagbordsvagten.
portable ['på·təbl] (adj.) transportabel; (subst.) transportabel radiomodtager, rejseskrivemaskine.
portage ['på·tidʒ] (subst.) transport (af båd og last) over land mellem to floder (el. sejlbare strækninger); sted hvor sådan transport foretages.
portal ['på·tl] portal.
portcullis [på·t'kʌlis] faldgitter.
Porte [på·t]: *the* ~, *the Ottoman* ~, *the Sublime* ~ Den høje Port (den tyrkiske regering).
portend [på·'tend] varsle, varsle om, spå.
portent ['på·tent] varsel, tegn; vidunder.
portentous [på·'tentəs] varslende, ildevarslende; uhyre, imponerende; gravalvorlig, gravitetisk; vigtig, opblæst.
I. **porter** ['på·tə] portner, dørvogter; portier; drager; portør; (amr.) sovevognskonduktør.
II. **porter** ['på·tə] porter (en ølsort).
porterage ['på·tәridʒ] transport (af bagage etc.); dragerløn, budpenge.
porterhouse steak (amr., omtr.) tyksteg.
portfolio [på·t'foᵘlioᵘ] mappe; portefølje; (merk.) portefølje; (ministers) portefølje (fx. *minister without* ~); arbejdsområde; (fag)ministerpost; *have a* ~ (ogs.) være minister.
portfolio investment (merk.) investering i værdipapirer.
porthole ['på·thoᵘl] ⚓ koøje; (glds.) skydehul, kanonport.
portico ['på·tikoᵘ] søjlegang.
portion ['på·ʃən] (subst.) del; andel, part, lod, portion; arvedel, arvepart; medgift; (vb.) dele, uddele, fordele; udstyre (med medgift); *by -s* portionsvis; ~ *out* uddele.
portioner ['på·ʃənə] uddeler, fordeler.
portionless ['på·ʃənlės] uden andel; uden medgift.
portly ['på·tli] korpulent, svær; værdig, statelig.
portmanteau [på·t'mäntoᵘ] kuffert. **portmanteau word** ord dannet ved sammentrækning af to

andre ord (fx. *brunch* af *breakfast* og *lunch*); fællesbenævnelse.

port master havnefoged; havnekaptajn.

portrait ['på·trėt] portræt, billede.

portraiture ['på·trėtʃə] portrætmaling, portrættering.

portray [på·'treⁱ] portrættere, male; skildre.

portrayal [på·'treⁱəl] portrættering, portræt (-maleri); skildring.

portrayer [på·'treⁱə] portrætmaler; skildrer.

portress ['på·trės] portnerske.

Portsmouth ['på·tsməþ].

Portugal ['på·tjugəl]. **Portuguese** [på·tju'gi·z] portugisisk; portugiser(inde).

pose [poᵘz] (subst.) stilling; positur, attitude; påskud; (vb.) opstille, anbringe (fx. *a model*); fremsætte (fx. *an idea*), bringe frem, rejse (fx. *a question*); stå (el. sidde) model (fx. ~ *for an artist*); posere, stille sig i positur, skabe sig (fx. *she is always posing*), stille sig an; sætte i forlegenhed; ~ *as* give sig ud for (at være), prætendere at være.

poser ['poᵘzə] vanskeligt spørgsmål, hård nød at knække; (om person) = *poseur*.

poseur [poᵘ'zə·] posør, skabagtigt menneske.

posh [påʃ] **S** fin, flot, smart, elegant.

posit ['påzit] påstå, anbringe, sætte.

position [pə'ziʃən] (subst.) stilling; position; beliggenhed; standpunkt; (vb.) anbringe, placere; lokalisere; *take up the* ~ *that* indtage det standpunkt at; *manoeuvre for* ~ prøve at manøvrere sig ind i en gunstig position; *in a false* ~ i et falsk lys; *in a* ~ *to* i stand til at; *in* ~ på (sin rette) plads; *out of* ~ ikke på plads.

position warfare ⚔ stillingskrig.

positive ['påzətiv] (adj.) positiv, virkelig; udtalt, udtrykkelig, bestemt (fx. ~ *orders*); afgørende, direkte, uomtvistelig, sikker (fx. *proof*); sikker i sin sag, overbevist (*of* om); selvsikker, påståelig; **T** komplet, rigtig (fx. *a* ~ *fool*); (subst.) positiv; realitet; *be* ~ *that* være sikker på at; *I won't be* ~ jeg kan ikke sige det med bestemthed; *it is a* ~ *crime* det er ligefrem en forbrydelse.

positivism ['påzitivizm] positivisme.

positron ['påzitrån] (fys.) positron.

posology [po'såləd3i] dosologi (læren om de mængder hvori lægemidler skal indgives).

posse ['påsi] opbud, styrke (især af politi), flok.

possess [pə'zes] (vb.) besidde, eje, sidde inde med; besætte, beherske; bevare; ~ *one's soul in patience* væbne sig med tålmodighed; ~ *oneself of* bemægtige sig; *what -ed him to do it* hvad gik der af ham siden han kunne gøre det.

possessed [pə'zest] besat (*by, with* af); *be* ~ *of* være i besiddelse af.

possession [pə'zeʃən] besiddelse; eje; ejendom; *-s* (ogs.) ejendele; ~ *is nine points of the law* den faktiske besidder står altid stærkest; *be in* ~ *of* være i besiddelse af; *get* ~ *of, come into* ~ *of* komme i besiddelse af; *take* ~ *of* sætte sig i besiddelse af; *quick* ~ (fx. i annonce) hurtig overtagelse; (se ogs. *self-possession*).

possessive [pə'zesiv] ejendoms-, eje-; ejestedord; genitiv; ~ *case* genitiv; ~ *pronoun* possessivt pronomen, ejestedord.

possessor [pə'zesə] besidder, indehaver, ejer.

possessory [pə'zesəri] besiddelses-; besidder-.

posset ['påsit] varm mælk tilsat krydderier og øl el. vin.

possibility [påsə'biliti] mulighed (*of* for).

possible ['påsəbl] mulig; eventuel; **T** tålelig.

possibly ['påsəbli] muligvis, måske; eventuelt; på nogen mulig måde (fx. *as soon as you* ~ *can*); *I cannot* ~ *do it* jeg kan umuligt gøre det.

possum ['påsəm] fk. f. *opossum*; *play* ~ **T** ligge død, spille syg, simulere, spille dum.

I. **post** [poᵘst] (subst.) pæl, stolpe, post.

II. **post** [poᵘst] (vb.) slå op (fx. *the names of the winners*), angive ved opslag; dække med opslag (fx. ~ *a wall*); (ved opslag) forbyde adgang til (fx. ~ *a garden*); (ved opslag) offentliggøre (fx. navnene på dumpekandidater); hænge ud; *-ed (as) missing* meldt savnet; ~ *no bills!* opklæbning forbudt! ~ *up* slå op.

III. **post** [poᵘst] (subst.) post, stilling; embede, bestilling; (handels-, militær)station; (vb.) ansætte; opstille (fx. *sentries*); postere, placere; *at one's* ~ på sin post; ~ *to* udkommandere til tjeneste ved; forflytte til.

IV. **post** [poᵘst] (subst.) post, postbefordring; posthus, postkontor; postkasse; postombæring; postvogn; (vb.) poste, lægge i postkassen, afgive til postbefordring, sende med posten; indføre, bogføre, postere; underrette, forsyne med oplysninger; rejse hurtigt; *by* ~ med posten; *by return of* ~ omgående; *keep -ed* holde à jour; ~ *off* skynde sig af sted; afsende med posten; ~ *up* føre à jour.

postage ['poᵘstid3] porto.

postage stamp frimærke.

postal ['poᵘstəl] postal, post-; ~ *code* postnummer; ~ *order* postanvisning; *the (International) Postal Union* verdenspostforeningen.

post|-bag postsæk. ~ **-boy** postillon; postbud. ~ **-card** brevkort. ~ **-chaise** postvogn. ~ **-date** senere dato; (vb.) postdatere. ~ **-entry** senere indførelse.

poster ['poᵘstə] (subst.) plakat; plakatopklæber; (vb.) opsætte plakat(er) på.

poste-restante ['poᵘst'resta·nt] poste restante.

posterior [på'stiəriə] senere (*to* end); bag-; (subst.) bagdel; *-s* bagdel.

posteriority [påstiəri'åriti] (subst.) senere indtræffen.

posteriorly [på'stiəriəli] (adv.) bagtil.

posterity [på'steriti] (subst.) efterslægt(en), eftertid(en); efterkommere.

postern ['poᵘstə·n] bagdør, løndør.

post-free ['poᵘst'fri·] portofri(t).

postgraduate ['poᵘst'grädjuėt]: ~ *studies* videregående studier, (efter embedseksamen).

post-haste ['poᵘst'heⁱst] i stor hast, i flyvende fart, sporenstregs.

post|-horn posthorn. ~ **-horse** posthest.

posthumous ['påstjuməs] posthum; født efter faderens død; udgivet efter forfatterens død (fx. *a* ~ *novel*); ~ *fame* berømmelse efter døden; ~ *works* efterladte skrifter.

postil ['påstil] randbemærkning.

postillon [pə'stiljən] postillon.

post|man ['poᵘs(t)mən] postbud. ~ **-mark** poststempel; stemple (med poststempel). **-master** postmester; *Postmaster-General* minister for post- og telegrafvæsenet.

postmeridian ['poᵘstmə'ridiən] (adj.) eftermiddags-.

post meridiem ['poᵘst mə'ridiəm] efter middag; eftermiddag.

postmistress ['poᵘstmistrės] kvindelig postmester.

post-mortem ['poᵘst'må·təm] obduktion; (fig.) kritisk gennemgang (fx. af bridgeparti) bagefter; rivegilde; ~ *examination* obduktion.

post-obit ['poᵘst'åbit] (som træder i kraft) efter døden; gældsbrev med sikkerhedsstillelse i en kommende arv, forskrivning på arv.

post-office ['poᵘståfis] postkontor, posthus, postvæsen; ~ *cheque account* girokonto; *General Post-Office* hovedpostkontor.

post-paid ['poᵘstpeⁱd] frankeret, franko.

postpone [poᵘst'poᵘn] udsætte, opsætte, udskyde.

postponement [poᵘst'poᵘnmənt] udsættelse, henstand.

postpositive ['poᵘst'påzitiv] efterhængt, efterstillet.

postprandial ['poᵘst'prändiəl] efter middagen.

postscript ['poᵘs(t)skript] efterskrift; (i radio) kommentar efter nyhedsudsendelse.

I. **postulate** ['påstjulėt] (subst.) postulat, forudsætning.

II. **postulate** ['påstjuleˈt] (vb.) forudsætte, postulere; udnævne, indstille; gøre krav *(for* på).

postulation [påstju'leˈʃən] forudsætning; forlangende.

posture ['påstʃə] (subst.) stilling, positur; holdning; (vb.) placere, stille, sætte; stille sig i positur, skabe sig.

post-war ['poᵘstwå·] efterkrigs-.

posy ['poᵘzi] devise, inskription, motto; buket.

I. **pot** [påt] (subst.) potte, gryde, krukke, kande, bæger; **T** pokal, præmie; vigtig person, matador; (se ogs. *pot-shot); S* marihuana; *keep the ~ boiling* holde gryden i kog, skaffe udkommet, holde den gående; *-s of money* masser af penge; *go to ~* **S** blive ødelagt, gå i fisk.

II. **pot** [påt] (vb.) opbevare i en krukke, nedsylte, nedsalte; plante i potte; skyde (vildt), plaffe ned; (i billard) skyde (en bal) i hul; **T** sætte (et barn) på potte; (se ogs. *potted).*

potable ['poᵘtəbl] drikkelig; *~ water* drikkevand; *-s* drikkevarer.

potage [poᵘ'ta·ʒ] suppe.

potash ['påtäʃ] potaske; kali.

potassium [pə'täsjəm] kalium.

potation [poᵘ'teˈʃən] drikning; drikkeri; drik; drikkelag; *after several -s* (ogs.) efter (at have drukket) adskillige bægre.

potato [pə'teˈtoᵘ] kartoffel; **S** hul på strømpe.

potato| **blight** kartoffelsyge. *~* **-crisps** (pl.) franske kartofler. *~* **-trap S** mund.

pot|**-bellied** ['påtbelid] tykmavet *~* **-belly** tyk mave; topmave; tyksak. *~* **-boiler** bog (el. maleri etc.) som man kun har lavet for at tjene penge. *~* **-boy** dreng som hjælper med serveringen i et værtshus; (glds.) kældersvend, øltapper.

poteen [pə'ti·n] hjemmebrændt irsk whisky.

potency ['poᵘtənsi] kraft, styrke, magt; indflydelse. **potent** ['poᵘtənt] stærk, stærkt virkende, virkningsfuld; mægtig, indflydelsesrig.

potentate ['poᵘtənteˈt] fyrste, magthaver, potentat.

I. **potential** [pə'tenʃəl] (subst.) mulighed; (elektrisk) spænding; potentiel (fx. *war ~),* hjælpekilder.

II. **potential** [pə'tenʃəl] (adj.) potentiel, mulig, eventuel, slumrende; *an army which is a ~ threat* en hær der i givet fald kan blive en trusel.

potential difference (elekt.) spændingsforskel.

potential divider (elekt.) spændingsdeler.

potentiality [pətenʃi'äliti, po-] mulighed.

pot hat ['påt'hät] rundpuldet hat, bowlerhat.

pother ['påðə] sky (af røg, støv el. damp); uro, støj, vrøvl, ballade.

pot|**-herb** køkkenurt; *bunch of -herbs* suppevisk. *~* **-hole** jættegryde; hul i vej. **-holer T** huleforsker. **-hook** grydekrog; S-formet streg (i skriveøvelse). *~* **-house** værtshus, knejpe. *~* **-hunter** en der kun driver sport for præmiens skyld; en der går på jagt eller fisker udelukkende for at få noget at putte i gryden.

potion ['poᵘʃən] (dosis) medicin; (dosis) gift; (glds.) drik.

pot lead ['påtled] grafit.

pot-luck ['påt'lʌk]: *take ~* tage til takke med hvad huset formår.

potman ['påtmən] medhjælper i værtshus; (glds.) kældersvend.

pot-pourri ['poᵘ'puri] potpourri.

pot|**-roast** steg stegt i gryde. **-sherd** potteskår. *~* **-shot** skud fra nært hold; slumpskud; skud fra baghold; (fig.) planløst forsøg, tilfældig kritik.

pottage ['påtidʒ] (glds.) kødsuppe; *a mess of ~* (bibelsk) en ret linser. **potted** ['påtid] (adj.) syltet; nedlagt; henkogt (fx. *meat);* (om plante) i potte; (fig.) forkortet, sammentrængt, gjort letfordøjelig, forfladiget; *~ music* mekanisk musik.

I. **potter** ['påtə] (subst.) pottemager.

II. **potter** ['påtə] (vb.) arbejde så småt, pusle, nusse, pille *(at* med); småsnakke; *~ about* nusse omkring, småsysle; *~ away one's time* spilde sin tid, drysse tiden væk.

potter's| **clay** pottemagerler. *~* **field** (amr.) fattigkirkegård. *~* **wheel** pottemagerskive.

pottery ['påtəri] lervarer; pottemagerindustri; lervarefabrik, pottemagerværksted.

potting ['påtiŋ] pottemagerarbejde; nedsaltning, nedsyltning; (om)plantning i potte.

pottle ['påtl] kurv; (glds.) kande (mål).

potty ['påti] (adj.) **S** lille, ubetydelig, snoldet (fx. *a ~ little town);* ligegyldig (fx. *details);* halvskør, småtosset; (subst.) **T** potte.

pot|**-valiant** som har drukket sig mod til. *~* **-valour** mod man har drukket sig til.

pouch [pautʃ] pose, taske; kæbepose; lomme; (tobaks)pung; patrontaske; (vb.) stikke i lommen; (danne en) pose.

pouf [pu·f] (subst.) (en) puf.

poult [poᵘlt] kylling, kalkunkylling, fasankylling.

poulterer ['poᵘltərə] vildthandler, fjerkræhandler.

poultice ['poᵘltis] grødomslag; lægge omslag på.

poultry ['poᵘltri] fjerkræ, høns.

poultry|**-farm** hønseri. *~* **-farming** hønseavl.

I. **pounce** [pauns] (subst.) (rovfugls) nedslag; pludselig bevægelse; klo; (vb.) slå ned på; *~ upon* slå ned på; slå kloen i; kaste sig over; *~ into a room* brase ind i et værelse.

II. **pounce** [pauns] raderpulver.

I. **pound** [paund] (subst.) (vægtenhed, omtr. =) pund (454 g); pund sterling (= 20 shillings).

II. **pound** [paund] (subst.) fold, indhegning (hvor bortløbne dyr indsættes).

III. **pound** [paund] (vb.) dundre (el. hamre, banke) løs på (fx. *heavy guns -ed the walls of the fort);* gennemprygle; støde (i en morter), knuse, pulverisere; hamre (fx. *his heart was -ing);* stampe, trampe, gå (el. løbe, ride) tungt; (subst.) dunk, stød, slag; dundren; *~ the piano* hamre i klaveret; *~ up* støde, pulverisere.

poundage ['paundidʒ] ydelse (, fradrag, afgift, skat osv.) af så og så meget pr. pund sterling.

pound net bundgarn.

pour [på·] hælde, skænke; øse, lade strømme, udgyde, udsende; strømme, styrte, øse ned; *it never rains but it -s* (svarer til:) en ulykke kommer sjældent alene; *~ out tea* skænke te; *it -s with rain* det øser ned.

II. **pour** [på·] (subst.) strøm; styrtregn.

pout [paut] (vb.) surmule, lave trutmund; (subst.) surmulen, trutmund; *be in the -s* surmule.

poverty ['påvəti] fattigdom; armod; *when ~ comes in at the door, love flies out of the window* når krybben er tom, bides hestene.

poverty-stricken forarmet.

P.O.W. fk. f. *prisoner of war.*

powder ['paudə] (subst.) pulver; krudt; pudder; (vb.) pulverisere; pudre, bestrø; pudre sig; *-ed eggs* æggepulver; *-ed sugar* strøsukker; *barrel of ~* (ogs. fig.) krudttønde (fx. *that country is a barrel of ~).*

powder|**-box** pudderdåse. *~* **-chamber** krudtkammer. *~* **keg** (ogs. fig.) krudttønde. *~* **-magazine** krudtmagasin. *~* **-mill** krudtmølle. *~* **-puff** pudderkvast. *~* **-room** dametoilet.

powdery ['paudəri] smuldrende; støvet; pudret (fx. *her ~ nose);* pudderagtig, pulveragtig.

I. **power** ['pauə] magt; evne *(of* til); kraft, styrke, kapacitet; fuldmagt; magthaver; (mat.) potens; **T** masse; (glds.) krigsmagt, hær; *-s* (ogs.) beføjelser (fx. *exceed one's -s); the (big) Powers* stormagterne; *the -s above* guderne; *the -s that be* myndighederne; *be in ~* være ved magten; *more ~ to your elbow!* hæng i! held og lykke! *be out of ~* ikke være ved magten længere; *it is out of his ~* det står ikke i hans magt; *to the fifth ~* i femte potens.

II. **power** ['pauə] (vb.) drive (frem); *-powered* -dreven (fx. *atom-powered).*

power|**-boat** motorbåd. *~* **-cut** strømafbrydelse (fra elværk af sparehensyn). *~* **-dive** (flyv.) dykke

med motoren i gang. **-ful** mægtig, kraftig, stærk. **~ -house** kraftværk, elværk; (fig.) kraftcentrum.
powerless kraftløs, kraftesløs; afmægtig, magtesløs; *~ to help* ude af stand til at hjælpe.
power|-loom maskinvæv. **~ -plant** kraftværk (fx. *atomic ~ -plant);* kraftanlæg; motorer (i fly etc.). **~ politics** magtpolitik. **~ shovel** gravemaskine. **~ -station** kraftværk; elværk.
pow-wow ['pau'wau] møde af indianere; konference; (vb.) konferere, tale sammen.
pox [påks]: *the ~* syfilis.
p.p. fk. f. *past participle.*
pp. fk. f. *pages; pianissimo.*
P.R. fk. f. *proportional representation; Puerto Rico.*
practicability [präktikə'biliti] gennemførlighed etc., se *practicable.*
practicable ['präktikəbl] gennemførlig, gørlig; mulig; anvendelig; farbar, fremkommelig.
practical ['präktikl] praktisk; udøvende; faktisk; *~ joke* grov spøg. **practically** ['präktikəli] praktisk, i praksis; ['präktikli] praktisk talt, næsten.
practice ['präktis] praksis; øvelse; (sæd)vane, skik; handlemåde; list, kunstgreb; *-s* (ogs.) metoder; *be in ~* være i øvelse, have øvelsen; *he is in ~* (ogs.) han praktiserer; *put in(to) ~* udføre, bringe til udførelse; *make a ~ of* gøre til en vane.
practician [präk'tiʃn] praktiker.
practise ['präktis] praktisere; udføre; udøve, drive (fx. *a profession);* bruge; (op)øve; indøve, øve sig (på el. i) (fx. *~ for two hours; ~ the piano); ~ the law* være sagfører (, jurist), drive sagførervirksomhed; *~ medicine* være (praktiserende) læge, arbejde som læge; *~ upon* udnytte (fx. *his ignorance);* spekulere i; *~ what one preaches* selv handle efter de principper man prædiker for andre.
practised ['präktist] (adj.) dygtig, øvet, erfaren.
practitioner [präk'tiʃənə] praktiserende læge (el. sagfører); praktiker; *general ~* praktiserende læge (som ikke er specialist).
pragmatic(al) [präg'mätik(l)] pragmatisk; geskæftig; vigtig, påståelig.
Prague [pra·g] Prag.
prairie ['præəri] prærie, græssteppe.
prairie-schooner (amr.) prærievogn.
praise [preⁱz] (subst.) ros, pris; (vb.) rose, bedømme, prise, lovprise; *be loud in his ~, sing* (el. *sound) his -s* rose ham i høje toner, hæve ham til skyerne, synge hans pris; *song of ~* lovsang.
praiseworthy rosværdig, prisværdig.
I. **pram** [präm] (fk. f. *perambulator)* barnevogn.
II. **pram** [pra·m] pram.
prance [pra·ns] (vb.) danse, stejle; spankulere; (subst.) dansen, stejlen. **prancer** ['pra·nsə] fyrig hest.
prandial ['prändiəl] middags-.
prang [präŋ] (vb.) S bombe; smadre; ramme.
prank [präŋk] (subst.) gavtyvestreg; sjov, skæg; (vb.) udstaffere, pynte; pynte sig; lave gavtyvestreger, lave spilopper, pjanke.
prankish ['präŋkiʃ] kåd, fuld af spilopper.
prate [preⁱt] (vb.) snakke, sludre; plapre; (subst.) sludder; snak. **prater** ['preⁱtə] sludrehoved.
pratincole ['prätiŋkoᵘl] (zo.) braksvale.
pratique [prə'ti·k] karantænepas.
prattle ['prätl] (vb.) sludre; pludre; (subst.) snak; pludren. **prattler** ['prätlə] sludrehoved, snakkemaskine; sladdertaske.
prawn [prå·n] (zo.) nordsøreje.
praxis ['präksis] øvelse, eksempel; praksis; skik; vane.
pray [preⁱ] (vb.) bede *(for* om, fx. *~ to God for help);* bønfalde, anråbe; bede om; *he is past -ing for* han er uforbederlig, der er ikke noget at stille op med ham; han står ikke til at redde; *pray!* (formelt) vær så venlig (fx. *pray don't speak so loud);* (ironisk) *and what is the reason, ~?* og hvad er grunden, om jeg tør spørge?
prayer ['præə] bøn *(for* om); *the Book of Common Prayer,* se *prayerbook; family -s* husandagt; *say one's -s* bede.
prayerbook bønnebog; *the Prayer Book* den anglikanske kirkes bønnebog med de kirkelige ritualer.
prayer|ful from. **~ -mat** bedetæppe. **~ -meeting** bønnemøde. **~ -wheel** bedemølle.
pre- [pri(·)] før- (fx. *pre-war* førkrigs-); forud(-) (fx. *pre-plan* planlægge forud); for- (fx. *prehistoric* forhistorisk).
preach [pri·tʃ] prædike *(on* over, om), forkynde; *~ a sermon* holde en prædiken. **preacher** ['pri·tʃə] prædikant; moralprædikant; *the P.* Prædikeren(s Bog). **preachify** ['pri·tʃifai] holde (moral)prædiken. **preachment** ['pri·tʃmənt] (moral)prædiken, formaningstale. **preachy** ['pri·tʃi] prækende.
preamble [pri·'ämbl] (subst.) fortale, indledning; (vb.) indlede.
prearrange ['pri·ə'reⁱn(d)ʒ] ordne (el. aftale) forud.
prebend ['prebənd] præbende (en kanniks indtægt af domkirkes gods).
prebendary ['prebəndəri] præbendeindehaver.
precarious [pri'kæəriəs] usikker, vaklende (fx. *health).*
precaution [pri'kå·ʃən] forsigtighed; forsigtighedsregel, forholdsregel, sikkerhedsforanstaltning; *take -s against* tage sine forholdsregler imod. **precautionary** [pri'kå·ʃənəri] forsigtigheds-, sikkerheds- (fx. *~ measures).*
precede [pri'si·d] gå forud for, gå foran, komme foran, stå højere i rang end, rangere over; indlede.
precedence [pri'si·dəns] forrang; gåen forud, gåen foran; *order of ~* rangfølge; *take ~ of* gå foran, have forrang for.
I. **precedent** [pri'si·dənt] (adj.) foregående; forudgående.
II. **precedent** ['presidənt] (subst.) præcedens, fortilfælde, sidestykke; *set a ~* danne præcedens.
precentor [pri'sentə] kantor, forsanger.
precept ['pri·sept] forskrift, regel.
preceptive [pri'septiv] (adj.) som giver forskrifter (el. regler), foreskrivende, bydende.
preceptor [pri'septə] lærer.
precinct ['pri·siŋ(k)t] grænse; distrikt; område; *-s* enemærker, område; omgivelser.
precious ['preʃəs] værdifuld, kostbar; kostelig, dyrebar; (nedsættende) pretiøs, affekteret, skruet; (ironisk) køn, nydelig, dejlig; *~ little* ikke ret meget, meget lidt; *~ little money* meget få penge; *a ~ lot better* meget meget bedre; *a ~ rascal* en rigtig slubbert.
precious| metals ædle metaller. **~ stones** ædelstene.
precipice ['presipis] afgrund, skrænt.
precipitance [pri'sipitəns], **precipitancy** [-tənsi] overilelse; overilethed; forhastelse; hast.
I. **precipitate** [pri'sipiteⁱt] (vb.) kaste ned, slynge, styrte; fremskynde, påskynde; bundfælde(s), udskille(s), udfælde(s).
II. **precipitate** [pri'sipitėt] (adj.) brat, hovedkulds; forhastet, hastig; fremfusende, ubesindig; (subst.) bundfald.
precipitation [prisipi'teⁱʃən] hovedkulds fald, nedstyrten; forhastelse, ubesindighed, overilelse; (kem.) bundfældning; bundfald; udfældning; (i meteorologi) nedbør.
precipitous [pri'sipitəs] brat, stejl.
précis ['preⁱsi·] (pl. *precis* [preⁱsi·z]) (subst.) resumé; (vb.) resumere.
precise [pri'sais] nøjagtig, bestemt, præcis; klar; korrekt; minutiøs, (overdrevent) nøjagtig, pedantisk, pertentlig.
precisely [pri'saisli] nøjagtigt; præcis, netop, just; (som svar) ja netop, ganske rigtigt.
precisian [pri'siʒən] pedant.
precision [pri'siʒən] nøjagtighed, præcision, sikkerhed; præcisions- (fx. *~ tools).*
preclude [pri'klu·d] (vb.) udelukke (fx. *doubt),*

forebygge (fx. *misunderstandings);* forhindre (fx. *this will ~ her from coming);* afskære.

preclusion [pri'klu·ʒən] udelukkelse, afskæring, forbyggelse, forhindring.

precocious [pri'koᵘʃəs] tidlig moden, tidlig udviklet, forud for sin alder, fremmelig; (ofte:) gammelklog.

precocity [pri'kåsiti] tidlig udvikling, fremmelighed.

precognition ['pri·kåg'niʃən] forudgående kendskab.

preconceive ['pri·kən'si·v] på forhånd forestille sig; på forhånd danne sig en mening om; *-d opinions* forudfattede meninger. **preconception** [-'sepʃən] forudfattet mening.

preconcerted ['pri·kən'se·tid] forud aftalt.

precursor [pri'kə·sə] forløber; forgænger. **precursory** [-səri] forudgående; indledende.

predaceous [pri'deⁱʃəs], **predatory** ['predətəri] plyndrings-; plyndrende, røverisk; rov-.

predatory animal rovdyr.

predecease ['pri·di'si·s] afgå ved døden før (fx. *he -d his brother).*

predecessor ['pri·disesə] forgænger.

I. **predestinate** [pri(·)'destineⁱt] (vb.) prædestinere, forudbestemme.

II. **predestinate** [pri(·)'destinėt] (adj.) forudbestemt.

predestination [pri(·)desti'neⁱʃən] prædestination, forudbestemmelse.

predestine [pri(·)'destin] (vb.) forudbestemme.

predeterminate ['pri·di'tə·minėt] forudbestemt.

predetermination ['pri·ditə·mi'neⁱʃən] forudbestemmelse.

predetermine ['pri·di'tə·min] prædestinere, forudbestemme.

predicament [pri'dikəmənt] forlegenhed, knibe; kategori, begrebsklasse.

predicant ['predikənt] prædikende; (subst.) prædikant; dominikaner.

I. **predicate** ['predikeⁱt] (vb.) udsige, erklære.

II. **predicate** ['predikėt] (subst.) prædikat.

predication [predi'keⁱʃən] udsagn, påstand.

predicative [pri'dikətiv] prædikativ.

predict [pri'dikt] forudsige, spå; *-ed shooting* ⚔ beregnet skydning.

predictable [pri'diktəbl] som kan forudsiges.

prediction [pri'dikʃən] forudsigelse, spådom.

predictor [pri'diktə] spåmand, forudsiger.

predilection [pri·di'lekʃən] forkærlighed.

predispose ['pri·dis'poᵘz] prædisponere *(to* til), gøre modtagelig *(to* for); *-d in his favour* på forhånd velvilligt indstillet over for ham.

predisposition ['pri·dispə'ziʃən] tilbøjelighed, tendens *(to* til), anlæg.

predominance [pri'dåminəns] fremhersken, overmagt, overvægt. **predominant** [pri'dåminənt] overlegen; fremherskende; overvejende. **predominate** [pri'dåmineⁱt] være fremherskende; have overhånd, dominere. **predomination** [pridåmi'neⁱʃən] fremhersken; overmagt.

pre-eminence [pri'eminəns] forrang; overlegenhed. **pre-eminent** [pri'eminənt] fremragende, fortrinlig, overlegen. **pre-eminently** i fremragende grad.

pre-empt [pri·'em(p)t] erhverve ved forkøbsret, erhverve på forhånd; lægge beslag på (på forhånd), okkupere.

pre-emption [pri·'em(p)ʃən] forkøb, forkøbsret.

pre-emptive [pri·'em(p)tiv] som har (el. giver) forkøbsret; *~ bid* (i bridge) forebyggende melding.

preen [pri·n] pudse (sine fjer); *~ oneself* pynte sig, pudse sig; *~ oneself on* bryste sig af.

pre-exist ['pri·ig'zist] være til tidligere, eksistere forud. **pre-existence** ['pri·ig'zistəns] præ-eksistens, tidligere tilværelse. **pre-existent** ['pri·ig'zistənt] forud bestående; tidligere.

prefab. ['pri·'fäb] fk. f. *prefabricated (house).*

prefabricated ['pri·'fäbrikeⁱtid] præfabrikeret; *~ building* elementbyggeri; *~ house* elementhus.

preface ['prefis] (subst.) forord, fortale; (vb.) indlede. **prefatory** ['prefətəri] indledende.

prefect ['pri·fekt] præfekt (fransk amtmand; romersk embedsmand; ældre skoleelev hvem en vis myndighed er betroet).

prefecture ['pri·fektjuə, -tʃə] præfektur.

prefer [pri'fə·] foretrække *(to* for), ville hellere; fremsætte, fremføre (fx. *a request);* forfremme *(to* til); *~ a charge (, suit) against* rejse anklage (, sag) imod; *~ water to wine* foretrække vand for vin; *~ working to doing nothing* foretrække at arbejde fremfor intet at bestille.

preferable ['prefərəbl] som er at foretrække *(to* fremfor). **preferably** fortrinsvis, helst.

preference ['prefərəns] forkærlighed, svaghed; begunstigelse; fortrin, forrang; (merk.) (told)begunstigelse; (jur.) fortrinsret; *imperial ~* gensidige toldlettelser mellem Storbritannien og dominions; *which is your ~?* hvilken foretrækker du? *by ~* hellere; helst; *in ~ to* hellere end, fremfor.

preference| share præferenceaktie. **~ stock** præferenceaktier.

preferential [prefə'renʃəl] præference-, fortrinsberettiget; *~ position* fortrinsstilling; *~ treatment* begunstigelse.

preferment [pri'fə·mənt] forfremmelse, avancement.

preferred shares præferenceaktier.

prefiguration [prifig(j)ə'reⁱʃən] forbillede; bebudelse.

prefigurative [pri'fig(j)ərətiv] forbilledlig. **prefigure** [pri'fig(j)ə] være et forbillede på; forestille sig på forhånd; bebude, varsle om.

I. **prefix** [pri·'fiks] sætte foran.

II. **prefix** ['pri·fiks] præfiks, forstavelse; foranstillet titel (fx. *Dr. Brown, Mrs. Smith).*

pregnable ['pregnəbl] indtagelig.

pregnancy ['pregnənsi] graviditet, svangerskab, frugtsommelighed; frugtbarhed; betydning; prægnans; opfindsomhed, idérigdom.

pregnant ['pregnənt] gravid, svanger, frugtsommelig; vægtig (fx. *a ~ speech);* betydningsfuld (fx. *a ~ moment);* prægnant; opfindsom, idérig; frugtbar.

prehensile [pri'hensail] gribe- (fx. *~ tail* gribehale).

prehistoric ['pri·hi'stårik] forhistorisk.

prejudge ['pri·'dʒʌdʒ] på forhånd dømme; på forhånd afgøre. **prejudgment** ['pri·'dʒʌdʒmənt] forhåndsdom; forhåndsafgørelse.

prejudice ['predʒudis] (subst.) fordom; skade; (vb.) forudindtage; skade; *have a ~ against* være forudindtaget imod; *to the ~ of* til skade for; *without ~* uden at forringe vedkommendes retsstilling.

prejudiced ['predʒudist] partisk, forudindtaget.

prejudicial [predʒu'diʃəl] skadelig *(to* for).

prelacy ['preləsi] prælatembede; højeste gejstlighed; prælatvælde. **prelate** ['prelėt] prælat.

prelect [pri'lekt] holde forelæsning. **prelection** [pri'lekʃən] forelæsning. **prelector** [pri'lektə] universitetslærer (der holder forelæsninger).

prelim. [pri'lim] T fk. f. *preliminary examination.*

preliminary [pri'liminəri] (adj.) indledende (fx. *remarks);* forberedende; (subst.) indledning, forberedelse; *~ (examination)* forprøve; *~ investigation* forundersøgelse; *preliminaries of peace* fredspræliminarier.

prelude ['prelju·d] (subst.) præludium; indledning; optakt; (vb.) indlede, danne optakten til; præludere.

premature [premə'tjuə] for tidlig moden, fremkommen før tiden; forhastet.

prematureness [-nės], **prematurity** [premə'tjuəriti] for tidlig modenhed; forhastethed.

premeditate [pri'mediteⁱt] overlægge, udtænke i forvejen; *-d* overlagt, forsætlig.

premeditation [primedi'teⁱʃən] overlæg, forsæt.
premier ['premjə] (adj.) først, fornemst; (subst.) premierminister, statsminister.
première ['premjæə] premiere.
premiership ['premjəʃip] premierministertid.
I. **premise** [pri'maiz] (vb.) forudskikke, forudsætte.
II. **premise** ['premis] (subst.) præmis; *major* ~ oversætning; *minor* ~ undersætning; *-s* (ogs.) ejendom, lokale(r); *on the -s* (ogs.) på stedet.
premiss ['premis] præmis.
premium ['pri·mjəm] præmie, belønning; assurancepræmie; bonus; opgæld, agio, overkurs; honorar; *at a* ~ over pari, med agio, til overkurs; (fig.) stærkt efterspurgt, højt vurderet; *put a* ~ *on* (fig.) opmuntre til.
premonition [pri·mo'niʃən] advarsel; forudfølelse, forudanelse, varsel.
premonitory [pri'månitəri] advarende, varslende.
premorse [pri'må·s] afstumpet, afbidt.
prentice ['prentis] (glds.) lærling; uøvet.
preoccupation [priåkju'peⁱʃən] optagethed (af andre ting), distraktion, åndsfraværelse; tidligere besiddelse, tidligere okkupation.
preoccupied [pri'åkjupaid] optaget (af andre ting), fordybet i tanker, distræt, åndsfraværende; ~ *by* (el. *with)* stærkt optaget af.
preoccupy [pri'åkjupai] optage på forhånd, helt lægge beslag på, fylde; tage i besiddelse i forvejen (el. først).
prep. fk. f. *preparation; preparatory (shool); preposition.*
prep [prep] (i skoleslang:) lektielæsning.
pre-packed ['pri·päkt] færdigpakket.
preparation [prepə'reⁱʃən] forberedelse *(for* til); tilberedelse; udrustning; lektielæsning; præparat; beredskab; *in* ~ under forberedelse.
preparative [pri'pärətiv] (adj.) forberedende; (subst.) forberedelse.
preparatory [pri'pärətəri] forberedende; ~ *(school)* forberedelsesskole (især til *public school); ~ to* som en forberedelse til, inden.
prepare [pri'pæə] forberede, berede *(for* på, til); tilberede, lave; indrette; udstyre; forberede sig, gøre sig beredt, holde sig beredt; ~ *one's lessons* læse lektier; *be -d to* være beredt til at, være villig til at, være indstillet på at.
preparedness [pri'pæəridnės] beredthed, beredskab.
prepay ['pri·peⁱ] betale forud; *reply prepaid* svar betalt.
prepayment ['pri·'peⁱmənt] forudbetaling.
prepense [pri'pens] forsætlig, overlagt.
preponderance [pri'påndərəns] overvægt, overlegenhed.
preponderant [pri'påndərənt] som har overvægten, overlegen, (frem)herskende, overvejende.
preponderate [pri'påndəreⁱt] have overvægten, have overtaget; dominere.
preposition [prepə'ziʃən] præposition, forholdsord.
prepositional [prepə'ziʃənl] præpositionel.
prepositive [pri'påzitiv] foranstillet.
prepossess [pri·pə'zes] stemme gunstigt, vinde *(for* for); indtage; forudindtage *(against* mod). **prepossessing** [pri·pə'zesiŋ] indtagende, vindende.
prepossession [pri·pə'zeʃən] forudfattet mening, forkærlighed, sympati; forudindtagethed, antipati.
preposterous [pri'påstərəs] urimelig, meningsløs, absurd.
prepuce ['pri·pju·s] (anat.) forhud.
Pre-Raphaelism ['pri·'räfəlizm] prærafaelisme (en retning i engelsk malerkunst).
Pre-Raphaelite ['pri·'räfəlait] prærafaelit; prærafaelitisk.
pre-record ['pri·ri'kå·d] (vb.) optage (radioudsendelse) i forvejen.
prerequisite [pri·'rekwizit] forudsætning.
prerogative [pri'rågətiv] prærogativ, forret.
Pres. fk. f. *President.*
pres. fk. f. *present.*
I. **presage** ['presidʒ] (subst.) forvarsel, varsel; forudsigelse; anelse.
II. **presage** ['presidʒ, pri'seⁱdʒ] (vb.) varsle om, spå; forudane.
presbyter ['prezbitə] presbyter, kirkeforstander.
Presbyterian [prezbi'tiəriən] prebyteriansk; presbyterianer.
presbyterianism [prezbi'tiəriənizm] presbyterianisme.
presbytery ['prezbitəri] presbyteriansk kirkeråd; (katolsk) præstebolig; (arkit.) højkor.
prescience ['preʃiəns] forudviden.
prescient ['preʃiənt] forudvidende.
prescind [pri'sind] adskille, holde adskilt; ~ *from sth.* lade noget ude af betragtning; abstrahere fra noget.
prescribe [pri'skraib] foreskrive; ordinere; give forskrifter; skrive recept(er); påstå hævd *(for* på).
prescript ['pri·skript] forskrift.
prescription [pri'skripʃən] recept; forskrift; hævd. **prescriptive** [pri'skriptiv] hævdvunden, foreskrevet; ~ *right* hævd *(to* på).
presence [prezns] tilstedeværelse, nærværelse; nærhed, selskab; personlighed; overnaturligt væsen, ånd; person; (anseligt) ydre, (statelig) holdning, (imponerende) fremtræden (fx. *a man of (a) noble* ~*);* ~ *of mind* åndsnærværelse; *in his* ~ i hans nærværelse (‚påhør, påsyn); *in the* ~ *of* (ogs.) over for, ansigt til ansigt med (fx. *danger); admit to the* ~ *of* give foretræde for, stede for.
presence|-chamber, ~ **-room** audiensværelse.
I. **present** [preznt] (adj.) tilstedeværende (fx. *all the women* ~*);* nuværende (fx. *the* ~ *government);* forhåndenværende, indeværende; foreliggende (fx. *the* ~ *case);* (glds.) færdig, på rede hånd; *be* ~ *at* være til stede ved, overvære; *be* ~ *to one's mind* stå lyslevende for en; ~ *company always excepted* de tilstedeværende er selvfølgelig undtaget; *the* ~ *minister* den nuværende minister; *the minister* ~ den tilstedeværende minister; *the persons* (el. *those)* ~ de tilstedeværende; *at the* ~ *time* for tiden; *the* ~ *writer* den der skriver disse linjer; nærværende forfatter.
II. **present** [preznt] (subst.) nutid, præsens; *at* ~ nu for tiden, for øjeblikket; *for the* ~ for tiden, foreløbig, indtil videre; *by these -s* herved, ved nærværende skrivelse; *know all men by these -s* det gøres herved vitterligt.
III. **present** [preznt] (subst.) gave, present; *make him a* ~ *of it* forære ham det.
IV. **present** [pri'zent] (vb.) forestille, præsentere (fx. *be -ed at Court);* forære, skænke (fx. ~ *it to him);* overrække (fx. ~ *a petition to the governor)*; overlevere, indlevere; overbringe (fx. *greetings);* fremlægge, forelægge, fremføre (fx. *a case* en sag); præsentere (fx. *a bill* en veksel); frembyde (fx. *an affair that -s some difficulties);* vise; rette *(at* imod, fx. ~ *a pistol at him);* (om teaterstykke) præsentere, opføre, fremføre; (om præst) indstille *(to a benefice* el. *living* til et embede);
the treasurer -ed the accounts kassereren aflagde regnskab; ~ *arms!* præsenter gevær! ~ *oneself* vise sig, indfinde sig; fremstille sig, indstille sig (fx. ~ *oneself for an examination);* ~ *sby. with sth.* forære (el. skænke) en noget.
presentable [pri'zentəbl] præsentabel, anstændig, velopdragen.
presentation [prezen'teⁱʃən] præsentation, fremstilling; overlevering, overrækkelse; foræring, gave; (af teaterstykke) fremførelse, opførelse; (til præsteembede) indstilling(sret); (med.) fosterstilling; *on* ~ på anfordring; ~ *copy* eksemplar af bog sendt som gave fra forfatteren el. forlæggeren.
present-day nutids-.
presentient [pri'senʃiənt]: ~ *of* med en forudanelse om (el. forudfølelse af).

presentiment [pri'zentimənt] forudfølelse, forudanelse.

presently ['prezntli] snart, om lidt, lidt efter; (glds.) straks.

presentment [pri'zentmənt] fremstilling, fremførelse; forevisning; (amr., jur., omtr.) redegørelse; (ved visitats) klage; *on* ~ på anfordring.

present| participle nutids tillægsform, præsens participium. ~ **tense** nutid, præsens.

preservable [pri'zə·vəbl] holdbar.

preservation [prezə'veⁱʃən] bevarelse; fredning; beskyttelse; opbevaring; nedlægning, syltning; *in a good state of* ~ i velbevaret stand.

preservative [pri'zə·vətiv] bevarende, beskyttende; (subst.) konserveringsmiddel.

I. **preserve** [pri'zə·v] (vb.) bevare, beskytte, sikre; frede (fx. *game); konservere*, nedlægge, præservere, sylte, henkoge; vedligeholde; *well -d* (om person) velkonserveret, som holder sig godt.

II. **preserve** [pri'zə·v] (subst.) syltet frugt, syltetøj; vildtpark, jagtdistrikt, fiskedam; (fig.) særligt (el. privat) område, interessesfære; *-s* (ogs.) syltetøj; enemærker; beskyttelsesbriller; *poach on his -s* gå ham i bedene.

preserver [pri'zə·və] beskytter, redningsmand, frelser.

preside [pri'zaid] føre forsædet, præsidere; ~ *at* (el. *over) the meeting* lede mødet, være dirigent, føre forsædet.

presidency ['prezidənsi] præsidentskab, præsidenttid.

president ['prezidənt] præsident; formand; (amr.) direktør (for stort selskab); (universitets)rektor.

presidential [prezi'denʃəl] præsident- (fx. *election);* formands-.

presidentship ['prezidəntʃip] præsidentskab, præsidenttid, formandsplads.

I. **press** [pres] (vb.) presse; trykke, trykke på (fx. *a button);* knuge (fx. *his hand);* kryste; udpresse (fx. *grapes);* trænges, trænge sig, mase (fx. ~ *through the door);* trænge (ind på), gå på klingen; tilskynde, tvinge, nøde (fx. ~ *him to do it);* tynge; haste; (glds.) presse (til krigstjeneste); ~ *the accelerator* træde på speederen; ~ *an advantage* udnytte en fordel; ~ *for* arbejde på at få, ivrigt stræbe efter, forlange indtrængende; ~ *for payment* rykke (for betaling); *be -ed for money* mangle penge; *I am -ed for time* jeg har dårlig tid, min tid er knap; ~ *forward (, on)* skynde sig fremad (, videre); ~ *on* trykke på, tynge (fx. *these taxes* ~ *very heavily on us);* ~ *the point* gå ham (, dem etc.) på klingen; ~ *the question* hårdnakket kræve svar; ~ *sby.* gå en på klingen; ~ *sth. upon sby.* pånøde en noget.

II. **press** [pres] (subst.) presse, perse; bogtrykkerpresse; trykkeri; tryk(ning); dagblade, tidsskrifter; litteratur; skab (med hylder), linnedskab; knap (man trykker på); tryk, pres; presning, pressen, trængen på; jag; trængsel; *the daily* ~ dagspressen; *freedom* (el. *liberty) of the* ~ trykkefrihed; *in* ~ under trykning; ~ *of people* trængsel; *go to* ~ gå i trykken.

press|-agent pressesekretær. ~ **-box** presseloge. ~ **-button** trykknap. ~ **-clipping,** ~ **-cutting** avisudklip. ~ **-cutting book** scrapbog. ~ **-gallery** presseloge. ~ **-gang** preskommando (som i ældre tid tvang matroser til at gøre tjeneste i krigsflåden).

I. **pressing** ['presiŋ] (subst.) pressen, nøden (fx. *he needed little* ~*);* eksemplar (, oplag) af grammofonplade.

II. **pressing** ['presiŋ] (adj.) presserende (fx. *the matter is* ~*);* overhængende (fx. ~ *danger);* påtrængende, indtrængende; *as you are so* ~ siden du nøder mig så stærkt.

press|man ['presmən] journalist, bladmand; trykker. **-mark** (på biblioteksbog) pladssignatur. ~ **-money** (glds.) håndpenge. ~ **notice** anmeldelse. ~ **-proof** sidste korrektur. ~ **release** pressemeddelelse.

pressure ['preʃə] tryk, pres; nød; tvang; ~ *of business* (forretnings)travlhed; *work at high* ~ arbejde for fuld kraft (el. under højtryk); *put* ~ *upon* øve pres på.

pressure| cabin (i flyvemaskine) trykkabine. ~ **cooker** trykkoger. ~ **-gauge** ['preʃəgeⁱdʒ] trykmåler. ~ **group** pressionsgruppe. ~ **test** trykprøve.

pressurized ['preʃəraizd]: ~ *cabin* trykkabine.

prestidigitation ['prestididʒi'teⁱʃən] taskenspilleri.

prestidigitator [presti'didʒiteⁱtə] taskenspiller.

prestige [pre'sti·ʒ] prestige.

presto ['presto^u] presto, hurtig; *hey* ~*!* vips! en, to, tre! vupti!

pre-stressed ['pri·strest]: ~ *concrete* strengbeton, forspændt beton.

presumable [pri'z(j)u·məbl] antagelig, formentlig, formodentlig.

presume [pri'z(j)u·m] antage, formode, forudsætte; gå for vidt, vove (sig for langt ud), tage sig friheder; ~ *to* være så fri at, vove at, driste (el. formaste) sig til at; ~ *upon* stole for meget på, trække for store veksler på (fx. *don't* ~ *upon his good nature).*

presumedly [pri'zju·midli] formentlig, antagelig.

presuming [pri'zju·miŋ] = *presumptuous.*

presumption [pri'zʌm(p)ʃən] antagelse, forudsætning, formodning; sandsynlighed; anmasselse, indbildskhed, dristighed; formastelighed; *the* ~ *is that* det må formodes at.

presumptive [pri'zʌm(p)tiv] formodentlig, sandsynlig; ~ *evidence* sandsynlighedsbevis; (se ogs. *heir presumptive).*

presumptuous [pri'zʌm(p)tjuəs] anmassende, overmodig, formastelig.

presuppose [pri·sə'po^uz] forudsætte.

presupposition [pri·sʌpə'ziʃən] forudsætning.

pretence [pri'tens] foregivende, påskud; krav, fordring *(to* på); *by* (el. *on, under) false -s* under falsk foregivende, under falske forudsætninger; *on* (el. *under) (the)* ~ *of* under foregivende af; *make a* ~ *of* foregive.

pretend [pri'tend] foregive, give som påskud; simulere, hykle; lade som om; ~ *to* gøre fordring på; give sig skin af; prætendere; lege (fx. *let's* ~ *we are kings and queens); we are only -ing* det er bare noget vi leger; ~ *to be* (ogs.) lade som om man er; ~ *to learning* prætendere at være lærd, gerne ville gå for at være lærd.

pretended [pri'tendid] (adj.) foregiven, falsk.

pretender [pri'tendə] prætendent.

pretension [pri'tenʃən] krav, fordring *(to* på); prætension; foregivende.

pretentious [pri'tenʃəs] fordringsfuld, pretentiøs.

preterite ['pretərit] fortids-; ~ *(tense)* datid, præteritum.

preternatural [pri·tə'nätʃrəl] overnaturlig, unaturlig.

pretext ['pri·tekst] påskud *(for* til); *under* (el. *on) the* ~ *of* under påskud af.

pretor ['pri·tə] prætor. **pretorian** [pri'tå·riən] prætorianer.

prettify ['pritifai] pynte (på).

prettiness ['pritinės] nethed, pænhed.

I. **pretty** ['priti] køn, pæn, net, nydelig; temmelig; *pretties* prydelser; ~ *much the same* næsten det samme; *my* ~ *(one)* min skat; *be sitting* ~ være ovenpå, ligge lunt i svinget; ~ *well* temmelig godt; næsten (fx. *we have* ~ *well finished); a* ~ *while* temmelig længe.

II. **pretty** ['priti] mønster på drikkeglas; *up to the* ~ til gardinerne (på glas).

pretty-pretty ['priti'priti] nipsgenstand; pæn, net, sirlig; sødladen, 'øndig'.

pretzel ['pretsəl] kringle.

prevail [pri'veⁱl] få overhånd, sejre; herske, være herskende, være almindelig; ~ *upon* formå, bevæge, overtale. **prevailing** [-iŋ] fremherskende, almindelig.

prevalence ['prevələns] udbredelse, almindelig brug. **prevalent** [-lənt] (frem)herskende, almindelig (udbredt), gængs.

prevaricate [pri'vārikeⁱt] komme med udflugter. **prevarication** [privāri'keⁱʃən] (det at komme med) udflugter. **prevaricator** [pri'vārikeⁱtə] en som kommer med udflugter.

prevent [pri'vent] forhindre; (glds.) gå foran, lede; ~ *him (from) doing it*, ~ *his doing it* forhindre ham i at gøre det; ~ *oneself from* dy sig for, bare sig for; *there is nothing to* ~ *it* det er der intet i vejen for.

preventable [pri'ventəbl] som er til at hindre, som kan forhindres.

preventer [pri'ventə] hindring.

preventer-brace ⚓ kontrabras.

preventer-shrouds ⚓ hjælpevant.

prevention [pri'venʃən] forhindring, forebyggelse, bekæmpelse; ~ *is better than cure* det er bedre at forebygge end at helbrede.

preventive [pri'ventiv] hindrende, forebyggende; forebyggende middel; forebyggende behandling; ~ *custody* (el. *detention)* sikkerhedsforvaring; ~ *officer* toldfunktionær; ~ *service* kystbevogtning (mod smugleri).

preview ['pri·vju·] fernisering (mht. maleriudstilling); forpremiere.

previous ['pri·vjəs] foregående, forudgående, tidligere; overilet, forhastet; ~ *examination* første del af eksamen til opnåelse af B. A. graden (i Cambridge); *be too* ~ være lidt for rask på den; ~ *to* før.

previously ['pri·vjəsli] før, tidligere.

prevision [pri'viʒən] forudseenhed; forudanelse.

pre-war ['pri·'wå·] førkrigs-, før krigen.

prey [preⁱ] bytte; rov; *be a* ~ *to* være et bytte for; være grebet af (fx. *despair); beast of* ~ rovdyr; *bird of* ~ rovfugl; *fall an easy* ~ *to* blive et let bytte for; ~ *upon* plyndre, røve; leve af; snylte på; ~ *upon one's mind* tynge én, nage én.

I. **price** [prais] (subst.) pris *(of* på, for); værdi, kurs; belønning; *every man has his* ~ ethvert menneske kan købes; *I haven't even got the* ~ *of a meal* jeg har ikke engang til et måltid mad; *what* ~ ...? T er der nogen chance for ...? hvad er ... nu værd? *what* ~ *his theories now?* hvad siger du nu til hans teorier? *above* (el. *beyond)* ~ uvurderlig; *at any* ~ for enhver pris, koste hvad det vil; *not at any* ~ ikke for nogen pris.

II. **price** [prais] (vb.) bestemme prisen på; spørge (om prisen) på; vurdere; ~ *oneself out of the market* ødelægge salget ved at forlange for høje priser; (se ogs. *priced).*

price|-controlled (adj.) priskontrolleret. ~ **current** priskurant.

priced [praist] (adj.) prismærket (fx. *everything is* ~*);* ~ *catalogue* katalog med priser.

price| freeze prisstop. **-less** uvurderlig, kostelig. ~ **-list** priskurant. ~ **regulation committee** priskontrolråd.

I. **prick** [prik] (vb.) prikke, stikke, stikke hul på; udprikke, punktere (mønster); sætte mærke ved, vælge (til); (glds.) spore (fx. ~ *a horse); my toe is -ing* det stikker i min tå; ~ *(up) one's ears* spidse øren; *his conscience -ed him* han havde samvittighedsnag; ~ *out plants* prikle planter ud.

II. **prick** [prik] (subst.) stik, prik; ~ *of conscience* samvittighedsnag; *kick against the -s* stampe imod brodden.

pricker ['prikə] pren, spidsbor, syl.

prickle ['prikl] (subst.) pig; (lille) torn, barktorn; stikken (el. prikken) i huden; (vb.) stikke; have en stikkende fornemmelse; *in the* ~ *of one's life* i sin bedste alder; *the skin -s* det prikker i huden.

prickly ['prikli] tornet, pigget; stikkende, prikkende; ~ *heat* hedetøj; ~ *pear* figenkaktus.

pride [praid] stolthed *(at, in* over), hovmod; pragt, glans; flok (fx. *a* ~ *of lions);* ~ *goes before a fall* hovmod står for fald; *take* ~ *in* være stolt af; *take a* ~ *in* sætte en ære i (at); *take the* ~ *of place* indtage en førerstilling, komme i første række; ~ *oneself on* være stolt af; rose sig af.

prie-dieu ['pri·djə·] bedepult.

priest [pri·st] (subst.) præst; gejstlig; (vb.) præstevie. **priestcraft** præstepolitik.

priestess ['pri·stės] præstinde. **priesthood** ['pri·st-hud] præsteembede; gejstlighed, præsteskab. **priestly** præstelig.

I. **prig** [prig] (subst.) tyv; (vb.) stjæle.

II. **prig** [prig] (subst.) pedant; indbildsk nar.

priggish ['prigiʃ] pedantisk; indbildsk, selvklog.

prim [prim] (adj.) pertentlig, stiv, pæn, sirlig; dydsiret; snerpet; (vb.) gøre sirlig, pynte; stramme; ~ *up one's lips* snerpe munden sammen.

primacy ['praiməsi] primat, ærkebiskoppelig værdighed; overlegenhed, forrang, første plads.

prima donna ['pri·mə'dånə] primadonna.

prima facie ['praimə'feⁱʃii·] ved første øjekast, ved en umiddelbar betragtning; indtil det modsatte er bevist.

primage ['praimidʒ] ⚓ kaplak (tillæg til fragten).

primal ['praiməl] først, vigtigst; oprindelig.

primarily ['praimərili] oprindelig, fra første færd; først og fremmest.

primary ['praiməri] (adj.) først; oprindelig, primær, ur-, grund- (fx. *rock* fjeld; *meaning* betydning); elementær, forberedende; størst (fx. *of* ~ *importance),* vigtigst; (subst.) hovedsag; (amr.) primærvalg; ~ *(assembly* el. *meeting)* forberedende valgmøde; ~ *colours* grundfarver; ~ *school* grundskole, underskole.

primate ['praimėt] primas, ærkebiskop; *Primate of all England* ærkebiskoppen af Canterbury; *Primate of England* ærkebiskoppen af York.

primates [prai'meⁱti·z] (pl., zo.) primater (aber og mennesker).

I. **prime** [praim] (adj.) først, oprindelig, ur-; hoved-, vigtigst, fornemst; fortrinlig, prima.

II. **prime** [praim] (subst.) bedste del, bedste tid, velmagtsdage, blomstring, bedste alder; vår, begyndelse; primtal; *in the* ~ *of life* i sin bedste alder; *past one's* ~ på retur.

III. **prime** [praim] (vb.) lade, lægge fængkrudt på; fylde; instruere; grunde, grundmale; spæde (fx. *a pump);* snapse (fx. *a motor);* koge over; *well -d* beruset.

prime| cost produktionsomkostninger. ~ **minister** premierminister. ~ **mover** drivkraft, kraftmaskine; primus motor. ~ **number** primtal.

I. **primer** ['primə] (typ.) (en skriftart); *long* ~ korpus.

II. **primer** [praimə] (subst.) begynderbog (fx. *Latin Primer);* andagtsbog; ⚔ fænghætte; sprængkapsel; (ved maling) grunding, grundingsfarve.

primeval [prai'mi·vəl] først, oprindelig; ur-.

priming ['praimiŋ] grunding, grundingsfarve; ⚔ tændsats, tændladning.

primiparous [prai'mipərəs] førstegangsfødende.

primitive ['primitiv] (adj.) oprindelig, ur-; primitiv, gammeldags, simpel, uudviklet; (subst.) urmenneske; rodord; *the Primitive Church* oldkirken.

primogeniture [praimo'dʒenitʃə] førstefødsel; *right of* ~ førstefødselsret.

primordial [prai'må·diəl] oprindelig, ur-.

primrose ['primroᵘz] ♧ kodriver, primula; *Primrose Day* (den 19. april, lord Beaconsfields dødsdag); *Primrose League* (en konservativ forening); *the* ~ *path* (fig.) den brede vej.

primula ['primjulə] ♧ primula.

primus ['praiməs] (den) først(e); den ældste; ® primus (kogeapparat).

prince [prins] fyrste, prins.

Prince Consort ['prins 'kånså·t] prinsgemal (regerende dronnings ægtefælle).

prince|dom ['prinsdəm] fyrstendømme, fyrsteværdighed. **-like** fyrstelig. **-ly** fyrstelig, prinselig.

Prince of Wales prins af Wales, kronprins (i England).

Prince Regent prinsregent. **Prince Royal** kronprins.

princess [prin'ses, (attributivt) 'prinses] prinsesse, fyrstinde.

princess(e) dress (el. **robe**) prinsessekjole.

Princess of Wales prinsen af Wales's gemalinde, kronprinsesse (i England).

Princess Royal titel for den engelske konges ældste datter.

principal ['prinsəpl] (adj.) først, hoved-, højest, vigtigst, væsentligst; (subst.) hovedmand, hovedperson; principal, chef; mandant; forstander, rektor, bestyrer, skolebestyrer; kapital, hovedstol, hovedsum; originalt kunstværk; hovedmotivet i et kunstværk.

principal clause hovedsætning.

principality [prinsi'päliti] fyrstendømme; fyrsteværdighed, fyrstemagt; *the Principality* (især om) Wales.

principally ['prinsəpəli] hovedsagelig, især.

principal sentence hovedsætning.

principle ['prinsəpl] princip, grundsætning; kilde, oprindelse, ophav; bestanddel; *in ~* principielt, i princippet; *a man of ~* en mand med principper; en principfast mand; *on ~* principielt, af princip.

-principled ['prinsəpld] (i sammensætninger:) med ... principper (fx. *high-principled* med høje (el. ædle) principper).

pringle ['priŋgl] stikke, prikke.

prink [priŋk] pynte; pynte sig.

I. **print** [print] (vb.) trykke; aftrykke; kopiere; påtrykke, trykke mærke i; indpræge *(on* i), prente; skrive med blokbogstaver; lade trykke, udgive.

II. **print** [print] (subst.) mærke; aftryk (fx. *finger-~)*; spor (fx. *-s of a squirrel)*; præg; tryk (fx. *small ~)*; stempel; bomuldstøj (med påtrykt mønster); (især amr.) trykt skrift, blad, avis; (af maleri etc.) reproduktion; stik, kobberstik; (fot.) kopi; *in ~* på tryk, på prent; *the book is still in ~* bogen kan stadig købes; *rush into ~* skynde sig at få noget udgivet; (undertiden =) fare i blækhuset; *out of ~* udsolgt fra forlaget.

printed matter tryksager.

printer ['printə] trykker, bogtrykker; *-'s devil* bogtrykkerlærling; *-'s error* trykfejl; *-'s ink*, se *printing ink*; *-'s pie* (typ.) 'fisk' (ødelagt sats).

printing ['printiŋ] trykning; bogtryk; bogtrykkerkunst; kopiering (af fotografi).

printing|-block kliché. **~ -frame** (fot.) kopiramme. **~ -ink** tryksværte, (typ.) trykfarve. **~ -office** bogtrykkeri. **~ -press** bogtrykkerpresse, bogtrykkermaskine; trykkeri. **~ -works** trykkeri.

print|-seller kunsthandler. **~ -shop** kunsthandel. **~ -works** (kattun)trykkeri.

prior ['praiə] (subst.) prior; (adj.) tidligere, ældre; vigtigere; *~ to* førend.

priorate ['praiərėt] priorat.

prioress ['praiərės] priorinde.

priority [prai'åriti] fortrin, forret, prioritet.

priory ['praiəri] priorat.

prise [praiz] = II. *prize.*

prism [prizm] prisme.

prismatic [priz'mätik] prismatisk.

prison ['prizn] fængsel; (vb., poet.) fængsle; *break ~* bryde ud af fængslet.

prisoner ['priznə] fange, arrestant, anklaget (i kriminalsag); *keep sby. a ~* holde én fanget; *make sby. (a) ~, take sby. ~* tage én til fange; *~ of war* krigsfange; *I am a ~ to my chair* jeg er lænket til min stol; *prisoner's base* en drengeleg med afmærkede fristeder.

prison| guard (amr.) fængselsbetjent. **~ -house** fængsel(sbygning).

prissy ['prisi] (amr.) pedantisk, overpertentlig; kvindagtig.

pristine ['pristain] (adj.) ufordærvet; oprindelig (fx. *the ~ strength of our race).*

prithee ['priði] (af *pray thee)* (glds.) jeg beder dig.

privacy ['praivəsi; 'priv-] uforstyrrethed, privatliv; ro, stilhed; hemmelighed; *I have complete ~ in my garden* jeg har det helt for mig selv (el. er helt uforstyrret) i min have; *in ~* (ogs.) i enrum, under fire øjne; *invasion of ~* krænkelse af privatlivets fred.

I. **private** ['praivėt] (subst.) menig (soldat); *in ~* i hemmelighed, fortroligt, under fire øjne; *-s* (ogs.) kønsdele.

II. **private** ['praivėt] (adj.) privat; privat- (fx. *school)*; hemmelig, fortrolig; menig (fx. *soldier)*; *this is for your ~ ear* dette bliver mellem os; *funeral ~* begravelsen foregår i stilhed; *~ house* privatbolig; *keep ~* hemmeligholde; *~ member of Parliament* menigt underhusmedlem (ɔ: som ikke er minister).

private| baptism hjemmedåb. **~ company** = *~ limited company.* **~ enterprise** det private initiativ.

privateer [praivə'tiə] kaperskib, kaper.

privateering kaperi.

private| hotel = *~ residential hotel.* **~ limited company** familieaktieselskab. **~ means** privatformue; *live on ~ means* (ogs.) leve som rentier. **~ parts** kønsdele. **~ residential hotel** slags større pensionat. **~ view** fernisering (mht. maleriudstilling). **~ ward** enestue (på hospital).

privation [prai'veiʃən] savn; afsavn.

privative ['privətiv] nægtende, negativ.

privet ['privit] ♧ liguster.

privilege ['privilidʒ] privilegium, (sær)rettighed, begunstigelse; (parlamentarisk) immunitet; (vb.) privilegere; fritage *(from* for).

privily ['privili] i al stilhed; hemmeligt.

privity ['priviti] medviden.

I. **privy** ['privi] (subst.) kloset, toilet.

II. **privy** ['privi] (adj.) privat; hemmelig; *~ to* indviet i, (hemmeligt) medvidende om.

Privy| Council gehejmeråd. **~ Councillor** (om person) gehejmeråd.

privy parts kønsdele.

Privy| Seal gehejmesegl; mindre rigssegl; *Lord (Keeper of the) ~ Seal* gehejmeseglbevarer.

I. **prize** [praiz] (subst.) fangst, prise; pris, præmie, belønning; gevinst; (fig.) klenodie, skat; (vb.) sætte pris på, skatte, vurdere højt; præmie-; prisbelønnet, præmieret; T storartet; *make (a) ~ of* opbringe, tage som prise.

II. **prize** [praiz] (vb.) bryde, brække, lirke, vriste *(open* op).

prize|-court priseret. **~ -day** skoles årsfest, translokation. **~ -fight** boksekamp (mellem professionelle boksere). **~ -fighter** (professionel) bokser. **~ -giving** præmieuddeling. **~ idiot** kraftidiot. **-man** præmietager, pristager. **~ -money** prisepenge. **~ ring** boksering. **~ winner** pristager (fx. *Nobel ~ winner).*

I. **pro** [proᵘ] pro, for; *pros & cons* grunde for og imod; hvad der kan siges for og imod.

II. **pro** [proᵘ] fk. f. *probationer; professional.*

III. **pro-** [proᵘ] tilhænger af (fx. *pro-Boer* boerven); vice-.

probability [pråbə'biliti] sandsynlighed *(of* for); *in all ~* efter al sandsynlighed.

probable ['pråbəbl] sandsynlig.

probably ['pråbəbli] sandsynligvis, rimeligvis.

probang ['proᵘbäŋ] (subst.) sonde.

probate ['proᵘbėt] stadfæstelse af testamente; kopi af stadfæstet testamente; *~ court* skifteret.

probation [prə'beiʃən] prøve; prøvetid; betinget dom; *be placed on ~* (omtr.) få en betinget dom; *release on ~* prøveløsladelse; betinget benådning.

probationary [prə'beiʃənəri] prøve-, på prøve (fx. *~ telegraphist)*; betinget.

probationer [prə'beiʃənə] person på prøve; novice, aspirant, (sygepleje)elev; betinget dømt person.

probation officer tilsynsværge (som fører tilsyn med betinget dømte).

probative ['proᵘbətiv] beviskraftig.

probe [proᵘb] (subst.) sonde; undersøgelse; (vb.) sondere, undersøge.

probity ['proᵘbiti] retsindighed, redelighed.
problem ['pråbləm] opgave, spørgsmål, problem.
problematic(al) [pråbli'mätik(l)] problematisk, tvivlsom.
problem play problemskuespil.
proboscis [prə'båsis] (pl. *probosces* [-'båsi·z]) snabel.
procedural [prə'si·dʒərəl] proceduremæssig.
procedure [prə'si·dʒə, -djuə] fremgangsmåde; procedure, rettergang; forretningsorden; *legal* ~ procesordning.
proceed [prə'si·d] gå fremad, begive sig (, drage, køre, sejle etc.) videre; fortsætte, vedblive; fortsætte med; gå over, skride (*to* til (at)); udvikle sig; gå til værks, bære sig ad (fx. *how shall I* ~); ~ *against* anlægge sag mod; ~ *from* komme fra (el. af), opstå af, være resultat af; ~ *to the degree of master of arts* blive *master of arts*.
proceeding [prə'si·diŋ] fremgangsmåde, skridt, adfærd; sagsanlæg, proces; bevægelse fremad; *-s* (ogs.) forhandlingsprotokol; *watch the -s* iagttage hvad der foregår; *take (legal) -s against* anlægge sag mod.
proceeds ['proᵘsi·dz] provenu, udbytte.
I. **process** ['proᵘses] (subst.) proces; fremgangsmåde, metode; procedure; fremskriden, fremgang, forløb; behandling; (i anatomi) fremspring; *in* ~ *of construction* under opførelse; *in* ~ *of time* i tidens løb, med tiden.
II. **process** ['proᵘses] (vb.) forædle; forarbejde, behandle (fx. (føde)varer med henblik på salg el. konservering); [prə'ses] **T** gå i procession.
procession [prə'seʃən] (subst.) procession; optog; (vb.) gå i procession (gennem).
processional [prə'seʃənəl] processions-.
process-server stævningsmand.
proclaim [prə'kleⁱm] bekendtgøre, kundgøre, erklære, proklamere, forkynde; vise tydeligt; (glds.) erklære i belejringstilstand; erklære fredløs; forbyde (fx. *a meeting*); ~ *him king* udråbe ham til konge; ~ *the banns* lyse til ægteskab; ~ *war* erklære krig.
proclamation [pråklə'meⁱʃən] bekendtgørelse, kundgørelse, proklamation.
proclivity [prə'kliviti] tilbøjelighed, hang.
proconsul ['proᵘ'kånsəl] prokonsul.
proconsulate [proᵘ'kånsjulėt] prokonsulat.
procrastinate [prə'krästineⁱt] opsætte; nøle; være sendrægtig. **procrastination** [prəkrästi'neⁱʃən] opsættelse; nølen; sendrægtighed.
procrastinator [prə'krästineⁱtə] sendrægtig person, smølehoved.
procreate ['proᵘkrieⁱt] avle, frembringe.
procreation [proᵘkri'eⁱʃən] avling, frembringelse; formering.
procreative ['proᵘkrieⁱtiv] formeringsdygtig; formerings-.
proctor ['pråktə] proktor (universitetslærer som fører opsyn med studenternes opførsel); (amr.) tilsynsførende (fx. ved skriftlig eksamen).
procumbent [proᵘ'kʌmbənt] liggende (med ansigtet nedad); ♧ fremliggende.
procurable [prə'kjuərəbl] som kan skaffes.
procuration [pråkju'reⁱʃən] tilvejebringelse; fuldmagt, prokura; rufferi.
procurator ['pråkjureⁱtə] fuldmægtig.
procure [prə'kjuə] skaffe, tilvejebringe; opdrive (fx. *difficult to* ~); drive rufferi; (glds.) udvirke.
procurer [prə'kjuərə] ruffer. **procuress** [prə'kjuərės] rufferske.
prod [pråd] stød, stik; spidst instrument, pigstav, syl (etc.); (vb.) støde, stikke, prikke, dikke, pirke (til); (fig. ogs.) tilskynde, anspore.
prodigal ['prådigəl] ødsel (*of* med); (subst.) ødeland; *the* ~ *son* den fortabte søn.
prodigality [prådi'gäliti] ødselhed, ødslen.
prodigious [prə'didʒəs] uhyre (fx. *a* ~ *sum*); vidunderlig, forbavsende.
prodigy ['prådidʒi] under; vidunder; uhyre, monstrum; *infant* ~ vidunderbarn.

I. **produce** [prə'dju·s] (vb.) producere, fremstille, tilvirke; frembringe, avle; fremkalde, afstedkomme; tage frem, fremlægge, fremskaffe, fremvise (fx. ~ *your ticket*); indbringe, kaste af sig, give; forlænge (fx. ~ *a side of a triangle*); iscenesætte.
II. **produce** ['prådju·s] (subst.) produkt(er), (samlet) produktion, udbytte; resultat.
producer [prə'dju·sə] producent; (på teater) iscenesætter, sceneinstruktør; (af film etc.) producer, producent; (i radio) programleder.
producer| gas generatorgas. ~ **goods** produktionsmidler (modsat forbrugsvarer).
producible [prə'dju·sibl] som kan frembringes; præsentabel.
product ['prådəkt] frembringelse; produkt, fabrikat.
production [prə'dʌkʃən] fremstilling, frembringelse, produktion, dyrkning; fremlæggelse, forevisning; produkt, værk; iscenesættelse; forlængelse.
productive [prə'dʌktiv] produktiv (fx. ~ *labour*), ydedygtig, skabende; frugtbar (fx. *soil*); *be* ~ *of* fremkalde, forårsage.
productivity [prådʌk'tiviti] produktivitet, ydeevne; frugtbarhed.
proem ['proᵘem] forord, fortale, indledning.
profanation [pråfə'neⁱʃən] profanation, vanhelligelse.
profane [prə'feⁱn] (adj.) profan, verdslig; bespottelig, blasfemisk; hedensk; (vb.) vanhellige, krænke, bespotte, profanere; misbruge.
profanity [prə'fäniti] bespottelse, blasfemi.
profess [prə'fes] erklære, forsikre, tilstå; bekende sig til (fx. ~ *Christianity*); foregive; give sig ud for (fx. *I don't* ~ *to be an expert*); udøve, praktisere; (om professor) undervise i; **T** være professor; *-ing Christian* bekendende kristen.
professed [prə'fest] (adj.) erklæret (fx. *he is a* ~ *atheist*); foregiven (fx. *a* ~ *doctor*); professionel (fx. *be a* ~ *spy*); *a* ~ *nun* en nonne der har aflagt løftet.
professedly [prə'fesidli] efter eget udsagn; påstået.
profession [prə'feʃən] profession, fag (især lærd el. kunstnerisk), liberalt erhverv; stand; erklæring, forsikring; foregiven; bekendelse; aflæggelse af klosterløfte; *the* ~ **S** skuespillerstanden; *the learned -s* ɔ: teologi, jura, lægevidenskab; *by* ~ af profession, af fag; ~ *of faith* trosbekendelse.
professional [prə'feʃənəl] fagmæssig, faglig, fag-; professionel; professionel (sportsmand).
professionalism [prə'feʃənəlizm] professionalisme.
professional man kunstner, akademiker, mand i de liberale erhverv.
professor [prə'fesə] professor (*of* i), lærer.
professorate [prə'fesərėt] professorat. **professorial** [pråfe'så·riəl] professor-; professoral.
professorship [prə'fesəʃip] professorat.
proffer ['pråfə] tilbyde; (subst.) tilbud.
proficiency [prə'fiʃənsi] (subst.) dygtighed, kyndighed, færdighed.
proficient [prə'fiʃənt] kyndig, dygtig, vel bevandret, sagkyndig; mester.
profile ['proᵘfi·l, -fail] (subst.) omrids, kontur, profil; (fig.) skitse; kort biografi, 'aktuelt portræt' (fx. i avis); (vb.) tegne i omrids (el. profil).
profit ['pråfit] (subst.) udbytte, fordel, gavn, vinding, gevinst; fortjeneste, avance; (vb.) gavne, være til gavn for, være en vinding for; have gavn, drage fordel (*from* af), profitere; tjene (*by, over* på); ~ *and loss account* gevinst- og tabskonto; *make a* ~ *on* tjene på; *gross* ~ bruttoavance; *net* ~ nettoavance.
profitable ['pråfitəbl] gavnlig, nyttig; fordelagtig, lønnende, indbringende.
profiteer [pråfi'tiə] (subst.) krigsspekulant; gullaschbaron, krigsmillionær; tjene store penge på en ufin måde; drive vareåger el. kædehandel.
profiteering [pråfi'tiəriŋ] jobberi, kædehandel, vareåger.

profitless ['pråfitlės] unyttig; ikke indbringende, ufordelagtig.
profit-sharing udbyttedeling.
profligacy ['pråfligəsi] ryggesløshed, lastefuldhed, laster. **profligate** ['pråfligėt] (adj.) ryggesløs, lastefuld; (subst.) ryggesløst menneske.
pro forma [proᵘ'få·mə] pro forma.
profound [prə'faund] dyb; grundig (fx. *a ~ knowledge);* dybsindig.
profundity [prə'fʌnditi] dybde, dybsindighed, grundighed; dyb.
profuse [prə'fju·s] gavmild; ødsel; overstrømmende, overvættes, rigelig; *be ~ in one's thanks* takke overstrømmende; *be ~ in one's apologies* bede tusind gange om forladelse.
profusion [prə'fju·ʒən] ødselhed; overflod.
prog [pråg] S mad; (i universitetsslang =) *proctor; be progged* S få ordre til at stille hos *proctor.*
progenitor [pro'dʒenitə] forfader.
progeny ['prådʒini] afkom, efterkommere.
prognosis [pråg'noᵘsis] prognose.
prognostic [pråg'nåstik] (adj.) prognostisk, varslende; (subst.) tegn, symptom. **prognosticate** [pråg'nåstikeⁱt] forudsige, spå, varsle. **prognostication** [prågnåsti'keⁱʃən] forudsigelse, spådom; tegn, varsel. **prognosticator** [pråg'nåstikeⁱtə] (subst.) forudsiger.
program (især amr.) = *programme.*
programme ['proᵘgräm] (subst.) program; plan; balkort; (vb.) lægge program for; programmere; *-d* programmeret (fx. *teaching* undervisning).
programme| engineer (radio) tekniker. **~ parade** programoversigt.
I. **progress** ['proᵘgres] (subst.) fremskridt; fremskriden, fremgang, gang, forløb, fremrykken; fremtrængen, udbredelse; færd, rejse, inspektionsrejse; *in ~* i gang, under udførelse, under udarbejdelse; *be in ~* (ogs.) gå for sig; *preparations are in ~* der træffes forberedelser.
II. **progress** [prə'gres] (vb.) gå fremad; gøre fremskridt; skride fremad.
progression [prə'greʃən] fremskriden; fremgang; progression; *arithmetical ~* differensrække; *geometrical ~* kvotientrække.
progressional [prə'greʃənəl] fremadskridende.
progressive [prə'gresiv] (adj.) fremadskridende; tiltagende, voksende; progressiv; fremskridtsvenlig; (subst.) fremskridtsmand; *~ taxation* progressiv beskatning.
progressively i stigende grad, mere og mere.
prohibit [prə'hibit] forbyde; (for)hindre *(from* i); *they are -ed from doing it* (ogs.) det er dem forbudt at gøre det.
prohibition [proᵘ(h)i'biʃən] forbud.
prohibitionist [proᵘ(h)i'biʃənist] forbudsmand, forbudstilhænger.
prohibitive [prə'hibitiv] prohibitiv, uoverkommelig (fx. *a ~ price).*
prohibitory [prə'hibitəri] prohibitiv; forbuds- (fx. *laws).*
I. **project** [prə'dʒekt] (vb.) planlægge, projektere, udkaste (plan om); kaste, projicere (fx. *~ a picture on the screen);* udskyde (fx. *missiles);* rage frem (fx. *the balcony -s over the pavement);* (fig.) præsentere, fremstille, give et indtryk (el. billede) af.
II. **project** ['prådʒėkt] (subst.) plan, projekt.
projectile [prə'dʒektail] projektil; (adj.) fremdrivende; kaste-.
projection [prə'dʒekʃən] udkast, planlæggelse; projektion; fremspringen; fremspring; fremstående del; *~ booth* operatørrum.
projector [prə'dʒektə] planlægger, ophavsmand; projektmager; projektør, lyskaster; films(forevisnings)apparat; projektionsapparat, projektor; ⚔ projektor.
I. **prolapse** ['proᵘläps] (subst., med.) prolaps, fremfald.
II. **prolapse** [prə'läps] (vb.) falde frem, udtræde.
prole [proᵘl] T proletar.
prolegomena [proᵘle'gåminə] indledning.
proletarian [proᵘle'tæəriən] (subst.) proletar; (adj.) proletar-, proletarisk.
proletariat [proᵘle'tæəriət] proletariat.
prolicide ['proᵘlisaid] fosterdrab, barnemord.
proliferate [prə'lifəreⁱt] formere sig ved knopskydning el. celledeling; (fig.) formere (el. brede) sig hurtigt, vokse (el. øges) i hastigt tempo.
prolific [prə'lifik] frugtbar; frodig (fx. *imagination);* produktiv (fx. *author); ~ of* rig på.
prolix ['proᵘliks] omstændelig, langtrukken (fx. *sermon).*
prolixity [pro'liksiti] omstændelighed, langtrukkenhed.
prologue ['proᵘlåg] fortale, prolog; indlede (med en prolog).
prolong [prə'låŋ] forlænge, prolongere; *-ed* (ogs.) lang(varig); længere (fx. *visit, period).*
prolongation [proᵘlåŋ'geⁱʃən] forlængelse.
prolusion [pro'lju·ʒən] indledning, forspil; prøveopførelse.
prom T fk. f. *promenade concert* promenadekoncert; (amr.) (skole)bal, studenterbal.
promenade [pråmi'na·d, amr. ogs. -'neⁱd] (subst.) spadseretur, ridetur, køretur; promenade; (vb.) spadsere, promenere (på, i; med); fremvise.
Prometheus [prə'mi·þju·s].
prominence ['pråminəns] fremskudt stilling; betydelighed; fremspring; *bring sth. into ~, give sth. ~* sætte noget i forgrunden.
prominent ['pråminənt] fremstående; fremtrædende; fremragende, fremskudt, prominent; *~ figure* (ogs.) forgrundsfigur; *~ people* honoratiores.
promiscuity [pråmis'kju·iti] promiskuitet, blandethed; virvar; tilfældighed. **promiscuous** [prə'miskjuəs] blandet, forvirret, broget; tilfældig.
promise ['pråmis] (subst.) løfte, tilsagn; forjættelse; (vb.) love, tilsige; give forventning om; tegne til; *of (great) ~* (meget) lovende; *show (great) ~* være (meget) lovende; *the land of ~, the -d land* det forjættede land; *breach of ~* brudt ægteskabsløfte, hævet forlovelse.
promisee [pråmi'si·] (subst.) (jur.) modtager af et løfte.
promising ['pråmisiŋ] lovende; håbefuld.
promisor ['pråmisə, pråmi'så·] løftegiver.
promissory ['pråmisəri] lovende; *~ note* egenveksel, solaveksel.
promontory ['pråməntri] forbjerg; forhøjning, fremspring.
promote [prə'moᵘt] forfremme, fremme; ophjælpe, virke for; reklamere for; vække; stifte; *be -d over sby.'s head* springe forbi en i avancement.
promoter [prə'moᵘtə] ophjælper, beskytter; stifter, grundlægger; anstifter; ophavsmand; (for boksekamp) promotor.
promotion [prə'moᵘʃən] forfremmelse; fremme, ophjælpning; stiftelse; anstiftelse; *be on (one's) ~* stå for tur til forfremmelse; stræbe efter at opnå forfremmelse.
prompt [pråm(p)t] (adj.) hurtig, rask; redebon, villig; (adv.) prompte; præcis; (vb.) tilskynde til, bevæge til, drive til; indgive; sufflere; (subst.) påmindelse, tilskyndelse; betalingsfrist. **prompt|-book** sufflørbog. **~ -box** sufflørkasse.
prompter ['pråm(p)tə] sufflør.
promptitude ['pråm(p)titju·d] raskhed; beredvillighed.
prompt side venstre side af scenen (set fra publikum).
promulgate ['pråməlgeⁱt, amr. ogs. prə'mʌlgeⁱt] kundgøre; forkynde, udbrede, udsprede.
promulgation [pråməl'geⁱʃən] kundgørelse; forkyndelse, udspredelse.
promulgator ['pråməlgeⁱtə] kundgører; forkynder.

pron. fk. f. *pronoun.*
prone [proᵘn] liggende (på maven); næsegrus; foroverbøjet; hældende, skrå; tilbøjelig; (glds.) rede, villig.
proneness ['proᵘnnės] tilbøjelighed.
prong [prånŋ] (subst.) spids; gren (på en gaffel, på hjortetak); fork; (vb.) spidde på gaffel; løfte med en fork. **-pronged** [prånŋd] -grenet.
pronghorn ['prånŋhå·n] (zo.) prærieantilope.
pronominal [prə'nåminəl] pronominal.
pronoun ['proᵘnaun] pronomen, stedord.
pronounce [prə'nauns] udtale; afsige, fælde (fx. *judgment); erklære; udtale sig (on* om).
pronounceable [prə'naunsəbl] som kan udtales.
pronounced [prə'naunst] udtalt, tydelig, umiskendelig, udpræget.
pronouncement [prə'naunsmənt] udtalelse, erklæring.
pronouncing [prə'naunsiŋ] udtale-.
pronto ['prånto ᵘ] (amr. **S**) hurtigt, med det samme.
pronunciation [prənʌnsi'eⁱʃən] udtale.
I. **proof** [pru·f] (subst.) bevis; prøve (fx. *stand the ~* bestå sin prøve); (mht. alkohol) styrke, styrkegrad; (fot.) prøvebillede, aftryk; (typ.) korrektur, korrekturark; *~ (of a claim) in bankruptcy* anmeldt fordring i konkursbo; *in ~ of* til bevis for; *put to the ~* sætte på prøve; *the ~ of the pudding is in the eating* (omtr.) det er først, når man har gennemprøvet en ting i praksis, at man kan udtale sig om den.
II. **proof** [pru·f] (adj.) uigennemtrængelig, tæt, fast, sikker, skudsikker; (om spiritus) med normal alkoholprocent; (fig.) uimodtagelig *(against* for); *be ~ against* kunne modstå, ikke påvirkes af.
III. **proof** [pru·f] (vb.) imprægnere.
proof|-reader korrekturlæser. **~ -reading** korrekturlæsning. **~ -sheet** korrekturark. **~ -spirit** spiritus med en alkohol(volumen)procent på 57,10.
I. **prop.** fk. f. *propeller; properly; property; proposition.*
II. **prop** [pråp] (subst.) støtte; stiver; (vb.) støtte, afstive; *-s* (teater)rekvisitter; *~ up* støtte, afstive, holde oppe.
propaedeutic [proᵘpi'dju·tik] propædeutisk, forberedende; *-s* propædeutik, forskole.
propaganda [pråpə'gändə] propaganda, agitation.
propagandist [pråpə'gändist] (subst.) agitator; (adj.) agitatorisk, propagandistisk.
propagandize [pråpə'gändaiz] (vb.) propagandere, agitere for; drive propaganda i.
propagate ['pråpəgeⁱt] forplante; udbrede, sprede; føre videre; forplante sig, formere sig; brede sig.
propagation [pråpə'geⁱʃən] forplantning, formering, udbredelse.
propel [prə'pel] drive frem.
propeller [prə'pelə] propel; skibsskrue.
propeller| shaft skrueaksel. **~ turbine** propellerturbine.
propensity [prə'pensiti] hang, tilbøjelighed.
proper ['pråpə] rigtig (fx. *the ~ way to do it);* ret, korrekt, forsvarlig; særegen, ejendommelig *(to* for); egnet, passende *(for* for, fx. *clothes ~ for the occasion);* anstændig, sømmelig (fx. *behaviour);* behørig; egentlig; **T** eftertrykkelig (fx. *get a ~ hiding);* komplet (fx. *a ~ idiot); Italy ~* det egentlige Italien.
proper fraction ægte brøk.
properly ['pråpəli] egentlig; rigtigt; passende; **T** ordentlig, grundigt; *do it ~* gøre det rigtigt; *behave ~* opføre sig ordentlig; *~ speaking* egentlig talt; *be ~ drunk* **T** være hønefuld.
propertied ['pråpətid] besiddende (fx. *the ~ classes).*
property ['pråpəti] ejendom, besiddelse, ejendomsret *(in* til); gods, ejendele; ejendommelighed, egenskab *(of* ved); teaterrekvisit; *crime against ~* berigelsesforbrydelse.
property| man rekvisitør. **~ tax** formueskat.
prophecy ['pråfisi] profeti, spådom.
prophesier ['pråfisaiə] profet, spåmand.
prophesy ['pråfisai] spå, profetere.
prophet ['pråfit] profet, spåmand.
prophetic(al) [prə'fetik(l)] profetisk.
prophylactic [pråfi'läktik] forebyggende; profylaktisk; (subst.) forebyggende middel.
prophylaxis [pråfi'läksis] forebyggende behandling, profylakse.
propinquity [prə'piŋkwiti] nærhed; slægtskab.
propitiate [prə'piʃieⁱt] forsone, formilde; stemme gunstigt.
propitiation [prəpiʃi'eⁱʃən] forsoning, formildelse.
propitiator [prə'piʃieⁱtə] forsoner. **propitiatory** [-ʃiətəri] forsonende; forsonlig.
propitious [prə'piʃəs] gunstig; nådig.
prop-jet ['pråpdʒet]: *~ engine* turboprop motor, jetmotor der driver en propel.
proportion [prə'på·ʃən] (subst.) del; proportion, forhold; reguladetri; (vb.) afmåle, afpasse; proportionere; (glds.) tildele, uddele; *in ~ to* i forhold til; *be out of ~ to* ikke stå i (noget rimeligt) forhold til.
proportionable [prə'på·ʃənəbl] (adj.) som lader sig afpasse; forholdsmæssig; proportional.
proportional [prə'på·ʃənəl] (adj.) forholdsmæssig, symmetrisk, proportional; (subst.) forholdstal; *~ to* i forhold til.
proportionality [prəpå·ʃə'näliti] forholdsmæssighed, forhold.
proportional representation mandatfordeling efter forholdstalsvalg; forholdstalsvalgmåde.
proportionate [prə'på·ʃənėt] forholdsmæssig.
proposal [prə'poᵘzl] forslag; frieri.
propose [prə'poᵘz] foreslå; forelægge; have i sinde, agte (fx. *I ~ to leave to-morrow);* fri (fx. *he -d to her);* fremsætte; *~ a toast* udbringe en skål; *man -s, God disposes* mennesket spår, men Gud rå'r.
proposition [pråpə'ziʃən] (subst.) fremstilling; forslag; plan; sætning, dom (i logik); **T** sag, foretagende, 'historie'; *a paying ~* noget der betaler sig, noget der er penge i; *he is a tough ~* **T** han er ikke god at bide skeer itu med.
propound [prə'paund] forelægge, fremlægge; foreslå.
proprietary [prə'praiətəri] ejendoms-; i privat eje; *no ~ rights are claimed in this product* der gøres intet retsbeskyttelseskrav gældende for denne frembringelse.
proprietary| medicine medicinsk specialitet. **~ name** indregistreret navn.
proprietor [prə'praiətə] ejer; ejendomsbesidder.
propriety [prə'praiəti] rigtighed, berettigelse, hensigtsmæssighed, betimelighed; sømmelighed, velanstændighed, korrekthed; *the proprieties* de konventionelle former; konventionen.
props [pråps] **T** teaterrekvisitter.
propulsion [prə'pʌlʃən] fremdrivning.
propulsive [prə'pʌlsiv] fremdrivende, driv-.
pro rata ['proᵘ'reⁱtə] pro rata, forholdsmæssig.
prorogation [proᵘrə'geⁱʃən] hjemsendelse (ved slutn. af en parlamentssamling). **prorogue** [prə'roᵘg] hjemsende.
prosaic [pro'zeⁱik] prosaisk; poesiforladt, kedelig.
proscenium [pro'si·niəm] proscenium. **proscenium box** prosceniumsloge.
proscribe [pro'skraib] gøre fredløs, proskribere; forbyde, fordømme.
proscription [pro'skripʃən] proskription; fordømmelse; forbud.
prose [prouz] (subst.) prosa; (vb.) tale kedeligt.
prosector [pro'sektə] prosektor.
prosecute ['pråsikju·t] forfølge, fortsætte (og fuldføre) (fx. *an investigation);* drive, udøve (fx. *a trade);* (jur.) sagsøge, anklage, anlægge sag; *trespassers will be -d* adgang forbydes uvedkommende, adgang forbudt.
prosecution [pråsi'kju·ʃən] forfølgelse, udøvelse

(fx. *in the ~ of his duties)*; øvelse; sagsøgning, anklage, søgsmål, retsforfølgning; aktorat; anklagemyndighed; *counsel for the ~* anklager; *Director of Public Prosecutions* (svarer til) rigsadvokat.

prosecutor ['pråsikju·tə] anklager; klager, sagsøger; *public ~* statsadvokat; offentlig anklager.

proselyte ['pråsilait] (subst.) omvendt, proselyt.

proselytize ['pråsəlitaiz] (vb.) hverve proselytter, omvende.

proser ['proᵘzə] (subst.) kedelig taler.

prosody ['pråsədi] prosodi, metrik.

I. **prospect** ['pråspekt] udsigt (*of* til); (især amr.) kundeemne, mulig deltager i konkurrence, ansøger til stilling osv.; *presidential ~* præsidentemne.

II. **prospect** [prə'spekt] (vb.) foretage undersøgelser i jorden for at finde olie, malmlejer osv.; *~ for* søge efter (fx. *gold)*; *~ for oil* (ogs.) bore efter olie.

prospective [prə'spektiv] fremtidig, vordende; som haves i udsigt, ventet, eventuel; *~ customer* kundeemne.

prospector [prə'spektə] en der søger efter metallejer etc., en der borer efter olie; guldsøger.

prospectus [prə'spektəs] prospekt, program; (merk.) indbydelse til aktietegning.

prosper ['pråspə] være heldig; have held med sig; lykkes; have fremgang, trives, blomstre (fig.); begunstige, bringe held.

prosperity [pphysics pros'periti] held, lykke, fremgang, velstand.

prosperous ['pråspərəs] heldig, lykkelig; velstående; gunstig; blomstrende (fx. *business)*.

prostate ['pråsteⁱt] (anat.): *~ (gland)* prostata.

prosthesis ['pråsþəsis] (fremstilling el. tilpasning af) protese.

prostitute ['pråstitju·t] prostituere, vanære; misbruge (fx. *one's abilities)*; (subst.) prostitueret, skøge.

prostitution [pråsti'tju·ʃən] prostitution; misbrug.

I. **prostrate** ['pråstreⁱt] (adj.) henstrakt; slået til jorden, liggende (i støvet); knust, udmattet; lammet (fx. *with grief)*; ydmyget; ydmyg, næsegrus (fx. *adoration)*.

II. **prostrate** [prå'streⁱt] (vb.) fælde, strække til jorden; kuldkaste, omstyrte, ødelægge; udmatte, lamme; *~ oneself* kaste sig i støvet, bøje sig dybt.

prostration [prå'streⁱʃən] kasten sig i støvet, knælen, knæfald; fornedrelse, omstyrtelse; nedtrykthed; afkræftelse.

prosy ['proᵘzi] prosaisk, kedelig, langtrukken.

protagonist [proᵘ'tägənist] hovedperson, ledende skikkelse; talsmand; forkæmper.

protean [proᵘ'ti·ən] proteusagtig; omskiftelig.

protect [prə'tekt] beskytte, værne *(from* mod), frede; *~ a bill* honorere en veksel.

protection [prə'tekʃən] beskyttelse, værn; lejdebrev; toldbeskyttelse.

protectionism [prə'tekʃənizm] protektionisme.

protectionist [prə'tekʃənist] protektionist.

protective [prə'tektiv] beskyttende, beskyttelses-; *~ custody* beskyttelsesarrest.

protector [prə'tektə] beskytter; protektor, rigsforstander; *Lord Protector* den af Cromwell antagne titel.

protectorate [prə'tektərėt] protektorat.

protectory [prə'tektəri] opdragelsesanstalt, børnehjem.

protégé ['proᵘteʒeⁱ] protégé.

protein ['proᵘti·in] protein.

pro tem. fk. f. *pro tempore* for tiden, p. t.

I. **protest** [prə'test] (vb.) protestere (mod), gøre indsigelse (mod), gøre indvendinger (mod) (fx. *I ~ against the proposal)*; påstå, forsikre (fx. *he -ed that he was innocent)*; (energisk) hævde; erklære.

II. **protest** ['proᵘtest] (subst.) indsigelse, indvending; protest; *captain's ~* søforklaring; *make* (el. *lodge) a ~* nedlægge protest.

protestant ['pråtistənt] protestant; protestantisk; protesterende.

Protestantism ['pråtistəntizm] protestantisme.

protestation [pråtė'steⁱʃən] forsikring, (højtidelig) erklæring; protest.

Proteus ['proᵘtju·s].

prothorax [proᵘ'þå·räks] (zo.) (insekts) forbryst.

protocol ['proᵘtəkål] (subst.) protokol; etikette (-regler); (vb.) protokollere.

proton ['proᵘtån] (fys.) proton.

proto|plasm ['proᵘtəplàzm] protoplasma. **-type** ['proᵘtətaip] forbillede, prototype; mønster. **-zoon** [proᵘtə'zoᵘån] urdyr, protozoon.

protract [prə'träkt] forlænge, trække ud, forhale; tegne; *-ed* langtrukken, langvarig.

protraction [prə'träkʃən] forhaling, trækken i langdrag, forlængelse.

protractor [prə'träktə] transportør, vinkelmåler.

protrude [prə'tru·d] skyde frem, rage frem; stikke frem (el. ud).

protruding [prə'tru·diŋ] udstående (fx. *eyes)*; fremstående, som stikker frem.

protrusion [prə'tru·ʒən] det at stikke frem, fremspring.

protrusive [prə'tru·siv] = *protruding*.

protuberance [prə'tju·bərəns] fremspring, bule, udvækst; (astr.) protuberans.

protuberant [prə'tju·bərənt] (adj.) udstående, fremstående.

proud [praud] stolt; hovmodig; prægtig; *do sby. ~* T beværte en godt; diske op for en; hædre en; *~ flesh* (med.) dødt kød (i sår).

provable ['pru·vəbl] bevislig.

prove [pru·v] bevise, godtgøre (fx. *his guilt)*; prøve (fx. *his worth)*; efterprøve (gyldigheden af); blive (fx. *the play -d a success)*; (glds.) erfare, gennemgå; *~ oneself (to be)* vise sig som, vise sig at være; *the exception -s the rule* undtagelsen bekræfter reglen; *~ true* vise sig at være sand, blive bekræftet, slå til.

proven ['pru·vən] (skotsk, jur.) bevist.

provenance ['pråvinəns] oprindelse.

provender ['pråvində] foder.

proverb ['pråvə(·)b] ordsprog; *the (Book of) Proverbs* Salomos Ordsprog.

proverbial [prə'və·biəl] ordsprogsagtig; velkendt og ofte omtalt.

provide [prə'vaid] sørge for, besørge, skaffe, give, stille til rådighed, tilvejebringe; forsyne, udruste; foreskrive, bestemme, stille som betingelse; *~ against* tage forholdsregler mod, sikre sig mod; forbyde; *~ for* drage omsorg for, sørge for; tage hensyn til; tillade.

provided [prə'vaidid] (conj.): *~ (that)* forudsat (at), på betingelse af at.

providence ['pråvidəns] forsyn; forsynlighed, forudseenhed; *Providence* forsyn(et). **provident** ['pråvidənt] forsynlig, sparsommelig; *~ fund* hjælpefond.

providential [pråvi'denʃəl] forsynets, bestemt af forsynet, guddommelig; *he had a ~ escape* det var et Guds under at han undslap.

providentially [pråvi'denʃəli] ved forsynets styrelse, lykkeligt.

provider [prə'vaidə] leverandør; forsørger.

providing [prə'vaidiŋ] (conj.) forudsat (at).

province ['pråvins] provins; område (fx. *this is not within my ~)*; distrikt; (fig.) fag, felt; *the -s* (ogs.) provinsen.

provincial [prə'vinʃəl] provinsiel, provins-; provinsboer.

provincialism [prə'vinʃəlizm], **provinciality** [prəvinʃi'äliti] provinsialisme.

provision [prə'viʒən] (subst.) tilvejebringelse, anskaffelse; forsørgelse, underhold, omsorg; forholdsregel, bestemmelse, forordning; forråd, forsyning; (vb.) forsyne (med proviant), proviantere; *-s* proviant, levnedsmidler, fødevarer; *make ~ against* træffe forholdsregler imod; *make ~ for* sørge for.

provisional [prə'viʒənəl] (adj.) midlertidig, foreløbig, provisorisk, interimistisk.
provision| dealer, ~ merchant viktualiehandler. **~ shop** fødevareforretning.
proviso [prə'vaizoᵘ] klausul, forbehold, betingelse.
provisory [prə'vaizəri] foreløbig; betinget.
provocation [pråvə'keⁱʃən] udfordring, udæskning; provokation; *on the slightest ~* ved den mindste anledning, for et godt ord.
provocative [prə'våkətiv] (adj.) udfordrende, udæskende, provokerende; æggende; (subst.) pirringsmiddel; *be ~ of* fremkalde.
provoke [prə'voᵘk] fremkalde, vække (fx. *laughter);* provokere; udfordre, udæske, opirre, ægge; ærgre, irritere; anspore.
provoking [prə'voᵘkiŋ] irriterende, ærgerlig, harmelig; (se ogs. *provocative).*
provost ['pråvəst] rektor (ved visse universitetskollegier); (på skotsk) borgmester.
provost marshal chef for militærpolitiet.
prow [prau] ⚓ forstavn.
prowess ['praués] kækhed, tapperhed; dygtighed, overlegenhed.
prowl [praul] (vb.) snuse om (i), strejfe om (i), luske om (på rov); (subst.) strejftog.
prowler ['praulə] en der lusker omkring; listetyv.
prox. [pråks] fk. f. *proximo.*
proximate ['pråksimėt] nærmest.
proxime accessit ['pråksimi äk'sesit] accessit.
proximity [pråk'simiti] nærhed; *in close ~ to* i umiddelbar nærhed af; *~ of blood* nært slægtskab.
proximo ['pråksimoᵘ] i næste måned.
proxy ['pråksi] fuldmægtig, befuldmægtiget, stedfortræder (fx. *marry by ~);* fuldmagt.
prude [pru·d] (subst.) snerpe, sippe.
prudence ['pru·dəns] klogskab.
prudent ['pru·dənt] klog; forsigtig.
prudential [pru(·)'denʃəl] klogskabs-, forsigtigheds- (fx. *reasons);* klog, forsigtig (fx. *~ policy); -s* klogskabshensyn.
prudery ['pru·dəri] snerperi, sippethed.
prudish ['pru·diʃ] snerpet, sippet.
I. **prune** [pru·n] (vb.) beskære, klippe (træer, planter); *~ away* skære bort, fjerne; *~ down* nedskære, forkorte.
II. **prune** [pru·n] (subst.) svesker; (adj.) blommefarvet; *prunes and prisms* affekteret optræden (el. måde at tale på).
prunella [pru'nelə] brunel (uldstof).
pruning|-knife gartnerkniv. **~ shears** beskæresaks.
prurien|ce, -cy ['pruəriəns, -si] liderlighed, lystenhed.
prurient ['pruəriənt] lysten, liderlig.
Prussia ['prʌʃə] Preussen. **Prussian** ['prʌʃən] preussisk; preusser; *~ blue* berlinerblå.
prussic ['prʌsik]: *~ acid* blåsyre.
I. **pry** [prai] (vb.) snuse, spionere; *~ into* snage i, stikke sin næse i; (se ogs. *Paul Pry*).
II. **pry** d.s.s. II. *prize.*
prying ['praiiŋ] nysgerrig, som stikker næsen i andre folks sager.
P.S. fk. f. *postscript.*
Ps. fk. f. *Psalms.*
psalm [sa·m] salme (især om Davids salmer); *the (Book of) Psalms* Davids salmer. **psalmist** ['sa·mist] salmist; salmedigter.
psalmody ['sa·mədi, 'sälmədi] salmesang; salmebog (med melodier).
psalter ['så(·)ltə] Davids salmer.
psalterium [så·l'tiəriəm] (zo.) bladmave, foldemave.
psaltery ['så·ltəri] (glds.) psalter (musikinstrument).
pseudo- ['sju·doᵘ] (i sammensætn.:) pseudo-, falsk, uægte.
pseudonym ['sju·dənim] pseudonym.
pseudonymous [sju·'dånimәs] (adj.) pseudonym.
pshaw [(p)ʃå·] pyt; (vb.) sige pyt til, blæse ad.
psittacosis [sitə'koᵘsis] papegøjesyge.
psoriasis [so'raiəsis] (med.) psoriasis.
psyche ['saiki] psyke, sjæl.
psychedelic [saiki'delik] (adj.) psykedelisk.
psychiatric(al) [saiki'ätrik(l)] psykiatrisk. **psychiatrist** [sai'kaiətrist] psykiater. **psychiatry** [sai'kaiətri] psykiatri.
psychic ['saikik] (adj.) psykisk; mediumistisk; (subst.) medium; *~ bid* (i kortspil) bluffmelding; psykologisk melding.
psychical ['saikikəl] psykisk, sjælelig; *~ research* psykisk forskning.
psychics ['saikiks] psykologi; psykisk forskning.
psycho|analysis [saikoᵘə'nälisis] psykoanalyse. **-analyst** [-'änəlist] psykoanalytiker. **-analytic** [-änə'litik] psykoanalytisk. **-analyze** [-'änəlaiz] psykoanalysere. **-logic(al)** [saikə'lådʒik(l)] psykologisk. **-logist** [sai'kålədʒist] psykolog. **-logy** [sai'kålədʒi] psykologi. **-path** ['saikoᵘpäþ] psykopat. **-pathic** [saikoᵘ'päþik] psykopatisk. **-pathist** [sai'kåpəþist] psykiater, sindssygelæge.
psychos|is [sai'koᵘsis] (pl. *-es* [i·z]) psykose.
psycho|somatic [saikoᵘso'mätik] psykosomatisk. **-therapy** ['saikoᵘ'þerəpi] psykoterapi.
psychotic [sai'kåtik] psykotisk.
P.T. fk. f. *Physical Training.*
Pt. fk. f. *Part; Port.*
pt. fk. f. *pint(s), point, payment.*
p.t. fk. f. *pro tempore* p.t., for tiden.
ptarmigan ['ta·migən] fjeldrype.
Pte. fk. f. *private* (= menig).
ptisan [ti'zän] afkog af byg.
P.T.O. fk. f. *please turn over!* vend!
Ptolemaic [tåli'meⁱik] ptolemæisk.
Ptolemy ['tåləmi] Ptolemæus.
ptomaine ['toᵘmeⁱn] liggift; *~ poisoning* kødforgiftning.
P.U. fk. f. *power unit.*
pub [pʌb] (fk. af *public-house)* kro, værtshus.
pub-crawl S gå fra værtshus til værtshus, bumle, ture rundt på beværtninger.
puberty ['pju·bəti] pubertet.
pubescence [pju'besns] pubertetsalder; dun, hår.
pubescent [pju'besnt] i pubertetsalderen; dunhåret.
public ['pʌblik] (adj.) offentlig; almindelig, almen; folke-, stats-, samfunds-; (subst.) publikum; *the (general) ~* publikum, offentligheden, (glds.) almenheden; fk. f. *public house; in ~* offentligt; *in the ~ service* i statens tjeneste; *in the ~ street* på åben gade; *make ~* offentliggøre, gøre almindelig bekendt; *open to the ~* offentlig tilgængelig.
public-address system højttaleranlæg.
publican ['pʌblikən] værtshusholder; (hist.) skatteforpagter; (bibl.) tolder.
publication [pʌbli'keⁱʃən] offentliggørelse, kundgørelse, forkyndelse; udgivelse; publikation, skrift, blad, bog.
public| enemy samfundsfjende, offentlighedens fjende. **~ house** kro, værtshus.
publicist ['pʌblisist] folkeretsekspert; politisk journalist, publicist.
publicity [pʌ'blisiti] offentlighed; reklame; *head of the ~ department* reklamechef; *newspaper ~* avisomtale; *get a lot of ~* blive (stærkt) opreklameret.
publicity| agent propagandachef, reklameagent. **~ drive** reklamekampagne.
publicize ['pʌblisaiz] gøre offentlig kendt, gøre til genstand for offentlig omtale, reklamere for.
public| library folkebibliotek. **~ man** offentlig personlighed. **~ -minded** besjælet af samfundsånd. **~ opinion** den offentlige mening. **~ opinion poll** opinionsundersøgelse. **~ relations** public relations, kontakt med publikum. **~ relations department** propagandaafdeling. **~ relations officer** pressechef, public-relationsmand. **~ school** i England især om

visse store eksklusive kostskoler som Eton, Rugby og Harrow; (i Amerika) offentlig skole (gratis og med adgang for alle). ~ **servant** embedsmand. ~ **spirit** samfundsånd, borgersind, patriotisme. ~ **-spirited** besjælet af samfundsånd. ~ **utility** selskab der driver elektricitetsværk, vandværk, busruter el. lign. ~ **works** offentlige arbejder.

publish ['pʌbliʃ] offentliggøre, kundgøre, forkynde, bekendtgøre; udgive; forlægge (bøger); udsprede; *-ed price* bogladepris.

publisher ['pʌbliʃə] forlægger.

publishing| firm, ~ **house** (bog)forlag.

puce [pju·s] rødbrun, blommefarvet.

I. **puck** [pʌk] nisse; *Puck* Puk.

II. **puck** [pʌk] puck, gummiskive der bruges som bold i ishockey.

pucka ['pʌkə] god, førsteklasses, virkelig, ægte; ~ *gen* S autentiske oplysninger.

pucker ['pʌkə] (vb.) rynke; rynke sig; slå folder; (subst.) rynke, fold.

pud [pʌd] barnehånd, pote.

pudding ['pudiŋ] budding, efterret.

pudding|-face fuldmåneansigt. ~ **-faced** med fuldmåneansigt. ~ **-headed** tykhovedet.

puddle ['pʌdl] (subst.) pøl, pyt; (vb.) plumre, røre op i; pudle (omdanne råjern til svejsejern el. stål); tilsøle; ælte; søle, pjaske.

puddly ['pʌdli] mudret, plumret.

pudency ['pju·dənsi] blufærdighed.

pudenda [pju'dendə] kønsdele.

pudge [pʌdʒ] (om person) lille prop.

pudgy ['pʌdʒi] lille og firskåren (el. fed).

pueblo [pu'eblo^u] by el. landsby (i spansk-amr. område); indianerlandsby; indianer.

puerile ['pjuərail] barnagtig.

puerility [pjuə'riliti] barnagtighed.

puerperal [pju'ə·pərəl] barsel- (fx. ~ *fever*).

I. **puff** [pʌf] (subst.) pust, vindpust, blaf; tøf, fut (fra lokomotiv); røgsky (fra pibe etc.), drag (af pibe etc.); pudderkvast; flødeskumskage, flødebolle; (ublu) reklame.

II. **puff** [pʌf] (vb.) puste, blæse, blaffe; dampe (på pibe etc.); gøre forpustet; pudre; bevæge sig pustende, dampe, futte, tøffe (om lokomotiv); gøre blæst af, gøre reklame for; ~ *and blow* puste og stønne; ~ *away at a cigar* dampe på en cigar; ~ *out* puste ud; puste op, udspile; gøre forpustet; svulme op; gå ud, pludselig slukkes; ~ *up* gøre opblæst; pustes i vejret.

puff|-adder (zo.) puf-hugorm, puffadder. ~ **-ball** ♧ støvbold; bovist. ~ **-bird** (zo.) dovenfugl.

puffed [pʌft] forpustet. **puffed-up** opblæst.

puffer ['pʌfə] markskriger, reklamemager.

puffery ['pʌfəri] reklame, opreklamering.

puffin ['pʌfin] (zo.) lunde, søpapegøje.

puff|-paste butterdej. ~ **sleeve** pufærme.

puffy ['pʌfi] forpustet; opsvulmet, oppustet; stødvis (om blæst).

I. **pug** [pʌg] indskud (i gulv); (vb.) ælte.

II. **pug** [pʌg] bokser, nævekæmper.

III. **pug** [pʌg] (dyre)spor.

IV. **pug(-dog)** ['pʌg(dåg)] moppe, mops.

pugg(a)ree ['pʌgəri] (let tørklæde omkring hat el. hoved til beskyttelse mod solen).

pugging indskudsler.

pugh [pu·] puha! pøj! føj!

pugilism ['pju·dʒilizm] nævekamp, boksning.

pugilist ['pju·dʒilist] nævekæmper, bokser.

pugilistic [pju·dʒi'listik] bokse-.

pugnacious [pʌg'neⁱʃəs] stridbar, trættekær.

pugnacity [pʌg'näsiti] stridbarhed.

pug-nose ['pʌgno^uz] braknæse.

puisne ['pju·ni] (jur.) yngre; underordnet.

puissance ['pju·isns] magt.

puissant ['pju·isnt] mægtig.

puke [pju·k] (vb.) brække sig; (subst.) opkast, bræk.

pukka ['pʌkə] se *pucka.*

pulchritude ['pʌlkritju·d] skønhed.

pule [pju·l] klynke, pibe.

I. **pull** [pul] trække, hale, rive; plukke; rykke; rykke (el. trække) i (fx. ~ *his sleeve); trække op (fx. *a cork* en prop), trække ud (fx. *a tooth);* ro; aftrykke; S arrestere; foretage en razzia i; ~ *a boat* ro en båd; ~ *devil* ~ *baker* (fig.) lovtrækkeri; ~ *a long face* blive lang i ansigtet; ~ *faces* skære ansigt, lave grimasser; ~ *a fast one* lave et nummer; ~ *sby.'s hair* rykke en i håret; ~ *a horse* holde en hest tilbage (for at hindre den i at vinde); ~ *sby.'s leg,* se I. *leg;* ~ *an oar* ro; *the boat -s six oars* båden fører seks årer; ~ *a good oar* være en dygtig roer; ~ *to* (el. *in) pieces* rive i stykker; kritisere sønder og sammen; ~ *punches,* se IV. *punch;* ~ *strings* (el. *wires)* trække i trådene; ~ *one's weight,* se *weight;*

(forb. m. præp. og adv.)

~ *about* maltraktere; ~ *apart* rive itu; gå itu; ~ *at* bakke på (fx. ~ *at a pipe);* ~ *back* trække sig tilbage; ~ *down* rive ned (fx. *a building);* (om)styrte (fx. *a government);* ydmyge, pille ned; slå ned, gøre svag; (om priser) trykke, få til at falde; (om løn) hæve, tjene; ~ *in* standse, holde tilbage (fx. *a horse);* (om bil) køre ind til siden, standse; (om tog) køre ind (på stationen); formindske, nedskære (fx. *one's expenses);* indskrænke sine udgifter; arrestere, tage; ~ *off* trække af, tage af; få fat på, have held med at gennemføre (, skrive, lave etc.) (fx. ~ *off a good speculation;* ~ *off a story);* fjerne sig; *he -ed it off* (ogs.) han klarede den; ~ *on* trække på; ro løs; ~ *out* trække ud (fx. *a tooth*), trække op el. frem; køre ud (fx. ~ *out of the station);* trække sig ud; gå ud, afgå; trækkes ud; ~ *over* trække over hovedet; ~ *over (to the side)* (om bil) trække ind til siden; ~ *round* komme sig; hjælpe igennem, kurere; ~ *through* komme igennem, klare sig (igennem); hjælpe igennem; ~ *together* trække sammen; arbejde (godt) sammen, trække på samme hammel; ~ *oneself together* tage sig sammen; ~ *up* holde an, standse; (fig.) give en irettesættelse; ~ *up to* (el. *with)* indhente, komme på højde med.

II. **pull** [pul] (subst.) træk, ryk, tag; drag, slurk; rotur; håndtag; snor; tiltrækning(skraft); fordel; (typ.) aftryk, aftræk; *give a* ~ *at the rope* rykke i rebet; *have (a)* ~ have indflydelse, have gode forbindelser; *take a* ~ *at a bottle* tage en slurk af en flaske.

pullet ['pulit] ung høne, hønnike.

pulley ['puli] trisse, remskive.

pull-in = *pull-up.*

Pullman ['pulmən] pullmanvogn.

pull-out (flyv.) opretning (efter dyk); (i bog) planche til at folde ud; ~ *(supplement)* gemmesider (i blad).

pull|-over pullover. ~ **-through** viskesnor. ~ **-up** kro (el. hotel) hvor man gør ophold på rejse; raststed.

pulmonary ['pʌlmənəri] lunge- (fx. ~ *disease).*

pulmotor ['pʌlmo^utə] pulmotor.

pulp [pʌlp] (subst.) blød masse; frugtkød; (papir)masse; (i tand) pulpa; (vb.) mase, støde; *beat to a* ~ mase til plukfisk; ~ *magazines, pulps* ugeblade, 'kulørte hæfter'.

pulpit ['pulpit] prædikestol. **pulpiteer** [pulpi'tiə] (nedsættende om) prædikant, prækehest.

pulpous ['pʌlpəs] blød, kødfuld.

pulpwood cellulose; træ til fremstilling af cellulose.

pulpy ['pʌlpi] blød; kødfuld.

pulsate [pʌl'seⁱt] banke, pulsere, slå; ryste.

pulsation [pʌl'seⁱʃən] slag, banken, pulseren.

pulsatory ['pʌlsətəri] bankende, pulserende.

I. **pulse** [pʌls] (subst.) pulsslag, puls; (i radar) impuls; (vb.) banke, slå, pulsere; *feel sby.'s* ~ tage éns puls; *feel the* ~ *of the public* sondere stemningen; *quicken* (el. *stir) his* ~ (fig.) få blodet til at rulle raskere gennem hans årer.

II. **pulse** [pʌls] (subst.) bælgfrugter.

pulse-jet ['pʌlsdʒet]: ~ *engine* pulserende rammotor.
pulverization [pʌlvərai'zeiʃən] pulverisering.
pulverize ['pʌlvəraiz] pulverisere(s).
puma ['pju·mə] (zo.) puma.
pumelo ['pʌmilou], se *pomelo*.
pumice ['pʌmis] pimpsten; (vb.) polere med pimpsten.
pummel ['pʌml] slå løs på, prygle.
I. **pump** [pʌmp] (subst.) vandpost, pumpe; (vb.) pumpe; (fig. ogs.) udspørge; ~ *out* udmatte; ~ *ship* S lade vandet.
II. **pump** [pʌmp] (subst.) dansesko, pump sko.
pumpkin ['pʌm(p)kin] græskar.
pump-room kursal (ved badested).
I. **pun** [pʌn] (subst.) ordspil; (vb.) lave ordspil; sige brandere.
II. **pun** [pʌn] (vb.) banke fast, stampe.
I. **punch** [pʌnʃ] punch.
II. **Punch** [pʌnʃ] (figur i marionetkomedien *Punch and Judy*; et vittighedsblad); *as pleased as* ~ himmelhenrykt, kisteglad; ~ *and Judy show* Mester Jakel komedie, marionetkomedie.
III. **punch** [pʌnʃ] (subst.) dorn, lokkestempel, nagledorn, lokhammer; billetsaks; klip; (typ.) skriftstempel; (vb.) dorne, gennemhulle, klippe (med billetsaks).
IV. **punch** [pʌnʃ] (subst.) slag, dunk; T energi, kraft; (vb.) slå, dunke; drive (fx. ~ *cattle); pull one's -es* holde igen, ikke slå 'til; *he did not pull his -es* (fig.) han lagde ikke fingrene imellem; ~ *on the nose* næsestyver.
punch-bowl ['pʌnʃboul] punchebolle.
punch-drunk (i boksning) uklar, groggy.
punch(ed) card hulkort.
puncheon ['pʌnʃən] stort (vin- etc.) fad.
punching|-bag, ~ -ball boksebold.
punch-ladle puncheske.
punch line pointe, knaldeffekt.
punctilio [pʌŋ(k)'tiliou] finesse, detalje; overdreven nøjagtighed; pedanteri; *stand upon -s* holde (strengt) på formerne.
punctilious [pʌŋk'tiliəs] overdrevent nøjagtig el. korrekt, overpertentlig; *be* ~ (ogs.) holde på formerne.
punctual ['pʌŋ(k)tjuəl] punktlig, præcis. **punctuality** [pʌŋ(k)tju'äliti] punktlighed.
punctuate ['pʌŋ(k)tjueit, -tʃu-] sætte (skille)tegn i; pointere, fremhæve; *-d by* (el. *with)* (fig. ogs.) ledsaget af, afbrudt af (fx. *a speech -d by* (el. *with) cheers).*
punctuation [pʌŋ(k)tju'eiʃən, -tʃu-] tegnsætning, interpunktion; ~ *mark* skilletegn.
puncture ['pʌŋktʃə] (subst.) stik; punktering, punktur; (vb.) stikke i; stikke hul i; punktere(s).
pundit ['pʌndit] (egl. indisk) lærd; vismand; *the -s* (ogs., ironisk) de højlærde.
pungency ['pʌndʒənsi] skarphed.
pungent ['pʌndʒənt] skarp, sviende, bidende, bitter, kras.
Punic ['pju·nik] punisk, kartageniensisk; ~ *faith* troløshed; *the* ~ *Wars* de puniske krige.
punish ['pʌniʃ] straffe, afstraffe; T maltraktere, udsætte for hård behandling; gøre indhug i, tage kraftigt til sig af.
punishable ['pʌniʃəbl] strafbar.
punishing straffende; (fig.) udmattende (fx. *race);* knusende (fx. *defeat).*
punishment ['pʌniʃmənt] straf, afstraffelse; ilde medfart; hård behandling ~ *class* eftersidningsklasse.
punitive ['pju·nitiv] straffe- (fx. ~ *expedition);* ~ *measure* straffeforanstaltning.
Punjab [pʌn'dʒa·b].
punk [pʌŋk] (subst.) trøsket træ, fyrsvamp; S skidt; sludder; (om person) skvat; fæ; (adj.) elendig, ussel.
punka(h) ['pʌŋkə] pankha (stor vifte med snoretræk).
punk-wood = *punk*.
punky ['pʌŋki] trøsket (om træ).
punnet ['pʌnėt] spånkurv.
punster ['pʌnstə] vitsmager.
I. **punt** [pʌnt] (subst.) punt, fladbundet båd, pram; (vb.) punte, stage frem; stage sig frem.
II. **punt** [pʌnt] (vb.) spille (fx. på væddeløbsbane); (subst.) indsats.
III. **punt** [pʌnt] (vb.) (fx. i fodbold) flugte; (subst.) flugtskud, flugter.
punter ['pʌntə] (til I. *punt)* en der sejler i punt; (til II. *punt)* spiller, bookmakers kunde.
puny ['pju·ni] lille (og svag), sølle, ubetydelig.
pup [pʌp] (subst.) hvalp; (vb.) få hvalpe; *sell sby. a* ~ S snyde en; *be sold a* ~ blive taget ved næsen.
pup|a ['pju·pə] (pl. *-ae* [-i·]) puppe.
pupate ['pju·peit] forpuppe sig.
pupation [pju'peiʃən] forpupning.
pupil ['pju·pl, -pil] elev; myndling; **pupil. pupilage** ['pju·pilidʒ] discipeltid, læretid; umyndighed.
pupil teacher lærerkandidat, praktikant.
puppet ['pʌpit] dukke, marionet, handskedukke; (fig.) marionet.
puppet| government marionetregering. ~ **play** marionetkomedie, dukkekomedie. **-ry** ['pʌpitri] maskerade, gøglespil, dukkekomedie. ~ **show** marionetkomedie, dukkekomedie. ~ **state** marionetstat, lydstat.
puppy ['pʌpi] (hunde)hvalp; (om person) laps, grøn knægt, løg, flab.
puppyfoot ['pʌpifut] (i kortspil) klør.
puppyhood ['pʌpihud] hvalpetid; grøn ungdom.
puppyish ['pʌpiiʃ] (adj.) flabet; hvalpet.
puppyism ['pʌpiizm] hvalpethed, flabethed, indbildskhed, naragtighed.
pup tent lille (tomands)telt.
purblind ['pə·blaind] svagsynet, nærsynet; sløv, dum, halvblind.
purchasable ['pə·tʃəsəbl] til købs.
purchase ['pə·tʃəs] (vb.) købe, erhverve, forskaffe sig; hive, lette; (subst.) køb, indkøb, anskaffelse; erhvervelse; støtte, fodfæste, tag; årligt udbytte, årlig lejeværdi; spil, hejseværk, talje, ⚓ gie; *his life is not worth a day's* ~ han kan ikke leve en dag længere.
purchase-money, purchase price indkøbspris, købesum.
purchaser ['pə·tʃəsə] køber.
purchase tax omsætningsafgift, oms.
purchasing power købekraft.
purdah ['pə·da·] (indisk:) forhæng der beskytter kvinders opholdsrum mod beskuelse; kvindernes afsondrethed som socialt system.
pure [pjuə] ren; ublandet, ægte; uskyldig, kysk; ren og skær, pure (fx. *out of* ~ *malice);* ~ *nonsense* det rene vrøvl.
purée ['pjuərei] puré.
purely ['pjuəli] (adv.) rent, uskyldigt; absolut, udelukkende, helt.
purgation [pə·'geiʃən] renselse; udrensning; afføring. **purgative** ['pə·gətiv] rensende; afførende; afføringsmiddel.
purgatorial [pə·gə'tå·riəl] skærsild-; rensende.
purgatory ['pə·gətəri] Skærsilden.
purge [pə·dʒ] (vb.) rense; (med.) virke afførende, udrense; (fig.) rense (fx. *-d of sin);* (politisk etc.) udrense; (subst.) renselse; (politisk) udrensning.
purge trial (politisk) udrensningsproces.
purging ['pə·dʒiŋ] (subst.) rensning; (adj.) rensende; afførende.
purification [pjuərifi'keiʃən] renselse.
purify ['pjuərifai] rense.
purism ['pjuərizm] purisme.
purist ['pjuərist] sprogrenser, purist.
Puritan ['pjuəritən] (adj.) puritansk; (subst.) puritaner.
puritanical [pjuəri'tänikl] (adj.) puritansk.
puritanism ['pjuəritənizm] puritanisme.

purity ['pjuəriti] renhed.

I. **purl** [pə·l] (vb.) risle; (subst.) rislen (fx. *the ~ of a brook).*

II. **purl** [pə·l] (vb.) hvirvle; vælte, falde af hesten.

III. **purl** [pə·l] (subst.) krydderøl (med sukker og ingefær).

IV. **purl** [pə·l] (vb.) bræmme, kante; strikke vrang; (subst.) kant; bort; vrangstrikning.

purlieu ['pə·lju·] fattigkvarter, slum; tilholdssted; S udkanter, omgivelser.

purlin ['pə·lin] ås (på bygning).

purloin [pə·'loin] (vb.) stjæle, tilvende sig. **purloiner** [pə·'loinə] tyv.

purple ['pə·pl] (adj.) blåligrød, violet, blåviolet; blodrød; (vb.) farve(s) rød(violet) (el. blåligrød); *born in the ~* født i en kongelig familie; *be raised to the ~* få purpuret, blive kardinal.

purple| beech blodbøg. ~ **emperor** (zo.) irissværmer. ~ **finch** (zo.) purpurdompap. ~ **martin** (zo.) purpursvale. ~ **passages** kunstnerisk særlig vellykkede steder i digterværker. ~ **sandpiper** (zo.) sortgrå ryle.

purplish ['pə·pliʃ], **purply** ['pə·pli] let blåligrød, rødviolet.

I. **purport** ['pə·pət] betydning; indhold.

II. **purport** ['pə·pət] (vb.) give sig ud for, foregive, angives; gå ud på.

purpose ['pə·pəs] hensigt, formål *(in, of* med), øjemed; forsæt; *answer* (el. *serve) the ~* passe til formålet, kunne bruges; *for that ~* i den hensigt, med det formål; *for household -s* til husholdningsbrug; *for a necessary ~* i et nødvendigt ærinde, på naturens vegne; *for the sole ~ of* ene og alene for at; *wanting in ~, weak of ~* ubeslutsom, usikker; *of set ~, on ~* med forsæt, med vilje; *on ~ to* (el. *that)* i den hensigt at; *to the ~* sagen vedkommende, på sin plads; *to some ~* med god virkning, så det kan forslå; *to no ~* til ingen nytte, forgæves; *a novel with a ~* en tendensroman.

II. **purpose** ['pə·pəs] (vb.) have til hensigt, agte, påtænke.

purpose|ful ['pə·pəsf(ul] betydningsfuld; målbevidst. **-less** [-lės] hensigtsløs, formålsløs.

purposely ['pə·pəsli] med hensigt, med vilje.

purr [pə·] (vb.) snurre, spinde; (subst.) (kats) spinden.

I. **purse** [pə·s] (subst.) pung; penge, rigdom; indsamlet pengesum som gave eller præmie; pose; *long ~* velspækket pengepung; *the public ~* statskassen; *make up a ~* foretage en indsamling; *slender ~* sparsomme midler.

II. **purse** [pə·s] (vb.) putte (el. lægge) i en pung; *~ (up)* trække sammen, snerpe sammen; *~ up one's lips* el. *mouth* spidse munden.

purse|-pride pengestolthed. ~ **-proud** pengestolt.

purser ['pə·sə] ⚓ purser, overhovmester.

purse sein snurpenot (til fiskeri).

pursestrings: *hold the ~* sidde på (el. stå for) pengekassen; *loosen the ~* punge ud; *tighten the ~* holde igen på pengene.

purslane ['pə·slin] ♧ portulak.

pursuance [pə'sju·əns]: *in ~ of* under udførelse af (fx. *one's duties);* i overensstemmelse med, i følge (fx. *his orders).*

pursuant [pə'sju·ənt]: *~ to* i overensstemmelse med, i følge (fx. *his instructions).*

pursue [pə'sju·] forfølge, stræbe efter, stræbe hen imod, tilstræbe; følge (fx. *a policy);* drive, udøve, sysle med (fx. *studies);* fortsætte.

pursuer [pə'sju·ə] forfølger; (på skotsk) klager, sagsøger.

pursuit [pə'sju·t] forfølgelse, jagen, jagt *(of* efter, på); efterstræbelse; stræben *(of* efter, fx. *happiness);* udøvelse, udførelse; beskæftigelse, erhverv; *-s* (ogs.) sysler (fx. *literary -s); with the policeman in hot ~* med betjenten lige i hælene på sig; *in ~ of* på jagt efter; under udøvelse af, under beskæftigelse med.

pursuit plane jagermaskine.

pursuivant ['pə·swivənt] underherold; følgesvend.

pursy ['pə·si] tyk og kortåndet, astmatisk; rynket, sammensnerpet.

purulen|ce, -cy ['pjuərulәns, -si] (med.) materiedannelse.

purulent ['pjuərulənt] (adj., med.) materiefyldt.

purvey [pə·'veⁱ] levere; være leverandør; forsyne; skaffe, forskaffe; proviantere. **purveyance** [pə·'veⁱəns] levering, leverance, forsyning; tilvejebringelse.

purveyor [pə·'veⁱə] leverandør; *Purveyor to the Royal Household* hofleverandør.

purview ['pə·vju·] lovtekst; (lovs) bestemmelser; sfære, område, felt, rammer.

pus [pʌs] materie, pus.

Pusey ['pju·zi].

I. **push** [puʃ] (vb.) skubbe, skyde (til), trykke (fx. *~ a pin through sth.);* trykke på (fx. *~ the button),* støde, drive; trænge ind på, tilskynde (fx. *~ him to do it);* drive frem, drive på, fremskynde, forcere (fx. *a horse, the sale);* indarbejde, opreklamere (fx. *one's wares);* energisk søge at fremme (fx. *one's business, a claim);* trænge sig *(by* forbi);

we must ~ along vi må se at komme af sted, vi må se at komme videre; *~ sby. around* koste (el. jage) med en; *~ aside* skubbe (el. skyde, feje) til side; *~ sby. for an answer* rykke en for svar; *be -ed for money* mangle penge; *be -ed for time* have dårlig tid; *~ off* ⚓ støde fra; T komme af sted; *~ on* trænge frem, mase på; komme videre; *~ sth. on sby.* pånøde (el. påtvinge) én noget; *~ oneself (forward)* trænge sig frem; mase sig på; være påtrængende; *~ oneself to do it* tvinge sig selv til at gøre det; *~ through* sætte igennem; gennemføre; trænge sig igennem; komme frem; *~ one's way* trænge sig frem.

II. **push** [puʃ] (subst.) skub, puf, stød; tryk; (kraft-) anstrengelse; fremstød; energi, foretagsomhed, gåpåmod; (elektrisk) trykknap; *make a ~* gøre en kraftanstrengelse; *at a ~* i en kritisk situation; når det gælder; *get the ~* S blive smidt på porten, få sin afsked, blive fyret; *give the ~* S afskedige, smide på porten, fyre; *when it came to the ~* da det kom til stykket, da det virkelig gjaldt.

push|-bicycle, ~ **-bike** trædecykel. ~ **-button** trykknap. ~ **-cart** trækvogn, trillebør. **-chair** promenadevogn.

pusher ['puʃə] (mad)skubber (til barn); (om person) egoist, stræber; *he is a ~* (ogs.) han har albuer.

pushful, pushing energisk, initiativrig, foretagsom; (neds.) entreprenant; pågående, påtrængende.

push| net rejenet, rejeglib. ~ **-over** (amr. S) let sag, let offer. **-pin** nipsenål; *play -pin* nipse. ~ **-pull** (adj.) modtakt- (fx. *amplifier* forstærker; *oscillator).*

pusillanimity [pju·silə'nimiti] forsagthed, frygtsomhed, fejhed.

pusillanimous [pju·si'lӓniməs] forsagt, frygtsom, fej.

puss [pus] mis, kis; haremis; pigebarn; *Puss in Boots* den bestøvlede kat; *~ in the corner* (en leg omtr. =) bytte gårde, kispus.

pussy ['pusi] mis(sekat); ♧ rakle, 'gæsling'.

pussy|-cat mis(sekat). **-foot** ['pusifut] (amr.) (vb.) gå på kattepoter, liste; være forsigtig med (el. ængstelig for) at tage parti; (subst.) forbudsmand, prohibitionist. ~ **-willow** ♧ (art) pil.

pustule ['pʌstju·l] blegn, væskeblære, pustel, filipens.

put [put] (vb.) *(put, put)* anbringe, lægge, sætte, stille, stikke, putte; komme (fx. *~ sugar in the tea);* bringe; føre; kaste; fremstille (fx. *he ~ the case very clearly);* fremsætte, forelægge, foreslå; udtrykke (fx. *~ one's feelings into words);* anslå *(at* til, fx. *~ her age at 40); to ~ it mildly* mildest talt; *stay ~* blive hvor man er; *~ sby. wise* S oplyse en *(about, on, to* om); (forb. m. præp. og adv.).

~ about udsprede (fx. *rumours);* vende; ⚓ vende,

stagvende, gå over stag; (især skotsk) besvære, ulejlige; gøre urolig, forurolige; ~ *across* sætte igennem, gennemføre (med held); *you can't ~ that across me* den får du ikke mig til at hoppe på; ~ *the idea across to them* få dem til at gå ind på tanken; ~ *a play across* have succes med et stykke; ~ *aside* lægge til side; ~ *away* lægge bort, lægge til side, gemme; lægge op (om penge); skaffe af vejen; **T** indespærre; dræbe, rydde af vejen; (om dyr) aflive; **S** (om mad) sætte til livs, (om drik) stikke ud; ~ *back* stille tilbage; hindre, forsinke; ⚓ vende tilbage; ~ *by* lægge til side, lægge op; tilsidesætte;

~ *down* lægge fra sig; nedlægge (fx. *eggs); sætte af* (fx. *passengers);* nedskrive, notere; undertrykke, kue, kvæle (fx. *a revolt);* ydmyge; bringe til tavshed; afskaffe, gøre ende på; formindske; nedsætte, nedskære (fx. *expenditure);* anse *(as, at* for (at være)); *I can ~ down my cards* jeg kan lægge kortene op; ~ *me down for* £5 notér mig for £5 (som bidrag); ~ *down to* tilskrive (fx. ~ *his failure down to inexperience);* ~ *sth. down to sby.* give én skylden for noget; ~ *it down to his account* skrive det på hans regning;

~ *forth* fremsætte (fx. *a theory);* udgive; udsende; skyde (knopper etc.); opbyde (fx. *all one's strength);* lægge for dagen, udvise; ⚓ stikke i søen, afsejle; ~ *forward* stille frem (om ur); fremsætte (fx. *a theory);* bringe frem; ~ *oneself forward* gøre sig gældende, føre sig frem; ~ *in* indgive, indsende, forelægge; indskyde (fx. *a remark);* få anbragt (fx. *a blow);* indsætte (i embede); (om arbejde) få gjort; **T** (om tid) tilbringe, få til at gå; ⚓ lægge (el. løbe) ind; ~ *'in an appearance* vise sig, komme til stede; ~ *in for* søge, være ansøger til; ~ *in a good word for* lægge et godt ord ind for; ~ *in mind of* minde om; ~ *into port* søge havn; ~ *it into French* oversætte det til fransk;

~ *off* udsætte, opsætte; holde hen (fx. ~ *him off with vague promises);* afvise; spise af *(with* med); distrahere; aflægge; lægge af; ⚓ lægge ud, tage af sted; ~ *sby. off* (ogs.) bede én komme senere; ~ *off from* hindre; afholde fra, fraråde; ~ *sby. off his food* få én til at miste appetitten, tage appetitten fra én; ~ *sby. off his game* distrahere (el. forstyrre) én så han ikke kan spille ordentligt; ~ *sth. off on sby.* prakke en noget på;

~ *on* lægge på, sætte på, tage på (fx. *one's hat);* påtage sig, anlægge (fx. *an air of innocence* en uskyldig mine); sætte op (fx. *a play);* sætte ind (fx. *extra trains);* forøge (fx. *speed);* ~ *the blame on* skyde skylden på; give skylden; ~ *it on* **T** overdrive; smøre for tykt på; tage overpris; ~ *the kettle on* sætte kedlen over, sætte vand over; ~ *sby. on his oath* tage én i ed; ~ *on weight* tage på i vægt; ~ *sby. on to sth.* gøre en opmærksom på noget; ~ *out* lægge ud, sætte ud; smide ud; strække ud, stikke frem (fx. *one's hand);* sætte frem; slukke (fx. *the fire);* forvride (fx. *the shoulder);* udfolde, opbyde (fx. *all one's strength);* forvirre, bringe ud af fatning (el. fra koncepterne); sætte i forlegenhed; ulejlige; irritere; frembringe, producere; sende ud (fx. *the washing);* udlåne (fx. ~ *out money at 5 per cent);* stikke ud (fx. *his eyes);* skyde (knopper, rødder); ~ *out (to sea)* ⚓ stå til søs, stikke i søen; ~ *her out to service* sende hende ud at tjene; ~ *over,* se ~ *across;* ~ *sth. over on sby.* binde en ngt. på ærmet, få en til at hoppe på ngt.; *I wouldn't ~ it past him* jeg kunne godt tiltro ham det, det kunne godt ligne ham;

~ *through* gennemføre; underkaste; give (telefon-) forbindelse *(to* med); stille om *(to* til); ~ *sby. through it* **T** underkaste en et skarpt forhør; ~ *to* (ogs.) spænde for (fx. *tell the coachman to ~ to);* ~ *to bed* lægge i seng; ~ *to death* dræbe; ~ *to expense* sætte i udgifter; ~ *one's name to* sætte sit navn under; *be hard ~ to it,* se III. *hard; he ~ John to win* han tippede John som vinder; *it can't be ~ to that use* det kan ikke bruges til det; ~ *to the vote* sætte under afstemning; *I ~ it to you that ...* De vil formentlig ikke benægte, at ..., De må hellere indrømme at ..., forholder det sig ikke sådan at ... (fx. *I ~ it to you that you were in London last week);* ~ *together* sammensætte, sætte sammen, samle; lægge sammen (fx. ~ *two and two together);*

~ *up* sætte op, opføre, rejse; hejse (fx. *a flag);* løfte; opsende (fx. *a prayer);* fremføre; opstille som kandidat; udbyde; jage (vildt) op; forhøje (prisen); skaffe, betale, indskyde (fx. *he was willing to ~ up the money);* sammensætte, tilberede; pakke ned, nedlægge; pakke sammen; lægge på plads, gemme bort; stikke i skeden; anbringe, give husly; tage ind (fx. *at an inn);* **T** planlægge, arrangere; ~ *up a stout resistance* yde tapper modstand; ~ *up for* opstille sig som kandidat til (, for); ~ *up for* (el. *to) auction* sætte til auktion; ~ *him up for the club* foreslå ham som medlem (af klubben); ~ *up for the night* overnatte; ~ *him up for the night* give ham natlogi; ~ *up for sale* udbyde til salg; ~ *up to* sætte ind i, indvie i, lære; tilskynde til (fx. *you ~ him up to it);* ~ *up with* finde sig i, tåle; ~ *upon* bedrage, narre.

put(t) [pʌt] få golfkugle ned i et hul ved hjælp af en særlig golfkølle; få golfkugle til at trille hen ad grønsværen.

putamen [pju'teⁱmən (pl. *putamina* [pju'tāminə]) sten (i stenfrugt, fx. blommer).

put and call (merk.) dobbelt præmieforretning.

putative ['pju·tətiv] formodet, som går for at være.

put-off [put'å(·)f] (subst.) udflugt, påskud; udsættelse; (adj.) kasseret; udsat, opsat.

put-put ['pʌtpʌt] tøf-tøf; tøffen; tøffe.

putrefaction [pju·tri'fākʃən] forrådnelse; råddenskab.

putrefy ['pju·trifai] (få til at) gå i forrådnelse el. rådne.

putrescence [pju·'tresns] råddenskab.

putrescent [pju·'tresnt] rådnende, rådden.

putrid ['pju·trid] rådden; **T** ækel, modbydelig.

putridity [pju'triditi] råddenskab.

putsch [putʃ] statskup.

puttees ['pʌti·z] viklers (slags gamacher).

I. **putter** ['pʌtə] (subst.) golfkølle (til at slå bolden i hul med), putter.

II. **putter** ['pʌtə] (vb.) tøffe; (subst.) tøffen.

putting green ['pʌtiŋgri·n] green (jævn del af golfbane omkring et hul).

putty ['pʌti] (subst.) kit; (vb.) kitte.

putty knife (glarmesters) spatel.

put-up ['putʌp]: ~ *job* aftalt spil.

I. **puzzle** ['pʌzl] (subst.) gåde, problem, vanskeligt spørgsmål; puslespil; rådvildhed; *be in a ~* være rådvild.

II. **puzzle** ['pʌzl] (vb.) forvirre, sætte i forlegenhed, forbløffe; bryde sin hjerne *(over* med); ~ *one's brains* bryde sin hjerne (el. sit hoved); *it -s me* jeg kan ikke finde ud af det, det er mig en gåde; ~ *out* spekulere ud, udfinde; bryde sin hjerne med.

puzzled ['pʌzld] rådvild, tvivlrådig, uforstående.

puzzle-headed forvirret. **puzzlement** ['pʌzlmənt] forvirring.

puzzler ['pʌzlə] gåde, vanskeligt spørgsmål.

P.W.A. fk. f. *Public Works Administration.*

pygmaean [pig'mi·ən] pygmæisk; dværgagtig.

pygmy ['pigmi] dværg; (adj.) dværg-, dværgagtig; ~ *owl* spurveugle.

pyjamas [pə'dʒa·məz] pyjamas; *a suit of ~* en pyjamas; *the cat's ~* det helt rigtige.

pylon ['pailən] højspændingsmast; luftfyr; (hist.) pylon (porttårn ved ægyptisk tempel).

pyorrhea [paiə'riə] (med.) paradentose.

pyramid ['pirəmid] pyramide. **pyramidal** [pi'rāmidl] (adj.) pyramideformet, pyramide-.

pyre ['paiə] (subst.) ligbål.

Pyrenean [pirə'ni·ən] pyrenæisk.

Pyrenees ['pirəni·z]: *the ~* Pyrenæerne.

pyrites [pai'raiti·z] svovlkis.

pyrolisis [pai'rālisis] pyrolyse.

pyrosis [pai'roᵘsis] halsbrand.

pyrotechnic(al) [pairo'teknik(l)] (adj.) fyrværkeri-.
pyrotechnics [pairo'tekniks] fyrværkeri.
pyrotechnist [pairo'teknist] kunstfyrværker.
Pyrrhic ['pirik]: ~ *victory* pyrrhussejr.
Pythagoras [pai'þägəräs]. **Pythagorean** [paiþägə'ri(·)ən] pythagoræisk; *the* ~ *proposition* den pythagoræiske læresætning.
Pythian ['piþiən] delfisk, pythisk.
python ['paiþən] (zo.) python(slange).
pyx [piks] hostiegemme; skrin, hvori mønter opbevares til officiel efterprøvning.

Q

Q [kju·].
Q. fk. f. *Queen; question.*
Q.B. fk. f. *Queen's Bench.*
Q.C. fk. f. *Queen's Counsel; Queen's College.*
q.e. fk. f. *quod est* (latin: hvilket betyder).
Q.M. fk. f. *Quartermaster.*
qr. fk. f. *quarter.*
Q.S. fk. f. *Quarter Sessions.*
qt. fk. f. *quantity; quart.*
Q.T. ['kju·'ti·] S fk. f. *quiet; on the* ~ i al hemmelighed, i smug.
qua [kweⁱ] qua, i egenskab af, som.
I. **quack** [kwäk] (vb.) rappe, snadre, skræppe; (subst.) rappen, snadren, skræppen.
II. **quack** [kwäk] (subst.) kvaksalver, charlatan; S læge; (adj.) kvaksalver-.
quack-doctor kvaksalver.
quackery ['kwäkəri] kvaksalveri; charlataneri.
quackish ['kwäkiʃ] kvaksalveragtig.
quack-quack ['kwäkkwäk] (i barnesprog) rapand.
I. **quad** [kwåd] fk. f. *quadrangle; quadruplet.*
II. **quad** [kwåd] (typ.) udslutning (blind type); (vb.) udslutte.
quadragenarian [kwådrədʒi'næəriən] fyrretyveårig, (en der er) i fyrrerne.
Quadragesima [kwådrə'dʒesimə] første søndag i fasten.
quadrangle ['kwådräŋgl] firkant; firkantet gård omgivet af bygninger (især i universitetskollegier).
quadrangular [kwå'dräŋgjulə] firkantet.
quadrant ['kwådrənt] kvadrant.
quadrat ['kwådrėt] se II. *quad.*
I. **quadrate** ['kwådrėt] (adj.) kvadrat-, kvadratisk, firkantet; (subst.) firkant, kvadrat.
II. **quadrate** [kwå'dreⁱt] (vb.) kvadrere; ~ *the circle* løse cirklens kvadratur; ~ *with* (få til at) stemme (overens) med, (få til at) svare til.
quadratic [kwə'drätik] kvadratisk, firkantet; ~ *equation* andengradsligning.
quadrature ['kwådrətʃə] kvadratur; *the* ~ *of the circle* cirklens kvadratur.
quadrennial [kwå'drenjəl] fireårig; fireårs-; som finder sted hvert fjerde år.
quadrennium [kwå'drenjəm] fireårsperiode.
quadri|foliate [kwådri'foᵘliėt] (adj.) firbladet. **-lateral** [kwådri'lätərəl] (subst.) firkant; (adj.) firkantet. **-lingual** [kwådri'liŋgwəl] (adj.) firsproget.
quadrille [kwə'dril] kvadrille.
quadrillion [kwå'driljən] kvadrillion, en billion billioner; (amr.) tusind billioner.
quadrilobate [kwådri'loᵘbėt] ♧ firlappet.
quadripartite [kwådri'pa·tait] firesidig; firdelt.
quadrisect ['kwådrisekt] (adj.) ♧ firfliget; (vb.) dele i fire lige store dele.
quadroon [kwå'dru·n] kvadron (barn af mulat og hvid).
quadruped ['kwådruped] firbenet (dyr).
quadruple ['kwådrupl] (adj.) firedobbelt; firsidet; firemagts- (fx. *alliance*); (vb.) firdoble; *the* ~ det firdobbelte.
quadruplet ['kwådruplėt] firling.
I. **quadruplicate** [kwå'dru·plikeⁱt] (vb.) firdoble.
II. **quadruplicate** [kwå'dru·plikėt]: *in* ~ i fire eksemplarer.
quadruplication [kwådrupli'keⁱʃən] firdobling.
quaff [kwa·f] drikke (ud), drikke i dybe drag.
quaggy ['kwägi] gyngende (om mose), sumpet.
quagmire ['kwägmaiə] hængedynd, mose, sump.
I. **quail** [kweⁱl] (vb.) blive forsagt, tabe modet, vige (forfærdet) tilbage.
II. **quail** [kweⁱl] (zo.) vagtel.
quaint [kweⁱnt] (adj.) kunstfærdig, ejendommelig, gammel(dags) og malerisk; mærkelig, løjerlig.
quake [kweⁱk] (vb.) ryste, skælve (*with* af); bæve; (subst.) skælven, bæven, rystelse.
Quaker ['kweⁱkə] kvæker.
Quakerish ['kweⁱkəriʃ] kvækeragtig.
Quakerism ['kweⁱkərizm] kvækerisme.
quaking grass ♧ hjertegræs, bævregræs.
qualification [kwålifi'keⁱʃən] dygtiggørelse; egnethed, dygtighed; kvalifikation, forudsætning; begrænsning; indskrænkning.
qualified ['kwålifaid] (adj.) kvalificeret, dygtig, berettiget (*for* til); uddannet (fx. *teacher, nurse*); begrænset, betinget (fx. ~ *acceptance*), med forbehold, forbeholden.
qualifier ['kwålifaiə] (gram.) ord der nærmere bestemmer et andet; tillægsord el. biord.
qualify ['kwålifai] dygtiggøre, kvalificere (*for* til); indskrænke, modificere, begrænse; (gram.) bestemme nærmere (fx. *adjectives* ~ *nouns*); dæmpe, mildne, (af-) svække; betegne (*as* som); kvalificere sig, uddanne sig (*for* til, fx. *he had qualified for the post*), erhverve sig adkomst (*for* til).
qualitative ['kwålitətiv] (adj.) kvalitativ.
quality ['kwåliti] egenskab, beskaffenhed, karakter, art; kvalitet; sort; (glds.) høj rang, fornem stand; *people of* ~ standspersoner, fornemme folk; *give a taste of one's* ~ vise hvad man duer til.
qualm [kwå·m, kwa·m] kvalme, (pludseligt) ildebefindende; skrupel, betænkelighed.
quandary ['kwåndəri] dilemma, forlegenhed, knibe.
quantitative ['kwåntitətiv] (adj.) kvantitativ.
quantity ['kwåntiti] kvantum, mængde, kvantitet, parti; størrelse; *in quantities* i større partier; i massevis (fx. *it is found in quantities in the streets*); *he is a negligible* ~ han har ikke spor at betyde; *unknown* ~ ubekendt størrelse.
quantum ['kwåntəm] kvantum; del; ~ *theory* kvanteteori.
quarantine ['kwårənti·n] (subst.) karantæne; (vb.) holde i karantæne.
I. **quarrel** ['kwårəl] (subst.) strid, trætte, tvist, uenighed, skænderi; indvending; *pick a* ~ yppe kiv; *have a* ~ *with* (ogs.) have et udestående med; have noget at indvende mod (el. udsætte på).
II. **quarrel** ['kwårəl] (vb.) blive uenig(e), blive uvenner; skændes, trættes, strides, ligge i klammeri; *we won't* ~ *about that* det skal ikke skille os; ~ *with* (ogs.) have noget at udsætte på (el. indvende mod), opponere mod, protestere mod; ~ *with one's bread and butter* (omtr. =) save den gren over man selv sidder på.

quarrelsome ['kwårəlsəm] (adj.) trættekær, krakilsk.

I. **quarry** ['kwåri] (subst.) vildt, fangst, bytte.

II. **quarry** ['kwåri] (subst.) stenbrud; kilde (til kundskab); (vb.) bryde; grave frem; forske efter; granske *(in* i).

III. **quarry** ['kwåri] (subst.) (firkantet) glasrude.

quarry|man ['kwårimən] stenbrudsarbejder. ~ **stone** brudsten.

I. **quart** [kwå·t] (rummål: 1/4 gallon, i England =) 1,136 liter; *try to put a ~ into a pint pot* (ɔ: forsøge det umulige).

II. **quart** [ka·t] kvart (firekortssekvens i piquet; i fægtning); ~ *major* es, konge, dame, knægt i én farve.

I. **quarter** ['kwå·tə] (subst.) kvart, fjerdedel; kvarter (fx. *a ~ past six);* kvartal (fx. *a -'s rent),* fjerdingår; egn, verdenshjørne, himmelstrøg; kant, side (fx. *you can expect no help from that ~);* bydel, kvarter (fx. *the Chinese ~);* pardon (fx. *ask for ~);* (amr.) kvartdollar; ⚓ låring; post; (af dyr) fjerding; (rummål =) ca. 290 liter (8 bushels); (vægt =) 12,7 kg; *-s* bolig, logi; ⚔ kvarter; ⚓ *crew's -s* mandskabsrum; *at close -s* tæt sammen, klos op ad hinanden, på nært hold; *at a ~ past three* et kvarter over tre; *at a ~ to three* et kvarter i tre; *from all -s, from every ~* fra alle kanter; *in (the) high(est) -s* på højeste sted; *lies the wind in that ~?* blæser vinden fra den kant? ~ *of an hour* kvarter; *apply to the proper ~* henvende sig på rette sted.

II. **quarter** ['kwå·tə] (vb.) dele i fire dele; indkvartere *(on* hos); partere, sønderlemme; kvadrere (våbenskjold), anbringe i et (kvadreret) våbenskjold; være indkvarteret *(at* hos); (om jagthund) gennemsøge.

quarterage ['kwå·tərid3] kvartalsbetaling.

quarter|-day kvartalsdag, termin. ~ **-deck** agterdæk. ~ **light** sidevindue (i bil).

quarterly ['kwå·təli] (adj.) kvartårlig, kvartals-, kvartalsvis; firdelt; (subst.) kvartalsskrift.

quartermaster ['kwå·təma·stə] kvartermester.

quartern ['kwå·tən] (rummål: 1/4 pint, i England ca.) 1,4 dl; fire punds brød.

quarter|-plate fotografisk plade (el. film, fotografi) af formatet 4 1/4 × 3 1/4 *inches.* ~ **-sessions** (domstol der samles fire gange om året). ~ **-staff** pigstav; fægtestav (som føres med begge hænder, den ene hånd en fjerdedel inde på staven).

quartet(te) [kwå·'tet] kvartet.

quarto ['kwå·tou] kvartformat; bog i kvartformat.

quartz [kwå·ts] (min.) kvarts.

quash [kwåʃ] annullere, omstøde (fx. en dom); undertrykke, kue, slå ned.

quasi ['kweisai] kvasi- (fx. *a ~ -contract),* skin-, tilsyneladende.

quatercentenary ['kweitəsen'ti·nəri] firehundredeårsdag.

quaternary [kwə'tə·nəri] (adj.) bestående af fire dele; (geol.) kvartær; (subst.) firtal; (geol.) kvartærtiden.

quaternion [kwə'tə·njən] gruppe på fire.

quatrain ['kwåtrein] firelinjet strofe.

quatrefoil ['kät(r)əfoil] (arkit.) firblad.

quaver ['kweivə] (vb.) dirre, skælve; sige el. synge med skælvende stemme; (i musik) tremulere; (subst.) dirren, skælven; (i musik) ottendedelsnode.

quay [ki·] kaj.

quayage ['ki·id3] kajafgift; kajplads.

quean [kwi·n] (på skotsk) ung pige; (glds.) tøs, fruentimmer.

queasy ['kwi·zi] som har kvalme; kvalmende; (om mave) svag, ømfindtlig; kræsen; (fig. om person) tilbøjelig til at få skrupler; *a ~ conscience* en sart (el. fintmærkende) samvittighed.

Quebec [kwi'bek].

I. **queen** [kwi·n] (subst.) dronning; dame (i kortspil); ~ *of clubs* klørdame.

II. **queen** [kwi·n] (vb.) gøre til dronning; (i skak) gøre til dronning; ~ *it* spille dronning (fx. *she is not going to ~ it here);* ~ *it over sby.* regere med en.

queen|-bee bidronning. ~ **dowager** enkedronning. **-hood** dronningeværdighed. **-like, -ly** (adj.) dronningeagtig, majestætisk, en dronning værdig; *her -ly duties* hendes pligter som dronning. ~ **mother** enkedronning som er moder til den regerende monark. ~ **regnant** regerende dronning.

Queensland ['kwi·nzlənd].

I. **queer** [kwiə] (adj.) mærkelig, underlig; mistænkelig, tvivlsom, fordægtig; **S** homoseksuel; **T** sløj, utilpas, fuld; *find oneself in Queer Street* være i økonomiske vanskeligheder, være langt ude, 'være ude at svømme'.

II. **queer** [kwiə] (vb.) **T** spolere, ødelægge (fx. *one's chances);* narre; ~ *sby.'s pitch* (fig.) spolere tegningen for én, spænde ben for én.

queerish ['kwiəriʃ] lidt underlig.

quell [kwel] knuse, få bugt med, undertrykke (fx. *~ a rising);* dæmpe.

quench [kwenʃ] (vb.) slukke (fx. *fire, thirst);* stille, dæmpe; undertrykke; (om stål) bratkøle.

quenchable ['kwenʃəbl] som lader sig dæmpe (, undertrykke, slukke).

quencher ['kwenʃə] slukningsmiddel; **T** tår til at slukke tørsten med.

quenchless ['kwenʃlės] uudslukkelig, ubetvingelig.

quern [kwə·n] håndkværn.

querulous ['kweruləs] klagende, klynkende; misfornøjet, utilfreds.

query ['kwiəri] (subst.) spørgsmål; spørgsmålstegn; (vb.) spørge om; betvivle; sætte spørgsmålstegn ved.

quest [kwest] søgen *(of, for* efter); søge *(about, for* efter); *go in ~ of* gå ud for at søge.

I. **question** ['kwestʃən] (subst.) spørgsmål; emne, sag; diskussion; tvivl; (glds.) pinligt forhør, tortur; *question!* til sagen; *ask* (el. *put) a ~* stille et spørgsmål; *call in ~* drage i tvivl; *come into ~* komme på tale; *he looked a ~* han så spørgende ud; *the matter in ~* den foreliggende sag; *the person in ~* den pågældende, vedkommende; *at the place in ~* på det pågældende sted; *it is a ~ of* det drejer sig om, det gælder om; *there was no ~ of* der var ikke tale om; *out of ~* uden tvivl, ubestrideligt; *that is out of the ~* det kan der ikke være tale om, det er udelukket; *pop the ~* fri; *put the ~* sætte sagen under afstemning; *put to the ~* (glds.) underkaste pinligt forhør; *without ~* uden tvivl.

II. **question** ['kwestʃən] (vb.) spørge; udspørge, afhøre (fx. *~ witnesses);* undersøge; drage i tvivl, betvivle.

questionable ['kwestʃənəbl] tvivlsom, problematisk; mistænkelig; tvetydig.

questioner ['kwestʃənə] spørger.

question|-mark spørgsmålstegn. ~ **master** 'professoren' (i 20 spørgsmål til professoren).

questionnaire [kwestʃə'næə] spørgeskema.

question time spørgetime (i underhuset).

queue [kju·] kø; hårpisk; ~ *(up)* stille sig i kø, stå i kø.

I. **quibble** ['kwibl] (subst.) spidsfindighed, ordkløveri; udflugt.

II. **quibble** ['kwibl] (vb.) bruge spidsfindigheder, hænge sig i ord; komme med udflugter.

quibbler ['kwiblə] (subst.) ordkløver, spidsfindig person.

quibbling ['kwibliŋ] (adj.) spidsfindig; (subst.) spidsfindighed(er), ordkløveri, udflugter.

quick [kwik] (adj.) hurtig; rask; kvik, opvakt; hastig, kort; hidsig, opfarende; fin, skarp (fx. *ear, eye);* (glds.) levende; *be ~!* skynd dig! *be ~ about one's work* være hurtig til sit arbejde; ~ *to learn* lærenem; ~ *to take offence* sårbar, let at fornærme; *cut to the ~* skære helt ned i kødet; (fig.) gå til marv og ben, ramme på det ømmeste punkt; *your suspicion cut me*

to the ~ din mistillid sårede mig dybt; *a* ~ *one* en hurtig drink, 'en lille en'.
quick-change ['kwiktʃeⁱn(d)ʒ] som hurtigt kan (ud)skiftes; som er hurtig til at klæde sig om; ~ *artist* forvandlingskunstner.
quicken ['kwikn] gøre levende, anspore, sætte fart i; fremskynde, påskynde; blive levende, få liv, leve op; blive hurtigere, fremskyndes.
quick|-fence levende hegn, (hvidtjørne)hæk. ~ **-firer** hurtigskydende kanon. ~ **-freeze** (vb.) lynfryse.
quickie ['kwiki] hastigt sammenbrygget film (, bog etc.); B-film; lyntur; hurtig drink, 'en lille en'.
quicklime ['kwiklaim] ulæsket kalk.
quick march ⚔ almindelig march.
quickness ['kwiknės] hurtighed, kvikhed, raskhed; ~ *of temper* hidsighed.
quicksand ['kwiksänd] kviksand.
quick|set (hedge) levende hegn, (hvidtjørne)hæk. ~ **-sighted** skarpsynet. **-silver** kviksølv. **-step** ⚔ marchskridt; (dans) quickstep. ~ **-tempered** hidsig. ~ **time** ⚔ marchtakt. ~ **-witted** opvakt, snarrådig.
I. **quid** [kwid] skrå(tobak).
II. **quid** [kwid] (pl. d. s.) **S** pund (sterling).
III. **quid**: ~ *pro quo* ['kwidproᵘ'kwoᵘ] noget for noget.
quiddity ['kwiditi] spidsfindighed; væsen, kerne.
quiescence [kwai'esns] hvile, ro.
quiescent [kwai'esnt] hvilende, i hvile, i ro; passiv, uvirksom.
quiet ['kwaiət] (adj.) rolig, stille, fredelig; i ro; tilbageholdende; (subst.) ro, fred, stilhed; (vb.) berolige, dæmpe; ~ *down* blive rolig, falde til ro; *anything for a* ~ *life* hvad gør man ikke for husfredens skyld; *keep sth.* ~ hemmeligholde noget; *on the* ~ i smug, hemmeligt; i det stille.
quietism ['kwaiətizm] kvietisme; sindsro, sjælefred.
quietude ['kwaiətju·d] ro, fred, hvile.
quietus [kwai'i·təs] død, nådestød.
quiff [kwif] pandekrølle, pandelok.
I. **quill** [kwil] (subst.) fjer, vingefjer; pennefjer, pen; pindsvins pig; (væver)spole; fløjte.
II. **quill** [kwil] (vb.) pibe, kruse.
quill-driver skribler, penneslikker.
quilt [kwilt] (subst.) stukket tæppe, vatteret sengetæppe, vattæppe; (vb.) udstoppe, polstre, vattere; *down* ~ duntæppe.
quilting ['kwiltiŋ] udstopning, polstring, vattering; stikning.
quince [kwins] ♧ kvæde.
quinine [kwi'ni·n] kinin.
quinquagenarian [kwiŋkwədʒi'næriən] halvtredsårig; (en der er) i halvtredserne.
Quinquagesima [kwiŋkwə'dʒesimə] fastelavnssøndag.
quinquefoliate [kwiŋkwə'foᵘliėt] ♧ fembladet.
quinquennial [kwiŋ'kwenjəl] femårig, femårs-; som finder sted hvert femte år.
quinquennium [kwiŋ'kwenjəm] femårsperiode.
quinquina [kin'ki·nə] kinabark.
quins [kwinz] **T** femlinger.
quinsy ['kwinzi] halsbetændelse.
quint [kwint] kvint (i musik).
quintal ['kwintl] (vægtenhed: 100 el. 122 *pounds).*
quintessence [kwin'tesns] kvintessens; *the* ~ *of* (fig.) indbegrebet af.
quintet(te) [kwin'tet] kvintet.
quintuple ['kwintjupl] femdoble.
quintuplet ['kwintjuplėt] femling.
quip [kwip] (subst.) spydighed, sarkasme, skose; vittighed; spidsfindighed; (vb.) være spydig.
I. **quire** ['kwaiə] bog (24 ark); *in -s* i løse ark.
II. **quire** ['kwaiə] (subst.) kor; (vb.) synge i kor.
quirk [kwə·k] udflugt, spidsfindighed; finesse; spydighed; snirkel, krusedulle; særhed, ejendommelighed.
quirt [kwə·t] ridepisk.
quisling ['kwizliŋ] landsforræder.
I. **quit** [kwit] (vb.) forlade (fx. *the town);* opgive; fratræde; nedlægge, gå fra (fx. *a job);* flytte, tage bort, gå sin vej; (amr.) holde op med; ~ *hold of sth.* give slip på noget; *notice to* ~ opsigelse; *give notice to* ~ sige op; *they -ted themselves like men* de stod sig som mænd.
II. **quit** [kwit] (adj.) fri *(of* for), kvit; ~ *of* (ogs.) af med; *be* ~ *for* slippe med.
quitch(-grass) ['kwitʃ(gra·s)] ♧ kvikgræs.
quitclaim ['kwitkleⁱm] (subst.) afkald; (vb.) give afkald på.
quite [kwait] (adv.) helt (fx. ~ *finished;* ~ *new;* ~ *another tone; not* ~*);* ganske (fx. *they are* ~ *young);* fuldt ud (fx. ~ *enough);* ubetinget (fx. *he is* ~ *the best);* formelig, ligefrem (fx. *why, you are* ~ *right!);* fuldkommen (fx. *she is* ~ *happy);* ~ *the contrary!* tværtimod! *quite!* ja! ja vist så! ganske rigtigt! *quite a* en hel (fx. *it was* ~ *an event);* ~ *a few* temmelig mange, ikke så få endda; *not* ~ ikke helt (fx. *not* ~ *proper; not* ~ *satisfactory);* ~ *a long time* temmelig lang tid; *oh* ~*!* ja vist så! ja, De har ret! ~ *so!* ja! ja netop! ganske rigtigt! ~ *the thing* det helt rigtige, højeste mode; *he isn't quite(-quite)* han er ikke helt fin (i kanten).
quits [kwits] kvit; *be* ~ *with one another* være kvit; *I will be* ~ *with him some day* han skal få det betalt; *cry* ~ holde op (med at slås etc.), sige at man er kvit.
quitter ['kwitə] en der opgiver på halvvejen, en der svigter, kujon, slapsvans.
I. **quiver** ['kwivə] kogger, pilekogger.
II. **quiver** ['kwivə] (vb.) dirre, sitre, skælve; bævre; bringe til at skælve, ryste; (subst.) dirren, sitren, skælven; bævren.
quiverful stor børneflok, 'redefuld unger'.
qui vive ['ki·'vi·v]: *on the* ~ vågen, på vagt.
Quixote ['kwiksət]: *Don* ~ Don Quijote.
quixotic [kwik'såtik] don-quijotisk; idealistisk, verdensfjern.
I. **quiz** [kwiz] (vb.) arrangere en quiz med; stille spørgsmål til; (amr.) udspørge, forhøre (indgående); (glds.) lave løjer med, gøre nar af, drille, spotte; se spottende (el. undersøgende el. uforskammet) på.
II. **quiz** [kwiz] (subst.) quiz, hvem-ved-hvad-konkurrence; (amr.) kort eksamination el. skriftlig prøve.
quizmaster se *question master.*
quizzical ['kwizikl] spottende, drilagtig; komisk, løjerlig.
quizzing-glass ['kwiziŋgla·s] monokel.
quod [kwåd] **S** (subst.) spjældet; (vb.) sætte i spjældet.
quoin [koin] hjørne, hjørnesten; kile.
quoit [koit] kastering; *quoits* ringspil.
quondam ['kwåndäm] fordums, forhenværende.
quonset ['kwånsėt] (amr.): ~ *(hut)* tøndeformet barak.
quorum ['kwå·rəm] beslutningsdygtigt antal (især i parlamentet).
quota ['kwoᵘtə] kvota, (forholdsmæssigt) antal, kontingent; ~ *system* kvotasystem, kontingentering.
quotable ['kwoᵘtəbl] som er værd at citere; som egner sig til gengivelse (i ordentligt selskab), 'stueren'.
quotation [kwo'teⁱʃən] anførelse, citat; (merk.) notering, kurs; tilbud *(for* på), opgivelse af pris.
quotation marks anførelsestegn.
quote [kwoᵘt] anføre, citere; (merk.) notere; opgive (pris); *quote!* (i diktat) anførelsestegn begynder; (i tale etc.) citat (jvf. *unquote);* ~ *for* opgive prisen på, give tilbud på; *please* ~: *5/64* (på forretningsbrev, svarer til) vor reference: 5/64.
quoth [kwoᵘþ] (glds.) mælede, sagde.
quotidian [kwoᵘ'tidiən] dagligdags, hverdagsagtig.
quotient ['kwoᵘʃənt] kvotient.
q. v. fk. f. *quod vide* (= *which see)* se dette.
qy. fk. f. *query.*

R

R [a·]; *the three R's = reading, (w)riting, and (a)rithmetic.*

R. fk. f. *rex* (latin: konge); *regina* (latin: dronning); *Réaumur; recipe.*

R.A. fk. f. *Royal Academy* (eller *Academician); Royal Artillery.*

R.A.A. fk. f. *Royal Academy of Arts.*

rabbet ['räbit] (subst.) fals; (vb.) (ind)false.

rabbet-plane falshøvl.

rabbi ['räbai] rabbi, rabbiner.

rabbit ['räbit] (subst.) kanin; **S** dårlig spiller, klodrian; (vb.) jage kaniner.

rabbit|-burrow kaningang. ~ **-fish** havmus. ~ **-hutch** kaninbur. ~ **-punch** (bedøvende) slag i nakken, håndkantslag i nakken .

rabbitry ['räbitri] kaningård, kaninfarm.

rabbit-warren område undermineret af kaningange; (fig.) lejekaserne, rotterede.

rabble ['räbl] larmende hob; krapyl, rak; *the ~* pøbelen.

rabid ['räbid] rasende, gal; vildt fanatisk, rabiat.

rabidity [rə'biditi], **rabidness** ['räbidnės] fanatisme; raseri.

rabies ['reⁱbii·z] hundegalskab.

R.A.C. fk. f. *Royal Automobile Club; Royal Aero Club.*

raccoon [rə'ku·n] vaskebjørn.

I. **race** [reⁱs] (subst.) race, slægt, folkefærd.

II. **race** [reⁱs] (subst.) væddeløb; kapløb, kaproning, kapsejlads, kapflyvning (osv.); stærk strøm; møllerende; (fig.) livsløb, bane.

III. **race** [reⁱs] (vb.) race, ile, jage, løbe, rende; løbe (, køre, sejle etc.) om kap; løbe løbsk; lade deltage i væddeløb, lade løbe; køre i fuld fart med (fx. *~ a car);* løbe om kap med; *I'll ~ you home!* hvem kommer først hjem; *~ a bill through Parliament* jage et lovforslag igennem.

race| **card** væddeløbsprogram. **-course** væddeløbsbane. ~ **-cup** pokal, sportspræmie. **-horse** væddeløbshest.

raceme ['räsi·m, rä'si·m] ♧ klase.

race-meeting væddeløb.

racer ['reⁱsə] væddeløbshest; racer, racerbil, kapsejler.

rachitic [rä'kitik] rakitisk.

rachitis [rä'kitis] rakitis, engelsk syge.

racial ['reⁱʃəl] race-.

racialism ['reⁱʃəlizm] racehad; racediskrimination.

racing ['reⁱsiŋ] (subst.) væddeløb; (adj.) væddeløbs-; racer- (fx. *car).*

racism ['reⁱsizm] racehovmod; racefordomme; racepolitik; racehad.

I. **rack** [räk] (subst.) drivende skymasser; ødelæggelse; *go to ~ and ruin* gå til grunde.

II. **rack** [räk] (subst.) (bagage)net; knagerække; høhæk; stativ (fx. *pipe ~, rifle ~);* (tekn.) tandstang.

III. **rack** [räk] (subst.) pinebænk; (vb.) lægge på pinebænken; martre, pine; *~ one's brains* bryde sit hoved, lægge sit hoved i blød.

IV. **rack** [räk] (subst.) pasgang; (vb.) gå pasgang.

I. **racket** [räkit] ketsjer.

II. **racket** [räkit] (subst.) ophidselse, postyr, hurlumhej, tummel, spektakel; (amr. **S**) fidus, (stort anlagt) svindleraffære, organiseret pengeafpresning; (vb.) lave spektakel; leve i sus og dus; *stand the ~* klare sig igennem; tage ansvaret, tage skraldet; betale hvad det koster; *what's the ~?* hvad er der løs?

racketeer [räki'tiə] pengeafpresser (som arbejder med voldsomme midler).

racketeering [räki'tiəriŋ] organiseret pengeafpresning, gangsteruvæsen.

rackety ['räkiti] udsvævende, løssluppen.

rack-railway tandhjulsbane.

rack-rent ublu leje.

raconteur [räkån'tə·] fortæller.

racoon [rə'ku·n] vaskebjørn.

racquet ['räkit] ketsjer.

racy ['reⁱsi] fin, aromatisk; kraftig, kernefuld, dristig, vovet; *~ of the soil* 'groet lige op af mulden'.

rad. [räd] fk. f. *radical.*

radar ['reⁱda·] radar. **radar|** **beacon** radarfyr. ~ **screen** radarskærm.

raddle ['rädl] male, sminke.

radial ['reⁱdiəl] radial, udstrålende; *~ engine* stjernemotor; *~ road* udfaldsvej.

radiance ['reⁱdiəns] stråleglans; udstråling.

radiant ['reⁱdiənt] strålende, glædestrålende; *~ heat* strålevarme.

I. **radiate** ['reⁱdieⁱt] (vb.) udstråle, bestråle; skinne; *~ from* (fig.) stråle ud fra.

II. **radiate** ['reⁱdiėt] (adj.) stråleformet.

radiation [reⁱdi'eⁱʃən] udstråling, (radioaktiv) stråling; bestråling; *~ sickness* strålingssyge (fremkaldt af radioaktiv stråling).

radiator ['reⁱdieⁱtə] radiator, varmeapparat; (i bil) køler.

I. **radical** ['rädikl] (subst.) radikal; yderliggående; (mat.) rod; rodtegn; (kem.) radikal.

II. **radical** ['rädikl] (adj.) radikal, yderliggående; rod-; dyb, rodfæstet; grundig; fundamental; *~ sign* (mat.) rodtegn.

radicalism ['rädikəlism] radikalisme. **radicalize** ['rädikəlaiz] radikalisere.

radicle ['rädikl] ♧ rodtrævl, kimrod; finere forgrening; (kem.) radikal.

radiferous [rä'difərəs] radiumholdig.

radio ['reⁱdio^u] radio; (vb.) radiotelegrafere; *by ~* pr. radio; *~ accessories* radiotilbehør.

radioactive ['reⁱdio^uäktiv] radioaktiv.

radioactivity ['reⁱdio^uäk'tiviti] radioaktivitet.

radio| **beacon** radiofyr. ~ **bulletin** radioavis. ~ **cabinet** radioskab. ~ **car** radiovogn (politiets). ~ **communication** radioforbindelse. ~ **dealer** radioforhandler. ~ **direction finder** radiopejleapparat. ~ **direction finding** radiopejling. ~ **frequency** radiofrekvens.

radio|genic [reⁱdio^u'dʒenik] frembragt ved radioaktivitet; egnet for radio. **-goniometer** ['reⁱdio^ugåni'åmitə] radiopejleapparat. **-gram** [-gräm] radiotelegram; røntgenbillede; radiogrammofon. **-gramophone** radiogrammofon. **-graph** [-gra·f] røntgenbillede; røntgenfotografere. **-graphy** [reⁱdi'ågrəfi] røntgenfotografering. **-isotope** [-'aisəto^up] radioaktiv isotop. **-larian** [reⁱdio^u'læəriən] (zo.) radiolar. **-location** ['reⁱdio^ulo'keⁱʃən] radiopejling.

radio|logical [reⁱdio^u'lådʒikl] radiologisk. **-logist** [reⁱdi'ålədʒist] radiolog, røntgenspecialist. **-logy** [reⁱdi'ålədʒi] radiologi.

radio-operator radiotelegrafist.

radiopaque [reⁱdio^u'peⁱk] ikke gennemtrængelig for røntgenstråler.

radio|-play hørespil. ~ **receiver** radiomodtager. **-scopy** [reⁱdi'åskəpi] røntgenundersøgelse. ~ **set** radioapparat. **-sonde** ['reⁱdio^usånd] radiosonde. **-telegram** [-'teligräm] radiotelegram. **-telegraphic** [-teli'gräfik] radiotelegrafisk. **-telegraphy** [-te'legrəfi] radiotelegrafi. **-telephonic** [-teli'fånik] radiotelefonisk. **-telephony** [-te'lefəni] radiotelefoni. **-therapeutics** [-þerə'pju·tiks], **-therapy** [-'þerəpi] radioterapi. ~ **transmitter** radiosender.

radish ['rädiʃ] radise; ræddike.

radium ['reⁱdiəm] radium; *~ centre, ~ station* radiumstation.

radius ['re^i^diəs] (pl. *radii* ['re^i^diai]) radius; stråle; (hjul)ege; (anat.) spoleben.

R.A.F. fk. f. *Royal Air Force.*

raffia ['räfiə] rafia (en plante); (rafia)bast.

raffish ['räfiʃ] forsoren, udsvævende; bedærvet; (om udseende) forsømt, tarvelig.

raffle ['räfl] rafle; bortlodde; (subst.) lotteri.

raft [ra·ft] tømmerflåde; (vb.) sejle (, transportere) på tømmerflåde.

rafter ['ra·ftə] tagspær, loftsbjælke; *-ed ceiling* bjælkeloft.

raftsman ['ra·ftsmən] flådefører.

rag [räg] (subst.) klud, pjalt, las; optøjer; sjov; grovkornede løjer; (vb.) drille, gøre grin med, lave fest med, skælde ud; *all in -s* fuldstændig laset; *chew the ~* S skændes; sludre; *the local ~* den lokale sprøjte (ɔ: avis); *not a ~* ikke en stump.

ragamuffin ['rägəmʌfin] pjaltet fyr, lazaron.

rag-and-bone-man produkthandler.

rag|-bag kludepose; (fig.) broget samling. **-doll** kludedukke.

rage [re^i^dʒ] (subst.) raseri; heftighed, voldsomhed, mani; (vb.) rase; grassere; *be (all) the ~* være stærkt på mode; gøre furore.

ragged ['rägid] laset, pjaltet (fx. *clothes);* flosset, frynset; forreven (fx. *clouds);* takket (fx. *rocks);* pjusket (fx. *hair);* ujævn, knudret (fx. *rhymes);* spredt (fx. *applause).*

ragged robin ♧ trævlekrone.

raging ['re^i^dʒiŋ] rasende.

ragman ['rägmən] kludekræmmer, produkthandler.

ragout ['rägu·] ragout.

rag|-paper kludepapir. **-picker** kludesamler, klunser. **-rug** kludetæppe. **-shop** marskandiserbutik.

ragtag ['rägtäg]: *~ and bobtail* pøbel.

ragtime ['rägtaim] ragtime (synkoperet rytme; form for jazz); *~ army* operettehær.

ragweed ['rägwi·d] ♧ brandbæger; (amr.) ambrosie.

rag-wheel ['rägwi·l] tandhjul; polérskive.

ragwort ['rägwə·t] ♧ brandbæger.

raid [re^i^d] (subst.) angreb, indfald; plyndringstogt; luftangreb; razzia; overfald; (vb.) plyndre; foretage en razzia i; *make a ~ on* (ogs.) gøre indhug i.

raider ['re^i^də] deltager i angreb (, plyndringstogt, razzia); angriber; angribende flyvemaskine.

raiders-passed signal afblæsning (af flyvervarsling), afvarsling.

I. **rail** [re^i^l] (subst.) tremme, gelænder, stang; ræling; skinne; *-s* (ogs.) rækværk, stakit; (vb.) sætte stakit (eller gelænder) om; sende med banen; *by ~* med toget, per bane; *off the -s* afsporet; (fig.) i uorden, af lave; *go off the -s* løbe af sporet; (fig.) komme på afveje, gå over gevind; gå fra koncepterne; *get on the -s* (fig.) få ind i den rette gænge; (om forbryder) få på ret køl.

II. **rail** [re^i^l] skælde, skænde; *~ at* (el. *against)* skælde ud på (el. over).

III. **rail** [re^i^l] (zo.) rikse.

railage ['re^i^lidʒ] befordring på bane, fragt.

railbus, railcar skinnebus.

rail creep skinnevandring.

railing ['re^i^liŋ] stakit, rækværk.

raillery ['re^i^ləri] (godmodigt) drilleri.

railroad ['re^i^lro^u^d] (subst., amr.) jernbane; (vb.) anlægge jernbaner i; transportere med banen; *~ through* tvinge igennem i en fart, jage igennem (fx. *~ a bill through Congress).* **railroad car** jernbanevogn.

railway ['re^i^lwe^i^] jernbane. **railway| carriage** jernbanevogn. *~* **guide** køreplan, rejseliste. *~* **station** banegård, jernbanestation.

raiment ['re^i^mənt] dragt, klædning, klædebon.

rain [re^i^n] (vb.) regne; lade det regne med (fx. *blows);* (subst.) regn, regnvejr; *-s* regnbyger, regntid; *it is -ing cats and dogs* det styrter ned, det regner skomagerdrenge ned; *it never -s but it pours* en ulykke kommer sjældent alene; *~ or shine* hvordan vejret end er (, var).

rainbow ['re^i^nbo^u^] regnbue. **rainbow trout** (zo.) regnbueørred.

raincape regnslag.

rain check (amr.) talon af billet (som kan bruges igen hvis arrangementet aflyses, fx. p.g.a. regn); *I'll take a ~ on that* (fig.) jeg vil gerne have det til gode til en anden gang.

rain|coat regnfrakke. **-drop** regndråbe. **-fall** nedbør, regn. *~* **-gauge** [-ge^i^dʒ] regnmåler. **-less** regnløs, uden regn. **-proof** regntæt, vandtæt. *~* **-water** regnvand. **-wear** regntøj.

rainy ['re^i^ni] regnfuld, regn-; regnvejrs-; *lay by for a ~ day* lægge til side (som en nødskilling).

I. **raise** [re^i^z] (vb.) hæve (fx. *one's glass, one's voice);* løfte; rejse (fx. *a building, a cloud of dust);* hjælpe op, bringe på benene; vække (fx. *a laugh);* fremkalde; forhøje (fx. *the price);* forstærke; opløfte (fx. *a cry);* fremmane (fx. *a spirit),* opvække (fx. *the dead);* bringe på bane (fx. *~ a question);* ophøje; rejse, optage (fx. *a loan);* dyrke, avle (fx. *potatoes);* opelske; få i sigte (fx. *~ land); ~ the alarm* slå alarm; *~ Cain, ~ a dust, ~ hell* lave en farlig ballade; *~ a siege* hæve en belejring; *~ steam* sætte dampen op; *~ the wind* **T** skaffe de fornødne penge.

II. **raise** [re^i^z] (subst.) forhøjelse; stigning, bakke; (i bridge) støttemelding.

raised [re^i^zd] ophøjet (fx. *letters); ~ bog* højmose.

raisin ['re^i^zn] rosin.

raison d'être [fr., 're^i^zå·n'de^i^tə] eksistensberettigelse.

raja(h) ['ra·dʒə] rajah, indisk fyrste.

I. **rake** [re^i^k] (subst.) rive; hesterive; ildrager; (vb.) rive, rage (op i) (fx. *~ the fire);* gennemstøve, ransage; ⚔, ⚓ bestryge, beskyde langskibs; *~ over the coals* (amr. **T**) skælde ud; *~ up* (fig.) rode op i (fx. *old scandals).*

II. **rake** [re^i^k] (subst.) (⚓, fys. etc.) hældning (fx. *the ~ of the stem),* hældningsgrad, fald; (vb.) hælde, bringe til at hælde.

III. **rake** [re^i^k] (subst.) udhaler, skørtejæger, libertiner.

rake-off ['re^i^kåf] **S** (ulovlig) andel i udbytte, returkommission.

raking stem ⚓ fremfaldende stævn.

rakish ['re^i^kiʃ] udsvævende; forsoren, flot, skødesløs; (især om skib) elegant bygget, smart.

râle [ra·l] rallelyd; rallen.

Raleigh ['rå·li, 'ra·li, 'räli].

I. **rally** ['räli] (vb.) drille (godmodigt), spøge; (subst.) (godmodigt) drilleri, spøg.

II. **rally** ['räli] (vb.) samle (igen), bringe orden i; samle sig (igen), fylke sig; bedres, komme sig; komme til kræfter; (subst.) bedring; samling, stævne; kongres (fx. *party ~);* (billøb:) rally.

rallying|-cry kampråb. *~* **-point** samlingssted; støttepunkt.

Ralph [räl, re^i^f].

ram [räm] (subst.) vædder; murbrækker; (vb.) ramme, vædre; stampe, støde; stoppe (fx. *~ clothes into a trunk); ~ down* ramme ned; *~ it into his head* banke det ind i hovedet på ham.

R.A.M. fk. f. *Royal Academy of Music.*

ramble ['rämbl] (vb.) strejfe om, flakke om; gøre afstikkere; tale usammenhængende; (i tale, skrift) springe fra det ene til det andet; (om planter) vokse vildt, brede sig; (subst.) tur, udflugt.

rambler ['rämblə] vandrer; ♧ slyngrose.

rambling ['rämbliŋ] (om foredrag etc.) spredt, springende, usammenhængende, vidtløftig (fx. *a ~ speech);* (om hus:) med uregelmæssig grundplan; *~ rose* ♧ slyngrose.

rambunctuous [räm'bʌŋkʃəs] (amr. **T**) larmende, vild.

R.A.M.C. fk. f. *Royal Army Medical Corps.*

ramification [rämifi'keⁱʃən] forgrening.
ramify ['rämifai] forgrene; forgrene sig.
ramjet ['rämdʒet] (flyv.): ~ *motor* rammotor.
rammer ['rämə] rambuk; brolæggerjomfru.
ramp [rämp] (vb.) storme, rase, fare omkring som rasende; stå på bagbenene; skråne; S bedrage; (subst.) skråning, rampe; T vredesstorm, rasen; S svindelnummer (for at opnå højere priser), forsøg på afpresning; (flyv.) lejder.
rampage [räm'peⁱdʒ] (subst.) raserianfald, oprør; (vb.) storme omkring, rase.
rampageous [räm'peⁱdʒəs] vild, uregerlig, ubændig.
rampant ['rämpənt] krybende, klatrende; frodig, yppig; tøjlesløs, overhåndtagende; oprejst, stående, springende (om dyr i våbenskjold); *be* ~ grassere, gå i svang.
rampart ['rämpa·t] (subst.) vold, fæstningsvold; (vb.) befæste med volde.
rampion ['rämpjən] ♧ rapunselklokke.
ramrod ['rämråd] (subst.) ladestok; (adj.) stiv, ubøjelig.
ramshackle ['rämʃäkl] brøstfældig, faldefærdig, vaklevorn; ~ *car* bilvrag.
ramson ['rämsn] ♧ ramsløg.
ran imperf. af *run*.
ranch [ra·n(t)ʃ, rän(t)ʃ] ranch, kvægfarm.
rancher ['ra·n(t)ʃə, 'rän(t)ʃə] ranchejer, kvægopdrætter, rancharbejder.
rancid ['ränsid] harsk. **rancidity** [rän'siditi], **rancidness** ['ränsidnės] harskhed.
rancorous ['räŋkərəs] hadsk, uforsonlig.
rancour ['räŋkə] had, nag, bitterhed.
Rand [ränd]: *the* ~ Witwatersrand (distrikt i Transvaal).
random ['rändəm] tilfældig; *at* ~ på lykke og fromme, på må og få; ~ *shot* slumpskud.
randy ['rändi] skrålende, larmende, højrøstet; liderlig.
ranee ['ra·ni·] indisk fyrstinde.
rang imperf. af *ring*.
I. **range** [reⁱn(d)ʒ] (vb.) stille i række, opstille; klassificere; indordne; indskyde (fx. *a gun*); strejfe om i, gå hen over (fx. *the fields*); strejfe om; række (om skyts); strække sig; svinge, ligge (fx. *the figures* ~ *between 25 and 30*).
II. **range** [reⁱn(d)ʒ] (subst.) række, kæde; plads; orden; skydebane; græsningsareal; spillerum, råderum; omfang, område; afstand; retning, rækkevidde, skudvidde; komfur; *at close* ~ på nært hold; *an extensive* ~ *of* (ogs.) et stort udvalg af; *find the* ~ *of* ⚔ indskyde sig på; ~ *of hills* bakkedrag; ~ *of mountains* bjergkæde.
range-finder afstandsmåler (instrument).
ranger ['reⁱn(d)ʒə] omstrejfer, vandringsmand; støver; bereden gendarm; skovfoged; pigespejder (over 16 år); *the American Rangers* de amerikanske kommandotropper; ~ *student* forstelev.
rangy ['reⁱndʒi] (amr.) omstrejfende; langbenet; vidtstrakt.
rani = *ranee*.
I. **rank** [räŋk] (subst.) række, geled; grad, rang, stand; rangklasse; samfundsklasse; (bil)holdeplads; *the* ~ *and file* ⚔ de menige (og korporalerne), mændene i geleddet; (i parti etc.) de menige medlemmer; (fig.) menigmand, den jævne befolkning; *reduce to the -s* degradere til menig; *rise from the -s* avancere fra menig; arbejde sig frem.
II. **rank** [räŋk] (vb.) stille i række, ordne, sætte i orden, rangere; regne(s) (*as* for); sætte; ordnes, være ordnet; ~ *high* rangere højt; (fig. ogs.) være højt anset; ~ *with* have samme rang som; regnes blandt.
III. **rank** [räŋk] (adj.) overgroet (fx. *a garden* ~ *with weeds*); alt for frodig (fx. ~ *grass*); (om jord) alt for fed; stinkende (fx. ~ *with filth*); stram, sur (fx. *a* ~ *smell*); væmmelig, modbydelig; (det) argeste, værste (fx. ~ *nonsense*).
ranker ['räŋkə] menig; officer der har tjent sig op fra menig.
ranking ['räŋkiŋ] (amr.) som rangerer højest; ældst (fx. *the* ~ *officer*); førende, ledende (fx. *the* ~ *economists in the country*).
rankle ['räŋkl] blive betændt; gnave; nage, svie, efterlade en brod.
ransack ['ränsäk] ransage, gennemsøge; plyndre.
ransom ['ränsəm] (subst.) løskøbelse; løsesum, løsepenge; (vb.) løskøbe, udløse; *hold sby. to* ~ holde én fangen indtil løsepengene er betalt.
rant [ränt] (vb.) skvaldre op; tale højtravende, deklamere; (subst.) skvalder; svulst, deklamation; (på skotsk) støjende gilde.
ranunculus [rə'nʌŋkjuləs] ♧ ranunkel.
R. A. O. C. fk. f. *Royal Army Ordnance Corps* (svarer omtr. til) Hærens tekniske Korps.
rap [räp] (vb.) banke, give et rap (el. slag); tromme; banke på; (subst.) rap, slag, banken; S beskyldning, anklage, voldsom kritik; forræderi; fængselsstraf; slyngel; ~ *his knuckles* give ham over fingrene; ~ *out an oath* udstøde en ed; ~ *out a tune on the piano* hamre en melodi på klaveret; *I don't care a* ~ jeg er flintrende ligeglad; *take the* ~ tage skraldet.
rapacious [rə'peⁱʃəs] rovlysten, (rov)grisk.
rapacity [rə'päsiti] griskhed.
I. **rape** [reⁱp] (subst.) ran, rov; voldtægt; (vb.) rane, røve; voldtage, bortføre med vold.
II. **rape** [reⁱp] ♧ raps. **rape-seed** rapsfrø.
Raphael ['räfeⁱəl].
rapid ['räpid] (adj.) rask; rivende, strid (fx. *current*); (subst.) strømfald; *shoot the -s* fare ned ad strømfaldene.
rapid-fire (adj.) hurtigskydende; (fig.) rask, hurtig.
rapidity [rə'piditi] hurtighed, (rivende) fart.
rapier ['reⁱpiə] stødkårde.
rapier-thrust kårdestød; (fig.) rapt svar.
rapine ['räpain] rov, plyndring.
rapist ['reⁱpist] voldtægtsforbryder.
rapparee [räpə'ri·] bandit; (oprindelig:) irsk irregulær soldat.
rappee [rä'pi·] (grov, stærk) snustobak.
rapper ['räpə] dørhammer.
rapping spirit bankeånd.
rapport [rä'på·t]: *be in* ~ *with* stå i (nær el. sympatisk) forbindelse med.
rapprochement [rä'pråʃma·ŋ] (fornyet) tilnærmelse (især mellem stater).
rapscallion [räp'skäliən] (glds.) slubbert, slambert.
rapt [räpt] henført; hensunket; fordybet (fx. ~ *in a book*); betaget, i ekstase.
rapture ['räptʃə] begejstring, henrykkelse, ekstase; *in -s* henrykt.
rapturous ['räptʃərəs] begejstret, henrykt.
rare [ræə] sjælden, usædvanlig; kostbar; tynd (fx. *air*); enkelt, sparsom; T herlig, pragtfuld; (amr.) halvkogt, halvstegt; *on* ~ *occasions* en sjælden gang; *be a* ~ *one for* T være en hund efter, elske (fx. *I'm a* ~ *one for chops*); *have a* ~ *time* more sig herligt.
rarebit ['ræəbit], se *Welsh rarebit*.
raree-show ['ræəri·ʃoᵘ] perspektivkasse.
rarefaction [ræəri'fäkʃən] fortynding (af en luftart).
rarefy ['ræərifai] fortynde(s); forfine(s).
rarity ['ræəriti] sjældenhed; fortyndet tilstand, fortynding.
R. A. S. fk. f. *Royal Agricultural (, Asiatic, Astronomical) Society*.
R. A. S. C. fk. f. *Royal Army Service Corps* (svarer til) forsyningstropperne.
rascal ['ra·skl] slyngel, slubbert; *you lucky* ~ dit lykkelige bæst; *you young* ~ din lille slubbert. **rascality** [ra·s'käliti] slyngelagtighed, slyngelstreg.
rascally ['ra·skəli] slyngelagtig, gemen.
I. **rash** [räʃ] (subst.) udslæt; *a* ~ *of* (fig.) en epidemi af; *the town has come out in a* ~ *of small shops* (fig.) der

er pludselig dukket en mængde små butikker op over hele byen.

II. **rash** [rä∫] (adj.) ubesindig, overilet.

rasher ['rä∫ə] skive bacon (el. skinke).

rasp [ra·sp] (subst.) rasp; raspen, skurren, skurrende lyd; (vb.) raspe, skurre (i), kradse (i), irritere; *~ on a violin* file på en violin; *~ out* hvæse (fx. *an order).*

raspberry ['ra·zb(ə)ri] hindbær; **S** udpibning; afslag, afvisning; *give sby. the ~* **S** pibe én ud.

raster ['ra·stə] (fjernsyn:) raster.

I. **rat** [rät] (subst.) (zo.) rotte; (fig.) overløber; upålidelig fyr; *rats!* sludder og vrøvl! *look like a drowned ~* være våd som en druknet mus; *he has got the -s* han er gnaven; *smell a ~* lugte lunten, ane uråd.

II. **rat** [rät] (vb.) fange rotter; løbe over til fjenden, være overløber; *~ on* **S** svigte.

ratability, ratable, se *rateability, rateable.*

rataplan [rätə'plän] da-da-dum; (vb.) tromme.

ratchet ['rät∫it] = *ratchet-wheel.*

ratchet|-drill skraldebor. *~* **-wheel** palhjul, spærrehjul.

I. **rate** [re^i^t] takst, pris; sats, tarif; (aktie-, obligations-)kurs; værdi; afgift, kommuneskat (af fast ejendom); -klasses (fx. *first ~);* hastighed, fart; *at a cheap ~* billigt, for godt køb; *at a furious ~* i rasende fart; *at any ~* i hvert fald, under alle omstændigheder; *at the ~ of* med en fart af; til en pris af; *at that ~* i så fald; *at this ~* på denne måde; *birth ~* fødselstal; *death ~* dødelighed; *~ of duty* toldsats; *~ of exchange* valutakurs; *~ of interest* rentesats, rentefod; *sickness ~* sygelighedsprocent.

II. **rate** [re^i^t] (vb.) anslå, taksere, ansætte, vurdere; skatte; tildele rang; regne *(among* blandt); rangere, have rang, stå i (en vis) klasse; fortjene, kunne gøre krav på.

III. **rate** [re^i^t] (vb.) give en alvorlig overhaling, irettesætte strengt.

rateability [re^i^tə'biliti] skattepligt.

rateable ['re^i^təbl] skattepligtig; beregnelig; forholdsmæssig.

rate-payer skatteyder.

rather ['ra·ðə] temmelig; snarere, hellere; **T** ['ra·'ðə·] ih ja; ja det skulle jeg mene; *it's ~ cold* det er temmelig koldt; *it was ~ a failure* det blev nærmest (el. noget af) en fiasko; *~ higher* noget højere; *~ more* noget mere; en del flere; *or ~* eller snarere, eller rettere; *~ pretty* ganske køn; *I ~ think* jeg tror (el. synes) næsten; *I would ~ not* jeg vil helst ikke.

ratification [rätifi'ke^i^∫ən] stadfæstelse, ratificering, ratifikation.

ratify ['rätifai] stadfæste, ratificere.

I. **rating** ['re^i^tiŋ] klasse, rang; klassificering; placering; ansættelse til kommuneskat; procentvis antal lyttere (til radioprogram); (maskines) kapacitet; ⚓: *-s* menige og underofficerer.

II. **rating** ['re^i^tiŋ] skænden, skænd.

ratio ['re^i^∫io^u^] forhold; *inverse ~* omvendt forhold.

ratiocinate [räti'åsine^i^t] tænke logisk, drage (logiske) slutninger.

ratiocination [rätiåsi'ne^i^∫ən] logisk tænkning, logisk slutning.

ration ['rä∫ən] (subst.) ration; (vb.) rationere, sætte på ration; *~ out* uddele rationer af.

rational ['rä∫nl] fornuft-, fornuftig; rationel.

rationale [rä∫ə'na·li] logisk begrundelse.

rationalism ['rä∫ənəlizm] rationalisme.

rationalist ['rä∫ənəlist] rationalist.

rationalistic [rä∫ənə'listik] rationalistisk.

rationality [rä∫ə'näliti] fornuft.

rationalization ['rä∫nəlai'ze^i^∫ən] rationalisering.

rationalize ['rä∫ənəlaiz] rationalisere; ræsonnere, give en fornuftmæssig forklaring på.

ratline ['rätlin] ⚓ vevling.

ratoon [rä'tu·n] nyt skud fra sukkerrør (efter at det er skåret ned).

rat-race (fig.) hektisk jag, vild jagt.

ratsbane ['rätsbe^i^n] rottegift; (populær betegnelse for forskellige giftplanter).

rattan [rə'tän] spanskrør.

ratter ['rätə] rottejæger; rottehund; overløber.

I. **rattle** ['rätl] (vb.) dundre, skramle, rumle; ralle; rasle (med), klapre (med); irritere, gøre nervøs, bringe ud af fatning; *~ at the door* dundre på døren; *~ away* lade munden løbe; *~ off* lire af, snakke løs; *~ out* bralre ud.

II. **rattle** ['rätl] (subst.) dundren, skramlen, rumlen; raslen; klapren; rallen; skralde; *there was a ~ in his throat* han rallede.

rattle|-brain, *~* **-pate** snakkehoved, sludrebøtte; *~ -brained, ~ -pated* tomhjernet.

rattler ['rätlə] klapperslange; sludrebøtte; (glds. **T**) pragteksemplar.

rattle|snake klapperslange. **-trap** skramlende køretøj, rumlekasse; *-traps* (ogs.) snurrepiberier.

rattling ['rätliŋ] (adj.) rask; munter; storartet; (adv.) mægtig (fx. *~ good);* vældig; *at a ~ pace* i strygende fart.

rat-trap rottefælde; **S** mund.

ratty ['räti] rotteagtig; rottebefængt; lurvet; **S** gnaven, arrig, sur.

raucous ['rå·kəs] hæs, grov.

ravage ['rävidʒ] (subst.) hærgen; ødelæggelse, plyndring; (vb.) hærge, ødelægge, plyndre.

rave [re^i^v] tale i vildelse, fantasere; rase; *~ about* (ogs.) tale vildt begejstret om.

ravel ['rävl] trævle (op); filtre sammen, bringe i urede; *~ out* udrede.

I. **raven** ['re^i^vn] (subst.) ravn; (adj.) ravnsort.

II. **raven** ['rävn] (vb.) sluge; (glds.) rane, plyndre; *-ing* glubende.

ravenous ['rävinəs] (skrup)sulten; forslugen; glubende (fx. *a ~ appetite).*

ravine [rə'vi·n] kløft; hulvej.

raving ['re^i^viŋ] rasende; glubende; *~ mad* splittergal.

ravings ['re^i^viŋz] pl. rasen, fantasterier.

ravish ['räviʃ] rane, røve; rive bort; henrykke, henrive; (glds.) voldtage.

ravishing ['räviʃiŋ] (adj.) henrivende.

ravishment ['räviʃmənt] ran, rov; henrykkelse.

raw [rå·] (adj.) rå (fx. *meat);* rå- (fx. *produce, silk, sugar);* uforarbejdet; ubearbejdet, ikke afpudset; grov; grøn, umoden, usleben, uerfaren; råkold; hudløs; (om sår) blodig; (subst.) hudløst sted; *get a ~ deal* få en grov (el. uretfærdig) behandling; *touch sby. on the ~* såre ens følelser, ramme en på et særlig ømt punkt.

raw|-boned ['rå·bo^u^nd] knoklet, radmager. *~* **-head** bussemand (som man skræmmer børn med). **-hide** ['rå·haid] (pisk af) ugarvet kalveskind; (amr.) piske (frem). *~* **materials** råstoffer.

I. **ray** [re^i^] (subst.) stråle, lysstråle; (vb.) udstråle; *a ~ of hope* et glimt af håb.

II. **ray** [re^i^] (zo.) rokke.

ray fungus strålesvamp.

rayon ['re^i^ån] rayon, kunstsilke.

raze [re^i^z] udslette; rasere, sløjfe, jævne med jorden; kradse, skrabe.

razor ['re^i^zə] barberkniv; *safety ~* barbermaskine.

razor|back (zo.) finhval. *~* **bill** (zo.) alk. *~* **-edge** skarp æg; skarp klipperyg; skillelinie; kritisk situation. *~* **-strap,** *~* **-strop** strygerem.

razz [räz] (amr. **S**) drille.

razzia ['räziə] razzia, plyndringstog, strejftog.

razzle ['räzl]: *go on the ~* gå ud og bumle.

R.C.M. fk. f. *Royal College of Music.*

R.C.P. fk. f. *Royal College of Physicians.*

R.C.S. fk. f. *Royal College of Surgeons.*

Rd. fk. f. *Road.*

R.D. fk. f. *refer to drawer.*

re [ri·] angående, med hensyn til; *in ~* (jur.) i sagen.

re- [ri·-, ri-] (præfiks) igen, atter, på ny (fx. *reread);* gen- (fx. *rebaptize);* om- (fx. *readdress).*

R. E. fk. f. *Royal Engineers.*

I. **reach** [ri·tʃ] (vb.) række, strække; nå; komme i hænde; få kontakt med, komme i forbindelse med; gå til; strække sig.

II. **reach** [ri·tʃ] (subst.) rækkevidde; evner, horisont; stræk, lige strækning (i en flods løb); *beyond my ~* uden for min rækkevidde, over min horisont; *beyond the ~ of human intellect* ud over menneskelig fatteevne; *in ~* inden for rækkevidde; *get out of ~* komme uden for rækkevidde; *within my ~* så at jeg kan nå det.

reachable ['ri·tʃəbl] inden for rækkevidde.

reach-me-down S færdigsyet; *-s* færdigsyet tøj, stangtøj; (fig.) færdigsyede meninger.

react [ri'äkt] virke tilbage, reagere.

re-act ['ri·'äkt] genopføre.

reactance [ri'äktəns] reaktans.

reaction [ri'äkʃən] reaktion; bagstræb; tilbagevirkning, modvirkning; omslag; (i radio) tilbagekobling.

reactionary [ri'äkʃənəri] reaktionær; bagstræber.

reactive [ri'äktiv] tilbagevirkende.

reactor [ri'äktə] (atom)reaktor.

I. **read** [ri·d] (*read* [red], *read* [red]) læse; læse i (fx. *a book*); læse op; aflæse (fx. *the gas meter*); opfatte (fx. *~ silence as consent*); forstå; tyde (fx. *a dream*); løse, gætte (fx. *a riddle* en gåde); studere (fx. *~ physics*); lyde (fx. *the letter -s as follows*); kunne tydes; vise (fx. *the thermometer -s 3 degrees*);

~ aloud læse højt; *~ a bill* (ogs.) behandle et lovforslag (i parlamentet); *~ a paper* læse en avis; holde et foredrag; *the play acts better than it -s* stykket virker bedre (når det kommer) på scenen end når man læser det; *this sentence -s heavy* denne sætning falder tungt; *~ sth. else into it* lægge noget andet i det; *~ off* aflæse; *~ out* læse højt; *~ over a lesson* læse på en lektie; *~ up on* studere; sætte sig ind i; *it -s well* det virker godt når det læses.

II. **read** [red] imperf. og perf. part. af *read;* (adj.) belæst; *be well ~ in* være godt hjemme i; *take the accounts as ~* betragte regnskabet som oplæst; frafalde oplæsningen af regnskabet; *take it as ~* (fig.) betragte det som givet.

III. **read** [ri·d] (subst.): *have a ~* sætte sig til at læse, få læst lidt.

readable ['ri·dəbl] let læselig, læseværdig.

readdress ['ri·ə'dres] omadressere.

reader ['ri·də] læser; litterær konsulent (for et forlag); korrekturlæser; docent, lektor; oplæser; læsebog.

readership docentur, lektorat; (om avis etc.) antal læsere, læserkreds.

readily ['redili] let, hurtigt, beredvilligt etc. (se *ready*).

readiness ['redinės] beredskab; lethed; beredvillighed, villighed; *have in ~* have i beredskab, have parat; *~ of wit* kvikhed, slagfærdighed.

I. **reading** ['ri·diŋ] (adj.) læsende; læselysten, flittig; (subst.) læsning; behandling (af et lovforslag); belæsthed; oplæsning; forelæsning; aflæsning; opfattelse, fortolkning; læsemåde; *thermometer ~* termometerstand.

II. **Reading** ['rediŋ].

reading|-glass læseglas, forstørrelsesglas. **~ -glasses** læsebriller. **~ matter** læsestof, lekture. **~ -room** læsesal, læsestue.

readjust ['ri·ə'dʒʌst] rette på, tilpasse.

readmission ['ri·əd'miʃən] genoptagelse, (det at få) adgang på ny, fornyet adgang.

readmit ['ri·əd'mit] slippe (el. lade komme) ind igen; genoptage, give adgang på ny.

ready ['redi] (adj.) rede, beredt, færdig, parat, klar (*for* til); villig (*for* til); beredvillig; nær ved hånden, bekvem, let; hurtig, rask, kvik; slagfærdig; (vb.) gøre parat (el. klar el. rede); *ready!* giv agt! *~ about* ⚓ klar til at vende; *the ~* S kontanter; *with rifles at the ~* med skudklare geværer; *make ~* gøre i orden, gøre parat; gøre sig parat, forberede sig (*to* på at); *be ~ to* (ogs.) være på nippet til at (fx. *she was ~ to burst into tears*); *he always has a ~ answer* han har altid svar på rede hånd.

ready| cash kontanter. **~ -made** færdigsyet. **~ money** kontanter. **~ reckoner** beregningstabel. **~ -to-wear** = *~ -made.* **~ wit** slagfærdighed. **~ -witted** slagfærdig.

reagent [ri(·)'eⁱdʒənt] (kem.) reagens.

real ['riəl] virkelig; naturlig (fx. *size*); sand, rigtig (fx. *he is a ~ friend*); ægte (fx. *gold*); *it is the ~ thing* det er det helt rigtige.

real| estate fast ejendom. **~ estate agent** ejendomshandler; ejendomsmægler.

re-align ['ri·ə'lain] omgruppere, omordne, omorganisere.

realism ['riəlizm] realisme.

realist ['riəlist] realist. **realistic** [riə'listik] realistisk, virkelighedstro; nøgtern.

reality [ri'äliti] virkelighed; realitet; realisme; *realities* realiteter; *in ~* i virkeligheden, i realiteten.

realizable ['riəlaizəbl] realisabel.

realization [riəl(a)i'zeⁱʃən] virkeliggørelse, iværksættelse, udførelse; forståelse; opfattelse, erkendelse; realisation, salg.

realize ['riəlaiz] virkeliggøre, iværksætte, realisere, føre ud i livet (fx. *a project*); indse (fx. *one's error*), forstå, fatte, forestille sig; realisere (fx. *property*), sælge, gøre i penge; tjene (fx. *how much did you ~ on the sale?*); indbringe, opnå (fx. *a good price*).

really ['riəli] virkelig, egentlig (fx. *it was ~ my fault*); faktisk; *~ now!* nej hør nu!

realm [relm] (især poet.) rige; (fig.) område.

real property fast ejendom.

realtor ['riəltə] (amr.) ejendomshandler, ejendomsmægler.

realty ['riəlti] (amr.) fast ejendom.

real wages realløn.

ream [ri·m] (subst.) ris (om papir); (vb.) oprive, oprømme (et hul); *-s of* (fig.) masser af, side op og side ned af; *10 -s of paper* en balle papir.

reamer ['ri·mə] rømmejern, rømmerival.

reanimate [ri(·)'änimeⁱt] bringe nyt liv i, genoplive; sætte nyt mod i.

reap [ri·p] høste, meje; *~ where one has not sown* høste fordelen af andres arbejde.

reaper ['ri·pə] høstkarl; mejemaskine; *-s* (ogs.) høstfolk.

reaping|-hook segl. **~ -time** høsttid.

reappear ['ri·ə'piə] komme til syne igen; dukke op igen, vende tilbage.

reappearance ['ri·ə'piərəns] tilsynekomst på ny, genopdukken, tilbagevenden.

reappoint ['ri·ə'point] genansætte, genindsætte, genudnævne.

re-appraisal ['ri·ə'preⁱzəl] omvurdering.

I. **rear** [riə] (vb.) rejse (fx. *a monument*); hæve; dyrke, avle, opdrætte (fx. *cattle*); opfostre (fx. *a family*); opdrage; fremelske; (om en hest) stejle; rejse sig på bagbenene; *~ one's head* løfte hovedet; *~ its ugly head* (fig.) stikke hovedet frem.

II. **rear** [riə] (subst.) bagside; bagtrop; baggrund; **T** bagdel; (adj.) bag- (fx. *lamps* lygter, *mudguard* skærm); *bring up the ~* danne bagtroppen, komme sidst; *attack the enemy in the ~* angribe fjenden i ryggen; *at the ~ of* (omme) bag ved; *in the ~ of* bag i, i den bageste del af.

rear|-admiral ['riə'ädmərəl] kontreadmiral. **~ engine** hækmotor. **~ -guard** ['riəga·d] bagtrop, arrièregarde. **~ gunner** (flyv.) agterskytte.

rearm ['ri·'a·m] (gen)opruste.

rearmament ['ri·'a·məmənt] (gen)oprustning.

rearmost ['riəmoᵘst] bagest.

rearrange ['ri·ə'reⁱn(d)ʒ] ordne på ny, omordne.

rear view mirror bakspejl.

rearward ['riəwəd] bagtil, bagude, bag-.

re-ascend ['ri·ə'send] stige op igen; bestige igen.

I. **reason** ['ri·zn] (subst.) fornuft; grund; ret; føje,

billighed; *by ~ of* på grund af; *for this ~* af denne grund; *for some unknown ~* uvist af hvilken grund; *the ~ of* (el. *for) his going away, the ~ why* (el. *that) he went away* grunden til at han gik sin vej; *listen to ~* tage imod fornuft; *lose one's ~* miste sin forstand; *show good ~ for* dokumentere, begrunde (fx. *a statement); it stands to ~* det er indlysende, det siger sig selv; *do anything (with)in ~* gøre alt inden for rimelighedens grænser; *with ~* (ogs.) med rette.

II. **reason** ['ri·zn] (vb.) drage fornuftslutninger, anstille betragtninger, argumentere, ræsonnere, tænke, overveje; dømme, slutte; *~ about* ræsonnere over; *~ away* bortforklare; *~ him into it* få ham til at indse at det er rigtigt; *~ out* gennemtænke; *~ him out of it* få ham til at indse at det er forkert (el. urimeligt); *~ with him* argumentere med ham.

reasonable ['ri·znəbl] fornuftig, rimelig.

reasonably ['ri·znəbli] fornuftigt, rimeligt; nogenlunde.

reasoner ['ri·znə] ræsonnør, tænker.

reasoning ['ri·zniŋ] fornuftslutninger, ræsonnement; *there is no ~ with her* hun er umulig at tale til fornuft.

reassemble ['ri·ə'sembl] samle(s) på ny.

reassurance [ri·ə'ʃuərəns] beroligelse; gentagen forsikring; genforsikring.

reassure [ri(·)ə'ʃuə] berolige; genforsikre.

Réaumur ['reⁱəmjuə].

I. **rebate** ['ri·beⁱt] (subst.) rabat, afslag.

II. **rebate** ['räbit, ri'beⁱt] (vb.) false; (subst.) fals.

I. **rebel** ['rebl] (adj.) oprørsk, oprørs-; (subst.) oprører.

II. **rebel** [ri'bel] (vb.) gøre oprør *(against* imod).

rebellion [ri'beljən] oprør, opstand.

rebellious [ri'beljəs] oprørsk.

rebind ['ri·'baind] genindbinde, ombinde.

rebirth ['ri·'bə·þ] genfødelse.

rebound [ri'baund] (vb.) prelle af, kastes tilbage; (om bold etc.) springe tilbage; (subst.) afprellen, tilbagespringen; tilbageslag; (om følelser etc.) reaktion; *it will ~ on yourself* (fig.) det vil ramme dig selv; *take sby. on* (el. *at) the ~* udnytte ens skuffelse.

rebuff [ri'bʌf] (subst.) tilbageslag, tilbagestød; afvisning, afslag; (vb.) slå tilbage, standse; afvise.

rebuild ['ri·'bild] genopbygge; ombygge.

rebuke [ri'bju·k] (vb.) irettesætte, dadle; (subst.) irettesættelse, dadel.

rebus ['ri·bəs] rebus.

rebut [ri'bʌt] tilbagevise, bestride, gendrive; *-ting evidence* modbevis.

recalcitrant [ri'kälsitrənt] genstridig.

recall [ri'kå·l] (vb.) kalde tilbage, hjemkalde (fx. *an ambassador);* opsige; tilbagekalde (fx. *an order);* mindes (fx. *bygone days),* tænke tilbage på; minde om; (subst.) tilbagekaldelse; hjemkaldelse; genkaldelse, erindring; ⚔ genindkaldelse; *past ~* uigenkaldelig.

recant [ri'känt] tilbagekalde, tage tilbage; tage sine ord tilbage, afsværge.

recantation [ri·kän'teⁱʃən] tilbagekaldelse (etc., se *recant).*

I. **recap** ['ri·käp] **T** = *recapitulate, recapitulation.*

II. **recap** ['ri·'käp] (amr.) lægge nye slidbaner på (et dæk).

recapitulate [ri·kə'pitjuleⁱt] rekapitulere, gentage i korthed. **recapitulation** ['ri·kəpitju'leⁱʃən] rekapitulation, kort gengivelse.

recast ['ri·'ka·st] (vb.) omstøbe; omarbejde (fx. *a book);* (subst.) omstøbning; omarbejdelse; *~ a play* give et stykke ny rollebesætning.

recce ['reki], **recco** ['rekoᵘ] ⚔ **S** rekognoscering.

recede [ri'si·d] gå (el. trække sig) tilbage; vige (tilbage); retirere; (om priser etc.) vige, falde, dale.

receding [ri'si·diŋ] (adj.) vigende (fx. *chin, prices); ~ mouth* indfalden mund.

receipt [ri'si·t] (subst.) modtagelse; kvittering; opskrift; *-s* indtægt(er); (vb.) kvittere for, kvittere; *be in ~ of* have modtaget (fx. *we are in ~ of your letter);* oppebære, få (fx. *I am in ~ of a salary); on ~ of* ved modtagelsen af.

receipt-book [ri'si·tbuk] kvitteringsbog.

receivable [ri'si·vəbl] modtagelig; antagelig.

receive [ri'si·v] modtage, få; have (fx. *the lounge -s sunshine most of the day);* antage, optage, vedtage; erkende, fatte; *~ (stolen goods)* hæle, være hæler.

received [ri'si·vd] (adj.) antagen, vedtagen.

receiver [ri'si·və] modtager; inkassator, kasserer; beholder; (kem.) forlag; (radio) modtager; (tlf.) hørerør, høretelefon; (jur.) kurator; *official ~* (jur.) midlertidig bestyrer (af konkursbo; indsat af retten); *~ (of stolen goods)* hæler; *put down* (el. *hang up) the ~* (tlf.) lægge røret på.

receiving end: *be at the ~* være den det går ud over.

receiving| order: *make a ~ order against sby.* tage ens bo under konkursbehandling. *~* **set** radio- (el. fjernsyns)modtager. *~* **ship** logiskib.

recency ['ri·snsi] nyhed, friskhed.

recension [ri'senʃən] revision (af tekst); revideret tekst.

recent ['ri·snt] ny, frisk; sidst; nylig sket, nylig kommen; *of ~ date* af ny dato; *of ~ years* i den senere tid. **recently** for nylig; i den senere tid.

receptacle [ri'septəkl] beholder; opbevaringssted; ♧ blomsterbund.

reception [ri'sepʃən] modtagelse; optagelse; opsamling.

receptionist [ri'sepʃənist] receptionschef (i hotel); klinikdame.

reception room modtagelsesværelse; opholdsstue.

receptive [ri'septiv] modtagelig.

receptivity [risep'tiviti] modtagelighed.

recess [ri'ses] (subst.) parlamentsferie; frikvarter, fritime; fordybning, alkove, niche, reces, krog, afkrog; tilflugt, tilflugtssted; (amr. ogs.) ferie (for skoler etc.); (vb.) forsyne med fordybning; anbringe i en fordybning; holde pause (el. frikvarter).

recession [ri'seʃən] tilbagetræden; fordybning, niche; (merk.) lavkonjunktur.

recessional (hymn) [ri'seʃənl (him)] udgangssalme.

recharge ['ri·'tʃa·dʒ] angribe igen; oplade (fx. *a battery).*

réchauffé [ri'ʃoᵘfeⁱ] opvarmet mad, (fig.) opkog.

recherché [rə'ʃæəʃeⁱ] udsøgt, fin, elegant; kunstlet, søgt.

recidivist [ri'sidivist] recidivist, vaneforbryder.

recipe ['resipi] opskrift; (glds.) recept.

recipient [ri'sipiənt] modtager; modtagelig.

reciprocal [ri'siprəkl] vekselvis, gensidig, tilbagevirkende; (især gram.) reciprok; *the ~ of x* den reciprokke værdi af x.

reciprocate [ri'siprəkeⁱt] skifte, veksle; gå frem og tilbage; gøre gengæld, gøre en gentjeneste; gengælde.

reciprocating [ri'siprəkeⁱtiŋ] (tekn.) frem- og tilbagegående.

reciprocation [risiprə'keⁱʃən] vekslen, skiften; gengæld.

reciprocity [resi'pråsiti] vekselvirkning; gensidighed.

recital [ri'saitl] fremsigelse, deklamation; koncert (givet af én udøvende el. omfattende en enkelt komponists værker); fortælling, beretning; opregning; (i dokument) indledende sagsfremstilling.

recitation [resi'teⁱʃən] fremsigelse, deklamation, oplæsning; opregning; digt el. prosastykke til at lære udenad; (amr.) overhøring.

recitative [resitə'ti·v] recitativ.

recite [ri'sait] fremsige, deklamere, recitere; berette; opregne.

reciter [ri'saitə] recitator; bog med recitationsstykker.

reck [rek] (poet.) bekymre sig om, bryde sig om.

reckless ['reklės] dumdristig, ubesindig, overilet, hensynsløs; ~ *of* ligeglad med; ~ *driving* uforsvarlig kørsel.

reckon ['rekən] beregne, medregne; regne, anse for, betragte som; formode, tænke; ~ *in* regne 'med, tage med i beregningen; ~ *on* regne med, stole på; ~ *with* gøre op med; tage i betragtning, regne med, tage alvorligt; ~ *without* glemme at tage i betragtning; ~ *without one's host* gøre regning uden vært.

reckoner ['rekənə] beregner; tabel.

reckoning ['rekəniŋ] regning, beregning; afregning; opgør; *(dead)* ~ ⚓ bestik; *the day of* ~ dommens dag, regnskabets dag; *be out in* (el. *of) one's* ~ gøre galt bestik, have forregnet sig.

reclaim [ri'kleⁱm] kræve tilbage; (om dyr) tæmme, afrette; (om person) forbedre, omvende; (om land) indvinde, opdyrke; dræne, tørlægge, udtørre; (tekn.) udvinde (af spildprodukt); *be -ed* (om person) blive rettet op, blive resocialiseret; *beyond* (el. *past)* ~ uforbederlig.

reclaimable [ri'kleⁱməbl] som kan tæmmes (, forbedres, indvindes, kræves tilbage).

reclaimed rubber regenereret gummi, regenerat.

reclamation [reklə'meⁱʃən] indvinding (af land), opdyrkning, dræning, tørlæggelse; forbedring, resocialisering.

recline [ri'klain] bøje, hælde, læne tilbage; bøje sig tilbage; ligge bagover, hvile.

recluse [ri'klu·s] (adj.) ensom; (subst.) eneboer.

recognition [rekəg'niʃən] genkendelse, anerkendelse; tilståelse; påskønnelse, erkendtlighed; *he has altered beyond* ~ han er ikke til at kende igen.

recognizable ['rekəgnaizəbl] genkendelig.

recognizance [ri'kå(g)nizəns] kaution, forpligtelse.

recognize ['rekəgnaiz] genkende, skelne, opdage; vedkende sig; erkende, anerkende.

recoil [ri'koil] (vb.) fare tilbage, vige tilbage; rekylere, give bagslag; (subst.) rekyl, tilbagestød; afsky; *his evil deeds -ed upon himself* hans onde gerninger ramte ham selv.

recoilless [ri'koillės] ⚔ rekylfri.

re-collect ['ri·kə'lekt] samle igen; ~ *oneself* genvinde fatningen.

recollect [rekə'lekt] huske, erindre, mindes.

recollection [rekə'lekʃən] erindring, minde; *to the best of my* ~ så vidt jeg husker; *within my* ~ så længe jeg kan huske; i den tid jeg kan huske.

recommence ['ri·kə'mens] begynde igen, genoptage. **recommencement** ['ri·kə'mensmənt] begyndelse, genoptagelse.

recommend [rekə'mend] anbefale; foreslå, henstille; overgive; *this suggestion has much to* ~ *it* der er meget der taler for dette forslag.

recommendable [rekə'mendəbl] anbefalelsesværdig; tilrådelig.

recommendation [rekəmen'deⁱʃən] anbefaling; forslag, henstilling, indstilling; (om egenskab etc.) aktiv.

recommendatory [rekə'mendətəri] anbefalende, anbefalings-.

recommit ['ri·kə'mit] tilbagesende (til fornyet udvalgsbehandling).

recompense ['rekəmpens] (vb.) belønne, lønne, gengælde, erstatte; (subst.) belønning, løn; gengældelse, erstatning.

recompose ['ri·kəm'poᵘz] på ny sammensætte, omordne; berolige, bilægge.

reconcilable ['rekən(')sailəbl] forsonlig; forenelig.

reconcile ['rekənsail] forsone, forlige; forene; bilægge; ~ *oneself to* forsone sig med.

reconciliation [rekənsili'eⁱʃən] forsoning, forlig.

reconciliatory [rekən'siljətəri] forsonende, forsonings-.

recondite ['rekəndait, ri'kåndait] lidet kendt; vanskelig tilgængelig; dunkel; (glds.) skjult, forborgen.

recondition ['ri·kən'diʃən] forny, reparere, istandsætte, bringe tilbage til sin oprindelige stand; omskole. **reconditioning** reparation, istandsættelse; omskoling; rekonditionering.

reconnaissance [ri'kånisəns] rekognoscering.

reconnoitre [rekə'noitə] rekognoscere, udforske.

reconsider ['ri·kən'sidə] overveje igen, tage op til fornyet overvejelse, genoptage. **reconsideration** ['ri·kənsidə'reⁱʃən] fornyet overvejelse.

reconstitute ['ri·'kånstitju·t] rekonstruere; reorganisere.

reconstruct ['ri·kən'strʌkt] ombygge; omdanne; rekonstruere; genopbygge.

reconstruction ['ri·kən'strʌkʃən] ombygning; omdannelse; rekonstruktion; genopbygning.

reconversion [ri·kən'və·ʃən] genomvendelse; ~ *to peace production* omstilling til fredsproduktion.

I. **record** [ri'kå·d] (vb.) optegne, registrere, notere, nedskrive; protokollere; bevare; berette; (på båndoptager etc.) optage indspille; indtale, indsynge; (om termometer etc.) vise, registrere.

II. **record** ['rekå·d] (subst.) optegnelse; dokument; vidnesbyrd (fx. *-s of ancient civilisations);* optagelse, indspilning, grammofonplade; protokol; fortegnelse; journal (fx. *case* ~ sygejournal); rekord (fx. *hold a* ~*; beat a* ~*)*; *-s* (ogs.) arkivalier; *his* ~ (ogs.) hvad der (officielt) vides om ham; *have a good (, bad)* ~ have et godt (, dårligt) ry; *he has the* ~ *of being* han har ord for at være; *it is a matter of* ~ det er en fastslået kendsgerning; *keeper of the -s* arkivar; *no* ~ *is kept* der føres ingen protokol; *worthy of* ~ der fortjener at optegnes; *off the* ~ uofficielt; *this is off the* ~ (ogs.) dette må ikke citeres; *it is on* ~ det står på prent; man kan læse sig til det; det er vitterligt; *the greatest general on* ~ den største general historien kender; *put it on* ~ føre det til protokols; afgive en officiel erklæring om det.

record-changer pladeskifter.

recorder [ri'kå·də] skriver, referent, protokolfører; (jur.) dommer (ved *Quarter Sessions);* (i musik) blokfløjte; *tape* ~ båndoptager.

recording [ri'kå·diŋ] (grammofon)indspilning; optagelse; ~ *car,* ~ *unit* optagervogn, radiovogn.

recordist [ri'kå·dist] tonemester.

record| library diskotek. ~ **office** arkiv. ~ **-player** pladespiller.

re-count ['ri·'kaunt] tælle om; (subst.) genoptælling. **recount** [ri'kaunt] berette, fortælle.

recoup [ri'ku·p] erstatte, holde skadesløs, dække (fx. ~ *losses).*

recourse [ri'kå·s] tilflugt; (jur.) regres; *have* ~ *against* (jur.) søge regres hos; *have* ~ *to* tage sin tilflugt til; holde sig til; ty til; *his last* ~ hans sidste udvej.

recover [ri'kʌvə] få tilbage, genvinde, generhverve; genoprette (fx. *a loss);* indhente, indvinde (fx. *lost time);* opnå, få tilkendt (fx. *damages* skadeserstatning); komme sig, blive rask; komme til sig selv; restitueres; ~ *one's breath* få vejret igen; ~ *one's senses* komme til bevidsthed; ~ *oneself* fatte sig; ~ *from* komme sig af, forvinde (fx. *an illness).*

recoverable [ri'kʌv(ə)rəbl] erholdelig; genoprettelig; som står til at redde; helbredelig.

recovery [ri'kʌv(ə)ri] generhvervelse; bedring, rekonvalescens; helbredelse; genrejsning, opgang, stigning; opnåelse (ved dom); *beyond* ~ redningsløst fortabt.

recreant ['rekriənt] fej; frafalden; kryster.

recreate ['rekrieⁱt] vederkvæge, forfriske, adsprede sig, rekreere sig.

re-create ['ri·kri'eⁱt] genskabe.

recreation [rekri'eⁱʃən] adspredelse, morskab, fornøjelse.

re-creation ['ri·kri'eⁱʃən] genskabelse.

recreational [rikri'eiʃənəl] rekreativ, beregnet til fritidsfornøjelser; fornøjelses-, lyst-; ~ *areas* (ogs.) grønne områder.

recreation| **centre** fritidshjem. ~ **ground** legeplads, sportsplads.

recreative ['rekrieitiv] forfriskende, adspredende.

recriminate [ri'krimineit] fremføre modbeskyldninger.

recrimination [rikrimi'neiʃən] modbeskyldning.

recrudesce [ri·kru·'des] bryde ud igen, blusse op igen.

recrudescence [ri·kru·'desns] genopblussen, opblussen, udbrud. **recrudescent** [ri·kru·'desnt] atter frembrydende, genopblussende.

I. **recruit** [ri'kru·t] (vb.) rekruttere, hverve; forny, supplere (op); styrke, forfriske; forstærke; komme til kræfter; forfriske sig; ~ *one's health* rekreere sig, genvinde sit helbred.

II. **recruit** [ri'kru·t] (subst.) rekrut; nyt medlem, ny tilhænger.

recruiting [ri'kru·tiŋ] rekruttering, hvervning.

rectangle ['rektäŋgl] rektangel, retvinklet firkant.

rectangular [rek'täŋgjulə] rektangulær, retvinklet.

rectifiable ['rektifaiəbl] som lader sig berigtige.

rectification [rektifi'keiʃən] berigtigelse, rettelse; (af alkohol etc.) rensning, rektifikation; (elekt.) ensretning, rektificering; ~ *of the frontier* grænseregulering, grænserevision.

rectifier ['rektifaiə] (elekt.) ensretter, ensretterrør.

rectify ['rektifai] berigtige, rette, korrigere; afhjælpe (fx. *a lack);* rense (ved destillation) (fx. *alcohol);* (elekt.) ensrette, rektificere; *-ing tube* (el. *valve)* ensretterrør.

rectilinear [rekti'linjə] retliniet, efter en ret linie.

rectitude ['rektitju·d] retskaffenhed.

rector ['rektə] sognepræst (i den engelske kirke); (i Skotland:) skolebestyrer, universitetsrektor; (ved visse katolske skoler) rektor.

rectorate ['rektərət], **rectorship** ['rektəʃip] sognekald; rektorat.

rectory ['rektəri] sognekald; præstegård.

rectum ['rektəm] (anat.) rektum, endetarm.

recumbency [ri'kʌmbənsi] liggende stilling; hvile.

recumbent [ri'kʌmbənt] liggende, hvilende.

recuperate [ri'kju·pəreit] genvinde (fx. *one's health);* komme sig, komme til kræfter.

recuperation [rikju·pə'reiʃən] genvindelse; rekonvalescens, helbredelse.

recuperative [ri'kju·pərətiv] helbredende, styrkende.

recur [ri'kə·] komme (el. vende) tilbage, komme igen; gentage sig.

recurrence [ri'kʌrəns] tilbagevenden; gentagelse; (med.) nyt anfald af samme sygdom.

recurrent [ri'kʌrənt] (periodisk) tilbagevendende; ~ *fever* (med.) tilbagefaldsfeber.

recurring decimal periodisk decimalbrøk.

recusant ['rekjuzənt] (adj.) sekterisk; (subst., hist.) rekusant (katolik som nægtede at deltage i anglikansk gudstjeneste).

red [red] (adj.) rød; (subst.) rød farve, rødt; kommunist, anarkist, revolutionær; *the* ~ debetsiden; *in the* ~ med underskud; i gæld; *paint the town* ~ male byen rød; *not a* ~ *cent* **T** ikke en rød øre, ikke en døjt.

redaction [ri'däkʃən] redaktion; redigering; omarbejdelse; ny udgave.

redactor [ri'däktə] redaktør, udgiver.

redan [ri'dän] redan (fæstningsværk).

red|**-berried elder** ♧ druehyld. ~ **-blooded** (amr. **S**) energisk, viljestærk; spændende, handlingsmættet. ~ **-book** engelsk adelskalender. **-breast** (zo.) rødkælk, rødhals. ~ **-breasted merganser** (zo.) toppet skallesluger. ~ **-brick university** nyere universitet (modsat Oxford og Cambridge). ~ **campion** ♧ dagpragtstjerne.

red-cap ['redkäp] ⚔ medlem af militærpolitiet; (amr.) drager.

red-coat ['redkout] rødkjole (soldat).

Red Cross ['redkrås] (som hører til) Røde Kors; Genferkors, St. Georgskors.

red currant ♧ ribs.

redd [red] (zo.) gydeplads.

red deer kronhjort.

redden ['redn] (vb.) gøre rød; rødme.

reddle ['redl] rød okker.

redecorate ['ri·'dekəreit] gøre i stand; male og tapetsere.

redeem [ri'di·m] tilbagekøbe; indløse (fx. *a pawned watch);* amortisere (fx. *a loan);* indfri (fx. *a promise);* udløse, løskøbe (fx. *a slave);* (rel.) forløse, frelse; *-ing feature* forsonende træk.

redeemable [ri'di·məbl] indløselig; som kan frelses; ~ *on demand* veksles på anfordring.

Redeemer [ri'di·mə]: *the* ~ Forløseren, Genløseren.

redemption [ri'dem(p)ʃən] indløsning, indfrielse; amortisering; udløsning, løskøbelse; (rel.) genløsning; *he is beyond* ~ (fig.) han står ikke til at redde.

redemptive [ri'dem(p)tiv] indløsende, indløsnings-.

red ensign (britisk handelsflag).

redeploy ['ri·di'ploi] overflytte (el. overføre) fra et sted til et andet; omgruppere.

redeployment ['ri·di'ploimənt] overflytning, omgruppering.

red| **grouse** (zo.) skotsk rype. ~ **-haired** ['redhæəd] rødhåret. ~ **-handed**: *be caught* ~ *-handed* blive grebet på fersk gerning. ~ **-hat** kardinalhat. **-head** rødhåret person, rødtop. **-headed** rødhåret. ~ **-heat** rødglødhede. ~ **herring**, se *herring*. ~ **-hot** rødglødende. ~ **-hot poker** ♧ kniphofia.

redirect ['ri·di'rekt] omadressere.

redirection ['ri·di'rekʃən] omadressering.

redistribute ['ri·dis'tribjut] atter fordele; omfordele, omlægge.

redistribution ['ri·distri'bju·ʃən] ny fordeling; omfordeling; omlægning.

red lane: *the* ~ (i børnesprog) halsen.

red lead mønje.

red-letter ['red'letə] betegnet med røde bogstaver; ~ *day* mærkedag.

red| **light** rødt lys, faresignal. ~ **-light district** bordelkvarter. ~ **man** rødhud. ~ **meat** mørkt kød (oksekød, fårekød).

redolence ['redoləns] duft.

redolent ['redolənt] duftende; ~ *of* (fig.) gennemtrængt af; der minder om.

redouble [ri'dʌbl] forstærke, (for)øge (fx. *one's pace, efforts);* (i bridge) redoble.

redoubt [ri'daut] ⚔ redoute.

redoubtable [ri'dautəbl] frygtindgydende, vældig.

redound [ri'daund]: ~ *to* tjene til, være til; bidrage til; ~ *to sby.'s advantage* være til ens fordel; *it -s to his honour* det tjener ham til ære.

redpoll ['redpoul] (zo.) gråsisken.

redraft ['ri·'dra·ft] (subst.) nyt udkast; (merk.) returveksel, rekambioveksel; (vb.) lave et nyt udkast til.

redress [ri'dres] (vb.) afhjælpe, råde bod på; give oprejsning for; genoprette (fx. *the balance);* (subst.) afhjælpning; oprejsning; erstatning.

redshank ['redʃäŋk] (zo.) rødben; *spotted* ~ sortklire.

red|**-short** rødskør (om jern). **-skin** rødhud. ~ **spider** rødt spind (skadedyr). **-start** (zo.) rødstjert.

red tape ['redteip] (subst.) (kontor)pedanteri, kontoriusseri; rødt bånd, der sammenholder dokumentpakker; (adj.) smålig rutinemæssig, fuld af omsvøb.

red-tapist bureaukrat, kontorius.

red-tiled ['redtaild] med rødt teglstenstag.

reduce [ri'dju·s] bringe *(to* i, til; fx. ~ *to order, silence);* hensætte *(to* i; fx. *terror);* forvandle *(to* til); omregne *(to* til); reducere, forringe, indskrænke, nedsætte, afkorte, nedbringe, nedskære, formindske; svække; degradere; afmagre; (mat.) forkorte; reducere, bringe på den simpleste form; (med.) reponere, sætte i led; ~ *by 5 per cent* nedsætte med 5 %; ~ *to submission* tvinge til underkastelse. **reduced** [ri'dju·st] (ogs.) reduceret; forarmet; *be* ~ *to* (ogs.) være henvist til; *in* ~ *circumstances* i trange kår.

reducible [ri'dju·səbl] som kan reduceres.

reducing [ri'dju·siŋ] (subst.) afmagring; (adj.) slankende; ~ *treatment* afmagringskur.

reduction [ri'dʌkʃən] indskrænkning, nedsættelse, nedskæring, formindskelse, reduktion; svækkelse, forringelse; (mat.) reduktion, forkortelse; (med.) reposition, det at sætte i led; *-s* (ogs.) nedsatte priser; *be allowed a* ~ få moderation; *at a* ~ til nedsat pris.

redundancy [ri'dʌndənsi] overflødighed; arbejdskraft der er overflødiggjort ved (el. arbejdsløshed der skyldes) automatisering el. rationalisering etc.

redundant [ri'dʌndənt] overflødig; ordrig; vidtløftig; ~ *labour*, se *redundancy.*

reduplicate [ri'dju·plikeⁱt] fordoble; reduplicere.

reduplication [ridju·pli'keⁱʃən] fordobling; reduplikation.

redwing ['redwiŋ] (zo.) vindrossel.

re-echo ['ri·'ekoᵘ] (vb.) kaste tilbage; genlyde; (subst.) dobbelt ekko.

reed [ri·d] (subst.) ♧ rør; (i musik) rørfløjte; (i blæseinstrument) (rør)blad, tunge; mundstykke; (i væv) rit, kam; (vb.) belægge (el. tække) med rør; *the -s* rørbladinstrumenterne.

reed|-bunting (zo.) rørspurv. ~ **-mace** ♧ dunhammer. ~ **organ** harmonium, stueorgel. ~ **-pipe** rørfløjte.

re-educate ['ri·'edjukeⁱt] omskole.

reed-warbler (zo.) rørsanger.

reedy ['ri·di] rørbevokset; røragtig; lang og tynd; (om stemme) pibende, tynd.

I. **reef** [ri·f] (subst.) klipperev.

II. **reef** [ri·f] (subst.) ⚓ reb (i sejl); (vb.) rebe; *take in a* ~ tage reb i sejlene; *shake out a* ~ stikke et reb ud; (fig.) sætte fart på.

reefer ['ri·fə] stortrøje; kadet; minearbejder; ~ *cigarette* marihuanacigaret.

reef-knot råbåndsknob.

reek [ri·k] damp, dunst, røg; stank, os; (vb.) dampe, ryge; stinke, ose.

reeky ['ri·ki] tilrøget, rygende, stinkende, osende.

I. **reel** [ri·l] (subst.) garnvinde, haspe, rulle; tromle (til haveslange); hjul (på fiskestang); filmspole; spole; reel (skotsk dans); *off the* ~ i én køre.

II. **reel** [ri·l] (vb.) haspe, vinde, rulle; danse reel; rave, vakle, slingre; løbe rundt, snurre; *my brain -s* det løber rundt for mig; ~ *off* haspe af, lire af, ramse op.

re-elect ['ri·i'lekt] genvælge.

re-election ['ri·i'lekʃən] genvalg.

re-embark ['ri·ėm'ba·k] genindskibe (sig).

re-embarkation ['ri·ėmba·'keⁱʃən] genindskibning.

re-enter ['ri·'entə] træde ind igen; tage (det lejede) i besiddelse igen.

re-establish ['ri·ė'stäbliʃ] genoprette. **re-establishment** ['ri·ė'stäbliʃmənt] genoprettelse.

I. **reeve** [ri·v] (glds.) foged; (i Canada) sogneрådsformand, borgmester.

II. **reeve** [ri·v] (zo.) brushøne.

III. **reeve** [ri·v] *(rove, rove* el. *-d, -d)* ⚓ iskære; føre (et tov) igennem.

re-examination ['ri·ėgzämi'neⁱʃən] ny undersøgelse.

re-examine ['ri·ėg'zämin] undersøge på ny.

re-exchange ['ri·ėks'tʃeⁱn(d)ʒ] (vb.) atter bytte; (subst.) genudveksling; (merk.) rekambioveksel.

ref. fk. f. *referee, reference, referred, reformed.*

refained [ri'feⁱnd] **T** (spøgende for *refined)* 'darnet'.

refashion ['ri·'fäʃən] omforme, omdanne.

Ref. Ch. fk. f. *Reformed Church.*

refection [ri'fekʃən] måltid, forfriskning.

refectory [ri'fektəri] spisesal, refektorium.

refer [ri'fə·]: ~ *to* henvise til (fx. *he was -red to another office);* henføre til, henregne til; tilskrive; angå, henvende sig til; sigte til, omtale; henholde sig til; se efter i (en bog etc.); ~ *to drawer* (bankens påtegning på check:) ingen dækning.

referee [refə'ri·] (subst.) opmand; dommer (i fodbold- og boksekamp); reference (ved ansøgning); (vb.) fungere som dommer.

reference ['ref(ə)rəns] henvisning; oversendelse; forbindelse; hensyn; omtale; hentydning; anbefaling, reference; *make* ~ *to a dictionary* se efter (el. slå op) i en ordbog; *with* ~ *to* angående; *without* ~ *to the matter* uden forbindelse med sagen, sagen uvedkommende; *terms of* ~ kommissorium; *work of* ~ håndbog, opslagsbog.

reference| book håndbog, opslagsbog. ~ **library** håndbogssamling.

referendum [refə'rendəm] folkeafstemning.

referential [refə'renʃəl] henvisnings-.

refill ['ri·'fil] (vb.) fylde (på) igen; (subst.) ny påfyldning el. indsætning (fx. *of a lipstick);* refill; patron til kuglepen.

refine [ri'fain] rense, lutre; raffinere (sukker, olie), gare (kobber), affinere (guld, sølv), koge; danne, forfine, forædle; renses, lade sig rense; forfines, forædles; ~ *upon* forfine, udvikle videre. **refined** [ri'faind] (adj.) forfinet, fin; dannet, kultiveret.

refinement [ri'fainmənt] rensning, lutring; raffinering; forfinelse; forædling; garing, affinering; dannelse; raffinement; spidsfindighed.

refinery [ri'fainəri] raffinaderi.

I. **refit** ['ri·'fit] (vb.) reparere, istandsætte; ⚓ udruste; indtage forsyninger.

II. **refit** ['ri·'fit], **refitment** ['ri·'fitmənt] (subst.) reparation, istandsættelse; ny udrustning.

reflect [ri'flekt] kaste tilbage; reflektere, genspejle, afspejle; tænke på; betænke; give genskin; ~ *on* (ogs.) overveje; tale nedsættende om, stille i et uheldigt lys; drage i tvivl (fx. *I do not wish to* ~ *on your sincerity); it -s credit on them* det tjener dem til ære, det gør dem ære.

reflection [ri'flekʃən] reflektion, eftertanke, overvejelse, tanke; kritik; bemærkning; tilbagekastning; spejlbillede, refleks; afspejling, afglans; *on* ~ ved nærmere eftertanke.

reflective [ri'flektiv] tilbagekastende; reflekterende, tænkende, tænksom, spekulativ.

reflector [ri'flektə] reflektor, refleksionsspejl; spejl; katteøje, refleksglas (på cykel); (fot.) refleksskærm.

reflex ['ri·fleks] (adj.) tilbagebøjet, bagudvendt; refleks-; (subst.) refleks, genskin; refleksbevægelse.

reflex camera reflekskamera.

reflexion [ri'flekʃən] se *reflection.*

reflexive [ri'fleksiv] (gram.) refleksiv, tilbagevirkende.

refloat ['ri·'floᵘt] komme flot igen, flyde igen; bringe flot, få til at flyde igen.

reflorescence ['ri·flå'resns] ny blomstring.

refluence ['refluəns] se *reflux.* **refluent** ['refluənt] tilbagestrømmende, faldende.

reflux ['ri·flʌks] tilbagestrømning, fald (om tidevand); *flux and* ~ flod og ebbe.

refoot ['ri·'fut] forfødde.

re-form ['ri·'få·m] danne på ny; ⚔ formere igen.

reform [ri'få·m] (vb.) omdanne, forbedre, reformere, rette på; forbedre sig; omvende sig; (subst.) omdannelse, forbedring; reform; omvendelse.

re-formation ['ri·få·'meⁱʃən] nydannelse

reformation [refə'meⁱʃən] reformering, forbedring; afhjælpning; omvendelse; (rel.) reformation.

reformative [ri'få·mətiv] reformerende.

reformatory [ri'få·mətəri] (adj.) forbedrende; (subst.) opdragelsesanstalt, ungdomshjem.

reformer [ri'få·mə] reformator.

reform school ungdomshjem.

refract [ri'fräkt] bryde (lys).
refraction [ri'fräkʃən] (lys)brydning, refraktion; *index of* ~ brydningsindeks.
refractive [ri'fräktiv] brydende; brydnings-.
refractory [ri'fräktəri] uregerlig, genstridig, balstyrig; stædig; tungtsmeltelig (fx. *metal); ildfast (fx. clay);* (om sygdom) vanskelig at behandle, hårdnakket.
I. **refrain** [ri'freⁱn] (subst.) omkvæd, refræn.
II. **refrain** [ri'freⁱn] (vb.): ~ *from* afholde sig fra, lade være med.
refrangible [ri'frändʒibl] (om lys) brydbar.
refresh [ri'freʃ] forfriske; forfriske sig; forny, reparere; opfriske (fx. *his memory).*
refresher [ri'freʃə] T opstrammer, 'genstand'; (jur.) ekstrasalær, ekstrahonorar; ~ *course* repetitionskursus.
refreshing [ri'freʃiŋ] forfriskende.
refreshment [ri'freʃmənt] forfriskning; ~ *room* (jernbane)restaurant, buffet.
refrigerant [ri'fridʒərənt] (adj.) kølende; (subst.) kølemiddel, kølevæske, frysevæske.
refrigerate [ri'fridʒəreⁱt] afkøle, nedkøle, køle, fryse; *-d cargo* kølelast; *-d cargo vessel* køleskib.
refrigeration [rifridʒə'reⁱʃən] afkøling, nedkøling, frysning.
refrigerator [ri'friʒəreⁱtə] køleskab; frysemaskine; ~ *car* kølevogn.
reft [reft] berøvet.
refuelling [ri'fjuəliŋ] brændstofpåfyldning.
refuge ['refju·dʒ] tilflugt, tilflugtssted; herberg; ly; (trafik)helle; *take* ~ *in* søge tilflugt i, søge ly i, ty til.
refugee [refju'dʒi·] flygtning, emigrant.
refulgence [ri'fʌldʒəns] stråleglans.
refulgent [ri'fʌldʒənt] strålende, skinnende.
refund [ri'fʌnd] (vb.) tilbagebetale, refundere; (subst.) tilbagebetaling; *get a* ~ få sine penge tilbage.
refurbish ['ri·'fə·biʃ] genoppudse, genopfriske.
refurnish ['ri·'fə·niʃ] ommøblere, atter møblere, atter udstyre.
refusal [ri'fju·zəl] afslag, vægring; nægtelse; forkøbsret; *have the first* ~ *of sth.* have noget på hånden.
I. **refuse** [ri'fju·z] (vb.) afvise; nægte; vægre sig, undslå sig; afslå, refusere; sige nej (til).
II. **refuse** ['refju·s] (subst.) affald, dagrenovation, skrald; (adj.) kasseret; affalds-; udskuds-.
refuse| dump losseplads. ~ **heap** affaldsdynge.
refutable ['refjutəbl, ri'fju·təbl] gendrivelig.
refutation [refju'teⁱʃən] gendrivelse.
refute [ri'fju·t] gendrive, modbevise.
regain [ri'geⁱn] genvinde; nå tilbage til; ~ *consciousness* komme til bevidsthed.
regal ['ri·g(ə)l] kongelig, konge-.
regale [ri'geⁱl] (subst.) traktement; (vb.) traktere; fryde; ~ *oneself* delikatere sig, fryde sig.
regalia [ri'geⁱliə] pl. regalier, kronjuveler.
regality [ri'gäliti] kongelighed, kongeligt privilegium.
I. **regard** [ri'ga·d] (vb.) betragte *(as* som), anse *(as* for, fx. ~ *him as one's friend);* agte, respektere; vedkomme, angå (fx. *it does not* ~ *me);* tage hensyn til (fx. *he seldom -s my wishes);* (glds.) se på, betragte, lægge mærke til; *as -s* hvad angår; ~ *him highly* sætte ham højt.
II. **regard** [ri'ga·d] (subst.) betragtning, iagttagelse, opmærksomhed; agtelse, anseelse; hensyn; (glds.) blik; *-s* (ogs.) hilsen(er); *in* ~ *to, with* ~ *to, in* ~ *of* med hensyn til; *give my -s to the family!* hils familien! *with kind -s* med venlig hilsen.
regardful [ri'ga·df(u)l] opmærksom; *be* ~ *of* tage hensyn til.
regarding [ri'ga·diŋ] med hensyn til, angående.
regardless [ri'ga·dlės] ligegyldig, hensynsløs; S uden hensyn til udgifterne (el. til følgerne); ~ *of* uden at bryde sig om, uanset, uden hensyn til.
regatta [ri'gätə] regatta; kaproning, kapsejlads.

regency ['ri·dʒənsi] regentskab; *the Regency* prins Georg af Wales' regentskab 1810-20.
I. **regenerate** [ri'dʒenəreⁱt] (vb.) frembringe på ny; genføde; genrejse; regenerere; gendannes, vokse ud igen.
II. **regenerate** [ri'dʒenərėt] (adj.) fornyet; genfødt.
regeneration [ridʒenə'reⁱʃən] genfrembringelse, fornyelse; genfødelse, genrejsning, regeneration; (radio) positiv tilbagekobling.
regenerative [ri'dʒen(ə)rətiv] fornyende; genfødende; regenerativ.
regenerator [ri'dʒenəreⁱtə] fornyer; regenerator.
regent ['ri·dʒənt] (subst.) regent; (amr.) medlem af universitetsbestyrelse; (adj.) regerende.
regentship ['ri·dʒəntʃip] regentskab.
regicide ['redʒisaid] kongemorder; kongemord.
régie [reⁱ'ʒi·] statsmonopol (fx. på tobak, salt).
régime [reⁱ'ʒi·m] régime, regering, system, ordning; (med.) diæt, kur.
regimen ['redʒimen] diæt, kur, levevis; (gram.) styrelse, rektion.
I. **regiment** ['redʒimənt] (subst.) regiment.
II. **regiment** ['redʒiment] (vb.) ordne i grupper, rubricere; disciplinere, ensrette.
regimental [redʒi'mentl] (adj.) regiments-; uniforms-. **regimentals** (subst.) uniform.
regimentation [redʒimen'teⁱʃən] ensretning.
Regina [ri'dʒainə] dronning.
region ['ri·dʒən] egn, strøg, region, område; lag (af atmosfæren); *the lumbar* ~ (anat.) lænderegionen.
regional ['ri·dʒənl] lokal, kreds-, regional; ~ *novelist* hjemstavnsforfatter; ~ *plan* egnsplan; ~ *planning* egnsplanlægning; ~ *study* hjemstavnslære.
I. **register** ['redʒistə] (subst.) protokol; liste; valgliste; nationalitetsbevis; tælleapparat, registrerende apparat; (tekn.) regulator, spjæld; (i musik) register, stemmeleje; ⚓ skibsliste; *keep a* ~ *of* føre bog over; ~ *of shareholders* (el. *members)* (merk.) aktiebog; *place on the* ~ protokollere.
II. **register** ['redʒistə] (vb.) indskrive sig (fx. *at a hotel);* indmelde sig (fx. *for a course);* bogføre, indføre, protokollere, føre til protokols; optegne i historien; indregistrere (fx. *a car);* anmelde (fx. *a birth);* (jur.) tinglyse; (om bagage) indskrive; (om brev etc.) anbefale, rekommandere; (om person, ved ansigtsudtryk etc.) vise, give udtryk for (fx. *surprise);* (om instrument) vise, registrere; *the thermometer -ed many degrees of frost* termometret viste mange graders frost; ~ *a vow* love sig selv; ~ *at a hotel* (ogs.) tage ind på et hotel; *the ship is -ed in* skibet er hjemmehørende i.
registered| letter anbefalet brev. ~ **nurse** autoriseret sygeplejerske. ~ **office** indregistreret kontoradresse; (omtr.) hovedkontor, (jur.) hjemsted. ~ **shares**, (amr.) ~ **stocks** aktier udstedt på navn.
register office registreringskontor.
register ton ⚓ registerton.
registrar [redʒi'stra·, 'redʒistra·] registrator; giftefoged; universitetssekretær; (med., svarer til) reservelæge; *married before the* ~ borgerlig viet; *senior* ~ 1. reservelæge.
registration [redʒi'streⁱʃən] indskrivning, indmeldelse, registrering (etc, se II. *register*); ~ *letters* registreringsmærke; kendingsbogstaver.
registry ['redʒistri] registreringskontor; indregistrering; ~ *office* folkeregister; engageringsbureau, fæstekontor; *marriage at a* ~ *office* borgerlig vielse; *port of* ~ ⚓ hjemsted.
Regius ['ri·dʒəs] kongelig; ~ *professor* kongelig professor ɔ: indehaver af et professorat oprettet af en konge.
regnant ['regnənt] regerende; (fig.) gængs, herskende.
regorge [ri·'gå·dʒ] gylpe op.
I. **regress** [ri'gres] (vb.) gå tilbage, vende tilbage.
II. **regress** ['ri·gres] (subst.) tilbagevenden; tilbagegang; (jur.) regreskrav, adkomst til regres.

regression [ri'greʃən] tilbagevenden; tilbagegang; (psyk.) regression.

regressive [ri'gresiv] tilbagegående; regressiv.

regret [ri'gret] (vb.) beklage, fortryde, angre; savne; længes tilbage til; (subst.) beklagelse, anger, sorg, savn, længsel; *send one's -s* sende afbud, melde forfald.

regretful [ri'gretf(u)l] fuld af beklagelse.

regrettable [ri'gretəbl] beklagelig, beklagelsesværdig, (til) at beklage.

re-group ['ri·'gru·p] ⚔ omgruppere.

regt. fk. f. *regiment.*

regular ['regjulə] (adj.) regelmæssig, metodisk; regulær, rigtig; fast (fx. *a ~ customer);* forsvarlig, ordentlig, dygtig; (amr.) almindelig; (subst.) fast kunde, stamgæst, fastansat; *-s* ⚔ regulære tropper; *~ clergy* ordensgejstlige; *keep ~ hours* føre et regelmæssigt liv.

regularity [regju'läriti] regelmæssighed.

regularize ['regjuləraiz] bringe i overensstemmelse med reglerne, normalisere.

regulate ['regjuleⁱt] regulere, ordne, styre.

regulation [regju'leⁱʃən] (subst.) regulering; ordning; styrelse; forskrift, anordning, regel, vedtægt; reglement; (adj.) reglementeret (fx. *uniform);* forskriftsmæssig.

regulative ['regjulətiv] regulerende.

regulator ['regjuleⁱtə] (i ur) regulator; rokker.

regurgitate [ri'gə·dʒiteⁱt] strømme tilbage; gylpe op.

rehabilitate [ri·(h)ə'biliteⁱt] genindsætte i tidligere stilling el. ret; give oprejsning, rehabilitere; igen bringe til ære og værdighed; restaurere; (om invalid) revalidere; (om forbryder) resocialisere.

rehabilitation [ri·(h)əbili'teⁱʃən] genindsættelse; oprejsning, æresoprejsning; restaurering; revalidering; resocialisering.

re-hash ['ri·'häʃ] (fig.) (vb.) lave et opkog af; (subst.) opkog.

rehearsal [ri'hə·səl] indstudering, prøve.

rehearse [ri'hə·s] gentage, opregne, gengive, fortælle; indstudere, holde prøve på.

reign [reⁱn] regering, regeringstid; (vb.) regere, herske; *the Reign of Terror* rædselsregimentet.

reimburse ['ri·im'bə·s] tilbagebetale, dække; *~ oneself* tage sig betalt, holde sig skadesløs.

reimbursement ['ri·im'bə·smənt] tilbagebetaling, dækning.

Reims [ri·mz].

rein [reⁱn] (subst.) tømme, tøjle; (vb.) holde i tømme, beherske, tøjle; *give ~* (el. *the -s) to* give frie tøjler; *~ (in)* holde an; *keep a tight ~ on sby.* (fig.) køre én i stramme tøjler.

reincarnate [ri·'inka·neⁱt, 'ri·in'ka·neⁱt] reinkarnere.

reincarnation ['ri·inka·'neⁱʃən] reinkarnation.

reindeer ['reⁱndiə] ren, rensdyr.

reinforce ['ri·in'få·s] forstærke, armere; *-d concrete* jernbeton, armeret beton.

reinforcement ['ri·in'få·smənt] forstærkning, armering.

reins [reⁱnz] (glds.) nyrer; *search the ~ and hearts* granske hjerte og nyrer.

reinstate ['ri·in'steⁱt] genindsætte, genansætte.

reinstatement ['ri·in'steⁱtmənt] genindsættelse.

reinsurance ['ri·in'ʃuərəns] genforsikring.

reinsure ['ri·in'ʃuə] genforsikre.

reissue ['ri·'iʃu·] (vb.) udsende (el. udstede, udgive) på ny; (subst.) genudsendelse, optryk.

reiterate [ri'itəreⁱt] gentage.

reiteration [ri·itə'reⁱʃən] gentagelse.

reject [ri'dʒekt] (vb.) afvise, afslå (fx. *an offer);* forkaste (fx. *a theory);* kassere; vrage; forsmå (fx. *a suitor);* nægte at tro; ikke kunne holde i sig, kaste op; (subst.) *-s* udskudsvarer; kasserede (el. frasorterede) varer; ⚔ kasserede; *export -s* varer som ikke har kunnet godkendes til eksport.

rejection [ri'dʒekʃən] afvisning, afslag etc.

rejig ['ri·'dʒig] udstyre med nye maskiner.

rejoice [ri'dʒois] glæde sig, fryde sig, glæde, gøre glad; *~ in* (spøgende) kunne glæde sig ved, være udstyret med; *-d* glad.

rejoicing [ri'dʒoisiŋ] jubel, glæde, festlighed.

I. **rejoin** [ri'dʒoin] svare; (jur.) duplicere.

II. **rejoin** ['ri·'dʒoin] igen bringe sammen, genforene; igen slutte sig til; komme sammen igen; genforenes.

rejoinder [ri'dʒoində] svar; (jur.) duplik.

rejuvenate [ri'dʒu·vineⁱt] forynge, blive forynget. **rejuvenation** [ridʒu·vi'neⁱʃən] foryngelse.

rejuvenescence [ridʒu·vi'nesns] foryngelse.

rekindle ['ri·'kindl] atter tænde(s); genopvække, få til at blusse op igen; blusse op igen.

relapse [ri'läps] (vb.) falde tilbage, få et tilbagefald; (subst.) tilbagefald.

relate [ri'leⁱt] fortælle, berette; *~ to* angå (fx. *this paragraph -s to my father);* sætte i forbindelse med (fx. *~ the phenomena to one another).* **related** [ri'leⁱtid] beslægtet *(to* med).

relation [ri'leⁱʃən] fortælling, beretning; forbindelse, forhold; slægtskab; slægtning; *in* (el. *with) ~ to* angående.

relationship [ri'leⁱʃənʃip] slægtskab; forhold; forbindelse *(to* med).

relative ['relətiv] (subst.) pårørende, slægtning; (gram.) relativt pronomen; (adj.) relativ; *~ to* som står i forbindelse med, som angår (el. vedrører). **relatively** ['relətivli] relativt, forholdsvis.

relativity [relə'tiviti] relativitet.

relax [ri'läks] slappe, løsne; afspænde; slappes, løsnes, slappe af; være mindre streng, mildnes; adsprede sig, søge hvile; *~ one's guard* give sig en blottelse.

relaxation [ri·läk'seⁱʃən] adspredelse; afslapning; afspænding; mildnelse, formildelse; lempelse; *~ of tension* afspænding (i politik).

re-lay ['ri·'leⁱ] (vb.) omlægge, lægge på ny.

I. **relay** [ri'leⁱ] (subst.) (nyt) hold, nyt forspand; skifte; *in* (el. *by) -s* på skift.

II. **relay** ['ri·leⁱ] (subst.) relæ; stafetløb; (radio-) transmission; (vb.) (re)transmittere; *~ race* stafetløb; *~ station* relæstation.

I. **release** [ri'li·s] (vb.) sætte i frihed, løslade (fx. *prisoners);* frigive (fx. *prisoners, news);* befri; udfri (fx. *~ him from his sufferings);* frigøre, løse (fx. *from a promise);* udløse (fx. *a bomb);* frakoble, slå fra (fx. *the brake);* (jur.) frafalde, opgive (fx. *a claim); ~ a new film* udsende en ny film; *~ one's hold* slippe sit tag.

II. **release** [ri'li·s] (subst.) løsladelse, frigivelse; befrielse, udfrielse; frigørelse; udløsning; frakobling; pressemeddelelse; (ogs. fot.) udløser; (jur.) frafaldelse, opgivelse; *new -s* nyudsendte film.

relegate ['religeⁱt] henvise, overgive; degradere, (i sport) rykke ned; (glds.) forvise.

relegation [reli'geⁱʃən] henvisning, overgivelse; degradering, (i sport) nedrykning; (glds.) forvisning.

relent [ri'lent] formildes, give efter, lade sig formilde. **relentless** [ri'lentlés] hård, ubøjelig, ubarmhjertig.

relevance ['relivəns], **relevancy** ['relivənsi] anvendelighed; forbindelse med sagen, relevans.

relevant ['relivənt] sagen vedkommende, relevant.

reliability [rilaiə'biliti] pålidelighed; driftsikkerhed.

reliable [ri'laiəbl] pålidelig; driftsikker.

reliance [ri'laiəns] tillid, tiltro, fortrøstning; *place* (el. *put) ~ in* (el. *on)* fæste lid til; sætte sin lid til; *in ~ on* i tillid til.

reliant [ri'laiənt] tillidsfuld.

relic ['relik] levning, levn, rudiment; relikvie; overlevering, minde; *-s* (ogs.) jordiske levninger.

relict ['relikt] enke; *~ of* enke efter.

relief [ri'li·f] (subst.) lindring, lettelse, lempelse; befrielse, beroligelse, trøst; variation, afveksling· afhjælpning, hjælp, understøttelse; retshjælp; socialhjælp; undsætning; afløsning, skifte; (i kunst etc.) relief, ophøjet arbejde; (adj.) hjælpe- (fx. *~ organization, ~ fund)*; ekstra- (fx. *bus); the hour of ~* befrielsens time; *heave a sigh of ~* drage et lettelsens suk; *run a ~* dublere et tog, indsætte et ekstratog; *come to his ~* komme ham til undsætning; *bring* (el. *throw, force) into ~* sætte i relief, fremhæve; *stand out in strong ~ against* træde skarpt frem mod, stå i skarp kontrast til.

relief| map reliefkort. **~ printing** relieftryk. **~ train** ekstratog. **~ work** nødhjælpsarbejde, hjælpearbejde.

relieve [ri'li·v] lindre; afhjælpe (fx. *distress)*; hjælpe, understøtte; undsætte (fx. *a besieged town)*; afløse (fx. *the guard)*; aflaste; fritage (fx. *~ him of his duty)*; variere, bringe afveksling ind i; fremhæve, (lade) træde skarpt frem *(against* imod); *~ sby. of his watch* skille en af med hans ur; *~ one's feelings* lette sit hjerte; *~ the bowels* have afføring; *~ nature, ~ oneself* forrette sin nødtørft; gå på wc. **relieved** (ogs.) lettet (fx. *I was ~ to hear he was alive)*.

relieving officer fattigforstander.

religion [ri'lidʒən] religion; gudsdyrkelse; gudsfrygt, fromhed; klosterliv; *get ~* **T** blive omvendt (el. frelst).

religious [ri'lidʒəs] (adj.) religiøs; kristelig; gudfrygtig; samvittighedsfuld; bundet af munkeløfte; (subst.) munk, nonne; *~ house* kloster.

religiousness [ri'lidʒəsnės] religiøsitet; samvittighedsfuldhed.

relinquish [ri'liŋkwiʃ] slippe, opgive, forlade; frafalde. **relinquishment** [ri'liŋkwiʃmənt] opgivelse; frafaldelse.

reliquary ['relikwəri] relikvieskrin. **relique** [ri'li·k] relikvie.

relish ['reliʃ] (vb.) finde smag i, nyde, goutere, synes om; smage, have smag; (subst.) velsmag, smag; duft; anstrøg; krydderi.

reload ['ri·'loᵘd] omlade, lade igen; (fot.) sætte ny film i.

relocation ['ri·lo'keⁱʃən] internering; flytning, forflyttelse; *~ camp* (amr.) interneringslejr.

reluctance [ri'lʌktəns] modstræben, ulyst.

reluctant [ri'lʌktənt] modstræbende, uvillig; *be ~ to* nødig ville, kvie sig ved.

rely [ri'lai]: *~ on* stole på, fæste lid til; være vis på (fx. *you may ~ on it that ...)*; påberåbe sig, støtte sig til.

remain [ri'meⁱn] være igen, blive tilbage; blive, forblive; vedblive, bestå; *-s* efterladenskaber; jordiske rester; rester, levninger; *I ~ yours truly ...* (jeg forbliver) Deres ærbødige ...; *the word -s in Essex to this day* ordet findes endnu i Essex; *the worst -ed to come* det værste stod endnu tilbage; *it -s with him to make them happy* det står til ham at gøre dem lykkelige.

remainder [ri'meⁱndə] (subst.) rest, levninger; restoplag, nedsat bog (af restoplag); restbeløb; (vb.) nedsætte (bog), sælge (bog) til nedsat pris.

remand [ri'ma·nd] (vb.) tilbagesende, sende tilbage til (varetægts)arrest; opretholde fængslingen af; (subst.) tilbagesendelse, genindsættelse i (varetægtsarrest; fortsat fængsling.

remand home forvaringsanstalt.

remanence ['remənəns] remanens. **remanent** ['remənənt] tilbageblivende, remanent; *~ magnetism* remanens, remanent magnetisme.

remark [ri'ma·k] (subst.) bemærkning, ytring, kommentar; iagttagelse; (vb.) bemærke; iagttage; ytre; gøre bemærkninger; *~ on* udtale sig om, gøre bemærkninger om.

remarkable [ri'ma·kəbl] usædvanlig, mærkelig, mærkværdig; mærkbar; påfaldende; bemærkelsesværdig; betydelig; *not ~ for brains* ikke overbegavet.

remarriage ['ri·'märidʒ] indgåelse af nyt ægteskab.

remarry ['ri·'märi] gifte sig (med) igen.

remediable [ri'mi·diəbl] som kan afhjælpes, rettes el. helbredes.

remedial [ri'mi·diəl] helbredende, lægende.

remedy ['remidi] (subst.) lægemiddel; hjælpemiddel; retsmiddel; middel *(for* mod); hjælp, afhjælpning; (vb.) afhjælpe, råde bod på; *there is a ~ for everything* der er råd for alt.

remelt ['ri·'melt] omsmelte.

remember [ri'membə] huske, huske på, erindre, mindes; *this will be -ed against no one* dette skal ikke komme nogen til skade; *~ me to him* hils ham fra mig.

remembrance [ri'membrəns] erindring, minde; hukommelse; souvenir; *-s* (ogs.) hilsener; *in ~ of* til minde om; *Remembrance Day* våbenstilstandsdagen (11. nov.).

remembrancer [ri'membrənsə] påminder; påmindelse, memento; huskeseddel.

remilitarize [ri·'militəraiz] remilitarisere.

remind [ri'maind] erindre, minde *(of* om, *that* om at); *~ me of* minde mig om, huske mig på; få mig til at tænke på.

reminder [ri'maində] påmindelse; rykkerbrev.

reminisce [remi'nis] snakke om gamle dage; tænke tilbage.

reminiscence [remi'nisns] erindring; reminiscens, levning; *-s* (ogs.) memoirer.

reminiscent [remi'nisnt] som erindrer el. minder *(of* om); som dvæler ved minderne.

remiss [ri'mis] slap, forsømmelig, efterladende.

remissible [ri'misbl] som kan eftergives; tilgivelig.

remission [ri'miʃən] eftergivelse (fx. *of a debt)*; tilgivelse, forladelse (fx. *of sins)*; aftagen, lindring.

remit [ri'mit] sende tilbage; (over)sende, indsende, remittere; henvise, tilstille, overgive; slappe, aftage; formilde, formindske, dæmpe; eftergive; forlade, tilgive; udsætte, lade stå hen.

remittal [ri'mit(ə)l] oversendelse, tilbagesendelse, henvisning; eftergivelse; tilgivelse.

remittance [ri'mitəns] rimesse; oversendelse af penge (etc., som betaling); *~ man* emigrant, som modtager regelmæssig understøttelse hjemmefra.

remittent [ri'mitənt] remitterende; som aftager (i styrke) med mellemrum; svingende.

remitter [ri'mitə] afsender af rimesse.

remnant ['remnənt] rest; levning.

remodel ['ri·'mådl] ommodellere, omforme.

remonstrance [ri'månstrəns] protest, indvending; forestillinger; advarsel; formaning(er), bebrejdelse(r); *a paper of ~* en protestskrivelse.

remonstrant [ri'månstrənt] (adj.) protesterende; (subst., rel.) arminianer, remonstrant.

remonstrate [ri'månstreⁱt] protestere, gøre forestillinger; *~ with sby. on sth.* bebrejde en noget, foreholde en noget.

remontant [ri'måntənt] ♧ remonterende.

remorse [ri'må·s] samvittighedsnag, anger.

remorseful [ri'må·sf(u)l] angergiven, angrende.

remorseless [ri'må·slės] ubarmhjertig, grusom; samvittighedsløs.

remote [ri'moᵘt] fjern; fjerntliggende; afsides; fremmed; svag (fx. *chance, possibility)*.

remote| control fjernstyring. **~ -control(led)** fjernstyret.

remould ['ri·'moᵘld] omdanne, omforme.

I. **remount** [ri(·)'maunt] (vb.) bestige igen; skaffe friske heste; stige op igen; gå tilbage *(to* til); skrive sig *(to* fra); montere (, klæbe op, sætte op) igen.

II. **remount** ['ri·maunt] (subst.) remonte(hest), frisk(e) hest(e).

removability [rimu·və'biliti] flyttelighed; afsættelighed. **removable** [ri'mu·vəbl] som kan flyttes; afsættelig, som kan afskediges.

removal [ri'mu·vl] fjernelse; afskedigelse; flytning; overflytning; bortrydning; *~ van* flyttevogn.

remove [ri'mu·v] (vb.) flytte, forflytte; fjerne, tage væk (el. ud); rydde væk (el. af vejen), skaffe bort; afskedige, afsætte; (subst.) flytning; opflytning; ret (mad); afstand, mellemrum; trin, grad; *cousin once -d* næstsøskendebarn.

remover [ri'mu·və] flyttemand.

remunerate [ri'mju·nəreⁱt] lønne; godtgøre.

remuneration [rimju·nə'reⁱʃən] løn, godtgørelse, vederlag.

remunerative [ri'mju·nərətiv] indbringende, lønnende, rentabel.

renaissance [ri'neⁱsəns] renæssance; genfødelse; fornyelse.

renal ['ri·nəl] som angår nyrerne, nyre-.

rename ['ri·'neⁱm] omdøbe, give et nyt navn.

renard ['renəd] ræv, Mikkel.

renascence [ri'näsns] = *renaissance.*

renascent [ri'näsnt] som genfødes; genfødt.

rencontre [ren'kåntə, fr.] møde; duel; træfning; sammenstød. **rencounter** [ren'kauntə] (subst.) = *rencontre;* (vb.) støde sammen med, træffe.

rend [rend] *(rent, rent)* sønderrive, splintre, splitte; flænge; flå, rive.

render ['rendə] give, afgive (fx. *an answer);* yde (fx. *help);* gøre (fx. *his wealth -s it superfluous);* forelægge; overgive; foredrage, udføre, spille (fx. *Hamlet);* gengive, oversætte; afsmelte (og klare) (fx. *fat);* ~ *an account* sende en regning ud; ~ *an account of* gøre regnskab for; ~ *down* afsmelte (og klare); ~ *good for evil* gengælde ondt med godt; ~ *into Danish* oversætte til (el. gengive på) dansk; ~ *a service* gøre en tjeneste; ~ *unto Caesar the things that are Caesar's* give kejseren, hvad kejserens er; ~ *up* overgive; ~ *a wall* pudse en mur.

rendering ['rendəriŋ] gengivelse, udførelse; oversættelse; aflæggelse *(of accounts* af regnskab); **puds**; afsmeltning.

rendezvous ['råndivu·, 'ra·ndeⁱvu·] (subst.) mødested, samlingssted; aftalt møde; (vb.) mødes.

rendition [ren'diʃən] gengivelse, udførelse, fortolkning.

renegade ['renigeⁱd] (subst.) frafalden, overløber; renegat; (vb.) falde fra.

renew [ri'nju·] forny; begynde igen; udskifte; genoptage.

renewable [ri'nju·əbl] som kan fornyes; udskiftelig.

renewal [ri'nju·əl] fornyelse, genoptagelse.

reniform ['renifå·m] nyreformet.

rennet ['renit] (subst.) løbe.

renounce [ri'nauns] frasige sig, fraskrive sig, opgive, give afkald på (fx. *the use of nuclear weapons);* frafalde (fx. *a claim);* fornægte, afsværge (fx. *one's faith);* forstøde (fx. *a son);* ~ *the devil* forsage djævelen.

renouncement [ri'naunsmənt] frasigelse, frafaldelse, opgivelse; afkald; fornægtelse, afsværgelse; forstødelse.

renovate ['renoveⁱt] modernisere, fikse op, reparere. **renovation** [reno'veⁱʃən] modernisering, fornyelse.

renown [ri'naun] navnkundighed, ry, berømmelse. **renowned** [ri'naund] navnkundig, berømt.

I. **rent** [rent] (subst.) leje, lejeindtægt, husleje (fx. *he owes two months'* ~*);* jordrente, grundrente.

II. **rent** [rent] (vb.) leje (fx. ~ *rooms from sby.),* forpagte; udleje (fx. ~ *rooms to sby.),* bortforpagte; udlejes (fx. *the house -s at £100 a year);* bortforpagtes.

III. **rent** [rent] (subst.) rift, revne, flænge (fx. *in a shirt);* (fig.) splittelse (fx. *in a party).*

IV. **rent** [rent] imperf. og perf. part. af *rend.*

rentable ['rentəbl] som kan lejes (, udlejes), til leje.

rental ['rentl] lejeindtægt, liste over lejere og lejeindtægt, leje; ~ *library* lejebibliotek.

renter ['rentə] lejer, filmudlejer.

rentes [fr.] (pl.) statsobligationer.

rent-free uden leje, husfrit.

rentier ['råntieⁱ] rentier.

rent| restriction act huslejelov. ~ **-roll** liste over lejere og lejeindtægt. ~ **tribunal** huslejenævn.

renunciation [rinʌnsi'eⁱʃən] = *renouncement.*

reopen ['ri·'oᵘpn] åbne igen; tage op igen (fx. ~ *a question);* (om sår) bryde op; *secure a -ing of the case* få sagen genoptaget.

reorganization ['ri·å·gən(a)i'zeⁱʃən] reorganisation, omordning, omdannelse.

reorganize ['ri'å·gənaiz] reorganisere, omdanne, lægge om.

reorientation ['ri·å·riən'teⁱʃən] nyorientering.

I. **rep** [rep] reps (en slags tøj).

II. **rep** [rep] **S** fk. f. *repertory (theatre), repetition, representative, reputation; reprobate* (fx. *you old* ~).

rep. fk. f. *repeat, report(er).*

Rep. fk. f. *Representative, Republic(an).*

I. **repair** [ri'pæə] (vb.) gå, begive sig.

II. **repair** [ri'pæə] (subst.) istandsættelse, reparation, udbedring, vedligeholdelse; oprejsning; (vb.) istandsætte, reparere; udbedre (fx. *the damage);* rette (fx. *a mistake),* erstatte (fx. *a loss),* gøre god igen (fx. *a wrong); in good* ~ i god stand; *out of* ~ i dårlig stand.

repairable [ri'pæərəbl] som kan istandsættes el. udbedres.

repair-man reparatør.

repaper ['ri·'peⁱpə] tapetsere på ny, omtapetsere.

reparable ['repərəbl] som kan istandsættes (el. repareres); som kan erstattes (el. gøres god igen).

reparation [repə'reⁱʃən] istandsættelse, reparation; oprejsning; erstatning; *(war) -s* krigsskadeserstatninger.

repartee [repa·'ti·] kvikt svar; slagfærdighed; *quick at* ~ slagfærdig, hurtig i replikken.

repartition ['ri·pa·'tiʃən] ny fordeling.

repast [ri'pa·st] måltid.

repatriate [ri·'pätrieⁱt] (vb.) repatriere, hjemsende (til fædrelandet); (adj.) repatrieret, hjemsendt. **repatriation** [ri·pätri'eⁱʃən] repatriering, hjemsendelse.

repay [ri'peⁱ] tilbagebetale, betale tilbage; erstatte; gengælde, lønne; ['ri·'peⁱ] betale påny.

repayable [ri'peⁱəbl] som skal tilbagebetales.

repaying [ri'peⁱiŋ] (adj.) lønnende.

repayment [ri'peⁱmənt] tilbagebetaling; indfrielse; afdrag; gengæld.

repeal [ri'pi·l] (vb.) ophæve, annullere, sætte ud af kraft (fx. *a law);* tilbagekalde; (subst.) ophævelse; tilbagekaldelse.

repealer [ri'pi·lə] en der ophæver lov etc.; *Repealer* unionsopløser, tilhænger af opløsningen af unionen mellem Storbritannien og Irland.

I. **repeat** [ri'pi·t] (vb.) gentage, repetere, sige igen; fremsige (fx. ~ *a lesson),* foredrage; forsøge igen; vende tilbage; (om mad) give opstød; (merk.) levere igen, levere mere af (en vare); (amr.) (ulovligt) stemme mere end én gang; *repeat!* (ved diktat) jeg gentager.

II. **repeat** [ri'pi·t] (subst.) gentagelse; (i musik) gentagelsestegn; (i radio, fjernsyn) genudsendelse.

repeatedly [ri'pi·tidli] gentagne gange.

repeater [ri'pi·tə] repeterur; repetergevær; (amr.) vælger der ulovligt afgiver sin stemme mere end én gang; ~ *(compass)* ⚓ datterkompas.

repeating watch repeterur.

repechage ['repəʃa·ʒ] opsamlingsheat.

repel [ri'pel] drive tilbage; afvise, tilbagevise, frastøde.

repellent [ri'pelənt] frastødende; modbydelig; *mosquito* ~ myggebalsam.

I. **repent** [ri'pent] (vb.): ~ *(of)* angre (fx. *one's sins).*

II. **repent** ['ri·pənt] (adj.) ♧ krybende.

repentance [ri'pentəns] anger, omvendelse.

repentant [ri'pentənt] angrende, angergiven.

repercussion [ri·pə·'kʌʃən] tilbageslag, bagslag; genlyd; (indirekte) følge.

repertoire ['repətwa·] repertoire.

repertory ['repətəri] repertoire; skatkammer, forråd, fond; ~ *theatre* teater som baseres på et afvekslende repertoire og ikke på talrige opførelser af enkelte tilløbsstykker.

repetition [repi'tiʃən] gentagelse, repetition; fremsigelse; gengivelse; kopi; digt (etc.) til udenadslæren.
repetitious [repi'tiʃəs] fuld af gentagelser; ensformig, monoton.
repetitive [ri'petitiv] som (ustandselig) gentager sig, gentagende; se ogs. *repetitious.*
repine [ri'pain] græmme sig; beklage sig, klage.
replace [ri'pleⁱs] lægge (, stille, sætte) tilbage, genindsætte; erstatte, udskifte *(by* med), afløse. **replacement, replacing** genindsættelse, erstatning, udskiftning.
replan ['ri·'plän] ordne om.
replant ['ri·'pla·nt] atter plante, omplante, beplante på ny.
replay ['ri·'pleⁱ] (vb.) spille igen (el. om); (subst.) (fornyet) afspilning; (i fodbold) omkamp.
replenish [ri'pleniʃ] fylde (op) igen, supplere op, komplettere.
replenishment [ri'pleniʃmənt] udfyldning, opfyldning, supplering, komplettering.
replete [ri'pli·t] fuld; opfyldt; overfyldt, propfuld.
repletion [ri'pli·ʃən] overfyldelse; *filled to ~* fyldt til overmål.
replevin [ri'plevin] (jur.) ophævelse af fogedkendelse.
replica ['replikə] kopi.
replication [repli'keⁱʃən] svar; replik; genlyd; reproduktion.
reply [ri'plai] (vb.) svare *(to* på), tage til genmæle; (subst.) svar, svarskrivelse; besvarelse; *in ~ to* som svar på.
reply| card svarbrevkort, dobbelt brevkort. **~ -paid** med svar betalt.
repolish ['ri·'påliʃ] ompolere, oppolere.
I. **report** [ri'på·t] (vb.) rapportere, melde tilbage, indberette; (an)melde, fortælle, referere; melde sig; afgive beretning; *it is -ed that* (ogs.) det forlyder at; *~ oneself* melde sig; *~ for duty* melde sig til tjeneste; *~ fit for duty* melde sig rask.
II. **report** [ri'på·t] (subst.) melding, rapport, (ind-) beretning, betænkning; vidnesbyrd (fra skolen); indstilling; referat; rygte, forlydende; knald, brag; *adopt the ~* godkende beretningen; *annual ~* årsberetning; *by current ~* efter forlydende; *know him from ~* kende ham af omtale.
report centre meldecentral.
reported speech indirekte tale.
reporter [ri'på·tə] referent, reporter.
repose [ri'poᵘz] (vb.) hvile; støtte; ligge; (subst.) hvile, fred; harmoni, ligevægt, ro; *~ confidence in* stole på, have tillid til.
reposeful [ri'poᵘzf(u)l] rolig.
reposit [ri'påzit] anbringe, forvare, gemme, lægge (tilbage).
repository [ri'påzitəri] gemme, gemmested, opbevaringssted; fond.
repossess ['ri·pə'zes] besidde på ny; *~ oneself of sth.* tage noget i besiddelse på ny.
repossession ['ri·pə'zeʃən] fornyet besiddelse.
repot ['ri·'påt] plante i nye potter, omplante, ompotte.
repoussé [rə'pu·seⁱ] (adj.) drevet; (subst.) drivning; drevet arbejde.
repped [rept] repsvævet, som reps.
reprehend [repri'hend] dadle, irettesætte.
reprehensible [repri'hensəbl] forkastelig, dadelværdig. **reprehension** [repri'henʃən] dadel; irettesættelse.
represent [repri'zent] forestille, betyde; fremstille, beskrive; gengive; repræsentere; *~ oneself as* give sig ud for; *he -s that he has ...* han hævder at han har ...
representable [repri'zentəbl] som kan fremstilles.
representation [reprizen'teⁱʃən] forestilling, fremstilling; beskrivelse; repræsentation; *make -s* gøre forestillinger (el. indsigelse).
representative [repri'zentətiv] (adj.) repræsentativ, typisk; fremstillende; (subst.) repræsentant, (typisk) eksempel; *~ of* som forestiller, som repræsenterer; *House of Representatives* Repræsentanternes Hus (underhuset i De forenede Staters kongres); *~ government* folkestyre.
repress [ri'pres] trænge tilbage, betvinge, kue, undertrykke; hæmme, standse; tøjle; (psyk.) fortrænge.
repression [ri'preʃən] betvingelse, undertrykkelse; (psyk.) fortrængning.
repressive [ri'presiv] betvingende, dæmpende, undertrykkende; afvisende (fx. *manner).*
reprieve [ri'pri·v] (vb.) give en frist; benåde for dødsstraf; (subst.) frist, udsættelse; henstand; benådning for dødsstraf; *~ from* foreløbig befri for (el. redde fra).
reprimand ['reprima·nd] (vb.) irettesætte, give en reprimande (el. **T** næse); (subst.) irettesættelse, reprimande, **T** næse.
reprint ['ri·'print] (gen)optrykke; (subst.) optryk, særtryk; *the book is -ing* bogen er under genoptrykning.
reprisal [ri'praizl] gengældelse(sforanstaltning), repressalier; *make -s* tage repressalier.
reprise [ri'praiz] årligt fradrag; (i musik) gentagelse.
reproach [ri'proᵘtʃ] (vb.) bebrejde, dadle; (subst.) bebrejdelse, dadel; skam, skændsel; *~ him with it* bebrejde ham det; *above ~* hævet over al kritik.
reproachful [ri'proᵘtʃf(u)l] bebrejdende, dadlende.
reprobate ['reprobeⁱt] (vb.) fordømme, forkaste; (adj.) fordærvet, ryggesløs, fortabt; (subst.) forhærdet synder, syndens barn; skurk.
reprobation [repro'beⁱʃən] fordømmelse, forkastelse.
reproduce [ri·prə'dju·s] frembringe igen, reproducere, fremstille igen; forny; gengive, genfortælle; formere sig.
reproducer [reprə'dju·sə] gengiver.
reproduction [ri·prə'dʌkʃən] gengivelse; genfrembringelse, reproduktion; formering; fornyelse; genfortælling.
reproductive [ri·prə'dʌktiv] reproduktiv; forplantnings- (fx. *organs).*
reproof [ri'pru·f] dadel, irettesættelse.
reproval [ri'pru·vəl] dadel.
reprove [ri'pru·v] irettesætte.
reptile ['reptail] (subst.) krybdyr; kryb; (adj.) krybende, simpel, foragtelig.
republic [ri'pʌblik] republik; *the ~ of letters* den lærde verden; den litterære verden.
republican [ri'pʌblikən] (adj.) republikansk; (subst.) republikaner; *Republican* (amr.) republikaner.
republish ['ri·'pʌbliʃ] genudsende (bog etc.).
repudiate [ri'pju·dieⁱt] forkaste; forskyde, lade sig skille fra; nægte, fornægte, nægte at anerkende; tage afstand fra. **repudiation** [ripju·di'eⁱʃən] forkastelse; forskydelse; fornægtelse.
repugnance [ri'pʌgnəns] ulyst, utilbøjelighed; modvilje, uvilje; afsky; modsigelse, uoverensstemmelse.
repugnant [ri'pʌgnənt] frastødende, modbydelig; afskyelig; uforenelig, uoverensstemmende, i modstrid *(to* med).
repulse [ri'pʌls] (subst.) afvisning, tilbagedrivelse; afslag; (vb.) afvise (fx. *his offer of help);* drive (, kaste) tilbage (fx. *the enemy).*
repulsion [ri'pʌlʃən] frastødning; tilbagedrivelse; afsky.
repulsive [ri'pʌlsiv] frastødende; modbydelig; tilbagedrivende.
repurchase [ri'pə·tʃės] tilbagekøb; købe tilbage.
reputable ['repjutəbl] agtværdig, agtet, hæderlig; anerkendt.
reputation [repju'teⁱʃən] omdømme, rygte, ry;

renommé, godt navn, anseelse; *have the ~ of* (el. *a ~ for) being* have ry (el. ord) for at være.

repute [ri'pju·t] (subst.) omdømme, anseelse, godt navn; (vb., glds.) anse for; *of ~* anset (fx. *a doctor of ~); of ill ~* berygtet.

reputed [ri'pju·tid] almindelig antaget (el. anerkendt); formodet; *be ~ (to be)* anses for. **reputedly** [ri'pju·tidli] efter den almindelige mening.

request [ri'kwest] (subst.) anmodning, begæring, bøn; efterspørgsel; (vb.) anmode, bede om, udbede sig; *do it at his ~* gøre det på hans anmodning (el. forlangende); *at the ~ of* (ogs.) på foranledning af; *by ~* på opfordring; *no flowers by ~* (svarer til) kranse frabedes; *in ~* efterspurgt; *make a ~* fremsætte en anmodning; *accede to* (el. *comply with, grant) the ~* indvilge; efterkomme opfordringen; *listeners' ~ (programme)* (i radio) ønskekoncert; *~ number* nummer der gives på opfordring.

requiem ['rekwiem] rekviem (sjælemesse).

require [ri'kwaiə] behøve, trænge til; kræve, forlange, påbyde; *-d* (ogs.) obligatorisk.

requirement [ri'kwaiəmənt] behov, fornødenhed; krav, betingelse, forudsætning.

requisite ['rekwizit] (adj.) fornøden; (subst.) fornødenhed, nødvendighed; rekvisit.

requisition [rekwi'ziʃən] (subst.) begæring, forlangende; rekvisition; (vb.) beslaglægge, lægge beslag på; forlange, rekvirere, udskrive; *forced ~* tvangsudskrivning.

requital [ri'kwaitl] belønning, gengældelse (*of* af, for); løn, gengæld (*of* for).

requite [ri'kwait] gengælde, lønne.

reread ['ri·'ri·d] læse igen.

rerecord ['ri·ri'kå·d] overspille.

reredos ['riədås] udsmykket væg bag alter; (ofte:) altertavle.

rescind [ri'sind] afskaffe; ophæve; omstøde.

rescission [ri'siʒən] ophævelse; omstødelse.

rescript ['ri·skript] reskript; forordning.

rescuable ['reskjuəbl] som står til at redde.

rescue ['reskju·] (vb.) frelse, redde; befri, udfri (*from* fra); (subst.) frelse, redning, undsætning, hjælp; befrielse, udfrielse; *come to his ~* komme ham til undsætning; *~ party* redningsmandskab.

rescuer ['reskjuə] redningsmand; befrier.

research [ri'sə·tʃ, (amr. ogs.) 'ri·sə·tʃ] (subst.) (videnskabelig) undersøgelse, forskning, granskning; (vb.) foretage (videnskabelige) undersøgelse(r); forske; *do ~* (ogs.) udføre videnskabeligt arbejde; *~ into* undersøge (nøje).

research| work undersøgelsesarbejde; videnskabeligt arbejde, forskning. *~* **-worker** forsker.

reseat ['ri·'si·t] genindsætte; udstyre med nye stole (fx. *a theatre);* give nyt sæde (fx. *a chair);* sætte ny bag i (fx. *a pair of trousers).*

resect [ri'sekt] bortoperere. **resection** [ri'sekʃən] resektion, operativ fjernelse af en del af et organ.

reseda [ri'si·də] ♧ reseda.

resell ['ri·'sel] sælge igen, videresælge.

resemblance [ri'zembləns] lighed (*to* med).

resemble [ri'zembl] ligne.

resent [ri'zent] være vred over, tage ilde op; anse som en fornærmelse, føle sig fornærmet over, harmes over; *I ~ your remarks* jeg synes ikke om dine bemærkninger.

resentful [ri'zentf(u)l] pirrelig; fornærmet, krænket, fortørnet; harmfuld, vred.

resentment [ri'zentmənt] krænkelse, fortørnelse, fortrydelse, harme, vrede.

reservation [rezə'veiʃən] forbehold, reservation; (amr.) reservat (fx. *Indian ~);* reservering, (forud-) bestilling (af værelse, plads etc.); *mental ~* stiltiende forbehold.

I. **reserve** [ri'zə·v] (vb.) reservere, bestille (fx. *a seat);* holde tilbage, spare (fx. *money);* lægge hen; forbeholde; *~ for oneself* forbeholde sig; *be -d for* (ogs.) vente (fx. *a happy future is -d for you).*

II. **reserve** [ri'zə·v] reserve (fx. *of a bank);* forråd; forbehold (fx. *we publish this with all ~);* reservat (fx. *for wild animals);* tilbageholdenhed; forbeholdenhed; *-s* (ogs.) reservetropper, -skibe; *in ~* i reserve; *place* (el. *put) a ~ on* sætte en mindstepris for; *without ~* uden forbehold, uforbeholdent; uden betingelser.

reserved [ri'zə·vd] reserveret, forbeholden, forsigtig, tilbageholden.

reserve| price mindstepris (under hvilken en ting ikke sælges). *~* **purchase** beredskabskøb.

reservist ⚔ soldat i reserven, reservist.

reservoir ['rezəvwå·] beholder; vandreservoir.

I. **reset** [ri·'set] (skotsk) være hæler; hæleri.

I. **reset** ['ri·'set] sætte op, montere (etc.) igen (se I. *set).*

resettle ['ri·'setl] atter anbringe, atter bringe til ro, atter komme til ro; (lade) bosætte sig på ny.

reshape ['ri·'ʃeip] forme på ny, omforme.

reship ['ri·'ʃip] genindskibe, omskibe.

reshipment ['ri·'ʃipmənt] genindskibet last; omskibning, genindskibning.

reshuffle ['ri·'ʃʌfl] blande (kortene) på ny; (fig.) rekonstruere, **T** ommøblere; *a Cabinet ~* rekonstruktion (el. **T** ommøblering) af et ministerium.

reside [ri'zaid] opholde sig, bo, residere; ligge, være til stede, findes (*in* hos).

residence ['rezidəns] ophold; bolig, bopæl; (større) hus; residens, residensby.

residency ['rezidənsi] residens; residentskab (i Indien).

resident ['rezidənt] (adj.) bosat, boende; fastboende; (subst.) indbygger, beboer, borger; gæst (på hotel); embedsmand som bor i sit distrikt; resident (engelsk udsending ved indisk hof).

residential [rezi'denʃəl] beboelses-, villa- (fx. *quarter);* bolig-; egnet til privatbeboelse.

residual [ri'zidjuəl] (adj.) tiloversbleven, tilbageværende, resterende; (subst.) rest.

residuary [ri'zidjuəri] rest-, resterende; *~ legatee* universalarving.

residue ['rezidju·], **residu|um** [ri'zidjuəm] (pl. *-a* [ri'zidjuə]) rest; destillationsrest.

resign [ri'zain] træde tilbage, trække sig tilbage (fx. *from a post),* (om minister etc.) demissionere; fratræde (fx. *a position);* nedlægge (fx. *one's seat* sit mandat); opgive (fx. *a claim);* afstå; overlade (fx. *~ the child to his care); ~ oneself to* overgive sig til; forsone sig med, slå sig til tåls med, finde sig i (fx. *one's fate).*

re-sign ['ri·'sain] atter underskrive.

resignation [rezig'neiʃən] tilbagetræden, afsked, (om minister etc.) demission; nedlæggelse (fx. *of a seat* af et mandat); afståelse, opgivelse (fx. *of a claim);* hengivelse, resignation; forsagelse; *send in* (el. *file) one's ~* indgive sin afskedsbegæring.

resigned [ri'zaind] resigneret; opgivende; *be ~ to* finde sig tålmodigt i, underkaste sig.

resile [ri'zail] springe tilbage; være spændstig, være elastisk.

resilience [ri'ziliəns], **resiliency** [ri'ziliənsi] spændstighed, elasticitet; (fig. ogs.) åndelig elasticitet, livskraft, livsmod, ukuelighed.

resilient [ri'ziliənt] spændstig, elastisk; (fig. ogs.) ukuelig, som ikke lader sig slå ned.

resin ['rezin] harpiks.

resist [ri'zist] modstå, gøre modstand imod; modsætte sig; modarbejde, modvirke; *I could not ~ asking* jeg kunne ikke bare mig for at spørge.

resistance [ri'zistəns] modstand, modstandskraft, modstandsevne; (med.) resistens; (elekt.) ledningsmodstand; *~ movement* modstandsbevægelse; *take the line of least ~* (fig.) springe over hvor gærdet er lavest.

resistant [ri'zistənt] modstandsdygtig; (en) der gør modstand; (med.) resistent.

resistibility [rizisti'biliti] modstandsevne.

resistible [ri'zistəbl] som kan modstås.

resistless [ri'zistlès] uimodståelig; uundgåelig.

resocialization [ˈri·soᵘʃəlaiˈzeⁱʃən] resocialisering.
resole [ˈri·ˈsoᵘl] forsåle.
resoluble [ˈrezəljubl] opløselig; som kan analyseres.
resolute [ˈrezəl(j)u·t] (adj.) bestemt, fast, standhaftig; djærv, kæk, rask, beslutsom, resolut; (vb., amr.) formulere (, vedtage) en resolution.
resolution [rezəˈl(j)u·ʃən] bestemthed, fasthed; djærvhed, kækhed, behjertet el. rask optræden, beslutsomhed; resolution, beslutning, bestemmelse; (kem., musik) opløsning; *New Year -s* nytårsforsætter.
resolve [riˈzålv] (vb.) opløse, sønderdele, analysere; løse; beslutte, bestemme sig til; resolvere; ophøre, udløbe; (subst.) beslutning, bestemmelse; karakterfasthed; *the House -d itself into a committee* underhuset konstituerede sig som udvalg.
resolved [riˈzålvd] (adj.) besluttet, bestemt.
resolvent [riˈzålvənt] opløsende; opløsningsmiddel.
resonance [ˈrezənəns] genlyd; resonans.
resonant [ˈrezənənt] genlydende; rungende; sonor (fx. *voice).*
resorb [riˈså·b] resorbere, opsuge, optage.
resorption [riˈså·pʃən] resorption.
I. **resort** [riˈzå·t] (subst.) tilflugt, udvej; redning (fx. *it was our only ~);* tilflugtssted, tilholdssted (fx. *the café was the ~ of intellectuals);* besøg, søgning; *health ~* kursted; *seaside ~* badested; *court of last ~* sidste instans; *in the last ~* som en sidste udvej; i sidste instans.
II. **resort** [riˈzå·t] (vb.): *~ to* tage sin tilflugt til, ty til; besøge.
resound [riˈzaund] lade genlyde; lyde, tone, genlyde, runge, give genlyd; *-ing* (ogs.) eklatant (fx. *defeat).*
resource [riˈså·s] hjælpekilde; tilflugt, udvej; rådsnarhed; *-s* midler, pengemidler, ressourcer, naturrigdomme, forråd (fx. *coal -s); be at the end of one's -s* stå på bar bund.
resourceful [riˈså·sf(u)l] opfindsom, snarrådig, idérig. **resourcefulness** opfindsomhed, snarrådighed, åndsnærværelse.
I. **respect** [riˈspekt] (vb.) respektere, agte; tage hensyn til; angå; *~ oneself* have selvagtelse, have selvrespekt; *make oneself -ed* sætte sig i respekt.
II. **respect** [riˈspekt] (subst.) respekt, agtelse; hensyn; henseende; *in ~ of* (el. *to)* med hensyn til; i henseende til, hvad angår; *in ~ that* (glds.) i betragtning af at; *in many -s* i mange henseender; *pay one's -s to sby.* gøre en sin opvartning; *my father sends his -s* min fader lader hilse; jeg skal hilse fra min fader; *with ~ to* med hensyn til; *without ~ of persons* uden persons anseelse.
respectability [rispektəˈbiliti] agtværdighed; (ofte ironisk) overdreven korrekthed (el. artighed).
respectable [riˈspektəbl] pæn, agtværdig, anset; (ofte ironisk) korrekt, artig, pæn (fx. *he is too ~ for my taste);* respektabel, ret god, ret betydelig (fx. *talents);* passende (fx. *clothes).*
respectful [riˈspektf(u)l] ærbødig; *Yours respectfully* ærbødigst; Deres ærbødige.
respecting [riˈspektiŋ] angående, med hensyn til, vedrørende.
respective [riˈspektiv] hver sin, respektive; *put them in their ~ places* anbringe dem hver på sit sted.
respectively [riˈspektivli] henholdsvis (fx. *the books were marked ~ A, B, C* etc.).
respiration [respiˈreⁱʃən] åndedræt; *difficult ~* åndenød.
respirator [ˈrespireⁱtə] respirator; røgmaske; gasmaske.
respiratory [riˈspaiərətəri] åndedræts- (fx. *organs).*
respire [riˈspaiə] ånde; indånde; (ogs. fig.) trække vejret.
respite [ˈrespait] (subst.) frist, henstand, udsættelse, respit, pusterum; (vb.) give frist, udsætte; midlertidig lindre.
resplendence [riˈsplendəns] glans.
resplendent [riˈsplendənt] strålende.
respond [riˈspånd] svare (især om menighedens svar til præsten), synge korsvar; holde svartalen *(to* til); reagere *(to* over for, på); være modtagelig *(to* for); *~ with* svare med, gengælde med.
respondent [riˈspåndənt] (subst.) indstævnte (især i skilsmissesager); præses, doktorand (ved disputats); (adj.) reagerende *(to* overfor, på); (jur.) indstævnt.
response [riˈspåns] svar; menighedens svar ved gudstjeneste, korsvar; reaktion *(to* over for, på); *meet with a ~* vinde genklang, finde tilslutning.
responsibility [rispånsiˈbiliti] ansvarlighed; ansvar; ansvarsfølelse; *it is your ~* det er på dit ansvar.
responsible [riˈspånsəbl] ansvarlig; ansvarsfuld; ansvarsbevidst; ansvarshavende; *hold ~* drage til ansvar; *~ post* betroet stilling.
responsions [riˈspånʃənz] (den første af de eksaminer ved Oxfords universitet, som man må bestå for at blive *B.A.).*
responsive [riˈspånsiv] modtagelig, forstående; sympatisk indstillet (fx. *audience);* svarende.
I. **rest** [rest] (subst.) hvile, ro; hvil; pause, ophold; støtte, underlag; (i musik) pause(tegn); *at ~* i hvile, stille; *he is at ~* han har fået fred; *set a question at ~* afgøre (el. gøre ende på diskussionen om) et spørgsmål; *set sby.'s mind at ~* berolige en; *go to ~* gå til ro; *lay to ~* stede til hvile, begrave.
II. **rest** [rest] (vb.) hvile; lade hvile (fx. *one's horse);* give hvile; støtte (fx. *~ one's head on one's hands); ~ assured that* stole på at; være forvisset om at; *there the matter must ~* derved må det forblive (el. bero); *it -s with you to decide* det står til dig at afgøre.
III. **rest** [rest] (subst.): *the ~* resten (fx. *the ~ of the money);* det øvrige (fx. *the ~ of Europe);* de andre (fx. *the ~ are staying); and (all) the ~ (of it)* og så videre; *for the ~* hvad det øvrige angår.
restate [ˈri·ˈsteⁱt] gentage.
restatement [ˈri·ˈsteⁱtmənt] gentagelse.
restaurant [ˈrestərå·ŋ, ˈrestərənt] restaurant.
restaurant|-car spisevogn. *~* **-keeper** restauratør.
rest-cure [ˈrestkjuə] liggekur.
rested [ˈrestid] udhvilet.
restful [ˈrestf(u)l] rolig, beroligende, fredfyldt.
rest-harrow [ˈresthäroᵘ] ♧ krageklo.
rest-house rasthytte.
resting-place hvilested (fx. *his last ~).*
restitution [restiˈtju·ʃən] genoprettelse, genindsættelse; tilbagegivelse; tilbagelevering, erstatning.
restive [ˈrestiv] stædig; urolig, vanskelig at styre.
restless [ˈrestlés] rastløs, hvileløs; urolig, nervøs.
restock [ˈri·ˈståk] få ny beholdning; atter føre (fx. *good wines); ~ the lake with fish* forny fiskebestanden i søen.
restoration [restoˈreⁱʃən] istandsættelse, restaurering; rekonstruktion, genopbygning; genoprettelse; tilbagegivelse; helbredelse; *the Restoration* genindsættelsen af Stuarterne i 1660 efter republikken.
restorative [riˈstå·rətiv] (adj.) styrkende, stimulerende, nærende; (subst.) nærende føde, styrkedrik.
restore [riˈstå·] istandsætte, reparere, restaurere (fx. *a building);* rekonstruere; genoprette (fx. *peace);* genindføre (fx. *a custom);* genindsætte (fx. *a king);* bringe tilbage; give tilbage, gengive; helbrede, restituere; *~ sby. to favour* tage en til nåde.
restrain [riˈstreⁱn] holde tilbage, styre, tøjle, beherske, betvinge, lægge bånd på, forhindre *(from* i).
restrained [riˈstreⁱnd] behersket.
restraint [riˈstreⁱnt] tvang, betvingelse; indskrænkning, bånd; tilbageholdenhed, beherskelse; *be under ~* være under tvang; (om sindssyg) være tvangsindlagt; *put under ~* indespærre, tvangsindlægge.
restrict [riˈstrikt] begrænse, indskrænke; *-ed* (ogs.) ikke offentlig tilgængelig; *-ed area* spærret (el. forbudt) område.
restriction [riˈstrikʃən] indskrænkning, begrænsning, restriktion; forbehold.

restrictive [ri'striktiv] indskrænkende, begrænsende.
rest room ventesal; toilet.
result [ri'zʌlt] (vb.) opstå, fremgå, hidrøre, følge, resultere; (subst.) resultat, udslag, følge, udfald, virkning; (mat.) resultat, facit; ~ *from* følge af; ~ *in* resultere i, ende med; *without* ~ frugtesløs, forgæves.
resultant [ri'zʌltənt] (adj.) resulterende; (subst., i fysik) resultant.
resume [ri'z(j)u·m] igen (over)tage (fx. ~ *command);* genindtage (fx. *one's seat);* genvinde (fx. *one's liberty);* igen begynde på, genoptage (fx. *work);* give et résumé af; (om en der taler) begynde igen, fortsætte (efter en afbrydelse).
résumé ['rezjumeⁱ] resumé, uddrag.
resumption [ri'zʌm(p)ʃən] tilbagetagelse; genoptagelse, fortsættelse.
resumptive [ri'zʌm(p)tiv] genoptagende; opsummerende.
resurgent [ri'sə·dʒənt] som opstår (, kommer til live) igen, genopdukkende.
resurrect [rezə'rekt] kalde til live igen; genoplive; grave op.
resurrection [rezə'rekʃən] opstandelse; genoplivelse.
resurrectionism [rezə'rekʃənizm] ligrøveri.
resurrection|ist [rezə'rekʃənist], ~ **man** ligrøver (som sælger lig til dissektion). ~ **pie T** pie lavet af levninger.
resuscitate [ri'sʌsiteⁱt] genoplive; genoplives; komme til live igen; genoptage med fornyet energi.
resuscitation [risʌsi'teⁱʃən] genoplivelse.
resuscitative [ri'sʌsitətiv] genoplivnings-.
ret [ret] røde, udbløde, opbløde (hør etc.).
retable [ri'teⁱbl] retabel.
I. **retail** [ri'teⁱl] (vb.) sælge en detail; genfortælle, bringe videre, diske op med.
II. **retail** ['ri·teⁱl] (subst.) detailsalg; (adj.) detail- (fx. *business); by* ~ en detail; ~ *dealer* detailhandler.
retailer [ri'teⁱlə] detailhandler; kolportør (af nyheder, sladder).
retain [ri'teⁱn] holde tilbage; holde; beholde; bibeholde; have i behold; huske; engagere (fx. ~ *a barrister).*
retainer [ri'teⁱnə] engagement (af sagfører); forskudshonorar (til en sagfører etc.); (tekn.) holder; (glds.) undergiven, medlem af en stormands følge.
retaining| fee forskudshonorar (til en sagfører etc.). ~ **wall** støttemur.
retake ['ri·'teⁱk] tage tilbage; generobre; (fot.) tage om.
retaliate [ri'tälieⁱt] gøre gengæld, hævne sig; ~ *upon* (ogs.) tage repressalier mod.
retaliation [ritäli'eⁱʃən] gengæld; hævn; repressalier.
retaliatory [ri'täliətəri] gengældelses-; ~ *measures* (ogs.) repressalier.
retard [ri'ta·d] forsinke, forhale.
retardation [ri·ta·'deⁱʃən] forsinkelse, forhaling.
retarded [ri'ta·did] retarderet, tilbage (i udvikling); ~ *ignition* eftertænding.
retch [ri·tʃ, (amr.) retʃ] (skulle el. anstrenge sig for at) kaste op.
retd. fk. f. *retired* fhv., pensioneret.
retell ['ri·'tel] genfortælle.
retention [ri'tenʃən] tilbageholdelse; bibeholdelse; (med.) retention.
retentive [ri'tentiv] som beholder, bevarer, holder på plads; *a* ~ *memory* en god hukommelse; ~ *of* som holder på (fx. *moisture).*
rethink ['ri·þiŋk] tage op til fornyet overvejelse; omvurdere.
R. et I. fk. f. *Rex et Imperator* konge og kejser, *Regina et Imperatrix* dronning og kejserinde.
reticence ['retisəns] tilbageholdenhed, reserverthed; fåmælthed, tavshed.
reticent ['retisənt] forbeholden, reserveret, tilbageholdende; fåmælt, tavs.
reticle ['retikl] trådkors, streginddeling (i kikkert).
reticulate [ri'tikjulėt] netagtig; [ri'tikjuleⁱt] danne et netværk; *-d python* netpython.
reticulation [ritikju'leⁱʃən] netagtig forgrening, netværk.
reticule ['retikju·l] håndtaske, dametaske.
retina ['retinə] (anat.) nethinde.
retinitis [reti'naitis] betændelse i nethinden.
retinue ['retinju·] (subst.) følge, ledsagere.
retire [ri'taiə] trække sig tilbage; gå i seng; fjerne sig; fortrække, retirere; vige (el. falde) tilbage; trække tilbage (fx. *troops);* træde tilbage, gå af, tage sin afsked; pensionere, få til at trække sig tilbage; ~ *on* (el. *with) a pension* gå af med pension.
retired [ri'taiəd] (adj.) afsidesliggende, afsides (fx. *village),* tilbagetrukket (fx. *life),* ensom; som har trukket sig tilbage, som lever af sine penge; afskediget, afgået, forhenværende; pensioneret; *be placed on the* ~ *list* blive afskediget, blive pensioneret; ~ *pay* pension.
retirement [ri'taiəmənt] afgang, fratrædelse; ensomhed; tilflugtssted; *go into* ~ trække sig tilbage (fra al selskabelighed); *live in* ~ leve tilbagetrukket.
retirement pension (omtr.:) folkepension.
retiring [ri'taiəriŋ] (adj.) tilbageholdende; pensions-; *the* ~ *government* den afgående regering.
retool ['ri·'tu·l] udstyre med nye værktøjsmaskiner; omstille.
I. **retort** [ri'tå·t] (vb.) tage til genmæle, svare skarpt; gengælde; (subst.) (skarpt) svar, svar på tiltale.
II. **retort** [ri'tå·t] (subst.) retort; destillerkolbe.
retortion [ri'tå·ʃən] retorsion; repressalier.
retouch ['ri·'tʌtʃ] bearbejde på ny; friske op, pynte på; (fot.) retouchere.
retrace [ri(·)'treⁱs] spore (el. følge) tilbage; genkalde sig; gennemgå i tankerne; ~ *one's steps* gå samme vej tilbage.
retract [ri'träkt] trække tilbage; tage tilbage, tilbagekalde; tage sit ord tilbage; (flyv.) trække op (fx. *the undercarriage).*
retractable [ri'träktəbl] som kan trækkes tilbage; ~ *undercarriage* (flyv.) optrækkeligt understel.
retraction [ri'träkʃən] tilbagetrækning; tilbagekaldelse. **retractive** [ri'träktiv] tilbagetrækkende.
retractor [ri'träktə] sårhage, spærhage (til at holde et sårs rande udspilet med).
retrain ['ri·treⁱn] genoptræne; omskole.
retranslate ['ri·tra·ns'leⁱt] tilbageoversætte; oversætte igen. **retranslation** ['ri·tra·ns'leⁱʃən] tilbageoversættelse; fornyet oversættelse.
retread ['ri·'tred] lægge ny slidbane på.
retreat [ri'tri·t] (subst.) tilbagetog, tilbagegang; tilbagetræden; tappenstreg; tilflugt, tilflugtssted; sted el. periode hvor man trækker sig tilbage og holder stille andagt; (vb.) trække sig tilbage; fjerne sig; *beat a* ~ (fig.) foretage et tilbagetog, give op; *sound a* ~ blæse retræte.
retrench [ri'trenʃ] beskære, nedskære; indskrænke; indskrænke sig, spare.
retrenchment [ri'trenʃmənt] indskrænkning, nedskæring, sparepolitik, besparelse; begrænsning; forskansning.
retribution [retri'bju·ʃən] straf, gengældelse.
retributive [ri'tribjutiv] gengældelses-.
retrievable [ri'tri·vəbl] som kan genoprettes el. generhverves el. genfindes.
retrieval [ri'tri·vəl] genfindelse; genvindelse; frelse, redning; genoprettelse; erstatning; *past* ~ uhjælpelig fortabt.
retrieve [ri'tri·v] genvinde; genfinde; drage frem (fx. *four bodies have been -d from the snow);* genoprette; redde; råde bod på; apportere.
retriever [ri'tri·və] retriever (jagthund som apporterer nedlagt vildt).

retrim [ˈri·ˈtrim] pynte om (fx. *a hat); gøre i* stand (fx. *a lamp).*
retroact [retroˈäkt] virke tilbage.
retroaction [retroˈäkʃən] tilbagevirkning.
retroactive [retroˈäktiv] tilbagevirkende; ~ *amplification* tilbagekoblingsforstærkning; ~ *law* lov med tilbagevirkende kraft.
retrocede [retroˈsi·d] atter afstå.
retrocession [retroˈseʃən] genafståelse.
retroflex [ˈretrofleks] bøjet tilbage.
retroflexion [retroˈflekʃən] tilbagebøjning.
retrogradation [retrogrəˈdeⁱʃən] tilbagegående bevægelse.
retrograde [ˈretrogreⁱd] (adj.) som bevæger sig baglæns; (vb.) bevæge sig baglæns, degenerere, blive ringere; ~ *step* tilbageskridt.
retrogress [retroˈgres] gå tilbage, forringes, gå i opløsning.
retrogressive [retroˈgresiv] som degenererer; reaktionær; som bevæger sig baglæns; *be* ~ (ogs.) betyde et tilbageskridt.
retro-rocket [ˈretroᵘˈråkit] bremseraket.
retrospect [ˈretroᵘspekt] tilbageblik.
retrospective [retroˈspektiv] tilbageskuende; med tilbagevirkende kraft.
retroussé [rəˈtru·seⁱ] opadvendt, opstopper-.
I. **return** [riˈtə·n] (vb.) vende tilbage, komme igen; returnere; besvare, svare; bringe (, give, sende, betale) tilbage; tilbagelevere; betale, gengælde; angive, melde, rapportere; yde, give (udbytte); sende, vælge (til parlamentet); ~ *an answer* give et svar; ~ *a call* gengælde en visit; ~ *home* vende hjem; ~ *thanks* takke; ~ *a verdict* afgive en kendelse; *-ed empties* tomt returgods; *be -ed for* (ogs.) blive valgt til parlamentsmedlem for.
II. **return** [riˈtə·n] (subst.) tilbagekomst, hjemkomst, tilbagevenden; returnering, tilbagegivelse, tilbagelevering; genkomst; returbillet; revanchekamp; gengæld, erstatning, betaling; udbytte; resultat; indberetning, valgresultat; melding; (adj.) tilbage-, retur-; *-s* (ogs.) statistik, (statistisk) opgørelse; (merk.) udbytte; reklamationsvarer; *many happy -s of the day* til lykke (med fødselsdagen); *by* ~ *(of post)* omgående; *in* ~ til gengæld; *point of no* ~ punkt på flys rute hvorefter tilbagevenden bliver umulig fordi halvdelen af brændstoffet er opbrugt; ~ *of income* selvangivelse; ~ *of premium* ristorno.
returnable [riˈtə·nəbl] som kan (el. skal) leveres tilbage.
return address afsenderadresse.
returning officer valgbestyrer (der i en valgkreds leder valghandlingen ved parlamentsvalg).
return| match revanchekamp, returkamp. ~ **ticket** returbillet. ~ **tube** returrør.
reunify [ˈri·ˈju·nifai] genforene.
reunion [ˈri·ˈju·njən] genforening; møde, sammenkomst, fest (fx. *a family* ~*).*
reunite [ˈri·juˈnait] genforene; genforenes.
rev [rev]: ~ *up* varme (en motor) op; give gas.
Rev. fk. f. *Revelation; Reverend.*
rev. fk. f. *revolution* omdrejning; *reverse(d); revised; revision; revenue.*
revaluation [ˈri·väljuˈeⁱʃən] omvurdering.
revalue [ˈri·ˈvälju·] omvurdere.
revamp [ˈri·ˈvämp] (amr., om sko) sætte nyt overlæder på; (fig.) restaurere, pudse op, pynte på.
reveal [riˈvi·l] afsløre, åbenbare.
reveille [riˈveli] reveille.
revel [ˈrevl] (vb.) svire, holde gilde; leve i sus og dus; (subst.) gilde, svirelag; *-s* (ogs.) løjer.
revelation [reviˈleⁱʃən] åbenbaring.
reveller [ˈrevələ] svirebroder.
revelry [ˈrevəlri] gilde, sold.
revenge [riˈven(d)ʒ] (vb.) hævne; (subst.) hævn; revanche, revanchekamp; ~ *oneself upon, be -d upon* hævne sig på; *have one's* ~ få hævn, få revanche; *give him his* ~ give ham revanche; *in* ~ som hævn.
revengeful [riˈven(d)ʒf(u)l] hævngerrig.
revenue [ˈrevinju·] indtægt, indtægter (særlig statsindtægter); ~ *officer* toldbetjent.
reverberate [riˈvə·bəreⁱt] kaste tilbage; kastes tilbage; genlyde, lyde.
reverberation [rivə·bəˈreⁱʃən] genlyd, ekko.
reverberatory [riˈvə·bərətəri]: ~ *furnace* flammeovn.
revere [riˈviə] hædre, ære, holde i ære.
reverence [ˈrev(ə)rəns] (subst.) ærefrygt, ærbødighed, pietet; (glds.) reverens, kompliment; velærværdighed, ærværdighed; (vb.) ære, have ærbødighed for.
reverend [ˈrev(ə)rənd] ærværdig; *the Rev. Amos Barton* pastor Amos Barton; *the Very Reverend* hans højærværdighed (om stiftsprovst); *the Right Reverend* hans højærværdighed (om biskop); *the Most Reverend* (om ærkebiskop); *the* ~ *gentleman* præsten.
reverent [ˈrev(ə)rənt], **reverential** [revəˈrenʃəl] ærbødig, pietetsfuld.
reverie [ˈrevəri] drømmerier, grublerí.
revers [riˈviə, riˈvæə] revers (på jakke etc.).
reversal [riˈvə·səl] omstyrtelse, omstødelse; forandring, omslag; omstyring; omvenden, venden på hovedet.
reverse [riˈvə·s] (vb.) dreje tilbage; vende om; danse avet om; omstyre, slå bak; vende op og ned på, forandre fuldstændig; omstyrte, omstøde; (subst.) modsat side; modsætning, omslag; uheld, nederlag; bakgear; bagside, revers; (adj.) omvendt, (fx. *in* ~ *order),* baglæns; ~ *the engines* slå bak; ~ *one's policy* (fig.) slå bak; *in* ~ (fig.) med modsat fortegn; *the* ~ *is the case* det forholder sig lige omvendt; *the* ~ *of* det modsatte (el. omvendte) af.
reverse| gear bakgear. ~ **side** (af mønt etc.) revers, bagside; (af tøj) vrang.
reversibility [rivə·siˈbiliti] det at kunne omstyres, omstyrbarhed.
reversible [riˈvə·sibl] omstyrbar; (om stof) til at vende, gennemvævet; (kem.) reversibel.
reversing gear bakgear.
reversion [riˈvə·ʃən] hjemfald; fremtidsret, arveret (efter første brugers død); ~ *to type* atavisme.
reversionary [riˈvə·ʃən(ə)ri] hjemfaldende; som senere vil tilfalde en.
revert [riˈvə·t] (vb.) vende tilbage; (jur.) hjemfalde; (subst.) genomvendt; ~ *to type* opvise atavistiske træk.
revet [riˈvet] beklæde (med murværk).
revetment [riˈvetmənt] stenbeklædning; sandsækbeklædning, vold af sandsække (etc.).
review [riˈvju·] (vb.) gennemgå, betragte; se tilbage på (fx. *the past);* mønstre; bedømme, anmelde (fx. *a novel),* kritisere; ⚔ inspicere, holde revy over; (subst.) tilbageblik; mønstring, betragtning; bedømmelse, anmeldelse; fornyet undersøgelse; genoptagelse; revy; magasin, tidsskrift.
reviewer [riˈvju·ə] anmelder, kritiker.
revile [riˈvail] forhåne, spotte; overfuse.
revisal [riˈvaizəl] gennemsyn; revision.
revise [riˈvaiz] (vb.) gennemse, gennemlæse; revidere; (i skole) repetere; (subst.) revision; korrektur; *the Revised Version* den reviderede engelske bibeloversættelse (besørget 1870-1884).
reviser [riˈvaizə] korrekturlæser; medudgiver af *the Revised Version.*
revision [riˈviʒən] gennemsyn, korrektur; revision; (i skole) repetition.
revisit [ˈri·ˈvizit] besøge igen; fornyet besøg; *Oxford -ed* gensyn med Oxford.
revisory [riˈvaizəri] revisions-, reviderende.
revival [riˈvaivəl] genoplivelse, genopvækkelse; (religiøs) vækkelse; genoptagelse; reprise (på teater); *the* ~ *of learning* (el. *letters)* renaissancen.
revivalist [riˈvaivəlist] vækkelsesprædikant.
revival meeting vækkelsesmøde.

revive [ri'vaiv] leve op igen; få (el. give) nyt liv; vågne; forny, opfriske, genoplive.

reviver [ri'vaivə] genopliver; opstrammer.

revivification ['ri·vivifi'keiʃən] genoplivelse, genopfriskning.

revocable ['revəkəbl] som kan tilbagekaldes.

revocation [revo'keiʃən] tilbagekaldelse, ophævelse, inddragelse.

revoke [ri'vouk] (vb.) tilbagekalde; ophæve (fx. *the regulations were -d); inddrage*; (i kortspil) svigte kulør; (subst.) kulørsvigt; *have one's licence -d* miste sit kørekort; *make a* ~ svigte kulør.

revolt [ri'voult] (vb.) gøre oprør, rejse sig, protestere *(against, from* mod); oprøres, væmmes *(against, from* ved); oprøre, frastøde; (subst.) opstand, revolte, oprør.

revolting [ri'voultiŋ] oprørende, modbydelig, afskyelig.

revolution [revə'l(j)u·ʃən] omgang, omdrejning; revolution, omvæltning.

revolutionary [revə'l(j)u·ʃən(ə)ri] revolutions-; revolutionær.

revolutionist [revə'l(j)u·ʃənist] revolutionsmand.

revolutionize [revə'l(j)u·ʃənaiz] revolutionere.

revolve [ri'vålv] dreje (sig), dreje (el. løbe) rundt, rotere; overveje, overtænke.

revolver [ri'vålvə] revolver.

revolving [ri'vålviŋ] omdrejende, roterende; ~ *door* svingdør; ~ *light* blinkfyr; ~ *stage* drejescene.

revue [ri'vju·] revy (let skuespil).

revulsion [ri'vʌlʃən] pludselig og stærk forandring, omsving, omslag; (med.) afledning; ~ *against* (el. *to)* modstand mod, modvilje mod, modbydelighed for.

revulsive [ri'vʌlsiv] afledende.

reward [ri'wå·d] (vb.) gengælde, belønne, lønne; (subst.) gengæld, belønning, dusør; erstatning; vederlag; *in ~ for* som belønning for.

rewarding lønnende, taknemmelig (fx. *task); udbytterig.*

rewrite ['ri·'rait] skrive om; omarbejde.

Rex regerende konge; ~ *v. Robinson* ['reks 'və·səs 'råbinsn] det offentlige mod Robinson (kriminalsag).

R.G.S. fk. f. *Royal Geographical Society.*

R.H. fk. f. *Royal Highlanders; Royal Highness.*

rhapsodical [räp'sådikl] rapsodisk; overdrevent begejstret.

rhapsody ['räpsədi] rapsodi; *go into rhapsodies* (fig.) falde i henrykkelse.

Rheims [ri·mz].

Rhenish ['ri·niʃ, 'reniʃ] rhinsk; rhinskvin.

rheostat ['ri·əstät] reostat.

rhesus ['ri·səs]: ~ *(monkey)* rhesusabe.

rhetoric ['retərik] retorik, talekunst.

rhetorical [ri'tårikl] retorisk.

rheum [ru·m] (glds.) snue; slim.

rheumatic [ru'mätik] (adj.) reumatisk; (subst.) gigtpatient.

rheumatism ['ru·mətizm] reumatisme; *articular* ~ ledegigt.

R.H.G. fk. f. *Royal Horse Guards.*

I. **rhine** [ri·n] vandgrav, grøft.

II. **Rhine** [rain]: *the* ~ Rhinen.

Rhine|stone rhinsten; bjergkrystal. ~ **wine** rhinskvin.

rhino ['rainou] næsehorn; **S** penge.

rhinoceros [rai'nåsərəs] (zo.) næsehorn.

rhinoscope ['rainəskoup] (med.) næsespejl.

rhizome ['raizoum] ♧ jordstængel.

Rhode Island [roud'ailənd].

Rhodes [roudz] Rhodos; (ogs. personnavn).

Rhodesia [rou'di·ʒiə].

rhodium ['roudiəm] rhodium (et metal).

rhododendron [roudə'dendrən] ♧ rododendron; alperose.

rhomb [råm(b)] rombe. **rhombic** ['råmbik] rombisk. **rhombohedron** [råmbo'hi·drən] romboeder. **rhomboid** ['råmboid] romboide. **rhombus** ['råmbəs] rombe.

Rhone [roun]: *the* ~ Rhône.

rhubarb ['ru·ba·b] ♧ rabarber.

rhumb [rʌm] kompasstreg.

rhyme [raim] (subst.) rim; vers, poesi; (vb.) rime; sætte på rim; *without ~ or reason* blottet for mening.

rhymeless ['raimlės] rimfri. **rhymer** ['raimə], **rhymester** ['raimstə] rimsmed.

rhythm [riðm, riþm] rytme, takt.

rhythmic(al) ['riðmik(l), 'riþmik(l)] rytmisk; taktfast.

R.I. fk. f. *Rhode Island.*

I. **rib** [rib] (subst.) ribbe; (på paraply) stiver; (anat.) ribben; ⚓ spant; (vb.) forsyne med ribber.

II. **rib** [rib] (amr. **T**) (subst.) vittighed; parodi; (vb.) drille, gøre nar af.

ribald ['ribəld] grov, sjofel.

ribaldry ['ribəldri] grovheder, sjofelheder.

riband ['ribənd] (glds.) bånd.

ribbon ['ribən] bånd; ordensbånd; strimmel; (til skrivemaskine) farvebånd; *-s* (**T** ogs.) tøjler, tømme; *torn to -s* revet i laser.

ribbon development randbebyggelse, bebyggelse langs hovedvejene.

ribbon-fish (zo.) sildekonge; båndfisk.

rice [rais] ris. **rice-flour** rismel.

rich [ritʃ] rig; frugtbar; fyldig; rigelig; fuldttonende, udtryksfuld; (om mad) fed, mættende, nærende; **T** meget morsom, kostelig; latterlig.

Richard ['ritʃəd].

riches ['ritʃiz] rigdom(me).

richly ['ritʃli] rigelig; ~ *deserve it* fortjene det ærligt og redeligt.

Richmond ['ritʃmənd].

richness ['ritʃnės] rigdom, frugtbarhed etc. (se *rich).*

rick [rik] (subst.) stak, høstak, halmstak; (vb.) stakke; (se ogs. *wrick).*

rickets ['rikits] rakitis, engelsk syge.

rickety ['rikiti] ledeløs; skrøbelig, vaklevorn.

rickshaw ['rikʃå·] rickshaw.

ricochet ['rikəʃet] (subst.) rikochet; (vb.) rikochettere, prelle af.

rictus ['riktəs] gab.

rid [rid] *(rid, rid)* befri, frigøre, skaffe af med; (adj.) fri, befriet; *get ~ of* blive fri for, blive af med.

riddance ['ridəns] befrielse; *he's gone and good* ~ han er væk, gudskelov!

ridden ['ridn] perf. part. af *ride;* (adj.) underkuet; plaget, domineret (fx. *priest-* ~).

I. **riddle** ['ridl] (subst.) groft sold; (vb.) sigte; gennemhulle; *-d with* (ogs.) undergravet af.

II. **riddle** ['ridl] (subst.) gåde; (vb.) tale i gåder; gætte, løse (en gåde).

I. **ride** [raid] *(rode, ridden)* ride; køre; lade ride; ligge til ankers; ride på; beherske; ~ *a bicycle* køre på cykel; ~ *down* indhente (til hest); ride over ende; ~ *for a fall* ride vildt; udfordre skæbnen; ~ *high* ⚓ ligge højt på vandet; ~ *out a gale* ride en storm af; ~ *up* krybe op (om tøj).

II. **ride** [raid] (subst.) ridt, ridetur; køretur; cykeltur; sejltur; ridesti (i skov); *take for a* ~ (amr. **S**) kidnappe og myrde; tage ved næsen, holde for nar.

rider ['raidə] rytter; passager; tilføjelse til et dokument (fx. til en jurys kendelse); tillægsbestemmelse; ⚓ forstærkningsskinne.

ridge [ridʒ] (subst.) ryg, højdedrag, ås, vandskel; ophøjet rand; kam, mønning, tagryg; højtryksryg; (vb.) danne rygge, hæve sig i rygge; hyppe.

ridgy ['ridʒi] furet.

ridicule ['ridikju·l] (subst.) spot; latterliggørelse; (vb.) spotte, latterliggøre; gøre nar af; *hold up to* ~ latterliggøre.

ridiculous [ri'dikjuləs] latterlig.

I. **riding** ['raidiŋ] (subst.) ridning; ridevej; (adj.) ridende; ride- (fx. *breeches* bukser; *crop* pisk).

II. **riding** ['raidiŋ] (subst.) et af de tre distrikter hvori Yorkshire er inddelt.
riding-habit ridedragt (for damer).
Riding-hood: *Little Red* ~ lille Rødhætte.
riding-light ⚓ positionslys, ankerlanterne.
riding-master berider, ridelærer.
rife [raif]: *be* ~ grassere, gå i svang, være almindelig; ~ *with* fuld af.
riffle ['rifl] (subst.) rille; (amr.) bølge, krusning; (vb., amr.) gennemrode; blade i; blande (kort).
riff-raff ['rifrāf] pak, udskud, krapyl.
I. **rifle** ['raifl] (vb.) røve; plyndre.
II. **rifle** ['raifl] (subst.) riffel; (vb.) rifle; *-s* (ogs.) infanteriregiment (bevæbnet med rifler).
rifle|-grenade geværgranat. **-man** riffelskytte. ~ **pit** ⚔ skyttehul. ~ **-range** skydebane; skudhold. ~ **-shot** riffelskud; skudhold.
rifling ['raifliŋ] rifling; plyndring.
rift [rift] (subst.) revne, rift, svælg, kløft (fx. *the ~ between the old and the new generation);* (vb.) revne; *a ~ in the lute* en kurre på tråden.
rift valley gravsænkning, bruddal, sprækkedal.
I. **rig** [rig] (vb.) ⚓ rigge, tilrigge; **T** udmaje, ugle ud; (subst.) ⚓ takkelage; **T** udstyr, påklædning; ~ *out* pynte, udmaje; ~ *up* rigge til.
II. **rig** [rig] (subst.) puds, kneb, list; (vb.) lave svindel med (fx. *~ an election); run a ~* lave en svindelstreg.
Riga ['ri·gə].
rigger ['rigə] rigger, takler.
rigging ['rigiŋ] (subst.) ⚓ rig, rigning, takkelage; **T** antræk.
I. **right** [rait] (adj., adv.) ret; rigtig; lige; helt; højre; ~ *about turn!* højre om! *all ~!* all right! meget vel! godt! så er det en aftale! *be all ~* være i orden, være rigtig; (om person) være helt rigtig; have det godt; ~ *and left* til højre og venstre; *as ~ as rain* helt rigtig; ~ *away* straks; *be ~* være rigtig; have ret; ~ *you are!* den er jeg med på! det skal jeg nok! *how ~ you are* hvor har du dog ret; ja det må du nok sige; *come ~* komme i orden; blive godt igen; *get it ~* få det i orden; forstå det rigtigt; *make it ~* klare det; *Mr. Right* den (helt) rigtige (unge mand); ~ *off* straks; *he could read anything ~ off* han kunne læse alt fra bladet; *set ~* rette; bringe på ret køl; *he sets us all ~* han hjælper os alle til rette; *do ~ to every one* gøre ret og skel.
II. **right** [rait] (subst.) ret, rettighed; adkomst; højre side; højre; retside; *have a ~ to* have ret til; *be in the ~* have ret, have retten på sin side; *by -s* med rette, egentlig; rettelig; *the -s of the case* sagens rette sammenhæng; *on the ~* til højre; *all -s reserved* eftertryk forbudt; *set* (el. *put) to -s* ordne, klare; *to the ~ of* til højre for; ~ *of way* færdselsret; forkørselsret.
III. **right** [rait] (vb.) rette; rette op; berigtige; råde bod på; ~ *sby.* skaffe én hans ret.
rightabout ['raitə'baut] omkring; ~ *turn!* omkring! *send him to the ~* vise ham vintervejen.
right-angled ['rait'āŋgld] retvinklet, med rette vinkler.
righteous ['raitʃəs] retfærdig; retskaffen.
rightful ['raitf(u)l] retfærdig; ret; retmæssig, lovlig.
right-hand ['raithānd] højre, på højre side; højrehånds-; ~ *man* højre sidemand; højre hånd (ɔ: uundværlig hjælper), faktotum.
right-handed ['raithāndid] højrehåndet (modsat kejthåndet); højrehånds-; højresnoet; højreskåren (om skrue).
right-hander ['raithāndə] højrehåndet person; højrehåndsslag el. -stød.
rightist ['raitist] højreorienteret.
rightly ['raitli] ret, med rette; rettelig; ~ *considered* ret beset.
right-minded ['raitmaindid] retsindig, rettænkende.
rightness ['raitnės] retskaffenhed, rigtighed.
right-o(h) ['rait'oᵘ] javel! den er fin! så er det en aftale!
right-whale (zo.) sletbag, grønlandshval.
rigid ['ridʒid] stiv, streng.
rigidity [ri'dʒiditi] stivhed; strenghed.
rigmarole ['rigmərоᵘl] lang klamamus, (usammenhængende, forvrøvlet) smøre.
rigor ['raigå·] stivhed; kuldegysning; (amr.) = *rigour; ~ mortis* dødsstivhed.
rigorism ['rigərizm] rigorisme, strenghed.
rigorist ['rigərist] rigorist, streng person.
rigorous ['rigərəs] streng, hård, rigoristisk.
rigour ['rigə] stivhed; strenghed, hårdhed.
rig-out ['rig(')aut] **T** udstyr, antræk.
rile [rail] **T** ærgre, irritere.
rill [ril] (subst.) lille bæk; (vb.) rinde, risle.
rim [rim] (subst.) rand, kant; indfatning, fatning; fælg; brillestel; (vb.) kante, indfatte.
rime [raim] (subst.) rim; rimfrost; (vb.) dække med rim; (se ogs. *rhyme).*
rimy ['raimi] dækket med rim.
rind [raind] bark, skal, skorpe; *bacon ~* flæskesvær.
rinderpest ['rindəpest] kvægpest.
I. **ring** [riŋ] (subst.) ring; bane, væddeløbsbane; sportsplads, kampplads; arena, manege; (vb.) omgive med en ring, omringe; forsyne med en ring, ringe (fx. *a bull);* ringmærke (en fugl); *make* (el. *run) -s round* (fig.) være meget hurtigere (, dygtigere, **T** skrappere) end; vinde stort over.
II. **ring** [riŋ] *(rang, rung)* lade lyde; ringe med; ringe på; ringe; klinge, lyde; genlyde, runge; (om jaget ræv) løbe i ring; ~ *the bell* ringe med klokken, ringe på klokken; ringe på; (fig.) have succes; bringe sejren hjem; *that absolutely -s the bell* det er vel nok den stiveste; *that -s a bell with me* det minder mig om noget; ~ *a coin* prøve klangen af en mønt; ~ *false* have en uægte klang; ~ *for* ringe på, ringe efter; ~ *off* ringe af; ~ *out* lyde, ringe; ringe ud; ~ *true* lyde ægte (el. pålideligt); ~ *sby. up* ringe én op; *the curtain rang up* signalet lød til at tæppet skulle gå op.
III. **ring** [riŋ] (subst.) klang, lyd; ringen; (telefon-) opringning; genlyd; tonefald; *give sby. a ~* (tlf.) ringe en op.
ringer ['riŋə] ringer; jaget ræv som løber i ring; hest som starter på væddeløbsbanen under falsk navn; en som deltager i sportskamp etc. under falske forudsætninger; *A is a ~ for B* A ligner B på et hår, A er B's dobbeltgænger.
ring|-finger ringfinger. ~ **gear** kronhjul.
ringing ['riŋiŋ] (adj.) ringende, klingende; rungende (fx. *bass, voice);* (subst.) ringen.
ringleader ['riŋli·də] anfører, hovedmand, anstifter (af mytteri, oprør etc.).
ringlet ['riŋlėt] lille ring; lok, krølle.
ring|-mail ringbrynje. **-man** bookmaker. ~ **-master** sprechstallmeister. ~ **ouzel** [-'u·zl] (zo.) ringdrossel. ~ **shake** ringskøre (i træ). **-worm** (med.) ringorm.
rink [riŋk] skøjtebane; rulleskøjtebane.
rinse [rins] (vb.) skylle; (subst.) skylning; hårskylningsmiddel.
rinsings ['rinsiŋz] skyllevand (efter brugen), udskyllet snavs; bærme.
Rio de Janeiro ['ri·oᵘdədʒə'niəroᵘ].
riot ['raiət] (subst.) optøjer; opløb; tøjlesløshed, tumult, ståhej; virvar; **T** larmende munterhed; bragende succes; (vb.) larme, tumle vildt; svire, svælge; lave optøjer, anstifte uroligheder; *her hat is a ~* **T** hendes hat er til at dø af grin over; *read the Riot Act* (svarer til det at politiet (tre gange) i kongens og lovens navn opfordrer deltagerne i et opløb til at skilles); (fig.) læse dem teksten; *run ~* fare vildt frem, løbe grassat; vokse vildt (el. i overdådig frodighed); ~ *of colour* overdådig farvepragt; farveorgie.
rioter ['raiətə] fredsforstyrrer, urostifter, oprører; (glds.) svirebroder.

riotous ['raiətəs] tøjlesløs, løssluppen; udsvævende; oprørsk.

rip [rip] (vb.) rive; flå, sprætte op; kløve; revne, gå i stykker, løbe op; (subst.) rift; udgangsøg; ryggesløs person, libertiner; *let it* ~ lade den køre for fuldt drøn, give den gas; *let things* ~ lade tingene gå deres gang; ~ *off the back of a safe* skrælle et pengeskab; ~ *up* skære bugen op på (fx. *a horse);* (fig.) rippe op i.

R.I.P. fk. f. *Requiesca(n)t in pace* hvil i fred.

riparian [rai'pæəriən] som hører til en flodbred; ~ *owner,* ~ *proprietor* bredejer; ~ *rights* adkomst til flodbred.

rip-cord udløserline (til faldskærm).

ripe [raip] moden; vellagret; ~ *for* moden til, parat til; ~ *for development* byggemoden; ~ *lips* røde, fyldige læber.

ripen ['raipn] modnes; udvikle sig.

riposte [ri'poᵘst] (subst.) ripost, gensvar; (vb.) ripostere, give (rask) gensvar.

ripper ['ripə] **S** perle, pragteksemplar.

ripping ['ripiŋ] **S** mageløs, glimrende, første klasses, storartet, 'mægtig'.

I. **ripple** ['ripl] (subst. og vb.) hegle.

II. **ripple** ['ripl] (vb.) kruse sig; skvulpe; risle; kruse; melodisk stige og falde (om lyd); (subst.) krusning; skvulpen, bølgeslag; rislen.

ripply ['ripli] kruset; rislende; bølgende.

rip-saw ['ripså·] langsav.

rip-tide ['riptaid] strømhvirvel som opstår ved at flodbølgen møder andre strømninger.

Rip van Winkle (person i fortælling af W. Irving; én der er håbløst bagud for sin tid).

I. **rise** [raiz] (vb.) *(rose, risen)* (se ogs. *rising)* stige (fx. *temperature -s, prices* ~, *the aeroplane rose),* lette (fx. *the mist is rising),* rejse sig (fx. ~ *from table),* stå op (fx. *the sun -s);* opstå (fra de døde); komme frem (fx. ~ *in the world);* gøre opstand (fx. ~ *against a tyrant);* opstå (fx. *thoughts* ~ *within one);* (om fortæppe) gå op; (om fisk) bide, springe; (om forsamling) slutte sit møde; (om dej) hæve sig; ~ *ship* få skib i sigte; ~ *to it* lade sig provokere til at svare; ~ *to the bait* bide på (krogen); ~ *to the occasion* vise sig på højde med situationen; vise sig situationen voksen; *the wind is rising* det blæser op.

II. **rise** [raiz] (subst.) stigning (fx. ~ *of temperature),* stigen (fx. *the* ~ *and fall of the voice),* opgang (fx. ~ *of* (el. *in) prices);* fremgang; hævning i terrænet, bakke; oprindelse, udgangspunkt; fisks slag (i vandskorpen); *get a* ~ få lønforhøjelse; få bid; *give* ~ *to* give anledning til; fremkalde; føre til; ~ *of step* trinhøjde; *be on the* ~ være i stigning; *take its* ~ *in* have sit udspring (el. sin oprindelse) i; *take* (el. *get) a* ~ *out of sby.* smådrille en; *I took a* ~ *out of him* (ogs.) han lod sig drille, han var let at drille.

risen [rizn] perf. part. af *rise.*

I. **riser** ['raizə]: *be an early (, a late)* ~ stå tidligt (, sent) op.

II. **riser** ['raizə] stødtrin.

risibility [rizi'biliti] lattermildhed.

risible ['rizibl] lattermild; latter-.

I. **rising** ['raiziŋ] (adj.) stigende etc.; lovende, som er på vej op (fx. *a* ~ *young actor);* ~ *forty* som nærmer sig de fyrre; *the* ~ *generation* den opvoksende slægt; *the* ~ *sun* den opgående sol.

II. **rising** ['raiziŋ] (subst.) stigning etc.; rejsning, oprør, opstand; hævelse; *the* ~ *of the sun* solens opgang.

risk [risk] (vb.) vove, risikere, udsætte for fare, sætte på spil; (subst.) risiko, fare; *at the* ~ *of* med fare for; *run* (el. *take) -s* tage chancer; *run* (el. *take) the* ~ *of* udsætte sig for (den risiko) at.

risk-money fejltællingspenge.

risky ['riski] risikabel, farlig; vovet, dristig.

risqué [ris'keⁱ] vovet, dristig (om historie etc.).

rissole ['risoᵘl] (omtr. =) frikadelle.

rite [rait] ritus, kirkeskik; ceremoni.

ritual ['ritjuəl] (adj.) rituel; (subst.) ritual.

ritualism ['ritjuəlizm] ritualisme; bundethed af ritualer.

ritzy ['ritsi] **S** smart, hypermoderne; storsnudet, snobbet.

rival ['raivl] (subst.) rival(inde), medbejler(ske); konkurrent; (adj.) rivaliserende; konkurrerende (fx. ~ *firms);* (vb.) rivalisere med; kappes med; konkurrere med; komme på højde med; *without a* ~ uden lige, uden sidestykke. **rivalry** ['raivlri] rivaliseren; konkurrence, kappestrid.

rive [raiv] *(rived, riven)* kløve, spalte, splitte; vride fra hinanden; kløves.

river [rivə] flod; *sell sby. down the* ~ (fig.) forråde én, lade én i stikken.

riverain ['rivereⁱn] flod-; (en) som bor ved en flod.

river|-bank flodbred. ~ **-basin** flodbækken. ~ **-bed** flodleje. ~ **-craft** flodfartøj. **-head** flods udspring.

riverine ['riverain] flod-, som hører til en flod eller en flodbred.

riverside ['rivəsaid] flodbred; flodområde; *by the* ~ ved floden; ~ *villa* villa ved floden.

rivet ['rivit] (subst.) nitte, nagle; (vb.) nitte, klinke; fæste, fastholde.

rivière ['riviæə] collier, halsbånd.

rivulet ['rivjulėt] bæk, å.

R.M. fk. f. *Royal Mail.*

R.M.S. fk. f. *Royal Mail Steamer.*

R.M.S.P. fk. f. *Royal Mail Steam Packet.*

R.N. fk. f. *Royal Navy.*

R.N.A.S. fk. f. *Royal Naval Air Service.*

roach [roᵘtʃ] (zo.) skalle; ⚓ gilling.

road [roᵘd] vej, landevej, gade; ⚓ (ogs. *-s)* red; *the -s are in a bad state* føret er dårligt; *by* ~ ad landevejen; *in the* ~ på vejen; i vejen, på tværs (af nogen); *the rule of the* ~ reglen om til hvad side køretøjer skal holde, når de passerer hinanden; *on the* ~ på vejen; på rejse, rejsende; på tourné; *there is no royal* ~ *to* (fig.) man kan ikke slippe let til; *take the* ~ tage af sted; *take to the* ~ (glds.) blive landevejsrøver.

road| accident færdselsulykke. ~ **-bed** fundament for vej; (jernb.) banelegeme. ~ **-block** ⚔ vejspærring. ~ **-book** turisthåndbog. ~ **-hog** færdselsbølle, motorbølle. ~ **-house** landevejskro. **-man,** ~ **-mender** vejmand, vejarbejder. ~ **-metal** skærver. ~ **-sense** færdselskultur. **-side** vejkant, grøftekant. ~ **sign** færdselsskilt. **-stead** ⚓ red.

roadster ['roᵘdstə] (landevejs)cykel, turistcykel; åben to-personers bil, sportsvogn.

road|-surveyor vejinspektør. ~ **traffic act** færdselslov. ~ **user** vejfarende, trafikant. **-way** kørebane, gade.

roam [roᵘm] vandre om, strejfe om, flakke om, drage omkring; gennemstrejfe.

roamer ['roᵘmə] omstrejfende person; vagabond.

I. **roan** [roᵘn] (adj.) rødskimlet; rønnebærfarvet; (subst.) rødskimmel.

II. **roan** [roᵘn] fåreskind garvet med sumach; imiteret saffian.

roan-tree ['roᵘntri·] røn.

roar [rå·] (vb.) brøle, skrige, vræle, råbe; drøne, larme, bruse, suse, buldre; (subst.) brøl, vræl, brølen; skrig; larm, brusen, susen; buldren, drøn.

roarer ['rå·rə] lungepiber (om hest).

roaring ['rå·riŋ] (subst.) brøl, brølen; (adj.) brølende; drønende (fx. *a* ~ *success);* glimrende; *we are doing a* ~ *business* forretningen går strygende; *the* ~ *forties* de stormfulde bælter af havet (40-50 nordlig el. sydlig bredde).

roast [roᵘst] (vb.) stege, riste; (om kaffe etc.) brænde; steges; (glds.) drille, drive gæk med; (adj.) stegt; (subst.) steg; ~ *beef* oksesteg; ~ *leg of pork* flæskesteg.

roaster ['roᵘstə] stegeovn, stegerist; kaffebrænder.

roasting|-jack stegevender. ~ **-tin** bradepande.

rob [råb] røve; plyndre; stjæle fra, bestjæle; udplyndre.

robber ['råbə] røver, tyv.
robber| baron røverridder. ~ **-fly** (zo.) rovflue.
robbery ['råbəri] røveri, tyveri; udplyndring; ~ *with violence* røverisk overfald.
robe [roᵘb] (subst.) galadragt, habit, robe; (amr.) slåbrok; (vb.) iføre; *gentlemen of the long* ~ retslærde, advokater; *-d in* klædt i, iført.
Robert ['råbət]. **Robeson** ['roᵘbsn].
robin ['råbin] (zo.) rødkælk, rødhals; (amr.) vandredrossel.
Robin Goodfellow nisse.
robin-redbreast rødkælk, rødhals.
Robinson ['råbinsn]: *before I could say Jack* ~ før jeg vidste et ord af det.
roborant ['råbərənt] styrkende (middel).
robot ['roᵘbåt] robot.
robot plane førerløs flyvemaskine.
robust [ro'bʌst] robust, stærk, kraftig.
roc [råk] (fuglen) rok.
Rochester ['råtʃistə].
I. **rock** [råk] (subst.) klippe, bjergart, skær; sukkerstang; (amr. ogs.) sten (fx. *he had a* ~ *in his pocket); -s* (amr. **S**) penge; *on the -s* i pengeforlegenhed; (om drik) med isterninger; *go on the -s* (fig.) lide skibbrud; *see -s ahead* (fig.) se farer forude; *the Rock* Gibraltar.
II. **rock** [råk] (vb.) vugge (fx. ~ *a child to sleep);* gynge (fx. *he sat -ing in his chair);* rokke, vippe; ~ *the boat* vippe med båden; (fig. **T**) lave brok i foretagendet; ~ *with amusement* more sig kosteligt.
rock-bit klippefræser (til dybdeboring).
rock-bottom (adj.) allerlavest; ~ *prices* bundpriser.
rock-bound (adj.) omgivet af klipper; (fig.) klippefast, ubøjelig; *a* ~ *coast* en forrevet klippekyst; *a* ~ *mystery* et uigennemtrængeligt mysterium.
rock|-crystal bjergkrystal. ~ **-dove** klippedue.
rock-drill klippebor.
Rock English Gibraltarengelsk.
rocker ['råkə] gænge (under vugge); (slags) skøjte; gyngehest; (amr.) gyngestol; *go off one's* ~ **S** gå fra forstanden.
rocker arm vuggearm, vippearm.
rockery ['råkəri] stenhøj (i have).
I. **rocket** ['råkit] (subst.) ♧ aftenstjerne, natviol.
II. **rocket** ['råkit] (subst.) raket; (vb.) fare lige op i luften; ryge i vejret (tx. *prices -ed);* fare hurtigt frem; *get a* ~ **S** få en balle, blive skældt ud.
rocket| plane raketflyvemaskine. ~ **-propelled** raketdrevet. ~ **-range** raketforsøgsområde.
rocketry ['råkitri] raketvidenskab, raketteknik.
rock|-fever maltafeber. **-foil** ♧ stenbræk. ~ **-garden** stenhøj.
rocking|-chair gyngestol. ~ **-horse** gyngehest. ~ **-stone** rokkesten.
rockling ['råkliŋ] (zo.) havkvabbe.
rock|-oil råolie. ~ **-paper** (slags) asbest. ~ **-partridge** (zo.) stenhøne. ~ **-pigeon** (zo.) klippedue. ~ **-pipit** (zo.) skærpiber. ~ **-plant** stenhøjsplante. ~ **-ptarmigan** (zo.) fjeldrype. ~ **-rose** ♧ soløje. ~ **-salmon** (svarer til) sølaks. ~ **-silk** (slags) asbest. ~ **-tar** stenolie, jordolie. ~ **-wood** bjergtræ, xylolit, slags asbest.
rocky ['råki] klippefuld; hård, ubøjelig; **S** vaklevorn, usikker; *the Rockies* = *the Rocky Mountains* (bjergkæde i Nordamerika).
rococo [rə'koᵘkoᵘ] rokoko.
rod [råd] kæp, ris, spanskrør, stav; stang; embedsstav; (amr. **S**) revolver; *kiss the* ~ kysse riset; *make a* ~ *for one's own back* binde ris til sin egen bag.
rode [roᵘd] imperf. af *ride.*
rodent ['roᵘdənt] (subst., zo.) gnaver.
rodeo [roᵘ'deⁱoᵘ] indfangning af kvæg (til mærkning etc.); cowboyopvisning; (motorcyklist)opvisning.
rodomontade [rådəmån'teⁱd] (subst.) praleri, bravade; (adj.) pralende; (vb.) prale.
I. **roe** [roᵘ] rogn; *hard* ~ rogn; *soft* ~ mælke.
II. **roe** [roᵘ] rådyr; hind.
roe|-buck råbuk. ~ **-deer** rådyr.
Roentgen, se *Röntgen.*
rogation [ro'geⁱʃən] bøn; *Rogation Days* de tre dage lige før Kristi himmelfartsdag; *Rogation Sunday* femte søndag efter påske; *Rogation Week* den uge hvori Kristi himmelfartsdag falder.
Roger ['rådʒə]: *Sir* ~ *de Coverley* (en folkedans); *Jolly* ~ (sørøverflaget).
roger ['rådʒə] (meldingen) modtaget (og forstået), all right, O.K.
rogue [roᵘg] skælm; kæltring, slyngel; ronkedor (vild hanelefant, der lever adskilt fra flokken); (glds.) landstryger; *rogues' gallery* forbryderalbum.
roguery ['roᵘg(ə)ri] kæltringestreger; skælmsstykker.
roguish ['roᵘgiʃ] kæltringeagtig; skalkagtig, skælmsk.
roister ['roistə] larme; svire.
roisterer ['roistərə] buldrebasse; svirebroder.
Roland ['roᵘlənd]: *give a* ~ *for an Oliver* give lige for lige, give svar på tiltale.
rôle, role [roᵘl] rolle.
I. **roll** [roᵘl] (subst.) rulle (fx. *a* ~ *of paper);* fortegnelse, liste, den officielle liste over *solicitors;* valse; (omtr. =) rundstykke; roulade; (om lyd) rumlen; (amr. **S**) bundt pengesedler; penge; ~ *of fat* delle (i nakken etc.); *be struck off the -s* (jur.) miste sin bestalling.
II. **roll** [roᵘl] (subst.) rullen; slingren (fx. *the* ~ *of a ship); a forward* ~ en kolbøtte; *have a* ~ *on the ground* rulle sig på jorden; ~ *of the drum* trommehvirvel.
III. **roll** [roᵘl] (vb.) rulle (ogs. fig.: udplyndre); trille; sammenrulle, pakke ind (fx. ~ *oneself in a rug);* tromle (fx. *a lawn);* valse; rulle ud (fx. *dough);* vælte sig; slingre, rulle (fx. *the ship -ed);* rumle, rulle (fx. *the thunder -ed);* slå trommehvirvler; ~ *away* (om skyer, tåge) spredes; ~ *one's eyes* rulle med øjnene; ~ *back prices* (amr.) nedsætte priserne; *be -ing (in money)* svømme i penge; ~ *in* komme i store mængder; *(all) -ed into one* samlet under ét, under én hat; i én person; ~ *on* rulle (el. bevæge sig) videre; ~ *one's r's* rulle på r'erne; ~ *out* udvalse; ~ *over* vælte omkuld, slå en kolbøtte, vende sig; ~ *up* rulle sammen, pakke ind; hobe sig op; ⚔ rulle op; **S** dukke op, komme anstigende; ~ *up one's sleeves* smøge ærmerne op.
rollback ['roᵘlbäk] (amr.) obligatorisk prisnedsættelse.
roll-call ['roᵘlkå·l] navneopråb. **roll-call vote** afstemning ved navneopråb.
roll-collar rullekrave.
roller ['roᵘlə] rulle; valse; tromle; malerulle; rullebind; (svær) bølge; (zo.) ellekrage.
roller| bearing rulleleje. ~ **coaster** (amr.) rutschebane. ~ **-skate** rulleskøjte; løbe på rulleskøjter. ~ **-towel** rullehåndklæde.
rollicking ['rålikiŋ] lystig, glad; morsom, rask.
rolling ['roᵘliŋ] (adj.) rullende; bølgende (fx. *plain);* bølget, bølgeformet; rumlende; (subst.) rullen; valsning.
rolling|-mill valseværk. ~ **-pin** kagerulle. ~ **stock** (jernb.) rullende materiel. ~ **stone** (fig.) en der stadig er på farten; (se ogs. II. *moss*).
Rolls-Royce ['roᵘlz 'rois].
roll-top desk skrivebord med rullejalousi.
roly-poly ['roᵘli'poᵘli] (subst.) indbagt frugt; **T** lille tyksak; (legetøj:) tumling; (adj.) rund; lille og tyk; ~ *face* måneansigt.
Romaic [ro'meⁱik] (subst. og adj.) nygræsk.
Roman ['roᵘmən] (adj.) romersk; romersk-katolsk; (adj.) romer, romerinde; katolik; (typ.) antikva; *Roman Catholic* (romersk-)katolsk.
I. **Romance** [ro'mäns] (adj.) romansk (fx. *languages).*
II. **romance** [ro'mäns] (subst.) (fantastisk) roman,

ridderroman; romantik; romantisk hændelse (, oplevelse, stemning), kærlighedseventyr; romance; røverhistorie, opspind, løgn; (vb.) skrive romaner; fortælle røverhistorier, overdrive, fantasere; *his life was a ~* hans liv var som et eventyr. **romancer** [ro'mänsə] romandigter; løgner.

Romanesque [ro^{u}mə'nesk] (subst.) rundbuestil; (adj.) bygget i rundbuestil, romansk.

Roman Holiday fornøjelse på andres bekostning.

Romanic [ro^u'mänik] romansk.

Romanish ['ro^{u}məniʃ] (nedsættende:) (romersk-) katolsk. **Romanism** ['ro^{u}mənizm] katolicisme. **Romanist** ['ro^{u}mənist] romersk katolik; romanist. **Romanize** ['ro^{u}mənaiz] romanisere; gøre romersk-katolsk.

Roman letters (typ.) antikva.

Romansh [ro'mänʃ] rhætoromansk.

romantic [ro'mäntik] (adj.) romantisk; romanagtig; fabelagtig, fantastisk; (subst.) romantiker; *-s* romantiske ideer.

romanticism [ro'mäntisizm] romantik.

romanticist [ro'mäntisist] romantiker.

Roman type (typ.) antikva.

Romany ['råməni] sigøjner; sigøjnersprog.

Rome [ro^{u}m] Rom; *when in ~ do as the Romans do* man må skik følge eller land fly.

Romish ['ro^{u}miʃ] (nedsættende) (romersk-)katolsk.

romp [råmp] (subst.) 'vildkat', vild tøs; vild leg; (vb.) hoppe og springe, boltre sig, lege vildt (el. støjende); *~ home, ~ in* vinde en let sejr.

rompers ['råmpəz] legedragt, kravledragt.

romping ['råmpiŋ], **rompish** ['råmpiʃ] overgiven.

rondo ['råndo^u] rondo.

Röntgen ['råntgən, 'rʌntgən].

röntgeno|gram [rånt'genəgräm], **-graph** [rånt'genəgra·f] røntgenfotografi. **-graphy** [råntge'någrəfi] røntgenfotografering. **-logy** [råntge'nålədʒi] røntgenvidenskab. **-scopy** [råntge'nåskəpi] røntgenbehandling.

Röntgen rays røntgenstråler.

rood [ru·d] (glds.) kors, krucifiks; (flademål) ¼ acre. **rood-screen** korgitter.

roof [ru·f] (subst.) tag; hvælving; tag over hovedet; (vb.) lægge tag på, tække, bygge tag over; *the ~ of the mouth* den hårde gane.

roofer ['ru·fə] tagtækker; **T** brev med tak for udvist gæstfrihed.

roof-garden taghave.

roofing ['ru·fiŋ] taglægning; tagmateriale; tagværk, tag. **roofing-felt** tagpap.

roofless ['ru·flės] uden tag; husvild.

roof-tree tagås.

I. **rook** [ruk] (subst.) tårn (i skak).

II. **rook** [ruk] (subst.) (zo.) råge; (om person) svindler, bedrager; (vb.) snyde, blanke af.

rookery ['ruk(ə)ri] rågekoloni; (søfugles el. sælers) yngleplads; lejekaserne, fattigkvarter.

rookie ['ruki] **S** rekrut; begynder.

room [ru(·)m] (subst.) rum, værelse, stue; plads, sted; anledning, grund, lejlighed; (vb., amr.) have værelse, bo; *there is ~ for improvement in it* det kunne godt gøres bedre; *in the ~ of* i stedet for; *keep one's ~* beholde sit værelse; holde sig inde; *make ~ for* give plads for; skaffe plads til; *no ~ to turn in, no ~ to swing a cat* ingen plads at røre sig på; *a two-roomed flat* en to-værelsers lejlighed; *they ~ together* de deler værelse, de bor sammen.

roomer ['ru·mə] (amr.) logerende.

rooming-house (amr.) logihus.

room-mate ['ru·mme'it] slof; (let glds.) kontubernal.

roomy ['ru(·)mi] rummelig.

Roosevelt ['ro^{u}zəvelt; (i England ofte:) 'ru·svelt].

roost [ru·st] (subst.) hønsehjald, siddepind; hønsehus; (fig.) hvilested; (vb.) sætte sig til hvile; sove siddende (om fugle); *at ~* sovende; *go to ~* gå til ro, gå til køjs; *rule the ~* **T** dominere, være den ledende; *come home to ~* ramme sin ophavsmand (fx. *the crime came home to ~*).

rooster ['ru·stə] (zo.) hane.

I. **root** [ru·t] (subst.) (♧, gram., mat. etc.) rod; (i musik) grundtone (i akkord); *-s* (ogs.) rodfrugter; *fibrous ~* trævlerod; *take ~, strike ~* slå rod; *pull up by the -s* rykke op med rode; *~ and branch* grundigt; *square ~, second ~* kvadratrod; *cube ~, third ~* kubikrod, tredje rod; *fourth (, fifth* etc.) *~* fjerde (, femte etc.) rod.

II. **root** [ru·t] (vb.) (lade) slå rod; (fig. ogs.) rodfæste sig; *~ out* udrydde; *~ up* rykke op med rode; *~ to the spot* nagle til stedet (el. pletten).

III. **root** [ru·t] (vb.) rode (i jorden); rode i, snuse i, endevende; (amr. **S**) råbe hep, heppe; *~ for* tiljuble, heppe.

root-and-branch (adj.) gennemgribende (fx. *reforms)*.

rooted ['ru·tid] rodfæstet; rodfast; indgroet; *be ~ in* bunde i; *~ to the spot* naglet til stedet (el. pletten); ude af stand til at røre sig.

rooter ['ru·tə] (amr. **S**) beundrer, begejstret tilhænger.

rootle ['ru·tl] rode (i jorden).

root|less ['ru·tlės] rodløs. **-let** lille rod. **~ -stock** ♧ rodstok, rhizom.

rooty ['ru·ti] fuld af rødder.

rope [ro^{u}p] (subst.) reb, tov, line, strikke, snor; ⚓ (ogs.) lig, ende; (vb.) binde med reb; sammenbinde; *~ in* spærre (med reb); vinde for sig, sikre sig (ens tjeneste); *~ off* afspærre; *on the high -s* arrogant, på den høje hest; opstemt; *give sby. ~* give én handlefrihed (el. bevægelsesfrihed); *know the -s* kende fiduserne (el. forretningsgangen); *~ of pearls* (stor) perlekæde.

rope|-dancer linedanser. **~ -end** tamp. **~ -ladder** rebstige. **~ -maker** rebslager.

ropery ['ro^{u}p(ə)ri] reberbane.

rope's end ['ro^{u}ps'end] tamp.

rope|-walk reberbane. **~ -walker** linedanser. **-way** tovbane. **~ -yard** reberbane. **~ -yarn** kabelgarn; (fig.) bagatel.

ropy ['ro^{u}pi] slimet, tyktflydende, indeholdende klæbrige el. slimede tråde.

roric ['rå·rik] dug-, dugagtig; *~ figure* dugbillede.

rorqual ['rå·kwəl] (zo.) finhval; *lesser ~* vågehval.

Rosa ['ro^{u}zə]. **Rosalind** ['råzəlind].

rosary ['ro^{u}zəri] rosenhave, rosenbed; (rel.) rosenkrans.

I. **rose** [ro^{u}z] imperf. af *rise*.

II. **rose** [ro^{u}z] (subst.) rose; rosa; roset; bruse (på sprøjte etc.); (vb.) gøre rosenrød; *the ~* (ogs., med.) rosen; *life is no bed of -s* livet er ingen dans på roser.

roseate ['ro^{u}ziėt] rosenfarvet; (ogs. fig.) rosenrød.

rose|bay (willow herb) ♧ gederams. **~ -bed** rosenbed. **-bud** rosenknop. **~ -bush** rosenbusk. **~ -chafer** (zo.) guldbasse. **~ -colour** rosenfarve, rosa. **~ -fish** rødfisk. **~ -mallow** ♧ stokrose; hibiscus.

rosemary ['ro^{u}zməri] ♧ rosmarin; *wild ~* rosmarinlyng.

roseola [ro^u'ziələ] (med.) røde hunde.

rosette [ro'zet] roset.

rose-water ['ro^{u}zwå·tə] (subst.) rosenvand (slags rosenparfume); (adj.) sentimental, sødladen, alt for fin.

rose-window rosevindue.

rosied ['ro^{u}zid] rosensmykket, rosenfarvet.

rosin ['råzin] (subst.) (renset) harpiks; (vb.) gnide (med harpiks).

rosiness ['ro^{u}zinės] rosenfarve.

roster ['ro^{u}stə] navneliste, tjenesteliste; (jernb.) turliste.

rostrum ['råstrəm] (pl. *rostra)* talerstol, prædikestol; næb, snude; (skibs)snabel.

rosy ['ro^{u}zi] rosen-; blomstrende.

rot [råt] (vb.) rådne; bringe i forrådnelse; **S** sludre, vrøvle; (subst.) forrådnelse; S sludder; (i sport, krig) række uforklarlige nederlag; (se ogs. *dry-rot).*

rota ['rouтə] (subst.) liste (over personer, som udfører et vist hverv efter tur); (vb.) gøre (noget) efter tur (fx. *~ washing-up).*

Rotarian [rou'tɛəriən] (subst.) rotarianer (medlem af en Rotary klub).

rotary ['routəri] (adj.) roterende, omdrejende; dreje-; (subst., amr.) rundkørsel.

rotary| cultivator (el. **hoe**) jordfræser. **~ press** (typ.) rotationspresse. **~ switch** drejeafbryder.

rotate [rou'teit] rotere, dreje sig; skifte, veksle; gå efter tur; lade rotere.

rotation [ro'teiʃən] rotering; omdrejning; omgang; *by* (el. *in)* ~ skiftevis, efter tur; *~ of crops* vekseldrift.

rotator [ro'teitə] omdrejende redskab; drejemuskel.

rotatory ['routətəri] roterende, omdrejende; *~ joint* drejeled.

rote [rout] ramse; *by ~* på ramse.

rot-gut ['råtgʌt] S tarvelig spiritus, 'radium'.

Rothschild ['råþtʃaild].

rotogravure [routəgrə'vjuə] (typ.) dybtryk.

rotor ['routə] rotor; (i ventilator) vingehjul; (på helikopter) luftskrue, rotor.

rotten ['råtn] rådden; fordærvet, dårlig; mør; skør; elendig, skidt.

rotten borough (hist.) valgkreds der før 1832 sendte egen repræsentant til Parlamentet skønt vælgertallet var ganske ringe.

Rotten Row ['råtn'rou] (allé i Hyde Park).

rotten-stone trippelse (pudsemiddel).

rotter ['råtə] slyngel, skidt fyr, laban, døgenigt; skiderik; *he is a ~* (ogs.) han er rigtig modbydelig.

rotund [ro'tʌnd] rund; buttet; velnæret; (om stemme) dyb, klangfuld; (om stil) højtravende.

rotunda [ro'tʌndə] rotunde.

rotundity [ro'tʌnditi] rundhed; klangfuldhed.

rouble ['ru·bl] rubel.

roué ['ru·ei] libertiner, udhaler.

rouge [ru·ʒ] rouge, kindrødt; (vb.) lægge rouge på.

rouge-et-noir ['ru·ʒei'nwa·] rouge-et-noir (et hasardspil).

I. **rough** [rʌf] (adj.) ujævn, ru (fx. *surface);* knudret, uvejsom (fx. *ground);* usleben (fx. *glass);* utilhugget (fx. *stone);* ufærdig, tilnærmelsesvis, foreløbig (fx. *estimate* skøn), rå- (fx. *translation);* hård, stormende, urolig (fx. *weather),* oprørt (fx. *sea);* uvorn (fx. *children);* rå, barsk, grov, hårdhændet (fx. *treatment);* grov, simpel (fx. *food);* tarvelig (fx. *a ~ quarter of the town);* primitiv; ligefrem, ukunstlet, djærv (fx. *workers);* grov, hård, skurrende (fx. *voice),* skarp, skærende (fx. *sound);* grov, ubehagelig (fx. *he turned ~);* (adv.) groft, hårdt, hårdhændet (fx *treat him ~); cut up ~* T blive gal i hovedet; blive grov; *play ~* spille hårdt (el. råt).

II. **rough** [rʌf] (subst.) udkast, kladde; rå karl, bølle; (golf) ujævn del af bane; *in the ~* i ufærdig tilstand, ufærdig, uslebet; rundt regnet (fx. *£ 2,000 in the ~);* uden formaliteter; *take the ~ with the smooth* tage det onde med det gode.

III. **rough** [rʌf] (vb.) gøre ru; skarpsko (hest); (i sport) tackle hårdt; *~ a diamond* grovslibe en diamant; *~ it* leve primitivt; tåle strabadser; gå for lud og koldt vand; *~ in* (el. *out)* gøre udkast til, skitsere; råhugge; *~ up* bringe i ulave, rode op i (fx. *~ up sby.'s hair);* mishandle; *~ sby. up the wrong way* irritere én.

roughage ['rʌfidʒ] grovfoder; grov (el. slaggerig) kost.

rough-and-ready ['rʌfən'redi] jævn og ligetil; grov, formløs; improviseret; klar til brug, parat.

rough-and-tumble ['rʌfən'tʌmbl] (adj.) støjende, forvirret (om slagsmål); (subst.) spektakler, slagsmål, tummel.

rough-cast ['rʌfka·st] (vb.) skitsere; overstryge med kalk; (be)rappe; (subst.) rapning, grov puds.

rough| copy kladde. **~ cut** (film) råklipning. **~ diamond** se *diamond.* **~ draft** skitse, udkast.

roughen ['rʌfn] gøre ujævn, gøre ru; blive ujævn.

rough|-footed med fjerbeklædte fødder (om fugl). **~ gait** urent trav. **~ -hew** råhugge. **~ -hewn** råt tilhugget; ukultiveret.

roughhouse ['rʌfhaus] S ballade, spektakler, optøjer, slagsmål.

roughly ['rʌfli] (adv. til I. *rough)* groft, hårdt etc.; (ogs.) tilnærmelsesvis, omtrent, i store træk, cirka.

rough|-neck (amr. S) bølle, bisse. **~ -rider** hestetæmmer. **-shod** skarpskoet; *ride -shod over* tage hårdhændet på, hundse, tilsidesætte. **~ sketch** flygtigt rids, løst udkast. **~ -spoken** grov i munden.

roulade [ru·'la·d] (i sang) roulade, (tone)løb.

rouleau [ru·'lou] pengetut, pengerulle.

roulette [ru·'let] roulettespil.

Roumania [ru'meinjə] Rumænien.

Roumanian [ru'meinjən] (subst.) rumæner; (subst. og adj.) rumænsk.

I. **round** [raund] (adj.) rund; rund- (fx. *a ~ tour);* afrundet; fyldig, fuldtonende (om stemme); stor, betydelig (fx. *at a ~ pace);* oprigtig, ligefrem (fx. *in ~ terms); a ~ dozen* et helt dusin; *in ~ numbers* med et rundt tal; *a ~ oath* en drøj ed; *a ~ sum* en rund sum; *a good, ~ sum* en pæn (ɔ: betydelig) sum.

II. **round** [raund] (subst.) kreds, ring (fx. *dance in a ~);* (rund) skive; omgang (fx. *a ~ of drinks; knocked out in the first ~);* runde, rundtur; række (fx. *a ~ of visits);* (læges) stuegang (fx. *the afternoon ~);* sygebesøg; (mælkemands etc.) tur; (i kortspil) meldeomgang; ⚔ skud, salve; (i musik) kanon (sang); runddans; *~ of cheers* bifaldssalve; *the daily ~* dagens gerning; *~ of a ladder* trin på en stige; *go the ~ of* gå rundt blandt (el. i); *go the -s* gå den sædvanlige runde; (med.) gå stuegang; *figure in the ~* frifigur (modsat: relief); *see sth. in the ~* (fig.) se ngt. fra alle sider; *show sth. in the ~* (fig.) give en plastisk fremstilling af ngt.; *out of ~* (tekn.) urund.

III. **round** [raund] (vb.) gøre rund, afrunde (fx. *the corners of a table);* fuldstændiggøre; gå rundt om, dreje omkring, runde (fx. *a corner);* blive rund; *~ off* afrunde, afslutte; *~ out* blive rund; (amr.) = *~ off; ~ upon* vende sig mod, fare løs på; *~ up* samle, drive sammen (fx. *cattle);* omringe og arrestere.

IV. **round** [raund] (adv.) rundt, om(kring); rundt om, udenom (fx. *a crowd gathered ~);* i omkreds (fx. *his waist must be 4 ft. ~);* over, hen (fx. *come ~ and see us); all ~* hele vejen rundt; *bring my car ~* kør min vogn frem; *sleep the clock ~* sove i mindst 12 timer; sove døgnet rundt; *Christmas soon came ~ again* julen stod atter for døren; *come ~* (ogs.) komme til sig selv, komme til bevidsthed; *come ~ here* komme herom; *a long way ~* en lang omvej; *the wind has gone ~ to the north* vinden er gået om i nord.

V. **round** [raund] (præp.) rundt om, omkring; rundt i (fx. *walk ~ the room),* rundt på (fx. *walk ~ the estate);* T omkring ved; *~ the clock* hele døgnet rundt.

VI. **round** [raund] (glds.) hviske.

roundabout ['raundəbaut] (adj.) indirekte; trivelig, fyldig; (subst.) karrusel; rundkørsel; *what you lose on the -s you make up on the swings* hvad man sætter til på det ene tjener man ind på det andet; *a ~ way* en omvej.

round-bellied tykmavet.

roundelay ['raundilei] rundsang.

rounder ['raundə] point; *-s* rundbold.

round|-eyed med opspilede øjne. **~ game** kortspil hvor hver deltager spiller for sig; familiespil. **~ -hand** rundskrift.

Roundhead ['raundhed] rundhoved, puritaner.

round-headed kortskallet.

roundhouse ['raundhaus] lokomotivremise; (glds.) fængsel, arrest.

rounding mark mærke (for kapsejlere).

roundish ['raundiʃ] rundagtig.
roundly ['raundli] kraftigt, med rene ord.
round robin brev (, bønskrift, protestskrivelse) hvor underskrivernes navne står i en kreds (for at skjule hvem der har underskrevet først).
roundsman ['raundzmən] en der regelmæssigt kommer omkring med varer, fx. bager, brødkusk, mælkemand.
round-the-clock (adj.) døgn-, uophørlig (fx. *bombing).*
round trip (amr.) tur-retur, hen- og tilbagerejse.
round-trip ticket (amr.) dobbeltbillet, returbillet.
round-up ['raund'ʌp] sammendrivning, omringning; razzia.
roundworm ['raundwə·m] spolorm, rundorm.
rouse [rauz] (vb.) vække; opmuntre, opildne, ruske op; opjage; vågne op; (subst., glds.) fuldt glas; drikkelag; ~ *oneself* tage sig sammen, tage sig selv i nakken; ~ *up* vågne op; *give a* ~ drikke en skål.
rouser ['rauzə] en (el. ngt.) der vækker op; **S** opsigtsvækkende tale (el. handling).
rout [raut] nederlag, vild flugt; (glds.) stort selskab; (glds. el. jur.) sværm; hob; opløb; (vb.) jage på flugt; *put to* ~ jage på flugt; ~ *out* trække frem (el. ud) med magt.
route ['ru·t] vej, rute; ⚔ [ogs.: raut] marchbefaling; *en* ~ ['a·ŋ'ru·t] på vej (*for* til); *column of* ~ ⚔ marchkolonne. **route march** ⚔ marchtur.
router ['rautə]: ~ *(plane)* grundhøvl.
routine [ru·'ti·n] sædvanlig forretningsgang, praksis, rutine.
roux [ru·] opbagning.
I. **rove** [roᵘv] imperf. og perf. part. af III. *reeve.*
II. **rove** [roᵘv] strejfe om, vandre om; gennemstrejfe.
rover ['roᵘvə] landstryger; omstrejfer; vandrer; (glds.) pirat; (i krocket) frispiller; (spejder) rover.
roving ['roᵘviŋ] omflakkende, omstrejfende; strejfen.
I. **row** [roᵘ] (subst.) række; rad; (i strikning) pind; *hoe one's own* ~ passe sig selv; se ogs. *hoe.*
II. **row** [rau] (subst.) spektakel, tumult, optøjer, ballade, strid, slagsmål; skænderi; (vb.) lave spektakel (el. optøjer), larme, støje; skændes; skælde ud; *hold your* ~ hold kæft; *kick up a* ~ larme, lave spektakel; gøre vrøvl; *make a* ~ *about* gøre vrøvl over.
III. **row** [roᵘ] (vb.) ro; (subst.) roning; rotur.
rowan ['roᵘən] røn; rønnebær.
row-boat ['roᵘboᵘt] robåd.
rowdy ['raudi] brutal, grov, voldsom; bølle.
rowel ['rauəl] sporehjul.
rower ['roᵘə] roer. **rowing club** roklub.
rowlock ['rålək] åregaffel.
royal ['roiəl] kongelig, konge-.
Royal Academy det kongelige kunstakademi.
royal blue kongeblå.
royalism ['roiəlizm] royalisme.
royalist ['roiəlist] (adj.) royalistisk, kongeligsindet; (subst.) royalist.
Royal Society det kongelige videnskabernes selskab.
royalty ['roiəlti]; medlem(mer) af kongehuset, kongelig(e) person(er), de kongelige; kongelighed; kongeværdighed; kongelig rettighed; afgift, licensafgift, leje, procenter, forfatterhonorar, procentvis honorar efter salget; tantieme.
rozzer ['råzə] **S** politibetjent.
r.p.m. fk. f. *revolutions per minute.*
R.S. fk. f. *Royal Society.*
R.S.P.C.A. fk. f. *Royal Society for the Prevention of Cruelty to Animals.*
R.S.V.P. fk. f. *répondez s'il vous plaît* svar udbedes.
Rt. Hon. fk. f. *right honourable.*
Rt. Rev. fk. f. *right reverend.*
rub [rʌb] (vb.) gnide; skure, skrabe, slibe, pudse; (med viskelæder) viske; (om farver etc.) rive; (subst.) gnidning; ujævnhed, knold; hindring, vanskelighed; *there is the* ~ der ligger hunden begravet; ~ *along* **T** slide sig igennem, klare sig igennem (med besvær); komme ud af det med hinanden; ~ *down* frottere; (om hest) strigle; ~ *in* indgnide; (fig.) indprente, udpensle; *you needn't* ~ *it in* (fig.) der er ingen grund til at træde i det; ~ *off* gnide (el. skrabe) af; viske ud; ~ *out* udslette; viske ud; *it won't* ~ *out* det er ikke til at viske ud; ~ *up* pudse, polere; (fig.) opfriske; ~ *the wrong way* (fig.) stryge mod hårene; irritere; ~ *shoulders with* omgås med (på lige el. fortrolig fod).
rub-a-dub ['rʌbədʌb] bum bummelum.
rubber ['rʌbə] (subst.) gummi, kautsjuk; viskelæder; rubber (i bridge etc.); massør; hvæssesten; (vb.) imprægnere med gummi.
rubber| band elastik, gummibånd. ~ **check** (amr. **S**) dækningsløs check. ~ **goods** gummivarer.
rubberize ['rʌbəraiz] imprægnere med gummi.
rubberneck (amr.) nysgerrig person, turist; (vb.) kigge nysgerrigt på alt.
rubbers ['rʌbəz] galocher.
rubber solution solution.
rubber-stamp (vb.) stemple (med et gummistempel); give sin tilslutning uden at overveje det; (subst.) gummistempel; (fig.) nikkedukke.
rubbing strake ⚓ skamfilingsliste.
rubbish ['rʌbiʃ] affald; snavs; ragelse, skrammel; sludder, vås; *shoot no* ~ aflæsning af affald forbudt; *talk* ~ sludre, vrøvle.
rubbish-heap affaldsdynge.
rubbishing ['rʌbiʃiŋ], **rubbishy** ['rʌbiʃi] affalds-; værdiløs, tarvelig, ussel.
rubble ['rʌbl] murbrokker, stenbrokker; utilhugne sten.
rube [ru·b] (amr. **T**) bondeknold.
rubefaction [ru·bi'fäkʃən] rødmen (af hud ved irritation).
rubescence [ru·'besəns] rødmen; rødme.
rubescent [ru·'besənt] rødmende, rødlig.
rubicund ['ru·bikənd] rød, rødlig, rødmosset.
rubicundity [ru·bi'kʌnditi] rødmossethed, rødme.
rubiginous [ru·'bidʒinəs] rustfarvet.
rubric ['ru·brik] overskrift; (liturgisk) forskrift.
rubricate ['ru·brikeⁱt] mærke med rødt.
ruby ['ru·bi] rubin; rubinrød.
ruck [rʌk] (vb.) rynke; krølle; folde; (subst.) rynke; fold; *the* ~ den store hob, den grå masse; (i væddeløb) 'klumpen' der ligger bagud for førerfeltet.
rucksack ['ruksäk] rygsæk; mejs.
ruckus ['rʌkəs] **T** slagsmål, ballade, strid, spektakel.
ructions ['rʌkʃənz] spektakler, uro, ballade, vrøvl.
rudd [rʌd] (zo.) rudskalle.
rudder ['rʌdə] ror; (flyv.) sideror; (fig.) ledende princip.
rudder| post rorstævn. ~ **stock** rorstamme.
ruddy ['rʌdi] rød, rødmosset; **S** (brugt som fyldeord i st. f. *bloody;* omtr. =) pokkers.
ruddy sheld-duck (zo.) rustand.
rude [ru·d] grov, uforskammet, ubehøvlet, uhøflig, udannet; jævn, simpel, plump, primitiv; rå; barsk, heftig; ubarmhjertig.
rudiment ['ru·dimənt] grundlag, begyndelse; rudiment; *-s* (ogs.) begyndelsesgrunde (fx. *the -s of mathematics).*
rudimentary [ru·di'mentəri] rudimentær, begyndelses-, uudviklet, ufuldbåren.
I. **rue** [ru·] angre; ynkes over, sørge (*for* over).
II. **rue** [ru·] ✿ rude, (sorgens symbol).
rueful ['ru·f(u)l] bedrøvelig, sorgfuld, sørgelig; *the Knight of the Rueful Countenance* ridderen af den bedrøvelige skikkelse.
I. **ruff** [rʌf] pibestrimmel, pibekrave, kruset halskrave; fjerkrave; (zo.) brushane.
II. **ruff** [rʌf] (det at) stikke med trumf.
ruffian ['rʌfjən] bølle, bandit.

ruffianism ['rʌfjənizm] råhed, bølleuvæsen.

I. **ruffle** ['rʌfl] (vb.) folde; kruse; besætte med krusede manchetter; sætte i bevægelse, oprøre; bringe ud af fatning; bringe i uorden, pjuske; kruses, kruse sig, oprøres, blive oprørt.

II. **ruffle** ['rʌfl] (subst.) halsstrimmel, kruset manchet, kalvekrøs; flæse; sammenstød, fægtning, kamp; uro, sindsoprør, mislyd; krusning (på vand); dæmpet trommehvirvel.

rufous ['ru·fəs] (især zo.) rødbrun.

rug [rʌg] groft uldent tæppe; rejsetæppe; kamintæppe.

Rugby ['rʌgbi] (stednavn); rugbyfodbold.

rugged ['rʌgid] ru, ujævn; knortet, knudret, kantet; viid, forreven (fx. *coast*); barsk (fx. *a ~ old man*); grov, hård; robust; markeret (fx. *~ features*).

rugger ['rʌgə] rugbyfodbold, rugbyfodboldspiller.

rugose ['ru·goᵘs], **rugous** ['ru·gəs] rynket.

ruin ['ru·in] (subst.) ruin, undergang, ødelæggelse; (vb.) ruinere, ødelægge, gøre ulykkelig, styrte i fordærvelse.

ruination [ru·i'neⁱʃən] ruinering, ødelæggelse; (fig.) ruin.

ruined ['ru·ind] som ligger i ruiner (fx. *castle*); ruineret, ødelagt; (om kvinde ogs.) falden.

ruinous ['ru·inəs] ødelæggende, ruinerende; forfalden, faldefærdig, brøstfældig.

I. **rule** [ru·l] (subst.) regering, herredømme, styrelse; regel, forskrift, bestemmelse; princip, afgørelse, kendelse; lineal; tommestok; *as a ~* som regel; *~ of three* reguladetri; *~ of thumb* tommelfingerregel; *by ~ of thumb* efter skøn, på en grov men praktisk måde; *work to ~* holde sig strengt til reglementet (som obstruktionsmiddel).

II. **rule** [ru·l] (vb.) herske (over), regere, beherske, styre; bestemme, afgøre; liniere; *prices -d high* priserne lå højt; *~ lines on a piece of paper, ~ a piece of paper with lines* liniere et stykke papir; *~ off* skille fra ved en streg; *~ out* udelukke.

ruler ['ru·lə] regent, hersker, styrer; lineal.

ruling ['ru·liŋ] (adj.) herskende; gældende; (subst.) kendelse.

I. **rum** [rʌm] (subst.) rom; (amr. ogs.) spiritus.

II. **rum** [rʌm] (adj.) snurrig; mærkelig, løjerlig; *a ~ go* noget underligt noget; *feel ~* være utilpas el. nervøs; *a ~ start* en overraskende hændelse, et sært træf.

rumba ['rʌmbə] rumba; danse rumba.

rumble ['rʌmbl] (vb.) rumle, buldre, drøne; **S** gennemskue; (subst.) rumlen; bagsæde, bagageplads (på vogn).

rumble-tumble rumlende vogn; rumlen.

rumbustious [rʌm'bʌstʃəs] **S** larmende, støjende, voldsom.

ruminant ['ru·minənt] (subst.) drøvtygger; (adj.) drøvtyggende; (fig.) eftertænksom.

ruminate ['ru·mineⁱt] tygge drøv; (fig.) gruble, tænke; ruge; tygge drøv på, ruge over.

rumination [ru·mi'neⁱʃən] drøvtygning; (fig.) overvejelse; grublen.

ruminative ['ru·minətiv] grublende.

ruminator ['ru·mineⁱtə] grubler.

rummage ['rʌmidʒ] (subst.) grundigt eftersyn, ransagning, visitation; rumsteren; skrammel; (vb.) visitere, gennemsøge, se efter i; rumstere, rode; (om toldvæsen) inkvirere.

rummage-sale auktion over uafhentede sager; oprømningsudsalg; slags velgørenhedsbasar.

I. **rummy** ['rʌmi] = II. *rum*; (subst.) rommy (et kortspil).

II. **rummy** ['rʌmi] (amr. **S**) drukkenbolt.

rumour ['ru·mə] rygte; *it is -ed* man siger; det forlyder; rygtet går.

rump [rʌmp] gump, bagdel, hale; rest; halestykke (af okse); *the Rump (Parliament)* (resterne af det lange parlament).

rumple ['rʌmpl] krølle, pjuske.

rumpus ['rʌmpəs] **T** ballade; *~ room* (amr., omtr.:) hobbyrum.

rum-runner (amr.) spritsmugler; spritsmuglerskib.

I. **run** [rʌn] (*ran, run*) løbe, rende, ile; løbe bort, flygte; deltage i væddeløb; flyde, rinde, strømme; løbe ud (fx. *the colours ~*); blive flydende, smelte; gå; fungere (fx. *the lawn-mower does not ~ properly*); (om skuespil) gå, blive opført (fx. *~ for two months*); strække sig (fx. *a scar ran across his cheek*); blive (fx. *~ mad*); lyde (fx. *this is how the verse -s*); gælde, anerkendes (fx. *the law doesn't ~ among them*); (især amr.) lade sig opstille til valg; (m. genstandsled:) lade løbe (fx. *~ a horse up and down*); løbe om kap med; køre (fx. *a car into a garage*); smugle (fx. *arms, liquor*); slippe igennem (el. forbi), bryde (fx. *a blockade*); forfølge; jage (fx. *a fox*); jage, stikke, støde (fx. *~ a knife into sby.*); trække, føre (fx. *~ a partition across the room*); lede, drive (fx. *~ a hotel*); styre, regere (fx. *Communist-run countries*); (om avis etc.) bringe (fx. *every newspaper ran the story*); (især amr.) opstille til valg;

(forskellige forbindelser) *~ sby. close* være lige i hælene på en, være en farlig konkurrent for en; *~ cold* stivne; *~ it fine* beregne tiden meget knebent; *the sea -s high* der er stærk bølgegang; *passions ~ high* (fig.) bølgerne går højt; *the rumour -s that* der går det rygte at; *~ extra trains* sætte ekstratog ind; *~ water into* fylde vand i;

(forb. m. præp. el. adv.) *~ across* løbe på, tilfældigt møde; *~ against* løbe på, træffe; gå imod, stride imod; *~ away with* stikke af med; løbe af med; sluge (fx. *the scheme will ~ away with a lot of money*); *don't ~ away with the idea that* gå nu ikke hen og tro at; *his temper ran away with him* hidsigheden løb af med ham; *~ down* løbe ned; løbe ud, gå i stå (om ur etc.); indhente; køre ned, sejle i sænk; indskrænke driften på (fx. *a factory*); kritisere, rakke ned på, bagtale; *be ~ down* (ogs.) være svag el. udmattet; *~ for Congress* (amr.) stille sig som kandidat til Kongressen; *~ for it* stikke af, stikke halen mellem benene; *~ in* **T** sætte fast; arrestere; *~ 'in a car* køre en bil til; *~ in and see me to-night* kig indenfor i aften; *it -s in the family* det ligger til familien; *~ into* (ogs.) støde på, støde sammen med; *~ into debt* gøre gæld; *the book ran into several editions* bogen gik (el. udkom) i adskillige oplag; *his income -s into five figures* hans indtægt kommer op på et femcifret beløb;

~ off stikke af; tappe, tømme ud; rable af sig; (typ.) trykke, 'køre'; *~ him off his legs* løbe ham træt; *~ on* (ogs.) snakke løs uafbrudt; beskæftige sig med (fx. *the talk ran on recent events*), *~ out* løbe ud, udløbe; slippe op; *I have ~ out of tobacco* min tobak er sluppet op; *~ over* (ogs.) køre over; løbe igennem, hastigt gennemlæse (el. gennemgå); *~ through* (ogs.) gennembore, opbruge, bortødsle; løbe igennem, hastigt gennemlæse (el. gennemgå); *~ to sby.'s aid* ile en til hjælp; *~ up* hurtigt hejse (fx. *a flag*); drive i vejret; (om tal) lægge sammen; *~ up bills* gøre gæld; *~ up a house* smække et hus op; *~ up a dress* sy en kjole i en fart; *the streets ran with blood* gaderne flød med blod.

II. **run** [rʌn] (subst.) løb, rend, gang; tilløb; stærk efterspørgsel; panik; storm, run (fx. *on a bank*); periode (fx. *a ~ of bad luck*), række, forløb; tendens (fx. *the ~ of the market*); strækning; fart, tur, rejse (fx. *a ~ to Paris*); rute; græsgang, indhegning (til høns etc.); type, klasse; kraft til at løbe; *have a ~ of a hundred nights* opføres hundrede gange; *have the ~ of the garden* have fri adgang til haven; *have a ~ for one's money* få valuta for pengene; **T** få smæk for skillingen; *have a long ~* (om teaterstykke) gå længe; *in the long ~* i det lange løb, i længden; *on the ~* på farten; på flugt; i løb; *like the common* (el. *ordinary*) *~ of people* som folk er flest; *outside (, above) the ordinary ~ of people* anderledes (, bedre) end folk er flest; *out of the common ~* uden for det almindelige.

runabout ['rʌnəbaut] omstrejfer; lille let bil.
runagate ['rʌnəgeⁱt] flygtning; renegat.
runaway ['rʌnəweⁱ] (adj.) bortløben; løbsk; (subst.) flygtning; (amr.) stor sejr.
runcible ['rʌnsibl]: ~ *spoon* gaffelske; gaffel til salatsæt.
run-down ['rʌndaun] nedskæring, indskrænkning af driften; (amr.) detaljeret gennemgang (el. undersøgelse).
rune [ru·n] rune; ~ *staff* runestav.
I. **rung** ['rʌŋ] perf. part. af *ring.*
II. **rung** [rʌŋ] trin (på stige), sprosse, tværtræ, ege (i hjul).
runic ['ru·nik] rune-; *in ~ characters* med runeskrift.
runnel ['rʌnl] bæk, rende.
runner ['rʌnə] løber; agent, (glds.) politibetjent; smugler; løber (oversten i mølle); slædemede; skøjtejern; skyder (på paraply); ♧ udløber; ~ *bean, scarlet* ♧ ~ pralbønne.
runner-up nr. 2 (i sportskamp).
running ['rʌniŋ] (adj.) væddeløbs-; hurtigsejlende; uafbrudt; fortsat, løbende, i træk (fx. *for three days ~*), i sammenhæng; flydende (fx. *hand* håndskrift); rindende (fx. *water); (med.)* væskende (fx. *sore);* (subst.) løb, kapløb; udholdenhed; drift; *make the ~* bestemme farten; *take up the ~* føre, tage initiativet; *be in the ~* have udsigt til at vinde; *be out of the ~* ikke have udsigt til at vinde.
running| board trinbræt (på sporvogn etc.). ~ **commentary** (i radio) reportage. ~ **free** ⚓ rumskøds sejlads. ~ **head(line)** levende kolumnetitel. ~ **jump:** *go and take a ~ jump at yourself* **T** du kan rende og hoppe. ~ **-knot** løbeknude. ~ **rigging** ⚓ løbende rigning, løbende gods. ~ **title** = ~ *head(line).*
Runnymede ['rʌnimi·d].
run-off ['rʌnåf] afgørende løb (efter at et tidligere er endt uafgjort).
run-of-the-mill (adj.) ordinær, almindelig, gennemsnits-, dagligdags.
run-on lines enjambement.
run-proof, run-resistant maskefast (fx. *stocking).*
runt [rʌnt] **T** vantrivning, lille gnom.
runway ['rʌnweⁱ] (flyv.) startbane, landingsbane.
rupee [ru·'pi·] rupi (indisk møntenhed).
rupture ['rʌptʃə] (subst.) sprængning; brud; (med.) brok; (vb.) sprænge, bringe til at briste; briste.
rural ['ruərəl] landlig, land-.
ruralize ['ruərəlaiz] gøre landlig; blive landlig; tage på landet.
ruse [ru·z] list, finte, kneb.
I. **rush** [rʌʃ] (subst.) ♧ siv; *not worth a ~* ikke en bønne værd; *not care a ~* være revnende ligeglad.
II. **rush** [rʌʃ] (subst.) stormløb, fremstormen; bølge (fx. *of sympathy);* brus; jag; tilstrømning, stærk efterspørgsel (fx. *there was a ~ for the papers); -es* (af film) førstekopi, prøvekopi; *there was a ~ to the doors* man styrtede til dørene; *we had a ~ to get the job done* vi havde et jag for at få arbejdet færdigt; *give a girl a ~* (amr.) gøre stormkur til en pige (ɔ: invitere hende ud ustandselig); *there was a ~ of blood to his head* blodet for ham til hovedet.
III. **rush** [rʌʃ] (vb.) fare af sted, komme farende, styrte (fx. *~ out),* storme (fx. *~ into a room),* styrte sig (fx. *~ into an undertaking);* jage (fx. *~ sby. out of the room),* drive; jage med (fx. *don't ~ me);* **S** forlange overpris af; (amr.) gøre stormkur til; *~ sby. for a fiver* slå én for fem pund; *~ sby. off his feet* rive én med; *~ to conclusions* drage forhastede slutninger.
rush hours myldretid. **rushlight** prås, tællelys.
rush-lily ♧ blåøje.
rush-work hastværksarbejde; arbejde som det haster med.
rushy ['rʌʃi] sivbevokset; siv-.
rusk [rʌsk] tvebak.
Ruskin ['rʌskin]. **Russell** ['rʌsl].
russet ['rʌsit] (adj.) rødbrun; grov, simpel, hjemmegjort; (subst.) æblesort; groft rødbrunt tøj.
Russia ['rʌʃə] Rusland; *~ (leather)* ruslæder.
Russian ['rʌʃən] russisk (subst. og adj.); russer.
Russo- russisk- (fx. *~ -Japanese).*
rust [rʌst] (subst.) rust; skimmel; (fig.) sløvhed; (vb.) ruste; gøre rusten; (fig.) sløves; *~ colour* rustfarve.
rustic ['rʌstik] (adj.) som hører til landet, som er på landet; bondsk, grov, plump; ukunstlet, ligefrem, ærlig, enfoldig; simpel; naturtræs-; (subst.) landboer, bonde; *~ style* almuestil.
rusticate ['rʌstikeⁱt] bo på landet, sende på landet, rustificere, bortvise fra universitet for kortere tid.
rustication [rʌsti'keⁱʃən] ophold på landet; midlertidig bortvisning (fra universitet).
rusticity [rʌ'stisiti] landlighed, bondsk væsen.
rustle ['rʌsl] (vb.) rasle; rasle med; (amr. **S**) arbejde energisk; stjæle kvæg; (subst.) raslen; *~ up* få lavet (el. skaffet) i en fart.
rustler ['rʌslə] (amr. **S**) energisk fyr; kvægtyv.
rustless ['rʌstlės], **rustproof** ['rʌstpru·f] rustfri.
rusty ['rʌsti] rusten, rustfarvet; (fig.) ude af øvelse; forsømt; (om tøj) luvslidt, falmet; *cut up* (el. *turn) ~* **S** blive gnaven.
I. **rut** [rʌt] hjulspor; (fig.) rutine, 'skure'.
II. **rut** [rʌt] brunst; være brunstig.
ruth [ru·þ] (glds.) medlidenhed; sorg.
ruthless ['ru·þlės] ubarmhjertig, skånselsløs, hård.
rutting season brunsttid.
rutty ['rʌti] fuld af hjulspor, opkørt.
R.V. fk. f. *revised version.*
Ry. fk. f. *railway.*
rye [rai] rug.
rye|-crisp (amr.) knækbrød. ~ **-grass** ♧ rajgræs.
ryme = *rhyme.*
ryot ['raiət] indisk bonde.
rythm = *rhythm.*

S

S [es].
$ tegn for *dollar(s).*
S. fk. f. *Saint; Saturday; shilling(s); Society; South; Southern; Sunday.*
s. fk. f. *second(s); see; shilling(s); singular.*
's fk. f. *is, has, us.*
S.A. fk. f. *Salvation Army; South Africa* (el. *America, Australia); Society of Antiquaries; sex appeal.*
Sabaoth [sə'beⁱåþ] Zebaoth; *the Lord of ~* den Herre Zebaoth.
sabbatarian [säbə'tæəriən] sabbats-; en der strengt overholder hviledagen.
sabbath ['säbəþ] sabbat.
sabbatic(al) [sə'bätik(l)] som hører til sabbaten; *~ year* et års orlov med løn.
Sabine ['säb(a)in]: *-'s gull* sabinemåge.
sable ['seⁱbl] (subst.) zobel, zobelskind; (adj.) mørk, sort; klædt i sort.
sabot ['säboᵘ] træsko.
sabotage ['säbota·ʒ] sabotage.
saboteur [säbo'tə·] sabotør.
sabre ['seⁱbə] ryttersabel; (vb.) nedsable.
sabre-leg sabelben (om hest).
sabretache ['säbətäʃ] sabeltaske.

sabre-toothed ['seⁱbətu·þt]: *~ tiger* sabelkat.
sabulous ['säbjuləs] sandet; grumset (om urin).
sac [säk] sæk.
saccharify [sä'kärifai] omdanne til sukker.
saccharin(e) ['säkərin] (subst.) sakkarin.
saccharine ['säkərain] (adj.) sukkeragtig; sukkersød.
sacerdotal [säsə'doᵘtl] præstelig.
sacerdotalism præstevæsen, præstevælde.
sachem ['seⁱtʃəm] høvding (for indianerstammer); (fig.) stormand.
sachet ['säʃeⁱ] lugtepose; lommetørklædemappe.
I. **sack** [säk] (subst.) plyndring; (vb.) plyndre.
II. **sack** [säk] (subst.) sæk, pose; sækkekjole; (vb.) T fyre, afskedige; *give sby. the ~* T fyre (el. afskedige) en; *get the ~* T blive fyret, få sin afsked (på gråt papir).
sackcloth ['säkklåþ] sækkelærred; *in ~ and ashes* i sæk og aske.
sacking ['säkiŋ] sækkelærred.
sack race ['säkreⁱs] sækkevæddeløb.
sacrament ['säkrəmənt] sakramente.
sacramental [säkrə'mentl] sakramental.
sacred ['seⁱkrid] hellig, indviet; ukrænkelig; *~ history* bibelhistorie; kirkehistorie; *~ music* kirkemusik; *~ songs* åndelige sange; *~ to* helliget; *nothing is ~ to him* intet er ham helligt.
I. **sacrifice** ['säkrifais] (subst.) offer, opofrelse, ofring; *make -s to obtain one's end* ofre noget (el. bringe ofre) for at nå sit mål; *sell at a ~* sælge med tab.
II. **sacrifice** ['säkrifais] (vb.) ofre; *~ oneself for sth.* ofre sig for noget; *~ to idols* ofre til afguder.
sacrificial [säkri'fiʃəl] offer-.
sacrilege ['säkrilėdʒ] vanhelligelse, helligbrøde, kirkeran.
sacrilegious [säkri'lidʒəs] profan, ugudelig.
sacring ['seⁱkriŋ] indvielse.
sacristan ['säkristən] sakristan.
sacristy ['säkristi] sakristi.
sacrosanct ['säkrosäŋkt] sakrosankt, hellig, ukrænkelig.
sad [säd] bedrøvet, tungsindig, sørgelig, trist; (om farve) mørk, afdæmpet; (om brød) klæg; (glds.) alvorlig; T slem (fx. *coward); rædsom.*
sadden ['sädn] blive bedrøvet; bedrøve.
saddle ['sädl] (subst.) sadel; (vb.) sadle; belemre; *~ of mutton* bederyg; *~ of venison* dyreryg.
saddle|back sadelformet bjergryg; sadeltag. **-backed** svajrygget. *~* **-bag** sadeltaske; slags møbelplys. *~* **-bow** [-boᵘ] sadelbue. *~* **-cloth** sadeldækken. *~* **-horse** ridehest. *~* **-nose** sadelnæse.
saddler ['sädlə] sadelmager.
saddlery ['sädləri] sadelmagerarbejde.
saddle-tree ['sädl'tri·] sadelbom.
Sadducean [sädju'si·ən] saddukæisk.
Sadducee ['sädjusi·] saddukæer.
sadism ['sädizm] sadisme. **sadist** ['sädist] sadist. **sadistic** [sä'distik] sadistisk.
safari [sə'fa·ri] safari, jagtekspedition.
safe [seⁱf] (adj.) sikker, uskadt, velbeholden; betryggende, tryg, pålidelig; (subst.) pengeskab, boks; flueskab, isskab; (amr.) kondom, præservativ; *I have got him ~* jeg har krammet på ham; *it is ~ to say* man kan roligt sige; *it is not ~* det er farligt; *at a ~ distance* i tilbørlig afstand.
safe|-blower pengeskabstyv. *~* **-conduct** frit lejde, pas, eskorte; give lejde, eskortere. *~* **-cracker** pengeskabstyv. *~* **-deposit** boksafdeling. **-guard** (subst.) beskyttelse, beskyttelsesmiddel, sikkerhedsforanstaltning, betryggelse, garanti, sikkerhed; (vb.) beskytte, sikre, garantere. *~* **-keeping** forvaring, varetægt.
safely ['seⁱfli] sikkert, uskadt, i god behold, uden fare; i sikkerhed; roligt (fx. *we can ~ leave that to him).*
safety ['seⁱfti] sikkerhed, tryghed; *play for ~* ikke ville risikere noget.
safety| belt sikkerhedsbælte, sikkerhedssele. *~* **bolt**, *~* **catch** sikring (på skydevåben). *~* **-chain** sikkerhedskæde. *~* **-curtain** jerntæppe. *~* **glass** splintfrit glas. *~* **guard** beskyttelsesskærm. *~* **island** fodgængerhelle. *~* **-lamp** grubelampe. *~* **-match** tændstik. *~* **-pin** sikkerhedsnål. *~* **-razor** barbermaskine. *~* **-valve** sikkerhedsventil.
saffian ['säfiən] safian.
safflower ['säflauə] ♧ farvetidsel, saflor.
saffron ['säfrən] safran; safrangul; *meadow ~* ♧ tidløs.
sag [säg] (vb.) synke ned, hænge slapt; dale, falde; have afdrift; (subst.) synken, hængen; dalen, fald; afdrift.
saga ['sa·gə] saga.
sagacious [sə'geⁱʃəs] skarpsindig, klog.
sagacity [sə'gäsiti] skarpsindighed, klogskab.
sagamore ['sägəmå·] indianerhøvding.
I. **sage** [seⁱdʒ] (adj.) klog, viis; (subst.) vismand.
II. **sage** [seⁱdʒ] ♧ salvie.
sage-green mat grågrøn.
saggar ['sägə] kapsel (til keramisk brænding).
sagging ['sägiŋ] (adj.) synkende, hængende; (om børs) flov.
Sagitta [sə'dʒitə] (astr.) Pilen.
Sagittarius [sädʒi'tæəriəs] (astr.) Skytten.
sago ['seⁱgoᵘ] sago.
Sahara [sə'ha·rə].
Sahib ['sa·(h)ib] (indisk:) herre.
said [sed] imperf. og perf. part. af *say;* førnævnt, bemeldt, omtalt (fx. *the ~ John Smith).*
sail [seⁱl] (vb.) sejle; besejle; befare; flyve, svæve; komme brusende; (subst.) sejl; sejlskib, skib; sejltur; *a fleet of 30 ~* en flåde på 30 skibe; *at* (el. *in) full ~* for fulde sejl; *take the wind out of sby.'s -s* tage luven fra en; *~ into* skælde ud, overfuse; *all -s set* for fulde sejl; *strike ~* stryge sejl; give tabt.
sailcloth sejldug.
sailer ['seⁱlə] sejler; *a fast ~* en hurtigsejler. **sailing** ['seⁱliŋ] sejlads; sejl- (fx. *~ -boat); ~ master* navigatør.
sail|loft sejlmagerværksted. **-maker** sejlmager.
sailor ['seⁱlə] sømand, matros; *be a good ~* være søstærk; *be a bad ~* ikke være søstærk.
sailor suit matrostøj.
sailplane (flyv.) svæveplan.
sainfoin ['seⁱnfoin] ♧ esparsette.
saint [seⁱnt] helgen; sankt, hellig-.
sainted ['seⁱntid] kanoniseret; hellig.
sainthood ['seⁱnthud] helgenværdighed.
saintlike ['seⁱntlaik] helgenagtig.
saintly ['seⁱntli] helgenagtig, hellig.
saintship ['seⁱntʃip] helgenværdighed.
saith [seþ] (glds.) = *says* (se I. *say.)*
sake [seⁱk] skyld; *for God's ~* for Guds skyld.
saké ['sa·ki] (japansk) risbrændevin.
saki ['sa·ki]: *black ~* (zo.) satansabe.
sal [sål] salt (i kemi).
salaam [sə'la·m] (subst.) salam (orientalsk hilsen); (vb.) hilse dybt.
salable ['seⁱləbl] sælgelig, kurant, salgbar.
salacious [sə'leⁱʃəs] slibrig, liderlig.
salacity [sə'läsiti] slibrighed, liderlighed.
salad ['säləd] salat.
salad|-days: *my ~ -days* min grønne ungdom. *~* **dressing** salatsauce (mayonnaise etc.). *~* **-oil** salatolie. *~* **servers** salatsæt.
salamander ['säləmändə] salamander.
salamandrine [sälə'mändrain] salamanderagtig.
salame [sä'la·mi] (italiensk) salamipølse.
sal-ammoniac [sälə'moᵘniäk] salmiak.
salaried ['sälərid] lønnet, på fast løn; *~ staff* funktionærer.
salary ['säləri] løn, gage; (vb.) lønne.
sale [seⁱl] salg, afsætning; udsalg; auktion; omsætning; *for* (el. *on) ~* til salg; *offer for ~* falbyde; *~ now on* 'udsalg'; *have a rapid ~* finde rivende afsætning; *~ of work* (velgørenheds)basar; *~ under execution* tvangsauktion.

saleable se *salable.*
salep ['sälip] salep(rod).
sales| book debetkladde. **-girl** (amr.) ekspeditrice. ~ **letter** salgsbrev, sælgerbrev. **-man** sælger, ekspedient; (amr.) (handels)rejsende. **-manship** evner som sælger; kunsten at sælge; salg. ~ **resistance** manglende købelyst. **-room** auktionslokale, salgslokale. ~ **tax** omsætningsafgift. **-woman** sælgerske, ekspeditrice.
Salic ['sälik] salisk; ~ *law* den saliske lov.
salicyl ['sälisil] salicyl.
salicylic [säli'silik] salicyl-; ~ *acid* salicylsyre.
salience ['seiljəns], **saliency** ['seiljənsi] fremtrædende karakter; fremspring; karakteristisk træk.
salient ['seiljənt] (adj.) fremspringende (fx. *angle);* fremtrædende (fx. *characteristic);* fremragende; (subst.) fremspring; ⚔ kile, fremskudt del af en militær front; ~ *point* hovedpunkt, springende punkt.
saliferous [sə'lifərəs] saltholdig.
salification [sälifi'keiʃən] saltdannelse.
salify ['sälifai] salte; omdanne til et salt.
saline ['seilain] salt, saltholdig; ~ *solution* saltopløsning.
salinity [sä'liniti] saltholdighed.
Salique [sä'li·k] = *Salic.*
saliva [sə'laivə] spyt.
salivary ['sälivəri] spyt- (fx. ~ *gland).*
salivation [säli'veiʃən] spytafsondring.
I. **sallow** ['säloᵘ] (subst.) vidjepil.
II. **sallow** ['säloᵘ] (adj.) gusten, gulbleg; (vb.) blive (el. gøre) gusten, gustne.
sally ['säli] udfald; vits; ~ *forth* (el. *out)* gøre et udfald; gå ud, tage af sted, drage af.
sally-port udfaldsport.
salmagundi [sälmə'gʌndi] (omtr. =) sildesalat.
salmi ['sälmi] vildtragout.
salmon ['sämən] laks.
salmon|-coloured laksefarvet. ~ **trout** laksørred.
salon ['sälå·ŋ] salon; *the Salon* (maleriudstilling i Paris).
Salonica [sə'lånikə] Saloniki.
saloon [sə'lu·n] salon; salonvogn; sedan; (amr.) bar, beværtning; ~ *(cabin)* stor første klasses kahyt.
saloon| car (amr.) salonvogn. ~ **-carriage** salonvogn. ~ **gun** salonbøsse. ~ **-keeper** (amr.) værtshusholder. ~ **rifle** salonriffel.
Salopian [sə'loᵘpiən] (adj.) hørende til Shropshire; (subst.) person som hører hjemme i Shropshire.
salsify ['sälsifi] ♧ havrerod.
sal-soda krystalsoda.
salt [så·lt, sålt] (subst.) salt; saltkar; (fig.) krydderi; vid; (adj.) salt; (vb.) salte; ~ *away,* ~ *down* nedsalte; lægge (el. stikke) til side; *below the* ~ neden for saltkarret, ɔ: ved den nederste bordende; *eat sby.'s* ~ være gæst hos én; *an old* ~ en gammel søulk; *he is not worth his* ~ han er ikke sin løn værd.
saltant ['säItənt] springende, dansende.
saltation [säl'teiʃən] dansen, hoppen, springen.
saltatory ['säItətəri] springende, i spring.
salt-box ['så·ltbåks] (stort) saltkar; saltkasse.
salt-cellar ['så·ltselə] saltkar.
salter ['så·ltə] saltkoger; salthandler; materialist, farvehandler.
salt-horse S salt kød.
saltier, saltire ['säItaiə] andreaskors.
salting ['så·ltiŋ] salteng, marskland der regelmæssig oversvømmes af tidevand.
saltish ['så·ltiʃ] saltagtig.
salt|-junk ['så·ltdʒʌŋk] S salt kød. ~ **-lick** sliksalt, saltslikke. ~ **-marsh** saltmarsk. ~ **-mine** saltgrube. ~ **-pan** (geogr.) saltpande. **-petre** ['så·ltpi·tə] salpeter. ~ **-spoon** saltske. ~ **-water** saltvands- (fx. *fish).* **-wort** ['så·ltwə·t] ♧ sodaurt.
salty ['så·lti] (adj.) salt, saltagtig; (fig.) skarp, bidende, ramsaltet.
salubrious [sə'lu·briəs] sund.
salubrity [sə'lu·briti] sundhed.
salutary ['säljutəri] sund, gavnlig.
salutation [sälju'teiʃən] hilsen.
salute [səl'l(j)u·t] (subst.) hilsen, honnør, salut; (vb.) hilse, salutere; hilse på; gøre honnør (for); *take the* ~ skridte fronten af; besvare honnør.
salvage ['sälvidʒ] (subst.) bjærgning; bjærgeløn; bjærgegods; spildindsamling; (vb.) bjærge.
salvage| agreement bjærgningskontrakt. ~ **campaign** spildindsamling. ~ **company** bjærgningsselskab. ~ **corps** redningskorps. ~ **tug** bjærgningsfartøj.
salvarsan ['sälvəsän] salvarsan.
salvation [säl'veiʃən] frelse, salighed; *work out one's own* ~ (fig.) selv finde ud af hvordan man kan redde sig (, blive frelst); *the Salvation Army* Frelsens Hær.
salvationism [säl'veiʃənizm] Frelsens Hærs grundsætninger.
salvationist [säl'veiʃənist] medlem (el. tilhænger) af Frelsens Hær.
I. **salve** [sa·v] (subst.) salve; (fig.) balsam; (vb.) salve, læge; ~ *one's conscience* berolige sin samvittighed.
II. **salve** ['sälvi] hil dig!
III. **salve** [sälv] (vb.) bjærge, redde.
salver ['sälvə] præsenterbakke, bakke.
salvia ['sälviə] ♧ salvie.
salvo ['sälvoᵘ] forbehold; salve, salut.
sal volatile [sälvə'lätəli] lugtesalt.
salvor ['sälvə] bjærger.
Sam [säm] fk. f. *Samuel; Uncle* ~ = *U.S.A.; stand* ~ S betale gildet.
samara ['sämərə] ♧ vingefrugt.
Samaria [sə'mæəriə] Samaria. **Samaritan** [sə'märitən] samaritansk; samaritan(er).
Sambo ['sämboᵘ] T neger.
Sam Browne ['säm 'braun]: ~ *(belt)* officers bælte med skrårem.
same [seim] samme; *the* ~ (ogs.) på samme måde, sådan (fx. *they do not look on things the* ~ *as we do); all the* ~ lige godt, alligevel; *it is all the* ~ *to me* det er mig ligegyldigt; *I wish you the* ~*!* (el. *the* ~ *to you!)* i lige måde! *he is the* ~ *as ever* han er stadig den gamle; *the patient is about the* ~ patientens befindende er så godt som uforandret; *if it is the* ~ *to you* hvis det er Dem det samme; *it comes to the* ~ *thing* det kommer ud på ét; *the very* ~ den selv samme.
sameness ['seimnės] identitet, lighed, ensartethed; ensformighed.
Samoa [sə'moᵘə] Samoaøerne, Skipperøerne.
samovar ['sämova·] samovar.
sample ['sa·mpl] (subst.) prøve, mønster; (vb.) sende el. tage prøve af, prøve; smage på.
sampler ['sa·mplə] en der tager prøver; navneklud.
sample room prøvelager.
Samuel ['sämjuəl].
sanative ['sänətiv] helbredende.
sanatori|um [sänə'tå·riəm] (pl. *-a* [-ə]) sanatorium; (skoles) sygehus.
sanatory ['sänətəri] (adj.) helbredende.
sanbenito [sänbe'ni·toᵘ] kætterskjorte.
sanctification [säŋktifi'keiʃən] indvielse, helliggørelse.
sanctify ['säŋktifai] indvie, frelse, hellige; *sanctified airs* skinhellighed.
sanctimonious [säŋkti'moᵘnjəs] skinhellig; farisæisk.
sanction ['säŋkʃən] (subst.) approbation, billigelse, godkendelse, stadfæstelse; forordning; sanktion, middel til at håndhæve en lov; (vb.) sanktionere, stadfæste, støtte, billige, approbere, bekræfte.
sanctity ['säŋktiti] hellighed, fromhed, ukrænkelighed.
sanctuary ['säŋktjuəri] helligdom; fredhelligt sted, (i kirke) højkor, (ogs. fig.) tilflugtssted, asyl; reservat, fredet område (for fugle og vilde dyr); *take* ~ **søge tilflugt.**

sanctum ['sāŋktəm] helligdom, lønkammer, allerhelligste.

sand [sänd] (subst.) sand; (amr. S) mod, karakter, ben i næsen; (vb.) dække med sand, bestrø med sand; blande med sand; *-s* sandstrækning(er), sandørken(er); timeglassets sand; *the -s are running out* tiden er ved at være omme; *bury one's head in the* ~ (fig.) stikke hovedet i busken; *-ed* sandet, tilsandet.

sandal ['sändl] sandal, sandalrem; forsyne med sandaler; give sandaler på.

sandal-wood ['sändlwud] sandeltræ.

I. **sandbag** ['sändbäg] (subst.) sandsæk; sandpose (brugt som våben).

II. **sandbag** ['sändbäg] (vb.) beskytte med sandsække, anbringe sandsække på; slå ned med en sandpose.

sand|-bank sandbanke. ~ **-bar** sandbarre. ~ **-blast** sandblæsning, sandstråle. ~ **-boy**: *as jolly as a -boy* kisteglad. ~ **-crack** spalte (i hov), hovkløft. ~ **drift** sandflugt. ~ **-eel** (zo.) tobis.

sanderling ['sändəliŋ] (zo.) sandløber.

sandever ['sändivə] glasgalle.

sand|-fly (zo.) sandflue. ~ **-glass** timeglas. ~ **-hill** klit.

Sandhurst ['sänd(h)ə·st].

sand|-jet sandstråle. ~ **-launce** ['sändla·ns] (zo.) tobis. **-man**: *the -man* Ole Lukøje. ~ **-martin** (zo.) digesvale. ~ **-paper** sandpapir; slibe af med sandpapir.

sandpiper ['sändpaipə] (zo.) ryle, klire; *common* ~ mudderklire.

sand-pit ['sändpit] sandgrav; sandkasse (til leg).

sandstone ['sändstoᵘn] sandsten.

sand-storm ['sändstå·m] sandstorm.

sandwich ['sänwidʒ, -witʃ] (subst.) sandwich; (vb.) klemme ind imellem (to andre).

sandwich|-board dobbeltskilt. ~ **course** kortere teoretisk kursus som indlægges i en praktisk uddannelse.

sandwich-man ['sänwidʒmän] plakatbærer (med plakat på ryg og bryst), sandwichmand.

sandwich tern (zo.) splitterne.

sandwort ['sändwə·t] ♧ sandvåner.

I. **sandy** ['sändi] (adj.) sandet, fuld af sand; sandagtig; rødblond.

II. **Sandy** ['sändi] (på skotsk) fk. f. *Alexander;* skotte.

sandy-haired ['sändihæəd] rødblond.

sane [seⁱn] sund, rask; ved sine fulde fem, normal; forstandig.

sanforized ['sänfəraizd] ® sanforiseret (krympefri).

San Francisco [sänfrən'siskoᵘ].

sang [säŋ] imperf. af *sing.*

sang-froid [fr., 'sa·ŋ'frwa·, 'såŋ'frwa·] koldblodighed.

sanguification [säŋgwifi'keⁱʃən] bloddannelse.

sanguinary ['säŋgwinəri] blodig; blodtørstig.

sanguine ['säŋgwin] (adj.) blodrig; fyrig; sangvinsk; tillidsfuld; rødmosset; blodrød; (subst.) rødkridt, rødkridtstegning.

sanguineous [säŋ'gwiniəs] blodrig; sangvinsk; blodrød; blod-.

Sanhedrin ['sänidrin] synedrium.

sanicle ['sänikl] ♧ sanikel.

sanitarian [säni'tæəriən] hygiejniker.

sanitarium [säni'tæəriəm] (amr.) sanatorium.

sanitary ['sänitəri] sanitær, sanitets-, sundheds-; ~ *towel* hygiejnebind.

sanitation [säni'teⁱʃən] hygiejne; kloakvæsen, kloaksystem; sanering.

sanity ['säniti] tilregnelighed; forstandighed.

sank [säŋk] imperf. af *sink.*

sans [sänz] uden; ~ *façon* [fr.] uden videre.

sansculotte [fr.] sansculot.

sanserif [sän'serif] (typ.) grotesk.

Sanskrit ['sänskrit] sanskrit.

Santa Claus ['säntə'klå·z] julemanden.

I. **sap** [säp] (subst.) saft (i plante); kraft; (vb.) tappe for saft, udtømme kraften af, udmarve.

II. **sap** [säp] (subst.) ⚔ løbegrav; S fjols; slider; slid; (vb.) undergrave (ogs. fig.); S arbejde hårdt, slide i det.

sapajou ['säpədʒu·] (zo.) kapucinerabe.

saphead ['säphed] T fjols.

sapid ['säpid] velsmagende; (fig.) behagelig; interessant.

sapidity [sə'piditi] velsmag.

sapience ['seⁱpjəns] visdom (ofte ironisk).

sapient ['seⁱpjənt] vis (især ironisk).

sapless ['säplės] saftløs, tør; kraftløs.

sapling ['säpliŋ] ungt træ; ungt menneske.

sapon|aceous [säpo'neⁱʃəs] sæbeagtig; slesk, krybende. **-ification** [säpånifi'keⁱʃən] forsæbning, sæbedannelse. **-ify** [sä'pånifai] forsæbe, omdanne til sæbe.

sapper ['säpə] sapør, ingeniør(soldat), pioner.

sapphire ['säfaiə] (subst.) safir; safirblåt; (adj.) safirblå.

sappy ['säpi] saftig, ung, kraftig; S blød, svag, slap, slatten.

saprophyte ['säproᵘfait] ♧ saprofyt, rådplante.

sapwood ['säpwud] splint (mods. kerneved).

S.A.R. fk. f. *South African Republic.*

saraband ['särəbänd] (i musik) sarabande.

Saracen ['särəsn, 'särəsin] saracener.

sarcasm ['sa·käzm] sarkasme, spydighed, finte, skose.

sarcastic [sa·'kästik] sarkastisk, spydig.

sarcoma [sa·'koᵘmə] sarkom, kræftsvulst.

sarcophagus [sa·'kåfəgəs] sarkofag.

sardine ['sa·'di·n] sardin; *like -s (in a tin)* som sild i en tønde.

Sardinia [sa·'dinjə] Sardinien.

sardonic [sa·'dånik] sardonisk, spotsk; kynisk.

sargasso [sa·'gäsoᵘ] ♧ sargassotang.

sari ['sa·ri] sari (indisk kvindedragt).

sarong [sə'råŋ] sarong (malajisk skørt).

sarsen ['sa·sən]: ~ *stones* store blokke af meget hård sandsten.

sartorial [sa·'tå·riəl] som hører til skrædderfaget; ~ *art* skrædderkunst.

S.A.S. fk. f. *Scandinavian Airlines System.*

I. **sash** [säʃ] bælte, skærf.

II. **sash** [säʃ] vinduesramme, hejseramme; skydevindue (til at skyde lodret); hejsevindue.

sash|cord, ~ **line** snor til hejsevindue. ~ **window** se II. *sash.*

sassafras ['säsəfräs] ♧ sassafras(træ); ~ *oil* sassafrasolie.

Sassenach ['säsənäk] (gælisk, neds.) englænder.

sat [sät] imperf. og perf. part. af *sit.*

Sat. fk. f. *Saturday.*

Satan ['seⁱtən] Satan. **Satanic** [sə'tänik] satanisk. **Satanism** ['seⁱtənizm] satanisme. **Satanist** ['seⁱtənist] satanist.

satchel ['sätʃəl] taske, skoletaske.

I. **sate** [sät, seⁱt] (glds.) = *sat* sad.

II. **sate** [seⁱt] mætte, overfylde.

sateen [sä'ti·n] satin.

satellite ['sätəlaıt] drabant, følgesvend; biplanet, måne; satellit, kunstig jorddrabant.

satellite| state vasalstat. ~ **town** drabantby.

satiable ['seⁱʃ(i)əbl] som kan mættes.

satiate ['seⁱʃieⁱt] mætte, overmætte.

satiation [seⁱʃi'eⁱʃən] mæthed; mætning.

satiety [sə'taiəti] (over)mæthed, lede.

satin ['sätin] (subst.) atlask; (adj.) atlaskes; (vb.) satinere.

satin|-stich fladsyning. **-wood** satintræ.

satire ['sätaiə] satire *(upon* over).

satirical [sə'tirikl] satirisk.

satirist ['sätərist] satiriker.

satirize ['sätəraiz] satirisere (over).

satis ['sätis] (lat.) nok.

satisfaction [sätis'fäkʃən] tilfredsstillelse (fx. *it is a ~ to know)*; tilfredshed (fx. *do it to his ~)*; satisfaktion, oprejsning (fx. *demand ~)*; fyldest; erstatning, dækning; *give ~* gøre fyldest; *give ~ to* tilfredsstille, give oprejsning.

satisfactory [sätis'fäktəri] tilfredsstillende, betryggende.

satisfy ['sätisfai] tilfredsstille, fyldestgøre; mætte; overbevise; berolige; *~ oneself that* forvisse sig om at, sikre sig at; *satisfied that* (ogs.) overbevist om at.

satrap ['sätrəp] (hist.) satrap, persisk statholder.

saturate ['sätʃəreⁱt] gennembløde; gennemtrænge; (kem.) mætte.

saturation [sätʃə'reⁱʃən] mættelse, mætning, gennemtrængning; *~ point* mætningspunkt.

Saturday ['sätədi, 'sätədeⁱ] lørdag.

Saturn ['sätə·n].

saturn|alia [sätə·'neⁱljə] orgie. **-alian** [sätə·'neⁱljən] saturnalsk; tøjlesløs.

saturnine ['sätə·nain] tungsindig, dyster.

saturnism ['sätə·nizm] (med.) blyforgiftning.

satyr ['sätə] satyr. **satyric** [sə'tirik] satyrisk; *~ drama* satyrspil.

sauce [så·s] (subst.) sauce; **T** uforskammethed, næsvished; (vb.) krydre; **T** være uforskammet over for.

sauce|-boat sauceskål. **~ -box** næsvis person. **-pan** ['så·spən] kasserolle.

saucer ['så·sə] underkop; underskål (til urtepotte); *flying ~* flyvende tallerken.

saucer-eyed med øjne så store som tekopper.

sauce-tureen ['så·stəri·n] sauceskål.

saucily ['så·sili] uforskammet, næsvist, næbbet.

sauciness ['så·sinės] uforskammethed, næsvished, næbbethed.

saucy ['så·si] uforskammet, næsvis, næbbet; **S** koket, kæk.

sauna ['saunə] sauna, finsk badstue.

saunter ['så·ntə] slentre, spadsere, drive; (subst.) spadseretur.

saunterer ['så·ntərə] (subst.) spadserende.

saurian ['så·riən] øgle; hørende til øglerne.

saury ['så·ri] (zo.) makrelgedde.

sausage ['såsidʒ] pølse; *~ meat* pølseindmad; pølsefars; *~ stall* pølsevogn.

savable ['seⁱvəbl] som kan reddes.

I. **savage** ['sävidʒ] (adj.) vild, utæmmet (fx. *bulls)*; grusom, brutal; rasende.

II. **savage** ['sävidʒ] (subst.) vild (fx. *the savages)*, vildmand; brutal (, rå) fyr.

III. **savage** ['sävidʒ] (vb.) (om en hest) skambide, bide og sparke; overfalde, mishandle; rase over, skælde ud på.

savagery ['sävidʒəri] vild (ɔ: uciviliseret) tilstand; vildskab, råhed, grusomhed.

savannah [sə'vänə] savanne.

savant ['sävənt] (subst.) lærd.

I. **save** [seⁱv] (vb.) redde (fx. *his life, the situation)*; bevare, (især rel.) frelse; spare for (fx. *that will ~ us a lot of trouble*); gemme; spare, opspare; *~ up* spare sammen; *a penny -d is a penny gained* hvad der er sparet er fortjent; *~ appearances* bevare skinnet; *~ one's bacon* slippe fra det uden tab, redde skindet, beholde skindet på næsen; *~ one's breath* spare sine ord; *he did it to ~ his face* han gjorde det for ikke at tabe ansigt; *~ the mark* reverenter talt, med respekt at melde; *~ me from my friends* bevar mig for mine venner.

II. **save** [seⁱv] (subst., i fodbold) redning; *make a ~* klare (bolden).

III. **save** [seⁱv] (præp., conj.) undtagen, bortset fra; *~ for* bortset fra.

save-all spildebakke.

saveloy ['säviloi] cervelatpølse.

Savile Row ['sävil 'roᵘ] (de fashionable Londonskrædderes gade).

saving ['seⁱviŋ] (adj.) frelsende; sparsommelig; (præp.) undtagen, med undtagelse af; (subst.) besparelse; *~ graces* (el. *points)* forsonende træk; *~ your presence* (glds.) med forlov; *~ your reverence* med respekt at melde.

saving clause forbeholdsklausul.

savings ['seⁱviŋz] sparepenge.

savings| bank sparekasse. **~ -box** sparebøsse. **~ stamp** sparemærke.

saviour ['seⁱvjə] frelser.

savoir-faire ['sävwa·'fæə] takt, levemåde.

savoir-vivre ['sävwa·'vi·vr] takt, levemåde.

savor (amr.) = *savour*.

savory ['seⁱvəri] ♧ saturej, sar, bønneurt; (amr.) = *savoury*; *winter ~* vintersar.

savour ['seⁱvə] (subst.) smag; lugt, duft; (fig.) krydderi; anstrøg, antydning; (vb.) smage, lugte (*of* af); (fig.) goutere; *~ of* (ogs.) indeholde en antydning af.

savouriness ['seⁱvərinės] aroma.

savourless ['seⁱvəlės] uden smag el. duft.

savoury ['seⁱvəri] (adj.) velsmagende, vellugtende, appetitlig, delikat, pikant; (subst.) lille krydret ret (der serveres mellem desserten og frugten).

Savoy [sə'voi] Savojen.

Savoyard [sə'voia·d] savojard.

savvy ['sävi] (vb.) **S** vide, forstå (subst.) forstand; *savvy?* forstået?

I. **saw** [så·] imperf. af *see*.

II. **saw** [så·] sentens, visdomsord, fyndord; *the old ~ that* det gamle ord om at.

III. **saw** [så·] sav.

IV. **saw** [så·] *(sawed, sawn)* save; kunne saves; *~ the air* gestikulere, fægte med armene i luften; *~ away at a fiddle* file (el. gnide) løs på en violin.

saw| blade savklinge. **~ -bones** (spøgefuldt) kirurg. **-buck** (amr.) savbuk; **S** tidollarseddel.

sawder ['så·də], se *soft-sawder*.

saw|dust ['så·dʌst] savsmuld. **~ -fish** savrokke, savfisk. **~ -fly** bladhveps. **~ -horse** savbuk. **~ -mill** savværk.

sawn [så·n] perf. part. af *saw*.

sawn-off ['så·nåf] afsavet; (amr., fig.) lille, lavstammet.

sawny ['så·ni] tåbelig, tosset.

saw|-pit savgrube. **~ -set** savudlægger. **~ -tooth** savtand. **~ -toothed** savtakket, takket. **~ tooth roof** shedtag. **~ -wort** ♧ engskær.

sawyer ['så·jə] savskærer.

sax [säks] saxofon.

saxhorn ['säkshå·n] saxhorn.

saxifrage ['säksifridʒ] ♧ stenbræk.

Saxon ['säksən] (adj.) angelsaksisk, saksisk; (subst.) angelsakser; sakser.

Saxonism ['säksənizm] angelsaksisk (el. saksisk) sprogejendommelighed.

I. **Saxony** ['säksəni] Sachsen.

II. **saxony** ['säksəni] saxony (et uldent stof).

saxophone ['säksəfoᵘn] saxofon.

I. **say** [seⁱ] *(said, said)* sige; fremsige; cirka; for eksempel (fx. *~ on Wednesday)*; *~ one's prayers* bede sin aftenbøn; *when all is said and done* når alt kommer til alt; *he is said to have been rich* han skal have været rig; *it is said* man siger; det siges; *it -s so in the paper* det står i avisen; *I ~!* hør engang! det må jeg nok sige! det siger du ikke! *though I ~ it myself, though I ~ it who should not* når jeg selv skal sige det; *I should ~ that (he's rather stupid)* jeg er tilbøjelig til at tro, at (han er temmelig dum); *I should ~ so* det tror jeg; *(was he angry?) I should ~ he was angry* du kan tro han var vred; *let her ~* lad hende bare snakke; *that is to ~* det vil sige; *they ~* man siger, det siges; *you said it* det har du ret i; ja netop! *you don't ~ so* det siger du ikke;

(med præp.) *what have you to ~ for yourself?* hvad har du at sige til dit forsvar? hvad har du på hjerte? *there is sth. to be said for it* det har sine fordele; *to ~*

nothing of for ikke at tale om; ~ *on!* sig frem! ~ *out* sige ærligt; ~ *over* fremsige efter hukommelsen; *have nothing to* ~ *to* (ogs.) ikke ville have ngt. at gøre med; *what do you* ~ *to* hvad siger du til, har du lyst til (fx. *a game of billiards*); (se ogs. *said, saying*).

II. **say** [se^i] (subst.): *have* (el. *say*) *one's* ~ sige hvad man har på hjerte; *have no* ~ *in the matter* ikke have ngt. at skulle have sagt.

saying [ˈse^iiŋ] udtalelse, ytring; sentens, tankesprog; *as the* ~ *is* (el. *goes*) som man siger; ~ *and doing are two things* loven er ærlig, men holden besværlig; *that goes without* ~ det siger sig selv; *there is no* ~ det er svært at sige; det kan man ikke vide.

say-so [ˈse^iso^u] (amr. T) ordre, udtalelse.

Sc. fk. f. *science; Scotch.*

S.C. fk. f. *Security Council; South Carolina.*

scab [skäb] (subst.) skorpe (på sår); (hos dyr) skab; ♧ skurv; **T** skruebrækker; (vb.) sætte skorpe.

scabbard [ˈskäbəd] (subst.) skede; (vb.) stikke i skeden.

scabbed [skäbd], **scabby** [ˈskäbi] skorpet; (om dyr) skabet; ♧ skurvet; **T** gemen.

scabies [ˈske^ibii·z] fnat, skab.

scabious [ˈske^ibiəs] ♧ skabiose.

scabrous [ˈske^ibrəs] ru; vanskelig at behandle; ufin, vovet, upassende.

scads [skädz] (amr. **T**): ~ *of* masser af.

scaffold [ˈskäfəld] (subst.) skafot; stillads; (vb.) afstive, forsyne med stillads.

scaffolding [ˈskäfəldiŋ] stillads.

scalable [ˈske^iləbl] som kan bestiges; som man kan klatre op ad.

scalawag [ˈskäləwäg] slubbert.

I. **scald** [skå·ld] (subst., hist.) skjald.

II. **scald** [skå·ld] (vb.) skolde, koge; (subst.) skoldning.

scalding [ˈskå·ldiŋ] (subst.) skoldning; (adj.) skoldende hed; ~ *tears* bitre tårer.

I. **scale** [ske^il] (subst.) vægtskål, vægt; (vb.) veje; *(pair of) -s* vægt; *hold the -s even* (fig.) dømme upartisk; *turn* (el. *tip*) *the* ~ få vægtskålen til at synke; (fig.) gøre udslaget; *turn* (el. *tip*) *the* ~ (el. *-s*) *at 5 lbs.* veje 5 pund.

II. **scale** [ske^il] (subst.) skæl; kedelsten; hammerskæl; tandsten; (vb.) afskælle, skrælle, skalle; *the -s fell from his eyes* der faldt som skæl fra hans øjne; ~ *off* skalle af.

III. **scale** [ske^il] (subst.) skala, målestok; (vb.) bestige, klatre op(ad); nå op til (fx. *heights*); ~ *down* aftrappe; ~ *down prices* sænke priserne; *be high in the social* ~ stå højt på den sociale rangstige; *on a small* ~ i lille målestok, i mindre omfang; *reproduced to* ~ målestokstro.

scale-board bagklædning.

scale insect skjoldlus.

scalene [ˈske^ili·n] uligesidet (trekant).

scales [ske^ilz] pl. se I. *scale.*

Scales [ske^ilz]: *the* ~ Vægten (stjernebillede).

scaling-ladder stormstige; brandstige, redningsstige.

I. **scallop** [ˈskåləp] (subst.) kammusling; kammuslings skal; (hist.) ibskal; (syet) tunge.

II. **scallop** [ˈskåləp] (vb.) tilberede i skaller; brodere tunger, tunge (fx. *a -ed handkerchief*).

scallywag [ˈskäliwäg] slubbert.

scalp [skälp] hovedbund, skalp; (vb.) skalpere; *out for -s* (fig.) på krigsstien.

scalpel [ˈskälpəl] (med.) skalpel.

scalp-hunter skalpjæger.

scalpriform [ˈskälprifå·m] mejseldannet.

scaly [ˈske^ili] skællet, skælformet; lurvet.

scaly ant-eater skældyr.

scamp [skämp] (subst.) slambert, slubbert, laban; (vb.) afjaske, sjuske med; *-ed work* sjuskearbejde.

scamper [ˈskämpə] (vb.) løbe omkring; fare af sted; (subst.) rask løb, galop; ~ *about* løbe, fare, jage omkring; ~ *away*, ~ *off* løbe bort, fare af sted.

scan [skän] skandere; forske, prøve nøje, se nøje på, mønstre; lade øjet glide hen over; (fjernsyn, radar) skandere, afsøge; ~ *the horizon* afsøge horisonten.

scandal [ˈskändəl] skandale; sladder, bagtalelse; forargelse; *the School for Scandal* Bagtalelsens Skole (skuespil af Sheridan).

scandalize [ˈskändəlaiz] forarge, chokere.

scandalmonger [ˈskändəlmʌŋgə] sladresøster; *be a* ~ løbe med sladder. **scandalous** [ˈskändələs] forargelig, skandaløs; sladderagtig, bagtalerisk, ærekrænkende.

scandal sheet skandaleblad, rendestensblad.

Scandinavia [skändiˈne^ivjə] Skandinavien. **Scandinavian** skandinavisk; nordisk; skandinav, nordbo.

scanning [ˈskäniŋ] (ogs. fjernsyn) skandering; afsøgning. **scanning-field** (fjernsyn) billedfelt.

scansion [ˈskänʃən] skandering.

scansorial [skänˈså·riəl] (zo.) klatrende, klatre-.

scant [skänt] (adj.) knap, sparsom, ringe; (vb.) spare på, skære ned, knappe af på; ~ *of breath* forpustet.

scant|ily [ˈskäntili] knapt, sparsomt, nødtørftigt. **-iness** [-inės] knaphed.

scantling [ˈskäntliŋ] smule, lille stykke; smalt bræt; *-s* ⚓ dimensioner.

scanty [ˈskänti] knap, ringe, mager, utilstrækkelig, nødtørftig.

Scapa Flow [ˈskäpə ˈflo^u].

scape [ske^ip] blomsterstængel; søjleskaft.

scape|-gallows galgenfugl. **-goat** syndebuk. **-grace** gudsforgåen krop, laban, døgenigt.

scapula [ˈskäpjulə] skulderblad.

scapular [ˈskäpjulə] skapular, skulderklæde.

I. **scar** [ska·] (subst.) skramme, ar; (vb.) arre, mærke.

II. **scar** [ska·] (subst.) klippe, klippeskrænt.

scarab [ˈskärəb] torbist; skarabæ.

scaramouch [ˈskärəmautʃ] pralende kujon (egl. en komediefigur).

scarce [skæəs] knap, sjælden; *money is* ~ det er knapt med penge; *make oneself* ~ ikke vise sig, holde sig borte; gøre sig usynlig, stikke af.

scarcely [ˈskæəsli] næppe, knap, knap nok, næsten ikke; vist nok ikke, vel ikke; ~ *any* næsten ingen; ~ *ever* næsten aldrig; ~ *had he arrived when* næppe var han ankommet før; *he can* ~ *have been here* han kan vist ikke have været her.

scarcity [ˈskæəsiti] knaphed, mangel, sjældenhed; dyrtid.

scare [skæə] (vb.) kyse, forskrække, skræmme; (subst.) skræk; panik; ~ *away* skræmme bort; ~ *up* opskræmme.

scarecrow [ˈskæəkro^u] fugleskræmsel.

scarehead [ˈskæəhed], **scare headline** (opskræmmende) sensationsoverskrift (i avis).

scaremonger [ˈskæəmʌŋgə] panikmager; urostifter.

I. **scarf** [ska·f] (pl. *-s* el. *scarves*) halstørklæde.

II. **scarf** [ska·f] lask; (vb.) laske sammen.

scarf| joint laskeforbindelse. ~ **-pin** slipsnål. ~ **-skin** overhud.

scarification [skæərifiˈke^iʃən] skarifikation (ridsning af huden, fx. ved vaccination).

scarificator [ˈskæərifike^itə] skarifikator.

scarify [ˈskæərifai] skarificere, ridse i huden; harve; kritisere sønder og sammen.

scarlatina [ska·ləˈti·nə] skarlagensfeber.

scarlet [ˈska·lit] skarlagensrød; skarlagen; ~ *bean* pralbønne; ~ *fever* skarlagensfeber; ~ *hat* kardinalshat; kardinalsværdighed; ~ *pimpernel* ♧ arve; ~ *runner* pralbønne; *the* ~ *woman* kvinden som er klædt i purpur og skarlagen (nedsættende betegnelse for romerkirken).

scarp [ska·p] (subst.) brat skråning, eskarpe; (vb.) gøre stejl, eskarpere.

scarper [ˈska·pə] **S** stikke af, løbe sin vej.

scarred [ska·d] skrammet, arret.

scary ['skæəri] **T** ængstelig; opskræmt; foruroligende.
scat [skät] gå sin vej; *scat!* forsvind!
scatheless ['skeⁱðlės] uskadt.
scathing ['skeⁱðiŋ] svidende, bidende, skarp.
scatter ['skätə] sprede, strø; forøde, sætte til; spredes.
scatter-brain ['skätəbreⁱn]: *he is a ~* han er et forvirret hoved.
scatter-brained ['skätəbreⁱnd] adspredt, tankeløs, pjanket, forvirret, forfløjen, bims.
scatty ['skäti] **S** skør, bims.
scavenge ['skävin(d)ʒ] rense, skylle; feje gade; klunse.
scavenger ['skävin(d)ʒə] gadefejer, dagrenovationsmand, skraldemand; klunser; (zo.) ådselæder; **-'s** *cart* skraldevogn.
scavengering ['skävindʒəriŋ] dagrenovation.
scenario [si'na·rioᵘ] drejebog, filmsmanuskript; scenarium (trykt manuskript med angivelse af sceneskifter etc.).
scenarist [si'na·rist] drejebogsforfatter.
scene [si·n] skueplads, scene, optrin; dekoration, kulisse; landskab, billede, syn; *~ of action* kampplads; *behind the -s* bag kulisserne; *the ~ is laid in France* handlingen foregår i Frankrig.
scene-painter teatermaler.
scenery ['si·n(ə)ri] sceneri, kulisser; naturomgivelser, landskab.
scene-shifter (teater) maskinmand.
scenic ['si·nik, 'senik] (adj.) scenisk, teater-; landskabelig, malerisk; (subst.) naturfilm; *~ railway* lilleputbane (forlystelse).
scent [sent] (vb.) lugte, spore; få færten af; parfumere; (subst.) lugt, duft; parfume; spor; sporsans, flair, 'fin næse'; *on the ~* på sporet; *on the wrong ~* på vildspor; *put* (el. *throw*) *sby. off the ~* bringe (el. lede) en på vildspor.
scent|-bag stinkkirtel; lugtepose. **~ -bottle** lugteflaske.
scented ['sentid] duftende, parfumeret.
scent-gland stinkkirtel.
sceptic ['skeptik] skeptisk; (subst.) skeptiker, tvivler.
sceptical, sceptically [skeptikəl(i)] skeptisk.
scepticism ['skeptisizm] skepsis, skepticisme.
sceptre ['septə] scepter; udstyre med scepter.
sceptred ['septəd] scepterbærende.
schedule ['ʃedju·l, (amr.) 'skedju·l] (subst.) register, fortegnelse, katalog, tabel, inventarieliste; skema; (fart)plan, køreplan; (vb.) registrere, opføre på liste, udfærdige liste over; opføre i køreplanen; planlægge, fastsætte; *~ time* fastsat tid; *according to ~* programmæssigt; *ahead of ~* før den planmæssige tid; *behind ~* forsinket; *-d to leave at 2 p. m.* skal afgå efter planen kl. 14.
scheme [ski·m] (subst.) system, plan, ordning, projekt, udkast; skema; (vb.) planlægge; spekulere; intrigere, smede rænker.
schemer planlægger; rænkesmed.
scheming ['ski·miŋ] rænkefuld, intrigant, beregnende.
schemozzle [ʃi'måzl] (subst., **S**) forvirring, skænderi.
schism ['sizm] splittelse, kirkestrid.
schismatic [siz'mätik] skismatisk, splittet.
schist [ʃist] skifer.
schizocarp ['skizoka·p] ♧ spaltefrugt.
schizogenesis [skizo'dʒenəsis] formering ved spaltning.
schizoid ['skizoid] schizoid.
schizomycete [skizo'maisi·t] spaltesvamp.
schizophrenia [skizo'fri·niə] schizofreni.
Schleswig ['ʃlezwig] Slesvig.
schmaltz [ʃmå·lts] sentimentalt sludder; sentimental musik.
schnapps [ʃnäps] snaps.
schnorkel ['ʃnå·kl] snorkel.
scholar ['skålə] lærd; student, stipendiat; discipel; *he is a good German ~* han er dygtig i tysk; *I am no ~* jeg er ikke en studeret mand.
scholarly ['skåləli] lærd, videnskabelig.
scholarship ['skåləʃip] lærdom; stipendium, legat; *travelling ~* rejsestipendium.
scholastic [sko'lästik] (adj.) skolemæssig, skole-; spidsfindig; skolastisk; (subst.) skolastiker.
scholasticism [sko'lästisizm] skolastik, pedanteri.
scholiast ['skoᵘliäst] kommentator.
scholium ['skoᵘliəm] randbemærkning.
I. **school** [sku·l] (subst.) skole; fakultet, faggruppe; (vb.) lære, optugte, opøve, skole; *leave ~* gå ud af skolen, ophøre med sin skolegang; *teach ~* (amr.) være lærer(inde); *after ~* efter skoletid; *life at ~* skolelivet; *we were at ~ together* vi var skolekammerater; *edition for -s* skoleudgave; *inspector of -s* undervisningsinspektør, skolekonsulent; *go to ~* gå i (, til) skole; *be sent to ~* blive sat i skole.
II. **school** [sku·l] (subst.) stime (af fisk); (vb.) stime; *the fish are -ing* fiskene stimer.
school| attendance skolegang. **~ -board** skolekommission. **~ -day** skoledag; *~ -days* (ogs.) skoletid. **~ -divine** skolastisk teolog. **~ -fee** skolepenge. **~ -feeding** skolebespisning. **~ -fellow** skolekammerat. **~ -girl** skolepige. **~ -girl complexion** ungpigekulør. **~ -house** skole(bygning); (ved nogle kostskoler, hvor rektor har elever boende hos sig) rektors hus.
schooling ['sku·liŋ] undervisning, skolegang.
school|-inspector undervisningsinspektør, skolekonsulent. **~ -leaver** dimittend. **~ -leaving age** den alder hvor skolepligten ophører. **-man** ['sku·lmən] skolastiker; skolemand, pædagog. **~ -ma'am, ~ -marm T** skolefrøken, lærerinde. **-master** skolelærer. **-mate** skolekammerat. **-mistress** [-mistris] lærerinde. **-room** skolestue, klasseværelse. **~ safety patrol** skolepatrulje. **~ -teaching** skoleundervisning.
schooner ['sku·nə] ⚓ skonnert.
schottische [ʃå'ti·ʃ] schottisch (en dans).
sciatic [sai'ätik] hofte-.
sciatica [sai'ätikə] ischias.
science ['saiəns] naturvidenskab, fysik, videnskab; faglig dygtighed; *exact ~* eksakt videnskab; *moral ~* etik; *natural ~* naturvidenskab; *man of ~* videnskabsmand; *the seven -s* de syv frie kunster.
science fiction fremtidsromaner (skrevet over videnskabelige opdagelser).
scientific [saiən'tifik] videnskabelig; (fig.) efter videnskabelige principper, metodisk.
scientist ['saiəntist] videnskabsmand.
scilicet ['sailiset] nemlig.
Scilly ['sili]: *the ~ Islands* Scillyøerne.
scimitar ['simitə] (orientalsk) krumsabel.
scintilla [sin'tilə]: *not a ~ of* ikke antydning (el. spor el. skygge el. gnist) af.
scintillate ['sintileⁱt] gnistre, funkle, tindre.
scintillation [sinti'leⁱʃən] funklen, tindren.
sciolism ['saiəlizm] halvstuderthed.
sciolist ['saiəlist] halvstuderet røver.
scion ['saiən] podekvist; (fig.) skud, ætling.
scissel ['sisl] metalaffald.
scissors ['sizəz] (pl.) saks; *a pair of ~* en saks.
sclerosis [skliə'roᵘsis] sklerose, forkalkning.
sclerotic [skliə'råtik] (adj.) hård, fortørret, sklerotisk; (subst.) senehinde (i øjet).
scoff [skåf] spotte; (subst.) spot; **T** mad; *be the ~ of* være til spot for. **scoffer** spotter.
scoffing ['skåfiŋ] spottende; spot.
scold [skoᵘld] (vb.) skænde, skælde, skænde på; (subst.) rappenskralde. **scolding** skænd.
scoliosis [skoli'oᵘsis] rygskævhed.
scollop ['skåləp] = *scallop*.
scomber ['skåmbə] makrelfisk.
scombroid ['skåmbroid] makrelagtig; *~ fish* makrelfisk.

sconce [skåns] (subst.) lysepibe, lampet; (v. Oxford univ.) bøde; S hoved, isse; (vb.) idømme bøde.
scone [skån, skoᵘn] bolle, blød kage.
Scone [sku·n].
I. **scoop** [sku·p] (subst.) øse, ske, skuffe; kulskovl; iscremeske; S journalistisk kup.
II. **scoop** (vb.) udhule, grave (fx. *~ a hole in the ground); øse* (fx. *~ out the water);* komme først med (fx. en nyhed), komme før (fx. en konkurrent), få fat i (noget) før andre; *~ the other papers* hugge en nyhed etc. før de andre blade.
scoot [sku·t] fare, stikke af.
scooter [ˈsku·tə] løbehjul (legetøj); scooter.
scope [skoᵘp] spillerum, frihed; omfang (fx. *the ~ of the book);* (åndelig) horisont (fx. *beyond the ~ of his understanding);* spændvidde; skudvidde; længde (fx. *the ~ of a cable); he has free ~* han har frie hænder; *outside the ~ of this book* uden for denne bogs rammer.
scorbutic [skå·ˈbju·tik] (adj.) lidende af skørbug; (subst.) skørbugspatient.
scorch [skå·tʃ] (vb.) svide, brænde, spotte; svides, blive forbrændt; skyde en rasende fart; *the scorched-earth policy* den brændte jords politik.
scorcher [ˈskå·tʃə] brændende varm dag; bidende spot, kritik; S bilist (, cyklist) som kører meget hurtigt.
scorching [ˈskå·tʃiŋ] svidende, bidende.
I. **score** [skå·] (subst.) mærke, skure; streg (brugt som taltegn på en karvestok); pointantal, points; regning, gæld; grund, årsag; snes; fordel; sejr; skarpt svar; S hib; (i musik) partitur; *by -s, by the ~* i snesevis; *it would be a great ~ if* det ville være en stor gevinst hvis; *the ~ is 3-2* det står 3-2; *keep the ~* holde regnskab; *make -s off* S skære ned; (se ogs. II. *score: ~ off); on that ~* hvad det angår; *on the ~ of* på grund af; *pay off old -s* afgøre gammelt mellemværende, gøre op; *run up a ~* tage på kredit; *go off at full ~, start off from ~* have fuld fart på fra begyndelsen.
II. **score** [skå·] (vb.) lave indhak el. furer i; vinde (fx. *~ an advantage),* få points, score (points, mål), notere (fx. *a victory, a hit* en træffer), have held med sig; holde regnskab; (i musik) udsætte (fx. *-d for violin and piano); ~ off him* dukke ham, skære ham ned, være vittig på hans bekostning; *~ out* strege ud.
scorer [ˈskå·rə] regnskabsfører, regnskab, regnskabsblok; (mål)scorer.
scori|a [ˈskå·riə] (pl. *-ae* [-i·]) slagge.
scorification [skå·rifiˈkeⁱʃən] slaggedannelse.
scorify [ˈskå·rifai] forvandle til slagger.
scoring (ogs.) instrumentering.
scorn [skå·n] (vb.) foragte, håne; (subst.) foragt, hån; genstand for foragt; *~ lying* holde sig for god til at lyve; *think ~ of* foragte, se ned på; *put to ~* beskæmme; *laugh to ~* udle, hånle ad.
scornful [ˈskå·nful] hånlig.
scorpion [ˈskå·piən] skorpion.
scorpion fly skorpionflue.
I. **scot** [skåt]: *pay one's ~ and lot* tage sin del af byrden.
II. **Scot** [skåt] (subst.) skotte; *Mary Queen of Scots* Marie Stuart.
I. **Scotch** [skåtʃ] skotsk; skotsk whisky.
II. **scotch** [skåtʃ] (vb.) knuse, dræbe, uskadeliggøre; slå ned, gøre ende på.
III. **scotch** [skåtʃ] (subst. og vb.) bremse.
Scotchman [ˈskåtʃmən] skotte; *the Flying ~* (eksprestog mellem London og Edinburgh).
Scotch mist støvregn.
Scotch pine ♧ skovfyr. **Scotchwoman** [ˈskåtʃwumən] skotsk kvinde, skotte.
scoter [ˈskoᵘtə] (zo.) sortand.
scot-free [ˈskåtˈfri·] helskindet, uskadt, ustraffet; *go ~* slippe helskindet fra det, gå fri.
Scotia [ˈskoᵘʃə] Scotia, Skotland.
Scotland [ˈskåtlənd] Skotland; *~ Yard* hovedstation for Londons politi; politiet.
scotoma [skəˈtoᵘmə] skotom, plet i synsfeltet.
Scots [skåts] (subst. og adj.) skotsk.
Scotsman [ˈskåtsmən] skotte.
Scott: *Great Scott!* du store kineser!
Scotticism [ˈskåtisizm] skotsk udtryk.
Scottish [ˈskåtiʃ] (adj.) skotsk.
scoundrel [ˈskaundrəl] slyngel, skurk.
scoundrel|ism skurkagtighed. **-ly** skurkagtig.
scour [skauə] skure, rense, udvaske, bortvaske, bortskaffe, fjerne; gennemstrejfe, gennemsøge; *~ of* rense for.
scourge [skə·dʒ] (subst.) svøbe, plage; (vb.) piske, svinge svøben over, plage; *the white ~* tuberkulose.
I. **scout** [skaut] (subst.) spejder; kollegietjener (i Oxford); rekognosceringsfartøj, -flyver, -flyvemaskine; (vb.) spejde, udspejde.
II. **scout** [skaut] (vb.) afvise med foragt, håne, spotte.
scout car ⚔ opklaringsvogn; (politi)patruljevogn.
scout-master tropsfører (i spejderkorps).
scow [skau] pram, lægter.
scowl [skaul] skule; skulende blik.
scrabble [ˈskräbl] kradse, bemale; *~ about for* rode efter, famle efter.
scrag [skräg] (subst.) radmagert (el. knoklet) menneske; halsstykke; S hals; (vb.) dreje halsen om på, hænge, kværke.
scraggy [ˈskrägi] tynd, radmager.
scram [skräm] S skrub af!
scramble [ˈskrämbl] (vb.) klatre; skrabe; gramse *(for* efter); (flyv.) gå på vingerne i en fart; (subst.) kravlen; slagsmål, virvar, vildt kapløb; *-d eggs* røræg; *~ pennies for children in the street* kaste pennystykker i grams til børn på gaden; *~ to one's feet* komme på benene i en fart.
scrambling uregelmæssig, tilfældig.
scran [skrän] (subst.) mad(rester), affald; *bad ~ to you!* gid du må få en ulykke!
I. **scrap** [skräp] (subst.) stump, lap; rest, bid, levning; udklip; affald; (vb.) kassere, udrangere; ophugge; (adj.) affalds- (fx. *~ iron); a ~ of paper* en lap papir (ironisk om traktat); *not a ~* ikke en smule.
II. **scrap** [skräp] (subst.) slagsmål; (vb.) slås.
scrap-book [ˈskräpbuk] scrapbog.
scrape [skreⁱp] (vb.) skrabe, kradse, gnide; bukke og skrabe; spinke og spare; (subst.) skraben, kradsen; knibe, forlegenhed; dybt buk; skrabet smør; hudafskrabning; *~ acquaintance with* skaffe sig bekendtskab med; *~ along* lige klare sig; *bow and ~* bukke og skrabe; *~ the barrel* (fig.) skrabe bunden; *get into a ~* komme i knibe; *~ a (bare) living* ernære sig kummerligt, bjærge føden; *~ out* udskrabe; *~ through* knibe sig igennem.
scraper [ˈskreⁱpə] skraber; gnier.
scrap-heap [ˈskräphi·p] affaldsdynge.
scrapings [ˈskreⁱpiŋz] afskrabet affald, rester; pøbel.
scrapper [ˈskräpə] slagsbroder.
scrappy [ˈskräpi] bestående af småstykker el. rester; fragmentarisk, usammenhængende.
scrapy [ˈskreⁱpi] skrabende.
I. **scratch** [skrätʃ] (vb.) kradse, ridse, rive, klø, skrabe; kradse ned (fx. *~ a few lines);* slette, stryge; stryge sit navn, trække sig tilbage; *~ my back and I will ~ yours* den ene tjeneste er den anden værd; *~ out* strege ud, slette; *~ up* skrabe sammen.
II. **scratch** [skrätʃ] (subst.) kradsen; rift; startlinie; klo, kragetæer; *start from ~* begynde på bar bund; *~ of the pen* pennestrøg; *be up to ~* være tilfredsstillende, gøre fyldest; *keep sby. up to ~* holde en til ilden (el. i ørene).
III. **scratch** [skrätʃ] (adj.) tilfældigt sammensat (fx. *a ~ team).*
scratching [ˈskrätʃiŋ] (subst.) kradsen, skraben; (på grammofon) nålestøj.
scratch-pad notesblok.
scratchy [ˈskrätʃi] skødesløst nedkradset; sammenskrabet; kradsende; (fig.) spids, hvas.

scrawl [skrå·l] kradse, smøre; smøreri.
scrawly ['skrå·li] nedkradset, sammensmurt.
scrawny ['skrå·ni] knoklet, ranglet.
scream [skri·m] (vb.) skrige, hvine; (subst.) skrig, hvin; *he is a ~* han er hylende komisk; *~ with laughter* hyle af latter.
screamer ['skri·mə] **S** noget storslået; noget, der er hylende komisk; udråbstegn; (amr. **S**) sensationsoverskrift.
screaming ['skri·miŋ] skrigende, hvinende; hylende grinagtig (fx. *a ~ farce); S* storartet; *-ingly funny* hylende komisk.
scree [skri·] (geol.) ur (nedstyrtede sten).
screech [skri·tʃ] skrige; skrig.
screech owl slørugle.
screed [skri·d] langt foredrag, tirade.
I. **screen** [skri·n] (subst.) skærm, ly, værn; skærmbræt, skjul; (film)lærred; (fjernsyns-, radar-)skærm; harpe (grov sigte); (typ.) raster; *adapt for the ~* bearbejde for filmen, filmatisere; *go on the ~* gå til filmen.
II. **screen** [skri·n] (vb.) skærme; skjule, dække over; projicere; harpe; afblænde; afskærme; undersøge (en persons forhold) nøje; filmatisere; *-ed lights* blændede lanterner.
screen| actor filmsskuespiller. **~ grid** skærmgitter. **~ -grid valve** skærmgitterrør. **~ play** filmmanuskript. **~ star** filmsstjerne. **~ test:** *have a ~ test* blive prøvefilmet. **~ version** filmatisering. **~ -writer** filmmanuskriptforfatter.
screever ['skri·və] fortovsmaler.
I. **screw** [skru·] (subst.) skrue; skibsskrue; gnier; løn; krikke; **S** dirk; fængselsbetjent; *male ~* gevindskåren skrue; *have a ~ loose* have en skrue løs; *put the ~ on* lægge tryk på.
II. **screw** [skru·] (vb.) skrue; dreje, vride om, fordreje; presse, vride; lade sig skrue, dreje sig; spare; **S** bryde ind, dirke sig ind; *he has his head -ed on all right* **S** han har pæren i orden; *~ out* afpresse, aftvinge; betale (modstræbende); *~ up* stramme (ved at skrue); hæve; fortrække, fordreje; *~ up one's courage* skyde hjertet op i livet; *~ up one's eyes* knibe øjnene sammen.
screw|ball (amr. **T**) original, skør rad. **~ -cap** skruelåg. **~ -driver** skruetrækker.
screwed [skru·d] **S** beruset, drukken.
screw|-eye øsken. **~ -jack** donkraft. **~ -pine** ♧ skruepalme. **~ -propelled** propeldreven. **~ -propeller** skibsskrue. **~ -steamer** skruedamper. **~ -thread** gevind. **-top** skruelåg. **~ -wrench** skruenøgle.
screwy ['skru·i] skruelignende; nærig; **T** udslidt (om hest); **S** tosset.
scribal ['skraibl]: *~ error* afskriverfejl.
scribble ['skribl] (vb.) smøre; kradse ned; skrive sjusket; (subst.) smøreri.
scribbler ['skriblə] smører; skribler.
scribbling-block notesblok.
scribe [skraib] (subst.) skriver; skriftklog; skribent, journalist; ridsestift; (vb.) ridse mærke i; *he is no great ~* han er ikke nogen pennens mester.
scriber ['skraibə] ridsestift.
scrimmage ['skrimidʒ] forvirret slagsmål; deltage i et slagsmål; (se også *scrummage).*
scrimp [skrimp], **scrimpy,** se *skimp, skimpy.*
scrimshank ['skrimʃãŋk] skulke.
scrip [skrip] seddel; (merk.) interimsbevis, midlertidigt (aktie)bevis; penge udstedt af besættelsesmagt.
script [skript] håndskrift (modsat tryk), skriveskrift; originaldokument; besvarelse (af eksamensopgave); manuskript; drejebog.
script girl script girl.
scriptural ['skriptʃərəl] bibelsk.
scripture ['skriptʃə] den hellige skrift; bibelhistorie, religion (som skolefag).
script writer (films)manuskriptforfatter.
scrofula ['skråfjulə] kirtelsyge.
scrofulous ['skråfjuləs] skrofuløs, kirtelsvag.
scroll [skroᵘl] rulle (papir), bogrulle, skriftrulle; snirkel. **scrolled** snirklet.
scroll-head ⚓ snirkelstævn.
scrotum ['skroᵘtəm] skrotum, testikelpung.
scrounge [skraundʒ] rapse, 'redde (sig)', nasse; *~ sth.* nasse sig ngt. til.
scrub [skrʌb] skure, skrubbe, gnide; **S** stryge, annullere; (subst.) skrubben; krat; undermåler, lille skravl.
scrubbing-brush ['skrʌbiŋbrʌʃ] skurebørste, gulvskrubbe.
scrubby ['skrʌbi] dækket med lave buske; forkrøblet, ussel; ru, med børster, strittende.
scruff [skrʌf] nakke; **T** stymper; *~ of the neck* nakke, nakkeskind; *take him by the ~ of the neck* tage ham i kraven (el. ved vingebenet).
scruffy ['skrʌfi] lurvet, luset, trist.
scrum [skrʌm] fk. f. *scrummage.*
scrummage ['skrʌmidʒ] slagsmål; (i rugbyfodbold) det at begge partiers forwards står tæt sammen omkring bolden, idet de prøver på at skubbe bolden væk fra modparten.
scrumptious ['skrʌmʃəs] **S** storartet, første klasses.
scrunch [skrʌnʃ] knuse, knase.
scruple ['skru·pl] (subst.) betænkelighed, skrupel; (glds.) ubetydelighed, smule, tøddel; (vb.) have betænkeligheder; *he does not ~ to* (ogs.) han tager ikke i betænkning at.
scrupulous ['skru·pjuləs] omhyggelig, samvittighedsfuld.
scrutinize ['skru·tinaiz] udforske, granske, se skarpt på.
scrutiny ['skru·tini] gransken, ransagelse; valgprøvelse.
scud [skʌd] (vb.) fare (af sted); (subst.) ilsom flugt; drivsky, jagende skyer.
scuff [skʌf] sjokke af sted.
scuffle ['skʌfl] (subst.) slagsmål, håndgemæng; (vb.) slås.
scug [skʌg] **S** kujon, tarvelig fyr.
scull [skʌl] slags let åre; (vb.) ro med to lette årer; vrikke (en båd). **sculler** ['skʌlə] sculler.
scullery ['skʌləri] opvaskerum, bryggers.
scullery-maid køkkenpige.
scullion ['skʌljən] køkkenkarl.
sculptor ['skʌlptə] billedhugger.
sculptress ['skʌlptrės] billedhuggerinde.
sculpture ['skʌlptʃə] (subst.) skulptur, billedhuggerkunst el. -arbejde; (vb.) udhugge; modellere.
scum [skʌm] (subst.) skum; bærme; (vb.) skumme.
scummy ['skʌmi] skumdækket, skummende.
I. **scupper** ['skʌpə] ⚓ spygat.
II. **scupper** ['skʌpə] bore i sænk; (fig.) overfalde, hugge ned, gøre det af med; torpedere (fx. *a plan).*
scurf [skə·f] skurv, skæl.
scurrility [skʌ'riliti] plumphed, grovkornet spøg.
scurrilous ['skʌriləs] grov, plump.
scurry ['skʌri] (subst.) hastværk, jag; (heftig) byge; (vb.) jage, fare.
scurvy ['skə·vi] (adj.) skurvet; lurvet, nedrig, sjofel; (subst.) skørbug.
scut [skʌt] (hares el. kanins) blomst (ɔ: hale).
scutch [skʌtʃ] skætte (hør); skættemaskine.
scutcheon ['skʌtʃən] våbenskjold; navneplade.
scutcher ['skʌtʃə] skættemaskine.
I. **scuttle** ['skʌtl] (subst.) kulkasse; lille luge; (vb.) bore i sænk.
II. **scuttle** ['skʌtl] (vb.) pile, rende; (subst.) rend, løb.
scut|um ['skju·təm] (pl. *a-* [-ə]) (romersk krigers) skjold.
scythe [saið] (subst.) le; (vb.) meje.
scythe|man mejer, høstkarl. **-stone** hvæssesten.
Scythia ['siðiə] Skythien. **Scythian** skythisk; skyther.

S.D. fk. f. *South Dakota.*

'sdeath [zdeþ] (glds.) Guds død!

S.E. fk. f. *south-east.*

sea [si·] hav, sø; bølge, søgang; (fig.) masse (fx. *a ~ of troubles); follow the ~, go to ~* gå til søs, blive sømand; *the four -s* de fire have omkring Storbritannien; *a heavy ~* en svær sø; *at ~* på havet, til søs; *be (all) at ~* være ude at svømme, hverken vide ud eller ind; *by ~* til søs, ad søvejen; *half -s over* halvfuld; *put to ~* stikke i søen; *run away to ~* stikke til søs.

sea| anchor drivanker. ~ **anemone** (zo.) søanemone. ~ **-beet** ♧ strandbede. ~ **blue** havblå. **-board** strandbred. ~ **-born** født på søen, opstået af havet. ~ **-borne** transporteret til søs, søværts, oversøisk, sø-. ~ **-breeze** søbrise (fra havet ind over land). ~ **-calf** sæl. ~ **-captain** skibskaptajn, skibsfører. ~ **-chart** søkort. ~ **-chest** skibskiste. ~ **-coast** havets kyst. ~ **-dog** (fig.) søulk. ~ **-eagle** havørn. **-farer** ['si·fæərə] søfarende. ~ **-fight** søslag. ~ **-fish** saltvandsfisk. ~ **-foam** havskum; merskum. ~ **-front** strandpromenade. ~ **-going** søgående. ~ **-green** søgrøn. ~ **-gull** måge. ~ **-hog** marsvin. ~ **-kale** ♧ strandkål.

I. **seal** [si·l] (subst., zo.) sæl; *eared ~* øresæl.

II. **seal** [si·l] (subst.) signet, segl; oblat (på brev); kapsel; pakning; (vb.) besegle (fx. *their fate is -ed);* forsegle, lukke (tæt), tætte; *it is a -ed book to him* det er en lukket bog for ham; *my lips are -ed* min mund er lukket (med syv segl); *-ed by the customs officers* under toldlukke; *under ~ of secrecy* under tavshedsløfte.

Sealand ['si·lənd] Sjælland.

sea lane skibsrute.

sea lavender ♧ hindebæger.

sea-legs: *find* (el. *get) one's ~* vænne sig til søen, ikke mere blive søsyg.

sealer ['si·lə] sælfanger, sælfangerskib.

sealery ['si·ləri] sælfangst.

sea-level havets overflade; *a thousand feet above ~* 1000 fod over havet.

sealing ['si·liŋ] sælfangst; forsegling (etc., se II. *seal).* **sealing-wax** ['si·liŋwäks] lak.

sea-lion ['si·'laiən] søløve.

Sea Lord (søofficer der er medlem af marineministeriet).

seam [si·m] (subst.) søm; fuge; skramme, ar; kullag; ⚓ nåd; (vb.) sømme, sammenføje, sammensy; *-ed* (ogs.) furet (fx. *a face -ed with care); raised ~* kapsøm (på tøj).

seaman ['si·mən] sømand, matros; *able-bodied ~* helbefaren matros; *ordinary ~* jungmand, halvbefaren matros.

seamanlike ['si·mənlaik] som udviser godt sømandsskab, sømandsagtig.

seamanship ['si·mənʃip] sømandsskab.

sea mew (zo.) (storm)måge.

sea-mile ['si·mail] sømil.

seamless ['si·mlės] uden søm.

sea-monster havuhyre. ~ **-mouse** (zo.) guldmus.

seamstress ['semstris] syerske, sypige.

seamy ['si·mi] (adj.) arret; *the ~ side* vrangen, skyggesiden.

séance ['se'a·ns] (subst.) séance, møde.

sea|-needle (zo.) hornfisk. ~ **-nettle** (zo.) rød vandmand, 'brandmand'. ~ **-onion** ♧ strandløg. ~ **-pen** (zo.) søfjer. ~ **-pie** (zo.) strandskade. ~ **-piece** søstykke. ~ **-pink** ♧ engelskgræs. **-plane** vandflyvemaskine, flyvebåd. **-port** havneby, havn.

I. **sear** [siə] (subst., ⚔) ro (i geværlås).

II. **sear** [siə] (adj.) tør, vissen, udtørret; (vb.) svide, udtørre; brænde, brændemærke; forhærde.

I. **search** [sə·tʃ] (vb.) søge (i), lede (i), gennemsøge (fx. *a room);* undersøge; (krops)visitere (fx. *a criminal);* ransage (fx. *one's pockets, one's memory);* granske, sondere, prøve; (i bjergværksdrift) skærpe; *his house was -ed* der blev foretaget husundersøgelse hos ham; *~ me!* S det aner jeg ikke! *~ for* søge (el. lede) efter; *~ out* lede frem; finde; *~ the reins and hearts* granske hjerter og nyrer.

II. **search** [sə·tʃ] (subst.) søgen, leden, gennemsøgning, undersøgelse, eftersøgning, efterforskning; (krops)visitation; husundersøgelse; ransagning; granskning; *be in ~ of* søge, lede efter (fx. *a solution); go in ~ of* gå ud og søge efter; *right of ~* visitationsret (i krig).

searcher ['sə·tʃə] en der (under)søger; visitator, visiterende toldbetjent; undersøgelsesredskab, sonde.

searching ['sə·tʃiŋ] (adj.) gennemborende, gennemtrængende, skarp, bidende; omhyggelig, grundig.

search|light søgelys, lyskaster, projektør. ~ **-party** eftersøgningshold; eftersøgningsekspedition. ~ **-warrant** (jur.) ransagningskendelse.

sea|-robber sørøver. ~ **-room** plads til manøvrering. ~ **-route** søvej. **-scape** søstykke. ~ **-scorpion** (zo.) ulk. ~ **-serpent** søslange (et fantasiuhyre). ~ **-shell** konkylie. **-shore** kyst; forstrand. **-sick** søsyg. **-sickness** søsyge.

seaside ['si·said]: *by the ~* ved kysten; *go to the ~* tage til (et badested ved) kysten; *~ hotel* badehotel; *~ resort* badested.

sea|-snail (zo.) havsnegl. ~ **-snake** (zo.) havslange.

season ['si·zn] (subst.) årstid, sæson; rette tid; periode; -tid (fx. *blossoming ~* blomstringstid); **T** = *season-ticket;* (vb.) modne, gøre skikket, hærde, lagre, tilryge; øve; krydre; mildne; *for a ~* for en tid; *oysters are in ~* det er østerssæson; *a word in ~* et ord i rette tid; *in ~ and out of ~* i tide og utide; *~ to* vænne til (fx. *he was -ed to the climate).*

seasonable ['si·znəbl] belejlig, passende.

seasonal ['si·zənl] efter årstiden, sæson-, sæsonmæssig.

seasoning ['si·zniŋ] krydderi.

season-ticket ['si·zn'tikit] togkort, abonnementskort, sæsonkort.

sea|-starwort ♧ strandasters. ~ **-swallow** (zo.) terne.

seat [si·t] (subst.) sæde; (bukse)bag; bagdel; stol; beliggenhed, plads; residens, landsted; mandat; (vb.) sætte, anvise en plads; *the hall will ~ 100* der er hundrede siddepladser i salen; *keep one's ~* blive siddende; *~ oneself* sætte sig, tage plads; *take a ~!* vær så god at tage plads! *have a ~ on the board* have sæde i (el. være medlem af) bestyrelsen; *have a good (, poor) ~ on a horse* være en god (, dårlig) rytter; *the ~ of war* krigsskuepladsen.

sea tangle ♧ bladtang.

seated ['si·tid] siddende (fx. *remain ~); be ~* sidde; *please be ~* vær så god at tage plads.

seatholder abonnent (fx. i teater).

seating ['si·tiŋ] siddeplads; bordplan; stolebetræk (fx. *horsehair ~); ~ accomodation* siddeplads; *the ~ of the guests* bordplanen.

Seattle [si'ätl].

sea|-unicorn narhval. ~ **-urchin** (zo.) søpindsvin. ~ **-wall** (hav)dige.

seaward ['si·wəd] mod havet, søværts.

sea-water havvand, søvand.

sea-way ['si·we'] (den) fart (et skib skyder); søgang; vandvej; *in a ~* i søgang, i høj sø.

sea|weed tang, alge. **-worthy** ['si·wəði] sødygtig.

sebaceous [si'beiʃəs] fedt-, talg- (fx. *gland).*

sec [sek] tør (om vin).

sec. fk. f. *secretary; second.*

secant ['si·kənt] sekant; skærende, skærings-.

secateurs ['sekətə·z] (pl.) beskæresaks, rosensaks, grensaks.

secede [si'si·d] udtræde *(from* af).

secern [si'sə·n] sondre; udskille, afsondre.

secession [si'seʃən] udskillelse, udtræden; løsrivelse; *the War of Secession* den amerikanske borgerkrig 1861-65.

secessionist [si'seʃənist] separatist; (amr., hist.) sydstatsmand (der var tilhænger af løsrivelse).
seclude [si'klu·d] udelukke; indespærre.
secluded [si'klu·dėd] ensom; afsides; afsondret.
seclusion [si'klu·ʒən] ensomhed, afsondrethed.
I. **second** ['sekənd] (subst.) sekund; *in a split* ~ i en brøkdel af et sekund.
II. **second** ['sekənd] (subst.) sekundant; nummer to; andet gear; (i musik) sekund; *-s* (merk.) sekundavarer; *he was a good* ~ han kom ind som en pæn nummer to; *get a* ~ (omtr.) få anden karakter.
III. **second** ['sekənd] (adj.) anden; *every* ~ *day* hver anden dag; ~ *largest* næststørst; ~ *in command* næstkommanderende; *come in* ~ komme ind som nr. 2; ~ *to none* uovertruffen, blandt de bedste.
IV. **second** ['sekənd] (vb.) hjælpe, støtte; bistå; være sekundant for; ⚔ overflytte; forflytte; afgive.
second advent genkomst.
secondary ['sekəndəri] senere, efterfølgende; sekundær, underordnet; afledet; bi- (fx. ~ *effect,* ~ *road);* ~ *modern school* (i Engl.) skoletype der omtr. svarer til 'den almene linje'; ~ *school* mellemskole; gymnasieskole.
second| ballot omvalg. ~ **-best** næstbedst; *come off -best* lide nederlag. ~ **birth** genfødelse. ~ **class** anden klasse; (ved eksamen omtr.) anden karakter. ~ **-class** andenklasses. ~ **hand** sekundviser. ~ **-hand** på anden hånd; brugt; andenhånds (fx. *knowledge).* ~ **-rate** andenrangs. ~ **self** 'højre hånd' (om hjælper). ~ **sight** synskhed, clairvoyance. ~ **son** næstældste søn.
secrecy ['si·krisi] hemmeligholdelse; diskretion, evne til hemmeligholdelse; hemmelighedsfuldhed; hemmelighed (fx. *in all* ~).
secret ['sikrit] hemmelig; hemmelighed; *be in the* ~ være indviet (i hemmeligheden).
secretariat(e) [sekrə'tæriėt] sekretariat.
secretary ['sekrətəri] sekretær; *Secretary* minister; *Colonial Secretary* minister for kolonierne; *Foreign Secretary* udenrigsminister; *permanent (under-)secretary* departementschef; *Secretary of Commerce* (amr.) handelsminister; ~ *of legation* legationssekretær; *Secretary of State* minister; (amr.) udenrigsminister.
secrete [si'kri·t] udskille, afsondre; skjule.
secretion [si'kri·ʃən] sekret, afsondring.
secretive [si'kri·tiv] tavs; hemmelighedsfuld; afsondrende.
secretly ['si·kritli] hemmeligt, i smug.
secretory [si'kri·təri] afsondrings-, sekretions-, sekretorisk.
Secret Service spionage- og kontraspionagetjenesten.
sect [sekt] sekt. **sectarian** [sek'tæriən] sekterer; (adj.) sekterisk. **sectarianism** [sek'tæriənizm] sektvæsen. **sectary** ['sektəri] sekterer; sekterisk.
sectile ['sektail] (om mineral) som kan skæres.
section ['sekʃən] sektion, gruppe; stykke, del, afdeling; afsnit, paragraf; snit, skæring, profil; tværsnit; kvarter, bydel.
sectional ['sekʃənəl] gennemsnits-, snit-; profil- (fx. ~ *iron,* ~ *steel);* bestående af selvstændige dele; ~ *bookcase* byggereol.
section mark (typ.) paragraftegn.
sector ['sektə] sektor, udsnit, (front)afsnit.
secular ['sekjulə] timelig, verdslig; århundredgammel; *the* ~ *arm* den verdslige magt; *the* ~ *clergy* verdenspræsterne, verdensgejstligheden.
secularization ['sekjulərai'zeⁱʃən] verdsliggørelse, sekularisering. **secularize** ['sekjuləraiz] verdsliggøre, sekularisere.
secure [si'kjuə] (adj.) sikker, tryg; (vb.) sikre, betrygge; fastgøre, surre; sikre sig.
security [si'kjuəriti] sikkerhed, betryggelse, kaution; (i pl. ogs.) værdipapirer, fonds, aktier, obligationer; *the Security Council* Sikkerhedsrådet; ~ *risk* person hvis loyalitet mod staten betvivles.
sedan [si'dän] bærestol; sedan (automobil).
sedate [si'deⁱt] rolig, sindig, sat, adstadig.
sedative ['sedətiv] beroligende (middel).
sedentary ['sedntəri] stillesiddende (fx. *life);* ~ *bird* standfugl.
sederunt [se'diərənt] (subst.) møde.
sedge [sedʒ] siv, stargræs.
sedge-warbler sivsanger.
sedgy ['sedʒi] sivbevokset; sivlignende.
sediment ['sedimənt] bundfald; aflejring; (geol.) sediment.
sedimentation [sedimən'teⁱʃən] aflejring; ~ *rate* (med.) blodsænkning.
sedition [si'diʃən] oprørsånd, tilskyndelse til oprør. **seditious** oprørsk.
seduce [si'du·s] forføre, forlede, fordærve; *I was -d by the fine weather into staying* jeg lod mig friste af det gode vejr til at blive. **seducer** [si'dju·sə] forfører.
seduction [si'dʌkʃən] forførelse; tillokkelse (fx. *the -s of the country).* **seductive** [si'dʌktiv] forførerisk, forførende; fristende (fx. *offer);* tillokkende.
sedulous ['sedjuləs] flittig, ihærdig.
I. **see** [si·] bispesæde; *the Holy (, Apostolic, Papal)* ~ den hellige stol, pavestolen.
II. **see** [si·] *(saw, seen)* se; forestille sig, tænke sig; indse, forstå (fx. *I* ~ *what you mean);* tale med (fx. ~ *a doctor);* besøge (fx. *come and* ~ *me);* sørge for (fx. ~ *that it is done);* undersøge (fx. *the doctor ought to* ~ *him);* se, opleve; *he has seen better days* han har kendt bedre dage; ~ *need* lide nød; ~ *service* gøre tjeneste; *May of that year saw him here* i maj det år var han her; *see?* er De med? forstår De? *I* ~ ja vel! ja så! jeg er med; ~ *here* (amr.) hør engang! *I'll be seeing you* (amr.) på gensyn! ~ *p. 50* se side 50; *we shall* ~ vi får se; *you* ~ ser du (fx. *you* ~, *it's like this);*
~ *about* sørge for, tage sig af; ~ *after* drage omsorg for; *he will never* ~ *40 again* han er over de 40; ~ *into* undersøge; ~ *sby. off* følge en (til skib, tog osv.); ~ *sth. out* se ngt. til ende; ~ *over* efterse, inspicere (fx. ~ *over a house);* ~ *through sby.* gennemskue en; ~ *sby. through his difficulties* hjælpe en igennem hans vanskeligheder; ~ *sth. through* være med i (el. følge) ngt. lige til det sidste (fx. *he saw the operation through); we must* ~ *it through* vi må se at få det overstået; vi må se at komme igennem det; ~ *to sth.* tage sig af ngt.; ~ *to it that* sørge for at; ~ *him to the station* følge ham til banegården; (se ogs. *seeing).*
seed [si·d] (subst.) sæd, frø, kerne; (glds.) sæd, afkom, slægt; (vb.) sætte frø, kaste frø; tilså; tage kernerne ud af; *run to* ~ gå i frø.
seed|-bed frøbed, såbed. ~ **-cake** kommenskage. ~ **-coat** ♧ frøskal. ~ **-corn** sædekorn, såkorn. ~ **-drill** radsåmaskine.
seeded ['si·did] i frø, som har sat frø; tilsået; som kernerne er taget ud af (fx. ~ *raisins);* (om favoritter i tennisturnering) ikke opstillet mod jævnbyrdige spillere i de indledende kampe; seeded.
seeder ['si·də] sædemand; radsåmaskine; frøudtagningsapparat.
seed-grain såkorn.
seediness ['si·dinės] frørigdom; sløjhed; lurvethed.
seed-leaf kimblad.
seedling ['si·dliŋ] frøplante; ~ *stock* frøunderlag (ved podning).
seed|-pearl sandperle. ~ **-potato** læggekartoffel. **-sman** frøhandler. ~ **-time** såtid. ~ **-vessel** ♧ frøhus.
seedy ['si·di] (adj.) fuld af frø, gået i frø; luvslidt, lurvet, reduceret; sløj, utilpas, dårlig.
seeing ['si·iŋ] synsevne, syn; ~ *(that)* i betragtning af (at), siden, eftersom, på grund af (at).
seek [si·k] *(sought, sought)* søge, forsøge; *sought after* efterspurgt, ombejlet; ~ *out* opsøge, finde.
seem [si·m] synes, lade til, se ud (til at være), forekomme; *I still* ~ *to hear* jeg synes endnu at jeg hører.
seeming ['si·miŋ] (adj.) tilsyneladende; (subst.) udseende, skin. **seemingly** tilsyneladende.

seemly ['si·mli] sømmelig, anstændig, høvisk.
seen [si·n] perf. part. af *see*.
seep [si·p] sive (fx. *water -s through the sand*). **seepage** ['si·pidʒ] siven, udsivning; udsivende væske.
seer ['si·ə] seende; seer.
seersucker ['siəsʌkə] bæk og bølge (bomuldsstof).
seesaw ['si·'så·] (subst. og vb.) vippe; (adj.) vippende; svingende, vaklende.
seethe [si·ð] koge, syde; kogen, syden.
segment ['segmənt] segment, afsnit, afskåren del.
segregate ['segrigeⁱt] udskille (sig); afsondre; isolere; *-d* (ogs.) hvor der praktiseres raceadskillelse (fx. *a -d school)*.
segregation [segri'geⁱʃən] udskillelse; afsondring, isolering; (biol.) udspaltning; *racial* ~ raceadskillelse.
seine [seⁱn] (subst.) vod; *Danish* ~ snurrevod.
seismograph ['saizməgra·f] seismograf, selvregistrerende jordskælvsmåler.
seizable ['si·zəbl] som kan gribes el. fattes.
seize [si·z] gribe (fx. *a stick, the opportunity); fatte* (fx. *sby.'s meaning); bemægtige sig, sætte sig i besiddelse af, konfiskere, beslaglægge; anholde; ⚓ bændsle, surre; *be -d with* få (et anfald af); ~ *on* gribe, bemægtige sig; ~ *up* (om maskindele) sætte sig fast, blive blokeret.
seizing ['si·ziŋ] ⚓ bændsel.
seizure ['si·ʒə] konfiskation, beslaglæggelse; beslaglagte varer; ran; (med.) anfald, slagtilfælde.
sejant ['si·dʒənt] (i heraldik) siddende.
sel. fk. f. *selected, selection.*
seldom ['seldəm] (adv.) sjælden; ~ *if ever* yderst sjældent.
select [si'lekt] (vb.) udvælge, vælge; (adj.) eksklusiv, udvalgt.
selectee [selek'ti·] indkaldt (soldat etc.).
selection [si'lekʃən] udvælgelse, valg; udvalg; ~ *committee* bedømmelsesudvalg; udtagelseskomité.
selective [si'lektiv] selektiv; udvælgelses-; ~ *service act* (amr. svarer til) lov om alm. værnepligt.
selectivity [silek'tiviti] selektivitet, afstemningsskarphed.
selector [si'lektə] medlem af udtagelseskomité.
selenium [si'li·niəm] (kem.) selen.
self [self] (pl. *selves*) selv; jeg; (adj.) ensfarvet; af samme stof (, farve) (fx. *a coat with a* ~ *belt).*
self|-abandonment selvopgivelse. ~ **-abasement** selvfornedrelse. ~ **-abnegation** selvfornægtelse. ~ **-abuse** selvbesmittelse. ~ **-acting** automatisk (fx. *brake* bremse; *lubrication* smøring). ~ **-appointed** selvbestaltet. ~ **-assertion** selvhævdelse. ~ **-assertive** selvhævdende. ~ **-binder** selvbinder. ~ **-centred** egocentrisk, selvoptaget. ~ **-coloured** ensfarvet. ~ **-command** selvbeherskelse. ~ **-compatible** ♧ selvbestøvende. **-complacent** selvglad, selvtilfreds. ~ **-conceited** indbildsk. ~ **-confident** selvsikker. ~ **-conscious** genert; selvoptaget, selvbevidst. ~ **-contained** indesluttet, som er sig selv nok; ~ *-contained flat* selvstændig lejlighed (med egen indgang etc.). ~ **-control** selvbeherskelse. ~ **-defence** selvforsvar; nødværge. ~ **-denial** selvfornægtelse. **-determination** selvbestemmelse, selvbestemmelsesret. ~ **-educated** selvlærd. ~ **-effacing** selvudslettende. ~ **-employed** selvstændig (næringsdrivende). ~ **-evident** selvindlysende. ~ **-government** selvstyre. ~ **-heal** ♧ brunelle. ~ **-important** dumstolt, indbildsk, opblæst. ~ **-induction** selvinduktion. ~ **-indulgence** vellevned. ~ **-inflicted** selvforskyldt. ~ **-interest** egennytte.
selfish ['selfiʃ] egenkærlig, egoistisk, selvisk.
selfishness egenkærlighed, egoisme, selviskhed.
self|-knowledge selverkendelse. **-less** uselvisk. ~ **-lubricating** selvsmørende. ~ **-made** ['selfmeⁱd] selvhjulpen, som er kommet frem ved egen hjælp. ~ **-mastery** selvbeherskelse. ~ **-opinionated** rethaverisk, selvklog. ~ **-possessed** ['selfpə'zest] fattet, behersket. ~ **-possession** selvbeherskelse, fatning. ~ **-praise** selvros; ~ *-praise is no recommendation* selvros stinker. ~ **-preservation** selvopholdelse. ~ **-propelled** selvkørende. ~ **-respecting** med respekt for sig selv. ~ **-restraint** selvbeherskelse. ~ **-righteous** selvgod, selvretfærdig.
self|-same ['selfseⁱm] selvsamme. ~ **-satisfied** selvtilfreds. ~ **-service store** selvbetjeningsbutik. ~ **-sufficiency** indbildskhed; selvforsyning. ~ **-sufficient** suffisant, indbildsk; selvforsynende. ~ **-supporting** selverhvervende; som hviler i sig selv, uden støtte udefra. ~ **-taught person** autodidakt. ~ **-will** egenrådighed. ~ **-willed** egenrådig. ~ **-worked** selvbetjent (fx. *lift).*
I. **sell** [sel] *(sold, sold)* sælge; sælges, finde afsætning; omsætte; *it has sold 30,000 copies* den er blevet solgt i 30.000 eksemplarer; ~ *at a loss* sælge med tab; ~ *off,* ~ *out* udsælge; ~ *out* (amr. T) svigte, forråde (sin sag); ~ *the pass* (fig.) begå forræderi; ~ *the idea to them* få dem til at gå ind for tanken; ~ *up* sælge; ~ *him up* lade hans ejendele sælge ved tvangsauktion.
II. **sell** [sel] T svindel, snyderi, afbrænder; *it was an awful* ~ det var en slem afbrænder, det var en flad en.
seller sælger; *-s' market* sælgers marked.
selling price salgspris.
sell-out ['selaut] forræderi.
seltzer ['seltsə] selters(vand).
selvage, selvedge ['selvidʒ] kant, liste, æg (af tøj).
selves [selvz] pl. af *self.*
semantic [si'mäntik] semantisk, betydningsmæssig; *-s* semantik, betydningslære.
semaphore ['seməfå·] semafor; signalering med håndflag.
semasiology [simeⁱsi'ålədʒi] semasiologi, betydningslære.
semblance ['sembləns] udseende, skikkelse, lighed, skin.
semé ['semeⁱ] (i heraldik) besået.
semen ['si·men] sæd, sædvæske.
semester [si'mestə] semester.
semi- ['semi] halv- (fx.~ *-annual* halvårlig; ~ *-automatic* halvautomatisk).
semi|breve ['semibri·v] helnode. **-circle** halvkreds. **-colon** semikolon. ~ **-conscious** halvt bevidstløs.
semi-detached ['semidi'tätʃt]: *a* ~ *house* et halvt dobbelthus.
semi|-final ['semi'fainl] semifinale (i sport). **-lunar** ['semi'lu·nə] halvmåneformet. ~ **-manufactures** halvfabrikata.
seminal ['seminəl] frø-; sæd-; (fig.) som rummer kimen til en senere udvikling; ~ *leaf* kimblad; *in the* ~ *state* på frøstadiet.
seminar ['semina·] seminar; laboratorieøvelse; laboratorium.
seminarist ['seminərist] elev af en katolsk præsteskole.
seminary ['seminəri] katolsk præsteskole.
semination [semi'neⁱʃən] frøspredning.
semi|official halvofficiel, officiøs. **-quaver** ['semikweⁱvə] sekstendedelsnode.
Semite ['si·mait, 'semait] semit, semitisk.
Semitic [si'mitik] (subst. og adj.) semitisk.
semitone ['semitoᵘn] halvtone.
semolina [semə'li·nə] semulje.
sempiternal [sempi'tə·nəl] evig.
sempstress ['sem(p)strės] syerske.
sen. fk. f. *senate; senator; senior.*
senate ['senit] senat; ~ *house* senat, senatsbygning.
senator ['senətə] senator. **senatorial** [senə'tå·riəl] senator-.
send [send] *(sent, sent)* sende, sende bud; gøre (fx. ~ *sby. mad);* (glds.) give, skænke (fx. *God* ~ *you better health);* ~ *flying* jage væk, smide ud; sprede for alle vinde; slå ned (el. i gulvet); ~ *him wild* gøre ham rasende; ~ *word* lade vide;
~ *away* afskedige; ~ *away for* sende bud efter langvejs fra; ~ *down* (ogs.) bortvise (fra universitet);

sænke, få til at falde (fx. ~ *down temperature, prices);* ~ *for* sende bud efter; ~ *forth,* ~ *out* udsende; ~ *in one's name* lade sig melde; ~ *off* sende bort; afsende; følge til toget (, skibet etc.); ~ *on a letter* eftersende et brev; ~ *to sleep* få til at falde i søvn; ~ *up* (ogs.) drive i vejret (fx. *prices);* istemme; S sende i fængsel.

sender ['sendə] afsender; radiosender, sendeapparat.

send-off ['send'å·f] start; sending; hyldest til en bortdragende; *a good* ~ gode ønsker med på vejen.

senescence [si'nesəns] begyndende alderdom.

senescent [si'nesənt] aldrende.

senile ['si·nail] senil.

senility [si'niliti] senilitet.

senior ['si·njə] senior, ældre, overordnet; (amr.) studerende på sidste år; *my* ~ *by a year* et år ældre end jeg; *the* ~ *class* (amr.) ældste klasse; ~ *registrar* første reservelæge.

seniority [si·ni'åriti] anciennitet.

senna ['senə] sennesblade; *syrup of* ~ sennessirup (afføringsmiddel).

sennit ['senit] ⚓ platting.

sensation [sen'seⁱʃən] sensation; fornemmelse, følelse; *cause (, make, create) a* ~ vække opsigt (el. sensation).

sensational [sen'seⁱʃnl] sensationel, opsigtsvækkende, spændende.

sensationalism [sen'seⁱʃənəlizm] sensationel karakter; sensualisme (i filosofi).

sensationalize [sen'seⁱʃənəlaiz] gøre til en sensation, slå stort op.

I. **sense** [sens] (subst.) sans; forstand, sund fornuft; betydning; fornuftig mening; følelse (*of* af); mening, stemning; erkendelse, opfattelse; *common* ~ sund fornuft; *the five -s* de fem sanser; *the general* ~ *of the assembly* stemningen i forsamlingen; *he had more* ~ *than to* han var ikke så dum at; *in a* ~ i en vis forstand; *in one's -s* ved sine fulde fem; *he lost his -s* han gik fra forstanden; *make* ~ give mening; *make* ~ *of* finde mening i; *a man of* ~ en fornuftig mand; *what is the* ~ *of doing that?* hvad mening er der i at gøre det? *a* ~ *of beauty* skønhedssans; *a* ~ *of duty* pligtfølelse; *a* ~ *of humour* humoristisk sans; *out of one's -s* fra forstanden, fra sans og samling; *scared out of one's -s* skræmt fra vid og sans; *bring sby. to his -s* bringe en til fornuft.

II. **sense** (vb.) fornemme, føle (fx. *I -d a certain hostility in his manner);* have på fornemmelsen; (om hulkortmaskine) afføle.

senseless ['senslės] følelsesløs, sanseløs, bevidstløs; urimelig, meningsløs.

sensibility [sensi'biliti] følsomhed.

sensible ['sensibl] følelig, mærkbar; følsom, modtagelig; opmærksom; fornuftig, praktisk; *no* ~ *person* intet forstandigt menneske; *be* ~ *of* have en følelse af, indse, være klar over.

sensitive ['sensitiv] følsom, sensibel; overfølsom; ~ *to* følsom (el. sensibel) overfor; påvirkelig af; ~ ~ *paper* (lys)følsomt papir; ~ *plant* ♧ mimose.

sensitivity [sensi'tiviti] (over)følsomhed.

sensitize ['sensitaiz] gøre følsom.

sensorial [sen'så·riəl] (adj.) sanse-; sensorisk.

sensorium [sen'så·riəm] sensorium, hjernens sansesfære.

sensory ['sensəri] (adj.) sanse- (fx. *organs).*

sensual ['senʃuəl] sanselig, vellystig. **sensualism** sanselighed, sensualisme. **sensualist** vellystning, sensualist.

sensuality [senʃu'äliti] sanselighed.

sensuous ['senʃuəs] sensuel, sanselig; som hører til sanserne, som henvender sig til sanserne.

sent [sent] imperf. og perf. part. af *send.*

I. **sentence** ['sentəns] (subst.) dom; sætning; *the* ~ *of this court is* thi kendes for ret; ~ *of death* dødsdom; *pass* ~ *on* domfælde; *under* ~ *of death* dødsdømt; *principal* ~ hovedsætning; *subordinate* (el. *accessory)* ~ **bisætning;** *subsequent* ~ eftersætning.

II. **sentence** ['sentəns] (vb.) dømme, afsige dom over, domfælde; ~ *to* idømme.

sentential [sen'tenʃəl] (adj.) sætnings-; doms-; ~ *clause* bisætning.

sententious [sen'tenʃəs] docerende, bombastisk, banal; (glds.) fyndig.

sentient ['senʃənt] følsom, modtagelig (for sanseindtryk).

sentiment ['sentimənt] følelse; mening, opfattelse, tanke; indstilling, holdning; sentens; følsomhed, sentimentalitet; *the general* ~ stemningen.

sentimental [senti'mentəl] følsom, sentimental; følelsesmæssig; ~ *value* affektionsværdi.

sentimentalist [senti'mentəlist] følelsesmenneske, romantisk indstillet person.

sentimentality [sentimen'täliti] sentimentalitet, føleri.

sentinel ['sentinəl] skildvagt; (vb.) stå vagt ved.

sentry ['sentri] skildvagt. **sentry|-box** skilderhus. ~ **-go** patruljering, (skild)vagttjeneste; det område, skildvagten er ansvarlig for.

sepal ['si·pəl] ♧ bægerblad.

separable ['sep(ə)rəbl] som kan adskilles.

I. **separate** ['sepəreⁱt] (vb.) skille, udskille, fjerne; skilles, gå fra hinanden; *judicially -d* separeret; *-d into* opdelt i.

II. **separate** ['sep(ə)rėt] (adj.) særskilt, egen, enkelt; (subst.) særtryk; *-s* enkelte dele af et sæt.

separately ['seprėtli] hver for sig.

separation [sepə'reⁱʃən] adskillelse, udskilning; *judicial* ~ separation.

separatist ['sepərətist] separatist, forkæmper for adskillelse (fx. af stat og kirke).

separator ['sepəreⁱtə] separator, centrifuge.

sepia ['si·pjə] blæksprutte, sepia, blæksputtes 'blæk'; sepia (et farvestof).

sepoy ['si·poi] sepoy, indisk soldat der tidligere stod i en europæisk magts tjeneste.

sepsis ['sepsis] sårbetændelse, blodforgiftning.

sept [sept] æt, klan (i Irland).

Sept. fk. f. *September.*

September [sep'tembə] september.

septennial [sep'tenjəl] syvårig.

septet(te) [sep'tet] septet.

septic ['septik] som bevirker forrådnelse; inficeret, bullen, betændt; *it has gone* ~ der er gået betændelse i det.

septicaemia [septi'si·miə] blodforgiftning.

septic tank septiktank.

septuagenarian [septjuədʒi'næəriən] (person som er) i halvfjerdserne.

septum ['septəm] skillevæg.

septuple ['septjupl] syvfoldig.

sepulchral [si'pʌlkrəl] (adj.) grav-; trist, dyster; ~ *voice* hul røst, gravrøst.

sepulchre ['seplkə] (subst.) grav, gravminde; (vb.) gravlægge.

sepulture ['sepltʃə] begravelse, gravlægning.

sequel ['si·kwəl] fortsættelse; resultat, konsekvens, følge; efterspil; (med.) følgesygdom.

sequela [si'kwi·lə] følgesygdom.

sequence ['si·kwəns] rækkefølge, række; tonerække; (i film) scene, sekvens.

sequent ['si·kwənt] følgende, deraf følgende.

sequester [si'kwestə] beslaglægge, konfiskere; afsondre, isolere.

sequestrate [si'kwestreⁱt] beslaglægge, konfiskere.

sequestration [sekwi'streⁱʃən] beslaglæggelse, konfiskation.

sequoia [si'kwoiə] ♧ kæmpefyr.

ser. fk. f. *series.*

seraglio [se'ra·lioᵘ] serail, harem.

seraph ['serəf] seraf. **seraphic** [se'räfik] serafisk.

Serb [sə·b] serbisk; serber.

Serbia ['sə·bjə] Serbien.

Serbonian [sə·'boᵘnjən]: ~ *bog* fortvivlet uføre, håbløs tilstand.

serenade [seri'ne'd] serenade; (vb.) synge en s.
serenata [seri'na·tə] serenade.
serendipity [serən'dipiti] evne til at gøre fund.
serene [si'ri·n] klar, skyfri; stille, rolig, afklaret; (som titel foran tyske fyrstenavne:) durchlauchtig; *all* ~ alt i orden; *Your Serene Highness* Deres Durchlauchtighed.
serenity [si'reniti] klarhed, stilhed, afklaret (el. ophøjet) ro, sindsro
serf [sə·f] livegen. **serfage** ['sə·fidʒ], **serfdom** ['sə·fdəm] livegenskab.
serge [sə·dʒ] (subst.) serges (et uldstof).
sergeant ['sa·dʒənt] sergent; (i politiet; omtrent =) overbetjent; ~ *major* [-'me'dʒə] (omtrent =) stabssergent.
serial ['siəriəl] række-, som udkommer i hæfter; ~ *number* løbenummer; ~ *(story)* føljeton.
seriate ['siəriėt] (ordnet) i rækkefølge.
series ['siəri·z] (pl. d. s.) række; serie.
serin ['serin] (zo.) gulirisk.
serio-comic ['siərio"'kåmik] sørgmunter; halvt alvorlig, halvt komisk, tragikomisk.
serious ['siəriəs] alvorlig; *I am (quite)* ~ det er mit (ramme) alvor; *a* ~ *matter* en alvorlig (el. betænkelig) sag.
seriously ['siəriəsli] alvorligt; for alvor; ~ *damaged* stærkt beskadiget; ~ *(speaking)* alvorlig talt.
seriousness ['siəriəsnės] alvor, betænkelighed.
serjeant ['sa·dʒənt]: *Serjeant-at-law* (glds.) højesteretsadvokat; *serjeant-at-arms* ordensmarskal.
sermon ['sə·mən] prædiken; *preach* (el. *deliver) a* ~ holde en prædiken.
sermonize ['sə·mənaiz] prædike (for).
serotherapy [siəro'þerəpi] serumterapi.
serotine ['serətin], **serotinous** [sə'råtinəs] ♧ sen.
serous ['siərəs] serøs, serumagtig.
serpent ['sə·pənt] slange.
serpentine ['sə·pəntain] slangeagtig; bugtet; forræderisk; *the Serpentine* (sø i Hyde Park, London).
serrate ['serėt], **serrated** [se're'tid] savtakket.
serration [se're'ʃən] savtakker.
serried ['serid] tætsluttet; *in* ~ *ranks* i række og geled.
serum ['siərəm] serum.
serval ['sə·vl] (zo.) serval.
servant ['sə·vənt] tjener; husassistent, tjenestepige; *the -s* tjenestepersonalet; *public* ~ (stats)tjenestemand.
servant-girl husassistent, tjenestepige.
serve [sə·v] (vb.) tjene, opvarte; (om mad) rette an, servere, (i forretning etc.) ekspedere; betjene; behandle (fx. *they -d me shamefully);* tjene til, nytte; gøre tjeneste; passe, være nok; (om præst) betjene (fx. *two parishes);* (i tennis) serve; ~ *him right* (el. *it -s him right)* det har han godt af; nu kan han have det så godt; *are you being -d?* bliver De ekspederet? ~ *one's apprenticeship* stå i lære; ~ *a sentence* afsone en straf; ~ *a term of three years* afsone 3 års fængsel; ~ *time* sidde inde, udstå sin straf; ~ *one's time* stå i lære; ~ *a warrant* udføre en arrestordre;
as occasion -s når lejlighed byder sig; ~ *on a committee* sidde i et udvalg; ~ *a summons on sby.* forkynde en stævning for en; ~ *out* udlevere (proviant); gøre gengæld mod, give igen; ~ *round* byde om, byde rundt (ved bordet); ~ *up* rette an; ~ *with* forsyne med.
servery ['sə·vəri] anretterværelse.
service ['sə·vis] tjeneste, krigstjeneste; opvartning, betjening, servering; service; ekspedition; tjenestetid; villighed; nytte; spisestel, service; rute, fart, forbindelse (fx. *airplane* ~ flyveforbindelse); væsen, etat; ⚔ tjenestegren; værn (fx. *the three -s);* (i tennis) serve; (rel.) gudstjeneste; (jur.) forkyndelse (af stævning); *health* ~ sundhedsvæsen; *a* ~ *of plate* et sølvservice; *do* (el. *render) him a* ~ gøre ham en tjeneste; *perform* ~ holde gudstjeneste; *see* ~ gøre tjeneste; *at your* ~ til Deres tjeneste; *on active* ~ ⚔ i aktiv tjeneste.

serviceable ['sə·visəbl] nyttig; brugbar; holdbar, solid, slidstærk; tjenstvillig.
service|-area (radiostations) dækningsområde. ~ **ball** servebold. ~ **-book** alterbog. ~ **dress** tjenesteuniform. ~ **flat** lejlighed (især i kollektivhus) med fuld betjening. ~ **hatch** serveringslem. ~ **pipe** siderør, sideledning, stikledning. ~ **stairs** køkkentrappe. ~ **station** benzintank, servicestation. ~ **table** anretterbord. **-tree** ♧ røn; *wild -tree* tarmvridrøn.
serviette [sə·vi'et] serviet.
servile ['sə·vail] krybende; servil; slave-.
servility [sə·'viliti] kryberi; servilitet.
servitude ['sə·vitju·d] slaveri, trældom; *penal* ~ strafarbejde.
servo|-control servostyring. ~ **-motor** servomotor. ~ **-operated** servostyret.
sesame ['sesəmi] sesam.
sesquipedalian ['seskwipi'de'liən] langt og knudret (om ord).
sessile ['sesail] ♧ uden stilk, siddende (umiddelbart på stængelen); (zo.) fastsiddende.
session ['seʃən] session, samling, parlamentssamling, retssession, møde; semester (fx. *summer* ~); menighedsråd (i Skotland); *be in* ~ være samlet, holde møde; *remain in* ~ forblive samlet; *Court of Session* Skotlands højesteret (i civile sager).
I. **set** [set] *(set, set)* (se ogs. II. *set)* sætte, stille, anbringe, lægge (fx. *one's hand on sby.'s shoulder);* vende (fx. *one's face towards the sun);* (ind)stille (fx. *a clock, a trap);* indfatte, indsætte (fx. ~ *a precious stone in gold;* ~ *glass in a sash);* (bringe til at) stivne (fx. *the wind will soon* ~ *the mortar; the mortar has* ~); få til at (fx. ~ *one's heart beating);* udsætte (fx. ~ *a piece of music for the violin);* give (som opgave) (fx. ~ *an examination paper; you have* ~ *me a difficult task);* anslå, ansætte (fx. *I* ~ *the value at £100);* fastsætte (fx. *a date, a time);* (om solen etc.) gå ned; sætte frugt (fx. *the apples won't* ~ *this year);* (om tøj) sidde; bevæge sig, strømme (i en vis retning) (fx. *the tides* ~ *off the shore);* ⚓ pejle.
(forskellige forb.; se også hovedordet, fx. *free, example, heart);* ~ *going* sætte i gang; ~ *a hen* lægge en høne på æg; ~ *sby. a lesson* give en en lektie for; *be* ~ *a lesson* få en lektie for; ~ *a palette* sætte en palet op; ~ *a question* stille et spørgsmål (i eksamensopgave); ~ *a razor* stryge en barberkniv; ~ *a saw* udlægge en sav; ~ *a table* dække bord; ~ *one's teeth* bide tænderne sammen; *that* ~ *me thinking* det fik mig til at tænke dybere over sagen; *they were* ~ *three tricks* de fik tre undertræk;
(forb. m. præp. el. adv.) ~ *about* tage fat på, gå i gang med (fx. *I must* ~ *about my writing);* gribe an (fx. *I don't know how to* ~ *about it);* **T** (begynde at) angribe, klø løs på; udbrede, udsprede (fx. *gossip, a rumour);* ~ *apart* reservere, gemme, hensætte; skille; ~ *aside* annullere, omstøde; se bort fra; ~ *back* sætte tilbage (fx. ~ *back the clock);* sinke; trække tilbage (fx. ~ *back the ground floor to give a wider road); it* ~ *me back £10* **S** det kostede mig £10; ~ *down* lægge (el. stille) fra sig; sætte (en passager) af; nedskrive, optegne; foreskrive, fastsætte (fx. *rules);* ~ *sby. down* (ogs.) skære (el. pille) en ned; ~ *down as* regne for (fx. ~ *sby. down as a fool); you can* ~ *me down as a member* De kan tegne mig som medlem; ~ *down to* tilskrive; ~ *forth* stille frem; fremsætte, fremstille, redegøre for; drage ud, tage af sted; ~ *forward* fremsætte (fx. *a proposal);* fremme (fx. *the cause of underdeveloped peoples);* tage af sted;
~ *in* begynde; ~ *in rainy* (el. *raining)* falde i med regn; *winter has* ~ *in very early this year* vinteren er kommet meget tidligt i år; *it* ~ *in to freeze* det blev frostvejr; ~ *off* tage af sted, starte; sende af sted; virke som flatterende baggrund for; bringe til at eksplodere (fx. ~ *off a mine);* ~ *off against* lade gå op mod; ~ *sby. off laughing* få en til at le; ~ *on* ægge, tilskynde; ~ *a dog on sby.* pudse en hund på en; *the dog* ~ *on me* hunden angreb mig; ~ *sby. on his feet* hjælpe

en på benene; ~ *one's thoughts on* rette sine tanker mod, samle sine tanker om; ~ *out* fremsætte, redegøre for; sætte sig for (fx. *to write a book*); fremhæve (ved kontrastvirkning); drage af sted; ~ *to* tage fat (på arbejdet) (fx. *it is time we* ~ *to*); ~ *sth. to music* sætte musik til noget;

~ *up* rejse, sætte op (fx. *a monument, a fence*); grundlægge, stifte, oprette (fx. *a school*), etablere (fx. *a business*); fremføre (fx. *a theory*); opløfte (fx. *a howl*); udstyre, forsyne (fx. *be well* ~ *up with clothes*); kvikke op, bringe til hægterne (fx. *a holiday* ~ *him up again*); nedsætte sig (fx. ~ *up as a grocer*); hjælpe i vej, hjælpe i gang; *be* ~ *up* T være opblæst; ~ *up for* (el. *as*) give sig ud for, have prætentioner i retning af at være (fx. *he -s up for a pillar of society*); ~ *up for oneself*, ~ *up on one's own* begynde for sig selv; ~ *up an establishment*, ~ *up house* sætte bo, sætte foden under eget bord; *he* ~ *up his son in business* han hjalp sin søn i gang med en forretning; ~ *up (in type)* (typ.) sætte; ~ *upon* overfalde.

II. **set** [set] stiv (fx. *smile*); stivnet; fast, bestemt (fx. *opinions*); fastsat (fx. *at a* ~ *time*); regelmæssig; fast, stående (fx. *phrase* udtryk); foreskreven; *all* ~ (amr. T) parat, fiks og færdig; ~ *deeply* (om øjne) dybtliggende; *his eyes were* ~ han stirrede stift; *well* ~ *up*, se *set-up*; *well* ~ *up with* velforsynet med; ~ *upon* fast besluttet på.

III. **set** [set] (subst.) sæt (fx. *a* ~ *of tools*); stel (fx. *tea* ~); service (fx. *dinner* ~); garniture; sæt (i tennis); omgangskreds, klike, bande; (på teater etc.) sætstykke, dekoration; ♧ aflægger; (om tøj) snit, facon; stilling, måde hvorpå en ting sidder (fx. *the* ~ *of one's hat*); strømretning; tendens (fx. *the* ~ *of public opinions*); *make a dead* ~ *at* angribe kraftigt, gå lige løs på; lægge kraftigt an på; *at* ~ *of sun* ved solens nedgang; ~ *of teeth* gebis, tandsæt.

seta ['si·tə] (♧, zo.) børste.

setaceous [si'teiʃəs] besat med børster.

set|-back ['set'bäk] modstrøm; tilbageslag; reaktion, hindring, standsning. ~ **book** bog som skal opgives til eksamen. ~ **-down** knusende svar; 'næse'. ~ **gun** selvskud. ~ **-off** ['setå(·)f] middel til at fremhæve ngt., god baggrund for ngt., prydelse; modkrav; *as a* ~ *-off* til gengæld. ~ **-square** trekant.

sett [set] brosten.

settee [se'ti·] sofa, kanapé.

setter ['setə] sætter, hønsehund.

setter-on ['setə'rån] anstifter.

setting ['setiŋ] nedgang (fx. *of the sun*); jagt med hønsehund; ramme; indfatning (fx. *of a jewel*); milieu, omgivelser; baggrund; sceneri; dekoration; stivnen; (typ.) (op)sætning; (radio etc.) indstilling; ⚓ strømretning, vindretning; *his* ~ *of* hans musik til.

setting|-screw indstillingsskrue. ~ **-stick** (typ.) vinkelhage.

I. **settle** ['setl] (vb.) ordne, bringe i orden; sætte (, lægge) til rette; berolige; bestemme, afgøre, fastsætte; betale, gøre op; atvikle, afregne; bilægge; gøre det af med; bebygge; kolonisere, slå sig ned i; bosætte sig; etablere sig; nedsætte sig, falde til ro; sætte sig til rette; sætte sig; fæstne sig; bundfælde sig;

~ *an account a difference* afgøre et mellemværende; ~ *the dispute* afgøre trætten; ~ *down* finde sig til rette, falde til ro, sætte sig til rette; slå sig ned; gifte sig; ~ *for* give sig tilfreds med, nøjes med; ~ *in business* nedsætte sig som forretningsmand; ~ *in one's mind* nedfælde sig (i bevidstheden); *married and -d* gift og hjemfaren; ~ *(up)on* bestemme sig for; (jur., ofte) testamentere; ~ *an annuity on her* sætte penge hen til en livrente til hende; *the house was -d on her* hun beholdt huset som særeje; ~ *with* gøre op med, betale; ~ *with one's creditors* affinde sig med sine kreditorer.

II. **settle** ['setl] (subst.) bænk (med høj ryg).

settled ['setld] fast (fx. *opinion*); bestemt; afgjort; stabil (fx. *weather*); indgroet (fx. *habit*); koloniseret; (om regning) betalt; ~ *property* båndlagt kapital; *well, that's* ~ *then* så er det en aftale.

settlement ['setlmənt] anbringelse; kolonisation; afgørelse, opgør; ordning; bilæggelse; fastsættelse af arvefølge; livrente, ægtepagt, forsørgelse; koloni, settlement, boplads; nybygd; *the Act of Settlement* tronfølgeloven (af 1701).

settler ['setlə] kolonist; nybygger.

settling-day betalingsdag, forfaldsdag.

settlings ['setliŋz] (pl.) bundfald.

set-to ['settu·] T sammenstød, slagsmål.

I. **set-up** ['setʌp] (subst.) opstilling (fx. af apparater), arrangement, måde hvorpå ngt. fremtræder, opbygning, struktur; (rank) holdning.

II. **set-up** (adj.): *well* ~ rank (og kraftig), velbygget.

seven ['sevn] syv. **seven|fold** ['sevnfoᵘld] syvfoldig. **-teen** ['sevn'ti·n] sytten. **-teenth** [-'ti·nþ] syttende.

seventh ['sevnþ] syvende; syvendedel.

seventieth ['sevntiiþ] halvfjerdsindstyvende.

seventy ['sevnti] halvfjerds(indstyve).

sever ['sevə] skille, afbryde; løsrive; kløve, splitte; skelne; skilles; briste.

several ['sevrəl] adskillige (fx. ~ *times*), flere; forskellige (fx. *the* ~ *members of the committee*); respektive; *joint and* ~ solidarisk (fx. *responsibility*); ~ *more* adskillig flere; *they went their* ~ *ways* de gik hver sin vej.

severally ['sevrəli] hver for sig, særskilt, en for en.

severance ['sev(ə)rəns] adskillelse, afbrydelse, løsrivelse (fx. *from the Commonwealth*).

severe [si'viə] streng, hård *(upon, with* mod); smertelig, heftig, stærk, indgående; alvorlig (fx. *a* ~ *illness*); *the weather is* ~ det er meget koldt; *-ly* strengt (fx. *look at sby. -ly*); *leave -ly alone* gå langt (el. i en stor bue) uden om.

severity [si'veriti] strenghed, hårdhed, smertelighed.

sew [soᵘ] *(sewed, sewn* el. *sewed)* sy; ~ *on a button* sy en knap i; ~ *up* tilsy, sy sammen; (fig.) sikre sig.

sewage ['sju·idʒ] kloakindhold, spildevand.

I. **sewer** ['soᵘə] (subst.) syer(ske).

II. **sewer** ['sjuə] (subst.) kloak; (vb.) forsyne med kloak, kloakere.

sewerage ['sjuəridʒ] kloakanlæg; kloakering.

sewing ['soᵘiŋ] syning, sytøj.

sewing|-circle syklub. ~ **-machine** symaskine. ~ **-needle** synål. ~ **-silk** sysilke. ~ **-thread** sytråd.

sewn [soᵘn] perf. part. af *sew*.

sewn-up ['soᵘnʌp] S udmattet, medtaget.

sex [seks] køn; kønslivet; erotik, sex; seksual- (fx. ~ *instruction*); køns- (fx. *hormone*); *the (fair)* ~ det smukke køn.

sexagenarian [seksədʒi'næəriən] (en der er) i tresserne, tresårig.

sexangular [sek'säŋgjulə] sekskantet.

sex-appeal ['seks ə'pi·l] sex-appeal, tiltrækning for det andet køn.

sexennial [sek'senjəl] seksårig.

sexless ['sekslės] kønsløs.

sextant ['sekstənt] sekstant.

sextet(te) [seks'tet] sekstet.

sexton ['sekstən] graver, kirkebetjent.

sextuple ['sekstjupl] seksdobbelt; (vb.) seksdoble.

sexual ['sekʃuəl] kønslig, seksuel; seksual-; køns- (fx. ~ *organs*; ~ *desire* kønsdrift); ~ *intercourse* kønslig omgang.

sexy ['seksi] S erotisk, sexet.

sferics ['sferiks] atmosfæriske forstyrrelser.

S.G. fk. f. *Solicitor General*.

s.g. fk. f. *specific gravity*.

shabbiness ['ʃäbinės] lurvethed, luvslidthed, tarvelighed, sjofelhed; nærighed.

shabby ['ʃäbi] lurvet, luvslidt, forhutlet, tarvelig, sjofel; nærig.

shabby-genteel ['ʃäbidʒen'ti·l] fattigfin.

shabrack ['ʃäbräk] sadeldækken, skaberak.

shack [ʃäk] (subst.) hytte, skur; (vb.): ~ *up* sove sammen (*with* med).

shackle [ˈʃäkl] (vb.) lænke; (subst.) lænke; samlingsbøjle; ⚓ heks, sjækkel; (pl. ogs.) hæmmende bånd.
shad [ʃäd] (zo.) majfisk, stamsild.
shad-bush ♧ bærmispel.
shaddock [ˈʃädək] pompelmus (art stor grapefrugt).
I. **shade** [ʃeⁱd] (subst.) skygge, skyggeside; beskyttelse, ly; skærm, glaskuppel; genfærd; farvetone, afskygning, nuance, schattering; (amr.) rullegardin; *a ~ better* en smule (el. bagatel) bedre; *put sby. into the ~* stille en i skygge.
II. **shade** [ʃeⁱd] (vb.) skygge, stille i skygge, skygge for (fx. *~ one's eyes with one's hand);* kaste en skygge over; skyggelægge, skravere; *~ (off) into* glide over i, gå gradvis over i (fx. *blue that -s into green); -d rule* (typ.) fedfin streg.
I. **shadow** [ˈʃädoᵘ] (subst.) skygge, slagskygge; uadskillelig ledsager; skyggebillede; genfærd, fantom; *not a ~ of* ikke en smule, ikke antydning af.
II. **shadow** [ˈʃädoᵘ] (vb.) skygge for, kaste en skygge over; skygge (fx. *he is -ed by the police); ~ forth* lade ane, give varsel om.
shadow|-boxing skyggeboksning. **~ cabinet** skyggekabinet.
shadowy [ˈʃädoᵘi] (adj.) skygge-, skyggefuld; mørk, uvirkelig.
shady [ˈʃeⁱdi] skyggefuld, kølig; tvivlsom, fordægtig, moralsk anløben, mindre fin; *he is a ~ customer* (ogs.) han er ikke fint papir; *on the ~ side of forty* på den gale side af de fyrre; *~ transactions* tvivlsomme forretninger.
S.H.A.E.F. [ʃeⁱf] fk. f. *Supreme Headquarters Allied Expeditionary Forces.*
shaft [ʃa·ft] skaft (fx. *of an axe, a club);* spydskaft; søjleskaft; vognstang; pil; skakt; aksel; (lys-, lyn-) stråle; (anat.) benpibe; (på fjer) ribbe.
shafting [ˈʃa·ftiŋ] akselledning.
shag [ʃäg] (subst.) stridt hår; grov luv; plys; stærk finskåren røgtobak; (zo.) topskarv; **S** jagt, forfølgelse; bandit, slyngel; (vb.) løbe, jage, forfølge; *-ged (out)* udmattet.
shaggy [ˈʃägi] stridhåret, lådden, uredt; *~ eyebrows* buskede øjenbryn.
shaggymane [ˈʃägimeⁱn] ♧ parykblækhat.
shagreen [ʃəˈgri·n] chagrin (læder, skind).
shah [ʃa·] shah (konge i Iran).
I. **shake** [ʃeⁱk] *(shook, shaken)* ryste (fx. *~ a cocktail),* få til at ryste (fx. *his step shook the room);* skælve; slå triller; **T** give hånden; få til at vakle, rokke ved (fx. *his faith);* (amr. **S**) ryste af sig; *that shook him* (ogs.) det havde han ikke ventet; *shaking his finger at me* med løftet pegefinger (ɔ: formanende); *~ one's fist at* true ad (med knyttet næve); *~ hands* give hinanden hånden; *~ sby. by the hand* give en et håndtryk; *~ one's head (at)* ryste på hovedet (over); *~ a leg* **S** danse; skynde sig; *~ in one's shoes* ryste i bukserne; *~ one's sides with laughter* ryste af latter;
~ down ryste ned (fx. *pears from a tree);* ryste sammen; falde til ro (fx. *~ down in one's new home);* sove på gulvet; **S** presse penge ud af; *~ off* ryste af sig; komme over; frigøre sig for; *~ out* ryste ud; udfolde; *~ up* ryste (grundigt) (fx. *a cushion);* omryste; blande; omorganisere; *~ sby. up* ruske en op; *~ with fear* ryste af skræk.
II. **shake** [ʃeⁱk] (subst.) rysten, ryk, rusk; jordskælv; skøre, revne (i træ); (i sang el. musik) trille; *~ of the hand* håndtryk; *~ of the head* hovedrysten; *give sby. a good ~* ruske en ordentligt; *no great -s* **S** ikke meget bevendt; *have the -s* ryste (af feber etc.); *in two -s, in half a ~* i løbet af 0,5.
shakedown [ˈʃeⁱkˈdaun] (amr.) **S** pengeafpresning; *give sby. a ~* rede op på gulvet til en.
shaken [ˈʃeⁱkn] perf. part. af *shake.*
shaker [ˈʃeⁱkə] bøsse (fx. *pepper ~);* cocktailshaker; rystesigte, rysterende.
Shakespeare [ˈʃeⁱkspiə]. **Shakespearean** [ʃeⁱksˈpiəriən] shakespearsk.

shake-up [ˈʃeⁱkʌp] omfattende ændring; drastisk omorganisering.
shako [ˈʃäkoᵘ] sjako.
shaky [ˈʃeⁱki] rystende, skrøbelig, vaklende; usikker; upålidelig; *be ~* (ogs.) stå på svage fødder.
shale [ʃeⁱl] lerskifer.
shall [ʃäl; uden tryk ʃəl, ʃl] (imperf. *should)* skal, vil; det bruges:
a) som hjælpeverbum til at danne futurum i 1. person (fx. *I ~ be there; we ~ arrive by the first train tomorrow* vi kommer med første tog i morgen);
b) til at udtrykke krav, pligt, nødvendighed (fx. *he does not want to go, but I tell you he ~);* løfte (fx. *you ~ have the money);* trusel (fx. *you ~ regret it* du skal komme til at fortryde det);
c) i visse bisætninger, fx. *it is strange that he should be there* det er mærkeligt, at han er der; *we decided to stay till the rain should cease* vi besluttede at blive til regnen hørte op.
shalloon [ʃəˈlu·n] chalon (uldent stof).
shallop [ˈʃäləp] ⚓ chalup.
shallot [ʃəˈlåt] skalotteløg.
shallow [ˈʃäloᵘ] (adj.) flad, grundet; overfladisk; fladbundet, åndsforladt, åndløs; (om åndedræt) svag; (subst.) grundt vand, grund; *he is pretty ~* (ogs.) han stikker ikke dybt.
shallow-brained lavpandet, indskrænket.
shalt [ʃält]: *thou ~* (glds.) du skal.
sham [ʃäm] (subst.) humbug; humbugmager, charlatan; simulant; (adj.) skin-, fingeret; uægte, imiteret (fx. *~ -Tudor);* hyklet, forstilt; (vb.) narre, simulere, forstille sig, hykle; *~ diamond* uægte diamant; *~ fight* skinfægtning; *~ illness* forstilt sygdom; (vb.) simulere (syg); *~ stupid* spille dum.
shamble [ˈʃämbl] (vb.) sjokke, slæbe på fødderne; (subst.) sjokken.
shambles [ˈʃämblz] slagtehus, slagteri; (fig.) slagtebænk, slagmark, ruinhob, rodebutik.
shame [ʃeⁱm] (subst.) skam, undseelse; vanære, skændsel; (vb.) gøre skamfuld, gøre til skamme; beskæmme; vanære; (glds.) skamme sig; *shame!* fy! *bring ~ on sby., bring sby. to ~* bringe skam over en, vanære en; *put sby. to ~* få en til at skamme sig; *for ~!* fy! *for (very) ~* for skams skyld; *be past* (el. *be lost to* el. *dead to) ~* have bidt hovedet af al skam; *~ on you* du skulle skamme dig; *~ sby. into (, out of) sth.* få en til (, fra) ngt. ved at skamme ham ud.
shamefaced [ˈʃeⁱmfeⁱst] skamfuld, flov; genert, undseelig. **shamefacedly** [ˈʃeⁱmfeⁱsidli] skamfuldt; genert.
shameful [ˈʃeⁱmf(u)l] skændig, skammelig.
shameless [ˈʃeⁱmlès] skamløs.
shammer [ˈʃämə] simulant.
shammy [ˈʃämi] vaskeskind.
shampoo [ʃämˈpu·] (subst.) hårvask; shampoo (hårvaskemiddel); (vb.) vaske (hår).
shamrock [ˈʃämråk] (♧, irsk nationalsymbol) trebladet hvidkløver.
shandrydan [ˈʃändridän] tohjulet kalechevogn; (fig.) faldefærdigt køretøj, gammel kasse.
shandy [ˈʃändi], **shandygaff** (blanding af øl og sodavand m. ingefærsmag).
I. **Shanghai** [ʃäŋˈhai].
II. **shanghai** [ʃäŋˈhai] shanghaje (ɔ: drikke fuld og narre el. tvinge til at tage hyre).
shank [ʃäŋk] skank, ben, skinneben; (af nøgle, ske etc.) skaft; (på anker) læg; ♧ stilk, stængel; *go on Shank's mare* (el. *pony)* benytte apostlenes heste.
shan't [ʃa·nt] sammentrækning af *shall not.*
I. **shanty** [ˈʃänti] hytte, skur.
II. **shanty** [ˈʃänti] ⚓ opsang.
shanty town fattigkvarter hvor folk bor i skure; 'klondyke'.
Shape [ʃeⁱp] fk. f. *Supreme Headquarters Allied Powers Europe.*
I. **shape** [ʃeⁱp] (vb.) skabe, danne, forme, tilhugge, tilpasse, indrette; arte sig; *~ (a) course for* sætte kurs

efter; ~ *up to be* tegne til at blive; ~ *well* love (el. tegne) godt.

II. **shape** [ʃeⁱp] (subst.) form, skikkelse, facon; snit; *he is in a bad* ~ det går skidt med ham; *in the* ~ *of* i form af; *get into* ~ få skik på; *take* ~ tage form.

shapeless [ˈʃeⁱplės] uformelig.

shapely [ˈʃeⁱpli] velskabt.

shard [ʃa·d] potteskår; (zo.) dækvinge.

I. **share** [ʃæə] plovskær, plovjern.

II. **share** [ʃæə] (subst.) del, andel, lod, part; (merk.) aktie; (vb.) dele, deltage, være med; fordele; have sammen (*with* med); samdele; *fall to my* ~ falde i min lod; *go -s* splejse (*in* til); ~ *and alike* dele som brødre; ~ *out* uddele.

share| capital aktiekapital. ~ **certificate** aktiebrev (udstedt på navn). **-cropper** (amr.) forpagter der svarer en del af afgrøden i forpagtningsafgift. **-holder** aktionær, andelshaver. **-holding** aktiebeholdning. **-pusher** aktiesvindler. ~ **warrant** aktiebrev (udstedt til ihændehaver).

shark [ʃa·k] (subst.) haj; svindler; (vb.) svindle, snyde; *he is a* ~ *at mathematics* (amr. **S**) han er mægtig god til matematik.

Sharon [ˈʃæərən] Saron; *rose of* ~ Sarons rose.

sharp [ʃa·p] (adj.) skarp; hvas, bidende (fx. *frost*); spids (fx. *needle*); skarpskåren (fx. ~ *features*); brat (fx. *rise*); rask (fx. *run*); kløgtig, kvik, hurtig, skarpsindig, intelligent, vågen, dreven, fiffig, snu; præcis; (om lyd) skingrende, gennemtrængende; (i musik) falsk (ɔ: for høj), (om node) med kryds for; (subst.) kryds (foran node), node med kryds for; (vb.) snyde; C sort tangent; **T** snyder, svindler; *C sharp* cis; *sharp's the word* skynd dig! *look* ~ skynde sig; *at five o'clock* ~ klokken fem præcis.

sharpen [ˈʃa·pən] hvæsse, spidse; skærpe; blive skarp.

sharper [ˈʃa·pə] bedrager, falskspiller.

sharp-set [ˈʃa·pset] grådig, meget sulten.

sharpshooter [ˈʃa·pʃu·tə] skarpskytte.

shatter [ˈʃätə] slå i stykker, splintre; ødelægge, nedbryde, tilintetgøre, knuse; gå i stykker; *-ed health* nedbrudt helbred; ~ *an illusion* få en illusion til at briste.

shave [ʃeⁱv] (vb.) skrabe, barbere (sig); strejfe; høvle; (subst.) barbering; *he had a close* ~ der var bud efter ham (ɔ: han var i fare); *it was a narrow* (el. *close*) ~ det var på et hængende hår, det var nær gået galt.

shaven [ˈʃeⁱvn] barberet.

shaver [ˈʃeⁱvə] elektrisk barbermaskine, shaver; (spøgende:) ung knægt.

shavetail [ˈʃeⁱvteⁱl] (amr. **S**) nyudnævnt sekondløjtnant.

Shavian [ˈʃeⁱviən] (adj.) som hos G. B. Shaw; (subst.) beundrer af G. B. Shaw.

shaving [ˈʃeⁱviŋ] barbering; spån, høvlspån.

shaving|-brush barberkost. ~ **case** barberetui. ~ **cup** (el. **mug, pot**) sæbekop. ~ **stick** stykke barbersæbe.

shaw [ʃå·] top (af kartoffel, roe).

shawl [ʃå·l] sjal. **shawl collar** sjalskrave. **shawled** indsvøbt i et sjal.

shawm [ʃå·m] skalmeje.

shay [ʃeⁱ] (spøgende om) køretøj.

she [ʃi·] hun, den, det; hun(dyr), hun- (fx. ~ *-bear* hunbjørn).

sheaf [ʃi·f] (subst.) (pl. *sheaves*) neg, knippe, bundt; (vb.) binde op, binde i neg osv., bundte.

shear [ʃiə] (vb.) (*shore, shorn*) klippe (især får); (subst.) klipning; overklipning; forskydning; *shorn of one's strength* berøvet sin styrke; *a two-shear ram* en toårs vædder; *pair of -s* fåresaks, havesaks.

shear-legs trebenet kran; mastekran.

shearwater [ˈʃiəwå·tə] (zo.) skråpe.

sheath [ʃi·þ] skede, futteral.

sheathe [ʃi·ð] stikke i skeden; forhude.

sheathing [ˈʃi·ðiŋ] beklædning; forhudning.

sheave [ʃi·v] (subst.) blokskive, remskive; (vb.) binde i neg (el. bundter, knipper).

sheaves [ʃi·vz] pl. af *sheaf.*

Sheba [ˈʃi·bə] Saba.

shebang [ʃiˈbäŋ] **S** hus, butik, affære, redelighed; *the whole* ~ hele molevitten.

shebeen [ʃiˈbi·n] smugkro.

I. **shed** [ʃed] (*shed, shed*) udgyde (fx. *blood*), (ud-)sprede, udsende (fx. *light, warmth*); fælde, afkaste, aflægge; skille sig af med, tabe; miste (løv, tænder, horn); ~ *light on* (fig.) kaste lys over; ~ *a tear* fælde en tåre.

II. **shed** [ʃəd] (subst.) skur; hangar.

she'd [ʃi·d] trukket sammen af *she had, she would.*

sheen [ʃi·n] skin, glans.

I. **sheeny** [ˈʃi·ni] skinnende, glansfuld.

II. **sheeny** [ˈʃi·ni] **S** jøde.

sheep [ʃi·p] (pl. d. s.) får; tossehoved; fåreskind; *there is a black* ~ *in every flock* der er brodne kar i alle lande; *a wolf in -'s clothing* en ulv i fareklæder; *I followed him (about) like a* ~ jeg fulgte ham som en hund, jeg fulgte ham blindt; *make* (el. *cast*) *-'s eyes at* sende forelskede øjekast (til); *separate the* ~ *and the goats* skille fårene fra bukkene; *as well be hanged for a* ~ *as for a lamb* jeg (, du etc.) kan lige så godt løbe linen ud.

sheep|-cot fårefold. ~ **-hook** hyrdestav.

sheepish [ˈʃi·piʃ] undselig, genert, flov; fjoget.

sheep-ked (zo.) fåretæge. ~ **-run** græsgang for får (især i Australien). **-'s bit** ♧ blåmunke. **-'s fescue** ♧ fåresvingel. ~ **-skin** fåreskind; pergamentsdokument; **T** diplom. **-'s sorrel** ♧ rødknæ. ~ **-tick** (zo.) fåretæge. ~ **-walk** græsgang for får.

I. **sheer** [ʃiə] (adj.) ren; tynd, fin, gennemsigtig; lodret, stejl (fx. *cliff*); lutter; ren og skær (fx. *stupidity*); (glds.) skær; *a* ~ *impossibility* komplet umuligt; ~ *nonsense* det rene sludder; *out of* ~ *weariness* af lutter (el. bare) træthed.

II. **sheer** [ʃiə] (subst.) ⚓ spring; ~ *off* gå af vejen, vige til siden; **T** gå sin vej.

sheer|-legs trebenet kran, mastekran. ~ **-plan** ⚓ opstalt.

sheet [ʃi·t] (subst.) flade, plade; lagen; sejl; ark, blad; ⚓ skøde; (pl. ogs.) for- (el. agter-)ende i robåd; (vb.) lægge lagen på, dække med lagen; *between the -s* i seng(en); *three -s in the wind* **S** plakatfuld.

sheet| anchor pligtanker; (fig.) redningsplanke. ~ **-bend** ⚓ flagknob. ~ **glass** vinduesglas. **-ing** lagenlærred. ~ **-lightning** fladelyn. ~ **-metal** blik. ~ **-piling** spunsvæg.

Sheffield [ˈʃefi·ld].

sheik(h) [ʃeⁱk; (amr.) ʃi·k] sheik.

Sheila [ˈʃi·lə].

shekel [ˈʃekl] sekel (jødisk mønt og vægtenhed); (pl.) **S** penge, 'gysser'.

sheldrake [ˈʃeldreⁱk] gravand, gravandrik.

shelduck [ˈʃeldʌk] gravand.

shelf [ʃelf] (pl. *shelves*) hylde; sandbanke, revle; klippefremspring; *(laid) on the* ~ lagt på hylden, afdanket.

shell [ʃel] (subst.) skal, (♧ ogs.) bælg; (zo.) muslingeskal, konkylie; ⚔ patronhylster, patron, granat; (atomfysik) elektronskal; ⚓ blokhus; (glds.) lyre; (vb.) afskalle(s); bombardere; ~ *off* skalle af; ~ *out* **S** punge ud; ~ *peas* bælge ærter; *retire into one's* ~ trække sig ind i sin skal.

shellac [ˈʃeläk] schellak. **shellacking** omgang klø.

shell|-back S søulk. ~ **egg** rigtigt æg (modsat æggepulver). **Shelley** [ˈʃeli].

shell|-fish skaldyr. ~ **-heap** køkkenmødding. ~ **-pink** muslingefarvet. ~ **-proof** sprængstyksikker. ~ **-shock** granatchok.

shelly [ˈʃeli] skalbærende; rig på muslinger; skalagtig.

shelter [ˈʃeltə] (subst.) ly, læ, skærm, læskur; beskyttelse; (vb.) dække, huse, give ly, beskytte; **søge ly**; *(air raid)* ~ **beskyttelsesrum (mod luftangreb), til-**

flugtsrum; *take* ~ søge ly. **sheltered** beskyttet (fx. *industry*).

I. **shelve** [ʃelv] (vb.) forsyne med hylder; henlægge, 'sylte'; skrinlægge; afskedige.

II. **shelve** [ʃelv] (vb.) skråne.

shelves [ʃelvz] pl. af *shelf*.

shelving ['ʃelviŋ] hyldemateriale; skrånen, hældning; skrå flade, skråning.

Shem [ʃem] Sem.

shenanigan [ʃi'nänigən] **T** narrestreger; fup, hummelejstreger, humbug; nonsens, pjank.

shepherd ['ʃepəd] (subst.) hyrde; (vb.) vogte, føre, genne.

shepherdess ['ʃepədės] hyrdinde.

shepherd's| pie ret af hakket kød og kartoffelmos. ~ **purse** ♧ hyrdetaske.

sherbet ['ʃə·bit] sorbet (en drik).

sheriff ['ʃerif] sheriff (i England: en ulønnet, af kongen udnævnt embedsmand, som repræsenterer sit *county* ved større anledninger; i Skotland: administrativ embedsmand og dommer i et *county*; i U.S.A.: valgt embedsmand med visse politimæssige og juridiske funktioner).

sherry ['ʃeri] sherry.

she's [ʃi·z] fk. f. *she is* el. *she has*.

Shetland ['ʃetlənd] Shetlandsøerne; shetlandsk.

shew [ʃoᵘ] d. s. s. *show*.

shibboleth ['ʃibəleþ] kendingsord, løsen, kendetegn; (forslidt) slagord.

shield [ʃi·ld] (subst.) skjold, skærm; forsvar, beskytter; (vb.) beskytte, værge, skærme; dække (over).

shield|-bearer [-bæərə] skjolddrager. **-less** forsvarsløs.

shift [ʃift] (vb.) skifte, flytte, fjerne, omlægge; forandre sig; forskyde sig; fjerne sig; bruge udflugter; (subst.) forandring, omslag; forskydning; arbejdshold, skift, arbejdstid; hjælpemiddel, kneb, udvej, nødhjælp, list; ~ *the blame on to sby*. skyde skylden på en; ~ *for oneself* klare sig selv, sejle sin egen sø; ~ *of clothes* skiftetøj; ~ *off* søge at unddrage sig; *the wind -s* vinden slår om; *make* ~ *with sth.* klare sig med ngt. så godt man kan; *I must make* ~ *without it* jeg må klare mig foruden; *-ing sand(s)* flyvesand.

shift|er maskinmand; lurendrejer. **-iness** upålidelighed. ~ **-key** skiftenøgle (på skrivemaskine). **-less** doven, lad, uenergisk; ubehjælpsom, upraktisk.

shifty ['ʃifti] upålidelig, uærlig, lusket.

shikaree [ʃi'käri] (indisk:) (indfødt) jæger, fører.

shillelagh [ʃi'leⁱlə] knortekæp.

shilling ['ʃiliŋ] shilling (12 pence); *take the queen's* ~ lade sig hverve, modtage håndpenge.

shilling shocker knaldroman.

shilly-shally ['ʃili'ʃäli] (vb.) ikke kunne bestemme sig, vakle; (adj.) ubeslutsom; (subst.) ubeslutsomhed.

shim [ʃim] mellemlæg.

shimmer ['ʃimə] (vb.) flimre, skinne (svagt); (subst.) flimren.

shimmy ['ʃimi] **T** chemise; shimmy (dans); (om bil) forhjulsvibrationer.

shin [ʃin] skinneben, skank; (vb.) klatre; sparke over skinnebenet; ~ *up* klatre op ad, entre; ~ *of beef* okseskank.

shinannagin = *shenanigan*.

shindig ['ʃindig] **T** fest, gilde.

shindy ['ʃindi] **T** spektakel; fest, gilde; *kick up a* ~ lave ballade.

I. **shine** [ʃain] *(shone, shone)* skinne, lyse, stråle (*with* af), brillere; **T** pudse, polere, blanke; ~ *up to* (amr. **T**) gøre kur til.

II. **shine** [ʃain] (subst.) skin, glans, solskin; **S** neger; *the coat had a* ~ *at one elbow* frakken var blank på den ene albue; *get a* ~ *put on one's shoes* **T** få sine sko pudset; *kick up a* ~ **S** lave ballade; *rain or* ~ hvad enten vejret var (, er) godt el. dårligt; *take the* ~ *out of it* tage glansen af det; *take a* ~ *to* (amr.) komme til at synes om, få sympati for.

shiner ['ʃainə] **S** øje; blåt øje; *-s* **S** penge.

shingle ['ʃiŋgl] (subst.) tækkespån; småsten, rullesten; shinglet hår; det at shingle; (amr.) lille skilt; (vb.) tække med spån; (om hår) shingle.

shingles ['ʃiŋglz] (med.) helvedesild.

shiny ['ʃaini] skinnende, blank; blankslidt.

ship [ʃip] (subst.) skib, fartøj; luftskib, flyvemaskine; (vb.) bringe (eller tage) om bord, afskibe, tage ind; sende, forsende; påmønstre, hyre; tage hyre; ~ *a sea* tage en sø ind; *when my* ~ *comes home* (omtr.) når jeg engang vinder i lotteriet; når jeg bliver rig; ~ *the oars* lægge årerne ind (, ud).

-ship (bl. a.) embede, stilling, rang som (fx. *judgeship, vicarship*); -skab (fx. *friendship*).

ship|board: *on -board* om bord (på et skib). ~ **-boy** skibsdreng. ~ **-breaker** skibsophugger. ~ **-broker** skibsmægler. ~ **-builder** skibsbygger. ~ **builder's yard** skibsværft. ~ **-building** skibsbyggeri. ~ **-chandler** skibsprovianteringshandler, skibsekviperingshandler. **-master** skibsfører.

shipment ['ʃipmənt] indskibning, afskibning; parti, sending, ladning.

shipowner ['ʃipoᵘnə] reder.

shipper ['ʃipə] befragter, afskiber, eksportør, importør, speditør.

shipping ['ʃipiŋ] søfart, skibsfart; skibe; afladning.

shipping|-articles forhyringskontrakt. ~ **-bill** fortegnelse over ladningen, manifest. ~ **documents** afladedokumenter. ~ **intelligence** skibsefterretninger. ~ **master** forhyrer, forhyringsagent. ~ **office** forhyringskontor; rederikontor. ~ **trade** (fællesbet. for) rederi-, skibsmægler- og speditionsvirksomhed.

ship plane dæklandeflyvemaskine, fly stationeret på hangarskib.

ship|'s articles forhyringskontrakt. **-'s boy** skibsdreng. **-shape** ['ʃipʃeⁱp] i fin orden. **-'s husband** skibsinspektør. **-'s stores** skibsfornødenheder. ~ **-way** bedding. **-wreck** ['ʃiprek] skibbrud; lide skibbrud. **-worm** (zo.) pæleorm. ~ **-wright** ['ʃiprait] skibsbygger. **-yard** værft.

shire ['ʃaiə, i smstg.: -ʃiə, -ʃə] grevskab, amt.

shirk [ʃə·k] skulke, skulke fra; (subst.) skulker.

shirker ['ʃə·kə] skulker.

shirt [ʃə·t] skjorte; bluse(liv); *in his* ~ i bar skjorte; *keep your* ~ *on!* tag den med ro! hids dig ikke op! *lose one's* ~ miste alt hvad man ejer (og har); *put one's* ~ *on a horse* holde alle sine penge på en hest; *without a* ~ *to one's back* uden en øre på lommen.

shirt-front skjortebryst.

shirting ['ʃə·tiŋ] skjortestof.

shirtless skjorteløs; uden en øre i lommen.

shirt-sleeve ['ʃə·tsli·v] skjorteærme; *in one's (, his* etc.) *-s* i skjorteærmer.

shirt-waist (amr.) bluse.

shirty ['ʃə·ti] **S** vred, hidsig, arrig.

shit [ʃit] (vulg.) (vb.) skide; (subst.) skid, lort.

I. **shiver** ['ʃivə] (subst.) stump, splint; (vb.) splintre; *smash to -s* slå til pindebrænde.

II. **shiver** ['ʃivə] (vb.) ryste, skælve; ⚓ (om sejl) leve; (subst.) gys, gysen, kuldegysning; *it sent -s up my spine* det fik det til at løbe koldt ned ad ryggen på mig.

shivery ['ʃivəri] skælvende, kold; forfrossen; rædselslagen, uhyggelig.

I. **shoal** [ʃoᵘl] (subst.) sværm, stime; (vb.) svømme i stimer; *-s* (ogs.) masser.

II. **shoal** [ʃoᵘl] (adj.) grundt (om vand); (subst.) grund (i vand), grundt sted, pulle; (vb.) blive mere og mere grundt (om vand).

shoaly ['ʃoᵘli] fuldt af grunde.

shoat [ʃoᵘt] (amr.) gris.

I. **shock** [ʃåk] (subst.) stød, rystelse, forargelse, chok; (vb.) chokere, støde, ryste, forarge.

II. **shock** [ʃåk] (subst.) hob, trave (af neg); tæt. filtret, uredt hår, manke; (vb.) sætte neg sammen.

shock|-absorber støddæmper. ~ **dog** langhåret hund; puddel.

shocker ['ʃåkə] gyser, knaldroman; *he is a* ~ han er rædselsfuld.

shock-headed med uredt, filtret hår.

shocking ['ʃåkiŋ] chokerende, rystende, forfærdelig; *a* ~ *poor* (el. *bad) play* et elendigt skuespil.

shock| treatment chokbehandling. ~ **troops** stødtropper. ~ **wave** lufttrykbølge (fra sprængning).

shod [ʃåd] imperf. og perf. part. af *shoe.*

shoddy ['ʃådi] (subst.) kradsuld; humbug; (adj.) uægte, forloren; prangende, som skal tage sig ud; sjusket.

I. **shoe** [ʃu·] sko; skoning; *cast a* ~ miste en sko (om hest); *shake in one's -s* ryste i bukserne; *I should not like to be in your -s* jeg ville nødig være i dit sted; *another pair of -s* (fig.) en ganske anden sag; *know where the* ~ *pinches* vide hvor skoen trykker; *wait for dead men's -s* vente på at en anden skal dø for at overtage hans stilling el. formue; *she stole upstairs without her -s* hun listede sig op på strømpesokker.

II. **shoe** [ʃu·] *(shod, shod)* sko, beslå.

shoe|black skopudser. **-horn** skohorn. ~ **-lace** skobånd, snørebånd. ~ **-leather** skolæder; skotøj. **-maker** ['ʃu·meˡkə] skomager. ~ **-string** skobånd; *on a* ~ *-string* med meget små midler.

shone [ʃån] imperf. og perf. part. af *shine.*

shoo [ʃu·] (ʃ-lyd, hvormed høns etc. kyses bort); kyse (bort), genne.

shook [ʃuk] imperf. af *shake.*

I. **shoot** [ʃu·t] *(shot, shot)* skyde, afskyde, affyre; kaste, slynge (fx. *be shot out of a car);* (ud)sende (fx. *the sun -s its rays;* ~ *a glance at sby.);* tippe, aflæsse (fx. *rubbish);* passere hurtigt, fare (af sted), jage, pile; jage, gå på jagt; skyde, spire frem; fotografere, filme, optage (film); ~ *the cat* kaste op; brække sig; *I'll be shot if it isn't true* jeg vil lade mig hænge hvis det ikke er sandt; ~ *the moon* **S** flytte uden at betale husleje; ~ *a rapid* fare ned over et strømfald; ~ *the sun* tage solhøjden; ~ *the works* **S** vove den højeste indsats (i spil), sætte alt ind på at nå ngt;

~ *at* skyde på; **T** sigte mod, stræbe efter; ~ *away* skyde løs; skyde (ammunitionen) op; ~ *off one's mouth* (el. *face)* **S** bruge mund; ~ *out* rage frem; stikke ud, stikke frem; ~ *up* skyde op (fx. *a flame -s up),* skyde i vejret (fx. *the child -s up);* terrorisere (ved skyderi) (fx. *a village).*

II. **shoot** [ʃu·t] (subst.) jagtselskab, jagtdistrikt; ♧ skud; (se ogs. *chute).*

shooter ['ʃu·tə] jæger; skydevåben, 'skyder'.

shooting ['ʃu·tiŋ] (subst.) jagt, jagtret; (adj.) jagende (fx. *a* ~ *pain).*

shooting|-boots jagtstøvler. ~ **-box** jagthytte. ~ **-distance** skudhold. ~ **-gallery** skydebane. ~ **-iron S** skydevåben, 'skyder'. ~ **-range** skydebane. ~ **script** (film) drejebog; optagelsesplan. ~ **star** stjerneskud. ~ **-stick** jagtstok.

shop [ʃåp] butik, forretning; værksted; **S** anstalt; plads; (vb.) gå i butikker; forråde, stikke; *all over the* ~ over det hele; *his things are all over the* ~ hans sager ligger og flyder alle vegne; *come to the wrong* ~ gå galt i byen; *keep a* ~ have en butik; *keep* ~ *for sby.* **T** passe butikken for en; *talk* ~ drøfte snævert faglige spørgsmål, 'snakke fag'; *do some -ping, go -ping* gå i butikker, (gå ud for at) gøre indkøb.

shop| assistant kommis, ekspedient, ekspeditrice. **-fitter** butiksmontør. ~ **-girl** ekspeditrice. **-keeper** detailhandler, handlende; kræmmer. **-lifter** butikstyv. **-man** detailhandler, handlende; ekspedient.

shoppers ['ʃåpəz] folk på indkøb, kunder.

shopping ['ʃåpiŋ] indkøb. **shopping|-bag** indkøbstaske. ~ **-book** kontrabog. ~ **centre** butikstorv, forretningscenter.

shoppy ['ʃåpi] butiks-; faglig, som drejer sig om faglige emner.

shop|-soiled falmet, smusket, let beskadiget (ved at have været udstillet); (fig.) forslidt (fx. *cliché).* ~ **-steward** (fagforenings) tillidsmand (på arbejdsplads). ~ **-talk** faglig snak, fagsnak. **-walker** [-wå·kə] inspektør (i stormagasin). ~ **-window** udstillingsvindue; *he has everything in the* ~ *-window* (fig.) han stikker ikke dybt. ~ **-woman** ekspeditrice. ~ **-worn** = ~ *-soiled.*

I. **shore** [ʃå·] (subst.) støtte, skråstøtte; (vb.): ~ *(up)* støtte, afstive.

II. **shore** [ʃå·] (subst.) kyst, strand; bred, flodbred; *on* ~ i land, til lands; på grund.

III. **shore** [ʃå·] imperf. af *shear.*

shore|-fast fortøjningstrosse. ~ **-leave** landlov. **-line** kystlinie. ~ **patrol** (amr.) kystpoliti. **-ward** ['ʃå·wəd] mod kysten. ~ **weed** ♧ strandbo.

shoring ['ʃå·riŋ] afstivning.

shorn [ʃå·n] perf. part. af *shear.*

I. **short** [ʃå·t] (subst.) kortfilm, forfilm; kort vokal, kort stavelse; undermålsfisk; (elektr.) kortslutning.

II. **short** [ʃå·t] (adj., adv.) kort, kortfattet, kortvarig; lille (af vækst); kort for hovedet, brysk; for kort (fx. *I can't tie the knot, the string is* ~*);* kneben, (for) knap (fx. ~ *weight);* utilstrækkelig forsynet; skør, sprød (om metal etc.); (om drik) stærk, ikke opspædt; brat, pludselig (fx. *stop* ~*);*

many goods are ~ der er knaphed på mange varer; *cut sby.* ~ afbryde en; *to cut a long story* ~ kort sagt; *come on the* ~ *list* være blandt favoritterne (til en stilling etc.); ~ *memory* dårlig hukommelse; *run* ~ slippe op; *make a* ~ *sale, sell* ~ (merk.) fikse; ~ *sea* krap sø; ~ *sight* nærsynethed; *it is in* ~ *supply* der er knaphed på det; *be taken* ~ **T** pludselig skulle på wc; ~ *temper* iltert temperament; ~ *time* indskrænket arbejdstid; *make* ~ *work of* gøre kort proces med;

Bill is ~ *for William* Bill er en forkortet form af William; *he was called Bill for* ~ han blev kaldt Bill for nemheds skyld; *in* ~ kort sagt; *be* ~ *of* mangle, være utilstrækkeligt forsynet med; *I am rather* ~ *(of funds)* der er ebbe i kassen; ~ *of murder I will do anything to help her* når vi lige undtager mord vil jeg gøre hvad det skal være for at hjælpe hende; *the long and the* ~ *of it is that he stole it* for at sige det kort (el. kort sagt) han stjal den; *nothing* ~ *of* intet mindre end; *nothing* ~ *of marvellous* ligefrem vidunderlig; *come* (el. *fall)* ~ *of* ikke nå (op til); *go* ~ *of* mangle; *run* ~ *of* (næsten, være ved at) have brugt op, ikke have nok af.

shortage ['ʃå·tidʒ] mangel, knaphed *(of* på).

short|bread, -cake slags småkage (omtr.:) finsk brød. **-change** (amr. **T**) give for lidt penge tilbage, snyde. ~ **circuit** kortslutning; kortslutte. **-coming** fejl, mangel. ~ **cut** genvej. ~ **-dated** kortfristet.

shorten ['ʃå·tn] forkorte, indskrænke; blive kortere, aftage, trække sig sammen; ~ *sail* mindske sejl.

shortening (subst.) fedtstof der bruges til bagværk for at gøre det sprødt.

shorthand ['ʃå·thänd] stenografi; *take down in* ~ stenografere ned.

shorthanded: *be* ~ have for lidt mandskab, være underbemandet.

shorthand| report stenografisk referat. ~ **writer** stenograf.

shorthorn korthornskvæg.

shortlived ['ʃå·tlivd] kortvarig.

shortly ['ʃå·tli] kort; om kort tid, snart.

short-run på kort(ere) sigt.

shorts [ʃå·ts] shorts (korte benklæder).

short|-sighted nærsynet, kortsynet. ~ **-story** novelle. ~ **-tempered** opfarende, ilter. **-term** kortfristet. ~ **-toed eagle** slangeørn. ~ **-waisted** kortlivet. ~ **-wave** kortbølge. ~ **-wave therapy** (med.) kortbølgebehandling. **-winded** ['ʃå·t'windid] stakåndet. ~ **-witted** enfoldig.

I. **shot** [ʃåt] imperf. og perf. part. af *shoot.*

II. **shot** [ʃåt] skud; projektil(er), hagl; skytte; fiskedræt; lynskud (i fotografi); (film:) indstilling; filmsscene, filmsoptagelse; **T** forsøg; gætning; indsprøjtning; *have a* ~ *at sth.* **S** gøre et forsøg på ngt.; *make -s at the questions* (forsøge at) gætte sig til svarene, 'skyde'; *a big* ~ **(S** om person) en af de store kanoner; *I'll have a ~ for the train* jeg vil prøve på at nå toget; *a good (, bad) ~* en god (, dårlig) skytte; *like a ~* øjeblikkelig; som skudt ud af en kanon; *~ in the arm* indsprøjtning; (fig.) saltvandsindsprøjtning (fx. *the firm needs a ~ in the arm); a ~ in the locker* reservekapital; *not a ~ in the locker* ikke en øre i kassen; *not by a long ~* ikke på langt nær, langt fra.

III. **shot** [ʃåt] (subst.) andel.

IV. **shot** [ʃåt] (adj.) changerende (fx. *~ silk).*

shot| effect (radio) hagleffekt. **-gun** haglbøsse. **-proof** skudfast, skudsikker. **~ -putting** kuglestød. **~ -tower** hagltårn.

should [ʃud, trykløst ʃəd, ʃd] imperf. af *shall.*

shoulder [ˈʃoᵘldə] (subst.) skulder; bovstykke; afsats; ansats; yderrabat (langs vej); (vb.) tage på skuldrene; skubbe, puffe; påtage sig (fx. *a task); bære* (på skuldrene); *stand head and -s above* være et hoved højere end; *straight from the ~* rent ud, lige ud; *broad in the -s* skulderbred; *~ to ~* skulder ved skulder, med forenede kræfter; *stand ~ to ~* stå last og brast; *give the cold ~ to* vise kulde, være afvisende over for, vise en kold skulder; *put one's ~ to the wheel* tage energisk fat, lægge kræfterne i; *~ out* skubbe ud, smide ud.

shoulder| bag skuldertaske, svingtaske. **~ -belt** skuldergehæng; bandoler. **~-blade, ~-bone** skulderblad. **~ -knot** skuldersløjfe. **~ -strap** skulderstrop.

shouldn't [ʃudnt] fk. f. *should not.*

shout [ʃaut] (vb.) råbe, bruge mund; (subst.) råb; *~ at* råbe efter, råbe ind i hovedet på; *don't ~ at me!* du behøver ikke at råbe! jeg er ikke døv! *~ down* overdøve, bringe til tavshed; *~ for* råbe på, råbe efter; *~ of laughter* latterbrøl; *~ with laughter* brøle af latter; *my ~* **T** det er min omgang.

shove [ʃʌv] (vb.) skubbe, puffe; (subst.) skub, puf; *~ off* støde fra land; *let us ~ off* **T** lad os se at komme af sted.

shovel [ˈʃʌvl] (subst.) skovl; (vb.) skovle; *~ hat* (engelsk) præstehat (med bred på siderne opadbøjet skygge).

shovel(l)er [ˈʃʌvlə] (zo.) skeand.

I. **show** [ʃoᵘ] (subst.) udstilling, skue; festoptog. (varieté)forestilling, revy, teater, forlystelse; ydre pragt, brilleren; syn; tegn *(of* til, på); (ydre) skin; (med.) tegnblødning; **S** foretagende; chance (fx. *he had no ~ at all); boss* (el. *run) the ~* stå for det hele; *do a ~* **T** gå til en (teater-, biograf- etc.) forestilling; *give the (whole) ~ away* røbe (el. afsløre) det hele, sladre; *wild beast ~* menageri; *do sth. for ~* gøre ngt. for et syns skyld (el. for at brillere, for at det skal tage sig ud); *good ~!* bravo! *there is a ~ of reason in it* der er tilsyneladende noget fornuft i det; *~ of hands* håndsoprækning; *make a ~ of doing sth.* lade som om man gør ngt.; *be on ~* være udstillet; *put up a good ~* klare sig godt.

II. **show** [ʃoᵘ] *(showed, shown)* vise, forevise, fremvise; opvise; udstille; lægge for dagen (fx. *~ a noble spirit);* bevise; anvise; kunne ses (fx. *the scar does not ~); ~ one's face* (el. *head)* vise sig, lade sig se; *~ one's hand* (fig.) bekende kulør; røbe sine planer; *~ one's teeth* vise tænder; *that just* (el. *only) -s (what the real situation is)* der kan man se (hvordan det virkelig forholder sig); *what have I got to ~ for it?* hvad har jeg (fået) ud af det? *~ off* vise frem, gøre sig vigtig med; brillere, vise sig, vigte sig; *~ out* føre ud; vise ud; *~ round* vise om i (fx. museum); *~ up* blotte, stille blot, afsløre; træde tydeligt frem; **T** vise sig, møde op.

show|-bill reklameplakat. **~ -boat** teaterbåd. **~ -box** perspektivkasse. **-bread** skuebrød. **~ business** (omtr.) forlystelsesbranchen. **~ card** reklameplakat. **~ -case** montre, glasskab. **~ copy** (film) færdig kopi.

showdown [ˈʃoᵘdaun] (subst.) læggen kortene på bordet, opgør.

shower [ˈʃauə] (subst.) (også fig.) byge, overflod, regn (fx. *of blows);* douche, styrtebad; (vb.) regne, lade regne. **shower-bath** douche, styrtebad. **showery** regnfuld.

show-girl [ˈʃoᵘgə·l] korpige, kvindelig statist.

showing [ˈʃoᵘiŋ] fremvisning, forevisning; udstilling; *make a good ~* gøre et godt indtryk; *a poor financial ~* en dårlig økonomi (efter regnskaberne at dømme); *on their own ~* efter deres eget udsagn.

showman [ˈʃoᵘmən] foreviser; teltholder; teaterdirektør; reklamemager.

shown [ʃoᵘn] perf. part. af *show.*

show|-off [ʃoᵘˈå·f] brilleren, vigten sig; **T** en der vil vise sig. **-piece** (fig.) mønster. **~ -place** seværdighed. **~ -room** udstillingslokale.

showy [ˈʃoᵘi] pralende, som gerne vil vise sig; som tager sig ud.

shrank [ʃräŋk] imperf. af *shrink.*

shrapnel [ˈʃräpnəl] shrapnel, granatkardæsk(er).

shred [ʃred] (vb.) skære i strimler; (subst.) stump, trævl, strimmel; *not a ~ of evidence* ikke antydning af bevis; *-ded wheat* hvede behandlet som cornflakes.

shredder [ˈʃredə] råkostjern.

I. **shrew** [ʃru·] (zo.) spidsmus.

II. **shrew** [ʃru·] arrig kvinde, rappenskralle, xanthippe; *The Taming of the Shrew* 'Trold kan tæmmes'.

shrewd [ʃru·d] skarpsindig, kløgtig, klog; skarp (fx. *wind, tongue, observer),* hvas; *a ~ idea, a ~ suspicion* en lumsk mistanke; *he -ly suspects that ...* han har en lumsk mistanke om at ...

shrewish [ˈʃru·iʃ] arrig.

shrew-mouse [ˈʃru·maus] spidsmus.

Shrewsbury [ˈʃru·zbəri, ˈʃroᵘzbəri].

shriek [ʃri·k] (subst.) skrig, hyl, hvin; (vb.) skrige, hyle, hvine; *~ with laughter* hyle af latter.

shrievalty [ˈʃri·vəlti] sheriffs embede.

shrift [ʃrift]: *give short ~* gøre kort proces med.

shrike [ʃraik] (zo.) tornskade.

shrill [ʃril] (adj.) skingrende, gennemtrængende, skarp; (vb.) hvine.

shrimp [ʃrimp] reje; (fig.) splejs; (vb.) fange rejer.

shrimper [ˈʃrimpə] rejefisker.

shrine [ʃrain] helgenskrin, helgengrav, helligdom, alter.

shrink [ʃriŋk] *(shrank, shrunk)* skrumpe ind, svinde ind, (få til at) trække sig sammen; (om tøj) (få til at) krybe, krympe, dekatere; (af frygt etc.) vige tilbage, gyse tilbage.

shrinkage [ˈʃriŋkidʒ] svind; sammenskrumpning; krympning. **shrinkproof** krympefri.

shrive [ʃraiv] *(shrove, shriven)* (glds.) skrifte.

shrivel [ˈʃrivl] skrumpe ind, blive rynket; visne; gøre rynket, få til at visne (el. skrumpe ind); *-led* (ogs.) rynket, runken.

shriven [ˈʃrivn] perf. part. af *shrive.*

shroff [ʃråf] (subst.) indfødt møntekspert, bankier, vekselerer (i Østen); (vb.) undersøge (mønter for ægthed).

shroud [ʃraud] (subst.) ligklæder; dække, slør; ⚓ vant; (vb.) iføre ligklæder; tilhylle, dække, indhylle.

I. **shrove** [ʃroᵘv] imperf. af *shrive.*

II. **Shrove** [ʃroᵘv]: *Shrove Monday* fastelavnsmandag; *Shrove Tuesday* hvidetirsdag.

Shrovetide [ˈʃroᵘvtaid] fastelavn.

shrub [ʃrʌb] busk, krat; (vb.) rydde for krat.

shrub|bery [ˈʃrʌbəri] buskads. **-by** [ˈʃrʌbi] busket.

shrug [ʃrʌg] (vb.) skyde (skuldrene) i vejret; (subst.) skuldertræk; *he -ged his shoulders* han trak på skuldrene; *~ off* afvise med et skuldertræk; ryste af.

shrunk [ʃrʌŋk] perf. part. af *shrink.*

shrunken [ˈʃrʌŋkən] indskrumpet.

shuck [ʃʌk] (subst.) skal, bælg, has; (vb.) afskalle, bælge; *~ (off) one's clothes* trække tøjet af.

shucks [ʃʌks] **S** vrøvl! pyt med det! (amr. ogs.) uha! *not worth ~* ikke en disse værd.

shudder [ˈʃʌdə] gyse; skælve; gysen, skælven.

shuffle [ˈʃʌfl] (vb.) blande, vaske (kort); rode; komme med udflugter; sno sig (fx. *out of a difficulty);*

sjokke, slæbe på benene, slæbe benene efter sig; (subst.) kortblanding; kneb, udflugter; sjokken, slæben på benene; ~ *one's feet* flytte benene frem og tilbage, sidde uroligt med (el. stå uroligt på) benene; slæbe på benene; ~ *off* frigøre sig for; skubbe fra sig (fx. *the responsibility)*; trække af (fx. *one's clothes);* sjokke af (sted); ~ *through one's work* jaske sit arbejde af.

shuffler ['ʃʌflə] kortblander; lurendrejer.

shun [ʃʌn] sky, undgå; ~ *sby. like poison* sky en som pesten.

'shun [ʃʌn] fk. f. *attention!* giv agt!

shunt [ʃʌnt] (vb.) skifte (ind på et sidespor), rangere; skubbe fra sig; lægge til side; (subst.) rangering; shunt (gren af elektrisk strømledning). **shunt|er** sporskifter. **-ing** rangering, ranger-; *-ing yard* rangerbanegård.

shush [ʃʌʃ] tysse på.

shut [ʃʌt] *(shut, shut)* lukke, lukkes; lukket; ~ *one's face* (el. *head)* **S** holde kæft; ~ *down* lukke, standse arbejdet; ~ *in* lukke inde; ~ *one's finger in the door* få fingeren i klemme i døren; ~ *off* lukke for (fx. *the water, the gas)*, lukke ude; ~ *out* lukke ude; ~ *up* holde kæft, tie stille; få til at tie stille, lukke munden på; lukke fast i; lukke (el. spærre) inde; ~ *up a house* aflåse og forlade et hus; ~ *up shop* lukke forretningen, ophøre at drive forretning, lukke butikken; ~ *up sth. in a safe* låse noget inde i et pengeskab.

shut-eye ['ʃʌtai] **S** lur.

shutter ['ʃʌtə] (subst.) skodde; lukker (i fotografiapparat); rullejalousi (i skrivebord); (vb.) lukke med vinduesskodder; *put up the -s* (fig.) holde fyraften, lukke forretningen.

shuttle ['ʃʌtl] skyttel, spole.

shuttle-cock ['ʃʌtlkåk] fjerbold, badmintonbold.

shuttle service pendultrafik.

I. **shy** [ʃai] (adj.) sky, forlegen, genert, undselig, frygtsom; *be* ~ *of* genere sig for; *be* ~ *two quid* **S** mangle £2; *fight* ~ *of* søge at undgå, gå uden om; *once bitten twice* ~ af skade bliver man klog, brændt barn skyr ilden.

II. **shy** [ʃai] (vb.) blive sky; (subst.) spring til siden; galskab; ~ *at* blive sky for; (fig.) vige tilbage for, vægre sig ved, nægte at indlade sig på.

III. **shy** [ʃai] (vb.) kaste, smide (fx. ~ *a stone at sby.);* (subst) kast (med en bold eller en sten); forsøg; *have a* ~ *at doing sth.* prøve at gøre ngt.

Shylock ['ʃailåk].

shyster ['ʃaistə] (amr. **T**) vinkelskriver, lommeprokurator.

Siam ['saiäm] Siam.

Siamese [saiə'mi·z] siameser; siamesisk.

Siberia [sai'biəriə] Sibirien.

Siberian [sai'biəriən] sibirisk; ~ *crab* ♧ paradisæble.

sibilant ['sibilənt] hvislende; hvislelyd.

sibilation [sibi'leiʃən] hvislen.

siblings ['siblinz] søskende.

sibyl ['sibil] sibylle, spåkvinde.

Sibylline [si'bilain] sibyllinsk.

sic [sik] sic! (ɔ: således står der virkelig).

siccative ['sikətiv] sikkativ, tørremiddel.

Sicilian [si'siljən] siciliansk; sicilianer.

Sicily ['sisili] Sicilien.

I. **sick** [sik] syg (i denne betydning bruges ordet på engelsk næsten kun foran navneord, på amr. også som prædikatsord); søsyg, som har kvalme; kraftesløs, mat; led og ked *(of* af); *the Sick Man* (Tyrkiet, den tyrkiske sultan); *be* ~ have kvalme, kaste op; (amr.) være syg; ~ *for* syg efter; *go* (el. *report)* ~ ⚔ melde sig syg; *it makes me* ~ jeg får kvalme af det; *turn* ~ få kvalme.

II. **sick** [sik]: (vb.) **T** kaste op; ~ *a dog on sby.* pudse en hund på én; ~ *him!* puds ham!

sick|-bay infirmeri; ⚓ sygelukaf. ~ **-bed** sygeseng, sygeleje. ~ **club** sygekasse.

sicken ['sikn] blive syg, få kvalme, føle lede *(at* ved); kvalme, gøre syg; *be -ing for* være ved at blive syg af. **sickener** noget som gør en syg. **sickening** kvalmende, til at blive syg af, modbydelig.

sick-headache hovedpine og kvalme, migræne.

sickle ['sikl] segl, krumkniv.

sick-leave ['sikli·v] sygeorlov.

sick-list ['siklist] sygeliste; *on the* ~ sygemeldt, syg.

sickly ['sikli] (adj.) sygelig, svagelig, usund; vammel, kvalmende (fx. *smell);* modbydelig; mat, bleg (fx. *smile);* (adv.) sygt (etc., se *sick).*

sickness ['siknės] sygdom; ildebefindende; kvalme.

sick-room ['sikru(·)m] sygeværelse.

I. **side** [said] (subst.) side (fx. *left* ~; *right* ~; *the* ~ *of the road);* parti (fx. *vote for a* ~*);* hold (fx. *a soccer* ~*); take -s* tage parti *(with* for); *put on* ~ **T** vigte sig, spille vigtig; *he puts on too much* ~ **T** han bilder sig noget ind; han er indbilsk; *on the* ~ (ogs.) ekstra, ved siden af; *on the large (, small* etc.) ~ ret stor (, lille etc.).

II. **side** [said] (vb.): ~ *with sby.* tage éns parti, holde med én.

side|-arms sidevåben. **-board** [-bå·d] anretterbord, buffet. ~ **-box** sideloge. **-burns** (amr.) små bakkenbarter. ~ **-car** sidevogn (til motorcykel). ~ **-dish** mellemret. ~ **-effects** bivirkninger. ~ **-face** i profil. ~ **-glance** sideblik. ~ **issue** underordnet spørgsmål. ~ **-kick(er)** (amr. **S**) hjælper, partner, kammerat. **-light** strejflys, sidelys; sidevindue; sidelanterne. **-line** bierhverv, ekstrajob, ben; sidelinie; *stay on the -lines* ikke deltage, nøjes med at være tilskuer. **-long** sidelæns, side-, skrå-, til siden. ~ **-note** randbemærkning.

sider ['saidə] partigænger, tilhænger.

sidereal [sai'diəriəl] stjerne- (fx. *day, year).*

side|-saddle damesadel. ~ **-show** ekstraudstilling, (mindre) del af udstilling; biting, underordnet foretagende. ~ **-slip** (vb.) glide sidelæns, skride (ud); (subst.) skriden; (flyv.) sideglidning; (fig.) fejltrin, uægte barn. ~ **-splitting** til at le sig fordærvet over. ~ **-step** (subst.) (i boksning) skridt (el. spring) til siden, sidelæns skridt; (vb.) foretage et skridt (el. spring) til siden; vige til side; undgå, gå uden om (fx. *a problem).* **-swipe** (fig.) hib. ~ **-track** (subst.) sidespor, vigespor; (vb.) rangere ind på sidespor; (fig.) skubbe til side; bringe på afveje, aflede; komme på afveje. **-walk** sidegang (i teater); (især amr.) fortov. **-wards** ['saidwədz], **-ways** ['saidweiz] sidelæns, skævt, skråt, til siden. ~ **-whiskers** bakkenbarter. ~ **-wind** sidevind; indirekte indflydelse; *by a* ~ *-wind* ad indirekte vej.

siding ['saidiŋ] sidespor, vigespor.

sidle [saidl] gå sidelæns, gå i skrå retning; nærme sig (el. gå) beskedent og genert, kante sig.

siege [si·dʒ] belejring; (fig.) vedholdende angreb (af sygdom); anstrengende tid; *lay* ~ *to* belejre; *raise the* ~ hæve belejringen.

siesta [si'estə] siesta, middagssøvn.

sieve [siv] si, sigte (subst. og vb.).

sift [sift] (vb.) sigte; strø, drysse; (fig.) undersøge nøje, efterprøve grundigt; ~ *out* sigte fra.

sifter ['siftə] (subst.) sigte. **sifting** sigtning; *-s* frasigtede dele

sigh [sai] sukke; suk; *fetch* (el. *heave, draw) a deep* ~ udstøde et dybt suk; ~ *for* sukke efter; sukke over; *heave a* ~ *of relief* drage et lettelsens suk.

sight [sait] (subst.) syn, synsevne, synskreds; øjne; sigt (om veksel); observation; skue, seværdighed, syn for guder; **T** en hel masse (fx. *a* ~ *of money);* sigtehul, sigtemiddel (på skydevåben); udsigt, chance; *a (damn)* ~ *too clever* **T** alt for smart; *catch* ~ *of* få øje på; *get* (el. *gain)* ~ *of* få øje på, få i sigte (fx. *land); keep* ~ *of* holde øje med; *look a* ~ se forfærdelig ud; *lose one's* ~ miste synet; *lose* ~ *of* tabe af syne; *after* ~ efter sigt (om veksler); *at* ~ straks; ved sigt, a vista (om veksel); fra bladet (fx. *play at* ~*); love at first* ~ kærlighed ved første blik; *at the* ~ *of* ved synet af; *know by* ~ kende af udseende; *a* ~ *for sore eyes* et herligt syn; *in* ~ i sigte; for øje; *be in* ~ *of* have i sigte; *come in* ~ *of* få i sigte; *come into* ~ komme til syne, blive synlig; *out of* ~ ude af syne; *out of* ~, *out of mind* ude af øje, ude af sind; *within* ~ inden for synsvidde.

II. **sight** [sait] (vb.) få øje på, få i sigte; observere, sigte på; (om kanon etc.) forsyne med sigtemidler, indstille, rette.

sight draft sigtveksel.

-sighted [saitid] (adj.) -seende, -synet (fx. *keen-sighted, short-sighted).*

sighting shot prøveskud.

sight|less blind. **-liness** nethed. **-ly** køn, net, tækkelig.

sight-reader: *be an excellent* ~ spille (el. synge) udmærket fra bladet.

sight|-reading det at spille (el. synge) fra bladet. ~ **-seeing** (adj.) på jagt efter seværdigheder; (subst.) rundtur til seværdigheder; *go* ~ *-seeing* se på seværdigheder. ~ **-seer** turist. ~ **unseen** (merk.) ubeset.

sign [sain] (subst.) tegn, mærke; symptom; sindbillede, symbol; mindesmærke; skilt; vink; fortegn; stjernebillede; (vb.) gøre tegn (fx. ~ *to sby. to do sth.),* tilkendegive (ved tegn); underskrive; signere; *illuminated* (el. *electric)* ~ lysreklame; ~ *articles* tage hyre; ~ *away* fraskrive sig; ~ *off (, on)* (i radio) markere en udsendelses afslutning (, begyndelse) ved afspilning af kendingsmelodi; ~ *on* engagere, ansætte, forhyre; tage ansættelse, blive forhyret, tage hyre (fx. ~ *on as cook);* ~ *on for a job* påtage sig et arbejde; ~ *up* påtage sig et arbejde; lade sig hverve; melde sig til militærtjeneste; (se ogs. ~ *on).*

signal ['signəl] (subst.) signal; (vb.) signalere; give tegn; (adj.) udmærket; eklatant.

signal|-book signalbog. ~ **-box** signalhus.

signalize ['signəlaiz] fremhæve, udmærke.

signalman (jernb.) signalmand, signalpasser; ⚓ signalgast.

signatory ['signətəri] underskriver; underskrivende; *the* ~ *powers* signatarmagterne.

signature ['signətʃə] underskrift; (i musik) fortegn; (typ.) signatur (på ark). **signature-tune** kendingsmelodi.

signboard ['sainbå·d] skilt.

signet ['signit] signet; segl.

significance [sig'nifikəns] vigtighed, betydning.

significant [sig'nifikənt] betydningsfuld, betegnende; (meget) sigende.

signification [signifi'keiʃən] betydning.

significative [sig'nifikətiv] betegnende.

signify ['signifai] betyde, betegne, tilkendegive; have betydning.

sign|-painter skiltemaler. **-post** vejviser.

Sikh [si·k] sikh (medlem af indisk folkegruppe).

Silas ['sailəs].

silence ['sailəns] (subst.) stilhed, tavshed; stille! (vb.) bringe til tavshed, bringe til at tie, gøre tavs; (tekn.) støjdæmpe; *break* ~ bryde tavsheden; *keep* (el. *observe)* ~ tie; *put* (el. *reduce) to* ~ bringe til tavshed; ~ *gives consent* den der tier samtykker.

silencer ['sailənsə] støjdæmper, lyddæmper; (på motorkøretøj ogs.) lydpotte.

silent ['sailənt] (adj.) tavs; stille, lydløs; stum; (subst.) stumfilm; *be* ~ tie; ~ *as death* tavs som graven; ~ *butler* smulebakke; ~ *film* stumfilm.

Silesia [sai'li·ziə, si'li·ziə] Schlesien.

silhouette [silu'et] (subst.) silhouet, omrids; (vb.) tegne i silhouet; silhouettere; *be -d against the sky* tegne sig i silhouet mod himlen. **silhouette target** figurskive.

silica ['silikə] kiselsyreanhydrid, kiseljord.

silicate ['silikėt] silikat, kiselsurt salt.

silicated ['silikeitid] kiselsur.

siliceous [si'liʃəs], **siliciferous** [sili'sifərəs] kiselholdig, kisel-.

silicic [si'lisik]: ~ *acid* kiselsyre.

silicon ['silikən] silicium.

silicosis [sili'kousis] (med.) silikose.

silk [silk] silke, silkegarn, silketøj, silkestof; *-s* silkevarer; *spun* ~ silkegarn; *sewing* ~ sysilke; *take* ~ anlægge silkekappen (blive *King's (, Queen's) Counsel).*

silk|-breeder silkeavler. ~ **cotton** silkebomuld, kapok. ~ **-culture** silkeavl.

silken ['silkn] af silke, silkeagtig, silkeblød, silkeklædt; blød, indsmigrende.

silk|-gland silkekirtel. ~ **-gown** silkekjole; (advokats) kappe.

silk|iness ['silkinės] silkeglans, silkeagtighed. ~ **-mercer** silkehandler. ~ **-mill** silkespinderi. ~ **-moth** (zo.) silkespinder. ~ **-screen printing** silketryk. ~ **-stocking** silkestrømpe. ~ **-worm** silkeorm.

silky ['silki] silkeagtig, silkeblød, silkeglinsende.

sill [sil] vindueskarm, mursokkel.

silly ['sili] (adj.) tosset, enfoldig, tåbelig, dum; (subst.) tossehoved, fæ; *knock sby.* ~ slå en bevidstløs; *the* ~ *season* (glds.) agurketiden (den for pressen døde tid).

silo ['sailou] silo.

silt [silt] (subst.) slam, mudder, dynd, slik; (vb.) mudre til; ~ *up* fyldes med slam; mudre til; ~ *through* sive igennem.

silvan ['silvən] skovrig, skov-.

silver ['silvə] (subst.) sølv (ogs. om penge), sølvtøj; (adj.) af sølv, sølvfarvet; (vb.) forsølve; belægge med folie, foliere.

silver| birch ♧ vortebirk. ~ **-eel** (zo.) blankål. ~ **fir** ædelgran. ~ **-fish** (zo.) sølvkræ. ~ **-fox** sølvræv. ~ **-gilt** sølvforgyldning. ~ **-grey** sølvgrå. ~ **-headed** med sølvgråt hår. **-ing** forsølvning. ~ **-leaf** bladsølv. ~ **-mine** sølvmine. ~ **-plate** sølvplet; sølvtøj; forsølve. ~ **screen:** *the* ~ *screen* det hvide lærred. ~ **standard** sølvmøntfod. ~ **-things** pl. sølvtøj. ~ **-tongued** veltalende. ~ **-weed** ♧ gåsepotentil. ~ **-wire** sølvtråd. ~ **-works** sølvværk. ~ **-wrapped** i sølvpapir.

silvery ['silvəri] sølvklar, sølvagtig.

silviculture ['silvikʌltʃə] skovdyrkning.

simian ['simiən] abelignende.

similar ['similə] lignende, ligedannet; *be* ~ *to* ligne; ~ *angled* ensvinklet. **similarity** [simi'läriti] lighed.

simile ['simili] lignelse, sammenligning.

similitude [si'militju·d] lighed, ligedannethed; sammenligning.

simmer ['simə] (vb.) koge ved en sagte ild, småkoge, snurre; (subst.) kogning ved sagte ild.

simoleon [si'mouliən] (amr. **S**) dollar.

Simon ['saimən]: *Simple* ~ dummepeter.

simony ['saiməni] simoni (handel med gejstlige embeder).

simoom [si'mu·m] samum (tør hed ørkenvind).

simp [simp] **S** fjols.

simper ['simpə] (vb.) smile affekteret, smiske, grine; (subst.) dumt smil.

simple ['simpl] (adj.) enkel, simpel, klar, jævn; ukunstlet, ukompliceret, usammensat; enfoldig; (subst., glds.) lægeplante; ~ *addition* addition af ubenævnte tal; ~ *equation* ligning af første grad; *it is a* ~ *fact* det er ganske enkelt en kendsgerning; *live the* ~ *life* leve primitivt.

simple|-hearted åben, oprigtig, ærlig, ukunstlet. ~ **-minded** troskyldig, enfoldig, naiv.

simpleton ['simpltən] tåbe, dumrian.

simplicity [sim'plisiti] simpelhed, jævnhed, ligefremhed; enfoldighed.

simplification [simplifi'keiʃən] forenkling.

simplify ['simplifai] forenkle, simplificere.

simplism ['simplizm] oversimplificering, overforenkling.

simply ['simpli] enkelt, jævnt; simpelt hen.

simulacrum [simju'leikrəm] humbugsagtig efterligning, skin (fx. *the* ~ *of a democracy).*

simulate ['simjuleⁱt] simulere, hykle, fingere; ~ *illness* anstille sig syg.
simulation [simju'leⁱʃən] forstillelse.
simulator ['simjuleⁱtə] hykler, simulant.
simultaneity [siməltə'niəti] samtidighed.
simultaneous [siməl'teⁱnjəs] samtidig; simultan-.
sin [sin] (subst.) synd, forsyndelse; (vb.) synde, forsynde sig *(against* imod); *deadly* (el. *mortal)* ~ dødssynd; *original* ~ arvesynd; *for my -s* for mine synders skyld; *it is a* ~ *and a shame* det er synd og skam; *hate sby. like* ~ hade en som pesten; *it was raining like* ~ det plaskregnede; *live in* ~ leve sammen (som mand og kone) uden at være gift; *as ugly as* ~ grim som arvesynden.
Sinai ['sainiai].
since [sins] siden; eftersom; *ever* ~ lige siden; *long* ~ for længst; *many years* ~ for mange år siden.
sincere [sin'siə] oprigtig; *yours -ly* Deres (, din) hengivne (under brev).
sincerity [sin'seriti] oprigtighed.
sine [sain] (mat.) sinus.
sinecure ['sainikjuə, 'sinikjuə] sinecure, embede uden embedspligter.
sinecurist ['sainikjuərist] indehaver af en sinecurepost.
sine die ['saini'daii(·)] på ubestemt tid.
sine qua non ['sainikweⁱ'nån] ufravigelig betingelse, forudsætning.
sinew ['sinju·] sene; *-s* (ogs.) kraft (fx. *moral -s);* vigtig(ste) støtte, nødvendig forudsætning; *the -s of war* penge og krigsfornødenheder.
sinewless ['sinju·lės] svag, kraftløs.
sinewy ['sinjui] senestærk, kraftig.
sinful ['sinf(u)l] syndig.
sing [siŋ] *(sang, sung)* synge; lade sig synge; *my ears are -ing* det ringer for mine ører; *the kettle is -ing* kedlen snurrer; ~ *another song* (el. *tune)* (fig.) anslå en beskednere tone; ~ *out* råbe højt; ~ *small* stemme tonen ned, holde op med at prale.
singe ['sin(d)ʒ] (vb.) svide; (subst.) lettere brandsår; ~ *brown* branke.
singer ['siŋə] sanger, sangerinde.
Singhalese [siŋgə'li·z] singaleser; singalesisk.
singing ['siŋiŋ] sang; syngende.
singing|-bird sangfugl. ~ **girl** syngepige. ~ **-master** sanglærer. ~ **-voice** sangstemme.
single ['siŋgl] (adj.) enkelt, eneste; enlig, ugift; oprigtig, ærlig; enkelt- (fx. ~ *room);* (subst.) enkeltbillet; (i tennis) single; (vb.): ~ *(out)* udvælge, udpege, udmærke; udtynde (planter); *live in* ~ *blessedness* leve ugift.
single|-breasted enradet. ~ **combat** tvekamp. ~ **-eyed** ærlig, oprigtig; enøjet. ~ **-handed** på egen hånd, alene, ene mand. ~ **-minded** målbevidst, som kun har et for øje; ærlig, trofast. **-ness**: *-ness of purpose* målbevidsthed. ~ **-phase** (adj., elekt.) enfaset. ~ **-rail track** enskinnebane. ~ **-seate r**ensædet flyvemaskine.
singlet ['siŋglit] undertrøje.
singleton ['siŋgltən] enkelt kort (i farven), 'singleton'.
singletree svingel (på enspændervogn).
singly ['siŋgli] enkeltvis; *misfortunes never come* ~ en ulykke kommer sjælden alene.
singsong ['siŋsåŋ] (adj.) monoton, drævende; messende; (subst.) ensformig tone; monotont stigende og faldende tone, syngende tonefald, messen; sammenkomst med sang.
singular ['siŋgjulə] (adj.) enestående (fx. *courage);* overordentlig; ualmindelig, besynderlig (fx. *clothes);* særegen, særlig; udmærket; eneste; (subst.) en(kelt)tal, singularis.
singularity [siŋgju'läriti] besynderlighed, særegenhed.
Sinhalese se *Singhalese.*
sinister ['sinistə] uheldsvanger, uhyggelig, sørgelig, skummel, ond; heraldisk venstre, i venstre side af våbenskjold (for beskueren til højre); *bend* (el. *bar)* ~ (her.) skråbjælke (tegn på uægte fødsel). **sinister-looking** skummel.
I. **sink** [siŋk] *(sank, sunk)* synke (ned); segne; forsvinde; blive mindre, tage af; skråne, falde af; trænge ind (fx. *dye -s into the fabric);* sænke, få til at synke, lade synke ned (fx. ~ *one's head on one's arms);* bore i sænk; bore (fx. *the cat sank her claws in his arm),* grave, grave ned; formindske; sætte (fast), anbringe, begrave (penge); tabe (penge) *(in* på); skjule, hemmeligholde, holde udenfor, glemme, begrave (fx. *let us* ~ *our enmities);* indgravere; ~ *in sby.'s estimation* falde (el. dale) i ens agtelse; ~ *or swim* lad det så briste eller bære; ~ *a well* grave en brønd.
II. **sink** [siŋk] (subst.) afløbsrende; (køkken)vask; (fig.) sump; *a* ~ *of iniquity* lastens hule.
sinker ['siŋkə] sænk, lod (i fiskesnøre); *swallow it hook, line, and* ~ (fig.) sluge det med hud og hår.
sinking fund amortisationsfond.
sinless ['sinlės] syndefri.
sinner ['sinə] synder, synderinde.
Sinn Fein ['ʃin'feⁱn] (et irsk parti).
Sino ['sainoᵘ] kinesisk (fx. *Sino-American, Sino-Japanese).*
sin-offering ['sinåfəriŋ] sonoffer.
sino|logist [si'nålədʒist] sinolog (kender af kinesisk sprog og kultur). **-logy** [si'nålədʒi] studiet af kinesisk sprog og kultur.
sinter ['sintə] (subst.) sinter.
sinuosity [sinju'åsiti] bugtethed, bugtning.
sinuous ['sinjuəs] (adj.) bugtet, slangeagtig.
sinus ['sainəs] bugt, fold, åbning; bihule.
sinusitis [sainə'saitis] bihulebetændelse.
Sioux [su·, pl. su·z] siouxindianer.
sip [sip] (vb.) nippe (til); indsuge; (subst.) nip.
siphon ['saifən] (subst.) sifon; hævert; (vb.) tappe ved hjælp af en hævert.
sippet ['sipit] brødterning.
I. **sir, Sir** [sə·, sə] min herre, hr. lærer, hr. kaptajn osv. (ofte oversættes det ikke); bruges: i tiltale især til overordnede (fx. *yes, sir);* i Underhuset som tiltaleform til formanden; som overskrift i forretningsbreve (fx. *Sir* eller *Dear Sir);* som ridder- og baronettitel (fx. *Sir John).*
II. **sir** [sə·] (vb.) sige *sir* til (fx. *don't sir me).*
sire [saiə] fader (om dyr, især heste); (glds.) fader (fx. *land of my -s);* ophav, (i tiltale) herre konge; *-d by* faldet efter.
siren ['saiərin] (subst.) sirene; (adj.) sirene- (fx. *song);* lokkende; *the -s are going* sirenerne lyder; der er flyvervarsling; ~ *suit* flyverdragt.
sirloin ['sə·loin] mørbradsteg.
sirocco [si'råkoᵘ] scirocco (hed fugtig vind).
sirup ['sirəp] se *syrup.*
sisal ['saisl, 'sisl] sisal- (fx. *hemp).*
siskin ['siskin] (zo.) grønsisken.
sissy ['sisi] T tøsedreng, bangebuks; kvindagtigt mandfolk.
sister ['sistə] søster; nonne; afdelingssygeplejerske; *the three sisters, the weird sisters, the fatal sisters* de tre skæbnegudinder; ~ *of Charity,* ~ *of Mercy* barmhjertig søster. **sister| country** broderland. **-hood** søsterskab; nonneorden. ~ **hooks** dyvelskløer. ~ **-in-law** svigerinde. ~ **-like, -ly** søsterlig.
Sistine ['sistain] sikstinsk.
Sisyphean [sisi'fi·ən] sisyfos- (fx. ~ *labour).*
Sisyphus ['sisifəs] Sisyfos.
sit [sit] *(sat, sat)* sidde; holde møde, være forsamlet (fx. *the House will* ~ *in the autumn);* ruge (fx. *the hens are -ting);* sidde, passe (fx. *the coat doesn't* ~ *properly);* sidde på (fx. ~ *a horse);*
~ *back* læne sig tilbage i stolen; hvile ud; (fig.) forholde sig passiv, lægge hænderne i skødet; ~ *down* sætte sig; sætte sig til forhandlingsbordet, forhandle *(with* med); ~ *down before a town* belejre en by; ~ *down to one's work* koncentrere sig om sit arbejde; ~ *down under* finde sig i; ~ *for an examination* være oppe

(el. gå op) til en eksamen; ~ *for one's portrait* lade sig male; ~ *in* **T** være med; være babysitter; ~ *in on* (især amr.) overvære; ~ *in judgement on* sætte sig til doms over; ~ *on* være medlem af (fx. ~ *on a committee);* undersøge, behandle, holde konference om; **S** holde nede; skære ned, dukke; *his losses* ~ *but lightly on him* hans tab synes ikke at tynge ham; ~ *out* blive længere end (fx. *another visitor);* ikke deltage i, holde sig uden for (fx. *a war);* holde ud; ~ *out a dance* sidde en dans over; ~ *out the concert* blive til koncerten er forbi; ~ *to an artist* sidde (model) for en maler; ~ *under a minister* høre en præsts prædikener; ~ *up* sætte sig op, sidde op(rejst); sidde oppe; (fig.) spidse ører; *make sby.* ~ *up* overraske (el. forskrække) en, få en til at holde ørerne stive, holde en i ørerne.

sit-down strike strejke hvorunder de strejkende nægter at forlade arbejdspladsen.

site [sait] (subst.) beliggenhed; sted (fx. *the* ~ *of the accident* ulykkesstedet, *the* ~ *of the murder* mordstedet); plads, (bygge)grund; voksested; (vb.) anbringe, lægge; ⚔ bringe i stilling.

sit-in overtrædelse af adgangsforbud som protest mod raceskel; besættelse (af universitet etc.).

sitter ['sitə] (levende) model; liggehøne; (fig.) let mål, let bytte.

sitter-in babysitter.

sitting ['sitiŋ] (subst.) sidden, seance, retssession, møde; rugning; stolestade; (adj.) ruge- (fx. ~ *box,* ~ *hen);* som indehaver et embede el. et mandat; (fig.) let (fx. *target); finish a job at a* (el. *one)* ~ gøre et stykke arbejde færdig i ét stræk.

sitting| duck (fig.) let mål, let bytte. ~ **-room** opholdsstue, dagligstue; siddeplads(er).

situated ['sitjueitid] beliggende; *badly* ~ dårlig stillet, ilde stedt; *well* ~ velsitueret.

situation [sitju'eiʃən] situation, forhold, beliggenhed, stilling (fx. *a difficult* ~*; she cannot find a* ~*); in a fine* ~ smukt beliggende; *-s vacant* plads tilbydes; *-s wanted* plads søges.

sitz-bath ['sitsba·þ] sædebad; siddebadekar.

six [siks] seks, sekstal; ~ *of one and half a dozen of the other* hip som hap; *at -es and sevens* hulter til bulter, i vild forvirring, vildt uenige; ~ *day bicycle race* seksdagesløb.

sixfold ['siksfould] seksdobbelt.

sixfooter ['siks'futə] person, der er seks (engelske) fod høj, kæmpekarl.

six|pence ['sikspəns] seks pence, mønt af denne værdi. **-penny** [-pəni] til seks pence, som koster seks pence. ~ **-pennyworth** så meget som kan fås for seks pence. ~ **-shooter** seksløber.

sixteen ['siks'ti·n] seksten.

sixteenth ['siks'ti·nþ] sekstende; sekstendedel.

sixth [siksþ] sjette; sjettedel; (musik) sekst.

sixthly ['siksþli] for det sjette.

sixtieth ['sikstiiþ] tresindstyvende(del).

sixty ['siksti] tres(indstyve), seksti.

sizable ['saizəbl] svær, stor, af anselig størrelse, betydelig.

I. **size** [saiz] (subst.) størrelse, format, nummer (fx. *the gloves (, shoes) are two -s too big);* størrelsesorden, omfang (fx. *the* ~ *of his debt);* (vb.) ordne efter størrelse; *that's the* ~ *of it* **T** der traf du det; ~ *up* danne sig et skøn over, tage mål af (fig.).

II. **size** [saiz] (subst.) lim, limvand; (vb.) lime.

sizeable, se *sizable.*

size-colour limfarve.

-sized [-saizd] af -størrelse (fx. *middle-sized* af middelstørrelse). **sized paper** limet (el. skrivefast) papir.

sizing ['saiziŋ] appretur.

sizzle ['sizl] syde; syden.

S.J. fk. f. *Society of Jesus* Jesuiterordenen.

sjambok ['ʃămbåk] pisk af flodhesteskind.

Skager Rack ['skägə'räk, 'ska-] Skagerak.

I. **skate** [skeit] (subst.) skøjte; (amr. **S**) slyngel.

II. **skate** [skeit] (vb.) løbe på skøjter; ~ *on thin ice,* se *ice;* ~ *over* gå let hen over.

III. **skate** [skeit] (subst., zo.) skade (en art rokke).

skateboard ['skeit'bå·d] rullebræt.

skater ['skeitə] skøjteløber.

skating skøjteløb; ~ *-rink* (rulle)skøjtebane.

Skaw [skå·]: *the* ~ Skagen.

skedaddle [ski'dädl] stikke af, fordufte.

skein [skein] (subst.) fed, dukke (garn).

skeletal ['skelitəl] (adj.) skelet-, ben-; ~ *structure* benbygning.

skeleton ['skelitən] skelet, benbygning; kort udkast; ~ *in the cupboard* ubehagelig familiehemmelighed; *worn to a* ~ afpillet som et skelet; ~ *crew* ⚓ stambesætning.

skeletonize ['skelitənaiz] (vb.) skelettere; nedskære drastisk; gengive i hovedtræk.

skeleton key hovednøgle, dirk.

skeptic etc., se *sceptic.*

skerry ['skeri] skær, klippe.

sketch [sketʃ] (subst.) skitse, rids, udkast, grundrids; sketch (teaterstykke); (vb.) skitsere, tage (, tegne, male) en skitse af. **sketchy** ['sketʃi] skitseret, løst henkastet; overfladisk, dilettantisk.

skew [skju·] (adj.) skæv, skrå, vredet; (subst.) skævhed; *on the* ~ på skrå.

skewbald ['skju·bå·ld] broget (om hest).

skewer ['skjuə] (subst.) (omtr. =) spilepind; pind (til at holde kød sammen); (spøgende om) sabel; (vb.) sætte sammen med pind; spidde, gennembore.

ski [ski·] (subst.) ski; (vb.) stå på ski, løbe på ski.

skid [skid] (subst.) hæmsko; gliden, skriden; (vb.) glide, skride; *-s* (pl.) slisk; **S**: *on the -s* ved at gå nedenom og hjem; *put the -s under* (fig.) få skovlen under.

skid-chain snekæde (til bil).

skidding udskridning (om bil etc.).

skid mark bremsespor.

skier [ski·ə] skiløber.

skiff [skif] let (ro)båd.

skiing ['ski·iŋ] skiløb, skisport.

skilful ['skilf(u)l] dygtig, øvet.

skill [skil] dygtighed, færdighed.

skilled [skild] faglært, udlært; øvet, dygtig *(in* til); ~ *work* arbejde som kræver faglært arbejdskraft.

skillet ['skilit] kasserolle; pande; stegeso.

skilly ['skili] tynd vælling el. suppe.

skim [skim] (vb.) skumme; stryge (el. glide) hen over; kigge igennem, løbe igennem (fx. *a book);* læse overfladisk; stryge af sted (fx. *the boat -s before the breeze);* dække(s) med et tyndt lag; (subst.) tyndt lag; skummet mælk; skum, afskum; ~ *through* kigge igennem.

skim|mer skummeske; (zo.) saksnæb. ~ **-milk** skummet mælk. **-mings** skum, afskum.

skimp [skimp] være nærig, knibe på; ~ *sby. with* (el. *in) sth.* holde én knapt med ngt.

skimpy ['skimpi] kneben, knap, utilstrækkelig; (om tøj) for lille, stumpet; nærig.

skin [skin] (subst.) skind, hud, pels, hinde; skræl (fx. på frugt); (skibs)klædning; 'bælg'; **S** snyder; gnier; (vb.) flå; (om sår) blive dækket med hud; **T** tage tøjet af; **S** blanke af, plyndre; *by the* ~ *of one's teeth* med nød og næppe, på et hængende hår; *next to the* ~ på den bare krop; *get under sby.'s* ~ ramme ens sårbare punkter; gå en på nerverne, pirre en; fange ens interesse; *with a whole* ~ helskindet, uskadt; ~ *one's knees* få hudafskrabninger på knæene; ~ *a flint* være yderst nærig; *keep one's ears -ned* lytte anspændt *(for* efter); *keep one's eyes -ned* have et øje på hver finger; *risk one's* ~ vove pelsen; *save one's* ~ hytte sit skind; *have a thick* ~ være tykhudet; *have a thin* ~ være tyndhudet (el. sårbar).

skin|-deep overfladisk. ~ **-dive** (vb.) dykke uden dykkerdragt, dykke med frømandsudstyr. ~ **effect** (elekt.) strømfortrængning. **-flint** gniepind, fedthas. ~ **-food** hudcreme. **-ful** sækfuld vin; *he's had a -ful*

T han er stopmæt; han er stangdrukken. ~ **-game** (amr. S) svindel. ~ **-grafting** hudtransplantation.

skink [skiŋk] (zo.) glansøgle.

-skinned -hudet. **skinner** ['skinə] buntmager.

skinny ['skini] (adj.) radmager; hudagtig; T nærig.

skin-tight stramtsiddende.

skip [skip] (subst.) hop, spring, overspringning (i bøger); (vb.) hoppe, springe, sjippe; springe over, læse med overspringninger; T stikke af (fra); ~ *out*, ~ *up* stikke af.

skip bombing bombning fra lav højde (hvor bomberne rikochetterer).

skipjack ['skipdʒäk] springgås; smælder.

ski pole (amr.) skistav.

skipper ['skipə] skipper; (flyv.) chefpilot; (i sport) holdkaptajn, holdfører; en der sjipper; (zo.) bredpande.

skipping-rope sjippetov.

skirl [skə·l] sækkepibetone; hvine, skingre.

skirmish ['skə·miʃ] skærmydsel, forpostfægtning; (vb.) kæmpe i spredt orden

skirmisher ⚔ blænker; *line of -s* skyttekæde.

skirt [skə·t] (subst.) nederdel; (frakke)skøde; S skørt, fruentimmer; kantning, søm; udkant; (vb.) gå (el. ligge) langs kanten af; *divided* ~ buksenederdel, skørtebenklæder.

skirting ['skə·tiŋ] skørtestof, kantning.

skirting-board fodpanel, gulvliste.

skit [skit] parodi, satirisk el. humoristisk sketch.

ski trail løjpe.

skittish ['skitiʃ] sky, urolig; kåd, overgiven, overstadig; ustadig, flagrende, koket.

skittle [skitl] kegle; *skittles* keglespil; *life is not all beer and -s* livet er ikke lutter lagkage; *skittles!* vrøvl!

skittle| alley, ~ **-ground** keglebane.

skiver ['skaivə] spalt; spaltemaskine.

skivvies ['skiviz] undertøj.

skivvy ['skivi] S (neds.) tjenestepige.

skua ['skju·ə] (zo.) kjove.

skulduggery [skʌl'dʌgəri] (subst., amr. T) fup, svindel(nummer).

skulk [skʌlk] gemme sig; snige sig, luske; skulke.

skulker lurende person; skulker.

skull [skʌl] hovedskal, kranium; pandeskal; hjerneskal; dødningehoved.

skull|-cap hue, kalot; ♧ skjolddrager. ~ **-guard** beskyttelseshjelm.

skunk [skʌŋk] stinkdyr; (gemen) sjover; skunk, stinkdyrskind.

sky [skai] (subst.) himmel, luft; himmelstrøg (fx. *under warmer skies);* vejrlig, klima; (vb.) slå (bold) højt op; hænge (billede) højt på væggen; *in the* ~ på himmelen; *open* ~ klar himmel; *praise to the skies* hæve til skyerne.

sky|-blue himmelblå. ~ **-coloured** himmelblå.

Skye [skai]: ~ *(terrier)* skyeterrier.

sky-high ['skai'hai] himmelhøj(t), højt op i luften; *blow* ~ sprænge i luften; (fig.) gendrive totalt, tromle flad.

skylark ['skaila·k] (subst.) (zo.) sanglærke; (vb.) lave sjov.

skylight ['skailait] skylight, liggende tagvindue, vindue i loftet, ovenlysvindue.

sky-line synskreds, horisont; omrids af noget der ses med himlen som baggrund; silhouet (mod himlen).

sky-pilot S præst, (især) skibspræst.

sky-rocket (vb.) stige, ryge i vejret (om priser); få til at stige.

skyscape ['skaiskeⁱp] billede i hvilket himmelen er det dominerende motiv; b. med lav horisont.

sky|scraper ['skaiskreⁱpə] skyskraber. ~ **-sign** tagreklame. **-wards** ['skaiwədz] til vejrs, op mod himmelen. **-way** ['skaiweⁱ] luftrute. ~ **-writing** ['skairaitiŋ] (aeroplans) røgskrift (på himmelen).

slab [släb] stenplade, stenflise, plade; tyk skive, humpel.

slack [släk] (adj.) slap, løs, slæk; sløj, langsom; treven, forsømmelig, træg; blødsøden; (merk.) flov; (om tid) stille, død (fx. *a* ~ *season);* (subst.) hviletid, stilstand; løs ende af tov; ⚓ slæk; (tekn.) slør; kulstøv, kulsmuld; (vb.) fire, slappe; slappes; dvaske; slække på (fx. *a rope);* ~ *lime* læsket kalk; *a* ~ *pace* et langsomt tempo; ~ *rope* slap line; ~ *in stays* ⚓ sen i vendingen; ~ *off* ⚓ slække; (fig.) sløje af; ~ *up* sagtne farten, sætte tempoet ned.

slacken ['släkn] slappe, slække; sagtne, svække; slappes; aftage; *the wind has -ed* vinden er flovet af.

slacker ['släkə] drivert, skulker.

slacks [släks] (flonels)benklæder, slacks.

slack-water stille vand (mellem ebbe og flod).

slag [släg] (subst.) slagge; (vb.) blive til slagger.

slain [sleⁱn] perf. part. af *slay.*

slake [sleⁱk] læske; stille, slukke (tørst); *-d lime* læsket kalk.

slalom ['sleⁱləm; 'sla·ləm] slalom.

slam [släm] (subst.) slag, smæld; slem (i bridge); (vb.) smække med, smække (døren osv.) i; *big* (el. *grand)* ~ storeslem; *small* (el. *little)* ~ lilleslem.

slander ['sla·ndə] (subst.) bagtalelse, bagvaskelse, ærekrænkelse (i ord el. handling); verbalinjurie; (vb.) bagtale, bagvaske.

slanderer ['sla·ndərə] bagvasker.

slanderous ['sla·ndərəs] bagtalende, ærerørig.

I. **slang** [släŋ] (subst.) slang.

II. **slang** [släŋ] (vb.): ~ *sby.* skælde en ud.

slanging match skænderi.

slangy ['släŋi] slangagtig, slangpræget.

slant [sla·nt] (adj.) skrå; (subst.) skråning; hældning; (amr.) synspunkt, tendens, drejning; (vb.) skråne; give el. have skrå retning; give en bestemt tendens (el. drejning) (fx. ~ *the news); on the* (el. *a)* ~ på skrå. **slanting** skrå (fx. *roof),* hældende.

slantwise ['sla·ntwaiz] på skrå.

slap [släp] (vb.) slå, klaske; (subst.) slag, rap, klaps; (adv.) pludselig; lige, nøjagtig; ~ *down* give en skarp tilrettevisning, sætte en stopper for; *a* ~ *in the eye* en værre afbrænder; *a* ~ *on the cheek* en lussing.

slap-bang ['släp'bäŋ] T med et brag, voldsomt, hovedkulds.

slapdash ['släpdäʃ] (adj.) skødesløs, jasket, sjusket; (subst.) sjuskeri, sjusket arbejde.

slapping ['släpiŋ] storartet, mægtig; (subst.) smæk, omgang klø.

slapstick ['släpstik] Harlekins stok; lavkomisk; ~ *(comedy)* lavkomisk stykke, falde-på-halen komedie.

slap-up ['släpʌp] S førsteklasses, flot, prima; *a* ~ *dinner* en knippel middag.

slash [släʃ] (vb.) flænge, opskære; piske, give af pisken; nedskære (drastisk); kritisere skarpt; rakke ned; (subst.) piskeslag, hug; flænge, split, slidse; nedskæring.

slashed [släʃt] opskåret, opslidset (fx. *sleeve).*

slashing ['släʃiŋ] sønderlemmende (om kritik).

slat [slät] (subst.) tremme, liste; (vb.) slå, klapre, smække (fx. om sejl mod mast).

S. lat. fk. f. *South latitude.*

I. **slate** [sleⁱt] (vb.) give en overhaling, kritisere sønder og sammen, hudflette, gennemhegle.

II. **slate** [sleⁱt] (subst.) skifer, tavle; (amr.) kandidatliste; *a clean* ~ et uplettet rygte; *have a* ~ *loose* have en skrue løs.

III. **slate** [sleⁱt] (vb.) lægge skifertag på; (amr.) opføre på kandidatliste; sætte på programmet, fastsætte, bestemme.

slate|-club spareforening. ~ **-pencil** griffel. ~ **-quarry** skiferbrud.

slater ['sleⁱtə] skifertækker.

slattern ['slätən] sjusket kvinde, sjuskedorte.

slatternly sjusket.

slaty ['sleⁱti] skiferagtig, skifret, skifergrå.

slaughter ['slå·tə] (subst.) slagtning, blodbad,

myrderi, nedslagtning, mandefald; (vb.) slagte, myrde, nedsable. **slaughterer** ['slå·tərə] slagter; morder.

slaughterhouse slagteri, slagtehus.

slaughterous ['slå·tərəs] blodtørstig.

Slav [sla·v] slaver; slavisk.

slave [sleⁱv] (subst.) slave, træl; (vb.) trælle; *be a ~ to* (el. *of)* være en slave af; *work like a ~* slide som et bæst.

slave|-born født i slaveri. ~ **-driver** slavefoged, slavepisker.

I. **slaver** ['sleⁱvə] (subst.) slavehandler; slaveskib.

II. **slaver** ['slävə] (subst.) savl; smiskeri; (vb.) savle; smiske for.

slavery ['sleⁱvəri] slaveri.

slave-ship ['sleⁱvʃip] slavehandlerskib.

slave-trade ['sleⁱvtreⁱd] slavehandel.

slavey ['slävi, 'sleⁱvi] S tjenestepige.

Slavic ['slävik, 'sla·vik] (subst. og adj.) slavisk.

slavish ['sleⁱviʃ] slavisk; ~ *imitation* slavisk efterligning.

Slavonia [slə'voᵘniə] Slavonien. **Slavonian** [slə'voᵘniən] slavonier; (subst. og adj.) slavonisk. **Slavonic** [slə'vånik] (subst. og adj.) slavisk; slavonisk.

slay [sleⁱ] *(slew, slain)* ihjelslå, dræbe.

slayer ['sleⁱə] drabsmand, morder.

sleazy ['sli·zi] billig, tarvelig, snusket; (om tøj) slatten, løs, tynd.

sled [sled] = *sledge.*

I. **sledge** [sledʒ] (subst.) slæde, kane, kælk; (vb.) køre i slæde el. kane, kælke; transportere på slæde.

II. **sledge** [sledʒ], **sledge hammer** stor smedehammer, forhammer; *a sledge-hammer blow* et knusende (el. tilintetgørende) slag.

sleek [sli·k] (adj.) glat, glinsende; velplejet; slesk; slikket; (vb.) glatte, stryge.

I. **sleep** [sli·p] *(slept, slept)* sove; *the hotel can ~ a hundred people* hotellet har 100 sengepladser; *~ like a log* (el. *top)* sove som en sten; *~ the sleep of the just* sove de retfærdiges søvn; *~ around* gå i seng med hvem som helst; *~ a headache away* (el. *off)* sove en hovedpine væk; *~ in* sove længe, sove over sig; *~ it off* sove rusen ud; *~ on it* sove på det.

II. **sleep** [sli·p] (subst.) søvn; *in one's ~* i søvne; *go to ~* falde i søvn.

sleeper ['sli·pə] sovende (person); sovevogn; underlagsbjælke, svelle; natdragt (til barn); *I am a good* (el. *sound) ~* jeg har et godt sovehjerte; *be a heavy ~* sove tungt; *be a light ~* sove let; *a great ~* en syvsover; *the seven -s (of Ephesus)* syvsoverne.

sleeping ['sli·piŋ] sovende; uvirksom; sove-.

sleeping| accomodation soveplads. ~ **-bag** sovepose.

Sleeping Beauty: *the ~* Tornerose.

sleeping|-car sovevogn. ~ **-draught** sovedrik. ~ **partner** passiv kompagnon. ~ **-sickness** sovesyge.

sleep|less søvnløs; aldrig hvilende, uophørlig. ~ **-walker** søvngænger.

sleepy ['sli·pi] søvnig; ~ *sickness* sovesyge.

sleepyhead sovetryne, syvsover.

sleet [sli·t] slud, tøsne; (vb.) sne og regne.

sleeve [sli·v] ærme; grammofonpladehylster; (flyv.) vindpose; (tekn.) muffe; *laugh in one's ~* le i skægget; *wear one's heart on one's ~* bære sine følelser til skue; *roll* (el. *turn) up one's -s* smøge ærmerne op; *have sth. up one's ~* have noget i baghånden, have ngt. for.

sleeve-link manchetknap.

sleigh [sleⁱ] (subst.) slæde, kane, (vb.) køre i slæde (el. kane).

sleight [slait] taskenspillerkunst, kneb, list; kunstgreb; behændighed.

sleight-of-hand (trick) behændighedskunst, taskenspillerkunst; kunstgreb.

slender ['slendə] (adj.) slank, smækker, spinkel; spæd; svag, ringe, knap; *a ~ waist* en slank talje, en smækker midje; *~ means* sparsomme midler; *of ~ parts* småt begavet; *with ~ success* uden synderligt held.

slenderize ['slendəraiz] (vb., amr.) slanke (sig).

slept [slept] imperf. og perf. part. af *sleep.*

sleuth [slu·þ] (subst.) blodhund, sporhund; T detektiv, opdager; (vb.) efterspore.

sleuth-hound ['slu·þ'haund] blodhund.

I. **slew** [slu·] imperf. af *slay.*

II. **slew** [slu·] (vb.) svinge.

III. **slew** [slu·] (subst.) mængde, masse (fx. *a ~ of gangsters, -s of work).*

slice [slais] (vb.) skære i tynde skiver; snitte; strejfe (en golfbold); (subst.) skive; del, portion; flad ske, spatel; *a ~ of life* et stykke virkelighed, en scene (etc.) der er taget lige ud af livet; *~ off* skære af; *~ up* skære i skiver.

slick [slik] behændig, fiks; ren og skær; helt, lige; S smart; flot, førsteklasses; (amr.) glinsende; glat; slesk; slikket (fx. *style);* (subst.) glat overflade; olieplet; magasin (el. ugeblad) trykt på glittet papir; *I hit him ~ in the eye* jeg gav ham en lige i øjet.

slicker ['slikə] (amr.) oliefrakke; S (behændig) svindler, smart fyr.

slid [slid] imperf. og perf. part. af *slide.*

I. **slide** [slaid] *(slid, slid)* glide, skride (ned), glide (på glidebane); liste; få til at glide, lade glide, skubbe, skyde; *let things ~* lade det gå som det bedst kan; *~ into* (ogs.) glide over i; *~ over* (ogs.) gå let hen over (fx. *~ over delicate questions).*

II. **slide** [slaid] (subst.) gliden, skred, glidning, gradvis overgang, glidebane, skråplan, slisk; lille rutschebane; skyder (til paraply osv.); kulisse; glidesæde; billede (til stereoskop), lysbillede; objektglas (til mikroskop); (på trækbasun) træk.

slide| fastener lynlås. ~ **-gauge** skydelære (kalibermål). ~ **-lathe** drejebænk.

slider ['slaidə] skyder (glidende del).

slide|-rod (tekn.) gliderstang. ~ **-rule** regnestok. ~ **trombone** trækbasun. ~ **-valve** glider (på dampmaskine). ~ **-valve box** gliderkasse. ~ **-valve gear** gliderstyring. **-way** kulisse, kulissestyr. ~ **-window** skydevindue.

sliding ['slaidiŋ] glidende; glide-, skyde-.

sliding| door skydedør. ~ **scale** glidende (løn- etc.) skala. ~ **-seat** glidesæde (i kaproningsbåd).

slight [slait] (adj.) tynd, spinkel, klejn; ubetydelig, ringe, let; (vb.) vise ringeagt, se over hovedet, negligere; (subst.) tilsidesættelse, ringeagt; *a ~ cold* en let forkølelse; *not the -est idea of it* ikke den fjerneste idé om det; *some ~ errors* nogle småfejl; *~ his offered advances* forsmå hans tilnærmelser; *we consider it a ~ upon our firm* vi anser det for en tilsidesættelse af vort firma; *-ly built* spinkel; *-ly damaged* let beskadiget.

slighting ['slaitiŋ] krænkende, nedsættende, ringeagtende.

slim [slim] (adj.) smækker, slank; tynd, spinkel; snu, fiffig; (vb.) slanke; slanke sig; gennemgå en afmagringskur; *-ming treatment* afmagringskur.

slime [slaim] (subst.) slim, dynd; (vb.) tilslime.

slimy ['slaimi] (adj.) slimet; (fig.) slesk, modbydelig.

I. **sling** [sliŋ] *(slung, slung)* slynge, kaste, (op-) hænge (i strop etc.); hejse (v. hjælp af strop etc.); *~ arms!* gevær over højre skulder! *~ ink* ødsle med blækket; ustandselig fare i blækhuset, skrive meget og ofte; *~ sby. out* smide en ud.

II. **sling** [sliŋ] (subst.) slynge; kast; rem; geværrem; strop; bind (til dårlig arm); sele; ⚓ slæng, længe; *carry one's arm in a ~* gå med armen i bind.

III. **sling** [sliŋ] (amr.) (drik bestående af vand, sukker og spiritus, især gin).

sling|-chair liggestol. **-shot** slangebøsse.

slink [sliŋk] *(slunk, slunk)* snige sig, luske, liste sig *(away* bort); kaste, føde for tidligt (om dyr).

I. **slip** [slip] (vb.) glide, smutte; miste fodfæstet, snuble, træde fejl; fejle, begå fejl; liste sig; løsne sig, gå op (fx. *the knot will ~);* lade glide, skyde, liste (fx.

~ *one's hand into a pocket);* slippe (løs); lade slippe fra sig, forsømme; slippe bort fra (fx. *he -ped his pursuers);* skubbe af sig; kaste, føde for tidligt (om dyr); *it has -ped my memory* jeg har glemt det; *he let ~ an oath* der undslap ham en ed; *let an opportunity ~* lade en gunstig lejlighed slippe sig af hænde;

~ *by* smutte forbi, passere forbi; gå hen (om tid); ~ *from* glide ud af (fx. *the knife -ped from his hand); an error has -ped in* der har indsneget sig en fejl; ~ *off* glide ned fra (fx. *a napkin -s off one's knee);* hurtigt tage af; smøge af sig; ~ *on* glide på, glide i (fx. ~ *on a banana skin);* trække (tøj) hurtigt på; ~ *over* gå let hen over; ~ *up* glide, miste fodfæstet, snuble; T gøre et fejlgreb.

II. **slip** [slip] (subst.) gliden; fejltrin, fejl; stikling; seddel, lap papir; strimmel; (hunde)snor; underkjole; badedragt; betræk, vår (til pude); udrørt ler, (i porcelænsfabrikation) massevælling; smal bænk i en kirke (el. teater); ⚓ bedding, slæbested; (tekn.) slip (fx. *of the propeller); in the -s* (i teater) i kulissen; *give sby. the ~* løbe (el. smutte) bort fra en; ~ *of the pen* skrivefejl, fejlskrivning; *a ~ of the tongue* en fortalelse; *a ~ of a boy* en lille spinkel fyr; *a ~ of a girl* en stump pigebarn; *there is many a ~ twixt the cup and the lip* ɔ: man skal ikke glæde sig for tidligt.

slip| cover møbelovertræk; bogomslag. ~ **-hook** sliphage, slipkrog. ~ **-knot** løbeknude.

slipover [ˈslipoᵘvə] (adj.) til at trække over hovedet; (subst.) slipover; overtræk.

slipped disk (med.) diskusprolaps.

slipper [ˈslipə] (subst.) tøffel, slipper, morgensko; (let) sko, balsko; hæmsko; (vb.) smække med en tøffel.

slipperwort [ˈslipəwə·t] ♧ tøffelblomst.

slippery [ˈslipəri] glat, fedtet; falsk, upålidelig; *on ~ ground* (fig.) på usikker grund.

slippy [ˈslipi] rask; *look ~, be ~ about it* være rask i vendingen, skynde sig.

slipshod [ˈslipʃåd] sjusket, forjasket; (glds.) med nedtrådte sko.

slipslop [ˈslipslåp] (subst.) pøjt; pjat, pjank; (adj.) pjattet, pjanket, sentimental.

slip|stream (flyv.) slipstrøm. ~ **-up** fejl.

slipway ⚓ (ophalings)bedding, slæbested.

I. **slit** [slit] *(slit, slit)* (vb.) flække, spalte, skære en revne i, snitte over; revne; ~ *open* skære op.

II. **slit** [slit] (subst.) spalte, revne, sprække; split.

slither [ˈsliðə] glide; gliden.

slit trench ⚔ skyttehul.

sliver [ˈslivə] splintre; (subst.) splint, strimmel.

slob [slåb] (subst., T) klodrian, klods, fjog.

slobber [ˈslåbə] (vb.) savle (til); sjaske; kludre; strømme over af rørelse; (subst.) savl; kludder; rørelse.

sloe [sloᵘ] slåen(bær), slåentorn.

sloe|-eyed mørkøjet. ~ **-gin** slåenlikør.

slog [slåg] slå hårdt; hårdt slag; ~ *along* ase (el. traske) af sted; ~ *at sth.* arbejde hårdt (el. slide) med noget.

slogan [ˈsloᵘgən] slagord, (reklame)slogan; (opr. skotsk) krigsråb.

sloid [sloid] sløjd.

sloop [slu·p] ⚓ slup.

slop [slåp] (vb.) spilde, løbe over; sjaske; (subst.) pøl, våd plet; (amr.) sentimentalt bavl; (se ogs. *slops);* ~ *over* løbe over; (amr. S) strømme over af rørelse.

slop-basin [ˈslåpbeⁱsn] lille skål på tebord til at slå teblade etc. fra kopperne over i.

slope [sloᵘp] (subst.) skråning, bjergskråning; hældning, fald; (vb.) skråne, stige skråt op; holde skråt, sænke; skære skråt til; ~ *arms!* gevær i hvil! ~ *off* T stikke af; *the road -s sharply* vejen skråner (el. stiger) stærkt.

sloping [ˈsloᵘpiŋ] (adj.) skrå, skrånende.

slop-pail [ˈslåppeⁱl] toiletspand.

sloppy [ˈslåpi] sølet; sjusket; blødsøden, sentimental; (om mad) tynd, vandet.

slop-room ⚓ beklædningsmagasin.

slops [slåps] spildevand, (op)vaskevand (efter brugen); færdigsyet tøj (især til sømænd); flydende føde, søbemad; pøjt.

slop-shop butik hvor der sælges færdigsyet tøj.

slop-water [ˈslåpwå·tə] spildevand.

slosh [slåʃ] (subst.) pløre; pøjt; S slag; (vb.) vade om i pløre, sjaske; S slå.

I. **slot** [slåt] (subst.) sprække, smal åbning; rille; (vb.) lave en sprække (, en rille) i; *place a penny in the ~* læg en penny i automaten.

II. **slot** [slåt] dyrespor.

sloth [sloᵘþ] dorskhed, ladhed; (zo.) dovendyr.

slothful [ˈsloᵘþf(u)l] doven.

slot|-machine (salgs)automat, spilleautomat. ~ **meter** automatmåler, gasautomat. ~ **-telephone** telefonautomat.

slouch [slautʃ] (vb.) hænge slapt, lude; slentre, daske; slå ned (om hatteskygge); (subst.) klodset gang, slentren; luden; klodrian, sjuskemikkel; *he is no ~ at* han er ikke så dårlig til (fx. *tennis).*

slouch-hat blød hat, bulehat.

I. **slough** [slau] (subst.) mudderpøl, sump.

II. **slough** [slʌf] (subst.) ham; dødt væv; aflagt vane; (vb.) afkaste, skyde (ham); ~ *off* aflægge (fx. *old habits);* skalle af, afkastes.

I. **sloughy** [ˈslaui] mudret, sumpet.

II. **sloughy** [ˈslʌfi] skorpeagtig; som en ham.

sloven[ˈslʌvn] sjuskemikkel; sjuskedorte.

Slovene [sloˈvi·n] slovener(inde).

slovenly [ˈslʌvnli] sjusket.

slow [sloᵘ] langsom; langsomt virkende (fx. *a ~ poison);* sen, tung, tungnem, træg; sendrægtig, langsommelig (fx. *a ~ journey);* kedelig, triviel; ~ *down,* ~ *up* køre langsommere, sætte farten (el. tempoet) ned; *go ~* bevæge sig (, køre etc.) langsomt; tage den med ro; (om arbejdere) nedsætte arbejdstempoet (som en form for strejke); *the clock is ten minutes ~* uret går ti minutter for sagte; *a ~ season* en død tid.

slow|coach drys, smøl. ~ **-down** nedsat arbejdstempo. **-match** [ˈsloᵘmätʃ] (subst.) lunte. ~ **-motion** slow motion (om film, der viser en bevægelse i langsommere tempo end i virkeligheden); overdrejning. ~ **-paced** langsom. ~ **train** bumletog. ~ **-up** forsinkelse. ~ **-winged** langsomt flyvende. ~ **-worm** stålorm.

sloyd [sloid] sløjd.

sludge [slʌdʒ] søle, mudder; slam; snesjap.

sludgy [ˈslʌdʒi] dyndet, mudret.

slue [slu·] svinge, dreje.

slug [slʌg] (subst.) (nøgen) snegl, alm. agersnegl; projektil, kugle; linje i maskinsats; (amr.) hårdt slag; smøl, drog; (vb.) samle og tilintetgøre snegle; dovne; slå hårdt.

slug-a-bed [ˈslʌgəbed] syvsover.

sluggard [ˈslʌgəd] dovenkrop, drønnert.

sluggish [ˈslʌgiʃ] doven, træg, treven, langsom.

sluice [slu·s] (subst.) sluse; (vb.) passere gennem en sluse; forsyne med sluser; vaske, overskylle, skylle.

sluice|-gate sluseport; stigbord. ~ **-valve** sluseventil.

slum [slʌm] slum; baggade, baggård, fattigkvarter; S billigt stads; *go -ming* missionere i fattigkvartererne; bese fattigkvarterer (som turist etc.).

slumber [ˈslʌmbə] slummer; slumre.

slumberous [ˈslʌmbərəs] søvndyssende; søvnig.

slumber|suit natdragt. **-wear** nattøj.

slum-clearance sanering (af fattigkvarterer).

slumgullion [slʌmˈgʌljən] T sprøjt, tyndt pjask.

slump [slʌmp] (subst.) pludseligt prisfald, dårlige tider, lavkonjunktur, baisse, erhvervskrise; (vb.) falde, dumpe.

slum sister slumsøster.

slung [slʌŋ] imperf. og perf. part. af *sling.*

slunk [slʌŋk] imperf. og perf. part. af *slink.*

slur [slə·] (vb.) sjuske med, udtale utydeligt, lade

gå i ét; synge legato; gå let hen over, tilsløre; (subst.) plet, skamplet; (i musik) legatospil, bindebue; *cast a ~ upon* sætte en plet på.
slurry ['slʌri] (tynd mørtel til støberiovne); kulafharpning.
slush [slʌʃ] (sne)sjap, søle; sentimentalt sludder; *~ fund* 'fedtekasse'; penge til brug for bestikkelse.
slushy ['slʌʃi] sjappet, sølet.
slut [slʌt] sjuske, tøs. **sluttish** sjusket.
sly [slai] snu, polisk, lumsk; *~ dog* snu rad; *on the ~* i smug.
slyboots ['slaibu·ts] strik, lurifaks.
slype [slaip] forbindelsesgang (mellem kirke og andre bygninger).
S.M. fk. f. *sergeant-major.*
I. **smack** [smäk] (vb.) smage; (subst.) antydning, (bi)smag.
II. **smack** [smäk] (subst.) smask, smækkys; smæld, knald (fx. *~ of a whip);* klask; (vb.) smælde, knalde, klaske, smække (fx. *~ a naughty child);* (adv.) lige (fx. *it went ~ through the window); a ~ in the eye* en værre afbrænder, en slem lussing; *I hit him ~ on the nose* jeg ramte ham lige på tuden; *~ one's lips* smaske med læberne, (svarer til) smække med tungen; (fig.) gotte sig.
III. **smack** [smäk] (subst., ⚓) smakke; fiskekvase.
smacker ['smäkə] smækkys, smask; pragteksemplar; (amr. S) hårdt slag; dollar.
smacking ['smäkiŋ] smæk.
small [små·l] (adj.) lille, tynd, ringe, ubetydelig, kort (fx. *a ~ time);* smålig, småtskåren, snæversynet; liden, ikke meget, kun lidt (fx. *have ~ cause for gratitude);* (subst.) smal del; *the ~ of the back* lænden; *~ blame to him* det kan man ikke bebrejde ham; *that's ~ consolation* det er en ringe trøst; *feel ~* føle sig lille; *the ~ hours* de små timer; *the ~ of the leg* smalbenet; *a ~ matter* en ringe sag, en bagatel; *sing ~* stikke piben ind; *on the ~ side* lovlig lille; *~ tradesman* småhandlende; *in a ~ way* i beskeden målestok; *the still, ~ voice* samvittighedens røst; *~ wonder* intet under.
small ads rubrikannoncer.
smallage ♧ vild selleri.
small|-arms ⚔ håndskydevåben. *~* **beer** tyndt øl; *think no ~ beer of oneself* have store tanker om sig selv. *~* **capitals** (typ.) kapitæler. *~* **change** småpenge. *~* **-clothes** (glds.) knæbenklæder. *~* **fruit** bærfrugt. **-holder** husmand. **-holding** husmandsbrug.
smallish ['små·liʃ] (adj.) noget lille.
small-minded snæversynet, smålig.
smallness ['små·lnės] lidenhed.
smallpox ['små·lpåks] (med.) kopper.
smalls [små·lz] småkul; første del af eksamen til opnåelse af B.A.graden (i Oxford); **T** småtøj (ɔ: vasketøj); (dame)undertøj.
small|sword kårde. *~* **talk** passiar, småsnak. *~* **-time** ringe, ubetydelig. *~* **-wares** kortevarer (ɔ: bånd, syartikler etc.).
smalt [små·lt] (subst.) koboltblå, smalt.
smarmy ['sma·mi] **T** indsmigrende, slesk.
I. **smart** [sma·t] (subst.) (svidende) smerte (både legemlig og åndelig), svie, lidelse.
II. **smart** (adj.) smart, elegant, fiks (fx. *a ~ hat, a ~ dress);* flot (fx. *a ~ soldier);* pæn (fx. *a ~ garden);* rask, livlig, hurtig (fx. *a ~ walk; a ~ attack);* opvakt, smart, vaks, dygtig (fx. *a ~ business man);* vittig (fx. *say ~ things);* snu, durkdreven (fx. *he is too ~ for me);* sviende (fx. *a ~ box on the ear);* **T** temmelig stor (,voldsom etc.); *be ~ in answering* have svar på rede hånd; *look ~ about it!* lad det gå lidt villigt! skynd dig! *a ~ blow* et hårdt slag; *~ practice* mindre hæderlig adfærd, kneb, numre; *the ~ set* (el. *society*) den fornemme verden.
III. **smart** (vb.) smerte, gøre ondt, svie (fx. *a -ing wound);* lide, føle sig såret (el. krænket); *you shall ~ for this* dette skal komme dig dyrt at stå; *I'll make him ~ for it* det skal han få betalt.
smart aleck vigtigper, indbildsk fyr.
smarten ['sma·tn] pynte, fikse op; *~ oneself up* pynte sig.
smart-money ['sma·tmʌni] (glds.) erstatning (for smerte og svie).
I. **smash** [smäʃ] (vb.) slå i stykker, knuse; (i tennis) smashe; **T** slå (hårdt); tilintetgøre; ruinere (økonomisk); **S** drive falskmøntneri; gå i stykker, knuses; gå fallit, krakke; *~ a window* knalde en rude; *~ in* sprænge (fx. *a door); ~ into* kollidere med, køre (el. brase) ind i; *~ up* slå i stykker; blive ruineret.
II. **smash** (subst.) ødelæggelse; brag, kollision; fallit, krak; katastrofe; (i tennis) smash; **T** (amr.) (blandet frugtdrik med spiritus); *~ (hit)* **S** knaldsucces; *come* (el. *go) to ~* blive ruineret.
III. **smash** bang! med et brag (fx. *go ~ into a wall).*
smash-and-grab (raid) tyveri med rudeknusning.
smasher ['smäʃə] **S** knusende slag; overbevisende argument; falskmøntner; pragteksemplar.
smashing knusende; **S** pragtfuld, fantastisk.
smash-up ['smäʃʌp] kollision; fallit; katastrofe.
smatterer ['smätərə] fusker; halvstuderet røver.
smattering ['smätəriŋ] overfladiske kundskaber; overfladisk kendskab *(of* til).
smear [smiə] (vb.) smøre, oversmøre, tilsøle; tvære ud; rakke ned på; udsprede ondsindede rygter om; (subst.) plet; *~ campaign* hetz, systematisk nedrakning (af offentlig person etc.). **smear dab** (zo.) rødtunge.
smeary ['smiəri] oversmurt; klæbrig.
I. **smell** [smel] *(smelt, smelt)* lugte, spore, mærke; dufte; stinke; *~ at* lugte til, snuse til; *~ out* opsnuse, vejre; *~ round* snuse rundt.
II. **smell** [smel] (subst.) lugtesans, lugt; *take a ~ at* lugte til.
smeller ['smelə] **S** næse; næsestyver.
smelling|-bottle lugteflaske. *~* **-salts** lugtesalt.
smelly ['smeli] lugtende, stinkende.
I. **smelt** [smelt] (subst., zo.) smelt.
II. **smelt** [smelt] imperf. og perf. part. af *smell.*
III. **smelt** [smelt] (vb.) smelte.
smeltery ['smeltəri] smeltehytte.
smew [smju·] (zo.) lille skallesluger.
smilax ['smailäks] ♧ smilaks.
smile [smail] smile; smil; *-s* (ogs.) gunst (fx. *the -s of fortune); ~ at* smile ad, lade hånt om (fx. *~ at his threats); ~ on* smile til, tilsmile; se mildt til; *keep smiling!* hold dig munter!
smirch [smə·tʃ] (vb.) plette, tilsmudse, besudle; (subst.) plet.
smirk [smə·k] (vb.) smiske, smile huldsaligt; (subst.) affekteret (el. selvtilfreds) smil.
smite [smait] *(smote, smitten)* slå, ramme; tilføje et nederlag, slå på flugt; (subst.) slag; *his conscience smote him* han fik samvittighedsnag; *be smitten with sby.* være (el. blive) bedåret af en; *be smitten with a desire for sth.* blive grebet af trang til noget; *smitten with fear* grebet af frygt.
smith [smiþ] smed; (vb.) smede.
smithereens ['smiðə'ri·nz] stumper og stykker.
smithery ['smiþəri] smedearbejde; smedje.
smithing ['smiþiŋ] smedearbejde.
smithy ['smiði, 'smiþi] smedje.
smitten [smitn] perf. part. af *smite.*
smock [småk] kittel; busseronne; brodere m. smocksyning. **smock|-frock** kittel, arbejderbluse. **-ing** smocksyning. *~* **-mill** hollandsk mølle.
smog [småg] røgblandet tåge (sammentrukket af *smoke* og *fog*).
I. **smoke** [smoᵘk] (subst.) røg; **T** ngt. rygeligt, cigaret, cigar; (amr. **S**) neger; *end in ~* gå op i røg; *have a ~* **T** tage sig en smøg; *like ~* **S** straks, hurtigt, som en mis.
II. **smoke** (vb.) ryge, dampe; røge; desinficere ved røg; *-d spectacles* røgfarvede briller; *~ out* ryge ud; (fig., amr.) bringe for dagen.

smoke|-ball, ~ -bomb røgbombe. **~ box** (tekn.) røgkammer. **~ -dried** røget. **-house** røgeri. **-less** røgfri (fx. *powder)*.

smoker ['smoᵘkə] ryger; rygekupé.

smoke-screen røgdække, røgslør.

smoke-stack skibsskorsten, fabriksskorsten.

smoking ['smoᵘkiŋ] (subst.) rygning, tobaksrygning; rygekupé; (adj.) rygende, osende; *no ~ allowed* tobaksrygning ikke tilladt.

smoking|-compartment rygekupé. **~ -jacket** hjemmejakke. **~ -room** rygeværelse. **~ -stand** standeraskebæger.

smoky ['smoᵘki] rygende, osende, tilbøjelig til at ryge; røglignende, røgfarvet; røgfyldt, tilrøget.

smolt [smoᵘlt] laks (i dens andet år).

I. **smooth** [smu·ð] (adj.) glat (fx. *~ paper)*; jævn (fx. *a ~ road)*; rolig; (om havet) smult; (om tale) behagelig; smigrende, slesk; (adv.) glat, jævnt (fx. *the engine runs ~)*; *a ~ crossing* en rolig overfart; *make things ~ for sby.* jævne vejen for en; *~ tongue* glat tunge; *take the rough with the ~* tage det onde med det gode.

II. **smooth** [smu·ð] (vb.) glatte (fx. *~ one's hair)*; *~ away* udglatte, udjævne; *~ down* berolige (fx. *I -ed him down)*; blive rolig (fx. *the sea -ed down)*; *~ over* glatte ud; besmykke (fx. *~ over sby.'s faults)*.

III. **smooth** [smu·ð] (subst.): *give one's hair a ~* glatte sit hår.

smooth|-bore glatløbet (fx. *gun)*. **~ -chinned** skægløs. **~ -faced** skægløs; (fig.) slesk, glat. **~ hound** (zo.) glathaj.

smoothing-plane afretterhøvl, pudshøvl, glathøvl.

smoothly glat, jævnt, roligt.

smoothness glathed, ro, jævn gang, jævnt arbejde, egalitet.

smooth| newt (zo.) lille vandsalamander. **~ -spoken, ~ -tongued** glat, indsmigrende.

smote [smoᵘt] imperf. af *smite*.

smother ['smʌðə] (vb.) kvæle(s); være nær ved at kvæle(s); dæmpe; dække, tildække (fx. *-d in flowers)*; dække over; undertrykke (fx. *a yawn)*; neddysse; overvælde (fx. *~ sby. with kisses)*; (subst.) røgsky, støvsky.

smoulder ['smoᵘldə] ulme, ryge.

smudge [smʌdʒ] (subst.) plet; rygende bål (for at holde insekter borte); (vb.) plette, smudse; tvære ud.

smug [smʌg] selvtilfreds, selvgod; selvbehagelig.

smuggle ['smʌgl] smugle.

smuggler smugler. **smuggling** smugleri.

smut [smʌt] (subst.) sodflage; sodplet; sjofel tale; brand (på korn); (vb.) plette, tilsmudse (med sod).

smut-fungus ♧ brandsvamp.

smutty ['smʌti] sodet, smudsig; sjofel, slibrig, uanstændig.

snack [snäk] bid mad, lille hurtigt måltid.

snack bar snackbar; frokostrestaurant.

snaffle ['snäfl] (subst.) trense, bridonbid; (vb.) styre ved trense, styre; **S** stjæle, negle.

snafu [snä'fu·] (amr. ⚔ S) rod, komplet forvirring, kludder; (vb.) rode, kludre; (begyndelsesbogstaverne i *situation normal—all fouled up*).

snag [snäg] (subst.) ujævnt fremspring; skjult skær, grenstump el. træstub (i flods etc. sejlløb); (fig.) uventet vanskelighed el. hindring; (vb.) støde på en (sådan) hindring; rydde (sådanne) hindringer af vejen; *that's the ~* det er der, vanskeligheden ligger; *there is a ~ in it* der er en hage ved det.

snagged [snägd], **snaggy** ['snägi] fuld af fremspring, hindringer (etc., se *snag)*.

snail [sneⁱl] snegl (med hus); *move at a -'s pace* snegle sig frem. **snail-shell** sneglehus.

snake [sneⁱk] slange; *(grass ~)* snog; (fig.) slange, snog; *nourish (el. cherish) a ~ in one's bosom* nære en slange ved sin barm; *a ~ in the grass* en lurende fare.

snake|bird (zo.) slangehalsfugl. **~ -charmer** slangetæmmer. **-'s head** ♧ vibeæg.

snakish ['sneⁱkiʃ] slangeagtig.

snaky ['sneⁱki] fuld af slanger; slange-; slangeagtig; bugtet.

I. **snap** [snäp] (vb.) snappe, bide, bide af; brække, bryde; smække (fx. *~ down the lid of a box)*; smække med, knalde med, smælde med (fx. *~ a whip)*; trykke af (fx. *a pistol)*; knipse, tage øjebliksbillede af (fx. *he was -ped falling off his horse)*; snærre, tale arrigt; knække, briste, bryde sammen; knalde; (om lyd ogs.) klikke; *~ one's fingers* knipse med fingrene; *~ one's fingers at* være revnende ligeglad med, blæse på;

~ at snappe efter, gribe ivrigt efter; bide ad, snærre ad; *~ into sth.* **S** gå energisk løs på ngt.; *~ off* brække af; *~ sby.'s head* (el. *nose) off* bide en af, bide ad en; *~ out of it* **S** tage sig sammen (og forbedre sig); *~ to* knalde i, smække i (fx. *the door -s to)*; *~ up* snappe, rive til sig, rive bort, sikre sig (fx. *all the best houses have been -ped up by this time)*; *~ sby. up* bide en af.

II. **snap** [snäp] (subst.) snappen, (et) bid; knæk, knips, smæk, smæld; lås (fx. på armbånd), tryklås; fut, fart, liv (fx. *a style without much ~*); amatørfotografi, snapshot, øjebliksbillede; (adj.) lynhurtig; pludselig (fx. *division, vote* afstemning); *cold ~* pludselig kulde.

snap|-album amatøralbum. **~ bean** snittebønne. **~ dragon** ♧ løvemund; juleleg med rosiner som snappes ud af brændende kognak. **~ fastener** tryklås. **~ -hook** karabinhage. **~ -lock** smæklås.

snappish ['snäpiʃ] bidsk, arrig.

snappy ['snäpi] fiks, kvik; bidsk, arrig; *look ~* skynde sig, få fart på.

snapshot ['snäpʃåt] amatørfotografi, snapshot, øjebliksbillede; ⚔ slængskud.

snare [snæə] (subst.) snare; (med.) slynge; (vb.) fange i snare.

I. **snarl** [sna·l] (vb.) bringe i urede, komme i urede; (subst.) knude, urede; forvikling.

II. **snarl** [sna·l] (vb.) snerre, knurre; (subst.) knurren, snerren.

snatch [snätʃ] (vb.) snappe, gribe *(at* efter); rive; (subst.) snappen; stump, brudstykke; *~ away* bortrive; *~ a few hours of sleep* redde sig nogle få timers søvn; *~ sth. from sby.'s hand* snappe noget ud af hånden på en; *make a ~ at* snappe efter; *by* (el. *in) -es* stødvis; rykvis; *a ~ of food* en bid mad; *a ~ of sleep* et blund, en lur.

snatchingly stødvis. **snatchy** rykvis, ujævn.

sneak [sni·k] (vb.) luske, snige sig; liste (el. luske) sig til; smugle; **S** sleske, sladre; hugge, stjæle; (subst.) luskepeter, sladrehank, slesk fyr, fedteprins; (i kricket) jordstryger (en bold som stryger langs jorden); *~ out of* (fig.) luske sig fra.

sneakers ['sni·kəz] **T** (sko med blød sål el. gummisål), gymnastiksko; listesko.

sneaking ['sni·kiŋ] hemmelig; skjult; lusket; tarvelig; *a ~ suspicion* en lumsk mistanke.

sneak|-raid overraskelsesangreb. **~ thief** listetyv.

sneer [sniə] rynke på næsen, spotte; (subst.) spotsk smil, stikleri; *~ at* håne, spotte.

sneeze [sni·z] nyse; nysen; *not to be -d at* ikke til at kimse ad.

snell [snel] (fiskeri) forfang.

snick [snik] (subst.) hak, (vb.) skære hak i; (give) let slag med boldtræ.

snicker ['snikə] fnise; vrinske; fnisen; vrinsken.

snide [snaid] **S** (adj.) falsk, uægte; tarvelig, ondskabsfuld; (subst.) falsk mønt; uægte smykke.

sniff [snif] (vb.) snøfte, snuse; vejre, lugte, rynke på næsen *(at* ad); (subst.) snøft, snusen.

sniffle ['snifl] snøfte; snøften; *the -s* snue, snøften.

sniffy ['snifi] **T** let storsnudet.

snifter ['sniftə] svingpokal, kognakglas; (amr. **S**) lille dram, gibbernakker.

snifting valve snøfteventil.

snigger ['snigə] grine, fnise.

snip [snip] (vb.) klippe (med en rask bevægelse); (subst.) klip; afklippet stykke; stump; fræk lille tingest; S skrædder; *that's a ~* det er billigt; det er fundet for de penge; det er helt sikkert.

I. **snipe** [snaip] (vb.) skyde (om præcisionsskydning fra skjult stilling, især på lang afstand).

II. **snipe** [snaip] (subst., zo.) bekkasin, sneppe; *common ~* dobbeltbekkasin.

snipe-fish sneppefisk.

sniper ['snaipə] snigskytte, finskytte (se I. *snipe*).

snippet ['snipit] bid, stump.

snipping ['snipiŋ] afklip, stump.

snips [snips] pl. bliksaks.

snitch [snitʃ] hugge, stjæle; S sladre, angive.

snivel ['snivl] (subst.) snot; flæberi; hykleri; (vb.) være snottet, snøfte; flæbe, klynke.

sniveller ['snivlə] klynkehoved.

snob [snåb] snob; *be a ~* (ogs.) have fine fornemmelser; *it has ~ appeal (el. value)* det appellerer til folks snobberi.

snobbery snobberi. **snobbish** snobbet.

snog [snåg] (vb.) T kæle. **snogging** T kæleri.

snood [snu·d] hårbånd; hårnet; (i fiskeri) forfang.

snook [snu·k]: *cock a ~* S række næse.

snooker ['snu·kə] (form for) billiard.

snoop [snu·p] (amr. S) stikke næsen i ting, der ikke vedkommer en; snuse; udspionere.

snooper ['snu·pə] T nysgerrigper.

snoopy ['snu·pi] som snuser i andres sager.

snoot [snu·t]: *~ at* være storsnudet overfor.

snooty ['snu·ti] T snobbet; storsnudet.

snooze [snu·z] blunde; blund, lur.

snore [snå·] snorke; snorken.

snorkel ['snå·kl] snorkel.

snort [snå·t] pruste, fnyse; fnysen; snorkel; S snaps, gibbernakker.

snorter ['snå·tə] snorkepeter; S pralhals; næsestyver; kraftpræstation; brandstorm.

snot [snåt] snot.

snot-rag snotklud, lommetørklæde.

snotty ['snåti] (adj.) snottet; storsnudet; (subst.) S kadet.

snout [snaut] snude, tryne, snabel, mundstykke.

snout-beetle snudebille.

snow [snoᵘ] (subst.) sne; snevejr; S kokain; (vb.) sne; komme væltende, strømme (fx. *letters came -ing in*); regne med, strømme ind med (fx. *it -ed letters*); *be -ed in* (el. *up*) være indesneet; *be -ed under by* være overvældet af, være begravet i (fx. *letters*).

snow|ball snebold; ♧ snebolle, kvalkved; (vb.) kaste med snebolde. *~* **-berry** snebær. *~* **-bird** S narkoman (der er forfalden til kokain). *~* **-blind** sneblind. *~* **-bound** indesneet. *~* **-broth** sneælte, snesjap. *~* **-bunting** snespurv. *~* **-capped** sneklædt. **-cat** motorslæde. *~* **-clad,** *~* **-crowned** = *~ -capped.* *~* **-drift** snedrive.

snow|drop ♧ vintergæk. **-droptree** ♧ sneklokketræ. *~* **-fall** snefald. *~* **-field** snemark. *~* **-finch** (zo.) snefinke. **-flake** snefnug; ♧ dortealilje. *~* **-goggles** snebriller. *~* **goose** snegås. *~* **-line** snegrænse. **-man** snemand; *the abominable -man* den afskyelige snemand. **-mobile** motorslæde. *~* **-owl** sneugle. *~* **-plough** sneplov. *~* **-shoe** snesko. *~* **-slide,** *~* **-slip** sneskred, lavine. *~* **-storm** snefog. snestorm.

snowy ['snoᵘi] snedækt, snehvid, ren; *~ owl* sneugle.

snub [snʌb] (subst.) afvisning, irettesættelse, næse (fig.); (vb.) afvise, bide af, give over næsen.

snubbing-post ⚓ pullert.

snub| nose opstoppernæse, braknæse. *~* **-nosed** braknæset.

I. **snuff** [snʌf] (subst.) tande, udbrændt væge; (vb.) pudse (et lys); *~ out* slukke, undertrykke, kvæle; dø.

II. **snuff** [snʌf] snuse; snus; *take a pinch of ~* tage en pris; *up to ~* T ikke tabt bag af en vogn.

snuff-box ['snʌfbåks] snustobaksdåse.

snuffer ['snʌfə] en som bruger snus; *-s* lysesaks.

snuffle ['snʌfl] (vb.) snøvle; (subst.) snøvlen.

snuffles ['snʌflz] tilstopning af næsen, snue.

snuffy ['snʌfi] tilsmudset af snus; T fornærmet.

snug [snʌg] (adj.) lun, net, hyggelig, bekvem; tætsluttende (om tøj); beskyttet, skjult; i orden; (subst.) = *snuggery;* (vb.) ordne; gøre klar; lægge (el. putte) sig; gemme; *be as ~ as a bug in a rug* have det som blommen i et æg; *sit ~ by the fire* sidde lunt ved ilden; *a ~ berth* en sikker stilling; *a ~ little party* en lille fortrolig kreds.

snuggery ['snʌgəri] hyggeligt værelse, hyggelig krog; baglokale i *pub.*

snuggle ['snʌgl] lægge (el. sætte) sig til rette; ligge lunt og godt; trykke ind til sig; *~ down* lægge (el. sætte) sig til rette; putte sig; *~ up to sby.* smyge sig ind til en.

so [soᵘ] så; således, sådan; så meget, så højt (etc.) (fx. *I love you ~; she ~ wanted to go* hun ville så gerne af sted); derfor; det (fx. *I don't think ~; I hope ~; he promised to post the letter but has not yet done ~*); det ... også (fx. *he is old, and ~ am I* han er gammel og det er jeg også; *we thought he would come and ~ he did* ... og det gjorde han også); nå så (fx. *~ you want to go to America?*);

~ and ~ den og den, det og det; sådan og sådan; *~ fortunate as to* så lykkelig at; *not ~ (big) as* ikke så (stor) som; *~ as to* således at, for at; *'You didn't do it', 'I did ~'* jo jeg gjorde; det gjorde jeg vel nok; *even ~* alligevel; *how ~?* hvorledes det? *if ~* i så tilfælde; *'it is your birthday today', – 'So it is'* ja det er det; det er det jo også; *just ~* ganske rigtigt, netop; *it was ~ kind of you* det var meget elskværdigt af Dem; *~ long as* når blot, under forudsætning af at; *~ many* (ogs.) så og så mange; *the more ~ as* så meget mere som; *~ much* (ogs.) så og så meget; (se også *much*); *and ~ on* og så videre; *or ~* eller deromkring (fx. *he must be forty or ~*); *quite ~* ganske rigtigt, netop; *(only) ~ ~* (kun) så som så; *~ to speak* (el. *say*) så at sige; *~ that* så at, for at; (glds.) forudsat at, når blot; *is that ~?* er det rigtigt? nej virkelig? *I told you ~* det sagde jeg jo; *~ what?* ja, hvad så? og hvorfor ikke? *why ~?* hvorfor det?

I. **soak** [soᵘk] (vb.) bløde, lægge i blød, gennemvæde; indsuge, ligge i blød; T svire; S pantsætte; tage overpris af, trække op; slå, dunke; *~ oneself in* fordybe sig i; *-ed (through)* gennemblødt; *~ into* trænge ind i, sive ind i; *water -s into the earth* vand siver ned i jorden; *~ up* opsuge; *put washing to ~* lægge tøj i blød.

II. **soak** [soᵘk] (subst.) gennemblødning; udblødning; T drukkenbolt, svirebroder; overpris; slag, dunk; *put in ~* S pantsætte.

soakage ['soᵘkidʒ] udblødning.

soaker ['soᵘkə] dranker; bløder (stærkt regnskyl); *-s* (amr.) blebukser.

so-and-so ['soᵘənsoᵘ] den og den, det og det; noksagt (fx. *you old ~*); *Mr. ~* Hr. N. N.

soap [soᵘp] (subst.) sæbe; (vb.) sæbe af, sæbevaske; *no ~* (amr.) forgæves; *~ (down)* S smigre; *cake* (el. *cube* el. *tablet) of ~* stykke sæbe.

soap|-bark kvilajabark. *~* **-berry** ♧ sæbebær. *~* **-boiler** sæbefabrikant. *~* **-boiling** sæbefabrikation. *~* **-box** sæbekasse; kasse som folketaler bruger til at stå på; (vb.) optræde som folketaler på gaden. *~* **-boxer,** *~* **-box orator** folketaler på gaden. *~* **-bubble** sæbeboble. *~* **-dish** sæbeskål. *~* **flakes** sæbespåner. *~* **-holder** sæbeskål. *~* **-maker** sæbefabrikant. *~* **-making** sæbefabrikation. *~* **-opera** (amr. T) fortsat række hørespil med samme personkreds. *~* **powder** sæbepulver. **-stone** fedtsten. **-suds** sæbevand, sæbeskum. **-wort** ♧ sæbeurt.

soapy [soᵘpi] sæbeagtig; slesk; *~ water* sæbevand.

soar [så·] (vb.) flyve højt, hæve sig, stige; svæve; (subst.) høj flugt; *-ing* højtflyvende, himmelstræbende; stadig stigende (fx. *prices*); *-ing flight* (flyv.) glideflugt.

S.O.B. fk. f. *son of a bitch.*

sob [såb] hulke; hulken; (amr. **S**) sentimental (fx. *story).*

sobeit [so^{u}'bi·it] (glds.) når blot.

sober ['so^{u}bə] (adj.) ædru, ædruelig; rolig, besindig, nøgtern; dæmpet, diskret (fx. *colours); (vb.)* gøre el. blive ædru; *he is as ~ as a judge* han er fuldstændig (el. **T** pinlig) ædru; han er meget ædruelig.

sober|-minded besindig, nøgtern. **-sides** sat person, alvorsmand.

sobriety [so^{u}'braiəti] nøgternhed, ædruelighed.

sobriquet ['so^{u}brike^{i}] øgenavn; påtaget navn.

sob|sister (amr. **S**) redaktør af damebrevkasse; kvindelig journalist der skriver sentimentale artikler. **~ story, ~ stuff** (amr. **S**) sentimentalt pladder.

soccer ['såkə] fk. f. *association football.*

sociability [so^{u}ʃə'biliti] selskabelighed, omgængelighed.

sociable ['so^{u}ʃəbl] (adj.) selskabelig, omgængelig; (subst.) **T** komsammen; holstensk vogn; to-personers trehjulet cykel.

sociably ['so^{u}ʃəbli] selskabeligt.

social ['so^{u}ʃəl] (adj.) social, samfunds- (fx. *~ conditions* samfundsforhold); selskabelig; (subst.) selskabelig sammenkomst, komsammen; *~ climber* stræber; *~ democrat* socialdemokrat; *~ evil* samfundsonde; *~ insurance* folkeforsikring; *~ intercourse* selskabelig omgang.

socialism ['so^{u}ʃəlizm] socialisme.

socialist ['so^{u}ʃəlist] socialist; socialistisk.

socialistic [so^{u}ʃə'listik] socialistisk.

socialite ['so^{u}ʃəlait] (amr. **T**) prominent person.

sociality [so^{u}ʃi'äliti] selskabelighed.

socialize ['so^{u}ʃəlaiz] socialisere; indrette efter socialistiske principper.

social security (amr.) folkeforsikring.

society [sə'saiəti] selskab; samfund; forening; *~ (with a capital S)* den fine verden; *mix in ~* deltage i selskabslivet; *Society Islands* Selskabsøerne.

sociology [so^{u}si'åləd ʒi] sociologi.

sock [såk] (subst.) sok; indlægssål; (glds.) en let, lavhælet sko som de komiske skuespillere brugte; komedie; **S** slag (fx. *I gave him a ~ in the eye);* slikkerier; (vb.) slå, slå til (fx. *the ball); pull up one's -s* **T** (omtr. =) spytte i næverne og tage fat; *~ him one on the jaw, give him -s* **S** lange ham en ud.

sockdolager [såk'dålədʒə] (amr.) kraftigt slag, afgørende argument; ordentlig tamp.

socket ['såkit] fordybning, hulhed; (øje)hule; lysepibe; fatning (til elekt. lampe); muffe, holder, hylster; *~ pipe* mufferør; *~ wrench* topnøgle.

socle ['såkl] sokkel, fodstykke.

Socrates ['såkrəti·z] Sokrates.

Socratic(al) [så'krätik(l)] sokratisk.

I. **sod** [såd] græstørv; *under the ~* under mulde.

II. **sod** [såd] (vulgært groft skældsord) sodomit, perverst individ.

soda ['so^{u}də] soda, natron, sodavand; *bicarbonate of ~* tvekulsurt natron; *carbonate of ~* soda.

soda| ash soda. **~ -fountain** sodavandsapparat; isbar.

sodality [so'däliti] broderskab.

soda| pop, ~ -water sodavand.

sodden ['sådn] gennemtrukken, gennemblødt; blød, klæg, svampet; sløv; fordrukken, fuld.

sod hut jordhytte (bygget af græstørv).

sodium ['so^{u}djəm] natrium.

Sodom ['sådəm] Sodoma.

sodomite ['sådəmait] sodomit, homoseksuel mand. **sodomy** ['sådəmi] sodomi, homoseksualitet mellem mænd.

soever [so^{u}'evə] som helst, end; *how great ~* hvor stor end.

sofa ['so^{u}fə] sofa; *sit on* (el. *in) the ~* sidde i sofaen.

sofa-bed(stead) sovesofa.

soffit ['såfit] underside af bjælkeloft, bue, hvælving.

Sofia ['so^{u}fiə].

soft [såft] blød; mild, let; dæmpet; sagte, blid; blødsøden, slap; **S** svaghovedet, blød; *a ~ job* en let bestilling, en 'dæksmand'; *~ money* papirspenge; *~ nothings* 'søde ord'; *the ~ palate* den bløde gane; *a ~ place* et blødt sted, et svagt punkt; *a ~ side* en svag side, et svagt punkt; *a ~ thing* (fig.) en let og indbringende forretning (etc.); *~ water* blødt vand; *~ words* blide ord; *a bit ~ in the head* lidt til en side, lidt blød (på pæren); *~ on* **T** skudt i; forelsket i; *go ~* blive blød.

soft|ball rundbold. **~ -boiled** blødkogt (fx. *egg).* **~ -brained** svaghovedet. **~ coal** fede kul. **~ drinks** alkoholfri drikke.

soften ['såfn] blødgøre (fx. *skins, water);* formilde (fx. *sby.'s heart),* mildne (fx. *a contrast, sby.'s pain);* blive mildere (fx. *the weather is -ing); ~ up* ⚔ gøre 'mør' (ved beskydning etc.).

softening ['såfniŋ] blødgøring (etc., se *soften); ~ of the brain* hjerneblødhed.

soft| goods manufakturvarer. **~ -grass** ♧ hestegræs. **~ -headed** svaghovedet, åndssvag. **~ pedal** pianopedal, dæmperpedal. **~ -pedal** bruge dæmperpedal; **S** dæmpe, neddæmpe.

soft| sawder ['såft'så·də] smiger, fedteri. **~ -sawder** (vb.) smigre, fedte for, smøre om munden. **~ soap** blød sæbe; (især:) brun sæbe; (fig.), se *soft-sawder.* **~ -soap** (vb.), se *soft-sawder.* **~ solder,** se *solder.* **~ -spoken** blid, med mild røst. **~ tack** ⚓ brød.

softwood nåletræsved; *~ forest* nåleskov.

soggy ['sågi] opblødt, blød, klæg (om jord etc.); gennemblødt; vandet (fx. *vegetables);* (fig.) træg.

Soho [so'ho^{u}] (kvarter i London).

I. **soil** [soil] (subst.) jord (fx. *good ~, poor ~);* jordbund, jordsmon, muldjord; *native ~* fædrenejord.

II. **soil** [soil] (vb.) tilsøle, besudle, tilsøles; (subst.) snavs, søle; gødning; plet; *-ed* snavset; brugt (fx. *-ed towels).*

III. **soil** [soil] (vb.) grønfodre.

soil| analysis jordbundsanalyse, jordbundsundersøgelse. **~ creep** jordflydning. **~ pipe** faldrør, faldstamme. **~ -science** jordbundslære.

soirée ['swa·re^{i}] soirée.

sojourn ['sådʒə·n, 'sʌdʒə·n] ophold; (vb., glds.) opholde sig.

solace ['såləs] (vb.) trøste, lindre; (subst.) trøst.

solan (goose) ['so^{u}lən (gu·s)] (zo.) havsule.

solar ['so^{u}lə] sol- (fx. *system, battery); ~ flowers* blomster som kun åbner sig nogle få timer om dagen; *~ plexus* solar plexus (nervebundt under mellemgulvet).

solarium [so'læəriəm] solveranda; lokale til lysbehandling.

solatium [so'le^{i}ʃəm] erstatning.

sold [so^{u}ld] imperf. og perf. part. af *sell; ~ on* begejstret for, vild med.

soldanella [såldə'nelə] ♧: *alpine ~* alpeklokke.

solder ['såldə, 'så·də, 'sådə] (vb.) lodde, sammenføje; (subst.) loddemiddel; *hard ~* slaglod; *soft ~* loddetin, snellod.

soldering ['såldəriŋ] lodning; *~ -iron* loddebolt, loddekolbe.

soldier ['so^{u}ldʒə] (subst.) soldat; feltherre; **S** doven fyr; røget sild; (vb.) være soldat; **S** drive den af; *common* (el. *private) ~* menig soldat; *an old ~* en der har erfaring, 'en gammel rotte'; en tom flaske; en cigarstump; *go* (el. *enlist) for a ~* lade sig hverve; *die a -'s death* falde på ærens mark; *~ of fortune* lykkeridder; *~ on* stædigt blive ved, holde ud.

soldier-crab eremitkrebs; taskekrabbe.

soldiering ['so^{u}ldʒəriŋ] soldaterhåndtering, soldaterliv.

soldierlike ['so^{u}ldʒəlaik], **soldierly** ['so^{u}ldʒəli] soldatermæssig.

soldiership ['so^{u}ldʒəʃip] militær dygtighed.

soldiery ['so^{u}ldʒəri] krigsfolk, soldater.

I. **sole** [so^{u}l] (zo.) tunge (fladfisk).

II. **sole** [so^{u}l] (subst.) fodsål, støvlesål; (vb.) forsåle.

III. **sole** [soᵘl] (adj.) alene, eneste, udelukkende; ugift; ~ *agency* eneagentur, eneforhandling; ~ *agent* eneforhandler.
solecism [ˈsålisizm] sprogfejl, bommert; fejltrin, uheldig opførsel, brud på god tone.
sole-leather sålelæder.
solemn [ˈsåləm] højtidelig; (fig.) stiv.
solemnize [ˈsåləmnaiz] højtideligholde, fejre.
solenoid [ˈsoᵘlənoid] (subst., elekt.) solenoide.
Solent [ˈsoᵘlənt].
soleprint [ˈsoᵘlprint] fodaftryk.
solicit [səˈlisit] bede, anmode; plage; ansøge om, udbede sig; opfordre til utugt.
solicitant [səˈlisitənt] ansøger.
solicitation [səlisiˈteⁱʃən] anmodning etc. (se *solicit*).
solicitor [səˈlisitə] sagfører (som foruden at han er sine klienters rådgiver, forbereder sager for *the barrister*); (amr.) = *canvasser*.
Solicitor-General (juridisk medlem af regeringen).
solicitous [səˈlisitəs] bekymret, ivrig.
solicitude [səˈlisitju·d] bekymring, omsorg.
solid [ˈsålid] (adj.) fast (fx. *food*); massiv (fx. *gold, wall*); solid; ægte (fx. *gold*); grundig, pålidelig; enstemmig; (ved mål) kubik- (fx. *foot*); (typ.) kompres (fx. *matter* sats); (subst.) fast legeme, (fast) stof; *be* ~ *for* enstemmigt holde på; *for a* ~ *hour* i en fuld time, i en stiv klokketime; ~ *of revolution* omdrejningslegeme; *a* ~ *suit* en solid farve (i bridge).
solidarity [sâliˈdäriti] solidaritet; *(spirit of)* ~ sammenhold.
solid| fuel fast brændstof (, brændsel). ~ **geometry** rumgeometri. ~ **-hoofed** (zo.) enhovet.
solidification [səlidifiˈkeⁱʃən] størknen, overgang til fast form.
solidify [səˈlidifai] blive fast, størkne; få til at størkne; *-ing point* størkningspunkt.
solidity [səˈliditi] fasthed, soliditet; pålidelighed.
soliloquize [səˈliləkwaiz] tale med sig selv; holde enetale.
soliloquy [səˈliləkwi] monolog, enetale.
solitaire [såliˈtæə] solitær (ædelsten som indfattes alene); solitaire (spil for en enkelt person), kortkabale.
solitary [ˈsålit(ə)ri] (adj.) enlig, ensom, afsides, isoleret; eneste; (subst.) eneboer; ~ *confinement* ensom arrest; enecelle (fx. *ten days* ~ *confinement*); ~ *wasps* (zo.) enlige hvepse.
solitude [ˈsålitju·d] ensomhed.
solo [ˈsoᵘloᵘ] solo; ~ *part* soloparti.
soloist [ˈsoᵘloist] solist.
Solomon [ˈsåləmən] Salomon; *the Song of* ~ Salomos Højsang; *-'s seal* ♧ stor konval.
so-long [ˈsoᵘˈlåŋ] T farvel (så længe).
solstice [ˈsålstis] solhverv.
solstitial [sålˈstiʃəl] solhvervs-.
solubility [såljuˈbiliti] opløselighed.
soluble [ˈsåljubl] opløselig; som kan løses.
solus [ˈsoᵘləs] alene (i sceneanvisninger).
solution [səˈl(j)u·ʃən] opløsning; løsning.
solvable [ˈsålvəbl] som kan løses.
solve [sålv] løse, klare.
solvency [ˈsålvənsi] solvens, betalingsevne.
solvent [ˈsålvənt] (adj.) solvent, betalingsdygtig; opløsende; befriende, forløsende; (subst.) opløsningsmiddel.
somatic [soᵘˈmätik] somatisk, legemlig.
sombre [ˈsåmbə] mørk, melankolsk, trist, dyster.
sombrero [såmˈbræəroᵘ] sombrero (bredskygget hat).
sombrous [ˈsåmbrəs] mørk, dyster.
some [(betonet:) sʌm, (ubetonet:) səm, sm] (adj.) en eller anden, et eller andet, nogen, noget; nogle, visse, somme; (foran talord) omtrent, cirka (fx. ~ *twenty miles off*); en (fx. ~ *four or five* en fire-fem stykker); (subst.) nogle (personer), en del mennesker; (adv.) S noget, i nogen grad; *lend me* ~ *book or other* lån mig en eller anden bog; ~ *books* nogle bøger; *this is* ~ *book* det kan man kalde en bog; det er velnok en bog; det kalder jeg en bog; *and then* ~ (amr.) og en hel masse til; ~ *time* i nogen tid (fx. *I have been waiting* ~ *time*); engang (fx. *come and see me* ~ *time*); ~ *twenty years* en snes år; *he was annoyed* ~ S han var vel nok ærgerlig.
somebody [ˈsʌmbədi] nogen, en eller anden; en person af betydning; ~ *has been here before* her har været nogen i forvejen; *he thinks he is* ~ han bilder sig ind han er noget (stort).
somehow [ˈsʌmhau] på en eller anden måde, hvordan det så end er gået til (, går til); *it scares me* ~ det gør mig nu alligevel bange.
someone [ˈsʌmwʌn] nogen, en eller anden.
somersault [ˈsʌməså(·)lt] luftspring, saltomortale; kolbøtte; *cast* (el. *throw, turn*) *a* ~ slå en saltomortale (el. en kolbøtte).
something [ˈsʌmþiŋ] noget; *little, yet* ~ lidt, men dog altid noget; ~ *new* noget nyt; *there is* ~ *in it* der er noget om det; *he is* ~ *in the Customs* han er noget ved toldvæsenet; *that is* ~ det er (dog altid) noget; ~ *like* sådan noget som, omtrent (fx. *it amounts to* ~ *like five pounds*); *that's* ~ *like rain!* sikken et regnvejr! *that's* ~ *like!* det er noget af det helt rigtige; det er vel nok storartet; ~ *of* noget af (= i nogen grad) (fx. *he is* ~ *of a liar; he was* ~ *of a poet*); *if you see* ~ *of them* hvis du ser noget til dem; *he was made a captain or* ~ han blev udnævnt til kaptajn eller sådan noget lignende; *it looked* ~ *awful* det så noget så forfærdeligt ud.
sometime [ˈsʌmtaim] engang, på et eller andet tidspunkt; forhenværende, tidligere (fx. ~ *professor of French at the university*).
sometimes [ˈsʌmtaimz] undertiden, somme tider; *sometimes ... sometimes* snart ... snart.
somewhat [ˈsʌmwåt] (adv.) noget (fx. *he is* ~ *deaf*), i nogen grad; (subst.) noget (fx. *it loses* ~ *of its force*).
somewhere [ˈsʌmwæə] et eller andet sted; *he may be* ~ *near* han er måske et sted i nærheden; ~ *else* andetsteds.
somnam|bulism [såmˈnämbjulizm] søvngængeri. **-bulist** [såmˈnämbjulist] søvngænger.
somniferous [såmˈnifərəs] søvndyssende.
somnolence [ˈsåmnələns] søvnighed, døsighed, dvaskhed.
somnolent [ˈsåmnələnt] søvnig, døsig, dvask.
son [sʌn] søn; ~ *of a bitch* (amr.) sjover, slubbert; *you* ~ *of a gun!* (amr. S, jovialt) din skurk! *the Son of Man* Menneskesønnen; *every mother's* ~ hver eneste mors sjæl.
sonata [səˈna·tə] sonate.
sonatina [sånəˈti·nə] sonatine.
song [såŋ] sang, vise; *it is nothing to make a* ~ *(and dance) about* det er ikke noget at råbe hurra for; *the usual* ~ den gamle vise; *for a* ~, *for an old* ~ til spotpris, for en slik.
song|-bird sangfugl. ~ **-book** sangbog. **-ful** velklingende; som holder af at synge, som ofte synger. **-ster** sanger. **-stress** [-strės] sangerinde. ~ **-thrush** sangdrossel.
sonic [ˈsånik] lyd-; ~ *bang* (el. *boom*) brag der lyder når et fly gennembryder lydmuren; ~ *barrier* (flyv.) lydmur; ~ *depth finder* ekkolod; ~ *mine* akustisk mine; ~ *speeds* hastigheder så store som lydens.
son-in-law [ˈsʌninlå·] svigersøn.
sonnet [ˈsånit] sonet. **sonneteer** [sånėˈtiə] (subst.) sonetdigter; versemager, rimsmed; (vb.) skrive sonnetter (til).
sonny [ˈsʌni] lille dreng, (især i tiltale:) min lille ven, bromand.
sonority [səˈnåriti] klang, klangfylde.
sonorous [səˈnå·rəs] klangfuld, fuldttonende, sonor; ~ *figures* klangfigurer.
sonsy [ˈsånzi] trivelig, køn, rar.

soon [su·n] snart, tidligt; hurtigt; *as ~ as* så snart som; *I would as ~* jeg ville lige så gerne; *-er or later* før eller senere; *I would -er die than* jeg ville hellere dø end; *no -er ... than* aldrig så snart ... førend; *no -er said than done* som sagt så gjort.

soot [sut] sod; (vb.) sode; *-ed* sodet.

sooth [su·þ] (glds.): *in (good) ~* i sandhed; *~ to say* sandt at sige.

soothe [su·ð] formilde, mildne, berolige; smigre.

soother ['su·ðə] narresut.

soothing ['su·ðiŋ] indsmigrende; beroligende.

soothsayer ['su·þseⁱə] sandsiger(ske).

sooty ['suti] sodet; sodfarvet.

sop [såp] (subst.) opblødt stykke (brød etc.); (vb.) dyppe, udbløde; gennembløde; *a ~ to Cerberus* noget der gives en for at formilde ham, bestikkelse; *a ~ to the electors* valgflæsk; *~ up* tørre op, opsuge.

soph [såf] fk. f. *sophomore.*

Sophia [sə'faiə] Sofie; Sofia.

sophism ['såfizm] sofisme, spidsfindighed.

sophist ['såfist] sofist.

sophistic [sə'fistik] sofistisk.

sophisticate [sə'fistikeⁱt] fordreje, forfalske; gøre raffineret el. kunstlet (se *sophisticated).*

sophisticated [sə'fistikeⁱtid] (om en person) forfinet, raffineret, alt andet end naiv, 'med på den', blaseret, kunstlet.

sophistication [səfisti'keⁱʃən] raffinement, blaserethed, kunstlethed; sofisteri; forfalskning, fordrejning.

sophistry ['såfistri] sofisteri.

Sophocles ['såfəkli·z] Sofokles.

sophomore ['såfəmå·] (amr.) ex-rus, andet års student.

Sophy ['soᵘfi] Sofie.

soporific [soᵘpə'rifik] (adj.) søvndyssende; (subst) sovemiddel.

sopping gennemblødt, drivvåd; *~ wet* gennemblødt.

soppy ['såpi] gennemblødt, drivvåd; opblødt; sværmerisk, rørstrømsk.

soprano [sə'pra·noᵘ] sopran.

sorb [så·b] ♧ røn; rønnebær.

sorcerer ['så·sərə] troldmand. **sorceress** ['så·sərės] troldkvinde. **sorcery** ['så·səri] trolddom.

sordid ['så·did] smudsig, uhumsk; ussel, lav; gerrig.

sordine ['så·di·n] (subst.) sordin.

sore [så·] (subst.) sår, betændelse, ømt sted; (adj.) såret, øm (fx. *~ feet);* smertelig; ømtålelig, pirrelig; **T** fornærmet, irriteret *(about* over); *~ eyes* dårlige øjne; *a sight for ~ eyes* et vidunderligt syn; *like a bear with a ~ head* sur og gnaven; *it makes me ~* det ærgrer (el. kreperer) mig; *touch on a ~ place* sætte fingeren på et ømt punkt; *a ~ subject* et pinligt emne; *have a ~ throat* have ondt i halsen; *a ~ trial* en hård prøvelse.

sorely (adv.) smerteligt; stærkt (fx. *tempted),* hårdt (fx. *tried).*

sorghum ['så·gəm] ♧ durra.

sorites [so'raiti·z] sorites, kædeslutning.

sorn [så·n] (skotsk) snylte. **sorner** snyltegæst.

soroptimist [så·r'åptimist] soroptimist (medlem af kvindelig 'Rotary-klub').

sorority [sə'råriti] (amr.) forening af kvindelige studenter.

I. **sorrel** ['sårəl] (subst., ♧) syre; skovsyre.

II. **sorrel** ['sårəl] (adj.) fuksrød; (subst.) fuks.

sorrow ['såroᵘ] sorg; sørge.

sorrow|ful ['sårəf(u)l] sorgfuld, sørgelig. **-fulness** [-nės] sorgmodighed. **-less** [-lės] sorgfri.

sorry ['såri] (adj.) ked af det, bedrøvet, sørgmodig; sølle, ynkelig, ussel; *(so) ~! I am ~!* undskyld! *I am ~ you can't stay longer* jeg er ked af (el. det gør mig ondt, jeg beklager) at du ikke kan blive længere; *I am ~ to say* desværre; *I am ~ for him* det gør mig ondt for ham; *I am very ~* jeg beklager det meget; *a ~ customer* en trist kavaler; *a ~ horse* en ynkelig krikke; *in a ~ plight* i en sørgelig forfatning; *a ~ sight* et ynkeligt (el. sørgeligt) syn.

I. **sort** [så·t] (subst.) slags, sort, art, måde; (glds.) samling; *this ~ of dog, these ~ of dogs* denne slags hunde; *what ~ of a man is he?* hvordan er han? *he's a good ~* han er et rart menneske, han er en flink fyr; *he is not my ~* han er ikke min type, han falder ikke i min smag; *after a ~* til en vis grad; *~ of* **T** ligesom (fx. *he ~ of hinted he'd like a tip); you will do nothing of the ~* vist vil du ej; *of a ~, of -s* en slags (fx. *a lawyer, at least of a ~); be out of -s* være forstemt; ikke være rask.

II. **sort** [så·t] (vb.) sortere, ordne; *~ out* sortere; sortere fra; *get it all -ed out* få det ordnet (el. redet ud el. bragt i orden); *~ with* omgås; *~ well with* være i overensstemmelse med, harmonere med.

sorterer ['så·tərə] sorterer.

sortie ['så·ti] udfald; (flyv.) mission, togt.

SOS ['esoᵘ'es] S. O. S.-signal; efterlysning (i radio).

so-so ['soᵘsoᵘ] så som så, ikke videre godt, så lala.

sot [såt] drukkenbolt. **sottish** ['såtiʃ] fordrukken.

sotto voce ['såtoᵘ 'voᵘtʃi] dæmpet.

Soudan [su(·)'dän]: *the ~* Sudan.

soufflé ['su·fleⁱ] soufflé (slags omelet).

sough [sau] sukke, suse (om vinden); susen.

sought [så·t] imperf. og perf. part. af *seek; ~ -after* efterspurgt.

soul [soᵘl] sjæl, følelse, hjerte; *he is a cheery ~* han er en glad sjæl; *I cannot call my ~ my own* jeg er meget bundet; jeg er frygtelig ophængt (ɔ: har travlt); *he is the ~ of honour* han er hæderligheden selv; *poor ~* sølle stakkel; *keep body and ~ together* (fig.) opretholde livet.

soul|-destroying åndsfortærende. **-ful** sjælfuld, smægtende, krukket. **-less** [-lės] sjælløs. *~* **-stirring** gribende.

I. **sound** [saund] (adj.) sund; i god stand (fx. *a ~ building);* fornuftig, klog (fx. *a ~ policy);* logisk (fx. *a ~ argument);* solid (fx. *a ~ financial position);* velfunderet; dygtig; ordentlig (fx. *a ~ beating); ~ as a bell* sund og rask; *of ~ mind* åndsfrisk; *safe and ~* i god behold.

II. **sound** [saund] (subst.) sund; *the Sound* Øresund, Sundet.

III. **sound** [saund] (zo.) svømmeblære.

IV. **sound** [saund] (vb.) sondere, pejle, lodde (vandets dybde), prøve; sondere stemningen hos; dykke ned (om hval etc.); (subst.) sonde; *~ him* føle ham på tænderne.

V. **sound** [saund] (subst.) lyd, klang; *at a ~* ved mindste lyd.

VI. **sound** [saund] (vb.) lyde, klinge; lade lyde; give signal til; udtale (fx. *don't ~ the h in heir);* (med. etc.) undersøge ved bankning, lytte til; *~ a trumpet* blæse på trompet; *~ the charge* blæse til angreb; *~ off* (amr.) tælle takten (under march); **S** kæfte op, protestere højlydt.

sound barrier: *the ~* (flyv.) lydmuren.

sound|-board sangbund. *~* **-boarding** indskudsbrædder. *~* **-box** lyddåse. *~* **camera** tonekamera (i film). *~* **channel** lydkanal (i film). *~* **film** tonefilm. *~* **-hole** lydhul (i violin).

I. **sounding** ['saundiŋ] (adj.) lydende, velklingende; højtklingende; (subst.) lyd, klang.

II. **sounding** ['saundiŋ] (subst.) pejling, lodning; (i pl.) lodskud, (loddede) dybder, dybdeforhold; kendt grund.

sounding| board lydhimmel; resonansbund, klangbund. *~* **-lead** [-led] ⚓ lod. *~* **-line** ⚓ lodline. *~* **rocket** raketsonde.

sound|less lydløs. *~* **-post** stemmepind (i violin etc.). *~* **-proof** lydtæt, lydisoleret. *~* **track** tonebånd (i film), tonespor. *~* **truck** (amr.) højttalervogn. *~* **-wave** lydbølge.

soup [su·p] kødsuppe; **S** hestekræfter; *be in the ~* sidde kønt i det; *~ up* **S** give (bilmotor etc.) øget effekt.

soupçon ['su·psån, fr.] antydning, lille smule.
soup|-kitchen (svarer omtr. til) samaritan (institution til gratis bespisning af fattige). ~ **-ladle** potageske. ~ **-plate** dyb tallerken.
sour [sauə] (adj.) sur, gnaven, bitter; (subst.) noget surt, syre; (vb.) gøre sur, forbitre; blive sur, blive bitter; *go* (el. *turn*) ~ (fig. ogs.) blive upopulær.
source [så·s] kilde, udspring; ~ *material* kildemateriale.
sourish ['sauəriʃ] syrlig.
sourpuss ['sauəpus] gnavpotte.
souse [saus] (subst.) lage; noget der er nedlagt i lage; dukkert; (amr. S) drukkenbolt; (vb.) sylte, nedlægge; give en dukkert, dukke; gennembløde; pladask! **soused** [saust] S hønefuld, pløret.
souteneur [su·tə'nə·] alfons, soutenør.
south, South [sauþ] syd; sydlig del; sydlig, syd-, søndre; mod syd, syd på; *(to the)* ~ *of* syd for.
south|-east ['sauþ'i·st] sydøst; sydøstlig. ~ **-easter** sydøstvind. ~ **-easterly,** ~ **-eastern** sydøstlig. ~ **-eastward** mod sydøst, sydøstlig.
southerly ['sʌðəli] sydlig.
southern ['sʌðən] sydlig; *the Southern Cross* Sydkorset.
southerner ['sʌðənə] sydenglænder; sydlænding; (amr.) sydstatsmand.
southernmost ['sʌðənmoᵘst] sydligst.
southernwood ['sʌðənwud] ♧ ambra.
southing ['sauðiŋ] bevægelse sydpå.
southpaw ['sauþpå·] kejthåndet (spiller, bokser); kejthåndet person.
south-south-east syd sydøst.
south-south-west syd sydvest.
southward ['sauþwəd] mod syd, sydpå.
Southwark ['sʌðək].
south|-west sydvest; sydvestlig. ~ **-wester** sydvestlig vind. ~ **-westerly,** ~ **-western** sydvestlig. ~ **-westward** mod sydvest, sydvestlig.
souvenir ['su·vəniə] souvenir, erindring.
sou'wester [sau'westə] sydveststorm; sydvest (hovedbeklædning).
sov. fk. f. *sovereign.*
sovereign ['såvrin] (adj.) højest, suveræn; kraftig (fx. *remedy);* ophøjet (fx. *contempt* foragt); (subst.) regent, suveræn; sovereign (en engelsk guldmønt af værdi 20 shillings). **sovereignty** suverænitet, herredømme.
Soviet ['soᵘviet, 'såvjet] Sovjet; (adj.) sovjetisk, sovjetrussisk.
I. **sow** [soᵘ] *(sowed, sowed* el. *sown)* så, tilså, udså.
II. **sow** [sau] so; *you cannot make a silk purse out of a -'s ear* (svarer til) man kan ikke vente andet af en stud end et brøl; *you have got the wrong* ~ *by the ear* du er galt afmarcheret.
sow-bread ['saubred] ♧ (vildtvoksende) alpeviol.
sower ['soᵘə] sædemand; såmaskine.
sown [soᵘn] perf. part. af *sow.*
sow-thistle ['sauþisl] ♧ svinemælk.
sox = *socks,* pl. af *sock.*
soy [soi] soya.
soy(a)-bean ['soi(ə)bi·n] soyabønne.
sozzled ['såzld] S plakatfuld.
spa [spa·] mineralsk kilde; kursted.
space [speⁱs] (subst.) rum, plads; afstand, mellemrum, tidsrum, stund (fx. *let us rest (for) a* ~*);* (typ.) spatium, bogstavenhed; (vb.) anbringe med mellemrum; ~ *out* sprede; (typ.) spærre, spatiere.
space| bar mellemrumstangent (på skrivemaskine). ~ **charge** (fys.) rumladning. ~ **craft** rumfartøj, rumskib. **-man** rummand, kosmonaut. ~ **flight** rumrejse.
spacer ['speⁱsə] mellemrumstangent (på skrivemaskine); afstandsskive.
space| rocket rumraket. ~ **-saving** pladsbesparende. ~ **ship** rumskib. ~ **suit** rumdragt. ~ **-time** rum-tid. ~ **travel** rumfart.
spacing ['speⁱsiŋ] mellemrum, indbyrdes afstand; (typ.) spatiering.
spacious ['speⁱʃəs] vid, rummelig.
I. **spade** [speⁱd] (subst.) gilding; gildet dyr.
II. **spade** [speⁱd] (subst.) spade; spar (i kortspil); (vb.) grave med en spade; *call a* ~ *a* ~ kalde tingen ved dens rette navn; *-s* spar (kortfarven).
spade|-bone (anat.) skulderblad. **-foot** (zo.) løgfrø. ~ **-work** slid, brydsomt forarbejde.
spadiceous [spə'diʃəs] ♧ kolbeblomstret.
spad|ix ['speⁱdiks] (pl. *-ices* [spə'daisi·z]) ♧ kolbe (en blomsterstand).
spado ['speⁱdoᵘ] impotent person.
Spain [speⁱn] Spanien.
spake [speⁱk] poetisk imperf. af *speak.*
spall [spå·l] (subst.) splint, flis (især af sten); (vb.) splintre(s).
spalpeen [spål'pi·n] slambert, slubbert, drivert.
spam [späm] ® (slags) dåsekød.
I. **span** [spän] (subst.) spand, ni engelske tommer; spand (heste etc.); spændvidde; vingefang; spand af tid; (vb.) spænde over, omspænde, måle; surre.
II. **span** [spän] gammel imperf. af *spin.*
spangle ['späŋgl] (subst.) paillette, flitterstads; (vb.) besætte med pailletter, glitre, spille.
Spaniard ['spänjəd] spanier.
spaniel ['spänjəl] (zo.) spaniel; (fig.) krybende person.
Spanish ['späniʃ] (subst. og adj.) spansk; ~ *fly* spansk flue; *the* ~ *Main* nordkysten af Sydamerika fra Panama til Orinoco; havet ud for disse landstrækninger.
spank [späŋk] klapse, smække; ~ *along* skyde en god fart.
spanker ['späŋkə] ⚓ mesan; **T** hårdt slag; hurtig hest; stor og flot person (, dyr, ting).
spanking ['späŋkiŋ] (subst.) endefuld, afklapsning; (adj.) strygende, rask (fx. *breeze);* **T** herlig, pragtfuld.
spanless ['spänlės] (poetisk) umålelig.
spanner ['spänə] skruenøgle; *throw a* ~ *into the works* stikke en kæp i hjulet.
span-roof heltag.
I. **spar** [spa·] (subst.) spat (mineral).
II. **spar** [spa·] (subst.) stang, lægte; ⚓ rundholt; (flyv.) bjælke.
III. **spar** [spa·] (vb.) bokse (især som træning el. opvisning); småskændes; (om haner) slås; (subst.) boksekamp (især trænings- el. opvisningskamp); skænderi; hanekamp; ~ *at* lange ud efter.
spar-deck ⚓ spardæk.
I. **spare** [spæə] (vb.) spare på (fx. *don't* ~ *the sugar),* undvære (fx. *we cannot* ~ *him just now);* afse (fx. *all the time he could* ~*);* spare sig; lade være, undlade; skåne (fx. ~ *my life! he did not* ~ *himself);* spare, forskåne for (fx. ~ *him the trouble);* tilstå, skænke, undvære til (fx. *can you* ~ *me a cigarette?); enough and to* ~ mere end nok; ~ *the rod and spoil the child* den, der elsker sin søn, tugter ham tidlig.
II. **spare** [spæə] (adj.) sparsom, tarvelig, mager; ledig, som man har tilovers; ekstra; reserve- (fx. ~ *wheel);* (subst.) reservedel.
spare| bedroom gæsteværelse. ~ **-built** spinkel. ~ **parts** reservedele (til maskine). **-rib** ribbensteg. ~ **time** fritid.
sparing ['spæəriŋ] (adj.) sparsom; *be* ~ *of* spare på; ~ *of speech* fåmælt; *the book is* ~ *of information about* bogen giver ikke mange oplysninger om.
spark [spa·k] (subst.) gnist, udladning; (munter ung) fyr, laps, spradebasse; (vb.) gnistre, give gnister; anspore, sætte i gang; ~ *off* give stødet til, sætte i gang; *the* ~ *has gone out of him* gassen er gået af ham.
spark| arrester gnistfanger. ~ **gap** (radio) gnistgab.
sparking-plug tændrør.
sparkle ['spa·kl] (subst.) gnistren, funklen; skummen, perlen; glans; (vb.) gnistre, funkle, glimre; perle, moussere.
sparkler ['spa·klə] ædelsten; stjernekaster; mousserende vin; vittigt hoved.

sparkling ['spa·kliŋ] (adj.) funklende, livlig; (subst.) gnistren; ~ *wine* mousserende vin.

spark plug tændrør; (fig.) en der kan sætte fart i et foretagende.

sparks ⚓ S radiotelegrafist.

sparring-partner (boksers) træningspartner.

sparrow ['spåro^u] spurv. **sparrow|-grass** (vulg.) asparges. ~ **-hawk** spurvehøg.

sparse [spa·s] spredt; tynd; *-ly filled* (om teater etc.) tyndt besat.

Spartacist ['spa·təsist] spartakist.

Spartan ['spa·tən] spartaner; spartansk.

spasm [späzm] krampetrækning, krampeanfald; spasme; heftigt anfald.

spasmodic [späz'mådik] krampagtig, spasmodisk; rykvis, stødvis; spredt.

spastic ['spästik]; (adj., med.) spastisk; (subst.) spastiker.

I. **spat** [spät] imperf. og perf. part. af *spit*.

II. **spat** [spät] østerslarve(r); (vb.) yngle.

III. **spat** [spät] (vb., amr.) mundhugges; daske; plaske.

spatchcock ['spätʃkåk] (subst.) (fugl som er tilberedt straks efter slagtningen); (vb.) senere indføje (fx. ~ *a passage into a speech)*.

spate [spe^it] oversvømmelse (især en flods efter regnskyl); regnskyl; (rivende) strøm (fx. *a* ~ *of words)*.

spatfall ['spätfå·l] yngelafsætning (om østers etc.).

spathe [spe^ið] ♧ skede (omkring en kolbe).

spatial ['spe^iʃəl] rumlig.

spats [späts] (korte) gamacher.

spattees ['späti·z] lange gamacher (til damer og børn).

spatter ['spätə] (vb.) (over)stænke, sprøjte (over); plaske; (subst.) overstænkning; plasken; *a* ~ *of rain (, applause)* spredt regn (, bifald).

spatula ['spätjulə] spatel.

spavin ['spävin] spat (en hestesygdom).

I. **spawn** [spå·n] (subst.) rogn, fiskeleg, fiskeyngel; (nedsættende) yngel; ♧ mycelium.

II. **spawn** [spå·n] (vb.) gyde, lægge æg; yngle; avle; opstå, avles.

spawner rognfisk.

spawning yngel. **spawning|-ground,** ~ **-place** gydested, yngleplads. ~ **-time** (zo.) legetid.

spay [spe^i] fjerne æggestokkene (på hundyr).

S.P.C.A. fk. f. *Society for the Prevention of Cruelty to Animals* (Foreningen til Dyrenes Beskyttelse).

S.P.C.C. fk. f. *Society for the Prevention of Cruelty to Children.*

speak [spi·k] *(spoke, spoken)* tale; ⚓ praje; *so to* ~ så at sige; ~ *one's mind* sige sin mening; ~ *the truth* sige sandheden; ~ *well for* tale til fordel for; ~ *of* tale om; nævne; vidne om, være vidnesbyrd om; *nothing to* ~ *of* ikke noget der er værd at nævne; ~ *out,* ~ *up* tale højt; tale åbent (el. lige ud af posen); ~ *to* tale til; bevidne; ~ *up!* (til taler) højere! *(Mr.) Brown -ing* (i telefon) De taler med B., B. her; *who is it -ing?* (i telefon) hvem taler jeg med? (se også *speaking)*.

speak-easy ['spi·ki·zi] (amr.) smugkro.

speaker ['spi·kə] taler; højttaler; -talende (fx. *German -s in Denmark); the Speaker* formanden i Underhuset.

speaking talende; *the portrait is a* ~ *likeness* portrættet ligner slående (el. er meget livagtigt); *seriously* ~ alvorlig talt; *strictly* ~ strengt taget; *be on* ~ *terms with* være på talefod med.

speaking|-trumpet råber; hørerør; ~ **-tube** talerør.

spear [spiə] (subst.) spyd, lanse; lyster, ålejern; (vb.) dræbe med et spyd, spidde.

spear|head spydsod; ⚔ de forreste tropper i et angreb; angrebsspids; (fig.) fortrop, stødtrop; (vb.) danne spidsen (i et angreb); (fig.) gå i spidsen for, anføre. **-man** lansener. **-mint** ♧ grøn mynte. ~ **side** sværdside, mandsside.

spearwort ♧: *great* ~ langbladet ranunkel; *lesser* ~ kærranunkel.

spec [spek] fk. f. *speculation; I don't know whether he is there, but I will go there on* ~ jeg ved ikke, om han er der, men jeg vil tage chancen og gå derhen.

spec. fk. f. *special(ly).*

special ['speʃəl] (adj.) særegen; speciel, særlig (fx. *permission);* ekstra- (fx. ~ *edition);* sær- (fx. *legislation; price);* special-; (subst.) ekstraudgave (af avis); (jernb.) ekstratog, særtog; ~ *announcement* særmelding; ~ *constable* (omtr. =) reservebetjent (der kun skal fungere i særlige tilfælde); *does he want to come on any* ~ *day?* ønsker han at komme nogen bestemt dag? *today's* ~ dagens ret.

specialist ['speʃəlist] specialist.

speciality [speʃi'äliti] særegenhed; speciale; specialitet.

specialization [speʃəlai'ze^iʃən] specialisering.

specialize ['speʃəlaiz] specialisere (sig).

special| licence kongebrev. ~ **-pleading** ensidig argumentation (el. fremstilling). ~ **session** ekstraordinær samling. ~ **subject** speciale.

specialty ['speʃəlti] særegenhed, speciale, specialitet; dokument under segl.

specie ['spi·ʃi] mønt, møntet metal.

species ['spi·ʃi(·)z] (pl. d. s.) art, slags; form; *the* ~, *our* ~ menneskeslægten; ~ *character* artspræg.

specific [spi'sifik] (adj.) speciel, specifik; bestemt, udtrykkelig (fx. *orders);* særegen *(to* for); (biol.) artfast; (subst.) særligt middel.

specification [spesifi'ke^iʃən] specificering, specifikation; forskrift, arbejdsbeskrivelse.

specific| character artspræg. ~ **gravity** (fys.) massefylde, vægtfylde, specifik vægt. ~ **heat** (fys.) specifik varme. ~ **performance** (jur.) naturalopfyldelse (erlæggelse af en aftalt ydelse til en fordringshaver i modsætning til erstatning). ~ **volume** (fys.) specifikt rumfang (el. volumen).

specify ['spesifai] specificere.

specimen ['spesimən] prøve, eksemplar; præparat (i naturhistoriesamling); *-s* naturalier; *a queer* ~ en sær fyr; ~ *copy* prøvenummer; lærereksemplar; ~ *page* prøveside.

specious ['spi·ʃəs] plausibel, bestikkende, besnærende.

I. **speck** [spek] (subst.) spæk.

II. **speck** [spek] (subst.) stænk, plet; (vb.) plette; ~ *of dust* støvgran.

speckle ['spekl] lille plet; plette.

speckled ['spekld] spættet; broget.

specs T fk. f. *spectacles* briller.

spectacle ['spektəkl] skue, syn, skuespil; *-s* briller; *a pair of -s* et par briller; *make a* ~ *of oneself* gøre sig uheldigt bemærket, gøre sig til grin; *-d* ['spektəkld] med briller.

spectacular [spek'täkjulə] (adj.) iøjnefaldende, teatralsk; flot, imponerende; (subst.) stort opsat fjernsynsshow; *a* ~ *play* et udstyrsstykke.

spectator [spek'te^itə] tilskuer.

spectral ['spektrəl] spøgelseagtig; spektral; ~ *analysis* spektralanalyse; ~ *voice* hul røst.

spectre ['spektə] genfærd.

spectrometer [spek'tråmitə] spektrometer.

spectroscope ['spektrəsko^up] spektroskop.

spectrum ['spektrəm] (pl. *spectra* [-trə]) spektrum.

spectrum analysis spektralanalyse.

specular ['spekjulə] (adj.) genspejlende.

speculate ['spekjule^it] spekulere *(about, on* over); ~ *for a fall (, rise)* spekulere i baissen (, haussen).

speculation [spekju'le^iʃən] spekulation.

speculative ['spekjulətiv] spekulativ, teoretisk; spekulations-; usikker.

speculator ['spekjule^itə] spekulant; ~ *for a fall* baissespekulant.

speculum ['spekjuləm] spejl (især af metal); (zo.) spejl (på fuglevinge).

sped [sped] imperf. og perf. part. af *speed.*

speech [spi·tʃ] tale, sprog; replik; *make a ~* holde en tale; *be bereft of ~* have mistet mælet.

speech| area sprogområde. ~ **-center** talecentrum (i hjernen). ~ **-day** skoles afslutningsfest. ~ **disorder** talelidelse, taleforstyrrelse.

speechify [ˈspi·tʃifai] holde (dårlige) taler.

speech| island sprogø. **-less** målløs, stum. **-maker** (subst.) taler; en som ynder at holde taler. ~ **-reading** mundaflæsning. ~ **sound** sproglyd.

I. **speed** [spi·d] (subst.) hastighed, fart; gear (fx. *shift to low ~); at a ~ of* med en hastighed af; *legal ~* tilladt hastighed; *at full ~* i fuld fart; *more haste, less ~* hastværk er lastværk.

II. **speed** [spi·d] *(sped, sped)* ile, fare; (glds.) hjælpe (fremad), give held (fx. *God ~ you!)*, ønske lykke på vejen; *(speeded, speeded)* forøge hastigheden af, sætte fart i; speede; køre for hurtigt (fx. *he was fined 30s. for speeding); ~ up* sætte farten op; speede op; fremskynde.

speed|-boat chriscraft, speedbåd. ~ **-cop** færdselsbetjent (på motorcykel).

speeder [ˈspi·də] hastighedsregulator; en der kører for hurtigt.

speed-limit hastighedsgrænse.

speedometer [spiˈdåmitə] speedometer.

speed|-up hastighedsforøgelse; produktionsforøgelse. **-way** bane til motorcykelløb; (amr.) motorvej. **-well** ♧ ærenpris.

speedy [ˈspi·di] rask, hurtig, prompte, omgående (fx. *answer)*.

speleologist [speliˈålədʒist] huleforsker.

spelicans [ˈspelikənz] skrabnæsespil.

I. **spell** [spel] (subst.) trylleformular; fortryllelse, tiltrækning; *break the ~* hæve fortryllelsen; *under a ~* fortryllet, bjergtaget.

II. **spell** [spel] *(spelt, spelt* el. *spelled, spelled)* stave(s); betyde, medføre (fx. *that -s disaster for us); h a t -s hat* h a t siger hat; *~ out* stave sig igennem; forstå, få fat i (fx. *the meaning);* forklare detaljeret.

III. **spell** [spel] (subst.) tørn, tur (til at arbejde) (fx. *take a ~ at the oars);* kort tid, stund (fx. *wait for a ~);* periode (fx. *a dry ~); anfald* (fx. *a ~ of coughing* et hosteanfald); (vb., amr.) afløse; *by -s* skiftevis, efter tur.

spellbind [ˈspelbaind] fortrylle, holde fangen.

spellbinder [ˈspelbaində] taler som holder tilhørernes interesse fangen; demagog.

spellbound [ˈspelbaund] fortryllet, bjergtagen.

spelling [ˈspeliŋ] stavemåde, retskrivning.

spelling|-bee stavekonkurrence. ~ **-book** abc. ~ **error** stavefejl. ~ **pronunciation** udtale der er påvirket af stavemåden.

I. **spelt** [spelt] imperf. og perf. part. af II. *spell.*

II. **spelt** [spelt] (subst.) ♧ spelt.

spelter [ˈspeltə] zink, pladezink.

spelunker [spiˈlʌŋkə] amatør-huleforsker.

spencer [ˈspensə] spencer (kort trøje).

spend [spend] *(spent, spent)* bruge, forbruge, give ud; tilbringe (fx. *~ a week in Paris);* forøde, bruge op, spendere; udmatte; *she -s a lot* hun giver mange penge ud; *~ a penny* gå på wc; (se også *spent)*.

spender ødeland; *he is a big ~* han bruger mange penge.

spending|-money T lommepenge. ~ **-power** købekraft.

spendthrift [ˈspendþrift] ødeland; (adj.) ødsel.

Spenserian [spenˈsiəriən]: *~ stanza* spenserstrofe.

spent [spent] imperf. og perf. part. af *spend;* brugt, opbrugt; udmattet; (om fisk) som er færdig med at gyde; *~ bullet* mat kugle; *~ match* afbrændt tændstik; *~ tool* (brugt og) kasseret redskab; *the gale has ~ itself* stormen har raset ud.

sperm [spə·m] sædvæske.

spermaceti [spə·məˈseti] spermacet.

spermary [ˈspə·məri] sædkirtel.

spermatic [spə·ˈmätik] sæd-; *~ cord* sædstreng.

spermatorrhoea [spə·mətoˈri·ə] sædflåd.

spermatozo|on [spə·mətoˈzoᵘån] (pl. *-a* [-ə]) sædlegeme, spermatozo.

sperm| cell sædcelle. ~ **-whale** spermacethval.

spew [ˈspju·] (vb.) spy, brække sig, udspy.

S.P.G. fk. f. *Society for the Propagation of the Gospel.*

sphacelate [ˈsfäsəleⁱt] angribes af koldbrand.

sphagnum [ˈsfägnəm] ♧ tørvemos.

sphenoid [ˈsfi·noid] kileformet.

sphere [sfiə] (subst.) kugle, klode; sfære, (virke-) felt, kreds, område; (vb.) gøre rund, sætte i en kreds; *the celestial ~* himmelhvælvingen; *~ of activity* virkefelt; *~ of interest* interessesfære.

spheric(al) [ˈsferik(l)] sfærisk, kugle-.

spheroid [ˈsfiəroid] sfæroide, omdrejningslegeme.

sphincter [ˈsfiŋktə] (anat.) lukkemuskel.

sphinx [sfiŋks] sfinks; (zo.) aftensværmer.

spica [ˈspaikə] aks.

spicate [ˈspaikeⁱt], **spicated** [spaiˈkeⁱtid] ♧ aksdannet.

spice [spais] (subst.) krydderi, smag, anstrøg; (vb.) krydre; *variety is the ~ of life* forandring fryder.

spicery [ˈspaisəri] krydderier.

spick and span splinterny; i fin orden, ren og pæn.

spicule [ˈspaikju·l, ˈspikju·l] (zo.: hos svampe) skeletspikel; ♧ småaks.

spicy [ˈspaisi] krydret, aromatisk; pikant, vovet.

spider [ˈspaidə] edderkop.

spider|like edderkoppeagtig. ~ **-monkey** klamreabe. **-wort** edderkopurt.

spidery [ˈspaidəri] edderkoppeagtig, meget tynd; *~ writing* (fig. om skrift) flueben.

spiel [spi·l] (amr. **S**) snak; (vb.) snakke, lade munden løbe; *~ off* rable af sig. **spieler** [ˈspi·lə] (amr. **S**) fidusmager, falskspiller; markedsudråber.

spiffy [ˈspifi] (adj., amr.) smart.

spiflicate [ˈspiflikeⁱt] **S** dræbe, gøre det af med.

spigot [ˈspigət] tap.

spike [spaik] (subst.) spids, pig, spiger, nagle; spyd (til at sætte regninger på); ♧ aks, skud; (vb.) spidse; spigre, fornagle; spidde; gøre ende på; beslå (sko etc.) med pigge; (amr. **S**) tilsætte alkohol; *~ sby.'s guns* forpurre ens forehavende; lukke munden på én.

spike| heel stilethæl. **let** [ˈspaiklėt] småaks. ~ **-nail** spiger.

spikenard [ˈspaikna·d] ♧ nardus; nardussalve.

spiky [ˈspaiki] (adj.) spids, med spidser.

spile [spail] (subst.) pæl, pløk, tap; (vb.) bore hul til tap. **spiling** pæleværk.

I. **spill** [spil] (subst.) pind; fidibus.

II. **spill** [spil] *(spilled, spilled* el. *spilt, spilt)* spilde, ødelægge; ødsle; blive spildt, løbe over; vælte, kaste af; **S** røbe; *~ the beans* **S** sladre af skole, røbe hemmeligheden; *no use crying over spilt milk* det kan ikke nytte at græde over spildt mælk; *~ a sail* dæmpe et sejl.

III. **spill** [spil] fald (især fra hest el. vogn).

spillikin [ˈspilikin] pind (i skrabnæsespil); *-s* (ogs.) skrabnæsespil.

spillway [ˈspilweⁱ] afløb.

spilt [spilt] imperf. og perf. part. af *spill.*

I. **spin** [spin] *(spun, spun)* spinde; trække (ud); hvirvle, dreje, dreje sig, snurre rundt; strømme hurtigt; suse; (flyv.) gå i spin; **S** lade dumpe, rejicere; *~ a coin* kaste en mønt i vejret, slå plat og krone; *~ a yarn* spinde en ende; *~ out the time* trække tiden ud; *send him -ning* slå ham så han trimler (se ogs. *spun)*.

II. **spin** [spin] (subst.) hvirvlen, snurren (rundt); (flyv.) spin; (i vogn, på cykel osv.) rask tur.

spinach [ˈspinidʒ] spinat.

spinal [ˈspainəl] rygrads-, rygmarvs-; *~ canal* rygmarvskanal; *~ column* rygrad; *~ cord* rygmarv; *~ fluid* spinalvæske.

spindle [ˈspindl] ten, spindel.

spindle| file spyd (til at sætte regninger på). ~ **-shanked** tyndbenet. ~ **-shaped** tenformet. ~ **-tree** ♧ benved.

spindling, spindly lang og tynd.
spin-drier ['spindraiə] centrifuge (til tørring af tøj).
spindrift ['spindrift] skumsprøjt, stænk.
spin-dry ['spindrai] centrifugere (tøj).
spine [spain] rygrad; (zo.) pig, pigstråle; ♧ torn; (på bog) ryg. **spineless** holdningsløs.
spinet [spi'net, 'spinit] spinet.
spiniferous [spai'nifərəs] tornet.
spiniform ['spainifå·m] torndannet.
spinnaker ['spinəkə] ⚓ spiler.
spinner ['spinə] spinder, spinderske; spindemaskine; (flyv., fiskeri) spinner.
spinneret ['spinəret] (zo.) spindevorte.
spinney ['spini] krat.
spinning|-jenny spindemaskine. ~ **mill** spinderi. ~ **-wheel** rokkehjul, rok.
spinous ['spainəs] tornet, besat med pigge; formet som en torn.
spinster ['spinstə] (jur.) ugift kvinde; **T** pebermø, gammeljomfru.
spiny ['spaini] tornet, med pigstråler; vanskelig.
spiracle ['spaiərəkl] lufthul, åndehul.
spiraea [spai'riə] ♧ spiræa, mjødurt.
spiral ['spaiərəl] (adj.) spiralformet; (subst.) spiral; ~ *nebula* spiraltåge; ~ *spring* spiralfjeder; ~ *staircase* vindeltrappe; *the vicious ~ (of rising wages and prices)* 'skruen uden ende' (om det forhold at stigende lønninger og priser driver hinanden i vejret).
spirant ['spaiərənt] (fon.) spirant, hæmmelyd.
spire ['spaiə] spir, top, spids; snoning, spiral, krølle; *-d* med spir.
Spires ['spaiəz] Speyer (tysk by).
I. **spirit** ['spirit] (subst.) ånd; sjæl; sind, sindelag, sindsstemning; liv, kraft, mod; fart, appel; sprit, spiritus, alkohol; *-s* (ogs.) spiritus; humør; *the (Holy) Spirit* den Helligånd; *the ~ of the age* tidsånden; *in high* (el. *good) -s* i godt humør, oprømt, munter; *in low* (el. *bad) -s* nedslået, forstemt; ~ *of wine* vinånd; *with ~* energisk, dristigt, livligt, begejstret.
II. **spirit** (vb.): ~ *away* (el. *off)* få til at forsvinde, trylle bort; skaffe af vejen; bortføre; smugle væk; ~ *up* begejstre, opmuntre.
spirited ['spiritid] åndrig, livlig, fyrig, energisk, dristig.
spirit|-lamp spritlampe. **-less** forsagt, modløs, sløv. ~ **-level** vaterpas. ~ **-rapping** meddelelser fra bankeånder. ~ **-stove** spritapparat.
spiritual ['spiritjuəl] åndelig, sjælelig; gejstlig; *(negro)* ~ religiøs negersang; ~ *court* gejstlig domstol.
spiritual|ism ['spiritjuəlizm] spiritisme. **-ist** spiritist. **-ity** [spiritju'äliti] åndelighed. **-ize** ['spiritjuəlaiz] åndeliggøre, lutre, give en åndelig betydning.
spirituel(le) [spiritju'el, fr.] fin, yndefuld; vittig, spirituel.
spirituous ['spiritjuəs] spirituøs, spiritusholdig.
spirit varnish spirituslak.
spirometer [spai'råmitə] spirometer.
spirt [spə·t] (vb.) sprøjte, stråle; (subst.) sprøjt, stråle.
spiry ['spaiəri] spiralformet; formet som et spir, tilspidset; rig på spir.
I. **spit** [spit] (subst.) spid; odde, (land)tange; spadestik (fx. *two ~* (el. *-s) deep);* (vb.) sætte på spid, spidde.
II. **spit** [spit] *(spat, spit* el. *spat)* spytte; hvæse, sprutte, udstøde (eder, forbandelser); ~ *it out!* spyt ud! ud med sproget!
III. **spit** [spit] (subst.) spyt; let (el. spredt) regn (, snefald); *he is the very* (el. *dead) ~ of his father* han er som snydt ud af næsen på sin fader.
spit-and-polish ⚔ pudsning.
spitball tygget papirskugle (brugt som kasteskyts).
spitchcock ['spitʃkåk] (flækket og) stegt ål.
spite [spait] (subst.) ondskab(sfuldhed), had, nag; chikaneri; (vb.) gøre fortræd, ærgre, trodse, fortørne; chikanere; *in ~ of* til trods for, uagtet.
spiteful ondskabsfuld, hadefuld, ondsindet, hadsk.
spitfire ['spitfaiə] arrigtrold; spitfire (en type jager).
spitting mug spyttekrus.
spittle ['spitl] spyt. **spittoon** [spi'tu·n] spyttebakke.
spitz [spits] dværgspids (hunderace).
spiv [spiv] (asocial person, som lever af sortbørshandel etc.).
splanchnic ['splänknik] indvolds-.
splash [spläʃ] (vb.) overstænke, stænke, sprøjte, plaske, sjaske; (om avis) slå stort op; (subst.) plask, stænk; farvet plet, blis; **T** sensation, sensationelt udstyr; plask! ~ *money about* strø om sig med penge; *make a ~* (ogs.) vække sensation.
splash-board, splasher stænkskærm.
splashdown landing (af rumskib) på havet.
splash lubrication sprøjtesmøring.
splashy ['spläʃi] overstænket, sølet, sjappet; **T** sensationel.
splatter ['splätə] plaske, skvulpe; tale uforståeligt el. forvirret.
splay [spleⁱ] (vb.) forvride, bringe af led; brede sig; gøre skrå; (adj.) skrå; (subst.) skråkant, smig, skråning; *-ed window* smiget vindue.
splay|-footed udtilbens, med flade, udadvendte fødder. ~ **-legged** med skrævende ben.
spleen [spli·n] milt; dårligt humør, spleen, tungsind, livslede; *vent one's ~ upon* lade sit onde lune gå ud over, udøse sin vrede (, galde) over.
spleenwort ♧ radeløv.
spleeny ['spli·ni] irritabel, pirrelig.
splendid ['splendid] strålende, prægtig, pragtfuld; **T** glimrende, storartet.
splendiferous [splen'difərəs] **S** storartet.
splendour ['splendə] glans, pragt.
splenetic [spli'netik] (adj.) hypokonder, vranten, irritabel; (subst.) hypokondrist.
splice [splais] (vb.) splejse; (subst.) splejsning, lask.
splint [splint] splint, pind; skinne (bandage).
splint| basket spånkurv. ~ **bone** lægben.
splinter ['splintə] (subst.) splint, flis, spån; sprængstykke; (vb.) splintre, kløve; splintres. **splinter| party** splittelsesparti. ~ **-proof** sprængstyksikker.
splintery ['splintəri] fuld af splinter.
I. **split** [split] *(split split)* splitte, spalte; kløve (fx *wood, words);* flænge; dele (lige) (fx. *~ a bottle of wine);* slå i stykker; revne; dele sig; slås i stykker; blive uenig (med); ~ *the difference* mødes på halvvejen; indgå kompromis; ~ *on sby.* sladre om en, røbe en, 'stikke' en; ~ *open* flække; ~ *up* dele; dele sig; ~ *up the cost* slå halv skade; ~ *up an atom* sprænge (el. spalte) et atom; ~ *one's sides with laughter* være nær ved at revne af latter; *a ~ second* brøkdelen af et sekund; *a -ting headache* en dundrende hovedpine.
II. **split** (subst.) revne, spalte; splittelse, brud; spalt (spaltet læder); **S** lille glas whisky; lille flaske sodavand; andel (i bytte); sladderhank; *the -s* spagat.
split|-fruit ['splitfru·t] delfrugt. ~ **infinitive** infinitiv skilt fra *to* ved adv. (fx. *to carefully perform).* ~ **-level** (arkit.) (hus) med forskudt etage. ~ **peas(e)** flækkede ærter, gule ærter. ~ **personality** skizofreni; personlighedsspaltning.
splotch [splåtʃ] plet, klat; (vb.) plette, klatte.
splurge [splə·dʒ] **T** (subst.) pralende optræden, brilleren; (vb.) 'optræde', vise sig, rulle sig ud, slå stort op (om avisnyhed etc.).
splurger skvadronør (etc., se *splurge).*
splutter ['splʌtə] (vb.) tale hurtigt, snuble over ordene; (ogs. fig.) sprutte; (subst.) larm, postyr; sprutten.
Spode ware (porcelæn fra Josias Spodes fabrik).
spoffish ['spåfiʃ], **spoffy** ['spåfi] **S** geskæftig.
spoil [spoil] *(spoilt, spoilt* el. regelmæssigt) ødelægge (fx. *one's appetite);* fordærve, spolere, forkæle; fordærves; (subst.), se I. *spoils; a -t* (el. *-ed) child* et forkælet barn; *-ing for a fight* kampivrig, i krigshumør.
I. **spoils** [spoilz] (subst., pl.) bytte, rov; *the ~ of war* krigsbytte.

II. **spoils** [spoilz] (subst., pl.) varer med fabrikationsfejl; (typ.) fejltryk, udskudsark, makulatur.
spoilsman levebrødspolitiker.
spoil-sport lyseslukker (en der søger at ødelægge andres fornøjelse).
spoils system (amr.) det at det sejrende partis tilhængere belønnes med embeder.
spoilt [spoilt] imperf. og perf. part. af *spoil*.
I. **spoke** [spoᵘk] ege (i hjul); trin (i stige); ⚓ knag (i rat); hæmsko; *put a ~ in his wheel* krydse hans planer, stikke en kæp i hjulet for ham.
II. **spoke** [spoᵘk] imperf. af *speak*.
spoken ['spoᵘkn] perf. part. af *speak;* mundtlig (fx. *message);* talt, tale- (fx. *language);* med ... stemme (fx. *kind-spoken* med venlig stemme).
spokeshave ['spoᵘkʃeⁱv] bugthøvl.
spokesman ['spoᵘksmən] talsmand, ordfører.
spoliation [spoᵘli'eⁱʃən] plyndring.
spoliator ['spoᵘlieⁱtə] plyndrer.
spondaic [spån'deⁱik] spondæisk.
spondee ['spåndi·] spondæ (versefod).
spondulicks [spån'dju·liks] S moneter, stakater.
sponge [spʌn(d)ʒ] (subst.) svamp; dej (før den hæver); snyltegæst; (vb.) vaske, viske (med en svamp); afpresse; tilsnige sig, tilnasse sig (fx. *a dinner);* indsuge, suge til sig, opsuge; snylte; nasse *(on* på); leve på nas; *pass the ~ over* (fig.) slå en streg over; *throw up the ~* erkende sig overvundet, opgive kampen, give blankt op, opgive ævred; *~ out* viske ud; *~ up* tørre op.
sponge|bag toilettaske, toiletpose. **~ -cake** sukkerbrødskage. **~ cloth** vaskeklud.
sponger ['spʌn(d)ʒə] snyltegæst, snylter.
spongiform ['spʌndʒifå·m] svampeagtig, svampelignende.
sponging-house ['spʌndʒiŋhaus] (glds.) midlertidigt gældsfængsel.
spongy ['spʌn(d)ʒi] svampeagtig, svampet, porøs, blød, sugende; fordrukken.
sponsion ['spånʃən] kaution.
sponsor ['spånsə] (subst.) kautionist; fadder, gudfader; forslagsstiller; sponsor, firma (el. forretningsmand) der betaler for en reklameudsendelse; (vb.) stå fadder til, støtte; betale for (reklameudsendelse).
sponsorship fadderskab; kaution.
spontaneity [spåntə'ni·iti] spontaneitet, uvilkårlighed, frivillighed.
spontaneous [spån'teⁱnjəs] spontan, umiddelbar, uvilkårlig; frivillig; af egen indskydelse; selv-; *~ combustion* selvantændelse. **spontaneousness** = *spontaneity*.
spoof [spu·f] svindel, snyderi; narre; lave grin med.
spook [spu·k] spøgelse.
spool [spu·l] (subst.) spole, rulle; (garn)trisse; (vb.) vikle, spole; *~ chamber* filmkammer (i kamera).
I. **spoon** [spu·n] (subst.) ske; (vb.) spise med ske; øse (med ske); *~ out, ~ up* øse op.
II. **spoon** [spu·n] (subst.) dumrian, forelsket tosse; (vb.) kissemisse, filme, flirte; gøre kur til; *be -s on* være skudt i.
spoon|-bait blink (til fiskeri). **-bill** (zo.) skehejre.
spoonerism ['spu·nərizm] (subst.) ombytning af lyd i sammenstillede ord (fx. *blushing crow* i st. f. *crushing blow); talk in -s* snakke bagvendt, 'bakke snagvendt'.
spoon|-feed (vb.) made med ske; (fig.) give ind med skeer; *~ -fed* (fig. ogs., om erhverv) beskyttet, holdt kunstigt oppe; (om elev) opflasket. **-ful** skefuld. **~ -meat** skemad; barnemad.
spoony ['spu·ni] (subst.) (forelsket) tosse; (adj.) tosset, fjollet forelsket.
spoor [spuə] spor; forfølge spor (af).
sporadic [spo'rädik] sporadisk, spredt.
sporangium [spo'rändʒəm] (subst., ♧) sporangium, sporehus.
spore [spå·] (subst., ♧) spore.
sporran ['spårən] bæltetaske (som hører til højskotternes dragt).
I. **sport** [spå·t] (subst.) sport, idræt, atletik; jagt, fiskeri, lystsejlads; løjer, morskab, spøg; legetøj, kastebold (fx. *of* (for) *the waves),* offer; sportsmand, en der er fair, modig og forstår at tage et nederlag (fx. *be a good ~);* (biol.) sport (en pludselig opstået afvigelse fra den normale type); **T** spiller; levemand; (flink) fyr; *-s* sport, sportsgrene; sportskamp, idrætsstævne; *it becomes a ~* der går sport i det; *in ~* for spøg; *it is great ~* det er vældig sjovt; *make a ~ of* drive spøg med.
II. **sport** [spå·t] (vb.) more sig, spøge; tumle sig; optræde med, have anlagt, 'give den med (el. i)' (fx. *a silk hat).*
sporting ['spå·tiŋ] sportsinteresseret, sportsmæssig, sportslig, fair; sports- (fx. *event* begivenhed), idræts-; jagt- (fx. *gun* gevær, bøsse); *a ~ chance* en fair chance.
sportive ['spå·tiv] munter, lystig.
sports car sportsvogn.
sportsman ['spå·tsmən] en der er fair, modig og forstår at tage et nederlag; sportsmand; jæger, lystfisker, sejlsportsmand etc. **sportsman|like** passende for en *sportsman;* sportslig, sportsmæssig, loyal. **-ship** dygtighed; idræt; sportsånd, sportsmæssig optræden.
sports|master idrætslærer. **~ wear** sportstøj.
I. **spot** [spåt] (subst.) plet, sted; filipens; dråbe, stænk (fx. *a ~ of whisky);* prik (fx. *a blue tie with white -s);* bid, smule (fx. *a ~ of lunch);* (merk.) loco; *-s* locovarer; *a tender ~* et ømt punkt; *in -s* pletvis, med mellemrum; *be in a ~* **S** være i knibe (el. i klemme); *come out in -s* få udslæt; *on the ~* på stedet, straks; på højde med situationen; (merk.) loco; *put sby. on the ~* **S** myrde en.
II. **spot** [spåt] (vb.) plette, sætte en plet på; blive plettet, tage imod pletter (fx. *this material -s easily);* få øje på (fx. *I -ted him in the crowd);* genkende, opdage; lokalisere, stedfæste; anbringe; *keep sby. -ted* holde en under observation.
spot|announcement (i radio) kort (reklame-) meddelelse som bringes mellem de regulære udsendelser. **~ cash** kontant betaling. **~ check** stikprøve. **~ goods** locovarer. **-light** projektørlys, søgelys; belyse med projektør. **~ price** pris ved kontant betaling, locopris.
spotted ['spåtėd] (adj.) plettet.
spotted eagle (zo.) (stor) skrigeørn.
spotter ['spåtə] observatør, (amr. **T**) detektiv.
spot test stikprøve.
spotty ['spåti] plettet, spættet; fuld af filipenser; uregelmæssig; ujævn (m.h.t. kvalitet).
spot welding punktsvejsning.
spousal ['spauzl] (ofte pl.) bryllup.
spouse [spauz] ægtefælle. **spouseless** ugift.
spout [spaut] (subst.) tud; nedløbsrør; skybrud, skypumpe; (vb.) sprøjte, springe; deklamere, holde lange taler, udbrede sig *(about* om); **S** pantsætte; *up the ~* **S** pantsat.
S.P.R. fk. f. *Society for Psychical Research.*
sprag [spräg] (subst.) stopklods; (vb.) standse.
sprain [spreⁱn] (vb.) forstrække, forstuve; (subst.) forstuvning, distorsion.
sprang [spräŋ] imperf. af *spring.*
sprat [spröt] (zo.) brisling.
sprawl [språ·l] ligge henslængt, ligge og slange sig, brede sig, (ligge og) flyde; stritte med; kravle; sprede sig; *-ing* (ogs.) spredt.
spray [spreⁱ] (subst.) kvist, gren, blomstergren; søstænk, skumsprøjt; byge (fx. *of bullets);* sprøjtevæske; sprøjte, spray, bruse(r); (vb.) sprøjte (fx. *~ an apple tree);* overdænge.
spray-board ⚓ skvætbord.
sprayer ['spreⁱə] sprøjte, rafraichisseur.
spray|gun sprøjtepistol, malepistol. **~ painting** sprøjtelakering.
I. **spread** [spred] *(spread, spread)* brede (fx. *~ a*

cloth on a table); dække (fx. ~ *a table with a cloth);* smøre (fx. ~ *butter on bread,* ~ *bread with butter);* sprede (fx. ~ *manure over a field;* ~ *terror;* ~ *one's interests);* udbrede (fx. *a rumour);* brede sig (fx. *the water* ~ *over the floor; the rumour (, the panic)* ~*);* gribe om sig; strække sig (fx. *a desert -ing for miles; a course -ing over 3 months);* brede ud, folde ud (fx. *a map);* fordele (fx. ~ *the work over the summer months);* ~ *oneself* sprede sig, have mange ting for; **S** udbrede sig, tale docerende; være overstrømmende gæstfri; rulle sig ud, flotte sig; ~ *out* sprede, sprede sig; brede ud; ~ *the table* dække bord.

II. **spread** [spred] (subst.) udbredelse (fx. *the* ~ *of disease);* omfang, spændvidde; vingefang; (i bog) opslag; **T** festmåltid, opdækning, foder; smørepålæg; *middle-age(d)* ~ embonpoint.

I. **spread eagle** (subst.) flakt ørn (som i U.S.A.'s våben).

II. **spread-eagle** [ˈspredi·gl] (adj., amr.) højtravende, bombastisk, overdrevent national (fx. *speech);* (vb.) lægge sig (, ligge) på ryggen med armene bredt ud. **spread-eagleism** chauvinisme.

spreader [ˈspredə] spreder, smørekniv.

spree [spri·] sold; soldetur; løjer, sjov; *(go on the)* ~ bumle, gå ud og more sig (el. solde); *be on the* ~ være ude og more sig (el. solde).

sprig [sprig] kvist; ung fyr; ætling; dykker (som uden hoved). **sprigged** (små)blomstret.

sprightly [ˈspraitli] munter, livlig.

I. **spring** [spriŋ] *(sprang, sprung)* springe, springe frem, fare; dukke op, opstå (fx. *new industries sprang up);* spire, vokse frem; springe (i stykker), revne, knække; (om træ) slå sig; få til at springe, sprænge; ~ *a new proposal on sby.* overraske en med et nyt forslag; ~ *a surprise on sby.* overrumple en, komme bag på en; ~ *a trap* lade en fælde slå i; ~ *from a noble family* stamme fra en adelig familie; *the door sprang to* døren smækkede i; ~ *to one's feet* springe op (fra siddende stilling).

II. **spring** [spriŋ] (subst.) spring; fjeder (fx. ~ *of a watch);* elasticitet; initiativ; (ogs. fig.) kilde; bæk; oprindelse; forår, vår; revne (i tømmer), læk.

spring|-balance fjedervægt. ~ **-bed** springmadras. ~ **binder** springbind. ~ **-board** springbræt; vippe (til udspring). **-bok** springbuk (sydafrikansk gazelle). ~ **-cart** fjedervogn. ~ **chicken** ung høne; *she is no* ~ *chicken* hun er ingen årsunge. ~ **-cleaning** forårsrengøring, hovedrengøring.

springe [sprin(d)ʒ] (subst.) snare, done.

springer [ˈspriŋə] (zo.) springbuk; spaniel; (arkit.) vederlag; trykleje.

spring-halt [ˈspriŋhå·lt] hanetrit (en hestesygdom).

springiness [ˈspriŋinės] elasticitet, spændstighed.

springing line fødselslinie (i hvælving).

spring|-lock [ˈspriŋlåk] smæklås; springlås. ~ **mattress** fjedermadras. ~ **-tail** (zo.) springhale. ~ **-tide** springflod. **-tide, -time** forår. ~ **washer** fjederskive.

springy [ˈspriŋi] elastisk, spændstig.

sprinkle [ˈspriŋkl] (vb.) stænke, strø, drysse, væde, bestrø; småregne; (subst.) stænk, drys.

sprinkler [ˈspriŋklə] vandvogn; sprøjte; spreder (til vanding); sprinkler, stænker.

sprinkling stænk, lille antal, lille smule, kende, islæt.

sprint [sprint] (vb.) sprinte, løbe i fuld fart, løbe hurtigløb over kort distance; (subst.) sprint, hurtigløb over kort distance.

sprinter [ˈsprintə] sprinter, deltager i sprint, hurtigløber. **sprinting** sprint, hurtigløb over kort distance.

sprit [sprit] (subst., ⚓) sprydstage.

sprite [sprait] alf, fe, nisse.

sprocket [ˈspråkėt] tand, kædehjul; (i filmforeviser) tandtromle; ~ *holes* (i film) perforering; ~ ***wheel*** kædehjul.

sprout [spraut] (vb.) spire, vokse; (subst.) spire; skud; *(Brussels) sprouts* rosenkål.

I. **spruce** [spru·s] (adj.) net, pyntelig, flot, pyntet; (vb.): ~ *up* pynte (sig), nette (sig).

II. **spruce** [spru·s] (subst.) ♣ gran; *common* ~ rødgran.

spruce|-beer øl med gran-essens. ~ **fir** (rød)gran.

sprung [sprʌŋ] perf. part. af *spring;* affjedret; **S** halvfuld; ~ *bed* spiralseng.

spry [sprai] rask, livlig.

spud [spʌd] (subst.) lugejern; barkjern; **S** kartoffel; (vb.) luge, grave op.

spume [spju·m] skum; skumme. **spumous** [ˈspju·məs], **spumy** [ˈspju·mi] skummende.

spun [spʌn] imperf. og perf. part. af *spin;* spundet; **S** færdig, udkørt; ~ *gold* guldtråd, guldspind; ~ *sugar* sukkervat; ~ *yarn* skibmandsgarn.

spunk [spʌŋk] mod, mandsmod, fut; vrede, arrigskab; fyrsvamp, tønder. **spunky** fyrig, livlig; modig; vred, arrig.

spur [spə·] (subst.) spore; udløber (af en bjergkæde); kort sidegren; (vb.) spore, anspore, fremskynde; ile; *on the* ~ *of the moment* på stående fod; ~ *on* anspore; ride hurtigt.

spurge [spə·dʒ] ♣ vortemælk.

spurious [ˈspjuəriəs] uægte, falsk.

spurn [spə·n] (vb.) afvise med foragt (fx. *an offer);* forsmå, vrage; (glds.) sparke; (subst.) hånlig afvisning.

spurrey [ˈspʌri] ♣ spergel; *knotted* ~ ♣ femling.

I. **spurt** [spə·t] = *spirt.*

II. **spurt** [spə·t] gøre en kraftanstrengelse, spurte; (subst.) kraftanstrengelse, spurt, slutspurt.

spur-wheel tandhjul.

sputnik [ˈsputnik] (subst.) sputnik.

sputter [ˈspʌtə] (vb.) sprutte; spytte; tale hastigt; snuble over ordene; (subst.) sprutten; hastig tale.

sputum [ˈspju·təm] spyt, opspyt.

spy [spai] (subst.) spion, spejder; (vb.) spejde, udspionere, opdage; ~ *into* snuse i, udspionere; ~ *out,* ~ *upon* udspionere, belure.

spy|-glass lille kikkert. ~ **-hole** kighul.

sq. fk. f. *square.*

squab [skwåb] (adj.) kvabset, tyk og fed; (subst.) tyksak; dueunge, rågeunge; tyk pude; ottoman; (adv.) bardus, bums, pladask; ~ *pie* postej (af due- el. rågekød el. af fårekød, løg og æbler).

squabble [ˈskwåbl] (vb.) kævles, skændes; mundhugges; bringe (sats) i uorden; (subst.) kævl, kævleri, skænderi.

squad [skwåd] gruppe, hold; ⚔ korporalskab, gruppe, sektion; trop (ved eksercits); *awkward* ~ (uøvet) rekrutafdeling; ~ *car* (politi)patruljevogn (med radio).

squadron [ˈskwådrən] ⚔ eskadron, ⚓ eskadre; (flyv.) eskadrille; ~ *leader* (flyv. svarer til) kaptajn.

squalid [ˈskwålid] beskidt, ussel, elendig, tarvelig.

squalidity [skwåˈliditi] snavs, elendighed.

squall [skwå·l] (vb.) skrige, skråle; (subst.) skrål; kastevind, vindstød, byge; (fig.) opstandelse, røre, ballade; *be struck by a* ~ overfaldes af en byge; *look out for -s* være på sin post.

squalor [ˈskwålə] snavs, elendighed.

squa|ma [ˈskweⁱmə] (pl. *-mae* [-mi·]) skæl.

squamous [ˈskweⁱməs] skællet, skældækket.

squander [ˈskwåndə] forøde, formøble.

squanderer [ˈskwåndərə] ødeland.

I. **square** [ˈskwæə] (adj.) kvadratisk, firkantet, retvinklet, kvadrat- (fx. ~ *foot, root);* firskåren; redelig, ærlig; regulær; direkte (fx. *refusal);* kvit, opgjort (om mellemværende); **S** uindviet, som ikke er med på noderne; (subst.) firkant, kvadrat, rude; (firkantet) tørklæde; torv, plads; vinkel(mål); karré; orden, rigtigt forhold; *the -s* **S** de uindviede, de der ikke er med på noderne; *five feet* ~ fem fod i kvadrat (ɔ: 5 × 5 fod); *be all* ~ (i golf osv.) stå lige; *act on the* ~ **gå** ærligt til værks; *out of* ~ ikke vinkelret (*to* på), i uorden; *get* ~ *with* gøre op med, få hævnet sig på; *I hit him* ~ *on the jaw* jeg ramte ham lige på kæben.

II. **square** [skwæə] (vb.) gøre firkantet, tilhugge (, tilskære) firkantet, gøre retvinklet (fx. ~ *a board);* opløfte til anden potens, kvadrere; ordne, afgøre, gøre op (fx. ~ *accounts);* tilfredsstille (fx. ~ *one's creditors);* bestikke (fx. *they said he had been -d); try to* ~ *the circle* prøve at løse cirklens kvadratur; ~ *one's elbows (, shoulders)* stille sig i kampstilling; *4 -d is 16* 4 i anden er 16; ~ *off* kvadrere; ~ *up to the problem* gå løs på problemet; ~ *up to sby.* stille sig i bokse-stilling over for en; ~ *up with* gøre op med; ~ *with* stemme med (fx. *his theories do not* ~ *with his practice);* bringe i overensstemmelse med.

square|-built firskåren, firkantet. ~ **dance** kvadrille o. l. ~ **deal** fair behandling, ærlig handel. ~ **-head** (nedsættende, amr. S) tysker, hollænder; skandinav.

squarely ['skwæəli] kvadratisk etc. (se I. *square);* direkte, lige (fx. *look sby.* ~ *in the face);* utvetydigt, rent ud.

square| meal solidt måltid. ~ **number** kvadrattal. ~ **-rigged** med råsejl. ~ **root** kvadratrod. **-sail** råsejl. ~ **-shaped** firkantet. ~ **shooter** T regulær fyr. ~ **-shouldered** bredskuldret. ~ **-toed** brednæset (om støvler); (fig.) stiv; gammeldags. ~ **-threaded** fladgænget (fx. *screw).*

squash [skwåʃ] (vb.) kvase, presse, mase flad, sammenstuve; mase sig frem; (fig.) slå ned, undertrykke (fx. *a rebellion);* skære ned; (subst.) tætpakket menneskemængde; blød masse; sjaskende lyd; ♧ melongræskar; se ogs. ~ *-rackets.*

squash|-hat blød hat. ~ **-rackets** 'squash' (et boldspil).

squat [skwåt] (vb.) sidde på hug; slå sig ned på jord el. ejendom uden hjemmel; (adj.) siddende på hug; kort og tyk, undersætsig; (subst.) sammenkrøben stilling.

squatter ['skwåtə] australsk fåreavler; nybygger (især: som tager land uden ret); person der uden hjemmel tager ophold på anden mands ejendom.

squaw [skwå·] indianerkone; ~ *man* hvid mand gift med indianerkvinde.

squawk [skwå·k] (give et) kort hæst, gennemtrængende skrig (fra sig); T skrigen op; skrige op (om).

squeak [skwi·k] (vb.) skrige, pibe, hvine; S optræde som stikker; (subst.) skrig, hvin; *he had a narrow* ~ han undslap med nød og næppe; det var på et hængende hår; der var bud efter ham.

squeaker ['skwi·kə] skrighals; S stikker.

squeal [skwi·l] hvine; skrige, skrige op (i protest); hvin; skrig; ~ *(on)* forråde, angive, 'stikke'.

squealer ['skwi·lə] (subst.) fugleunge, (især) dueunge; hylehoved; S stikker, angiver.

squeamish ['skwi·miʃ] som let får kvalme, kræsen, sensibel, ømfindtlig. **squeamishness** [-nės] kvalme, kræsenhed, ømfindtlighed.

squeegee ['skwi·dʒi·] gummisvaber; (fot.) gummirulle.

I. **squeeze** [skwi·z] (vb.) presse (fx. ~ *a lemon,* ~ *juice from a lemon),* klemme; knuge (fx. *he -d my hand);* ~ *sth. into a box* presse noget ned i en æske; ~ *through the crowd* mase sig igennem mængden; ~ *sby.* (ogs.) prøve at presse en for noget (fx. penge).

II. **squeeze** [skwi·z] (subst.) pres, tryk, håndtryk; tæt omfavnelse; aftryk; pengeafpresning; klemme (fx. *we are in a tight* ~*); it was a tight* ~ det var på et hængende hår.

squeeze bottle blød plastikflaske.

squelch [skwelʃ] (vb.) svuppe, frembringe slubrende, gurglende lyd; kvase, knuse, undertrykke; skære ned, lukke munden på (med et knusende svar); (subst.) slubrende, gurglende lyd.

squib [skwib] (subst.) sværmer (fyrværkeri); smædeskrift; (vb.) satirisere, spotte.

squid [skwid] tiarmet blæksprutte; kunstig agn.

squiffer ['skwifə] S trækharmonika.

squiffy ['skwifi] halvfuld, let beruset.

squiggle ['skwigl] bølgelinje, krusedulle (fx. *he signed his letter with a* ~*); -s* (ogs.) snirkler.

squill [skwil] ♧ strandløg.

squint [skwint] skele; skelen, skelende blik; skelende; ~ *at* skele til; se på med sammenknebne øjne; *let me have a* ~ *at it* T lad mig kikke på det.

squint-eyed skeløjet; mistænksom; misundelig.

squire ['skwaiə] (subst.) godsejer; (glds.) væbner; (amr.) fredsdommer; (vb.) ledsage, følge, være opmærksom overfor; ~ *of dames* galant kavaler.

squirearchy ['skwaiəra·ki] godsejer-aristokrati; godsejervælde.

squirm [skwə·m] (vb.) vride sig, krympe sig, vise tegn på at være ilde berørt el. forlegen; (subst.) vridning.

squirrel ['skwirəl] (subst., zo.) egern; (vb.) gemme væk.

squirrel-cage engine kortslutningsmotor.

squirt [skwə·t] (subst.) sprøjte; stråle; vandpistol; salve, byge (fra maskinpistol); T lille vigtigprås; (vb.) sprøjte.

Sr. fk. f. *senior.*

S.R.O. fk. f. *standing room only* kun ståpladser ledige.

S.S. fk. f. *steamship; screw steamer.*

S.S.E. fk. f. *south-south-east.*

S.S.W. fk. f. *south-south-west.*

St. fk. f. *Saint; Street; Strait.*

st. fk. f. *stone* (om vægt).

stab [stäb] (vb.) stikke, gennembore, såre; (subst.) stik, stød, slag, sår; ~ *at* stikke efter; ~ *in the back* (fig.) bagholdsangreb; falde i ryggen; *have* (el. *make) a* ~ *at sth.* forsøge ngt. **stabber** snigmorder.

stability [stə'biliti] fasthed, stabilitet, stadighed, standhaftighed.

stabilization [steⁱbilai'zeⁱʃən] stabilisering, fiksering. **stabilize** ['steⁱbilaiz] stabilisere, fiksere.

stabilizer ['steⁱbilaizə] (på flyvemaskine) haleplan.

I. **stable** ['steⁱbl] (adj.) stabil, fast, stadig; standhaftig; urokkelig.

II. **stable** ['steⁱbl] (subst.) stald; (vb.) opstalde; *lock the* ~ *door when the horse is stolen* (el. *has bolted)* kaste brønden til, når barnet er druknet.

stable|-boy stalddreng. ~ **fly** stikflue. **-man** staldkarl.

stables ['steⁱblz] stald, staldbygning.

stabling ['steⁱbliŋ] opstaldning; staldrum.

stab wound stiksår.

staccato [stə'ka·toᵘ] stakkato.

stack [stäk] (subst.) hæs, stak; stabel; geværpyramide; skorsten (med flere piber); bogmagasin; T mængde, masse (fx. *a* ~ *of work);* (vb.) sætte i hæs el. i stak; stable; ~ *arms!* sæt geværer sammen! ~ *the cards* pakke kortene (ɔ: for at snyde).

stack|-funnel luftkanal (i stak). ~ **-yard** stakhave.

stactometer [stäk'tåmitə] dråbetæller.

stadium ['steⁱdiəm] stadion, idrætsplads; (sygdoms)stadium.

staff [sta·f] (pl. *staves* [steⁱvz]) stav, stang; kommandostav; støtte(stav); nodesystem; (pl. *staffs)* stab, personale; *the school is well -ed* skolen har gode lærerkræfter.

staff|-college generalstabsskole. ~ **officer** ⚔ stabsofficer. ~ **room** lærerværelse. ~ **writer** fast medarbejder (ved et blad).

stag [stäg] (subst.) hjort, kronhjort; børsspekulant (der opkøber nyemitterede aktier for straks at sælge dem igen); S stikker; mandfolkegilde; herre der er uden kvindelig ledsager (ved et selskab); (vb.) jobbe; S belure; optræde som stikker; møde uden kvindelig ledsager.

stag-beetle ['stäg'bi·tl] (zo.) eghjort.

stage [steⁱdʒ] (subst.) stillads; skueplads, scene, teater; diligence, postvogn; fase, stadium, etape; (vb.) opføre, iscenesætte; iværksætte, arrangere; *a* ~

on the way (fig.) en station på vejen; *go on the ~* gå til scenen; *by easy -s* i ro og mag; *by short -s* med korte dagsrejser.

stage|-coach diligence, dagvogn, postvogn. **-craft** sceneteknik, erfaring i at skrive for scenen. **~ -direction** sceneanvisning. **~ -door** teaters personaleindgang. **~ electrician** belysningsmester. **~ -fever** voldsom lyst til scenen, teatergalskab. **~ -fright** lampefeber. **-hand** scenefunktionær. **~ manager** scenemester.

stager ['steⁱdʒə]: *an old ~* en erfaren person, 'en gammel rotte'. **stage|-right** opførelsesret. **~ -struck** teatergal, bidt af en gal skuespiller. **~ -whisper** teaterhvisken.

I. **stagger** ['stägə] (vb.) vakle, rave, blive betænkelig; få til at vakle, forbløffe, chokere, ryste (fx. *he was -ed by the news*); opstille (, plante) skiftevis på højre og venstre side af en midterlinje; opstille (el. placere) i siksak (el. skråt, forskudt for hinanden); fordele arbejdstid (og ferier) over en længere periode, således at grupper af arbejdere skiftes.

II. **stagger** (subst.) vaklen, raven; *the ~ of the wings* (på flyvemaskine) bæreplanernes fremfald.

staggered ['stägəd] (adj.) forbløffet; chokeret; rystet; forskudt; (se ogs. I. *stagger*).

staggering (adj.) vaklende; forbløffende, chokerende, rystende, forfærdende.

staggers ['stägəz] drejesyge (hos får); kuller.

staging ['steⁱdʒiŋ] (subst.) stillads; iscenesættelse, opsætning.

stagnancy ['stägnənsi] stilleståen.

stagnant ['stägnənt] stillestående, stagnerende.

stagnate ['stägneⁱt] stagnere; forsumpe.

stagnation [stäg'neⁱʃən] stagnation, stilstand.

stag-party S mandfolkegilde, herreselskab.

stagy ['steⁱdʒi] teatralsk, opstyltet, beregnet på at gøre indtryk.

staid [steⁱd] adstadig, sat, rolig.

stain [steⁱn] (vb.) farve, bejdse; plette, vanære; blive plettet (el. snavset); (subst.) farvestof, bejdse; plet, anstrøg, skam; *-ed glass* glasmaleri; *-ed paper* kulørt papir. **stainless** ['steⁱnlės] pletfri; *~ steel* rustfrit stål.

stair [stæə] trappetrin; *stair(s)* trappe; *below -s* ned(e), i kælderen, blandt tjenerpersonalet; *up one flight* (el. *run* el. *pair) of -s* en trappe op. **stair-carpet** trappeløber.

staircase ['stæəkeⁱs], **stairway** ['stæəweⁱ] trappe.

stairwell ['stæəwel] trappeskakt.

stake [steⁱk] (subst.) stage, pæl, blomsterpind; lille ambolt; indsats; interesse, andel; (i pl.) præmie, udsat pris (v. væddeløb etc.); (vb.) opbinde (fx. blomster); sætte som indsats, vove, sætte på spil; *perish at the ~* dø på bålet; *at ~* på spil; *your honour is at ~* det gælder din ære; *~ off, ~ out* udstikke, afmærke.

stake-boat ⚓ mærkebåd.

stakhanovite [stə'ka·novait] stakhanovarbejder.

stalactite ['stäləktait] stalaktit, drypsten.

stalag ['sta·la·g] tysk krigsfangelejr for underofficerer og menige.

stalagmite ['stäləgmait] stalagmit, drypsten.

St. Albans [sənt'å·lbənz].

stale [steⁱl] (adj.) fordærvet; flov, doven (fx. *beer*); hengemt, muggen; gammel (fx. *bread; news*); fortærsket, forslidt (fx. *joke*); (om sportsmand) sur, overtrænet; (vb.) blive fordærvet, flov osv.; stalle, lade vandet (om kvæg og heste); (subst.) (kvægs og hestes) urin; *~ air* tung luft; *a ~ joke* (ogs.) en flovse.

stalemate ['steⁱlmeⁱt] (subst.) pat (i skak); (fig.) dødt punkt; (vb.) sætte pat.

Stalinism ['sta·linizm] stalinisme. **Stalinist** ['sta·linist] stalinist; stalinistisk.

I. **stalk** [stå·k] (subst.) stilk; stængel.

II. **stalk** [stå·k] (vb.) liste sig; spanke, spankulere; drive pyrschjagt; (subst.) pyrschjagt.

stalked ['stå·kt] (adj.) stilket.

stalker ['stå·kə] pyrschjæger.

stalking-horse hest der bruges til skjul for jæger; (fig.) påskud, skalkeskjul.

stalky ['stå·ki] stilket, stilkagtig.

stall [stå·l] (subst.) bås; spiltov; bod, stade, stand, disk; (rel.) korstol, kannikeværdighed; (i teater) parketplads, fauteuil; (flyv.) stalling, farttab; tyvs medhjælper; fingertut; (vb.) opstalde (fx. *cattle*); tage ind, bo; tabe fart, stoppe op, køre fast; gå i stå; (flyv.) stalle; (amr., S) ikke yde sit bedste, holde igen (af taktiske grunde); nøle, søge at vinde tid, vige uden om; *-s* (ogs.) parket. **stall-feed** staldfodre.

stallion ['ståljən] hingst.

stalwart ['stå·lwət] (adj.) kraftig, drabelig, gæv; solid, modig, støt; (subst.) kraftkarl; *the -s* (partiets) faste støtter.

stamen ['steⁱmen] ♧ støvdrager.

stamina ['stäminə] modstandskraft, udholdenhed.

staminate ['stämineⁱt]: *~ flower* hanblomst.

stammer ['stämə] (vb.) stamme, fremstamme.

stammerer ['stämərə] stammer.

stamp [stämp] (vb.) stampe; sætte frimærke på; påtrykke, indpræge, stemple, præge; stanse; (fig.) kendetegne, (neds.) stemple (fx. *his actions ~ him as a coward*); (subst.) stempel, præg, aftryk; frimærke; stempelmærke; (fig.) karakter, slags (fx. *a man of that ~*); *~ one's foot* stampe (i gulvet); *~ out* undertrykke, slå ned (fx. *a rebellion*); udrydde (fx. *malaria*); slukke.

stamp| act stempellov. **~ -album** frimærkealbum. **~ -collector** frimærkesamler. **~ -duty** stempelafgift.

stampede [stäm'pi·d] (subst.) panik, vild flugt; (vb.) skræmme på flugt; styrte af sted, (om kvæg) bisse.

stamper ['stämpə] brevstempler; stempel; stampeværk. **stamp hammer** faldhammer.

stamping-mill ['stämpiŋmil] stampeværk.

stamp| mount frimærkehængsel. **~ pad** stempelpude.

stance [stäns] stilling, fodstilling; holdning.

I. **stanch** [sta·nʃ] (vb.) standse (blødning).

II. **stanch** [sta·nʃ] (adj.) pålidelig, standhaftig, trofast; (om skib) tæt.

stanchion ['sta·nʃən] (subst.) støtte, stiver, stolpe; ⚓ scepter.

I. **stand** [ständ] *(stood, stood)* stå, stå stille; gå, træde (fx. *~ aside*); være (fx. *~ ready; he -s six feet; ~ accused of murder*); ligge (fx. *the house -s on a hill*); gælde, stå ved magt (fx. *the contract -s*); lade sig opstille (til valg); (om jagthund) gøre stand; stille (fx. *~ sth. on the table; ~ a ladder against the wall*); udholde, udstå (fx. *I can ~ him but I cannot ~ his wife*); finde sig i (fx. *I won't ~ his conduct*); holde sig (fx. *will this colour ~ ?*); (kunne) tåle (fx. *your clothes will not ~ the rain; can you ~ cold?*); give, traktere med (fx. *~ sby. a drink*);

(eksempler:) *~ again* (britisk, ikke amr.) stille sig til genvalg; *~ alone* stå alene (uden venner); være enestående; *~ apart* stå udenfor, forholde sig reserveret; *~ aside* holde sig tilbage; træde lidt tilbage; trække sig tilbage; *~ away* gå (lidt) væk, fjerne sig (lidt); *~ back* træde (, være, ligge) lidt tilbage; *~ by* stå bi, hjælpe; stå ved, holde (fx. *~ by a promise*); holde sig parat; forholde sig passiv; (om skib) holde sig i nærheden; *~ loyally by him* stå trofast ved hans side; *~ down* trække sig tilbage; (jur.) forlade vidneskranken; *~ for* støtte, holde på; betyde, symbolisere, repræsentere (fx. *Nazism and all that it -s for*); stille sig som kandidat til, søge valg til (fx. *~ for Parliament*); T finde sig i, tolerere, tåle, tillade; *~ high (, ill) with* være vel (, ilde) anskreven hos; *~ in* stå i, koste (fx. *it -s me in a lot of money*); hjælpe; være stedfortræder; *~ in with* have en høj stjerne hos; være i ledtog med; *~ in with sby. in an expense* dele en udgift med en; *~ off* holde sig på afstand; *~ on* = *~ upon; ~ on one's dignity* holde på værdigheden; *~ out* rage ud (el. frem); springe frem; være iøjnefaldende, ses tydeligt;

stå fast, holde stand; ~ *over* stå hen; overvåge; ~ *to* stå ved (fx. ~ *to one's word)*; ~ *to one's guns* ikke svigte sine principper; ~ *to lose* (, *win)* have udsigt til at tabe (, vinde); ~ *up* stå op, rejse sig; stille op, rejse; kunne holde; ~ *sby. up* S brænde en af; ~ *up for* gå i brechen for, forsvare; *the clothes I* ~ *up in* det tøj jeg går og står i; ~ *up to* holde stand over for, tage kampen op med; kunne tåle; ~ *upon* hævde; holde fast ved; henholde sig til.

II. **stand** [ständ] (subst.) holdt (fx. *come to a* ~ gøre holdt); modstand (fx. *make a* ~ *against sby.)*; holdeplads, parkeringsplads; stand (fx. på udstilling), stade; tribune, estrade; stativ (*fx. umbrella-* ~); standpunkt; bevoksning; post (på jagt), (hunds) stand; (amr.) vidneskranke; *take one's* ~ stille sig op; *take one's* ~ *on* (fig.) henholde sig til, støtte sig til.

standard ['ständəd] (subst.) fane, banner, standart; søjle, stander, pæl, post; mål, møntfod, målestok, mønster, standard, norm; (adj.) normal, mønstergyldig; *Standard English* engelsk rigssprog; ~ *of health* (et lands) sundhedstilstand; *the* ~ *of living* levefoden; ~ *of reference* sammenligningsgrundlag, norm.

standard|-bearer fanebærer, bannerfører. ~ **gauge** (jernb.) normalsporvidde.

standardization [ständədai'zeⁱʃen] standardisering. **standardize** ['ständədaiz] standardisere.

standard|-lamp standerlampe. ~ **price** enhedspris. ~ **rose** højtstammet rose.

stand-by ['ständbai] (subst.) hjælper; hjælp, støtte, hjælpemiddel; (adj.) reserve-, hjælpe- (fx. *engine)*.

stand-in ['ständin] stand-in, stedfortræder for filmskuespiller under belysningsprøver etc.; *have a* ~ *with sby.* have en høj stjerne hos en.

I. **standing** ['ständiŋ] (subst.) stilling, rang, anseelse (fx. *men of high* ~); status; varighed; *a quarrel of long* ~ en gammel strid.

II. **standing** ['ständiŋ] (adj.) stående, stillestående (fx. *water)*; blivende; stadig (fx. *menace)*; fast (fx. *rule)*; ~ *army* stående hær; ~ *committee* stående udvalg; ~ *corn (, timber)* korn (, træ) på roden; ~ *joke* stående vittighed; ~ *jump* spring uden tilløb; ~ *order* stående (el. fast) ordre; ~ *orders* forretningsorden; ~ *room* ståplads.

stand-offish ['stӓnd'åfiʃ] køligt afvisende; reserveret.

stand|patter (amr.) reaktionær, konservativ. ~ **-pipe** standrør. **-point** standpunkt, synspunkt.

standstill ['ständstil] stilstand; *be at a* ~ stå i stampe; holde (, ligge, stå) stille; *come to a* ~ stå fast, gå i stå.

stand-to ['ständtu·] ⚔ T alarmberedskab.

stand-up ['ständʌp] opstående (fx. *collar)*; stående; ~ *fight* regulært slagsmål.

stanhope ['stӓnəp] (let åben vogn).

stank [stäŋk] imperf. af *stink*.

stannary ['stänəri] tingrube, tinmine.

stannic ['stӓnik] stanni-, tin-.

stannous ['stӓnəs] stanno-, tinholdig.

stanza ['stӓnzə] vers, strofe.

stanzaic [stӓn'zeⁱik] (adj.) strofisk.

stapes ['steⁱpi·z] stigbøjlen (knogle i øret).

staple ['steⁱpl] (subst.) stabelplads; hovedartikel; råstof; fast bestanddel, hovedbestanddel; tråd; (metal)krampe; hæftestift; (adj.) stabel-, vigtigst, fast; ~ ~ *commodity* hovedartikel, stabelvare; *the* ~ *topic of conversation* det stående samtaleemne.

stapler ['steⁱplə] hæftemaskine.

star [sta·] (subst.) stjerne; (på hest) blis; (vb.) stråle; sætte mærke ved; optræde som stjerne, spille hovedrolle; præsentere som stjerne, præsentere i en hovedrolle; *the -s and stripes* stjernebanneret (De forenede Staters nationalflag); *thank one's -s that* takke forsynet (el. skæbnen) for at.

starboard ['sta·bəd] (subst.) styrbord; (adj.) styrbords; (vb.) lægge styrbord; *the* ~ *watch* ⚓ kongens kvarter.

starch [sta·tʃ] stivelse, stivhed; (vb.) stive.

Star-Chamber (en 1641 ophævet hemmelig domstol).

starchy ['sta·tʃi] stivelsesagtig, stiv; (fig. ogs.) stramtandet.

stare ['stæə] (vb.) stirre, glo; glane; (subst.) stirren; ~ *at* stirre på; ~ *hard* stirre stift; ~ *sby. in the face* nidstirre en; *it -s you in the face* (fig.) man kan ikke undgå at se det; det er ikke til at komme uden om; det ligger snublende nær; *starvation -d them in the face* de stod ansigt til ansigt med sultedøden; *make people* ~ få folk til at gøre store øjne.

starfish ['sta·fiʃ] (zo.) søstjerne.

star|-gazer ['sta·geⁱzə] stjernekigger. ~ **-gazing** stjernekiggeri; (fig.) fantasteri, drømmeri.

staring ['stæəriŋ] stirrende; skærende, stærkt iøjnefaldende, grel; *he is stark* ~ *mad* han er splittergal.

stark [sta·k] stiv; ubetinget; ren og skær (fx. *brutality)*; aldeles; barsk, kras (fx. *realism)*; (poet. og fig.) stærk, stor; ~ *blind* helt blind; ~ *lunacy* det rene vanvid; ~ *mad* splittergal; ~ *-naked* splitternøgen.

star|less ['sta·lės] uden stjerner. **-let** lille stjerne; T mindre kendt filmsstjerne. **-light** (subst.) stjerneskin, stjerneskær; (adj.) stjerneklar. **-like** stjernelignende, lysende som en stjerne. **-ling** (zo.) stær. **-lit** stjerneklar.

starred [sta·d] (adj.) stjernebesået.

starry ['sta·ri] stjerneklar; lysende som en stjerne.

starry|-eyed blåøjet, naiv (fx. *idealist)*. ~ **ray** (zo.) tærbe.

star shell lysgranat.

star-spangled ['sta·'spӓŋgld] stjernebesat; *the* ~ *banner* stjernebanneret (De forende Staters nationalflag).

I. **start** [sta·t] (vb.) fare op, fare sammen, fare til side; fare (fx. ~ *back*, ~ *forward)*; starte, tage af sted, begive sig på vej *(for* til); begynde, opstå (fx. *the fire -ed in the cellar)*; gå i gang (med); begynde på; foranledige, give stødet til; komme frem med (fx. ~ *an idea)*; få til at (fx. *it -ed me coughing)*; sætte i gang; hjælpe i gang (el. i vej); jage op (fx. ~ *a hare)*; give startsignal til; tømme (ud); forrykke, bringe ud af stilling; (om søm etc.) gå løs; ~ *another hare* bringe et helt andet emne på bane; ~ *in* tage fat, gå i gang; ~ *off* begynde; ~ *on* tage fat på; ~ *on one's own* begynde for sig selv; ~ *out* tage af sted; gå i gang; ~ *out to* sætte sig for at; ~ *up* fare op; pludselig opstå; sætte i gang, starte (fx. ~ *up an engine)*; *to* ~ *with* til at begynde med; fra først af; for det første.

II. **start** [sta·t] (subst.) pludselig bevægelse, sæt, ryk; afgang, afrejse, start; begyndelse; påbegyndelse; forspring; startsted; *from* ~ *to finish* fra først til sidst; *give sby. a* ~ få en til at fare sammen; give en et forspring; *give sby. a* ~ *in life* hjælpe en i vej; *get the* ~ *of sby.* få forspring for en, komme en i forkøbet; *make a* ~ *on* tage fat på.

starting|-gate startmaskine (ved væddeløb). ~ **-point** startsted; udgangspunkt.

startle ['sta·tl] (vb.) jage op; overraske, forskrække, vække op.

star-turn bravurnummer, glansnummer.

starvation [sta·'veⁱʃən] sult; ~ *wages* sulteløn.

starve [sta·v] sulte (ihjel), lide nød, (glds.) fryse; lade sulte, udhungre, svække. **starved** forsulten.

starveling ['sta·vliŋ] (subst.) vantrivning; forsulten (el. forkommen) stakkel; (adj.) forsulten, vantreven.

stash [stӓʃ] standse; (amr.) gemme.

I. **state** [steⁱt] (subst.) tilstand, stand (tx. *in an unfinished* ~*)*; stilling, rang, stand (fx. *he was received in a style befitting his* ~*)*; pragt, ceremoniel; stat; (adj.) stats- (fx. *control)*; stads-, galla- (fx. *dress)*; *the State* staten, det offentlige, statsmagten; *the States* De forenede Stater (i Nordamerika); *in a terrible* ~ i en frygtelig forfatning; T ude af sig selv; *lie in* ~ ligge på lit de parade; *receive him in* ~ give ham en højtidelig (el. festlig) modtagelse; *get into a* ~ blive ophidset (el. nervøs).

II. **state** [steⁱt] (vb.) sige, meddele; erklære, forklare (fx. *the witness -d that ...)*; angive, fremføre (fx. *one's errand)*; berette, fremstille (fx. *the facts of the case)*; fremsætte, udtale; gøre rede for (fx. *the problem)*.

state| affair statssag, statsanliggende. **-craft** statsmandskunst.

stated [ˈsteⁱtid] (adj.) angiven, fastsat, bestemt (fx. *at a ~ time)*.

State Department (amr.) udenrigsministeriet.

stateless [ˈsteⁱtlės] statsløs.

state line (amr.) grænse (mellem de enkelte stater i U.S.A.).

stately [ˈsteⁱtli] statelig, anselig, prægtig.

statement [ˈsteⁱtmənt] beretning, udsagn, erklæring; fremstilling; opgørelse; *make a ~* fremkomme med en erklæring; afgive forklaring; *take a ~* optage en forklaring; *take -s from* (ogs.) afhøre; *~ of account* redegørelse, udtalelse; regnskabsopgørelse, status.

state|room (finere kahyt); (amr.) sovekupé. **-side** (adj.) amerikansk, i Amerika (ɔ: U.S.A.).

statesman [ˈsteⁱtsmən] statsmand.

statesmanlike passende for en statsmand.

statesmanship statsmandskunst.

state visit officielt besøg.

static(al) [ˈstätik(l)] statisk, stillestående.

statics [ˈstätiks] ligevægtslære, statik; atmosfæriske forstyrrelser (i radio).

station [ˈsteⁱʃən] (subst.) station, banegård, holdeplads; plads; stilling, post; stand (fx. *marry above one's ~)*; rang; (i Australien) fårefarm; (vb.) stationere; stille, postere.

stationary [ˈsteⁱʃnəri] stillestående, stationær, faststående (fx. *engine)*; blivende; *a ~ car* en holdende bil.

stationer [ˈsteⁱʃənə] papirhandler; *Stationers' Hall, the guild of stationers* kontor hvor indtil 1911 bøger måtte indregistreres ved udgivelsen (til sikring af forfatterretten).

stationery [ˈsteⁱʃnəri] papirvarer, skrivematerialer, brevpapir (og konvolutter).

station|-master stationsforstander. **~ wagon** stationcar.

statistic(al) [stəˈtistik(l)] statistisk.

statistician [stätiˈstiʃən] statistiker.

statistics [stəˈtistiks] statistik.

statism [ˈsteⁱtizm] koncentration af al magt hos staten.

statuary [ˈstätjuəri] billedhugger; statuer, billedstøtter; billedhuggerkunst; (adj.) billedhugger- (fx. *art, marble)*.

statue [ˈstätju·] statue. **statued** smykket med statuer.

statuesque [stätjuˈesk] som en statue, statuarisk.

statuette [stätjuˈet] statuette.

stature [ˈstätʃə] statur, højde, vækst.

status [ˈsteⁱtəs] stilling, position, rang, status; *~ symbol* statussymbol.

statute [ˈstätju·t] lov; statut.

statute|-barred (jur.) forældet (fx. *the claim is ~ -barred)*. **~ -book** lovbog; *the Bill was placed* (el. *put) in the ~ -book* forslaget blev ophøjet til lov. **~ -law** (skreven, af parlamentet vedtagen) lov (modsat: *common law)*.

statutory [ˈstätjutəri] lovbefalet, lovmæssig, lovformelig.

staunch [stå·nʃ, sta·nʃ] se *stanch*.

stave [steⁱv] (subst.) (tønde)stave; stav, stok; trin på stige; nodesystem; strofe; (vb.) forsyne med staver; *~ in* slå hul i, slå i stykker, slå ind; *~ off* bortjage; holde på afstand; forhale, afværge.

staves [steⁱvz] pl. af *staff* og *stave*.

I. **stay** [steⁱ] (vb.) blive (fx. *~ in bed)*; opholde sig, bo (især midlertidigt, som gæst) (fx. *I don't live here, I'm only -ing)*; standse, hindre, holde tilbage; opsætte, udsætte; holde ud; støtte, stive af; ⚓ stagvende (med); *~ the course* føre løbet til ende, fuldføre løbet; *~ one's hand* forholde sig afventende; *~ the night* blive natten over; *~ one's stomach* (foreløbig) stille sulten; *~ away* udeblive, blive borte, ikke komme (i selskab, til møde etc.); *~ for* vente på; *~ in* blive inde, holde sig inden døre; *~ out* blive ude, ikke komme hjem; blive længere end; *~ put* blive på sin plads; *~ up* blive oppe, afstive.

II. **stay** [steⁱ] (subst.) ophold (fx. *make a long ~)*; udholdenhed; (jur.) opsættelse, udsættelse (fx. *of execution* af (straf)fuldbyrdelse); ⚓ stag, bardun; stiver; (fig.) støtte; *-s* korset; *miss -s* ⚓ nægte at vende; *put a ~ on one's thoughts* lægge bånd på sine tanker.

stay-at-home: *a ~ person* et hjemmemenneske.

stayer [ˈsteⁱə] udholdende person el. dyr.

stay-in: *a ~ strike* strejke hvor arbejderne nægter at forlade arbejdspladsen.

staying-power udholdenhed.

staysail [ˈsteⁱsl] ⚓ stagsejl.

stead [sted] sted; *stand in good ~* være til god hjælp, komme til god nytte; *in his ~* i hans sted.

steadfast [ˈstedfəst] fast, trofast, støt; standhaftig; urokkelig (fx. *faith, resolution)*; *look -ly at* se ufravendt på.

steady [ˈstedi] (adj.) stadig (fx. *progress)*; støt, regelmæssig (fx. *speed)*; adstadig, besindig, rolig, stabil (fx. *a ~ young man)*; fast (fx. *foundation)*; vedholdende; uafbrudt (fx. *a ~ flow of talk)*; (vb.) afstive, berolige; holde stille; forsigtig! ⚓ støt så! (subst.) **S** kæreste; *go ~* **T** gå sammen fast; være forlovede; *~ on one's legs* sikker på benene.

steak [steⁱk] (stykke kød som er stegt el. til at stege); (omtr. =) bøf.

steal [sti·l] *(stole, stolen)* stjæle; liste, stjæle sig; *~ away* liste sig bort; *~ a glance at* kaste et stjålent blik på; *~ upon* liste sig ind på; *~ a march upon sby.*, se *IV. march*.

stealth [stelþ]: *by ~* hemmeligt, i al stilhed, i smug.

stealthy [ˈstelþi] listende, snigende, hemmelig.

steam [sti·m] (subst.) damp, em; dunst; dug (fx. *windows covered with ~)*; (vb.) dampe, emme; dunste; dampkoge; *get up ~* få dampen op; *let off ~* slippe dampen ud; give sine følelser luft; *under her (, his etc.) own ~* for egen kraft; *the windows were -ed over* vinduerne var duggede; *~ up* tildugge; sætte gang i; være gal i hovedet.

steam| bath dampbad. **-boat** dampbåd. **~ -boiler** dampkedel. **~ -engine** dampmaskine.

steamer [ˈsti·mə] damper, dampskib; dampkogeapparat.

steam|-gauge (damp)trykmåler, manometer. **~ -kitchen** dampkøkken. **~ -navigation** dampskibsfart. **~ -roller** damptromle; (vb., fig.) tromle ned. **-ship** dampskib. **~ table** varmebord. **~ -tug** bugserdamper. **~ -vessel** dampskib. **~ -whistle** dampfløjte.

steamy [ˈsti·mi] (adj.) dampende, dampfyldt; dugget.

stearic acid [stiˈärik ˈäsid] stearinsyre.

stearin [ˈstiərin] stearin.

steatite [ˈsti·ətait] steatit, fedtsten.

steatosis [stiəˈtoᵘsis] fedtdegeneration.

steed [sti·d] (poet.) ganger.

steel [sti·l] (subst.) stål; hvæssestål; våben, sværd; (adj.) stål-; (vb.) belægge med stål, forståle; gøre hård, stålsætte, forhærde.

steel| band (orkester af primitive slaginstrumenter). **~ -clad** pansret, stålklædt. **~ engraving** stålstik. **~ pen** stålpen. **~ tape** stålbånd. **~ -tape recorder** stålbåndsoptager, telegrafon. **~ -tape recording** stålbåndsoptagelse. **~ wire** ståltråd. **~ wool** ståluld.

steely [ˈsti·li] stållignende, stålhård.

steelyard [ˈsti·lja·d] bismer.

I. **steep** [sti·p] (adj.) stejl, brat; **T** urimelig, overdreven, skrap; (adj.) stejl skrænt.

II. **steep** [sti·p] (vb.) dyppe, lægge i blød, bade, udbløde, nedsænke; (subst.) bad, udblødning; *-ed in* gennemtrængt af; fordybet i; *the tea is -ing* teen står og trækker.

steepen ['sti·pn] blive brat(tere), gøre brat.

steeple ['sti·pl] kirketårn, tårn (med spir).

steeple|-chase steeplechase, terrænridt, forhindringsløb. **-jack** arbejder, der går til vejrs på tårn el. høj skorsten, fluemenneske.

I. **steer** [stiə] (subst.) ung stud; (amr. S) råd, vink.

II. **steer** [stiə] (vb.) styre; ~ *clear of* styre klar af, undgå.

steerage ['stiəridʒ] tredje klasse (på skib), dæksplads. **steerage| passengers** dækspassagerer. ~ **-way** styrefart.

steering|-gear styreapparat, styregrejer. ~ **shaft** styreaksel. ~ **-wheel** rat.

steersman ['stiəzmən] ⚓ rorgænger.

I. **steeve** [sti·v] (subst.): *the* ~ *of the bowsprit* bovsprydets rejsning.

II. **steeve** [sti·v] (vb., ⚓) stuve.

stein [stain] ølkrus.

stele ['sti·li] stele, flad opretstående gravsten.

stellar ['stelə] stjerne-; stjernebesat.

I. **stem** [stem] (subst.) stilk (fx. *of a glass); stængel* (fx. *of a flower);* stamme (fx. *of a tree, of a word);* pibestilk, mundstykke; (i musik) nodehals; ⚓ forstavn, stævn; *from* ~ *to stern* fra for til agter.

II. **stem** [stem] (vb.) afstilke; tilstoppe; stemme, opdæmme (fx. *the water in a river);* standse (fx. *the attack, the blood);* vinde frem mod, arbejde sig op mod (fx. *the current);* ~ *from* stamme fra.

stem-cell stamcelle.

stench [stenʃ] stank; *it is* ~ *in his nostrils* det er ham en vederstyggelighed.

stencil ['stensil] (subst.) stencil; skabelon; (vb.) stencilere.

stenograph ['stenogra·f] stenografere.

stenographer [ste'någrəfə] stenograf.

stenographic(al) [steno'gräfik(l)] stenografisk.

stenography [ste'någrəfi] stenografi.

stentorian [sten'tå·riən]: ~ *voice* stentorrøst.

I. **step** [step] (subst.) skridt, (fod)trin; fodspor; gang (fx. *a light* ~, *a heavy* ~); trin, trappetrin, vogntrin; trit, takt (fx. *in* ~ *with the others);* ⚓ spor (hvori en mast hviler); *-s* trappe; *a flight of -s* en trappe; et trappeløb; *(pair* el. *set of) -s* trappestige; *break* ~ komme ud af trit; ~ *by* ~ skridt for skridt, gradvis; *a false* ~ et fejltrin; *get one's* ~ blive forfremmet; *a good* ~ et godt stykke vej; *keep (in)* ~ holde trit; *mind the* ~ pas på trinet; *take -s against* tage forholdsregler imod; *take the first* ~ gøre det første skridt; *take -s to* gøre skridt til at; *tread in his -s* træde i hans fodspor; *watch one's -s* gå forsigtigt til værks.

II. **step** [step] (vb.) træde, gå; skridte af (fx. ~ *the length of a room);* udføre (dansetrin); ~ *aside* træde til side, træde tilbage; ~ *down* træde tilbage (fra embede); gradvis formindske (fx. *the production);* ~ *high* løfte fødderne højt når man går; ~ *in* (ogs.) skride ind, tage affære; ~ *into* træde ind i; pludselig tiltræde (el. opnå); ~ *it* gå; ~ *off* skridte af; ~ *on it* **S** gi' den gas, skynde sig; ~ *out* træde ud; skridte ud, tage længere skridt; skridte af; **S** gå ud på sjov; ~ *short* tage et for kort skridt; ~ *up* træde op, træde frem; fremskynde, sætte fart i, forøge (fx. *production);* ~ *up a mast* sætte en mast i sporet; ~ *this way* værsågod at gå (el. det er) denne vej.

step|brother stedbroder. **-child** stedbarn. **-dance** step; (vb.) steppe. **-daughter** steddatter. **-father** stedfader.

step|-ins ['stepinz] damebenklæder; sko der er lige til at stikke i. ~ **-ladder** trappestige. **-mother** stedmoder. **-parent** stedfader el. stedmoder.

steppe [step] (subst.) steppe.

stepping-stone ['stepiŋstoᵘn] trædesten, vadesten, overgangssten; (fig.) springbræt; *a* ~ *to (fame)* et skridt fremad på vejen til (berømmelse).

step|sister stedsøster. **-son** stedsøn.

stere [stiə] kubikmeter.

stereo ['sterioᵘ] stereo; fk. f. *stereotype; stereophonic, stereophony.*

stereo| camera ['sterioᵘ 'kämerə] stereokamera. ~ **-chemistry** [steriə'kemistri] stereokemi. **-graphic(al)** [steriə'gräfik(l)] stereografisk. **-graphy** [steri'ågrəfi] stereografi. **-meter** [steri'åmitə] stereometer. **-metric(al)** [steriə'metrik(l)] stereometrisk. **-metry** [steri'åmitri] stereometri. **-phonic** ['sterioᵘ 'fånik] stereofonisk (fx. *reproduction* gengivelse). **-scope** ['steriəskoᵘp] stereoskop. **-scopic** [steriə'skåpik] stereoskopisk. **-type** ['steriətaip] stereotypere; stereotypplade. **-typed** stereotyp, uforanderlig, stående. **-typer, -typist** stereotypstøber, stereotyptrykker. **-typography** ['sterioᵘtai'pågrəfi] stereotypi.

sterile ['sterail] steril, gold, ufrugtbar, uproduktiv; åndløs.

sterility [stė'riliti] sterilitet, goldhed.

sterilize ['sterilaiz] sterilisere.

sterling ['stə·liŋ] (adj.) efter britisk møntfod; fuldgod, ægte; helstøbt; (subst.) sterling, britisk mønt; *the* ~ *area* sterlingområdet.

I. **stern** [stə·n] (adj.) streng, barsk; *the -er sex* det stærke køn.

II. **stern** [stə·n] (subst.) ⚓ hæk, agterende, bagstavn; hale.

stern|-fast ['stə·nfa·st] agterfortøjning. ~ **-light** agterlanterne. **-most** agterst. ~ **-post** agterstævn. ~ **-sheets** agterpligt.

sternum ['stə·nəm] (anat.) brystben.

sternutation [stə·nju'teⁱʃən] nysen, nys.

sternutator ['stə·njuteⁱtə] nysegas.

sternwards ['stə·nwədz] agterud(e), agterefter.

stertorous ['stə·tərəs] snorkende.

stethoscope ['steþəskoᵘp] stetoskop.

stethoscopy [ste'þåskəpi] stetoskopi.

stevedore ['sti·vidå·] ⚓ stevedore.

I. **stew** [stju·] (subst.) fiskedam, fiskepark, østersbassin.

II. **stew** [stju·] (subst.) kød der er kogt over en sagte ild med løg, krydderier etc. (fx. *Irish* ~); læsehest, 'bogorm'; *be in a* ~ være helt fra den, være helt ude af flippen.

III. **stew** [stju·] (vb.) småkoge, snurre (over en sagte ild); **T** svede; være nervøs, være ophidset; **S** studere flittigt, hænge over bøgerne; *let him* ~ *in his own juice* dyppe ham i hans eget fedt; lade ham tage følgerne af sine dumheder; (se ogs. *stewed).*

steward ['stjuəd] forvalter, hushovmester, intendant, økonom, hovmester; steward; opvarter.

stewardess ['stjuədės] kahytsjomfru, stewardess.

stewardship forvaltning; stilling som forvalter etc. (se *steward).*

stewed [stju·d] (adj.): ~ *(up)* **S** ophidset, nervøs, ude af flippen; ~ *to the gills* **S** hønefuld; ~ *beef* (svarer omtr. til) bankekød; ~ *fruit* kompot; ~ *prunes* sveskekompot.

stew-pan ['stju·pän] stegegryde.

stews [stju·z] bordel, bordelkvarter.

St. Ex. fk. f. *Stock Exchange.*

I. **stick** [stik] *(stuck, stuck)* opklæbe (fx. ~ *no bills* opklæbning forbudt), klæbe, klistre (fx. ~ *a stamp on a letter);* stikke (fx. ~ *a fork into a potato;* ~ *a pig);* anbringe, lægge, sætte (fx. ~ *it on the shelf);* **T** holde ud (fx. *I can't* ~ *that fellow);* **S** snyde; sidde fast, gå i stå; forblive, holde sig (fx. ~ *indoors);* klæbe sammen; *the door -s* døren binder; *the nickname stuck* øgenavnet blev hængende ved ham (, hende); *get stuck* komme i klemme, blive hængende; sidde fast, gå i stå;

~ *around* holde sig i nærheden; ~ *at a job* blive ved et stykke arbejde; ~ *at trifles* hænge sig i bagateller; *he -s at nothing* han viger ikke tilbage for noget; ~ *by* holde fast ved; ~ *down* klistre til; **T** skrive ned; ~ *sby. for sth.* snyde (el. slå) en for noget (fx. ~ *him for 10 s.); it stuck in my throat* det sad fast i halsen; jeg kunne ikke få det ned; (om ytring) jeg kunne ikke få det frem; (fig.) det var mere end jeg kunne tage, den var mig for stram; ~ *it on* T (fx. i en regning) forlange høje priser; vigte sig, spille stor; *stuck on sby.* S forelsket (el. skudt) i en; ~ *out* rage ud (el. frem); være iøjnefaldende; være fremstående (fx. *his ears* ~ *out); ~ it out* T holde (pinen) ud; ~ *one's neck out* S udsætte sig for ubehageligheder; *it -s out a mile* det kan ses på lang afstand; ~ *out one's tongue* række tunge; ~ *out for* bestemt forlange, stå fast på sit krav om (fx. *they stuck out for higher wages); ~ to* klæbe ved; holde fast ved (fx. ~ *to one's purpose);* holde sig til (fx. ~ *to facts)*; ikke svigte (fx. *he stuck to his friend); ~ to it!* hold ud! bliv ved! ~ *to one's guns,* ~ *to one's opinions* ikke lade sig rokke fra sin overbevisning; ~ *to the point* holde sig til sagen; ~ *together* holde sammen (fx. *we must* ~ *together);* ~ *up* stikke op, stritte i vejret; ~ *'em up!* hænderne op! ~ *sby. up* S holde én op; ~ *up for* forsvare, gå i brechen for; ~ *up to* trodse, hævde sig over for.

II. **stick** [stik] (subst.) pind, stok (fx. *walk with a* ~*);* stang (fx. *a* ~ *of sealing-wax),* stykke; (i musik) taktstok; (flyv.) styrepind; T dødbider, tørvetriller; fyr (fx. *an odd* ~*); the -s* T bondelandet; *he is a regular* (el. *dry old)* ~ han er en rigtig dødbider; *have got hold of the wrong end of the* ~ (fig.) være galt afmarcheret; *get the thick end of the* ~ være den det går ud over; trække det korteste strå; *in a cleft* ~ i knibe; *a* ~ *of bombs* (flyv.) en stribe bomber.

sticker ['stikə] ihærdigt udholdende menneske; etiket; frimærkehængsel.

stick figure tændstikfigur (ɔ: tegning).

sticking-plaster hæfteplaster.

sticking-point yderste grænse; punkt hvorfra man ikke kan komme længere.

stick-insect (zo.) vandrende pind.

stick-in-the-mud (adj.) kedelig, langsommelig, stokkonservativ; (subst.) dødbider, tørvetriller.

stickleback ['stiklbäk] (zo.) hundestejle.

stickler ['stiklə]: *be a* ~ *for etiquette* holde strengt på formerne.

stick liquorice stanglakrids, engelsk lakrids.

stickpin ['stikpin] (amr.) slipsnål.

stick-up ['stikʌp] (adj.) opstående; (subst.) holdop (ɔ: røveri); ~ *man* revolverrøver.

sticky ['stiki] klæbrig; klistret; (fig.) ubøjelig, kritisk, kværulantisk, besværlig, træg; betænkelig; T kedelig, ubehagelig; *come to a* ~ *end* S dø en voldsom død; ~ *weather* fugtigvarmt vejr; *be* ~ *about it* T gøre mange ophævelser.

I. **stiff** [stif] stiv, hårdnakket, bestemt (fx. ~ *decimal);* tvungen; stram; hård, vanskelig; anstrengende (fx. *climb, walk);* skrap (fx. *price; examination); be bored* ~ være ved at kede sig ihjel; *scared* ~ hundeangst; *keep a* ~ *upper lip* ikke lade sig gå på, vise fasthed.

II. **stiff** (subst.) S lig, kadaver; skvadderhoved; pengeseddel; *carve a* ~ S dissekere et lig; *you big* ~ din idiot, dit store fjols.

stiffen ['stifn] gøre stiv, stive; stivne, blive stiv; strammes; blive fastere; tiltage i styrke.

stiffener ['stifənə] stiver; (fig.) opstrammer.

stiff-necked ['stifnekt] stivnakket; halsstarrig.

stifle ['staifl] kvæle, undertrykke; *-d* halvkvalt.

stigma ['stigmə] stigma; (fig. ogs.) skamplet, stempel; ♧ støvfang; (zo.) (insekters) åndehul.

stigmatize ['stigmətaiz] stigmatisere; (fig.) brændemærke; *-d as a liar* stemplet som løgner.

stile [stail] (subst.) stente.

stiletto [sti'letoᵘ] stilet, lille dolk; pren; ~ *heel* stilethæl.

I. **still** [stil] (adv.) endnu; dog; stadig; (glds.) altid.

II. **still** [stil] (adj.) stille, rolig, tavs; *the* ~ *small voice* samvittighedens røst; ~ *waters run deep* det stille vand har den dybe grund.

III. **still** [stil] (vb.) berolige (fx. *a child);* bringe til tavshed; få til at falde til ro; lindre; stille (fx. *hunger).*

IV. **still** [stil] (vb.) destillere; (subst.) destillationsapparat, destillérkar; brændevinsbrænderi.

V. **still** [stil] (subst.) udstillingsbillede (fra film); filmsbillede.

stillage ['stilidʒ] lad, buk, skammel.

still|-born dødfødt. ~ **life** stillleben (maleri). ~ **-room** brændevinsbrænderi; fadebur.

stilt [stilt] stylte; (zo.) stylteløber.

stilted ['stiltid] opstyltet.

Stilton ['stiltn]: ~ *cheese* stiltonost.

stimulant ['stimjulənt] (adj.) stimulerende, pirrende; (subst.) pirringsmiddel, stimulans, opstrammer.

stimulate ['stimjuleⁱt] stimulere, pirre.

stimulation [stimju'leⁱʃən] stimulering, tilskyndelse.

stimulative ['stimjuleⁱtiv] stimulerende.

stimulus ['stimjuləs] spore, drivfjeder, stimulans.

I. **sting** [stiŋ] *(stung, stung)* stikke; (om nælde, vandmand) brænde; svie; (fig.) såre, pine; provokere, ophidse; S snyde; *stung by* (ogs.) pint af (fx. *remorse);* pinligt berørt af; *feel stung by* føle sig ramt af; ~ *for* snyde for, 'tage' for, slå for (penge).

II. **sting** [stiŋ] (subst.) brod; brændehår (på nælde); stik; smerte, svie (som af stik).

stinger ['stiŋə] brod; bidende replik; svidende slag.

stinging-nettle brændenælde.

sting-ray (zo.) pigrokke.

I. **stingy** ['stiŋi] stikkende, skarp.

II. **stingy** ['stin(d)ʒi] gerrig, karrig, kneben.

I. **stink** [stiŋk] *(stank, stunk)* stinke; *it -s* S det er noget møg; *cry -ing fish* tale nedsættende om sit eget.

II. **stink** [stiŋk] stank; S vrøvl, ballade; *-s* S kemi.

stinkard ['stiŋkəd] stinkende fyr; stinkdyr.

stink-ball stinkpotte.

stinker ['stiŋkə] stinkpotte; stinksvamp; (S fig.) stinkdyr, skiderik; skrapt brev.

stink|-horn ♧ stinksvamp. ~ **-pot** stinkpotte.

stint [stint] (vb.) holde knapt med, være karrig med; (subst.) (tildelt) arbejde, opgave; *little* ~ (zo.) dværgryle; *without* ~ uden at spare.

stipe [staip] ♧ stængel, stilk.

stipend ['staipend] gage.

stipendiary [stai'pendiəri] lønnet; ~ *magistrate* (dommer i politiret).

stipple ['stipl] stiple, prikke, punktere.

stipulate ['stipjuleⁱt] stille som betingelse, gøre til en betingelse, betinge sig; fastsætte, komme overens om, aftale; ~ *for* betinge sig.

stipulation [stipju'leⁱʃən] betingelse, klausul; aftale, bestemmelse, overenskomst.

stipule ['stipju·l] ♧ akselblad.

I. **stir** [stə·] (vb.) røre (fx. *he would not* ~ *a finger to help me);* sætte i bevægelse; røre i (fx. *one's coffee);* røre om, røre op i; bringe på bane; ophidse, gribe, betage; røre sig, være i bevægelse, stå op; (subst.) røre, bevægelse, omrøring; sensation, støj, spektakel, oprør; ~ *his blood* begejstre ham, ophidse ham; *not make a* ~ *of one's hand* ikke røre en finger; ~ *one's stumps* T få fart på; ~ *him (in)to action* vække ham til dåd; ~ *up* røre sammen, røre op; ophidse, optænde, vække; *-ring* ['stə·riŋ] (ogs.) gribende, betagende.

II. **stir** [stə·] S fængsel.

stirps [stə·ps] stamfader.

stirrup ['stirəp] stigbøjle. **stirrup|-cup** glas på falderebet, afskedsbæger. ~ **-leather** stigrem.

stitch [stitʃ] (vb.) sy, sammenhæfte, sammenflikke; nådle; (subst.) sting, (strikke)maske; sting (i siden); ~ *a book* hæfte en bog; *he has not done a* ~ *of work* han har ikke bestilt et slag; *drop a* ~ tabe en maske; *he has not a (dry)* ~ *on* han har ikke en (tør) trævl på kroppen; *put a few -es into* sy nogle sting på (fx. *a dress); put -es into a wound* sy et sår sammen; ~ *up* sy (, ri) sammen; *I have got the* ~ jeg har sting i siden.

stitchwort ['stitʃwə·t] ♧ fladstjerne.

stithy ['stiði] (glds.) ambolt, smedje.

stiver ['staivə] skilling; smule.

St. John [sn 'dʒån] evangelisten Johannes; ['sindʒən] (efternavn).

stoat [stoᵘt] (zo.) hermelin, lækat.

I. **stock** [ståk] ♧ levkøj.

II. **stock** [ståk] (subst.) stok, stamme, stub, blok; æt; skaft, skæfte; ⚓ ankerstok; (merk.) aktier, obligationer, fonds; (rå)materiale, materiel; varelager, forråd; kreaturbesætning; suppe, afkog, kraft; (glds.) halsbind; *-s* (pl.) ⚓ bedding; (glds.) gabestok; ~ *of knowledge* kundskabsforråd; *in* ~ på lager; *keep in* ~ føre (på lager); *out of* ~ ikke på lager, udgået; *be on the -s* være på stabelen; være under udarbejdelse; *take* ~ gøre lageret op, foretage en vareoptælling; gøre status; *take* ~ *of sby.* tage mål af en; *take* ~ *of the situation* gøre stillingen op; *take* ~ *in* købe aktier i; (fig.) interessere sig for, stole på, lægge vægt på.

III. **stock** (adj.) som haves på lager (fx. *articles);* stående (fx. *remark, argument).*

IV. **stock** (vb.) skaffe besætning til (fx. *a farm);* have på lager, føre (fx. *piece goods);* forsyne med varer (fx. *a shop);* skæfte (fx. *a gun);* ~ *land with grass* lægge et areal ud til græs.

stockade [stå'keⁱd] palisade, pæleværk; (vb.) befæste med palisader.

stock|-book lagerbog. ~ **-breeder** kvægopdrætter. ~ **-broker** mægler på fondsbørsen, vekselmægler. **-car** (jernb.) kreaturvogn. **-dove** huldue. ~ **exchange** fondsbørs. **-fish** stokfisk. ~ **-holder** aktionær.

stockinet ['ståkinet] trikot.

stocking ['ståkiŋ] strømpe; sok (på en hest); *in one's -s* el. *in one's stocking-feet* (el. *stockinged feet)* på strømpefødder.

stock-in-trade ['ståkin'treⁱd] varelager; værktøj (der er nødvendigt i det givne fag); fast inventar; (standard)udstyr; (fig.) stående virkemiddel (, virkemidler) (fx. *it belongs to the actor's* ~*).*

stockish ['ståkiʃ] afstumpet, stupid. **stockist** ['ståkist] forhandler.

stock|-jobber børsmægler. ~ **-list** kursliste. **-man** kvægopdrætter; fodermester. ~ **-market** fondsmarked. I. **-pile** ['ståkpail] (subst.) oplagring, forråd, lager; beredskabslager. II. **-pile** (vb.) samle forråd (, beredskabslager etc.). ~ **-raising** kvægopdræt. ~ **-still** (adj.) bomstille. ~ **-taking** vareoptælling, lageropgørelse, status. ~ **-whip** kortskaftet pisk (til kvæg).

stocky ['ståki] tyk, undersætsig, firskåren, tæt; ♧ lavstammet.

stockyard ['ståkja·d] kreaturindelukke.

stodge [stådʒ] tung mad; (vb.) proppe sig.

stodgy ['stådʒi] tung, ufordøjelig; uinteressant, kedelig.

stoep [stu·p] (sydafrikansk) veranda.

stogie, stogy ['stoᵘgi] billig cigar; kraftig sko (el. støvle).

stoic ['stoᵘik] stoiker, stoisk filosof; (adj.) stoisk.

stoical ['stoᵘikl] stoisk.

stoicism ['stoᵘisizm] stoicisme.

stoke [stoᵘk] fyre. **stoke|-hold,** ~ **-hole** fyrrum.

stoker ['stoᵘkə] fyrbøder; stoker.

I. **stole** [stoᵘl] (hist., rel.) stola; langsjal.

II. **stole** [stoᵘl] imperf. af *steal.*

stolen ['stoᵘlən] perf. part. af *steal.*

stolid ['stålid] upåvirket, sløv.

stolidity [stå'liditi] træghed, sløvhed.

stolon ['stoᵘlån] ♧ udløber.

I. **stomach** ['stʌmək] mave, ventrikel; (fig.) appetit, lyst *(for* til); *the pit of the* ~ hjertekulen; *on an empty* ~ på fastende hjerte; *on a full* ~ lige efter et måltid; *it turns my* ~, *it makes my* ~ *rise* det får det til at vende sig i mig; *my* ~ *turns at the sight* jeg får kvalme ved at se det; *I have no* ~ *for fighting* jeg har ikke lyst til (el. bryder mig ikke om) at slås.

II. **stomach** ['stʌmək] (vb.) **T** tåle, finde sig i (fx. *he cannot* ~ *criticism);* tolerere.

stomach-ache mavepine.

stomacher ['stʌməkə] (glds.) brystsmæk.

stomachic [stə'mäkik] mave-; mavestyrkende (middel).

stomach-pump mavepumpe.

stone [stoᵘn] (subst.) sten; ædelsten; (pl. d. s.) vægtenhed, især = 14 *lbs;* (adj.) sten-, af sten; (vb.) stene; udstene, tage stenene ud af (fx. *fruit);* skure (med en skuresten); forhærde, forstene; *break -s* slå skærver; (fig.) måtte slide for føden; *leave no* ~ *unturned* sætte himmel og jord i bevægelse; *leave no* ~ *standing* ikke lade sten på sten tilbage; *throw -s* kaste med sten; *as if turned to* ~ som forstenet.

stone|-blind helt blind. ~ **-bottle** stendunk. ~ **-breaker** stenknuser; skærveslager. **-chat** (zo.) sortstrubet bynkefugl. **-crop** ♧ stenurt. ~ **-curlew** (zo.) triel. ~ **-cutter** stenhugger. ~ **-dead** stendød. ~ **-deaf** stokdøv. ~ **-fly** (zo.) slørvinge. ~ **-fruit** stenfrugt.

stone|less ['stoᵘnlės] stenfri. ~ **-mason** murer, stenhugger. ~ **pine** ♧ pinie. ~ **-pit** stenbrud. **-'s cast, -'s throw** stenkast (afstand). ~ **-still** bomstille. ~ **-wall** (subst.) stenmur; (vb.) obstruere; forhale (debat); *he can see through a* ~ *-wall* han kan mere end sit fadervor. ~ **-walling** obstruktion. **-ware** stentøj. **-work** murværk (af natursten).

stonk [ståŋk] ⚔ **S** voldsomt bombardement; (vb.) beskyde kraftigt.

stony ['stoᵘni] stenagtig, stenet, af sten, hård; ~ *broke* **S** på spanden, uden penge; ~ *stare* stift stirrende blik.

stood [stud] imperf. og perf. part. af *stand.*

stooge [stu·dʒ] (subst.) en komikers medspiller som 'lægger op' til ham; skive for morsomheder (, latter); prügelknabe; underordnet medhjælper, håndlanger, kreatur, marionet; (vb.) være medhjælper (etc.).

stook [stuk] trave (af neg).

I. **stool** [stu·l] (subst.) taburet, skammel; natstol; afføring; træstub; rodskud; lokkedue, stikker; ~ *of humiliation* (el. *of repentance)* bodsskammel; *fall between two -s* (fig.) sætte sig mellem to stole.

II. **stool** [stu·l] (vb.) ♧ sætte rodskud.

stool-pigeon lokkedue; (fig. ogs.) stikker.

stoop [stu·p] (vb.) bøje sig, lude; slå ned, flyve ned; give efter; nedværdige sig, nedlade sig; ydmyge sig; (subst.) bøjning, foroverbøjet stilling, luden; (fugls) nedslag; (amr.) veranda.

stooping ['stu·piŋ] foroverbøjet, ludende, rundrygget.

I. **stop** [ståp] (vb.) stoppe (fx. *a leak);* tilstoppe; plombere (tand); standse; holde (fx. *the train -s for five minutes);* gå i stå, ophøre, holde op; holde op med (fx. ~ *that nonsense);* **T** blive, opholde sig (fx. ~ *out all night);* lukke for; hindre, undertrykke; (i musik) udføre greb på; tilbageholde, afkorte; hindre (fx. *I could not* ~ *her from doing it);* ~ *a bullet* (el. *packet)* ⚔ **S** blive såret el. dræbt; ~ *sby.'s mouth* lukke munden på en; ~ *the way* spærre vejen; ~ *at nothing* ikke vige tilbage for noget; *he did not* ~ *at that* han nøjedes ikke med det; ~ *by,* ~ *in* (amr.) kigge indenfor, se ind (ɔ: besøge); *he never -s to think* han giver sig aldrig tid til at tænke sig om; ~ *off, over* afbryde rejsen; gøre ophold; *£5 was -ped out of his wages* 5 pund blev indeholdt (ɔ: tilbageholdt) af hans løn; ~ *up* tilstoppe; blive oppe (ikke gå i seng).

II. **stop** [ståp] (subst.) standsning, ophør, afbrydelse, pause (fx. *ten minutes'* ~*);* ophold; stoppested; (fot.) blænder; (i musik) greb; (orgel)register; (fon.) lukkelyd; (gram.) skilletegn, interpunktionstegn; *full* ~ punktum; *make a* ~ gå i stå, holde stille; *put a* ~ *to sth.* standse noget, sætte en stopper for noget; *come to a* ~ standse, gå i stå.

stop|cock stophane. **-gap** ['ståpgäp] stedfortræder, surrogat, nødhjælp. **-less** uden standsning. ~ **-off,** ~ **-over** afbrydelse (af rejse); ophold.

stoppage ['ståpidʒ] standsning, ophør, afbrydelse; afkortning; ~ *of work* arbejdsstandsning.

stopper ['ståpə] (subst.) stopper, prop; (vb.) stoppe, tilproppe; *put a ~ on* sætte en stopper for.

stopple ['ståpl] (subst.) prop; (vb.) tilproppe.

stop|-press (news) sidste nyt. ~ **-watch** stopur.

storage ['stå·ridʒ] oplagring; opmagasinering; lagerrum; pakhusleje; se ogs. *cold storage.*

storage| battery akkumulator. ~ **organ** ♧ ammeorgan. ~ **root** ♧ ammerod.

store [stå·] (subst.) forråd, mængde; magasin, lager, depot; lagerbygning, pakhus; (amr.) butik; (vb.) opdynge, opbevare, oplagre; opmagasinere; indeholde, rumme; proviantere, forsyne, fylde; *co-operative* ~ brugsforening(sudsalg); *department* ~, *stores* stormagasin; *set* (el. *put) great* ~ *by* værdsætte, sætte højt, sætte stor pris på; *set* (el. *put) little* ~ *by* betragte som mindre væsentlig; *in* ~ på lager; *be in* ~ *for* forestå, vente; *what the future has in* ~ hvad fremtiden bærer i sit skød; *have a surprise in* ~ have en overraskelse i baghånden; ~ *up* opdynge, opbevare.

store|-clerk lagerist. **-house** magasin, pakhus; *a -house of information* (om bog) en guldgrube, et skatkammer; (om person) et levende leksikon. ~ **-keeper** pakhusforvalter, lagerforvalter; (amr.) detailhandler, handlende. ~ **-room** lagerrum, forrådskammer. ~ **-ship** depotskib.

storey ['stå·ri] etage; *one-storeyed* énetages; *the upper* ~ **S** (fig.) øverste etage, hovedet.

storied ['stå·rid] historisk bekendt; sagnomspunden; udsmykket med historiske billeder. **-storied** -etages.

stork [stå·k] stork.

stork's bill ♧ tranehals; (især:) hejrenæb.

storm [stå·m] (subst.) uvejr, (orkanagtig) storm; stormangreb, oprør, larm; (vb.) storme, angribe, tage med storm; rase, larme; *a ~ in a tea-cup* en storm i et glas vand; *take by* ~ tage med storm; *a ~ of arrows* en regn af pile.

storm|-beaten stormpisket. ~ **-bound** opholdt af storm. ~ **-centre** stormcentrum; (fig.) urocentrum. ~ **-cloud** uvejrssky. ~ **cone** stormsignal. **-ing-party** ⚔ stormkolonne. ~ **lantern** flagermuslygte. ~ **-petrel** (zo.) lille stormsvale. ~ **-tossed** stormomtumlet. ~ **trooper** S.A.-mand. ~ **warning** stormvarsel.

stormy ['stå·mi] stormfuld, urolig.

stormy petrel (zo.) lille stormsvale; (fig.) stridens tegn (fx. *he became a* ~).

I. **story** ['stå·ri] se *storey.*

II. **story** ['stå·ri] (subst.) historie, fortælling, anekdote, eventyr, fabel; intrige; avisartikel (med fortællende stof); (i børnesprog) usandhed, løgn; (vb.) fortælle historier, lyve; *to make a long ~ short* kort sagt; *short* ~ novelle, short story; *the ~ goes that* det berettes at.

story|-book historiebog, samling af fortællinger, eventyrbog. ~ **-teller** historiefortæller; løgnhals.

stoup [stu·p] (glds.) drikkekar, stob; vievandskar.

stout [staut] (adj.) kraftig, korpulent, svær, tyk; tapper, standhaftig, hårdnakket; (subst.) porter (stærkt øl).

stove [stoᵘv] (subst.) kakkelovn, komfur; drivhus; (vb.) dyrke i drivhus.

stovepipe kakkelovnsrør, skorstensrør; ~ *hat* høj hat, 'skorstensrør'.

stow [stoᵘ] stuve sammen, pakke.

stowage ['stoᵘidʒ] stuvning, pakning; lasterum; stuvningsomkostninger.

stowaway ['stoᵘəweⁱ] blind passager.

strabismus [strə'bizməs] skelen.

straddle ['strädl] stritte med (el. skræve på) benene; skræve (over), sidde overskrævs på; være ubeslutsom; vige udenom; bære kappen på begge skuldre; fordoble indsatsen (i poker); ~ *a target* ⚔ bringe et mål i gaffel, skyde sig ind på et mål.

strafe [stra·f] **S** (subst.) bombardement, beskydning (fra luften); straf; (vb.) bombardere, beskyde (fra luften); straffe, skælde ud.

straggle ['strägl] strejfe om, gå enkeltvis el. i spredte grupper, vandre sin egen vej; brede sig, vokse vildt, forekomme hist og her.

straggler ['strägla] efternøler; soldat der er kommet væk (el. rømmet) fra sin afdeling; marodør; vildt skud, forvildet eksemplar; (glds.) landstryger.

straggling ['sträglin] uregelmæssig, spredt, vidtløftig; strittende.

straight [streⁱt] lige, ret (fx. *stand* ~); retlinet, ærlig, hæderlig; lige ud, ligefrem; uden omsvøb; (amr.) ortodoks, partitro; (om spiritus) ublandet, tør (fx. *whisky); go* (el. *keep)* ~ (om straffet person) holde sig på den rette vej; *keep a ~ face* bevare alvoren, holde masken; *put* ~ bringe i orden; *are the pictures ~?* hænger billederne lige? ~ *away,* ~ *off* straks, på stående fod; *the* ~ sidste lige strækning af bane; opløbet; *be on the ~ = go ~; out of the* ~ skæv.

straightedge ['streⁱtedʒ] (amr.) lineal.

straighten ['streⁱtn] rette ud, rette op; rette på, bringe i orden; ~ *things out* bringe tingene i orden.

straight fight valgkamp mellem to kandidater.

straightforward [streⁱt'få·wəd] redelig, ærlig; ligefrem; klar, ligetil.

straight| part karakterrolle. ~ **tip** staldtip.

straightway ['streⁱtweⁱ] straks.

I. **strain** [streⁱn] (vb.) anstrenge, overanstrenge (fx. ~ *one's eyes);* anspænde (fx. ~ *every nerve* alle sine kræfter); spænde, stramme; forstrække (fx. ~ *a tendon);* si, filtrere; anstrenge sig, stræbe *(after* efter); ~ *sby.'s patience* trække store veksler på ens tålmodighed; ~ *a point* gøre indrømmelser, ikke tage det så strengt, gøre en undtagelse; være liberal i sin fortolkning; *-ed relations* spændt forhold; ~ *at* hale i; have betænkeligheder ved; ~ *at a gnat and swallow a camel* (bibl.) si myggen fra og sluge kamelen; ~ *out* si fra.

II. **strain** [streⁱn] (subst.) spænding, anstrengelse; forstrækning; overanstrengelse; belastning (fx. *the rope broke under the ~; physical* ~), pres; belastningsprøve; formforandring, kraftpåvirkning.

III. **strain** [streⁱn] (subst.) herkomst, race; anstrøg, spor; slægtskab, stand; hang, karaktertræk, anlæg; (poet.) tone (fx. *the -s of the harp),* melodi; *in another* ~ i en anden tone; *in the same* ~ i samme dur.

strainer ['streⁱnə] filtrerapparat; dørslag, si.

strait [streⁱt] (adj.) stram, snæver; streng, vanskelig; knap; (subst.) *strait(s)* stræde; forlegenhed; vanskeligheder (fx. *financial -s).*

straiten ['streⁱtn] indsnævre, gøre trangere; *-ed circumstances* trange kår.

strait|-jacket spændetrøje. ~ **-laced** ['streⁱtleⁱst] snæversynet, bornert; snerpet. ~ **-waistcoat** spændetrøje.

strake [streⁱk] ⚓ range.

stramonium [strə'moᵘniəm] ♧ pigæble; stramoniumblade (middel mod astma).

I. **strand** [stränd] (subst.) strand; (vb.) strande; bringe til at strande; *-ed* strandet; (fig. ogs.) kørt fast (fx. *in the snow);* i en håbløs situation, hjælpeløs.

II. **strand** [stränd] (subst.) streng (i snor); dugt, kordel (i tov); tråd; fiber; lok, tjavs; *-ed wire* ståltov.

strange [streⁱn(d)ʒ] (adj.) underlig, besynderlig, mærkelig; ukendt, fremmed; ~ *to say* underligt nok; *he is ~ to the work* han er ikke fortrolig med arbejdet.

stranger ['streⁱn(d)ʒə] fremmed; *be a ~ to* være fremmed for, ikke kende noget til; *the little* ~ den lille nyfødte; se ogs. *gallery.*

strangle ['strängl] kvæle, kværke; strangulere; (fig.) undertrykke, tilbageholde (fx. ~ *a sob,* ~ *a sigh).*

stranglehold ['strängl hoᵘld] kvælertag.

strangles ['strånglz] (subst.) kværke (sygdom hos heste).

strangulated ['strängjuleⁱtid]: ~ *hernia* indeklemt brok.

strangulation [strängju'leⁱʃən] kvælning, sammensnøring, strangulering.

strap [străp] (subst.) strop, rem, strygerem; (vb.) prygle med en rem; fastspænde; stryge.
strap-hang ['străphăŋ] måtte stå op i tog el. sporvogn, 'hænge i stroppen'. **straphanger** passager der står op.
strapless stropløs (om kjole etc.).
strapped [străpt] fastspændt (med en rem); (amr. S) uden en øre på lommen.
strapper ['străpə] staldkarl; T stor tamp.
strapping ['străpiŋ] stor og stærk, stout.
strapwork (arkit.) entrelacs, båndslyng.
strapwort ['străpwə·t] ♧ skorem.
strata ['streitə] pl. af *stratum*.
stratagem ['strătidʒəm] krigslist; puds, kneb.
strategic [strə'ti·dʒik] strategisk.
strategist ['strătidʒist] strateg.
strategy ['strătidʒi] strategi.
strath [străþ] (på skotsk) floddal.
strathspey [străþ'spei] (en skotsk dans).
stratification [strătifi'keiʃən] lagdannelse, lagdeling. **stratified** ['strătifaid] lagdelt.
stratify ['strătifai] danne i lag, blive lagdelt.
strato- ['strătou] stratosfære-, som befinder sig (, flyver) i stratosfæren.
stratosphere ['strătosfiə] stratosfære.
stratum ['streitəm, 'stra·təm] (pl. *strata)* lag.
strat|us ['streitəs] (pl. *-i* [-ai]) stratus, lagsky.
straw [strå·] strå, halm, halmstrå; sugerør; stråhat; ubetydelighed; *he doesn't care a ~* (el. *two -s)* han bryder sig ikke et hak om det; *a ~ in the wind* (fig.) en strømpil; *it was the last ~* det bragte bægeret til at flyde over; *catch* (el. *snatch) at a ~* (el. *at -s)* gribe efter et halmstrå; *man of ~* stråmand; (se ogs. *brick).*
straw| ballot prøvevalg. **~ bed** stråmadras, halmmadras. **-berry** ['strå·bəri] jordbær; *wild -berry* skovjordbær. **-berry mark** (rødligt) modermærke. **~ -board** halmpap. **~ -coloured** strågul. **~ -cutter** hakkelsesmaskine, skærekiste. **-hat** stråhat. **~ hat** (amr.) sommerteater. **~ vote** prøvevalg.
stray [strei] (vb.) komme bort, strejfe om; (subst.) hjemløst el. omstrejfende barn; (adj.) omstrejfende, vagabonderende, herreløs (fx. *a ~ dog);* spredt, tilfældig (fx. *a few ~ instances);* vildfarende (fx. *~ bullets); ~ currents* (elekt.) vagabonderende strømme; *strays* (i radio) atmosfæriske forstyrrelser.
streak [stri·k] (subst.) streg, stribe; træk; glimt, antydning; (vb.) fare (som et lyn); stribe, gøre stribet; *~ of lightning* lynglimt; *like a ~ (of lightning)* med lynets fart; *have a ~ of luck* have en periode med held, sidde i held; *she has a ~ of cruelty in her character* der er et anstrøg af grusomhed i hendes karakter.
streaked [stri·kt], **streaky** ['stri·ki] stribet.
stream [stri·m] (subst.) strøm, å; (omtr.) linie (i eng. underskole); (vb.) strømme; flagre, vifte; lade strømme; fordele (elever) i 'linier' efter dygtighed; *up ~* mod strømmen.
streamer ['stri·mə] vimpel; serpentine; (amr.) avisoverskrift i hele sidens bredde.
stream-gold alluvialt guld.
streaming ['stri·miŋ] (subst.) fordeling af underskolens elever i 'linier' efter dygtighed.
stream|let bæk. **-line** (vb.) modernisere, rationalisere. **-lined** strømliniet.
street [stri·t] gade; *be -s better* stå himmelhøjt over; *in the ~* på gaden; *the man in the ~* (fig.) manden på gaden, menigmand; *not in the same ~ with* ikke på højde med; *into the ~* ud på gaden; *be on* (el. *walk) the -s* 'trække' (på gaden); *it's not up my ~* det er ikke noget for mig.
street| arab gadeunge. **~ -car** (amr.) sporvogn. **~ dealings** (merk.) efterbørs. **~ -door** gadedør. **~ -orderly** gadefejer. **~ -organ** lirekasse. **~ prices** noteringer på efterbørsen. **~ -sweeper** gadefejer, (gade)fejemaskine. **~ -trading** (merk.) efterbørs. **~ -walker** gadepige.
strength [streŋþ] styrke; kræfter; *in ~* i stort tal, mandstærk; *in full ~* fuldtalligt; *on the ~ of* i kraft af, i tillid til, tilskyndet af; *~ of mind* karakterstyrke.
strengthen ['streŋþən] styrke, befæste, blive stærk.
strenuous ['strenjuəs] ivrig, ihærdig; anstrengende, vanskelig.
stress [stres] (subst.) tryk, pres; eftertryk; betoning; vigtighed; spænding, kraftpåvirkning; materialepåvirkning; (med.) stress; (vb.) lægge eftertryk på, betone; lægge vægt på, fremhæve; *the ~ is on the first syllable* trykket ligger på første stavelse; *lay ~ on* betone, understrege; lægge vægt på; *under ~ of weather* på grund af ugunstigt vejr.
stretch [stretʃ] (vb.) strække, spænde; udvide (fx. *a glove);* strække sig; (subst.) udstrækning, spænding; stykke; strækning (fx. *a ~ of road);* lige strækning af bane, opløb; tidsrum (fx. *a ~ of ten years);* T fængselsstraf; *~ a point* gøre visse indrømmelser, ikke tage det så strengt, gøre en undtagelse; *~ the truth* gøre vold på sandheden; *six hours at a ~* seks timer i træk; *be at full ~* arbejde for fuld kraft; *by a ~ of imagination* hvis man tager fantasien til hjælp; (ofte =) med lidt god vilje; *nerves on the ~* nerver der er anspændt til det yderste.
stretcher ['stretʃə] båre; blændramme; ⚓ spændholt; (arkit.) løber (mursten); S løgn(ehistorie).
stretcher|-bearer portør, sygebærer. **~ course** (arkit.) løberskifte.
strech nylon stræknylon.
stretta (i musik) tætføring.
strew [stru·] *(strewed, strewed* el. *strewn)* strø, bestrø, udstrø. **strewn** [stru·n] perf. part. af *strew*.
stria ['straiə] (pl. *striae* ['straii·]) stribe, fure. **striate** ['straiit], **striated** [strai'eitid] stribet, furet.
stricken ['strikn] slagen (fx. *terror ~* rædselsslagen); ramt (fx. *~ with paralysis);* hjemsøgt; *~ in years* alderstegen.
strict [strikt] streng; striks; stram, nøje; udtrykkelig; *-ly* strengt (etc.); absolut; *-ly confidential* strengt fortrolig; (ogs.) diskretion en æressag; *-ly speaking* strengt taget.
stricture ['striktʃə]) kritisk bemærkning; (med.) sammensnøring, (sygelig) forsnævring; *pass -s on* dadle, kritisere skarpt.
stridden ['stridn] perf. part. af *stride*.
I. **stride** [straid] *(strode, stridden)* skride, gå med lange skridt, skridte ud, skræve over.
II. **stride** [straid] (subst.) (langt) skridt; *make -s* gøre fremskridt; *take sth. in one's ~* klare noget med lethed; *get into one's ~* komme i sving.
strident ['straidnt] hvinende, skingrende, skærende.
strife [straif] (subst.) strid.
I. **strike** [straik] *(struck, struck)* slå, slå i (fx. *~ the table),* lange (fx. *~ sby. a blow);* slå 'til; gå til angreb; (om lyn) slå ned; støde mod (fx. *the ship struck a rock);* ramme (fx. *he was struck by a stone);* finde (fx. *~ oil);* støde på; anslå (fx. *~ a note);* stryge (fx. *~ one's flag);* slå rod (fx. *the plant struck);* strejke; (om skib) gå på grund; (om fisk) bide på krogen; (om slange) hugge; (i forb. m. adj.) virke (fx. *the room struck cold);*
(forskellige forb., se ogs. *attitude, bargain* etc.) *~ a blow* slå et slag (*for sth.* for noget); *~ the bottom* (om skib) gå på grund; *the clock struck* uret slog; *it struck me dumb* det gjorde mig målløs; *I was struck all of a heap* jeg var himmelfalden; jeg var som forstenet; *the hour has struck* timen er kommen; *how does it ~ you?* hvad mener du om det? *you could not have struck it better* du kunne ikke have truffet det bedre; *it never struck me before* det er aldrig før faldet mig ind; *the idea -s me as a good one* det synes jeg er en god idé; *it -s me that ...* det forekommer mig at ...; *~ me dead* (el. *blind* el. *pink) if ...* jeg vil lade mig hænge hvis ...; *~ tents* tage teltene ned; *~ while the iron is hot* smede mens jernet er varmt; *~ work* strejke;
(forb. med præp. og adv.) *~ at, ~ a blow at* rette et slag imod; 'slå efter; *~ at the root of the evil* angribe ondets rod, søge at komme ondet til livs; *~ back* slå igen; *~ down* slå ned; *struck down with* ramt (og gjort

hjælpeløs) af (fx. *he was struck down with insanity);* ~ *in* (om sygdom) slå ind; (om musik og sang) falde ind; *he struck in with a remark* han afbrød med (el. indskød) en bemærkning; ~ *a knife into sby.'s heart* støde en kniv i ens hjerte; ~ *terror into sby.* indjage én skræk; ~ *into the field* dreje ind på marken; ~ *into a gallop* slå over i galop; ~ *off* hugge af; stryge (fx. ~ *a name off a list);* trykke (fx. ~ *off a hundred copies);* ~ *out* lange ud; slå ud; begynde; stryge (fx. *a word);* udkaste, skabe; ~ *out for* sætte kursen mod; ~ *up* istemme, begynde, sætte 'i med, spille op; ~ *up a friendship* slutte venskab.

II. **strike** [straik] (subst.) slag; strejke; luftangreb; præg (på mønt); (amr.) (olie)fund; (geol.) strygning; *lucky* ~ (amr.) rigt olie- (el. malm-)fund; lykketræf.

strike|-bound strejkeramt. ~ **-breaker** strejkebryder. ~ **-pay** strejkeunderstøttelse.

striker ['straikə]: *a* ~ en strejkende.

striking ['straikiŋ] slående, påfaldende; ~ *power* slagkraft; ~ *surface* strygeflade.

I. **string** [striŋ] (subst.) sejlgarn, snor, streng, bånd; (lang) række; vange (på trappe); *the -s* (i orkester) strygerne; *have two -s to one's bow* have mere end én udvej; *there are no -s to the offer* **T** der er ikke knyttet nogen betingelser til tilbudet; ~ *of pearls* perlesnor; *have him on a* ~ have krammet på, have ham i sin hule hånd; *pull the -s* trække i trådene.

II. **string** [striŋ] *(strung, strung)* sætte streng(e) på, spænde, stemme; trække på snor (fx. *beads);* ribbe (fx. *beans);* ~ *along* snyde, holde for nar; ~ *along with* følge trofast; samarbejde med; ~ *up* klynge op; spænde, stemme, anspænde; se ogs. *strung.*

string| bag indkøbsnet. ~ **bean** snittebønne. ~ **-course** (arkit.) frise (på bygning).

stringency ['strindʒənsi] strenghed, stramhed.

stringent ['strindʒənt] streng, stram; stringent; ~ *money-market* stramt pengemarked.

stringer ['striŋə] langstrø; vange; (⚓, flyv.) stringer; (ved avis) journalist på liniebetaling.

string quartet strygekvartet.

stringy ['striŋi] trævlet; senet; sej.

strip [strip] (vb.) trække af, skrælle, flå; afklæde; klæde sig af; (subst.) strimmel; *(comic)* ~ (komisk) tegneserie (i avis); ~ *sby. of sth.* fratage (el. berøve) en ngt.; *-ped to the waist* med nøgen overkrop; *tear off a* ~ **S** skælde ud; *tear to -s* rive i stykker.

stripe [straip] (subst.) stribe; strime; ⚔ (distinktions)snor; vinkel; (amr., fig.) type, slags; (glds.) rap, slag; (vb.) gøre stribet; *get one's -s* blive forfremmet fra menig til underofficer; *lose one's -s* blive degraderet. **striped** [straipt] stribet.

stripling ['stripliŋ] ungt menneske, grønskolling.

stripper ['stripə] striptease-artist.

strip-tease ['stripti·z] strip-tease, afklædningsscene (i varietéforestilling etc.). **strip-teaser** = *stripper.*

strive [straiv] *(strove, striven)* stræbe, tragte *(for, after (, to)* efter (, efter at)); anstrenge sig; strides, kæmpe.

striven [strivn] perf. part. af *strive.*

strobile ['stråbil] ♧ kogle.

strode [stroᵘd] imperf. (og glds. perf. part.) af *stride.*

I. **stroke** [stroᵘk] (subst.) slag, hug; tag, åretag; stød, strøg, (skrå)streg, træk; slagtilfælde; (se ogs. *stroke-oar); give the finishing* ~ *to* lægge sidste hånd på; ~ *of genius* genialt træk, genial idé; ~ *of grace* nådestød; *on the* ~ *of ten* på slaget ti, præcis klokken ti; ~ *of luck* held; slumpetræf; ~ *of wit* åndrighed; *he has not done a* ~ *of work* han har ikke rørt en finger; *length of* ~ (tekn.) slaglængde.

II. **stroke** [stroᵘk] (vb.) klappe, glatte, stryge; ro tagåren; ~ *down* formilde; ~ *out* slette; ~ *one's t's* sætte streg gennem t'erne; ~ *the wrong way* stryge mod hårene; irritere.

stroke-oar tagåre (den agterste åre i kaproningsbåd); agterste roer.

stroll [stroᵘl] (vb.) strejfe om, slentre, vandre, spadsere; (subst.) tur.

stroller ['stroᵘlə] landstryger; omrejsende skuespiller; klapvogn.

strolling ['stroᵘliŋ] omvandrende, omrejsende; ~ *company* omrejsende skuespillerselskab.

strong [strång] stærk, kraftig, mægtig; ivrig; skarp; befæstet; *an 18-strong orchestra* et 18-mands orkester; *an army 10,000* ~ en hær på 10.000 mand; *a* ~ *candidate* en sikker kandidat; ~ *language* banden, eder, voldsomme udtryk; ~ *meat* (fig.) kraftig kost, hård kost; *one's* ~ *point* (el. *suit)* ens stærke side; *still going* ~ stadig i fuld vigør; ~ *suit* (i kortspil) stærk farve.

strong|-box pengeskab, pengekasse. ~ **-fisted** håndfast. **-hold** fæstning; (fig.) højborg, fast borg. ~ **-minded** mandhaftig, energisk. ~ **-point** ⚔ befæstet stilling. ~ **point** se *strong.* ~ **-room** boks. ~ **-set** undersætsig. ~ **suit** se *strong.* ~ **-willed** viljestærk.

strontium ['strånʃiəm] strontium.

strop [stråp] strygerem; stryge (en kniv).

strophe ['stroᵘfi] strofe. **strophic** ['stråfik] strofisk.

strove [stroᵘv] imperf. af *strive.*

strow [stroᵘ] *(strowed, strowed* el. *strown)* (glds.) strø, sprede.

struck [strʌk] imperf. og perf. part. af *strike;* (adj., amr.) strejkeramt.

structural ['strʌktʃərəl] bygnings- (fx. ~ *steel);* strukturel (fx. *linguistics).*

structure ['strʌktʃə] bygningsmåde, bygning, opbygning, struktur.

struggle ['strʌgl] (vb.) kæmpe, slide, stræbe; (subst.) anstrengelse, kamp, (krampagtig) trækning; ~ *to one's feet* rejse sig tungt og besværligt; ~ *with* ase med, bakse med; *the* ~ *for existence* kampen for tilværelsen.

strum [strʌm] klimpre; klimpren.

struma ['stru·mə] (med.) struma.

strumpet ['strʌmpėt] tøjte, skøge.

strung [strʌŋ] imperf. og perf. part. af *string; strung up* overnervøs; overspændt; *highly* ~, se *high-strung.*

strut [strʌt] (vb.) spankulere, stoltsere; skilte med; afstive; (subst.) spanken, knejsen; stiver, stræber.

strychnine ['strikni·n] stryknin. **strychninism** ['strikninizm] strykninforgiftning.

Stuart ['stjuət].

stub [stʌb] (subst.) stub, stump; **T** skod; (amr.) talon (i checkhæfte etc.); (vb.) rydde, opgrave, optage; ~ *one's toe* støde sin tå; ~ *out a cigarette* slukke en cigaret.

stubber ['stʌbə] cigaretslukker.

stubble ['stʌbl] stubbe, skægstubbe, kornstubbe.

stubborn ['stʌbən] hård, hårdnakket, stædig.

stubby ['stʌbi] fuld af stubbe; kort og stiv; lille og tyk.

stucco ['stʌkoᵘ] (subst.) stuk, stukkatur; (vb.) gipse, dekorere med stukkatur.

stuck [stʌk] imperf. og perf. part. af *stick; be* ~ *on* **S** være varm på.

stuck-up ['stʌk'ʌp] hoven, vigtig, storsnudet.

I. **stud** [stʌd] (subst.) stolpe; bredhovedet søm; færdselssøm; tap, tapskrue; dobbeltknap (kraveknap eller manchetknap); (vb.) beslå med søm.

II. **stud** [stʌd] (subst.) stutteri, heste.

stud|-book stambog (for dyr). ~ **-bull** avlstyr.

studded ['stʌdid]: ~ *with* oversået (el. overstrøet el. besat) med.

studding-sail ['stʌdiŋseᶦl, 'stʌnsl] ⚓ læsejl.

student ['stju·d(ə)nt] studerende, student; elev; forsker, gransker; ~ *nurse* sygeplejeelev. **studentship** stipendium.

stud-farm stutteri.

studied ['stʌdid] tilstræbt, tilsigtet, bevidst; udspekuleret, pedantisk, som mangler umiddelbarhed; omhyggeligt forberedt, velovervejet; lærd, belæst.

studio ['stju·dioᵘ] atelier; (radio- etc.) studie.

studious ['stju·diəs] studerende, flittig, opmærksom, omhyggelig.

study ['stʌdi] (subst.) studering, studium; studie, udkast; noget man gør sig umage med el. for, bestræbelse; studereværelse, arbejdsværelse; (vb.) studere, gruble; bestræbe sig; indstudere; være opmærksom på, tage hensyn til; *in a brown* ~ (hensunken) i dybe tanker; *he is a quick (, slow)* ~ han er hurtig (, langsom) til at lære en rolle; *make a* ~ *of* studere, undersøge; stræbe efter, bestræbe sig på; ~ *out* finde ud af.

I. **stuff** [stʌf] (subst.) stof, materiale, tøj; sager, ting, ejendele; skrammel, ragelse; sludder; *that's the* ~ *to give them* T det er sådan de skal have det; *doctor's* ~ medicin; *green* ~ grønsager; ~ *and nonsense* sludder og vrøvl; *do your* ~ S lad det så blive til noget, lad os så se hvad du kan; *know one's* ~ kunne sit kram.

II. **stuff** [stʌf] (vb.) stoppe, proppe (fx. ~ *oneself with food); fylde sig, guffe i sig (fx. he is always -ing);* udstoppe; (madlavning: om fjerkræ) fylde, farsere; *-ed shirt* T opblæst nar.

stuffing ['stʌfiŋ] polstring(smateriale), fyld; fars; fyldekalk; *take the* ~ *out of* banke, slå; tage pippet fra; pille ned.

stuffing-box pakdåse.

stuffy ['stʌfi] indelukket, beklumret, trykkende; tvær, kedelig; selvgod, snæversynet, bornert.

stultify ['stʌltifai] latterliggøre, gøre nar af; desavouere; gøre meningsløs; ~ *oneself* være inkonsekvent i tale el. handling, slå sig selv på munden.

stum [stʌm] ugæret el. letgæret druesaft.

stumble ['stʌmbl] (vb.) snuble, træde fejl, begå en fejl, fejle; (subst.) snublen; fejltrin, fejl; ~ *across* (el. *upon)* falde over, tilfældigt opdage; ~ *along* stolpre af sted; ~ *at* snuble over; studse ved; gøre sig skrupler over.

stumbling-block ['stʌmbliŋblåk] anstødssten, vanskelighed.

stump [stʌmp] (subst.) stump, stub, stød; tegnestup; (i kricket) gærdepind; (vb.) humpe; gøre perpleks, forvirre, sætte til vægs; (i kricket) slå ud; *I am -ed by that* det kan jeg ikke klare; *be -ed for* være i bekneb for; *take the* ~, *go on the* ~ holde valgtaler, deltage i valgagitation; *stir your -s!* T få fart på! ~ *the country* rejse landet rundt og holde valgtaler; ~ *up* rykke ud med, betale; punge ud.

stumped [stʌmpt] ude af spillet, slået ud; paf, sat til vægs.

stumper stokker, gærdespiller; hård nød (ɔ: vanskeligt spørgsmål etc.).

stump speeches valgtaler.

stumpy ['stʌmpi] stumpet, stubbet; undersætsig; kort og tyk (fx. *fingers).*

stun [stʌn] (vb.) bedøve, lamme; gøre fortumlet, overvælde, tage pippet fra; (subst.) bedøvelse, fortumlet tilstand.

stung [stʌŋ] imperf. og perf. part. af *sting.*

stunk [stʌŋk] perf. part. af *stink.*

stunner ['stʌnə] pragteksemplar, bedøvende slag.

stunning ['stʌniŋ] overvældende, fantastisk; pragtfuld; bedøvende.

I. **stunt** [stʌnt] (vb.) forkrøble, hæmme i væksten (el. i udviklingen).

II. **stunt** [stʌnt] (subst.) kunst(stykke), (glans-) nummer, trick; særlig anstrengelse, kraftpræstation; kraftudfoldelse; (vb.) foretage kunstflyvninger. gøre kunster.

stupe [stju·p] (subst.) varmt omslag; (vb.) lægge varmt omslag på.

stupefaction [stju·pi'fākʃən] bedøvelse; bestyrtelse.

stupefy ['stju·pifai] bedøve; forbløffe.

stupendous [stju·'pendəs] vældig, formidabel, forbløffende.

stupid ['stju·pid] dum, dorsk, sløv, kedelig.

stupidity [stju'piditi] dumhed; sløvhed.

stupor ['stju·pə] bedøvelsestilstand, sløvsind, sløvhed.

sturdy ['stə·di] robust, stærk, kraftig, hårdfør, standhaftig.

sturgeon ['stə·dʒən] (zo.) stør.

stutter ['stʌtə] hakke, stamme; (subst.) stammen.

St. Vitus's [sənt'vaitəsiz]: ~ *dance* Sankt Veitsdans.

I. **sty** [stai] (også fig.) svinesti.

II. **sty, stye** [stai] bygkorn (på øjet).

Stygian ['stidʒiən] stygisk.

I. **style** [stail] (subst.) stil, stilart; skrivemåde, sprog, fremstillingsmåde, manér; slags, måde; mode; titel; tidsregning; firmanavn; stylus; stift; ♧ griffel; viser (på solur); *in* ~ flot; med manér; *do things in* ~ flotte sig; *live in* ~ føre et stort hus.

II. **style** [stail] (vb.) titulere, benævne, betegne; tegne, formgive.

stylet ['stailit] lille dolk, stilet.

stylish ['stailiʃ] moderne, flot, chik, elegant; stilfuld.

stylist ['stailist] stilist; formgiver, modetegner.

stylite ['stailait] søjlehelgen.

stylus ['stailəs] safir(stift) (til pickup); (hist.) stylus.

stymie ['staimi] lægge hindring i vejen for, hindre, standse, komme på tværs af.

styptic ['stiptik] blodstillende middel.

Styria ['stiriə] Steiermark.

suable ['s(j)u·əbl] som kan sagsøges.

suasion ['sweiʒən] overtalelse.

suasive ['sweisiv] overtalende.

suave [swa·v, sweiv] sød, blid; (om person) (facilt) elskværdig, forekommende, forbindtlig; (om vinsmag) rund.

suavity ['swāviti] blidhed, forekommenhed.

sub [sʌb] (vb.): ~ *for* vikariere for, træde i stedet for.

sub. fk. f. *subaltern; submarine boat; substitute.*

sub- [sʌb] under- (fx. *committee);* sub-; næsten.

subacid ['sʌb'āsid] syrling.

subaerial [sʌb'æəriəl] på jorden.

subaltern ['sʌbltən] officer under kaptajnsrang; (adj.) lavere; underordnet.

subaquatic [sʌbə'kwātik], **subaqueous** [sʌb-'eikwiəs] undersøisk, undervands-.

sub-atomic particles subatomare partikler.

subaudition [sʌbå·'diʃən] underforståelse.

sub-branch ['sʌb'bra·nʃ] (mindre) filial.

subconscious [sʌb'kånʃəs] underbevidst.

subcontract [sʌb'kånträkt] (give el. tage i) underentreprise.

subcutaneous ['sʌbkju'teinjəs] subkutan, under huden.

sub-deb ['sʌb'deb], **sub-debutante** [sʌbdəbju-'ta·nt] (amr. T) ung pige, der snart skal debutere i selskabslivet.

subdivide ['sʌbdi'vaid] underinddele, dele igen (i mindre dele). **subdivision** ['sʌbdiviʒən] underinddeling, underafdeling.

subdue [səb'dju·] (vb.) betvinge, kue, undertrykke; dæmpe. **subdued** [səb'dju·d] kuet; dæmpet, stilfærdig.

sub-editor ['sʌb'editə] redaktionssekretær.

subereous [s(j)u'biəriəs] korkagtig.

suberize ['s(j)u·bəraiz] forkorke.

suberose ['su·bərous] korkagtig.

subfusc ['sʌbfʌsk], **subfuscous** [sʌb'fʌskəs] (adj.) mørk (af farve), afdæmpet, diskret; trist.

subheading ['sʌbhediŋ] (i avis) underrubrik; (typ.) undertitel.

subhuman ['sʌb'hju·mən] laverestående, næppe menneskelig, næsten dyrisk; næsten menneskelig.

subj. fk. f. *subject, subjunctive.*

subjacent [sʌb'dʒeisənt] underliggende, lavere liggende.

I. **subject** ['sʌbʒikt] (subst.) undersåt, statsborger (fx. *a Danish* ~*);* genstand (fx. *for pity, for an experiment);* emne, (studie)fag; forsøgsperson; lig (til dissektion); sag, motiv; individ, væsen, subjekt; *gouty*

~ podagrapatient; *change the* ~ skifte samtaleemne; *on the* ~ *of* angående, vedrørende; *while we are on the* ~ *of* mens vi taler om.

II. **subject** [sʌbˈdʒekt] (vb.) underkaste, undertvinge; ~ *to* underkaste, gøre til genstand for, udsætte for (fx. *criticism).*

III. **subject** [ˈsʌbdʒikt] (adj.) undergiven, undertvungen (fx. *a* ~ *race);* ~ *to* underlagt; underkastet, undergivet (fx. *the law);* tilbøjelig til (fx. *headaches);* udsat for (fx. *ridicule);* på betingelse af, under forudsætning af (fx. *your approval).*

subject index [ˈsʌbdʒikt ˈindeks] emnekatalog, sagregister.

subjection [səbˈdʒekʃən] underkastelse, undertvingelse.

subjective [səbˈdʒektiv] subjektiv.

subjectivity [sʌbdʒikˈtiviti] subjektivitet.

subject-matter [ˈsʌbdʒikt-] emne, stof, motiv, indhold; *the* ~ *of the action* (jur.) sagens genstand.

subjoin [ˈsʌbˈdʒoin] tilføje, vedføje.

subjugate [ˈsʌbdʒugeⁱt] undertvinge, kue.

subjugation [sʌbdʒuˈgeⁱʃən] undertvingelse.

subjunctive [səbˈdʒʌŋktiv] konjunktiv.

sublease [ˈsʌbˈli·s] (subst. og vb.) fremleje.

sublet [ˈsʌbˈlet] (vb.) fremleje; give i underentreprise.

sublieutenant [ˈsʌblefˈtenənt] søløjtnant af 2. grad.

sublimate [ˈsʌblimit] sublimat; sublimeret; [ˈsʌblimeⁱt] sublimere.

sublimation [sʌbliˈmeⁱʃən] sublimering.

sublime [səˈblaim] (adj.) ophøjet, ædel, sublim; (fig.) mageløs; (vb.) ophøje, forædle; blive ophøjet, forædlet; *The Sublime Porte* (hist.) Den høje Port (i Tyrkiet).

subliminal [səbˈliminəl] underbevidst; under bevidsthedstærskelen; ~ *advertising* reklame der prøver at påvirke publikums underbevidsthed (fx. ved at vise navne i korte glimt på TV-skærm etc.).

sublimity [səˈblimiti] ophøjethed, ædelhed.

sub-literary [ˈsʌbˈlitərəri] underlødig.

sublunary [sʌbˈlu·nəri] jordisk.

sub-machinegun ⚔ maskinpistol.

submarine [ˈsʌbməri·n] (adj.) undersøisk, undervands-; (subst.) undervandsbåd. **submarine chaser** ubådsjager.

submerge [səbˈmə·dʒ] (vb.) sænke under vandet; oversvømme; dykke (om undervandsbåd); (fig.) forsvinde, drukne; *the -d tenth* de dårligst stillede i samfundet, samfundets stedbørn.

submergence [səbˈmə·dʒəns] nedsænkning, oversvømmelse.

submersible [səbˈmə·səbl] som kan sænkes under vand; undervands.

submersion [səbˈmə·ʃən] det at sætte under vand, oversvømmelse; neddykning.

submission [səbˈmiʃən] underkastelse, underdanighed, lydighed; forelæggelse; teori, forslag; påstand.

submissive [səbˈmisiv] underdanig, ydmyg, lydig.

submit [səbˈmit] forelægge, fremsende, indsende; hævde, henstille; underkaste sig; *I* ~ *that* (ogs.) jeg vil tillade mig at hævde at; ~ *one's case for judgment* indlade sin sag til doms; ~ *to* underkaste sig, bøje sig for, finde sig i; ~ *oneself to* underkaste sig.

subnormal [ˈsʌbˈnå·ml] som er under normalen (fx. *temperature);* evnesvag (fx. *child).*

I. **subordinate** [səˈbå·dinėt] (adj.) underordnet; undergiven; ~ *clause* bisætning.

II. **subordinate** [səˈbå·dineⁱt] (vb.) underordne.

subordination [səbå·diˈneⁱʃən] underordning, subordination, underordnet forhold.

suborn [səˈbå·n] bestikke; forlede (især til at afgive falsk forklaring for retten), underkøbe. **subornation** [sʌbåˈneⁱʃən] bestikkelse, forledelse, underkøb.

subpoena [sʌbˈpi·nə] stævning; (vb.) indstævne.

subreption [səbˈrepʃən] tilsnigelse.

subrogation [sʌbroˈgeⁱʃən] subrogation, det at en person etc. indtræder som kreditor i en andens sted, fx. i forsikringsforhold.

subscribe [səbˈskraib] (vb.) underskrive, undertegne; subskribere; ~ *one's name to a document* sætte sit navn under et dokument; ~ *ten pounds* tegne sig for ti pund; ~ *for a fund* tegne sig som bidragyder til et fond; bidrage til et fond; ~ *for shares* tegne aktier; ~ *to a newspaper* abonnere på en avis; ~ *to an opinion* bifalde (el. skrive under på) en opfattelse; *I cannot* ~ *to that* det kan jeg ikke være enig med Dem i.

subscriber [səbˈskraibə] underskriver, medunderskriver; bidragyder, subskribent, abonnent, medlem.

subscription [səbˈskripʃən] underskrift, signatur, underskrivelse; indsamling; tegning, subskription, abonnement *(to* på); bidrag; indsamlet beløb; kontingent; abonnementspris; *open a* ~ sætte en indsamling i gang.

subsection [ˈsʌbˈsekʃən] underafdeling; stykke (underafdeling af paragraf, fx. ~ *(1) of section six).*

subsequence [ˈsʌbsikwəns] følge, fortsættelse.

subsequent [ˈsʌbsikwənt] følgende, senere; ~ *to* efter; *-ly* siden, senere, derefter.

subserve [səbˈsə·v] tjene.

subservience [səbˈsə·vjəns], **subserviency** [-si] medvirkning; underdanighed, servilitet.

subservient [səbˈsə·viənt] tjenlig, gavnlig; underordnet; underdanig, krybende.

subside [səbˈsaid] synke til bunds, bundfælde sig; synke (fx. *the water began to* ~); sænke sig; skride sammen, sætte sig (fx. *the ground -d);* synke sammen; aftage (fx. *the fever -d);* falde til ro; lægge sig (fx. *the gale -d);* ~ *into an armchair* synke ned i en lænestol.

subsidence [ˈsʌbsidəns] synken; aftagen; skred, sammensynkning, sammenstyrtning.

subsidiary [səbˈsidjəri] (adj.) hjælpende, hjælpe- (fx. ~ *materials* hjælpestoffer); underordnet; (subst.) forbundsfælle; datterselskab; *subsidiaries* (ogs.) hjælpetropper; ~ *character* baggrundsfigur; ~ *company* datterselskab; ~ *motive* bihensigt; ~ *subject* bifag.

subsidize [ˈsʌbsidaiz] understøtte med pengebidrag; *-d* (ogs.) statsunderstøttet.

subsidy [ˈsʌbsidi] pengehjælp, statstilskud.

subsist [səbˈsist] bestå, findes, eksistere; ernære sig; ~ *on* leve af.

subsistence [səbˈsistəns] udkomme; eksistens, tilværelse; ~ *level* eksistensminimum.

subsistent [səbˈsistənt] eksisterende; iboende.

subsoil [ˈsʌbsoil] (subst.) undergrund; (vb.) grundpløje, dybdebehandle; ~ *plough* grundplov.

subsonic [sʌbˈsånik] underlyds-, under lydens hastighed.

subspecies [ˈsʌbspi·ʃi·z] afart.

subst. fk. f. *substantive; substitute.*

substance [ˈsʌbstəns] substans, stof, væsen; fasthed, styrke, soliditet; (hoved)indhold (fx. *the* ~ *of his reply);* formue; *in* ~ i hovedsagen.

substandard [sʌbˈständəd] (adj.) ikke på højde med standarden, ikke efter normen; af ringere kvalitet; underlødig (fx. *literature);* tilhørende et lavere sproglag.

substantial [səbˈstänʃəl] væsentlig; virkelig, legemlig; solid, vægtig; velstående.

substantiality [səbstänʃiˈäliti] virkelighed, legemlighed, styrke.

substantiate [səbˈstänʃieⁱt] gøre virkelig; bevise, dokumentere, godtgøre.

substantiation [səbstänʃiˈeⁱʃən] dokumentering, bevis; virkeliggørelse.

substantival [sʌbstənˈtaivəl] substantivisk.

substantive [ˈsʌbstəntiv] (adj.) substantivisk; selvstændig; fast (fx. *appointment);* (subst.) substantiv, navneord.

substitute [ˈsʌbstitju·t] (vb.) sætte i stedet; (subst.) stedfortræder, vikar; surrogat, erstatningsmiddel; ~ *A for B* (ogs.) erstatte B med A.

substitution [sʌbsti'tju·ʃən] indsættelse i en andens sted, anvendelse som surrogat el. erstatning.
substitutional stedfortrædende; *-ly* (ogs.) som erstatning.
substratum ['sʌb'streⁱtəm] dybere lag; (geol.) underlag, underliggende lag; (i sprogvidenskab) substrat.
substructure ['sʌbstrʌktʃə] grundlag, underbygning.
subsume [səb's(j)u·m] indordne; indbefatte.
subtenancy ['sʌb'tenənsi] fremlejemål.
subtenant ['sʌb'tenənt] en til hvem der er fremlejet.
subterfuge ['sʌbtəfju·dʒ] udflugt, påskud.
subterranean [sʌbtə'reⁱnjən] underjordisk.
subtilize ['sʌtilaiz] fortynde, forfine; være spidsfindig.
subtitle ['sʌbtaitl] (til film) (forklarende) tekst, undertekst; (i bog) undertitel.
subtle [sʌtl] fin, skarpsindig; spidsfindig, subtil; listig, underfundig.
subtlety ['sʌtlti] finhed, skarpsindighed, spidsfindighed, listighed, underfundighed.
subtly ['sʌtli] fint, listigt, osv. (se *subtle).*
subtopia [sʌb'toᵘpiə] grænseområdet mellem by og land; landligt område med bypræg.
subtract [səb'träkt] fradrage, subtrahere, formindske.
subtraction [səb'träkʃən] fradrag, subtraktion.
subtrahend ['sʌbtrəhend] subtrahend.
subtransparent [sʌbtra·ns'pæərənt] svagt gennemsigtig.
subtropical ['sʌb'tråpikl] subtropisk.
subulate ['sju·bjuleⁱt] sylformet.
suburb ['sʌbə(·)b] forstad.
suburban [sə'bə·bən] forstads-; småborgerlig; *~ traffic* nærtrafik.
Suburbia [sə'bə·biə] (Londons forstadskvarterer).
subvention [səb'venʃən] understøttelse, statsunderstøttelse.
subversion [səb'və·ʃən] omstyrtning, ødelæggelse.
subversive [səb've·siv] nedbrydende, ødelæggende; *~ activities* statsfjendtlig (el. samfundsfjendtlig) virksomhed.
subvert [səb'və·t] kuldkaste, omstyrte, ødelægge.
subway ['sʌbweⁱ] (eng.) tunnel, underjordisk gang; (amr.) undergrundsbane.
succades [sʌ'keⁱdz] kandiseret frugt, sukat.
succedane|um [sʌksi'deⁱniəm] (pl. *-a* [-ə]) erstatningsmiddel, surrogat.
succeed [sək'si·d] følge (efter), efterfølge, afløse; lykkes, være heldig, blive til noget, få sit ønske opfyldt; *~ to* arve (fx. *an estate); ~ to the throne* arve tronen; *he -ed in coming* det lykkedes ham at komme.
success [sək'ses] succes, godt resultat, medgang, lykke; *make a personal ~* vinde en personlig sejr; *nothing succeeds like ~* den ene succes fører den anden med sig.
successful heldig, vellykket, resultatrig; som har succes.
succession [sək'seʃən] følge, række, arvefølge, tronfølge, slægtslinie, efterfølgere; *~ duty* (form for) arveafgift; *war of ~* arvefølgekrig; *in ~* i rækkefølge, i træk. **successional** (adj.) successions-.
successive [sək'sesiv] successiv, i træk, efter hinanden (fx. *three ~ days); -ly* efter hinanden, efterhånden, successive.
successor [sək'sesə] efterfølger.
succinct [sək'siŋkt] kortfattet, koncis.
succory ['sʌkəri] ♧ cikorie.
succour ['sʌkə] (vb.) bistå, komme til hjælp, undsætte; (subst.) hjælp, undsætning.
succulence ['sʌkjuləns] saftighed.
succulent ['sʌkjulənt] saftig; *~ plant* saftplante.
succumb [sə'kʌm] bukke under, ligge under *(to, under* for).
such [sʌtʃ] sådan, slig, den slags; den, det, de; *~ an enjoyable evening* sådan en fornøjelig aften; *~ and ~ a person* den og den; *~ ... as* sådanne ... som, de ... som; *~ as* (ogs.) som for eksempel; *~ as it is* (omtr.) skønt den ikke er meget bevendt.
such-and-such: *~ a* den og den, det og det; *~ results will follow from ~ causes* de og de resultater følger af de og de årsager.
suchlike ['sʌtʃlaik] deslige, den slags.
suck [sʌk] (vb.) suge, indsuge, patte, die, sutte; sutte på (fx. *one's thumb);* udsuge; (subst.) sugning, mælk, die; S afbrænder; *~ sby.'s brains* stjæle ens ideer; *you can't teach your grandmother to ~ eggs* (svarer til) nå så ægget vil lære hønen; *~ up to* S fedte sig ind hos, fedte for; *-s* S slik; *give ~* give die; *-s to you!* S brændt af! æ bæh! *-s to him!* blæse være med ham!
sucker ['sʌkə] pattegris; stenbider; sugerør, sugeskive; sugetråd; rodskud; (amr.) naiv fyr, grønskolling; fæ, fjols; snylter; slikkepind.
sucking ['sʌkiŋ] diende, endnu ikke vænnet fra, uerfaren.
sucking|-disk sugeskive. *~* **-pig** pattegris.
suckle [sʌkl] give die, amme, give bryst.
suckling ['sʌkliŋ] pattebarn; naiv person; *out of the mouth of babes and -s* (svarer til) hør de umyndiges røst.
suction ['sʌkʃən] sugning; suge- (fx. *pump).*
suctorial [sʌk'tå·riəl] suge- (fx. *~ fish).*
Sudan [su'dän]: *the ~* Sudan.
Sudanese [su·də'ni·z] sudanesisk; sudaneser.
sudarium [s(j)u·'dæəriəm] svededug.
sudatory ['s(j)u·dətəri] (adj.) svede-, svedfremkaldende; (subst.) svedemiddel; svedebad, badstue.
sudden ['sʌdn] pludselig, brat, uformodet; *on a ~, (all) of a ~* pludselig, med ét.
suddenly ['sʌdnli] pludselig.
Sudetic [sju'detik]: *the ~ Mountains* Sudeterne.
sudorific [s(j)u·də'rifik] (adj.) svedfremkaldende; (subst.) svedemiddel.
suds [sʌdz] sæbeskum, sæbevand.
sue [s(j)u·] sagsøge, stævne; anlægge sag; ansøge; bede *(for* om).
suède [sweⁱd] ruskind.
suet ['s(j)u·it] nyrefedt, tælle.
Suez ['s(j)u·iz].
suffer ['sʌfə] lide *(from* af), tåle; finde sig i; tillade, lade; lide straf, lide skade, lide døden, *you will ~ for this* det vil du komme til at undgælde for.
sufferable ['sʌfərəbl] tålelig.
sufferance ['sʌfərəns]: *he is here on ~* han er kun tålt her.
suffering ['sʌfəriŋ] lidende; lidelse.
suffice [sə'fais] være tilstrækkelig, slå til, tilfredsstille; *~ it to say* lad det være nok at sige.
sufficiency [sə'fiʃənsi] tilstrækkelig mængde; brugbarhed.
sufficient [sə'fiʃənt] tilstrækkelig, tilfredsstillende, fyldestgørende; *be ~ (un)to oneself* være sig selv nok.
I. **suffix** [sʌ'fiks] (vb.) tilføje (endelse til et ord).
II. **suffix** ['sʌfiks] (subst.) endetillæg, suffiks.
suffocate ['sʌfəkeⁱt] kvæle; *suffocating with rage* halvkvalt af raseri.
suffocation [sʌfə'keⁱʃən] kvælning.
Suffolk ['sʌfək].
suffragan ['sʌfrəgən] vicebiskop, hjælpebiskop.
suffrage ['sʌfridʒ] valgret, stemmeret; (rel.) forbøn; *universal ~* almindelig stemmeret.
suffragette [sʌfrə'dʒet] stemmeretskvinde.
suffragist ['sʌfrədʒist] tilhænger af udvidelse af stemmeretten.
suffuse [sə'fju·z] overgyde; brede sig over (fx. *a blush -d her cheeks); her eyes were -d with tears* hun havde tårer i øjnene.
suffusion [sə'fju·ʒən] overgydning, udbredelse; rødmen.
sugar ['ʃugə] (subst.) sukker; S penge; sne; (vb.) komme sukker i el. på, sukre; smigre; *I'm -ed!* det

var pokkers! ~ *the pill* (fig.) indsukre den bitre pille, få det ubehagelige til at glide ned.

sugar| basin sukkerskål. ~ **-beet** sukkerroe. ~ **-bird** (zo.) sukkerfugl. ~ **-candy** kandis. ~ **-cane** sukkerrør. **-coat** (amr.) overtrække med sukker; (fig.) indsukre, camouflere, dække over. ~ **daddy S** (ældre mand som spenderer på en ung pige). **-ed** ['ʃugəd] sukkersød. ~ **-house** sukkerfabrik. ~ **-loaf** sukkertop. ~ **-maple** ♧ sukkerløn. ~ **-plum** sukkerkugle, bolsje. ~ **-refinery** sukkerraffinaderi. ~ **-tongs** sukkertang.

sugary ['ʃugəri] sød, sødladen, altfor sød, sukkersød.

suggest [sə'dʒest] indgive, bibringe; lade formode; lede tanken hen på; foreslå, lade hemmeligt vide; antyde, hentyde til, henstille, give et vink om; ~ *itself* melde sig (fx. *a new problem -ed itself).*

suggestion [sə'dʒestʃən] suggestion; forslag, fremkaldelse af forestilling; formodning; tanke, antydning, mindelse; vink, fingerpeg, halvkvædet vise.

suggestive [sə'dʒestiv] suggestiv; indeholdende et vink, tankevækkende; betegnende; antydende noget uanstændigt; lummer; *be* ~ *of* fremkalde forestillinger om.

suicidal [s(j)u·i'saidl] selvmorderisk, selvmords-.

suicide ['s(j)u·said] selvmord; selvmorder. **suicide price** spotpris.

I. **suit** [s(j)u·t] (subst.) række, følge; farve (i kortspil); sæt (fx. *of clothes),* dragt; ansøgning; frieri; (jur.) sag, retssag; *file one's* ~ *for divorce* indgive skilsmissebegæring; *follow* ~ bekende kulør (i kortspil); gøre ligeså, følge eksemplet, følge trop; *grant one's* ~ opfylde ens bøn; se ogs. *long suit.*

II. **suit** [s(j)u·t] (vb.) passe (fx. *that -s me);* være passende for (fx. *this hat does not* ~ *an old man);* klæde (fx. *the hat -s you);* ~ *sth. to* tilpasse (el. afpasse) noget efter (fx. ~ *one's conversation to the company);* ~ *the action to the word* lade handling følge på ord; ~ *oneself* gøre som det passer en.

suitable ['s(j)u·təbl] passende (fx. ~ *words);* ~ *to* (el. *for)* passende for (fx. *a book* ~ *for a little boy); suitably to your wishes* i overensstemmelse med dine ønsker.

suit-case ['s(j)u·tkeⁱs] suitcase, håndkuffert.

suite [swi·t] (subst.) rækkefølge, sæt; suite; række; følge; møblement (fx. *a bedroom* ~).

suited ['s(j)u·tid]: ~ *for* (el. *to)* egnet til.

suitor ['s(j)u·tə] ansøger, supplikant; bejler, frier; (jur.) sagsøger.

sulf- (amr.) se *sulph-.*

sulk [sʌlk] (vb.) surmule; (subst.): *-s* surmuleri; *be in the -s* være i dårligt humør, være tvær.

sulky ['sʌlki] (adj.) vranten, fortrædelig, tvær, (sur)mulende, gnaven; treven; (subst.) sulky (en let tohjulet vogn).

sullen ['sʌlən] mørk, trist, dyster; utilfreds, tvær.

Sullivan ['sʌlivən].

sully ['sʌli] (vb.) tilsøle, besudle, plette; plettes; (subst.) smuds, plet.

sulpha ['sʌlfə]: ~ *drug* (med.) sulfapræparat.

sulphate ['sʌlfeⁱt] sulfat.

sulphide ['sʌlfaid] sulfid.

sulphonamide [sʌlfə'nämid] sulfonamid.

sulphonation [sʌlfə'neⁱʃən] sulfonering.

sulphur ['sʌlfə] svovl.

sulphurate ['sʌlfəreⁱt] svovle, behandle (el. forbinde) med svovl.

sulphureous [sʌl'fjuəriəs] svovlet, svovlagtig, svovlgul.

sulphuretted ['sʌlfjuretid]: ~ *hydrogen* svovlbrinte.

sulphuric [sʌl'fjuərik]: ~ *acid* svovlsyre.

sulphurous ['sʌlfərəs] svovlholdig, svovl-; ~ *acid* svovlsyrling.

sulphur spring svovlkilde.

sultan ['sʌltn] sultan.

sultana [sʌl'ta·nə] sultans hustru, datter el. søster; **sultana** (lille stenfri rosin).

sultanate ['sʌltənėt] sultanat, en sultans rige.

sultan's balsam ♧ flittig Lise.

sultriness ['sʌltrinės] lummerhede.

sultry ['sʌltri] lummer, trykkende, hed.

sum [sʌm] (subst.) sum; regnestykke; pengesum; hovedindhold, essens; (vb.) sammentælle, regne; sammenfatte; *the* ~ *and substance* det væsentlige, kernen; *do a* ~ regne et stykke; *set a* ~ give et stykke for; *he is good at -s* han er dygtig til regning; *in* ~ i korthed; ~ *up* opsummere, resumere, fremstille kortfattet; vurdere; (om dommer) give retsbelæring.

sumach ['su·mäk] sumak.

Sumatra [su'ma·trə].

Sumerian [sju'miəriən] sumerer; sumerisk.

summarily ['sʌmərili] kort og godt, uden omsvøb, uden videre; summarisk (fx. *deal with a case* ~).

summarize ['sʌməraiz] opsummere, sammenfatte, resumere.

summary ['sʌməri] (adj.) kortfattet, summarisk (fx. *account* redegørelse); (jur.) summarisk (fx. *procedure; proceedings* rettergang); (subst.) kort udtog, resumé, sammendrag, sammenfatning; oversigt.

summation [sʌ'meⁱʃən] sammenlægning.

summer ['sʌmə] (subst.) sommer; (vb.) tilbringe sommeren; *a* ~ *day, a -'s day* en sommerdag; *St. Luke's* ~ mild oktober.

summer| house sommerhus. ~ **-house** lysthus. ~ **lightning** kornmod. **-ly** sommerlig. ~ **rash** soleksem. ~ **school** sommerkursus. ~ **-time** sommertid, sommersæson; *double* ~ *-time* 2 timers sommertid.

summery ['sʌməri] sommerlig, sommer-.

summing-up (jur.) retsbelæring.

summit ['sʌmit] top, højdepunkt. **summit| conference,** ~ **meeting** topkonference, topmøde.

summon ['sʌmən] indkalde; stævne; opfordre; opbyde; ~ *up (one's) courage* tage mod til sig.

summons ['sʌmənz] (subst.) stævning, indkaldelse, befaling (til at møde); (vb.) stævne.

sump [sʌmp] (i bil) bundkar, sump.

sumpter ['sʌm(p)tə]: ~ *horse* pakhest.

sumptuary ['sʌm(p)tjuəri]: ~ *laws* luksuslove (som skal begrænse luksusforbrug).

sumptuous ['sʌm(p)tjuəs] kostbar, prægtig; overdådig; luksuriøs.

sun [sʌn] (subst.) sol; (vb.) sole; *the* ~ *rises* solen står op; *the* ~ *sets* solen går ned; *his* ~ *is set* hans tid er forbi; *see the* ~ se dagens lys, blive født; *take* (el. *shoot) the* ~ bestemme solhøjden; *the* ~ *was in her eyes* hun havde solen i øjnene; *from* ~ *to* ~ fra solopgang til solnedgang.

sun|-bath solbad. ~ **-bathing** det at tage solbad. **-beam** solstråle. ~ **-bittern** (zo.) solhejre. ~ **-blind** markise. ~ **-bonnet** solhat. **-burn** solbrændthed; solskoldethed. **-burned** solbrændt; solskoldet. ~ **-burst** pludseligt væld af sollys, solbrud.

sundae ['sʌndi] flødeis med frugt(saft).

Sunday ['sʌndė, 'sʌndeⁱ] søndag; ~ *out* (el. *off*) frisøndag; *a month of -s* en evighed.

Sunday| best søndagstøj, fine (el. bedste) tøj. ~ **school** søndagsskole.

sunder ['sʌndə] dele, adskille; skilles.

sundew ['sʌndju·] ♧ soldug.

sun|-dial solur. ~ **-dog** (astr.) parhelion, bisol. **-down** solnedgang. **-downer** aftensjus. ~ **-dried** soltørret.

sundries ['sʌndriz] (pl.) diverse småting.

sundry ['sʌndri] adskillige, flere, diverse, forskellige; *all and* ~ alle og enhver.

sun|fast solægte. **-fish** (zo.) klumpfisk. **-flower** ♧ solsikke.

sung [sʌŋ] perf. part. af *sing.*

sun|-glasses solbriller. ~ **-god** solgud. ~ **-helmet** solhjelm, tropehjelm.

sunk [sʌŋk] perf. part. af *sink.*

sunken ['sʌŋkən] sunket (fx. ~ *ship);* sænket, forsænket; undervands-; indsunken, indfalden (fx. *cheeks);* ~ *road* hulvej; ~ *rock* blindt skær.

sun|lamp 'højfjeldssol' (lampe). **-less** solløs. **-light** sollys. **-lit** solbeskinnet.
sunn (hemp) sunhamp.
sunny ['sʌni] solbeskinnet, sollys, strålende, lys, glad; *the ~ side* (fig.) den lyse side.
sun|proof uigennemtrængelig for solens stråler; solægte. **-rise** solopgang. **-scald** barkslag. **-set** solnedgang. **-shade** parasol; solskærm, markise. **-shine** solskin; medgang, lykke. **-shiny** sollys. **-spot** solplet. **-stroke** solstik; hedeslag. **~ -tan** solbrændthed. **-up** (amr.) solopgang. **~ visor** solskærm (på bil). **-ward** [-wəd] (op) mod solen. **-wise** [-waiz] i samme retning som solen, med solen, solret. **~ -worship** soldyrkelse. **~ -worshipper** soldyrker.
sup [sʌp] (vb.) søbe; give aftensmad; spise til aften; (subst.) slurk, mundfuld; *neither bite nor ~* hverken vådt eller tørt; *~ on porridge* spise grød til aften.
super ['s(j)u·pə] statist; vare af ekstrafin kvalitet; supermarked; fk. f. *superintendent; supervisor.*
super- over-, super-, hyper-; særlig; ovenpå.
superabound [s(j)u·pərə'baund] findes i overflod; *~ with* have overflod på.
superabundance [s(j)u·pərə'bʌndəns] overflod; overflødighed. **superabundant** [s(j)u·pərə'bʌndənt] som findes i overflod.
superadd ['s(j)u·pər'äd] endnu tilføje.
superaddition ['s(j)u·pərə'diʃən] ny tilføjelse.
superannuate [s(j)u·pər'änjueⁱt] lade gå af med (el. sætte på) pension, pensionere; *-d* aflægs, udtjent, afdanket, pensioneret; forældet.
superannuation [s(j)u·pəränju'eⁱʃən] pensionering; alderdomssvækkelse; afgang; *(national) ~ scheme* (folke)pensionsordning.
superb [s(j)u'pə·b] prægtig, herlig, fortrinlig, superb.
supercargo ['s(j)u·pəka·goᵘ] ⚓ superkargo. **-charger** ['s(j)u·pətʃa·dʒə] kompressor (i bilmotor). **-cilious** [s(j)u·pə'siliəs] hoven, vigtig. **-cooled** ['s(j)u·pəku·ld] underafkølet. **-ego** ['s(j)u·pər'egoᵘ] (psyk.) overjeg. **-eminent** [s(j)u·pər'eminənt] særlig fremragende.
supererogation ['s(j)u·pərero'geⁱʃən]: *works of ~* overskydende gode gerninger (som fx. helgenerne har øvet, og som kommer andre til gode).
supererogatory ['s(j)u·pəre'rågətəri] som går ud over hvad man er pligtig til; overflødig.
superfatted [s(j)u·pə'fätid] overfed (fx. *soap).*
superficial [s(j)u·pə'fiʃəl] overfladisk (fx. *wound, knowledge);* flade-; *~ measure* flademål.
superficiality [s(j)u·pəfiʃi'äliti] overfladiskhed.
superficies [s(j)u·pə'fiʃi·z] overflade, øvre flade.
superfine ['s(j)u·pə'fain] superfin, ekstra fin; alt for subtil.
superfluity [s(j)u·pə'fluiti] overflod; noget overflødigt; overflødighed
superfluous [s(j)u'pə·fluəs] overflødig.
superheat [s(j)u·pə'hi·t] (vb.) overhede; *-ed* overophedet (fx. *steam).*
superhet(erodyne) ['sju·pə'het(ərədain)] superheterodynmodtager.
superhuman [s(j)u·pə'hju·mən] overmenneskelig.
superimpose ['s(j)u·pərim'poᵘz] overlejre; lægge over (el. ovenpå); (fot.) indkopiere; (fig.) påklistre. **superimposition** [s(j)u·pərimpə'ziʃən] overlejring; placering ovenpå; (fot.) indkopiering; (fig.) påklistring.
superincumbent [s(j)u·pərin'kʌmbənt] overliggende.
superintend [s(j)u·pərin'tend] tilse, lede, forestå.
superintendence [s(j)u·pərin'tendəns] tilsyn, ledelse.
superintendent [s(j)u·pərin'tendənt] tilsynshavende, inspektør; overlæge; *~ (of police)* (omtr. =) politikommissær.
superior [s(j)u'piəriə] (adj.) over-; overordnet; højere(stående) (fx. *officer);* overlegen (fx. *a ~ opponent);* fin (fx. *~ quality),* udmærket, fremragende (fx. *a very ~ man);* (subst.) overordnet, foresat; overmand; prior, priorinde; *be ~ to* være bedre end, overgå, være hævet over; stå over, være overordnet (fx. *a genus is ~ to a species); a ~ air* en overlegen mine; *~ court* højere domstol.
superiority [s(j)upiəri'åriti] overlegenhed, fortrin.
superjacent [s(j)u·pə'dʒeⁱsənt] højereliggende, overliggende.
superlative [s(j)u'pə·lətiv] (adj.) højest; ypperlig (-st); (subst.) superlativ; *the ~ degree* superlativ.
superman ['s(j)u·pəmän] overmenneske.
supermarket supermarked.
supermundane [s(j)u·pə'mʌndeⁱn] overjordisk.
supernaculum [s(j)u·pə'näkjuləm] ekstra god vin, som er værd at drikke ud til sidste dråbe; *drink ~* drikke ud til sidste dråbe.
supernal [s(j)u'pə·nəl] højere, overjordisk, himmelsk.
supernatant [s(j)u·pə'neⁱtənt] som svømmer ovenpå, som flyder ovenpå.
supernatural [s(j)u·pə'nätʃərəl] overnaturlig. **supernormal** [s(j)u·pə'nå·ml] mere (, større) end normalt; over gennemsnittet; overnaturlig (fx. *faculties).*
supernumerary [s(j)u·pə'nju·mərəri] (adj.) overkomplet, overtallig, reserve-, ekstra-; (subst.) statist.
supernutrition [s(j)u·pənju'triʃən] overernæring.
superphosphate [s(j)u·pə'fåsfeⁱt] superfosfat.
super|pose [s(j)u·pə'poᵘz] lægge ovenpå. **-posed** (geol.) overlejret. **-position** [s(j)u·pəpo'ziʃən] placering ovenpå; overlejring.
supersaturate [s(j)u·pə'sätʃureⁱt] overmætte.
superscribe ['s(j)u·pə'skraib] skrive overskrift over, forsyne med påskrift. **superscription** [s(j)u·pə'skripʃən] overskrift, påskrift.
supersede [s(j)u·pə'si·d] afløse, erstatte; overflødiggøre, fortrænge.
supersedeas [s(j)u·pə'si·diäs] suspensionsbefaling, ordre til at standse retssagen.
super|sensible oversanselig. **-sensitive** overfølsom. **-sensual, -sensuous** oversanselig.
supersession [s(j)u·pə'seʃən] afløsning, erstatning, afskaffelse, fortrængen.
supersonic [s(j)u·pə'sånik] overlyds- (fx. *fighter* jager); *~ speeds* hastigheder der er større end lydens.
superstition [s(j)u·pə'stiʃən] overtro.
superstitious [s(j)u·pə'stiʃəs] overtroisk.
superstratum [s(j)u·pə'streⁱtəm] overliggende lag, dækkende lag.
superstructure ['s(j)u·pəstrʌktʃə] overbygning.
supertanker ['s(j)u·pətäŋkə] ⚓ supertankskib, supertanker.
supertax ['s(j)u·pətäks] ekstraskat.
superterrestrial [s(j)u·pəte'restriəl] overjordisk.
supervene [s(j)u·pə'vi·n] komme til, støde til, følge på, indtræffe.
supervention [s(j)u·pə'venʃən] indtræden, tilstøden.
supervise ['s(j)u·pəvaiz, s(j)u·pə'vaiz] have opsyn med, kontrollere, tilse, overvåge.
supervision [s(j)u·pə'viʒən] opsyn, kontrol, tilsyn.
supervisor ['s(j)u·pəvaizə] tilsynsførende, inspektør, forstander(inde).
I. **supine** ['sju·pain] (subst., gram.) supinum.
II. **supine** [s(j)u·'pain] (adj.) liggende på ryggen; ligegyldig, magelig, uvirksom, dvask; *~ position* rygleje.
supper ['sʌpə] aftensmad; *the Last Supper* den sidste nadver; *the Lord's Supper* den hellige nadver.
supplant [sə'pla·nt] fortrænge, stikke ud.
supple ['sʌpl] (adj.) bøjelig, smidig; eftergivende, krybende; (vb.) gøre smidig, bøje; tæmme; blive blød.
supplement ['sʌplimənt] (subst.) supplement, tillæg, bilag; (vb.) udfylde, supplere. **supplementary**

[sʌpli'mentəri] supplerende, tillægs-, udfyldende; ~ *angles* supplementvinkler.

suppliant ['sʌpliənt] ydmyg, bønlig, ydmygt bedende.

supplicate ['sʌplikeit] bønfalde, bede om.

supplication [sʌpli'keiʃən] bøn, ydmyg anmodning; (glds.) ansøgning.

I. **supply** [sə'plai] (vb.) skaffe, levere, yde (fx. *the cow supplies milk);* tilfredsstille (fx. ~ *a demand, a need);* afhjælpe, erstatte (fx. ~ *a loss);* ~ *sby. with sth.* forsyne en med ngt.; levere ngt. til en; ~ *the place of* erstatte, træde i stedet for.

II. **supply** [sə'plai] (subst.) forsyning, tilførsel; levering; forråd, beholdning; pengebevilling; vikar; ~ *and demand* tilbud og efterspørgsel; *supplies* bevillinger; forråd, beholdning(er); *dentists' supplies* artikler for tandlæger; *it is in short* ~ der er mangel på det, det er en mangelvare.

I. **support** [sə'på·t] (vb.) understøtte, bære (fx. *pillars* ~ *the roof);* holde (oppe); udholde, tåle (fx. *he could* ~ *it no longer);* spille, udføre (fx. *a role);* støtte (fx. *a party; a theory);* forsvare; underbygge (fx. *-ed by facts);* bistå, ernære, forsørge (fx. *one's family);* opretholde (fx. *life);* ~ *with quotations* belægge (el. underbygge) med citater.

II. **support** [sə'på·t] (subst.) støtte, fod; understøttelse, støtte, bistand; (i kortspil) hjælpekort; *in* ~ *of* til støtte for.

supportable [sə'på·təbl] udholdelig.

supporter [sə'på·tə] tilhænger; forsørger; (i heraldik) skjoldholder.

supporting [sə'på·tiŋ] bærende; ~ *pillar* bærepille; ~ *programme* forfilm.

supposable [sə'poᵘzəbl] antagelig, tænkelig.

suppose [sə'poᵘz] antage, formode, tro; regne med; forudsætte; (som imperativ): sæt at, hvad om (fx. ~ *we change the subject); you are -d to do it* man regner med (el. går ud fra el. venter) at du gør det; det er meningen du skal gøre det; *you are not -d to* (ogs., T) du må ikke (fx. *smoke here); I* ~ (ogs.) formodentlig, vel(sagtens). **supposed** [sə'poᵘzd] formodet. **supposedly** [sə'poᵘzidli] formodentlig, antagelig.

supposing [sə'poᵘziŋ] forudsat (at); hvis.

supposition [sʌpə'ziʃən] forudsætning, antagelse, formodning.

supposititious [səpåzi'tiʃəs] uægte, falsk.

suppositive [sə'påzitiv] antaget, tænkt.

suppository [sə'påzitəri] (med.) stikpille.

suppress [sə'pres] undertrykke (fx. *a rising);* inddrage, standse (fx. *a newspaper);* udelade, tilbageholde, fortie (fx. *the truth).*

suppression [sə'preʃən] undertrykkelse, ophævelse, standsning, fortielse.

suppressive [sə'presiv] undertrykkelses-, undertrykkende.

suppressor [sə'presə] undertrykker; (elekt.) støjspærre.

suppurate ['sʌpjureit] (vb.) væske, afsondre materie. **suppurating** væskende, betændt.

suppuration [sʌpju'reiʃən] væsken.

supra ['s(j)u·prə] over-.

supranational ['s(j)u·prə'näʃənl] overnational (fx. *authority);* overstatlig.

suprarenal [s(j)u·prə'ri·nəl]: ~ *(gland)* binyre.

supremacy [s(j)u'preməsi] overhøjhed; overlegenhed; *oath of* ~ supremated (hvormed kongens kirkelige overhøjhed anerkendes).

supreme [s(j)u'pri·m] højest; yderst, størst; *the Supreme (Being)* den Højeste (det højeste væsen); ~ *command* overkommando; *the Supreme Court (of Judicature)* de højere og øverste retsinstanser; *the* ~ *good* det højeste gode; *at the* ~ *moment* i yderste øjeblik, i det afgørende øjeblik; *reign* ~ være enerådende.

supremely [s(j)u'pri·mli] i højeste grad.

Supt. fk. f. *superintendent.*

surbased arch ['sə·beist'a·tʃ] fladbue.

surcharge [sə·'tʃa·dʒ] (vb.) overlæsse, overbelaste; overstemple (et frimærke); forlange strafporto af; ['sə·tʃa·dʒ] (subst.) overstempling; strafporto; ekstraafgift.

surcingle ['sə·siŋgl] sadelgjord, pakgjord; fastspænde med en sadelgjord.

surcoat ['sə·koᵘt] kort frakke; (glds.) kort damekåbe; våbenkappe.

surd [sə·d] irritational; (fon.) ustemt; (subst.) irrational størrelse, (fon.) ustemt lyd.

sure [ʃuə] sikker, vis, tilforladelig, pålidelig; *as* ~ *as eggs is eggs* bombesikkert; så sikkert som to og to er fire; *be* ~ *and tell him* sørg endelig for at sige det til ham; *I don't know, I'm* ~ det ved jeg virkelig ikke; *to be* ~*!* uden tvivl, ganske vist; *well, to be* ~*!* det må jeg sige! ih du store! ~ *enough* ganske sikkert; virkelig, ganske rigtigt (fx. *I said he'd come and* ~ *enough he did); he is* ~ *to win* det bliver bestemt ham der vinder; *he is* ~ *of winning* han er sikker på han vinder; *feel* ~ *of* være sikker på; *make* ~ skaffe sig vished, forvisse sig *(of* om); være sikker *(that* på at); *make* ~ *of* (ogs.) sikre sig; *sure!* (amr.) ja! ja vist!

sure-footed sikker på benene.

surely ['ʃuəli] sikkert (fx. *he works slowly but* ~*);* uden tvivl (fx. *he will* ~ *come);* da vel (fx. ~ *you don't mean that? but* ~ *he is coming?* men han kommer da vel?); (amr.) ja vist, ja absolut.

surety ['ʃuəti] (jur.) kautionist; selvskyldner; *stand* ~ *for* kautionere for. **suretyship** kaution.

surf [sə·f] brænding, bølgeslag.

I. **surface** ['sə·fis] (subst.) overflade, flade; *on the* ~ (fig. ogs.) udvendig (fx. *his kindness is only on the* ~*),* tilsyneladende.

II. **surface** ['sə·fis] (vb.) overfladebehandle, pudse, polere; (om undervandsbåd) gå op til overfladen, dykke ud.

III. **surface** ['sə·fis] (adj.) overflade- (fx. *temperature);* på overfladen; overfladisk (fx. *likeness; impression).*

surface| mail almindelig post(befordring) (modsat luftpost). **-man** banearbejder. ~ **noise** nålestøj, pladestøj. ~ **-tension** overfladespænding. ~ **-water** overfladevand.

surf|-board bræt til surfriding. ~ **-boat** båd særlig konstrueret til anvendelse i brænding.

surfeit ['sə·fit] (vb.) overfylde, overmætte, frådse; (subst.) overmættelse.

surf-riding ['sə·fraidiŋ] surfriding.

surf-scoter (zo.) brilleand.

surge [sə·dʒ] (subst.) brådsø, stor bølge; vandrebølge; (vb.) bølge, bruse, stige, hæve sig; strømme.

surgeon ['sə·dʒən] kirurg, militærlæge, skibslæge. **surgeon-fish** (zo.) doktorfisk. **Surgeon-General** generallæge. **surgeon's knot** kirurgisk knude.

surgery ['sə·dʒəri] kirurgi; operationsstue, konsultationsstue; ~ *hours* konsultationstid.

surgical ['sə·dʒikl] kirurgisk; ~ *spirit* hospitalssprit.

surly ['sə·li] sur, tvær.

surmise [sə·'maiz] (vb.) formode, gætte, tænke sig; (subst.) ['sə·maiz] formodning, anelse, mistanke.

surmount [sə·'maunt] overvinde (fx. *a difficulty);* stige op over; være anbragt oven over, dække, krone (fx. *a cross -s the steeple); -ed by* (ogs.) under.

surmullet [sə·'mʌlit] (zo.) rødmulle.

surname ['sə·neim] efternavn, familienavn; (glds.) tilnavn; (vb.) kalde ved efternavn, give et tilnavn.

surpass [sə·'pa·s] overgå; *-ing* overordentlig.

surplice ['sə·plis] messesærk; messeskjorte.

surplus ['sə·pləs] overskud; overskydende; *a* ~ *card* et kort for meget.

surplusage ['sə·pləsidʒ] overskud, overflødighed. **surplus| assets** netto-aktiver. ~ **population** befolkningsoverskud. ~ **value** merværdi.

surprise (vb.) [sə'praiz] overraske, overrumple; forbavse, undre; (subst.) overraskelse, overrumpling, forbavselse, undren; *take shy. by* ~ komme bag på en, overrumple en; *in* ~ overrasket; *to my* ~ til min overraskelse; ~ *into* (ved overrumpling) narre til; *I shouldn't be -d* det skulle ikke undre mig.

surprise| party selskab hvor gæsterne møder uden at være inviteret og selv medbringer (mad og) drikkevarer; ⚔ overrumplingsstyrke. ~ **visit** uventet besøg.

surrealism [sə'riəlizm] surrealisme.

surrealist [sə'riəlist] surrealist.

surrender [sə'rendə] (vb.) overgive, udlevere; opgive, give afkald på (fx. *a privilege); overgive sig;* (subst.) overgivelse, afståelse; ~ *value* (ass.) tilbagekøbsværdi.

surreptitious [sʌrėp'tiʃəs] hemmelig, stjålen.

Surrey ['sʌri].

surrogate ['sʌrəgėt] stedfortræder (især for en biskop).

surround [sə'raund] omringe, omgive.

surroundings [sə'raundiŋz] (pl.) omgivelser, milieu.

surtax ['sə·täks] ekstraskat; pålægge ekstraskat.

surveillance [sə·'veilәns] opsyn, opsigt; *under close* ~ under streng bevogtning.

I. **survey** [sə·'vei] (vb.) overskue; bese, besigtige; opmåle, kortlægge; give et overblik (el. en oversigt) over.

II. **survey** ['sə·vei] (subst.) oversigt, overblik; besigtigelse, skøn, synsforretning, inspektion; opmåling, kortlægning.

surveying ship opmålingsfartøj.

surveyor [sə·'veiə] landinspektør, landmåler; besigtigelsesmand; bygningsinspektør; ~ *of customs* toldkontrollør.

survival [sə'vaivəl] overleven; levn; rudiment; *the* ~ *of the fittest* de bedst egnedes fortsatte beståen.

survive [sə'vaiv] overleve, komme levende fra (fx. ~ *an accident),* blive i live; holde sig.

surviving [sə'vaiviŋ] overlevende; efterlevende; bevaret (fx. *the only* ~ *house from that time).*

survivor [sə'vaivə] (jur.) længstlevende; *the -s* de overlevende.

Susan ['s(j)u·zən].

susceptibility [səsepti'biliti] modtagelighed, følsomhed; *offend his susceptibilities* krænke hans følelser.

susceptible [sə'septibl] modtagelig (*to* for); påvirkelig; følsom; *be* ~ *of proof* kunne bevises.

I. **suspect** ['sʌspekt] (adj.) mistænkelig; (subst.) mistænkt person.

II. **suspect** [sə'spekt] (vb.) mistænke (*of* for), mistro, betvivle, nære mistanke til; nære mistanke om, ane, have en mistanke om, formode, tænke.

suspend [sə'spend] ophænge; lade være uafgjort, afbryde, standse; indstille (el. ophæve) midlertidigt; stille i bero, udsætte; forbeholde sig (fx. *one's judgment* sin stilling); suspendere; ~ *payments* indstille sine betalinger; *-ed* (kem.) opslæmmet; *be -ed* (ogs.) svæve; *-ed animation* bevidstløshed, skindød.

suspender [səs'pendə] strømpeholder, sokkeholder; *-s* (amr. ogs.) seler; ~ *belt* hofteholder.

suspense [sə'spens] uvished, spænding; opsættelse, henstand.

suspension [sə'spenʃən] ophængning; udsættelse, suspension; affjedring (i bil); (kem.) opslæmning; ~ *of hostilities* indstilling af fjendtlighederne; ~ *of payment* betalingsstandsning.

suspension-bridge hængebro.

suspensive [səs'pensiv] suspensiv, udsættende (fx. *veto).*

suspensory [sə'spensəri] hængende; udsættende; ~ *bandage* suspensorium.

sus. per coll. fk. f. *suspensio per collum (= hanging by the neck)* hængning.

suspicion [sə'spiʃən] mistanke; anelse (fx. *I hadn't the least* ~ *of it; a* ~ *of pepper); above* ~ hævet over enhver mistanke.

suspicious [sə'spiʃəs] mistænksom; mistænkelig, fordægtig.

suspire [səs'paiə] (vb.) (poetisk) sukke.

sustain [sə'stein] (vb.) støtte, holde oppe; bære; holde, opretholde, vedligeholde; holde gående (el. i gang) (fx. *a conversation);* ernære; hjælpe; tåle, udholde; lide (fx. *a defeat, a loss);* ~ *a part* gennemføre (el. bære) en rolle; *-ed* vedvarende (fx. *effort),* langvarig (fx. *applause); -ing food* nærende mad; *-ing pedal* dæmperpedal; *-ing program* (radio, fjernsyn; amr.) program som ikke er betalt af annoncører.

sustenance ['sʌstinəns] underhold, livsophold; næring; *means of* ~ næringsmidler.

susurration [sju·sə'reiʃən] susen, hvisken.

sutler ['sʌtlə] (glds.) marketender.

suttee ['sʌti(·)] (glds.) sutti, indisk enkebrænding; enke som brændes.

suture ['s(j)u·tʃə] (subst., med.) (sammen)syning (af sår); sutur (i kraniet etc.); ♧ søm; (vb.) sy (sår) sammen.

suzerain ['su·zərein] overherre.

suzerainty ['su·zəreinti] overhøjhed.

svelte [svelt] slank, smidig.

S.W. fk. f. *south-west.*

I. **swab** [swåb] (subst.) ⚓ svaber; **S** (søofficers) epaulet; klodsmajor; (med.) vatpind.

II. **swab** [swåb] tørre (op); svabre; (med.) pensle (fx. *the throat).*

swabber ['swåbə] svabergast; klodsmajor.

Swabia ['sweibiə] Schwaben.

swaddle ['swådl] svøb; (vb.) svøbe.

swaddling|-bands, ~ **clothes** svøb.

swaddy ['swådi] **S** soldat.

swag [swäg] (subst.) **S** bytte, tyvekoster.

swage [sweidʒ] (subst.) sænke (ɔ: værktøj).

swage-block ['sweidʒ 'blåk] sænkambolt.

I. **swagger** ['swägə] (subst.) vigtig mine, storsnudet optræden; brovten, pral; (adj.) **S** fin, elegant, overklasse-; *walk with a* ~ gå og vigte sig.

II. **swagger** ['swägə] (vb.) vigte sig, være storsnudet; prale; ~ *about* spankulere omkring med en vigtig mine (el. med næsen i sky); ~ *about sth.* prale af noget.

swain [swein] (poet.) bondeknøs; ungersvend; (spøgende) tilbeder, beundrer.

I. **swallow** [swålou] (subst.) svale; *one* ~ *does not make a summer* én svale gør ingen sommer.

II. **swallow** ['swålou] (vb.) svælge, synke, sluge; bide i sig (fx. *an insult);* (subst.) svælg; synken, slurk; ⚓ skivgat; ~ *sth. the wrong way* få noget i den gale hals; ~ *one's words* tage sine ord i sig igen.

swallow|-dive svanhop. ~ **tail** svalehale; ~ *-tails* (herre)kjole. ~ **-wort** ♧ svalerod.

swam [swäm] imperf. af *swim.*

swamp [swåmp] (subst.) mose, sump; (vb.) fylde(s) med vand, overskylle, synke; overvælde.

swamp fever sumpfeber.

swampy ['swåmpi] sumpet.

swan [swån] svane; *the* ~ *of Avon* ɔ: Shakespeare; *the* ~ *of Ayr* ɔ: Robert Burns.

swank [swäŋk] (subst., **S**) vigtighed, pral; pralhals; (vb.) = II. *swagger.*

swanky [swäŋki] **S** pralende, vigtig; flot (fx. *a* ~ *dinner),* smart.

swan|nery ['swånəri] svanedam, svanegård. **-'s-down** svanedun; svanebaj. ~ **song** svanesang.

swap [swåp] se *swop.*

sward [swå·d] grønsvær, græstørv.

swarded ['swå·did] græsklædt.

swarf [swå·f] (subst.) spåner, jernfilspåner.

I. **swarm** [swå·m] (subst.) sværm, mylder; masse, dynge; (vb.) sværme, myldre; *be -ing with* myldre (el. vrimle) med, være vrimlende fuld af.

II. **swarm** [swå·m] (vb.) entre, klatre; entre opad.

swart [swå·t] mørklødet, mørkladen.

swarthy ['swå·ði, 'swå·þi] mørk, mørkhudet.

swash [swåʃ] (subst.) plasken, støj, skvalder; (vb.) plaske, støje, skvaldre.

swash|buckler ['swåʃbʌklə] storskryder, pralhals. **-buckling** ['swåʃbʌkliŋ] pral, bravade; skrydende, pralende.

swastika ['swåstikə] hagekors, svastika.

swat [swåt] **T** smække, klaske.

swatch [swåtʃ] (subst.) (stof)prøve.

swath [swå·þ] skår (af græs eller korn).

swathe [sweⁱð] (subst.) svøb; (vb.) svøbe.

swatter ['swåtə] fluesmækker.

sway [sweⁱ] (vb.) svinge, svaje, gynge; hælde, vakle; få til at svaje (, vakle etc.); have overvægt, herske, styre, beherske; påvirke, øve indflydelse på; (subst.) svingen (hid og did), gyngen; overvægt, indflydelse, herredømme, magt.

sway-backed ['sweⁱbäkt] svajrygget.

swear [swæə] *(swore, sworn)* sværge *(to* på), bande; forpligte ved ed; sværge på, bekræfte ved ed; ~ *by* sværge ved (fx. ~ *by all that is sacred);* sværge til (fx. *he -s by castor oil);* ~ *(in)* tage i ed, edfæste; ~ *off drinking* forsværge drik; ~ *to having done it* sværge på at man har gjort det; ~ *sby. to secrecy* lade en sværge på at han ikke vil røbe noget.

swear-word ed, kraftudtryk.

I. **sweat** [swet] (subst.) sved, svedetur; slid; *by the ~ of one's brow* i sit ansigts sved; *in a ~, all of a ~* badet i sved.

II. **sweat** [swet] (vb.) svede; slide, slæbe; få til at svede; udbytte (fx. *one's workers);* tage i skarpt forhør; ~ *for* slide sig til; *he shall ~ for it* det skal han komme til at fortryde; ~ *out* svede ud (fx. *a cold);* udsvede (fx. *moisture);* frembringe (, nå) ved hårdt slid; ~ *it out* holde ud til det er overstået; holde pinen ud; *-ed* underbetalt; fremstillet af underbetalte arbejdere.

sweat-band svederem.

sweater ['swetə] udbytter; sweater; svedemiddel; **T** hårdt job.

sweat-gland svedkirtel.

sweating ['swetiŋ] udbytning; sveden; ~ *-bath* svedebad.

sweat| shirt træningsbluse. ~ **suit** træningsdragt.

sweaty ['sweti] svedt; møjsommelig.

I. **Swede** [swi·d] svensker.

II. **swede** [swi·d] kålroe.

Sweden ['swi·dn] Sverige.

Swedish ['swi·diʃ] (subst. og adj.) svensk.

sweeny ['swi·ni] muskelsvind (hos heste).

I. **sweep** [swi·p] *(swept, swept)* feje (fx. *a new broom -s clean);* fare (el. jage, stryge, skylle) hen over; fare, jage (fx. *the wind -s across the lake);* sejle, skride (fx. *she swept out of the room);* (om vej, kystlinie etc.) strække sig, krumme sig; gennemstrejfe, gennemsøge, afsøge; rense (fx. ~ *the sea of mines);* rive (fx. *the wind swept his hat off his head);* ⚔ bestryge; ~ *the board* stryge hele gevinsten; ~ *the faces of the audience with a hasty glance* lade blikket løbe hastigt hen over tilhørernes ansigter; ~ *away* feje bort; rive bort, skylle bort (fx. *the house was swept away by the flood);* afskaffe, fjerne, bortrydde; *be swept off one's feet* blive revet omkuld; blive revet med; ~ *one's hand over one's face* stryge sig med hånden over ansigtet; ~ *past* stryge forbi; ~ *up mines* stryge miner.

II. **sweep** [swi·p] (subst.) fejning, fejen; sving(en), svingende bevægelse, tag; hurtig bevægelse, fremrykning; strejftogt; bue, kurve; rækkevidde, omfang; område; skorstensfejer; ⚓ bunkeåre; (glds.) brøndvippe; **S** sjover; fk. f. *sweepstake; make a clean ~* gøre rent bord (fx. *the thief made a clean ~).*

sweeper ['swi·pə] gadefejer; fejer; fejemaskine.

sweeping [swi·piŋ] fejende etc. (se I. *sweep);* gennemgribende, radikal; omfattende; lovlig flot (fx. *a ~ statement);* (subst.) fejning. **sweepings** fejeskarn; (fig.) bærme.

sweepstake(s) ['swi·psteⁱk(s)] sweepstake (form for lotteri i forbindelse m. væddeløb).

sweet [swi·t] (adj.) sød, liflig, duftende; melodisk (fx. *voice);* yndig; fersk (fx. *water);* frisk (fx. *keep the milk ~*); blid (fx. *temper);* (adv. ogs.) let (fx. *a ~-going car);* (subst.) skat, elskede; duft; dessert; stykke konfekt, bolsje; *-s* slik(keri), konfekt, bolsjer; sødme (fx. *the -s of victory, of revenge);* behageligheder; ~ *butter* usaltet smør; *forbidden fruit is ~* forbuden frugt smager bedst; *be ~ on* **T** være forelsket i, være varm på; *he has* (el. *is) a ~ tooth* han er slikken; *at one's own ~ will* efter forgodtbefindende.

sweetbread ['swi·tbred]: *throat* (el. *neck) ~* brissel; *stomach* (el. *belly) ~* bugspytkirtel.

sweet-brier ['swi·t'braiə] ♧ æblerose, vinrose.

sweet cicely ♧ sødskærm, spansk kørvel.

sweeten ['swi·tn] (vb.) søde, gøre sød, forsøde, mildne; gøre frisk; blive sød. **-ing** sødemiddel.

sweetheart ['swi·tha·t] kæreste, skat.

sweetie ['swi·ti] kæreste, skat; *-s* slikkeri, konfekt.

sweeting ['swi·tiŋ] slags sødt æble; (glds.) elskede, skat.

sweetish ['swi·tiʃ] sødlig.

sweetmeat ['swi·tmi·t] stykke konfekt; *-s* slikkeri, konfekt.

sweet|-oil spiseolie, (især:) olivenolie. ~ **-pea** lathyrus. ~ **potato** ♧ batat. ~ **-scented** vellugtende. **-shop** chokoladeforretning. ~ **-tempered** elskværdig, blid, godmodig. ~ **-tooth** slikmund. ~ **-william** ♧ busknellike, studenternellike.

I. **swell** [swel] *(swelled, swollen* el. *swelled)* svulme (fx. *the sails -ed; his heart -ed with* (af) *pride);* svulme op, bulne (ud) (fx. *his cheek -ed);* hovne op; hæve sig (fx. *the ground -ed);* stige, vokse (fx. *the murmur -ed into a roar);* øges; bryste sig, være svulstig, blive opblæst; få til at svulme (etc.); øge (fx. *their numbers);* forstærke (fx. *the sound); the wind -ed the sails* vinden fyldte sejlene; *-ed head* indbildskhed, storhedsvanvid.

II. **swell** [swel] (adj.) smart, lapset; flot; (amr.) herlig, glimrende, fremragende.

III. **swell** [swel] (subst.) svulmen, bugnen, stigen, stigning, intensitet, kraft; forhøjning (, hævning, stigning) i terrænet; ⚓ dønning; (i musik) crescendo; **T** matador, stormand; ekspert, mester; **S** laps, flot fyr; *the -s* (ogs.) de fine.

swelling ['sweliŋ] (adj.) svulmende; (subst.) udbuling; forhøjning; bule, hævelse; svulst; (glds.) hovenhed.

swell-mob **T** velklædte forbrydere; gentlemantyve.

swelter ['sweltə] (vb.) være ved at forgå af varme; (subst.) (overvældende) varme.

swept imperf. og perf. part. af *sweep.*

swerve [swə·v] (vb.) dreje til siden, vige ud; svinge; (fig.) afvige (fx. *from one's duty);* (subst.) drejning, sidebevægelse, sving.

I. **swift** [swift] (zo.) mursejler, mursvale.

II. **swift** [swift] hurtig, rask, rivende.

swift-footed rapfodet.

swig [swig] tage (store) slurke af; (stor) slurk.

I. **swill** [swil] (vb.) bælge (el. tylle) i sig, skylle.

II. **swill** [swil] (subst.) svineføde, spild, affald; slurk.

swill tub svinetønde.

I. **swim** [swim] *(swam, swum)* svømme, flyde, svæve; svømme over; *my eyes are -ming* det flimrer for mine øjne; *my head -s* det svimler for mig, det kører rundt for mig; ~ *a race with him* svømme om kap med ham; ~ *with the tide* (fig.) følge med strømmen.

II. **swim** [swim] (subst.) svømmen, svømmetur; *be in the ~* være med hvor det foregår.

swimmer ['swimə] svømmer, svømmefugl.

swimming svømning; svimmelhed. ~ **-bath** svømmebassin; badeanstalt. ~ **gala** svømmestævne. **-ly** (fig.) strygende; glat, fint (fx. *it went -ly).* ~ **-pool**, ~ **-tank** svømmebassin.

swindle ['swindl] svindle, bedrage; (subst.) svindel.

swindler ['swindlə] svindler.

swindling ['swindliŋ] svindel, bedrageri.

swine [swain] (pl. *swine)* svin; sjover, sjuft; svine-.

swine|-herd svinehyrde. ~ **-pox** en art skoldkopper. **-ry** ['swainəri] svinesti.

I. **swing** [swiŋ] *(swung, swung)* svinge, vippe, dingle; gynge; hænge, være ophængt; blive hængt (fx. *he shall ~ for it)*; svinge (etc.) med; få til at svinge; påvirke.

II. **swing** [swiŋ] (subst.) sving, svingning; udsving (af pendul etc.), (fig.) omsving; gynge; gyngetur; frit løb, frihed; swing(musik); *in full ~* i fuld gang (el. sving); *it goes with a ~* der er rytme i det; (fig.) det går glat (el. strygende).

swing|-boat luftgynge. ~ **-bridge** svingbro, drejebro. ~ **-door** svingdør.

swingeing ['swindʒiŋ] vældig (fx. *a ~ blow; a ~ majority)*; dundrende (fx. *a ~ lie)*.

swingle ['swiŋgl] skættel; slagel (del af plejl); (vb.) skætte (hør).

swingle-tree svingel, hammel (på en vogn).

swing plough svingplov.

swinish ['swainiʃ] svinsk, dyrisk, rå.

swipe [swaip] slå kraftigt; S hugge; (subst.) slag.

swipes [swaips] tyndt øl, sprøjt.

swirl [swə·l] hvirvle af sted; hvirvlen; hvirvel.

I. **swish** [swiʃ] (vb.) suse, hvisle; slå med (fx. *the horse -ed its tail)*; svippe (med) (fx. *a cane)*; piske.

II. **swish** [swiʃ] (subst.) susen, hvislen, slag, pisken.

III. **swish** [swiʃ] (adj.) S flot, smart.

Swiss [swis] (adj.) schweizisk, svejtsisk; (subst.) schweizer, svejtser; dørvogter; *the ~* (ogs.) schweizerne, svejtserne; *~ roll* roulade.

switch [switʃ] (subst.) tynd kæp, pisk; (løs) fletning; (pludselig) forandring; skiften; omstilling (fx. *to peace production)*; (jernb. etc.) sporskifte; (elekt.) afbryder, omskifter, kontakt; (vb.) give af kæppen, piske; slå med (fx. *a cane; the tail)*; svinge; dreje, skifte; bytte (fx. *~ places)*; (jernb. etc.) rangere; *~ the conversation* dreje samtalen ind på et andet spor; skifte emne; *~ in* koble ind; *~ off* afbryde (strøm), bryde telefonsamtale; lukke for (fx. *the wireless)*, slukke (lys); *~ on* lukke op (for), tænde (for); slutte (strøm); give telefonforbindelse; *~ on to* dreje op for; stille om til; *~ over to* skifte over til; stille om til.

switch|back rutschebane. ~ **-blade knife** springkniv. **-board** strømfordelingstavle; (tlf.) centralbord, omstillingsbord. ~ **-lever** sporskiftestang. ~ **-man** sporskifter. ~ **-over** omstilling.

Swithin ['swiðin]: som vejret er på *St. Swithin's day* (den 15. juli), siges det at blive i de følgende 40 dage.

Switzerland ['switsələnd] Schweiz, Svejts.

swivel ['swivl] (subst.) omdrejningstap; lægne; (vb.) svinge, dreje (sig).

swivel|-bridge drejebro. ~ **-chair** drejestol. ~ **-eyed** skeløjet. ~ **gun** drejekanon. ~ **-seat** = *swivel-chair*.

swizzle ['swizl] cocktail omrørt med is; (vb.) drikke, svire.

swollen ['swoᵘln] perf. part. af *swell;* opsvulmet, svullen, hoven, ophovnet; bullen; oppustet, opblæst; *~ root* rodknold.

I. **swoon** [swu·n] (vb.) besvime, falde i afmagt; (om musik) gradvis dø hen.

II. **swoon** [swu·n] (subst.) afmagt, besvimelse; *fall into a ~* falde i afmagt.

swoop [swu·p] (vb.) slå ned på, gribe; (subst.) nedslag, greb; rask angreb, razzia.

swop [swåp] T (vb.) bytte, tilbytte sig, bortbytte; udveksle; skifte; (subst.) bytten, bytning, dublet (til bytning); *~ horses in midstream* (fig.) skifte heste midt i vadestedet.

sword [så·d] sværd, sabel; *cross* (el. *measure) -s with* krydse klinge med; *put to the ~* hugge ned.

sword|-arm højre arm. ~ **-bayonet** sabelbajonet. ~ **-bearer** sværddrager. ~ **-cane** kårdestok. ~ **-fish** sværdfisk. ~ **-guard** parerplade. ~ **-knot** portépée. ~ **-play** fægtning; (fig.) ordduel.

swordsman fægtemester. **swordsmanship** fægtekunst.

sword|-stick kårdestok. **-tail** (zo.) sværddrager.

swore [swå·] imperf. af *swear.*

sworn [swå·n] perf. part. af *swear;* edsvoren, svoren; *~ enemies* svorne fjender; *~ friends* svorne venner.

swot [swåt] S (vb.) arbejde hårdt, terpe, herse, pukle, slide og slæbe; (subst.) hårdt åndeligt arbejde, slid og slæb; slider.

swum [swʌm] perf. part. af *swim.*

swung [swʌŋ] imperf. og perf. part. af *swing.*

Sybarite ['sibərait] sybarit.

sybaritic [sibə'ritik] sybaritisk, overdådig.

sycamore ['sikəmå·] morbærfigentræ; *~ (maple)* ær (et træ).

syce [sais] (indisk) staldkarl.

sycophancy ['sikəfənsi] lav smiger, spytslikkeri.

sycophant ['sikəfənt] smigrer, spytslikker.

sycophantic [sikə'fäntik] slesk.

syllabic [si'läbik] stavelse-, syllabisk, stavelsedannende, stavelsemæssig. **syllabi(fi)cation** [siläbi(fi)-'keⁱʃən] stavelsedeling.

syllable ['siləbl] (subst.) stavelse; (vb.) udtale stavelse for stavelse; *a three-syllabled word* et trestavelsesord.

syllabus ['siləbəs] program, oversigt, læseplan, eksamensfordringer.

syllogism ['silodʒizm] syllogisme.

syllogize ['silodʒaiz] ræsonnere i syllogismer.

sylph [silf] sylfide, sylfe, luftånd.

sylvan = *silvan.*

symbol ['simbəl] symbol, sindbillede; tegn; (tros-) bekendelse.

symbol|ic(al) [sim'bålik(l)], **-ically** [sim'bålikəli] symbolsk. **-ics** [sim'båliks] symbolsk teologi. **-ize** ['simbəlaiz] symbolisere.

symmetric(al) [si'metrik(l)] symmetrisk.

symmetry ['simitri] symmetri.

sympathetic [simpə'þetik] sympatetisk, medfølende, deltagende; *~ to(wards)* velvilligt (el. sympatisk) stemt over (for); *~ ink* sympatetisk blæk; *the ~ nervous system* det sympatiske nervesystem; *~ strike* sympatistrejke.

sympathize ['simpəþaiz] sympatisere; *~ with* (ogs.) føle (, vise) deltagelse for.

sympathizer ['simpəþaizə] sympatisør.

sympathy ['simpəþi] sympati, deltagelse, medfølelse; forståelse; harmoni.

sympetalous [sim'petələs] (adj.) ♧ sambladet.

symphony ['simfəni] symfoni.

symphonic [sim'fånik] symfonisk.

sympodial [sim'poᵘdiəl] (adj.) ♧ flerakset.

sympodium [sim'poᵘdiəm] ♧ kædeakse, skudkæde, sympodium.

symposium [sim'poᵘziəm] symposion, gæstebud; videnskabelig (etc.) konference; samling afhandlinger af forskellige videnskabsmænd om et enkelt emne; enquete (i avis).

symptom ['simptəm] symptom, tegn.

symptomatic [simptə'mätik] symptomatisk.

syn. fk. f. *synonym.*

synagogue ['sinəgåg] synagoge.

synallagmatic [sinäläg'mätik] gensidigt forpligtende.

synarthrosis [sina·'þroᵘsis] synartrose.

sync [siŋk] (vb.) synkronisere; (adj.) synkron; *in ~* synkront; *out of ~ with* ikke synkroniseret med.

synchroflash ['siŋkroᵘfläʃ] (fot.) synkronblitz.

synchromesh ['siŋkrəmeʃ]: *~ gear* synkrongear.

synchronism ['siŋkrənizm] samtidighed, synkronisme.

synchronistic [siŋkrə'nistik] synkronistisk.

synchronization [siŋkrənai'zeⁱʃn] synkronisering; samtidighed. **synchronize** ['siŋkrənaiz] falde sammen i tid; synkronisere.

synchronous ['siŋkrənəs] samtidig; synkron(-) (fx. *~ motor)*; synkronisk; synkronistisk (fx. *~ account of the war)*.

synchrotron ['siŋkroᵘtrån] synkrotron.

syncline ['siŋklain] synklinal.

syncopate ['siŋkəpeⁱt] synkopere.
syncopation [siŋkə'peⁱʃən] synkope, forskydning af rytme.
syncope ['siŋkəpi] synkope; afmagt, besvimelse; udfald af lyd inde i ord.
syncretism ['siŋkritizm] synkretisme.
syncretist ['siŋkritist] synkretist.
syndetic [sin'detik] forbindende.
syndicalism ['sindikəlizm] syndikalisme, fagforeningsstyre.
syndicalist ['sindikəlist] syndikalist.
I. **syndicate** ['sindikėt] (subst.) syndikat, konsortium; bureau som opkøber og videresælger stof til samtidig offentliggørelse i flere blade.
II. **syndicate** ['sindikeⁱt] (vb.) sammenslutte i et syndikat; danne et konsortium.
syne [sain] (på skotsk) siden.
synod ['sinəd] synode, kirkeforsamling.
synodal ['sinədəl] synodisk.
synodic [si'nådik] synodisk, forhandlet i kirkemøde.
synoecious [si'ni·ʃəs] ♧ sambo.
synonym ['sinənim] enstydigt ord, synonym.
synonymous [si'nåniməs] enstydig, synonym.
synonymy [si'nånimi] enstydighed.
synopsis [si'nåpsis] oversigt, resumé; sammenfatning; synopsis (til film).
synoptic [si'nåptik] synoptisk; synoptiker.
synovial [si'noᵘviəl] (anat.): ~ *bursa* slimhindesæk; ~ *membrane* senehinde; ~ *sheath* seneskede.
synovitis [sino'vaitis] senehindebetændelse.
syntactical [sin'tāktikl] syntaktisk.
syntax ['sintāks] syntaks, ordføjningslære.
synthes|is ['sinþisis] (pl. *-es* [-i·z]) syntese, sammenfatning; *form a -is* gå op i en højere enhed.
synthetic [sin'þetik] syntetisk, sammenføjende; kunstig (fx. *rubber*); ~ *fibres* kunstfibre.
syntonize ['sintənaiz] (radio) afstemme.
syphilis ['sifilis] syfilis.
Syracuse [på Sicilien: 'saiərəkju·z, i Amerika: 'sirəkju·s].
Syria ['siriə] Syrien.
Syrian ['siriən] syrisk; syrier.
syringa [si'riŋgə] ♧ uægte jasmin.
syringe ['sirin(d)ʒ, si'rindʒ] (subst.) sprøjte; (vb.) sprøjte, indsprøjte.
syrinx ['siriŋks] panfløjte.
syrup ['sirəp] sukkerholdigt udtræk, saft; sukkeropløsning; (lys) sirup. **syrupy** sirupsagtig, klæbrig.
system ['sistim] system, ordning; metode (fx. ~ *of teaching*); net (fx. *railway* ~); organisme (fx. *it is good for the* ~); *get it out of one's* ~ (fig.) skrive sig fri af det.
system|atic [sisti'mātik], **-atical** [sisti'mātikl], **-atically** [sisti'mātikəli] systematisk. **-atism** ['sistimətizm] systematik. **-atize** ['sistimətaiz] systematisere, sætte i system.
systole ['sistəli] sammentrækning (af hjertet), systole.

T

T [ti·] T; *to a T* på en prik (fx. *it suits me to a T*).
't fk. f. *it.*
ta [ta·] (barnesprog) tak!
T. A. fk. f. *Territorial Army; telegraphic address.*
taal [ta·l]: *the* ~ afrikaans (hollandsk dialekt i Kaplandet).
tab [tāb] strop, klap; fane (på kartotekskort); dup (på snørebånd); ⚔ kravedistinktion (for generalstabsofficer); regnskab; *keep ~(s) on* holde øje med, holde rede på.
tabard ['tābəd] våbenkappe, heroldkappe.
tabaret ['tābəret] en slags atlask.
tabby ['tābi] (adj.) vatret; moiré; (subst.) moiré; stribet kat, hunkat; sladresøster; slags mørtel; ~ *cat* stribet kat; hunkat.
tabernacle ['tābənākl] tabernakel, skrin til opbevaring af hellige ting; niche.
tabes ['teⁱbi·z] (med.) hentæring; rygmarvstæring.
tabescent [tə'besənt] som hentæres.
tabetic [tə'betik] som lider af rygmarvstæring.
I. **table** [teⁱbl] bord, taffel; tabel, register; tavle, plade; plateau; bræt til brætspil; *turn the -s* vende bladet, give sagen en anden vending; *at* ~ til bords, under måltidet; ~ *of contents* indholdsfortegnelse; *lay on the* ~ fremsætte (fx. *a motion* et forslag); (amr.) henlægge, 'sylte'.
II. **table** [teⁱbl] (vb.) lægge på bordet, fremsætte (fx. et lovforslag); opføre (på en liste); (amr.) henlægge (fx. et lovforslag), opsætte, sylte.
tableau ['tābloᵘ] tableau.
table|-bell bordklokke. ~ **board** (amr.): *have* ~ *board with* være på kost hos. ~ **-cloth** borddug. ~ **-cover** bordtæppe. ~ **-d'hôte** ['ta·bl'doᵘt] table d'hôte. ~ **-flap** bordklap. ~ **-land** højslette. ~ **-linen** dækketøj. ~ **-manners** bordskik. ~ **-money** ⚓ bordpenge. ~ **-spoon** spiseske.
tablet ['tāblit] lille tavle; skriveblok; stykke (sæbe); tablet.
table|-talk bordkonversation. ~ **-tennis** bordtennis. ~ **-top** bordplade. ~ **-turning** borddans (spiritistisk fænomen). **-ware** sølvtøj og service.
tabloid ['tābloid] sensationsblad; *in* ~ *form* i tabletform; (fig.) i koncentreret form.
taboo [tə'bu·] (subst.) tabu, forbud mod berøring; (adj.) tabu, (fig., ogs.) forbudt, bandlyst; (vb.) erklære for tabu; undgå som tabu.
tabor ['teⁱbə] lille tromme.
tabouret ['tābərėt] taburet; brodérramme; lille tromme.
tabular ['tābjulə] tavleformet, tavlet; tabellarisk.
tabulate ['tābjuleⁱt] planere; ordne i tabelform.
tabulation [tābju'leⁱʃən] opstilling i tabelform, systematisk opstilling.
tachometer [tā'kåmitə] tachometer, hastighedsmåler.
tachymeter [tā'kimitə] tachymeter, afstands- og højdemåler.
tacit ['tāsit] stiltiende.
taciturn ['tāsitə·n] ordknap, fåmælt, tavs (af sig).
taciturnity [tāsi'tə·niti] fåmælthed.
tack [tāk] (subst.) tegnestift; tæppesøm; ri-sting, næst; ⚓ halsbarm; bov; hals; slag; (vb.) fæste, hæfte med stifter, sømme fast, sammenhæfte, næste; skifte kurs; krydse, gå over stag, stagvende; ~ *together* rimpe sammen; *on the same* ~ på samme bov; *on the starboard* ~ for styrbords halse; *get on a new* ~ slå ind på en ny kurs, lægge om på en anden bov; *on a wrong* ~ på falsk spor; (se ogs. *brass tacks, hardtack*).
tackle ['tākl] (subst.) takkel, talje, rigning; grejer (fx. *fishing* ~); (vb.) takle, tiltakle; få løs på, tage fat på, give sig i kast med, gribe an; tackle (i fodbold); begynde at diskutere med.
tackling ['tākliŋ] takkelage, tovværk; (i fodbold) tackling.
tacky ['tāki] (adj.) tyk, klæbrig, tykflydende; (amr.) billig, tarvelig; prangende, udmajet; lurvet; (subst., amr.) krikke; derangeret person.
tact [tākt] takt(følelse). **tactful** taktfuld.

tactic, tactical ['täktik(l)] taktisk.
tactician [täk'tiʃən] taktiker.
tactics ['täktiks] taktik, fremgangsmåde.
tactile ['täktail] føle-; berørings-; som kan berøres, som man kan tage og føle på. **tactility** [täk'tiliti] følelighed; håndgribelighed.
tactless ['täktlés] taktløs.
tactual ['täktjuəl] følelses-, føle, berørings-.
tadpole ['tädpo^u l] (zo.) haletudse.
tael [te^i l] tael (kinesisk vægt- og møntenhed).
taenia ['ti·niə] hårbånd; bånd; (zo.) bændelorm.
taffeta ['täfitə] taft.
taffrail ['täfre^i l] ⚓ hakkebræt.
Taffy ['täfi] T waliser.
tafia ['täfiə] rørsukkerbrændevin.
tag [täg] (subst.) dup (på snørebånd); løs ende; flig; mærkeseddel; støvlestrop; halespids; uldtot; slutningsord; tilføjelse; omkvæd, talemåde, floskel; (børnelegen) tagfat; (vb.) forsyne med dup (, mærkeseddel); tilføje; hænge efter, følge i hælene på; forfølge; *get -ged* (amr.) blive noteret (af politiet); *~ on* tilføje.
tag|day (amr.) mærkedag (hvor der sælges mærker på gaden til velgørenhed). **~ end** løs ende, sidste ende.
tagrag ['tägräg]: *~ (and bobtail)* pøbel, rak; den gemene hob.
Tagus ['te^i gəs] (geogr.): *the ~* Tajo.
Tahiti [ta·'hi·ti].
I. **tail** [te^i l] (subst.) hale, ende; bageste del, bagende; (frakke)skøde; følge; (nakke)pisk; begrænsning (i arvegang); affald, bærme; (vb.) følge, spore; skære stilken af; komme bagefter som en hale; (om fisk) stå med hovedet nedefter, så at halen stikker op over vandfladen; (amr.) T skygge (ɔ: følge efter); *~ of one's eye* den ydre øjekrog; *~ of a plough* plovstjært; *white tie and -s* kjole og hvidt; *heads or -s* plat eller krone; *keep your ~ up* T op med humøret; *~ away, ~ off* dø hen.
II. **tail** [te^i l]: *estate ~* fideikommis.
tail|-board bagsmæk(ke) (på en vogn). **~ -coat** herrekjole. **~ -end** sidste ende.
tailing ['te^i liŋ] indmuret del af en sten; *-s* avner, affald.
tail|-lamp = *~ -light*. **-less** ['te^i llés] haleløs. **~ -light** baglanterne, baglygte.
tailor ['te^i lə] skrædder; (vb.) (skrædder)sy; drive skrædderi; (fig.) tilpasse, tilskære; skamskyde (en fugl).
tailor|-bird (zo.) skrædderfugl. **-ed** skræddersyet. **-ing** skrædderarbejde. **~ -made** skræddersyet; (subst.) skræddersyet dragt; tailor-made.
tail|-piece (typ.) slutningsvignet; (på violin etc.) strengeholder. **~ -plane** (flyv.) haleplan. **~ -wind** medvind.
tain [te^i n] belægning (på spejl), stanniol.
taint [te^i nt] (vb.) smitte, befænge, gøre uren, inficere, fordærve; (subst.) plet, smitte, besmittelse, inficering, fordærvelse, sygdom; uheldigt arveanlæg; *-ed* (ogs.) arveligt belastet; *-ed goods* varer som ikke må behandles af fagforeningsmedlemmer; *-ed money* penge tjent på uhæderlig vis; *hereditary ~* arvelig belastning. **taintless** ubesmittet, pletfri, ren.
I. **take** [te^i k] *(took, taken)* tage; gribe (fx. *an opportunity);* modtage (fx. *an offer);* bringe (fx. *~ a letter to the post),* tage med (sig); følge (fx. *~ her home);* føre, tjene, vinde (fx. *a prize);* indtage, erobre (fx. *a fort);* tiltrække, betage (fx. *he was much -n by her);* virke på (fx. *it -s different people different ways);* ramme (fx. *the blow took him on the nose);* spise, drikke, nyde (fx. *I often ~ a glass of wine with him);* have (fx. *will you ~ a cup of tea?);* bruge (fx. *do you ~ sugar in your tea? he took an hour over* (til) *his dinner);* aftage, købe (fx. *goods, tickets);* leje (fx. *a house);* holde, abonnere på (fx. *a newspaper);* optage (fx. *orders);* aflægge (fx. *an oath);* antage (fx. *a name);* fatte (fx. *courage);* forstå (fx. *do you ~ me?);* sætte over (fx. *the horse took the brook);* virke, slå an (fx. *the vaccine did not ~);* gøre lykke, slå an (fx. *the play did not ~);* T snyde, 'tage';
I am not taking any T (fig.) tak jeg skal ikke nyde noget; *~ breath* puste (ud), trække vejret (fx. *we paused to ~ breath); ~ him to be rich* antage ham for at være rig; *I ~ it that you will be there* jeg går ud fra at De vil være til stede; *you may ~ it (from me) that* De kan trygt stole på, at; *it -s patience* der skal tålmodighed til; *he has got what it -s* (ogs.) han har gode evner; *it -s two to make a quarrel* der skal to til at skændes; *~ your time!* tag den med ro, jag ikke livet af dig, giv dig bare god tid; *~ a walk* gå en tur;
(forb. m. præp. og adv.) *~ after* efterligne, slægte på (fx. *she -s after her father); ~ against* fatte uvilje mod; *~ apart* skille ad; pille fra hinanden; dissekere (fig.); *~ away* tage med sig; tage væk, fjerne; fradrage; rive bort (fx. *he was -n away from us);* tage ud af bordet; *~ back* tage tilbage; tage i sig igen (fx. *one's words);* føre tilbage; *~ down* tage ned; rive ned (fx. *a wall);* fjerne, demontere; skille ad (fx. *a rifle);* nedsvælge (fx. *medicine);* skære (el. pille) ned (fx. *he needs to be -n down);* skrive ned; *~ for* anse for (fx. *what do you ~ me for?); the master who took us for history* den lærer der havde os i historie; *~ from* trække fra (fx. *~ three from ten);* (fig.) formindske, nedsætte, svække;
~ in formindske; tage ind; sy (kjole) ind; modtage (fx. *guests);* holde, abonnere på (fx. *a newspaper);* opfatte (fx. *he read the letter without taking it in);* begribe, forstå; lytte ivrigt til, 'sluge' (fx. *the children took in all that he told);* hoppe på; narre, bedrage, snyde; omfatte, inkludere; (om jord) indvinde, tørlægge; ⚓ mindske, bjærge (fx. *sail); ~ her in to dinner* føre hende til bords; *~ in sewing* sy for folk; *~ in washing* modtage tøj til vask; *~ into one's head* sætte sig i hovedet; *~ off* fjerne, tage af; sætte af, (flyv.) starte, lette, gå på vingerne; parodiere, karikere; sluge, nedsvælge; (om sygdom) bortrive; *~ oneself off* fjerne sig, stikke af; *~ a penny off the price* slå en penny af (på prisen);
~ on tage 'på; påtage sig; tage på veje, blive ophidset; engagere; antage; tage det op med, kæmpe mod; gå i lag med; slå an (fx. *the tune took on); ~ out* tage ud, borttage; fjerne (fx. *a stain);* invitere ud; løse, tegne (fx. *an insurance policy); ~ the nonsense out of sby.* pille narrestregerne ud af en, få en til at makke ret; *it -s it out of me* jeg bliver så træt af det; det ta'r på mig; *when he has had trouble at the office he -s it out of* (amr.: *on) his wife* når han har haft vrøvl på kontoret, lader han det gå ud over sin kone;
~ over påtage sig, tiltræde; overtage (styret el. ledelsen); *we now ~ you over to* (i radio) vi stiller nu om til; *~ to* give sig til, lægge sig efter, slå sig på; fatte sympati for, komme til at holde af; søge hen til (el. ud i etc.); søge tilflugt i; *~ to heart* tage sig nær lægge sig på sinde; *~ up* tage op; optage; absorbere; lægge sig efter, slå sig på, begynde på (fx. *gardening);* genoptage (fx. *one's story);* irettesætte, afbryde (for at protestere); *~ sby. up* (ogs.) tage sig af én (ɔ: protegere én); T arrestere én; *I ~ you up on that* det punkt vil jeg gerne anholde (ɔ: protestere imod); *~ up with* slå sig på, stifte bekendtskab med; *she -s well* hun er let at fotografere.
II. **take** [te^i k] (subst.) dræt, fangst; indtægt (især af teaterforestilling), kasse; (film)optagelse.
take|-home pay nettoløn. **~ -in** ['te^i kin] svindel.
taken ['te^i kn] perf. part. af I. *take.*
take-off ['te^i kåf] start, startsted; karikatur, karikeren, parodi.
take-over ['te^i ko^u və] overtagelse; (merk.) overtagelse af kontrollen med et selskab ved opkøb af aktiemajoriteten.
taking ['te^i kiŋ] (adj.) indtagende; smitsom; (subst.) T ophidselse, forvirring; *-s* indtægt.
talc [tälk] talk; talkum; marieglas.
talcum ['tälkəm] talkum.
tale [te^i l] fortælling, beretning, historie, eventyr;

løgnehistorie; (glds.) tal, antal; *old wives's -s* ammestuehistorier; *tell -s (out of school)* sladre (af skole); *it tells its own ~* (fig.) det taler sit tydelige sprog; *thereby hangs a ~* (omtr.) det kunne der siges noget mere om.

tale|-bearer sladderhank. **~ -bearing** sladren; (adj.) sladderagtig.

talent ['tälənt] talent, anlæg, begavelse.

talented ['täləntid] talentfuld, begavet.

tales ['teⁱli·z] stævning til at møde som nævningesuppleant; nævningesuppleantliste.

talesman ['teⁱli·zmən] nævningesuppleant.

tale-teller ['teⁱltelə] sladderhank; fortæller.

talion ['täliən] gengældelsesret.

taliped ['täliped] klumpfodet.

talisman ['tälizmən] talisman, tryllemiddel.

I. **talk** [tå·k] (vb.) tale, snakke, fortælle; *now you are -ing* det lader sig høre; nu er du inde på noget af det rigtige; *~ at him* sige noget der har adresse til ham; *~ back* svare igen; *~ big* prale; *~ down* overdøve (med snak); (flyv.) tale ned; *~ down to one's audience* gøre sig for meget umage for at tale 'populært'; *~ sby. into sth.* overtale én til noget; *-ing of* apropos, mens vi taler om; *~ sby. out of sth.* snakke én fra noget; *~ over* drøfte, tale om; *~ sby. over* (el. *round)* overtale én; *~ round the subject* ikke komme til sagens kerne; *~ to* tale til, tale med, irettesætte.

II. **talk** [tå·k] (subst.) samtale, drøftelse, forhandling; foredrag; snak(ken); *it is the ~ of the town* hele byen taler om det.

talkative ['tå·kətiv] snaksom.

talkee-talkee ['tå·ki'tå·ki] snak, pjat.

talker ['tå·kə] vrøvlehoved; konversationstalent.

talkie ['tå·ki], **talking film** talefilm.

talking-to ['tå·kiŋtu·] irettesættelse, opsang.

tall [tå·l] høj, stor; **T** overdreven, utrolig; *a ~ order* et skrapt forlangende; *that's a bit ~* det lyder utroligt; den er for tyk.

tallboy ['tå·lboi] chiffoniere.

tallow ['täloᵘ] talg, tælle; (vb.) smøre (m. tælle).

tallow-faced bleg, usund.

tallowy ['täloᵘi] talgagtig, fedtet; (om teint) bleg, usund.

tally ['täli] (subst.) karvestok; tilsvarende del, mage, sidestykke; regnskab; mærke; mærkeseddel; (vb.) karve, skære mærker i; tilpasse, passe sammen, stemme overens.

tally-ho ['täli'hoᵘ] (en jægers råb til hundene).

tallyman ['tälimən] indehaver af en afbetalingsforretning; ⚓ taljemand, tallymand.

tally-shop afbetalingsforretning.

Talmud ['tälmud] Talmud.

talon ['tälən] en rovfugls klo; talon (i kortspil; del af kuponark; arkit.).

talook, taluk [tə'lu·k] jordegods, skattedistrikt (i Indien).

talukdar [tə'lu·kda·] foged, godsejer (i Indien).

talus ['teⁱləs] (anat.) talus, springben, rulleben; (geol.) talus, ur, løse blokke ved foden af en klippe; skråning.

tamable ['teⁱməbl] som kan tæmmes.

tamarind ['tämərind] ♧ tamarinde

tamarisk ['tämərisk] ♧ tamarisk.

tamber ['tämbə] = *timbre.*

tambour ['tämbuə] (stor)tromme; brodereramme; (vb.) brodere i ramme.

tambourine [tämbə'ri·n] tamburin.

tame [teⁱm] (adj.) tam, spagfærdig, modfalden, mat; (vb.) tæmme, kue.

tameless ['teⁱmlės] utæmmelig, ukuelig.

tamer ['teⁱmə] tæmmer.

tamis ['tämis] siklæde, geléklæde.

Tammany ['täməni]: *~ Hall* navn på en organisation af demokrater i New York City, kendt for at anvende korrupte politiske metoder.

tam-o'-shanter [tämə'ʃäntə] skotsk hue (omtr. i baskerhuefacon).

tamp [tämp] stampe ned, stoppe (til); fordæmme (et borehul).

tamper [tämpə]: *~ with* pille ved (fx. *a lock);* rette i, forfalske (fx. *a report);* forsøge at bestikke (el. påvirke) (fx. *a witness).*

tamping ['tämpiŋ] fyldemateriale, prop; fordæmning (i borehul); stampning.

tampion ['tämpiən] træprop (til kanon); mundingshætte.

tampon ['tämpən] (subst.) tampon (til sår); (vb.) tamponere.

tan [tän] (subst.) garverbark; barkfarve; solbrændthed; (vb.) garve, gøre brun, gøre solbrændt; *~ his hide* garve hans rygstykker, give ham en dragt prygl.

tandem ['tändəm] forspand af to heste den ene foran den anden; vogn trukket af et sådant forspand; tandem(cykel); *in ~* den ene bag den anden.

I. **tang** [täŋ] ♧ tang, søtang.

II. **tang** [täŋ] (stærk, gennemtrængende) smag el. lugt, bismag, afsmag; (fig.) særpræg.

III. **tang** [täŋ] (subst.) angel (på kniv etc.); klirren, skramlen; (vb.) klirre, skramle (med).

Tanganyika [täŋgə'nji·kə].

tangency ['tändʒənsi] berøring, tangering.

tangent ['tändʒənt] (subst.) tangent; (adj.) tangerende; berørende; *go* (el. *fly) off at a ~* ganske umotiveret give sig til at tale om noget andet.

tangential [tän'dʒənʃəl] tangential- (fx. *force);* tangerende; tilfældig; som leder bort fra emnet.

tangerine [tändʒə'ri·n] ♧ mandarin.

tangibility [tändʒi'biliti] håndgribelighed.

tangible ['tändʒibl] følelig, håndgribelig, rørlig.

Tangier [tän'dʒiə] (geogr.) Tanger.

tangle ['täŋgl] (vb.) sammenfiltre, indvikle, være (el. blive) indviklet; (subst.) sammenfiltret masse; forvirring, urede.

tanglefoot ['täŋglfut] (amr. **S**) whisky.

tango ['täŋgoᵘ] tango; (vb.) danse tango.

tank [täŋk] (subst.) beholder, bassin, akvarium; tank; benzintank (i bil); ⚔ tank, kampvogn; (anglo-indisk:) dam, reservoir; (vb.) tanke, påfylde benzin etc.

tankard ['täŋkəd] krus med låg, sejdel.

tanker ['täŋkə] tankskib, tanker.

tannage ['tänidʒ] garvning.

tanner ['tänə] garver; **S** (mønt til værdi af) seks pence. **tannery** ['tänəri] garveri.

tannic acid, tannin ['tänin] garvesyre.

tan-pit ['tänpit] garvekule.

tanrec ['tänrek] (zo.) børstesvin, tanrek.

tansy ['tänzi] ♧ rejnfan.

tantalization [täntəlai'zeⁱʃən] udsættelse for tantaluskvaler; ærgrelse, drilleri, plageri.

tantalize ['täntəlaiz] udsætte for tantaluskvaler, spænde på pinebænken, ærgre, pine, drille.

tantalizing ['täntəlaiziŋ] pinefuld, drillende; forjættende men uopnåelig.

tantalum ['täntələm] (kem.) tantal.

tantalus ['täntələs] aflåselig opsats med vinkarafler.

tantamount ['täntəmaunt] ensbetydende *(to* med).

tantivy [tän'tivi] (glds., subst.) strygende fart; (adj.) hurtig; (vb.) fare.

tantrum ['täntrəm] **T** anfald af arrigskab; surmuleri.

tan-yard garveri.

I. **tap** [täp] (vb.) banke (let) på, berøre; skrive på maskine, 'slå'; (subst.) dask, let slag, banken; *there was a ~ at the door* det bankede på døren.

II. **tap** [täp] (subst.) (vand)hane; tap, tøndetap; aftapning; skænkestue; flik; snittap (til gevindskæring); (radio) afgrening; (vb.) tappe, aftappe; slå for penge; bagflikke, flikke (sko); skære gevind i; *~ sby.'s line* aflytte ens telefon; *beer on ~* øl fra fad; *be on ~* være til rådighed når som helst.

tap-dance (vb.) steppe.
tape [teᶦp] bændel; bånd, strimmel; telegrafstrimmel; lydbånd, målebånd, klæbestrimmel, tape; isolerbånd; målsnor (ved væddeløb); (vb.) måle (med målebånd); optage på bånd; *breast the* ~ sprænge målsnoren, vinde løbet; *I have got him -d* ham har jeg taget mål af, jeg ved hvad han er værd; *he had got it all -d out* han havde det hele parat; *gummed* ~ klæbestrimmel.
tape|-line, ~ **-measure** målebånd, båndmål. ~ **-machine** selvregistrende telegrafapparat.
taper [ˈteᶦpə] (subst.) vokslys, kerte; konus; (adj.) kegleformet, tilspidset, fintformet, tynd; (vb.) gradvis aftage i tykkelse, løbe ud i en spids, tilspidse; aftage.
tape|-record optage på bånd. ~ **recorder** båndoptager. ~ **-recording** båndoptagelse.
tapestried [ˈtäpistrid] behængt med gobeliner.
tapestry [ˈtäpistri] gobelin, (vævet) tapet.
tapeworm [ˈteᶦpwə·m] (zo.) bændelorm.
tapioca [täpiˈoᵘkə] tapioka (en slags sago).
tapir [ˈteᶦpə] (zo.) tapir.
tapis [ˈtäpi]: *be on the* ~ være under drøftelse, stå på dagsordenen, være på tapetet.
tappet [ˈtäpit] (tekn.) medbringerknast, styreknast; *valve* ~ ventilløfter.
tap|-room skænkestue. ~ **-root** ♧ pælerod.
taps [täps] tappenstreg, retræte.
tapster [ˈtäpstə] vintapper, øltapper.
tar [ta·] tjære (subst. og vb.); matros; *an old* ~ en søulk; *a touch of the* ~ *brush* lidt negerblod i årerne; *he is -red with the same brush* han har en rem af huden; *they are -red with the same brush* de er to alen af et stykke; ~ *and feather* dyppe i tjære og rulle i fjer.
taradiddle [ˈtärədidl] **T** (lille) løgn.
tarantella [tärənˈtelə] tarantel (en dans).
tarantula [təˈräntjulə] (zo.) tarantel (edderkop).
tar brush tjærekost; (se ogs. *tar*).
tardiness [ˈta·dinės] sendrægtighed.
tardy [ˈta·di] langsom, sendrægtig, træg; *be* ~ (amr. ogs.) komme for sent.
I. **tare** [tæə] ♧ vikke; (bibl.) klinte.
II. **tare** [tæə] (merk.) tara (vægt af emballage).
target [ˈta·git] (skyde)skive; mål; *be the* ~ *of* (fig.) være skive for, blive udsat for (fx. *ridicule).*
tariff [ˈtärif] tarif, toldtarif, told; prisliste; ~ *reform* toldreform; ~ *wall* toldmur.
tarlatan [ˈta·lətən] tarlatan (et bomuldsstof).
tarmac [ˈta·mäk] tjæremakadam (til vejbygning); vej behandlet med tjæremakadam.
tarn [ta·n] lille bjergsø.
tarnish [ˈta·niʃ] (vb.) tage glansen af, plette, fordunkle; anløbe, falme, miste sin glans; (subst.) glansløshed, anløbethed; plet.
taroc [ˈtäråk], **tarot** [ˈtäroᵘ] tarok (et kortspil).
tar paper tjærepap, tagpap.
tarpaulin [ta·ˈpå·lin] presenning; sydvest; oliefrakke; (glds.) sømand.
tarradiddle d.s.s. *taradiddle.*
tarragon [ˈtärəgən] esdragon; ~ *vinegar* esdragoneddike.
I. **tarry** [ˈta·ri] (adj.) tjære-, tjæret; sømandsmæssig.
II. **tarry** [ˈtäri] (vb., glds.) tøve, dvæle, blive, bie, vente.
tarsal [ˈta·sl]: ~ *bone* fodrodsknogle.
I. **tart** [ta·t] (subst.) tærte; **S** gadetøs, luder; (vb.) ~ *up* pynte, fikse op.
II. **tart** [ta·t] (adj.) sur, skarp, bidende, bitter.
tartan [ˈta·tən] skotskternet mønster, skotskternet stof; (adj.) lavet af skotskternet stof.
I. **Tartar** [ˈta·tə] tatar; **S** ren satan; *catch a* ~ få kam til sit hår; møde sin overmand.
II. **tartar** [ˈta·tə] vinsten; tandsten; *cream of* ~ renset vinsten.
tartaric [ta·ˈtärik] vinstens-.
tartarise [ˈta·təraiz] behandle med vinsten.
Tartary [ˈta·təri] (hist.) Tatariet.
tartlet [ˈta·tlėt] lille tærte.
task [ta·sk] (subst.) (pålagt) arbejde, hverv, lektie, opgave, gerning; (vb.) sætte i arbejde, lægge beslag på; anstrenge (fx. *one's brain);* plage; *take to* ~ tage i skole, gå i rette med.
taskmaster arbejdsgiver (, lærer) der kræver meget af sine funktionærer (, elever).
Tasmania [täzˈmeᶦnjə] Tasmanien.
tassel [ˈtäsl] (subst.) dusk, kvast; mærkebånd (i en bog); (vb.) besætte med kvaster.
tassel pondweed ♧ havgræs.
taste [teᶦst] (vb.) smage; have smag; prøve, smage på; nyde; (subst.) smag; mundsmag; *in bad* ~ smagløs; *in good* ~ smagfuld; *there is no accounting for -s* om smagen kan man ikke diskutere; *give him a* ~ *of the whip* lade ham smage pisken; *everyone to his* ~ hver sin lyst.
taste|ful smagfuld. **-less** uden smag, smagløs.
taster [ˈteᶦstə] (te-, vin-)smager; ostesøger; mundskænk; (forlags)konsulent; smagsprøve.
tasty [ˈteᶦsti] velsmagende; som har en **udpræget** smag, som 'smager af noget'; (vulgært) smagfuld.
I. **tat** [tät]: *tit for* ~ lige for lige.
II. **tat** [tät] slå orkis (slags filering), orkere.
tata [ˈtäˈta·] (i børnesprog og **T**) farvel.
Tatar [ˈta·tə] = *Tartar.*
tater [ˈteᶦtə] (vulgært) kartoffel.
tatter [ˈtätə] (vb.) rive i laser, rive itu; blive revet i laser, blive revet itu; (subst.) las, pjalt; kludesamler.
tatterdemalion [tätədiˈmeᶦljən] lazaron.
Tattersall [ˈtätəså·l] et ternet mønster; *-'s* etablissement for hesteauktioner i London.
tatting [ˈtätiŋ] orkis (slags filering).
tattle [ˈtätl] (vb.) sludre, sladre, passiare; løbe med sladder; (subst.) sludder, passiar; sladder.
tattler [ˈtätlə] vrøvlehoved.
I. **tattoo** [təˈtu·] (subst.) tappenstreg; militær opvisning; (vb.) slå tappenstreg; tromme med fingrene.
II. **tattoo** [təˈtu·] tatovere; tatovering.
tatty [ˈtäti] billig, tarvelig, snusket.
taught [tå·t] imperf. og perf. part. af *teach.*
taunt [tå·nt] (vb.) håne, spotte, skose; (subst.) skose; hån, spot; *-ingly* hånende, spottende.
taurine [ˈtå·rain] tyre-, tyrelignende; hørende til stjernebilledet Tyren.
Taurus [ˈtå·rəs] Taurus; (astr.) Tyren.
taut [tå·t] stram, spændt, tot; anspændt; pæn, net, i god stand; *haul* ~ hale tot.
tauten [tå·tn] stramme; strammes.
tautological [tå·təˈlådʒikl] tautologisk, unødig gentagende. **tautology** [tå·ˈtålədʒi] tautologi.
tavern [ˈtävən] værtshus, kro.
I. **taw** [tå·] (vb.) hvidgarve.
II. **taw** [tå·] (subst.) stenkugle; kuglespil.
tawdriness [ˈtå·drinės] forloren elegance; flitterstads.
tawdry [ˈtå·dri] godtkøbs, udmajet, spraglet.
tawny [ˈtå·ni] brunlig, solbrændt, gulbrun.
tawny owl (zo.) natugle.
tax [täks] (subst.) skat, afgift; byrde, belastning; krav; (vb.) pålægge skat (el. afgift), beskatte; beregne (sagsomkostninger); bebyrde; stille store krav til; ~ *sby. with sth.* bebrejde en noget, beskylde en for noget.
taxable [ˈtäksəbl] skattepligtig, som kan beskattes. **taxation** [täkˈseᶦʃən] beskatning; skat.
tax|-collector skatteopkræver. ~ **dodger** skattesnyder. ~ **-farmer** skatteforpagter. ~ **-free** skattefri.
taxi [ˈtäksi] bildroske; taxa; (vb.) køre i taxa; (om flyvemaskine) køre (på jorden).
taxi-cab = *taxi.*
taxidermist [ˈtäksidə·mist] en som udstopper **dyr,** konservator. **taxidermy** [ˈtäksidə·mi] udstopning, præparering, konservering.
taxi|driver, ~ **-man** droskechauffør, taxachauffør. **-meter** [ˈtäksimi·tə] taksameter.

taxing-master embedsmand der beregner sagsomkostninger.

taxi|plane lufttaxa. ~ **rank** holdeplads for taxaer etc.

taxpayer ['tǟkspe'ə] skatteyder.

T.B. fk. f. *torpedo-boat;* **T** *tuberculosis.*

T.B.D. fk. f. *torpedo-boat destroyer.*

T.C. fk. f. *Tank Corps; temporary constable; Town Councillor; Trinity College.*

tea [ti·] te; tebusk; eftermiddagste (se ogs. *high tea);* (vb.) drikke te; *that's my cup of ~* det er lige noget jeg kan lide, det er lige mit nummer; *she is not my cup of ~* hun er ikke min type.

tea-caddy tedåse.

teach [ti·tʃ] *(taught, taught)* lære, undervise (i); ~ *school* (amr.) være lærer(inde).

teachable ['ti·tʃəbl] lærvillig, lærenem.

teacher ['ti·tʃə] lærer, lærerinde; *-s' college* seminarium.

teaching ['ti·tʃiŋ] lærervirksomhed; undervisning; (ogs. *-s)* lære (fx. *the -s of Christ).*

tea|-cloth tedug; viskestykke. ~ **-cosy** tevarmer, tehætte. ~ **-cup** tekop. ~ **fight S** teslabberads. ~ **garden** restaurationshave; teplantage.

teak [ti·k] teaktræ.

teal [ti·l] (zo.) krikand.

tea-leaf ['ti·li·f] teblad.

team [ti·m] (subst.) spand (heste); forspand (fx. *a ~ of oxen);* hold, parti, flok; team; (vb.) spænde sammen; ~ *up* slutte sig sammen, samarbejde.

teamster ['ti·mstə] kusk; hest eller okse i et forspand.

team-work samarbejde.

tea|-party teselskab. ~ **-pot** tepotte.

teapoy ['ti·poi] lille tebord.

I. **tear** [tiə] (subst.) tåre; *in -s* grædende; opløst i gråd; *shed -s* fælde (el. udgyde) tårer; *burst into -s* briste i gråd.

II. **tear** [tæə] *(tore, torn)* rive *(at* i), flå, sønderrive; splitte (fx. *a country torn by civil war);* revne, rives; jage, fare; ~ *one's hair* rive sig i håret; ~ *along* fare af sted; ~ *oneself away* rive sig løs, løsrive sig; ~ *down* (amr.) rive ned (fx. *a house);* pille fra hinanden (fx. *his argument);* skille ad (fx. *a machine); that's torn it* nu er det hele spoleret.

III. **tear** [tæə] (subst.) rift, revne.

tear|-duct ['tiədʌkt] tårekanal. **-ful** ['tiəful] grådkvalt; grædende, med tårer. ~ **-gas** ['tiəgǟs] tåregas.

tearing ['tæəriŋ] **T** heftig, voldsom.

tear-jerking ['tiə'dʒə·kiŋ] (amr.) rørstrømsk.

tearless ['tiəlės] uden tårer.

tea|-room terestaurant, tesalon. **~-rose** ♧ terose.

tear-shell ['tiəʃel] tåregasgranat.

tear-stained ['tiəste'nd] forgrædt; tårevædet.

tease [ti·z] (vb.) drille *(about* med), plage; pirre; karte (fx. *wool);* kradse luven op på; (subst.) drillepind, plageånd; drilleri; pikanteri.

teasel ['ti·zl] (subst.) kartebolle; kartemaskine; (vb.) karte, opkradse luv på.

teaser ['ti·zə] drillepind, plageånd; vanskeligt spørgsmål el. arbejde.

teaspoon ['ti·spu·n] teske; *-ful* teskefuld.

tea-strainer tesi.

teat [ti·t] brystvorte, patte; sut.

tea|-things testel, teservice. ~ **-trolley** rullebord. ~ **-urn** temaskine. ~ **-wagon** rullebord.

tec [tek] **S** fk. f. *detective.*

technic ['teknik] teknik; (adj.) se *technical.*

technical ['teknikl] teknisk, fag-, faglig, fagmæssig; (jur. ogs.) formel (fx. *error).*

technicality [tekni'kǟliti] teknik; teknisk udtryk; *technicalities* (ogs.) tekniske enkeltheder; *legal technicalities* (ogs.) juridiske spidsfindigheder.

technically ['teknikəli] teknisk, i teknisk forstand; ad teknisk vej.

technician [tek'niʃn] tekniker, teknisk ekspert.

technics ['tekniks] teknik.

technique [tek'ni·k] teknik, fremgangsmåde.

technocracy [tek'nåkrəsi] teknokrati.

technocrat ['teknəkrǟt] teknokrat.

technological [teknə'lådʒikl] teknologisk.

technology [tek'nålədʒi] teknologi, teknik.

techy ['tetʃi] pirrelig, gnaven.

Ted [ted] fk. f. *Edward* el. *Theodore.*

ted [ted] sprede, vejre (hø). **tedder** høvender.

Teddy ['tedi] se *Ted.*

teddy boys (omtr. svarende til) svingpjatter, læderjakker.

Te Deum ['ti·'di·əm] Te-Deum, takkegudstjeneste.

tedious ['ti·diəs] kedelig, kedsommelig, trættende; vidtløftig, langsom.

tedium ['ti·diəm] kedsom(melig)hed, lede.

I. **tee** [ti·] (subst.) (i golf) underlag for kuglen, hvorfra første slag gøres; mål (i visse spil, f. eks. *curling);* (vb.) anbringe kuglen på underlaget; ~ *off* gøre det første slag i golf; begynde noget.

II. **tee** [ti·] bogstavet T; T-formet genstand.

teem [ti·m] myldre, vrimle, udfolde sig rigt; (glds.) føde, frembringe.

teen-age ['ti·ne'dʒ] alderen fra 13 til 19.

teen-ager ['ti·ne'dʒə] teenager, en der er mellem 13 og 19 år gammel.

teens [ti·nz]: *in one's ~* mellem 13 og 19 år gammel, halvvoksen.

teeny(-weeny) ['ti·ni('wi·ni)] lillebitte.

teeter ['ti·tə] (vb.) (amr.) vippe; vakle.

teeter(ing)-board (subst.) vippe.

teeth [ti·þ] pl. af *tooth.*

teethe [ti·ð] få tænder. **teething** tandgennembrud; ~ *ring* bidering; ~ *troubles* ondt for tænder; (fig.) begyndervanskeligheder.

teetotalism [ti·'toᵘtəlizm] totalafholdenhed.

teetotaller [ti·'toᵘtlə] totalafholdsmand.

teetotum [ti·'toᵘtəm] gi-ta (snurretop brugt til lykkespil).

tee-vee ['ti·'vi·] fjernsyn.

teg [teg] får i sit andet år; (ogs. om dets uld).

tegular ['tegjulə] teglstens-, lagt som teglsten.

tegument ['tegjumənt] (subst.) dække, hud.

tehee [ti·'hi·] fnisen; (vb.) fnise.

Teheran [tiə'ra·n].

teil [ti·l], **teil-tree** ♧ lind, lindetræ.

telecast ['telika·st] fjernsynsudsendelse, fjernsynsprogram; (vb.) udsende i fjernsyn.

telecommunication ['telikəmju·ni'ke'ʃən] telekommunikation (overføring af meddelelser pr. telefon, telegraf, radio, TV).

telegram ['teligrǟm] telegram.

telegraph ['teligra·f] telegraf; telegrafere.

telegrapher [ti'legrəfə] telegrafist.

telegraphese ['teligrə'fi·z] telegramstil.

telegraphic [teli'grǟfik] telegrafisk; ~ *address* telegramadresse; *-ally* telegrafisk.

telegraph|-key telegrafnøgle. ~ **-operator** telegrafist. ~ **-pole,** ~ **-post** telegrafpæl. ~ **-wire** telegrafledning.

telegraphy [ti'legrəfi] telegrafi.

Telemachus [ti'leməkəs] Telemachos.

telemechanics [telimi'kǟniks] telemekanik, radiofjernstyring (af mekaniske apparater).

telemeter [te'lemitə] telemeter (afstandsmåler).

telemetry [te'lemitri] afstandsmåling.

teleologic(al) ['teliə'lådʒik(l)] teleologisk. **teleology** [teli'ålədʒi] teleologi (læren om verdensordenens hensigtsmæssighed).

telepathic [teli'pǟþik] telepatisk.

telepathy [ti'lepəþi] telepati, tankeoverføring.

telephone ['telifoᵘn] (subst.) telefon; (vb.) telefonere, meddele pr. telefon, ringe op; *answer the ~* tage telefonen; *on the ~, over the ~* pr. telefon, i telefonen, telefonisk; *are you on the ~?* har De telefon? *you are wanted on the ~* der er telefon til Dem; *ring up on the* ringe op.

telephone| **book** telefonbog. ~ **booth** telefonboks. ~ **call** telefonopringning, telefonsamtale. ~ **directory** telefonbog; *classified ~ directory* fagbog. ~ **girl** telefondame; telefonistinde. ~ **operator** telefonist(inde). ~ **receiver** (tlf.) mikrotelefon, T (høre-) rør.

telephonic [teli'fånik] telefonisk.

telephonist [ti'lefənist] telefonist(inde).

telephony [ti'lefəni] telefoni, telefonering.

telephotography ['telifə'tågrəfi] fjernfotografering.

teleprinter ['teliprintə] fjernskriver.

telescope ['telisko^u p] (subst.) kikkert, teleskop; (vb.) skyde sammen, klemme sammen, forkorte; skydes sammen, blive trykket ind i hinanden.

telescopic [teli'skåpik] teleskopisk; sammenskydelig.

telescreen ['teliskri·n] fjernsynsskærm.

teletypewriter [teli'taipraitə] (amr.) fjernskriver.

teleview ['telivju·] (vb.) se fjernsyn. **televiewer** (fjernsyns)seer.

televise ['telivaiz] udsende i fjernsyn.

television [teli'viʒən] fjernsyn; *appear on ~* optræde i fjernsyn.

television receiver fjernsynsmodtager.

television transmitter fjernsynssender.

televisor ['telivaizə] fjernsynsapparat.

tell [tel] *(told, told)* fortælle; sige (til) (fx. *who told you?);* sladre; bede, befale (fx. *he told me to do it);* forsikre (fx. *I ~ you I won't!);* afgøre (fx. *it is difficult to ~ how it is done);* vide (fx. *how can you ~ what to do?);* kende, skelne (fx. *I cannot ~ one from the other);* vise (fx. *her face told her joy);* vidne om; gøre sin virkning; (glds.) tælle; *all told* alt iberegnet; *you're telling me!* tror du ikke jeg ved det! det kan jeg snakke med om! *I'm telling you!* ingen modsigelser her! *there is no telling if* det er ikke til at sige om, ingen kan vide om; *~ me another!* den må du længere ud på landet med! *I have been told* jeg har hørt; *he was told to go* man bad ham om at gå, man sagde til ham at han skulle gå; *~ fortunes* spå; *~ sby. goodby* (amr.) sige farvel til en; *~ sby. off* udtage en; T læse en teksten; *~ on, ~ upon* sladre om; virke på, tage på, kunne mærkes på (fx. *his age is beginning to ~ upon him).*

teller fortæller; tæller, stemmeoptæller; kasserer (i bank).

telling ['teliŋ] (adj.) virkningsfuld; (subst.) fortællen; *the story lost nothing in the ~* historien blev ikke kedeligere ved at blive genfortalt.

telltale ['telte^i l] (subst.) sladderhank; bevis; kontrolapparat, registreringsapparat; ⚓ sladrekompas; (adj.) sladderagtig, forræderisk, afslørende, som røber hvad der er sket; *~ clock* kontrolur.

tellural [tel'juərəl] jordisk.

tellurian [tel'juəriən] jordisk; jordboer.

tellurium [tel'juəriəm] tellur (et grundstof).

telly ['teli] T fjernsyn.

telpher ['telfə] transportvogn i elektrisk tovbane.

telpherage ['telfəridʒ] varetransport, især pr. elektrisk tovbane.

temerarious [temi'ræəriəs] forvoven, dumdristig, ubesindig. **temerity** [ti'meriti] forvovenhed, dumdristighed, ubesindighed.

I. **temper** ['tempə] (vb.) blande; mildne, dæmpe, temperere; sammensætte, afpasse, stemme; (i musik) temperere; (om glas og metal) hærde.

II. **temper** ['tempə] (subst.) (passende) blanding; hærdning; vrede, irritation, hidsighed; natur, sind (fx. *a difficult ~);* gemyt; stemning, fatning, humør; *in a (fit of) ~* i hidsighed; *in a good (, bad) ~* i godt (, dårligt) humør; *when the ~ is on him* når hidsigheden løber af med ham; *have -s* lide af humørsyge; *keep one's ~* beherske sig, lægge bånd på sig; *lose one's ~, get into a ~* blive hidsig; *out of ~* vred, gal i ho'det; *recover one's ~* genvinde sindsligevægten.

temperament ['tempərəmənt] temperament; gemyt; (i musik) temperatur.

temperamental [tempərə'mentəl] temperamentsbestemt; temperamentsfuld; lunefuld.

temperance ['tempərəns] afholdenhed, mådehold; afholds-. **temperate** ['tempərėt] tempereret (fx. *climate);* behersket; mådeholden.

temperature ['temprətʃə] temperatur; *develop a ~* få feber; *run a ~* have feber.

tempest ['tempist] storm, uvejr; (fig.) storm, oprør.

tempestuous [tem'pestjuəs] stormfuld, stormende.

templar ['templə] tempelherre; juridisk student; goodtemplar.

template ['templit] skabelon.

I. **temple** ['templ] tempel; *the Temple* Jerusalems tempel; *the Inner T., the Middle T.* navnet på to juristkollegier i London.

II. **temple** ['templ] (anat.) tinding.

temple-bone tindingeben.

templet ['templit] skabelon.

tempo ['tempo^u] (pl. ogs. *-pi* [-pi·]) tempo.

I. **temporal** ['temp(ə)rəl] hørende til tindingen; *~ bone* tindingeben.

II. **temporal** ['temp(ə)rəl] tids-, tidsmæssig; timelig, verdslig.

temporality [tempə'räliti] verdslig indtægt el. besiddelse; (jur.) midlertidighed.

temporary ['tempərəri] midlertidig, foreløbig, interimistisk.

temporize ['tempəraiz] søge at vinde tid; nøle, tøve; rette sig efter tid og omstændigheder. **temporizer** opportunist.

tempt [temt] friste; lokke.

temptation [tem'te^i ʃən] fristelse.

tempter frister. **tempting** fristende. **temptress** ['temtrės] fristerinde.

ten [ten] ti; tier; *the upper ~ (thousand)* aristokratiet.

tenability [tenə'biliti] holdbarhed. **tenable** ['tenəbl] holdbar, logisk; som kan forsvares.

tenace ['tene^i s] (i bridge) es og dame *(major ~)* eller konge og knægt *(minor ~)* af den udspillede farve på samme hånd.

tenacious [ti'ne^i ʃəs] klæbrig, sej, sammenhængende; hårdnakket, stædig; *be ~ of* holde stædigt fast ved.

tenacity [ti'näsiti] hårdnakkethed; klæbrighed, sejhed; *~ of life* sejlivethed; *~ of purpose* målbevidsthed.

tenancy ['tenənsi] besiddelse, forpagtning.

tenant ['tenənt] (subst.) besidder; lejer, forpagter, fæster, beboer; (vb.) forpagte, bebo, besidde; *~ at will* lejer der kan opsiges uden bestemt varsel.

tenant| **farmer** forpagter. ~ **rights** forpagters rettigheder (herunder forpagtningsret og erstatningsret).

tenantry ['tenəntri] forpagtere, fæstere.

tench [tenʃ] (zo.) suder.

I. **tend** [tend] have en vis retning, gå i en vis retning, stræbe *(to* mod); *~ to* (el. *towards)* (ogs.) sigte til, tjene til, tendere mod; have tilbøjelighed til, være tilbøjelig til (fx. *he -s to exaggerate).*

II. **tend** [tend] betjene, opvarte, passe, pleje, ledsage.

tendance ['tendəns] betjening, pleje.

tendency ['tendənsi] tendens, retning, tilbøjelighed. **tendentious** [ten'denʃəs] tendentiøs.

I. **tender** ['tendə] tender (kulvogn; proviantbåd).

II. **tender** ['tendə] (vb.) tilbyde; fremføre (fx. *one's thanks),* indgive (fx. *one's resignation); ~ for* give tilbud på; (subst.) (licitations)tilbud, overslag; *invite -s for* udbyde i licitation; *legal ~* lovligt betalingsmiddel.

III. **tender** ['tendə] (adj.) blød, mør; øm, ømskindet, sart, spæd, fin, følsom; nænsom, varsom, omsorgsfuld; ⚓ rank; (vb.) have kær, sætte pris på; *a ~ subject* et kildent emne.

tender|foot [ˈtendəfut] S nyankommen, grønskolling, begynder, novice; (om ulveunge:) ømfod. ~ **-footed** forsigtig, frygtsom, ny (i bestillingen), grøn. ~ **-hearted** blødhjertet, god, kærlig.
tenderize [ˈtenderaiz] gøre mørt (om kød).
tenderloin [ˈtendəloin] filet, mørbrad.
tendinous [ˈtendinəs] seneagtig, senet; sene-.
tendon [ˈtendən] sene.
tendril [ˈtendril] ♧ slyngtråd.
tenebrific [teniˈbrifik] formørkende.
tenebrous [ˈtenibrəs] mørk, skummel.
tenement [ˈtenimənt] beboelseshus; lejlighed; lejekaserne; (jur.) besiddelse, ejendom; jord man har i forpagtning.
tenement house lejekaserne.
tenet [ˈti·net] grundsætning, princip; læresætning, trossætning, dogme.
tenfold [ˈtenfoᵘld] tifold.
ten-gallon hat (amr.) stor bredskygget cowboyhat.
Tenn. fk. f. *Tennessee; Tennyson.*
tenner [ˈtenə] tipundsseddel; (amr.) tidollarseddel.
Tennessee [teneˈsi·].
tennis [ˈtenis] tennis. **tennis-court** tennisbane.
Tennyson [ˈtenisən].
tenon [ˈtenən] (subst.) (sinke)tap; (vb.) sinke; forme som en tap. **tenon saw** listesav.
tenor [ˈtenə] forløb, retning, bane; hovedindhold, det centrale; ordlyd; ånd, tone; (i musik) tenor; ~ *(violin)* bratsch.
tenpins [ˈtenpinz] (form for) keglespil.
tenrec [ˈtenrek] (zo.) tanrek, børstesvin.
I. **tense** [tens] (subst., gram.) tid, tempus.
II. **tense** [tens] spændt, stram; anspændt; (vb.) (an)spænde.
tensile [ˈtensail] strækbar; ~ *strength* (s)trækstyrke; ~ *stress* trækspænding; ~ *test* (s)trækprøve.
tension [ˈtenʃən] spænding, strækning; spændkraft (fx. *of a spring* fjeder); anspændthed; spændt forhold (fx. *between two nations).*
tensor [ˈtensə] (anat.) strækkemuskel.
tent [tent] (subst.) telt, bolig; (vb.) (lade) ligge i telt; *pitch a* ~ slå et telt op, rejse et telt.
tentacle [ˈtentəkl] føletråd, følehorn, fangarm.
tentative [ˈtentətiv] (adj.) prøvende, forsøgsvis; (subst.) (forsigtigt) forsøg; føler.
I. **tenter** [ˈtentə] maskinpasser.
II. **tenter** [ˈtentə] (subst.) klæderamme; strækramme; tørrestativ; (vb.) udspænde på en ramme.
tenterhook [ˈtentəhuk] krog på strækramme; *on -s* i pinlig spænding, utålmodig, som på nåle.
tenth [tenþ] tiende; tiendedel.
tent-peg [ˈtentpeg] teltpløk.
tent-pegging [ˈtentpegiŋ] (militæridræt, der går ud på, at rytteren med spidsen af sin lanse skal rykke en nedrammet teltpløk op af jorden).
tenuity [tiˈnjuiti] tyndhed, finhed.
tenuous [ˈtenjuəs] tynd, fin; svag, spinkel.
tenure [ˈtenjə] besiddelse, besiddelsesform (fx. *feudal* ~ lensbesiddelse); ~ *of office* embedstid; *permanency of* ~ fast ansættelse.
tepee [ˈti·pi·] indianertelt.
tepefy [ˈtepifai] gøre (el. blive) lunken.
tepid [ˈtepid] (ogs. fig.) lunken. **tepidity** [teˈpiditi] lunkenhed; lunken tilstand.
teratoid [ˈterətoid] misdannet, abnorm.
teratology [terəˈtålədʒi] studium af misdannelser.
tercentenary [tə·senˈti·nəri] trehundredårig; trehundredeårsdag.
terebinth [ˈterəbinþ] ♧ terpentintræ.
teredo [teˈri·doᵘ] (zo.) pæleorm.
terek [ˈterek] (zo.) terekskIire.
tergiversate [ˈtə·dʒivə·seⁱt] vise vankelmodighed, skifte standpunkt, falde fra.
tergiversation [tə·dʒivə·ˈseⁱʃən] vaklen, vægelsindethed; frafald; *-s* (ogs.) skiftende standpunkter.
I. **term** [tə·m] (subst.) periode, tid (fx. ~ *of office* embedstid), åremål; (især merk.) frist, termin, løbetid; vilkår (fx. *on easy -s* på lempelige v.), betingelse; (på skole etc.) termin, semester; (sprogligt:) udtryk, vending (fx. *in flattering -s);* (mat.) led; (glds.) grænse; *-s* (ogs.) pris (fx. *the -s are £1 a day); in -s of* udtrykt i (fx. *in -s of money); in -s of high praise* i meget rosende vendinger; *-s of reference* kommissorium, kompetenceområde; *-s of trade* bytteforhold; *on familiar -s* på fortrolig fod; *bring sby. to -s* få en til at gå ind på betingelserne (el. falde til føje); *come to -s with* komme til enighed med, affinde sig med.
II. **term** [tə·m] (vb.) benævne, kalde (fx. *he -s himself a doctor).*
termagant [ˈtə·məgənt] arrig kvinde, 'drage', furie.
termer [ˈtə·mə] fange.
terminable [ˈtə·minəbl] opsigelig, som kan begrænses (el. ophæves), som kan bringes til ophør.
terminal [ˈtə·minəl] (adj.) slut-, ende-; yder-; endelig, yderst; grænse-; termins- (fx. *payments);* (subst.) endestation; endepunkt; (elekt.) pol; klemskrue; ~ *moraine* endemoræne; ~ *report* terminsvidnesbyrd; ~ *velocity* sluthastighed.
terminate [ˈtə·mineⁱt] begrænse, ende, afslutte; slutte, bringe til ophør; ophøre; ophæve, opsige.
termination [tə·miˈneⁱʃən] begrænsning, ende, slutning, ophør, udløb, ophævelse, opsigelse.
terminative [ˈtə·minətiv] afsluttende, afgørende.
terminology [tə·miˈnålədʒi] terminologi.
termin|us [ˈtə·minəs] (pl. *-i* [-ai]) endestation.
termite [ˈtə·mait] termit (hvid myre).
tern [tə·n] (zo.) terne.
ternary [ˈtə·nəri] (adj.) tre-; trefoldig.
ternery [ˈtə·nəri] ternekoloni.
Terpsichore [tə·pˈsikəri].
terrace [ˈterės] (subst.) terrasse; gade hvis huse er trukket tilbage fra gadelinjen; (vb.) anlægge terrassevis. **terrace(d) houses** rækkehuse.
terra-cotta [ˈterəˈkåtə] terrakotta.
terrain [ˈtereⁱn] terræn.
terrapin [ˈterəpin] (zo.): *diamondback* ~ knopskildpadde.
terraqueous [teˈreⁱkwiəs] bestående af (el. omfattende) land og vand.
terrazzo [teˈrätsoᵘ] terrazzo.
terrene [ˈteri·n] jordisk.
terrestrial [təˈrestriəl] (adj.) terrestrisk, jordisk; jord-, land-; (subst.) jordboer; ~ *globe* globus.
terrible [ˈteribl] forfærdelig, frygtelig.
terrier [ˈteriə] (zo.) terrier.
terrific [təˈrifik] frygtelig, skrækindjagende; enorm, vældig, gevaldig; *it was -ally good of you* det var forfærdelig pænt af Dem.
terrify [ˈterifai] forfærde.
territorial [teriˈtå·riəl] (adj.) territorial; (subst.) soldat i *the Territorial Army* (el. *Force)* territorialhæren, landeværnet; ~ *waters* territorialfarvand.
territory [ˈteritəri] territorium, område.
terror [ˈterə] skræk, rædsel, terror; (fig.) rædsel, plage; (se ogs. *holy terror).*
terrorism [ˈterərizm] terrorisme, voldsherredømme. **terrorist** [ˈterərist] terrorist. **terrorize** [ˈterəraiz] terrorisere.
terse [tə·s] fyndig, kort og klar, rammende.
tertian [ˈtə·ʃən]: ~ *(fever)* andendagsfeber.
tertiary [ˈtə·ʃəri] tertiær.
tessellate [ˈtesileⁱt] (vb.) gøre ternet el. rudet; indlægge med mosaik (som består af *tesserae).*
tesser|a [ˈtesərə] (pl. *-ae* [-ri·]) mosaiksten.
test [test] (subst.) prøve, analyse, undersøgelse; prøvesten, kriterium; (kem.) prøvedigel, prøvemiddel; (psyk.) test; (vb.) probere, prøve; efterprøve; afprøve; *stand the* ~ bestå prøven; *put to the* ~ sætte på prøve; *the Test Act* (en 1828 ophævet, mod katolikkerne rettet, engelsk lov).
testament [ˈtestəmənt] testamente.
testamentary [testəˈmentəri] testamentarisk.

testamur [te'ste'mə] eksamensbevis.
testator [te'ste'tə] testator, arvelader.
test case (jur.) principiel sag, prøvesag.
tester ['testə] guardejn; prøveapparat; undersøger; baldakin, sengehimmel.
testicle ['testikl] testikel.
testify ['testifai] bevidne; bekræfte; vidne *(to* om).
testimonial [testi'moᵘnjəl] vidnesbyrd, attest; hædersgave.
testimony ['testiməni] vidnesbyrd, vidneudsagn, vidneforklaring; erklæring.
test|-match kricketlandskamp (is. mellem England og Australien). ~ **pattern** (i fjernsyn) prøvebillede. ~ **pilot** testpilot, indflyver. ~ **-tube** reagensglas.
testudo [te'stju·doᵘ] skjoldtag, skjoldborg; landskildpadde.
testy ['testi] irritabel, opfarende.
tetanus ['tetənəs] stivkrampe.
tetchy ['tetʃi] pirrelig, gnaven.
tête-à-tête ['te'it a· 'te'it] (subst.) tête-à-tête; samtale under fire øjne; (adj.) fortrolig; under fire øjne.
tether ['teðə] (subst.) tøjr; (vb.) tøjre, binde; *be at the end of one's* ~ ikke kunne (holde til) mere, have udtømt sine kræfter.
tetrachloride ['tetrə'klå·raid]: *carbon* ~ tetraklorkulstof.
tetrarch ['tetra·k] tetrark, fjerdingsfyrste.
tetter ['tetə] udslæt, eksem.
Teuton ['tjutən] teutoner. **Teutonic** [tju'tånik] teutonsk, germansk.
Tex. fk. f. *Texas.* **Texas** ['teksəs].
text [tekst] tekst; skriftsted; emne; lærebog.
textbook lærebog.
textile ['tekstail] vævet; tekstil-; vævet stof, tekstil.
textual ['tekstjuəl] tekst-; ordret.
texture ['tekstʃə] vævning, væv; sammensætning, struktur; (i kunst) stofvirkning.
T. F. fk. f. *Territorial Force.*
Thackeray ['þäkəri].
Thailand ['tailänd] Thailand, Siam.
Thalia [þə'laiə] Thalia (komediens muse).
Thames [temz]: *the* ~ Themsen; *he will never set the* ~ *on fire* han er ikke nogen ørn, han har ikke opfundet krudtet.
than [ðän, alm. svagt ðən] end; *we need go no farther* ~ (end til) *France; he showed more courage* ~ (end der) *was to be expected.*
thane [þe'n] (hist.) than, lensmand.
thank [þäŋk] takke; ~ *God* Gud være lovet; Gud ske lov; ~ *you!* tak! *no,* ~ *you!* nej tak! ~ *you very much!* mange tak! ~ *you for nothing!* (ironisk til en der ikke har villet hjælpe osv.) tak for Deres venlighed! *I will* ~ *you to leave my affairs alone* vær så venlig at holde Dem fra mine sager; *you have only yourself to* ~ det er din egen skyld.
thankful ['þäŋkful] taknemlig.
thankless ['þäŋklės] utaknemlig.
thanks [þäŋks] tak, taksigelser; *many* ~, ~ *very much* mange tak! *no* ~*!* nej tak! ~ *to* takket være (fx. ~ *to his help I succeeded); we succeeded, small* ~ *to him* det var ikke hans skyld at det lykkedes os; ~ *be to God* Gud være lovet, Gud ske lov.
thanksgiving ['þäŋksgiviŋ] taksigelse, takkefest; *Thanksgiving Day* helligdag i U.S.A., fjerde torsdag i november.
that 1. [ðät] (påpegende pron.) den, det; denne, dette (pl. *those* de, dem, disse, hine); 2. [ðət] (relativt pron.) der, som (næsten kun brugt i bestemmende relativsætninger); da (fx. *the year that his brother died);* hvorpå; 3. [ðət] (konj.) at, så at, for at; fordi; gid; 4. [ðät] (adv.) så;
eksempler: 1. *at that* oven i købet; *that which* det som, hvad der; *there are those who* (dem, der) *say; (well,) that's that* så er den ikke længere; *hand me the scissors, that's a dear!* ræk mig lige saksen, så er du rar; *that awful wife of his* den rædsomme kone han har; 2. *fool that he was* nar som han var; *those that love us* de som holder af os; *the books that you lent me* de bøger som du lånte mig; *in the manner that ...* på den måde, hvorpå ...; 3. *I know that it is so* jeg ved at det forholder sig sådan; *I am so tired that I cannot go on* jeg er så træt at jeg ikke kan fortsætte; *in that* idet, forsåvidt, fordi, derved at; *oh, that I could see him again* gid (el. blot) jeg kunne se ham igen; *he died that we may live* han døde for at vi kan leve; 4. *I was that angry I could have struck him* **T** jeg var så vred, at jeg kunne have slået ham.
thatch [þätʃ] (subst.) tækkehalm, stråtag; **T** paryk; (vb.) tække; *-ed* stråtækt; *-ing* tækkemateriale.
thaw [þå·] (vb.) tø; tø op; (subst.) tø, tøvejr; ~ *out* tø op.
the [foran vokal ði, foran konsonant ðə, med stærk betoning ði·] den, det, de; -(e)n, -(e)t, -(e)ne; des, desto, jo; ~ *boy* drengen; ~ *big boy* den store dreng; ~ *boy who saw him* den dreng der så ham; *is he the* [ði·] (den bekendte) *Dr. Jones? he gave a* [e'] *reason but not the* [ði·] *reason* han angav en grund, men ikke den virkelige grund; ~ *less so as ...* så meget mindre som ...; ~ *sooner* ~ *better* jo før jo hellere; *so much* ~ *worse* så meget des værre.
theatre ['þiətə] teater; skueplads (fx. *the* ~ *of his early triumphs);* sal, forelæsningssal (med tilhørerpladser hævet trinvis over hinanden); dramatisk litteratur, dramatiske værker (fx. *Goethe's* ~*);* ~ *of war* krigsskueplads.
theatre-in-the-round arenateater.
theatrical [þi'ätrikl] teater- (fx. *performance);* teatralsk; *private -s* dilettantkomedie.
Thebes [þi·bz] Theben.
thee [ði·] (glds.) dig.
theft [þeft] tyveri.
thegn [þe'n] (hist.) than, lensmand.
their [ðæə] deres; ~ *money* deres penge.
theirs [ðæəz] deres (fx. *the money is* ~*).*
theism ['þi·izm] teisme.
theist ['þi·ist] teist (tilhænger af teisme).
them [ðem, svagt ðəm] dem; (vulg.) de (fx. *take* ~ *books).*
thematic [þi'mätik] tematisk, emne-; (gram.) stamme- (fx. *vowel).*
theme [þi·m] tema, emne; opgave, afhandling, stil; (i radio) kendingsmelodi; (gram.) stamme.
themselves [ðəm'selvz] sig; sig selv; dem selv; selv; *they defend* ~ de forsvarer sig.
then [ðen] da, dengang, på den tid; derefter, derpå, så; derfor, altså, i det tilfælde; daværende (fx. *the* ~ *governor); there and* ~ på stående fod, på stedet, straks; *by* ~ da, indtil da; *I shall be back by* ~ jeg kommer tilbage inden den tid; *from* ~ *onwards* fra den tid af; *till* ~ indtil da; *he had very strange visitors sometimes, but* ~*, of course, he had travelled a lot* .. men han havde jo også rejst meget.
thence [ðens] derfra, fra den tid, derfor; *from* ~ derfra. **thence|forth** ['ðens'få·þ], **-forward** ['ðens'få·wəd] fra den tid af.
theodolite [þi'ådəlait] teodolit (landmålerinstrument).
theol. fk. f. *theology.*
theo|logian [þi·ə'loᵘdʒiən] teolog. **-logic(al)** [þiə'lådʒikl(l)] teologisk. **-logy** [þi'ålədʒi] teologi.
theorem ['þiərem] læresætning, sætning.
theoretic(al) [þiə'retik(l)] teoretisk.
theorist ['þiərist] teoretiker.
theorize ['þiəraiz] teoretisere.
theory ['þiəri] teori.
theoso|phic(al) [þiə'såfik(l)] teosofisk. **-phist** [þi'åsəfist] teosof. **-phy** [þi'åsəfi] teosofi.
therapeutic [þerə'pju·tik] terapeutisk, lægende; *-s,* se *therapy.*
therapist ['þerəpist]: *occupational* ~ beskæftigelsesterapeut. **therapy** ['þerəpi] terapi.
there [ðæə] der, derhen, dertil; deri, i det (fx. ~ *I disagree with you); he is all* ~ han er vaks; *he is not*

all ~ han er ikke rigtig vel forvaret; *get* ~, se *get;* ~ *is cheese and cheese* ost og ost er to ting; *hand me the scissors,* ~ *'s a dear!* ræk mig lige saksen, så er du rar; ~ *is no knowing* man kan aldrig vide; ~ *he is* der er han; ~ *is a knock* det banker; ~ *is money in it* der er penge at tjene; ~ *is friendship for you!* det kan man kalde venskab! *he left* ~ *last night* han tog derfra i går aftes; ~ *(now)!* der kan du (selv) se (hvad jeg sagde)! se så (nu er det overstået)! *there, there!* så! så! ~ *you are* værsgo'; se så! så er den klaret; der kan du se hvad jeg sagde.

there|about(s) der omkring. **-after** derefter. **-at** derved. **-by** derved. **-fore** derfor, følgelig. **-from** derfra. **-in** [ðæə'rin] deri. **-in-after** [ðæərin'a·ftə] i det følgende. **-of** [ðæə'råv] deraf. **-to** dertil. **-upon** [ðæərə'pån] derpå, på grundlag deraf, derfor, straks derefter. **-with** dermed. **-withall** desuden.

therm [þə·m] (varmeenhed).

thermal ['þə·məl] varme- (fx. *barrier* mur); varm (fx. *spring* kilde); (subst., flyv.) termik.

thermionic [þə·mi'ånik]: ~ *valve,* (amr.) ~ *tube* glødekatoderør.

thermo- ['þə·mo^u^] varme-, termo-.

thermo|chemistry termokemi. ~ **-couple** termoelement. **-electricity** termoelektricitet. **-genesis** varmefrembringelse. **-gram** termogram. **-graph** termograf, selvregistrerende termometer. **-logy** [þə'målədʒi] varmelære.

thermometer [þə'måmitə] termometer; *clinical* ~ lægetermometer.

thermo|metry [þə'måmitri] varmemåling. **-nuclear** ['þə·mo'nu·kliə] termonuklear; ~ *bomb* brintbombe. **-phore** ['þə·mofå·] varmeapparat. **-plastic** ['þə·mo'plästik] termoplastisk.

thermos ['þə·mås] ®: ~ *(flask)* termoflaske.

thermo|setting ['þə·mo'setiŋ] termohærdnende. **-stat** ['þə·mostät] termostat. **-static** [þə·mo'stätik] termostatisk; *-static control* termostatstyring. **-therapy** ['þə·mo'þerəpi] (med.) varmebehandling.

thesaur|us [þi'så·rəs] (pl. *-i* [-ai]) thesaurus, ordbog.

these [ði·z] disse (pl. af *this).*

thesis ['þi·sis] (pl. *theses* ['þi·si·z]) tesis, tese; afhandling, disputats.

Thespian ['þespiən] vedrørende skuespilkunst.

theurgic [þi'ə·dʒik] magisk, trolddomsagtig. **theurgy** ['þi·ə·dʒi] guddomsværk, mirakel; magi, trolddomskunst.

thews [þju·z] (pl.) muskler, (muskel)kraft.

they [ðe^i^] de; man, folk.

thick [þik] tyk, tæt, uklar; sløv, dum; (om stemme) tyk, grødet; (subst.) tætteste (el. tykkeste) del; **T** fjog; *in the* ~ *of the fight* der hvor kampen er hedest; *in the* ~ *of it* der hvor det foregår; *that's a bit* ~ det er dog et stift stykke; *they are rather* ~ de er gode venner; *they are as* ~ *as thieves* de er meget fine venner, de hænger sammen som ærtehalm; *lay it on* ~ smøre tykt på; *go with him through* ~ *and thin* følge ham i tykt og tyndt.

thicken ['þikn] gøre (, blive) tyk (el. tæt); tiltage; jævne (fx. *gravy* sovs); *the plot -s* knuden strammes (fx. i roman); situationen bliver mere og mere indviklet.

thickening fortykkelse; jævning.

thicket ['þikit] krat, skovtykning.

thick|-headed ['þikhedid] tykhovedet. **-ness** tykkelse; tæthed; lag. **-set** tæt, tætplantet, tætvoksende; (om person) undersætsig ~ **-skinned** tykhudet, ufølsom. ~ **-skulled** tykhovedet, sløv. ~ **-witted** tungnem.

thief [þi·f] (pl. *thieves* [þi·vz]) tyv; (bibl.) røver (fx. *the thieves upon the Cross).* **thieve** [þi·v] stjæle.

thieves'| kitchen tyverede. ~ **Latin** tyvesprog.

thievish ['þi·viʃ] tyvagtig.

thigh [þai] lår.

thill [þil] vognstang, enspændervognstang.

thimble ['þimbl] fingerbøl; ⚓ kovs.

thimble|rig ['þimblrig] narre, fuppe. **-rigger** taskenspiller.

thin [þin] (adj.) tynd, smal, mager, fin, spæd, spinkel; tyndt besat, fåtallig (fx. *audience);* (fig. ogs.) dårlig (fx. *excuse),* let gennemskuelig (fx. *disguise);* (vb.) fortynde, formindske, tynde ud; ~ *down* fortynde, spæde op; ~ *out* tynde ud.

thine [ðain] din, dit, dine.

thing [þiŋ] ting, sag; tingest; *-s* (ogs.) tøj, kluns; sager, grejer; *of all -s!* nu har jeg aldrig! *and -s* og den slags; *-s are getting worse and worse* forholdene (el. situationen) bliver værre og værre; *that's the chief* ~ det er hovedsagen; *it's not the done* ~ det kan man ikke; *we'll do it first* ~ *(in the morning)* vi gør det straks i morgen tidlig; *the good -s of life* livets goder; *old* ~ gamle ven; *for one* ~ for det første, først og fremmest; *-s personal* (jur.) personlige ejendele, løsøre; *poor little* ~ den lille stakkel; *she is a proud little* ~ hun er en stolt lille en; *I don't feel quite the* ~ jeg føler mig ikke helt vel; *the* ~ (ogs.) det helt rigtige, det tiltrængte; *the* ~ *is* det gælder om (fx. *the* ~ *is to say nothing);* sagen er den; *it is a strange* ~ *that* det er mærkeligt at; *know a* ~ *or two* være med på den, være vaks.

thingamy ['þiŋəmi], **thingumbob** ['þiŋəmbåb], **thingummy** ['þiŋəmi] tingest, dims, dippedut.

think [þiŋk] *(thought, thought)* tænke, tro, mene; anse for; synes, bilde sig ind; forestille sig, tænke sig; begribe; *little did he* ~ *that* lidet anede han at; ~ *about* tænke på (fx. ~ *about one's home);* tænke over (fx. *I must* ~ *about it);* ~ *of* tænke på, tænke over; tænke om (fx. *I should not have thought it of him);* finde på, hitte på; drømme om (fx. *I shouldn't* ~ *of doing it);* komme i tanke om, huske (fx. *I can't* ~ *of her name);* ~ *highly of,* ~ *much of* have store tanker om; ~ *nothing of* ikke regne for noget; ~ *out* udtænke; gennemtænke; ~ *over* tænke over, overveje; ~ *up* (amr.) hitte på, udtænke; *that's what you* ~ det er da noget du tror.

thinkable tænkelig. **thinker** tænker.

thinking tænkning, tanker, mening; tænkende.

thinking-cap: *put on one's* ~ lægge hovedet i blød.

thinner ['þinə] fortynder, fortyndingsmiddel.

thin-skinned tyndhudet, tyndskallet, ømfindtlig.

third [þə·d] tredje; tredjedel; terts. **third| degree** tredjegradsforhør; tortur. **-ly** for det tredje. ~ **party liability insurance** ansvarsforsikring. ~ **-rate** tredjeklasses.

thirst [þə·st] tørst; tørste; ~ *for* tørst efter; tørste efter. **thirsty** ['þə·sti] tørstig; som man bliver tørstig af (fx. *it is* ~ *work).*

thirteen ['þə·'ti·n] tretten. **thirteenth** trettende (-del).

thirtieth ['þə·tiiþ] tredivte(del).

thirty ['þə·ti] tredive.

this [ðis] denne, dette, det her (pl. *these* disse); **T** så (fx. ~ *far* ~ *much);* by ~ herved; nu, allerede; *by* ~ *time* nu, allerede; ~ *morning* i morges, nu til morgen, i formiddag; ~ *day week* i dag otte dage; ~ *(last) half-hour* i den sidste halve time; *like* ~ på denne måde; af denne slags; ~ *and that,* ~ *that and the other* did og dat, dette og hint, både det ene og det andet, alt muligt; *these days* i disse dage, for tiden; *one of these days* en skønne dag; *these forty years* de sidste (el. de første) fyrre(tyve) år.

thistle ['þisl] tidsel; (Skotlands nationalsymbol). **thistle-down** tidselfnug.

thither ['ðiðə] derhen. **thither|to** indtil da. **-ward** hen i den retning.

tho' fk. f. *though.*

thole [þo^u^l], **thole-pin** åretold.

Thomas ['tåməs]. **Thom(p)son** ['tåmsn].

thong [þåŋ] (subst.) rem; (vb.) spænde fast med rem el. remme; piske.

thoracic [þə'räsik] bryst-; ~ *vertebrae* ryghvirvel.

thorax ['þå·räks] brystkasse, bryst.

Thoreau ['þå·ro^u^].

thorium ['þå·riəm] thorium.

thorn [þå·n] torn, vedtorn; tjørn, hvidtjørn; *a ~ in the flesh* en pæl i kødet; en stadig kilde til ærgrelse; *be* (el. *sit) on -s* sidde som på nåle.
thorn-apple ♧ pigæble; tjørnebær.
thorny ['þå·ni] tornefuld, tornet; *a ~ question* et kildent (el. vanskeligt) spørgsmål.
thorough ['þʌrə] fuldstændig, grundig, indgående, gennemgribende; (glds.) gennem.
thorough|-bass generalbas. **~ -bred** fuldblods; kultiveret, racepræget; (subst.) fuldblodshest; racedyr; kulturmenneske. **-fare** gennemgang, passage, færdselsåre, (hoved)gade; *no -fare* gennemkørsel forbudt. **~ -going** fuldstændig, grundig, gennemført. **-ly** ganske, fuldkommen. **-ness** fuldstændighed, grundighed. **~ -paced** ærke-, gennemført.
Thos. fk. f. *Thomas.*
those [ðoᵘz] de, dem, disse, hine (pl. af *that).*
thou [ðau] (glds.) du; (vb.) dutte, sige du til.
though [ðoᵘ] skønt, endskønt, selv om; (sidst i sætningen) alligevel; *as ~* som om; *it is not as ~* det er ikke fordi; *even ~* selv om; *what ~* (glds.) hvad (gør det) om; *it is dangerous, ~* det er nu alligevel farligt; *did she ~?* gjorde hun virkelig? *I wish you had told me ~* jeg ville nu alligevel ønske du havde sagt mig det.
I. **thought** [þå·t] imperf. og perf. part. af *think.*
II. **thought** [þå·t] tanke; omtanke (fx. *full of ~ for him);* tankegang, tænkemåde, tænkning (fx. *Greek ~);* overvejelse (fx. *after serious ~);* lille smule, lidt (fx. *a ~ too sweet); he never gave it a second ~* han tænkte overhovedet ikke på det mere; *take ~ for* bekymre sig om; *food for ~* stof til eftertanke; *absorbed* (el. *lost) in ~* i dybe tanker; *school of ~* åndsretning; *he had no ~ of doing it* det var ikke hans mening (el. hensigt) at gøre det; *on second -s* ved nærmere eftertanke.
thought|ful tankefuld; betænksom, hensynsfuld, opmærksom; bekymret, alvorlig. **-less** tankeløs, ubetænksom, hensynsløs; ubekymret, ligegyldig. **~ -reading** tankelæsning. **~ -transference** tankeoverføring, telepati.
thousand ['þauz(ə)nd] tusind. **thousandth** tusindedel; (den) tusinde.
thraldom ['þrå·ldəm] trældom.
thrall [þrå·l] træl, slave; trældom.
thrash [þräʃ] tærske; piske; slå, prygle; *~ out* (fig.) drøfte til bunds.
thrasher, se *thresher;* (amr., zo.) spottedrossel; røddrossel.
thrashing dragt prygl; omgang klø.
thread [þred] (subst.) tråd, gevind, skruegænge; (vb.) træde (en nål); trække på tråd (, snor) (fx. *pearls);* skære gevind i; *~ the film* lægge (el. sætte) filmen i (forevisnings)apparatet; *-ed with* (fig.) gennemtrukket af; *~ one's way* bevæge sig med forsigtighed, sno sig frem (fx. *~ one's way between the carriages); hang by a ~* hænge i en tråd.
thread|bare luvslidt; (fig.) forslidt. **~ -paper** vindsel. **-worm** trådorm.
thready ['þredi] trådagtig; svag, tynd.
threat [þret] trussel.
threaten ['þretn] true; true med; *-ing* truende.
three [þri·] tre, tretal, treer.
three|-cornered trekantet, med tre deltagere. **~ D** tredimensional. **-fold** trefold; trefoldig. **~ -master** tremaster. **-pence** ['þrepəns, 'þripəns] tre pence. **-penny bit** ['þrepənibit, 'þri-] trepennystykke. **~ -piece** som består af tre dele. **~ -ply** tredobbelt (om finér); treslået (om garn). **~ -point landing** (flyv.) tre-punkts landing (alle tre hjul rører jorden samtidig). **-score** tres. **~ -stage rocket** tretrinsraket.
threnode ['þri·noᵘd], **threnody** ['þri·nədi] klagesang.
thresh [þreʃ] tærske.
thresher tærsker; tærskeværk; (zo.) rævehaj.
threshing|-floor logulv. **~ -machine** tærskeværk.
threshold ['þreʃoᵘld] tærskel.
threw [þru·] imperf. af *throw.*
thrice [þrais] (glds.) tre gange, trefold.
I. **thrift** [þrift] sparsommelighed, økonomi.
II. **thrift** [þrift] ♧ engelskgræs.
thrift|iness sparsommelighed. **-less** ødsel.
thrifty ['þrifti] sparsommelig; (amr.) blomstrende.
thrill [þril] (subst.) gys, gysen; (vb.) få til at gyse; gennembæve, betage; dirre; *~ to the bone* gå igennem marv og ben; *-ing* (ogs.) spændende, gribende.
thriller ['þrilə] gyser (roman, film etc.).
thrive [þraiv] *(throve, thriven)* trives, blomstre; være heldig, have fremgang.
thriven ['þrivn] perf. part. af *thrive.*
thriving ['þraiviŋ] (adj.) blomstrende; heldig, fulgt af held.
thro' fk. f. *through.*
throat [þroᵘt] svælg, strube, hals; (snæver) indgang; munding; ⚓ kværk (på sejl); *cut sby.'s ~* skære halsen over på en; *cut each other's -s* konkurrere hinanden sønder og sammen; *have a sore ~* have ondt i halsen; *jump down his ~* (fig.) falde 'over ham; *ram* (el. *thrust) it down his ~* pånøde ham det.
throat latch kæberem.
throaty ['þroᵘti] guttural, strube-; grødet (fx. *voice).*
throb [þråb] (vb.) banke (om puls, hjerte), banke hurtigt; pulsere; (subst.) pulseren, banken, slag.
throe [þroᵘ] kval, vånde; *-s* (ogs.) fødselsveer.
thrombosis [þråm'boᵘsis] dannelse af blodprop.
thrombus ['þråmbəs] blodprop.
throne [þroᵘn] trone; (vb.) sætte på tronen.
throne-room tronsal.
throng [þråŋ] (subst.) trængsel, skare; (vb.) stimle sammen, flokkes; *-ed* (adj.) fyldt til trængsel.
throstle ['þråsl] sangdrossel; (tekn.) drosselstol.
throttle ['þråtl] (vb.) kvæle, kværke; kvæles; (subst.) kværk, strube; (tekn.) reguleringsspjæld, gasspjæld; *at full ~* for fuld gas; *~ lever* gashåndtag.
through [þru·] igennem, i løbet af; ved, på grund af; færdig, til ende; (amr.) til og med (fx. *from Monday ~ Saturday); all ~* hele tiden; *~ and ~* fra ende til anden; helt igennem; *~ carriage* gennemgående vogn; *~ traffic* gennemgående trafik; *no ~ traffic* gennemkørsel forbudt; *be ~ with* være færdig med (fx. *I am ~ with you); go ~, see ~* etc., se hovedordet; *wet ~* gennemblødt.
throughout [þru·'aut] helt igennem; *~ the country* over hele landet; *~ his life* hele livet (igennem).
throve [þroᵘv] imperf. af *thrive.*
I. **throw** [þroᵘ] *(threw, thrown)* kaste; smide; sno, tvinde; styrte; kaste af (fx. *a horse that -s its rider);* føde (fx. *the mare threw its foal); ~ dust in the eyes of sby.* stikke én blår i øjnene; *~ a party* **T** holde et selskab; *~ stones* kaste med sten;
~ one's arms about fægte med armene; *~ money about* slå om sig med (el. bortødsle) penge; *~ away* smide væk; miste, øde, forspilde; henkaste; *she'll ~ herself away on him* ɔ: hun er da for god til ham; *~ back* kaste tilbage, sætte tilbage; (biol.) være atavistisk præget, opvise atavistiske træk; *~ down* rive omkuld, styrte; nedrive; *~ down one's tools* nedlægge arbejdet;
~ in give i tilgift (el. oven i købet); *~ in one's hand* opgive ævred; *~ into relief* stille i relief; *~ into the shade* sætte (el. stille) i skygge; *~ oneself into the work* kaste sig over (el. ud i) arbejdet; *~ off* kaste af, fordrive; opgive; blive af med; henkaste, ryste ud af ærmet (fx. *poems);* forstyrre; *~ on* vælte over på, henvise til; *~ oneself on their mercy* sætte sin lid til deres barmhjertighed; overgive sig til dem på nåde og unåde; *~ on one's clothes* stikke i tøjet;
~ (wide) open åbne (på vid gab) (fx. *a door);* åbne for publikum (fx. *~ open a park); ~ out* smide ud; forkaste, afvise; lade falde (fx. *~ out a hint* et vink); bygge til (fx. *~ out a new wing* fløj); udsende, udstråle; forstyrre, bringe ud af det; spolere; *~ over* opgive; kassere, afskedige, give løbepas, droppe, slå hånden

af; ~ *together* smække sammen i en fart; bringe sammen (tilfældigt) (fx. *fate threw us together*); ~ *up* (ogs.) kaste op, brække sig; ~ *up the sponge* opgive ævred; ~ *up a window* smække et vindue op.

II. **throw** [þroᵘ] kast, slag; *a stone's* ~ et stenkast.

throw-back ['þroᵘbäk] individ hos hvem træk arvet fra en fjern forfader træder stærkt frem, atavistisk individ. **thrown** [þroᵘn] perf. part. af *throw*.

thru [þru·] (amr.) = *through*.

thrum [þrʌm] (subst.) trådende; klimpren; (vb.) klimpre (på); tromme (med fingrene) (fx. ~ *on the table*); *-s* garnrester.

thrush [þrʌʃ] (zo.) (sang)drossel; (med.) trøske.

I. **thrust** [þrʌst] *(thrust, thrust)* støde, bore, stikke; jage; skyde, skubbe; tilskynde; påtvinge; trænge, trænge sig, mase sig; ~ *it on him* påtvinge ham det.

II. **thrust** [þrʌst] (subst.) stød, puf, stik; (tekn.) tryk; ⚔ fremstød, angreb; (fig.) udfald.

thrust|-bearing, ~ **block** trykleje.

Thucydides [þju·'sididi·z] Thukydid.

thud [þʌd] bump, dump lyd, tungt (dumpt) slag; (vb.) dunke, daske, lyde dumpt, bumpe.

thug [þʌg] bandit, røver, bølle.

thuggee ['þʌgi·], **thuggery** ['þʌgəri], **thuggism** ['þʌgizm] banditvæsen, bølleuvæsen.

thuja ['þju·jə] ♧ tuja.

thumb [þʌm] (subst.) tommelfinger; (vb.) fingerere ved, lave fingermærker i, tilsmudse; *rule of* ~, se I. *rule; his fingers are all -s* han har for mange tommelfingre; *under his* ~ i hans magt; ~ *a lift* køre på tommelfingeren, blaffe; ~ *one's nose at* række næse ad; *well-thumbed* som bærer præg af flittig brug.

thumb-index registerudskæring.

thumb|-mark fingermærke (i bog). ~ **-nail sketch** miniatureportræt; kort beskrivelse. **-screw** tommeskrue. **-stall** fingertut til tommelfinger. **-tack** (amr.) tegnestift.

thump [þʌmp] dumpt og tungt slag, dunk; (vb.) dunke, støde, slå; ~ *one's chest* (fig.) slå sig for brystet; *-ing* gevaldig, kraftig, dundrende.

thunder ['þʌndə] torden, bulder; tordne, dundre; *steal his* ~ (fig.) tage brødet ud af munden på ham.

thunder|bolt tordenkile, lynstråle. ~ **-clap** tordenskrald. **-ing, -ous** tordnende; dundrende, vældig, kæmpe-. ~ **-storm** tordenvejr. ~ **-struck** (som) ramt af lynet, himmelfalden.

thurible ['þjuəribl] røgelseskar.

Thuringia [þju'rindʒiə] Thüringen.

Thursday ['þə·zdė, 'þə·zdeⁱ] torsdag.

thus [ðʌs] således, på denne måde; derfor; så (fx. ~ *much*); ~ *far* indtil nu.

thwack [þwäk] (vb.) slå, prygle; (subst.) slag.

thwart [þwå·t] (subst.) ⚓ tofte; (vb.) modarbejde, lægge sig i vejen for, hindre, krydse, forpurre.

thy [ðai] (glds.) din, dit, dine.

thyme [taim] ♧ timian. **thymy** ['taimi] rig på (el. duftende som) timian.

thyroid ['þairoid] skjoldbrusk-; ~ *gland* skjoldbruskkirtel.

thyself [ðai'self] (glds.) du selv, dig selv; (refleksivt) dig.

tiara [ti'a·rə] tiara.

Tibet [ti'bet] Tibet. **Tibetan** ['tibətən] tibetansk, tibetaner.

tibi|a ['tibiə] (pl. ogs. *-ae* [-i·]) skinneben.

tic [tik] nervøs trækning i ansigtsmusklerne.

I. **tick** [tik] (subst.) bolster; (zo.) blodmide; *on* ~ S på klods, på kredit.

II. **tick** [tik] (vb.) dikke, tikke; mærke, krydse af; *what makes him* ~? hvordan er han indrettet? ~ *off* krydse af; give en 'balle'; ~ *over* (om motor) gå langsomt i tomgang.

III. **tick** [tik] (subst.) dikken, tikken; mærke; øjeblik, sekund; *half a* ~! et øjeblik! vent lige et sekund! *I am coming in a* ~ (el. *in two -s* el. *in half a* ~) jeg kommer lige på øjeblikket; *on the* ~ præcis, på slaget.

ticker ['tikə] telegrafisk modtagerapparat, fjernskriver; S lommeur; hjerte.

ticker-tape telegrafstrimmel; *give sby. a* ~ *reception* hylde en ved at lade telegrafstrimler etc. flagre ud af vinduerne (skik i New York.)

ticket ['tikit] (subst.) billet; (mærke)seddel; låneseddel; lotteriseddel; (amr.) liste over et partis kandidater; partiprogram; (vb.) forsyne med mærkeseddel; *that's the* ~ (ogs.) sådan skal det være; *get one's* ~ (ogs.) få sin afsked; *get a* ~ (amr.) blive noteret (af politiet).

ticket|-collector billetkontrollør. ~ **office** billetkontor.

ticket-of-leave løsladelsespas; betinget løsladelse

ticking ['tikiŋ] bolster, drejl.

tickle ['tikl] (vb.) kilde, kildre, smigre (fx. *his vanity*); more, fornøje, behage; pirre; (subst.) kildren; S indbrud, bræk; udbytte; *my foot -s* det kilder i min fod; *I was -d by his stories* hans historier morede mig; *I shall be -d to death* det skal være mig en sand fryd; ~ *the palate* kildre ganen.

tickler ['tiklə] problem, gåde.

ticklish ['tikliʃ] (adj.) kilden (fx. *he is* ~; *a* ~ *question*); (fig., ogs.) penibel; (om person) ømfindtlig, nærtagende.

tick-tack ['tiktäk] dikkedik; dikken; ~ *man* S bookmakers medhjælper.

tick-tock ['tiktåk], se *tick-tack*.

tidal ['taidl] (adj.) tidevands- (fx. *port* havn); ~ *wave* flodbølge.

tidbit ['tidbit] lækkerbisken.

tiddly ['tidli] T lille, ubetydelig; beruset, fuld; i orden, fin, flot.

tiddly-wink ['tidliwiŋk] S smugkro; ølstue; *-s* loppespil.

tide [taid] (subst.) tidevand, flodbølge; strøm, retning, tendens, bevægelse; (vb.) drive med strømmen, stige med tidevandet; *high* ~ flod; *low* ~ ebbe; ~ *over* klare sig igennem; ~ *over a difficulty* komme over en vanskelighed; ~ *sby. over a difficulty* hjælpe en over en vanskelighed; *turn of the* ~ strømkæntring; (fig., ogs.) omsving; *work the -s* udnytte tidevandet (under sejlads).

tide|-gate sluse. ~ **-rode** ⚓ strømret. ~ **staff** vandstandsbræt. ~ **-waiter** toldopsynsmand. ~ **-way** tidevandskanal, strømløb.

tidings ['taidiŋz] tidende, efterretninger.

tidy ['taidi] (adj.) net, pæn, ordentlig; (vb.) ordne, nette, rydde op (i); (subst.) antimakassar; æske, etui til toiletsager; vaskehjørne (til skræller etc.); ~ *oneself* nette sig.

I. **tie** [tai] (subst.) bånd; (i nodeskrift) bindebue; slips; lige antal stemmer el. points; uafgjort afstemning el. sportskamp; cupturnering (hvor den tabende i hver enkelt kamp går ud); (amr.) svelle; *black* ~ sort slips; (på indbydelse etc.) smoking.

II. **tie** [tai] (vb.) binde; stå lige (med); spille uafgjort; ~ *down* binde, forpligte; ~ *up* binde, båndlægge (fx. *capital)*; (typ.) udbinde.

tie beam hanebjælke.

tied [taid] (adj.) bundet; ~ *cottage* tjenestehus (overladt en landarbejder af ejeren som en del af lønnen); ~ *inn* kro hvor der kun sælges øl fra et bestemt bryggeri; *get* ~ *up* blive gift; gå i stå, blive strejkeramt; gå i hårdknude; *be* ~ *up with* være knyttet til; være i kompagniskab med.

tie|-on (adj.) til at binde på. **-pin** slipsnål.

tier [tiə] række, rad, lag; reolfag.

tierce [tiəs] terts (i fægtning); gml. rummål; morgengudstjeneste.

tie| rod styrestang. ~ **-shoe** snøresko. ~ **-up** (arbejds)standsning; sammenslutning; kompagniskab.

tiff [tif] kurre på tråden, lille strid.

tiffany ['tifəni] silkeflor.

tiffin ['tifin] (anglo-indisk) lunch.

tig [tig] tagfat.

tige [ti·ʒ] stængel; søjleskaft.
tiger [ˈtaigə] tiger; (amr. S) sluthyl efter hurraråb.
tiger|-beetle (zo.) sandspringer. **-ish** [ˈtaigəriʃ] tigeragtig. ~ **-lily** ⚘ tigerlilje. ~ **moth** (zo.) bjørnespinder.
tight [tait] tæt, fast, stram, snæver; kneben, påholdende; **T** fuld, drukken; ⚓ tot; *sit* ~ holde sig fast; ikke give sig; holde på sine rettigheder; *my coat is* ~ *across the chest* min frakke strammer over brystet; *money is* ~ pengemarkedet er stramt; *in a* ~ *place, in a* ~ *corner* i knibe.
tighten [taitn] stramme, strammes; ~ *one's belt* spænde livremmen ind; ~ *up precautions* skærpe sikkerhedsforanstaltningerne.
tight|-fisted påholdende, nærig. ~ **-lipped** sammenbidt; fåmælt, umeddelsom. **-rope dancer** linedanser(inde).
tights [taits] trikot.
tight-wad [ˈtaitwåd] **S** fedtsyl.
tigress [ˈtaigrés] huntiger.
tike [taik] køter; bondeknold.
tilbury [ˈtilbəri] tilbury (tohjulet vogn).
tile [tail] (subst.) tegl, teglsten; kakkel; flise, gulvflise; **T** (høj) hat; (vb.) tegltække; forpligte til tavshed; *have a* ~ *loose* have en skrue løs; *be on the -s* være ude og more sig, være ude på sjov.
tiler tegltækker; dørvogter (ved en frimurerloge).
I. **till** [til] (præp.) til, indtil; ~ *now* indtil nu, hidtil; ~ *then* til den tid, indtil da; ~ *then!* farvel så længe, på gensyn.
II. **till** [til] (subst.) pengeskuffe.
III. **till** [til] (vb.) dyrke, pløje.
till|able dyrkelig. **-age** dyrkning; dyrket land.
I. **tiller** [ˈtilə] (subst.) landmand, dyrker; ⚘ rodskud, udløber; vanris; ⚓ rorpind.
II. **tiller** [ˈtilə] (vb.) ⚘ skyde rodskud (etc., se I. ~).
I. **tilt** [tilt] (vb.) hælde, vippe, tippe; turnere, dyste, fægte, kæmpe *(at* mod); styrte frem, komme styrtende; (subst.) turnering, dyst, dystløb; hældning, hæld; ~ *at* (fig.) drage til felts mod; ~ *at windmills* kæmpe med vejrmøller; *(at) full* ~ i fuld fart.
II. **tilt** [tilt] (subst.) sejldugstag, presenning; (vb.) lægge presenning over.
tilth [tilþ] opdyrkning; dyrket land; madjord.
tilt-yard [ˈtiltja·d] turneringsplads.
timbal [ˈtimbəl] pauke.
timber [ˈtimbə] (subst.) tømmer, træ, gavntræ; skovland; (amr., fig.) stof; (ved rævejagt) forhindring; ⚓ spant; (vb.) tømre, forsyne med tømmer; *shiver my -s* splitte mine bramsejl (litterær sømandsed).
timber| line trægrænse. **-ed** bygget (helt el. delvis) af tømmer; skovbevokset. ~ **-toes S** person med træben. ~ **-yard** tømmerplads.
timbre [ˈtãmbə] klangfarve.
timbrel [ˈtimbrəl] tamburin.
I. **time** [taim] (subst.) tid; periode; tidspunkt (fx. *at the* ~, *at one* ~*)*; gang (fx. *many -s*; ~ *after* ~ gang på gang); (i musik) takt (fx. *beat* ~*)*; *what's the* ~? *what* ~ *is it?* hvad er klokken? *time!* stop! slut! *time, gentlemen, time!* så er det lukketid!
your ~ *has come* (ogs.) din time er slået; *do* ~ sidde (i fængsel); *it is* ~ *we went* det er (snart) på tide vi kommer af sted; *have a bad* ~ *of it* have det drøjt; få en ilde medfart; *have a good* ~ more sig, have det rart; *have the* ~ *of one's life* more sig glimrende, have det dejligt; *pass the* ~ *of day* sige goddag (, godmorgen, godaften) (til hinanden); *serve one's* ~ udstå sin læretid; afsone en straf; *some* ~ en gang (i fremtiden); *tell the* ~ sige hvad klokken er; (om barn) kunne klokken;
against ~ i stor hast; *at a* ~ ad gangen; *at the best of -s* i bedste fald; *at this* ~ *of day* på dette tidspunkt, efter alt hvad der er sket; *at my* ~ *of life* i min alder; *behind* ~, se *behind; for the* ~ *being* foreløbig; *from* ~ *immemorial,* ~ *out of mind* i umindelige tider; *she is near her* ~ hun venter sin nedkomst i nær fremtid; *in* ~ i tide; med tiden; i takt; *do it in your own good* ~ gør det når det passer dig; *all in good* ~ hver ting til sin tid; *in no* ~ i løbet af 0,5; meget snart; *on* ~ præcis.
II. **time** [taim] (vb.) tage tid (i sport etc.); afpasse tiden for, beregne.
time|-bargain terminsforretning. **-barred** (jur.) forældet. ~ **-bomb** tidsindstillet bombe, helvedesmaskine. ~ **-card** arbejdsseddel. ~ **-clock** kontrolur. ~ **-exposure** (fot.) eksponering (af billede) på tid. ~ **-honoured** ærværdig, hævdvunden. ~ **-keeper** ur; kontrollør; tidtager. ~ **-lag** interval. **-limit** tidsbegrænsning. **-ly** betimelig. **-piece** ur. ~ **-server** opportunist. ~ **-sheet** arbejdsseddel. ~ **signal** tidssignal. ~ **-table** timetabel, skema, fartplan, togplan, køreplan. ~ **wages** timeløn. ~ **-work** arbejde betalt efter tid; timebetalt arbejde. ~ **-worn** umoderne, gammeldags.
timid [ˈtimid] frygtsom, bange; sky, genert.
timidity [tiˈmiditi] frygtsomhed, generthed.
timorous [ˈtimərəs] frygtsom, forsagt, bange.
timothy [ˈtiməþi] ⚘ engrottehale, timothé.
tin [tin] (subst.) tin, blik; dåse; **S** penge; (vb.) fortinne; præservere, henkoge, komme på (el. nedlægge i) dåser.
tincal [ˈtiŋkl] boraks.
tinct [tiŋkt] (subst.) farve, nuance.
tinctorial [tiŋkˈtå·riəl] farve-, farvende.
tincture [ˈtiŋktʃə] (subst.) farvenuance; skær, anstrøg; (med.) tinktur, (glds.) ekstrakt; (vb.) give et skær (el. anstrøg) *(with* af), farve.
tinder [ˈtində] tønder, fyrsvamp. **tinder-box** fyrtøj. **tindery** fyrsvampagtig, letfængelig.
tine [tain] gren (på gaffel), tand (på harve); hjortetak.
tinea [ˈtiniə] møl; ringorm.
tin-foil [ˈtinfoil] stanniol, tinfolie.
ting [tiŋ] (vb.) ringe, klinge; (subst.) klang, ringen.
ting-a-ling dingeling.
tinge [tindʒ] (vb.) farve, blande, give et anstrøg *(with* af); (subst.) farveskær, anstrøg; bismag.
tingle [ˈtiŋgl] prikke, brænde; klinge, lyde; *my fingers are tingling* det prikker (el. snurrer) i mine fingre. ~ *with* (ogs.) dirre af (fx. *excitement).*
tin god: *he is a little* ~ han er en hel lille vorherre.
tin hat T stålhjelm. **tinhorn** skryder.
tinker [ˈtiŋkə] kedelflikker; være kedelflikker; fuske; ~ *with* (ogs.) rode med; *I don't care a -'s cuss* (el. *damn)* jeg bryder mig ikke et hak om det, det rager mig en fjer.
tinkle [ˈtiŋkl] (vb.) klirre, klinge, ringe, ringe med, klimpre på; (subst.) klang, klirren.
tin| loaf formbrød. **-man** se *tinsmith.*
tinny [ˈtini] tinagtig, blikagtig; (fig.) tynd.
tin-opener dåseoplukker.
Tin Pan Alley popkomponisternes kvarter i New York.
tin|-plate (hvid)blik. ~ **-pot** elendig, luset.
tinsel [ˈtinsl] (subst.) flitter, flitterstads; englehår (til juletræ); (adj.) flitter-, falsk; (vb.) pynte med flitter, udmaje.
tinsmith [ˈtinsmiþ] blikkenslager; blikvarefabrikant.
tin-solder [ˈtinsåldə] loddetin.
tint [tint] (vb.) farve, give et anstrøg; (subst.) farveskær, nuance.
tintinna|bulary [tintiˈnäbjuləri] klingende, ring(l)ende. **-bulation** [tintinäbjuˈleⁱʃn] klingen, ringen, ringlen. **-bulum** [tintiˈnäbjuləm] (pl. *-bula* [-bjulə]) bjælde, klokke; klokkeklang.
tiny [ˈtaini] lille, bitte, lillebitte; ~ *tot* rolling, buksetrold, stump.
tip [tip] (subst.) spids, top, ende; mundstykke (på cigaret), dupsko (på stok); losseplads; fyld, affald; let slag, berøring; drikkepenge; vink, hemmelig underretning, fidus, tip; (vb.) beslå (i spidsen), berøre, strejfe, slå let på; tippe, vippe, hælde; give en fidus; give drikkepenge; ~ *no rubbish* aflæsning af fyld for-

bydes; *I had it on the ~ of my tongue* (fig.) det lå mig på læberne; *take my ~* følg mit råd; *~ the wink* give et vink; *~ off* advare; give et vink; *~ over* vælte; *straight ~* pålidelig oplysning.

tip|-cart tipvogn. **~ -cat** pind(spil). **~ -off** vink, advarsel.

Tipperary [tipə'ræəri].

tippet ['tipit] skulderslag, skindkrave.

tipple ['tipl] drikke, pimpe; (subst.) spiritus; drink. **tippler** svirebroder.

tipsify ['tipsifai] gøre beruset.

tipster ['tipstə] en som giver (, sælger) tips.

tipsy ['tipsi] påvirket, (lettere) beruset; *be ~* (ogs.) have en lille en på.

tiptoe ['tiptoᵘ] tåspids; på tåspidserne; gå på tåspidserne, liste; *on ~* på tå; spændt.

tiptoe-dancing tåspidsdans.

tiptop ['tip'tåp] udmærket, tiptop.

tip-up seat klapsæde.

tirade [ti'reⁱd] tirade, ordstrøm.

I. **tire** [taiə] (især amr.) = *tyre.*

II. **tire** [taiə] udmatte, blive træt; *~ out* udmatte.

tired ['taiəd] træt, ked (*of* af).

tire|less ['taiəlės] utrættelig. **-some** trættende, kedelig.

tirewoman ['taiəwumən] (glds.) kammerjomfru; påklæderske.

tiring ['taiəriŋ] (adj.) trættende.

tiring-room skuespillergarderobe.

tiro ['taiəroᵘ] begynder, novice.

'tis [tiz] fk. f. *it is.*

tisane [ti'zän] tyndt afkog (fx. kamillete).

tissue ['tisju·] stof; (ogs. fig.) væv (fx. *fatty ~* fedtvæv; *a ~ of lies); ~ (-paper)* silkepapir; *face -s* ansigtsservietter; *gold ~* guldmor; *silver ~* sølvmor.

tissue culture vævskultur.

I. **tit** [tit]: *~ for tat* lige for lige; *give sby. ~ for tat* give én svar på tiltale.

II. **tit** [tit] se *titmouse.*

Titan ['taitən] Titan.

titanic [tai'tänik] titanisk.

titbit ['titbit] lækkerbisken.

tithe [taið] (subst.) tiendedel, tiende; (vb.) kræve (, svare) tiende af; *~ barn* kirkelade.

titillate ['titileⁱt] kildre, stimulere, pirre.

titillation [titi'leⁱʃən] kildren, stimulering.

titivate ['titiveⁱt] **T** pynte; *~ oneself* 'smukkesere sig'.

titlark ['titla·k] (zo.) engpiber.

title ['taitl] (subst.) titel, navn, benævnelse; ret, fordring, adkomst, ejendomsret; (vb.) give titel; titulere, betitle, benævne.

titled ['taitld] (især:) adelig (fx. *a ~ officer, a ~ audience).*

title|-deed adkomstdokument, skøde. **~ -leaf, ~ -page** titelblad. **-role** titelrolle.

titling ['taitliŋ] trykning af titel på bogryg.

titmouse ['titmaus] (pl. *titmice* ['titmais]) mejse; *great ~* musvit.

titrate ['taitreⁱt] titrere.

titration [tai'treⁱʃən] titrering, titreranalyse.

titter ['titə] fnise; fnisen.

tittle ['titl] tøddel.

tittle-tattle ['titltätl] (subst.) pjat, snak, sladder; (vb.) pjatte, sladre, pjadre.

titular ['titjulə] titel-, titulær, nominel; (subst.) titulær indehaver.

tizzy ['tizi]: *get into a ~* komme helt ud af flippen; *~ up* pynte, udmaje.

TNT fk. f. *trinitrotoluene* trotyl.

T.O. fk. f. *Telegraph Office; Telephone Office; turn over.*

I. **to** [(med tryk:) tu·; (trykløst foran vokal:) tu; (foran konsonant:) tə] (præp.) til (fx. *go to London; from A to Z);* mod (fx. *there were clouds to the east; he was kind to me);* i forhold til, i sammenligning med, mod (fx. *nothing to what it might have been);* efter, i overensstemmelse med (fx. *to my taste; made to measure);* i (fx. *a quarter to six; a party to the case* part i sagen); på (fx. *the answer to it); ten to one* ti mod en; *two to the king* (i kortspil) kongen anden; *that is all there is to it* det er alt hvad der er at sige om den ting; (oversættes ikke i udtryk som:) *it seems to me* det forekommer mig; *it occured to me* det faldt mig ind;

(ved infinitiv) at (fx. *to err is human);* for at (fx. *I have come to see you); he did not come though he had promised to* han kom ikke skønt han havde lovet det.

II. **to** [tu·] (adv.) i (fx. *the door snapped to; pull the door to),* til; til sig selv, til bevidsthed (fx. *she came to; bring her to);* ⚓ bi (fx. *heave to* dreje bi; *lie to); to and fro* frem og tilbage; *the horses are to* hestene er spændt for; *close to* nær ved.

toad [toᵘd] tudse, skrubtudse. **toad|-eater** spytslikker. **~ -fish** paddefisk. **~ -flax** ♣ (hørbladet) torskemund. **~ -in-a-hole** indbagt kød. **-stool** ♣ paddehat.

toady ['toᵘdi] snyltegæst, spytslikker; (vb.) sleske, logre, smigre. **toadyism** spytslikkeri.

toast [toᵘst] (vb.) riste (fx. *bread);* drikke skåler; udbringe en skål for; (subst.) ristet brød; skål; person som fejres i en skåltale; *propose a ~* udbringe en skål; *have sby. on ~* **S** have krammet på én.

toaster ['toᵘstə] brødrister.

toasting-fork ['toᵘstiŋfå·k] ristegaffel (til at riste brød på).

toast|-master toastmaster, den som dirigerer skåltalerne; magister bibendi. **~ -rack** brødholder (til ristet brød).

tobacco [tə'bäkoᵘ] tobak; tobaksplante.

tobacco|nist cigarhandler, tobakshandler. **~ -pipe** tobakspibe. **~ -pouch** tobakspung. **~ -stopper** pibestopper.

to-be [tə'bi·] vordende; *father ~* vordende fader.

toboggan [tə'bågən] kælk; kælketur; (vb.) kælke.

Toby ['toᵘbi] Tobias; hunden i mester-jakel teater; *~ jug* Toby jug, gammeldags ølkande el. ølkrus formet som en mand med trekantet hat.

Toc H [tåk'eitʃ] veteranforening dannet efter første verdenskrig.

tocsin ['tåksin] stormklokke; alarmsignal; *sound the ~* lade stormklokken lyde.

to-day, today [tə'deⁱ] i dag, i vore dage; den dag i dag; vore dage, nutiden; *~ is his birthday* det er hans fødselsdag i dag; *to-day's* dagens.

toddle ['tådl] (vb.) stolpre, gå usikkert (som et barn); **T** gå; (subst.) (usikker) gang; *~ along* tulle af sted. **toddler** ['tådlə] buksetrold, lille barn, stump.

toddy ['tådi] toddy.

to-do [tə'du·] ståhej, opstandelse.

toe [toᵘ] (subst.) tå; (vb.) røre med tåen; strikke tå i; *be on one's -s* være på stikkerne; *tread on sby.'s -s* træde en over tæerne; *~ the line* (fig.) makke ret, indordne sig; lystre parolen.

toe|-cap skonæse. **~ dance** tåspidsdans. **~ -hold** fodfæste. **~ -in** (hjuls) spidsning.

toff [tåf] **S** fin herre, burgøjser.

toffee ['tåfi] toffee (flødekaramel); *I wouldn't do it for ~* jeg gjorde det ikke, om jeg så blev betalt for det. **toffee-nosed** hoven, storsnudet.

toft [tåft] tue, lille høj; lille landejendom.

tog [tåg]: *~ (out)* **S** rigge ud, klæde på.

toga ['toᵘgə] toga.

together [tə'geðə] sammen, tilsammen, i forening, i træk, samtidig.

toggery ['tågəri] **T** kluns, tøj.

toggle [tågl] ⚓ ters; (i frakke etc.) pind (til pindelukke). **toggle-joint** knæled.

togs [tågz] **S** kluns, tøj.

toil [toil] (vb.) slide i det, arbejde hårdt; (subst.) strengt arbejde, slid, besvær. **toiler** slider.

toilet ['toilėt] toilette, påklædning; toilet, wc.

toilet|-paper toiletpapir, wc-papir. **~ roll** rulle toiletpapir. **~ -set** toiletgarniture. **~ -table** toiletbord.

toils [toilz] garn, snare.
toilsome [ˈtoilsəm] besværlig, slidsom.
Tokay [toˈkeⁱ] tokajer(vin).
token [toᵘkn] (subst.) tegn, mærke, minde, erindring; (adj.) symbolsk (fx. *~ payment, ~ force); by the same ~, more by ~* til og med, som yderligere bevis, ligeledes; endvidere, à propos, siden vi taler derom; *in ~ of* til tegn på. **token money** skillemønt; nødpenge.
told [toᵘld] imperf. og perf. part. af *tell.*
Toledo [tåˈleⁱdoᵘ] Toledo; toledoklinge.
tolerable [ˈtålərəbl] udholdelig; tålelig, jævnt god, passabel. **tolerably** nogenlunde, jævnt.
tolerance [ˈtålərəns] fordragelighed, tålsomhed; tolerance; *~ dose* tilladelig dosis; *~ test* (med.) belastningsprøve. **tolerant** [ˈtålərənt] fordragelig, tolerant; *be ~ of* (ogs.) kunne tåle.
tolerate [ˈtålərеⁱt] tolerere, tåle, finde sig i, holde ud; være fordragelig. **toleration** [tåləˈreⁱʃən] fordragelighed, tolerance.
I. **toll** [toᵘl] (vb.) lyde, klemte, ringe med; (subst.) klemten.
II. **toll** [toᵘl] (subst.) bompenge; bropenge, afgift; *take heavy ~ of the enemy* tilføje fjenden svære tab; *T.B. took a heavy ~* tuberkulosen krævede mange ofre; *the ~ of the roads* trafikkens ofre.
toll|-bar bom. **-booth** (på skotsk) byfængsel. ~ **-call** (tlf.) udenbys samtale. **-gate** bom.
I. **Tom** [tåm]: *~, Dick, and Harry* hvem som helst, alle og enhver, Per og Povl.
II. **tom** [tåm] han, (især) hankat.
tomahawk [ˈtåməhå·k] tomahawk.
tomato [təˈma·toᵘ] (pl. *-es)* tomat.
tomb [tu·m] grav, gravmæle.
tombac [ˈtåmbäk] tombak.
tombola [ˈtåmbələ] tombola.
tomboy [ˈtåmboi] vildkat, viltert pigebarn.
tombstone [ˈtu·mstoᵘn] gravsten.
tomcat [ˈtåmkät] hankat.
tome [toᵘm] bind; stor, tung bog.
tomfool [ˈtåmˈfu·l] (subst.) nar, dumme-peter; (adj.) tåbelig; (vb.) tosse rundt. **tomfoolery** [ˈtåmˈfu·ləri] narrestreger, dumme streger.
I. **Tommy** [ˈtåmi], *~ Atkins* (navn for den britiske soldat).
II. **tommy** [ˈtåmi] **S** mad; løn udbetalt i naturalier.
tommy|-gun maskinpistol. **-rot** sludder, ævl.
to-morrow, tomorrow [təˈmåroᵘ] i morgen; *~ morning* i morgen tidlig, i morgen formiddag; *(on) the day after ~* i overmorgen.
Tom Thumb Tommeliden.
Tom Tiddler's ground slaraffenland.
tomtit [ˈtåmˈtit] (zo.) mejse.
tomtom [ˈtåmtåm] (primitiv) tromme, tamtam.
I. **ton** [tʌn] ton; *-s of* tonsvis af.
II. **ton** [tå·n] (herskende) mode.
tonal [ˈtoᵘnl] tone-.
tonality [toˈnäliti] tonalitet; farver, kolorit.
I. **tone** [toᵘn] (subst.) tone, klang, tonefald; farvetone; spændstighed, sundhed; harmoni.
II. **tone** [toᵘn] (vb.) tone, give en farvenuance, lægge i tonbad; *~ down* dæmpe, mildne, afsvække (fx. *an expression); dæmpes, mildnes; ~ up* forstærke(s), styrke(s) (fx. *~ up the muscles),* gøre (, blive) kraftigere; *~ with* harmonere med, stå til.
toneless [toᵘnlės] tonløs.
tong [tåŋ] (blandt kinesere i U.S.A.) hemmeligt selskab.
tongs [tåŋz] tang, ildtang; *a pair of ~* en tang.
tongue [tʌŋ] tunge; tungemål, sprog; landtunge; knebel (i klokke); *~ and groove* fjer og not; *~ together* sammenpløje (brædder); *give ~* give hals; bruge mund; *hold one's ~* holde mund; *keep a civil ~ in your head!* ingen grovheder! *have lost one's ~* have tabt mælet; *put one's ~ out at sby.* række tunge ad en; *with one's ~ in one's cheek* underfundig, ironisk, uden at mene det alvorligt.

tongue|-tied tavs, stum (af frygt, generthed); *be ~ -tied* (ogs.) have mistet mælet. ~ **-twister** ord (el. sætning) der er svær(t) at udtale; *the phrase sounded like a ~ -twister* sætningen lød som en spiritusprøve.
tonic [ˈtånik] (adj.) stimulerende, styrkende, opstrammende; tone-; (subst.) styrkende middel, opstrammer, stimulans; (i musik) grundtone, tonika.
to-night, tonight [təˈnait] i aften; i nat.
I. **tonite** [təˈnait] (amr.) i aften, i nat.
II. **tonite** [ˈtoᵘnait] (et sprængstof).
tonnage [ˈtʌnidʒ] tonnage, antal tons, mængde; drægtighed; tonnageafgift.
tonsil [ˈtånsil] (anat.) tonsil, mandel.
tonsilitis [tånsiˈlaitis] (med.) betændelse i mandlerne.
tonsure [ˈtånʃə] (subst.) kronragning, tonsur; (vb.) kronrage.
tontine [tånˈti·n] tontine (art forsikring).
too [tu·] alt for, for; også, tillige; *~ much* (alt) for meget; *he ~* også han; *not ~ bad* (ogs.) ikke så dårlig endda; ikke værst; *it's ~ bad* det er (, var) en skam.
took [tuk] imperf. af *take.*
I. **tool** [tu·l] (subst.) værktøj, redskab; stempel (til at dekorere bogbind med); (fig.) kreatur; lydigt redskab; *a passive ~ in the hands of* (fig.) et viljeløst redskab for; *a poor ~* (om person) en dårlig arbejdskraft.
II. **tool** [tu·l] (vb.) ciselere (bogbind); **S** køre; *~ up* udstyre med nye maskiner.
tool-box værktøjskasse.
tooler [ˈtu·lə] stenhuggermejsel.
tool-kit sæt værktøj.
toot [tu·t] tude, blæse, trutte; (subst.) trut.
tooth [tu·þ] (pl. *teeth)* tand, tak; (vb.) forsyne med tænder; gribe ind i hinanden; *~ and nail* med hænder og fødder, med næb og kløer; *by the skin of one's teeth* ved opbydelse af alle kræfter, med nød og næppe, på et hængende hår; *she's a bit long in the ~* hun er ude over sin første ungdom, hun har trådt sine børnesko; *cast it in his teeth* sige ham det lige op i ansigtet, rive ham det i næsen; *in the teeth of* på trods af, stik imod; *in the teeth of the wind* lige op mod vinden; *draw his teeth* (fig.) afvæbne ham, gøre ham uskadelig; *set one's teeth* bide tænderne sammen; *show one's teeth* vise tænder.
tooth| ache tandpine. ~ **-brush** tandbørste. ~ **-comb** tættekam. ~ **-paste** tandpasta. **-pick** tandstikker. ~ **-powder** tandpulver. **-some** velsmagende. **-wort** ♧ skælrod.
tootle [ˈtu·tl] tude, trutte.
tootsy-wootsy [ˈtutsiˈwutsi] pusselanke, fod.
I. **top** [tåp] (subst.) top (fx. *from ~ to toe); -*plade (fx. *table ~); den øverste del (fx. the ~ of the page);* overdel, (pyjamas)trøje; låg, topstykke; (snurre)top; højeste gear; ⚓ mærs; (amr.) (bil)kaleche; *at the ~ of the tree, at the ~ of the ladder* (fig. ogs.) i toppen; i en topstilling; *at the ~ of one's speed* så hurtigt man kan; *at the ~ of one's voice* så højt man kan, af sine lungers fulde kraft; *at the ~ of the page* øverst på siden; *be ~ of the form* være nr. et i klassen; *blow one's ~, go off one's ~* eksplodere af raseri; blive skør; *in ~* i højeste gear; *on ~* ovenpå; *on ~ of everything else* oven i købet; *come out on ~* sejre, bestå som nr. et; *be on the ~ of* (fig.) have magten over; være inde i; *go over the ~* gå til angreb (egentlig: fra skyttegravsstilling); *sleep like a ~* sove som en sten; *-s* (ogs.) kæmmet uld; **S** bedst, førsteklasses.
II. **top** [tåp] (adj.) øverst (fx. *the ~ shelf);* højest, top- (fx. *~ price); be ~ dog* være ovenpå, have overtaget, sejre; *they are not out of the ~ drawer* de hører ikke til eliten; de er meget jævne; *the ~ floor* øverste etage; *~ rung* øverste trin; (fig.) topstilling; *at ~ speed* for fuld fart, på højeste gear.
III. **top** [tåp] (vb.) aftoppe (fx. *beets),* kappe toppen af (fx. *a tree);* rage op over, overgå; dække (foroven); nå toppen af (fx. *a hill); ~ the list* stå øverst på listen; *~ off* fuldende, lægge sidste hånd på; *~ up* fylde op; ogs. = *~ off.*

topaz ['toᵘpāz] topas (gul halvædelsten).

top|-boot kravestøvle, ridestøvle. ~ **brass S** øverste ledere (el. chefer). ~ **-coat** overfrakke. ~ **dog,** ~ **drawer** se II. *top.* ~ **-dressing** overfladegødskning.

tope [toᵘp] (vb.) drikke, svire; (subst., zo.) gråhaj.

topee ['toᵘpi·] tropehjelm.

toper ['toᵘpə] svirebroder, drukkenbolt.

top-flight T prima, førsteklasses.

topgallant [tåp'gälənt; ⚓ tə'gälənt] ⚓ bak; ~ *sail* bramsejl.

top| hat høj hat. ~ **-heavy** for tung oventil. ~ **-hole T** prima, førsteklasses.

topiary ['toᵘpiəri] kunstfærdig klipning af hække el. buske, planteskulptur.

topic ['tåpik] emne, genstand.

topical ['tåpikl] lokal; aktuel; *of ~ interest* aktuel.

topicality [tåpi'käliti] aktualitet.

top| knot hårsløjfe, hårtop; øverste etage, hovedet. **-mast** ['tåpməst] mærsestang. **-most** øverst. ~ **-notch T** førsterangs-, førsteklasses.

topographer [tə'pågrəfə] topograf. **topographical** [tåpə'gräfikl] topografisk, stedbeskrivende. **topography** [tə'pågrəfi] topografi, stedbeskrivelse.

topper ['tåpə] **T** høj hat; flink fyr; noget vældig godt.

topping ['tåpiŋ] (adj.) glimrende, storartet; (subst.) øverste del.

topple [tåpl] vakle, rokke, være lige ved at falde; få overbalance, vælte, styrte ned.

top-ranking øverst, højeststående.

topsail ['tåpsl] ⚓ topsejl.

top-sawyer ['tåpså·jə] den øverste af to der arbejder med en langsav; førstemand.

top| secret strengt fortroligt. ~ **-sheet** overlagen. **-sides** ⚓ del af skibssiden over vandlinien.

topsyturvy ['tåpsi'tə·vi] op og ned, på hovedet; *turn* ~ vende op og ned på, endevende. **topsyturvydom** den omvendte verden.

toque [toᵘk] toque (slags damebaret).

tor [tå·] høj klippe.

torch [tå·tʃ] fakkel; *(electric)* ~ lommelygte, stavlygte; *(welding)* ~ svejsebrænder; *carry a* ~ (amr.) være ulykkelig forelsket.

torch|-bearer fakkelbærer. **-light** fakkelskær. **-light procession** fakkeltog. ~ **-song** (amr.) sentimental kærlighedssang.

tore [tå·] imperf. af *tear.*

toreador ['tåriədå·] toreador.

I. **torment** [tå·'ment] (vb.) pine, plage, drille, martre.

II. **torment** ['tå·mənt] (subst.) kval, pinsel, plage.

tormentingly [tå·'mentiŋli] grusomt.

tormentor [tå·'mentə] plageånd, bøddel; lang kødgaffel.

torn [tå·n] perf. part. af *tear.*

tornado [tå·'neⁱdoᵘ] hvirvelstorm, tornado.

torpedo [tå·'pi·doᵘ] (pl. *-es*) ⚔ torpedo; (zo.) elektrisk rokke; (vb.) torpedere, angribe med torpedo.

torpedo|-boat torpedobåd. ~ **(-boat)-destroyer** torpedobådsjager, jager, destroyer. ~ **-tube** torpedoudskydningsrør.

torpid ['tå·pid] (adj.) følelsesløs, dvask, sløv, træg; i dvale(tilstand); (subst.) båd som ros i *Torpids*: kaproning mellem nr. to-holdene ved Oxfords universitet.

torpidity [tå·'piditi], **torpor** ['tå·pə] dvale(tilstand); sløvhed.

torquate ['tå·kweⁱt] med halsbånd.

torque [tå·k] (arkæol.) (snoet) halsring; (tekn.) drejningsmoment.

torrefaction [tåri'fäkʃən] tørring, ristning.

torrefy ['tårifai] tørre, indtørre, riste.

torrent ['tårənt] (rivende) strøm, regnskyl; (fig.) strøm, flom.

torrential [tå'renʃəl] rivende, strømmende, skyllende (fx. *rain).*

torrid ['tårid] brændende hed; *the ~ zone* den varme zone, det tropiske bælte.

torsion ['tå·ʃən] snoning, vridning, torsion.

torsk [tå·sk] (zo.) brosme.

torso ['tå·soᵘ] torso.

tort [tå·t] (jur.) erstatningsforpligtende retsbrud; skadevoldende handling; *law of -s* erstatningsret.

tortoise ['tå·təs] (især land-, ferskvands-)skildpadde. **tortoise beetle** skjoldbille.

tortoise-shell skildpaddeskal; *large ~ (butterfly)* store ræv; *small ~ (butterfly)* nældens takvinge.

tortuosity [tå·tju'åsiti] snoning, krogethed; slyngning; uoprigtighed, tilbøjelighed til at gå krogveje.

tortuous ['tå·tjuəs] snoet, bugtet, kroget; uoprigtig, tilbøjelig til at gå krogveje.

torture ['tå·tʃə] (subst.) tortur, pine, kval, pinsel; (vb.) lægge på pinebænken, tortere, pine, plage; *put sby. to* ~ underkaste en tortur. **torturer** ['tå·tʃərə] bøddel, plageånd. **torturing** kvalfuld, pinefuld.

Tory ['tå·ri] tory, konservativ.

Toryism konservatisme.

tosh [tåʃ] **S** sludder.

toss [tås] (vb.) kaste, slænge (fx. *~ a coin to him);* svinge, vaje (for vinden); kaste hid og did, omtumle (fx. *-ed by the waves);* være urolig, kaste sig frem og tilbage (fx. *~ in one's sleep);* omtumles; (subst.) kast; fald; lodkastning; omtumlen; knejsen med nakken; *~ the head* gøre et kast med hovedet; slå med nakken; *~ the oars* rejse årerne; *take a ~* blive kastet af (om en rytter); *~ off* stikke ud (fx. *a glass of beer);* kaste af; (fig.) henkaste, ryste ud af ærmet; udslynge; *~ up* kaste i vejret, spille plat og krone *(for* om); *let's ~ up for first choice* lad os slå plat og krone om hvem der skal vælge først.

toss-up ['tås'ʌp] det at slå plat og krone; *it is a* ~ (fig.) det beror på en tilfældighed; det er det rene lotteri; det er umuligt at vide.

tot [tåt] (subst.) sum; dram, drink; *(tiny)* ~ rolling, buksetrold, stump; (vb.): *~ up* tælle (el. regne) sammen.

total ['toᵘtəl] (adj.) total, komplet, fuldstændig, hel; samlet; (subst.) samlet sum; (vb.) opsummere, sammentælle; udgøre el. beløbe sig til.

totalitarian [toᵘtäli'tæəriən] totalitær.

totality [to'täliti] helhed; totalsum.

totalizator ['toᵘtəlaizeⁱtə] totalisator.

totalize ['toᵘtəlaiz] fuldstændiggøre; opsummere; benytte totalisator.

I. **tote** [toᵘt] fk. f. *totalizator* totalisator.

II. **tote** [toᵘt] **T** bære, transportere; *~ around* (ogs.) slæbe (, trække) rundt med; *~ up = tot (up).*

totem ['toᵘtəm] totem. **totemism** ['toᵘtəmizm] totemisme. **totem post** totempæl.

totter ['tåtə] vakle, stavre. **tottery** vaklende.

toucan ['tu·kän] tukan, peberfugl.

I. **touch** [tʌtʃ] (vb.) røre; bevæge; røre ved, føle på, berøre, strejfe; omtale; nå; få (fx. *£2,000 a year);* beskadige; såre, krænke; klare, gøre noget ved; komme op på siden af, komme på højde med (fx. *I can think of few plays to* (der kan) *~ this one);*

~ the bell ringe; *~ bottom* røre, tage, nå bunden; (fig.) være så langt nede som man kan komme; *~ one's hat (to)* hilse (på) (ved at berøre hatteskyggen med to fingre); *there is nothing to ~ a hot bath* der er ikke noget så godt som et varmt bad; *~ glasses* klinke; *it -es the spot* **T** det er lige det der skal til; *~ wood* (omtr. =) banke under bordet, syv-ni-tretten;

~ at a port anløbe en havn; *~ down* foretage mellemlanding; *~ him for 10s.* slå ham for 10 s.; *~ off* beskrive på rammende måde; bringe til at eksplodere; udløse; give stødet til; *~ on* omtale, berøre; *~ up* muntre (fx. *a horse);* fikse op; pynte på (fx. *a story);* (fot.) retouchere.

II. **touch** [tʌtʃ] (subst.) berøring, kontakt (fx. *in ~ with);* anelse, anstrøg, stænk; antydning (fx. *a ~ of bitterness in the voice),* snert (fx. *of frost);* let anfald (fx. *a ~ of fever, of rheumatism);* (i musik etc.) anslag; *give it the finishing -es* lægge sidste hånd på værket; give det en sidste afpudsning; *it was a near ~* det var på et hængende hår; *the ~ of a master* en mesters hånd; *soft to the ~* blød at føle på (el. røre ved).

touch-and-go [ˈtʌtʃənˈgoᵘ] risikabel, usikker; risikabel situation; *it was ~* det var lige på vippen.

touch-down (flyv.) mellemlanding.

touched [tʌtʃt] bevæget, rørt; småtosset.

toucher [ˈtʌtʃə]: *as near as a ~* på et hængende hår.

touch-hole [ˈtʌtʃhoᵘl] fænghul.

touchiness [ˈtʌtʃinės] pirrelighed (etc., se *touchy).*

touching [ˈtʌtʃiŋ] rørende, betagende; angående.

touch|-line (i fodbold) sidelinie. **~ -me-not** ♧ springbalsamin. **~ -needle** probernål. **~ -paper** salpeterpapir. **-stone** probersten, prøvesten. **~ system, ~ typewriting** blindskrift.

touchwood [ˈtʌtʃwud] tønder.

touchy [ˈtʌtʃi] pirrelig, ømfindtlig, sårbar, sart, let at støde, nærtagende.

tough [tʌf] sej, drøj, stædig, vanskelig; skrap, hård; *~ customer* skrap fyr, bisse; *that's ~ luck* det er vel nok ærgerligt; *a ~ nut to crack* en hård nød at knække.

toughen [ˈtʌfn] gøre sej, blive sej.

toupée, toupet [ˈtu·peⁱ] toupé, (løs) pande- el. hårlok.

tour [tuə] rundrejse, rejse, tur, turné; (vb.) rejse, ture rundt (i), drage på turné med (el. i).

tour de force [ˈtuədəˈfå·s] kraftpræstation.

touring [ˈtuəriŋ] omrejsende; *~ car* turistvogn (åben biltype med kaleche).

tourist [ˈtuərist] turist; *~ agency* rejsebureau.

tournament [ˈtuənəmənt] turnering.

tourney [ˈtə·ni, ˈtuəni] turnering; turnere.

tourniquet [ˈtuənikeⁱ] tourniquet, årepresse.

tousle [ˈtauzl] bringe i uroden, forpjuske.

tout [taut] (vb.) kapre kunder; reklamere for (el. prøve at sælge) ved pågående metoder; (subst.) påtrængende agent (el. sælger), haj; *~ round* (underhånden) skaffe (væddeløbs)tips.

I. **tow** [toᵘ] (subst.) blår.

II. **tow** [toᵘ] (subst.) bugsering, fartøj som bugseres; bugserline, slæbetov; (vb.) bugsere, slæbe; *take in ~* tage på slæb(etov). **towage** [ˈtoᵘidʒ] bugsering, bugserpenge.

toward [ˈtoᵘəd] (glds., adj.) forestående, i anmarch; lærvillig, medgørlig, føjelig.

toward(s) [təˈwå·d(z)] hen imod, i retning af (fx. *the sea);* over for, imod (fx. *his behaviour ~ me);* nær ved; med henblik på.

towboat [ˈtoᵘboᵘt] bugserbåd.

towel [ˈtauəl] (subst.) håndklæde; (vb.) aftørre, afviske; klø, tærske; *sanitary ~* hygiejnebind.

towel|-horse håndklædestativ. **-ling** håndklædestof. **~ -rack, ~ -rail** håndklædestativ.

tower [ˈtauə] (subst.) tårn; (vb.) hæve sig højt, rage op *(above, over* over), knejse; *a ~ of strength* en fast borg, et trygt værn; *the Tower (of London)* Tower (Londons gamle borg).

tower block højhus.

towering [ˈtauəriŋ] tårnhøj, knejsende; voldsom (fx. *rage).*

towery [ˈtauəri] med tårne; tårnhøj.

towing [ˈtoᵘiŋ] bugsering. **towing|-boat** bugserbåd. **~ -path** trækvej (ved flod el. kanal). **~ -rope** bugserline, slæbetov.

tow-line [ˈtoᵘlain] bugserline, slæbetov.

town [taun] by, købstad, stad; *in this ~* her i byen; *it is the talk of the ~* hele byen snakker om det; *go to ~* tage til London (el. en anden større by); (fig.) S ture rundt i byen (ɔ: drikke); tage fat for alvor; have heldet med sig; *go to the ~* tage til den nærmeste (mindre) købstad; *man about ~* levemand.

town|-clerk (omtr.) kommunaldirektør. **~ council** byråd. **~ councillor** byrådsmedlem. **~ crier** udråber. **~ hall** rådhus. **~ house** hus i byen, byresidens; rækkehus. **town|ified** [ˈtaunifaid], bypræget. **~ planning** byplanlægning. **-ship** bydistrikt; kommune. **-sman** borger i en by, bybo; bysbarn; bymenneske. **~ -talk** bysnak; genstand for almindelig omtale.

tow|-path [ˈtoᵘpa·þ] trækvej (ved flod el. kanal). **~ -rope** bugserline, slæbeline.

toxaemia [tåkˈsi·miə] blodforgiftning.

toxic [ˈtåksik] giftig. **toxicology** [tåksiˈkålədʒi] læren om giftstoffer. **toxin** [ˈtåksin] toksin.

toy [toi] (subst.) legetøj, bagatel; (vb.) lege, sysle, pille *(with* med); gantes, fjase; (adj.) legetøjs-; *~ dog* lille skødehund; *-shop* legetøjsbutik.

trace [treⁱs] (subst.) skagle; spor, fodspor, antydning; mærke; (vb.) spore, efterspore, opspore, følge; skrive, prente; kalkere, tegne, udkaste; *~ back to* føre tilbage til; kunne føres tilbage til; *kick over the -s* slå til skaglerne.

traceable [ˈtreⁱsəbl] som kan efterspores, påviselig, som kan føres tilbage *(to* til).

tracer [ˈtreⁱsə] ⚔ sporprojektil; (med. etc.) tracer, mærket stof. **tracer bullet** sporprojektil.

tracery [ˈtreⁱsəri] stavværk (i gotik).

trache|a [trəˈkiə] (pl. ogs. *-ae* [-i·]) luftrør, ånderør. **tracheal** [trəˈkiəl] luftrørs-.

trachoma [trəˈkoᵘmə] ægyptisk øjensyge.

tracing [ˈtreⁱsiŋ] kalkering; kalke; *~ paper* kalkerpapir.

I. **track** [träk] (subst.) spor; vej; sti; væddeløbsbane; bane (fx. *of a comet);* jernbanelinie, spor, bane; (amr.) perron (på en jernbanestation); *-s* (ogs.) larvefødder, bælter; *the beaten ~* den slagne landevej; *a clear ~* fri bane; *fall dead in one's -s* falde død om på stedet; *keep ~ of* holde sig à jour med; *leave the -s* løbe af sporet, blive afsporet; *lose ~ of* miste føling med; *make -s* stikke af; *make -s for* (give sig til at) løbe hen imod; *on sby.'s ~* på sporet af en; *on the wrong side of the -s* (fig.) i et slumkvarter; *off the ~* på afveje, på vildspor.

II. **track** [träk] (vb.) efterspore; spore; gå, vandre; trække (båd el. pram); *~ down* opspore.

track events (i sport) løbkonkurrencer.

trackless [ˈträklės] vejløs, ubetrådt.

tract [träkt] egn, strækning; lille skrift, afhandling, traktat; (anat.) nervestreng; *the digestive ~* fordøjelseskanalen; *the respiratory ~* luftvejene.

tractability [träktəˈbiliti] medgørlighed.

tractable [ˈträktəbl] medgørlig, villig, lydig.

Tractarianism [träkˈtæəriənizm] traktarianisme (højkirkelig anglokatolsk retning).

tractate [ˈträkteⁱt] afhandling.

traction [ˈträkʃən] (subst.) trækning, træk, trækkraft; transport; (med.) stræk (til brækket ben).

traction-engine lokomobil.

tractive [ˈträktiv] (adj.) trækkende, træk- (fx. *force).*

tractor [ˈträktə] traktor.

I. **trade** [treⁱd] (subst.) handel, håndværk; erhverv, næring; industri; fag, håndtering, bestilling, levevej, profession; butikshandel; ⚓ (-)fart (fx. *coasting ~* kystfart); *the ~* T spiritushandelen; bryggerierne; *the -s* ⚓ passatvindene; *the building -s* byggefagene; *the coal ~* kulhandelen, kulbranchen; ⚓ kulfarten; *~ in coal* kulhandel; *domestic ~* indenrigshandel; *foreign ~* udenrigshandel; *he is a carpenter by ~* han er tømrer af fag; *balance of ~* handelsbalance; *everyone to his ~* enhver sin bestilling.

II. **trade** [treⁱd] (vb.) handle; bytte (fx. *I -d seats with him);* *~ in cotton* handle med bomuld; *~ 'in one's car for a new one* udskifte sin vogn med en ny (og give den gamle som udbetaling); *~ on sby.'s ignorance* benytte sig af (el. udnytte) ens uvidenhed.

trade| description varebetegnelse. **~ directory** handelskalender. **~ discount** forhandlerrabat. **~ disputes** arbejdsstridigheder. **~ gap** underskud på handelsbalancen. **~ -mark** varemærke. **~ -name** varemærke; firmanavn. **~ price** engrospris.

trader ['tre'də] næringsdrivende, købmand; handelsskib.

trades|folk pl. næringsdrivende, handlende. **-man** næringsdrivende, handlende; håndværker. **-people** = *-folk*.

Trades Union Congress den faglige landsorganisation i England.

trade| union fagforening. ~ **-unionist** fagforeningsmedlem; tilhænger af fagforeningsbevægelsen. ~ **-wind** passat.

trading handels-, drifts-, industri-; ~ *company* handelsselskab; ~ *estate* område udlagt til industrikvarter; industricenter; ~ *post* handelsstation.

tradition [trə'diʃən] overlevering, tradition, sagn.

traditional mundtlig overleveret, traditionel, traditionsmæssig.

traditor ['träditə] (rel. hist.) forræder.

traduce [trə'dju·s] bagtale. **traducement** bagtalelse.

Trafalgar [trə'fälgə].

I. **traffic** ['träfik] (subst.) handel, trafik, færdsel, omsætning; omgang, samkvem; *no through* ~ gennemkørsel forbudt.

II. **traffic** ['träfik] (vb., imperf. og perf. part. *trafficked)* handle *(in, with* med); afsætte, omsætte.

trafficator ['träfike'tə] afviservinge.

traffic| circle (amr.) rundkørsel. ~ **indicator** afviservinge (på bil). ~ **island** helle. ~ **light** = ~ *signal*. ~ **line** færdselsstreg. ~ **marking** færdselsafmærkning. ~ **officer** færdselsbetjent. ~ **signal** færdselssignal, lyskurv. ~ **stud** færdselssøm.

tragedian [trə'dʒi·diən] tragedieforfatter, tragisk skuespiller.

tragedy ['trädʒidi] tragedie, sørgespil.

tragic(al) ['trädʒik(l)] tragisk.

tragicomedy ['trädʒi'kåmidi] tragikomedie.

tragicomic ['trädʒi'kåmik] tragikomisk.

trail [tre'l] (vb.) slæbe, trække (efter sig); slynge sig, vokse (fx. *creepers -ing over the walls);* traske, slæbe sig af sted; følge i hælene på; efterspore; følge sporet af; (subst.) hale, strime; vej, sti, spor; ~ *arms!* gevær i højre hånd! (se ogs. *coat).*

trailer ['tre'lə] udløber, hængende gren; bivogn; påhængsvogn, trailer; (film:) trailer, forfilm med uddrag af kommende film.

I. **train** [tre'n] (vb.) uddanne, opdrage, indøve, træne, dressere, afrette, tilride; espaliere, få til at vokse i en bestemt retning; indstille, rette *(on* mod, fx. ~ *guns on a fort);* ~ *(it)* T køre med toget; *-ed* (ogs.) faguddannet, faglært.

II. **train** [tre'n] (subst.) tog (fx. *go by* ~); række (fx. ~ *of thought* tankerække); optog; følge (fx. *the king's* ~); (på kjole etc.) slæb; ⚔ træn; *bring in its* ~ (fig.) føre med sig; *put in* ~ sætte i gang

train|-band (hist.) borgervæbning. ~ **-bearer** slæbbærer.

trainee [tre''ni·] elev, volontør, praktikant; (amr.) rekrut.

trainer ['tre'nə] træner, dressør; øvelsesflyvemaskine.

train indicator togtidstavle.

training ['tre'niŋ] uddannelse.

training|-college seminarium. ~ **-ground** ekserceplads. ~ **-ship** skoleskib.

train-oil ['tre'noil] tran.

traipse [tre'ps] traske om, drive om, føjte om, rakke rundt.

trait [tre'(t)] træk, ansigtstræk, karaktertræk; gnist, glimt, anstrøg.

traitor ['tre'tə] forræder.

traitorous ['tre'tərəs] forræderisk, troløs.

traitress ['tre'très] forræderske.

trajectory [trə'dʒektəri] (projektils el. planets) bane.

I. **tram** [träm] (subst.) sporvogn; kulvogn i mine; (vb.) køre i sporvogn; ~ *it* T køre i sporvogn.

II. **tram** [träm] tramsilke, islætsilke.

tram|-car sporvogn. ~ **depot** sporvognsremise. ~ **-line** sporvognslinie; skinnestreng.

trammel ['trämәl] (subst.) hindring; net; kedelkrog; (vb.) hæmme, hindre; indvikle (som i et net); *-s* (fig.) lænker, snærende bånd.

tramontane [trä'månte'n] (fra) hinsides bjergene; udenlandsk, barbarisk; (subst.) fremmed, udlænding, barbar.

tramp [trämp] (vb.) trampe; berejse til fods, gennemvandre; rejse til fods, vandre, traske; (subst.) trampen; fodtur, rejse; landstryger, rejsende svend; trampdamper, fragtdamper (uden fast rute); ~ *it* gå, vandre til fods; *be on the* ~ være på vandring, vagabondere, være på valsen.

trample ['trämpl] (vb.) trampe, træde ned; (subst.) trampen.

tram|-rail sporvognsskinne. **-way** sporvej.

trance [tra·ns] trance, dvaletilstand.

tranquil ['träŋkwil] rolig. **tranquil|lity** [träŋ'kwiliti] ro, stilhed. **-lization** [träŋkwilai'ze'ʃən] beroligelse. **-lize** ['träŋkwilaiz] berolige. **-lizer** beroligende middel.

trans- [träns-, tränz-, tra·ns-, tra·nz-] over, hinsides, på den anden side af, trans-.

transact [trän'zäkt] (vb.) udføre, gøre (fx. ~ *business)*, forhandle om, drøfte.

transaction [trän'zäkʃn] forretning, transaktion; overenskomst; *-s* (ogs.) meddelelser, forhandlingsreferat.

transalpine ['tränz'älpain] transalpinsk, nord for Alperne.

transatlantic ['tränzət'läntik] transatlantisk, fra den anden side af Atlanterhavet; gående over Atlanterhavet; amerikansk (fra U.S.A.); ~ *steamer* atlanterhavsdamper.

transceiver [trän'si·və] kombineret radiomodtager og -sender.

transcend [trän'send] overskride, overgå.

transcend|ence, -ency fortrinlighed, ophøjethed. **-ent** transcendent; som overgår andre; ophøjet. **-ental** [tränsen'dentl] transcendental; mystisk, æterisk, fantastisk. **-entalism** [tränsen'dentəlizm] transcendental filosofi.

transcribe [trän'skraib] afskrive, omskrive, kopiere, transkribere; optage på bånd el. plade. **transcriber** afskriver, kopist.

transcript ['tränskript] afskrift, genpart, kopi.

transcription [trän'skripʃən] afskrivning, afskrift; omskrivning, transkription; radioudsendelse af bånd- el. pladeoptagelse.

transept ['tränsept] tværskib, korsarm.

I. **transfer** [träns'fə·] (vb.) overføre; overdrage; forflytte, forsætte; overflytte; ompostere; henlægge; transportere; stige om.

II. **transfer** ['tränsfə] (subst.) overdragelse, overføring, transport, henlæggelse; forflyttelse, forsættelse; overflytning; ompostering; omstigningsbillet; aftryk, overføringsbillede.

transferable [träns'fə·rəbl] som kan overføres el. overdrages. **transferee** [tränsfə'ri·] en til hvem overdragelse sker.

transference ['tränsfərəns] overdragelse; overføring; forflyttelse, forsættelse; overflytning.

transfiguration [tränsfigju're'ʃən] forklarelse (især om Kristus); forklaret skikkelse.

transfigure [träns'figə] forvandle, forklare.

transfix [träns'fiks] gennembore, stikke, spidde; få til at stivne. **transfixion** [träns'fikʃən] gennemboring; stivnen.

transform [träns'få·m] forvandle, omdanne *(into* til). **transform|ation** [tränsfə'me'ʃən] forvandling, omskabelse, omdannelse. **-ative** [träns'få·mətiv] forvandlende, forvandlings-.

transformer [träns'få·mə] transformator; omformer.

transfuse [träns'fju·z] overføre, tilføre (blod, væske); ~ *into* bibringe, indgyde.

transfusion [träns'fju·ʒən] overførelse, transfusion.

transgress [träns'gres] overtræde, bryde, overskride; synde, forse sig. **transgression** overtrædelse. **transgressor** overtræder, synder.

tranship [trän'ʃip] se *trans-ship.*

transien|ce, -cy ['tränziəns, -si] flygtighed.

transient ['tränziənt] forbigående, flygtig, kortvarig; (amr.) på gennemrejse. **transiently** i forbigående.

transistor [trän'sistə] transistor.

transit ['tränsit] (subst.) overgang, gennemgang, passage; befordring, transport, gennemrejse; (vb.) passere; *in* ~ under transporten, undervejs.

transit|-camp transitlejr, gennemgangslejr. ~ **-duty** transittold.

transition [trän'siʒən] overgang. **transitional** overgangs-.

transitive ['tränsitiv] transitiv.

transitory ['tränsitəri], se *transient.*

translate [träns'le'it] oversætte, tyde, fortolke; overføre, forflytte; omsætte; kunne oversættes; *be -d* (rel.) blive optaget i himlen. **translation** [träns'le'iʃən] oversættelse; overførelse, forflyttelse, optagelse (i himlen). **translator** [träns'le'itə] oversætter, translatør; lappeskrædder, lappeskomager; *-s* **S** gamle sko, gamle støvler.

transliterate [tränz'litəre'it] omskrive (i et andet alfabet).

translucency [tränz'lu·sənsi] gennemskinnelighed; (halv) gennemsigtighed. **translucent** [tränz'lu·sənt] gennemskinnelig; (halv)gennemsigtig.

transmigrant [tränz'maigrənt] udvandrer på gennemrejse til det land der er hans mål.

transmigrate ['tränzmaigre'it] overføre; overgå; udvandre; vandre over (om sjælevandring). **transmigration** [tränzmai'gre'iʃən] udvandring; sjælevandring.

transmissible [tränz'misəbl] som kan oversendes. **transmission** [tränz'miʃən] forsendelse, videregivelse; overlevering; overføring; ledning; (radio) transmission, udsendelse.

transmit [tränz'mit] forsende, oversende; videregive, overføre (fx. *a disease; sound* lyd); overlevere, lade gå i arv (fx. *character traits);* (radio:) transmittere, udsende; (elekt., varme) lede; *be -ted* (ogs.) gå i arv. **transmittable** [tränz'mitəbl] som kan oversendes (etc.). **transmittal** [tränz'mitəl] se *transmission.*

transmitter [tränz'mitə] oversender, afsenderapparat, sender (telegraf, telefon, radio).

transmogrification ['tränzmågrifi'ke'iʃən] (spøgende:) fuldstændig forvandling.

transmogrify [tränz'mågrifai] (spøgende:) fuldstændig forvandle.

transmutable [tränz'mju·təbl] foranderlig. **transmutation** [tränzmju'te'iʃən] forvandling, omdannelse; omskiftelse. **transmute** [tränz'mju·t] forvandle, omdanne.

transoceanic [tränzo"si'änik] på den anden side oceanet, oversøisk; ocean-.

transom ['tränsəm] tværpost, tværbjælke (over dør el. vindue); vindue (over dør); ⚓ agterspejl; hækbjælke.

transonic [trän'sånik] omkring lydens hastighed (fx. ~ *speed).*

transparence [träns'pæərəns], **transparency** gennemsigtighed, transparens; tydelighed; lysbillede, diapositiv.

transparent [träns'pæərənt] gennemsigtig, transparent; oplagt, åbenlys, klar.

transpierce [träns'piəs] gennembore, gennemtrænge.

transpiration [tränspi're'iʃən] svedafsondring; (ogs. ♧) transpiration.

transpire [trän'spaiə] svede; transpirere; fordampe; komme for dagen, sive ud, forlyde; hænde.

transplant [träns'pla·nt] omplante, udplante; overflytte, overføre; (med.) transplantere. **transplantation** [tränspla·n'te'iʃən] omplantning; overflytning, overførelse; (med.) transplantation.

transpontine ['tränz'påntain] hinsides broen (i London: syd for Themsen); (fig.) melodramatisk, folkekomedie- (fx. ~ *hero).*

I. **transport** [träns'på·t] (vb.) forsende, føre, transportere, flytte; deportere; betage, henrykke; *-ed with* (ogs.) ude af sig selv af (fx. *delight, grief).*

II. **transport** ['tränspå·t] (subst.) forsendelse, transport; henrykkelse, betagethed; anfald; transportskib, transportfly; *in a* ~ *of, in -s of* ude af sig selv af (fx. *rage).*

transportable [träns'på·təbl] transportabel, som kan forsendes. **transportation** [tränspå·'te'iʃən] forsendelse, transport; deportation.

transposal [träns'po"zəl] omsætning, forflyttelse; (i musik) transponering. **transpose** [träns'po"z] omsætte, omflytte; (i musik) transponere. **transposition** [tränspə'ziʃən] omflytning, forandring; transponering.

trans-ship [träns'ʃip] (vb.) omlade, omskibe.

trans-shipment omladning, omskibning.

transubstantiate [tränsəb'stänʃie'it] forvandle. **transubstantiation** ['tränsəbstänʃi'e'iʃən] forvandling (af nadverelementerne).

transuranic [tränsju're'inik]: ~ *elements* transuraner.

Transvaal ['tränzva·l]: *the* ~ Transvaal.

transversal [tränz'və·səl] (adj.) tværgående; (subst., mat.) transversal.

transverse ['tränzvə·s] tvær-, skrå-, skrå, tværgående, tværskibs; *-ly* på tværs, på skrå.

I. **trap** [träp] (subst.) fælde, snare, ruse; lem, faldlem; vandlås; nordengelsk boldspil; køretøj, jumbe; **S** flab, mund; (se ogs. *traps).*

II. **trap** [träp] (vb.) fange, besnære; forsyne med vandlås; stille fælder for, lokke, narre.

III. **trap** [träp] (subst.) (bjergart) trap.

IV. **trap** [träp] (vb.) pynte, udstaffere.

trap-door ['träp'då·] lem, luge; falddør, faldlem, faldluge.

trapes [tre'ips] farte om, drive om, føjte om, rakke rundt.

trapeze [trə'pi·z] trapez (til gymnastik).

trapezium [trə'pi·zjəm] trapez (i geometri).

trapper ['träpə] pelsjæger.

trappings ['träpiŋz] pynt, stads, ydre pragt; (til hest) pynteligt ridetøj, dækken.

Trappist ['träpist] trappist (munk).

trappy ['träpi] fuld af snarer, lumsk.

traps [träps] **S** sager, pakkenelliker, bagage, grejer, kluns.

trapstair(s) ['träp'stæə(z)] faldtrappe.

trash [träʃ] bras, hø, møg (ogs. om litteratur); sludder; (amr.) affald; udskud, rak; *white* ~ de fattige i sydstaterne.

trashy ['träʃi] værdiløs, unyttig.

trass [träs] trass (en jordart).

trauma ['trå·mə] traume (ogs. psyk.); læsion.

traumatic [trå·'mätik] traumatisk.

travail ['träve'il] (glds.) (vb.) ligge i fødselsveer; slide og slæbe; (subst.) slid og slæb, møje; fødselsveer.

travel ['trävl] (vb.) rejse, være på rejse; gå, vandre; berejse, tilbagelægge; (om lyd, ild etc.) bevæge sig; forplante sig; (fig.) strejfe, vandre; (subst.) rejse, rejsebeskrivelse; ~ *second* rejse på anden klasse.

travel| agency rejsebureau. ~ **association** turistforening.

travelled ['trävəld] vidt berejst, rejsevant; besøgt (fx. *a much* ~ *place).*

traveller ['trävlə] rejsende, berejst mand; *(commercial)* ~ (handels)rejsende; ~ *'s cheque* rejsecheck; ~ *'s joy* ♧ klematis; ~ *'s tale* løgnehistorie, skipperløgn.

travelling ['trävliŋ] (om)rejsende, rejse-; ~ *crane*

løbekran; ~ *library* vandrebibliotek; bogbil; ~ *rug* rejseplaid; ~ *scholarship* rejsestipendium; ~ *stairs* rullende trappe.

travelogue ['trävəlåg] rejseforedrag, rejsebeskrivelse.

traverse ['trävəs] (adj.) på tværs, over kors; korslagt; tvær-; (subst.) noget som lægges på tværs, uventet hindring, streg i regningen, uheld, indsigelse; tværbjælke, loftsbjælke; siksaksti; ⚔ tværskanse, travers, dækningsvold; (vb.) gennemkrydse, gennemrejse, berejse, krydse, strejfe hen over; gøre indsigelse mod, bestride, gendrive; traversere.

travesty ['trävisti] (vb.) travestere, karikere, parodiere; (subst.) travesti, parodi.

trawl [trå·l] trawl; (vb.) trawle. **trawler** trawler.

tray [tre'] bakke; brevkurv; kartoteksskuffe. **tray-cloth** bakkeserviet.

treacherous ['tretʃərəs] forræderisk, troløs, upålidelig, lumsk. **treachery** ['tretʃəri] forræderi.

treacle ['tri·kl] mørk sirup, melasse; smiger, søde ord. **treacly** ['tri·kli] sirupsagtig; sukkersød (fx. *a ~ smile).*

I. **tread** [tred] *(trod, trodden)* træde på, betræde; trampe; stampe på; ~ *water* træde vande; ~ *on air* (fig.) være helt oppe i skyerne (el. i den syvende himmel); ~ *on sby.'s heels* (ogs. fig.) traske i hælene på en; ~ *on sby.'s toes* træde en over tæerne.

II. **tread** [tred] (subst.) trin, skridt, gang; trappetrin; slidbane (på bildæk); sporvidde; fugles parring.

treadle ['tredl] pedal, (et) tråd, fodtråd, trædebræt; (på håndvæv) trampe, skammel.

tread-mill ['tredmil] trædemølle.

treason ['tri·zn] forræderi, loyalitetsbrud, troskabsbrud; *high* ~ højforræderi. **treasonable** forræderisk.

treasure ['treʒə] (subst.) skat, klenodie, rigdomme; (vb.) samle, opdynge, gemme; skatte (højt), sætte pris på. **treasure-house** skatkammer.

treasurer ['treʒərə] kasserer.

treasure-trove ['treʒə'troᵘv] skattefund, funden skat.

treasury ['treʒəri] skatkammer, hovedkasse, finansministerium; kasse; (fig.) guldgrube; *First Lord of the Treasury* første skatkammerlord (nominel overfinansminister; titlen indehaves oftest af statsministeren); *Secretary of the Treasury* (amr.) finansminister.

treasury| bench ministerbænk (i Underhuset). ~ **bill** skatkammerveksel.

I. **treat** [tri·t] (vb.) behandle, betragte; traktere; underhandle *(for* om); ~ *of* handle om, dreje sig om; ~ *sby. to sth.* traktere en med ngt., forære en ngt.; ~ *oneself to sth.* spendere ngt. på sig selv; *have to ~ with* have at gøre med.

II. **treat** [tri·t] (subst.) traktement, underholdning; udflugt, skovtur, (fig.) nydelse (fx. *it was a ~ to hear her);* fryd; svir; *Sunday school ~* søndagsskoleudflugt; *this is my ~* jeg gi'r; det er min omgang; *stand ~* gi' (ɔ: betale).

treatise ['tri·tiz] afhandling.

treatment ['tri·tmənt] behandling, kur, medfart.

treaty ['tri·ti] overenskomst, traktat; traktatmæssig (fx. ~ *rights); be in ~ with* ligge i underhandling med; ~ *port* traktathavn.

I. **treble** ['trebl] tredobbelt; (vb.) tredoble(s); ~ *the price* den tredobbelte pris, det tredobbelte af prisen.

II. **treble** ['trebl] (i musik) diskant(-); høj, skingrende; ~ *clef* diskantnøgle.

tree [tri·] (subst.) træ; stamtræ; blok (til fodtøj); (vb.) jage op i et træ, bringe i knibe; *up a ~* (fig.) i knibe, i forlegenhed; *at the top of the ~* (fig.) i toppen.

tree|-creeper (zo.) træløber. ~ **-frog** (zo.) løvfrø.

trefoil ['trefoil, 'tri·foil] kløver; kløverblad, trifolium, trepas (ornament).

trek [trek] (vb.) udvandre; rejse med okseforspand (i Sydafrika); trække; (subst.) (besværlig) rejse; udvandring.

trellis ['trelis] gitter, tremmeværk, sprinkelværk, espalier; *-ed* med gitter, tremme-.

tremble ['trembl] (vb.) skælve, bæve, ryste, dirre; (subst.) skælven, bæven, rysten, dirren; *be all of a ~* T ryste over hele kroppen. **trembling** ['tremblin] (adj.) skælvende, bævende, rystende, dirrende; (subst.) skælven, bæven, rysten, dirren.

tremendous [tri'mendəs] mægtig, vældig stor, kolossal, enorm, voldsom, drabelig; frygtelig, skrækkelig.

tremor ['tremə] skælven, rystelse, gys.

tremulous ['tremjuləs] skælvende, dirrende, sitrende; ængstelig.

trench [trenʃ] (subst.) grøft, skyttegrav; rende (fx. *cooking ~);* (vb.) grave skyttegrav (, grøft, rende); kulegrave; ~ *upon* gøre indgreb i; tangere, være på grænsen af.

trenchant ['trenʃənt] skarp, afgørende; indtrængende.

trencher ['trenʃə] smørebræt; skærebræt.

trencherman: *be a good ~* have en god appetit.

trench mortar fodfolksmortér.

trend [trend] (vb.) bøje, dreje, strække sig, gå i en vis retning; tendere; (subst.) retning, udvikling, tendens.

trental ['trentəl] tredive sjælemesser.

trepan [tri'pän], **trephine** [tri'fi·n] (vb.) trepanere; (subst.) trepan.

trepidation [trepi'deⁱʃən] skælven, angst, bestyrtelse.

trespass ['trespəs] (subst.) overtrædelse, skyld, synd; ejendomskrænkelse, indgreb; (vb.) forse sig; ~ *(up)on* trænge ind på (en andens enemærker); (fig.) gøre indgreb i; lægge beslag på (fx. *sby.'s time, hospitality); no -ing!* (svarer til) adgang forbudt for uvedkommende! privat! *forgive us our -es as we forgive them that ~ against us* forlad os vor skyld som vi forlader vore skyldnere.

trespasser ['trespəsə] overtræder (af adgangsforbud); *-s will be prosecuted* (svarer til) adgang forbudt for uvedkommende.

tress [tres] (poet.) krølle, lok; (glds.) fletning.

trestle ['tresl] buk, understel. **trestletrees** ⚓ saling.

tret [tret] refaktie, godvægt; godtgørelse for svind.

trews [tru·z] skotskternede bukser.

trey [treⁱ] treer (i kortspil el. på terning).

triad ['traiəd] trehed, samling af tre; treklang.

trial ['traiəl] (subst.) prøve, forsøg, undersøgelse; prøvelse (fx. *that boy is a ~),* gene; (jur.) forhør, retslig behandling, domsforhandling, rettergang; sag, proces; (adj.) prøve- (fx. ~ *trip); ~ by fire* ildprøve, jernbyrd; *on ~* på prøve; *he is on ~ for murder* han er anklaget for mord; *bring to* (el. *up for) ~, put on ~* stille for retten; *give him a ~* lade ham blive prøvet, gøre et forsøg med ham; *put to ~* prøve.

trial balance (merk.) råbalance.

triangle ['traiängl] trekant; (i musik) triangel.

triangular [trai'ängjulə] trekantet.

triangulate [trai'ängjuleⁱt] (vb.) triangulere; [trai'ängjulėt] (adj.) trekantet, bestående af trekanter. **triangulation** [traiängju'leⁱʃən] triangulering.

tribal ['traibl] (adj.) stamme-, familie-.

tribe [traib] stamme; slægt, folkefærd.

tribesman ['traibzmən] medlem af stamme.

tribometer [trai'båmitə] friktionsmåler.

tribulation [tribju'leⁱʃən] trængsel, modgang, prøvelse.

tribunal [trai'bju·nəl] domstol, ret; nævn (fx. *rent ~* huslejenævn).

tribunate ['tribjunėt] tribunat. **tribune** ['tribju·n] tribun; talerstol.

tributary ['tribjutəri] skatskyldig, underordnet, bi-; biflod. **tribute** ['tribju·t] skat, tribut, anerkendelse, hyldest.

tricar ['traika·] trehjulet automobil.

trice [trais] ⚓ hale op; *in a ~* i en håndevending, i en fart.
trichin|a [tri'kainə] (pl. *-ae* [-i·]) trikin.
trichinosis [triki'noᵘsis] trikinose.
trick [trik] (subst.) kneb, fif, streg, trick, fidus (fx. *he knows all the -s*), kunststykke, behændighedskunst, underfundighed, kunstgreb; manér, egenhed, vane, uvane (fx. *he has a ~ of repeating himself*); stik (i kortspil); ⚓ tørn; *that will do the ~* det er lige det der skal til; det skal nok klare sagen; *a ~ of the senses* et sansebedrag; *play a ~ on* lave et nummer med; *I know a ~ worth two of that* jeg ved noget der er meget bedre.
II. **trick** [trik] (vb.) narre, snyde, bedrage; *~ sby. into doing sth.* narre en til at gøre ngt.; *~ out* pynte, udstaffere; *~ sby. out of his money* franarre en hans penge.
trickery ['trikəri] lurendrejeri, svindel.
trickish ['trikiʃ] snu, listig, upålidelig.
trickle ['trikl] (vb.) pible, dryppe, trille, sive; komme dryssende; (subst.) tynd strøm; ringe tilførsel; dråbe.
trick-shooter kunstskytte.
trickster ['trikstə] lurendrejer, svindler.
tricksy ['triksi] løssluppen, kåd, skælmsk; (glds.) upålidelig; fin, pyntet; (se ogs. *tricky*).
tricky ['triki] (om person) upålidelig, listig; (om ting) drilagtig (fx. *a ~ lock*); indviklet, vanskelig (fx. *a ~ problem*).
tricolour ['traikʌlə] trefarvet flag, trikolore.
tricycle ['traisikl] trehjulet cykel.
trident ['traidənt] trefork.
tried [traid] imperf. og perf. part. af *try; a ~ friend* en prøvet ven.
triennial(ly) [trai'eniəl(i)] hvert tredje år.
trifle ['traifl] (subst.) bagatel, ubetydelighed, kende, smule; trifli; (vb.) drive spøg, lege (*with* med); fjase; *stick at -s* hænge sig i småting; *~ away* spilde, øde bort; *not to ~* (el. *be -d) with* ikke til at spøge med. **trifler** ['traiflə] pjankehoved, overfladisk person.
trifling ['traifliŋ] ubetydelig.
trifoliate [trai'foᵘliėt] (adj.) trebladet.
trifolium [trai'foᵘliəm] kløver.
trifurcate [trai'fə·keⁱt] (vb.) dele sig i tre grene; [trai'fə·kėt] (adj.) tregrenet.
trig [trig] (vb.) standse, stoppe; fylde, proppe; rigge ud, gøre fin; (subst.) bremseklods; (adj.) net, pæn, flot.
trig. fk. f. *trigonometry*.
trigger ['trigə] aftrækker, udløser; *pull the ~* trykke af; *~ off* udløse, sætte i gang; *quick on the ~* rask til at skyde; (fig.) vaks.
trigger| guard aftrækkerbøjle. *~* **-happy** ivrig efter at komme til at skyde; krigsgal.
trigonometric(al) [trigənə'metrik(l)] trigonometrisk. **trigonometry** [trigə'nåmitri] trigonometri.
trike [traik] trehjulet (barne)cykel.
trilateral [trai'lätərəl] tresidet.
trilby ['trilbi], **trilby hat** blød filthat.
trilingual [trai'lingwəl] tresproget.
trill [tril] (subst.) trille; (vb.) slå triller, trille; *~ the r's* snurre på r'erne.
trillion ['triljən] trillion; (amr.) billion.
trilogy ['trilədʒi] trilogi.
I. **trim** [trim] (vb.) bringe i orden; pudse (fx. *the wick of a lamp*); studse, klippe (fx. *one's moustache*); pynte (fx. *a hat*), besætte (fx. *with fur*); garnere; ⚓ trimme, lempe, bringe til at ligge på ret køl; (fig.) være opportunist, lempe sine anskuelser efter omstændighederne; **T** irettesætte; *~ oneself up* gøre sig i stand.
II. **trim** [trim] (subst.) orden, form (fx. *in good ~*); beklædning; helbredstilstand, sindstilstand; ⚓ amning; trim, styrlastighed; *in fighting ~* klar til kamp.
III. **trim** [trim] (adj.) pæn, i god orden; velbygget, velformet.

trimmer ['trimə] en som pudser, klipper, trimmer etc.; redskab hertil (se I. *trim*); (holdningsløs) opportunist.
trimming ['trimiŋ] pudsning, klipning, trimning; pynt, besætning; garnering; tilbehør, sirlige talemåder.
trinal ['trainəl], **trine** [train] tredobbelt.
tringle ['triŋgl] gardinstang.
trinitarian [trini'tæəriən] treenigheds-.
Trinity ['triniti] treenighed; *~ House* (institution i London som administrerer fyr-, lods- og vagervæsenet i Storbritannien); *~ Sunday* trinitatis, søndag efter pinse.
trinket ['triŋkit] smykke, nipsgenstand; bagatel.
trio ['trioᵘ] trio, terzet; (fig.) trekløver.
I. **trip** [trip] (vb.) trippe; snuble; begå en fejl, fejle, fortale sig; spænde ben (for); *~ up* snuble, spænde ben for; ⚓ brække (et anker) løs (fra havbunden); *~ sby. up* (fig.) gribe én i en fejl (el. usandhed).
II. **trip** [trip] (subst.) tur, udflugt, rejse; sviptur, smut; snublen; fejltrin; fortalelse.
tripartite ['trai'pa·tait] tredelt; tresidig, afsluttet mellem tre. **tripartition** [traipa·'tiʃən] tredeling.
tripe [traip] (subst.) kallun; **S** bras, hø, møg (især om litteratur); sludder.
tripedal [trai'pi·dl] trefodet.
triphthong ['trifþåŋ] triftong, trelyd.
triplane ['traipleⁱn] flyvemaskine med tre bæreplaner.
triple ['tripl] tredobbelt, trefoldig; (vb.) tredoble(s).
triplet ['triplėt] samling af tre, tre rimlinier; trilling.
I. **triplicate** ['triplikėt] (adj.) tredobbelt, trefoldig; (subst). triplikat; *in ~* i tre eksemplarer.
II. **triplicate** ['triplikeⁱt] (vb.) tredoble; udfærdige i tre eksemplarer, skrive med to gennemslag.
triplication [tripli'keⁱʃən] tredobling.
tripod ['traipåd] trefod.
I. **Tripoli** ['tripəli] Tripolis.
II. **tripoli** ['tripəli] trippelse (pudsemiddel).
Tripolitan [tri'pålitən] (adj.) tripolitansk.
tripos ['traipås] (navn på en eksamen ved universitetet i Cambridge).
tripper ['tripə] udflugtsrejsende, turist på kortvarigt besøg.
tripping ['tripiŋ] (adj.) let på foden, trippende; (subst.) trippen, dansen.
triptych ['triptik] triptykon (tredelt billede, især altertavle), fløjalter.
triptyque [trip'ti·k] carnet, toldpas for bil.
trireme ['trairi·m] (hist.) treradåret skib, triere.
trisect [trai'sekt] tredele.
trisection [trai'sekʃən] tredeling.
trisyllabic ['traisi'läbik] trestavelses-.
trisyllable ['trai'siləbl] trestavelsesord.
trite [trait] forslidt, fortærsket, banal.
Triton ['traitn] Triton.
triturate ['tritjəreⁱt] knuse, pulverisere, male.
trituration [tritjə'reⁱʃən] knusning, pulverisering.
triumph ['traiəmf] triumf, sejr; triumfere, sejre.
triumphal [trai'ʌmfəl] triumf- (fx. *arch* bue); triumferende.
triumphant [trai'ʌmfənt] triumferende, sejrende, triumf-, sejrs-.
triumvir [trai'ʌmvə] triumvir. **triumvirate** [trai'ʌmvirėt] triumvirat.
triune ['traiju·n] treenig.
trivet ['trivit] trefod; *right as a ~* fuldstændig i orden, frisk som en fisk.
trivial ['trivjəl] ubetydelig, ligegyldig; triviel; overfladisk; *the ~ round* den daglige trummerum.
triviality [trivi'äliti] ubetydelighed, banalitet, bagatel; trivialitet; overfladiskhed.
trivium ['triviəm] trivium (de tre videnskaber: **grammatik, logik, retorik**).

trocar ['troᵘka·] (med.) trocart (et instrument til punktur).

trochaic [tro'keⁱik] trokæisk; (subst.) trokæisk vers.

trochee ['troᵘki·] trokæ.

trod [tråd] imperf. af *tread.*

trodden ['trådn] perf. part. af *tread.*

troglodyte ['tråglədait] huleboer.

troika ['troikə] trojka (russisk vogn med trespand).

Trojan ['troᵘdʒən] trojansk; (subst.) trojaner.

I. **troll** [troᵘl] (vb.) tralle, synge; fiske med blink el. spinder, dørge; (subst.) kanon (sang); dørgning, dørg.

II. **troll** [troᵘl] (subst.) trold.

trolley ['tråli] trolje, dræsine; (træk)vogn; rullebord. **trolley|-bus** trolleyvogn. ~ **-car** (amr.) sporvogn.

trollop ['tråləp] (subst.) sjuske, tøjte.

trombone ['trålmboᵘn] basun.

troop [tru·p] (subst.) trop, skare, flok; ryttertrop; eskadron; (pl.) tropper, krigsfolk; (vb.) gå flokkevis, myldre, samle sig i flokke, marchere, drage hastigt af sted; ~ *the colours* føre fanen til fløjen.

troop carrier ⚔ mandskabsvogn; (flyv.) troppetransportmaskine.

trooper ['tru·pə] kavallerist; kavallerihest; troppetransportskib; (amr. og australsk) bereden politibetjent; *swear like a* ~ bande som en tyrk.

troop-ship ['tru·pʃip] troppetransportskib.

trope [troᵘp] trope, billedligt udtryk.

trophy ['troᵘfi] trofæ, sejrstegn; (sports-)præmie.

tropic ['tråpik] vendekreds; *the -s* troperne. **tropical** ['tråpikl] tropisk.

trot [tråt] (vb.) trave, lunte, traske; lade trave; (subst.) trav; luntetrav; rolling; ~ *along* stikke af; ~ *out* køre frem med (fx. *all the old excuses);* fremføre; skilte med (fx. *one's knowledge);* diske op med; ~ *round* T føre (el. trække, slæbe) rundt i (fx. *he -ted me round Oxford); on the* ~ i aktivitet; *keep sby. on the* ~ holde en stadig beskæftiget, give en fuldt op at bestille.

troth [troᵘþ] (glds.) sandhed; tro, ord; *plight one's* ~ skænke sin tro.

trotter ['tråtə] traver (om hest); *pig's -s* grisetæer.

troubadour ['tru·bədua] troubadour.

I. **trouble** [trʌbl] (vb.) plage, forstyrre, volde ulejlighed (fx. *I am sorry to* ~ *you);* volde bekymring, bekymre; pine, volde smerte; besvære; være ked af det, bekymre sig; *be -d about* være bekymret over; *may I* ~ *you for the bread* må jeg bede Dem række mig brødet; ~ *to* gøre sig den ulejlighed at (fx. *answer); don't* ~ *to* du behøver ikke at, du skal endelig ikke (fx. *see me out); -d waters* rørt vande.

II. **trouble** [trʌbl] (subst.) bekymring; uro, forstyrrelse; sygdom, skavank (fx. *his old heart* ~*);* vanskelighed, besvær; ulejlighed (fx. *no* ~ *at all, I assure you);* vrøvl (fx. ~ *with the police); ask for* ~ skabe sig vanskeligheder; selv være ude om det; *be in* ~ have rodet sig ind i noget; *get into* ~ rode sig ind i noget, komme i fedtefadet; (om pige) komme galt af sted (ɔ: blive gravid); *get sby. into* ~ bringe en i forlegenhed; *get a girl into* ~ gøre en pige ulykkelig (ɔ: gravid); *make* ~ yppe kiv; volde vanskeligheder.

trouble-shooter fejlfinder (reparatør); (fig.) mægler; en der kan bringe forholdene i lave (el. få tingene til at glide).

troublesome ['trʌblsəm] besværlig (fx. *a* ~ *cough),* vanskelig (fx. *a* ~ *job, a* ~ *child).*

trough [tråf] trug, kar; rende; bølgedal; (i meteorologi) lavtryksudløber.

trough fault (geol.) gravsænkning.

trounce [trauns] prygle, gennemhegle.

troupe [tru·p] trup (af skuespillere), teaterselskab.

trouper ['tru·pə] medlem af trup; *good* ~ (fig.) god kollega.

trousering ['trauzəriŋ] benklædestof.

trousers ['trauzəz] bukser, benklæder.

trousseau ['tru·soᵘ] brudeudstyr.

trout [traut] (zo.) forel, ørred.

trow [trau] (glds. el. spøgende) tro, mene, tykkes.

trowel ['trauəl] (subst.) murske; planteske; (vb.) afpudse; *lay it on with a* ~ smøre tykt på.

I. **troy** [troi]: ~ *weight* guld- el. sølvvægt, apotekervægt.

II. **Troy** [troi] Troja.

truancy ['tru·ənsi] driveri, skulkeri.

truant ['tru·ənt] skulkende; skulker; *play* ~ skulke.

truce [tru·s] våbenstilstand; hvile, kort frist; *flag of* ~ parlamentærflag; *a* ~ *to talking!* nu ikke mere snakken!

I. **truck** [trʌk] (vb.) drive tuskhandel, tuske, bortbytte; (subst.) bytte, tuskhandel; ragelse; betaling i varer; (amr.) grønsager; *I will have no* ~ *with him* jeg vil ikke have noget med ham at gøre.

II. **truck** [trʌk] (subst.) (betegnelse for forskellige vogntyper, bl. a. blokvogn, åben godsvogn, trækvogn til bagage på jernbaneperron); (amr. ogs.) lastbil.

III. **truck** [trʌk] (subst.) flagknap; ⚓ klåde.

truckage ['trʌkidʒ] transport; fragt.

truck-gardening (amr.) handelsgartneri.

truckle ['trʌkl] krybe, bøje sig ydmygt, logre *(to* for).

truckle-bed lav seng på ruller (til at skyde ind under en større).

truckler servil person, spytslikker.

truck system ['trʌk'sistəm] betaling af arbejdsløn i form af varer.

truculence ['trʌkjuləns] vildhed, råhed; stridbarhed. **truculent** ['trʌkjulənt] barbarisk, vild, frygtelig; bidende, skarp; stridbar.

trudge [trʌdʒ] traske; trasken; travetur.

true [tru·] sand (fx. *a* ~ *story),* nøjagtig (fx. *a* ~ *copy);* ægte, egentlig (fx. *the* ~ *cocoa tree);* rigtig; tro *(to* mod); *come* ~ slå til, gå i opfyldelse; ~ *course* ⚓ retvisende kurs; *it is* ~ (ogs.) ganske vist, rigtignok; *out of* ~ forkert indstillet (el. anbragt), ude af lod (, vage), unøjagtig; ~ *up* afrette, tilpasse.

true|-blue ægte blå; (fig.) vaskeægte, urokkelig tilhænger (af et parti etc.). ~ **-bred** af ægte race; gennemdannet. ~ **-hearted** tro, oprigtig. ~ **-love** hjertenskær.

truffle ['trʌfl] ♧ trøffel.

trug [trʌg] spånkurv.

truism ['tru izm] selvindlysende sandhed, selvfølgelighed, banalitet.

trull [trʌl] (glds.) skøge, tøjte.

truly ['tru·li] med sandhed; oprigtigt (fx. ~ *grateful);* trofast; nøjagtigt; virkelig (fx. ~ *beautiful); I can* ~ *say* jeg kan med sandhed sige; *Yours* ~ ærbødigst (foran underskriften i et brev); (spøgende) undertegnede (ɔ: jeg).

I. **trump** [trʌmp] (subst.) trumf; T knop; knag, kernekarl; (vb.) stikke med trumf, spille trumf; *no -s* sans (i bridge); *turn up -s* (fig.) falde heldigt ud, have held med sig.

II. **trump** [trʌmp] (vb.) bedrage; *-ed up* opdigtet.

III. **trump** [trʌmp] trompet; trompetskrald; *the* ~ *of doom, the last* ~ dommedagsbasunen.

trumpery ['trʌmpəri] (subst.) bras, sludder; (adj.) forloren, intetsigende, tarvelig.

trumpet ['trʌmpit] (subst.) trompet; tragt (fx. *gramophone* ~*);* trompetstød; (vb.) forkynde, udbasunere; (om elefant) trompete; *blow one's own* ~ rose sig selv, prale.

trumpet|-call trompetstød, hornsignal; signal til handling. ~ **-card** trumf(kort); *play one's* ~ *-card* (fig.) spille sin sidste trumf ud.

trumpeter ['trʌmpitə] trompeter, trompetist.

truncate ['trʌŋkeⁱt] afstumpe, forkorte, lemlæste, afskære; ~ *leaf* lige afskåret blad; *-d cone* keglestub.

truncation [trʌŋ'keⁱʃən] afstumpning, forkortning, lemlæstelse, afskæring.

truncheon ['trʌnʃən] kommandostav; knippel, politistav.

trundle ['trʌndl] (vb.) rulle, trille; (subst.) rulle, valse; ~ *-bed* = *truckle-bed.*

trunk [trʌŋk] (træ)stamme, bul; krop; kuffert; hovedledning, hovedlinje; (elefants) snabel; *-s,* ~ *drawers* korte underbukser; *swimming -s* badebukser.

trunk| call udenbys opkald. **-fish** kuffertfisk. ~ **-hose** [-hoᵘz] (glds.) pludderhoser. ~ **-line** hovedbane, hovedlinje; (elekt.) hovedledning. ~ **-road** hovedvej.

trunnion ['trʌnjən] ⚔ (i lavet:) tap.

truss [trʌs] (subst.) knippe (hø el. halm), bundt; klase; (med.) brokbind; (arkit.) spærfag; (vb.) støtte, afstive; binde sammen; ~ *up* binde (armene ind til kroppen); binde sammen; (om fjerkræ) opsætte; (glds.) klynge op. **truss (and belt) maker** bandagist.

I. **trust** [trʌst] tillid; tiltro; betroet hverv, tillidspost; overdragelse til forvaltning; betroet formue (el. bo); (merk.) trust, ring, sammenslutning; *on* ~ på kredit; *take sth. on* ~ tro på ngt. uden at forlange el. skaffe sig bevis, tage ngt. for gode varer; *position of* ~ betroet stilling.

II. **trust** [trʌst] (vb.) stole på, have tillid til (fx. *I* ~ *him);* betro *(sby. with sth.* el. *sth. to sby.* en ngt.); tro, håbe oprigtigt (fx. *I* ~ *you are keeping well);* ~ *in* stole på, have tillid til; ~ *to* stole på; *we must* ~ *to meeting someone* vi må løbe an på at møde nogen; *do you* ~ *him to do it?* stoler du på at han gør det? tør du lade ham gøre det? *is he to be -ed with it?* (ogs.) kan man risikere at overlade ham det?

trust| corporation forvaltningsinstitut. ~ **deed** fundats.

trustee [trʌ'sti·] tillidsmand, kurator, værge; *board of -s* bestyrelse; ~ *of a bankrupt's estate* bestyrer af fallitbo; ~ *investment* pengeanbringelse med sikkerhed som for umyndiges midler; *The Public Trustee* (svarer omtr. til) overformynder, overformynderiet. **trusteeship** egenskab som tillidsmand osv., værgemål, formynderskab.

trust|ful tillidsfuld. ~ **funds** båndlagte midler; betroede midler. **-less** upålidelig, utroværdig. ~ **territory** formynderskabsområde. **-worthy** pålidelig, tilforladelig.

trusty ['trʌsti] pålidelig, trofast, tro.

truth [tru·þ] sandhed; sanddruhed, sandfærdighed; nøjagtighed, rigtighed; trofasthed, troskab; *in* ~ i sandhed; *to tell the* ~ (ogs.) sandt at sige; ~ *in advertising* ærlig reklame.

truth|ful sandfærdig, sanddru. **-less** usand; troløs.

I. **try** [trai] *(tried, tried)* prøve, forsøge; sætte på prøve (fx. *his patience was tried);* anstrenge, tage på (fx. *it tries the eyes);* plage (fx. *illness tries me);* (jur.) behandle (fx. *a case* en retssag), (om person) stille for retten; ~ *one's best* gøre sit bedste; ~ *by court-martial* stille for en krigsret; ~ *the door* tage i døren; ~ *for* prøve at få (el. opnå); *he was tried for murder* han var anklaget i en mordsag; ~ *on* prøve (fx. ~ *a coat on);* ~ *it on* (ogs.) 'se om den går'; *don't* ~ *anything on with me* prøv ikke at lave numre med mig; ~ *out* rense, raffinere, omsmelte; gennemprøve, prøve i praksis.

II. **try** [trai] (subst.) T forsøg; *come and have a* ~ kom og prøv; *have another* ~ prøv igen.

trying ['traiiŋ] trættende, anstrengende, vanskelig, ubehagelig, pinlig.

trysail ['traiseⁱl, ⚓ 'traisl] gaffelsejl.

try square (tømmer)vinkel.

tryst [traist, trist] (glds.) (subst.) stævnemøde, mødested; (vb.) sætte stævne; *break* ~ ikke komme til stævnemøde.

tsar [za·] se *czar.*

tsetse ['tsetsi] tsetseflue.

T square hovedlineal.

T. U. fk. f. *Trade Union.*

tub [tʌb] (subst.) balje, bøtte, fjerding; badekar; (kar)bad; T langsom og klodset båd, pæreskude; (vb.) sætte i balje, bade, vaske.

tuba ['tju·bə] tuba.

tubby ['tʌbi] tyk og rund; med en dump klang.

tube [tju·b] rør; tube (fx. *toothpaste* ~); (cykel-) slange; undergrundsbane; (anat., ♧) rør (fx. *the Eustachian* ~; *pollen* ~), kanal, kar; (med.) kanyle; (amr.) elektronrør; radiorør.

tuber ['tju·bə] ♧ knold, rodknold, udvækst.

tubercle ['tju·bə·kl] knude; tuberkel.

tubercular [tju·'bə·kjulə] tuberkuløs; knudret.

tuberculin [tju·'bə·kjulin] tuberkulin.

tuberculosis [tjubə·kju'loᵘsis] tuberkulose.

tuberculous [tju·'bə·kjuləs] tuberkuløs.

tuberose ['tju·bəroᵘz] ♧ tuberose.

tuberous ['tju·bərəs] knoldet, knoldbærende.

tubing ['tju·biŋ] rør, slange, rørsystem; ventilgummi.

tub-thumper ['tʌbþʌmpə] en der holder brandtaler, svovlprædikant.

tubular ['tju·bjulə] rørformet; ~ *boiler* rørkedel; ~ *bone* rørknogle; ~ *furniture* stålmøbler.

T. U. C. fk. f. *Trades Union Congress.*

tuck [tʌk] (vb.) samle sammen, indpakke, gemme, putte; stoppe (ind); sy læg i; (subst.) læg; S slik, guf, lækkerier; ~ *away* gemme bort; T guffe (, tylle) i sig; ~ *in* stikke (el. stoppe) ind, 'putte' (i seng); T guffe i sig, få et kraftigt foder; ~ *into* T tage for sig af, klø løs på (fx. *one's food); with his legs -ed under him* med benene trukket op under sig; ~ *up* hæfte op, kilte op, smøge op.

I. **tucker** ['tʌkə]: *in one's best bib and* ~ i stiveste puds.

II. **tucker** ['tʌkə] S (subst.) mad; (vb.) udmatte.

tucket ['tʌkit] trompetstød, fanfare.

tuck|-in ['tʌk'in], ~ **-out** rigeligt måltid, ordentligt foder. ~ **-shop** slikbutik.

Tudor ['tju·də].

Tuesday ['tju·zdi, 'tju·zdeⁱ] tirsdag.

tufa ['tju·fə] tufsten.

tufaceous [tju·'feⁱʃəs] tufagtig.

tuft [tʌft] (subst.) dusk, kvast, tot; fipskæg; (vb.) adskille i kvaster, ordne i duske; *-ed* dusket, som sidder i en dusk el. tot. **tuft-hunter** (glds.) spytslikker, snob. **tufty** ['tʌfti] dusket.

tug [tʌg] (vb.) hale, trække, slæbe, bugsere; (subst.) træk, ryk; ⚓ bugserbåd; ~ *at* hale i; ~ *of war* tovtrækning; styrkeprøve.

tuition [tju'iʃən] undervisning, vejledning; undervisningsgebyr.

tuitional [tju'iʃənl] undervisnings-.

tulip ['tju·lip] tulipan; ~ *tree* tulipantræ.

tulle [tju·l] tyl.

tumble ['tʌmbl] (vb.) tumle, falde omkuld, trimle; styrte sammen; kaste sig frem og tilbage; boltre sig, slå kolbøtter; kaste, vælte; rode i, forkrølle, bringe i uorden; (subst.) fald, styrt; kolbøtte; uorden, urede, roderi; ~ *to* S fatte, forstå; tage fat på.

tumble|-bug (amr., zo.) skarnbasse. ~ **-down** faldefærdig, forfalden. ~ **-home** ⚓ indfaldende (om skibsside).

tumbler ['tʌmblə] ølglas, vandglas; akrobat, gøgler; (legetøj) tumling; (i lås) gæk; (zo.) tumler (en duerace).

tumbrel ['tʌmbrəl], **tumbril** ['tʌmbril] kærre, ammunitionsvogn, bøddelkarre.

tumefaction [tju·mi'fækʃən] opsvulmen, hævelse. **tumefy** ['tju·mifai] (få til at) hovne el. hæve.

tumescence [tju·'mesns] opsvulmen, hævelse.

tumid ['tju·mid] ophovnet, hævet; svulstig.

tumidity [tju·'miditi] ophovnen, hævelse; svulstighed.

tummy ['tʌmi] mavse (i børnesprog).

tumour ['tju·mə] (med.) svulst.

tumult ['tju·mʌlt] tummel, forvirring, tumult, oprør, stærk ophidselse. **tumultuary** [tju'mʌltjuəri] forvirret, stormende, oprørsk.

tumultuous [tju'mʌltjuəs] forvirret, vild, stormende, oprørt, heftig.

tumul|us ['tju·mjuləs] (pl. *-i* [-ai]) gravhøj.
tun [tʌn] tønde, fad; (vb.) fylde på tønder.
tuna ['tju·nə] (især californisk) tunfisk.
tunable ['tju·nəbl] som kan stemmes; velklingende, harmonisk.
tundra ['tʌndrə] tundra.
I. **tune** [tju·n] (subst.) melodi, tone, stemning, harmoni; *change one's* ~ anslå en anden tone; stikke piben ind; *be in* ~ være stemt, spille (el. synge) rent; *be in* ~ *with* harmonere med, stemme med (fx. *our traditions)*, være på bølgelængde med; *out of* ~ falsk, forstemt; *be out of* ~ *with* ikke harmonere med, ikke være på bølgelængde med; *to the* ~ *of £8,000* til (el. for el. med) et beløb af ikke mindre end £8.000.
II. **tune** [tju·n] (vb.) stemme; afstemme; indstille; ~ *in* afstemme, stille ind; ~ *in on* (el. *to)* stille ind på; dreje hen på; ~ *out* udskille; ~ *up* stemme; stemme i, spille op; (om motor) indstille, justere.
tune|ful velklingende, musikalsk. **-less** uharmonisk, umusikalsk.
tuner ['tju·nə] klaverstemmer; (radio) afstemningsapparat.
tungsten ['tʌŋstən] tungsten, wolfram.
tunic ['tju·nik] uniformsfrakke, våbenfrakke; bluse; (hist.) tunika; (biol.) hinde.
tuning ['tju·niŋ] afstemning, indstilling (radio).
tuning|-coil afstemningsspole. ~ **-fork** stemmegaffel. ~ **-hammer** stemmenøgle.
Tunis ['tju·nis] Tunis (byen).
Tunisia [tju'niziə] Tunis (landet), Tunesien.
tunnel ['tʌn(ə)l] (subst.) tunnel; (tekn.) akselgang; (vb.) bygge en tunnel (under el. igennem).
tunny ['tʌni] tunfisk.
tup [tʌp] vædder.
tuppence, tuppenny = *twopence* etc.
tu quoque ['tju·'kwoᵘkwi] tak i lige måde; det kan du selv være (som svar på en beskyldning).
turban ['tə·bən] turban; *-ed* med turban.
turbary ['tə·bəri] tørvemose; ret til tørveskær.
turbid ['tə·bid] grumset, uklar, forvirret.
turbinate ['tə·binét] topformet.
turbine ['tə·bain] turbine.
turbo|-jet ['tə·boᵘ'dʒet] turbojet (fx. *engine).* ~ **prop** [-'pråp]. turboprop-; propelturbine-.
turbot ['tə·bət] pighvarre.
turbulence ['tə·bjuləns] forvirring, uro; uregerlighed, voldsomhed, heftighed.
turbulent ['tə·bjulənt] oprørt, urolig; uregerlig, voldsom, heftig.
Turcoman ['tə·kəma·n] turkoman, turkmen.
turd [tə·d] (vulg.) lort.
tureen [tju'ri·n] terrin.
I. **turf** [tə·f] (subst.) grønsvær, tørv; græsplæne; *the* ~ væddeløbsbane, hestevæddeløb.
II. **turf** [tə·f] (vb.) dække med græstørv; ~ *sby. out* **S** smide en ud.
turfite ['tə·fait] hestesportsmand.
turfy ['tə·fi] græsrig; tørveagtig; væddeløbs-.
turgescence [tə·'dʒesns] opsvulmen, saftspænding; svulstighed.
turgid ['tə·dʒid] hævet, opsvulmet; (fig.) svulstig.
turgidity [tə·'dʒiditi] hævelse, opsvulmethed; (fig.) svulstighed.
Turk [tə·k] tyrk; *a regular young* ~ en ustyrlig krabat.
Turkestan [tə·ki'stän].
Turkey ['tə·ki] Tyrkiet; tyrkisk. **turkey** ['tə·ki] kalkun; *talk* ~ (amr.) tale rent ud af posen. **turkey -cock** kalkunsk hane.
Turkish ['tə·kiʃ] (subst. og adj.) tyrkisk; ~ **bath** romersk bad; ~ *delight* Turkish delight (slags konfekt). ~ **towel** frottéhåndklæde.
Turkoman ['tə·kəma·n] turkoman, turkmen.
turmoil ['tə·moil] tummel, forstyrrelse, uro, oprør.
I. **turn** [tə·n] (vb.) dreje; vende (fx. ~ *one's car);* turnere (fx. ~ *a compliment);* runde, passere (fx. *he has -ed fifty);* gøre (fx. *thunder -s milk sour);* forvandle (fx. ~ *water into wine);* oversætte *(into* til); omgå (fx. ~ *the enemy's flank);* vende sig, dreje; vende om (fx. *it is time to* ~ *now);* blive (fx. ~ *sour);* gå over til at være, (gå hen og) blive (fx. ~ *traitor);* blive sur (fx. *the milk has -ed);* skifte farve (fx. *the leaves are -ing);* (forskellige forb.; se ogs. hovedordet, fx. I. *brain, corner, head, penny,* I. *scale);* ~ *the other cheek* vende den anden kind til; ~ *the edge of the knife* gøre knivsæggen sløv; *he did not* ~ *a hair* han fortrak ikke en mine; ~ *one's hand to* give sig i lag (el. kast) med; ~ *one's stomach* få det til at vende sig i en, give en kvalme; ~ *tail* stikke af, løbe sin vej; *not know which way to* ~ ikke vide sine levende råd; *once he has made up his mind, nothing will* ~ *him* når først han har taget en beslutning, kan intet få ham fra den;
(forb. m. præp. el. adv.) ~ *about* vende om (el. rundt); *about* ~*!* omkring! ~ *against* vende imod, ophidse (el. sætte op) imod; vende sig fjendtligt imod; ~ *away* jage bort, afskedige; afvise; vende sig bort; *hundreds were -ed away* hundreder gik forgæves (ɔ: fordi der var udsolgt); ~ *down* folde (el. slå) ned; ombøje; skrue ned; dæmpe (fx. *the light);* afvise (fx. ~ *down a proposal);* lægge (et kort) med bagsiden opad; ~ *in* vende indad (fx. ~ *in one's toes);* gå i seng; lade indgå i handelen (som delvis betaling); tilbagelevere; melde (til politiet); ~ *off* afskedige; dreje af for, lukke for (fx. ~ *off the water);* ~ *on* dreje (el. lukke) op for, åbne for; vende sig fjendtligt imod, angribe; dreje sig om, stå og falde med; ~ *on the light* tænde (lyset);
~ *out* vise ud, jage bort (el. væk), sende på græs; producere, levere; slukke (fx. *the light);* vende udad (fx. *one's toes);* tørne ud, rykke ud, gå ud; møde op; vise sig at være; tømme, vende (fx. *one's pockets);* ~ *out a room* (flytte møblerne ud for at) gøre rent i et værelse; ~ *out well* falde godt ud; *well -ed out* velklædt;
~ *over* vende (fx. *he -ed over the pages of a book);* overdrage, overgive; have en omsætning på; vende sig (fx. *in bed);* ~ *it over in one's mind* overveje det, gruble over det; ~ *over a new leaf* tage skeen i den anden hånd; ~ *sby. round one's little finger* vikle en om sin lillefinger; ~ *round a ship* ekspedere (losse og/el. lade) et skib; ~ *to* tage fat, henvende sig til, ty til (fx. ~ *to sby. for help);* ~ *to account* udnytte; drage fordel af; ~ *up* dukke op, arrivere, vise sig, ankomme; skrue op (for); slå op (fx. ~ *up a word in the dictionary);* smøge op (fx. *one's sleeves);* vende op; lægge op (fx. *a skirt);* vække væmmelse hos; ~ *up one's nose at* rynke på næsen ad; *the sight -ed me up* jeg væmmedes ved synet; ~ *up one's toes* **T** krepere, kradse af; *wait for something to* ~ *up* vente på at der skal vise sig ngt.; ~ *a child up* vende enden i vejret på et barn; ~ *upon* = ~ *on.*
II. **turn** [tə·n] (subst.) omdrejning, drejning; bøjning, runding, tørn; anfald; vending (fx. *a* ~ *for the better);* forskrækkelse (fx. *you gave me such a* ~*);* tur (fx. *it is your* ~ *now);* skifte (fx. *the* ~ *of the century);* artistnummer, nummer (fx. *an entertainment with several good -s);* varietéskuespiller(inde); *at every* ~ (fig.) hele tiden; hvert andet øjeblik; *by -s,* ~ *and* ~ *about* skiftevis, efter tur; *one good* ~ *deserves another* den ene tjeneste er den anden værd; *done to a* ~ tilpas stegt (el. kogt); *do sby. a bad* (el. *ill)* ~ gøre én en bjørnetjeneste, skade en; *in* ~ efter tur; *and this in* ~ *will mean* og det betyder så igen (el. endvidere); *of an optimistic* ~ *(of mind)* optimistisk anlagt; *the milk is on the* ~ mælken er ved at blive sur; *the tide is on the* ~ strømmen er ved at vende; ~ *of the tide* strømkæntring; (fig.) omslag; *out of* ~ i utide; *it will serve my* ~ det vil passe i mit kram; *serve one's* ~ (ogs.) gøre sin nytte; *take -s at rowing* skiftes til at ro.
turn|buckle (amr.) bardunstrammer; ⚓ vantskrue. **-coat** vendekåbe. ~ **-down collar** nedfaldsflip.
turner ['tə·nə] drejer.

turnery ['tə·nəri] drejerarbejde; drejerværksted.

turning ['tə·niŋ] drejning; omdrejning; gadehjørne, sving; omgående bevægelse; *take the wrong* ~ gå forkert; (fig.) komme på afveje.

turning|-lathe drejebænk. ~ **point** vendepunkt. ~ **-tool** drejestål.

turnip ['tə·nip] turnips.

turnkey ['tə·nki·] slutter, fangevogter.

turn|-out produktion; udstyr; køretøj med forspand; strejke; antal tilskuere (el. tilhørere), mødeprocent; udrykning; oprydning, rengøring. **-over** omsætning; udskiftning; omslag; slags pie. **-pike** vejbom; (amr.) motorvej hvor der må erlægges afgift for kørsel. ~ **-screw** skruetrækker. **-spit** stegevender. **-stile** korsbom, tælleapparat. **-stone** (zo.) stenvender. ~ **-table** pladetallerken; (jernb.) drejeskive. ~ **-up** mudder, ballade; opslag (på bukser).

turpentine ['tə·pəntain] fransk terpentin.

turpitude ['tə·pitju·d] fordærvelse; nedrighed, lavhed.

turps [tə·ps] **T** terpentin.

turquoise ['tə·kwa·z] turkis; turkisfarvet.

turret ['tʌrit] lille tårn, kanontårn, pansertårn; (tekn.) revolverhoved; *-ed* tårnformet, med tårne; ~ *lathe* revolverdrejebænk.

I. **turtle** ['tə·tl] turteldue.

II. **turtle** ['tə·tl] havskildpadde; *turn* ~ kæntre; *green* ~ spiselig skildpadde, suppeskildpadde.

turtle|-dove turteldue. ~ **-neck sweater** sweater med rullekrave. ~ **-shell** skildpaddeskal; skildpadde-. ~ **-soup** skildpaddesuppe.

Tuscan ['tʌskən] toskansk; toskaner; ~ *order* toskansk arkitektur.

I. **tush** [tʌʃ] (glds.) pyt! snak!

II. **tush** [tʌʃ] hjørnetand (hos hest).

tusk [tʌsk] stødtand; (vb.) støde, stange, spidde.

tusker ['tʌskə] voksen elefant (, vildorne).

tussah ['tʌsə] (amr.) = *tussore.*

Tussaud's [tə'så·dz, tə'soᵘz] (vokskabinet i London).

tussive ['tʌsiv] hoste-.

tussle ['tʌsl] kamp, slagsmål; (vb.) slås.

tussock ['tʌsək] tot, dusk, tue, græspude.

tussore ['tʌsə, 'tʌså·] tussahsilke.

tut [t, tʌt] (lyd, som udtrykker utålmodighed, foragt, bebrejdelse) nå nå; årh hva'; så så.

tutelage ['tju·tilidʒ] formynderskab. **tutelar, tutelary** ['tju·tilə(ri)] formynder-; beskyttende, skyts-.

tutor ['tju·tə] (subst.) lærer, huslærer, hovmester, universitetslærer der vejleder i studierne; formynder; (vb.) undervise, oplære, hovmesterere; beherske, øve.

tutorial [tju'tå·riəl] lærer-; time hos ens *tutor.*

tutorship ['tju·təʃip] stilling som *tutor;* vejledning; formynderskab.

tutti-frutti ['tuti 'fruti] tutti frutti (dessert af blandede frugter).

tu-whit [tu'wit], **tu-whoo** [tu'wu·] uhu! (uglens tuden).

tuxedo [tʌk'si·doᵘ] (amr.) smoking.

T. V. fk. f. *television.*

T. V. A. fk. f. *Tennessee Valley Authority.*

twaddle ['twådl] vrøvle; vrøvl. **twaddler** vrøvlehoved.

twain [tweⁱn] (poet.) tvende; *in* ~ itu.

twang [twăŋ] (vb.) knipse (på spændt streng el. strengeinstrument), klimpre; (om streng) lyde, synge; (om person) snøvle, tale med næselyd; (subst.) knips, skarp lyd, klang, syngen (af en spændt streng); *(nasal)* ~ næselyd, nasallyd.

twangle ['twăŋgl] klimpre.

'twas [twåz, twəz] = *it was.*

twayblade ['tweⁱbleⁱd] ♧ fliglæbe.

tweak [twi·k] (vb.) klemme, knibe, rykke i og vride om (fx. ~ *his ear);* knipse (fx. ~ *a string);* (subst.) kniben, ryk.

tweed [twi·d] tweed.

tweedledum and tweedledee ['twi·dl'dʌm ən 'twi·dl'di·] hip som hap; (opr. personer i *Alice in Wonderland.)*

tweedy ['twi·di] tweedlignende, tweedagtig; klædt i tweed; (fig.) formløs, tvangfri, sporty.

'tween [twi·n] fk. f. *between* mellem.

'tween-decks ['twi·ndeks] mellemdæk.

tweeny ['twi·ni] **T** hjælpepige.

tweet [twi·t] (vb.) kvidre; (subst.) kvidder.

tweeter ['twi·tə] diskanthøjttaler.

tweezers ['twi·zəz] niptang, pincet; *a pair of* ~ en pincet.

twelfth [twelfþ] tolvte. **twelfth| -day** helligtrekongersdag. ~ **man** reserve. ~ **-night** helligtrekongersaften.

twelve [twelv] tolv. **twelve|mo** ['twelvmoᵘ] (el. *12mo)* duodez. **-month** år. **-pence** shilling. ~ **-tone** (adj.) tolvtone-.

twentieth ['twentiiþ] tyvende; tyvendedel.

twenty ['twenti] tyve.

twerp [twə·p] **S** skvat, skrog, dum skid.

twice [twais] to gange, dobbelt; *king* ~ (i kortspil) kongen anden; ~ *two is* (el. *are) four* to gange to er fire; ~ *as much* dobbelt så meget; *he has* ~ *the strength* han er dobbelt så stærk; *think* ~ betænke sig; *not think* ~ *about* glemme, ikke tænke mere på; ikke betænke sig på (fx. *I shouldn't think* ~ *about refusing his offer); I did not wait* (el. *have) to be told* ~ det lod jeg mig ikke sige to gange. **twice-told** gentaget, forslidt, gammel.

twiddle ['twidl] (vb.) dreje (på) (fx. ~ *the knobs);* trille; ~ *one's fingers* (el. *thumbs)* trille tommelfingre, ikke have ngt. at bestille; ~ *with* lege med, pille (el. fingerere) ved; *give sth. a* ~ dreje på ngt.

twig [twig] (subst.) kvist, lille gren; (vb.) **T** fatte, begribe; *hop the* ~ **S** kradse af, dø.

twiggy ['twigi] fuld af kviste, kvistlignende.

twilight ['twailait] tusmørke, skumring; dunkel, halvmørk; ~ *of the gods* ragnarok; ~ *sleep* (med.) tågesøvn (let bedøvelse); ~ *state* tågetilstand.

'twill [twil] fk. f. *it will.*

twill [twil] (om stof) (vb.) kipre; (subst.) kiper; *-ed* kipret.

twin [twin] (subst.) tvilling; mage; (vb.) passe sammen. **twin|-born** tvillingefødt. ~ **brother** tvillingebroder.

twine [twain] (vb.) sno, (om)slynge, spinde, slynge sig sammen, bugte sig; (subst.) sammenslyngen, snoning; hyssing, sejlgarn, bindegarn.

twiner ['twainə] ♧ slyngplante.

twinge [twin(d)ʒ] (vb.) knibe, stikke, føle en stikkende smerte; (subst.) stik, stikkende smerte; anfægtelse; *a* ~ *of conscience* et anfald af samvittighedsnag.

twinkle ['twiŋkl] (vb.) blinke, blinke med, stråle, tindre; (subst.) glimt, tindren, blinken; *in a* ~ på et øjeblik. **twinkling** ['twiŋkliŋ] blinken; *in the* ~ *of an eye* på et øjeblik, i en håndevending.

twin|screw dobbeltskrue. ~ **set** cardigansæt. ~ **town** venskabsby.

twirl [twə·l] (vb.) svinge, dreje, dreje sig rundt, snurre; (subst.) omdrejning, hvirvel; krusedulle, snirkel, sving; ~ *one's moustache* sno sit overskæg.

twirp = *twerp.*

I. **twist** [twist] (vb.) vride, sno, flette; omvinde; fordreje (fx. *one's face);* forvride (fx. *one's ankle);* skrue (fx. *a ball);* forvrænge (fx. *sby.'s words);* vride sig, sno sig; snyde, bedrage; ~ *about,* ~ *and turn* vende og dreje sig; ~ *off* vride af; skrue af; ~ *his arm* vride armen om på ham.

II. **twist** [twist] (subst.) tvist (ɔ: garn), snor; dukke (garn); lille tobaksrulle; snoning, forvridning; uærlighed, karakterskavank, moralsk slagside; **T** appetit; *give a* ~ *(to)* vride; sno; skrue (en bold); (fig.) give en drejning (fx. *give a story a* ~).

twist drill spiralbor, sneglebor.

twister ['twistə] svindler, snyder; vanskelig op-

gave; skruebold; (amr.) tornado, hvirvelstorm; (om ord), se *tongue-twister.*
twisty ['twisti] snoet, bugtet; uærlig, upålidelig.
twit [twit] drille, spotte, håne, bebrejde.
twitch [twitʃ] (vb.) nappe, rykke, rive; fortrække sig (fx. *his face -ed with pain);* give et ryk; (subst.) nap, ryk; trækning; *his leg -ed* det rykkede i hans ben.
twite [twait] (zo.) bjergirisk.
I. **twitter** ['twitə] (subst.) kvidren; munter pludren, skælven; *be all of a ~, be in a ~* være nervøs.
II. **twitter** ['twitə] (vb.) kvidre; fnise; være lidt nervøs, dirre, skælve.
'twixt fk. f. *betwixt* imellem.
twizzle ['twizl] se *twirl.*
two [tu·] to; (subst.) total; *one or two* en eller to, et par (stykker), to-tre; *in two* itu, i to stykker; *by twos* to og to, parvis; *I can put two and two together* (fig.) jeg kan stave og lægge sammen.
two|-bit som koster en kvart dollar; (fig.) ussel, snoldet. **~ -edged** ['tu·edʒd] tveægget. **~ -faced** ['tu·feⁱst] falsk. **-fold** ['tu·foᵘld] dobbelt. **~ -handed** ['tu·händid] tohånds-; tomands-.
twopence ['tʌpəns] to pence. **twopenny** ['tʌpəni] til to pence; tarvelig; S hoved.
twopenny| bloods røverromaner. **~ -halfpenny** til to og en halv penny; tarvelig, ubetydelig.
two|-piece i to dele; todelt (fx. *swimming suit).* **~ -ply** toslået; dobbeltvævet. **~ -seater** to-personers bil.
twosome ['tu·səm] udført af to; spil hvori kun to personer deltager.
two|-speed to-gearet. **~ -step** twostep.
two-way i begge retninger (fx. *traffic);* gensidig (fx. *guarantee); ~ cock* togangshane; *~ switch* korrespondanceafbryder.
tycoon [tai'ku·n] (især amr.) magnat, matador; *industrial ~* industribaron.
tying ['taiiŋ] præsens part. af *tie.*
tyke [taik] køter; bondeknold.
tympanum ['timpənəm] (anat.) trommehule, mellemøre, trommehinde.
Tyne [tain]: *the ~* Tynefloden; *the Tyneside* Tynedistriktet.
type [taip] (subst.) type; slags, art; præg; forbillede, mønster; (typ.) type, skrift; (vb.) skrive på maskine.
type|-face skriftbillede. **-script** maskinskrevet manuskript. **~ -setter** sætter, sættemaskine. **-write** skrive på maskine. **-writer** skrivemaskine. **-writer ribbon** farvebånd.
typhoid ['taifoid]: *~ fever* tyfus, tyfoid feber.
typhoon [tai'fu·n] tyfon.
typhus ['taifəs] plettyfus.
typical ['tipikl] typisk, karakteristisk *(of* for); *be ~ of* (ogs.) symbolisere, varsle.
typify ['tipifai] være et typisk eksempel på; symbolisere.
typist ['taipist] maskinskriver(ske), kontordame.
typographer [tai'pågrəfə] typograf.
typographical [taipə'gräfikl] typografisk.
typography [tai'pågrəfi] typografi.
tyrannical [tai'ränikl] tyrannisk.
tyrannicide [tai'ränisaid] tyranmord, tyranmorder.
tyrannize ['tirənaiz]: *~ (over)* tyrannisere.
tyranny ['tirəni] tyranni.
tyrant ['taiərənt] tyran.
tyre ['taiə] dæk, bildæk, cykeldæk; (luft)ring, gummiring; (tekn.) hjulbandage, hjulring.
Tyre ['taiə] Tyrus.
tyre| chain snekæde. **~ lever** dækjern.
tyro ['taiəroᵘ] begynder.
Tyrol ['tirəl, ti'roᵘl].
Tyrolese [tiro'li·z] tyrolsk; tyroler(inde).
tzar etc. se *czar* etc.

U

U [ju·]
Ubiquitarian [ju·bikwi'tæəriən] ubikvitar, tilhænger af læren om Kristi allestedsnærværelse.
ubiquitous [ju'bikwitəs] allestedsnærværende.
ubiquity [ju'bikwiti] allestedsnærværelse.
U-boat ['ju·boᵘt] ubåd, tysk undervandsbåd.
U.D. fk. f. *urban district.*
udder ['ʌdə] yver.
U D I fk. f. *unilateral declaration of independence.*
udometer [ju'dåmitə] regnmåler.
UFO fk. f. *unidentified flying object.*
Uganda [ju·'gändə].
ugh [u, uh] fy, aha.
ugliness ['ʌglinės] grimhed.
ugly ['ʌgli] grim; styg, slem; frastødende, ubehagelig.
U.K. fk. f. *United Kingdom.*
ukase [ju·'keⁱz] ukas (kategorisk ordre).
Ukraine [ju·'krain]: *the ~* Ukraine.
ukulele [ju·kə'leⁱli] ukulele.
ulcer ['ʌlsə] rådsår, åbent sår; (ofte =) *gastric ~* mavesår.
ulcer|ate ['ʌlsəreⁱt] danne sår, være fuld af sår. **-ation** [ʌlsə'reⁱʃən] sårdannelse. **-ous** ['ʌlsərəs] ulcerøs, med sår.
uliginous [ju·'lidʒinəs] dyndet, mudret; sump-.
ullage ['ʌlidʒ] svind, manko.
ulmacious [ʌl'meⁱʃəs] (adj., ♧) hørende til elmefamilien, elme-.
ulna ['ʌlnə] (pl. *ulnae* ['ʌlni·]) albueben, ulna.
ulster ['ʌlstə] ulster.
ult. fk. f. *ultimo* forrige måned.
ulterior [ʌl'tiəriə] yderligere, videre, senere, fjernere; skjult; *~ motive* bagtanke; *do sth. from ~ motives* gøre ngt. af beregning.
ultima ['ʌltimə] (adj.) yderst, sidst; *~ ratio* sidste argument, sidste udvej; *~ Thule* ['þju·li] det yderste Thule.
ultimate ['ʌltimėt] (adj.) endelig (fx. *result);* sidst, yderst; højest; oprindelig, først, grund- (fx. *truths); -ly* til slut, til syvende og sidst, i sidste instans; *~ load* brudbelastning.
ultimatum [ʌlti'meⁱtəm] ultimatum.
ultimo ['ʌltimoᵘ] forrige måned.
ultra ['ʌltrə] (subst.) yderliggående; ekstremist; (adj.) yderliggående; superfin (fx. *dinner).*
ultra- ultra- (fx. *short; violet);* (fig.) hyper- (fx. *smart),* super-, yderst.
ultra|ism ['ʌltrəizm] det at være yderliggående el. gå til yderligheder. **-ist** ekstremist. **-marine** [ʌltrəmə'ri·n] ultramarin(blåt); (adj.) ultramarin(blå). **-montanist** [ʌltrə'måntənist] tilhænger af pavemagtens absolutte autoritet, ultramontanist. **~ -red** infrarød. **-sonic** ['ʌltrə'sånik] supersonisk, overlyds-.
ultra vires ['ʌltrə'vaiəri·z]: *act ~* overskride sine beføjelser (el. sin kompetence).
ululate ['ju·ljuleⁱt] hyle.
ululation [ju·lju'leⁱʃən] hylen.
Ulysses [ju'lisi·z] Ulysses, Odysseus.
umbel ['ʌmbəl] ♧ skærm. **umbel|late** ['ʌmbəleⁱt] skærmformet. **-liferous** [ʌmbə'lifərəs] skærm-.
umber ['ʌmbə] umbra; mørkebrun.
umbilical [ʌm'bilikl] navle-; (fig.) central; *~ cord* navlestreng; *~ hernia* navlebrok.

umbilicus [ʌm'bilikəs] navle.
umbrage ['ʌmbridʒ] vrede, krænkelse, mishag, mistro; *give* ~ fornærme, krænke, støde; *take* ~ blive fornærmet, blive krænket, blive stødt (*at* over).
umbrella [ʌm'brelə] paraply; (fig.) beskyttelse; *put up one's* ~ slå sin paraply op. **umbrella| bird** (zo.) parasolfugl. ~ **-frame** paraplystel. ~ **-stand** paraplystativ.
umpire ['ʌmpaiə] (subst.) opmand, voldgiftsmand, (i sport) dommer; (vb.) være opmand (etc.); mægle.
umpteen ['ʌmpti·n] **S** adskillige, mange, 'hundrede og sytten'.
U.N. fk. f. *United Nations.*
'un [ʌn] (vulg.) = *one* (fx. *he's a good 'un).*
un- [ʌn-]: denne forstavelse bruges bl. a. foran subst., adj. og adv. i betydningen u-, ikke (fx. *unfavourable* ugunstig; *unmailable* som ikke kan (el. må) sendes med posten). Når *un-* udelukkende betegner en negation, og det tilsvarende positive udtryk findes på sin alfabetiske plads her i bogen, er *un*-ordet i mange tilfælde udeladt i det følgende.
unabashed ['ʌnə'bäʃt] uforknyt; skamløs.
unabated ['ʌnə'beⁱtid] usvækket, uformindsket.
unable ['ʌn'eⁱbl]: ~ *to* ude af stand til (at).
unabridged ['ʌnə'bridʒd] uforkortet.
unaccented ['ʌnäk'sentid] ubetonet.
unacceptable ['ʌnək'septəbl] uantagelig, uvelkommen.
unaccomplished ['ʌnə'kåmpliʃt] ufuldendt, ufærdig; uden særlige talenter.
unaccountable ['ʌnə'kauntəbl] uforklarlig; uansvarlig.
unaccustomed ['ʌnə'kʌstəmd] usædvanlig, påfaldende; ~ *to* ikke vant til (at), uvant med (at).
unadopted ['ʌnə'dåptid] (om vej) privat.
unadulterated [ʌnə'dʌltəreⁱtėd] ægte, uforfalsket.
unadvised ['ʌnəd'vaizd] ubetænksom, uklog.
unaffected ['ʌnə'fektid] ægte, oprigtig; upåvirket *(by* af).
unaided [ʌn'eⁱdid] uden hjælp; *the* ~ *eye* det blotte øje.
unalloyed ['ʌnə'loid] ublandet.
un-American ['ʌnə'merikən] uamerikansk (fx. *activities* virksomhed).
unanimated ['ʌn'änimeⁱtid] livløs; kedsommelig.
unanimity [ju·nə'nimiti] enstemmighed.
unanimous [ju'näniməs] enig, enstemmig.
unannounced ['ʌnənaunst] som ikke er meddelt (el. meldt); *come in* ~ komme ind uden at være meldt.
unanswerable [ʌn'a·nsərəb!] som ikke er til at svare på, uigendrivelig (fx. *argument).*
unappealable ['ʌnə'pi·ləbl] inappellabel.
unapproachable [ʌnə'proᵘtʃəbl] utilnærmelig, utilgængelig.
unargued ['ʌn'a·gju·d] ubestridt.
unarmed ['ʌn'a·md] ubevæbnet; ~ *combat* ⚔ håndgemæng.
unashamed ['ʌnə'ʃeⁱmd] uden skam, som ikke skammer sig; skamløs.
unasked ['ʌn'a·skt] uindbudt, uopfordret.
unaspiring ['ʌnə'spaiəriŋ] beskeden, fordringsløs.
unassailable [ʌnə'seⁱləbl] uangribelig.
unassisted ['ʌnə'sistid] uden hjælp.
unassuming ['ʌnə'sju·miŋ] fordringsløs.
unattainable ['ʌnə'teⁱnəbl] uopnåelig.
unattached ['ʌnə'tätʃt] ikke tilknyttet nogen organisation (, gruppe etc.); uafhængig; ledig, ugift og uforlovet.
unattended ['ʌnə'tendid] uden ledsager; uden opsyn; forsømt.
unattending ['ʌnə'tendiŋ] uopmærksom.
unavailing ['ʌnə'veⁱliŋ] unyttig, frugtesløs, forgæves.
unavoidable [ʌnə'voidəbl] uundgåelig; uomstødelig. **unavoidably** uundgåeligt (etc.); *be* ~ *absent* have lovligt forfald.
unawares ['ʌnə'wæəz] uforvarende; *take* ~ overraske, overrumple, komme bag på.
unbacked ['ʌn'bäkt] utilreden; uden støtte; som ingen holder på (ved væddeløb).
unbalanced ['ʌn'bälənst] uligevægtig, eksalteret; ikke i ligevægt.
unbar ['ʌn'ba·] (vb.) lukke op, åbne.
unbearable [ʌn'bæərəbl] utålelig, uudholdelig.
unbecoming ['ʌnbi'kʌmiŋ] uklædelig (fx. *hat);* upassende, usømmelig, som ikke sømmer sig *(to, for* for).
unbeknown(st) ['ʌnbinoᵘn(st)]: ~ *to me* **T** uden mit vidende.
unbelief ['ʌnbi'li·f] mangel på tro, vantro.
unbeliever ['ʌnbi'li·və] (subst.) vantro, ikke-troende. **unbelieving** ['ʌnbi'li·viŋ] (adj.) vantro, ikketroende.
unbend ['ʌn'bend] slappe, rette ud, løsne; ~ *(oneself)* slappe af, blive gemytlig, slå sig lidt løs, frigøre sig for sin stivhed. **unbending** ubøjelig; rank; afslappende, hvilende.
unbiassed ['ʌn'baiəst] uhildet, fordomsfri.
unbidden ['ʌn'bidn] ubuden, ikke indbudt; spontan, frivillig, af egen drift.
unbind ['ʌn'baind] løse op, løse; frigøre for bånd el. lænker.
unbleached ['ʌn'bli·tʃt] ubleget.
unblemished [ʌn'blemiʃt] pletfri.
unblown ['ʌn'bloᵘn] uudsprungen; ikke forpustet.
unblushing [ʌn'blʌʃiŋ] uden at rødme; skamløs, fræk.
unbolt ['ʌn'boᵘlt] åbne, skyde slåen fra; *-ed* (ogs.) usigtet (mel).
unborn ['ʌn'bå·n] ufødt; *as innocent as a babe* ~ så uskyldig som barnet i moders liv.
unbosom [ʌn'buzəm] åbenbare; ~ *oneself* åbne sit hjerte.
unbound ['ʌn'baund] imperf. og perf. part. af *unbind;* (adj.) ubunden; uindbunden; løst af sine bånd el. lænker.
unbounded [ʌn'baundid] ubegrænset, grænseløs.
unbowed ['ʌn'baud] ukuet, ubesejret; ret, lige.
unbrace [ʌn'breⁱs] slappe, afslappe; slække, løsne.
unbridle [ʌn'braidl] tage bidslet af; *-d* uden bidsel, utøjlet, (fig.) tøjlesløs.
unbroken ['ʌn'broᵘkn] uafbrudt; utilreden, utilkørt, ubrudt, hel; uopdyrket; *an* ~ *record* en rekord som ikke er slået.
unbuckle ['ʌn'bʌkl] spænde op.
unbudging ['ʌn'bʌdʒiŋ] urokkelig, som ikke vil give sig.
unburden [ʌn'bə·dn] lette (fx. ~ *one's mind),* befri, aflaste; ~ *oneself to* betro sig til.
unbutton ['ʌn'bʌtn] knappe op; *-ed* (ogs. fig.) formløs, tvangfri.
uncalled [ʌn'kå·ld] ukaldet. **uncalled-for** uønsket, upåkrævet, unødig, ubetimelig.
uncanny [ʌn'käni] overnaturlig, hemmelighedsfuld, uhyggelig.
uncared-for ['ʌn'kæədfå·] upåagtet, uplejet, forsømt.
uncase [ʌn'keⁱs] pakke ud, afdække; (glds.) blotte.
unceasing [ʌn'si·siŋ] uophørlig.
unceremonious ['ʌnseri'moᵘnjəs] ligefrem, utvungen, bramfri; formløs.
uncertain [ʌn'sə·tin] usikker, uvis, ubestemt; ubestemmelig (fx. *age);* upålidelig (fx. *weather).*
unchain ['ʌn'tʃeⁱn] løse (fra en lænke), slippe løs.
uncharitable [ʌn'tʃäritəbl] ubarmhjertig, hård; *put an* ~ *interpretation on* udlægge i den værste mening.
uncharted ['ʌn'tʃa·tid] ukendt, uudforsket.
unchecked ['ʌn'tʃekt] uhindret; utøjlet, tøjlesløs.
unciform ['ʌnsifå·m] hageformet.
unclaimed ['ʌn'kleⁱmd] uafhentet.
unclasp ['ʌn'kla·sp] hægte op; spænde op; åbne.
unclassified ['ʌn'kläsifaid] uklassificeret (ogs. = ikke hemmeligstemplet).

uncle [ˈʌŋkl] onkel (ogs. om pantelåner); *Uncle Sam* ɔ: U.S.A.
uncloak [ˈʌnˈkloᵘk] tage kåben af; (fig.) afdække, afsløre.
unclose [ˈʌnˈkloᵘz] åbne; *-d* åben, fri; uafgjort, stående.
unclothe [ˈʌnˈkloᵘð] afklæde; *-d* nøgen.
unclouded [ˈʌnˈklaudid] skyfri, klar, lys.
unco [ˈʌŋkoᵘ] (på skotsk) besynderlig, underlig; overordentlig, ovenud; besynderlig skabning el. ting; *the ~ guid* (ofte nedsættende) 'de missionske'.
uncoil [ˈʌnˈkoil] vikle op, rulle ud.
uncoloured [ˈʌnˈkʌləd] ikke farvet; (fig. ogs.) uden overdrivelser, usminket.
un-come-at-able [ˈʌnkʌmˈätəbl] T utilgængelig, utilnærmelig.
uncomfortable [ʌnˈkʌmf(ə)təbl] ubehagelig, ubekvem; ilde tilmode, uhyggelig.
uncommitted [ˈʌnkəmitid] uforpligtet; alliancefri, neutral.
uncommon [ʌnˈkåmən] ualmindelig, usædvanlig.
uncommunicative [ˈʌnkəˈmju·nikətiv] umeddelsom, reserveret, tilknappet.
uncomplaining [ˈʌnkəmˈpleⁱniŋ] uden (at) klage, tålmodig.
uncompromising [ʌnˈkåmprəmaiziŋ] som ikke går på akkord, som ikke slår af på sine fordringer, kompromisløs, ubøjelig, bestemt, hård.
unconcerned [ˈʌnkənˈsə·nd]: *~ about* ligeglad med, ubekymret for; *~ in* ikke delagtig el. indblandet i; *~ with* uinteresseret i.
unconditional [ˈʌnkənˈdiʃnl] betingelsesløs, uden betingelser.
uncongenial [ˈʌnkənˈdʒi·njəl] usympatisk; utiltalende, ubehagelig (fx. *an ~ task).*
unconscientious [ˈʌnkånʃiˈenʃəs] samvittighedsløs.
unconscionable [ʌnˈkånʃənəbl] urimelig (fx. *it took an ~ time);* samvittighedsløs.
unconscious [ʌnˈkånʃəs] bevidstløs; ubevidst, intetanende; *be ~ of* ikke være sig bevidst, ikke mærke; *the ~* (psyk.) det ubevidste.
unconsidered [ˈʌnkənˈsidəd] uoverlagt; uænset.
unconstitutional [ˈʌnkånstiˈtju·ʃnl] forfatningsstridig.
uncontested [ˈʌnkənˈtestid] uomtvistet; *~ election* valg hvortil kun én kandidat har stillet sig.
uncontrollable [ʌnkənˈtroᵘləbl] ustyrlig, ubændig.
uncooked [ˈʌnˈkukt]: *~ food* råkost.
uncork [ˈʌnˈkå·k] trække (en flaske) op.
uncounted [ˈʌnˈkauntid] talløs, utallig.
uncouple [ˈʌnˈkʌpl] afkoble, slippe løs.
uncouth [ʌnˈku·þ] (adj.) kejtet, klodset, grov; besynderlig, sær.
uncover [ʌnˈkʌvə] afdække, tage låget af; blotte; (fig.) afsløre; (glds.) tage hatten af; *-ed* ubeskyttet, nøgen, udækket; *stand -ed* stå med blottet hoved.
uncrushable [ˈʌnˈkrʌʃəbl] krølfri.
unction [ˈʌŋkʃən] (subst.) salve, salving; (fig.) salvelse; *extreme ~* den sidste olie.
unctuous [ˈʌŋktjuəs] fedtet; salvelsesfuld.
uncus [ˈʌŋkəs] (pl. *unci* [ˈʌnsai]) krog, hage.
uncut [ˈʌnˈkʌt] uopskåret, ubeskåret; usleben.
undaunted [ʌnˈdå·ntid] uforfærdet.
undeceive [ˈʌndiˈsi·v] rive ud af vildfarelsen.
undecided [ˈʌndiˈsaidid] uafgjort, ubestemt; ubeslutsom.
undecked [ʌnˈdekt] uden prydelse(r); (om båd) åben.
undefiled [ˈʌndiˈfaild] ren, ubesudlet.
undemonstrative [ˈʌndiˈmånstrətiv] rolig, reserveret, tilbageholdende, behersket.
undeniable [ʌndiˈnaiəbl] unægtelig, ubestridelig.
undenominational [ˈʌndinåmiˈneⁱʃnl] (adj.) som ikke tilhører nogen bestemt kristelig sekt el. kirkelig retning, konfessionsløs.
undependable [ʌndiˈpendəbl] upålidelig, ikke til at stole på.
under [ˈʌndə] under; ved foden af, neden for (fx. *~ a mountain, ~ a wall);* i henhold til; på mindre end (fx. *you cannot get there ~ two hours); ~ age* umyndig; *~ arms* under våben; *~ existing conditions* således som forholdene er (, var); *~ construction* under opførelse; *~ one's nose* lige for næsen af en; *~ wheat* tilsået med hvede; udlagt som hvedemark.
under|act [ʌndəˈräkt] underspille (fx. *a role).* **-arm** [ˈʌndəra·m] under armen(e); (om kast) underarms-. **-bid** [ʌndəˈbid] underbyde. **-body** [ˈʌndə-] understel. **-bred** [ˈʌndəˈbred] halvdannet, uopdragen. **-brush** [ˈʌndə-] underskov. **-carriage** [ˈʌndə-] understel. **-clothes** [ˈʌndə-] undertøj. **-coat** [ˈʌndə-] grundingsfarve; (hos dyr) underuld. **-cover** [ˈʌndəˈkʌvə] hemmelig; *-cover agent* (politi)spion; *-cover pay* bestikkelse. **-current** [ˈʌndəkʌrənt] understrøm. **-cut** [ʌndəˈkʌt] underbyde. **-developed** [ˈʌndədiˈveləpt] tilbagestående, underudviklet.
under|do [ˈʌndəˈdu·] stege (, koge) for lidt. **-dog** den svageste, den der får kløene. **-done** kogt (el. stegt) for lidt. **-estimate** [ʌndərˈestimeⁱt] undervurdere. **-expose** [ʌndəriksˈpoᵘz] (fot.) underbelyse. **-fed** [ˈʌndəˈfed] underernæret. **-foot** [ʌndəˈfut] under fødderne; *it is dry -foot* det er tørt føre. **-garments** [ˈʌndə-] undertøj. **-go** [ʌndəˈgoᵘ] gennemgå, udstå, underkaste sig.
under|graduate [ʌndəˈgrädjuėt] student (ved et universitet). **-ground** [ˈʌndəgraund] (adj.) underjordisk; (subst.) undergrundsbane; undergrundsbevægelse; (adv.) under jorden(s overflade); *the -ground railway* (hist., ogs.:) før negerslaveriets afskaffelse en organisation i U.S.A., som hjalp negerslaver til flugt. **-growth** [ˈʌndəgroᵘþ] underskov. **-hand** [ˈʌndəhänd] (fig.) under hånden; underhånds-; hemmelig, snigende, lumsk; *-hand bowling* underarmskastning. **-handed** se *-hand; -manned.* **-hung** [ˈʌndəˈhʌŋ] med underbid; *-hung jaw* underbid.
under|let [ˈʌndəˈlet] (vb.) udleje under værdien; fremleje. **-lie** [ʌndəˈlai] ligge under, ligge til grund (for). I. **-line** [ʌndəˈlain] (vb.) understrege, udhæve. II. **-line** [ˈʌndəlain] (subst.) billedtekst; (i teaterprogram) tekst der meddeler kommende program. **-linen** [ˈʌndəlinin] undertøj, linned. **-ling** [ˈʌndəliŋ] underordnet. **-manned** [ˈʌndəmänd] underbemandet. **-mentioned** [ˈʌndəˈmenʃənd] nedennævnt. **-mine** [ʌndəˈmain] underminere, undergrave. **-most** [ˈʌndəmoᵘst] underst, nederst.
underneath [ʌndəˈni·þ] (neden)under; (fig.) på bunden, inderst inde (fx. *she is a darling ~).*
under|pants [ˈʌndəpänts] (amr.) underbukser. **-pass** [ˈʌndəpa·s] underføring, viadukt. **-pay** [ˈʌndəˈpeⁱ] betale for lidt, underbetale. **-peopled** underbefolket. **-pin** [ʌndəˈpin] undermure, stive af, understøtte. **-plot** [ˈʌndəplåt] bihandling. **-populated** underbefolket. **-privileged** [ˈʌndəˈprivilidʒd] som ikke har samme andel i sociale goder som andre; som hører til samfundets stedbørn, **-prize** [ˈʌndəˈpraiz] undervurdere. ~ **-proof** [ˈʌndəˈpru·f] under normalstyrke (om alkohol). **-rate** [ʌndəˈreⁱt] undervurdere.
under|score [ʌndəˈskå·] understrege. **-secretary:** *Parliamentary Undersecretary* (omtr.) departementschef. **-sell** [ˈʌndəˈsel] sælge billigere end; sælge under værdien. I. **-set** [ˈʌndəˈset] (vb.) understøtte (fx. *-set a wall).* II. **-set** [ˈʌndəset] (subst.) understrøm. **-shirt** [ˈʌndəʃə·t] undertrøje, uldtrøje. **-shoot** [ʌndəˈʃu·t]: *-shoot the runway* (flyv.) gå ned foran landingsbanen.
under|sign [ʌndəˈsain] undertegne. **-sized** [ˈʌndəˈsaizd] under normal størrelse; undermåls- (fx. *fish).* **-soil** [ˈʌndəsoil] undergrund. **-song** [ˈʌndəsåŋ] omkvæd.
understand [ʌndəˈständ] forstå, indse, fatte; kende; opfatte; mene, få at vide, høre; underforstå (fx. *either expressed or understood); he -s his business* han kan sine ting; *he gave it to be understood that* han

lod sig forstå med at; *I was given to ~ that* man lod mig forstå at; *it was understood that* (ogs.) det var meningen at; *he can make himself understood in English* han kan gøre sig forståelig på engelsk; *we ~* (ogs.) vi har bragt i erfaring, vi er klar over; efter hvad der er oplyst.

understanding [ʌndə'ständiŋ] forstand, forståelse; forstandig; forstående; *it passes all ~* det overgår al forstand; *on the ~ that* under forudsætning af at; *to my poor ~* efter mit ringe skøn.

under|state ['ʌndə'steⁱt] angive for lavt; sige for lidt. **-statement** for lav angivelse, det at sige for lidt (el. bruge for svagt udtryk); 'underdrivelse'. **-stocked** (om gård) med for lille besætning. **-strapper** ['ʌndəsträpə] underordnet funktionær; inferiør person. **-study** ['ʌndəstʌdi] dublant; dublere. **-take** [ʌndə'teⁱk] påtage sig, forpligte sig til; stå inde for, garantere. **-taker** ['ʌndəteⁱkə] bedemand, indehaver af begravelsesforretning. **-taking** [ʌndə'teⁱkiŋ] foretagende, forpligtelse, løfte, tilsagn; ['ʌndəteⁱkiŋ] begravelsesfaget. **-things** undertøj. **-tip** give for få drikkepenge. **-tone** ['ʌndətoᵘn] dæmpet stemme; undertone; *in an -tone* (ogs.) halvhøjt. **-tow** ['ʌndətoᵘ] understrøm. **-trick** undertræk (i bridge). **-value** ['ʌndə'välju·] undervurdere. **-way** ['ʌndə'weⁱ] i gang; undervejs; ⚓ let. **-wear** ['ʌndəwæə] undertøj. **-wood** ['ʌndəwud] underskov. **-work** ['ʌndə'wə·k] ikke arbejde tilfredsstillende; *-work sby.* arbejde billigere end en. **-write** ['ʌndərait] skrive under; tegne (police, om assurandør). **-writer** ['ʌndəraitə] assurandør, søassuarandør; tegningsgarant. **-writing agent** generalagent med tegningsret.

undeserved ['ʌndi'zə·vd] ufortjent.

undesigned ['ʌndi'zaind] uforsætlig, utilsigtet.

undesirable ['ʌndi'zaiərəbl] (adj.) mindre ønskelig, uønsket, ildeset, uheldig; (subst.) uønsket person.

undeveloped ['ʌndi'veləpt] uudviklet; uudnyttet; (om jord) uopdyrket, ubebygget.

undies ['ʌndiz] T dameundertøj.

undine ['ʌndi·n] (subst.) undine.

undiscerning ['ʌndi'sə·niŋ] ukritisk; tungnem, dum.

undisciplined [ʌn'disiplind] udisciplineret.

undiscriminating ['ʌndis'krimineⁱtiŋ] ukritisk.

undisguised ['ʌndis'gaizd] utilsløret.

undistinguished ['ʌndi'stiŋgwiʃt] almindelig, som ikke udmærker sig fremfor andre.

undo ['ʌn'du·] løse, knappe op, åbne, løsne; ødelægge, ruinere; gøre om; (om strikketøj) pille op; *what's done cannot be undone* gjort gerning står ikke til at ændre; *that was my -ing* det blev min ruin.

undock ['ʌn'dåk] hale ud af (tør)dok.

undomesticated ['ʌndə'mestikeⁱtid] ikke tæmmet; (om kvinde) ikke huslig.

undoubted [ʌn'dautid] utvivlsom, ubestridelig.

undreamed-of [ʌn'dri·mdəv], **undreamt-of** [ʌn'dremtəv] som man ikke har drømt om, uanet.

I. **undress** ['ʌn'dres] (vb.) afklæde, tage forbinding af, klæde sig af.

II. **undress** ['ʌn'dres] (subst.) hverdagstøj, daglig uniform, negligé; *in various stages of ~* mere eller mindre påklædt.

undue ['ʌn'dju·] utilbørlig, overdreven, for stor (fx. *~ haste);* endnu ikke forfalden (til betaling).

undulant ['ʌndjulənt]: *~ fever* kalvekastningsfeber.

undulate ['ʌndjuleⁱt] bølge, sætte i bølgebevægelse. **undulating** bølgende, bølget, bakket; *~ ground* (ogs.) kuperet terræn.

undulation [ʌndju'leⁱʃən] bølgebevægelse, bølgen.

unduly [ʌn'dju·li] urimelig (fx. *~ high).*

undying [ʌn'daiiŋ] udødelig, evig.

unearned ['ʌn'ə·nd] ikke tjent; ufortjent; *~ income* indtægt der ikke er erhvervet ved arbejde; *~ increment* grundværdistigning der ikke skyldes ejerens virksomhed.

unearth ['ʌn'ə·þ] grave op; grave frem; (fig. ogs.) bringe for dagen; (om dyr) drive ud af hulen.

unearthly [ʌn'ə·þli] overnaturlig, spøgelsesagtig, uhyggelig, sælsom; T ukristelig, skrækkelig; *get up at an ~ hour* stå op før fanden får sko på.

uneasy [ʌn'i·zi] urolig, bange; ubekvem; utilpas, usikker, genert, forlegen.

unemployed ['ʌnėm'ploid] arbejdsløs, ledig.

unemployment ['ʌnėm'ploimənt] arbejdsløshed; *~ relief* (el. *benefit)* arbejdsløshedsunderstøttelse.

unencumbered ['ʌnin'kʌmbəd] ubehæftet, gældfri.

unending [ʌn'endiŋ] endeløs, evig, evindelig.

unenviable ['ʌn'enviəbl] lidet misundelsesværdig.

unequal [ʌn'i·kwəl] ikke lige; ulige; ujævn (af kvalitet); *~ to the task* ikke opgaven voksen.

unequalled ['ʌn'i·kwəld] uforlignelig, uden sidestykke.

unerring ['ʌn'ə·riŋ] ufejlbarlig, sikker, usvigelig, aldrig svigtende.

UNESCO [ju·'neskoᵘ] fk. f. *United Nations Educational Scientific and Cultural Organization.*

uneven ['ʌn'i·vn] ujævn, uensartet.

uneventful ['ʌni'ventful] begivenhedsløs.

unexampled [ʌnig'za·mpld] enestående, uden lige, eksempelløs.

unexceptionable [ʌnik'sepʃnəbl] udadlelig, ugribelig.

unfailing [ʌn'feⁱliŋ] ufejlbarlig, usvigelig, aldrig svigtende, uudtømmelig.

unfair ['ʌn'fæə] unfair, urimelig; ufin, uhæderlig, uærlig.

unfaithful ['ʌn'feⁱþful] utro, upålidelig.

unfaltering [ʌn'få·ltəriŋ] fast, sikker, uden vaklen.

unfamiliar ['ʌnfə'milјə] ukendt, uvant.

unfasten ['ʌn'fa·sn] løse op, åbne.

unfathomable [ʌn'fäðəməbl] uudgrundelig, bundløs.

unfeeling [ʌn'fi·liŋ] ufølsom, hårdhjertet.

unfeigned [ʌn'feⁱnd] uskrømtet, uforstilt.

unfettered ['ʌn'fetəd] fri, uhindret, uhæmmet.

unfinished ['ʌn'finiʃt] ufuldendt.

I. **unfit** ['ʌn'fit] (adj.) uegnet; uarbejdsdygtig på grund af sygdom; ikke i form.

II. **unfit** [ʌn'fit] (vb.) gøre uegnet (, uarbejdsdygtig).

unflagging [ʌn'flägiŋ] utrættelig, aldrig svigtende. **unflappable** [ʌn'fläpəbl] uforstyrrelig.

unfledged ['ʌn'fledʒd] ikke flyvefærdig, umoden, uerfaren.

unflinching [ʌn'flintʃiŋ] uforfærdet, ubøjelig.

unfold [ʌn'foᵘld] folde ud; åbenbare, forklare, udvikle (fx. *one's plans);* udfolde sig.

unfortunate [ʌn'få·tʃnėt] uheldig, ulykkelig. **unfortunately** uheldigvis, desværre.

unfounded ['ʌn'faundid] ugrundet, grundløs.

unfreeze [ʌn'fri·z] (fig.) frigive.

unfrock ['ʌn'fråk] fradømme (præst) kjole og krave, afskedige.

unfurl [ʌn'fə·l] udfolde.

unfurnished ['ʌn'fə·niʃt] umøbleret.

ungainly ['ʌn'geⁱnli] klodset, kejtet; uskøn.

ungated [ʌn'geⁱtid]: *~ level crossing* ubevogtet jernbaneoverskæring.

un-get-at-able ['ʌnget'ätəbl] utilgængelig, vanskelig at komme til, utilnærmelig.

ungird ['ʌn'gə·d] løsne (el. aftage) et bælte (el. en gjord) på.

ungodly [ʌn'gådli] ugudelig; T ukristelig.

ungovernable [ʌn'gʌvənəbl] uregerlig, ustyrlig, ubændig.

ungraceful ['ʌn'greⁱsful] uskøn, klodset.

ungracious ['ʌn'greⁱʃəs] unådig, vrangvillig.

ungrudging ['ʌn'grʌdʒiŋ] villig, uforbeholden; storsindet.

unguarded ['ʌn'ga·did] ubevogtet; uforsigtig, overilet.
unguent ['ʌŋgwənt] (subst. og vb.) salve.
ungulate ['ʌŋgjuleⁱt] hovdyr, tåspidsgænger.
unhallowed [ʌn'hāloᵘd] uindviet; profan; syndig.
unhampered ['ʌn'hāmpəd] uhæmmet; uhindret.
unhand [ʌn'hānd] slippe.
unhandy [ʌn'hāndi] uhåndterlig, uhandelig, klodset.
unhappy [ʌn'hāpi] ulykkelig; elendig; uheldig.
unharness ['ʌn'ha·nis] tage seletøjet af.
unhasp [ʌn'ha·sp] (glds.) løsne, åbne.
unheard ['ʌn'hə·d] uden at blive hørt.
unheard-of [ʌn'hə·dåv] uhørt, eksempelløs.
unheeded [ʌn'hi·did] upåagtet.
unheeding [ʌn'hi·diŋ] uagtsom, uopmærksom.
unhesitating [ʌn'heziteⁱtiŋ] uden betænkning, uden tøven.
unhinge [ʌn'hinʒ] løfte af hængslerne; (fig.) gøre afsindig, afspore; *his mind became -d* han mistede forstanden.
unholy [ʌn'hoᵘli] ugudelig; **T** ukristelig; *an ~ row* et infernalsk spektakel.
unhook ['ʌn'huk] tage af krogen; hægte op; ⚓ hugge ud.
unhoped-for [ʌn'hoᵘptfå·] uventet; over (al) forventning.
unhorse ['ʌn'hå·s] kaste af hesten.
uni- ['ju·ni] en-, enkelt-, uni-.
unicameral [ju·ni'kāmərəl] étkammer- (fx. *system).*
UNICEF ['ju·nisef] f.fk. *United Nations International Children's Emergency Fund.*
unicorn ['ju·nikå·n] enhjørning.
unidiomatic ['ʌnidiə'mātik] sprogstridig, ikke mundret, uidiomatisk.
unification [ju·nifi'keⁱʃən] forening, samling, sammensmeltning, ensretning.
uniform ['ju·nifå·m] (adj.) ensartet, jævn; ens; (subst.) uniform, tjenestedragt; (vb.) uniformere (fx. *soldiers),* gøre ensartet; *~ price* enhedspris.
uniformity [ju·ni'få·miti] overensstemmelse; ensartethed, ensretning.
unify ['ju·nifai] forene, samle (til ét), sammensmelte; ensrette, tilvejebringe ensartethed i.
unilateral ['ju·ni'lātərəl] ensidig.
unimaginative ['ʌni'mādʒinətiv] fantasiløs.
unimpaired ['ʌnim'pæəd] usvækket, uformindsket, uskadt.
unimpeachable [ʌnim'pi·tʃəbl] uangribelig.
unimproved ['ʌnim'pru·vd] ikke forbedret; uopdyrket, ubebygget, ikke udnyttet.
uninformed ['ʌninfå·md] ikke underrettet; uvidende.
uninhabitable ['ʌnin'hābitəbl] ubeboelig.
uninhabited ['ʌnin'hābitid] ubeboet.
uninitiated ['ʌni'niʃieⁱtid] uindviet, uerfaren.
uninjured ['ʌn'indʒəd] uskadt.
uninviting ['ʌnin'vaitiŋ] lidet indbydende, frastødende.
union ['ju·njən] (subst.) forening, sammenslutning, union; giftermål, ægteskab (fx. *a happy ~*); sammenhold, enighed; fagforening; (tekn.) rørforbindelse; (glds.) fattigdistrikt; fattighus (fx. *go* (komme) *on the ~*); (adj.) fælles- (fx. *~ catalogue);* (om stof) sammensat af to tekstiler, fx. uld og bomuld (fx. *~ cloth, ~ material); monetary ~* møntkonvention; *the Union* (en studenterforening ved visse universiteter; Englands og Skotlands forening til ét rige; Irlands forening med Storbritannien); (amr.) unionen (ɔ: De forenede Stater) (fx. *the President's message on the state of the Union).*
unionist ['ju·njənist] unionist (modstander af irsk selvstyre); konservativ; fagforeningsmedlem, organiseret arbejder.
Union Jack det britiske nationalflag.
union| man organiseret arbejder. **~ suit** (amr.) combination (undertøj).
uniparous [ju·'nipərəs] (zo.) som føder én unge ad gangen; ✿ med enkelt stængel.
unipolar [ju·ni'poᵘlə] enpolet.
unique [ju·'ni·k] enestående; (subst.) unikum.
unisexual ['ju·ni'seksjuəl] enkønnet.
unison ['ju·nizn] harmoni; *in ~* unisont.
unit ['ju·nit] enhed, ener; afdeling; aggregat; (arkit.) element (fx. *kitchen ~*).
unitarian [ju·ni'tæəriən] (rel.) unitar.
unite [ju·'nait] forene (sig), samle (sig).
united [ju·'naitid] forenet; enig; fælles, samlet; *the United Kingdom* kongeriget Storbritannien og Nordirland; *the United States (of America)* De forenede Stater.
unit| furniture byggemøbler. **~ load** standardladning.
unity ['ju·niti] enhed; harmoni, enighed.
universal [ju·ni'və·sl] (adj.) almen, almindelig, almengyldig, universel; universal-; (subst.) universalbegreb, almensætning.
universality [ju·nivə·'sāliti] almindelighed, almengyldighed; alsidighed.
universal| joint universalled. **~ language** verdenssprog.
universe ['ju·nivə·s] univers, verden.
university [ju·ni'və·siti] universitet; *~ man* akademiker.
unkempt ['ʌn'kempt] usoigneret; uredt.
unknit ['ʌn'nit] trævle op, løse, adskille; glatte ud.
unknot ['ʌn'nåt] løse (knuderne i).
unknowing ['ʌn'noᵘiŋ] uvidende, uafvidende.
unlace ['ʌn'leⁱs] snøre op, løse.
unlade ['ʌn'leⁱd] losse, aflæsse.
unlearn ['ʌn'lə·n] få ud af hovedet igen, glemme, befri sig for. **unlearned** ['ʌn'lə·nid] ulærd, uvidende; *the ~* den uvidende hob.
unleash ['ʌn'li·ʃ] slippe løs (af koblet).
unleavened ['ʌn'levnd] usyret.
unless [ən'les] medmindre, hvis ikke.
unlettered ['ʌn'letəd] ulærd, uoplyst; analfabetisk, som ikke kan læse og skrive.
unlicked ['ʌn'likt]: *an ~ cub* (fig.) en ubehøvlet fyr, en uopdragen hvalp.
unlike ['ʌn'laik] ulig, forskellig; i modsætning til; *be ~* ikke ligne.
unlikely [ʌn'laikli] usandsynlig.
unlimited [ʌn'limitid] ubegrænset, grænseløs, ubetinget.
unlink ['ʌn'liŋk] løse, skille.
unlit ['ʌn'lit] mørk, uoplyst; ikke tændt.
unload ['ʌn'loᵘd] losse, aflæsse; (merk.) **T** sælge ud (af); *~ on to* læsse over på; *~ a gun* aflade et gevær.
unlock ['ʌn'låk] lukke op, åbne.
unlooked-for [ʌn'luktfå·] uventet.
unloose ['ʌn'lu·s] løse, frigøre, slippe løs.
unlovely ['ʌn'lʌvli] grim, utiltalende.
unlucky [ʌn'lʌki] uheldig.
unman ['ʌn'mān] gøre modløs (el. svag); gøre umandig; se ogs. *unmanned.*
unmanageable [ʌn'mānidʒəbl] uhåndterlig; uregerlig, ustyrlig; manøvreudygtig.
unmanly ['ʌn'mānli] umandig; kvindagtig; fej.
unmanned [ʌn'mānd] ubemandet (fx. *space ship).*
unmannerly [ʌn'mānəli] uopdragen, ubehøvlet.
unmarked ['ʌn'ma·kt] umærket; ubemærket.
unmask ['ʌn'ma·sk] lade masken (, maskerne) falde; (fig.) afsløre, rive masken af.
unmatched ['ʌn'mātʃt] uforlignelig.
unmeaning [ʌn'mi·niŋ] meningsløs, tom, indholdsløs. **unmeant** ['ʌn'ment] utilsigtet.
unmeasured [ʌn'meʒəd] grænseløs, overdreven, rigelig; ikke målt.
unmentionable [ʌn'menʃənəbl] unævnelig.
unmindful [ʌn'maindful] glemsom, uden tanke *(of* på), ligegyldig *(of* med).

unmistakable ['ʌnmis'teⁱkəbl] umiskendelig.
unmitigated [ʌn'mitigeⁱtid] ubetinget; fuldstændig, ren og skær, uforfalsket; *an ~ rascal* en ærkeslyngel.
unmoor ['ʌn'muə] kaste los, løsgøre fortøjningerne.
unmoved ['ʌn'mu·vd] ubevægelig, kold, uberørt.
unmuzzle ['ʌn'mʌzl] tage mundkurven af; *-d* (fx. om pressen) uden mundkurv, fri.
unnamed ['ʌn'neⁱmd] unævnt, uomtalt, navnløs.
unnatural [ʌn'nätʃrəl] unaturlig.
unnecessary [ʌn'nesisəri] unødvendig.
unneeded ['ʌn'ni·did] unødig.
unnerve ['ʌn'nə·v] gøre modløs, tage modet fra.
unnoticed ['ʌn'noᵘtist] ubemærket, uomtalt.
unnumbered [ʌn'nʌmbəd] utallig, talløs.
U.N.O. ['ju·noᵘ] fk. f. *United Nations Organization.*
unobjectionable ['ʌnəb'dʒekʃənəbl] som der ikke kan indvendes noget imod, uangribelig.
unobtrusive ['ʌnəb'tru·siv] beskeden, stilfærdig, tilbageholdende.
unoffending ['ʌnə'fendiŋ] uskyldig, uskadelig, skikkelig, harmløs.
unopposed ['ʌnə'poᵘzd](især): uden modkandidat.
unostentatious ['ʌnåsten'teⁱʃəs] diskret (fx. *elegance); tilbageholdende, stilfærdig, fordringsløs.
unowned ['ʌn'oᵘnd] herreløs, ikke vedgået.
unpack ['ʌn'päk] pakke ud.
unpaged ['ʌn'peⁱdʒd] upagineret.
unpaid ['ʌn'peⁱd] ubetalt; ufrankeret; ulønnet.
unpalatable [ʌn'pälətəbl] ildesmagende; usmagelig, ubehagelig.
unparalleled [ʌn'pärəleld] uden sidestykke.
unparliamentary ['ʌnpa·lə'mentəri] uparlamentarisk.
unpeopled [ʌn'pi·pld] affolket, ubefolket.
unperceived ['ʌnpə'si·vd] ubemærket.
unperturbed ['ʌnpə'tə·bd] uforstyrret, rolig.
unpick ['ʌn'pik] sprætte op, pille op.
unpickable [ʌn'pikəbl] dirkefri.
unpitying [ʌn'pitiiŋ] ubarmhjertig.
unplaced ['ʌn'pleⁱst] uplaceret (i væddeløb).
unpleasant [ʌn'pleznt] ubehagelig. **unpleasantness** ubehagelighed; kedelig affære; misstemning.
unprecedented [ʌn'presidəntid] uden fortilfælde, uhørt, enestående, eksempelløs.
unprejudiced [ʌn'predʒudist] fordomsfri, upartisk, uhildet.
unprepossessing ['ʌnpri·pə'zesiŋ] utiltalende.
unpresuming ['ʌnpri'zju·miŋ] beskeden.
unpretending ['ʌnpri'tendiŋ] fordringsløs.
unprincipled [ʌn'prinsəpld] principløs, samvittighedsløs, umoralsk.
unprintable ['ʌn'printəbl] som ikke lader sig gengive på tryk.
unprivileged [ʌn'privilidʒd] (amr.) som hører til de dårligst stillede i samfundet.
unprofessional ['ʌnprə'feʃənəl] ikke fagmæssig, ikke professionel; *~ conduct* en optræden som strider mod standens etikette.
unprofitable [ʌn'pråfitəbl] urentabel.
unprompted [ʌn'pråmptid] spontan, som gøres på eget initiativ.
unprop ['ʌn'pråp] borttage støtten fra, fjerne afstivningen fra.
unprovided ['ʌnprə'vaidid] ikke forsynet; uforberedt; uventet; *~ for* uforsørget.
unprovoked ['ʌnprə'voᵘkt] uprovokeret; umotiveret.
unqualified ['ʌn'kwålifaid] ukvalificeret; [ʌn'kwålifaid] absolut, ubetinget.
unquenchable [ʌn'kwenʃəbl] uslukkelig.
unquestionable [ʌn'kwestʃənəbl] ubestridelig.
unquestioned [ʌn'kwestʃənd] ubestridt.
unquestioning [ʌn'kwestʃəniŋ] ubetinget, blind (fx. *~ obedience).*
unquiet ['ʌn'kwaiət] urolig; (subst.) uro.
unquote ['ʌn'kwoᵘt] (i diktat) anførelsestegn slut; (i tale etc.) citat slut.
unravel [ʌn'rävl] trævle op; udrede; opklare, løse (fx. *~ a mystery).*
unread ['ʌn'red] ulæst, ubelæst.
unready ['ʌn'redi] rådvild; uforberedt.
unreason ['ʌn'ri·zn] ufornuft. **unreasonable** [ʌn'ri·znəbl] urimelig, overdreven. **unreasoning** [ʌn'ri·zniŋ] tankeløs, kritikløs.
unreel [ʌn'ri·l] afhaspe, rulle af, vikle af.
unreflecting ['ʌnri'flektiŋ] tankeløs, kritikløs.
unregarded ['ʌnri'ga·did] upåagtet, forsømt.
unregenerate [ʌnri'dʒenərėt] uforbederlig.
unrelenting ['ʌnri'lentiŋ] ubøjelig, ubønhørlig.
unreliable ['ʌnri'laiəbl] upålidelig.
unremitting [ʌnri'mitiŋ] uophørlig, utrættelig.
unrepenting ['ʌnri'pentiŋ] uden anger, forstokket.
unrequited ['ʌnri'kwaitid] ugengældt (fx. *love).*
unreserve ['ʌnri'zə·v] uforbeholdenhed, frimodighed. **unreserved** ['ʌnri'zə·vd] uforbeholden; ikke reserveret, frimodig, åbenhjertig. **unreservedly** ['ʌnri'zə·vidli] uforbeholdent (etc.)
unresisting ['ʌnri'zistiŋ] uden modstand.
unresolved ['ʌnri'zålvd] uopløst; uløst; ubeslutsom.
unrest ['ʌn'rest] uro.
unrestrained ['ʌnri'streⁱnd] uindskrænket; tøjlesløs.
unrestricted ['ʌnri'striktid] uindskrænket, ubegrænset; *~ road* vej uden fartbegrænsning.
unrhymed ['ʌn'raimd] urimet, rimfri.
unriddle [ʌn'ridl] forklare, løse.
unrig [ʌn'rig] aftakle, afrigge.
unrighteous [ʌn'raitʃəs] uretfærdig, ond, syndig.
unrip [ʌn'rip] sprætte op.
unrivalled [ʌn'raivld] uden lige, uforlignelig.
unrobe ['ʌn'roᵘb] afklæde, afføre sig embedsdragten.
unroll ['ʌn'roᵘl] rulle (sig) ud; åbne (sig).
UNRRA fk. f. *United Nations Relief and Rehabilitation Administration* De forenede Nationers Nødhjælps- og Genrejsningsadministration.
unruffled ['ʌn'rʌfld] uforstyrret, rolig, uanfægtet; stille, glat.
unruly [ʌn'ru·li] uregerlig.
unsaddle ['ʌn'sädl] afsadle; kaste af sadelen.
unsafe ['ʌn'seⁱf] usikker, farlig.
unsalaried ['ʌn'sälərid] ulønnet.
unsatisfied ['ʌn'sätisfaid] utilfredsstillet, umættet.
unsavoury ['ʌn'seⁱvəri] usmagelig, uappetitlig; flov, uden smag; væmmelig, modbydelig.
unsay ['ʌn'seⁱ] tage (sine ord) tilbage, gøre usagt; *leave it unsaid* lade være med (el. undlade) at sige det.
unscalable ['ʌn'skeⁱləbl] ubestigelig.
unscale [ʌn'skeⁱl] fjerne kedelsten fra.
unscathed ['ʌn'skeⁱðd] uskadt.
unschooled ['ʌn'sku·ld] ustuderet, ulærd; uskolet, uøvet, uerfaren.
unscrew ['ʌn'skru·] skrue af, skrue op.
unscrupulous [ʌn'skru·pjuləs] hensynsløs, samvittighedsløs.
unseal ['ʌn'si·l] tage seglet af, bryde, brække, åbne.
unseam ['ʌn'si·m] sprætte (en søm) op.
unsearchable [ʌn'sə·tʃəbl] uransagelig, uudgrundelig.
unseasonable [ʌn'si·znəbl] som ikke stemmer med årstiden; ubetimelig, utidig, uheldig, upassende.
unseat ['ʌn'si·t] berøve mandatet (el. embedet), afsætte, vælte; *be -ed* (om rytter) blive kastet af.
unsecured ['ʌnsi'kjuəd] dækningsløs, udækket; *~ creditor* simpel kreditor.
unseeing ['ʌn'si·iŋ] blind, intet seende, åndsfraværende.

unseemly [ʌnˈsi·mli] usømmelig; upassende.
unseen [ˈʌnˈsi·n] (adj.) uset, usynlig; extempore; (subst.) ekstemporal, ekstemporaltekst.
unselfish [ˈʌnˈselfiʃ] uegennyttig, uselvisk.
unsent [ˈʌnˈsent] ikke sendt; ~ *for* ukaldet.
unserviceable [ˈʌnˈsə·visəbl] uanvendelig, ubrugelig.
I. **unset** [ʌnˈset] (vb.) fjerne fra indfatningen.
II. **unset** [ˈʌnˈset] (adj.) uindfattet.
unsettle [ˈʌnˈsetl] rokke ved, forrykke; forvirre, gøre usikker. **unsettled** [ˈʌnˈsetld] ubetalt (fx. *debts); ustabil; ustadig, foranderlig (fx. *weather*). **unsettling** foruroligende.
unsewn [ʌnˈsoᵘn]: *come* ~ gå op i syningen.
unsex [ʌnˈseks] gøre kønsløs, gøre ukvindelig; ~ *oneself* blive ukvindelig, optræde på ukvindelig måde. **unsexed** [ʌnˈsekst] ukvindelig.
unshackle [ˈʌnˈʃăkl] løse (af lænke), frigøre; ⚓ hugge ud.
unshaken [ˈʌnˈʃeⁱkn] urokket, urokkelig.
unsheathe [ˈʌnˈʃi·ð] drage af skeden.
unsheltered [ˈʌnˈʃeltəd] uden ly, udækket, ubeskyttet, udsat.
unship [ˈʌnˈʃip] losse, landsætte; lægge (årerne) ind; ~ *the tiller* tage rorpinden af.
unshod [ˈʌnˈʃåd] uden sko, uskoet.
unshoe [ˈʌnˈʃu·] tage skoen af (en hest).
unshorn [ˈʌnˈʃå·n] uklippet, uraget; ubeskåret.
unshrinkable [ˈʌnˈʃriŋkəbl] krympefri. **unshrinking** [ʌnˈʃriŋkiŋ] uforsagt, uforfærdet.
unsightly [ʌnˈsaitli] uskøn, grim.
unsinkable [ˈʌnˈsiŋkəbl] synkefri.
unskilled [ˈʌnˈskild] ufaglært; ~ *labourer* arbejdsmand.
unslaked [ˈʌnˈsleⁱkt] uslukket (fx. *thirst*); ~ *lime* ulæsket kalk.
unsleeping [ʌnˈsli·piŋ] vågen, årvågen, utrættelig.
unsmiling [ˈʌnˈsmailiŋ] uden at smile, gravalvorlig.
unsolicited [ˈʌnsəˈlisitid] som man ikke har anmodet om.
unsolved [ˈʌnˈsålvd] uløst, uopklaret.
unsophisticated [ˈʌnsəˈfistikeⁱtid] ukunstlet, naturlig, uerfaren; ublandet, ren.
unsound [ˈʌnˈsaund] usund, sygelig, beskadiget; dårlig, rådden; usolid; urigtig, løs, uholdbar; upålidelig; *while of* ~ *mind* i sindsforvirring.
unsounded [ʌnˈsaundėd] ikke pejlet, ikke loddet; ikke udtalt, stum (fx. *letter*).
unsparing [ʌnˈspæəriŋ] rundhåndet, gavmild; skånselsløs, streng.
unspeakable [ʌnˈspi·kəbl] usigelig (fx. *horror*); ubeskrivelig; under al kritik (fx. *the hotels there are* ~).
unspecified [ˈʌnˈspesifaid] uspecificeret; ikke nærmere angivet.
unspotted [ˈʌnˈspåtid] uplettet, pletfri.
unstable [ˈʌnˈsteⁱbl] ustabil; vaklende, usikker; skiftende, uregelmæssig, ujævn; (om karakter) ustadig, upålidelig, uligevægtig.
unstamped [ˈʌnˈstămpt] ustemplet, ufrankeret.
unstarched [ˈʌnˈsta·tʃt] ustivet, blød; naturlig (i optræden), utvungen.
unsteady [ˈʌnˈstedi] ustadig; upålidelig; uregelmæssig, ujævn; uordentlig (om livsførelse); usikker (fx. ~ *on his legs*).
unstinted [ʌnˈstintid] givet med rund hånd.
unstitch [ˈʌnˈstitʃ] sprætte op, pille op.
unstop [ˈʌnˈståp] åbne, tage proppen op af; klare, rydde; *-ped* åben, uhindret. **unstopper** åbne, tage proppen af.
unstrained [ʌnˈstreⁱnd] usigtet, ufiltreret; utvungen, naturlig.
unstrap [ˈʌnˈstrăp] spænde remmene (, remmen) op på (fx. ~ *a trunk*), åbne.
unstressed [ˈʌnˈstrest] ubetonet, trykløs.
unstring [ˈʌnˈstriŋ] tage strengene af; tage af en snor (fx. ~ *some beads*); svække (fx. *sby.'s nerves*).
unstrung [ˈʌnˈstrʌŋ] opreven, nervøs; slappet, svækket; uden strenge.
unstudied [ˈʌnˈstʌdid] ukunstlet, naturlig, spontan.
unsubstantial [ˈʌnsəbˈstănʃəl] utilstrækkelig (fx. *meal*); usolid; uvirkelig, uholdbar.
unsubstantiated [ʌnsəbˈstănʃieⁱtid] ubekræftet.
unsung [ˈʌnˈsʌŋ] ubesunget.
unsunned [ˈʌnˈsʌnd] som solen ikke skinner på.
unsurpassed [ˈʌnsəˈpa·st] uovertruffet, uovertræffelig.
unsuspected [ˈʌnsəˈspektid] ikke mistænkt, uanet.
unsuspecting [ˈʌnsəˈspektiŋ] umistænksom, intetanende, troskyldig.
unswear [ʌnˈswæə] tilbagekalde (om en ed); afsværge.
unswerving [ʌnˈswə·viŋ] usvigelig, aldrig svigtende, fast, urokkelig.
unsympathetic [ˈʌnsimpəˈþetik] afvisende, udeltagende, hårdhjertet.
untangle [ˈʌnˈtăŋgl] udrede.
untarnished [ˈʌnˈta·niʃt] (ogs. fig.) ikke anløbet el. falmet; med uformindsket glans; pletfri.
untaught [ˈʌntå·t] ulært, medfødt, instinktmæssig; uvidende.
unteach [ʌnˈti·tʃ] få til at glemme.
untenantable [ˈʌnˈtenəntəbl] ubeboelig.
untenanted [ˈʌnˈtenəntid] tom, ubeboet, ledig.
unthankful [ʌnˈþăŋkful] utaknemmelig.
unthinkable [ʌnˈþiŋkəbl] utænkelig, højst usandsynlig, utrolig.
unthinking [ˈʌnˈþiŋkiŋ] tankeløs, ubetænksom, kritikløs. **unthought-of** [ʌnˈþå·tåv] uanet, usandsynlig, uventet.
unthread [ˈʌnˈþred] løse, udrede, finde vej igennem; tage tråden(e) ud af.
unthrifty [ˈʌnˈþrifti] ødsel, uøkonomisk.
untidy [ʌnˈtaidi] uordentlig, usoigneret.
untie [ˈʌnˈtai] løse (op), binde op, snøre op.
until [ənˈtil] indtil, til; *not* ~ ikke før, først da, først.
untilled [ˈʌnˈtild] udyrket, uopdyrket.
untimbered [ˈʌnˈtimbəd] skovløs.
untimely [ʌnˈtaimli] altfor tidlig, ubetimelig, uheldig, ulykkelig.
untiring [ʌnˈtaiəriŋ] utrættelig.
untitled [ˈʌnˈtaitld] ubetitlet, (ofte =) ikke-adelig; uberettiget, uden adkomst.
unto [ˈʌntu, ˈʌntə] (især bibelsk:) til.
untold [ˈʌnˈtoᵘld] ufortalt, utalt, talløs, usigelig.
untouchable [ʌnˈtʌtʃəbl] (adj.) urørlig, kasteløs; (subst.) paria.
untoward [ʌnˈtoᵘəd] uheldig, ubelejlig; (glds.) egensindig, genstridig.
untraceable [ˈʌnˈtreⁱsəbl] (adj.) der ikke lader sig (efter)spore, uransagelig.
untrained [ˈʌnˈtreⁱnd] uoplært, uøvet, utrænet.
untrammelled [ˈʌnˈtrăməld] uhindret, ubesværet, uhæmmet.
untranslatable [ˈʌntrănsˈleⁱtəbl] uoversættelig.
untried [ˈʌnˈtraid] uforsøgt, uprøvet, uafgjort.
untrodden [ˈʌnˈtrådn] ubetrådt, ubanet.
untrue [ˈʌnˈtru·] usand, falsk, utro, urigtig.
untuck [ˈʌnˈtʌk] smøge ned.
untuned [ˈʌnˈtju·nd] ikke stemt, forstemt.
unturned [ˈʌnˈtə·nd] ikke vendt; (se ogs. *stone*).
untutored [ˈʌnˈtju·təd] uoplyst, uvidende.
untwine [ʌnˈtwain] løse op, flette op, rede ud.
untwist [ˈʌnˈtwist] vikle op, løse.
I. **unused** [ˈʌnˈju·zd] ubenyttet (fx. *an* ~ *room*); ubrugt; (om frimærke ogs.) ustemplet.
II. **unused** [ˈʌnˈju·st] ikke vant (*to* til).
unusual [ʌnˈju·ʒuəl] ualmindelig, usædvanlig.
unutterable [ʌnˈʌtərəbl] usigelig, ubeskrivelig; *-s* (glds.) unævnelige, benklæder.
unuttered [ˈʌnˈʌtəd] uudtalt, tænkt, ikke fremsagt, tavs.

unvaried [ʌn'væərid] uforanderlig, stadig; ensformig.
unvarnished ['ʌn'va·niʃt] uferniseret; [ʌn'va·niʃt] usminket, usmykket.
unveil [ʌn'veil] afsløre, afsløre sig, vise sin sande karakter.
unvoiced ['ʌn'voist] uudtalt; ustemt.
unwarped [ʌn'wå·pt] uhildet, upartisk.
unwarrantable [ʌn'wårəntəbl] uberettiget, uforsvarlig.
unwarranted ubeføjet, uden garanti.
unwary ['ʌn'wæəri] uforsigtig, ubesindig.
unwashed ['ʌn'wåʃt] uvasket, ikke beskyllet; *the great ~* den store hob.
unwatered ['ʌn'wå·təd] uden vand; ikke fortyndet; ikke vandet.
unwavering [ʌn'weivəriŋ] uden vaklen, bestemt, fast.
unwearied [ʌn'wiərid], **unwearying** ihærdig, utrættet, utrættelig, ufortrøden.
unweave [ʌn'wi·v] trævle op; rede ud.
unwell ['ʌn'wel] ikke rask, utilpas.
unwieldy [ʌn'wi·ldi] besværlig, tung, uhåndterlig, klodset.
unwilling ['ʌn'wiliŋ] uvillig, modstræbende; *-ly* ugerne, nødig.
unwind ['ʌn'waind] vikle af, rulle ud.
unwise ['ʌn'waiz] uklog, uforstandig.
unwitting [ʌn'witiŋ], **unwittingly** uafvidende, uforvarende, ubevidst.
unwonted [ʌn'wountid] uvant, ualmindelig.
unworkable [ʌn'wə·kəbl] uudførlig, uigennemførlig, uhåndterlig.
unworkmanlike ['ʌn'wə·kmənlaik] fuskeragtig, dilettantisk.
unworldly ['ʌn'wə·ldli] overjordisk; (om person) naiv, verdensfjern; idealistisk.
unwrap ['ʌn'räp] pakke op, pakke ud.
unyielding [ʌn'ji·ldiŋ] ubøjelig, stiv, determineret, som ikke viger en tomme.
unyoke ['ʌn'jouk] spænde fra, løse; skille.
U. of S. Afr. fk. f. *Union of South Africa.*
I. **up** [ʌp] (adv.) op (fx. *~ to the top, ~ to Scotland);* oppe (fx. *stay ~ all night);* hen (fx. *I stepped ~ to a policeman to ask him the way);* i gære, på færde, i vejen (fx. *what's ~ ?);* forbi, til ende, udløbet (fx. *time is ~*); højere (fx. *speak ~*); ind (fx. *dry ~*), til (fx. *freeze ~*), sammen (fx. *fold ~; shrivel ~* skrumpe sammen); i stykker, itu (fx. *tear ~ a letter);*
~ and down frem og tilbage; op og ned; ⚓ ret op; *be ~* være oppe (etc., se ovenfor); *be ~ and about* være i gang igen (efter sygdom); *be ~ and doing* være i fuld aktivitet; *his blood* (el. *temper) is ~* hans blod er kommet i kog; han er gal i hovedet; *go ~* stige; *go ~ to Oxford* begynde at studere ved universitetet i O.; (se ogs. I. *go); ~ here* her op(pe); *~ there* der op(pe);
be ~ against stå over for, have at gøre med (fx. *a formidable enemy); be ~ against it* T hænge på den; *the case is ~ before the court* sagen er for (el. til behandlig) i retten; *prices are ~ by 40 %* priserne er steget 40 %; *be ~ in arms* være i harnisk; *be well ~ in mathematics* være dygtig i matematik; *be ~ to* påhvile (fx. *it is ~ to me to do it);* kunne stå mål med, være på højde med (fx. *he is not ~ to you as a man of science);* magte, kunne bestride (fx. *he is not ~ to his job);* pønse på, have for (fx. *what is he ~ to now?);* tage sig for, bedrive (fx. *what have you been ~ to?); not ~ to much* ikke meget bevendt; *he is ~ to no good* han har ondt i sinde; *~ to now* indtil nu, hidtil; *it is ~ to you* (ogs.) T det er op til dig; *it is all ~ with him* det er ude med ham; *what is ~ with you?* hvad er der i vejen med dig?
II. **up** [ʌp] (præp.) op ad (fx. *walk ~ a mountain, ~ the street);* op i (fx. *climb ~ a tree);* ind i (fx. *travel ~ (the) country);* imod, op mod, op ad (fx. *row ~ the stream).*
III. **up** [ʌp] (subst.) opgangsperiode; skråning opad; *on the ~* for opadgående; *ups and downs* omskiftelser.
IV. **up** [ʌp] (vb.) S fare op; pludselig give sig til; løfte; *he ups and says* (omtr. =) så var han der jo straks og sagde.
U. P. ['ju·'pi]: *it's all ~* S det er slut; så er det bal forbi.
up-and-coming, up-and-doing energisk, initiativrig.
up-and-up: *on the ~* (amr.) regulært, ærligt; for opadgående; ved at blive bedre.
upas ['ju·pəs] ♧ upastræ; upas (gift).
upbraid [ʌp'breid] bebrejde; *~ sby. with* (el. *for) sth.* bebrejde en noget.
upbringing ['ʌpbriŋiŋ] opdragelse.
upcast ['ʌpka·st] (adj.) opadvendt; (subst.) luftkanal i kulmine.
upcountry ['ʌp'kʌntri] (subst.) det indre af landet; (adj., adv.) inde i landet, ind i landet.
update ['ʌp'deit] (amr.) ajourføre, modernisere.
upgrade ['ʌpgreid] forbedre, højne, forfremme; *on the ~* i stigning; for opadgående; ved at blive bedre.
upheaval [ʌp'hi·vl] hævning, rystelse; omvæltning.
uphill ['ʌp'hil] op ad bakke, opadgående, besværlig, tung.
uphold [ʌp'hould] *(upheld, upheld)* holde oppe, opretholde, fastholde, hævde; håndhæve; bifalde; støtte; bekræfte, give medhold; *his claim was upheld by the court* retten tog hans påstand til følge.
upholster [ʌp'houlstə] møblere; polstre; betrække. **upholsterer** sadelmager, møbelpolstrer. **upholstery** sadelmagerarbejde, polstret arbejde, polstrede varer; boligmontering.
upkeep ['ʌpki·p] vedligeholdelse; vedligeholdelsesomkostninger; underhold.
upland ['ʌplənd] højland; (adj.) højlands-.
I. **uplift** [ʌp'lift] (vb.) hæve, løfte, højne.
II. **uplift** ['ʌplift] (subst.) højnelse (gennem uddannelse, moralsk påvirkning osv.); løftelse; (prædikants) evne til at få tag i tilhørerne; (adj.) moraliserende, højnende.
upon [ə'pån] se *on.*
upper ['ʌpə] (adj.) over-, højere, øverst; (subst.) overlæder; T øverste køje; (se ogs. *uppers); have the ~ hand of* have magt over; *get the ~ hand of* få overtaget over.
upper| circle (i teater, svarer til) første etage. **~ -cut** uppercut (boksestød). **~ hand** se *upper.* **~ house:** *the Upper House* overhuset. **~ lip** overlæbe; (se ogs. I. *stiff).*
uppermost ['ʌpəmoust] øverst; *whatever comes ~ in one's mind* hvad der først falder en ind.
uppers ['ʌpəz] overlæder; *be down on one's ~* være på knæene, være ludfattig.
upper| storey T øverste etage (ɔ: hovedet). **~ ten (thousand)** upper ten, aristokrati. **-works** ⚓ overskib.
uppish ['ʌpiʃ], **uppity** ['ʌpiti] T kæphøj, storsnudet; fræk.
upright ['ʌp'rait] opretstående, oprejst, rank; ['ʌprait] retskaffen, redelig; (subst.) stander; stolpe; *~ size* (typ.) højformat.
uprising [ʌp'raiziŋ] rejsning, opstand.
uproar ['ʌprå·] larm, spektakel.
uproarious [ʌp'rå·riəs] larmende, stormende.
uproot [ʌp'ru·t] rykke op med rode; løsrive, udrydde; *-ing of trees* trærydning.
ups-a-daisy ['ʌpsə'deisi]: *~ !* (til barn) opsedasse.
I. **upset** [ʌp'set] *(upset, upset)* vælte, kæntre (fx. *the boat ~*); forstyrre, kuldkaste (fx. *their plans);* styrte; (fig.) bringe ud af ligevægt (fx. *she is easily ~*); gøre bestyrtet; gøre syg; *it -s my stomach* jeg kan ikke tåle det.
II. **upset** [ʌp'set] (subst.) fald; forstyrrelse; strid; uventet nederlag; *stomach ~* mavetilfælde.

III. **upset** [ʌp'set] (adj.) ked af det, nedtrykt; ude af balance, chokeret, rystet.
IV. **upset** ['ʌpset]: ~ *price* minimumspris.
upshot ['ʌpʃåt] resultat, udfald.
upside ['ʌpsaid] ·overside, øvre side; afgangsside for tog til London (el. nærmeste storstad).
upside-down ['ʌpsaid'daun] omvendt, på hovedet (fx. *he held the book* ~); bagvendt (fx. *logic); turn* ~ vende op og ned på, vende på hovedet; endevende; sætte på den anden ende.
up-stage ['ʌp'steⁱdʒ] (på scene) i baggrunden; (fig.) snobbet, indbildsk, vigtig, hoven, 'høj i hatten'; genert.
upstairs ['ʌp'stæəz] ovenpå; op ad trappen.
upstanding [ʌp'ständiŋ] velbygget, rank.
upstart ['ʌpsta·t] opkomling, parvenu.
upstate ['ʌp'steⁱt] (amr.) vedrørende den del af en stat der ligger længst væk fra en storby (el. længst mod nord).
upstream ['ʌp'stri·m] mod strømmen.
upstroke ['ʌpstroᵘk] opstreg; (om stempel) opgang.
upsurge ['ʌp'sə·dʒ] voldsom el. pludselig stigning.
uptake ['ʌpteⁱk] optræk (til skorsten); *quick on the* ~ hurtig i opfattelsen; vaks.
up-to-date ['ʌptədeⁱt] moderne, up to date, à jour.
up-to-the-minute ultramoderne; nyeste.
up-train ['ʌp'treⁱn] tog til London (el. nærmeste storby).
upturn [ʌp'tə·n] (vb.) vende op el. opad; vende op og ned på; (subst.) omvæltning; opsving, bedring.
upward ['ʌpwəd] opad, opadvendt, opadrettet, opadgående. **upwards** opad, oventil; mere, derover; ~ *of* mere end, over (fx. ~ *of three years); three years and* ~ tre år og mere (el. og derover).
Ural ['juərəl]: *the Urals* Uralbjergene.
Urania [juə'reⁱniə]. **uranium** [juə'reⁱniəm] uran.
Uranus [juə'reⁱnəs].
urban ['ə·bən] by-; bymæssig; ~ *district* underinddeling af et *county*.
urbane [ə·'beⁱn] urban, beleven, dannet, høflig.
urbanity [ə·'bäniti] belevenhed, høflighed, dannet væsen.
urbanize ['ə·bənaiz] give bypræg.
urchin ['ə·tʃin] unge, knægt; (zo.) søpindsvin; pindsvin; (i overtro) nisse.
Urdu [ə·'du·, uə'du·] urdu (sprog i Indien).
urea ['juəriə] urinstof.
urethra [juə'ri·þrə] urinrør. **urethritis** [juəri·'þraitis] urinrørsbetændelse.
uretic [juə'retik] urin-, urindrivende (middel).
I. **urge** [ə·dʒ] (vb.) tilskynde, drive, fremskynde, anspore; bede indstændigt, anmode indtrængende; hævde, fremhæve, gøre kraftigt gældende; ~ *on* drive frem; ~ *it on them* (ogs.) lægge dem det alvorligt på sinde.
II. **urge** [ə·dʒ] (subst.) tilskyndelse, indre trang, drift.
urgency ['ə·dʒənsi] tryk; påtrængende nødvendighed, presserende karakter; pågåenhed; *a matter of great* ~ en meget presserende sag.
urgent ['ə·dʒənt] presserende, bydende; pågående, påtrængende; indtrængende, indstændig (fx. *request);* (på brev o.l.) haster! ~ *call* ekspressamtale; ~ *telegram* eksprestelegram.
Uriah [juə'raiə] Urias.
uric ['juərik]: ~ *acid* urinsyre.
urinal ['juərinəl] uringlas; urinal, pissoir.
urinary ['juərinəri] urin- (fx. *bladder).*
urinate ['juərineⁱt] lade vandet.
urine ['juərin] urin.
urn [ə·n] urne; temaskine, kaffemaskine.
Ursa ['ə·sə] (astr.): ~ *Major* Store Bjørn; ~ *Minor* Lille Bjørn.
ursine ['ə·sain] (adj.) bjørne-, bjørneagtig.
urticaria [ə·ti'kæəriə] (med.) nældefeber.
urticate ['ə·tikeⁱt] brænde som en nælde, piske med nælder.
Uruguay ['urugwai].
urus ['juərəs] (vb.) urokse.
us [ʌs] os; T mig (fx. *gi'e us a kiss, duckie!).*
U.S.(A.) fk. f. *United States (of America).*
usable ['ju·zəbl] brugelig, brugbar.
usage ['ju·zidʒ] brug, behandling, medfart; sædvane, skik og brug, kutyme; sprogbrug.
usance ['ju·zəns] (merk.) uso, usance.
I. **use** [ju·s] (subst.) brug; nytte; skik (og brug); *have no* ~ *for* foragte; ikke bryde sig om, ikke ville have noget at gøre med; *in* ~ i brug; *is there any* ~ *in discussing it?* er det nogen nytte til at drøfte det? *come into* ~ komme i brug; (om ord ogs.) blive almindelig; *it is no* ~ det nytter ikke; *it's no* ~ *to me* jeg har ikke brug for det; *of* ~ til nytte; *what is the* ~ *of that?* hvad nytte er det til? *have the* ~ *of the kitchen* have adgang til køkkenet; *make* ~ *of, put to* ~ udnytte, gøre brug af; *fall out of* ~ gå af brug; *a tool with many -s* et redskab med mange anvendelsesmuligheder.
II. **use** [ju·z] bruge (fx. ~ *one's eyes);* behandle (fx. ~ *sby. well,* ~ *sby. ill);* benytte (sig af); *how has the world been using you since we last met?* hvordan har du haft det siden vi sås sidst? ~ *up* bruge op; *-d up* (ogs.) udmattet.
I. **used** [ju·st]: ~ *to*: *he* ~ *to be a captain in the navy* han var i sin tid kaptajn i flåden; *there* ~ *to be a house here* der har tidligere (el. engang) ligget et hus her.
II. **used** [ju·st] (adj.): ~ *to* vant til, vænnet til; *we are not* ~ *to that* det er vi ikke vant til.
III. **used** ['ju·zd] (adj.) brugt (fx. *car).*
useful ['ju·sful] nyttig; **S** flink, dygtig *(at* til); *come 'in* ~ komme til god nytte.
usefulness ['ju·sfulnės] nytte.
useless ['ju·slės] unyttig, ubrugelig; forgæves.
user ['ju·zə] bruger, konsument; (jur.) brugsret, brugsrettighed.
usher ['ʌʃə] (subst.) dørvogter, ceremonimester, retstjener; (i biograf etc.) kontrollør (der anviser folk deres pladser); (glds.) hjælpelærer; (vb.) indføre, bebude, være en forløber for; ~ *in* indvarsle, indlede; ~ *sby. to a seat* anvise en en plads.
usherette [ʌʃə'ret] kvindelig kontrollør (i biograf etc.).
U.S.O. (amr.) fk. f. *United Service Organisation* (organisation der driver soldaterhjem etc.).
usquebaugh ['ʌskwibå·] whisky.
U.S.S.R. fk. f. *Union of Soviet Socialist Republics.*
usual ['ju·ʒuəl] sædvanlig, almindelig.
usually ['ju·ʒuəli] sædvanligvis.
usucapion [ju·ʒu'keⁱpiən], **usucaption** [ju·ʒu'käpʃən] (jur.) hævd.
usufruct ['ju·ʒufrʌkt] (subst.) brugsret.
usufructuary [ju·ʒu'frʌktjuəri] brugshaver.
usurer ['ju·ʒərə] ågerkarl.
usurious [ju'ʒuəriəs] åger-.
usurp [u·'zə·p] tilrane sig, tilrive sig, usurpere.
usurpation [ju·zə·'peⁱʃən] bemægtigelse, egenmægtig tilegnelse, usurpation. **usurper** [ju·'zə·pə] usurpator, tronraner.
usury ['ju·ʒəri] åger.
Utah ['ju·ta·].
utensil [ju'tensl] redskab; kar; *domestic -s* husgeråd; *kitchen -s* køkkentøj.
uterine ['ju·tərain] livmoder-; som har samme moder (men ikke samme fader) (fx. ~ *sister).*
uterus ['ju·tərəs] (pl. *uteri* ['ju·tərai]) livmoder.
utilitarian [ju·tili'tæəriən] (adj.) nytte-, brugs-; nyttemæssig; utilitaristisk; (subst.) tilhænger af nyttemoralen.
utilitarianism [ju·tili'tæəriənizm] utilitarisme, nyttemoral.
utility [ju'tiliti] gavnlighed, nytte, anvendelighed; *public* ~ almennytte; *of public* ~ almennyttig;

public utilities offentlige foretagender (gas-, elektricitetsværker, bus- og sporvejslinier etc.); *~ clothes* maksimaltøj; *~ (man)* skuespiller der kan spille alle mulige småroller, altmuligmand.
utilizable ['ju·tilaizəbl] som kan udnyttes, anvendelig.
utilization [ju·tilai'zeⁱʃən] udnyttelse.
utilize ['ju·tilaiz] udnytte, benytte.
utmost ['ʌtmoᵘst] yderst; *do one's ~* gøre sit bedste; *to the ~ of one's power* af yderste evne.
Utopia [ju'toᵘpiə] utopi.
Utopian [ju'toᵘpiən] utopisk.
I. **utter** ['ʌtə] (adj.) fuldstændig, absolut, ubetinget; fuldkommen.
II. **utter** ['ʌtə] (vb.) ytre, udtale, udtrykke; udstøde; *~ false coin* sætte falske penge i omløb.
utterable ['ʌtərəbl] som kan udtrykkes, som kan udtales.
utterance ['ʌtərəns] (subst.) ytring, udtalelse; udtale; foredrag, mæle; *give ~ to* give udtryk for.
utterly ['ʌtəli] aldeles, fuldstændig, i bund og grund.
uttermost ['ʌtəmoᵘst] yderst, fjernest; *to the ~ of one's power* efter yderste evne.
U-turn svingning på 180 grader.
uvula ['ju·vjulə] drøbel. **uvular** ['ju·vjulə] drøbel-.
uxorious [ʌk'så·riəs] stærkt indtaget i sin kone; svag over for sin kone.

V

V [vi·].
V., v. fk. f. *verb; verse; versus; victory; vide; viscount; volume.*
Va. fk. f. *Virginia.*
V.A. fk. f. *(Royal Order of) Victoria and Albert; vice-admiral.*
vac [väk] **T** fk. f. *vacation* ferie.
vacancy ['veⁱkənsi] tomhed, tomt rum, tomrum, mellemrum; ledig tid, fritid; ledig stilling, ledighed, vakance; åndsfraværelse, tomhjernethed, sløvhed; *stare into ~* stirre ud i luften.
vacant ['veⁱkənt] tom (fx. *space; expression);* ledig (fx. *position, room);* ubesat, ikke optaget; tanketom, fraværende; intetsigende, indholdsløs; *~ possession* (i annonce, omtr.) ledig til indflytning.
vacate [və'keⁱt] gøre tom el. ledig, fratræde, rømme, fraflytte; (jur.) hæve, annullere.
vacation [və'keⁱʃən; amr. veⁱ-] (subst.) ferie; vakance; fratrædelse (af stilling etc.); fraflytning; (vb., amr.) feriere, holde ferie.
vacationer [veⁱ'keⁱʃənə], **vacationist** [veⁱ'keⁱʃənist] (amr.) feriegæst, ferierende.
vaccinate ['väksineⁱt] indpode kokopper, vaccinere. **vaccination** [väksi'neⁱʃən] vaccination. **vaccinator** ['väksineⁱtə] vaccinator.
vaccine ['väksi·n] vaccine.
vacillant ['väsilənt] vaklende, svingende, ustadig.
vacillate ['väsileⁱt] vakle, svinge.
vacillation [väsi'leⁱʃən] slingren, svingen, vaklen, holdningsløshed.
vacuity [və'kju·iti] tomhed, tanketomhed, tomt rum. **vacuole** ['väkjuoᵘl] (biol.) vakuole, celleblære; ♧ (ogs.) saftrum.
vacuous ['väkjuəs] tom, intetsigende.
vacuum ['väkjuəm] vakuum, tomt rum, lufttomt rum; **T** støvsuger; (adj.) vakuum-. **vacuum|-brake** vakuumbremse. **~ cleaner** støvsuger. **~ flask** termoflaske ®. **~ gauge** vakuummåler. **~ pump** vakuumpumpe. **~ tube** vakuumrør.
V.A.D. fk. f. *Voluntary Aid Detachment.*
vade-mecum ['veⁱdi'mi·kəm] lommebog, håndbog.
vagabond ['vägəbənd] (adj.) omstrejfende; (subst.) landstryger, vagabond. **vagabondage** ['vägəbåndidʒ] vagabonderen, løsgængeri.
vagarious [və'gæəriəs] lunefuld.
vagary [və'gæəri] grille, indfald, lune (fx. *the vagaries of nature).*
vagina [və'dʒainə] (anat.) skede, moderskede.
vagrancy ['veⁱgrənsi] løsgængeri, omstrejfen.
vagrant ['veⁱgrənt] (adj.) omstrejfende, omflakkende, vandrende; (subst.) omstrejfer, landstryger.
vague [veⁱg] vag, ubestemt, svævende, uklar; svag.
vain [veⁱn] tom, forgæves, frugtesløs; forfængelig, pralende; *in ~* forgæves; *take his name in ~* tage hans navn forfængeligt; *~ of* stolt af, vigtig af.
vain|glorious [veⁱn'glå·riəs] pralende, forfængelig, opblæst. **-glory** [veⁱn'glå·ri] praleri, forfængelighed.
valance ['väləns] portierekappe; flæse; sengegardin; hyldebort.
I. **vale** [veⁱl] dal; *~ of woe* jammerdal.
II. **vale** ['veⁱli] farvel.
valediction [väli'dikʃən] afskedstagen, farvel, afskedshilsen. **valedictory** [väli'diktəri] afskeds-; afskedstale.
I. **valence** ['väləns] = *valance.*
II. **valence** ['veⁱləns], **valency** ['veⁱlənsi] (kem.) valens.
valentine ['väləntain] kæreste (valgt på st. Valentins dag, den 14. februar); elskovshilsen (der sendtes st. Valentins dag).
valerian [və'liəriən] ♧ baldrian, valeriana.
valet ['välėt] (subst.) kammertjener; (vb.) varte op, betjene.
valetudinarian ['välitju·di'næəriən], **valetudinary** [väli'tju·dinəri] (adj.) svagelig; hypokonder; (subst.) svagelig person; hypokondrist.
valiance ['väljəns], **valiancy** ['väljənsi] (glds.) tapperhed.
valiant ['väljənt] tapper.
valid ['välid] gyldig, retsgyldig; stærk.
validate ['välideⁱt] give gyldighed, efterprøve el. bevise gyldigheden af; erklære retsgyldig.
validity [və'liditi] gyldighed.
valise [və'li·z, amr. -'li·s] lædertaske, vadsæk.
valley ['väli] dal; (på hus) skotrende.
valorem: *ad ~* ['ädvə'lå·rem] *duty* værditold.
valorous ['välərəs] tapper, modig.
valour ['välə] tapperhed, mod.
valse [va·ls] vals (dans).
valuable ['väljuəbl] værdifuld; *-s* værdigenstande.
valuation [välju'eⁱʃən] vurdering, taksation; vurderingssum.
value ['välju·] (subst.) værdi, værd, valuta; (vb.) vurdere, værdsætte, skatte, sætte pris på; *get good ~ for one's money* få noget for pengene.
value added tax merværdiafgift.
valuer ['väljuə] taksator.
valve [välv] klap, ventil; (radio)rør; (zo.) skal; (anat., ♧) klap; (på blæseinstrument) ventil; *-d* med klap, med ventil.
valve seat ventilsæde.
valvular ['välvjulə] ventil-, klap-; *~ defect* (med.) klapfejl.
vamoose [və'mu·s], **vamose** [və'moᵘs] **S** stikke af, fordufte.
vamp [vämp] (subst.) overlæder; lap (på fodtøj); (i musik) improviseret akkompagnement, 'sko-

magerbas'; S eventyrerske, 'vampyr'; (vb.) reparere (fodtøj); lave, bringe i stand; (i musik) improvisere et akkompagnement, lave 'skomagerbas'; S (om pige) optræde som vampyr, lægge an på og blokke for penge; ~ *up* pudse op, få til at se ud som ny, flikke sammen.

vampire [ˈvämpaiə] vampyr. **vampirism** [ˈvämpaiərizm] tro på vampyrer; blodsugeri.

I. **van** [vän] avantgarde, fortrop.

II. **van** [vän] (betegnelse for forsk. vogntyper fx.) bagagevogn, pakvogn, (lukket) godsvogn; flyttevogn; lukket lastvogn el. varevogn; vogn til fangetransport; sigøjnervogn, gøglervogn.

Vancouver [vänˈku·və].

Vandal, vandal [ˈvändəl] vandal.

vandalism [ˈvändəlizm] vandalisme.

vane [veⁱn] vindfløj; vinge (på vejrmølle), fane (på fjer), blad (på skrue, propel), skovl (på turbine).

vanguard [ˈvänga·d] avantgarde, fortrop.

vanilla [vəˈnilə] vanille.

vanish [ˈväniʃ] forsvinde; ~ *into thin air* forsvinde sporløst (el. ud i den blå luft); fordufte; svinde ind til ingenting.

vanishing| point forsvindingspunkt (i perspektiv); (fig.): *cut down to the* ~ *point* reducere til det rene ingenting. ~ **trick** forsvindingsnummer.

vanity [ˈväniti] forfængelighed, tomhed, intethed, tant; *Vanity Fair* Forfængelighedens Marked (roman af Thackeray).

vanity bag dametaske.

vanquish [ˈväŋkwiʃ] besejre, overvinde.

vantage [ˈva·ntidʒ] fordel (i tennis); ~ *-ground,* ~ *-point* fordelagtigt terræn, fordelagtig stilling; sted hvorfra man har godt overblik.

vapid [ˈväpid] flov, fad (fx. *remark);* tom; (om øl) doven. **vapidity** [väˈpiditi] flovhed, fadhed.

vapor|ization [veⁱpəraiˈzeⁱʃən] fordampning. **-ize** [ˈveⁱpəraiz] fordampe; få til at fordampe, forvandle til damp. **-izer** [ˈveⁱpəraizə] fordamper. **-ous** [ˈveⁱpərəs] fuld af damp, dampformig, tåget.

vapour [ˈveⁱpə] (subst.) damp, dunst; (fig.) praleri, skryden, fantasifoster; (vb.) fordampe; (fig.) skryde, prale; *the -s* (glds.) hysteri, hypokondri.

vapour-trails (flyv.) kondensstriber.

Varangian [vəˈrändʒiən] væring.

variability [væriəˈbiliti] foranderlighed.

variable [ˈværiəbl] (adj.) foranderlig, ustadig, omskiftelig; (subst.) variabel.

variance [ˈværiəns] forandring; strid, uoverensstemmelse; *at* ~ *with* i strid med.

variant [ˈværiənt] variant.

variation [væriˈeⁱʃən] variation; afvigelse, forandring, forskel; ⚓ misvisning; *by way of* ~ til en forandring.

varicella [väriˈselə] (med.) skoldkopper.

varicose [ˈvärikoᵘs]: ~ *veins* (med.) åreknuder.

varied [ˈværid] varieret, afvekslende, forskelligartet; broget.

variegated [ˈværigeⁱtid] broget, spraglet.

variegation [væriˈgeⁱʃən] brogethed, spraglethed.

variety [vəˈraiəti] forskellighed, afveksling; forskellighed, mangfoldighed; (biol.) afart, sort, varietet; ~ *(show)* varietéforestilling; *a large* ~ (ogs.) et stort udvalg; *lend* ~ *to* bringe afveksling i; *owing to a* ~ *of causes* af mange forskellige årsager.

variola [vəˈraiələ] (med.) kopper, børnekopper.

various [ˈværiəs] forskellig; mange forskellige, adskillige; afvekslende.

varix [ˈværiks] (pl. *varices* [ˈvärisi·z]) (med.) åreknude.

varmint [ˈva·mint] (glds.) lille slubbert, laban; skadedyr.

varnish [ˈva·niʃ] (subst.) fernis; neglelak; (fig.) fernis, glans; (vb.) fernisere; lakere (fx. *nails);* (fig.) besmykke. **varnishing-day** fernissage (på maleriudstilling).

varsity [ˈva·siti] S = *university.*

vary [ˈværi] (vb.) forandre, variere, bringe afveksling i; forandre sig, veksle; *with -ing success* med skiftende held.

vascular [ˈväskjulə] (adj., anat., ♧) kar-.

vascul|um [ˈväskjuləm] (pl. *-a* [-ə]) botaniserkasse.

vase [va·z; amr. veⁱs, veⁱz] vase.

vaseline [ˈväsili·n] ® vaseline.

vasomotor [väsoˈmoᵘtə] (anat.) vasomotorisk.

vassal [ˈväsəl] vasal, lensmand; tjener, træl.

vassalage [ˈväsəlidʒ] vasalforhold, underdanighed.

vassal state vassalstat.

vast [va·st] uhyre, umådelig; langt overvejende (fx. *a* ~ *majority); -ly superior to* langt overlegen, langt bedre end.

vat [vät] stort kar, bryggerkar, beholder.

V.A.T. fk. f. *value added tax.*

Vatican [ˈvätikən]: *the* ~ Vatikanet.

vaticinate [väˈtisineⁱt] spå, forudsige.

vaticination [vätisiˈneⁱʃən] spådom.

vaudeville [ˈvoᵘdəvil] vaudeville; (især amr.) varietéforestilling.

I. **vault** [vå·lt] (subst.) hvælving, kælderhvælving, gravhvælving; boks; (vb.) bygge hvælving over; *the* ~ *of heaven* himmelhvælvet.

II. **vault** [vå·lt] (vb.) springe; springe over; (subst.) spring (der støttes af hænderne).

vaulting-horse hest (i gymnastik).

vaunt [vå·nt] (vb.) prale med, prale af (fx. ~ *one's skill),* berømme i høje toner; (subst.) pral(eri); ~ *of* prale af; ~ *over* hovere over.

Vauxhall [ˈvåksˈhå·l].

V.C. fk. f. *vice-chancellor; vice-consul; Victoria Cross* (ogs. indehaver af *Victoria Cross).*

V.D. fk. f. *Volunteer Decoration; venereal disease.*

V day sejrsdagen.

've fk. f. *have* (fx. *we've* [wi·v]).

veal [vi·l] kalvekød; kalve-; *roast* ~ kalvesteg.

vector [ˈvektə] vektor.

Veda [ˈveⁱdə, ˈvi·də] (rel.) veda.

vedette [viˈdet] ⚔ vedet (forpost).

veer [viə] vende sig, skifte (om vind), dreje; svinge, skifte kurs el. standpunkt; ~ *out* stikke ud (fx. *a rope);* ~ *round* vende sig; svinge.

veg [vedʒ] S fk. f. *vegetable(s).*

vegetable [ˈvedʒ(i)təbl] (adj.) plante-, vegetabilsk; (subst.) plante, køkkenurt; *-s* grønsager; *the* ~ *kingdom* (el. *world)* planteriget; ~ *ivory* vegetabilsk elfenben; ~ *marrow* græskar.

vegetarian [vedʒiˈtæəriən] vegetar.

vegetate [ˈvedʒiteⁱt] vegetere.

vegetation [vedʒiˈteⁱʃən] vegetation, planteliv, plantevækst, planter.

vegetative [ˈvedʒitətiv] vækst-; (fig.) vegetativ, uvirksom.

vehemence [ˈvi·əməns] heftighed, voldsomhed.

vehement [ˈvi·əmənt] heftig, voldsom, lidenskabelig.

vehicle [ˈvi·ikl] befordringsmiddel; køretøj, vogn; (til maling) bindemiddel; (fig.) udtryksmiddel; middel.

vehicular [viˈhikjulə] vogn-; kørende (fx. *traffic).*

veil [veⁱl] (subst.) slør; (vb.) tilsløre; *take the* ~ tage sløret, blive nonne; *draw a* ~ *over* kaste et slør over; *beyond the* ~ bag dødens forhæng; *under the* ~ *of* under foregivende af. **veil-tail** (zo.) slørhale.

vein [veⁱn] blodåre, vene, åre; åre (i træ, klippe, blad, insektvinge osv.); vandåre; stribe; anlæg, retning; stemning, lune; *a* ~ *of poetry* en poetisk åre; *in the* ~ i stemning, oplagt *(for* til); *other remarks in the same* ~ andre bemærkninger i samme dur.

veined [veⁱnd] året.

velar [ˈvi·lə] (fon.) velar, gane-.

veld(t) [velt] veldt, (sydafrikansk) græsslette.

vellum [ˈveləm] fint pergament.

velocipede [vi'låsipi·d] (glds.) velocipede; (amr. ogs.) trehjulet barnecykel; (jernb.) dræsine.
velocity [vi'låsiti] hastighed.
velours [ve'luə] velour, velourhat.
velum ['vi·ləm] hinde; (anat.) ganesejl.
velvet ['velvit] (subst.) fløjl; (amr.) gevinst; profit; (adj.) fløjls-, fløjlsblød; *be on ~* være i salveten, have det som blommen i et æg. **velveteen** [velvi'ti·n] bomuldsfløjl.
velvet grass ♧ fløjlsgræs.
velveting ['velvitiŋ] fløjlsstoffer; luv (på fløjl).
velvet scoter (zo.) fløjlsand.
velvety ['velviti] fløjls-, fløjlsblød.
venal ['vi·nəl] korrupt, bestikkelig.
venality [vi'näliti] korruption, bestikkelighed.
vend [vend] falbyde, sælge, afsætte.
vendace ['vendeⁱs] (zo.) heltling.
vendee [ven'di·] køber. **vender** ['vendə] sælger.
vending machine (salgs)automat.
vendor ['vendå·] sælger.
veneer [və'niə] (vb.) finere; dække, pynte på; (subst.) finér; (fig.) fernis, politur, tynd (ydre) skal, skin. **veneering** [və'niəriŋ] finér, finering.
venerable ['venərəbl] ærværdig.
venerate ['venəreⁱt] ære, holde i ære.
veneration [venə'reⁱʃən] ærbødighed, ærefrygt.
venereal [vi'niəriəl] venerisk, køns- (fx. *disease).*
Venetian [vi'ni·ʃən] venetiansk; venetianer; *~ blind* persienne, jalousi.
Venezuela [veni'zweⁱlə].
vengeance ['vendʒəns] hævn; *take ~ on sby. for sth.* hævne sig på en for noget; *with a ~* **T** så det forslår.
vengeful ['ven(d)ʒf(u)l] hævnende, hævngerrig.
venial ['vi·njəl] tilgivelig, ubetydelig.
veniality [vi·ni'äliti] tilgivelighed, ubetydelighed.
Venice ['venis] Venezia, Venedig.
venison ['venzn] (subst.) vildt, dyrekød.
venom ['venəm] gift; ondskab.
venomous ['venəməs] giftig.
venous ['vi·nəs] venøs, vene-.
vent [vent] (subst.) lufthul, trækhul; ⚔ fænghul; (fig.) frit løb, luft, afløb; (merk.) slids (fx. i frakke); (vb.) slippe ud; give afløb for, give luft; *find a ~* få afløb; (fig. ogs.) få udløsning *(for* for); *give ~ to* (fig.) give luft (for).
ventage ['ventidʒ] hul (fx. i fløjte).
venter ['ventə] underliv, livmoder; moder.
vent-hole ['venthoᵘl] lufthul, åbning.
ventiduct ['ventidʌkt] ventilationskanal.
ventilate ['ventileⁱt] ventilere, udlufte; (fig.) ventilere, bringe på bane, drøfte, undersøge.
ventilation [venti'leⁱʃən] ventilation; diskussion.
ventilator ['ventileⁱtə] ventilator.
ventral ['ventrəl] underlivs-, bug-, mave-; *~ fin* bugfinne.
ventricle ['ventrikl] (anat.) ventrikel; *~ of the heart* hjertekammer.
ventriloquism [ven'triləkwizm] bugtaleri, bugtalerkunst. **ventriloquist** [ven'triləkwist] bugtaler.
ventriloquize [ven'triləkwaiz] optræde som bugtaler.
I. **venture** ['ventʃə] (vb.) vove, driste sig til, sætte på spil; vove sig (fx. *~ too near the edge);* være så dristig (fx. *~ to make a remark);* (driste sig til at) komme med, fremsætte (fx. *~ a remark); nothing ~ nothing have* hvo intet vover intet vinder; *~ on* vove sig ud på (fx. *a stormy sea);* vove sig i lag med.
II. **venture** ['ventʃə] (subst.) vovestykke, dristigt foretagende; spekulation; *at a ~* på lykke og fromme.
venturesome ['ventʃəsəm] dristig, dumdristig, risikabel.
venue ['venju·] (jur.) (den) jurisdiktion (hvor retsforhandlingen foregår), værneting; (fig.) **T** mødested.
Venus ['vi·nəs].
veracious [və'reⁱʃəs] sandfærdig, sanddru.
veracity [və'räsiti] sandfærdighed, sanddruhed.
veranda(h) [və'rändə] veranda.

verb [və·b] udsagnsord, verbum.
verbal ['və·bəl] mundtlig, ord-, ordret. **verbal|-ism** ordvalg; ordkløveri, pindehuggeri, hængen sig i ord; *-isms* floskler. **-ist** bogstavelig fortolker. **~ noun** verbalsubstantiv.
verbatim [və·'beⁱtim] ordret.
verbena [və'bi·nə] ♧ verbena, jernurt.
verbiage ['və·biidʒ] ordflom, vidtløftighed, ordskvalder, tomme ord, fraser, floskler.
verbose [və·'boᵘs] ordrig, vidtløftig.
verbosity [və·'båsiti] ordstrøm, ordrigdom, vidtløftighed.
verdancy ['və·dənsi] grønhed; (fig.) uerfarenhed, umodenhed. **verdant** ['və·dənt] grøn, grønklædt; (fig.) uerfaren.
Verde [və·d]: *Cape ~* Kap Verde; *the Cape ~ Islands* De kapverdiske Øer.
verderer ['və·dərə] (glds.) skovrider.
verdict ['və·dikt] (jur.) (nævningers) kendelse; (fig.) dom, afgørelse (fx. *the ~ of the electors); bring in* (el. *deliver, give, return) a ~* afgive en kendelse; *the jury brought in a ~ of 'not guilty'* nævningene afgav kendelsen „ikke skyldig".
verdigris ['və·digris] spanskgrønt, ir.
verdure ['və·dʒə] grønt, vegetation, grønhed, friskhed. **verdurous** ['və·dʒərəs] grønklædt, grøn; frisk.
I. **verge** [və·dʒ] (subst.) rand, kant, grænselinie; stav, embedsstav; spindel; (vej)rabat; *on the ~ of* på randen af, på nippet til; *on the ~ of tears* grædefærdig, på grådens rand; *on the ~ of forty* lige ved de fyrre.
II. **verge** [və·dʒ] (vb.) skråne, hælde, nærme sig; *~ on* grænse til, nærme sig.
verger ['və·dʒə] kirkebetjent.
veridical [ve'ridikl] (adj.) i overensstemmelse med de faktiske forhold, sandfærdig, ægte, ikke illusorisk.
verification [verifi'keⁱʃən] efterprøvning, verifikation; bevis, bekræftelse. **verify** ['verifai] efterprøve, efterkontrollere, verificere; bevise, bekræfte, opfylde.
verily ['verili] sandelig.
verisimilitude [verisi'militju·d] sandsynlighed.
veritable ['veritəbl] sand, virkelig, veritabel, rigtig, ægte.
verity ['veriti] sanddruhed (fx. *a man of unquestioned ~*), sandhed; *of a ~* i sandhed.
vermicelli [və·mi'seli] nudler.
vermicide ['və·misaid] ormemiddel.
vermicular [və·'mikjulə] ormeformet; dekoreret med ormeslyng. **vermiculation** [və·mikju'leⁱʃən] bugtet bevægelse; ornament som ligner ormegange.
vermifuge ['və·mifju·dʒ] ormemiddel.
vermilion [və·'miljən] cinnober; cinnoberrød.
vermin ['və·min] skadedyr; utøj. **verminous** fuld af utøj; fremkaldt af utøj.
vermouth ['və·mu·t; -mu·þ] vermut.
vernacular [və'näkjulə] (subst.) dialekt, modersmål, folkesprog; (adj.) som benytter (el. skriver på) dialekt (etc.) (fx. *a ~ poet);* som er skrevet på dialekt (etc.) (fx. *~ poetry);* dialekt-; folkelig (fx. *expression; style);* lokal; *address sby. in the ~* (ogs.) skælde en ud – med brug af diverse kraftudtryk. **vernacularism** udtryk som er ejendommeligt for vedkommende dialekt el. sprog.
vernal ['və·nl] (adj.) forårs-, vår-, forårsagtig; *~ equinox* forårsjævndøgn.
vernier ['və·niə]: *~ (scale)* nonius; *~ gauge* skydelære.
veronal ['verənəl] ® veronal (sovemiddel).
veronica [və'rånikə] Veronikas svededug, veronikabillede; ♧ ærenpris.
verruca [ve'ru·kə] vorte.
versatile ['və·sətail] alsidig; ustadig, foranderlig; drejelig; *~ toe* (zo.) vendetå. **versatility** [və·sə'tiliti] alsidighed; ustadighed; drejelighed.
verse [və·s] vers, verslinje; poesi; *in ~* på vers; *a volume of ~* et bind digte.

versed [və·st] velbevandret, kyndig *(in* i).
versicoloured ['və·sikʌləd] flerfarvet, broget; changerende, regnbuefarvet.
versification [və·sifi'keiʃən] verskunst, versbygning, versifikation. **versifier** ['və·sifaiə] versemager, digter, versifikator. **versify** ['və·sifai] skrive vers, sætte på vers.
version ['və·ʃən] oversættelse, gengivelse; version; fremstilling; udgave.
verst [və·st] verst (russisk mål: 1,066 km).
versus ['və·səs] mod, contra.
vert [və·t] (subst.) (heraldisk:) grønt; skovvegetation; T omvendt; (vb.) omvende sig.
vertebra ['və·tibrə] (pl. *vertebrae* ['və·tibri·]) ryghvirvel; *the vertebrae* (ogs.) rygsøjlen. **vertebral** hvirvel-; ryghvirvel-. **vertebrate** ['və·tibrėt] hvirveldyr; (adj.) hvirvel-.
vertex ['və·tėks] (pl. *vertices* ['və·tisi·z]) spids, top; (anat.) isse; (astr.) zenit; (i trekant) toppunkt.
vertical ['və·tikl] lodret, vertikal; *~ trust* vertikal trust; *~ (trade) union* industriforbund.
verticil ['və·tisil]: *~ of leaves* bladkrans.
vertiginous [və·'tidʒinəs] hvirvlende; ør; svimmel; svimlende.
vertigo ['və·tigoᵘ] svimmelhed.
vervain ['və·veⁱn] ♧ verbena, jernurt.
verve [və·v] liv, kraft, begejstring, verve.
very ['veri] meget (forstærkende et adj. i positiv, fx. *~ hot);* aller- (forstærkende en superlativ, fx. *the ~ best);* lutter, ren og skær (fx. *for ~ joy* af lutter glæde); sand, virkelig, rigtig; selv, selve; *his ~ enemies* selv hans fjender; *the ~ air she breathes* selve den luft hun indånder;
the ~ (ogs.) netop den (, det) (fx. *the ~ question I wanted to ask); in the ~ act* på fersk gerning; *the ~ idea of it* bare tanken om det; (udbrud:) sikken en idé! *the ~ opposite* lige det modsatte, det stik modsatte; *from the ~ outset* lige fra begyndelsen; *it is the ~ thing we want* det er netop hvad vi ønsker; *the ~ same words* de selv samme ord; *the ~ next day* allerede dagen efter; *that ~ day* netop den dag; *this ~ day* netop på denne dag; allerede i dag;
not ~ big ikke særlig (el. videre) stor; *~ good* særdeles god, udmærket; *~ much* (særdeles) meget; *under his ~ nose* lige for næsen af ham; *it is my ~ own* den tilhører mig helt alene; *~ well* meget vel, ja vel, all right, udmærket (fx. *~ well, then I'll do it); it is all ~ well but* det kan altsammen være meget godt men; *it is all ~ well for you to laugh* du kan sagtens le.
Very light ['veri lait] lyskugle.
vesica [və'saikə, 'vesikə] (subst.) blære.
vesicant ['vesikənt] (med.) blæretrækkende middel; ⚔ blistergas. **vesicate** ['vesikeⁱt] fremkalde blæredannelse på; danne blærer.
vesicle ['vesikl] lille blære, hulhed.
Vesper ['vespə] aftenstjernen, Venus. **vespers** aftensang. **vespertine** ['vespətain] aften-.
vespiary ['vespiəri] hvepserede.
vessel ['vesl] kar, beholder; (anat.) blodkar; ⚓ skib, fartøj; *disabled ~* havarist.
I. **vest** [vest] (subst.) undertrøje, uldtrøje; (merk. og amr.) vest.
II. **vest** [vest] (vb.) klæde (sig) på; *~ in* overdrage (til); tilfalde, overgå til; *~ with* klæde i, iføre; overdrage, udstyre med, sætte i besiddelse af, give rådighed over; se ogs. *vested.*
vesta ['vestə] (voks)tændstik.
vestal ['vestl] (adj.) kysk; (subst.) vestalinde.
vested ['vestid] (adj.) sikker, lovmæssigt bestående; *~ interests* tilsikrede rettigheder, kapitalinteresser, grundejerinteresser; grundejerne, kapitalismen; *have a ~ interest in a concern* have kapital i et foretagende.
vestibule ['vestibju·l] forsal, forhal, vestibule; (i øret) forgård; *~ train* (amr.) gennemgangstog.
vestige ['vestidʒ] spor, levning, levn; (anat.) rudiment; *not a ~ of* (fig.) ikke den mindste smule.
vestigial [və'stidʒiəl] som (kun) er et levn; (anat.) rudimentær.
vestment ['vestmənt] klædningsstykke, klædning; messedragt.
vestry ['vestri] sakristi; (omtr. =) menighedsråd, (glds.) sogneråd. **vestry| clerk** sekretær i menighedsråd, (glds.) sognerådssekretær. **-man** medlem af menighedsråd, (glds.) sognerådsmedlem.
vesture ['vestʃə] (glds.) klædning.
Vesuvian [vi'su·viən] vesuviansk.
Vesuvius [vi'su·viəs] Vesuv.
I. **vet** [vet] fk. f. *veterinary surgeon; veteran.*
II. **vet** [vet] T undersøge, behandle (for sygdom); være dyrlæge; (fig.) gennemgå kritisk.
vetch [vetʃ] (subst.) ♧ vikke.
veteran ['vetərən] erfaren, prøvet; (subst.) veteran.
veterinarian [vetəri'næriən] dyrlæge.
veterinary ['vetnri, 'vetərinəri] dyrlæge-, veterinær-; *~ science* veterinærvidenskab; *~ surgeon* dyrlæge.
veto ['vi·toᵘ] (subst.) veto, forbud; (vb.) forbyde, nedlægge veto imod; *put* (el. *set) a ~ on a proposal* nedlægge veto mod et forslag.
vex [veks] ærgre, irritere, plage; (se ogs. *vexed).*
vexation [vek'seⁱʃən] ærgrelse, fortrædelighed, plageri, plage.
vexatious [vek'seⁱʃəs] ærgerlig, irriterende; trættekær, besværlig; *~ suit* unødig, trætte.
vexed [vekst] foruroliget, ærgerlig; omstridt; *a ~ question* et omstridt spørgsmål; *~ with* irriteret (el. ærgerlig) på.
vexillum [vek'siləm] (pl. *vexilla* [vek'silə]) fane (ogs. på fjer).
v.f. fk. f. *very fair.* **v.g.** fk. f. *very good.*
V.I. fk. f. *Virgin Islands.*
via ['vaiə] via, over.
viability [vaiə'biliti] levedygtighed.
viable ['vaiəbl] levedygtig; (fig. ogs.) gennemførlig, anvendelig.
viaduct ['vaiədʌkt] viadukt.
vial ['vaiəl] lille medicinflaske; *pour out the -s of one's wrath* udgyde sin vredes skåler.
viands ['vaiəndz] levnedsmidler.
viatic [vai'ătik] rejse-. **viaticum** [vai'ătikəm] viatikum, alterens sakramente til døende.
vibrant ['vaibrənt] vibrerende.
vibrate [vai'breⁱt] vibrere, svinge, ryste, dirre.
vibration [vai'breⁱʃən] vibration, dirren, svingning.
vibrative [vai'breⁱtiv], **vibratory** ['vaibrətəri] vibrations-; dirrende, svingende.
viburnum [vai'bə·nəm] ♧ snebolle (busk).
Vic. [vik] fk. f. *Victoria.*
vicar ['vikə] sognepræst; *the Vicar of Christ* Kristi stedfortræder, paven.
vicarage ['vikəridʒ] præstebolig, præstegård; præstekald.
vicar-apostolic ærkebiskop el. biskop til hvem paven overdrager sin myndighed, apostolisk vikar; titulær biskop; konstitueret biskop.
vicarial [vai'kæəriəl] præste-. **vicariate** [vai'kæəriėt] præsteembede, præstetid.
vicarious [vai'kæəriəs] stedfortrædende; udført gennem andre, udholdt el. nydt på andres vegne; *the ~ sacrifice of Christ* Kristi død for menneskenes skyld.
I. **vice** [vais] last; fejl, mangel; slethed, moralsk fordærv.
II. **vice** [vais] skruestik.
vice- [vais] vice-. **vice|-admiral** viceadmiral. *~* **-chancellor** vicekansler; (ved universitet, svarer til) rektor. *~* **-consul** ['vais'kånsəl] vicekonsul. *~* **consulate** ['vais'kånsjulit] vicekonsulat. **-gerent** ['vais'dʒerənt] (adj.) konstitueret; (subst.) stedfortræder.
vicennial [vai'seniəl] (adj.) tyveårig, hvert tyvende år
vice|regal ['vais'ri·gəl] vicekongelig. **-roy** ['vais-

roi] vicekonge, statholder. **-royalty** [vais'roiəlti] værdighed som vicekonge, statholderskab.

vice squad (amr.) sædelighedspoliti.

vice versa ['vaisi'və·sə] vice versa, omvendt (fx. *he dislikes me, and ~*).

Vichy ['vi·ʃi]: *~ water* vichyvand.

vicinity [vi'siniti] nærhed, nabolag, omegn.

vicious ['viʃəs] umoralsk, lastefuld; ondskabsfuld, arrig; mangelfuld, fuld af fejl; *~ circle* ond cirkel, circulus vitiosus; (i logik) cirkelslutning, cirkelbevis (i hvilket man forudsætter det der skulle bevises); *~ spiral* (fig.) skruen uden ende, den onde cirkel.

vicissitude [vi'sisitju·d] omskiftelse (fx. *the -s of life*).

victim ['viktim] offer; *a polio ~* en polioramt.

victimize ['viktimaiz] gøre til sit offer, bedrage, narre; plage.

victor ['viktə] sejrherre, sejrende; vinder.

victoria [vik'tå·riə] viktoria (tosædet firhjulet vogn). **Victoria Cross** viktoriakors (medalje for fremragende tapperhed).

Victorian [vik'tå·riən] viktoriansk; viktorianer.

victorious [vik'tå·riəs] sejrrig, sejrende, sejrs-.

victory ['viktəri] sejr.

victrola [vik'troᵘlə] ® (amr.) grammofon.

victual ['vitl] forsyne med proviant; proviantere. **victualler** ['vitlə] værtshusholder, beværter; proviantleverandør; proviantskib. **victuals** ['vitlz] levnedsmidler, proviant, fødevarer.

vide ['vaidi] se. **videlicet** [vi'di·liset] nemlig.

video ['vidioᵘ] fjernsyn; *on ~* i fjernsyn.

video tape billedtape.

vie [vai] kappes (*with* med).

Vienna [vi'enə] Wien; *~ steak* (omtr.) hakkebøf.

Viennese [vie'ni·z] (adj.) Wiener-, wiensk; (subst.) wiener(inde).

Viet-nam ['vjet'näm; 'vjet'na·m] Vietnam. **Vietnamese** [vjetnə'mi·z] vietnamer; vietnamsk.

I. **view** [vju·] (subst.) eftersyn, syn; billede (fx. *take some -s of the castle*); parti; udsigt (fx. *a house with a ~*); indtryk; oversigt; opfattelse; mening; hensigt; *-s* (ogs.) planer (fx. *I have other -s for my daughter*); anskuelser, synspunkter (fx. *hold extreme -s*); *air one's -s* lufte sine meninger; *at two o'clock there will be a private ~* kl. to vil udstillingen være åben for en kreds af særlig indbudte; der er fernissage kl. to; *in ~ of* i betragtning af, under hensyn til; *we came in ~ of the castle* vi kom til et sted hvorfra vi kunne se slottet (el. hvor man kunne se os fra slottet); *have in ~* have for øje; huske på, tage i betragtning; *in my ~* efter min mening; *on ~* udstillet, til eftersyn; *be on ~* (ogs.) kunne beses; *point of ~* synspunkt; *take a different ~ of* anlægge et andet syn på; *take a dim ~ of* T se mørkt på; ikke have høje (el. store) tanker om; *take long -s* arbejde på langt sigt, være fremsynet; *with a ~ to sth.* med ngt. for øje, med henblik på ngt.

II. **view** [vju·] (vb.) bese, tage i øjesyn; imødese; se på, betragte.

viewer ['vjuə] fjernseer, fjernsynskigger; betragter (til farvelysbilleder).

view|-finder (fot. etc.) søger. **~ -halloo** ['vju·hə'lu·] (udråb på parforcejagt, når ræven er set). **-ing screen** billedskærm, fjernsynsskærm. **-less** (poet.) usynlig; (amr.) som ikke har nogen meninger. **~ -point** synspunkt.

viewy ['vju·i] forskruet, sværmerisk.

vigil ['vidʒil] nattevågen, nattegudstjeneste.

vigilance ['vidʒiləns] vagtsomhed, årvågenhed; søvnløshed; *~ committee* velfærdskomité (til opretholdelse af lov og orden under ekstraordinære forhold). **vigilant** ['vidʒilənt] vagtsom, årvågen.

vignette [vin'jet] vignet.

vignettist [vin'jetist] vignettegner.

vigorous ['vigərəs] kraftig, energisk.

vigour ['vigə] kraft, energi.

viking ['vaikiŋ] viking.

vile [vail] slet, nedrig, lav, skammelig (fx. *suspicions*); ussel, elendig (fx. *verses*); nederdrægtig, modbydelig (fx. *habit; climate*).

vilification [vilifi'keiʃən] bagvaskelse. **vilifier** ['vilifaiə] bagvasker. **vilify** ['vilifai] bagvaske.

vilipend ['vilipend] foragte, tale nedsættende om.

villa ['vilə] villa. **villadom** villabeboere, (omtr. =) spidsborgere, filistre.

village ['vilidʒ] landsby; land- (fx. *~ postman*); *~ pond* gadekær.

villager ['vilidʒə] landsbyboer; *-s* (ofte:) almue.

villain ['vilən] skurk; (se ogs. *villein*).

villainous ['vilənəs] slyngelagtig, skurkagtig; T rædselsfuld, elendig.

villainy ['viləni] slyngelstreg; skurkagtighed, ondskab.

villein ['vilin] livegen, vorned.

villeinage ['vilinidʒ] livegenskab, vornedskab.

villous ['viləs] uldhåret.

vim [vim] energi, kraft.

vinaceous [vai'neiʃəs] vin-, drue-, vinrød.

vinaigrette [vini'gret] lugteflaske, lugtedåse.

vindicate ['vindikeit] forsvare, hævde, godtgøre, forfægte, retfærdiggøre. **vindication** [vindi'keiʃən] forsvar, hævdelse osv. **vindicative** ['vindikətiv], **vindicatory** ['vindikətəri] forsvarende, hævdende, retfærdiggørende, forsvars-.

vindictive [vin'diktiv] hævngerrig.

vine [vain] ranke; vinranke, vinstok.

vine-dresser vingårdsgartner.

vinegar ['vinigə] eddike.

vinegary ['vinigəri] eddikesur.

vinery ['vainəri] drivhus for vinstokke, vinhus.

vineyard ['vinjəd] vingård, vinhave.

vinous ['vainəs] (adj.) vin- (fx. *~ taste*).

vintage ['vintidʒ] vinhøst; årgang, vin; (adj.) af en fin årgang; *~ car* veteranbil.

vintner ['vintnə] vinhandler.

viny ['vaini] (vin)rankeagtig, med mange (vin-) ranker.

viola [vi'oᵘlə] (i musik) bratsch; ♧ viol.

violaceous [vaiə'leiʃəs] violblå.

violate ['vaiəleit] krænke, skænde (fx. *~ a tomb*); overtræde, bryde (fx. *~ an oath*); misligholde; voldtage.

violation [vaiə'leiʃən] krænkelse (fx. *of a right*); overtrædelse, brud (fx. *of a treaty*); misligholdelse; voldtægt.

violence ['vaiələns] voldsomhed, vold, voldshandling; *crimes of ~* voldsforbrydelser; *do ~ to* krænke. **violent** ['vaiələnt] voldsom, voldelig; kraftig.

violet ['vaiəlit] violet; ♧ viol.

violin [vaiə'lin] violin.

violinist ['vaiəlinist] violinist.

violoncello [vaiələn'tʃeloᵘ] violoncel, cello.

V.I.P. fk. f. *Very Important Person; a V.I.P. aircraft* flyvemaskine som har fx. regeringsmedlemmer ombord.

viper ['vaipə] hugorm, slange; *cherish a ~ in one's bosom* nære en slange ved sin barm.

viper|ine ['vaipərin] slange-, hugorme-, slangeagtig. **-ish, -ous** slangeagtig, ond, lumsk, giftig.

viper's bugloss ♧ slangehoved.

virago [vi'reigoᵘ] rappenskralde, havgasse.

virgin ['və·dʒin] (subst.) jomfru, mø; (adj.) jomfruelig, uberørt, ren, uskyldig, ubesmittet; ny; jomfru-; (om metal) rent, ulegeret; *the (Blessed) Virgin* jomfru Maria; *the Virgin* Jomfruen (stjernebillede).

virginal ['və·dʒinl] (adj.) jomfruelig, jomfru-; (subst.) virginal (slags spinet).

virgin forest naturskov; urskov.

Virginia [və·'dʒinjə]; *~ creeper* vildvin; *~ (tobacco)* virginiatobak.

virginity [və·'dʒiniti] jomfruelighed.

Virgin Queen: *the ~* dronning Elisabeth den Første.

virgin soil uopdyrket jord.
Virgo ['vǝ·goᵘ] Jomfruen (stjernebillede).
viridine ['viridin]: ~ *green* viridingrønt.
viridity [vi'riditi] grønhed, grøn farve.
virile ['virail] mands-, mandlig, mandig, viril; energisk, kraftig.
virility [vi'riliti] manddom, mandighed.
virology [vai'rålǝdʒi] virologi, læren om virus.
virose ['vaiǝroᵘs] giftig; ildelugtende.
virtu [vǝ·'tu·] kunstsans, kunstforstand, kunstinteresse; *articles of* ~ genstande af kunstnerisk værdi, sjældenheder, rariteter.
virtual ['vǝ·tjuǝl] virkelig, faktisk; *-ly* (ogs.) i realiteten.
virtue ['vǝ·tju·] dyd; fortrin; kyskhed; kraft, evne; *make a* ~ *of necessity* gøre en dyd af nødvendigheden; *a lady of easy* ~ en letlevende dame; *by* (el. *in)* ~ *of* i kraft af, ved hjælp af, på grund af.
virtuosity [vǝ·tju'åsiti] virtuositet; kunstinteresse, kunstsans.
virtuoso [vǝ·tju'oᵘzoᵘ] (subst.) virtuos; kunstkender.
virtuous ['vǝ·tjuǝs] dydig; kysk.
virulence ['virulǝns] virulens, giftighed, ondartethed, ondskab, bitterhed. **virulent** ['virulǝnt] virulent, giftig, ondartet, ondskabsfuld, bitter.
virus ['vaiǝrǝs] virus; gift, smitstof.
visa ['vi·zǝ] (subst.) visum, påtegning på pas; (vb.) visere, påtegne (pas).
visage ['vizidʒ] ansigt.
vis-à-vis ['vi·za·vi·] lige overfor, vis à vis; (subst.) person der sidder lige over for en.
viscera ['visǝrǝ] indvolde. **visceral** ['visǝrǝl] indvolds-; (fig.) legemlig, fysisk.
viscid ['visid] klæbrig, sej, tykflydende.
viscidity [vi'siditi] klæbrighed.
viscosity [vis'kåsiti] viskositet, sejhed, klæbrighed.
viscount ['vaikaunt] (adelsmand i rang efter *earl). **viscountess*** ['vaikauntės] *viscount's* hustru.
viscous ['viskǝs] sej, tyktflydende, klæbrig.
vise [vais] (amr.) skruestik.
visé ['vi·zeⁱ] se *visa.*
visibility [vizi'biliti] synlighed; sigtbarhed.
visible ['vizǝbl] synlig; sigtbar; ~ *horizon* kiming.
vision ['viʒǝn] syn, synsevne; vision, drømmebillede; vidsyn, fremsyn; fremtidsbillede; fantasi; *field of* ~ synsfelt; *shortness of* ~ kortsynethed.
visional ['viʒǝnl] drømmeagtig.
visionary ['viʒǝnǝri] (adj.) visionær, sværmerisk; fantastisk, uigennemførlig, uvirkelig; drømmeagtig; (subst.) sværmer, fantast, drømmer, idealist.
visit ['vizit] (vb.) besøge, aflægge besøg, gå på visit; (som kontrol) visitere, tilse, inspicere; (bibl.) hjemsøge; (især amr.) bo, opholde sig; (subst.) besøg, visit; rejse, tur; ophold; ~ *with* (amr.) besøge; snakke med.
visitable ['vizitǝbl] som er værd at omgås, seværdig, et besøg værd.
visitant ['visitǝnt] besøgende, gæst; trækfugl.
visitation [vizi'teⁱʃǝn] besøg; visitats; undersøgelse; hjemsøgelse; usædvanlig stort fugletræk, fugletræk der falder uden for den normale tid på året. **visitatorial** [vizitǝ'tå·riǝl] inspektions-, kontrollerende.
visiting-card ['vizitiŋka·d] visitkort.
visitor ['vizitǝ] besøgende, gæst, fremmed; inspektør, tilsynsmand; *visitors' book* fremmedbog, gæstebog.
visor ['vaizǝ] visir, hjelmgitter; (kasket)skygge; solskærm (i bil).
vista ['vistǝ] udsigt (især gennem rækker af træer el. lang smal åbning); perspektiv.
Vistula ['vistjulǝ]: *the* ~ Weichsel.
visual ['vizjuǝl] syns-, synlig, visuel; ~ *aids* visuelle hjælpemidler (i undervisning); anskuelsesmidler; *the* ~ *nerve* synsnerven.
visualize ['vizjuǝlaiz] danne sig et klart billede af, forestille sig; gøre synlig.
vita ['vaitǝ]: ~ *glass* ® vitaglas.
vital ['vaitl] livs-, vital, nødvendig, væsentlig, afgørende, livsvigtig; *of* ~ *importance* af vital betydning; *a* ~ *wound* et dødbringende sår.
vitality [vai'täliti] vitalitet, livskraft, modstandskraft, levedygtighed.
vitalization [vaitǝlai'zeⁱʃǝn] levendegørelse, genoplivelse. **vitalize** ['vaitǝlaiz] levendegøre, vitalisere, genoplive, sætte liv i.
vitals ['vaitlz] vitale organer, ædlere dele; (fig.) inderste kerne.
vital statistics befolkningsstatistik (over fødsler, dødsfald etc.); (fig.) T (buste-, talje- og hofte-)mål.
vitamin ['vitǝmin] vitamin; ~ *A* A-vitamin.
vitellin [vi'telin] (subst.) vitellin.
viteline [vi'telin] (adj.) æggeblomme- (fx. ~ *membrane).*
vitellus [vi'telǝs] æggeblomme.
vitiate ['viʃieⁱt] ødelægge; fordærve; forurene (fx. *the air);* (jur.) gøre ugyldig, annullere.
vitiation [viʃi'eⁱʃǝn] ødelæggelse; forurening; ugyldiggørelse, annullering.
viticulture ['vitikʌltʃǝ] vinavl.
vitreous ['vitriǝs] glas-, glasagtig; ~ *body* glaslegeme (i øjet).
vitrifaction [vitri'fäkʃǝn], **vitrification** [vitrifi'keⁱʃǝn] forglasning, omdannelse til glas.
vitrify ['vitrifai] forglasse(s), omdanne(s) til glas.
vitriol ['vitriǝl] vitriol. **vitriolic** [vitri'ålik] vitriol-; (fig.) ætsende, bidende. **vitriolize** ['vitriǝlaiz] skamfere med vitriol; omdanne til vitriol.
vituline ['vitʃulain] kalve-.
vituperate [vi'tju·pǝreⁱt] smæde, skælde ud, give en overhaling. **vituperation** [vitju·pǝ'reⁱʃǝn] smæden, udskældning. **vituperative** [vi'tju·pǝrǝtiv] skældende, smædende, smæde-.
Vitus ['vaitǝs]: *St. -'s dance* sankt veitsdans.
I. **viva** ['vaivǝ] mundtlig eksamen.
II. **viva** ['vi·vǝ] vivat; leve, bifaldsråb.
vivacious [vi'veⁱʃǝs] levende, livlig.
vivacity [vi'väsiti] liv, livlighed.
vivandière [fr.] (glds.) marketenderske.
vivarium [vai'væǝriǝm] vivarium.
viva voce ['vaivǝ'voᵘsi] mundtlig; (subst.) mundtlig eksamen.
vivid ['vivid] levende, livlig, livagtig; ~ *green* knaldgrøn.
vivify ['vivifai] levendegøre.
viviparous [vi'vipǝrǝs] som føder levende unger.
vivisect ['vivisekt] vivisekere.
vivisection [vivi'sekʃǝn] vivisektion.
vixen ['viksn] hunræv; rappenskralde, ondskabsfuld kælling. **vixenish** ['viksǝniʃ] galhovedet, skrap.
viz. (læses som *namely* ['neⁱmli]) se *videlicet.*
vizier [vi'ziǝ] vesir; *Grand Vizier* storvesir.
V.O. fk. f. *(Royal) Victorian Order.*
vocable ['voᵘkǝbl] ord, glose.
vocabulary [vǝ'käbjulǝri] ordsamling, glossar, ordliste; ordforråd; (fig.) formsprog.
vocal ['voᵘkl] stemme-; sang-; som (ofte) lader høre fra sig, højrøstet; *become* ~ (ogs.) komme til udtryk, få mæle; tage til orde; ~ *cords* stemmebånd; ~ *pitch* stemmeleje.
vocalic [vo'kälik] vokal-, vokalisk.
vocalise [vokǝ'li·z] (subst.) (amr.) vokalise.
vocalist ['voᵘkǝlist] sanger(inde).
vocalization [voᵘkǝlai'zeⁱʃǝn] brug af stemmen; udtale med stemt lyd. **vocalize** ['voᵘkǝlaiz] udtale; vokalisere; udtale stemt; synge på vokaler alene (uden ord).
vocation [vo'keⁱʃǝn] kald; profession, erhverv.
vocational [vo'keⁱʃnl] erhvervs-, faglig, fag-; ~ *guidance* erhvervsvejledning; ~ *school* fagskole.
vocative ['våkǝtiv] vokativ; vokativisk.
vociferate [vo'sifǝreⁱt] skråle, råbe.

vociferation [vosifəˈreiʃən] skrålen, råben.
vociferous [voˈsifərəs] skrålende, højrøstet, støjende.
vodka [ˈvådkə] vodka.
vogue [voug] mode; popularitet; *in* ~ på mode, moderne; populær, yndet; *all the* ~ det sidste skrig, højeste mode.
I. **voice** [vois] (subst.) stemme (fx. *his master's* ~ ; *a good* ~ ; *the* ~ *of conscience*), røst; (gram., om verber) genus, form; *the active* ~ aktiv, handleform; *the passive* ~ passiv, lideform; *in a low* ~ sagte; *have a* ~ *in* have indflydelse på; have noget at sige i; *with one* ~ enstemmigt.
II. **voice** [vois] (vb.) give udtryk for; (fon.) stemme, udtale stemt; *-d* stemt. **voiceless** ustemt.
void [void] (adj.) tom; (i kortspil) renonce (*of* i, fx. ~ *of hearts*); (jur.) ugyldig (fx. *declare the contract* ~); (mindre alm.) ubeboet, ledig; (subst.) tomrum; savn; (vb.) (ud)tømme (fx. *excrement*); (jur.) gøre ugyldig, annullere; ~ *of* blottet for, uden (fx. ~ *of honesty*).
void|able [ˈvoidəbl] omstødelig. **-ance** [ˈvoidəns] tømning, udtømning; afsættelse fra præstekald; ledighed.
vol. fk. f. *volume*.
volant [ˈvoulənt] som kan flyve, flyvende; let, rap.
volatile [ˈvålətail] flygtig. **volatility** [våləˈtiliti] flygtighed. **volatilize** [ˈvålətilaiz] forflygtige.
volcanic [vålˈkänik] vulkansk.
volcano [vålˈkeinou] vulkan.
I. **vole** [voul] (zo.) markmus, studsmus.
II. **vole** [voul] (i kortspil) alle stik; (vb.) vinde alle stik; *make a* ~ vinde alle stik; *go the* ~ (fig.) sætte alt på ét bræt.
volitation [våliˈteiʃən] flyven, flagren.
volition [voˈliʃən] villen, vilje.
volitional [voˈliʃənl] viljes-.
volley [ˈvåli] (subst.) ⚔ salve, geværsalve; (fig.) vredesudbrud, strøm (af skældsord); (i boldspil) flugtning; (vb.) affyre (salver); udslynge; flugte (bold).
volleyball volley-ball (et boldspil).
volplane [ˈvålˈplein] (subst.) glideflugt; (vb.) svæve, flyve (, gå ned) i glideflugt.
vols. fk. f. *volumes* bind.
volt [voult] volt. **voltage** [ˈvoultidʒ] elektrisk spænding. **voltaic** [vålˈteiik] galvanisk (fx. *battery, element*).
volte-face [ˈvåltˈfa·s] omslag, kovending.
voltmeter [ˈvåltmi·tə] voltmeter.
volubility [våljuˈbiliti] tungefærdighed.
voluble [ˈvåljubl] meget talende, veltalende (fx. *a* ~ *talker*), i besiddelse af stor tungefærdighed.
volume [ˈvåljum] bind (fx. *a work in six -s*); mængde (fx. *the* ~ *of foreign trade*); omfang; rumfang; volumen, (om stemme) fylde, (om lyd) styrke; *speak -s for sth.* tale stærkt (til fordel) for ngt.; være et tydeligt vidnesbyrd om; ~ *of traffic* færdselstæthed; ~ *of wood* vedmasse. **volume control** volumenkontrol.
voluminous [vəlˈju·minəs] bindstærk, omfangsrig, voluminøs.
voluntary [ˈvåləntəri] (adj.) frivillig, forsætlig; opretholdt ved frivillige bidrag (fx. ~ *hospital*); vilkårlig (fx. *a* ~ *movement*); (subst.) orgelsolo ved gudstjeneste.
volunteer [vålənˈtiə] (adj.) frivillig; (vb.) tilbyde sig, påtage sig frivilligt, byde sig til, melde sig (frivilligt); fremsætte (uopfordret), fremkomme (uopfordret) med (fx. ~ *a remark*).
voluptuary [vəˈlʌptjuəri] vellystning.
voluptuous [vəˈlʌptjuəs] vellystig; yppig.
volute [vəˈlju·t] (zo.) foldesnegl; (arkit.) volut (på søjlehoved).
volution [vəˈlju·ʃən] spiral, snoning.
volvulus [ˈvålvjuləs] tarmslyng.
vomit [ˈvåmit] (vb.) kaste op, brække sig; udspy, spy; (subst.) opkastning; bræk; brækmiddel.
vomitive [ˈvåmitiv] brækmiddel.
vomitory [ˈvåmitəri] brækmiddel; adgangs- el. udgangstrappe (el. -rampe) i (amfi)teater.
voodoo [ˈvu·du·] voodoo (en form for trolddom el. magi blandt negre).
voracious [vəˈreiʃəs] grådig, glubende.
voracity [våˈräsiti] grådighed.
vortex [ˈvå·teks] (pl. *-es* el. *vortices* [ˈvå·tisi·z]) hvirvel, malstrøm.
vortical [ˈvå·tikl] hvirvel-, hvirvlende.
Vosges [vouʒ]: *the* ~ Vogeserne.
votaress [ˈvoutərės] kvindelig tilbeder (el. tilhænger).
votary [ˈvoutəri] tilbeder, dyrker, tilhænger.
I. **vote** [vout] (subst.) stemme; afstemning; stemmeret; stemmetal; bevilling; *cast a* ~ afgive sin stemme; *the casting* ~ den afgørende stemme; ~ *by ballot* skriftlig (og hemmelig) afstemning; ~ *by show of hands* afstemning ved håndsoprækning; *give one's* ~ *to* stemme for; ~ *of censure*, ~ *of no confidence* mistillidsvotum; ~ *of confidence* tillidsvotum; *put to the* ~, *take a* ~ *on* stemme om, sætte under afstemning.
II. **vote** [vout] (vb.) stemme; bevilge; anse for, erklære for (fx. *they -d it a failure*); T foreslå; ~ *down a proposal* nedstemme et forslag.
voter [ˈvoutə] stemmeberettiget, vælger.
voting paper stemmeseddel.
votive [ˈvoutiv] votiv-, givet ifølge et løfte.
vouch [vautʃ]: ~ *for* garantere (for), indestå for.
voucher [ˈvautʃə] regnskabsbilag; bon, kupon; garant.
vouchsafe [vautʃˈseif] forunde, tilstå, værdige (fx. *he -d me no answer*).
voussoir [ˈvu·swå·] hvælvingssten.
vow [vau] (subst.) (højtideligt) løfte, ægteskabsløfte; (vb.) aflægge løfte om; (højtideligt) love; forsikre, sværge på, erklære.
vowel [ˈvauəl] vokal, selvlyd; (adj.) vokal-.
voyage [ˈvoiidʒ] (subst.) rejse, (længere) sørejse; (vb.) rejse, berejse.
vraisemblance [vreiˈsa·mˈbla·ns] sandsynlighed.
v. refl. fk. f. *verb reflexive*.
V. S. fk. f. *veterinary surgeon*.
Vt. fk. f. *Vermont*.
Vulcan [ˈvʌlkən] Vulkan (romersk gud).
vulcanite [ˈvʌlkənait] ebonit, hærdet gummi.
vulcanize [ˈvʌlkənaiz] vulkanisere.
vulgar [ˈvʌlgə] vulgær, tarvelig, simpel, plat, grov, lav; almindelig, udbredt (fx. *superstition*); ~ *fraction* almindelig brøk; *the* ~ menigmand, almuen.
vulgarism [ˈvʌlgərizm] vulgarisme, vulgært udtryk.
vulgarity [vʌlˈgäriti] tarvelighed, grovhed, vulgaritet. **vulgarize** [ˈvʌlgəraiz] forsimple.
Vulgate [ˈvʌlgėt]: *the* ~ Vulgata.
vulnerability [vʌlnərəˈbiliti] sårbarhed, angribelighed. **vulnerable** [ˈvʌlnərəbl] sårbar, angribelig; (i bridge; ogs. fig.) i farezonen, udsat (for fare).
vulnerary [ˈvʌlnərəri] lægende; (subst.) sårmiddel.
vulpine [ˈvʌlpain] ræve-, ræveagtig.
vulture [ˈvʌltʃə] (zo. og fig.) grib. **vulturine** [ˈvʌltʃərain] gribbe-, gribbeagtig. **vulturous** [ˈvʌltʃərəs] rovbegærlig, grådig.
vulva [ˈvʌlvə] vulva.
vying [ˈvaiiŋ] præs. part. af *vie*.

W ['dʌblju·].
W. fk. f. *Wales; Wednesday; West(ern); Welsh.*
w. fk. f. *watt; wide; wife; with.*
W.A.A.C. fk. f. *Women's Army Auxiliary Corps; a Waac* [wäk] et medlem af *W.A.A.C.*
W.A.A.F. fk. f. *Women's Auxiliary Air Force.*
wabble [wåbl] se *wobble.*
WAC ['dʌblju·'e'i'si·] (amr.) fk. f. *Women's Army Corps; a Wac* [wäk] et medlem af *WAC.*
wacco = *wacko.*
wack [wäk] (subst.) **S** original, skør rad.
wacko ['wäkoᵘ] **S** den er fin (el. mægtig)!
wacky ['wäki] **S** skør, sær, tosset.
wad [wåd] (subst.) tot el. plade (af stoppemateriale fx. vat); seddelbundt; (glds.) ⚔ forladning; (vb.) sammenpresse (til en tot el. plade), tilstoppe (med en vattot el. l.); vattere, fore (med vat).
wadable ['we'idbl] som man kan vade over.
wadding ['wådiŋ] vattering, (plade)vat; (glds.) ⚔ forladning.
waddle ['wådl] (vb.) vralte, stolpre; (subst.) vralten, stolpren.
wade [we'id] (vb.) vade, vade over; (fig.) arbejde sig igennem (møjsommeligt); (subst.) vaden; ~ *into* falde 'over, kaste sig over.
wader ['we'idə] vadefugl; *-s* langskaftede fiskerstøvler.
wadi, wady ['wådi] wadi (flodleje som uden for regntiden er udtørret).
wafer ['we'ifə] (subst.) (segl)oblat; vaffel (ɔ: *biscuit);* (rel.) oblat, hostie (alterbrød); (vb.) lukke med oblat. **wafer-thin** papirtynd.
I. **waffle** ['wåfl] (subst.) vaffel.
II. **waffle** ['wåfl] **T** (subst.) (højtravende) sludder; tågesnak; (vb.) vrøvle.
waffle-iron vaffeljern.
waft [wa·ft] (vb.) føre (gennem luften), vifte; svæve; (subst.) vift, pust, duft.
wag [wäg] (vb.) bevæge let, svinge, ryste på, vippe med; logre med; dingle, bevæge sig; (subst.) spilopmager, spøgefugl; logren; *his tongue -s incessantly* munden står ikke på ham; *tongues are -ing* sladderen går; *he -ged his finger at me* han truede ad mig med fingeren.
I. **wage** [we'idʒ] (subst., hyppigst i pl.) løn, arbejdsløn; *the -s of sin is death* syndens sold er døden.
II. **wage** [we'idʒ] (vb.): ~ *war* føre krig.
wage|-earner lønarbejder, lønmodtager. ~ **-freeze** lønstop. ~ **-packet** lønningspose.
wager ['we'idʒə] (subst.) indsats, væddemål; (vb.) vædde, vædde om, sætte på spil.
waggery ['wägəri] pjank, narrestreger, spøg.
waggish ['wägiʃ] spøgefuld; kåd, munter.
waggle ['wägl] (vb.) svinge, bevæge sig frem og tilbage, vrikke, vugge, ryste; logre med; (subst.) vuggen, vrikken; logren.
waggly ['wägli] ustadig, slingrende; vrikkende; logrende.
wag(g)on ['wägən] vogn, arbejdsvogn; (jernb.) godsvogn; *be on the (water)* ~ **S** være afholdsmand.
wag(g)oner fragtkusk.
wagonette [wägə'net] charabanc.
wagon-lit ['wägå·n'li·, fr.] sovevogn.
wagtail ['wägte'il] (zo.) vipstjert.
waif [we'if] (subst.) hjemløs (person); herreløst gods, drivgods; herreløs hund (el. kat); *-s and strays* hjemløse og omflakkende børn.
wail [we'il] (vb.) jamre sig, klage; hyle; jamre over, begræde; (subst.) jammer, klage; *the Wailing Wall* grædemuren (i Jerusalem).
wain [we'in] vogn; *Charles's Wain* Karlsvognen.
wainscot ['we'inskət] panel; beklæde med panel.
wainscoted panelklædt. **wainscoting** panel, materiale til panel.
waist [we'ist] liv, midje, talje, bæltested; midterparti, midterste del; (amr. ogs.) bluse.
waist|-band linning; bælte. **-coat** ['we'iskoᵘt] vest, trøje. ~ **-deep,** ~ **-high** (som når) op til livet.
wait [we'it] (vb.) vente, se tiden an; varte op; vente på; afvente; (subst.) venten, ventetid, pause, mellemakt; ~ *one's chance* afvente det gunstige øjeblik; ~ *for* vente på; ~ *dinner for sby.* vente på en med middagsmaden; *lie in* ~ *for* ligge på lur efter; ~ *on* opvarte; servere for, betjene; (glds.) gøre sin opvartning (hos); ~ *on hand and foot* opvarte i alle ender og kanter; *may good luck* ~ *upon you* gid heldet må følge dig; ~ *up for* sidde oppe og vente på; ~ *one's turn* vente til det bliver éns tur.
waiter ['we'itə] tjener, opvarter; præsenterbakke.
waiting ['we'itiŋ] (adj.) ventende, opvartende; (subst.) opvartning, tjeneste.
waiting| list ekspektanceliste. ~ **-maid** kammerpige. ~ **man** tjener. ~ **period** (for forsikring) karenstid. ~ **-room** venteværelse. ~ **-woman** kammerpige.
waitress ['we'itrės] serveringsdame, servitrice.
waits [we'its] julemusikanter, julesangere.
waive [we'iv] opgive, frafalde, give afkald på.
waiver ['we'ivə] (jur.) opgivelse, frafaldelse.
I. **wake** [we'ik] *(woke, woken* el. regelmæssigt) vågne, vågne op; vække; våge (ved); ~ *up* = *wake;* ~ *to sth.* blive klar over ngt., få øjenene op for ngt.
II. **wake** [we'ik] (subst.) (irsk:) vågenat (ved en død), fest; (årligt) forlystelsesmarked (baseret på arbejderbefolkningen i Lancashire og Yorkshire).
III. **wake** [we'ik] (subst.) ⚓ kølvand; *in the* ~ *of* (ogs. fig.) i kølvandet på, lige efter.
wakeful ['we'ikful] vågen, årvågen, søvnløs.
waken ['we'ikn] vågne; vække.
wake-robin ['we'ik 'råbin] ♧ dansk ingefær.
wale [we'il] (især amr.) = I. *weal.*
Waler ['we'ilə] hest fra New South Wales, australsk hest.
Wales [we'ilz].
I. **walk** [wå·k] (vb.) gå, spadsere (fx. *go by car or* ~), (om spøgelse) gå igen (fx. *the ghost -s);* gennemvandre (fx. ~ *the country);* gå i skridtgang; lade gå i skridtgang (fx. ~ *a horse);* lade gå, gå sammen med, trække rundt (med) (fx. ~ *sby. all over the town);* ~ *the boards* optræde på scenen; ~ *the chalk* bevise at man er ædru ved at gå langs en kridtstreg; opføre sig pænt, holde sig på måtten; ~ *the hospitals* (om medicinsk student) være volontør; ~ *the plank* (om sørøvers offer) gå planken ud; (fig.) blive fyret; ~ *the streets* (ogs.) 'trække' på gaden;
~ *away from* (fig.) besejre med lethed; ~ *into* gå løs på, sætte til livs, 'gå ombord i' (fx. *a cutlet);* skælde ud; gå (ind) i; løbe mod (fx. *I -ed into a lamppost); he -ed me off* han trak af med mig; ~ *sby. off his legs* gå en træt; ~ *off with* stjæle, stikke af med (fx. ~ *off with sby.'s wife);* ~ *on air* føle sig fri og let, 'svæve'; ~ *out* **T** gå i strejke; ~ *out on* lade i stikken, stikke af fra; *the students -ed out on the professor* studenterne udvandrede fra forelæsningen; *the young man she -s out with* den unge mand hun går med; ~ *over* besejre med lethed.
II. **walk** [wå·k] (subst.) gang; skridtgang; spadseretur, tur; rundtur, runde (fx. mælkemandens); spadseresti, vej, promenade; græsgang; ~ *in* (el. *of) life* social position, stand; (livs)stilling.
walker ['wå·kə] fodgænger; *I am not much of a* ~ jeg går ikke meget; jeg er ikke videre god til at gå.
walker-on statist.

walkie-talkie ['wå·ki'tå·ki] transportabel radiotelefon.
walking ['wå·kiŋ] gåen, spadseren; (adj.) gående.
walking|-papers løbepas, afskedigelse. ~ **-part** statistrolle. ~ **-stick** spadserestok. ~ **-tour** fodtur, fodrejse.
walk-on part statistrolle.
walk-out ['wå·kaut] (subst.) proteststrejke (ved at man forlader arbejdspladsen); udvandring.
walk-over ['wå·k'oᵘvə] (subst.) let sejr, valg uden modkandidat.
walk-up ['wå·kʌp] beboelsesejendom uden elevator.
wall [wå·l] (subst.) mur, væg; vold, gærde, værn; (vb.) omgive med mur, befæste; ~ *up* tilmure, indemure; *take the* ~ gå nærmest ved husene; *drive sby. to the* ~ bringe en i klemme, sætte en til vægs, sætte en stolen for døren; *go to the* ~ gå bag af dansen; *push sby. to the* ~ skubbe en til side; *drive sby. up the* ~ gøre en tosset.
wallaby ['wåləbi] (art lille kænguru).
walla(h) ['wålə] (anglo-indisk, i sammensætninger) -mand.
wall|-bar ribbe (til gymnastik). **-board** vægplade. ~ **-bracket** vægkonsol. ~ **-creeper** (zo.) murløber.
wallet ['wålit] tegnebog, pung; (glds.) tiggerpose.
wall-eye porcelænsøje (øje med uigennemsigtig og hvid hornhinde); skelende øje.
wall|flower ♧ gyldenlak; (fig.) bænkevarmer (dame som sidder over). ~ **-fruit** espalierfrugt. **-ing** murmaterialer, mur, murværk, mure, vægge. ~ **-knot** ⚓ sjoverknob.
Walloon [wå'lu·n] vallon; vallonsk.
wallop ['wåləp] **T** (vb.) tæve, klø, prygle, banke; (subst.) hårdt slag; øl; *with a* ~ med et brag. **walloping T** (subst.) nederlag, bank, klø; (adj.) gevaldig, vældig, drabelig.
wallow ['wåloᵘ] (vb.) rulle sig, vælte sig, svælge (*in* i); (subst.) sted, hvor dyr roder og vælter sig.
wall|-painting vægmaleri. ~ **-paper** tapet. ~ **-plate** murlægte. ~ **-sign** gavlreklame.
Wall Street ['wå·lstri·t] (gade i New York); det amerikanske pengemarked.
wall-tie muranker.
walnut ['wå·lnʌt] valnød; valnøddetræ.
walrus ['wå·lrəs] hvalros.
waltz [wå·ls, wåls] vals; (vb.) valse, danse vals.
wan [wån] bleg, gusten; mat, svag.
wand [wånd] tryllestav; vånd; stok, stav; embedsstav; (i musik) taktstok.
wander ['wåndə] vandre, strejfe om; fare vild; gøre et sidespring fra emnet; tale i vildelse, fantasere, være uklar; *he is -ing in his mind, his mind is -ing* han taler i vildelse (el. fantaserer, er uklar); *my attention -ed* jeg var lidt uopmærksom.
wanderer ['wåndərə] vandringsmand.
wandering ['wåndəriŋ] (adj.) (om)vandrende; omflakkende; ustadig; usammenhængende; (subst.) omvandren; ustadighed; fantaseren; *the* ~ *Jew* den evige jøde; ~ *kidney* vandrenyre.
wane [weⁱn] (vb.) aftage, hælde, svinde, dale; (subst.) aftagende, aftagen, nedgang, forfald; vankant (på tømmer); *on the* ~ i aftagen, dalende; på skråplanet.
waney ['weⁱni] (adj.) vankantet.
I. **wangle** [wäŋgl] (vb.) **S** opnå, skaffe sig (især ved fiffighed); 'redde'; *he managed to* ~ *his leave* han 'lavede den' sådan at han fik orlov.
II. **wangle** [wäŋgl] (subst.) **S** (fig.) kneb.
I. **want** [wånt] (vb.) mangle (fx. *he does not* ~ *intelligence);* behøve, have brug for, trænge til (fx. *he -s someone to look after him);* ønske, gerne ville have (fx. *I* ~ *some socks, please);* ville have (fx. *he -s everything he sees);* ville tale med (fx. *tell Jones I* ~ *him);* måtte (fx. *one -s to be careful in handling a gun);* lide nød (fx. *we must not let them* ~*);* (om politiet) eftersøge (fx. *he is -ed by the police); you are -ed* (ogs.) De er anholdt; *you are -ed on the telephone* der er telefon til dig; *children* ~ *plenty of sleep* børn skal have rigelig søvn; *you don't* ~ *to be rude* du skal bare ikke være næsvis; *it -s two minutes to the hour* den er to minutter i hel; *he shall* ~ *for nothing* han skal intet savne.
II. **want** [wånt] (subst.) mangel (*of* på); trange kår, trang, fattigdom (fx. *live in* ~*);* fornødenhed (fx. *my -s are few); a long-felt* ~ et længe følt savn; *be in* ~ *of* trænge til.
I. **wanting** ['wåntiŋ] (adj.) mangelfuld, manglende; *be* ~ mangle (fx. *there is a book* ~*); he is a little* ~ han er lidt tilbage (ɔ: i intelligens); *be* ~ *in* være uden, mangle (fx. *be* ~ *in initiative); weighed and found* ~ vejet og fundet for let.
II. **wanting** ['wåntiŋ] (præp.) uden (fx. ~ *common honesty nothing could be done);* minus; da man ikke havde.
wanton ['wåntən] (adj.) lystig, kåd, overgiven; frodig; tøjlesløs; uansvarlig; formålsløs, umotiveret; letsindig, letfærdig; (subst.) tøjte, letfærdig kvinde, tøs; skælm; (vb.) flagre, sværme, boltre sig.
wany ['weⁱni] (adj.) vankantet.
war [wå·] (subst.) krig, ufred, strid; (vb.) stride, føre krig; kæmpe; *at* ~ i krig; *have been in the -s* (ogs.) være slemt medtaget; *council of* ~ krigsråd; *the fortune of* ~ krigslykken; *on a* ~ *footing* på krigsfod; *make* (el. *wage)* ~ *on* føre krig imod; *go to the -s* drage i krig; ~ *to the knife* krig på kniven.
I. **warble** ['wå·bl] (subst.) knude, vable, bremsebyld; (zo.) bremselarve; oksebremse.
II. **warble** ['wå·bl] (vb.) slå triller, synge; (subst.) trille, sang.
warble-fly (zo.) bremse.
warbler sanger, sangfugl. **warbling** triller, sang.
war| bond krigslånsobligation. ~ **chest** krigskasse. ~ **criminal** krigsforbryder. ~ **-cry** krigsråb, kampskrig.
ward [wå·d] (subst.) bevogtning, vagt, opsyn; beskyttelse; formynderskab; myndling; bydistrikt; valgkreds (for kommunevalg); skovdistrikt; (i hospital etc.) afdeling, stue; (i lås) låsegang; (vb., glds.) forsvare, beskytte; *a* ~ *in Chancery, a* ~ *of court* en umyndig under kanslerrettens værgemål; ~ *off* afparere, værge sig imod, afværge.
-ward(s) vendt imod, hen imod (fx. *seaward(s)*).
war-dance ['wå·da·ns] krigsdans.
warden ['wå·dn] forstander, bestyrer, (på *college* ogs.) efor; herbergsleder; kirkeværge; *(air-raid* ~*)* husvagt; (amr.) fængselsbetjent; (glds.) vogter, opsynsmand.
warder ['wå·də] fængselsbetjent; (glds.) kommandostav; vægter, vagt. **wardress** ['wå·drės] kvindelig fængselsbetjent.
wardrobe ['wå·droᵘb] klædeskab; garderobe, tøj; ~ *trunk* skabskuffert.
ward-room ['wå·drum] officersmesse (på krigsskib).
wardship ['wå·dʃip] formynderskab.
ward sister (omtr.) afdelingssygeplejerske.
ware [wæə] vare, varer; (især) fajance, stentøj; *-s* (især) varer der falbydes, kram.
I. **warehouse** ['wæəhaus] (subst.) magasin, pakhus, lager, varehus; ~ *to* ~ (i forsikring) 'hus til hus'.
II. **warehouse** ['wæəhauz] (vb.) opmagasinere.
warehouse| book lagerbog. ~ **-charges** pakhusleje. ~ **-keeper** lagerchef. **-man** ejer af pakhus, lagerchef, grossist, grosserer, lagerist.
warfare ['wå·fæə] krigsførelse, krig.
warhead ['wå·hed] (i torpedo) krigsladningsrum; (i raket) rakethoved; *atomic* ~ atomsprængladning.
wariness ['wæərinės] forsigtighed.
warlike ['wå·laik] krigerisk, krigs-.
warlock ['wå·låk] (glds.) troldmand.
war-lord ['wå·lå·d] krigsherre, general.

I. **warm** [wå·m] (adj.) varm (fx. *~ blood, weather, room);* inderlig, ivrig, hjertelig (fx. *a ~ welcome);* hidsig; kærlig, deltagende (fx. *a ~ heart);* (om spor) frisk; **T** godt aflagt; velbeslået; *you are (getting) ~* (ogs.) tampen brænder; *make things ~ for sby.* gøre helvede hedt for en.

II. **warm** [wå·m] (vb.) varme, opvarme, blive opvarmet; *~ (up) to one's work* komme på gled, blive stærkt interesseret i sit arbejde; *~ up* opvarme, blive opvarmet.

warm|-blooded varmblodig, temperamentsfuld. **~ corner** (fig.) udsat sted. **-ed over** opvarmet. **~ -hearted** varmhjertet, hjertelig.

warming ['wå·miŋ] opvarmning; **S** dragt prygl.

warming-pan varmebækken, sengevarmer; **S** vikar; en der foreløbig har en stilling som er tiltænkt en anden.

warmonger ['wå·mʌŋgə] krigsophidser, krigsmager.

warmth [wå·mþ] varme, begejstring.

warm work arbejde man bliver svedt af.

warn [wå·n] advare, formane; gøre opmærksom på, underrette om; indkalde; *~ against* advare imod; *~ of* advare mod, gøre opmærksom på; underrette om; advare om; *~ sby. off* formene én adgang; *~ not to* advare mod at.

warning ['wå·niŋ] advarsel; varsel; forudgående meddelelse; opsigelse; *take ~ from* tage ved lære af.

War Office: *the ~* det britiske krigsministerium.

I. **warp** [wå·p] (vb.) (om træ) slå sig, få til at slå sig; (om karakter) forkvakle; klæge, gøde med klæg; ⚓ varpe, blive varpet.

II. **warp** [wå·p] (subst.) rendegarn, kæde; (om karakter) skævhed; ⚓ varp, trosse; (geol.) klæg.

war|-paint krigsmaling. **~ -path** krigssti. **-plane** militærflyvemaskine. **~ profiteer** gullaschbaron, værnemager.

warrant ['wårənt] (vb.) forsikre, indestå for, garantere (fx. *I ~ that he will come);* berettige, retfærdiggøre (fx. *nothing can ~ this interference);* hjemle; (subst.) garanti, sikkerhed; hjemmel, fuldmagt, bemyndigelse; berettigelse; lagerbevis; anholdelsesordre, arrestbefaling; *~ of attorney* fuldmagt til en sagfører. **warrantable** ['wårəntəbl] forsvarlig, tilladelig, retmæssig.

warrant officer (befalingsmandsklasse som har rang mellem *commissioned officers* og *non-commissioned officers);* (omtr.) fenrik.

warrantor ['wårəntə] garant. **warranty** ['wårənti] garanti; hjemmel, grundlag, bemyndigelse.

warren ['wårin] fasangård, kaningård; (fig.) rotterede.

warring ['wå·riŋ] krigsførende, stridende; (fig.) modstridende, uforenelig.

warrior ['wåriə] kriger; *the Unknown Warrior* den ukendte soldat.

Warsaw ['wå·så·] Warszawa.

warship ['wå·ʃip] krigsskib.

wart [wå·t] vorte; *paint him with his -s* give et billede af ham som han er.

wart-hog (zo.) vortesvin.

warty ['wå·ti] vortet, fuld af vorter.

Warwick ['wårik].

wary ['wæəri] forsigtig, varsom.

was [wåz, wəz] imperf. af *be* (1. og 3. pers. sing.).

I. **wash** [wåʃ] (vb.) vaske (fx. *~ one's hands, ~ once a week);* vaske sig; beskylle (fx. *the sea -ed the cliffs);* skylle (fx. *-ed up by the sea);* holde sig i vask, (fig.) stå for en nøjere undersøgelse (fx. *that theory won't ~); ~ away* afvaske; skylle bort; *~ sth. down* spule ngt. rent, give ngt. en afvaskning; *~ it down with a glass of water* skylle det ned med et glas vand; *~ one's hands of* fralægge sig alt ansvar for; *~ off, ~ out* afvaske; (se ogs. *washed-out); ~ up* vaske op; skylle op.

II. **wash** [wåʃ] (subst.) vask(ning); vasketøj (fx. *hang out the ~);* bølgeslag, brusen; dynd; mask (i bryg-ning); tyndt øjt; *give sth. a ~* vaske ngt.; *have a ~* vaske sig; *be at the ~* være i vask; *it will come out in the ~* **S** det skal nok komme for en dag; skidt med det; *send clothes to the ~* sende tøj til vask.

Wash. fk. f. *Washington.*

washable [wåʃəbl] vaskeægte; afvaskbar, afvaskelig.

wash|-board vaskebræt; ⚓ skvætbord. **~ bowl** vandfad. **~ -deck pump** spulepumpe.

washed-out udvasket, farveløs; udaset, udkørt.

washer (en der) vasker; vaskemaskine; underlagsskive, pakskive. **washer-woman** vaskekone.

wash|-hand-basin vandfad. **~ -hand-stand** servante. **~ -house** vaskeri, vaskehus.

washing ['wåʃiŋ] vask, vaskning; vasketøj; vaskevand; skyllevand (fx. *tank ~);* slam. **washing| -machine** vaskemaskine. **~ -stand** servante.

Washington ['wåʃiŋtən].

washing-up opvask.

wash|-leather vaskeskind. **~ -out** bortskylning (af jord); **S** fiasko. **~ -stand** servante. **~ -tub** vaskebalje.

washy ['wåʃi] vandet, udvandet, tynd, svag, bleg.

wasp [wåsp] hveps.

waspish ['wåspiʃ] pirrelig, arrig; hvas, giftig.

wasp-waisted med hvepsetalje.

wassail [wåsl] (glds.) (subst.) drikkelag; drik (af øl el. vin med tilsætninger); (vb.) skåle, drikke, svire.

wast [wåst] var (glm. 2. pers. sing. imperf. af *be).*

wastage ['weⁱstidʒ] svind, spild.

I. **waste** [weⁱst] (vb.) spilde, bortødsle (fx. *~ one's money);* hærge, ødelægge; bringe til at visne (fx. *a sorcerer -d his arm);* hentæres; (om tid) svinde; *~ away* hentæres; *~ not, want not* (omtr.) den der spa'r, har.

II. **waste** [weⁱst] (subst.) spild; forfald, forringelse; øde strækning, ørken; affald, tvist; afløb(srør); *go* (el. *run) to ~* gå til spilde.

III. **waste** [weⁱst] (adj.) øde, uopdyrket, ubeboet (fx. *~ land);* unyttig, overflødig, kasseret; *lay ~* ødelægge, hærge; *lie ~* henligge uopdyrket.

waste|-basket (amr.) papirkurv. **~ -book** kladdebog. **-ful** ødsel, uøkonomisk. **~ paper** papiraffald; makulatur. **~ -paper-basket** papirkurv. **~ -pipe** afløbsrør. **~ product** affaldsprodukt.

waster ['weⁱstə] ødeland, døgenigt; udskudsvare.

wastrel ['weⁱstrəl] døgenigt, ødeland.

I. **watch** [wåtʃ] (subst.) vagt; ur (lomme- el. armbåndsur); *keep ~* holde vagt; *be on the ~ for* spejde efter, være på udkig efter; *~ below* ⚓ frivagt.

II. **watch** [wåtʃ] (vb.) iagttage (fx. *~ sby.'s face);* se (nøje) på; vogte (fx. *~ sheep);* holde øje med, være på udkig efter (fx. *~ a favourable opportunity);* se 'til; våge (fx. *~ and pray); ~ for* spejde efter; *~ over* bevogte, vogte, passe på; *~ the telly* **T** se fjernsyn; *~ one's time* afvente det rette tidspunkt; *a -ed pot never boils* (omtr. = ventetiden falder altid lang).

watch|-dog vagthund. **~ -fire** vagtild, vagtblus. **-ful** årvågen, påpasselig. **~ -glass** urglas. **~ -guard** urkæde. **~ -gun** ⚓ vagtskud. **~ -house** vagthus. **~ -maker** urmager. **-man** vagt, banevogter. **~ -tower** vagttårn. **-word** feltråb, parole, løsen; slagord.

I. **water** ['wå·tə] (subst.) vand; tidevand; *-s* ⚓ farvand; *back ~* (vb.) skodde; *by ~* ad søvejen; *drink the -s* gennemgå brøndkur; *hold ~* være vandtæt; kunne stå for en nærmere prøve, holde stik; *in deep ~* (el. *-s)* (fig.) i vanskeligheder; *in low ~,* se *low water; in smooth -s* i smult vande; *fish in troubled -s* fiske i rørt vande; *get into hot ~* komme i vanskeligheder; *make ~* lade vandet; ⚓ lække; *of the first ~* af reneste vand; *spend money like ~* øse penge ud; *throw cold ~ on a plan* dæmpe begejstringen for en plan.

II. **water** ['wå·tə] (vb.) vande (fx. *~ a garden, cattle);* væde; drikke vand, forsyne sig med vand; tage vand ind; *~ (down)* fortynde (fx. *milk);* (fig.) udvande, afsvække; *~ (down) the stock* (merk.) udvande aktiekapitalen; *it makes my mouth ~* det får mine tænder **til at løbe i vand.**

water-|**beetle** (zo.) vandkalv. ~ **-blister** vable. ~ **-borne** sendt ad søvejen; (om sygdom) vandbåren. ~ **-bottle** vandkaraffel; ⚔ feltflaske.

water| **brash** halsbrand. ~ **-buffalo** (zo.) vandbøffel. ~ **-butt** vandtønde, regnvandsbeholder. ~ **-carriage** transport til vands. ~ **-carrier** vandbærer. ~ **chestnut** ♧ hornnød. ~ **-chute** vandrutschebane. ~ **-closet** vandkloset, wc. ~ **-cock** vandhane. ~ **-colour** vandfarve; akvarel. **-course** vandløb, flod. **-cress** ♧ brøndkarse. ~ **-cure** vandkur. ~ **-diviner** vandviser. **-ed** vatret; *-ed fabric* (ogs.) moiré. **-fall** vandfald. ~ **-flag** ♧ (gul) sværdlilje. ~ **-flea** (zo.) dafnie. ~ **-gas** vandgas. ~ **-gauge** vandstandsviser, vandstandsglas. ~ **-glass** vandglas (et stof). ~ **-gruel** havresuppe. ~ **hammer** vandslag, stød (i rør). ~ **-hemlock** ♧ gifttyde. ~ **-hen** (zo.) rørhøne.

wateriness vandholdighed.

watering| **-can** vandkande (til havebrug). ~ **-place** vandingssted; badested; vandfyldningssted, sted hvor vand indtages. ~ **-pot** vandkande. ~ **-trough** vandingstrug.

waterish [ˈwå·təriʃ] vandet; fugtig.

water|**-jacket** vandkappe, kølevandskappe. **-less** uden vand. ~ **-level** vaterpas; vandstand. ~ **-lily** ♧ åkånde. ~ **-line** vandlinie. ~ **-logged** vandfyldt, vandtrukken, vand- el. fugtighedsmættet; fuld af vand; ⚓ bordfyldt; (om jord) vandlidende. ~ **-main** hovedvandledning. **-man** færgemand; roer. **-mark** vandmærke; vandstandsmærke. ~ **-melon** vandmelon. ~ **-meter** vandmåler. ~ **-milfoil** ♧ tusindblad. ~ **-nymph** najade.

water|**-pipe** vandrør. ~ **-pipit** (zo.) bjergpiber. ~ **-polo** vandpolo. **-power** vandkraft. **-proof** (vb.) gøre vandtæt, imprægnere; (adj.) vandtæt, imprægneret; (subst.) imprægneret frakke, regnfrakke. ~ **-rail** (zo.) vandrikse. ~ **-rate** vandafgift. ~ **-seal** vandlås. **-shed** vandskel. ~ **-shoot** nedløbsrende. ~ **shrew** (zo.) vandspidsmus. ~ **-side** (subst.) bred. ~ **-skater** (zo.) damtæge. ~ **-skin** vandsæk. ~ **-spider** vandedderkop. **-spout** skypumpe; nedløbsrør, udspyer. ~ **-supply** vandforsyning. ~ **-table** grundvandsspejl. ~ **tank** vandbeholder. ~ **-tiger** (zo.) vandkalvelarve. **-tight** vandtæt; (fig. ogs.) som kan stå for en nærmere prøvelse, uangribelig. ~ **-tower** vandtårn. ~ **-trap** vandlås. ~ **violet** ♧ vandrøllike. ~ **-vole** (zo.) vandrotte. ~ **wagon**: *be on the ~ wagon* S være afholdsmand. ~ **-way** sejlbar kanal, sejlløb; vaterbord. ~ **-wheel** vandhjul, møllehjul. ~ **-wings** svømmesele. **-works** vandværk; *turn on the -works* S vande høns.

watery [ˈwå·təri] vand-, vandet; våd, fugtig.

watt [wåt] watt (enhed for elektrisk effekt).

wattle [ˈwåtl] (subst.) kvist; risfletning; ♧ (i Australien) (art) akacie; (zo.) halslap (på hane); skæg (på fisk); (vb.) forbinde med kviste, flette; *~ and daub* lerklining.

wattmeter [ˈwåtmi·tə] wattmeter.

waul [wå·l] mjave; vræle, skrige.

I. **wave** [weⁱv] (subst.) bølge, sø; svingen; vinken.

II. **wave** [weⁱv] (vb.) bølge, flagre, vaje, svinge; vinke; vinke med; gøre bølget; (om hår) ondulere; *permanently -d* permanentbølget; *~ one's hand* vinke (med hånden); *~ her a kiss* sende hende et fingerkys; *~ aside* afvise, vifte af.

wave|**-length** bølgelængde. **-less** uden en bølge, glat. **-let** lille bølge. **-meter** bølgemåler.

waver [ˈweⁱvə] dirre, skælve, blafre; være usikker, vakle.

waverer en der vakler, vankelmodig person.

wavering [ˈweⁱvəriŋ] vaklende, vankelmodig.

wave| **set** vandondulationsvæske ~ **-trap** (radio) bølgefælde.

wavy [ˈweⁱvi] bølgende, bølget.

I. **wax** [wäks] (vb.) vokse, stige; (glds.) blive; *-ing moon* tiltagende måne.

II. **wax** [wäks] (subst.) voks; (segl)lak; *(cobbler's) ~* (skomager)beg; *in a ~* S ophidset, vred.

III. **wax** [wäks] (vb.) bestryge (el. behandle) med voks, bone.

wax bean ♧ voksbønne.

waxen [ˈwäksn] voksagtig, voksblød.

wax|**-end** begtråd. ~ **polish** bonevoks. ~ **record** voksplade. ~ **-vesta** vokstændstik. **-wing** (zo.) silkehale. ~ **-work** voksarbejde, voksfigur. ~ **-works** vokskabinet.

waxy [ˈwäksi] voksagtig, blød, bleg; S vred, hidsig, gal i skralden.

I. **way** [weⁱ] vej, retning (fx. *he went that ~*); vej, afstand (fx. *we have still some ~ to go*); fart; vane, skik (fx. *old-fashioned -s*); fag, branche (fx. *be in the drapery ~*); tilstand; måde (fx. *that is the ~ to do it*); facon (fx. *it is only his ~*); væsen; henseende (fx. *good in every ~*); *-s* ⚓ bedding; (tekn.) vanger;

~ enough! ⚓ vel roet! *permanent ~* banelegeme; *six-foot ~* mellemrum mellem to sæt spor på banelegemet; *the longest ~ round is the shortest ~ home* det betaler sig ofte at gå en omvej; *-s and means* (veje og) midler; udvej; (se ogs. nedenfor); *there are no two -s about it* det er ikke til at komme udenom;

(forb. med vb.) *bet on a horse each ~* holde på en hest på plads og som vinder; *find one's ~ home* finde hjem; *give ~* give efter; vige; bryde sammen; ⚓ ro til; *go one's ~* drage bort, drage af sted; *go* (el. *take*) *one's own ~* gå sine egne veje, følge sit eget hoved; *are you going my ~?* skal du samme vej som jeg? *go a long* (etc.) *~*, se I. *go*; *go the ~ of all flesh* gå al kødets gang; *have* (el. *get*) *one's own ~* få sin vilje; *have it your own ~!* gør som du vil! ja ja da! *you can't have it both -s* du kan ikke få både i pose og sæk; du kan ikke både blæse og have mel i munden; *lead the ~* gå foran, føre an, vise vejen; *lose one's ~* fare vild; *make ~*, *gather ~* få farten op; *make one's ~* arbejde sig frem, bane sig vej; *make ~ for* give plads for; *make the best of one's ~* skynde sig så meget man kan; *pay its own ~* hvile i sig selv; *see one's ~ to* se sig i stand til (at); *it is not his ~ to be generous* det ligger ikke til ham (el. det ligner ham ikke) at være ædelmodig;

(forb. m. præp. og adv.) *by the ~* undervejs; (fig.) for resten, i forbigående (sagt); *by ~ of* som (fx. *by ~ of apology, illustration*); for at (fx. *by ~ of finding it out*); (om rejserute) via, over (fx. *by ~ of Harwich*); *he is by ~ of being an expert on that* han er ved at være (el. er noget af en) ekspert på det område; *better by a long ~* langt bedre; *in a ~ (of speaking)* på en måde; *once in a ~* af og til, en gang imellem; for en gangs skyld; *he is in a bad ~* det går dårligt (el. står sløjt til el. er galt fat) med ham; *in a big ~* i stor målestok; flot (fx. *live in a big ~*); grundigt, så det forslår; *in a fair ~* se *fair*; *in a small ~* i lille målestok, beskedent (fx. *live in a small ~*); *a businessman in a small ~* en lille forretningsmand; *in my own small ~* så vidt som jeg nu kan; *she is in a terrible ~* T hun er helt ude af det; *in his ~* på hans måde; i vejen for ham; *be in the ~* være i vejen; *in the family ~* se *family*; *what have we got in the ~ of food?* hvad har vi i retning af mad? *put him in the ~ of* hjælpe ham til, give ham lejlighed til at få (el. opnå); *Committee of Ways and Means* Underhuset konstitueret som udvalg for at drøfte budgettet; *at the parting of the -s* på skillevejen; *out of the ~* afsides; af vejen; *nothing out of the ~* ikke noget særligt; *go out of one's ~ to* gøre sig ganske særlige anstrengelser (el. særlig umage) for at; *keep out of the ~* gå af vejen, vige; *put sby. out of the ~* rydde én af vejen; *put oneself out of the ~ to* = *go out of one's ~ to*; *~ out* udgang; udvej; *on our ~ out* på udvejen, på vejen ud; *it is on the ~ out* (fig.) det er ved at gå af brug (el. mode); *under ~* i gang; undervejs; i fart; ⚓ let; *get under ~* komme i gang; lette; *he has a ~ with children* han forstår at tage børn (på den rigtige måde); han har børnetække; *he has a winning ~ with him* han har et vindende væsen.

II. **'way** fk. f. *away* (fx. *'way out in Canada*).

III. **way** [weⁱ] (til en hest) prr!

way|-bill ['weⁱbil] passagerfortegnelse, fragtbrev. **-farer** ['weⁱfæərə] vejfarende. **-faring** (adj.) vejfarende, rejsende. **-lay** ligge på lur efter, passe op; overfalde. ~ **-mark** afviser, vejviser, milepæl. **-side** vejkant. **-ward** egensindig, lunefuld. ~ **-worn** medtaget af rejsen.

W.C. fk. f. *West Central* (postdistrikt i London).

w.c. fk. f. *water-closet.*

W.C.A. fk. f. *Women's Christian Association.*

we [wi·] vi.

W.E.A. fk. f. *Worker's Educational Association.*

weak [wi·k] svag, kraftløs; skrøbelig, sygelig, holdningsløs, mat; (om drik) tynd (fx. *tea);* (gram.) svag.

weaken ['wi·kn] svække, afkræfte; blive svag el. svagere.

weak|-kneed slap i knæene; (fig.) svag, slap. **-ling** svækling, stakkel. **-ly** (adv.) svagt; (adj.) svagelig. ~ **-minded** tåbelig.

I. **weal** [wi·l] (subst.) (ophøjet) stribe, strime (efter slag); (vb.) mærke med striber (el. strimer).

II. **weal** [wi·l] vel, velfærd; ~ *and woe* medgang og modgang; *the public* ~ det almene bedste.

weald [wi·ld] åbent land; *the Weald* (en strækning i Kent, Surrey og Sussex).

wealth [welþ] rigdom *(of* på).

wealthy ['welþi] rig, velhavende.

I. **wean** [wi·n] (vb.) vænne fra; ~ *from* vænne af med, fjerne fra.

II. **wean** [wi·n] (subst.) (på skotsk) barn, rolling.

weanling ['wi·nliŋ] barn der lige er vænnet fra.

weapon ['wepən] våben.

I. **wear** ['wæə] *(wore, worn)* bære, have på, gå med (fx. ~ *a white waistcoat);* have (fx. ~ *a troubled look;* ~ *a beard);* bruge (fx. ~ *spectacles; a style which is much worn now);* slide (fx. *worn clothes;* ~ *holes in one's socks);* slide på; holde (fx. *this material won't* ~*); I won't* ~ *it* **T** jeg vil ikke finde mig i det; ~ *away* slide af (el. op); fortage sig; (om tid) slæbe sig hen (fx. *the long day wore away);* ~ *down* slide ned; (fig.) udmatte, gøre mør; ~ *off* slides af (fx. *the nap will* ~ *off);* fortage sig (fx. *the feeling wore off in time); the summer wore on* det blev længere hen på sommeren; ~ *one's heart on one's sleeve* bære sine følelser til skue; ~ *out* slide op (fx. *the shoes are worn out);* udmatte (fx. *I'm quite worn out);* blive slidt op; ~ *out one's welcome* trække for store veksler på nogens gæstfrihed; ~ *well* være holdbar (el. solid), holde; (fig. om person (holde sig godt.

II. **wear** ['wæə] (subst.) slid (fx. *show signs of* ~*),* brug (fx. *for Sunday* ~, *for working* ~*);* dragt, beklædning (fx. *beach* ~*); men's* ~ herreekvipering; ~ *and tear* normalt slid, slitage; *his coat is somewhat the worse for* ~ hans jakke er noget slidt (el. medtaget).

III. **wear** ['wæə] (vb.) ⚓ vende, kovende.

weariness ['wiərines] træthed, møjsommelighed, kedsommelighed; ~ *of life* livslede.

wearing ['wæəriŋ] trættende, opslidende (fx. *a* ~ *task);* ~ *qualities* holdbarhed.

wearing-apparel gangklæder, tøj.

wearisome ['wiərisəm] trættende, brydsom, besværlig.

wear resistance holdbarhed.

weary ['wiəri] (adj.) træt; trættende, kedsommelig; (vb.) trætte, kede, plage, besvære; blive træt, længes; ~ *of* træt af, ked af; ~ *of life* livstræt; ~ *for* længes efter.

weasand ['wi·zənd] (glds.) luftrør, strube.

weasel ['wi·zl] (zo.) væsel, brud.

I. **weather** ['weðə] (subst.) vejr (fx. *bad, good, fine, wet* ~*); make bad* ~ ⚓ komme ud for dårligt vejr; *make heavy* ~ *of sth.* finde ngt. anstrengende (el. besværligt); gøre et stort nummer ud af ngt.; *under the* ~ sløj, dårlig tilpas, uoplagt; beruset; *under stress of* ~ på grund af dårligt vejr.

II. **weather** ['weðə] (vb.) bringe til at forvitre; udsætte for vejr og vind; stille skråt (for at regnen kan løbe af); komme godt igennem, klare, overstå; gå til luvart af; ~ *(out) a storm* ride en storm af; ~ *a ship* passere et skib til luvart.

weather|-beam ⚓: *on the* ~ *-beam* tværs til luvart. ~ **-beaten** vejrbidt; medtaget af vejr og vind; forvitret. ~ **-boarding** klinkbeklædning. ~ **-bound** opholdt af vejret, vejrfast. ~ **-bow** ⚓ luv bov. ~ **bureau** meteorologisk institut.

weather|-chart vejrkort. **-cock** vejrhane. ~ **deck** øverste dæk. ~ **eye:** *keep one's* ~ *eye open* være på vagt, passe på. ~ **-forecast** vejrudsigt. ~ **-glass** barometer. ~ **-proof** regn- og vindtæt. ~ **-report** vejrberetning. ~ **side** luvside. ~ **-stripping** tætningsliste(r). ~ **-vane** vejrhane, vindfløj. ~ **-wise** vejrkyndig.

I. **weave** [wi·v] *(wove, woven)* væve; flette, indflette; konstruere, sammensætte; sno sig; *let us get weaving* **T** lad os se at komme af sted.

II. **weave** [wi·v] (subst.) vævning; binding.

weaver ['wi·və] væver; (zo.) væverfugl.

weaver-bird væverfugl.

web [web] væv, spind; svømmehud; fane (på fjer); (jernb.) (skinne)krop; (typ.) papirrulle; *a* ~ *of lies* et væv af løgne.

webbed [webd] med svømmehud, svømme- (fx. *feet*).

webbing ['webiŋ] gjord (i polstret møbel); ⚔ remtøj; ~ *belt* ⚔ livrem.

web-foot ['webfut] svømmefod.

wed [wed] (vb.) ægte, tage til ægte, gifte sig (med); ægtevie; bortgifte; (fig.) forbinde, knytte.

wedded (adj.) gift; ægteskabelig; ~ *bliss* ægteskabelig lykke; *her* ~ *life* hendes ægteskab; ~ *pair* ægtepar; *be* ~ *to* (fig.) være opslugt af, gå helt op i, ikke have tanke for andet end (fx. *one's profession, a plan).*

wedding ['wediŋ] bryllup; *silver* ~ sølvbryllup; *golden* ~ guldbryllup; *diamond* ~ diamantbryllup.

wedding|-breakfast (svarer til:) bryllupsmiddag. ~ **-cake** bryllupskage. ~ **-ceremony** vielse. ~ **-day** bryllupsdag. ~ **-dress** brudedragt, brudekjole. ~ **-ring** vielsesring.

wedge [wedʒ] (subst.) kile; (vb.) kløve; fastkile; kile (sig ind); *it is the thin end of the* ~ (fig.) det er kun begyndelsen (ɔ: der kommer mere, værre ting, efter).

Wedgwood ['wedʒwud]: ~ *ware* Wedgwood-varer (fin fajance).

wedlock ['wedlåk] ægtestand(en); ægteskab; *born in (, out of)* ~ født i (, uden for) ægteskab.

Wednesday ['wenzdi, 'wenzdeⁱ] onsdag.

wee [wi·] lille bitte; *a* ~ *bit* en lille smule.

I. **weed** [wi·d] (subst.) ukrudt, urt; **S** cigar; mager krikke; splejs, spinkel fyr; *ill -s grow apace* (omtr.) ukrudt forgår ikke så let; *the soothing* ~ tobak.

II. **weed** [wi·d] (vb.) luge, bortluge, udrense.

weeder ['wi·də] luger, lugekone; lugejern.

weeds [wi·dz]: *widow's* ~ (enkes) sørgedragt.

weedy ['wi·di] fuld af ukrudt; (om person) høj og tynd, splejset.

week [wi·k] uge; (ogs.) hverdagene (modsat søndag); *today* ~ i dag (om) otte dage; *a* ~ *ago today* i dag for otte dage siden; *Holy Week* den stille uge.

week|-day hverdag, søgnedag. ~ **-end** weekend; (vb.) holde weekend. ~ **-ender** weekendgæst. **-ly** en gang om ugen, ugentlig; (subst.) ugeblad.

weep [wi·p] *(wept, wept)* græde *(for* over), begræde; svede, dryppe; hænge ned.

weeper ['wi·pə] (subst.) grædende, grædekone; sørgebånd, sørgeflor.

weeping ['wi·piŋ] (subst.) gråd; (adj.) grædende; ~ *ash* hængeask; ~ *willow* sørgepil.

weever ['wi·və] (zo.) fjæsing.

weevil ['wi·vil] snudebille; *-led* angrebet af snudebiller.

weft [weft] islæt, skudgarn; vævning, (et) væv.

I. **weigh** [weⁱ] veje; afveje; tynge; ⚓ lette; ~ *anchor* lette anker; ~ *one's words* veje sine ord; ~ *down* tynge ned; (fig.) trykke, nedtynge (fx. *-ed down with grief)*; ~ *in* blive vejet, få sin vægt bestemt (især om jockey); ~ *in with* komme med; bidrage med; ~ *(heavy) on* hvile tungt på, tynge, trykke; ~ *out* veje af; (om jockey) blive vejet (efter et væddeløb); ~ *upon* = ~ *on;* ~ *with* betyde noget for, gøre indtryk på (fx. *that doesn't* ~ *with him).*

II. **weigh** [weⁱ]: *under* ~, se I. *way*: *under way.*

weigh|able som lader sig veje. **-bridge** vognvægt, brovægt. ~ **-house** vejerbod.

weighing-machine vægt.

weight [weⁱt] (subst.) vægt; lod; byrde, tyngde; (vb.) belaste; overbelaste; tynge; betynge (fx. *-ed silk); carry* (el. *have)* ~ (fig.) veje tungt; *pull one's* ~ gøre sin del af arbejdet, tage sin tørn; *put on* ~ tage på; *sell by* ~ sælge efter vægt; *throw one's* ~ *about* (fig.) 'optræde', spille stærk mand, blære sig; *clock* ~ urlod; *-ed dice* forfalskede terninger; ~ *empty* (flyv.) tomvægt.

weightiness vægt, tyngde, vigtighed.

weight|less vægtløs. **-lifting** vægtløftning.

weighty ['weⁱti] tung, vægtig, tungtvejende.

weir [wiə] dæmning; fiskegård.

weird [wiəd] (subst.) skæbne; (adj.) spøgelsesagtig, uhyggelig, sælsom; *the* ~ *sisters* de tre hekse i Macbeth; skæbnegudinderne.

Welch, welch [welʃ] se *Welsh, welsh.*

welcome ['welkəm] (adj.) velkommen; (subst.) velkomst, velkomsthilsen, modtagelse; (vb.) byde velkommen, modtage (venligt); *I* ~ *your help* jeg er glad for Deres hjælp; *bid sby.* ~ byde en velkommen; *you are (quite)* ~ å, jeg be'r; *you are* ~ *to your own opinion* for mig kan De mene hvad De vil; *you are* ~ *to it* det står til Deres tjeneste, De må gerne tage det.

weld [weld] (vb.) svejse; lade sig svejse; sammenføje, samle til et hele; (subst.) svejsning; søm; ~ *together* svejse sammen; *-ed joint* svejsesamling, svejsesøm.

weldless sømløs, heltrukken.

welfare ['welfæə] velfærd, lykke; forsorg; *public* ~ offentlighedens tarv; *social* ~ socialforsorg; *the* ~ *State* velfærdsstaten; *the* ~ *work department* (fx. i handelshus) afdelingen for personalegoder.

welkin ['welkin] himmel, himmelhvælv.

I. **well** [wel] (subst.) brønd; kilde; skakt; elevatorskakt, trappeskakt; fordybning; beholder; petroleumsbrønd, minebrønd; (i fiskerbåd) dam; (i højovn) smelterum; (i pumpe) sump; (jur.) advokatloge.

II. **well** [wel] (vb.) vælde frem, strømme.

III. **well** [wel] (adv.) godt (fx. *sleep* ~, *treat sby.* ~, *shake the bottle* ~); vel- (fx. *a* ~ *situated house);* (indledende) ja, jo ser du, altså (fx. ~, *it was like this);* (udtrykkende forventning) nå (fx. ~, *what next?); well, well* ja ja; nå da! *as* ~ også, desuden; lige så godt (fx. *you may as* ~ *go and hang yourself); just as* ~ lige så godt; *it was just as* ~ *that* det var godt (, et held) at; *it would be just as* ~ *for you to* du må nok hellere; ~ *back* langt tilbage; *do sby.* ~ beværte en godt; *do oneself* ~ leve godt (el. flot); *it would do me very* ~ det ville passe mig udmærket; *do* ~ *by sby.* være storsindet over for én; *do* ~ *to* gøre vel i at; ~ *done!* bravo! ~ *below the Equator* et godt stykke på den anden side ækvator; *be* ~ *out of it* være sluppet godt fra det; *you are* ~ *out of it* du kan være glad for at du er ude af den historie; ~ *on in life* godt oppe i årene; ~ *up in* dygtig til, velorienteret i (fx. *history);* ~ *up in the list* højt oppe på listen; *very* ~, se *very;* ~ *off*, se *well-off.*

IV. **well** [wel] (adj., kun prædikativt) rask (fx. *be* ~, *feel* ~, *look* ~); *we are very* ~ *where we are* vi har det meget godt hvor vi er.

V. **well** [wel] (subst.): *let* (el. *leave)* ~ *alone* (omtr. =) lad os ikke forandre på det; det er godt som det er.

welladay ['weləˈdeⁱ] ak! o ve!

well|-advised ['weləd'vaizd] klog, velbetænkt. ~ **-appointed** veludstyret, veludrustet, velindrettet. ~ **-balanced** ligevægtig, fornuftig. ~ **-behaved** velopdragen, med pæne manerer. ~ **-being** velvære; trivsel. ~ **-beloved** højtelsket. ~ **-born** af god herkomst. ~ **-box** hyttefad. ~ **-bred** velopdragen; af god race. ~ **casing** borerør. ~ **-chosen** velvalgt. ~ **-conditioned** sund og rask; elskværdig, velopdragen. ~ **-conducted** som opfører sig godt. ~ **-connected** af god familie. ~ **-cut** velsiddende (fx. *clothes).* ~ **-defined** tydeligt adskilt, skarpt afgrænset (el. tegnet). ~ **-disposed** velvilligt indstillet. ~ **-doer** retskaffent menneske, velgører. ~ **-done** gennemstegt, gennemkogt. ~ **-earned** velfortjent. ~ **-favoured** (glds.) køn. ~ **-found** = ~ *-appointed.* ~ **-founded** velbegrundet, velfunderet.

well-head ['welhed] kilde; overbygning over en brønd.

well|-heeled rig; velbeslået. ~ **-informed** velunderrettet, kundskabsrig.

wellingtons ['weliŋtənz] skaftestøvler; gummistøvler, røjsere.

well|-intentioned ['welin'tenʃənd] velmenende, velment. ~ **-judged** velbetænkt, velberegnet. ~ **-kept** velholdt (fx. *garden).* ~ **-knit** tæt bygget, kraftigt bygget; (fig.) fast sammentømret, fast. ~ **-known** kendt. ~ **-made** velskabt; dygtigt lavet. ~ **-marked** klar, tydelig. ~ **-meaning** velmenende, velment. ~ **-nigh** ['welnai] næsten. ~ **-off** velhavende, heldigt stillet; *he does not know when he is* ~ *-off* han ved ikke hvor godt han har det; ~ *-off for* velforsynet med; *talk* ~ *-off* **T** tale dannet, tale 'fint'. ~ **-ordered** velordnet; velorganiseret. ~ **-padded** overpolstret; vel ved magt; med meget fyldekalk i (om litterært arbejde). ~ **-read** ['wel'red] belæst. ~ **-reputed** vel anskreven.

well-room ['welru·m] kursal.

well|-rounded (om person) 'i rundbuestil'; (om stil) vel afrundet, fuldendt. ~ **-set** tæt el. kraftigt bygget, velbygget.

well-sinker brøndgraver.

well|-spent ['wel'spent] velanvendt. ~ **-spoken** som taler et kultiveret sprog; som forstår at belægge sine ord, beleven. ~ **-timed** som sker i rette tid, betimelig. ~ **-to-do** velstående. ~ **-trodden** gennemtravet, nedtrådt; (fig.) fortærsket, fladtrådt. ~ **-turned** velturneret. ~ **-wisher** velynder, ven. ~ **-worn** (fig.) fortærsket, fladtrampet, udtrådt.

I. **Welsh** [welʃ] (adj.) wallisisk; (subst.) walliser.

II. **welsh** [welʃ] (vb.) snyde vinderen af et væddemål ved at stikke af med indsatserne; ~ *on a promise* løbe fra et løfte. **welsher** bedrager.

Welshman ['welʃmən] walliser.

Welsh| rabbit, ~ **rarebit** (ret af ristet brød og ost).

welt [welt] (subst.) rand (på fodtøj); snorkantning; kantebånd; stribe, strime (efter slag); (vb.) randsy; gennemprygle (med pisk o.l.).

welter ['weltə] (vb.) vælte, vælte sig; svømme (fig.) (fx. ~ *in one's blood);* (subst.) (broget) forvirring, roderi.

welter-weight weltervægt.

wen [wen] svulst, udvækst; (ogs. fig. om stor by).

wench [wen(t)ʃ] pige (især om tjenestepige, bondepige eller spøgende); tøs.

I. **wend** [wend] (glds.): ~ *one's way* rette sine fjed, vandre.

II. **Wend** [wend] vender. **Wendish** ['wendiʃ] (subst. og adj.) vendisk.

went [went] imperf. af *go.*

wept [wept] imperf. og perf. part. af *weep.*

were [wə·] imperf. af *be.*

we're [wiə] fk. f. *we are.*

werewolf, werwolf ['wə·wulf] varulv.

wert [wə·t] var (glds. imperf. af *be).*

Wesley ['wezli, 'wesli]. **Wesley|an** wesleyansk; wesleyaner. **-anism** wesleyansk metodisme.

west, West [west] (subst.) vest; (adj.) vestlig, vestre, vest-, vesten-; (adv.) imod vest, vestpå; *the West* Vesten; Vesterland; den vestlige halvkugle; (amr.) den vestlige del af U.S.A.; *the Far West* det fjerne Vesten (ɔ: det vestligste af U.S.A.); *go ~* dø, forsvinde; *in the ~* i vest; *on the ~* på vestsiden, i vest; *to the ~* mod vest; *to the ~ of* vest for; *the ~ wind* vestenvinden.

West End: *the ~* (den vestlige (rigere) del af London).

westering ['westəriŋ] bevægende sig mod vest, (om solen:) dalende. **westerly** vestlig.

western ['westən] (adj.) vestlig, vestre, vest-, vesterlandsk; (subst.) western, wild-west film; *the Western Church* den romersk-katolske kirke; *the Western Empire* det vestromerske rige.

westerner ['westənə] vestamerikaner; vesterlænding.

westernize ['westənaiz] indføre Vestens kultur i, europæisere.

westernmost ['westənmoᵘst] vestligst.

West India, *the* **West Indies** Vestindien.

Westminster ['westminstə].

westmost ['westmoᵘst] vestligst.

Westphalia [west'feⁱljə] Westfalen.

westward ['westwəd] mod vest, vestpå; vest.

westwards ['westwədz] mod vest, vestpå.

wet [wet] (adj.) våd, fugtig, regnfuld; **T** sentimental; tåbelig; (amr. **S**) ikke tørlagt, hvor der ikke er spiritusforbud; (subst.) væde, nedbør, regnvejr; (amr.) forbudsmodstander; **S** drik, tår; (vb.) væde, bløde, fugte; gøre våd, tisse i (fx. *~ one's bed, ~ one's trousers); ~ oneself* gøre sig våd; *Wet Paint* 'Malet'; *~ one's whistle* fugte ganen, drikke.

wet| blanket (fig.) lyseslukker. ~ **-dock** våd dok, dokbassin, dokhavn. ~ **fish** frisk fisk (modsat fx. røget). ~ **goods** flydende varer, 'våde varer'.

wether ['weðə] bede (gildet vædder).

wet-nurse (subst.) amme; (vb.) amme, give bryst.

W.F.T.U. fk. f. *the World Federation of Trade Unions.*

W.G. fk. f. *Westminster Gazette.*

whack [wäk] banke, klaske; (subst.) (kraftigt) slag, bank, klask; **S** andel; *have a ~ at* forsøge, gøre et forsøg på.

whacker ['wäkə] **S** pragteksemplar; dundrende løgn.

whacking ['wäkiŋ] dragt prygl; omgang klø; **S** gevaldig, vældig; *a ~ lie* en dundrende løgn.

whacko ['wäkoᵘ] **S** den er fin (el. mægtig)! novra!

whale [weⁱl] hval; (vb.) fange hvaler; *be having a ~ of a time* more sig glimrende.

whale|-boat hval(fanger)båd. **-bone** hvalbarde, fiskeben. ~ **-calf** hvalunge. ~ **factory ship** hvalkogeri. ~ **-fin** = *-bone.* ~ **-oil** hvalolie.

whaler hvalfanger; hvalfangerskib.

whaling hvalfangst; hvalfanger-.

whang [wäŋ] (vb.) klaske, dunke; (subst.) læderrem; klask, bang.

wharf [wå·f] (subst.) bolværk, kaj; (vb.) fortøje (ved bolværk); losse; oplægge. **wharfage** bolværksafgift. **wharf crane** havnekran.

wharfinger ['wå·findʒə] ejer af havneoplagsplads, bolværksejer.

I. **what** [wåt] (adjektivisk) hvilken, hvilket, hvad for en (, et) (fx. *~ book is that?);* hvad for (fx. *tell me ~ places you have seen);* hvad, hvilke (fx. *visit ~ places you like);* sikke noget (fx. *~ nonsense!);* sikken (fx. *~ a fine day!); I gave him ~ money I had* jeg gav ham de penge, jeg havde; *~ little he said was correct* den smule (el. det lidet) han sagde var rigtigt.

II. **what** [wåt] (substantivisk) hvad (fx. *~ is he? ~ did he say? I mean ~ I say);* hvad der, det der (fx. *he took ~ was mine; ~ happened was quite an accident);* noget (fx. *I'll tell you ~);* noget, der ... (fx. *he took ~ looked like a silver coin out of his pocket);* hvordan (fx. *you know ~ he is); you know ~ artists are* du ved hvordan det er med kunstnere; *~ for?* af hvad grund? *~ are you going to have?* (ogs.) hvad vil du drikke? *~ if ...* hvad om ...; *~ is he like?* hvordan er han? hvordan ser han ud? *~ 's his name?* hvad var det nu han hed? ... *and ~ not* og meget andet af samme slags; *~ of it?* , *so ~?* ja, hvad så? *I'll tell you ~* nu skal du høre; *~ though* ... hvad gør det, om ...; *know what's ~* være med, vide besked; *tell him what's ~* give ham ren besked; *~ with one thing and (~ with) another* dels på grund af det ene, dels på grund af det andet; det ene med det andet; *~ 's yours?* hvad vil De drikke?

whatever [wåt'evə] hvad end, alt hvad (fx. *~ he did was for the best);* hvilke(n) end (fx. *~ orders he gives are obeyed);* hvad (i al verden), hvad ... dog (fx. *~ did he say?); nothing ~* intet som helst.

what-for ['wåt'få·] **T**: *give him ~* give ham klø, give ham hvad han har godt af.

what-not ['wåtnåt] etagère.

whatsoever [wåtsoᵘ'evə] se *whatever.*

wheal [wi·l] blegn; vable; hævelse; strime (efter slag).

wheat [wi·t] hvede. **wheat|ear** (zo.) stenpikker. **-en** hvede-, af hvede. ~ **-grass** ♧ kvik(græs).

wheedle ['wi·dl] lokke, smigre, sleske for, snakke godt for; *~ sby. into doing sth.* besnakke en til at gøre ngt.; *~ out of* fralokke.

wheel [wi·l] (subst.) hjul; cykel; spinderok; pottemagerhjul; drejning, svingning; (i bil og ⚓) rat; (vb.) køre, trille, lade svinge; rulle, dreje sig, kredse; svinge; cykle; *break upon the ~* radbrække; *~ one's bicycle* trække sin cykel; *there are -s within -s* (fig.) det foregår med lodder og trisser (ɔ: der er hemmelig indflydelse bagved); det er en meget kompliceret affære.

wheel|barrow trillebør, hjulbør. ~ **base** akselafstand. ~ **-chair** rullestol.

wheeled [wi·ld] forsynet med hjul, hjul-; kørende (fx. *~ traffic).*

wheeler ['wi·lə] cyklist; stanghest.

wheel| fairing (flyv.) strømlinjet hjulskærm. ~ **-horse** stanghest. ~ **-house** ⚓ styrehus. ~ **indicator** ⚓ rorviser. ~ **-tread** slidbane (på hjul). ~ **well** (flyv.) hjulbrønd. ~ **-window** rundt vindue. **-wright** hjulmand, hjulmager.

wheeze [wi·z] (vb.) hive efter vejret, puste, hvæse; (subst.) hiven efter vejret, pusten, hvæsen; **S** vits, vittighed, improviseret replik, spøg. **wheezer** ['wi·zə] (om hest) lungepiber. **wheezy** ['wi·zi] forpustet, 'astmatisk'.

whelk [welk] (zo.) trompetsnegl; konk; (i ansigtet) filipens, knop.

whelm [welm] overskylle, overvælde.

whelp [welp] hvalp, unge; (vb.) kaste hvalpe.

when [wen] hvornår, når (fx. *~ did you see him last? I don't know ~ it was);* da (fx. *it was raining ~ we started);* når (fx. *I will see you ~ I return);* skønt (fx. *he walks ~ he might take a taxi);* hvor (fx. *there are times ~ ...);* på hvilket tidspunkt, ved hvilken lejlighed, og så (fx. *they will come in June ~ we will all be gathered); say ~!* sig stop! (underforstået: når jeg har hældt tilstrækkeligt i glasset); *since ~* og siden da (fx. *he left on Monday since ~ we have heard nothing from him).*

whence [wens] hvorfra, hvoraf; derfra hvor; *from ~* hvorfra.

whencesoever [wenssoᵘ'evə] hvorfra end.

whenever [we'nevə] hvornår i al verden? når som helst (end), altid når; hver gang (fx. *~ he saw some old china, he wanted to buy it).*

whensoever [wensoᵘ'evə] når som helst (end), altid når.

where [wæə] hvor; *~ are you going?* hvor skal du hen? *before you knew ~ you were* før man vidste et ord af det; *near ~* nær det sted hvor.

whereabouts ['wæərə'bauts] (adv.) hvor, hvor

omtrent; (subst.) opholdssted (fx. *we don't know his ~); tilholdssted; beliggenhed.

where|as [wæə'räz] hvorimod, medens derimod; såsom, eftersom. **-at** [wæə'rät] hvorover, hvorved. **-by** [wæə'bai] hvorved. **-fore** ['wæəfå·] hvorfor; *the why and the -fore* grunden. **-in** [wæə'rin] hvori. **-of** [wæə'råv] hvoraf, hvorom, hvorfor. **-on** [wæə'rån] hvorpå. **-soever** [wæəsoᵘ'evə] hvor end, hvorhen end. **-through** [wæə'þru·] hvorigennem. **-to** [wæə'tu·] hvortil. **-unto** [wæərʌn'tu·] hvortil. **-upon** [wæərə'pån] hvorpå, hvorefter.

wherever [wæə'revə] hvor end, hvorhen end, hvor som helst, overalt hvor; hvor (i al verden)?

wherewithal ['wæəwiðå·l] (penge)midler; [wæəwi'ðå·l] (glds.) hvormed.

wherry ['weri] let robåd; bred pram.

whet [wet] (vb.) hvæsse, slibe (fx. *a knife);* skærpe (fx. *the appetite);* (subst.) hvæssen, slibning; stimulering (af appetit etc.); appetitvækker, aperitif, snaps.

whether ['weðə] enten, hvad enten; om, hvorvidt; (glds. pron.) hvilken (af to); *I'll go ~ or no* jeg går i alle tilfælde; *tell me ~ or no* sig mig om du vil (, om det forholder sig således) eller ej.

whetstone ['wetstoᵘn] slibesten; stimulering, stimulans; appetitvækker.

whew [hwu·] puh! pyh (ha)! nå da!

whey [wei] valle. **whey-faced** blegnæbbet.

which [witʃ] 1. (spørgende pron.) hvem, hvad, hvilken (, hvilket, hvilke) (af et bestemt antal); *~ of you?* hvem af jer? *~ remedy can help me, this one or that one?* hvilket lægemiddel kan hjælpe mig, dette her eller det der? 2. (relativt pron.) som, der; hvad der; *he gave me nothing, ~ was bad* han gav mig intet, hvad der var slemt; *of ~* hvis; *an aeroplane the pilot of ~ was killed* en flyvemaskine hvis fører blev dræbt.

which|ever [witʃ'evə] hvilken end, hvilken som helst der. **-soever** [witʃsoᵘ'evə] hvilken end.

whiff [wif] (subst.) pust, drag; duft, lugt; **T** lille cigar; (vb.) dufte, lugte.

whiffle ['wifl] sprede (med et pust); (om vind) komme stødvis; (fig.) svinge, være ustadig.

Whig [wig] whig (medlem af det parti, der i 19. årh. udviklede sig til det liberale parti).

whiggish ['wigiʃ] (adj.) whig-.

while [wail] (subst.) tid, stund; (conj.) medens, så længe (som); selvom (fx. *~ he was not poor he had no money);* (vb.) fordrive (tiden); *the ~* imedens; *once in a ~* en gang imellem; af og til; *in a little ~* om kort tid; *make it worth his ~* betale ham for det; bestikke ham; *was this worth ~?* var det umagen værd? *~ there is life there is hope* så længe der er liv er der håb; *~ away the time* fordrive tiden.

whilom ['wailəm] (glds.) tidligere, fordum.

whilst [wailst] medens, så længe som.

whim [wim] grille, lune, indfald; hejseapparat (i mineskakt).

whimbrel ['wimbril] (zo.) lille regnspove.

whimper ['wimpə] klynke; klynken.

whim|sical ['wimzikl] lunefuld, snurrig, underlig. **-sicality** [wimzi'käliti] lunefuldhed, snurrighed.

whimsy ['wimzi] lune, indfald; snurrighed, særhed.

whin [win] ♧ tornblad.

whinchat ['wintʃät] (zo.) bynkefugl.

whine [wain] (vb.) flæbe, klynke, jamre; (om hund) pibe; (subst.) klynken, jamren, piben.

whinger ['wiŋə] daggert, kort sværd.

whinny ['wini] vrinske; vrinsken.

I. **whip** [wip] (vb.) piske (fx. *a horse, eggs);* prygle; **T** banke, klø (ɔ: besejre); snappe, rive; fare, 'stikke' (fx. *he -ped upstairs);* ⚓ takle; (i syning) kaste sammen; *~ off* drive bort med pisken; *~ the lid off a box* rive låget af en æske; *he -ped on her* han vendte sig lynsnart om mod hende; *~ out an oath* udslynge en ed; *~ out a revolver* rive en revolver op af lommen; *~ up one's horse* få hesten i gang.

II. **whip** [wip] (subst.) pisk; kusk; (ved jagt) pikør, (i parlamentet) indpisker (som samler partifæller til afstemning); opfordring fra indpiskeren til at møde til afstemning.

whip|-cord piskesnor; (stof:) whipcord. **~ -hand**: *have the ~ -hand of* have overtaget over. **~ -lash** piskesnert.

whipper-in ['wipə'rin] pikør; indpisker (se II. *whip).*

whipper-snapper ['wipəsnäpə] spirrevip, lille vigtigper.

whippet ['wipit] whippet (lille engelsk mynde).

whipping ['wipiŋ] pisk, prygl; nederlag.

whipping|-boy syndebuk, prügelknabe. **~ -top** top.

whippoorwill ['wipə'wil] (amr., zo.) whippoorwill-natravn.

whippy ['wipi] slank og bøjelig; spændstig.

whip-round ['wipraund] **T** indsamling.

whipster ['wipstə] spirrevip, lille vigtigper.

whir [wə·] snurre, svirre; snurren, svirren.

whirl [wə·l] (vb.) hvirvle, svinge, svinges, svirre; (subst.) hvirvlen, (hurtigt) omløb; *live in a ~ of pleasures* leve i sus og dus; *in -s of snow* i fygende snevejr; *it set my head in a ~* det fik det til at svimle (el. løbe rundt) for mig. **whirl-about** hvirvel.

whirligig ['wə·ligig] snurretop; karussel; hvirvel; (zo.) hvirvler (et insekt).

whirlpool strømhvirvel, malstrøm.

whirlwind hvirvelvind; *sow the wind and reap the ~* så vind og høste storm.

whirr = *whir.*

whish [wiʃ] suse, pibe.

whisk [wisk] (subst.) visk, dusk; piskeris, pisker; strøg, strejf; (vb.) viske, feje, piske; slå med (halen); forsvinde, fare af sted; *~ off* vifte (el. viske) væk; forsvinde (el. fare af sted) med, føre væk i en fart; snuppe.

whiskered med kindskæg. **whiskers** knurhår; kindskæg.

whiskey se II. *whisky.*

whiskified ['wiskifaid] **T** påvirket af whisky.

I. **whisky** ['wiski] en slags let gig.

II. **whisky** ['wiski] whisky; *~ and soda* sjus.

whisper ['wispə] (vb.) hviske, ymte om; (subst.) hvisken, hemmeligt vink. **whisperer** sladderhank.

whist [wist] stille! hys! whist (kortspillet).

whist-drive whistturnering, (ofte =) præmiewhist.

whistle ['wisl] (vb.) fløjte, pibe, pifte, hvisle; (subst.) fløjten, fløjt, pift, piben, hvislen; fløjte; *he may ~ for it* det kan han kigge i vejviseren efter; *blow the starting ~* fløjte til afgang; *wet one's ~* **S** fugte ganen, drikke.

whistle-buoy ⚓ fløjtetønde.

whistler ['wislə] (zo., amr.) murmeldyr; (om hest) lungepiber.

whistle-stop (amr.) (jernb.) trinbræt; (ɔ: lille station); (fig.) kort ophold under valgkampagne.

whit [wit] smule, gran, det ringeste; *every ~* aldeles, fuldkommen, i enhver henseende; *every ~ as great* i enhver henseende lige så stor.

Whit [wit] pinse-.

Whitaker ['witikə].

white [wait] (adj.) hvid, bleg, hvidhåret; (fig.) retskaffen, redelig, hæderlig; ren, pletfri, uskyldig; (subst.) hvidt; hvide; hvid (modsat neger etc.); (vb., glds.) gøre hvid, hvidte; *~ of egg* æggehvide; *the ~ of the eye* det hvide i øjet; *a -d sepulchre* en kalket grav, en hykler.

white| alloy hvidmetal (imitation af sølv). **~ ant** (zo.) termit. **~ ash** ♧ amerikansk ask. **-bait** småfisk (især sild); ret af småfisk. **-beam** ♧ akselbærrøn. **~ bear** (zo.) isbjørn. **~ -caps** skumklædte bølger.

Whitechapel ['waittʃäpəl]: *~ cart* tohjulet trækvogn.

white|-collar workers (pl.) funktionærstanden. **~ crow** (fig.) sjældenhed. **~ elephant** se *elephant.* **~**

-faced bleg; med hvid blis. ~ **feather** se I. *feather*. ~ **friar** karmelitermunk. ~ **game,** ~ **grouse** fjeldryper. ~ **-haired** hvidhåret; lyshåret; ~ *-haired boy* (fig.) yndling.

Whitehall ['waithå·l] (gade i London med) ministerierne.

white|-handed med hvide hænder; uskyldig; ~ **heat** hvidglødhede. ~ **-horses** skumklædte bølger. ~ **-hot** hvidglødende.

White House: *the* ~ U.S.A.'s præsidentbolig.

white| lead blyhvidt. ~ **lie** nødløgn. ~ **-lipped** med blege læber. **-livered** ['waitlivəd] fej.

white| man hvid mand; **T** hæderligt menneske; *the* ~ *man's burden* den hvide races (kultur)mission. ~ **meat** hvidt kød (især af kylling, svin, kalv). ~ **metal** = ~ *alloy*.

whiten ['waitn] gøre hvid, blege; blive hvid, blegne. **whitening** ['waitniŋ] slæmmet kridt.

white| paper (mindre) hvidbog. ~ **poplar** ♧ sølvpoppel. ~ **slave** offer for hvid slavehandel. ~ **slaver** hvid slavehandler. ~ **spruce** ♧ hvidgran. ~ **-tailed (sea) eagle** (zo.) havørn. **-thorn** ♧ hvidtjørn. **-throat** (zo.) tornsanger; *lesser -throat* gærdesanger.

whitewash ['waitwåʃ] (subst.) hvidtekalk; (fig.) renvaskning; (vb.) hvidte; (fig.) renvaske (ɔ: forsøge at rense en persons rygte); *be -ed* (ogs.) slippe ud af sin gæld ved at erklære sig konkurs.

whither ['wiðə] (poet. el. glds.) hvorhen.

whithersoever [wiðəsoᵘ'evə] hvorhen end.

whiting ['waitiŋ] slæmmet kridt; hvidtekalk; (zo.) hvilling.

whitish ['waitiʃ] hvidlig.

whitleather ['witleðə] hvidgarvet læder.

whitlow ['witloᵘ] bullen finger, bullenskab (i en finger), betændt neglerod.

Whit Monday 2. pinsedag.

Whitsun ['witsən] pinse. **Whitsun|day** ['wit'sʌndi, 'witsn'deⁱ] pinsedag. ~ **holidays** pinseferie. **-tide** pinse.

whittle ['witl] (vb.) snitte, skære, beskære; skrælle bark af; (subst.) tollekniv, slagterkniv; ~ *down* skære ned, reducere.

whiz(z) [wiz] suse, pibe; susen, piben.

whizzbang **S** slags granat; kineser (fyrværkeri.)

who [hu·] hvem? (fx. ~ *is there?* ~ *was he speaking to?*); som, der (fx. *the man* ~ *was here*).

WHO fk. f. *World Health Organization.*

whoa [woᵘ, hoᵘ] prr! (til hest).

whodun(n)it [hu·'dʌnit] **S** kriminalroman.

whoever [hu(·)'evə] hvem der end, enhver som; hvem i al verden?

whole [hoᵘl] (adj.) hel, helt, hele (fx. *a* ~ *glass*); (bibl.) rask; (subst.) helhed, hele; *the* ~ *amount* hele beløbet; *the* ~ *of* hele, alle (fx. *the* ~ *of the five years I was there*); *a* ~ *lot* en hel del; *(up)on the* ~ i det hele taget, i det store og hele.

whole|-coloured ensfarvet. ~ **-hearted** hjertelig, uforbeholden, helhjertet. ~ **-hogger** en som gør noget til bunds og uden forbehold. ~ **-length** (billede) i hel figur. **-meal** usigtet mel. **-meal bread** fuldkornsbrød. ~ **milk** sødmælk. ~ **number** helt tal.

wholesale ['hoᵘlseⁱl] en gros; i stor stil, masse- (fx. ~ *murder*); *sell (by)* ~ sælge en gros.

wholesale dealer, wholesaler ['hoᵘlseⁱlə] grosserer.

wholesale trade engroshandel.

wholesome ['hoᵘlsəm] sund, gavnlig.

wholly ['hoᵘlli] helt, aldeles, ganske.

whom [hu·m] hvem, som (afhængighedsform af *who*); ~ *do you mean?* hvem mener du? *to* ~ *do you refer* hvem hentyder du til? *the man to* ~ *you refer* den mand du hentyder til.

whoop [hu·p] (subst.) råb(en), hujen; hiven (efter vejret); (ugles) tuden; (vb.) huje, råbe; hive efter vejret; tude; ~ *it up* **S** svire; slå på tromme (*for* for) (fig.).

whoopee ['wu·pi·] hurra! juhu! *make* ~ lave fest og ballade.

whooping|-cough ['hu·piŋkåf] kighoste. ~ **swan** (zo.) sangsvane.

whop [wåp] **S** give klø, tærske; (fig.) banke (ɔ: besejre).

whopper ['wåpə] **S** pragteksemplar, stor tamp (fx. *that fish was a* ~); dundrende løgn.

whopping ['wåpiŋ] **S**: ~ *big* vældig stor, enorm.

whore [hå·] (vulg.) hore, luder; (glds.) skøge; *go whoring after* (bibl.) bole med; (fig.) jage efter (fx. *wealth*).

whorl [wə·l] krans; vinding (fx. af sneglehus).

whortleberry ['wə·tlberi] ♧ blåbær; *red* ~ tyttebær.

whose [hu·z] hvis (ejefald af *who* el. *which*); ~ *hat is this?* hvis er denne hat? *the boy* ~ *hat was stolen* den dreng hvis hat blev stjålet.

whosoever [hu·soᵘ'evə] hvem der end, enhver som.

why [wai] hvorfor; ih! å! jamen; jo for; ved du hvad? *that was* ~ *he did it* det var derfor han gjorde det; ~ *is it that* ... hvor(dan) kan det være, at ...

W.I. fk. f. *West Indies.*

wick [wik] væge, tande; *it gets on my* ~ **S** det går mig på nerverne.

wicked ['wikid] ond, slet, syndig, forkastelig, ugudelig; ondskabsfuld, uartig; skadefro.

wicker ['wikə] vidje; (adj.) kurve- (fx. *chair*).

wicker-work kurvefletning, kurvemagerarbejde.

wicket ['wikit] låge, halvdør; sluseklap; gærde (i kricket).

wicket-keeper stokker, keeper (i kricket).

widdershins se *withershins.*

wide [waid] (adj.) bred (fx. *a* ~ *road*); stor; udstrakt; omfattende; **T** = ~ *-awake;* (adv.) vidt, langt; ~ *eyes* opspilede øjne; *a* ~ *margin* en bred margen; *far and* ~ vidt og bredt; *open one's mouth* ~ åbne munden højt; *be* ~ *of the mark* ramme helt ved siden af; se ogs. *berth.*

wide-awake (adj.) lysvågen, på sin post; (subst.) spejderhat.

widen ['waidn] gøre bredere; blive bredere; udvide(s).

widespread ['waidspred] udbredt (fx. *belief*).

widgeon ['widʒən] (zo.) pibeand, blisand.

widow ['widoᵘ] enke; gøre til enke el. enkemand.

widower enkemand. **widowhood** enkestand.

width [widþ] vidde, bredde; (fig.) spændvidde.

wield [wi·ld] føre, håndtere, bruge (fx. *an axe*); udøve (fx. *power*).

wife [waif] (pl. *wives*) hustru, kone; *take to* ~ tage til hustru.

wig [wig] paryk; (vb.) **S** dadle, skælde ud.

wig|-block parykblok. **-ged** [wigd] med paryk.

wigging ['wigiŋ] overhaling, irettesættelse.

wiggle ['wigl] sno sig, sprælle, vrikke.

wight [wait] (glds.) menneske, person.

wigwam ['wigwəm] wigwam, indianerhytte.

I. **wild** [waild] (adj.) vild (fx. ~ *animals,* ~ *roses*); afsindig (fx. ~ *laughter*); forrykt (fx. ~ *schemes*); larmende (fx. ~ *cheers*); rasende (fx. *it made me* ~ *to listen to such nonsense*); letsindig (fx. *a* ~ *young man*); uopdyrket, ubeboet (fx. ~ *country*); (om dyr) sky (fx. *the deer are very* ~); *be* ~ *about* være vild efter; *run* ~ vokse vildt, uden røgt og pleje.

II. **wild** [waild] (subst.) ødemark.

wild| arum ♧ dansk ingefær. ~ **-boar** (zo.) vildsvin. ~ **-cat** (subst.) vild kat; (adj.) forrykt, fantastisk, vild. ~ **-duck** (zo.) vildand.

wildebeest ['wildibi·st] (zo.) gnu.

wilderness ['wildənės] vildnis, ørken; (fig. ogs.) jungle, virvar.

wild-eyed ['waildaid] med et vildt blik; skrækslagen; fanatisk.

wildfire ['waildfaiə] st. elmsild; *like* ~ lynsnart, som en løbeild; *sell like* ~ gå af som varmt brød.

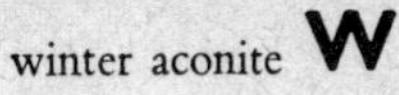

wild-goose chase meningsløst (el. håbløst) foretagende; *go on a ~* løbe med limstangen.

wilding ['waildiŋ] vild vækst, vild frugt.

wild oats: *sow one's ~* løbe hornene af sig.

wile [wail] list, kneb, bedrag; (vb.) lokke.

wilful ['wilful] egensindig, stivsindet; forsætlig, overlagt.

I. **will** [wil] (imperf. *would)* vil; (om det sædvanemæssige) plejer at; kan (fx. *thus he ~ sit for hours); you would!* det kunne lige ligne dig! det tænkte jeg nok! *I would not know* det skal jeg ikke kunne sige; *I would point out* jeg tillader mig at gøre opmærksom på; *I would to God* Gud give; *that ~ be my father* det er vist (el. nok) min fader.

II. **will** [wil] (vb.) testamentere (fx. *~ one's money to sby.);* gennemføre ved en viljesanstrengelse (fx. *I -ed it);* ville.

III. **will** [wil] (subst.) vilje; testamente; *at ~* efter behag; efter forgodtbefindende; *tenant at ~* (lejer el. forpagter med hvem der ikke foreligger aftale om lejemålets (, forpagtningens) varighed); *with a ~* af hjertens lyst, med fynd og klem; (se ogs. *deed).*

Will [wil] fk. f. **William** ['wiljəm].

willing ['wiliŋ] villig; *be ~ to* ville, være villig til (at); *God ~* om Gud vil. **willingness** villighed.

will-o'-the-wisp ['wiləðəwisp] lygtemand.

willow ['wiloᵘ] ♧ pil, piletræ.

willow|-grouse (zo.) dalrype. *~* **-herb** ♧ gederams; dueurt. *~* **-warbler** (zo.) løvsanger.

willowy ['wiloᵘi] pilebevokset; pileagtig, smidig og slank, smækker.

will-power viljestyrke.

willy nilly ['willi'nili] enten man vil eller ej.

I. **wilt** [wilt] (glds.): *thou ~* du vil.

II. **wilt** [wilt] visne, tørre ind, hænge, slappes; blive slasket; tørre, bringe til at visne, slappe.

wily ['waili] listig, snu, forslagen.

wimple ['wimpl] nonnes hovedlin.

I. **win** [win] *(won, won)* vinde, vinde for sig, sejre; nå; *~ out* (amr.) sejre; *~ over* få over på sin side, overtale; *~ through* kæmpe sig igennem (vanskelighed etc.); *~ to* nå til; *you ~!* (ogs.) jeg giver fortabt (el. op).

II. **win** [win] (subst.) sejr.

wince [wins] (vb.) fare sammen, krympe sig; (subst.) nervøst ryk, smertelig trækning.

winch [wintʃ] spil, lossespil; håndsving.

Winchester ['wintʃistə].

I. **wind** [wind] (subst.) vind, blæst; åndedræt; (fig.) tomme ord, mundsvejr, snak; (med.) vind (ɔ: tarmluft); (i musik) blæsere; *the four -s* de fire verdenshjørner;

break ~ slippe en vind, fjærte; *get ~ of* få nys om; *get the ~ up* **S** blive bange; *get one's ~ back, get one's second ~* få vejret igen; *like the ~* som et lyn; *lose one's ~* tabe vejret; *raise the ~* **S** skaffe penge; *the ~ rises* det begynder at blæse, vinden tager til; *there is sth. in the ~* der er noget i gære; *in the -'s eye, in the teeth of the ~* lige imod vinden; *hit sby. in the ~* ramme en i hjertekulen; *be* (el. *sail) close to the ~* (fig.) være lige på grænsen.

II. **wind** [wind] (vb.) få færten af (fx. *the hounds -ed the fox);* vejre; få til at tabe vejret (el. pusten), tage pusten fra; lade puste ud (fx. *~ the horses); get -ed* tabe vejret (el. pusten), blive forpustet.

III. **wind** [waind] *(wound, wound)* vinde, sno; dreje, trække op; vikle, flette; omvikle, bevikle; sno sig, bugte sig; *~ off* vikle af; vinde af; *~ up* vinde op; afvikle, opgøre, afslutte, likvidere; trække op (fx. et ur); spænde, slutte.

IV. **wind** [waind] (subst.) snoning, bugt, drejning.

windage ['windidʒ] (projektils) afdrift (på grund af vinden).

wind|bag ['windbăg] ordgyder, vindbøjtel, snakkesalig person. **-bound** opholdt af modvind. **-break** læbælte. **-breaker, -cheater** vindjakke. *~* **-egg** vindæg.

Windermere ['windəmiə].

wind|fall ['windfå·l] nedblæst frugt; uventet held, uventet fordel (el. indtægt). **-flower** ♧ anemone. *~* **-gauge** vindmåler. **-hover** ['windhåvə] (zo.) tårnfalk.

windiness ['windinės] stormfuldhed; tomhed.

winding ['waindiŋ] omdrejning, bøjning; (be-) vikling, spoling; snoning; bugt; (adj.) snoet, bugtet; snørklet.

winding|-sheet liglagen. *~* **staircase** vindeltrappe. *~* **-up** afslutning, afvikling, likvidation.

wind|-instrument ['windinstrumənt] blæseinstrument. *~* **-jammer** ['winddʒămə] stort hurtigsejlende sejlskib. **-lass** ['windləs] spil (med vandret aksel), brøndvinde; ⚓ ankerspil. **-less** ['windlės] uden vind, stille. **-mill** ['winmil] vejrmølle, mølle.

window ['windoᵘ] vindue; *french ~* glasdør (som fører ud til en have, altan e.l.). **window|box** altankasse. *~* **-dressing** vinduespyntning; (fig.) det at pynte på et regnskab o.l., pynt, staffage. *~* **-pane** rude. *~* **-shopping**: *go ~ -shopping* se på butiksvinduer. *~* **-sill** vindueskarm.

wind|pipe ['windpaip] (anat.) luftrør. *~* **-rode** ⚓ vindret. *~* **-screen,** (amr.) **-shield** læskærm; (i ærme) vindfang; (i bil) vindskærm; *~ -screen* el. *-shield wiper* vinduesvisker. *~* **-sock** vindpose.

Windsor ['winzə].

wind|-swept ['windswept] forblæst, udsat for vinden. *~* **-tight** vindtæt. *~* **tunnel** vindkanal.

windward ['windwəd] ⚓ på vindsiden, i luvart; luvart, vindside; *get to ~ of* tage luven fra, vinde fordel over; *the Windward Islands* (en gruppe af de små Antiller).

windy ['windi] blæsende; opblæst, tom; **S** nervøs, bange.

wine [wain] vin; (vb.) drikke vin.

wine|bag vinsæk; **S** drukkenbolt. **-bibber** drukkenbolt. **-bottle** vinflaske; vinsæk. *~* **-cask** vinfad. *~* **-cellar** vinkælder. *~* **-cooler** vinkøler. **-cup** vinpokal, vinbæger. *~* **-grower** vinavler. *~* **-house** vinfirma, vinhus, vinstue. *~* **-list** vinkort. *~* **-merchant** vinhandler. **-skin** vinsæk. *~* **-taster** vinprøver.

I. **wing** [wiŋ] (subst.) vinge; (af hus etc., ogs. ⚔) fløj; (i fodbold) wing; (på teater) sidekulisse; (bil-) skærm; (flyv.) bæreplan; ⚔ flyveafdeling; (amr.) flyveregiment; *~ of the nostril* næsefløj; *clip the -s of* stække; *get one's -s* få flyvercertifikat; *on the ~* i flugten; under opbrud; *take ~* flyve op; flygte; *take under one's ~* (fig.) tage under sin beskyttelse.

II. **wing** [wiŋ] (vb.) bevinge; give fart; flyve over; vingeskyde, såre i armen; flyve.

wing|-beat vingeslag. *~* **case** (zo.) dækvinge. *~* **-chair** øreklapstol. *~* **-clipped** stækket. *~* **collar** knækflip.

Wing Commander (flyv.) oberstløjtnant.

winged armchair øreklapstol.

wing-spread ['wiŋspred] vingefang.

I. **wink** [wiŋk] (vb.) blinke; funkle; *~ at* blinke til; se gennem fingre med; *like -ing* **S** som et lyn.

II. **wink** [wiŋk] (subst.) blink, tegn (med øjnene); blund; *forty -s* en lille lur; *I didn't sleep a ~* jeg lukkede ikke et øje.

winkle ['wiŋkl] (zo.) strandsnegl; *~ out* pille ud, lirke ud, hale ud, tvinge til at komme frem.

winner ['winə] vinder, sejrherre; vinderkort; *every shot a ~* gevinst hver gang.

winning ['winiŋ] vindende, indtagende. **winning-post** (i sport) dommerpæl, mål. **winnings** gevinst.

winnow ['winoᵘ] rense (korn for avner); udskille, sigte. **winnower, winnowing machine** renseblæser.

winsome ['winsəm] vindende, indtagende, tiltalende; yndig, vakker.

winter ['wintə] (subst.) vinter; (vb.) overvintre, tilbringe vinteren; vinterfodre.

winter| aconite ['wintə 'ăkənait] erantis. *~*

-apple vinteræble. ~ **garden** vinterhave. **-green** ♧ gaultheria, vintergrøn; *oil of -green* vintergrøntolie. ~ **-quarters** vinterkvarter. ~ **savory** se *savory*.

wintry ['wintri] vinter-, vinterlig; (fig.) kølig, kold.

winy ['waini] vinagtig, vin-; oprømt (af vin).

I. **wipe** [waip] (vb.) tørre (fx. *one's eyes)*, tørre af, tørre over; ~ *his eye for him* **S** give ham en vals (el. opsang); komme ham i forkøbet; ~ *off* tørre af; blive af med; ~ *out* tørre indvendig; viske ud (fx. ~ *out a mark);* fjerne; slå en streg over; udslette, helt tilintetgøre (fx. *the town was completely -d out);* ~ *up* tørre op.

II. **wipe** [waip] (subst.) aftørring; (i film) wipe; **S** slag; lommetørklæde; *I fetched him a* ~ jeg langede ham en.

wiper ['waipə] visker.

wire ['waiə] (subst.) (metal)tråd, ledningstråd, telegraftråd; wire, vire; telegram; (vb.) fæste, binde sammen (el. op) med ståltråd; telegrafere; ~ *a house for electric light* installere elektricitet i et hus; *pull the -s* (fig.) trække i trådene; ~ *in* **S** tage kraftigt fat, gå på med krum hals.

wire|-cutter bidetang. **-d tyre** kanttrådsdæk. ~ **-edge** (på skæreredskab) rååg. ~ **-entanglement** pigtrådsspærring. ~ **-gauge** ['waiəgeⁱdʒ] trådmål, trådlære. ~ **-gauze** ['waiəgå·z] trådvæv. ~ **glass** trådglas. **-hair** ruhåret terrier.

wireless ['waiəlės] (adj.) trådløs (fx. ~ *telegraphy*); (subst.) radio, radiomodtager; trådløs telegrafi, trådløs telefoni; radiotelegram; *by* ~ pr. radio; *(hear) on the* ~ (høre) i radio.

wireless| operator radiotelegrafist. ~ **set** radioapparat. ~ **station** radiostation.

wire|-netting trådnet, ståltrådshegn. ~ **-puller** (fig.) en der trækker i trådene. ~ **-pulling** (fig.) trækken i trådene. ~ **-rope** ståltov. ~ **-tapping** (telefon)aflytning. ~ **-worm** (zo.) trådorm; smælderlarve.

wiring ['waiəriŋ] ledningsnet, ledninger; installation, ledningsinstallation.

wiry ['waiəri] ståltråds-, som ståltråd; sej, senestærk.

wisdom ['wizdəm] visdom, klogskab. **wisdom -tooth** visdomstand.

I. **wise** [waiz] (adj.) vis, forstandig, klog; *be* (el. *get)* ~ *to* blive klar over; *put sby.* ~ *to* (el. *on) the matter* sætte en ind i sagen.

II. **wise** [waiz] (subst., glds.) vis, måde; *(in) no* ~ på ingen måde; *on this* ~ på denne måde.

wiseacre ['waizeⁱkə] selvklog dumrian.

wisecrack ['waizkräk] (amr.) **T** kvik el. morsom bemærkning, vittighed, vits.

wise| guy bedrevidende fyr. ~ **woman** klog kone.

wish [wiʃ] (subst.) ønske, begæring; (vb.) ønske, ville gerne; *have one's* ~ få sit ønske opfyldt; *I* ~ *(that)* jeg ville ønske at, gid, bare; *I* ~ *to God* (el. *Heaven)* Gud give; ~ *for* ønske (sig), nære ønske om; ~ *him well* nære gode ønsker for ham.

wish|-bone gaffelben (på fugl). **-ful** ønskende, ivrig efter. **-ful thinking** ønsketænkning.

wishing|-bone gaffelben (på fugl). ~ **-cap** ønskehat.

wish-wash ['wiʃwåʃ] **T** tyndt sprøjt, pøjt.

wishy-washy ['wiʃiwåʃi] **T** tynd (fx. ~ *tea);* pjattet (fx. ~ *talk)*.

wisp [wisp] visk (fx. halm), tot (fx. græs), tjavs; splejs; ~ *of smoke* røgfane. **wispy** tottet, tjavset.

wistaria [wi'stæəriə] ♧ blåregn.

wistful ['wistful] tavs, tankefuld, længselsfuld, forventningsfuld; vemodig.

I. **wit** [wit]: *to* ~ nemlig.

II. **wit** [wit] intelligens, forstand, kløgt; godt hoved; *-s* intelligens, forstand, kløgt; *have quick (, slow) -s* være hurtig (, langsom) i opfattelsen; *have one's -s about one* være vågen; *be at one's -s' end* ikke vide sine levende råd; *live by one's -s* lave fiduser, leve af hvad der tilfældigt byder sig; *frighten sby. out of his -s* skræmme en fra vid og sans.

witch [witʃ] (subst.) heks; (zo.) skærising; (vb.) forhekse, fortrylle.

witch|craft hekseri, trolddom, tryllekunster. ~ **-doctor** troldmand, medicinmand.

witchery ['witʃəri] hekseri, fortryllelse.

witch|-hazel bark hamamelisbark. ~ **-hunt** heksejagt; hetzkampagne.

witching (adj.) som besidder trolddomskraft, fortryllende. **witch-meal** heksemel.

witenagemot ['witənəgi'moᵘt] oldengelsk rigsforsamling.

with [wið] med (fx. *walk* ~, *strike sby.* ~ *a stick);* sammen med; hos (fx. *I am staying* ~ *friends);* af (fx. *wet* ~ *dew; dying* ~ *hunger);* trods (fx. ~ *all his wealth he is unhappy); angry* ~ vred på; *I am entirely* ~ *you in this* jeg holder ganske med dig i denne sag; *be* ~ *it* **T** være vaks; *fight* ~ slås med; kæmpe sammen med; *live* ~ bo hos; leve sammen med.

withal [wi'ðå·l] (glds.) med; desuden, også, tillige.

withdraw [wið'drå·] tage tilbage, ophæve, trække bort, inddrage, udtage; trække sig tilbage, fjerne sig, udtræde, gå af.

withdrawal [wið'drå·əl] tilbagekaldelse, ophævelse, inddragelse, udtræden; ⚔ tilbagetrækning, tilbagetog.

withdrawn [wið'drå·n] (adj. fig.) indadvendt, indesluttet.

withe [wiþ] vidje(bånd).

wither ['wiðə] (vb.) visne, skrumpe sammen, hentæres, forgå; få til at visne, hentære; bringe til tavshed, bringe fra koncepterne. **withering** knusende, tilintetgørende.

withers ['wiðəz] rygkam (fx. på en hest); *my* ~ *are unwrung* det rører mig ikke det bitterste.

withershins ['wiðəʃinz] imod solens retning, avet om.

withhold [wið'hoᵘld] holde tilbage, nægte; ~ *from* (ogs.) forholde (fx. ~ *information from him)*.

within [wið'in] (præp.) inden i (fx. ~ *the building);* inden for (fx. ~ *hearing* inden for hørevidde); inden (udløbet af) (fx. ~ *two hours);* (adv., glds.) indenfor (fx. *inquire* ~*);* indvendig (fx. ~ *and without);* inden døre, hjemme; ~ *doors* inden døre; ~ *this half-hour* for mindre end en halv time siden; om mindre end en halv time; *live* ~ *one's income* sætte tæring efter næring; ~ *limits* inden for visse grænser; ~ *three miles of the hospital* mindre end tre *miles* fra hospitalet; *a task well* ~ *his powers* en opgave der på ingen måde overstiger hans evner; *from* ~ indefra.

without [wið'aut] (præp.) uden (fx. ~ *doubt);* (adv., glds.) udenfor (fx. *he stands* ~*); from* ~ udefra.

withstand [wið'ständ] modstå, modarbejde.

withy ['wiði] båndpil, vidje.

witless ['witlės] uforstandig, uintelligent, tåbelig.

witness ['witnės] (subst.) vidnesbyrd; vidne, vitterlighedsvidne; (vb.) være vidne til, se; bevidne, vidne om; vidne; (indledende et argument, omtr.) jævnfør, se (blot) (fx. *this is impossible,* ~ *the recent attempts);* ~ *to* bevidne, bekræfte; ~ *Heaven!* (glds.) Gud er mit vidne! *in* ~ *whereof* og til bekræftelse heraf.

witness-box vidneskranke.

witticism ['witisizm] vittighed, vits.

wittiness ['witinės] vittighed, vid.

wittingly bevidst, med fuldt vidende.

witty ['witi] vittig, åndrig, åndfuld.

wizard ['wizəd] troldmand, heksemester, taskenspiller; (adj.) **T** storartet, vidunderlig. **wizardry** hekseri, trolddom, taskenspillerkunster.

wizened ['wiznd] runken, indskrumpet, sammenskrumpet, mager, indtørret.

Wm. fk. f. *William.*

W.N.W. fk. f. *west north west.*

wo [woᵘ] prr! (til heste), stop!

woad [woᵘd] vajd (plante, farvestof).

wobble ['wåbl] (vb.) slingre, rokke, rave, vakle; (subst.) slingren, rokken, vaklen, usikkerhed, ustadighed; (tekn.) slør.
wobbler ['wåblə] vaklevorn person, (til fiskeri) wobbler.
wobbly ['wåbli] usikker, vaklevorn.
Wodehouse ['wudhaus].
Woden ['woᵘdn] Odin.
woe [woᵘ] ve, smerte, sorg, ulykke, elendighed; ve! ~ *is me* ve mig, ak desværre; ~ *(be) to him,* ~ *betide him!* ve ham!
woebegone ['woᵘbigån] fortvivlet, ulykkelig.
woeful ['woᵘful] sørgmodig, ulykkelig, sørgelig, elendig.
wog [wåg] **S** nedsættende betegnelse for ægypter, araber etc.
woke [woᵘk] imperf. og perf. part. af *wake.*
wold [woᵘld] udyrket, åben og højtliggende landstrækning.
wolf [wulf] (subst., pl. *wolves* [wulvz]) ulv; (vb.) hugge i sig, sluge grådigt; *have a ~ by the ears* være i en farlig stilling; *cry ~* gøre falsk alarm; *keep the ~ from the door* holde sulten fra døren; *a ~ in sheep's clothing* en ulv i fåreklæder.
wolf|-call piften efter en pige. ~ **-cub** ulveunge. ~ **-fish** (zo.) havkat.
wolfish ['wulfiʃ] ulveagtig, ulve-, grådig, grisk, glubsk.
wolf's|-bane ♧ stormhat. ~ **-claws** ♧ ulvefod.
wolf-tooth (overtallig) kindtand (hos hest).
Wolsey ['wulzi].
wolver|ene, -ine ['wulvəri·n] (zo.) jærv.
wolves [wulvz] pl. af *wolf.*
woman ['wumən] (pl. *women* ['wimin]) kvinde, voksen kvinde (fx. *my daughter will soon be a ~),* dame; kone (fx. *my good ~); play the ~* vise sig umandig; *make an honest ~ of her* gifte sig med hende efter at have forført hende; *born of ~* dødelig.
woman| doctor kvindelig læge. ~ **-hater** kvindehader. **-hood** kvindelighed, kvinder. **-ish** kvindagtig. **-ize** gøre kvindagtig; **T** være skørtejæger. **-kind** kvindekønnet, kvinderne; *one's -kind* de kvindelige medlemmer af ens husstand el. familie. **-liness** kvindelighed. **-ly** kvindelig.
womb [wu·m] livmoder, moderskød; *in the ~ of time* i fremtidens skød.
wombat ['wåmbət] (zo.) vombat.
women ['wimin] pl. af *woman.*
womenfolk ['wiminfoᵘk] kvindfolk; *one's ~* de kvindelige medlemmer af ens husstand el. familie.
won [wʌn] imperf. og perf. part. af *win.*
I. **wonder** ['wʌndə] (subst.) under, vidunder, underværk, mirakel; forundring; *a nine days' ~* en kortvarig sensation; *how in the name of ~!* hvordan i alverden! *for a ~* underligt nok; *signs and -s* tegn og undergerninger; *work* (el. *do) -s* gøre underværker.
II. **wonder** ['wʌndə] (vb.) undre sig, undres, forundre sig; spekulere på; *I ~* jeg gad vide; mon? *I ~ whether she will come* mon hun kommer; Gud ved om hun kommer.
wonderful vidunderlig, forunderlig. **wondering** undrende; undren.
wonderland ['wʌndəländ] eventyrland.
wonderment undren; forundring.
wonder-worker mirakelmager.
wondrous ['wʌndrəs] (adj. og adv.) vidunderlig; (adv. ogs.) såre.
wonky ['wåŋki] **T** vakkelvorn, usikker, skrøbelig, upålidelig; i uorden, i kludder.
I. **won't** [woᵘnt] sammentrækning af *will not.*
II. **wont** [woᵘnt] (adj.) vant (fx. *he is ~ to walk);* (subst.) sædvane, skik.
wonted ['woᵘntid] sædvanlig, vant (fx. *my ~ place).*
woo [wu·] (vb.) bejle til, fri (til).
wood [wud] skov; træ, ved; brænde; fad; *the ~* (ogs.) træblæserne; *he cannot see the ~ for the trees* han kan ikke se skoven for bare træer; *beer from the ~* øl fra fad; *be out of the ~* (fig.) have overstået vanskelighederne; *don't halloo till you are out of the ~* glæd dig ikke for tidligt; *split ~* kløve brænde, klov.
wood|-alcohol træsprit. **-anemone** ♧ hvid anemone. ~ **-ant** (zo.) skovmyre. **-bine** ['wudbain] ♧ kaprifolium; billig cigaret. ~ **-carver** billedskærer. ~ **chisel** stemmejern. **-chuck** ['wudtʃʌk] (amr., zo.) woodchuck (art murmeldyr). **-cock** (zo.) skovsneppe. ~ **-craft** skovkyndighed. ~ **-cut** træsnit. ~ **-cutter** brændehugger; træskærer.
wooded ['wudid] skovbevokset, skovrig.
wooden ['wudn] træ-, af træ; (fig.) stiv, udtryksløs, klodset. **wooden|-head** dumrian, kødhoved. ~ **-headed** tykhovedet.
wood|-fibre vedtave. **-land** skovstrækning; skov-. **-lark** hedelærke. **-less** skovløs. ~ **-louse** (zo.) bænkebider. **-man** skovarbejder.
woodpecker spætte; *spotted ~* flagspætte.
wood|-pigeon ringdue. **-pile** brændestabel. ~ **-pulp** træmasse. **-ruff** ['wudrʌf] ♧ skovmærke. ~ **sandpiper** (zo.) tinksmed. **-shed** brændeskur. **-skin canoe** barkkano. ~ **-sorrel** ♧ skovsyre. ~ **-tick** (zo.) skovflåt. ~ **-warbler** (zo.) skovsanger. ~ **-wasp** træhveps. **-wind** træblæseinstrumenter, træblæsere. **-work** træværk; træarbejde, sløjd.
woody ['wudi] skovrig, træagtig; ~ *plant* vedplante.
woodyard ['wudja·d] tømmerplads.
wooer ['wu·ə] bejler, frier.
woof [wu·f] islæt.
woofer ['wu·fə] bashøjttaler.
wool [wul] (subst.) uld, uldgarn; uldhår; **uldent** tøj; **S** hår; (vb.) jage får (om hunde); *lose one's ~* blive gal i hovedet, ryge i flint; *pull the ~ over sby.'s eyes* stikke en blår i øjnene; (se ogs. II. *cry* og *dye).*
wool| clip årsproduktion af uld. ~ **-fat** lanolin. ~ **-fell** uldskind. ~ **-gathering** (adj.) drømmende, adspredt; (subst.) adspredthed, åndsfraværelse, drømmerier; *go ~ -gathering* gå i giftetanker. ~ **-grower** uldproducent. ~ **-growing** uldproduktion.
woollen ['wulin] (adj.) uld-, ulden; (subst.) uldent stof, uldtøj; ~ *draper* uldvarehandler; ~ *yarn* kartegarn, strøggarn.
woolly ['wuli] (adj.) ulden, uld-; uldagtig, uldhåret; (fig.) forvirret, uklar, tåget; (subst.) sweater.
woolsack ['wulsäk] uldsæk, lordkanslerens sæde i Overhuset.
Woolwich ['wulidʒ].
woozy ['wu·zi] **S** omtåget; tåget, forvirret.
Worcester ['wustə].
I. **word** [wə·d] (subst.) ord; kommando, ordre; feltråb; løfte; Guds ord; besked, meddelelse; *fair -s* fagre ord; *be as good as one's ~* holde (sit) ord; *break (, keep) one's ~* bryde (, holde) sit ord; *have -s* skændes; *the last ~,* se II. *last; put in* (el. *say) a good ~ for* lægge et godt ord ind for; *send ~* sende besked; *take him at his ~* tage ham på ordet; *by ~ of mouth* mundtlig; *in a ~* kort sagt; *in other -s* med andre ord; *in so many -s* kort og godt; rent ud; *upon my ~* på (min) ære, minsandten; nu har jeg aldrig kendt så galt; *a play upon -s* et ordspil; *a ~ with you!* åh, et øjeblik! *can I have a ~ with you!* må jeg tale et par ord med Dem? *have -s with* skændes med.
II. **word** [wə·d] (vb.) affatte.
wording ordlyd, affattelse, udtryksmåde.
word|less tavs. ~ **-painting** = ~ *-picture.* **-perfect:** *be ~ -perfect* kunne sin rolle (etc.) på fingrene. ~ **-picture** malende beskrivelse. ~ **-play** leg med ord, ordspil. ~ **-splitting** ordkløveri.
Wordsworth ['wə·dzwəþ].
wordy ['wə·di] ordrig; snakkesalig.
wore [wå·] imperf. af *wear.*
I. **work** [wə·k] (subst.) arbejde; gerning; værk (fx. *a new ~ by the famous master; the -s of Byron);* ngt. man arbejder med, sytøj (etc.); *-s* (ogs.) -værk, fabrik; værk (fx. i et ur); ⚔ forsvarsværker, befæst-

ning; *public -s* offentlige arbejder; *the -s* (amr. **S**) alt hvad der hører sig til, hele molevitten; *get the -s* (amr. **S**) blive mishandlet på alle mulige måder; blive myrdet.

at ~ i (, på) arbejde, ved arbejdet; i gang; *that's all in the day's ~* det må man tage med; det er vi så vant til; *Ministry of Works* ministerium for offentlige arbejder; *in search of ~* arbejdssøgende; *make short ~ of* få fra hånden i en fart; *-s of mercy* barmhjertighedsgerninger; *you will have your ~ cut out for you* du får fuldt op at gøre (el. mere end nok at bestille); det er næsten mere end du kan overkomme; *out of ~* arbejdsløs; *get* (el. *set*) *to ~* gå i gang.

II. **work** [wə·k] (vb.) (regelmæssigt bøjet; glds. *wrought, wrought*) arbejde (fx. *~ hard*); fungere, virke (fx. *the bell is not -ing*); have arbejde (fx. *~ in a factory*); bane sig vej (fx. *~ through the forest*); arbejde sig (fx. *~ loose*); gære; drive (fx. *~ a farm*); lade arbejde, få til at arbejde; 'tumle' (fx. *~ one's servants*); udnytte (fx. *~ an invention*); bevirke (fx. *~ changes*); udrette, gøre (fx. *~ wonders*); anrette (fx. *the destruction wrought by the fire*); brodere (fx. *~ one's initials on sth.*); ælte (fx. *clay, dough*); bearbejde; *~ one's way (forward)* arbejde sig frem; *~ a typewriter* skrive på maskine; *~ one's men too hard* overanstrenge sine folk; *I'll ~ it if I can* **S** jeg skal se, om jeg kan klare den; *it doesn't ~* **T** den går ikke;

(forb. m. præp. og adv.)

~ at arbejde med (el. på); *~ in* få anbragt; *~ oneself into a rage* arbejde sig op til raseri; *~ off* afsætte, komme af med; få brugt (fx. *superfluous energy*); få til side; *~ on* arbejde med (el. på); påvirke; *~ out* arbejde med; udregne, beregne; finde ud af; lykkes, blive til noget, udvikle sig; udarbejde, udvikle, planlægge; udtømme (fx. *a mine*); *I have -ed it out at £10* jeg har fået (el. beregnet) det til £10; *~ to rule* arbejde under streng overholdelse af alle reglementer (ɔ: som en form for obstruktion); *~ up* oparbejde (fx. *a reputation*); lidt efter lidt ophidse; udarbejde, forme; udpensle, puste op (fig.).

workable [ˈwə·kəbl] som kan udføres; bearbejdelig; til at arbejde i (fx. *~ ground*); gennemførlig.

workaday [ˈwə·kədeⁱ] hverdags-, kedsommelig; *in this ~ world* i denne prosaiske verden.

work|-bag [ˈwə·kbäg] sypose. *~* **-basket** sy- og stoppekurv. **-bench** (arbejds)bænk. **-book** (amr.) studievejledning; arbejdsbog. *~* **-box** syæske. **-day** hverdag; hverdags-.

worker [ˈwə·kə] arbejder. **worker|-ant** (zo.) arbejder (myre). *~* **-bee** (zo.) arbejder (om bi).

workhouse [ˈwə·khaus] fattighus; (amr.) arbejdsanstalt.

working [ˈwə·kiŋ] (adj.) arbejdende; arbejds-; drifts-; (subst.) arbejde; drift, gang; gæring; bevægelse; *-s* udgravninger, minegange; (fig.) måde at arbejde på (fx. *the -s of his mind*).

working| capital driftskapital. *~* **-class** arbejderstand; (adj.) af arbejderstanden, arbejder-. *~* **-day** arbejdsdag; hverdag. *~* **-drawing** arbejdstegning. *~* **expenses** driftsudgifter. *~* **hours** arbejdstid. *~* **hypothesis** arbejdshypotese. *~* **instructions** betjeningsforskrift. *~* **-man** arbejder. *~* **order**: *in ~ order* i (driftsmæssig el. brugbar) stand. *~* **-out** udførelse, udformning. *~* **-party** arbejdshold; arbejdsudvalg. *~* **title** arbejdstitel (på film etc.)

work|less [ˈwə·klės] arbejdsledig, arbejdsløs. **-man** arbejder. **-manlike** godt udført. **-manship** dygtighed; udførelse, forarbejdning; stykke arbejde. **-out** (amr.) træningsøvelse; afprøvning i praksis. *~* **-people** arbejdere. **-piece** arbejdsstykke. *~* **-room** arbejdsrum, systue.

works committee bedriftsråd.

work|shop værksted. *~* **-shy** arbejdssky. *~* **studies** arbejdsstudier. *~* **-table** sybord. **-woman** arbejderske.

world [wə·ld] (subst.) verden; folk (fx. *what will the ~ say?*); *~ without end* **fra evighed til evighed**; *not for the ~* ikke for alt i verden; *all the riches in the ~* alverdens rigdom; *bring into the ~* sætte i verden; *for all the ~ like* nøjagtig ligesom; *he is all the ~ to her* han er hendes et og alt; *make the best of both -s* (fig.) forene to modstridende interesser; få det bedste ud af begge dele; *it did him a ~ of good* han havde umådelig godt af det; *man of the ~* verdensmand; *she thinks the ~ of them* hun sætter dem umådelig højt; *live out of the ~* leve afsondret fra verden; *it was out of this ~* **S** det var helt fantastisk.

world|-famous verdensberømt. **-liness** verdslighed. **-ling** verdensbarn. **-ly** verdslig, verdsligsindet. **-ly-minded** verdsligsindet. *~* **-old** urgammel. *~* **-power** verdensmagt. *~* **-weary** træt af verden, livstræt. *~* **-wide** verdensomspændende; verdens- (fx. *fame*).

worm [wə·m] (subst.) orm, kryb; (tekn.) snekke, skruegænge; tungebånd (på hund); (vb.) lirke, liste (fx. *~ secrets out of sby.*); rense el. kurere for orm; *even a ~ will turn* (selv den sagtmodigste kan man plage så længe at han bider fra sig); *~ one's way into* lirke (el. liste) sig ind i.

worm|-cast regnorms ekskrementer. *~* **-eaten** ormstukken; (fig.) mølædt. *~* **-gear** snekkedrev, snekkehjul. **-ling** lille orm. *~* **-seed** ormefrø. **-'s eye view** frøperspektiv. *~* **-wheel** snekkehjul. **-wood** ♧ malurt; *gall and -wood* bitter ydmygelse.

wormy [ˈwə·mi] ormstukken.

worn [wå·n] perf. part. af *wear;* slidt, træt.

worn|-down slidt, træt, afslidt. *~* **-out** udslidt, udlevet, udtjent.

worried [ˈwʌrid] bekymret, besværet, plaget.

worri|less ubekymret, sorgfri. **-ment** plage, bekymring, ærgrelse.

I. **worry** [ˈwʌri] (vb.) plage (fx. *~ sby. with questions*); volde bekymring, volde ængstelse, bekymre, forurolige; pine, genere; gøre sig bekymringer, være ked af det; (om hund) rive og ruske i med tænderne; *~ along* klare sig trods vanskeligheder; *~ out the solution to a problem* tumle med et problem til man får det løst; *I should ~* **T** det rører mig ikke.

II. **worry** [ˈwʌri] (subst.) bekymring; ærgrelse; plage.

worse [wə·s] (komparativ af *bad*) værre; ringere; *~ was to come* det skulle blive værre endnu; *the ~ for drink* beruset; *the ~ for wear* slidt, medtaget; *he is none the ~ for it* han har ikke taget skade af det.

worsen [ˈwə·sn] forværre, forværres.

worship [ˈwə·ʃip] (subst.) gudsdyrkelse; tilbedelse; (vb.) dyrke, tilbede, ære; gå i kirke, være til gudstjeneste; *Your (, His) Worship* (titel for visse øvrighedspersoner); *place of ~* gudshus.

worshipful ærværdig, æret.

worshipper kirkegænger; -tilbeder (fx. *sun ~*), -dyrker.

I. **worst** [wə·st] (superlativ af *bad*); værst, dårligst; *at (the) ~* i værste fald; *if the ~ comes to the ~* i værste fald, om galt skal være; *do one's ~* gøre den skade man kan; *get the ~ of it* trække det korteste strå.

II. **worst** [wə·st] (vb.) besejre, overvinde.

worsted [ˈwustid] kamgarn; (adj.) kamgarns-.

wort [wə·t] urt, maltafkog.

I. **worth** [wə·þ] (adj.) værd; *it is ~ more* det er mere værd; *it was ~ the money* det var pengene værd; de penge var godt givet ud; *he is ~ a lot of money* han ejer en masse penge; *it is as much as my job is ~* det kan koste mig min stilling; *I tell you this for what it is ~* (omtr. =) jeg fortæller dig dette uden at indestå for rigtigheden af det; *he ran for all he was ~* han løb af alle kræfter (el. det bedste han havde lært); *~ while,* se *while.*

II. **worth** [wə·þ] (subst.) værdi, værd; *a shilling's ~ of sweets* for 1 sh. bolsjer.

worthless værdiløs, ubrugelig; karakterløs; *a ~ fellow* **en skidt fyr.**

worth-while som er umagen værd, værd at have med at gøre, værd at give sig af med; lødig, værdifuld.

I. **worthy** ['wə·ði] (adj.) brav, agtværdig, fortræffelig; god; værdig; *courage ~ of a better cause* et mod der var en bedre sag værdig.

II. **worthy** ['wə·ði] (subst.) fremragende person, stormand; (nedladende:) hædersmand, brav mand.

would [wud] imperf. af *will*.

would-be ['wudbi·]: *a ~ poet* en der har digteriske aspirationer el. bilder sig ind at være digter.

I. **wound** [waund] imperf. og perf. part. af III. *wind*.

II. **wound** [wu·nd] (subst.) sår; krænkelse; (vb.) såre, krænke. **woundless** uskadt.

wove [woᵘv] imperf. af I. *weave*.

woven ['woᵘvn] perf. part. af I. *weave*.

wow [wau] (subst.) (amr.) **S** kæmpesucces, knaldsucces; (lydfejl) wow; (vb.) begejstre; (udråb) orv! nåda!

wowser ['wauzə] religiøs fanatiker; hellig rad.

W.P. fk. f. *weather permitting*.

wrack [räk] ♧ tang; (glds.) ødelæggelse.

WRAF fk. f. *Women's Royal Air Force*.

wraith [reⁱþ] dobbeltgænger (som ses kort før eller efter en persons død), ånd, genfærd, syn.

wrangle ['räŋgl] (vb.) skændes, mundhugges, kævles; (subst.) skænderi, mundhuggeri, kævl.

wrangler ['räŋglə] trættekær person; kandidat der får første karakter ved *tripos* i matematik ved Cambridge Universitet.

I. **wrap** [räp] (vb.) pakke ind; hylle ind; svøbe ind; vikle ind; *~ up* pakke (, hylle etc.) ind, pakke sig ind; (fig.) afslutte; *be -ped up in* ikke have tanke for andet end, være helt opslugt af (fx. *one's work); -ped up in dreams* helt fortabt i drømmerier; *be -ped up in sby.* sværme for en, være helt væk i en; *-ped in mist (, mystery)* indhyllet i tåge (, mystik).

II. **wrap** [räp] (subst.) dække; stykke overtøj, sjal, rejsetæppe (etc., til at svøbe om sig); *-s* (ogs.) overtøj; *in -s* (fig.) hemmeligholdt, 'mørklagt'.

wrapper ['räpə] kimono; (til forsendelse:) korsbånd; (om cigar) omblad; (om bog) omslag; *in -s* (om bog) brocheret.

wrapping ['räpiŋ] emballage.

wrasse [räs] galt (en fisk).

wrath [rå·þ] vrede, forbitrelse.

wrathful ['rå·þful] vred, opbragt, rasende.

wreak [ri·k]: *~ vengeance on him* lade sin hævn ramme ham.

wreath [ri·þ] (pl. *-s* [ri·ðz]) krans; spiral, hvirvel (af røg, tåge o.l.)

wreathe [ri·ð] (vb.) binde, flette (en krans); omslutte, omkranse, bekranse; (fx. om røg) hvirvle, bevæge sig i spiraler; sno sig; *~ one's arms about sby.* lægge sine arme om en; *-d in smiles* lutter smil.

wreck [rek] (subst.) vrag; ruinhob, rester; forlis, skibbrud; undergang, ødelæggelse; (vb.) tilintetgøre, ødelægge; forlise, lide skibbrud; forulykke; få til at forulykke, gøre til vrag.

wreckage ['rekidʒ] vraggods, strandingsgods; vragrester; tilintetgørelse, ødelæggelse.

wreck amendment forslag der fremsættes som afledningsmanøvre el. obstruktion.

wrecked [rekt] skibbruden, forlist.

wrecker ['rekə] strandrøver, vragplyndrer; bjærger; (amr.) nedrivningsentreprenør.

wrecking ['rekiŋ] (subst.) vragplyndring; bjærgning; (adj.) bjærgnings-, rednings- (fx. *crew* mandskab); *~ bar* brækjern; *~ car* kranvogn.

I. **wren** [ren] (zo.) gærdesmutte.

II. **wren** [ren] medlem af *WRNS*.

wrench [ren(t)ʃ] (vb.) vride, rykke, vriste (fx. *~ sth. loose);* forvride (fx. *one's ankle);* (fig.) forvanske, fordreje (fx. *the facts);* (subst.) ryk, skarp drejning, forvridning; smerte; (tekn.) skruenøgle; *-ed with pain* fortrukket af smerte.

wrest [rest] (vb.) rykke, vriste (fx. *~ it out of his hands);* (fig.) tvinge (fx. *~ a confession from him);* fordreje, forvanske (fx. *the facts);* (subst.) ryk; stemmenøgle; *~ from* (ogs.) fravriste.

wrestle ['resl] (vb.) brydes, kæmpe, brydes med; (subst.) brydekamp, kamp.

wrestler ['reslə] bryder.

wrestling ['resliŋ] brydning; *~ match* brydekamp.

wretch [retʃ] ulykkeligt menneske, stakkel; usling, nidding; (i spøg) skurk, skarn.

wretched ['retʃid] ulykkelig, stakkels, elendig, ussel, ynkelig; nederdrægtig (fx. *a ~ toothache).*

wrick [rik] (subst.) let forstrækning, let forvridning; (vb.) forstrække, forvride.

wriggle ['rigl] (vb.) vrikke, vride sig, vrikke med; sno sig; (subst.) vriden, vrikken.

I. **wring** [riŋ] *(wrung, wrung)* vride; (figs. ogs.) presse (fx. *~ a confession out of sby.);* *~ the neck of* vride halsen om på; *~ one's hands* vride sine hænder; *~ sby.'s hand* knuge ens hånd; *it -s my heart* det smerter mig dybt; *~ clothes out* vride tøj.

II. **wring** [riŋ] (subst.) vriden, vridning.

wringer ['riŋə] vridemaskine.

wrinkle ['riŋkl] (subst.) rynke; **T** kneb, fidus; (vb.) rynke; slå rynker; *it resists -s* (om stof) det krøller ikke; *~ (up) one's forehead* rynke panden; *with -d stockings* med ål i strømperne. **wrinkly** ['riŋkli] rynket.

wrist [rist] håndled.

wrist [rist] håndled. **wristband** håndlinning.

wristlet ['ristlet]: *woollen ~* muffedise.

wristlet watch, wrist watch armbåndsur.

I. **writ** [rit] (skriftlig) ordre, arrestordre, stævning; *Holy Writ* den hellige skrift (ɔ: Biblen).

writ [rit] gml. imperf. og perf. part. af *write; be ~ large* ses tydeligt.

write [rait] *(wrote, written)* skrive; skrive til (fx. *~ me tomorrow);* *~ down* skrive op (el. ned); rakke ned på (på tryk); (merk.) nedskrive; *I should ~ him down a fool* jeg vil nærmest kalde ham et fæ; *~ down to* gøre sig (for) meget umage for at skrive populært for; *nothing to ~ home about* ikke noget at råbe hurra for; *~ off* smøre ned, ryste ud af ærmet; (merk.) afskrive (fx. *debt);* *~ out* nedskrive; udfærdige; *~ out fair* renskrive; *~ oneself out* skrive sig tom; *~ up* rose (på tryk); give fyldig (el. overdreven) beskrivelse af; nedskrive; føre à jour (fx. *one's diary).*

writer ['raitə] skribent, forfatter; digter; skriver; *French ~* (ogs.) lærebog der giver vejledning i at skrive fransk; *-'s cramp* skrivekrampe.

write-up (amr. **T**) rosende anmeldelse.

writhe [raið] vride sig; krympe sig.

writing ['raitiŋ] (subst.) skrivning, håndskrift; indskrift; skrift; skriveri; dokument; skrivemåde, stil; (adj.) skrive-; *-s* værker (fx. *the -s of Plato); in ~* skriftlig.

writing|-desk skrivepult, skrivebord. *~* **-ink** blæk. *~* **-master** skrivelærer. *~* **-paper** skrivepapir, brevpapir. *~* **-table** skrivebord.

written [ritn] perf. part. af *write*.

WRNS fk. f. *Women's Royal Naval Service*.

I. **wrong** [råŋ] (adj.) forkert, urigtig, gal, forkastelig; *be ~* være forkert (osv.); have uret, tage fejl; *the ~ side* vrangen; *on the ~ side of 40* på den gale side af de 40, over 40; *get sth. down the ~ way* få noget i den gale hals; *there is sth. ~ with* der er noget i vejen (el. galt) med; *what's ~ with that?* (ogs.) hvorfor ikke det?

II. **wrong** [råŋ] (adv.) forkert, galt (fx. *answer, guess ~); you get me ~* **T** du misforstår mig; *go ~* komme i uorden (fx. *the machine has gone ~);* (om mennesker) kommer på gale veje, gå i hundene; (om foretagende) mislykkes; *treat sby. all ~* behandle en helt forkert.

III. **wrong** [råŋ] (subst.) uret, forurettelse; retsbrud; *do ~* gøre uret, forse sig; *be in the ~* have uret; ikke have retten på sin side; *put sby. in the ~* give det udseende af at en har uret, vælte skylden over på en.

IV. **wrong** [råŋ] (vb.) forurette; ~ *sby.* (ogs.) gøre én uret; tænke for ringe om én.

wrong|-doer en der forser sig, forbryder. ~ **-doing** forseelse, forsyndelse, forbrydelse. **-ful** urigtig, uretfærdig, uretmæssig. ~ **-headed** stædig, som stædig fremturer i noget forkert.

wrote [roᵘt] imperf. af *write.*

wroth [roᵘþ, rå·þ] (glds.) vred, gram i hu.

I. **wrought** [rå·t] gml. imperf. og perf. part. af *work.*

II. **wrought** [rå·t]: ~ *iron* smedejern; ~ *-up* eksalteret.

wrung [rʌŋ] imperf. og perf. part. af I. *wring.*

wry [rai] skæv; (fig.) ironisk, bitter; *make a ~ face* skære en grimasse; *a ~ smile* et skævt smil; *-ly* skævt; (fig.) med et skævt smil, ironisk, bittert.

wryneck ['rainek] (zo.) vendehals.

W.S.W fk. f. *west-south-west.*

wt. fk. f. *weight.*

W.Va. fk. f. *West Virginia.*

W.V.S. fk. f. *Women's Voluntary Service* (svarende til) Kvindernes Beredskabstjeneste.

Wyandotte ['waiəndåt] wyandot (hønserace).

wych-elm ['witʃelm] ♧ skovelm.

Wycherley ['witʃəli].

Wyclif(fe) ['wiklif].

wynd [waind] (på skotsk:) stræde, smøge.

Wyoming [wai'oᵘmiŋ].

X

X [eks].

Xanadu [zänə'du·].

Xanthippe [zän'tipi] xanthippe, arrig kælling.

xd fk. f. *ex dividend* eksklusive dividende.

xebec ['zi·bek] chebec (slags sejlskib).

xenon ['zenån] (kem.) xenon.

xenophobe ['zenəfoᵘb] fremmedhader.

xenophobia [zenə'foᵘbiə] fremmedhad.

xeransis [ziə'ränsis] indtørring.

xerophyte ['ziərəfait] tørkeplante.

Xerxes ['zə·ksi·z].

xi [ksai] ksi (græsk x).

Xmas ['krismәs] fk. f. *Christmas.*

x-member krydsafstivning.

X-ray ['eks'reⁱ] (adj.) røntgen- (fx. ~ *treatment);* (subst.) røntgenbillede; (vb.) røntgenfotografere, røntgenbehandle.

X-rays røntgenstråler.

Xt. fk. f. *Christ.* **Xtian** fk. f. *Christian.*

xylograph ['zailəgra·f] zylografi, træsnit.

xylographer [zai'lågrəfə] xylograf, træskærer.

xylography [zai'lågrəfi] træskærerkunst, xylografi.

xylophone ['zailəfoᵘn] zylofon.

Y

Y [wai].

y. fk. f. *year, years; yard, yards.*

yacht [jåt] kutter, lystyacht. **yachting** sejlsport. **yachting-match, yacht race** kapsejlads. **yachtsman** sejlsportsmand.

yager ['jeⁱgə] (soldat i et tysk) jæger(korps).

yah [ja·] æv, hæ-æ, pyt; (amr.) ja.

Yahoo [jə'hu·] Yahoo (frastødende menneskelignende væsen i *Gulliver's Travels).*

yak [jäk] yakokse.

Yale [jeⁱl].

yam [jäm] yamsrod; (amr. ogs.) batat.

I. **yank** [jäŋk] (subst.) ryk; (vb.) rykke, trække med et ryk.

II. **Yank** [jäŋk] S fk. f. *Yankee.*

Yankee ['jäŋki] amerikaner; (i U.S.A.) person fra *New England;* nordstatsmand. **Yankee Doodle** ['jäŋki'du·dl] (en amerikansk sang). **Yankeefied** ['jänkifaid] amerikaniseret; (i U.S.A.) nordstatspræget. **Yankeeism** amerikanisme, (i U.S.A.) nordstatspræg (el. -udtryk).

yap [jäp] (vb.) gø, bjæffe; S snakke, kæfte op, skælde ud; (subst.) bjæf.

I. **yard** [ja·d] gård, gårdsplads; oplagsplads; -plads (fx. *coal- ~, timber- ~);* -gård (fx. *farm- ~);* (amr. ogs.) have; ⚓ værft; (jernb.) sporterræn; *the Yard* = *Scotland Yard.*

II. **yard** [ja·d] ⚓ rå.

III. **yard** [ja·d] yard (længdemål = *3 feet).*

yard|arm ⚓ rånok. ~ **-measure** yardmål. **-stick,** ~ **-wand** yardstok; *apply the same -stick to* anvende samme målestok over for, skære over én kam.

yare ['jæə] (glds.) rede, parat; hurtig.

Yarmouth ['ja·məþ].

yarn [ja·n] (subst.) garn; historie, fortælling; skipperløgn, røverhistorie; (vb.) fortælle en historie, spinde en ende, passiare.

yarrow ['järoᵘ] ♧ røllike.

yashmak ['jäʃmäk] muhammedanerkvindes slør.

yataghan ['jätəgən] (tyrkisk sværd).

yatter ['jätə] (vb.) pjadre, snakke; (subst.) snakken.

yaw [jå·] ⚓ (vb.) gire, dreje, slingre; (subst.) giring, gir; drejning, slingren.

yawl [jå·l] jolle; yawl.

yawn [jå·n] (vb.) gabe, være åben; (subst.) gaben, gab, vid åbning.

yaws [jå·z] (med.) guineaknopper, framboesia (tropesygdom).

yclept [i'klept] (adj., glds.) kaldet, ved navn.

yd. fk. f. *yard, yards.*

I. **ye** [ji·] (glds.) I, eder.

II. **ye** [ji(·); ði(·)] (glds.) = *the* (fx. *Ye Olde Tea Shoppe).*

yea [jeⁱ] (glds.) ja; *-s* (amr.) jastemmer.

year [jiə] år; årgang; *once a ~* en gang om året; *this ~* i år; *last ~* i fjor; *for -s* i årevis.

year|-book årbog. **-ling** årgammel (unge). **-ly** årlig, års-.

yearn [jə·n] længes inderligt *(for* efter).

yearning længselsfuld; (subst.) (inderlig) længsel.

yeast [ji·st] gær. **yeast-powder** bagepulver.

yeasty ['ji·sti] skummende; gærende; overfladisk.

yell [jel] (vb.) hyle; (subst.) hyl.

I. **yellow** ['jeloᵘ] (adj.) gul; (fig.) misundelig; mistænksom; S fej.

II. **yellow** ['jeloᵘ] (subst.) gul farve, gult.

III. **yellow** ['jeloᵘ] (vb.) farve gul; blive gul, gulne.

yellow| fever gul feber. ~ **gum** gulsot (hos småbørn). ~ **-hammer** gulspurv. **-ish** gullig. ~ **Jack** gul feber. ~ **peril**: *the ~ peril* den gule fare. ~ **press** sensationspresse. ~ **-rattle** ♧ skjaller.

yelp [jelp] bjæffe; (subst.) bjæf, hyl (fx. *a ~ of pain).*

yen [jen] yen (japansk mønt); (amr.) **S** voldsom trang (el. længsel); (vb.) længes.

yeoman [ˈjoᵘmən] selvejerbonde; bereden frivillig; ~ *service* god hjælp. **yeomanry** [ˈjoᵘmənri] selvejerstand, bønder; frivilligt kavaleri.

yes [jes] ja, jo; såh, ja så; *yes?* nå? hvad? forstår du? De ønsker?

yesman [ˈjesmăn] jasiger, nikkedukke, eftersnakker.

yesterday [ˈjestədi, -deⁱ] i går; dagen i går; ~ *morning* i går morges; *the day before* ~ i forgårs; *-'s paper* avisen for i går.

yesteryear [ˈjestəˈjiə] i fjor.

yestreen [jesˈtri·n] (på skotsk) i går aftes.

yet [jet] endnu; alligevel, dog; *as* ~ endnu; *not* ~ endnu ikke; *nor* ~ heller ikke.

yew [ju·] ♧ taks, takstræ.

Yiddish [ˈjidiʃ] jiddisch.

I. **yield** [ji·ld] (vb.) yde, give, afkaste; opgive, overgive; indrømme; vige *(to* for, fx. ~ *to force),* give efter *(to* for); ~ *the point* give efter (i en diskussion); ~ *right of way* give forkørselsret.

II. **yield** [ji·ld] (subst.) udbytte.

yielding bøjelig; eftergivende; føjelig.

Y.M.C.A. fk. f. *Young Men's Christian Association* K.F.U.M.

yob [jåb] **T** drønnert; læderjakke.

yobbo [ˈjåboᵘ] **S** bølle, bisse.

yodel [ˈjoᵘdl] (vb.) jodle; (subst.) jodlen.

yoga [ˈjoᵘgə] yoga (en indisk filosofi).

yoghourt [ˈjoᵘgə·t; ˈjågə·t] yoghurt (bulgarsk surmælk).

yogi [ˈjoᵘgi] yogi (udøver af yoga).

yo-heave-ho [ˈjoᵘhi·vˈhoᵘ], **yoho** [joᵘˈhoᵘ] hivohøj!

yoke [joᵘk] (subst.) åg; bærestykke (på kjole etc.); spand okser; ⚓ juk; jok; (vb.) spænde i åg, forene, bringe under åget. **yoke-fellow** fælle, kammerat; ægtefælle.

yokel [ˈjoᵘkl] bondeknold.

yoke|-lines ⚓ jukliner, styreliner. ~ **-mate** = ~ *-fellow.*

Yokohama [joᵘkəˈha·mə].

yolk [joᵘk] æggeblomme; uldfedt, uldsved.

yon [jån], **yonder** [ˈjåndə] den der(henne), hin; derhenne, hist.

yore [jå·]: *of* ~ fordums, tilforn; *in days of* ~ i fordums dage.

Yorkshire [ˈjå·kʃə]; ~ *pudding* slags bagværk, der serveres sammen med steg.

you [ju·] I, jer; De, Dem; du, dig; man, en; ~ *fool!* dit fjols! ~ *are another* **T** det kan du selv være; ~ *never can tell* man kan aldrig vide; *sweaters are not quite* ~ sweaters klæder dig ikke rigtig.

young [jʌŋ] ung, uerfaren, grøn, lille; (om dyr, pl.) unger (fx. *animals with their ~); with* ~ drægtig, som skal have unger; *a ~ one* (ogs.) en unge; ~ *people* unge mennesker, ungdom.

youngish [ˈjʌŋiʃ] yngre, temmelig ung.

youngling [ˈjʌŋliŋ] (adj.) (poet.) ungdommelig; (subst.) ungt menneske, yngling; unge.

youngster [ˈjʌŋstə] ungt menneske; knægt (fx. *a pert answer from a snotty ~).*

younker [ˈjʌŋkə] (glds.) ung fyr.

your [jå·, juə] din, dit, dine; jeres, eders; Deres; ens, sin, sit, sine (possessiv svarende til man); (ofte:) den velkendte, denne (, dette, disse) hersens.

yours [jå·z, juəz] din, dit, dine; jeres, eders; Deres; *what's ~?* **T** hvad vil du have (at drikke)? *Yours affectionately (, truly* etc.), se *affectionate(ly)* etc.

yourself [jå·ˈself, juəˈself] du (el. dig, De, Dem) selv; dig, Dem; selv; sig (svarende til *you* i betydningen: man); *be ~!* (amr.) **T** tag dig sammen.

yourselves [jå·ˈselvz, juəˈselvz] I (el. jer, De, Dem) selv; jer, Dem; selv.

youth [ju·þ] ungdom; ungt menneske, unge mennesker; (adj.) ungdoms- (fx. ~ *movement); a friend of my* ~ en ungdomsven af mig.

youth|ful ungdoms-, ung, ungdommelig, kraftig. ~ **hostel** vandrehjem.

yowl [jaul] hyle ynkeligt; (subst.) ynkeligt hyl.

yo-yo [ˈjoᵘjoᵘ] jo-jo (til spil).

Yugoslav [ˈju·goᵘsla·v] jugoslavisk; jugoslaver.

Yugoslavia [ˈju·goᵘˈsla·viə] Jugoslavien.

yule [ju·l] (glds.) jul. **yule|-log** brændeknude som efter gammel skik lægges på ilden juleaften. ~ **-tide** juletid; jule-.

yum-yum [ˈjʌmˈjʌm] nam-nam, uhm, ah.

Y.W.C.A. fk. f. *Young Women's Christian Association* K.F.U.K.

Z

Z [zed; amr. zi·].

zany [ˈzeⁱni] bajads, nar.

zeal [zi·l] iver, tjenstiver, nidkærhed.

Zealand [ˈzi·lənd] Sjælland.

zealot [ˈzelət] fanatiker.

zealotry [ˈzelətri] iver, fanatisme.

zealous [ˈzeləs] ivrig, nidkær.

zebra [ˈzi·brə] zebra.

zebra crossing fodgængerovergang, fodgængerfelt.

zebu [ˈzi·bu·] zebu (indisk pukkelokse).

zed [zed] bogstavet z.

zemindar [ˈzeminda·] (indisk) godsejer.

zenana [ziˈna·nə] zenana, (i Indien) kvindernes opholdsrum.

Zen (Buddhism) [ˈzen (ˈbudizm)] zen-buddhisme.

Zend [zend] zend (det gammelpersiske sprog).

zenith [ˈzeniþ] (astr.) zenit; (fig. ogs.) toppunkt, højdepunkt.

zephyr [ˈzefə] zefyr, vestenvind, mild vind; slags fint uldent stof; let sportstrøje.

Zeppelin [ˈzepəlin] zeppeliner.

zero [ˈziəroᵘ] (subst.) nul, nulpunkt, frysepunkt; (vb.): ~ *(in)* indskyde, indstille (sigtet på et gevær); rette ind *(on* mod). **zero hour** ⚔ tidspunkt for et angrebs begyndelse.

zest [zest] krydderi, forhøjet smag; (fig.) lyst, iver, velbehag, oplagthed, appetit.

Zeus [zju·s].

zigzag [ˈzigzăg] (subst.) siksaklinie; (adj.) siksak-, som går i siksak; (vb.) bevæge sig (el. gå) i siksak.

zinc [ziŋk] zink; overtrække med zink, forzinke.

zinc|iferous [ziŋˈkifərəs] zinkholdig. **-ify** [ˈziŋkifai] forsinke, galvanisere. **-ing** [ˈziŋkiŋ] forzinkning, galvanisering. **-ous** [ˈziŋkəs] zink-.

zing [ziŋ] (subst.) syngende lyd; liv, fart; (vb.) synge, klinge.

zingaro [ˈziŋgəroᵘ] (pl. *zingari* [ˈziŋgəri]) sigøjner.

zinnia [ˈzinjə] ♧ zinnia.

Zion [ˈzaiən]. **Zionism** [ˈzaiənizm] zionisme **Zionist** [ˈzaiənist] zionist.

I. **zip** [zip] (subst.) hvislen; lynlås; **T** fart, fut, liv.

II. **zip** [zip] (vb.) åbne (, lukke) en lynlås; hvisle, fare; ~ *up* sætte fart (el. fut) i.
zip code (amr.) postnummer.
zip fastener ['zip 'fa·snə] **zipper** lynlås.
zither ['ziþə] citer.
zodiac ['zoᵘdiäk] (astr.): *the* ~ dyrekredsen; *sign of the* ~ himmeltegn.
zodiacal [zoᵘ'daiəkl] zodiakal-; *the* ~ *light* zodiakallyset.
zombie ['zåmbi] (opr.: lig gjort levende ved trolddom); **S** robot; åndssvag; en der bevæger sig som i trance.
zonation [zoᵘ'neⁱʃən] zone-inddeling.
zone [zoᵘn] (subst.) zone, bælte; (vb.) ombælte.
zone time lokal tid.
Zoo [zu·] zoologisk have; især *the Zoo* (i London).
zoographer [zoᵘ'ågrəfə] dyrebeskriver.
zoography [zoᵘ'ågrəfi] dyrebeskrivelse.
zoological [zoᵘə'lådʒikl] zoologisk; ~ *gardens* zoologisk have. **zoologist** [zoᵘ'ålədʒist] zoolog.
zoology [zoᵘ'ålədʒi] zoologi.
zoom [zu·m] (subst.) brummen, summen; (flyv.) hurtigt kraftigt optræk, brat stigning; (fig.) pludseligt opsving; (i film) hurtig bevægelse mod el. bort fra motivet (ved hjælp af zoom-linse); (vb.) brumme, summe; stige brat; bevæge sig hen imod el. bort fra motivet. **zoom lens** (film) zoom-linse, transfokallinse, gummilinse.
zoospore ['zoᵘə'spå·] sværmespore.
zoot [zu·t]: ~ *suit* mandsdragt omtr. som swingpjatters.
Zouave [zu'a·v] (fransk) zuav.
zounds [zaundz] (glds.) død og pine!
Zulu ['zu·lu·] zulukaffer; zulusprog.
Zürich ['z(j)uərik].
zymos|is [zai'moᵘsis] (pl. *-es* [-i·z]) gæring; infektionssygdom.
zymotic [zai'måtik] gærings-; ~ *disease* infektionssygdom.

RETTELSER OG TILFØJELSER

abdomen, tilføj: ['äbdəmen].
admass ['ädmäs] det publikum som radio- og TV-reklame er beregnet på.
backlash, tilføj: tilbageslag, reaktion.
I. blind, tilføj: **T** døddrukken; (subst.) drikkegilde, soldetur.
breathalyzer ['breþəlaizə] ballon (til spiritusprøve); spritballon.
II. change, tilføj: ~ *down (, up)* skifte til lavere (, højere) gear.
college, tilføj: ~ *of education* seminarium.
computerized [kəm'pju·təraizd] udført el. styret af datamaskine.
cuppa ['kʌpə] **S** = *cup of tea.*
descalation ['di·skə'leⁱʃən] gradvis formindskelse, nedtrapning.
disability, tilføj: handicap.
V. dock [dåk] (i rumfart) sammenkoble.
escalation [eskə'leⁱʃən] gradvis stigning el. forøgelse, optrapning.
far-out, se nedenfor: *way-out.*
faze [feⁱz] (vb.) bringe ud af fatning.
giro ['dʒiəroᵘ, 'dʒaiəroᵘ] giro.
golden handshake godtgørelse for afsked i utide.
odds, tilføj: *by all* ~ i enhver henseende; langt (fx. *by all* ~ *the best).*
teach-in ['ti·tʃin] længere møde på universitet for studenter og lærere med foredrag om og drøftelse af aktuelt politisk problem.
verge, tilføj: rabat (ved vej).
way-out (adj.) (amr.) yderliggående, outreret, fantastisk.
world, tilføj: *he looked for all the* ~ *like..* han lignede mest af alt.

DANISH IRREGULAR VERBS

Most Danish verbs form the preterite in -(e)de, *and the past participle in* -(e)t, *e. g.* elske, elskede, elsket, *or the preterite in* -te, *and the past participle in* -t, *e. g.* bage, bagte, bagt. *But a number of verbs are inflected differently.*

Where the present tense is not given in the list, it is formed by adding r *to the infinitive e. g.* bede – beder.

bede *(ask, pray)* **bad, bedt**
betyde *(mean)* **betød** *(meant)* **betydet**
betydede *(gave to understand)*
bide *(bite)* **bed, bidt**
binde *(tie, bind)* **bandt, bundet**
blive *(become, remain)* **blev, blevet**
bringe *(bring)* **bragte, bragt**
briste *(burst)* **brast** el. **bristede, bristet**
bryde *(break)* **brød, brudt**
burde, bør *(ought to)* **burde, burdet**
byde *(command)* **bød, budt**
bære *(carry)* **bar, båret**
drage *(go; draw)* **drog, draget**
drikke *(drink)* **drak, drukket**
drive *(drive; idle)* **drev, drevet**
dø *(die)* **døde, død**
dølge *(conceal)* **dulgte, dulgt**
falde *(fall)* **faldt, faldet**
fare *(rush)* **for, faret**
finde *(find)* **fandt, fundet**
flyde *(flow)* **flød, flydt**
flyve *(fly)* **fløj, fløjet**
fnyse *(snort)* **fnøs** el. **fnyste, fnyst**
fortryde *(regret)* **fortrød, fortrudt**
fryse *(freeze)* **frøs, frosset**
fyge *(drift)* **føg, føget**
følge *(follow)* **fulgte, fulgt**
få *(get)* **fik, fået**
gide *(take the trouble to)* **gad, gidet**
give *(give)* **gav, givet**
glide *(slide)* **gled, gledet**
gnide *(rub)* **gned, gnedet**
gribe *(catch)* **greb, grebet**
græde *(cry, weep)* **græd, grædt**
gyde *(pour)* **gød, gydt**
gyse *(shiver)* **gøs** el. **gyste, gyst**
gælde *(be valid)* **gjaldt, (gældt)**
gøre *(do)* **gør, gjorde, gjort**
gå *(go, walk)* **gik, gået**
have *(have)* **har, havde, haft**
hedde *(be called)* **hed, heddet**
hive *(heave)* **hev, hevet**
hjælpe *(help)* **hjalp, hjulpet**
holde *(keep)* **holdt, holdt**
hænge *(hang)* **hang** (intransitive) / **hængte** (transitive), **hængt**
jage *(chase)* **jog** el. **jagede, jaget**
klinge *(sound)* **klang** el. **klingede, klinget**
knibe *(pinch)* **kneb, knebet**
komme *(come, put)* **kom, kommet**
krybe *(creep)* **krøb, krøbet**
kunne *(be able to)* **kan, kunne, kunnet**
kvæde *(sing)* **kvad, kvædet**
kvæle *(choke)* **kvalte, kvalt**
lade *(let)* **lod, ladet** el. **ladt**
le *(laugh)* **lo, let**
lide *(suffer)* **led, lidt**
ligge *(lie)* **lå, ligget**
lyde *(sound)* **lød, lydt**
lyve *(lie, tell a lie)* **løj, løjet**
lægge *(lay)* **lagde, lagt**
løbe *(run)* **løb, løbet**
måtte, må *(may, must)* **måtte, måttet**
nyde *(enjoy)* **nød, nydt**
nyse *(sneeze)* **nøs** el. **nyste, nyst**
pibe *(pipe, whistle)* **peb, pebet**
ride *(ride)* **red, redet**
rinde *(flow)* **randt, rundet**
rive *(tear)* **rev, revet**
ryge *(smoke)* **røg, røget**
række *(pass, reach)* **rakte, rakt**
se *(see)* **så, set**
sidde *(sit)* **sad, siddet**
sige *(say)* **sagde, sagt**
skride *(stalk)* **skred, skredet**
skrige *(scream)* **skreg, skreget**
skrive *(write)* **skrev, skrevet**
skulle, skal *(shall)* **skulle, skullet**

skyde *(shoot)* **skød, skudt**
skælve *(tremble)* **skælvede el. skjalv, skælvet**
skære *(cut)* **skar, skåret**
slibe *(grind)* **sleb, slebet**
slide *(wear out)* **sled, slidt**
slippe *(let go)* **slap, sluppet**
slå *(strike)* **slog, slået**
smide *(throw)* **smed, smidt**
smøre *(smear)* **smurte, smurt**
snige *(sneak)* **sneg, sneget**
snyde *(cheat)* **snød, snydt**
sove *(sleep)* **sov, sovet**
spinde *(spin)* **spandt, spundet**
springe *(jump)* **sprang, sprunget**
sprække *(crack)* **sprak, sprukket**
spørge *(ask)* **spurgte, spurgt**
stige *(rise)* **steg, steget**
stikke *(thrust, stick)* **stak, stukket**
stinke *(stink)* **stank, stinket**
stjæle *(steal)* **stjal, stjålet**
stride *(fight)* **stred, stridt**
stryge *(stroke)* **strøg, strøget**
strække *(stretch)* **strakte, strakt**
stå *(stand)* **stod, stået**
svide *(scorch)* **sved, svedet**
svige *(betray)* **sveg, sveget**
svinde *(shrink)* **svandt, svundet**
svinge *(swing)* **svang el. svingede, svunget el. svinget**
sværge *(swear)* **svor, svoret**
synes *(seem)* **synes, syntes, syntes**
synge *(sing)* **sang, sunget**
synke *(sink)* **sank, sunket**
sælge *(sell)* **solgte, solgt**
sætte *(set, put)* **satte, sat**
tage *(take)* **tog, taget**
tie *(be silent)* **tav, tiet**
træde *(step)* **trådte, trådt**
træffe *(hit)* **traf, truffet**
trække *(pull)* **trak, trukket**
turde *(dare)* **tør, turde, turdet**
tvinde *(twist)* **tvandt, tvundet**
tvinge *(compel)* **tvang, tvunget**
tælle *(count)* **talte, talt**
vide *(know)* **ved, vidste, vidst**
vige *(give way)* **veg, veget**
ville, vil *(will)* **ville, villet**
vinde *(win; wind)* **vandt, vundet**
vride *(twist, wring)* **vred, vredet**
vække *(awaken)* **vækkede, vakte, vækket, vakt**
vælge *(choose)* **valgte, valgt**
være *(be)* **er, var, været**
æde *(eat)* **åd, ædt**